DICCIONARIO DE TÉRMINOS JURÍDICOS

Ariel Referencia

ENRIQUE ALCARAZ VARÓ
y BRIAN HUGHES

DICCIONARIO DE TÉRMINOS JURÍDICOS

Inglés-Español
Spanish-English

Prólogo de
RAMÓN MARTÍN MATEO

7.ª edición
Totalmente revisada y aumentada

Editorial Ariel

Diseño de la cubierta: Joana Gironella

1.ª edición: enero 1993
7.ª edición: septiembre 2003

Avda. Diagonal, 662-664 - 08034 Barcelona

ISBN: 84-344-3236-6

Depósito legal: B. 32.091 - 2003

Impreso en España

PRÓLOGO

Es un hecho incontrovertible, asumido por la comunidad universitaria y el mundo profesional, que el inglés es la *lingua franca* de la edad contemporánea. Como consecuencia de esta realidad, en el área de Filología Inglesa de las universidades europeas ha nacido y se ha desarrollado en los últimos años una especialidad interdisciplinar conocida con el nombre de *ESP (English for Specific Purposes)*, especialidad que ha surgido del contacto de la Filología Inglesa con otras áreas, como el mundo de la ciencia y la tecnología, así como el jurídico y de los negocios, entre otros. En este contexto se ha aislado el llamado «inglés jurídico», de principal interés para los juristas, pero de gran utilidad también para otros profesionales como los economistas, convirtiéndose a la par en elemento de uso y estudio de los alumnos de las Facultades de Traducción e Interpretación, de las de Letras o de las Escuelas de Idiomas, y en objeto de análisis e investigación de los Departamentos de Filología Inglesa, en donde se han leído y defendido en los últimos años varias tesis doctorales con este carácter interdisciplinar.

Pero la colaboración entre lingüistas y juristas no se limita exclusivamente al campo de la terminología o de la traducción; sigue avanzando en otras líneas. Los lingüistas y filólogos, que desde la antigüedad han sido intérpretes de los textos literarios, han ampliado últimamente su campo de acción al análisis de otros tipos de discurso, como el científico, el tecnológico, el religioso, el de las ciencias sociales o el jurídico. A este respecto, se deben resaltar publicaciones recientes del tipo *Post-modern Jurisprudence,* en la que colaboran lingüistas y juristas, que tratan de aunar «las leyes de la literatura con la literatura de las leyes» *(bring the law of literature to the literature of law).* Más recientemente, ha nacido en las universidades de habla inglesa otro campo de interés común, la llamada *forensic linguistics*, basada en las técnicas modernas de análisis del discurso, desgraciadamente no recibidas aún en nuestro país, en cuyos foros sigue floreciendo la más arcaica retórica.

Por todo lo dicho, celebro el nacimiento del *Diccionario de inglés jurídico*, escrito por dos especialistas de Filología inglesa de la Universidad de Alicante, los doctores Enrique Alcaraz Varó y Brian Hughes, quienes cuentan ya con una amplia experiencia en el campo de la traducción e interpretación de textos jurídicos ingleses. Estimo que se trata de un buen diccionario de términos de inglés jurídico por varias razones, entre las que destaco las siguientes:

La mundialización de la economía. Un fenómeno reciente cuya efectividad no es discutible es la progresiva tendencia hacia la creación de un sistema económico mundial, lo que se realiza bajo la égida de la nación en estos momentos líder, Norteamérica, cuyas pautas relacionales se asumen a la par, tal como luce en el lenguaje jurídico-comercial de más frecuente utilización.

La cultura jurídica anglosajona. Existe una amplia cultura jurídica común a casi todo el mundo de habla inglesa, salvo alguna singularidad regional en Escocia y otros países, basada en el derecho consuetudinario *(common law)* o jurisprudencial *(case law)*, que ha influido, y sigue influyendo, en la continental europea, con figuras e instituciones tan importantes como el jurado o el *trust.* Esta cultura jurídica inglesa, asentada sobre el *Tractatus Legibus et Consuetudinibus Regni Angliae* de Glanvill, publicado en 1187, en plena Edad Media, merced al apoyo del rey Enrique II, está marcada por ciertas peculiaridades conceptuales y terminológicas que es preciso conocer para entender el significado de muchos términos jurídicos ingleses. Por esta razón, se agradecen las breves explicaciones o aclaraciones que en la parte primera del diccionario (inglés-español) encuentra el lector sobre los ilícitos civiles o *torts* más típicos del derecho inglés, sobre *estoppel* y *equity*, sobre *fee, entailment, lease, mortgage, covenant* y demás términos relacionados con la propiedad, sobre *solicitors* y *barristers*, y sobre otros muchos, que facilitan, sin duda, la comprensión del significado que se busca. Y en la segunda parte (español-inglés) también hallamos breves explicaciones en inglés sobre el *careo, la legítima, la instrucción*, etc., que, por corresponder a conceptos inexistentes en el inglés jurídico, deben ser de utilidad al lector de habla inglesa.

La tutela del ambiente. Otra de las características de nuestro tiempo es, felizmente, la difusión de la preocupación ambiental. Aquí también ha existido un claro liderazgo por parte de Norteamérica, que introdujo con estos propósitos la primera ley moderna en 1969. No es de extrañar que la terminología empleada refleje estas influencias; la propia expresión *pollution* conecta con viejas instituciones anglosajonas como el *trespass* y el *nuisance.*

La contextualización de los términos. Como casi todas las palabras son polisémicas, es muy importante contar en su expresión jurídica con una ubicación oracional para captar su conceptualización. Por eso se recibe con agradecimiento el esfuerzo que en este sentido se realiza para interpretar y traducir un gran número de los términos jurídicos presentados en la primera parte del diccionario.

La relación entre términos. Otra faceta que considero muy práctica de este diccionario es la relación que se hace de los términos jurídicos entre sí. Una gran parte de ellos remite a otros, ya como sinónimos o antónimos, ya como simples palabras relacionadas. En esta interrelación resultan muy útiles las referencias concretas a los términos del derecho escocés y del norteamericano.

Términos nuevos. También he podido comprobar que en este diccionario se recogen términos jurídicos ingleses recientes, caso de *insider trading, class action, timesharing*, etc., así como términos españoles que no se encuentran en otros diccionarios de la especialidad, tales como *drogodependencia, narcotráfico, admisión a trámite, el tercio de libre disposición, ordenar la apertura de juicio oral, sentar a alguien en el banquillo, burlar una norma legal, retrato-robot,* etc.

No dudo por tanto que este diccionario tendrá una gran acogida en los distintos medios a que va dirigido. Felicito calurosamente a sus autores, los profesores Alcaraz y Hughes, con los que me une personal amistad, por el esfuerzo realizado, y me congratulo de que esta feliz iniciativa se haya producido en la Universidad que dirijo.

RAMÓN MARTÍN MATEO
Catedrático de Derecho Administrativo
Rector de la Universidad de Alicante

INTRODUCCIÓN

Este diccionario ha nacido de un glosario formado por sus autores en su larga experiencia de más de veinte años como traductores de textos y documentos jurídicos escritos en inglés y en castellano y en su práctica como profesores de cursos de traducción especializada impartidos en distintas universidades españolas. En su última versión, el glosario tuvo como objetivo ofrecer a los alumnos de los cursos de traducción no sólo la versión de los términos jurídicos, sino también una breve explicación de los mismos y referencias léxicas complementarias. Fueron los propios alumnos los que animaron a los autores a transformar el glosario en diccionario, conservando su esquema básico.

El diccionario tiene dos partes: inglés-español, español-inglés. De acuerdo con la metodología adoptada, la mayoría de los artículos del diccionario constan de cuatro apartados:

a) *La traducción.* Dentro de los límites de toda traducción, se han presentado los términos equivalentes de ambas lenguas de la forma más aproximada posible; por ejemplo, *committal proceedings* se ha traducido por «instrucción», ya que parece ser el vocablo que más semejanza guarda con el concepto, teniendo en cuenta que la «instrucción», tal como se entiende en el Derecho continental europeo, no existe en el Derecho penal inglés. Esta situación se ha indicado en muchas ocasiones con la aclaración *aprox* en la primera parte del diccionario y con la de *approx* en la segunda.

b) *La ilustración.* Todas las palabras, incluso las que a simple vista pueden ser neutras, no sólo son polisémicas sino que transportan, a la vez, connotaciones diferenciadoras. Para ayudar a disipar la duda, en muchas de las unidades léxicas se facilita una oración, precedida del símbolo ◊, la cual, como *contexto orientador del uso* de dicha unidad, sirva para delimitar o precisar su significado.

c) *La explicación.* Teniendo en cuenta que los orígenes del Derecho inglés son distintos a los del Derecho continental, es imprescindible en ciertos casos una explicación de tipo conceptual. Véanse, por ejemplo, los artículos que tratan del *common law,* los *equitable rights*, el *use*, la *construction*, o la diferencia entre *tribunals* y *courts* en la primera parte, y los conceptos de *alevosía, dolo, sumario,* etc., en la segunda.

d) *Referencias complementarias.* Dada la naturaleza huidiza del significado, parece evidente que éste se puede captar mejor cuando se facilitan palabras que mantengan algún tipo de vínculo o relación con él. Al final de la mayoría de los términos aparecen palabras relacionadas, precedidas de **V.** (*véase*) o de **S.** (*see*). Estos términos suelen ser sinónimos, antónimos o palabras que tienen alguna vinculación semántica, esto es, voces del mismo campo semántico, las cuales facilitarán sin duda la activación del sentido buscado. La mayoría de estas referencias complementarias son remisiones internas, es decir, unidades léxicas que se encontrarán en el mismo diccionario; otras se han incluido sólo para ayudar a delimitar el significado del término y no siempre figuran en el diccionario, por pertenecer al tronco común del lenguaje y no ser específicas de un diccionario especializado como éste.

Por eso, como los sinónimos son siempre parciales salvo raras excepciones, se recomienda, cuando quede alguna duda sobre su uso, consultar el significado de la unidad léxica que es objeto de análisis en las dos partes del diccionario (inglés-español, español-inglés), aun teniendo en cuenta que no son completamente simétricas. No obstante, en las dos se encontrará información útil que ayudará a delimitar y a comprender mejor el significado del término en cuestión y a tomar la decisión oportuna. Por ejemplo, el término español «proyecto de ley» equivale, en principio, a *bill*, pero como en el Derecho angloamericano existen diversas modalidades de proyecto de ley, se incluyen algunas de ellas, cuya precisión significativa se perfilará mejor consultando la parte inglés-español:

proyecto de ley (CONST bill, draft bill, private/public bill, omnibus bill, private member's bill).

Las voces del diccionario y su ordenación

En teoría el número de voces de las dos partes del diccionario debería ser igual. Pero esto no es posible, ya que algunas de las figuras jurídicas del Derecho inglés, expresadas en dicha lengua con una unidad léxica simple o compuesta, no encuentran un exacto paralelismo estilístico en español, y son traducidas, consecuentemente, por medio de una perífrasis. Idéntico razonamiento se puede aplicar a las unidades léxicas del español.

En líneas generales, la mayoría de las unidades léxicas de cada entrada son palabras simples; no obstante, tampoco son escasas las palabras compuestas (*presiding judge*, etc.) y ciertas construcciones oracionales o frases (*there is no case*, etcétera). Los nombres simples o compuestos y las expresiones nominales van señaladas con una *n*; los adjetivos con una *a*; los adverbios con *adv*; las preposiciones y las conjunciones con *prep* y *conj* respectivamente, y las frases con *fr* o *phr*.

En la ordenación de las citadas unidades léxicas, tres son los criterios que nos han guiado: *claridad, coherencia* y *economía*. Dando preferencia a la claridad, hemos agrupado, bajo el epígrafe de [*Exp*] –es decir, «expresiones»–, términos derivados y compuestos de una palabra básica y, cuando hemos estimado que estábamos ante un término muy polisémico, hemos repetido esa entrada con distinta numeración. Éste es el caso de *call*, que tiene hasta 11 entradas:

call[1] *n/v*: GRAL/CIVIL emplazamiento, citación, convocatoria; llamar, convocar, emplazar ◊ *Both parties are to call as witnesses all persons who may have been present at the time of the events*; V. *call for bids, call for papers; summons*. [Exp: **call**[2] (GRAL motivo, necesidad ◊ *There is no call to speak in that disrespectful way*; V. *cause, justification*), **call**[3] (SOC dividendo pasivo ◊ *The company has issued a call to shareholders for the payment of the balance outstanding on the shares*; requerimiento de pago de las acciones suscritas), **call**[4] (SEGUR contribución, derrama; en este sentido se emplea en expresiones como *club calls* –derramas que hacen los miembros de las cooperativas de seguros–; V. *club call, protection and indemnity club; apportion*), **call**[5] (PROC ingreso o toma de posesión como miembro del Colegio de Abogados *–barristers–*; V. *call certificate, call to the bar; Bar, Bar Council; admission*[3]), **call**[6] (MERC notificación, requerimiento o petición para que se presenten a amortización los títulos redimibles o amortizables; V. *callable*), **call**[7] (MERC escala portuaria, también llamada *call at port*; hacer escala; V. *port of call, emergency call, stopover*), **call**[8] (MERC opción de compra; también llamado *call option*, es el contrato que da a su propietario el derecho a comprar el activo subyacente *–underlying asset–* en el mercado de valores *–stock market–*, de materias primas *–commodities–* o de divisas *–currency–* a un precio determinado, llamado *strike price* o *exercise price*, hasta la fecha de vencimiento de la opción, llamada *expiration date* ◊ *A call gives you the right to buy shares at a certain price, called the «strike price», until a specified date, called the expiration date*; V. *option, put, hedging*), **call**[9] (MERC derecho a transferir, redimir o amortizar un bono o acción antes de su vencimiento), **call**[10] *US* (CIVIL mojón; marca, objeto, accidente o señal natural usados como linde entre heredades; hito ◊ *In the survey conducted by the land commission, some old oak trees were used as a call of the eastern boundary*; V. *landmark, metes and bounds, abuttal*), **call**[11] *der es* (PROC citar; quedar citado; publicar o publicarse la demanda o emplazamiento; vencer el plazo de contestación a la demanda, o de señalamiento de la audiencia previa, o de convocatoria a efectos administrativos para la celebración de un acto público ◊ *When the case called on 20 May, counsel for the defender applied for a sist of proceedings*; también se emplea como verbo transitivo, p. ej. ◊ *A summons shall not be called earlier than the day on which the period of notice expires*; el traductor encontrará mucha similitud entre este uso del término inglés y el de verbos como «citar», «llamar» y «convocar» en español, ya que se «citan» o «convocan» los aspirantes a un concurso público y se «llama», físicamente por tres veces, a los convocados a una oposición; de igual forma, en Escocia se cita, llama o convoca *–call–* a los interesados en comparecer en cualquier procedimiento; de esta manera, la expresión *the case calls (or is called)* quiere decir que ha vencido el plazo para que el tribunal competente empiece a conocer de la causa, y a tales efectos el demandado tiene que haberse personado o haber comparecido en autos; V. *intimation, notice, service, sist*)].

Al ser la coherencia un criterio básico, se ha seguido el orden alfabético estricto en la mayoría de los casos. Así, términos como *club call* aparecen dentro de la palabra *club*, sin perjuicio de que en *call* se haga una llamada a la existencia de aquel término; sin embargo, en un gran número de casos, como en los que siguen, se ha colocado en primer lugar la palabra considerada básica, saltando por encima de otras derivadas, que alfabéticamente deberían precederle:

society *n*: GRAL sociedad. [Exp: **social** (GRAL social), **social enquiry report** (PENAL antecedentes penales o policiales; este nombre ha sido sustituido recientemente por el de *pre-sentence report*), **social security** (LABORAL seguridad social, previsión social), etc…].

testar *v*: SUC make a will; S. *otorgar testamento, facultad de testar; herencia testada, abintestato, muerto sin testar*. [Exp: **testador** (SUC testator, testatrix, legator; S.

albacea; testar), **testamentaría** (SUC testamentary execution; probate proceedings, execution of a will; administration of an estate), **testamentario**[1] (SUC testamentary; S. *disposición testamentaria*), etc...].

El criterio de economía nos ha guiado para dejar fuera del diccionario aquellas unidades compuestas cuyos significados eran transparentes o aquellas otras que eran simples acuñaciones esporádicas. De esta manera, creemos que hemos adoptado una postura equilibrada entre claridad, coherencia y economía.

Algunos de los términos que figuran en el diccionario no son jurídicos en el sentido más estricto, pero se incluyen porque se utilizan en el lenguaje periodístico y el coloquial relacionado con el mundo de las leyes e incluso, a veces, en las resoluciones motivadas del órgano judicial (*sentar a alguien en el banquillo, burlar la acción de la justicia,* etc.). Cuando el término es norteamericano se avisa al lector en las dos secciones del diccionario con *US*; si pertenece al Derecho escocés se emplea *der es* en la primera parte *(inglés-español)* y *Scots* en la segunda *(español-inglés).* También se advierte al usuario del registro o nivel estilístico de los términos, indicándose asimismo cuando nos encontramos ante un «falso amigo»:

ostensible *a*: GRAL aparente, pretendido ◊ *His ostensible purpose in bringing the action was to claim damages, but what he really wanted to do was to humiliate his former partner*; esta palabra es un «falso amigo», ya que en inglés tiene la connotación de «aparente más que real»; V. *apparent.*

Los límites

A pesar de que éste es un diccionario jurídico, no se ha podido evitar la inclusión de términos de carácter económico, muchos de ellos procedentes del *breach of contract*, y otros referidos a delitos económicos, como el llamado *insider trading.* Sin embargo, para un tratamiento más profundo de estos términos, remitimos a los usuarios a nuestro *Diccionario de términos económicos, financieros y comerciales* (Ariel, Barcelona, 1996-2002).

Fuentes utilizadas

En el origen del glosario están textos y documentos jurídicos auténticos. Son tantos los utilizados que sería imposible nombrarlos todos. De todos modos, por haber servido de consulta y orientación en las definiciones, deben ser citados los siguientes: *The Civil Court in Action* (D. Barnard, Londres, Butterworths, 1985), *The Criminal Court in Action* (D. Barnard, Londres, Butterworths, 1988), *Remedies in Contract and Tort* (D. Harris, Londres, Weindenfeld and Nicolson, 1988), *Garner's Administrative Law* (B. L. Jones, Londres, Butterworth, 1989), *Business and Commercial Law* (A. Kadar *et al.*, Londres, Butterworth-Heinemann, 1991), *English for Law* (A. Riley, Londres, MacMillan, 1991), *English Law* (G. Slapper y D. Kelly. Londres: Cavendish, 2000), *The English Legal System* (Walker & Walker, Londres, Butterworth, 1985).

Por otra parte, como un diccionario raras veces nace *ex novo*, hemos tenido que consultar otros diccionarios. Por haber bebido en sus fuentes, en mayor o menor grado, debemos citar los siguientes: *Diccionario jurídico-comercial del transporte marítimo* (César Alas, Oviedo, Servicio de Publicaciones de la Universidad de Oviedo, 1984), *Glosario de términos usados en las publicaciones de Amnistía Internacional* (Londres, AI, 1985), *Derecho inmobiliario e hipotecario inglés* (Fernando Baz Izquierdo, Madrid, EDERSA, 1980), *Bilingual Dictionary of Criminal Justice Terms* (V. Bermaman *et al.*, Binghamton, N. Y., Gould Publications, 1991), *Osborn's Concise Law Dictionary* (Roger Bird, Londres, Sweet and Maxwell, 1983), *Black's Law Dictionary* (Henry C. Black, St. Paul, Minn., West Publishing Co., Centennial Edition, 1990), *Diccionario jurídico* (G. Cabanellas *et al.,* Buenos Aires, Editorial Heliasta, 1993), *English Law Dictionary* (Peter Collin, Londres, Peter Collin Publishing, 1986), *Multilingual Dictionary* (L. Deems Egbert *et al.*, Baden-Baden, Sijhoff, 1979), *Diccionario moderno español-inglés* (R. García-Pelayo y Gross *et al.*, París, Ediciones Larousse, 1976), *Glossary of Scottish Legal Terms* (A. D. Gibb, Edimburgo, Green & Son, 1946), *Law Dictionary* (Steven H. Gifis, Nueva York, Barron's, 1991), *Law Dictionary* (E. R. Hardy Ivanmy, Londres, Butterworth, 1988), *Diccionario de derecho, economía y política* (R. Lacasa y J. D. Bustamante, Madrid, Editorial Revista de Derecho Privado, 1980), *Diccionario bilingüe de economía y empresa* (José María Lozano Irueste, Madrid, Pirámide), *A Concise Dictionary of Law* (Elizabeth A. Martin *et al.*, Oxford, Oxford University Press, 1990), *The Spanish Legal System* (Elena Merino-Blanco, Londres, Sweet & Maxwell, 1996), *Law Dictionary* (Daniel Oran, St. Paul, Miss., West Publishing, 1975), *Diccionario de Derecho* (Luis Ribó Durán, Barcelona, Bosch Casa Editorial, 1987), *Diccionario de términos legales* (Louis A. Robb, México, Limusa Wiley, 1965), *Spain. A Guide to the Spanish Criminal Justice System* (Richard Vogler, Londres, Prisoner Abroad, 1989), *The Scottish Legal System* (D. M. Walker, Edimburgo, Green & Son, 1969).

Agradecimientos

Este diccionario está hecho por dos lingüistas, que cuentan con más de veinte años de experiencia en el campo de la traducción de documentos y textos jurídicos y en el de la actuación ante los tribunales. El trabajo, sin embargo, por su carácter técnico, difícilmente se podría haber culminado si no se hubiera contado con el asesoramiento de muchos profesores de la Facultad de Derecho de la Universidad de Alicante. Entre éstos destacamos a los doctores Juan José Díez y Germán Valencia. El primero resolvió las constantes dudas que surgieron, y el segundo, además de leer críticamente todo el manuscrito, aportó algunos términos jurídicos recientes. Uno de los alumnos destacados del *master*, el abogado en ejercicio don José Juan Server Gallego, leyó con pulcritud el manuscrito y, por ser el último que examinó el trabajo, precisó el tenor jurídico de muchos de los términos traducidos.

Agradecimiento especial merece el profesor del Departamento de Filología Inglesa de la Universidad de Alicante, el doctor Francisco Javier Torres Ribelles. Al profesor Torres le estamos muy reconocidos no sólo porque ha enriquecido el diccionario con términos del Derecho marítimo, dada su condición de capitán de la Marina Mercante, sino también, y muy especialmente, por las muy acertadas correcciones estilísticas, que han servido para mejorar muchas de las definiciones y para evitar el uso de anglicismos indeseables o innecesarios.

Nota a la séptima edición

Han pasado diez años desde que se escribió este diccionario de términos jurídicos. En este intervalo de tiempo se han incorporado en España y en el Reino Unido modificaciones legislativas que afectan al funcionamiento de los procesos civiles y penales: por ejemplo, en España se ha introducido un nuevo *Código Penal* y una nueva *Ley de Enjuiciamiento Civil*; un gran cambio en materia civil en el Reino Unido se marcó con *The Civil Procedure Rules* (Ley de Enjuiciamiento Civil) de 1998, que vino como consecuencia de *The Woolf Report,* y en materia penal se han promulgado muchas leyes, tales como *Crime and Disorder Act 1998, The Human Rights Act 1998, Powers of Criminal Courts (Sentencing) Act 2000.* Todos estos cambios han implicado la aparición de nuevos términos.

Tras este largo período de tiempo, con los defectos y fallos detectados y con la mayor experiencia adquirida tras la publicación de varios libros sobre el lenguaje del foro (*El inglés jurídico, El inglés jurídico norteamericano, El español jurídico* y *Legal Translation Explained*), los autores han estimado que la mejor solución consistía en reescribir el diccionario, siguiendo el mismo esquema que el de las ediciones anteriores. Las tres grandes mejoras introducidas, según nuestro criterio, consisten en: *a*) la introducción de nuevos términos y conceptos, entre los que destacamos, a modo de ejemplo, los de *case management* –gestión procesal–, *procedural judge* –juez de procedimiento–, *non-molestation order* –orden de alejamiento–, *ram raid* –alunizaje–, *living will* –testamento vital–, etc.; pulsera telemática *–electronic tag–*, pareja de hecho *–common-law couple, de facto couple–*, compañero sentimental *–lover, partner, girlfriend, boyfriend–*, etc.; *b*) la ampliación de la segunda parte (español-inglés), no sólo con nuevos términos, sino también con ejemplos más ilustrativos y explicaciones más claras; y *c*) el aumento del número de términos procedentes del inglés jurídico norteamericano y del Derecho escocés. Todo ello ha dado como resultado que la extensión de esta séptima edición sea casi un 40 % mayor que la anterior. Otra novedad de esta edición es que cada una de sus voces ha sido asignada a uno o varios campos del Derecho, para facilitar la delimitación del significado, tal como se indica a continuación:

Inglés	Español	Rama del Derecho
ADMIN	ADMIN	Derecho administrativo
CIVIL	CIVIL	Derecho civil
BSNSS	MERC	Derecho mercantil
CONST	CONST	Derecho constitucional
CRIM	PENAL	Derecho penal
EMPLOY	LABORAL	Derecho del trabajo
EURO	EURO	Derecho comunitario
FAM	FAM	Derecho de familia
GEN	GRAL	Términos de uso general, frecuentes en Derecho
INSUR	SEGUROS	Derecho de los seguros

INTNL	INTER	Derecho internacional
PROC	PROC	Derecho procesal
SUC	SUC	Derecho de sucesiones
TAX	FISCAL	Derecho fiscal

Finalmente, los autores quieren hacer constar que tuvieron la suerte de conocer al juez Nicholas Philpot de *The Crown Court*, quien se prestó a revisar el diccionario. Como la absoluta mayoría de jueces de los tribunales superiores británicos, el juez Philpot tiene un gusto exquisito por la claridad y la precisión lingüística, imprescindible en quien tiene que interpretar para luego resolver con justicia. Queremos expresar nuestro más sentido reconocimiento y gratitud a nuestro amigo Nicholas Philpot, que revisó una a una todas las voces de la primera parte del diccionario, dando muestra en todos los comentarios que nos hizo del liberalismo, amplitud de miras, sentido del humor y *understatement*, propios de la cultura británica.

LOS AUTORES

Alicante, septiembre de 2003

INGLÉS-ESPAÑOL

@ *prep*: GRAL a, por, en; actúa como forma abreviada de *at* –por eso en inglés se le llama *at sign*–, y suele preceder al precio unitario de un producto o servicio; en Internet forma parte de las direcciones del correo electrónico *–e-mail–*, con el significado de «en»; en español se llama «arroba»; por su parecido físico a la cola del mono, algunos coloquialmente lo llaman *ape's tail*; V. *dot, e-*.

a.a. *n*: MERC V. *always afloat*.

a.a.r. *n*: SEGUR *against all risks*.

A.B. *n*: MERC V. *able[-bodied] seaman*.

ab *prep*: GRAL preposición latina que se encuentra en algunas expresiones jurídicas del inglés. [Exp: **ab agendo** (GRAL incapacitado; V. *disabled*), **ab initio** (GRAL desde el principio, *ab initio* ◊ *A marriage which is annulled is void ab initio*; V. *from the beginning; ex post facto*), **ab intestato** (SUC abintestato, muerto sin testar; V. *intestacy, abintestate*), **ab irato** (GRAL/PENAL acaloradamente, enfurecido; V. *furiously, in a fit of anger*), **ab ovo** (GRAL desde el principio, desde su origen)].

ABA *n*: MERC/PROC V. *American Bankers Association, American Bar Association*.

ABS *n*: V. MERC *asset-backed securities*.

abaction *n*: PENAL abigeato, hurto de cabezas de ganado, cuatrería ◊ *The charge of abaction was common in many 19th century American courtrooms*; V. *burglary, robbery, abstracting, rustling, stealing, theft*. [Exp: **abactor** (PENAL abigeo, cuatrero, ladrón de ganado; V. *thief, robber*)].

abalienate/abalienation *v/n*: CIVIL V. *alienate, alienation*.

abandon *v*: GRAL/PENAL/CIVIL abandonar, dejar, desatender; renunciar a; desprenderse de; desistir; V. *call off, leave, disclaim, drop, waive, give up, desert, renounce, forsake, relinquish*. [Exp: **abandon an action, an appeal, a claim, rights, etc**. (PROC/CIVIL renunciar a, desistir de, abandonar, ceder a una demanda, un recurso o apelación, una pretensión, derechos, etc. ◊ *Shortly after the case commenced, the plaintiff abandoned his claim and the action was dismissed*; V. *dismiss an action*), **abandon [children, domicile, etc.]** (PENAL desamparar, abandonar, descuidar, desertar, dejar, desatender [a hijos, el hogar, etc.] ◊ *Parents who abandon their children are liable to prosecution*; V. *desert*), **abandon goods, freights, ownership, etc**. (MERC abandonar, dejar, desatender, renunciar a mercancías, fletes, propiedad, etc. ◊ *When it was clear that the ship and its cargo were damaged beyond repair, her owners informed the insurers that they were aban-*

doning ownership), **abandonee** (MERC cesionario, abandonatario, receptor o beneficiario del abandono de algo por parte de alguien; asegurador a quien se ceden los restos de un naufragio, abordaje, etc., cubiertos por la póliza de seguro; acreedor a favor del cual el naviero hace abandono del buque como medio para limitar su responsabilidad; V. *beneficiary*)].

abandonment[1] *n*: GRAL/MERC abandono; desamparo; eliminación o abandono del uso o de la producción de determinados productos, bienes o activos ◊ *Non-use of a trademark for two consecutive years shall be prima facie evidence of abandonment.* [Exp: **abandonment**[2] (CIVIL/MERC cesión, renuncia o abandono de propiedad, derechos, bienes, intereses, créditos, sobre todo, en expresiones como *abandonment of cargo/goods, insured property, etc. to the insurers* –abandono de mercancías, de bienes asegurados, etc., a la aseguradora–, *abandonment of patent, trademark or design* –cesión a dominio público de los derechos de propiedad de patente, marca o dibujo–; este término es sinónimo parcial de *forfeiture, non use* y *surrender*; V. *abandonment clause, action of abandonment, notice of abandonment; loss, total loss, partial loss*), **abandonment clause** (MERC/SEGUR cláusula de abandono; mediante esta estipulación, el armador o asegurado puede transferir los derechos que tiene sobre las cosas aseguradas al asegurador, por ejemplo, el barco, y reclamar a éste pérdida total efectiva –*actual total loss*–, aunque la pérdida haya sido inferior a la total; V. *abandonment to insurers; notice of abandonment, waiver clause, assignment*), **abandonment of action, suit, appeal, rights, claims, easement, lease, etc**. (PROC/MERC renuncia a, abandono de la demanda jurídica, la instancia, el recurso o la apelación, los derechos, las pretensiones, la servidumbre, el arrendamiento, etc.; V. *discontinuance, discharge from prosecution, voluntary nonsuit, abatement of proceedings; notice of abandonment; lapsing of action*), **abandonment of domicile, of children of spouse** (PENAL abandono de hogar, desamparo o abandono de hijos o niños, abandono de familia, de cónyuge; V. *desertion, carelessness, destitution; foundling; adoption; foster parents*), **abandonment of excess** (PROC desistimiento de una parte de la demanda, para evitar que el tribunal se declare incompetente; V. *excess*), **abandonment of ship, cargo, insured property, etc**. (MERC/CIVIL abandono de un barco, mercancía, una propiedad asegurada, etc.; acto de cesión de la posesión de un buque a los aseguradores), **abandonment policy** (CIVIL/SEGUR póliza de seguro de responsabilidad contra perjuicios causados por la suspensión de un espectáculo por incomparecencia de un actor, etc.), **abandonment to insurers** (CIVIL/SEGUR abandono del objeto asegurado, cediendo todos los derechos sobre el mismo al asegurador; V. *abandonment clause*), **abandoner** (CIVIL/MERC cesionista, abandonador; V. *waiver clause*)].

abatable *a*: FISCAL/GRAL desgravable; abolible, suprimible, reducible. [Exp: **abatable nuisance** (CIVIL perjuicio, daño o infracción evitable, eliminable, abolible, suprimible), **abate** (GRAL/MERC/FISCAL suprimir; rebajar, reducir, atenuar; desgravar, descontar, abaratar ◊ *The Environmental Protective Agency was created in the United States to abate pollution*; V. *reduce, abolish, annul, quash, remove, extinguish, terminate, eradicate*), **abate a nuisance** (CIVIL suprimir, eliminar, reducir, atenuar un daño ◊ *You may interfere with your neighbour's property, e.g. a burst pipe, in order to abate a nuisance, so long as you cause only the minimum* *necessary damage*; V. *remove, extinguish, eradicate*), **abate an attachment** (CIVIL declarar la extinción de un embargo, levantar un embargo, desembargar), **abate legacies, gifts, debts, etc.** (CIVIL disminuir-se, reducir-se proporcionalmente legados, donaciones, deudas, etc. ◊ *Legacies abate in proportion when there are debts to be paid*; V. *adeeem a legacy*), **abate proceedings, a writ, etc.** (PROC anular-se, revocar-se, abolir- se, concluir un procedimiento judicial de oficio, un auto, mandamiento, resolución judicial, etc. ◊ *Formerly proceedings in debt and bankruptcy cases abated on the death of either party*; V. *annul*), **abate taxes, etc.** (FISCAL rebajar-se, disminuir-se, desgravar-se, reducir-se, deducir-se, descontar-se, condonar-se, anular-se impuestos, etc. ◊ *Earned income allowance and personal allowance abate on declared income*)].

abatement *n*: GRAL/FISCAL reducción, rebaja, bonificación, descuento, desgravación; anulación, extinción total o parcial de una demanda; V. *reduction, discount; abridgement*. [Exp: **abatement, in** (PROC [petición/solicitud de *–plea–*] nulidad o extinción total de una demanda por defecto de forma; V. *plea in abatement*), **abatement notice** (ADMIN notificación [municipal a una empresa o particular] para que cese la causa de las molestias *–nuisance–*), **abatement of a nuisance** (CIVIL supresión, atenuación o eliminación de un daño, perjuicio o acto perjudicial, trámite legal para la extinción de un daño), **abatement of action** (PROC anulación total del proceso), **abatement of an attachment** (PROC levantamiento de embargo, declaración judicial mediante la cual se produce la extinción de un embargo; desembargo), **abatement of debts, tax, declared income, etc. amongst creditors, etc**. (CIVIL/FISCAL reducción, disminución, deducción o rebaja de deudas, impuestos, renta, etc., entre acreedores; V. *tax abatement, tax relief, rebate*), **abatement of legacy, gifts, etc. amongst legatees, etc**. (CIVIL/SUC reducción, disminución, deducción o rebaja de legado, donaciones, etc., entre legatarios, etc.; V. *ademption, accretion*), **abatement of proceedings, a suit/an action** (PROC extinción total o parcial de una demanda, terminación de oficio de un procedimiento judicial; cancelación, anulación; V. *abandonment of action, suit, etc.; termination*), **abater, abator**[1] (CIVIL mitigador; la persona que elimina las molestias *–nuisance–*), **abating** (MERC rebaja, reducción del precio), **abator**[2] (CIVIL/PROC persona que toma posesión de una propiedad sin título suficiente; instancia de nulidad)].

abbroachment, abrochment *n*: MERC acaparamiento de mercado; V. *forestall the market, corner.*

abbuttals *n*: CIVIL V. *abuttals*.

abdicate *v*: CONST abdicar ◊ *Monarchs abdicate while ministers resign*; V. *renounce, resign; accede*. [Exp: **abdication** (CONST abdicación; la «abdicación» se diferencia de la «dimisión» en que el cargo *–office–* al que se renuncia se recibió por la aplicación de la ley *–by act of law–*, no por nombramiento *–appointment–* de alguien; V. *accession, resignation, renunciation, act of settlement*)].

abduct *v*: PENAL raptar, secuestrar, arrebatar; plagiar ◊ *The father, who had lost custody of his daughter after the divorce, abducted her and carried her away to Australia*; V. *kidnap*. [Exp: **abduction** (PENAL secuestro, rapto; sustracción de menores; plagio; V. *child abduction, child stealing, hijacking; hacking*), **abductor** (PENAL secuestrador, raptor; V. *kidnapper, hijacker*)].

aberration *n*: GRAL demencia, aberración, arrebato; V. *abnormality, unsoundness of mind.*

abet *v*: PENAL apoyar, prestar apoyo, inducir o incitar al mal; instigar, amparar, favorecer o fomentar un delito; colaborar, ser causante o cómplice de algo ◊ *To abet is to aid, incite or support, either actually or constructively, in the commission of an offence*; V. *aid and abet*. [Exp: **abetment** (PENAL incitación, inducción, autoría intelectual; instigación, apoyo, protección; V. *incitement, inducement*), **abetter, abettor** (PENAL inductor, instigador, incitador, cómplice de un delito; V. *accessory, accomplice in a crime, conspirator*), **abetting** (PENAL V. *aiding and abetting*)].

abeyance *n*: CIVIL/SUC suspensión, inacción transitoria; suspenso, expectativa de reversión; indeterminación de un derecho, sobre todo cuando un bien inmueble carece de titular a la muerte de su último propietario ◊ *After the death without issue of the last earl, the title remained in abeyance for forty years*; V. *suspension, interval, revival*. [Exp: **abeyance, be in** (GRAL/CIVIL haber caído en desuso; V. *fall into abeyance, hold in abeyance*), **abeyance, in** (GRAL/CIVIL latente, en suspenso; expectante, pendiente; aplicado a un cargo se traduce por «vacante»; V. *expectant, dormant*), **abeyant** (GRAL/CIVIL en suspenso, en expectativa, en espera de su dueño legítimo, vacante; V. *expectant, dormant*)].

ABH *n*: PENAL V. *aggravated bodily harm*.

abhorrent *a*: GRAL detestable, aborrecible, abominable ◊ *She rejected his most adhorrent sexual advances*; V. *detestable, loathsome, repulsive*.

abide by *v*: GRAL cumplir, acatar, aceptar, observar, someterse a, atenerse a, ajustarse, obrar de acuerdo con; se usa en expresiones como *abide by a decision* –acatar una resolución–, *abide by the terms of an agreement* –respetar los términos del acuerdo–, *abide by a promise* –cumplir una promesa– ◊ *It is a principle of all games, as well as of law, that participants agree to abide by the rules*; V. *comply with, observe*. [Exp: **abiding** (GRAL definitivo, permanente ◊ *He tried to challenge the abiding precedents of the Supreme Court*), **abiding laws** (CONST leyes permanentes, inmutables o incuestionables; principios del derecho; V. *settled law; law-abiding*)].

ability *n*: GRAL/MERC capacidad, facultad, aptitud, habilidad; solvencia [económica]; normalmente *ability*, en contextos económicos, significa lo mismo que *ability-to-pay*; V. *capability, able*. [Exp: **ability-to-pay** (MERC solvencia económica, capacidad financiera; capacidad tributaria; también se la llama *ability to service*; V. *financial standing*), **ability-to-work** (LABORAL capacidad laboral)].

abintestate *a*: CIVIL/SUC abintestato, muerto sin testar; V. *intestacy, ab intestato*.

abjuration *n*: CIVIL abjuración, repudio, negación; V. *repudiation, disavowal*. [Exp: **abjure** (GRAL abjurar, repudiar, renegar; V. *renounce, disavow, repudiate, forswear* obs)].

able *a*: GRAL capaz, apto, competente, hábil, legalmente capacitado; V. *ability*. [Exp: **able-bodied labour** (LABORAL mano de obra cualificada), **able-[bodied] seaman, able seaman, AB** (MERC marinero preferente o capacitado ◊ *An able-bodied seaman knows a ship from stem to stern*)].

abnegation *n*: GRAL abnegación, renuncia, rechazo; V. *denial, renunciation*. [Exp: **abnegate** (GRAL/CIVIL renunciar [a derechos o pretensiones] ◊ *He abnegated his rights without any compensation*; V. *renounce, give up*)].

abnormal *a*: GRAL anormal; V. *uncommon*. [Exp: **abnormal risk** (SEGUR riesgo agravado, atípico o inusual), **abnormality** (GRAL anomalía; V. *anomaly, deviation, aberration*), **abnormality of mind** (GRAL/CIVIL enfermedad o deficiencia mental; V.

unsoundness of mind, of unsound mind), **abnormally dangerous** (GRAL de peligrosidad atípica)].

abode *n*: CIVIL domicilio, residencia, estancia, morada, habitación ◊ *Under the 1971 Immigration Act, Commonwealth citizens had the right of abode in the U.K.*; V. *residence, dwelling place, domicile, home; unknown whereabouts, with no fixed abode*.

abolish *v*: CONST abolir, suprimir, derogar, anular, revocar ◊ *Since capital punishment was abolished in Britain in the sixties, there have been many attempts to revive it*; se aplica normalmente a la supresión total, mediante disposición legal –*a rule of law*–, de una práctica, costumbre, institución, etc.; V. *slavery, involuntary servitude, badges of servitude, bondage; annul, abrogate, quash, repeal, abate*; *derogate*. [Exp: **abolition/abolishment** (CONST abolición, supresión, derogación, anulación, rescisión, revocación; V. *annulment, abatement; derogate*)].

abort *v*: GRAL abortar, fracasar; V. *fail, end*. [Exp: **abortion** (CIVIL/PENAL aborto [clínico]; V. *miscarriage, legal abortion*), **abortive trial** (CIVIL juicio abortado o sin sentencia; juicio concluido sin recaer sentencia; V. *cracked trial*)].

above *prep*: GRAL por encima de, ante; V. *before, below*. [Exp: **above line** (MERC por encima de la paridad), **above-line expenditure** (ADMIN gasto público superior a lo normal; connota «que se ha pasado de la raya»), **above-mentioned** (GRAL supradicho, susodicho, antedicho, prenombrado), **above-normal** (GRAL extraordinario), **above par** (MERC sobre par, por encima del valor nominal), **above-the-line** (MERC perteneciente a los gastos de explotación, relacionado con las actividades ordinarias o del ejercicio, «sobre la línea»; la línea a la que alude esta expresión coloquial de contabilidad es la que marca la divisoria de un subtotal según el formato vertical habitual en la práctica contable británica; dada la relativa libertad con que se consignan los datos contables en los países de habla inglesa, en los que no existe equivalente al Plan Nacional abstracto y numerado que regula la contabilidad española, el concepto de *above-the-line* se puede entender de muchas maneras, pero en general se refiere a los gastos directos corrientes y de explotación, incluidos los imprevistos si éstos se consideran necesarios para llevar a cabo las actividades programadas de la entidad; como ejemplo se podría citar el tratamiento contable de dos situaciones imprevistas: una empresa que vendiera una sucursal y los terrenos adyacentes podría consignar *below-the-line* –por debajo del subtotal la cantidad ingresada por ese concepto, y *above-the-line* –por encima del subtotal, es decir, con cargo a los beneficios– una operación por la que hubiera perdido una cantidad por devaluación de divisas; V. *below-the-line*), **above-the-line item** (MERC partida presupuestaria ordinaria), **aboveboard** (GRAL legítimo, abierto, limpio; sin trampas, sin tapujos ◊ *It is the task of the auditors to ensure that a company's accounts are all quite clear and aboveboard*; V. *qualification; insider trading*)].

abridge[1] *v*: GRAL resumir, abreviar, compendiar, extractar ◊ *Occasionally some documents may be presented in an abridged form in legal proceedings*; V. *abbreviate, summarize, curtail*. [Exp: **abridge**[2] (GRAL reducir, privar, cercenar [un derecho o privilegio] ◊ *In the opinion of some jurists, the Safety of Persons Bill currently before Parliament abridges basic liberties*; V. *curtail, diminish, reduce, shorten*), **abridged tax return** (FISCAL declaración de la renta abreviada; V. *file a joint return, file separately*), **abridge-**

ment[1] (GRAL compendio, abreviación, condensación, resumen; V. *abstract, compilation*), **abridgement**[2] (GRAL disminución; V. *abatement, reduction*), **abridgement of damages** (CIVIL moderación del *quantum* indemnizatorio; reducción o disminución, dictada por un tribunal, del importe correspondiente a la compensación por daños y perjuicios), **abridgement of rights** (CIVIL privación, restricción o limitación de derechos)].

abrogate *v*: CONST/GRAL revocar, abrogar, anular, casar, derogar [por disposición legislativa *–legislative power–*] ◊ *Certain constitutional rights cannot be abrogated by Parliament*; V. *abolish, annul, invalidate, quash, repeal, revoke, set aside*. [Exp: **abrogation** (CONST/GRAL revocación, rescisión, derogación, abrogación, anulación, abolición, casación), **abrogative** (CONST/GRAL derogatorio, revocatorio)].

abscond *v*: PENAL fugarse, esconderse, evadir la justicia, substraerse a la acción de la justicia, eludir la acción de la justicia, alzarse ◊ *The company secretary absconded with the funds*; V. *jump bail, escape, flee, run away; rebel; surrender to custody*. [Exp: **absconder** (PENAL prófugo, fugitivo, alzado, contumaz, rebelde, declarado en rebeldía; V. *escaped*), **absconding** (PENAL prófugo, huido; V *escaped*)].

absence[1] *n*: GRAL incomparecencia; ausencia, inasistencia; rebeldía ◊ *Due to the absence of a witness that had been subpoenaed, the hearing was adjourned*; V. *default, leave of absence, nonappearance, failure to appear, beyond the seas*. [Exp: **absence**[2] (GRAL ausencia, falta, carencia ◊ *A total absence of care and attention*; V. *lack, deficiency, defect, dearth*), **absence of, in the** (GRAL a falta de, en ausencia de ◊ *In the absence of procedural provisions*; V. *failing*), **absence without official leave, AWOL** (LABORAL ausencia, incomparecencia o abandono de servicio sin permiso oficial), **absent** (GRAL ausente, no compareciente), **absentee conscript** (PENAL insumiso; rebelde; prófugo), **absentee landlord** (CIVIL terrateniente absentista), **absenteeism** (CIVIL/LABORAL absentismo)].

absolute *a*: GRAL definitivo, firme, absoluto, pleno, perfecto, incondicional, categórico, real, tajante, perentorio, ineludible, inaplazable ◊ *An absolute rule or order can be put into force at once*; el adjetivo *absolute* se aplica a lo «definitivo, categórico, firme, no recurrible, incondicional, etc.»; en este sentido es sinónimo parcial de *express*, siendo antónimos suyos, entre otros, *qualified*, *conditional*, *nisi*, etc.; el término *final* no tiene la fuerza «definitiva» de *absolute*, ya que lo que es *final* puede ser recurrible; V. *conclusive, definitive; qualified, constructive, conditional, nisi; forfeiture order absolute*. [Exp: **absolute acceptance** (CIVIL/GRAL conforme absoluto o sin condiciones, aceptación expresa y absoluta), **absolute bequest** (CIVIL/SUC legado incondicional, manda), **absolute conveyance** (CIVIL cesión libre o sin condiciones), **absolute disability** (PENAL/ADMIN inhabilitación absoluta), **absolute discharge** (PENAL absolución total), **absolute divorce** (CIVIL/FAM divorcio en firme), **absolute endorsement** (MERC endoso incondicional), **absolute estate** (CIVIL propiedad absoluta o de pleno derecho; V. *estate in fee simple*), **absolute failure** (GRAL/MERC fallido absoluto), **absolute gift** (CIVIL donación absoluta, donación incondicional o incondicionada, donación *inter vivos*), **absolute guarantee** (MERC/CIVIL garantía incondicional), **absolute interest**[1] (MERC interés fijado o establecido), **absolute interest** [2] (CIVIL título legal; V. *interest*[2]), **absolute legacy** (CIVIL legado incondicional); **absolute**

liability (CIVIL responsabilidad objetiva, obligación incondicional, total o ilimitada), **absolute nullity** (GRAL/CIVIL nulidad radical, ilegalidad absoluta de un acto, nulidad absoluta, manifiesta o de pleno derecho, inexistencia), **absolute owner** (CIVIL dueño de pleno derecho), **absolute ownership** (CIVIL pleno dominio; V. *fee simple*), **absolute pardon** (PENAL indulto incondicional o general; amnistía; V. *amnesty, free pardon, full pardon*), **absolute presumption** (PENAL presunción absoluta, indicio claro, sospecha fundada o indudable), **absolute privilege** (PENAL/CIVIL fuero, privilegio absoluto, inmunidad, privilegio absoluto; inmunidad; los parlamentarios, entre otros, gozan de este privilegio; V. *qualified privilege, immunity from prosecution*), **absolute property** (CIVIL propiedad absoluta, plena propiedad, propiedad sin restricciones; V. *possessory title; title to property; bad title, clear title, cloud on title*), **absolute rights** (CIVIL derechos singulares), **absolute rule** (CIVIL/CONST fallo definitivo, fallo imperativo; gobierno absoluto), **absolute sale** (MERC venta incondicional), **absolute warranty** (MERC/CIVIL garantía completa, garantía total o incondicionada), **absolute title** (CIVIL título absoluto o de plena propiedad; V. *qualified title, possessory title; title to property, bad title, clear title, cloud on title*), **absolutism** *US* (CONST absolutismo; en el derecho norteamericano alude a la supremacía de las enmiendas I y XIV de la Constitución que impiden que la promulgación de leyes federales o estatales cercenen *–abridge–* la libertad de expresión *–freedom of speech–*)].

absolution *n*: PENAL sentencia absolutoria; absolución; V. *acquittal.* [Exp: **absolutive, absolutory, absolving** (PENAL absolutorio), **absolve**[1] (PENAL absolver, dispensar, liberar, desligar, exonerar, eximir ◊ *The judge acquitted the driver and in his findings absolved him from all blame*; V. *acquit, exonerate, pardon*), **absolve**[2] *der es* PROC/CIVIL absolver, dictar sentencia absolutoria; sólo se aplica al procedimiento civil; en el procedimiento penal se emplea el término *assoilzie* en el mismo sentido; V. *acquit, find, judgment.* [Exp: **absolvitor o decree of absolvitor** *der es* (PROC/CIVIL fallo absolutorio, sentencia absolutoria; se usa exclusivamente en los procesos civiles; V. *condemnator, decree, finding, interlocutor, judgment*)].

absorb *v*: MERC absorber ◊ *That company has been absorbed by a foreign bank*; V. *merge, combine.* [Exp: **absorption** (MERC combinación, concentración [de empresas], asociación; V. *amalgamation, combination, conglomerate, consolidation, holding company, integration, take-over; merger, trust*)].

abstain *v*: PROC abstenerse, inhibirse, privarse ◊ *The High Court clarified the point of law referred to it, but abstained from making an order as to sentence*; V. *abandon.* [Exp: **abstainer**[1] (CONST abstencionista), **abstainer**[2] (GRAL abstemio; V. *teetotal, teetotaller; habitual drunkard*), **abstention** *US* (PROC inhibición, abstención ◊ *Abstention is a policy whereby a federal court declines or refuses to hear a case and passes it to a state court*; V. *inhibition*)]

abstract[1] *n/v*: GRAL/PROC resumen, extracto, compendio, síntesis, sinopsis; resumir, compendiar; como verbo el acento recae en la segunda sílaba ◊ *Under Scots law, conveyancing of property is still largely a matter of producing a lengthy abstract of title, containing the history and the validity of the title*; V. *transcript, summary, epitome, fill-in* US. [Exp: **abstract**[2] (PENAL hurtar, sustraer; se pronuncia con acento en la segunda sílaba ◊ *Abstracting electricity, for example, is an offence, since the electricity company is defrauded* *of due payment*; V. *abstraction; appropriate*), **abstract of judgment** (PROC resumen/sumario del fallo de un tribunal), **abstract of record** (PROC sinopsis de los autos o de un expediente judicial, resumen del expediente), **abstract of title** (CIVIL copia del título, resumen o extracto del título en el que se establece el origen y titulación de la misma; V. *abridgement, brief of title, chain of tile, epitome of title, summary; requisitions of title*), **abstracter** (ADMIN/CIVIL fundionario que expide extractos de título *–abstracts of title–*), **abstraction** (PENAL hurto, robo, sustracción, ratería; es muy frecuente en la expresión *abstraction of electricity*; V. *burglary, stealing, theft; lifting, hacking*)].

abuse[1] *n*: PENAL/CIVIL abuso, engaño, abuso de posición dominante, explotación o utilización abusiva, prácticas abusivas, extralimitación; corruptela; injuria, ofensa, exabrupto, afrenta, invectiva; vejaciones, tratos vejatorios, atropello, malos tratos, desmanes; V. *child abuse, drug abuse, sex abuse, ill-treatment; affront; attack; betrayal; abuses*. [Exp: **abuse**[2] (PENAL engañar, violar, ultrajar, profanar, abusar, seducir, injuriar, maltratar de palabra ◊ *The Court decided that the bank had abused the good faith of its creditors and was therefore guilty of fraud*), **abuse of authority, judicial discretion, power, privilege, law**, etc. (PENAL abuso de jurisdicción, autoridad, poder discrecional, posición dominante, privilegio, derecho, etc.; V. *misuse of power*), **abuse of process, abuse of the proces of the court, abuse of due process of law** (PENAL abuso procesal; V. *in due process of law, misuse of law*), **abuse sb to death** (GRAL maltratar hasta causar la muerte a alguien ◊ *He abused his bride to death*), **abused** (PENAL maltratado), **abuser** (PENAL abusador, déspota, tirano; seductor, embaucador), **abuses** (MERC abusos; en el comercio internacional se llaman abusos todas las prácticas injustas *–unfair practices–* de la naturaleza que sean; entre éstas destaca el *abuse of a dominant position* –abuso de posición dominante–; la mayoría de éstas se resuelven en los tribunales de solución de diferencias *–dispute settlements courts/ tribunals–*), **abusive** (GRAL insultante, grosero, ofensivo, intimidador, injurioso, bajo, procaz; V. *insulting, slanderous*), **abusive language/behaviour** (PENAL lenguaje/comportamiento ofensivo, intimidador, insultante, injurioso, bajo, grosero, procaz ◊ *Abusive language, in certain circumstances, may constitute a breach of the peace*; V. *insulting language, contemptuous words, libel, actionable words, invective; threatening behaviour*), **abusiveness** (PENAL vituperación, vilipendio, insulto, ofensa)].

abut *v*: CIVIL lindar, limitar, confinar, terminar en ◊ *The owner of land abutting on the property of another often has a duty of easement of light, water, etc.*; V. *neighbour*. [Exp: **abutment**[1] (CIVIL linde, lindero, confín), **abutment**[2] (GRAL machón, contrafuerte ◊ *The abutment bears the weight of an arch*), **abuttals** (CIVIL linderos, lindes, apeo, deslinde o demarcación de una propiedad; V. *landmark, boundary, party wall, baseline*), **abutter** (CIVIL vecino, dueño colindante), **abutting** (GRAL/CIVIL contiguo, colindante, limítrofe, lindante; V. *adjoining, adjacent*)].

a/c *n*: MERC V. *account, acct.*

academic *a*: GRAL académico, especulativo, teórico. [Exp: **academic freedom** (CONST libertad de cátedra)].

acc. *n*: GRAL/MERC V. *acceptance*.

ACAS *n*: LABORAL V. *Advisory, Conciliation and Arbitration Service*.

accede[1] *v*: CONST acceder, entrar en funciones, alcanzar, asumir ◊ *When James VI of Scotland acceded to the throne of England, he became the first de facto mo-*

narch of Great Britain; V. *abdicate, renounce, resign; accession; apply to accede*. [Exp: **accede**[2] (GRAL adherirse, suscribir ◊ *A few countries have not acceded to the Convention for the Protection of Industrial Property*; V. *become a member*), **accede**[3] (GRAL asentir, aceptar, acceder ◊ *The Minister has acceded to the County's education proposals*; V. *accept, consent, agree, acquiesce, assent; reject, resist*), **acceding country** (INTER/EURO país en proceso de adhesión; V. *accession*)].

accelerate *v*: GRAL acelerar; V. *expedite*. [Exp: **acceleration** (GRAL aceleración, anticipación, reducción de plazos; en el derecho angloamericano, este término, y sobre todo el de *acceleration doctrine*, alude a la reducción de plazos y también a la transferencia inmediata de propiedad, etc.), **acceleration clause** (MERC cláusula de amortización anticipada, cláusula de anticipación o aceleración; cláusula de opción al pago anticipado; cláusula de anticipación o aceleración para los contratos con pagos escalonados ◊ *Big companies often introduce acceleration clauses into their contracts to protect themselves against loss and lengthy litigation*; mediante esta cláusula, provisión o estipulación, la totalidad del saldo pendiente de pago de una hipoteca o instrumento de préstamo, se considera inmediatamente vencida y pagadera y, por tanto, exigible por el prestamista, cuando uno cualquiera de los vencimientos deje de ser atendido por el deudor, o en caso de suspensión de pagos, quiebra, etc.; V. *due and payable*), **acceleration note** (MERC pagaré con opción de pago adelantado), **acceleration of estate** (SUC aceleración de un legado o sucesión), **acceleration premium** (LABORAL prima de producción/aceleración)].

accept *v*: GRAL/MERC aceptar, reconocer, aprobar, admitir; V. *honour, accede*[2], *consent, sanction, acquiesce, assent, assert; reject, refuse*. [Exp: **accept a bill of exchange, a draft** (MERC aceptar una letra ◊ *By accepting a bill of exchange, you effectively bind yourself to make payment of the full amount at maturity*), **accept a legacy subject to an inventory** (CIVIL/SUC aceptar una herencia a beneficio de inventario; V. *acceptance without liability beyond the assets descended, election*), **accept service** (CIVIL recibir la notificación de una demanda, darse por notificado de que se ha incoado una demanda contra el interesado; V. *acknowledge service of a writ*), **accept subject to** (GRAL aceptar a reserva de o sin perjuicio de), **acceptable** (GRAL aceptable, admisible), **acceptance, acc.** (CIVIL/SEGUR/MERC aceptación; allanamiento; admisión, aprobación, anuencia ◊ *Acceptance is the act of agreeing with an offer, a bill, for example, and becoming bound to the terms of a contract*; V. *consent, approval, acknowledgement, assumption, accommodation acceptance, dedication and acceptance, delivery against acceptance, absolute acceptance, blanket acceptance*), **acceptance bill** (MERC letra aceptada, aceptación), **acceptance for honour** (MERC/CIVIL aceptación por intervención; V. *honour supra protest, acceptance supra protest*), **acceptance for less amount** (MERC/CIVIL aceptación por menor cuantía), **acceptance house** (MERC banco comercial de negocios, banco de descuentos), **acceptance of an estate, a legacy, an offer, etc.** (CIVIL/SUC aceptación/admisión/acogida de una sucesión, un legado, una oferta, etc.), **acceptance of service** (CIVIL aceptación o enterado oficial de la demanda presentada contra el interesado; V. *acknowledgement of service*), **acceptance supra protest** (MERC aceptación por intervención; V. *acceptance for honour*), **acceptance without liability beyond the assets descended** (CIVIL/SUC aceptación a beneficio de inventario; V. *accept subject to inventory*), **accepted judgment** (CIVIL sentencia consentida; V. *accept a sentence*), **acceptor** (MERC aceptante de una letra de cambio, etc.; V. *drawee*), **acceptor for honour/supra protest** (MERC aceptante por intervención; V. *backer*)].

acceptilation *der es n*: CIVIL finiquito gratuito, condonación de una deuda no satisfecha ◊ *Acceptilation is formal discharge from a debt that has not been paid*; V. *acquittance*.

access[1] *n*: GRAL acceso, entrada; V. *admission*. [Exp: **access**[2] (CIVIL [derecho de] entrada y salida, acceso ◊ *An easement of access is the right which an abutting owner has of ingress and egress from his premises*; V. *right of access*), **access**[3] CIVIL [derecho de] visita de los padres a los hijos menores de edad ◊ *Provision is usually made in divorce settlements for both parents to have access to the children*; desde la Ley de Menores de 1989 se ha sustituido el término *access* por el de *contact*), **access**[4] (CIVIL/PENAL relaciones íntimas o carnales ◊ *If it can be demonstrated that there was no access, or sexual intercourse between husband and wife, the child is not legitimate*; V. *carnal knowledge*), **access easement** (CIVIL servidumbre de paso entre una finca rústica y un camino de paso; V. *easement of access*), **access to counsel** (PROC derecho a consultar letrado), **accessibility** (GRAL asequibilidad, accesibilidad), **accessible** (GRAL asequible, accesible, susceptible)].

accessary *n*: PENAL V. *accessory*[2].

accession[1] *n*: GRAL advenimiento, acceso, llegada ◊ *The accession of King Juan Carlos was made possible by his father's renunciation*; V. *abdication, accede*[1]. [Exp: **accession**[2] (GRAL/MERC [acta de] adhesión y aceptación; entrada, admisión ◊ *Spain has become a party to engagements in force in other countries since its accession to the EEC*; V. *accede, acceding country, adhesion, adherence; apply to accede*), **accession**[3] (CIVIL accesión, adquisición [del título] de dominio [por incorporación de modo inseparable], asentamiento ◊ *The judgment gave the creditor possession of the house, and by accesssion, of the garage attached to it*; en plural –*accessions*– puede equivaler a *fixture*;V. *accessory*[1], *accretion, proprietary stoppel, annexation*), **accession tax** (FISCAL impuesto sobre adquisiciones, impuesto sobre herencias y donaciones acumuladas; V. *death duties*), **accession to office** (GRAL accesión al poder o a un cargo público)].

accessory[1] *a*: GRAL subsidiario, accesorio, incidental, auxiliar ◊ *It is often quicker and more convenient to consider accessory claims jointly with the principal one*; se aplica a términos como *action, penalty, claim*, etc.; V. *subsidiary, appurtenant; auxiliary; accession*[3]. [Exp: **accessory**[2], **accessary** (PENAL autor intelectual, cómplice [necesario], colaborador; cooperador de un delito ◊ *A person who is a party to a crime that is actually committed by someone else, the perpetrator, is called the accessory*; V. *principal, abettor, accomplice, offender, conspirator; perpetrator*), **accessory after the fact** (PENAL [cómplice] encubridor de un delito cometido), **accessory before the fact** (PENAL [cómplice] instigador de un delito), **accessory during/at the fact** (PENAL cómplice, autor de un delito de omisión del deber de impedir determinados delitos; por ejemplo, el que al observar un delito, no presta ayuda, a saber, llamar a la policía, es un *accessory during the fact*), **accessory penalties** (PENAL penas accesorias), **accessory use** (CIVIL uso accesorio [respecto del uso principal])].

accident *n*: GRAL accidente ◊ *Even in relatively minor collisions, it is wise to request* *the presence of the police, so that an official accident report can be drawn up*; V. *negligence, misconduct, fatal accident*: V. *policy*. [Exp: **accident at work/accident on the way to and from home** (LABORAL accidente *in itinere*, accidente laboral; V. *industrial accident, occupational injury, occupational accident*), **accident benefit** (SEGUR indemnización por accidente), **accident insurance** (SEGUR seguro de accidentes; V. *policy*), **accident report** (CIVIL parte de un accidente, informe sobre accidente, denuncia de accidente), **accident-s of navigation** (MERC accidente-s de navegación, siniestros navales, siniestros marítimos, accidentes del comercio marítimo), **accidental** (GRAL fortuito, casual, accidental, inevitable), **accidental collision** (MERC abordaje fortuito; V. *collision, negligent collision; both-to-blame collision, rules of the road*), **accidental death** (SEGUR muerte por accidente; V. *death by misadventure, natural death, sudden death, civil death*), **accidental death benefit** (SEGUR compensación complementaria por muerte en accidente), **accidental injury** (SEGUR lesión accidental), **accidental killing** (PENAL homicidio accidental; V. *manslaughter*)].

acclaim[1] *v*: GRAL/CONST aclamar, proclamar ◊ *Faustus was acclaimed king by his soldiers*; V. *proclaim*. [Exp: **acclaim**[2] (GRAL elogio, aclamación), **acclamation** (GRAL/CONST aclamación, unanimidad), **acclamatory** (GRAL/CONST aclamatorio)].

accomenda *n*: MERC contrato mediante el que se reparten los beneficios el patrón de un barco y el armador sin que este último se comprometa a hacer frente a las pérdidas si las hubiere.

accommodate[1] *v*: GRAL acomodar, ajustar, adaptar; alojar; V. *adjust, adapt*. [Exp: **accommodate**[2] (MERC prestar dinero sin garantía o con una garantía provisional), **accommodated party** (MERC parte acomodada o beneficiada [de un préstamo]; V. *accommodation maker/party*), **accommodating policy** (GRAL política permisiva o complaciente), **accommodation**[1] (MERC/CIVIL acuerdo, conciliación, arreglo, ajuste, acomodo, favor; convenio basado en concesiones mutuas ◊ *The company reached an accommodation with all its creditors*; V. *compromise, settlement, agreement, accord*), **accommodation**[2] (GRAL servicio, atención; se encuentra en expresiones como *accommodation land* –terreno, granja, etc., privilegiados, y por tanto con mayor valor, por estar próximos a una carretera, a un centro de distribución, etc.–, *accommodation road/way* –carretera de servicio, carretera auxiliar de acceso a urbanizaciones–, etc.; V. *back lands*), **accomodation**[3] (MERC préstamo sin garantía, préstamo a corto plazo; prestación a título gratuito o sin contraprestación *–consideration–*, crédito/afianzamiento encubierto; «letra de pelota»; V. *bank accommodation; loan; credit; false draft, kite*), **accommodation acceptance** (MERC efecto de favor, aceptación de favor, de complacencia o por acomodamiento; V. *accommodation bill/draft/note/paper*), **accommodation address** (GRAL dirección para el envío del correo), **accommodation berth** (MERC muelle reservado, muelle especial; V. *appropriated berth*), **accommodation bill [of exchange]/note/draft/paper** (MERC letra/pagaré/giro/efecto de favor, de cortesía, de deferencia, de complacencia, de acomodamiento o a cargo propio; letra de pelota, letra proforma; pagaré; V. *accommodation*[3], *bill of exchange, kite, windbill*), **accommodation bill of lading** (MERC conocimiento de embarque de favor), **accommodation endorsement/indorsement** (CIVIL/MERC aval de un préstamo, endoso de garantía, endoso de favor, endoso por aval o por acomodamiento; este endoso dado a la letra, pagaré o efecto comercial del prestatario que no tiene crédito suficiente aligera los trámites bancarios y los abarata), **accommodation endorser** (MERC avalista de favor), **accommodation line**[1] (SEGUR póliza de favor; seguro por acomodación; en el mundo de los seguros se aplica a la aceptación de pólizas no rentables con el fin de conservar o de atraer otras más beneficiosas), **accommodation line**[2] (MERC línea de favor o de crédito; riesgo aceptado en el aspecto comercial), **accommodation maker/party** (MERC favorecedor, afianzador; parte o firmante por acomodación ◊ *Accommodation makers are persons who sign without receiving value for the purpose of lending their names or credit to somebody else*; V. *accommodated party*), **accommodation road/way** (GRAL carretera de servicio, carretera auxiliar de acceso a urbanizaciones, etc.; V. *accommodation*[2], *easement*)].

accommodatum *n*: CIVIL comodato.

accompany *v*: GRAL acompañar, escoltar; V. *escort*. [Exp: **accompanying** (GRAL concomitante, adjunto, incidental, secundario; V. *attendant*)].

accomplice *n*: PENAL cómplice, coautor, copartícipe ◊ *The bank robber, who fired the shot, and his accomplice, who was also armed, were held to be jointly responsible for the death of the policeman*; V. *perpetrator; abetter/abettor, accessory*[2], *conspirator*.

accomplish *v*: GRAL efectuar, realizar, llevar a cabo; completar, lograr, concluir, cumplir, consumar ◊ *Pleadings deal technically with the law, and have little to do with accomplished facts*. [Exp: **accomplished fact** (CIVIL/PENAL hecho consumado, situación de hecho; V. *fait accompli*)].

accord[1] *n*: GRAL/CIVIL/MERC acuerdo [transaccional], convenio, concierto, conformidad; acomodamiento, prestación o *consideration* consentida en un acuerdo transaccional; buena inteligencia, también llamado *accordance* ◊ *In bankruptcy cases, when the full amount of a debt cannot be paid, the bankrupt's duty is to compound with his creditors and reach a good accord in lieu of full settlement*; V. *accommodation, agreement, consensus, arrangement, settlement*. [Exp: **accord**[2] GRAL conceder, otorgar, aplicar, convenir ◊ *Constables are accorded more extensive powers than those accorded the ordinary citizen*; V. *grant, award*), **accord and satisfaction** (CIVIL [acto de] conciliación, transacción, acuerdo transaccional, arreglo de una disputa, oferta y aceptación de modificación ◊ *Accord and satisfaction is a transaction by means of which a party agrees to release the other party from his contractual obligations*; se trata de un pacto o acuerdo *–accord–* entre las partes contratantes por el cual, ante la insolvencia del deudor, el acreedor reconoce la extinción completa *–satisfaction–* de la deuda a cambio de una suma inferior a la estipulada en un principio; esta solución jurídica *–legal remedy–*, reconocida por el derecho común, contrasta en varios respectos con la doctrina del *promissory estoppel* desarrollada por la equidad *–equity–*; V. *cancel, discharge, release*), **accord executory** (CIVIL/GRAL acuerdo pendiente de cumplimiento), **accord, of one's own** (GRAL/PENAL espontáneamente ◊ *It was established that the accused had acted of his own accord and not under duress as he had claimed*; V. *under duress*)].

accordance *n*: CIVIL/GRAL equivale a *accord*[1] y a *agreement*. [Exp: **accordance with, in** (GRAL conforme a, con arreglo a, de acuerdo con, según, en el marco de ◊ *In accordance with the principles of English Law, an accused person is innocent until proved guilty*; V. *concerning*), **ac-**

cordant (GRAL de conformidad), **according** (GRAL conforme), **according to law, to business practice, to section 4, etc.** (GRAL conforme a derecho, siguiendo los usos y costumbres mercantiles, según lo dispuesto en el artículo 4.°, etc.; V. *act according to/contrary to*), **accordingly** (GRAL y a ese respecto, consecuentemente, teniendo en cuenta lo anterior)].

accost *v*: GRAL/PENAL arrimarse, acercarse, abordar ◊ *The man who accosts a woman persistently in a public place for the purpose of prostitution may be accused of the offence of soliciting*; V. *solicit*.

account[1], **a/c, A/c, acct** *n*: GRAL/MERC cuenta, factura; cálculo, cuentas; V. *bill, invoice; accounts payable, accounts receivable; blocked account, call account, charge account, current account, clearing account, credit account, dead account, fixed deposit account, inventory account, joint account, loan account, open account, operating account, returned account, stated account, trading account, overdrawn account*. [Exp: **account**[2] (CIVIL/MERC dación de cuentas; rendir cuentas, dar cuentas ◊ *The secretary could not account for the missing money*; el término *account* se refiere al recurso de equidad –*equitable remedy*– mediante el cual cualquier socio de una entidad comercial tiene el derecho a solicitar del juez que el otro o los otros socios le rindan cuentas; V. *action for an account, duty to account, order for account; accounting, accounting for profits*), **account**[3] (GRAL informe, descripción, relación; V. *report*), **account**[3] (GRAL declaración, estado; V. *statement*), **account**[4] (MERC cliente; V. *regular client*), **account**[5] (GRAL causa, razón; V. *on account of*), **account and risk of, for/on** (GRAL por cuenta y riesgo de), **account holder** (MERC titular de una cuenta), **account in trust** (CIVIL cuenta fiduciaria o en beneficio de un tercero, cuenta en fideicomiso; normalmente esta cuenta es un fondo establecido por alguien y gestionado por otro para beneficio de un tercero, por lo general un menor; V. *trust account*), **account of, on** (GRAL por motivo de, debido a, a causa de ◊ *On account of his age, he was released from prison before serving the full sentence*), **account of profits** (CIVIL liquidación de beneficios; [derecho de] reclamación de lucro cesante por plagio, actos indebidos de un intermediario, etc.; reclamación de los beneficios obtenidos por el infractor; en las demandas, el actor suele pedir normalmente indemnización por daños y perjuicios; en determinados casos, puede solicitar, en su lugar, liquidación de beneficios; V. *damages*), **account stated** (MERC cuenta convenida o acordada entre las partes), **account subject to notice** (MERC cuenta a plazo fijo, cuenta con preaviso de retiro), **accounts payable** (MERC deudas, cuentas por pagar), **accounts receivable** (MERC créditos, cuentas a recibir, cuentas en cobranza, cuentas o sumas por cobrar)].

accountability *n*: GRAL/CIVIL responsabilidad, transparencia; véase en *liability* y en *responsible* la relación entre *accountability, liability* y *responsibility*; V. *public accountability*. [Exp: **accountable** (GRAL/CIVIL responsable ◊ *The principle on which the Civil Service is based is one of hierarchical responsibility; every servant is accountable to his or her immediate superior*; V. *liable, answerable, responsible*), **accountable to the law, be** (PROC ser responsable ante la ley ◊ *Protesters who engage in acts of trespassing upon private property are accountable to the law*)].

accountancy *n*: MERC contabilidad, contaduría; V. *book-keeping*. [Exp: **accountant** (MERC contable; V. *bookkeeper, keeper of books, certified public accountant*), **ac-**

countants clause (SEGUR/MERC cláusula de una «póliza de seguro por interrupción de la actividad empresarial» que autoriza a que los propios contables de la empresa siniestrada, por incendio, rotura de la maquinaria, etc., formulen directamente la reclamación; V. *business interruption policy*), **accountant's office** (MERC contaduría), **accountant's opinion** (MERC dictamen contable; V. *auditor's certificate*)].

accounting *n*: MERC contabilidad, contaduría; estado de cuentas; rendición de cuentas; V. *accountancy, trust accounting*. Exp: **accounting day** (MERC día del vencimiento; V. *maturity*), **accounting entry** (MERC anotación contable), **accounting for profits** (CIVIL [acción/petición de] rendición de cuentas; V. *trust accounting*), **accounting fraud** (PENAL estafa/fraude contable, ingeniería contable; V. *cook the books, fiddle, window-dressing*), **accounting period** (MERC ejercicio o período contable), **accounting year** (MERC ejercicio económico, ejercicio social)].

accredit *v*: CONST acreditar; dar credenciales; dar crédito, autorizar [diplomáticamente], reconocer oficialmente ◊ *Before he can begin to act in his official capacity, a new ambassador must be accredited as an envoy of the authorities of his own country*. [Exp: **accreditation** (GRAL acreditación, reconocimiento, homologación), **accredited** (GRAL reconocido, homologado, autorizado, acreditado)].

accretion[1] *n*: CIVIL accesión natural en inmuebles, acrecencia, acrecentamiento, avulsión [predios], aumento en el valor de una heredad debido a las fuerzas de la naturaleza como la recesión de las aguas, un aluvión, etc.; acreción ◊ *The boundaries of a person's land may increase by the gradual or imperceptible action of natural forces, i.e., alluvial accretion, the gradual recession of the water from the usual watermark or the deposit of dirt on its banks*; V. *avulsion, dereliction*. [Exp: **accretion**[2] (CIVIL/SUC acrecencia, acrecentamiento, derecho de acrecer que tienen los herederos; aumento que recibe un partícipe cuando otro pierde su cuota o renuncia a ella ◊ *If one of the co-heirs to an inheritance dies after the death of the testator, the legacies of the remaining heirs may be increased proportionally by accretion of the share of the failing coheir*; V. *abatement of legacy, abate; ademption*), **accretion**[3] (MERC acumulación contable; acrecencia, acrecentamiento, acrecimiento, plusvalía)].

accroach *obs v*: PENAL usurpar, invadir ◊ *The rebels face trial for attempting to accroach sovereign power to themselves*; V. *arrogate*.

accrual[1] *n*: GRAL aparición, surgimiento, nacimiento ◊ *Actions in tort must be brought within six years of the accrual of the cause of action*; V. *statute of limitations*. [Exp: **accrual**[2] (MERC devengo, acumulación), **accrual basis** (MERC base acumulativa, base de acumulación), **accrual basis accounting** *US* (MERC contabilidad acumulativa o diferida de valores devengados o siguiendo el principio del devengo; en esta contabilidad se consignan los gastos e ingresos conforme se producen, asignándolos al período de devengo, en contraste con el método efectivo *–cash basis–* que refleja la cuenta de los pagos y cobros efectivos), **accrual of a right** (CIVIL nacimiento de un derecho que se puede ejercitar a través de una acción; el hecho que da lugar al citado nacimiento; V. *statute of limitations*), **accrual of exchange** (MERC afluencia, acumulación de divisas; V. *accumulation*), **accrue**[1] (GRAL/CIVIL surgir, nacer [aplicado a un derecho, prerrogativa o privilegio] ◊ *A right accrues when it comes into existence as an enforceable claim or as a* *cause of action*), **accrue**[2] (MERC acumular, incrementar, devengar ◊ *In a commercial transaction either a profit or a loss may accrue*; V. *accumulate*), **accrued** (GRA/MERC vencido, exigible, por pagar, devengado, diferido; acumulado, adquirido y exigible; con el significado de vencido y exigible *–due and payable–* se usa en expresiones como *accrued alimony, accrued commissions, accrued dividend, accrued expense, accrued payroll, accrued wages*; con el significado de «acumulado» se usa en expresiones como *accrued assets/liabilites* –activo/pasivo acumulado–), **accrued cause of action** (CIVIL acción ejercitable; es importante conocer el momento a partir del cual es ejercitable una acción a los efectos de la ley de prescripciones *–statute of limitation–*; V. *cause of action*), **accrued right** (CIVIL derecho nacido o sobrevenido, derecho de iniciar una acción judicial, derecho adquirido y exigible), **accruing**[1] (GRAL/CIVIL surgimiento, nacimiento), **accruing**[2] (GRAL/CIVIL devengable; que se encuentra en el curso de ser exigible o devengable), **accruing**[3] (GRAL incipiente), **accruing right** (CIVIL derecho de acrecer)].

acct *n*: MERC cuenta; V. *account, a/c*.

accumulate *v*: GRAL acumular; V. *accrue*. [Exp: **accumulated legacy** (SUC legado acumulado), **accumulation** (GRAL/MERC acumulación [de intereses, dividendos, etc.]; V. *accrual, increase*), **accumulation trust** (CIVIL fideicomiso de acumulación; pasado cierto tiempo el total acumulado pasa al beneficiario), **accumulative** (GRAL acumulativo; V. *concurrent*), **accumulative legacy** (CIVIL legado adicional, legado acumulado), **accumulative dividends/interests, etc.** (MERC dividendos/intereses, etc., acumulativos; V. *cumulative*), **accumulatively** (GRAL/CIVIL en común, proindiviso; V. *jointly*)].

accuracy *n*: GRAL exactitud, precisión; V. *decide the accuracy; exactness, correctness*. [Exp: **accurate** (GRAL exacto, preciso, certero; V. *exact, faithful, reliable*)].

accusation *n*: PENAL acusación, imputación, cargo, denuncia, inculpación ◊ *An accusation is a formal charge made to a court that a person is guilty of an offence*; V. *indictment, charge; count; information*. [Exp: **accusation of, on/under the** (PENAL acusado de ◊ *In many countries individuals can be prosecuted on/under the accusation of a policeman*), **accusatorial/accusatory procedure** (PENAL procedimiento acusatorio; desde el punto de vista del derecho angloamericano, su sistema penal es acusatorio, y el continental es inquisitorio; en el primero, que es el que siguen los países herederos del *common law*, el juez actúa de simple árbitro y las conclusiones en cuanto a las responsabilidades penales se alcanzan mediante el proceso de acusación *–prosecution–* y defensa *–defence–*, siendo prácticamente irrelevante la función del juez instructor *–examining magistrate–*, ya que, desde que en el siglo XIX se concedió al acusado la facultad de permanecer en silencio *–standing mute–*, la instrucción *–committal proceedings, pre-trial proceedings–* es un trámite abreviado cuya misión fundamental es «filtrar» sólo las causas en que haya indicios claros *–sufficient evidence–* de criminalidad; la afirmación anterior es exagerada ya que, si bien en la fase de instrucción del derecho continental predomina el principio inquisitorio, en la fase de juicio oral destaca el acusatorio; V. *adversary procedure; inquisitorial procedure*), **accusatory** (PENAL acusatorio ◊ *The indictment, the information and the complaint are three accusatory instruments*), **accuse** (PENAL acusar, imputar, inculpar, delatar, denunciar, incriminar; V. *charge, indict; convict*), **accused** (PENAL acusado, encausado, imputado, inculpado, procesado ◊ *When appearing before the Court, the accused is asked whether he pleads guilty or not guilty to the charge*; V. *defendant, indictee, prisoner at the bar, charged; panel*), **accuser/accusant** (PENAL acusador, denunciante; V. *prosecutor, accused, defendant*)].

achieve *v*: GRAL cumplir, lograr, alcanzar; V. *obtain, realize*. [Exp: **achievement** (GRAL cumplimiento; V. *accomplishment*)].

acknowledge *v*: GRAL/CIVIL reconocer, certificar, admitir o atestar [un hecho, una deuda, una pretensión, una firma] ◊ *It is wise to wait until a cheque has been cleared before acknowledging receipt*; este verbo va seguido normalmente de palabras como *a fact, a debt, a claim, a signature*, etc.; V. *admit, affirm, avow, declare, recognize*. [Exp: **acknowledge an illegitimate child** (CIVIL reconocer a un hijo ilegítimo), **acknowledge receipt** (CIVIL acusar recibo, dar por recibido), **acknowledge service of a writ** (CIVIL acusar recibo de la notificación de una demanda, darse por notificado ◊ *The defendant or his solicitor acknowledges service when either of them endorses [or signs on the back of] the writ of summons sent by the plaintiff*; V. *accept service*), **acknowledgement, ackgt** (GRAL [acta o escritura de] reconocimiento o aceptación, atestación; acuse de recibo, documento de aceptación de un contrato; normalmente *acknowledgement of* aparece con *an illegitimate child, paternity, a fact, a debt, a claim, a signature,* etc. –reconocimiento de hijo ilegítimo, de paternidad, de un hecho, de una deuda, de una pretensión, de una firma–; V. *admission, affidavit, avowal; deposition; tacit/implied acknowledgement*), **acknowledgement of award** (GRAL acta de adjudicación), **acknowledgment of receipt** (CIVIL/MERC acuse de recibo; recibo, justificante), **acknowledgment of service** (CIVIL acuse de recibo de una demanda aceptándola oficialmente; V. *acknowledge service of a writ, acceptance of service*)].

acquaint *v*: GRAL informar, avisar, advertir, comunicar, dar parte ◊ *«Before you deny the charge, let me acquaint you of the fact that you were observed to take the money»*; V. *advise, inform, notify*. [Exp: **acquainted** (GRAL informado, enterado, al corriente, al tanto *col*, familiarizado)].

acquest *n*: CIVIL propiedad adquirida, adquisición; se diferencia de la propiedad adquirida por sucesión; V. *acquire*.

acquiesce *v*: CIVIL allanarse, consentir, asentir; V. *admit, submit, assent, assert, sanction, comply, yield; encroach*. [Exp: **acquiescence** (CIVIL allanamiento, consentimiento, conformidad, sumisión, sometimiento, aquiescencia ◊ *Acquiescence is assent to an infringement of rights or recognition of the existence of a transaction*; *acquiescence* implica asentimiento activo, mientras que *laches* sugiere asentimiento pasivo o descuido; V. *compliance, conformity; laches*), **acquiescent** (GRAL/CIVIL aquiescente, consentidor, condescendiente; V. *arranging debtor*)].

acquire *v*: MERC/GRAL adquirir ◊ *Smith now controls the company, after acquiring 55 % of the shares*; V. *purchase, absorb*. [Exp: **acquire the authority of a final decision** (pasar en autoridad de cosa juzgada, tener el valor de cosa juzgada; V. *res judicata*), **acquired rights** (CIVIL derechos adquiridos), **acquisition** (MERC/CIVIL adquisición, compra; alude al acto de adquirir y al objeto adquirido), **acquisition by lapse of time** (CIVIL prescripción adquisitiva), **acquisition of a company** (MERC compra de una empresa; V. *derivative acquisition*), **acquisitive prescription** (CIVIL usucapión, prescripción adquisitiva, prescripción positiva, derecho adquirido por uso continuo; V. *negative* *prescription, prescriptive right, non-use*), **acquired immune deficiency syndrome, AIDS** (GRAL síndrome de inmunodeficiencia adquirida, Sida)].

acquit *v*: PENAL/CIVIL absolver, exonerar, liberar, exculpar, eximir, descargar, dispensar, relevar; pagar [una deuda] ◊ *He was acquitted of three charges of perjury*; V. *absolvitor, absolve, pardon, release, discharge*[4], *purge, clear; convict, conviction*. [Exp: **acquitment, acquittal**[1] (PENAL/CIVIL sentencia absolutoria, absolución; exoneración, descargo; pago; V. *absolution, exoneration, verdict of not guilty*), **acquittal**[2] *obs* (ADMIN/GRAL cumplimiento [de las funciones]; V. *performance, discharge*), **acquittal for want of evidence** (PENAL absolución por falta de pruebas), **acquittal in fact or in law** (PENAL absolución basada en los hechos o en el derecho), **acquittance** (CIVIL finiquito, descargo de una deuda, carta de pago, recibo ◊ *An acquittance is a writing evidencing a full discharge of some contract, debt or liability*; V. *discharge, acceptilation*)]

across *prep*: GRAL a través de. [Exp: **across the board, across-the-board** (GRAL/LABORAL globalmente, general, de forma general/lineal, a todas las categorías o en todos los ramos; se emplea en expresiones como *increases in wages across the board* –aumento lineal, aumento de sueldo a todo el grupo o unidad laboral, aumento con una cantidad fija o global–)].

act[1] *n*: GRAL acto, hecho, acción; V. *conduct*. [Exp: **act**[2] (CIVIL acta, documento, escritura; V. *deed, legal act, title, administrative act*), **Act**[3] **[of Congress, of Parliament]** (CONST ley/acta del Congreso, del Parlamento; las leyes o *acts*, también llamadas *statutes,* son promulgadas *–enacted–* en el Reino Unido por el monarca tras haber sido aprobadas por el Parlamento, y en Estados Unidos por el presidente tras la aprobación por el Congreso; los *Acts* pueden ser públicos o privados; antes de ser *Acts* son proyectos o *bills* que el Gobierno envía al Parlamento; los anteproyectos se llaman *drafts*; las leyes constan de las siguientes partes: *short title, preamble, long title, schedules,* etc.; las partes o divisiones de los distintos instrumentos jurídicos, *Acts, bills,* etc., no reciben siempre el mismo nombre; las *acts* constan de *sections, subsections* y *paragraghs*; V. *private act, public act, statute, bill, private bill, private member's bill, public bill; common law, equity; legislature; enactment, act of settlement*), **act**[4] (GRAL obrar, actuar, pronunciarse, hacer, ejecutar, operar, funcionar, representar ◊ *The Court decided that the defendant had acted in the best interests of his clients when selling the shares*; V. *perform, acting*), **act according to [law, business usage, section 4, instructions, etc.]** (GRAL obrar, actuar conforme a derecho, siguiendo los usos y costumbres mercantiles, según lo dispuesto en el artículo 4.º, ateniéndose a las instrucciones, etc.), **act as intermediary** (CIVIL actuar de intermediario), **act as security for somebody** (CIVIL/MERC salir fiador de alguien), **act at law** (CIVIL demanda, proceso, acción), **act contrary to business usage, section 4, instructions,** etc. (MERC contravenir los usos y costumbres mercantiles, lo dispuesto en el artículo 4.º, las instrucciones recibidas, etc.), **act in excess of one's power** (GRAL excederse en el uso de sus atribuciones; V. *act ultra vires, exceed one's authority*), **act in law** (CIVIL acto jurídico; V. *act of law*), **act in the capacity of** (PROC actuar en calidad de), **act in concert** (GRAL obrar/actuar de común acuerdo), **act in conjunction** (GRAL actuar colectivamente), **act in good faith** (CIVIL actuar de buena fe), **act in/of pais** (GRAL acto extrajudicial; V. *pais*), **act of accommodation** (CIVIL acta de complacencia), **act of bankruptcy** (MERC declaración de cese de pago, acto de quiebra), **act of benevolence** (CIVIL acto unilateral), **act of disposal** (CIVIL acto de disposición), **act of God/Providence** (SEGUR [causa de] fuerza mayor, acto fortuito, desgracia o tragedia inevitable o motivada por las fuerzas de la naturaleza ◊ *Events such as earthquakes, storms, floods, etc. caused entirely by nature alone are acts of God*; V. *force majeur, unnatural acts*), **act of grace** (CONST indulto, amnistía), **act of honour** (CIVIL/MERC aceptación o pago haciendo honor a la firma), **act of hostility** (GRAL/CONST acto de hostilidad), **act of insolvency** (MERC/PENAL actuación en fraude de los derechos de los acreedores; actuación en perjuicio de los acreedores; alzamiento de bienes), **act of law** (CONST aplicación de la ley, acto/hecho jurídico; V. *act in law*), **act of omission** (GRAL/CIVIL acto de omisión), **act of ownership** (CIVIL acto de dominio), **act of/in pais** (GRAL acto extrajudicial; V. *pais*), **act of partition** (CIVIL acta de partición), **act of protest** (MERC acta de protesto), **act of sale** (CIVIL/MERC escritura de venta; V. *deed*), **act of settlement** (CONST ley de sucesión al trono; V. *abdicate*), **act of state** (acto político o de gobierno, acto de dominio, acto soberano), **act of subrogation, of substitution** (MERC acta subrogatoria), **Act of Supremacy** (CONST ley de supremacía, mediante la cual se reconoció a Enrique VIII y sus sucesores como cabezas de la Iglesia de Inglaterra), **act of trespass** (CIVIL acto de transgresión; violación del ordenamiento; ilícito; V. *tort*), **act of war** (CONST acto bélico o de guerra, hecho de guerra), **act on somebody's behalf** (GRAL actuar en representación de alguien), **act or default** (GRAL acción u omisión), **act ultra vires** (PROC sobrepasar sus atribuciones, excederse en el uso de sus atribuciones, infringir la ley por exceso, incurrir en causa de nulidad; V. *go beyond one's remit, act in excess of one's power*), **act under seal** (CIVIL acto jurídico protocolizado; V. *under seal*), **act with full powers** (PROC representar con plenos poderes), **acting [president/chairman, manager, secretary, partner, etc.]** ([presidente, gerente, secretario, socio, etc.] interino, en funciones, en ejercicio, suplente, provisional, de servicio ◊ *Owing to the illness of the senior member, the secretary signed the document as acting chairman*; V. *act*[4], *caretaker, alternate*), **acting as** (PROC en funciones de, en representación de)].

action[1] *n*: GRAL operación, intervención, labor, actuación, conducta ◊ *Due to the Government's early action, the passage of the Bill through the House was easy*; V. *police action; activity, movement*. [Exp: **action**[2] (PROC proceso, demanda, litigio, pleito, acción legal o judicial, recurso, instancia; acciones legales; expediente; juicio ◊ *Most civil actions, although not all, are either actions in tort for the harm caused by the defendant or actions for breach of contract*; V. *cause of action, accrued cause of action, right of action, sue of action*), **action**[3] (PROC actuación judicial, trámites [jurídicos], medidas [judiciales], resolución, diligencias, acto; V. *performance; measure; administrative action, civil action, disciplinary action*), **action**[4] (LABORAL movilizaciones laborales, acciones de protesta ◊ *Industrial action at the port caused delay in the loading of the ship's cargo, and the shipowner put in a claim for demurrage*; V. *strike*), **action at law** (PROC acción judicial, demanda, proceso, cuando se emplea esta expresión se quiere matizar que la demanda no es de equidad *–equity–*), **action [or remedy] available** (PROC acción a que tuviere derecho), **action barred by**

lapse of time (PROCL acción prescrita; S. *statute of limitations*), **action brought** (PROC demanda interpuesta, pleito/proceso entablado; V. *bring an action*), **action by re-entry** (PROC recuperación directa de la posesión), **action ex contractu** (PROC acción derivada del contrato; V. *action on contract*), **action ex delicto** (PROC acción derivada del delito o por causa de agravio; V. *action on the case*), **action for an account** (PROC acción para rendir cuentas; el objeto de esta demanda, basada en la equidad, es aclarar las cuentas entre las partes y aprobar un balance definitivo; V. *account, order for account*), **action for annulment** (PROC demanda de nulidad), **action for avoidance** (PROC acción de nulidad), **action for breach of contract** (PROC demanda civil reclamando indemnización por haber daños y perjuicios por incumplimiento de contrato), **action for cancellation** (PROC condición resolutoria, recurso de anulación), **action for damages** (PROC demanda por daños y perjuicios), **action for declaration** (PROC acción declaratoria), **action for declaration of title to land** (PROC expediente de dominio; acción de reivindicación inmobiliaria), **action for defamation** (PROC querella por difamación), **action for divorce** (PROC demanda de divorcio), **action for infringement of rights** (PROC demanda por violación de propiedad industrial), **action for libel** (PROC demanda/querella por difamación escrita o por libelo), **action for payment** (PROC reclamación de cantidad, acción de apremio, demanda para obtener el pago de una deuda; V. *action of debt*), **action for recovery** (PROC acción para recuperar la posesión; repetición; acción de reivindicación de la propiedad, acción jurídica interpuesta por el que ha sido desposeído, obligado o condenado), **action for rescission** (PROC demanda para la rescisión de un contrato), **action for separation of bed and board** (PROC demanda para la separación de cuerpos y bienes; V. *thoro et mensa*), **action for specific performance** (PROC ejecución específica, demanda solicitando el cumplimiento estricto de lo que se acordó en el contrato), **action for/in trespass** (PROC demanda por violación del ordenamiento jurídico; V. *action in tort, claim in tort*), **action for the money** (PROC acción reclamatoria de pago), **action in abatement** (PROC acción para reducción de la herencia; V. *abate*), **action in/for damages** (PROC demanda por daños y perjuicios), **action in equity** (CIVIL acción en equidad; V. *equity*), **action in jactation/jactitation** (PROC acción de jactancia), **action in personam** (PROC acción contra persona, acción personal), **action in rem** (PROC acción real, acción *in rem* o contra la cosa), **action in tort** (PROC acción por ilícito civil, demanda civil reclamando indemnización por daños y perjuicios debido a ilícito civil; V. *action for/in damages, action for breach of contract*), **action of assumpsit** (PROC demanda por incumplimiento de promesa o de contrato), **action of covenant** (PROC demanda por incumplimiento de contrato; V. *action of assumpsit*), **action of debt** (PROC acción de apremio; reclamación de cantidad; V. *action for payment*), **action of detinue** (PROC acción para recobrar la posesión, acción para la recuperación de la posesión de bienes muebles), **action of eviction/ejectment** (PROC demanda de desahucio), **action of nuisance** (CIVIL acción posesoria contra obstáculos indirectos de su derecho), **action of pledge** (PROC ejecución del derecho de prenda; acción pignoraticia), **action of replevin** (PROC demanda de reivindicación, acción reivindicatoria de dominio [sobre bienes muebles]), **action of trespass** (PROC acción de transgresión; acción posesoria contra infracciones directas de su derecho; V. *trespass*), **action of trover** (PROC acción para recuperar), **action on contract** (PROC acción contractual o proveniente de contrato, acción directa; V. *action ex contractu*), **action on the case** (PROC acción civil proveniente de culpa o negligencia, acción derivada de un ilícito civil, acción derivada de culpa aquiliana o extracontractual), **action to amend** (PROC recurso de reforma), **action-taking** (GRAL litigioso, querellante, contencioso), **action to have decisions declared void** (PROC recurso de nulidad), **action to quiet title** (PROC acción para fijar la validez de un título, acción declarativa de dominio), **action to remove cloud on title** (PROC acción para perfeccionamiento de título, acción para eliminar defectos de un título de propiedad, expediente de liberación de cargas; V. *title, cloud on title, action to quiet title*), **action ultra vires** (ADMIN/CIVIL actuación de un órgano judicial o administrativo excediéndose en el uso de sus atribuciones, actuación administrativa que se excede en el desarrollo de una ley de bases, actuación desproporcionada, actuación de un representante que excede de su poder o representación; V. *ultra vires*), **action which may lie** (PROC acción a que hubiere lugar), **action which does not lie** (PROC acción que no ha lugar; V. *suit, case, lawsuit; legal actions, right of action; writ of summons, proceedings, military action*), **actionable** (PROC procesable, enjuiciable, punible, perseguible, susceptible de demanda ◊ *Slander of goods is a form of malicious falsehood and is actionable under certain circumstances*; suele acompañar este término a *breach, tort/wrong*, etc.; V. *cause of action; words actionable; triable; make actionable*), **actionable words** (PENAL lenguaje [palabras] difamatorio, infamatorio, calumniador o perseguible; manifestaciones que pueden dar lugar a un proceso por injurias ◊ *Journalists criticising or ridiculing society personalities should take care that the words they use are not actionable*; V. *insulting language, abusive language, libel, slander, invective*)].

active *a*: GRAL activo; V. *passive*. [Exp: **active bond** (MERC valor/bono al portador; V. *bearer*), **active debt** (MERC deuda que devenga intereses; V. *passive bond*), **active fault/negligence** (CIVIL/PENAL imprudencia temeraria, culpa lata, negligencia; V. *active negligence, contributory negligence*), **active partner** (MERC socio gerente; socio comanditario o activo; V. *dormant partner, sleeping partner, silent partner, ostensible partner*), **active trust** (CIVIL fideicomiso activo; V. *bare trust*), **activist** (GRAL activista; V. *radical, militant, revolutionary, terrorist*), **activity** (GRAL actividad; V. *action, movement*)].

actor *n*: GRAL actor, agente; en algunos textos jurídicos ingleses anteriores al siglo XVIII, la palabra *actor* tenía el mismo significado que en el castellano actual, es decir, la de demandante *–plaintiff, claimant–*; en el inglés jurídico de nuestros días, se llama *actor* al autor de cualquier acto, ya sea lícito o no; V. *agent*.

actual *a*: GRAL efectivo, real, existente, visible, físico, original; el adjetivo *actual* –real, efectivo, expreso– es antónimo de *constructive*; se usa en expresiones en las que se quiere resaltar o poner de relieve de forma clara la efectividad real de un hecho, acontecimiento o circunstancia; V. *effective*. [Exp: **actual assets** (MERC bienes efectivos o reales), **actual bailment** (CIVIL/PENAL fianza efectiva, depósito efectivo), **actual coercion** (PENAL coacción física, coacción efectiva), **actual crime** (PENAL delito flagrante), **actual custody** (CIVIL custodia efectiva; V. *care and control*), **actual damage** (CIVIL daño directo, daño efectivamente causado), **ac-**

tual damages (CIVIL daños efectivos, indemnización compensatoria por daños directos, generales o efectivamente causados; este tipo de indemnización, también llamado *general/compensatory damages*, se concede cuando se puede determinar fácilmente el valor de lo perdido o dañado), **actual delivery** (MERC/CIVIL entrega efectiva), **actual doubt** (CIVIL/PENAL duda razonable; V. *reasonable doubt*), **actual eviction/ ouster** (CIVIL desahucio efectivo o físico), **actual knowledge** (CIVIL/PENAL conocimiento real o efectivo), **actual/express malice** (PENAL dolo, intención dolosa, ruindad, dolo real y efectivo, maldad, malicia expresa o de hecho; en el delito de asesinato *–murder–* es la *mens rea* –intención de matar–; V. *implied malice, universal/general malice, transferred malice*), **actual malice, with** (PENAL con dolo, con intención dolosa; es común esta expresión en las querellas por difamación *–defamation suit–* de los Estados Unidos ◊ *In order to win a defamation suit, a movie star, for example, must prove that the offender made a false statement with actual malice*), **actual notice** (CIVIL notificación efectiva, notificación personal; V. *adequate notice, constructive notice*), **actual possessive** (CIVIL tenencia real o directa), **actual physical control** *US* (PENAL conducción efectiva [de un vehículo] ◊ *It is illegal to be in actual physical control of any motor vehicle under the influence of intoxicating liquor*), **actual total loss** (SEGUR siniestro total efectivo, pérdida efectiva total; V. *constructive total loss, partial loss, damaged beyond repair*), **actual wages** (LABORAL salarios reales), **actual value** (MERC valor real; V. *market value*), **actual violence** (PENAL agresión física; V. *physical force*), **actually** (GRAL de forma real o efectiva ◊ *Although the accused did not actually use violence, the court decided that his threats constituted an affray*; V. *constructively*)].

actuary *n*: SEGUR actuario. [Exp: **actuarial** (SEGUR actuarial; V. *life expectancy*)].

actus reus *n*: PENAL acción u omisión constitutivas de delito; en el derecho inglés *actus reus* es el acto culpable *–guilty act–* de un delito *–crime–* mientras que *mens rea* es la mente culpable del mismo.

ad[1] *prep*: GRAL preposición latina, «a este fin, junto a», que se emplea en muchas construcciones. [Exp: **ad**[2] (GRAL anuncio; es la abreviatura de *advertisement* o de *advertising* –anuncio–), **ad hoc** (GRAL para un fin específico, para una solución ocasional, para cuando surja), **ad hoc basis, on an** (GRAL conforme vayan surgiendo), **ad hoc committee** (GRAL comisión especial), **ad litem** (PROC *ad litem*, para el juicio, con motivo de un proceso ◊ *If a party to a disputed inheritance is a minor, the court appoints a guardian* ad litem *to represent his or her interests*), **ad valorem, Ad Val** (MERC *ad valorem*, por el valor, según el valor, sobre el valor ◊ *Some customs duties are* ad valorem *duties, that is, in the form of a percentage of the value of the goods*), **ad valorem duty/tax** (FISCAL derecho/impuesto aduanero «ad valorem»; V. *consular invoice*), **ad valorem freight** (MERC flete sobre el valor)].

adamant *a*: GRAL duro, inflexible, obstinado ◊ *The witness tried to ignore the question but the prosecutor was adamant*; V. *hard, harsh*.

add *v*: GRAL sumar, añadir, agregar, aumentar. [Exp: **add-on** (GRAL añadidos; parte adicional o complementaria; productos adicionales o añadidos), **add-on clause** (MERC cláusula adicional), **addendum** (GRAL/PROC apéndice, suplemento, adición; V. *appendix, allonge, annex, rider; schedule*), **addition** (GRAL suma, adición, agregación, producto agregado o añadido), **additional** (GRAL adicional, suplementario, añadido), **additional security** (GRAL garantía adicional), **additionals** (CIVIL/MERC condiciones nuevas [añadidas a un contrato preexistente])].

addict *n*: GRAL/PENAL adicto; V. *drug addict, heroin addict*. [Exp: **addicted** (GRAL adicto ◊ *He is addicted to crack*), **addiction** (PENAL toxicomanía; V. *alcoholism, drug addiction*), **addictive drugs** (PENAL drogas adictivas [que crean hábito, dependencia o necesidad])].

address[1] *n*: GRAL dirección, señas, domicilio. [Exp: **address**[2] (GRAL memorial, petición; alocución, discurso, mensaje ◊ *High-Court judges are removed only following an address to the Monarch from both Houses of Parliament requesting dismissal*; V. *give an address; lecture, speech*), **address**[3] (GRAL dirigirse [al jurado, al tribunal, a la asamblea, etc.] ◊ *After evidence has been heard in criminal trials, the judge addresses the jury to give them directions*; V. *charge to the jury*), **address**[4] (GRAL encarar, afrontar, entrar en el estudio o análisis de algo ◊ *A new Anti-dumping Code is necessary in order to address dumping practices that cause injury*; V. *examine, study*), **address for service** (PROC domicilio para notificaciones oficiales, dirección oficial a efectos judiciales u oficiales ◊ *Address for service is the address where writs, notices, summonses, orders, etc. may be served*; V. *legal address, business address, domicile, registered office*), **address to the Crown** (CONST discurso de agradecimiento al monarca por su mensaje o *address*), **addressee** (GRAL destinatario; V. *consignee, receiver*)].

adduce *v*: GRAL aducir; V. *allege, present*. [Exp: **adduce evidence** (PROC aducir, aportar, rendir, presentar, evacuar pruebas, alegar ◊ *The testimony of witnesses is adduced as evidence supporting the contentions of either side in a case*; V. *call evidence, lead evidence, turn up evidence, produce evidence, allege*)].

adeem a legacy from a will *v*: CIVIL revocar, extinguir, anular un legado [o parte del mismo] de una herencia; resarcir, recompensar ◊ *In his will, the old man bequeathed his library to his son, but the legacy was adeemed since the father sold his books before he died*; V. *abate*. [Exp: **ademption** (CIVIL revocación o anulación [de un legado], enajenación [implícita] en vida de bienes testados; anulación; V. *abatement of legacy*)].

adequacy *n*: GRAL idoneidad, pertinencia, suficiencia, oportunidad, aceptabilidad, puesta a punto. [Exp: **adequate** (GRAL apropiado, propio, razonable, justo, indicado, satisfactorio, pertinente, suficiente, justificante), **adequate cause** (CIVIL/PENAL motivo suficiente; en lo penal se dice de lo que puede incapacitar a la reflexión o sano juicio; V. *adequate provocation, ground, defence*), **adequate consideration** (CIVIL/MERC prestación/contraprestación justa; causa contractual adecuada), **adequate notice** (CIVIL notificación suficiente o adecuada; V. *actual notice, constructive notice*), **adequate provocation** (PENAL provocación suficiente; se dice de la que puede anular o suspender momentáneamente el ejercicio del sano juicio; V. *actual cause; defence*)].

adhere *v*: GRAL adherirse. [Exp: **adhere to** (GRAL cumplir, observar, defender con firmeza, sostener una postura o una versión ◊ *The accused adhered to his original version of events despite all the evidence against him*), **adherence** (GRAL/CONST [acta de] adhesión, entrada; V. *accession, adhesion*), **adhesion** (CONST/GRAL [acta de] adhesión y aceptación; entrada; V. *accession, adherence*), **adhesion contract** (CIVIL contrato de adhesión V. *standard-form contract*)].

adjacent/adjoining *a*: GRAL/CIVIL colindante, contiguo, adyacente, limítrofe, contérmino ◊ *Adjacent/adjoining properties often give rise to litigation concerning rights of way, easements, etc.*; se utiliza junto a *properties, owners*, etc.; los términos *adjacent, adjoining* y *abutting* son sinónimos parciales; *adjoining* sugiere contacto total, *abutting*, contacto con alguna separación, y *adjacent*, mayor separación.

adjectival/adjective law *n*: GRAL/PROC ley adjetiva o procesal, derecho procesal o adjetivo; V. *procedural law, positive law, substantive law.*

adjourn a meeting, a hearing, etc. *v*: GRAL/PROC suspender, diferir, trasladar o levantar [una sesión, una vista oral, etc.] ◊ *The court adjourned the hearing and called for a transcript of the evidence*; V. *close a meeting, postpone, suspend, sine die, the meeting stands adjourned.* [Exp: **adjourned session** (PROC sesión aplazada, suspendida o levantada), **adjournment [of a sitting, a hearing, a meeting, etc.]** (PROC aplazamiento, diferimiento, suspensión [de una sesión, vista, junta, etc.] ◊ *There was an adjournment of the meeting when a clash arose between two shareholders*; V. *suspension, postponement, continuance*[2]), **adjournment day** (PROC día señalado para la reanudación de la vista oral)].

adjudge *v*: PROC declarar, fallar, juzgar; en muchas sentencias aparece en forma de triplete: *It is ordered, adjudged and decreed* –se ordena, falla y sentencia–. [Exp: **adjudge [a claim, a contract, etc.]** (PROC fallar, juzgar, sentenciar, resolver, adjudicar, declarar judicialmente, determinar judicialmente [una demanda, un contrato, etc.]; conceder ◊ *The contract was adjudged void on a technicality*; V. *adjudicate, conclude, judge, arbitrate, award*), **adjudged a bankrupt, be** (MERC ser declarado en quiebra por los tribunales; V. *adjudication of bankruptcy*)].

adjudicate *v*: PROC fallar, adjudicar, determinar judicialmente, juzgar, decidir, declarar, sentenciar, dictar una resolución judicial ◊ *The two firms agreed to call in an arbitrator to adjudicate between them*; V. *adjudge*. [Exp: **adjudicated** (PROC reconocido o fallado por los tribunales), **adjudicatee** (PROC comprador o adjudicatario de una venta judicial; V. *allottee*), **adjudication**[1] *US* (PROC/ADMIN fallo, sentencia, resolución judicial, pronunciamiento judicial; adjudicación ◊ *If the bankruptcy petition is accepted by the court, it makes a bankruptcy order*; se emplea también para aludir a los fallos o sentencias de las agencias administrativas *–administrative agencies–*, en cuyo caso se llaman *administrative adjudications*; V. *judgement, award*), **adjudication**[2] *der es* (PROC/CIVIL embargo preventivo, traba o secuestro de bienes raíces para asegurar el pago de la deuda; V. *attachment, distraint, seizure*), **adjudication in/of bankruptcy** (MERC declaración judicial de quiebra, sentencia declarativa de quiebra; V. *composition in bankruptcy*), **adjudication order** (MERC auto de declaración judicial de quiebra; hoy el *bankruptcy order* ha sustituido a los antiguos *adjudication order* y *receiving order* en Inglaterra. V. *bankruptcy order, receiving order, bankruptcy proceedings*), **adjudication withheld** (PROC suspensión del proceso), **adjudicative decree** (PROC acto declarativo), **adjudicator** (PROC/LABORAL órgano decisorio o adjudicante, órgano sentenciador; árbitro de un conflicto laboral, etc.; V *arbitrator*), **adjudicatory** *US* (ADMIN relacionado con los procesos cuasi-judiciales y las resoluciones de los organismos administrativos *–administrative agencies–*), **adjudicature** (PROC sentencia, resolución)].

adjust[1] *v*: GRAL adaptar, adecuar, ajustar, acomodar, componer [una disputa o litigio], concertar; reglar, regularizar, regular ◊ *The Civil List for the upkeep of the royal household is adjusted annually*; V. *compose, settle, correct, regulate*. [Exp: **adjust**[2] (GRAL/MERC/SEGUR tasar, calibrar ◊ *When a number of cars are involved in a motorway pile-up, it is quite tricky for the insurance companies to adjust the various claims*), **adjusted gross income, AGI** (FISCAL base imponible íntegra ajustada, tras haber practicado ciertas deducciones como planes de jubilación, gastos de administración, etc.), **adjusted net income** (FISCAL base imponible ajustada), **adjuster, adjustor** (MERC tasador, ajustador, componedor, asesor; V. *average adjuster, loss adjustor, claim-adjuster*), **adjusted trial balance** (MERC balance de comprobación ajustado o regularizado), **adjusting agency** (GRAL agencia de cobranza), **adjusting entry** (MERC asiento de ajuste, corrección o actualización), **adjustment**[1] (GRAL ajuste, arreglo, transacción, conciliación), **adjustment**[2] (GRAL/MERC/SEGUR tasación, determinación de daños, responsabilidades, etc. ◊ *The cost of general average or salvage charges is adjusted according to the contract of affreightment and/or the governing law and practice*. V. *property adjustment order*), **adjustment of average** (MERC/SEGUR tasación de avería, liquidación de avería, arreglo o reparto de avería; V. *adjustement of average*), **adjustment of claim** (GRAL/SEGUR liquidación de la indemnización), **adjustment of the difference** (GRAL/SEGUR ajuste, acomodo, arreglo, liquidación, compromiso o composición de los puntos en litigio)].

administer *v*: GRAL administrar; V. *administrator*. [Exp: **administer an oath** (GRAL/PROC tomar juramento a alguien; V. *take an oath, swear*), **administer a portfolio, justice, etc.** (MERC administrar, una cartera de valores, justicia, etc.), **administration** (GRAL/ADMIN administración, gestión; también alude a la Administración pública *–Public Administration–*, esto es, al conjunto de instituciones *–agencies, bodies–* encargadas de aplicar las leyes dictadas por los parlamentos, y los deberes y obligaciones del Ejecutivo), **administration of a bankrupt's estate, an estate, property** (ADMIN administración de una quiebra, de una sucesión, de bienes), **administration of an oath** (CIVIL/GRAL prestación de juramento; V. *take an oath*)].

administrative *a*: ADMIN administrativo. [Exp: **administrative action** (ADMIN acto administrativo), **administrative adjudication** (ADMIN resolución de un órgano administrativo *–administrative agency/ board/commission–*, etc.), **Administrative agency** *US* (ADMIN organismo, agencia administrativa; una de las singularidades del sistema jurídico norteamericano es el papel desempeñado por las Agencias Administrativas *–Administrative Agencies–*, las cuales son organismos *–bodies–* con capacidad normativa *–regulatory power–* gracias a las facultades delegadas *–delegated power–* por el Gobierno federal y, en su caso, por las asambleas legislativas *–legislatures–* de cada estado, por medio de una ley de habilitación *–enabling act/statute–* para dictar normas *–create rules–* y disposiciones reglamentarias *–regulations–*; en principio ejercen lo que en Derecho se llama legislación delegada *–delegated legislation–*, como la que podrían llevar a cabo los Ayuntamientos con sus *bye-laws* –ordenanzas municipales–; pero la originalidad de estas agencias reside en que la mayoría de ellas, además de ejercer la capacidad legislativa delegada *–delegated legislative power–*, poseen competencias judiciales *–judicial powers–*

propias del poder judicial *–judiciary–* para llevar a cabo procedimientos *–proceedings–* y celebrar vistas públicas *–public hearings–* similares a las de los tribunales de justicia *–courts of justice–* y, en algunos casos, poseen facultades policiales *–police power–* para hacer cumplir las normas *–enforce the regulations–*, estando sus resoluciones *–decisions–* sometidas a los procedimientos contencioso-administrativos *–judicial review–*, propios de los tribunales ordinarios *–ordinary courts–*; el nombre genérico que se le da a estos organismos es el de Agencias Administrativas, aunque cada una de ellas pueda llamarse junta *–board–*, comisión *–commission–*, servicio *–service–*, administración *–administration–*, etc.; entre las principales agencias administrativas destacan la Comisión Federal de Comunicaciones *–Federal Communications Commission, FCC–*, la Agencia Tributaria *–Internal Revenue Service, IRS–*, la Comisión Federal de Comercio *–Federal Trade Commission, FCT–*, el Servicio de Inmigración y Naturalización *–Immigration and Naturalization Service, INS–*, la Delegación de Tráfico *–Department of Motor Vehicles, DMV–*, la Seguridad Social *–Social Security, SS–*, la Comisión de Energía Nuclear *–Atomic Energy Commission–*, la Junta Nacional de Relaciones Laborales *–National Labor Relations Board, NLRB–*, la Administración de Alimentos y medicamentos *–Food and Drug Administration, FDA–*, la Comisión del Comercio Interestatatal *–Interstate Commerce Commission, ICC–*, etc.; V. *rule-making power*), **administrative assistant** (ADMIN auxiliar administrativo), **administrative authority** (ADMIN órgano administrativo, autoridad administrativa), **administrative court** (ADMIN tribunal administrativo, jurisdicción de lo contencioso-administrativo; V. *administrative law, administrative tribunal, administrative order*), **administrative detention** (ADMIN/PENAL detención o retención administrativa ◊ *In some countries administrative detentions for petty offences can mean indefinite punishment*), **administrative enquiry** (ADMIN expediente administrativo), **administrative law** (ADMIN derecho administrativo; en los países de derecho anglo-norteamericano, el derecho administrativo está relacionado con ① la organización del Ejecutivo y de los organismos autónomos *–administrative agencies/boards/commissions*, etc.– que desarrollan sus funciones, ② las funciones cuasi jurisdiccionales de los citados organismos; V. *Administrative Procedure Act; judicial review*), **administrative machinery** (ADMIN aparato administrativo), **administrative law judge** *US* (ADMIN juez de un tribunal administrativo, también llamado *ALD*), **administrative law reports** (ADMIN repertorios de jurisprudencia administrativa; V. *law reports, report*[2]), **administrative order** (ADMIN sentencia de un tribunal administrativo; V. *administrative agency; administrative court*), **administrative procedure** (ADM procedimiento administrativo), **Administrative Procedure Act, APA** *US* (ADM Ley de Procedimiento administrativo; promulgada en 1946, e incorporada en la actualidad al capítulo 7 del título 5 del *United States Code*, regula los derechos, deberes y responsabilidades de los organismos administrativos *–administrative agencies–*), **administrative review** (ADMIN función sancionadora de los jueces ordinarios respecto de las decisiones de los tribunales administrativos; V. *judicial review*), **administrative tribunal** (ADMIN tribunal administrativo; estos tribunales, entre los que se encuentran los *employment tribunals*, los *rent assessment committees, etc.*, han sido creados por ley parlamentaria para conocer *–hear–* y resolver determinados tipos de demandas y están sometidos a la jurisdicción de los tribunales ordinarios *–courts–* que, por ser parte del poder judicial, nacen de la prerrogativa real, como su etimología puede sugerir; V. *tribunal*)].

administrator *n*: GRAL/CIVIL/SUC administrador; administrador judicial de una sucesión; también llamado *estate administrator*, gerente; V. *executor, manager; administer*. [Exp: **administrator of an estate** (CIVIL administrador por nombramiento judicial ◊ *It is the duty of the administrator of an estate to collect, watch over and answer for the properties and articles entrusted to him or her*; V. *executor*), **administrator in bankruptcy** (MERC liquidador, síndico, administrador; V. *receiver*), **administrator de bonis non administratis** (CIVIL/SOC albacea secundario encargado de la distribución de bienes adicionales, nuevo albacea en una sucesión)].

Admiralty *n*: CONST Ministerio de Marina. [Exp: **Admiralty Court** (MERC Tribunal del Almirantazgo, Tribunal del mar, Tribunal de derecho marítimo; en el Reino Unido este tribunal forma parte del *Queen's Bench*; en los EE.UU. los tribunales federales de distrito *–federal district courts–* ejercen la jurisdicción relativa a los ilícitos relacionados con el derecho marítimo), **Admiralty law** (MERC derecho marítimo, de la navegación o del almirantazgo; V. *maritime court/law*), **Admiralty lien** (MERC gravamen marítimo; V. *lien*), **Admiralty Sailing Directions** (MERC derroteros del Almirantazgo)].

admissibility of [evidence, an appeal, etc.] *n*: PROC admisibilidad de [pruebas, recursos, etc.]; V. *multiple admissibility*. [Exp: **admissible** (PROC admisible, lícito, aceptable ◊ *If the police fail to inform an arrested person of his rights, including the right to have counsel present and of the possible consequences of any answer to questions, the questions and answers are not admissible in evidence at the trial*), **admissible action** (PROC recurso admisible), **admissible evidence** (PROC prueba admisible)].

admission[1] *n*: GRAL admisión, entrada, ingreso; V. *right of admission reserved*. [Exp: **admission**[2] (PROC allanamiento; confesión, reconocimiento, afirmación adversa, admisión ◊ *Acknowledgment of service does not imply admission of liability*; V. *compliance, confession, make admissions, admit*), **admission**[3] (PROC autorización de medios de prueba), **admission**[3] (PROC alta en el colegio de abogados *–solicitors–*; V. *admit to the Rolls, admit*[3], *call to the Bar*), **admission against interest** (PROC admisión desfavorable o lesiva), **admission by demurrer** (PROC admisión de hechos, con el fin de presentar excepciones previas), **admission by silence** (PROC reconocimiento tácito; V. *tacit/implied acknowledgment*), **admission of evidence** (PROC admisión de pruebas), **admission of facts** (PROC reconocimiento de los hechos), **admission of guilt or liability** (PROC confesión o reconocimiento de culpabilidad o de responsabilidad), **admission, on his own** (PROC según él mismo reconoce) **admission under duress** (PENAL confesión bajo coacción), **admissions reserved** (CIVIL se reserva el derecho de admisión), **admissions tax** (FISCAL impuesto sobre las entradas a espectáculos)].

admit[1] *v*: GRAL confesar, reconocer, admitir, aceptar, asentir ◊ *The young man admitted having fired the gun, but alleged that he did so in self-defence*; V. *confess*. [Exp: **admit**[2] (PROC/CIVIL allanarse ◊ *If the defendant does not admit the claims of the claimant the issues in dispute will* *be determined in a trial*), **admit**[3] (GRAL admitir, dar [la] entrada; recibir, conceder [un derecho o privilegio] ◊ *Underage people are not admitted*; V. *allow*), **admit**[3] (GRAL dar de alta en el colegio de abogados *–solicitors–* ◊ *He was admitted to practice as a solicitor two years after his graduation in law*; V. *admission*[3], *call to the bar; Practising Certificate*), **admit a claim** (PROC hacer justicia a una demanda), **admit as evidence** (PROC aceptar como prueba), **admit to bail** (PENAL poner en libertad bajo fianza; V. *grant bail, remand on bail, release on bail; furnish bail; stand bail, on parole*), **admit to the Rolls** (GRAL aprobar la colegiación de un solicitor ◊ *Solicitors are admitted to the Rolls whereas barristers are called to the Bar*; V. *strike off the Rolls, off the Rolls, call to the bar*), **admittance except on business, no** (GRAL prohibida la entrada a las personas ajenas a este centro o dependencia), **admitted assets** (MERC activo computable, activo aprobado o confirmado; V. *affected liabilities*)].

admonish *v*: PROC amonestar, advertir, amonestar ◊ *The young man admitted the lesser charge, and the judge admonished him but did not fine him*; V. *reprimand*), **admonishment** (PENAL amonestación, reprensión; en el derecho escocés significa «advertencia obligatoria que, de sus derechos, se debe hacer al detenido», como *caution*[3] en el derecho inglés o *Miranda warning* en el de los Estados Unidos), **admonition** (PROC apercibimiento, admonición, advertencia, reprensión, prevención, conminación)].

adopt[1] *v*: GRAL sancionar, autorizar, aprobar, asumir; hacer suyo, etc. ◊ *When he was of age he adopted the case commenced by his guardians when he was underage*; suele acompañar a palabras como *a case, a contract, the balance, a resolution*; V. *approve, ratify, confirm; adoptive act; repudiate*. [Exp: **adopt**[2] (CIVIL adoptar ◊ *The court may allow a child to be adopted if its parents are guilty of abandonment*; V. *abandon, desert, destitution; affiliate, foster*), **adopt rules** (GRAL establecer el reglamento o la normativa), **adopt the agenda** (PROC aprobar el orden del día; V. *place on the agenda*), **adopt the balance sheet** (MERC aprobar el balance de situación), **adopted child** (CIVIL hijo adoptivo; V. *affiliated child*), **adoptive act** (ADMIN ley que entra en vigor cuando convenga a los Ayuntamientos), **adoption**[1] (CIVIL aceptación, aprobación ◊ *The adoption of the American Constitution took place in 1787*; V. *adoption of contract*), **adoption**[2] (CIVIL adopción; V. *adopted child, Family Division*), **adoption by estoppel** (CIVIL adopción por la conducta mostrada; esta conducta le impediría volverse atrás cuando las consecuencias jurídicas de la misma le sean desfavorables; V. *estoppel*), **adoption of contract** (CIVIL ratificación del contrato; V. *affirmation; adopt*[1]), **adoption proceedings** (CIVIL expediente de adopción), **adoptive** (CIVIL adoptivo), **adoptive act** (CONST ley de aplicación sólo en el territorio que la hace suya)].

ADR *n*: PROC V. *Alternative Dispute Resolution*.

adrift *adv*: MERC a la deriva; V. *drift*.

adult *a/n*: GRAL/CIVIL adulto; V. *full age, majority*.

adulterate *v*: GRAL/PENAL falsificar, adulterar, viciar; V. *fabricate*. [Exp: **adulteration** (PENAL adulteración), **adulteration of proceedings** (PENAL adulteración/alteración de actas), **adulterer, adulteress** (GRAL adúltero, adúltera), **adulterine** (CIVIL adulterino), **adultery** (GRAL adulterio; V. *bigamy*)].

advance[1] *n/v*: GRAL/MERC anticipo de efectivo, adelanto o préstamo en general; pago adelantado; provisión de fondos; adelantar dinero, prestar dinero, dar un anticipo ◊ *Some employees are given salary advances when they are new to the job*; como adjetivo, equivale a «anticipado», «por anticipado», «previo», como en *advance booking* –reserva anticipada–, *advance bill* –letra de cambio librada antes de la recepción de los productos–, *advance cash* –pago a cuenta–; V. *sexual advances, overture, proposition*. [Exp: **advance**[2] (GRAL avance; ascenso; avanzar; ascender; adelantar la fecha de un acontecimiento; alza; aumento de precios, de sueldo, experimentar una alza ◊ *Advance in prices*), **advanced** (GRAL por adelantado, como en *advanced freight* –flete por adelantado–), **advancement**[1] (GRAL promoción, progreso, avance ◊ *Successful companies offer advancement potential to highly-qualified professionals*; V. *development, progress*), **advancement**[2] (CIVIL/SUC anticipo de la herencia hecha por los fideicomisarios; donación colacionable; donación [total o de parte] de la herencia en vida; bienes dotales, bienes parafernales ◊ *The trustees of the estate decided that the wording of the deed gave them power of advancement of a reasonable sum to the beneficiaries*; V. *trust; beneficiary, cestui que trust*)].

advantage *n*: GRAL ventaja ◊ *For a contract to be enforceable, the promise must have or bring about an economic advantage*; V. *promise*.

adventure *n*: GRAL/MERC aventura, negocio u operación arriesgada; V. *bill of adventure; venture*.

adversarial procedure *n*: PROC procedimiento contradictorio ◊ *In the adversarial procedure the accused may, to the same extent as his victim, freely put forward his arguments in court*; se le conoce normalmente con el nombre de *accusatorial procedure*; V. *inquisitorial procedure*. [Exp: **adversary** (GRAL adversario; V. *opponent*), **adversary procedure** *US* (PROC procedimiento contradictorio V. *adversarial procedure*), **adversary proceeding/suit** *US* (PENAL juicio regido por el principio de contradicción)].

adverse *a*: GRAL adverso, contrario, hostil, opuesto, desafortunado ◊ *A trespasser who remains in adverse possesion for over 12 years may acquire a «squatter's title», which is valid in law against the person who had been lawfully entitled to possession*. [Exp: **adverse balance of trade/payments** (MERC balance comercial desfavorable o negativo, balanza de pagos deficitaria; V. *unfavorable balance of trade*), **adverse claim** (CIVIL reclamación de tercero sobre bienes de otro que se encuentran embargados, tercería de dominio, tercería de mejor dominio), **adverse enjoyment** (CIVIL servidumbre, gravamen, carga), **adverse party** (CIVIL parte contraria, adversario; V. *affirmative pregnant*), **adverse possession** (CIVIL posesión ilegítima o sin justo título, posesión que puede dar lugar a una prescripción, prescripción adquisitiva; V. *squatter's title; constructive adverse possession, dedication by adverse use*), **adverse title** (CIVIL título obtenido por prescripción adquisitiva o *adverse possession*), **adverse witness** (CIVIL/PENAL testigo adverso, desfavorable u hostil; testimonio en contra)].

advert [to a case, a point of law, etc.] *v*: PROC referirse [a un proceso, una cuestión jurídica, etc.] ◊ *In summarizing the case, the judge adverted to the ambiguity of the Act*; V. *refer*.

advertising *n*: GRAL/ADMIN publicidad; V. *false advertising*.

advice[1] *n*: GRAL asesoramiento, consejo, opinión, recomendación ◊ *Before you sign a contract you should seek legal advice*; V. *expert advice, legal advice*), **advice**[2] (GRAL/PROC aviso, anuncio, notificación, denuncia), **advice and consent**

(GRAL/CONST conformidad, ratificación, consejo y aprobación, informe preceptivo favorable; consulta y aprobación entre varios organismos o poderes del Estado; equivale en ocasiones al término *confirmation* –conformidad–; para ciertos nombramientos es preceptivo el informe favorable *–advice and consent–* de un órgano del Estado, por ejemplo, el Senado en los Estados Unidos), **advice, as per** (MER según consta en el aviso o notificación; V. *as per*), **advice note** (PROC nota de aviso ◊ *The advice note is often used to give its receiver information about the arrival of shipments, the despatch of goods,* etc.; V. *notice of readiness*), **advice of acceptance** (PROC aviso de aceptación), **advice of fate** (MERC aviso de suerte), **advice of, on the** (GRAL asesorado por, siguiendo el consejo de), **advice on evidence** (PROC nota del *barrister* al *solicitor* sobre el desarrollo de un pleito ◊ *The barrister advises the solicitor on the evidence to be called to support the claims pleaded*; V. *brief*), **advice of, with the** (PROC asesorado por ◊ *The defendant acted with the advice of his attorney*)].

advise[1] *v*: GRAL asesorar, aconsejar. [Exp: **advise**[2] (GRAL notificar, informar, participar, avisar ◊ *Clients are advised that no goods shall be despatched until payment is received*; V. *announce, inform, notify*), **advise against** (GRAL desaconsejar), **advisable** (GRAL conveniente, oportuno, aconsejable, recomendable, prudente), **advised** (PROC listo para dictar sentencia; se dice de los tribunales cuando se han cumplido todos los trámites de la vista oral ◊ *The court did not take much time to be advised*), **advised, as** (MERC/GRAL según aviso), **advisedly** (GRAL juiciosamente, con conocimiento, intencionadamente, con sensatez ◊ *He acted advisedly in delaying the decision until he had spoken to his lawyer*), **advisement, under** (PROC en/a consideración, en estudio, en deliberación; en tela de juicio ◊ *When a judge takes a case under advisement, he adjourns the session pending his consideration*; V. *avizandum*), **adviser, advisor** (MERC/GRAL asesor, consejero ◊ *He was appointed financial adviser*; V. *consultant, counsellor; tax advisor*), **advising bank** (MERC banco notificador [a otros de la apertura de un crédito]), **advisory** (GRAL consultivo, asesor, orientador, aparece en compuestos con *board* –junta–, *body* –organismo–, *commission/committee* –comisión/comité–, etc.), **advisory capacity** (GRAL facultad o competencia de asesoramiento), **advisory capacity, in an** (GRAL a título consultivo, en calidad de asesor), **advisory committee** (GRAL comisión asesora), **Advisory, Conciliation and Arbitration Service, ACAS** (LABORAL Instituto de Mediación, Arbitraje y Conciliación; está encargado de promover posibles acuerdos entre las partes en litigios antes de acudir a un juzgado de lo social o *industrial tribunal*), **advisory instruction** (PENAL orientaciones que da el juez al jurado sobre el derecho de aplicación a la determinación que han adoptado respecto de los hechos *–finding of fact–*; V. *instruct the jurors*), **advisory opinion** (PROC dictamen consultivo [que pueden dar los tribunales a petición de parte]), **advisory powers** (GRAL competencias consultivas)].

advocacy *n*: GRAL abogacía. [Exp: **advocate** (PROC defensor; abogado [en Escocia]; abogar, defender, apoyar ◊ *Advocates are barristers and solicitors who argue a case for a client in court*; los términos *lawyer* y *advocate* son sinónimos parciales, aunque este último normalmente se emplea sólo para referirse a la abogacía que se ejerce ante los tribunales y, por eso, también se les llama *advocates in court*; en Escocia el término *advocate* es el equivalente del *barrister* inglés; V. *attorney, lawyer, solicitor, barrister, faculty of advocates*), **Advocate-General** (GRAL Abogado General; juez/abogado asesor en el Tribunal Europeo de Justicia –*The European Court of Justice*–; estos abogados generales, antes de que los jueces dicten sentencia –*render their decision*–, emiten dictámenes motivados –*reasoned opinions*– sobre las demandas correspondientes), **advocate-depute** *der es* (GRAL fiscal; se trata de un abogado nombrado por el *Lord Advocate* para encausar en su nombre a los acusados; V. *deputy*), **advocation** *der es* (PROC avocación, inhibitoria; recurso especial interpuesto por el fiscal; el término de «avocación» se conoce entre los juristas españoles, aunque no forma parte de la moderna ley; en Inglaterra y Gales los términos equivalentes son los autos de *certiorari, mandamus* y *prohibition*, invocados por el tribunal superior como medidas de control judicial –*judicial review, judicial control or supervision*– de la actividad de los órganos inferiores, tanto jurisdiccionales como administrativos; en ciertos contextos de conflicto de competencia, el traductor podría inclinarse por otras soluciones, como «inhibitoria», «declinatoria», etc.; en el Derecho escocés el recurso o solicitud de estas medidas se presenta como *bill, letters* o *note of advocation*; V. *bill, certiorari, letter, mandamus, minute, note, prerogative order, prohibition, suspension*)].

advowsons *n*: GRAL beneficios eclesiásticos; derechos de patronazgo.

aequo et bono *fr*: GRAL V. *ex aequo et bono.*

A. F. *n*: MERC V. *advanced freight.*

affair[1] *n*: GRAL asunto, cuestión; V. *business, concern*. [Exp: **affair**[2] (GRAL aventura [amorosa]; V. *sexual affair*)].

affect[1] *v*: GRAL afectar, influir ◊ *The jury's decision should not be affected by external factors*; V. *influence*. [Exp: **affect**[2] (MERC hipotecar, pignorar; V. *encumber, charge*), **affected liabilities** (MERC pasivos computables; V. *admitted assets*), **affected with a public interest** (ADMIN de interés público), **affection** (ADMIN/CIVIL/MERC afectación; V. *encumbrance*)].

affeer *obs* PENAL fijar el importe de una multa impuesta por un tribunal o *amercement.*

affiant *n*: PROC declarante, deponente, el que firma un *affidavit*; V. *affirmant, deponent.*

affidavit *n*: PROC declaración jurada por escrito, acta notarial, acta de manifestaciones ante fedatario público, testimonio, juramento, atestiguación, declaración privada, fe notarial ◊ *The witness swore an affidavit*; desde la reforma procesal civil de 1999, en el Reino Unido se utiliza el término *statement of truth* en vez de *affidavit*; V. *commissioner for oaths, acknowledgment, affiant, deposition; to the best of my knowledge and belief*. [Exp: **affidavit for attachment** (PROC declaración jurada para providencia de embargo), **affidavit of defence** (PROC declaración jurada de las alegaciones de la defensa), **affidavit of inquiry** (PROC declaración jurada de no haber podido llevar a cabo la notificación –*service*– por no haber localizado al demandado; V. *affidavit of service*), **affidavit of merits** (PROC declaración jurada sobre las alegaciones de la defensa), **affidavit of service** (PROC declaración jurada de que se notificó la demanda al demandado; V. *service*), **affidavit on demurrer** (PROC declaración del mérito de la excepción)].

affiliate[1] *n*: MERC empresa filial ◊ *Some affiliates are more concerned with distribution and maintenance than with manufacturing*; V. *corporation, branch, parent company, subsidiary*. [Exp: **affiliate**[2] (GRAL/MERC/CIVIL afiliar, prohijar, adoptar, legitimar, afiliarse ◊ *After a series of deals the company became affiliated with one of Chase Manhattan's European subsidiaries*; V. *foster, adopt; join*), **affiliated child** (CIVIL hijo adoptado; V. *adopted child*), **affiliated company** (MERC sociedad mercantil afiliada o asociada), **affiliation** (GRAL/CIVIL afiliación), **affiliation order** (CIVIL/FAM sentencia o auto judicial por el que se declara la paternidad ◊ *With an affiliation order a Magistrates' Court can oblige the alleged father of an illegitimate child to make payments towards his upkeep*)].

affinity *n*: GRAL/CIVIL afinidad ◊ *You are related to your sister by consanguinity and to your sister-in-law by affinity*; V. *blood relations, half-blood, cognation, agnation, akin, relationship; analogy*.

affirm[1] *v*: GRAL/PROC afirmar, declarar, aseverar, ratificar, asegurar, confirmar; V. *affirm a judgment*. [Exp: **affirm**[2] (PROC prometer ◊ *A person who does not wish to swear an oath may solemnly affirm that he is telling the truth*; V. *swear, take an oath; affirmation*), **affirm a judgment** (PROC ratificar una sentencia ◊ *The US Supreme Court affirmed the judgment of the Federal Court of Appeals*), **affirmance** (GRAL/PROC afirmación, confirmación, ratificación; V. *adoption, sanction*), **affirmance of judgment** (PROC confirmación, ratificación de la sentencia recurrida), **affirmant** (PROC declarante, el que presta una declaración; V. *affiant*), **affirmation**[1] (PROC afirmación, aserción, palabra, declaración, aserto, confirmación, ratificación), **affirmation**[2] (PROC promesa solemne ◊ *An affirmation serves the same purpose as an oath*; V. *take an oath; perjury*), **affirmative** (GRAL afirmativo, positivo), **affirmative action** (CONST política de discriminación positiva), **affirmative defence** (PROC defensa afirmativa o justificativa), **affirmative easement** (CIVIL servidumbre positiva), **affirmative judgment** (PROC juicio confirmativo), **affirmative plea** (PROC defensa afirmativa), **affirmative pregnant** (PROC afirmación o aseveración positiva que contiene una negación favorable a la parte contraria o *adverse party*; V. *negative pregnant*), **affirmative relief** (PROC reparación positiva), **affirmative resolution** (GRAL resolución afirmativa; V. *delegated legislation, lay before Parliament, negative resolution*), **affirmative servitude** (CIVIL servidumbre positiva), **affirmative warranty** (CIVIL/MERC garantía escrita o expresa)].

affix *v*: GRAL añadir. [Exp: **affix a signature** (GRAL suscribir), **affix the seal** (GRAL pegar, poner o adherir el sello; sellar ◊ *The document is not legal unless the Registrar signs it and affixes his seal to it*)]; V. *remove the seals*.

affray *n*: PENAL algarada callejera, riña, pendencia, combate, tumulto, refriega ◊ *Although the accused did not actually use violence, the court decided that his threats constituted an affray*; V. *chance-medley; death by misadventure*. [Exp: **affrayment** (PENAL tumulto, riña, pendencia; V. *assault, riot, violent disorder*)].

affreight *v*: MERC fletar. [Exp: **affreighter** (MERC fletador, el que fleta una embarcación, fletante), **affreightment** (MERC fletamento; V. *contract of affreightment*].

affront *n*: GRAL insulto, ofensa, afrenta ◊ *That conduct was a blatant affront to the authority of the court*; V. *attack, offence, abuse*. [Exp: **affronting** (GRAL insultante, humillante, injurioso, provocativo; V. *abusive language, insult, offence*)].

afloat *adv*: MERC a flote; V. *always afloat*.

afoul *a*: GRAL enredado ◊ *A ship with its sails afoul*; V. *tangled*. [Exp: **afoul of** (GRAL en conflicto con ◊ *He fell afoul of the law*; V. *run afoul of the law*)].

afore *obs prep/pref*: GRAL ante de. [Exp: **aforegoing** (GRAL antecedente, precedente; V. *foregoing*), **aforementioned** (GRAL antedicho, mencionado), **aforesaid** (GRAL antedicho, citado), **aforethought** (PENAL [con] premeditación; premeditado ◊ *Murder is homicide with malice aforethought, i.e., with the intention of killing or causing serious bodily harm*; V. *malice aforethought; premeditate*)].

after *prep/a*: GRAL después [de], con posterioridad a; posterior; previo. [Exp: **after-acquired** (CIVIL adquirido con posterioridad a un hecho, fecha o acontecimiento), **after-acquired clause** (MERC/CIVIL cláusula de adquisición de nuevas propiedades; esta cláusula estipula que cualquier propiedad que el deudor hipotecario o *mortgagor* adquiera tras la firma de la escritura de constitución de la hipoteca se convierte en garantía real hipotecaria), **after-born child** (CIVIL/FAM hijo póstumo), **after-born heir** (CONST heredero póstumo), **after closing trial balance** (MERC balance de comprobación después del cierre), **after date** (MERC después de la fecha [de un instrumento de comercio]), **after-inquiry** (GRAL/PENAL pesquisa o investigación ulterior, examen posterior), **after-hours market** (MERC mercado no oficial después del cierre), **after sight** (MERC después de la vista [de un instrumento de comercio]), **after-tax** (FISCAL después de deducir impuestos; con los impuestos ya deducidos, después de impuestos), **after-tax profits/return** (FISCAL beneficios tras la liquidación de impuestos, beneficio después de impuestos)].

A.G. *n*: V. *Attorney General*.

against *prep*: GRAL contra; con relación a, con respecto a, frente a; se emplea frecuentemente con el significado de «contra entrega de» o «a cargo de», como en *against shipping documents* –contra entrega de documentos de embarque–; V. *admission against interest*. [Exp: **against all risks, AAR** (SEGUR a todo riesgo; seguro marítimo a todo riesgo ◊ *The company specialises in the transport of commodities insured against all risks*), **against documents** (MERC contra entrega de documentos ◊ *Collection against documents is not unusual in foreign trade*), **against pledged securities, etc.** (MERC a cambio de, como contrapartida de, sobre pignoración de efectos, efectos pignorados, etc. ◊ *We have received an advance payment against pledged securities*), **against sb's will** (GRAL/CIVIL/PENAL sin el consentimiento/contra la voluntad), **against the evidence/the weight of evidence** (PROC contra la preponderancia o el peso de la prueba, contra la prueba), **against the odds** (GRAL contra todo pronóstico, por sorpresa, con todo en contra ◊ *Win against the odds*), **against the peace** (PENAL contra el orden público; V. *breach of the peace*)].

age *n/v*: GRAL edad; antigüedad; clasificar por antigüedad; V. *legal age*. [Exp: **age-adjusted** (SEG ajustado según edad), **age allowance** (FISCAL deducción especial por edad; en la declaración de la renta se suele conceder a los mayores de 65/70 años), **age bracket** (GRAL grupo, nivel o clase de personas comprendidas entre las mismas edades; V. *salary bracket*), **age errors arrears** (SEGUR pago de primas atrasadas por error en la declaración de la edad), **age of consent** (CIVIL edad núbil o de contraer matrimonio ◊ *It is unlawful to have sexual intercourse with a girl before she reaches the age of consent*), **age of criminal responsibility** (GRAL/PENAL edad penal), **age of discretion** (CIVIL edad de [uso de] razón o discreción;V. *full legal age, underage*), **age of majority** (CIVIL mayoría de edad), **age of retirement** (LABORAL edad de jubilación), **aged, the** (GRAL los ancianos, los mayores; V. *senior citizens*), **age, under** (CIVIL menor de edad; V. *underage*), **aging** (GRAL antigüedad, envejecimiento, clasificación por antigüedad), **aging of accounts** (MERC ordenación/análisis de las cuentas por cobrar y agrupadas por intervalos de treinta, sesenta, etc., días), **aging schedule** (MERC programa por vencimientos, plan basado en la antigüedad)].

agency[1] *n*: GRAL organismo, servicio, agencia, gestoría, oficina, ente autónomo; V. *administrative agency, government agency, law-enforcement agency*. [Exp: **agency**[2] (MERC contrato de mandato o de representación; gestión, acción, mediación, intermediación, intervención, factoraje; apoderado, condición de agente ◊ *In an agency a relationship arises between one person, known as the agent, who acts on behalf of another person, known as the principal*), **agency**[3] (MERC honorarios o gastos de/por agencia), **agency agreement/contract** (CIVIL contrato de mandato), **agency by estoppel** (CIVIL representación por conducta de las partes o por doctrina de los actos propios), **agency by operation of law** (GRAL representación por efecto o ministerio de la ley, por disposición legal, de forma tácita o implícita), **agency coupled with an interest** (MERC representación en la que el mandatario *–agent–* tiene intereses en el objeto de la representación), **agency shop** (LABORAL empresa en la que los obreros, afiliados o no a un sindicato, deben abonar las cuotas sindicales; V. *trade union, union shop*)].

agenda *n*: GRAL/MERC orden del día de una junta, programa, temario, puntos a debatir o tratar ◊ *There are three items on the agenda for today's meeting: ordinary business, the president's report and a proposal to buy new premises*; V. *order of the day; adopt the agenda, place on the agenda, appear on the agenda, discuss the agenda, draw up the agenda, include in the agenda, put down in the agenda, remove from the agenda, withdraw from the agenda; order of business, point of order*.

agent, agt *n*: MERC representante, agente, agente financiero, agente mediador, consignatario de buques, mandatario, apoderado, factor, gestor ◊ *An agent is accountable to his principal for all actions done in his name*; V. *general agent, assignee, attorney, factor, proxy; principal, factor, broker*. [Exp: **agent, as** (MERC en representación, como mandatario), **agent bank** (MERC banco agente o corresponsal; esta institución organiza y sigue, mediante el pago de comisiones, las operaciones solicitadas en los préstamos sindicados *–syndicated loan–*), **agent sole** (MERC agente exclusivo; este adjetivo va muchas veces pospuesto al nombre que acompaña; V. *aggregate*), **agent's lien** (MERC derecho de retención de los bienes del representado ejercido por el representante), **agentship** (MERC agencia, factoría, el oficio de agente o factor)]

agglomerate *v/n*: GRAL/SOC aglomerarse, fusionarse; aglomerado, empresa fusionada ◊ *Airlines are coalescing into a few agglomerates*; V. *coalesce*. [Exp: **agglomeration** (SOC aglomeración ◊ *Concentrations survive because of some form of agglomeration economies*)].

aggravate *v*: PENAL/CIVIL/GRAL agravar. [Exp: **aggravated** (PENAL con circunstancias agravantes, agravado, grave), **aggravated assault** (PENAL agresión con daños físicos graves; V. *assault with a deadly or dangerous weapon*), **aggravated bodily harm, ABH** (PENAL daños corporales graves ◊ *The offence alleged is ABH*), **aggravated damages** (CIVIL indemnización adicional por daños morales, indemnización adicional para reparar daños y perjuicios que afectan a la esfera moral del demandante ◊ *Courts may award aggravated damages against the defendant who acts maliciously, in order to compensate* *the plaintiff's injured feelings*; esta indemnización suplementaria la conceden los jueces cuando valoran culpabilidad o grave intencionalidad en el incumplimiento de las obligaciones por parte del demandado; V. *bereavement damages*), **aggravated robbery** (PENAL robo a mano armada, con intimidación, violencia o con agravante; V. *armed robbery*), **aggravating circumstances** (PENAL circunstancias agravantes; V. *attenuating, mitigating circumstances, defences*), **aggravation** (PENAL agravación, agravantes)].

aggregate *a/n/v*: MERC/GRAL agregado, global, total, suma total, totalidad; conjunto, colección; que consta de varios individuos o miembros reunidos; sumar; agregar, reunir, juntar; este adjetivo, y su antónimo *sole*, puede ir pospuesto; así se puede decir *aggregate corporation* o *corporation aggregate*. [Exp: **aggregate amount** (MERC monte o importe total), **aggregate corporation** (MERC sociedad anónima ◊ *For the purposes of succession, a group of incorporated companies is deemed a corporation aggregate*; V. *corporation, public limited company, plc, joint-stock company*)].

aggression *n*: GRAL/PENAL ataque, asalto, agresión, acometimiento V. *attack, assault*. [Exp: **aggressive** (PENAL/GRAL agresivo; emprendedor, activo, audaz, dinámico; arriesgado, atrevido; se debe evitar utilizar «agresivo» con el significado de emprendedor, audaz, etc.; V. *hostile*), **aggressive collection** (PROC cobro de deuda utilizando recursos judiciales como *attachment, execution, garnishment*; V. *harassment of debtors*), **aggressor** (PENAL agresor)].

aggrieve *v*: CIVIL dañar, perjudicar; V. *redress*. [Exp: **aggrieved party** (CIVIL parte perjudicada, agraviada o dañada; V. *grievance, offended party*)].

A.G.M. *n*: MERC V. *Annual General Meeting*.

agnation *der es n*: CIVIL agnación, orden de sucesión de varón a varón; normalmente se aplica en el derecho escocés; parentesco de consanguinidad entre agandos; V. *cognation, affinity, akin*. [Exp: **agnated** *der es* (CIVIL agnado; pariente por línea paterna; V. *cognate, akin*)].

agree *v*: GRAL convenir, acordar, concordar, pactar, comprometerse, concertar, ponerse de acuerdo, acceder, consentir, aprobar; el verbo *agree* puede ser transitivo *–The two companies have agreed terms–*, preposicional con *on –They have agreed on the price and a bargain was struck–* y preposicional con *to –John agreed to pay Peter £5,000 but then failed to honour his pledge–*; V. *stipulate*. [Exp: **agree as a correct record** (MERC/CIVIL aprobar el acta ◊ *The minutes were agreed as a correct record*; V. *minutes*), **agree the accounts** (MERC aprobar las cuentas; V. *qualify the accounts*), **agreed** (GRAL/CIVIL/SEGUR acordado, convenido; se emplea en expresiones como *agreed amount* –cantidad cubierta en el seguro–, *agreed price/value* –precio/valor convenido–, etc.), **agreed case** (CIVIL proceso de hechos acordados; las partes someten los hechos aceptados o acordados a la decisión del tribunal, también llamado *agreed statement of facts*), **agreed easement** (CIVIL servidumbre acordada), **agreed judgment** (CIVIL sentencia acordada [entre las partes]; V. *consent judgement, judgment by consent; plea bargaining*), **agreed statement of facts** (CIVIL proceso de hechos acordados; las partes someten los hechos aceptados o acordados a la decisión del tribunal, también llamado *agreed case*), **agreed upon, as may be** (GRAL según se convenga)].

agreement *n*: GRAL/CIVIL/MERC convenio, acuerdo, compromiso, conformidad, pacto, estipulación, contrato, transacción, acomodamiento, consentimiento, anuencia ◊ *An agreement is the essential basis* *of a contract, usually proved by showing an offer by one party and acceptance of it by the other*; los términos *agreement* y *contract* pueden ser sinónimos parciales, pero, en puridad de conceptos, para que exista un contrato, debe haber un acuerdo vinculante *–binding agreement–* entre las partes, una causa contractual onerosa *–valuable consideration–* y la intención de crear relaciones jurídicas *–legal relations–*; V. *accord, consensus, settlement, accommodation, area of agreement, arrangement, standstill agreement; pact, compact, bargain, deal, treaty, covenant.* [Exp: **agreement for insurance** (SEGUR resguardo provisional que garantiza que se está amparado por la póliza de seguro solicitada, documento de cobertura provisional; V. *cover note*), **agreement to the contrary** (CIVIL pacto en contra)].

agriculture *n*: GRAL agricultura. [Exp: **agricultural holdings** (CIVIL propiedades/fincas agrícolas; arrendamientos rústicos; V. *husbandry*), **agricultural land** (CIVIL finca rústica)].

aground *a*: MERC/GRAL embarrancado, varado, encallado; V. *stranded, astrand; ground; run aground.*

aid[1] *n/v*: GRAL ayuda, auxilio, favor, socorro, asistencia, subsidio; ayudar, auxiliar, prestar apoyo, socorrer, coadyuvar, apoyar, sufragar, subvenir; V. *assistance, assist, help*. [Exp: **aid**[2] (PROC/GRAL ayudante ◊ *Aids work at the court two or three years after graduation*; V. *chamber aid*), **aid**[3] (PENAL complicidad; V. *facilitation*), **aid and abet** (PENAL cooperar o colaborar en la comisión de un delito; inducir, instigar; auxiliar e incitar, ayudar, asistir, dar cobijo, coadyuvar, sufragar, socorrer, ser cómplice necesario; V. *counsel and procure, induce, abet, harbour a criminal*), **aid and comfort** (PENAL ayuda y colaboración con el enemigo), **aider**[1] (GRAL ayudante, colaborador), **aider**[2] (PENAL cómplice), **aider and abettor** (PENAL colaborador, auxiliador e incitador, instigador, cómplice; V. *accomplice, accessory*), **aiding and abetting** (PENAL complicidad, cooperación/participación delictiva ◊ *Anyone guilty of aiding and abetting another before or during the perpetration of a crime is held to have committed that crime*; V. *incitement*)].

AIDS *n*: GRAL sida ◊ *Hospital regulations make special provisions for dealing with AIDS cases.*

air *n/v*: GRAL aire; airear; *fig* publicar; en posición atributiva significa «aéreo» o «de vuelo», como en *air cargo* –carga aérea, flete aéreo–, *air rights* –derechos de vuelo–, etc. [Exp: **air bill of lading** (MERC conocimiento de embarque aéreo; V. *airway bill of lading*), **air consignment note** (MERC carta de porte aéreo; V. *consignment note, railway bill*), **airlift** (GRAL puente aéreo), **air transport** (GRAL navegación aérea), **airport authority** (ADMIN autoridad del aeropuerto, junta [nacional] de aeropuertos), **airspace** (GRAL vuelos, aires; V. *land*), **airway bill, AWB** (MERC talón/carta/resguardo de porte aéreo; conocimiento de embarque aéreo; guía aérea; V. *air bill of lading*), **airway bill of lading** (MERC conocimiento de embarque aéreo; V. *air consignment note*), **airworthiness** (MERC aeronavegabilidad; V. *seaworthiness, cargo worthiness*)].

aka, a.k.a *fr*: GRAL también conocido con el nombre de; las siglas corresponden a *also known as*; V. *alias, assumed name; hereinafter, aforesaid.*

akin *a*: CIVIL/GRAL emparentado por consanguinidad; parecido, similar, V. *affinity, agnation, cognation.*

alarm[1] *n*: GRAL alarma, inquietud, preocupación; V. *warning, burglar alarm, fire alarm.* [Exp: **alarm**[2] (GRAL alarmar, inquietar, asustar ◊ *Alarming a person may* *amount to harassing that person*; V. *cause distress*)].

alcohol *n*: GRAL alcohol ◊ *Alcohol impairs the judgment and dulls the brain.* [Exp: **alcoholism** (GRAL alcoholismo; V. *addiction, drug abuse, intoxication*)].

ALD *US n*: ADMIN V. *administrative law judge*.

alderman *US n*: ADMIN concejal, edil; teniente de alcalde; V. *provost, bailie, councillor*. [Exp: **aldermanship** *US* (ADMIN concejalía, condición de concejal; V. *borough*)].

alias[1] *a*: GRAL/PROC segundo, adicional, suplementario, sustituto ◊ *Courts usually issue an alias subpoena after the first has been returned without having accomplished its purpose*; se emplea junto a *summons, execution, subpoena, writ* con los significados dados. [Exp: **alias**[2] (GRAL nombre supuesto, alias; V. *a.k.a; assumed name*), **alias capias** (PROC V. *bench warrant*), **alias execution** (PROC repetición de un proceso ejecutivo), **aliases, go under several** (GRAL/PENAL tener varios nombres supuestos)].

alibi *n*: PENAL coartada ◊ *He had an excellent alibi for the time of the crime; he had been dining with the Chief Constable*; V. *establish an alibi*.

alien[1] *a/n*: GRAL/ADMIN foráneo, extranjero; extraño, ajeno; es un término formal de matiz cuasi-jurídico; se aplica por ejemplo a los extranjeros residentes en un país ◊ *The man, who had no valid travelling papers and no means of subsistence, was deported as an undesirable alien*; V. *foreign*. [Exp: **alien**[2] *obs* (equivale a *alienate*; V. *alienee*), **alien company** (MERC/SOC mercantil constituida de acuerdo con el derecho societario de un país extranjero), **alien law** (ADMIN derecho de extranjería), **alienable** (CIVIL enajenable), **alienate** (CIVIL enajenar, traspasar, transferir, ceder ◊ *Her will, alienating her property to a nurse, was declared null and void*; los verbos *abalienate* y *alien* son menos usados, prefiriéndose en su lugar *alienate*; V. *transfer, convey, assign*), **alienation** (CIVIL enajenación de bienes; el término *abalienation* es menos usado, prefiriéndose *alienation* en la actualidad; V. *power of alienation*), **alienation of property** (CIVIL enajenación de bienes), **alienator** (CIVIL enajenador [de una propiedad]), **alienee** (CIVIL adquirente de un bien o derecho, beneficiario de una enajenación, cesión o traspaso)].

align[1] *v*: GRAL alinear, ponerse al lado de. [Exp: **align**[2] (MERC vincular, agrupar o consolidar en una sola cuenta las que el cliente puede tener en otras sucursales de la misma agencia), **alignment** (GRAL aproximación; V. *price alignment*)].

alimony *n*: CIVIL alimentos o pensión alimenticia, pensión compensatoria entre cónyuges ◊ *In American divorce settlements, alimonies are sometimes extremely high*; el término jurídico utilizado actualmente en Inglaterra es *maintenance* o *financial provision* en vez de *alimony*; V. *maintenance; financial provision order; allowance for necessaries; palimony; estovers*.

ALJ *n*: ADMIN jueces de tribunales administrativos o *administrative law judges*.

all *a*: GRAL todo. [Exp: **all and singular** (GRAL todos y cada uno, sin excepción), **all and sundry** (GRAL colectiva e individualmente), **all fours, stand on/be/run** *col* (GRAL/PROC estar en armonía, concordar, ser idéntico ◊ *The two cases were almost exactly identical and the judgment ran on all fours*; V. *four corner rule*), **all-in policy** *US* (SEGUR seguro a todo riesgo, seguro total; V. *all-risks policy/insurance, fully comprehensive policy*), **all rights reserved** (CIVIL reservados todos los derechos), **all-risk insurance** (SEGUR seguro a todo riesgo; V. *insurance*), **all-round**

price (MERC precio global; V. *lump sum*), **alls** (CIVIL bienes, todo lo que se posee, patrimonio total)].

allegation *n*: GRAL/PROC denuncia, alegación, aseveración, manifestación, alegato, razón, excusa, disculpa, etc. ◊ *An allegation is any statement of fact in a pleading, affidavit or indictment that the contributing party is prepared to prove*; tanto *allegations* como *pleadings* son alegaciones o alegatos, pero las primeras se refieren a los contenidos orales o escritos, a los datos o manifestaciones de los escritos civiles *–pleadings, affidavits,* etc.– o penales *–indictments–*, mientras que las segundas son los documentos formales de la demanda civil; V. *test an allegation, pleadings; contents of the pleadings; argumentative allegation, averment; sensitive information*. [Exp: **allegation of faculties** (CIVIL declaración que hace la esposa sobre los bienes de su marido en su solicitud de divorcio; V. *clean break, financial provision order, property adjustment order*), **allege** (PROC alegar, declarar, manifestar, aseverar, pretender, sostener ◊ *The prosecution alleged that the accused had uttered threats against the victim*; V. *plead, adduce*), **alleged** (GRAL supuesto, presunto, alegado ◊ *This case concerns an alleged breach of fiduciary duty*; V. *presumed; attempted*), **allegedly** (GRAL presuntamente, según se dice)].

allegiance *n*: CONST fidelidad, lealtad, pleitesía, obediencia debida ◊ *All subjects owe allegiance to the Crown, but officers of the Crown must swear an oath*; V. *oath of allegiance, pledge of allegiance, loyalty, faithfulness; swear allegiance*

alleviate *v*: GRAL/PENAL paliar, atenuar, mitigar penas ◊ *The stated purpose of this act was the alleviation of consumer uncertainties*; V. *aggravate*. [Exp: **alleviating** (PENAL atenuante), **alleviating circumstances** (PENAL atenuantes; V. *defence, aggravating circumstances*), **alleviation** (PENAL/GRAL paliativo, alivio)].

alliance *n*: GRAL alianza, unión. [Exp: **allied** (INTER aliados)]

allocate *v*: GRAL/ADMIN distribuir; asignar, destinar, adjudicar, aplicar, conceder; prorratear; con frecuencia acompaña a las palabras *funds, costs, resources, etc.* ◊ *Council funds have been allocated for the building of a new school*; V. *appropriate, earmark, set aside; allot, distribute, award; above-the-line*. [Exp: **allocate budget funds** (ADMIN consignar fondos presupuestarios), **allocated cost** (GRAL/MERC/ADMIN coste asignado/imputado), **allocated expenses** (ADMIN gastos aplicados), **allocation** (ADMIN asignación [presupuestaria], atribución [de recursos], provisión [de fondos]; los términos *appropriation* y *allocation* puelen ser sinónimos; cuando se usan conjuntamente, *allocation* suele referirse a una partida de la consignación general o *appropriation*; V. *earmarking, resource allocation, appropriation, allotment, apportionment, cost allocation*; *misallocation*), **allocation of funds/costs, etc.** (ADMIN asignación de recursos, costes, etc., tanto el «hecho» de asignar como la «cantidad» asignada; provisión de fondos; distribución de un ingreso o de un gasto; destino, asignación o aplicación presupuestaria; V. *asset allocation; resource allocation, appropriation, allotment, provision of funds; apportionment, cost allocation; misallocation; proportional allocation*), **allocation of responsibilities** (ADMIN asignación de responsabilidades), **allocation of the burden of the proof** (PENAL/CIVIL asignación de la carga de la prueba), **allocation questionnaire** (CIVIL cuestionario de asignación de vía procedimental; V. *case management, procedural judge, tracking*), **allocative** (ADMIN/GRAL aplicativo, distributivo; relativo a la distribución o asignación), **allocative efficiency** (GRAL eficiencia en la asignación, aplicación, distribución, etc.)].

allocatur *n*: PROC/ADMIN autorización, certificado o reconocimientos de gastos por el secretario judicial.

allocution *n*: PENAL palabras que dirige el juez al acusado, tras el veredicto del jurado y antes de dictar sentencia, pidiéndole que manifieste lo que estime conveniente en su propia defensa; derecho a última palabra; V. *calling upon the prisoner; address.*

allodial *a*: CIVIL alodial; libre [de carga o derecho señorial]; se emplea en expresiones como *allodial land* –tierra alodial–, *allodial ownership* –propiedad alodial, dominio alodial, dominio pleno de bienes–, etc. [Exp: **allodium** (CIVIL propiedad alodial o de pleno domino; equivale a *allodial property*)].

allonge *n*: GRAL/MERC/CIVIL/SEGUR añadido, suplemento, hoja de prolongamiento, hoja suplementaria, hoja adjunta a una letra de cambio para anotaciones, endosos, etc.; anexo incorporado a un documento por medio de hoja adjunta, etc.; V. *rider, annex, appendix.*

allot *v*: GRAL repartir, adjudicar, atribuir, asignar, destinar, distribuir por lotes; V. *distribute, apportion, allocate, award, commit.* [Exp: **allot shares** (MERC distribuir/repartir/asignar acciones ◊ *The applicant was allotted 200 shares in the company*), **allotment**[1] (GRAL/MERC consignación, distribución, reparto, prorrateo, asignación o adjudicación en un reparto; entrega; parte, cuota, porción, cupo, contingente; alude tanto al *hecho* de consignar como a la *cantidad* consignada; V. *allotment letter, allotment of shares; apportionment, allocation*), **allotment**[2] (CIVIL pequeña parcela de tierra de cultivo de titularidad pública arrendada a un trabajador agrícola para su explotación; V. *husbandry*), **allotment of shares,** etc. (MERC adjudicación de acciones, etc.), **allottee** (GRAL/MERC adjudicatario, suscriptor, asignado, partícipe en un reparto; V. *adjudicatee*)].

allow[1] *v*: GRAL/PROC permitir, autorizar, admitir, tolerar, reconocer, estimar; conceder, autorizar ◊ *«The law allows it and the court awards it»*, Shakespeare, *Merchant of Venice*; V. *give, permit, authorize*; a diferencia del español, el infinitivo que sigue a *allow* debe tener en inglés un sujeto personal como en «Esta máquina *permitirá ampliar* la producción» –*This machine will allow us/them, etc. to increase production*–. [Exp: **allow**[2] (PROC admitir a trámite, autorizar ◊ *The action was allowed to proceed*; V. *grant leave, allowance*[5]), **allow**[3] (GRAL/MERC deducir, descontar, rebajar, conceder [una rebaja] ◊ *The warehouse allows a trade discount of 6%*), **allow**[4] (PROC allanarse a, reconocer, aceptar; V. *reject*), **allow a case to proceed** *US* (PROC admitir a trámite ◊ *The court allowed the case to proceed*; V. *give leave/permission to proceed*), **allow a claim** (SEGUR conceder/acceder a la reclamación solicitada), **allow an appeal** (PROC estimar el recurso, fallar a favor del apelante ◊ *The appeal was allowed on the ground that a tenancy at will had existed for some time*; V. *dismiss an appeal, refuse an appeal, uphold*), **allow for** (GRAL/PROC tener en cuenta, dejar un margen para), **allow of** (GRAL/MERC permitir, dejar margen para ◊ *The company's financial statements allow of varying interpretations*), **allow time** (PROC/MERC/GRAL conceder una prórroga; V. *grant a delay*), **allowed** (GRAL autorizado, permitido), **allowed time** (LABORAL permiso laboral retribuido para asuntos propios, permiso laboral retribuido para el desayuno, comidas, etc.), **allowable**[1] (PROC admisible, permitido, lícito, justo legítimo, conforme a derecho ◊ *Some legal defects are allowable and the court may even waive them*; V. *allowance, unallowable*), **allowable**[2] (FISCAL deducible, admisible ◊ *A casualty loss due to fire, a storm, etc., is allowable as a deduction in computing taxable income*; se aplica en expresiones como *allowable deduction* –deducción admisible/autorizada–, *allowable expenses* –gastos deducibles–; V. *allowance*[4], *unallowable*), **allowance**[1] (GRAL permiso, autorización, concesión; V. *make allowances for*), **allowance**[2] (LABORAL/SOC asignación; asignación para gastos de representación, de transporte, etc.; se emplea en expresiones como *allowance for motor-car mileage* –compensación por desplazamiento en vehículo propio–; V. *travelling allowance*), **allowance**[3] (MERC descuento, rebaja o compensación, como en *allowance to customers* –descuento a clientes–), **allowance**[4] (FISCAL deducción, desgravación, bonificación, gasto deducible; *allowance, relief* y *deduction* tienen significados similares; *allowance* es el más general; *relief* se suele referir a «desgravaciones», y *deductions*, a deducciones, como el seguro médico, etc.; V. *allowable*[3]; *child allowance, day allowance,family allowance, tax allowance; withholding, exemption*), **allowance**[5] (MERC provisión, reserva; se emplea en expresiones como *allowance for bad debts* –reserva para incobrables–, *allowance for uncollectibles* –provisión/reserva para cuentas/facturas/ventas, etc., incobrables–), **allowance**[5] *US* (PROC admisión a trámite; se usa en expresiones como *allowance of writ* –admisión del recurso en el Tribunal Supremo de los Estados Unidos–), **allowance**[6] (PROC estimación de un recurso; V. *dismissal of an appeal*), **allowance for necessaries** (CIVIL pensión alimenticia; V. *necessaries, alimony*)].

along *prep/adv*: GRAL a lo largo de. [Exp: **alongside, alongside ship** (MERC junto a, al lado de; al costado del barco; en el muelle, atracado)].

alter *v*: GRAL modificar; V. *amend*. [Exp: **alteration** (GRAL modificación)].

altercation *n*: PENAL altercado, riña, disputa ◊ *Police evidence indicated that the accused had hurled abuse at his neighbours during the altercation*; V. *abusive language*.

alternate *a/v*: GRAL/PROC alterno, suplente, sustitutivo, sustitutorio; otro; contra; alternar; V. *acting, counter*; en inglés americano *alternate* equivale al *alternative* del inglés británico; la sílaba tónica del adjetivo *'alternate* es la primera, mientras que la del verbo *al'ternate* es la segunda. [Exp: **alternate days** (GRAL día sí, día no), **alternate director** (GRAL/SOC director accidental), **alternate member** (SOC/GRAL vocal o miembro suplente/sustituto; V. *alternative*), **alternate proposal** (GRAL contraproyecto), **alternation** (GRAL alternancia, alternación), **alternative**[1] (GRAL/MERC/PROC alternativo, otro ◊ *The jury found the accused not guilty of murder, but brought in an alternative veredict of culpable homicide*; con el sentido de «alternativo», acompaña a palabras como *judgment, obligation, sentence, relief,* etc. V. *accumulative sentence, consecutive sentence, concurrent sentence*), **alternative**[2] (GRAL/MERC/PROC sustituto, suplente; alternativo, otro; con el significado de «alternativo» va en expresiones como *alternative drawee* –librado alternativo–, *alternative payee* –beneficiario alternativo–, etc.), **alternative**[3] (GRAL alternativa, opción, disyuntiva, remedio, salida, solución de recambio, variante), **alternative dispute resolution, ADR** (CIVIL soluciones alternativas a las judiciales; los jueces procedimentales –*procedural judges*– están obligados durante la gestión procesal –*court management*– de los procesos civiles *–civil cases–* a fomentar entre las partes soluciones distintas a las judiciales, entre las que destacan el arbitraje *–arbitration–*, la conciliación *–conciliation–*, la mediación *–mediation–* y los minijuicios *–minitrials–*, celebrados por profesionales elegidos por las partes; V. *stay of proceedings, informal discussion, out-of-court settlement*), **alternative juror** (PENAL/CIVIL jurado suplente), **alternate member** (SOC vocal o miembro suplente o sustituto; V. *alternative*), **alternative verdict** (PENAL/CIVIL veredicto alternativo; en este caso el jurado declara inocente al acusado del delito por el que ha sido encausado, pero culpable de otro inducido o deducible de los hechos imputados), **alternative writ** (PROC auto alternativo)].

always afloat, a.a *fr*: MERC siempre a flote; V. *afloat*.

ambit *n*: GRAL ámbito; V. *scope*.

ambassador *n*: INTER embajador; V. *envoy, diplomat*. [Exp: **ambassador-at-large** (INTER embajador visitador, embajador especial)].

ambulance *n*: GRAL ambulancia. [Exp: **ambulance chaser** *US* (GRAL picapleitos, pleitista, trapisondista; se dice del abogado que busca pleitos; se dice de los abogados que buscan clientes de forma poco escrupulosa; V. *pettifogger, shyster*)].

ambush *n/v*: PENAL emboscada; tender una emboscada, atacar por sorpresa ◊ *The soldiers were caught in an ambush laid by the terrorists*; V. *sniper*.

amelioration *n*: CIVIL/GRAL mejoramiento, mejoras; V. *betterment*.

amenable[1] *a*: GRAL responsable, sujeto/sometido a la jurisdicción ◊ *As a member of Parliament he is not amenable to the orders of this court*; V. *answerable, accountable; subject to*. [Exp: **amenable**[2] (GRAL dúctil, sensible, consciente, tratable ◊ *Most criminals are stubborn and wilful and rarely amenable to reason*; V. *obedient, tractable, observant*)].

amend *v*: GRAL enmendar, corregir, rectificar, modificar, revisar, reformar, remediar ◊ *The Central Arbitration Committee have power to amend discriminatory collective agreements*; V. *alter, correct, modify, cure a defect, action to amend*. [Exp: **amended, as** (PROC enmendado ◊ *Section II of the Act, as amended by s 10 (1981)*; V. *section*), **amended complaint** (PROC [escrito de] ampliación de la demanda), **amended pleadings** (PROC alegatos nuevos), **amending** (GRAL modificativo), **amendment** (GRAL/CONST enmienda, modificación, reforma o rectificación; V. *modification*), **amendment by compulsion** (PROC modificaciones impuestas por el tribunal), **amends** (CIVIL reparación, compensación, satisfacción), **amends, make** (CIVIL poner remedio, ofrecer compensación o reparación, dar cumplida satisfacción, satisfacer, indemnizar, reparar, gratificar)].

amenity[1] *n*: GRAL mejora, accesorio útil; en plural significa «atenciones, cortesías, gestos amistosos, etc.». [Exp: **amenity**[2] (GRAL disfrute, placer; V. *loss of amenity, personal injury claim*)].

amerce *obs n*: PENAL multar; V. *fine, punish*. [Exp: **amercement** *obs* (PENAL multa [impuesta por un tribunal, no regulada por la ley]; V. *affer*)].

American *a/n*: GRAL americano; norteamericano. [Exp: **American Bankers Association, ABA** *US* (MERC Asociación de Banqueros Americanos; equivale a la *AEB* o Asociación Española de Banca Privada), **American Bar Association, ABA** *US* (GRAL Colegio de Abogados de los EE.UU.; V. *Faculty of advocates, Bar, Bar Council*), **American clause** (SEGUR cláusula americana; según esta cláusula, en caso de avería o de pérdida de la propiedad asegurada, la responsabilidad de indemnizar al asegurado recae hasta un límite prefijado en la primera de las dos aseguradoras que suscriben la póliza, interviniendo la segunda sólo en el caso de que los daños totales excedan de dicho límite de cobertura), **American Federation of Labour, AFL-CIO** *US* (LABORAL Federación Norteamericana del Trabajo), **American Institute of Certified Public Accountants** *US* (MERC Instituto Norteamericano de Contadores Públicos Titulados; V. *certified public accountant*), **American judiciary** *US* (CONST el poder judicial norteamericano; en líneas generales se puede distinguir el ordenamiento judicial federal *–federal judicial system–* y el ordenamiento judicial estatal *–state judicial system–*), **American Law Institute** *US* (CONST Instituto Jurídico Norteamericano; es responsable de la publicación denominada *Restatements of Law* –planteamientos jurídicos, doctrina jurídica– de las diversas disciplinas jurídicas de Estados Unidos; interviene, junto con el *National Conference of Commissioners on Uniform State Law*, en la elaboración de las *Uniform State Laws*)].

amicable *a*: GRAL amistoso ◊ *They reached an amicable agreement and avoided the expense of litigation*; V. *friendly, amity; hostile*. [Exp: **amicable agreement/arrangement/settlement** (CIVIL acuerdo amistoso, transacción amistosa; V. *arrangement*), **amicable/friendly compounder** (CIVIL/ADMIN/GRAL árbitro extrajudicial), **amicus curiae** (PROC amigo del tribunal; ese término alude a la persona, o grupo de personas que, sin personarse en el pleito *–is not a party to the lawsuit–* poseen experiencia o información de utilidad en la resolución del caso, o pueden verse afectados por el fallo final)].

amity *n*: INTER/GRAL relaciones amistosas, amistad.

amnesty *n*: PENAL/CONST amnistía ◊ *When amnesty is granted to a group of people, there is abrogation of both the offence and the punishment*; V. *grant amnesty; full pardon, absolute pardon, free pardon; tax evasion amnesty*. [Exp: **amnesty for tax dodgers** (FISCAL amnistía fiscal)]

amount *n/v*: GRAL/MERC cantidad, suma, importe; montante, monto, cuantía, valor; ascender, alcanzar, importar. [Exp: **amount involved [in a suit]** (CIVIL cuantía ◊ *When the amount involved is small, civil cases are heard in County Courts*; V. *value of the action*), **amount to**[1] (GRAL ascender a ◊ *The company's debts amount to over € 2 million*), **amount to**[2] (GRAL constituir, ser constitutivo de, equivaler a ◊ *Alarming a person may amount to harassing that person*)].

amortization *n*: MERC amortización, amortización contable; reembolso a plazos de una deuda; V. *depreciation*. [Exp: **amortization quota** (MERC tasa/cuota de amortización), **amortize** (MERC amortizar)].

amotion *n*: ADMIN/CIVIL desalojo; desposesión de un cargo.

analogy *n*: GRAL/PROC analogía ◊ *The court thought there was no discrimination when it applied by analogy the provisions of section 726 of the Companies Act*; V. *affinity*.

ancestry *n*: CIVIL ascendencia; V. *descent, lineage*.

anchor *n/v*: GRAL ancla, pieza clave o fundamental; ligar, vincular, anclar, vulnerar; V. *lie at anchor*. [Exp: **anchor-and-chain clause** (SEGUR cláusula de una póliza de seguros marítimos que exime a la compañía aseguradora del coste de recuperación de las anclas y de las cadenas perdidas), **anchorage** (MERC fondeadero; derechos de anclaje), **anchorage charges/dues** (MERC derechos de anclaje, derechos de permanencia en un puerto; V. *due, petty average, towage, berthage*)].

ancient *a*: CIVIL antiguo. [Exp: **ancient lights** (CIVIL servidumbre de luces adquirida por prescripción; V. *easement*)].

ancillary *a*: GRAL accesorio, anciliario, auxiliar, incidental, secundario; subordinado, dependiente, subsidiario; se emplea en expresiones como *ancillary proceeding* –procedimiento accesorio o incidental–, *ancillary receiver* –síndico auxiliar–, etc.; V. *accessory, auxiliary*

annex *n/v*: GRAL anexo; incorporar como anexo; en inglés británico se escribe *annexe* cuando es sustantivo; V. *allonge, rider, addendum*. [Exp: **annexation** (INTER/CIVIL anexión; accesión de un bien inmueble a uno mueble; V. *addition, expansion, extension*)].

annotate *v*: GRAL/PROC anotar ◊ *She returned his draft report, copiously annotated*; en inglés *annotate* no alude a simples notas, apéndice o breves apuntes sino a comentarios *in extenso*. [Exp: **annotation** (GRAL/PROC comentario, nota marginal, nota al margen, apunte)].

announce *v*: GRAL presentar, anunciar, hacer público, comunicar, declarar ◊ *The Chancellor announces the Budget every year*; V. *declare, pronounce, advice, notice, proclaim*. [Exp: **announce/declare a dividend** (SOC declarar un dividendo), **announcement** (GRAL anuncio, declaración, nota informativa; V. *dividend announcement*), **announcement of death, marriage,** etc. (GRAL aviso, anuncio, comunicado, comunicación de defunción, de matrimonio, etc.)].

annual *a*: GRAL anual; V. *yearly*. [Exp: **annual general meeting, AGM** (MERC junta general anual; V. *officer, regular meeting*), **annual return** (MERC informe o memoria anual de las empresas, indicando su estado financiero y el nombre de los consejeros ◊ *Overall policy is discussed at the Annual General Meeting*)].

annuitant *n*: GRAL/SEGUR rentista, beneficiario de una anualidad, vitalicista, censualista. [Exp: **annuity** (SEGUR seguro de rentas; renta anual; anualidad; pensión; el término se aplica, por lo general, a la asignación o renta anual *–yearly allowance–* percibida mensual, trimestral, semestral o anualmente como retribución de jubilación o *retirement allowance* –distinta a la pensión de jubilación–, generada de acuerdo con un plan suscrito con una compañía de seguros; el asegurado entrega un capital a una aseguradora, en prima única *–single premium–* o en plazos regulares y fijos *–fixed regular instalments–*, con el fin de recibir, en su día, una renta vitalicia *–life annuity–* o durante un número de años *–terminable annuity–*; V. *life annuity, retirement annuity*)].

annul *v*: GRAL/PROC anular, cancelar, invalidar, revocar, casar, rescindir, derogar; todas las normas de carácter político o administrativo, así como las resoluciones judiciales, pueden anularse, esto es, quedar sin efecto; *annul* y *cancel* son sinónimos parciales, no obstante, el primero connota que lo anulado nunca existió, como, por ejemplo, la anulación de un matrimonio, en cuyo caso equivale a *nullify*; también son sinónimos de *annul*, normalmente aplicados al campo de lo legislativo, *abolish, abrogate, repeal*, etc., mientras que *quash, reverse, set aside, strike out* son sinónimos parciales aplicados a las resoluciones judiciales; V. *nullify, dissolve, abolish, repeal, abrogate; abate proceedings, abolish, repeal, set aside, invalidate, quash, revoke*. [Exp: **annulling clause** (CIVIL/MERC cláusula abrogatoria), **annulment** (CIVIL/MERC anulación, rescisión, cancelación, revocación, casación, derogación, derogatoria ◊ *In an annulment of a marriage, the court declares that the marriage in question was never valid*; V. *nullity of marriage; nullification; action for annulment; dissolve*)].

answer[1] *n*: GRAL/PROC defensa, contestación a la demanda, réplica ◊ *The first pleading by the defendant in a lawsuit in response to the plaintiff's statement of claim is known as the answer*; *answer* es la primera alegación, llamada también *defence*, equivaliendo a «defensa o contestación a la demanda»; en Inglaterra se utiliza más el término *defence* que *answer*; V. *defence, plea; statement of claims*. [Exp: **answer**[2] (PROC comparecer, responder, dar satisfacción, responder por), **answer to a charge** (PENAL/ADMIN descargo), **answer to interrogatories** (CIVIL absolución de posiciones, contestación a interrogatorios), **answer to the charges, have a complete** (PENAL probar su inocencia), **answerable to** (GRAL responsable ante ◊ *In the exercise of his powers, the policeman is answerable to the law*; V. *accountable, amenable, liable, responsible*), **answerer** (CIVIL/MERC fiador; V. *backer*)].

antecedents *n*: PENAL antecedentes penales ◊ *Antecedents show the defendant's full names, date of birth, home address, any aliases used and list his previous convictions or cautions*; V. *police record, conviction records, background*.

antedate *v*: GRAL retrotraer, antedatar, anticipar; V. *date, post-date, update*.

antenuptial *a*: CIVIL prenupcial, prematrimonial.

anti *pre*: GRAL anti. [Exp: **anti-constitutional** (CONST anticonstitucional), **anti-dumping duties** (MERC derechos antidumping; V. *countervailing duties*), **anti-dumping laws** (MERC legislación antidumping; **anti-graft probe** (PENAL investigación judicial anticorrupción ◊ *The businessman's arrest on bribery charges has sparked an anti-graft probe*; V. *graft*), **anti-trust laws** (MERC legislación antimonopolística), **anti-waiver clause** (MERC/CIVIL cláusula antirrenuncia; V. *waiver*), **antichresis** (CIVIL antícresis)].

anticipation *n*: GRAL/MERC anticipación, anticipo; previsión; adelanto; en el derecho de patentes alude a los trabajos previos que impiden que se pueda registrar algo como novedad, por haberse anticipado otro. [Exp: **anticipation, in** (GRAL confiando que, con la esperanza de que, previendo, adelantándose a ◊ *The landlord let him spend the night in the flat in anticipation that they would be able to agree terms of a lease the next day*; V. *in contemplation*), **anticipatory offences** (PENAL actos delictivos preparatorios)].

Anton Piller order *n*: PROC/CIVIL orden de registro y embargor; auto o mandato judicial que autoriza al demandante a tener acceso a algún establecimiento de la propiedad del demandado para inspeccionar, copiar o poner a buen recaudo documentos que el primero sospecha que el segundo puede ocultar o destruir; desde la reforma procesal civil de 1998, en el Reino Unido se utiliza el término *search order* y también *order for search and seizure* en vez de *Anton Piller order*.

APA *US n*: ADMIN Ley de Procedimiento Administrativo; equivale a *Administrative Procedure Act*.

apology, make an *n*: PROC presentar excusas o justificación ◊ *If a libel is published without malice or gross negligence, an apology made by the defendant may be taken into account in mitigation of damages*. [Exp: **apologies for absence from a meeting** (ADMIN/CIVIL/MERC disculpan su inasistencia a la junta)].

apparent *a*: GRAL evidente, manifiesto, presunto, obvio; aparente ◊ *His apparent lack of means is a blind; he is really very rich*; V. *heir apparent; on the surface; in apparent good condition*. [Exp: **apparent danger** (PENAL peligro evidente), **apparently** (GRAL a juzgar por las apariencias, en apariencia)].

appeal[1] *v/n*: PROC recurrir, apelar; interponer recurso de apelación/alzada; recurso, apelación, alzada, recurso de alzada, súplica, petición, instancia; V. *leave to appeal, launch/lodge/make an appeal, review; lie to, Court of Appeal, U.S. Court of Appeals.*[Exp: **appeal**[2] (PENAL testimonio de un reo que confiesa su delito y acusa a sus cómplices *–approvers–* con el fin de obtener el perdón; también se le conoce con el nombre de *approvement*), **appeal against a conviction, a decision, an interim injunction, etc**. (PROC recurrir una condena, una resolución judicial, un interdicto provisional o medida cautelar), **appeal bond** (PROC fianza de apelación, fianza que exige la ley para recurrir), **appeal by way of case stated** (PROC recurso de apelación por error en la jurisprudencia aplicada por el tribunal, o para aclarar la interpretación de éstos en alguna cuestión jurídica; requerimiento dirigido por la parte que desea recurrir una sentencia al juez que la ha dictado para que haga explícita la motivación de la misma con el fin de poder determinar los motivos concretos sobre los que fundamentar el recurso; V. *case stated*), **appeal for amendment** (PROC recurso de reforma o de enmienda), **appeal for annulment** (PROC recurso de anulación), **appeal for protection** (PROC recurso de amparo), **appeal for reconsideration** (PROC recurso de súplica, de revisión o reconsideración), **appeal for reversal** (PROC recurso de reposición), **appeal, on** (PROC en recurso de apelación ◊ *The ten-year sentence was reduced to six on appeal*), **appeal on procedural defect** (PROC recurso por quebrantamiento de forma), **appeal on the law** (PROC recurso por infracción de ley), **appeal record** (PROC autos del proceso de apelación), **appeals court** (PROC tribunal de apelación ◊ *An appeals court released him on bail*; V. *court of appeal, appellate court*)].

appear *v*: GRAL/PROC comparecer, personarse, apersonarse, responder en persona o por procurador o abogado ◊ *The plaintiff failed to appear on the day set for trial and the action was struck off the list.* [Exp: **appear on the agenda** (PROC figurar en el orden del día), **appearance** (PROC comparecencia, acto de presencia; V. *make an appearance in court, special appearance in court; default*), **appearance bail** (PROC fianza de comparecencia), **appearance day** (PROC último día autorizado para comparecer; si no se presenta, al día siguiente, el convocado es declarado en rebeldía *–default–*), **appearance docket** (PROC lista de comparecientes; V. *calendar of causes, calendar of cases, trial docket*), **appearance notice** *US* (PENAL orden de comparecencia [ante un tribunal])].

appeasement *n*: GRAL/CIVIL apaciguamiento; V. *pacification.*

appellant *n*: PROC recurrente, apelante; V. *appellee.* [Exp: **Appellate Committee of the House of Lords, the** (CONST/PROC Comité de Apelación de la Cámara de los Lores; V. *House of Lords, law lords, the Judicial Committee of the Privy Council*), **appellate court** (PROC tribunal [con competencia] de apelación o de alzada ◊ *An appellate court released him on bail*; todos los tribunales superiores son a la vez tribunales de apelación de las resoluciones de los inferiores; V. *trial court, Court of Appeal, high courts, lower courts, courts of first instance, supervisory court*), **appellate division** (PROC sala de apelación), **appellate jurisdiction** (PROC jurisdicción de apelación; V. *original jurisdiction, higher courts, High Court of Justice*), **appellate review** (PROC revisión por un tribunal de apelación; V. *judicial review*), **appellee** *US* (PROC apelado, parte apelada o recurrida; V. *appelant, respondent, defendant; approver*)].

append *v*: GRAL añadir, anexar; V. *attach, enclose, annex*. [Exp: **appendant** (GRAL subordinado, accesorio, dependiente; V. *addendum, allonge, annex, rider*), **appendix** (GRAL apéndice; V. *addendum, allonge, annex, rider*)].

appertaining *a*: GRAL/CIVIL relativo a, perteneciente, concerniente.

applicable *a*: GRAL aplicable, pertinente o de aplicación; V. *existing*. [Exp: **applicable to** (GRAL concerniente a), **applicable, when** (GRAL cuando sea de aplicación; V. *where appropriate*), **applicant** (PROC demandante, aspirante, solicitante; recurrente ◊ *Applicants for the post must fill out all the forms in triplicate*; V. *petitioner, claimant*), **application**[1] (PROC solicitud, instancia, petición, súplica ◊ *Certain applications must be backed by affidavits*; los términos *application, petition* y *motion* tienen significados compartidos; el más general de todos es *application*; V. *petition, motion, plea, file an application*), **application**[2] (PROC ejecución de una norma; V. *enforcement*), **application by the party** (PROC petición), **application for amendment** (PROC recurso de reforma), **application form** (GRAL impreso o formulario de solicitud), **application for employment** (GRAL demanda de solicitud de empleo), **application money** (MERC primer pago fraccionado en la compra de acciones; V. *call*[3], *allocation money*), **application of, on/upon** (GRAL/PROC a instancias, súplica, petición, solicitud escrita de), **application of the law, by** (GRAL/PROC de oficio; V. *ex officio, at the request of one of the parties*), **apply**[1] (GRAL solicitar; V. *make an application, apply for*), **apply**[2] (PROC aplicar, ser de aplicación, venir al caso ◊ *Those rules do not apply to us*; V. *disapply*), **apply for** (GRAL solicitar ◊ *The court decided that the minor could not apply for asylum himself*; V. *seek, make an application*), **apply for leave to proceed** (PROC solicitar la admisión a trámite), **apply to** (GRAL/PROC ser de aplicación a, aplicar, ser aplicable a, atañer, comprender a, ajustarse a), **apply to accede** (INTER solicitar la adhesión; V. *accession*)].

appoint[1] *v*: GRAL/ADMIN nombrar ◊ *On the retirement of Lord Smith, Lord McGregor was appointed Master of the Rolls*; V. *designate, constitute*. [Exp: **appoint**[2] (CIVIL asignar ◊ *The trustees had powers to appoint the capital by deed or by will in unequal shares to Lord Highsnow's children*), **appoint**[3] (GRAL fijar, señalar; V. *set*), **appointment, by** (GRAL previa cita), **appointee** (ADMIN persona con nombramiento oficial o *appointment*l; V. *designee, nominee*), **appointer** (ADMIN nominador o apoderado; V. *power of appointment*), **appointment** (ADMIN nombramiento, mandato, designación; V. *designation; commission; dismissal; power of appointment*), **appointments vacant** (LABORAL/ADMIN plazas o puestos de trabajo libres o sin ocupar)].

apportion *v*: GRAL/CIVIL, MERC repartir, asignar, distribuir, consignar, prorratear, hacer una derrama; V. *allot, distribute, allocate*. [Exp: **apportion budget funds** (ADMIN/GRAL consignar fondos presupuestarios; V. *allocate*), **apportion the expenses** (MERC/CIVIL repartir, prorratear, hacer una derrama; V. *call*), **apportion the blame** (PENAL determinar la parte de culpa de los responsables) **apportionable** (GRAL prorrateable), **apportionment**[1] (ADMIN/CIVIL/MERC/SEGUR reparto, asignación; prorrateo, prorrata, repartición, derrama; reparto de la carga de gastos; se aplica, en especial, en el prorrateo de daños o pérdidas en avería gruesa *–gross average–* ◊ *In cases of bankruptcy, the trustees must work out an equitable apportionment of the assets*; V. *allocation, appropriation, allotment*), **apportion-**

ment[2] (ADMIN/MERC consignación en cuenta; asignación de cada gasto a su cuenta correspondiente), **apportionment clause** (SEGUR cláusula de prorrateo; cláusula de participación en el riesgo; en ella se estipula la participación de varios aseguradores en el riesgo y el consiguiente prorrateo en la indemnización al asegurado; V. *average*)].

appraisal *n*: GRAL/MERC estimación; avalúo, tasación [pericial], tasación de los bienes a subastar; aprecio, justiprecio, estimación; también se le llama *appraisement*; V. *assessment*), **appraisal clause** (SEGUR cláusula de tasación [exigible por el asegurador]), **appraise** (PROC/MERC/CIVIL valorar, valuar, tasar, peritar, justipreciar, aforar ◊ *A careful appraisal of the evidence suggests Smith knew in advance of the company's impending collapse*), **appraised value** (MERC/CIVIL justo precio, valor de tasación, valor de avalúo, valor estimado), **appraisement** (GRAL/MERC equivale a *appraisal*), **appraiser** (GRAL/MERC/CIVIL tasador, justipreciador, perito, valuador; V. *surveyor, estimator*), **appraising** (MERC/CIVIL peritación; V. *survey*)].

appreciate *n*: MERC/SEGUR/CIVIL estimar, valuar, tasar; subir en valor ◊ *When estimating the value of real estate, allowance must be made for appreciation.* [Exp: **appreciation** (MERC/SEGUR/CIVIL apreciación, incremento o aumento de valor; V. *depreciation*), **appreciation of property, assets, currency, etc**. (MERC/CIVIL revaluación de bienes, activos, moneda, etc.)].

apprehend[1] *v*: PENAL prender, detener [a un delicuente] ◊ *The suspect, who had escaped, was apprehended and taken before the magistrate*; V. *arrest, capture*. [Exp: **apprehend**[2] (GRAL comprender; sospechar, temer ◊ *The judge refused to grant bail since there was reason to apprehend that the accused would flee the country*; V. *understand, appreciate*), **apprehension**[1] (PENAL detención, arresto, captura, prisión, reclusión, detención provisional), **apprehension**[2] (GRAL aprensión, temor, sospecha)].

apprise/apprizer *v*: GRAL informar, avisar, dar parte ◊ *When apprised of these circumstances, the judge ordered the prisoner to be released*; V. *inform, notify*. [Exp: **apprised of** *formal* (GRAL sabedor/conocedor de), **apprizer** (GRAL/CIVIL/MERC perito, valuador)].

appropriate[1] *a*: GRAL correcto, procedente, competente, útil, pertinente, adecuado ◊ *The local authorities have taken the appropriate steps in order to raise funds for the building of a new school*; V. *where appropriate, inappropriate*. [Exp: **appropriate**[2] (ADMIN asignar, afectar, destinar, reservar o consignar [fondos, cuentas, impuestos, etc.] a fines específicos; conceder, distribuir ◊ *Council funds have been earmarked for the building of a new school*; V. *allocate, allot, earmark, reserve, set aside, unappropriated*), **appropriate**[3] (CIVIL/PENAL apropiarse, posesionarse, incautarse, adjudicarse; tomar posesión ◊ *It is illegal to appropriate intellectual property*; V. *abstract, steal, confiscate, usurp, arrogate*), **appropriate property for public use** (CIVIL/PENAL expropiar bienes inmuebles para uso público; V. *condemnation, compulsory purchase*), **appropriate, where** (GRAL en su caso, cuando corresponda; V. *when applicable*), **appropriation**[1] (GRAL apropiación; a veces se usa incorrectamente con el sentido de apropiación indebida o *misappropriation*; V. *confiscation*), **appropriation**[2] (ADMIN/CIVIL asignación presupuestaria o de recursos; crédito autorizado; pago de las deudas del fallecido; reparto de los bienes entre los sucesores; consignación; destino; los términos *appropriation* y *allocation* suelen ser sinónimos; cuando se usan conjuntamente, *allocation* suele referirse a una partida de la consignación general o *appropriation*; V. *allotment; budget*), **appropriation**[3] (PENAL utilización/apropiación indebida del nombre una persona sin su autorización), **appropriation bill** (ADMIN proyecto de ley de provisión de fondos o de asignación presupuestaria), **appropriation account** (MERC/ADMIN cuenta de aplicación, de dotación o de consignación; cuenta de distribución de beneficios), **appropriation of land** (ADMIN expropiación de tierras), **appropriation of water** (ADMIN desvío de aguas), **appropriation warrant** (ADMIN autorización de nuevas asignaciones de crédito)].

approval *n*: GRAL aprobación, conformidad, autorización, conforme, visto bueno ◊ *The new wording of the Act met with the MPs' approval and it was duly passed*; V. *assent, confirmation, ratification, endorsement, sanction, prior approval*. [Exp: **approval of, have the** (GRAL estar refrendado por) **approval, on** (GRAL a prueba, sujeto a/pendiente de aprobación), **approve** (GRAL/PROC aprobar, sancionar, autorizar un contrato, dar fuerza de ley; V. *agree as a correct record; endorse, ratify*), **approved auditor** (MERC auditor oficial o autorizado), **approved agenda** (GRAL orden del día definitivo), **approvement**[1] *obs* (PENAL testimonio de un reo *–approver–* que confiesa su delito y acusa a sus cómplices con el fin de obtener el perdón; también se le conoce con el nombre de *appeal*), **approvement**[2] *obs* (CIVIL mejoras en una finca rústica), **approver** (PENAL reo que acusa a sus cómplices o *appellees*)].

approximate *a/v*: GRAL aproximado; aproximar. [Exp: **approximate cause** (CIVIL V. *proximate cause*), **approximation** (CIVIL aproximación; doctrina que obliga a aplicar las soluciones más aproximadas a las que se previeron en su día, por ejemplo, en un *trust*; cálculo aproximado), **approximation of legal provisions** (CONST aproximación de las disposiciones legales; V. *harmonization*)].

appurtenances *n*: CIVIL/GRAL pertenencias, dependencias anexas o adjuntas, accesorios, mobiliarios, enseres, derechos accesorios ◊ *A right of way may be considered an appurtenance*; V. *easement*. [Exp: **appurtenant** (GRAL/CIVIL aparejado, perteneciente a, propio de; accesorio, adjunto, subsidiario; servidumbre de disfrute de origen contractual vinculada a un predio dominante; V. *accessory, subsidiary, auxiliary*), **appurtenant easement** (CIVIL servidumbre real o accesoria)].

A. R. *n*: SEGUR V. *all risks*.

arbiter *n*: MERC/CIVIL árbitro, compromisario; V. *arbitrator, umpire*. [Exp: **arbitrage/arbitraging** (MERC arbitraje, consiste el arbitraje en comprar y vender simultáneamente una misma mercancía o producto financiero a dos corredores distintos o a dos mercados distintos con el fin de obtener beneficios buscando la diferencia de precios de ambos y aprovechando las ineficiencias del mercado), **arbitrage firm** (MERC casa de arbitraje), **arbitrager** (MERC arbitrajista; el que practica el arbitraje *–arbitrage–*), **arbitral** (MERC/LABORAL arbitral; V. *arbitration*), **arbitral settlement** (MERC/LABORAL arreglo arbitral), **arbitral award** (MERC/LABORAL laudo arbitral; V. *umpirage*), **arbitrament** *frml* (MERC/LABORAL arbitraje; equivale a *arbitration award*), **arbitrary** (ADMIN arbitrario; se suele decir de los actos de la administración cuando no están bien motivados *–reasoned–*; V. *discretional*), **arbitrate** (PROC arbitrar, juzgar, decidir, componer [una disputa]; mediar, terciar; V. *adjudge, adjudicate, settle*), **arbitration** (MERC/LABORAL/CIVIL arbitraje; tercería ◊ *Many modern contracts include arbitration clauses, with the aim of keeping* *legal costs down in the event of disagreement*; V. *ADR, conciliation*), **arbitration award/bond/council, etc**. (PROC/LABORAL sentencia, fianza, tribunal, etc., arbitral o de arbitraje; V. *award*), **arbitration board/council/panel** (MERC/LABORAL cámara, tribunal, órgano o junta de arbitraje), **arbitration, by** (PROC por vía arbitral), **arbitration clause** (PROC cláusula arbitral), **arbitration proceedings** (MERC/LABORAL juicio arbitral, procedimiento arbitral), **arbitrator** (MERC/LABORAL árbitro, compromisario, hombre bueno, amigable componedor; V. *adjudicator; umpire*), **arbitrium** (MERC/LABORAL laudo arbitral)].

archive *n/v:* GRAL archivo, archivar ◊ *At the end of a case, the papers are either archived or destroyed after a given time*; V. *shelve; on file*.

area[1] *n*: GRAL área, zona, región; V. *region, territory, neighbourhood*. [Exp: **area**[2] (GRAL local, territorial ◊ *A prominent area law firm*), **area of agreement** (GRAL puntos de coincidencia)].

argue[1] **[a case]** *v*: GRAL/PROC debatir, argüir, discutir, razonar, disputar, defender, probar con argumentos, argumentar, contender [ante los tribunales] ◊ *Barristers argue a case in court with the briefs prepared by the solicitors*; V. *contend for, debate*. [Exp: **argue**[2] (GRAL servir de prueba, ser base de apoyo, hablar [en favor de] ◊ *The fact that he gave himself up voluntarily argues in his favour*), **arguable** (GRAL controvertible, discutible, dudoso; demostrable, sostenible, susceptible de demostración), **arguably, be** (GRAL poder afirmarse, sostenerse o defenderse ◊ *He is arguably the finest lawyer in the country*), **argument**[1] (GRAL disputa, desacuerdo acalorado; V. *dispute, controversy*), **argument**[2] (GRAL/PROC argumento, alegato, defensa, prueba; en plural, *arguments*, significa «descargos, alegaciones»; V. *reason, ground, proof*), **argument to jury** (PROC alegato dirigido al jurado), **argumentative** (GRAL combativo, terco, discutidor; V. *contentious, litigious, quarrelsome*), **argumentative affidavit** (PROC certificación jurada que expone no sólo hechos sino conclusiones también ◊ *An argumentative affidavit is a sworn written statement containing arguments related to facts used to back certain applications*), **argumentative allegation** (PROC alegaciones razonadas; V. *averment*)]

armed *a*: GRAL/PENAL armado ◊ *Heavily armed policemen entered his residence to recover computer records*; V. *heavily armed*. [Exp: **armed escort** (PENAL escolta armado; V. *under police escort*), **armed robbery** (PENAL robo a mano armada; V. *aggravated robbery, daylight robbery*)].

arraign *v*: PENAL/PENAL celebrar vista incoatoria, presentar un acusado ante el tribunal, acusar, denunciar, procesar, leer la acusación ◊ *When a person is arraigned, he is brought to the bar of the court so that the indictment can be read to him*. [Exp: **arraignment** (PENAL vista incoatoria, procesamiento, acusación, acto de acusación formal hecha por el juez al acusado con el que empieza el proceso penal en el *Crown Court* de Inglaterra o en cualquier tribunal de lo penal norteamericano; consiste en la lectura al imputado de la acusación *–indictment–* o de la denuncia *–information–* y en la petición de que se declare culpable *–plead guilty–*, no culpable *–not guilty–* o *nolo contendere*; V. *pre-trial proceedings; autrefois acquit/convict*)].

arrange *v*: GRAL arreglar, ordenar; V. *settle*. [Exp: **arranging debtor** (CIVIL deudor concordatorio o aquiescente), **arrangement**[1] (GRAL/CIVIL acuerdo, arreglo, convenio, concierto ◊ *It is better and cheaper for everybody if an arrangement can be* *made and a trial avoided*; V. *agreement, composition, deal, accord, settlement, amicable arrangement, scheme of composition*), **arrangement**[2] (GRAL/PROC trámites, formalización, gestión; organización, sistema, régimen ◊ *He has made the necessary arrangements for the deal to go through without delay*; V. *plan, step, provision*), **arrangement accord** (PROC/CIVIL arreglo, conciliación, transacción), **arrangement with, by** (GRAL con la autorización, con el beneplácito de), **arrangement with creditors** (MERC concordato con los acreedores), **arrangements** (GRAL plan de actuación, preparativos, organización, medidas)].

array *n/v*: GRAL/PROC lista; lista de candidatos a formar parte de un jurado; escoger los jurados, formar la lista; a esta lista de candidatos a formar el jurado también se la llama *panel*; V. *panel, call the jury; empanel; challenge to the array; photo array*.

arrears *n*: deudas impagadas, atrasos; V. *back, overdue, unsettled, pending, outstanding, default*. [Exp: **arrears, be/fall/get in** (GRAL atrasarse/retrasarse en el pago), **arrears, in** (GRAL en descubierto, en mora, atrasado; vencido), **arrears [of wages, interest, rent, etc**.] (GRAL demora o atraso-s [en el pago de sueldo, intereses, alquiler, etc.]; deudas ◊ *An employee who is owed wages can sue his employer for arrears of pay*)].

arrest[1] *n/v*: PENAL detención, prisión; arresto [de un militar], secuestro de un buque, a consecuencia de su embargo; detener, arrestar ◊ *When an arrest is made, the accused must be told that he is being arrested and given the ground for his arrest*; los términos *detention* y *arrest* son sinónimos parciales; el primero equivale a «retención» y el segundo a «detención», aunque, debido a la influencia del inglés, algunos usan «arresto»; *arrest* connota que se ha utilizado la fuerza física, verbal, psicológica, etc.; véanse las formas *arresto/arrest* en la segunda parte del diccionario; V. *apprehend, capture; apprehension, detention; effect an arrest*. [Exp: **arrest**[2] *der es* (CIVIL/PROC embargar, intervenir, retener, secuestrar, trabar; V. *attach, seize*), **arrest record** (PENAL ficha policial, antecedentes penales; V. *criminal record, rap sheet*), **arrest warrant** (PROC orden judicial de arresto/detención, orden de búsqueda y captura); V. *warrant of/for arrest*), **arrest of sentence/judgment** (PROC solicitud de suspensión del pronunciamiento de una sentencia o de nulidad de una causa por defecto de forma; aplazamiento de la sentencia ◊ *After his client's conviction, Counsel moved for arrest of sentence on the ground of defect in the indictment*; se puede pedir esta suspensión después del veredicto y antes de que el juez pronuncie la sentencia; V. *stay; motion in arrest of judgment*), **arrest, under** (PENAL detenido; V. *in custody*), **arrestable offence** (PENAL delito grave o muy grave ◊ *People suspected of having committed arrestable offences can be arrested without a warrant*; desde el punto de vista de la policía, los delitos pueden ser: *arrestable offences*, delitos en los que la policía, sin necesidad de una orden judicial de detención *–warrant of/for arrest–*, puede detener a los sospechosos, y *non-arrestable offences*, delitos en los que la policía no puede detener a los presuntos delincuentes sin la orden correspondiente; V. *indictable offence, felony*), **arrestment** *der es* (CIVIL/PROC embargo, intervención, retención, secuestro, traba; V. *attachment, freezing order, lien, seizure*), **arrestment on the dependence** *der es* (CIVIL/PROC embargo preventivo, traba de bienes *pendente lite*; traba o intervención cautelar de los bienes del deudor o demandado a la espera de las resultas del juicio), **arrestment to found jurisdiction** *der es* (CIVIL/PROC embargo *jurisdictionis fundandœ causa*, embargo preventivo; alude al embargo, solicitado por el actor, de bienes del demandado extranjero que se hallen físicamente presentes dentro de la jurisdicción de los tribunales escoceses, para que este último responda con ellos de su eventual responsabilidad; curiosamente, a ciertos efectos Inglaterra, Gales e Irlanda del Norte se consideran jurisdicciones «extranjeras» para el Derecho escocés y en general las leyes inglesas son *foreign law* o leyes de un ordenamiento foráneo; V. *attach, confiscate, embargo, seize*)].

arrogate *v*: PROC arrogarse, alegar algún derecho infundado; V. *usurp*.

arson *n*: PENAL incendio doloso, intencional o provocado. [Exp: **arsonist** (PENAL incendiario; V. *set fire to*)].

art *n*: GRAL V. *terms of arts*.

article[1] *n*: CONST sección; artículo; el término *article* normalmente alude a un conjunto de artículos *–sections–* de una ley parlamentaria *–act/statute–*; en el derecho comunitario redactado en inglés, *article* equivale a «artículo» ◊ *Under Article 34 any non-governmental organisation has a right of individual petition to the European Court of Human Rights*; V. *section, clause, paragraph*. [Exp: **article**[2] (GRAL pactar, convenir), **article**[3] *obs* (PENAL cargo; V. *charge, count*), **article an apprentice** (GRAL tutelar a un profesional en su período de prácticas; V. *serve articles*), **articles**[1] **[in]** (GRAL pasantía, período de práctica como pasante; V. *serve articles, articled clerk*), **articles**[2] (GRAL acta, contrato; V. *articles of war*), **articles and conditions** (PROC pliego de condiciones), **articles, in/under** (GRAL de pasante, en prácticas ◊ *Before a lawyer can become a solicitor, a period in articles in a solicitor's office is compulsory*; V. *be indentured to*), **articles of agreement** (INTER artículos de un convenio o contrato, tratado; contrato), **articles of association** (MERC estatutos o reglamento de una asociación ◊ *The articles of association of a company are its detailed internal rules, which refer to such matters as the appointment and duties of the managing director*, etc.; V. *memorandum of association, certificate of incorporation, articles of partnership*), **articles of incorporation** (MERC estatutos o reglamento de una sociedad mercantil; en algunos estados norteamericanos se emplea el término *articles of incorporation* en el sentido de *articles of association* y, a veces, en el de *memorandum of association*), **articles of partnership** (MERC contrato de sociedad, estatutos de una sociedad), **articles of war** (GRAL reglamento de los conflictos armados, código de justicia militar), **articles, under** (PROC escriturado; V. *in articles, under seal*)].

artificial person *n*: CIVIL/MERC persona jurídica ◊ *A corporation, for example, is an artificial person as the law gives it some of the rights and duties of a person*; V. *juristic/legal person*.

as[1] *conj*: GRAL cuando; V. *where*. [Exp: **as**[2] (GRAL en calidad de ◊ *They went into business as co-founders*), **as far as is necessary** (GRAL cuando fuere necesario, en caso necesario, en tanto fuere necesario; V. *where necessary*), **as at 31 December** (GRAL a 31 de diciembre ◊ *The Balance Sheet shows the state of the company's finances as at 31 December 1990*), **as is** (GRAL tal cual, en el estado que está, como cuerpo cierto, modernamente también se dice *as seen*), **as of** (GRAL a partir de [fecha], con fecha de ◊ *As of the 15th of June, parking outside the building is for permit-holders only*), **as of right** (GEN por derecho [propio] ◊ *He came into his estate, as of right, when he* *reached the age of eighteen*), **as per** (GEN con referencia a, según consta; se emplea en expresiones como *as per advice, contract, invoice, agreement, order, etc.* –con referencia a, según consta en el aviso, el contrato, la factura, el convenio, el pedido, etc.– ◊ *The goods are chargeable as per invoice, and we would appreciate prompt payment by cheque or order*), **as seen** (GRAL V. *as is*)].

ascendant *n*: CIVIL ascendiente; V. *descendant.*

ascertain *v*: GRAL estimar, fijar, aclarar, esclarecer, averiguar, cerciorarse, determinar, evaluar, descubrir ◊ *It is not always easy for a judge to ascertain the intention of the contending parties*; V. *determine, establish, assess, discover, prove; certain, liquidated and ascertained.* [Exp: **ascertainable** (GRAL averiguable, determinable, evaluable), **ascertainment of the damage, etc**. (MERC estimación, determinación, valoración, fijación, averiguación del daño, etc.)].

ashore, run *v*: MERC encallar, envarar; V. *aground, stranded.*

asperse *v*: PENAL difamar, calumniar, denigrar; V. *slander, malign, backbite, libel.* [Exp: **asperser** (PENAL infamador, calumniador ◊ *The accused is not allowed to cast aspersions on the conduct of the prosecution or their witnesses*), **aspersion** (PENAL difamación, calumnia, mácula, tacha, deshonra; V. *calumny, slander*)].

asportation *obs n*: PENAL acarreo de bienes robados.

assail[1] *v*: PENAL atacar, abalanzarse sobre, agredir, asaltar, acometer; V. *assault, attack.* [Exp: **assail**[2] (PROC recurrir, impugnar ◊ *Judgements may be assailed by appeal*; V. *appeal*), **assailable** (PROC recurrible, impugnable; discutible, controvertible, **assailable** (PROC recurrible, impugnable; discutible, controvertible, rebatible, refutable; V. *rebut*), **assailant** (PENAL asaltante, agresor, atacante)].

assassinate *v*: PENAL asesinar a una figura relevante ◊ *John Lennon was assassinated.* [Exp: **assassin** (PENAL asesino; V. *killer, gunman, murderer, triggerman, homicide, slayer*), **assassination** (PENAL asesinato, magnicidio; V. *character assassination*)].

assault *n/v*: PENAL/CIVIL ataque, agresión ilegítima; amenaza, insulto; agresión sexual; amenazar, acometer, hostigar, insultar, asaltar, atacar, provocar, meterse con; los términos *assault* y *battery* se usan como sinónimos y, con frecuencia, formando la unidad léxica *assault and battery*; para que haya *battery* debe haber contacto físico agresivo, mientras que para el *assault* basta con gestos o palabras ofensivas o agresivas; con *assault and battery* existe agresión física, y también la gestual y la verbal; V. *aggravated assault, common/simple assault, handgun assault, indecent assault, sexual assault; attack, assail, abuse.* [Exp: **assault and battery** (PENAL amenazas y agresión, maltrato de obra y de palabra; V. *battery*), **assault with a deadly weapon** (PENAL asalto a mano armada), **assault with intent to commit a felony** (PENAL asalto con intención criminal)].

assembly *n*: GRAL/CIVIL/MERC/ADMIN junta, asamblea; Asamblea, Parlamento Europeo; V. *European Parliament; meeting, diet.* [Exp: **assembly proceedings** (GRAL acta de la junta), **assembly room** (GRAL sala de juntas o de sesiones; V. *boardroom*)].

assent *n/v*: CONST/ADMIN/CIVIL asentimiento, aprobación, refrendo, ratificación, beneplácito; confesión, reconocimiento, declaración, dictamen; sancionar, asentir, afirmar ◊ *Following of the Royal Assent, a bill becomes a statute or parliamentary act*; V. *mutual assent, vesting assent; approval, compliance, sanction; assert, acquiesce, admit, sanction*

assert[1] *v*: GRAL afirmar, asentir, mantener, aprobar, asegurar, alegar; V. *affirm, assent, declare, admit*. [Exp: **assert** [2] (GRAL hacer valer, reafirmar, dejar sentado, reivindicar ◊ *The president asserted the Executive privilege*; V. *claim*), **assert one's authority** (GRAL imponer su autoridad), **assert**[3] **one's rights/claims** (PROC hacer valer sus derechos, reivindicar sus derechos), **assertion** (GRAL aserto, declaración; V. *declaration, statement, plea, report; affirmation, admission, assent, avowal, account; deposition, testimony*), **assertory** (GRAL afirmativo, aseverativo)].

assess *v*: GRAL determinar, fijar, imponer; multar; evaluar, valorar, calcular, justipreciar, tasar, peritar ◊ *The term assessment can refer both to the «evaluation» of the worth of property for tax purposes and to the «amount» assessed or fixed.*; se suele aplicar a *taxes, damages, costs, the premium*; V. *adjust, determine, establish, ascertain, value, estimate, appraise, fix the value of*. [Exp: **assess damages** (CIVIL fijar daños y perjuicios), **assessable** (FISCAL gravable, imponible), **assessable insurance** (SEGUR seguro con aumento de prima de acuerdo con la valoración del siniestro), **assessed income** (FISCAL renta gravada, renta sujeta a tributación), **assessed taxes** (FISCAL contribuciones directas), **assessed value** (FISCAL valor fiscal, valor castastral), **assessable** (FISCAL imponible, gravable, sujeto a tributación; V. *taxable*), **assessment** (FISCAL imposición, tasación, valoración, estimación, peritación, peritaje, determinación o tasación fiscal; determinación del valor imponible; contribución, base imponible; V. *appraisal, double assessment, jeopardy assessment, pre-hearing assessment, tax assessment*), **assessment base/basis** (FISCAL base imponible), **assessment bond** (MERC bono garantizado con impuestos), **assessment company/fund/insurance** (SEGUR fondo formado por contribuciones de varias personas con fines distintos, como cubrir gastos de funerales, de siniestros, e incluso fines especulativos), **assessor** (MERC tasador, técnico, perito amillarador, evaluador, especialista; se suele nombrar *assessors* para los procesos incoados en el *Admiralty Court* y para la determinación de costas o *taxation of costs*; V. *taxation of costs, taxing master*)].

asset, assets *n*: MERC/CIVIL/MERC activo, bienes, patrimonio, haber, capital, fondos de valores en cartera, fondos de una quiebra, fondos de una sucesión; V. *accrued assets, admitted assets, business assets, capital assets, cash assets, fixed assets, deferred assets, diminishing assets, floating assets, frozen assets, immaterial assets, liquid assets, net quick assets, quick assets, passive assets, real assets; liabilities*. [Exp: **asset-backed securities, ABS** (MERC valores titulizados o respaldados por activos), **asset value** (MERC valor de activo neto), **assets of a bankruptcy** (MERC masa de la quiebra; V. *bankrupt's estate*), **assets/capital of a partnership** (SOC capital social)].

assign[1] *v*: CIVIL asignar, traspasar, ceder, consignar, transferir, dejar en testamento ◊ *Her will, assigning her property to a nurse, was declared null and void*; V. *transfer, convey*. [Exp: **assign**[2] (CIVIL cesionario de un derecho; V. *beneficiary*), **assign a day for trial** (PROC señalar día para el juicio), **assign rights** (CIVIL ceder derechos), **assigned counsel** (PROC abogado de oficio), **assignee** (CIVIL/MERC sucesor, apoderado, cesionario), **assignee of patent** (MERC cesionario de una patente), **assigner, assignor** (CIVIL cedente, cesionista), **assignment** (CIVIL cesión, traslación de dominio, transferencia, traspaso, escritura de cesión o traspaso de bienes, tradición, transmisión de la propiedad;

asignación; V. *general assignment, make an assignment, preferential assignment, parol assignment, voluntary/compulsory assignment*), **assignment of errors** (PROC expresión de agravios), **assignment of patent** (MERC transmisión de patente), **assignment of rights** (MERC/CIVIL cesión de derechos), **assignment value** (CIVIL valor de cesión), **assignment without recourse** (MERC cesión de créditos sin garantías)].

asst *n*: GRAL V. *assistant.*

assist *v*: GRAL ayudar, asistir; proteger; es corriente en inglés jurídico el eufemismo *A man is assisting police with their enquiries*, que significa «La policía está interrogando a un sospechoso»; V. *aid, help, support, foster.* [Exp: **assistance** (GRAL ayuda, asistencia; auxilio, socorro), **assistant, asst** (LABORAL ayudante, auxiliar; V. *administrative assistant*)].

Assize Courts *n*: PENAL antiguos tribunales de lo penal, que se convirtieron en el *Crown Court.*

associate *a/n*: GRAL adjunto, suplente; asociado, socio, consocio, correligionario. [Exp: **associate judge** (PROC juez asesor), **associate justices**[1] *US* (CONST jueces vocales de un tribunal, presididos por un *chief justice*; en el Tribunal Supremo son ocho los jueces vocales presididos por el *chief justice* o presidente del Tribunal Supremo), **associate justice**[2] (PROC juez suplente), **association** (SOC cooperativa, sociedad, asociación, confederación; V. *building and loan association; articles of association, memorandum of association*)].

assuage *v*: GRAL mitigar, aliviar abst ◊ *His good faith attempts to assuage Mr Westman's fears* ; V. *ease, mitigate.*

assume *v*: GRAL asumir, aceptar, contraer [una obligación]. [Exp: **assumed** (GRAL fingido, supuesto; V. *alleged*), **assumed name** (GRAL seudónimo; V. *alias, a.k.a.*), **assuming that** (GRAL en la hipótesis de que)].

assumpsit *n*: CIVIL [proceso por] incumplimiento de compromiso implícito o no escrito. *«Assumpsit» means «he promised»*; V. *action of assumpsit, general assumpsit.*

assumption *n*: GRAL/CIVIL asunción, arrogación; presunción, suposición, supuesto ◊ *Assumption of debt, mortgage, etc.* V. *acceptance.* [Exp: **assumption clause** (CIVIL/MERC cláusula de asunción de una obligación contractual preexistente), **assumption fee** (CIVIL/MERC tasa abonable al acreedor hipotecario *–mortgagee–* cuando se cambia de deudor hipotecario *–mortgagor–*), **assumption of authority** (GRAL/CIVIL/ADMIN arrogación de poder, facultades o autoridad; V. *delegation of authority*), **assumption of office** (CIVIL/ADMIN entrada en funciones, toma de posesión; V. *swearing-in ceremony*), **assumption of risk** (CIVIL/SEGUR aceptación/asunción de riesgo)].

assurance *n*: SEGUR seguro de vida; V. *insurance.* [Exp: **assure** (SEGUR asegurar contra algún riesgo; V. *insure*), **assured** (SEGUR asegurado), **assured clear distance ahead** (ADMIN distancia reglamentaria entre vehículos [para evitar accidentes en la calzada o en la carretera]), **assured tenancy** (SEGUR contrato de arrendamiento regulado por el *Housing Act* de 1988 que garantiza al inquilino el derecho a vivir en la vivienda por tiempo indefinido; V. *protected tenancy*), **assurer** (SEGUR asegurador, garante)].

astrand *v*: MERC encallado; V. *aground, stranded; derelict.*

asylum *n*: CIVIL/INTER asilo político; V. *right of asylum.* [Exp: **asylum seeker** (INTER refugiado político, solicitante de asilo político; V. *refugee*)].

atone *v*: GRAL expiar; V. *purge.* [Exp: **atonement** (GRAL expiación)].

att'y *n*: PROC abreviatura de *attorney.*

attach[1] *v*: GRAL/PROC anexar; adscribir; V. *annex.* [Exp: **attach**[2] (PROC embargar, secuestrar, retener mediante orden judicial; atribuir), **attach property** (PROC ejecutar bienes), **attached to** (GRAL inherente a; V. *annex*), **attaching creditor** (CIVIL acreedor embargante; V. *lien creditor, mortgagee; attachment lien*), **attachable** (CIVIL/MERC embargable), **attachment** (CIVIL/MERC/PENAL embargo, incautación, secuestro, retención, decomiso, comiso; detención [de personas] por orden judicial; V. *abate an attachment, affidavit for attachment, aggressive collection, date of attachment, bailable attachment, warrant of attachment, writ of attachment*), **attachment bond** (CIVIL/MERC consignación para evitar/liberar un embargo), **attachment execution** (PROC ejecución de embargo, embargo ejecutivo), **attachment lien** (PROC derecho de prioridad del acreedor embargante *–lien creditor, attaching creditor–*), **attachment of assets /goods/real property** (PROC secuestro de bienes, de inmuebles), **attachment proceedings** (PROC juicio de apremio), **attachable** (PROC embargable, secuestrable)]

attaché *n*: INTER agregado.

attack[1] *n/v*: GRAL/PENAL ataque, agresión, atacar, agredir; las palabras *attack* y *assault* son sinónimas, ya que las dos transportan la idea «de violencia física o verbal»; la primera da la idea de «iniciación de la violencia», mientras que la segunda sugiere «violencia intensa y súbita». [Exp: **attack**[2] (PROC impugnar [un acto procesal]; V. *challenge, collateral attack*), **attack a judgment** (PROC impugnar una sentencia ◊ *A judgment of a court of first instance may be attacked by appeal to a higher court*; V. *challenge a judgment*)].

attain *v*: GRAL lograr, conseguir, alcanzar. [Exp: **attain [one's] majority** (CIVIL llegar a la mayoría de edad), **attainment** (GRAL consecución, realización)].

attainder *obs US n*: CIVIL proscripción, pérdida de derechos civiles por condena sin juicio previo; en la actualidad está expresamente prohibido en la Constitución; V. *bill of attainder*.

attaint *obs v*: CIVIL/PENAL estigmatizar, condenar, proscribir ◊ *Until 1870 when a person was sentenced to death he was said to be «attainted» and his property was forfeited.*

attempt *v/n*: GRAL intentar; intento, tentativa. [Exp: **attempt coup** (CONST/PENAL intentona golpista), **attempted** (GRAL/PENAL frustrado; se utiliza en expresiones como *attempted murder* –tentativa de asesinato– , *attempted robbery* –tentativa de robo–, *attempted suicide* –tentativa de suicidio–, etc.; V. *alleged*)].

attend[1] *v*: GRAL asistir a ◊ *Attend a meeting*. [Exp: **attend**[2] **to** (GRAL cumplir con [las formalidades, obligaciones, etc.], cuidar, atender ◊ *He has been declared incompetent to attend to his daily affairs*; V. *comply with*), **attendance** (GRAL/PROC asistencia, comparecencia; V. *appearance),* **attendance fees** (MERC/CIVIL/ADMIN dietas por asistencia), **attendance of witnesses** (PROC comparecencia de testigos), **attendant**[1] (GRAL auxiliar, encargado; V. *assistant, usher, sergeant-at-arms*), **attendant**[2] (GRAL concomitante, concurrente ◊ *Attendant circumstamces*; V. *accompanying, concurrent, connexted with*), **attendant**[3] (GRAL de guardia ◊ *Attendant solicitor*; V. *on duty*)].

attention *n*: GRAL atención, esmero, diligencia, cuidado; V. *diligence, care, commitment*.

attenuate *v*: GRAL/PENAL atenuar. [Exp: **attenuating circumstances** (PENAL [circunstancias] atenuantes; V. *mitigating/extenuating circumstances, aggravating*)].

attest *v*: PROC dar fe, atestar, testimoniar, testificar, atestiguar, legalizar, certificar, compulsar, adverar, autenticar; V. *authenticate, certify, bear witness to*. [Exp: **attest a signature** (PROC legalizar/reconocer una firma), **attestation** (PROC atestación, atestado, testimonio, presencia de testigos; certificación; V. *authentication; police report*), **attestation clause** (PROC testimonio), **attested copy of a document** (PROC compulsa, documento compulsado; V. *certified copy*), **attesting** (PROC fehaciente, acreditativo, demostrativo; V. *authentic*), **attesting notary** (PROC [notario] fedatario; V. *commissioner for oaths, convincing solicitor; authorize*), **attesting witness** (PROC testigo instrumental, testigo declarante), **attestor** (PROC testigo, certificador)].

attitude *n*: GRAL postura.

attorn *v*: GRAL/CIVIL reconocer al nuevo arrendador; se produce esta situación cuando el arrendatario *–tennant–* sigue en tal condición después de que la propiedad ha pasado a un nuevo dueño o *landlord*; transferir. [Exp: **attornment** (CIVIL reconocimiento por el arrendatario u obligado de los derechos del nuevo propietario o titular)].

attorney[1] **[-in fact]** *n*: PROC apoderado, procurador, mandatario, poderhabiente; V. *att'y, agent, proxy, representative; power of attorney, letter of attorney; on behalf of*. [Exp: **attorney**[2] **[-at-law]** (PROC abogado [en EE.UU.], procurador ◊ *Since the Judicature Act 1985 all attorneys in England have been officially called solicitors*; V. *att'y, advocate, district attorney, lawyer, solicitor, barrister*), **attorney, by** (PROC por poder), **attorney-client privilege** (GRAL secreto profesional), **attorney fees** (PROC costas procesales), **Attorney-General, AG** (PROC Fiscal General del Estado; la Fiscalía del Estado la dirige el Director de la Acusación Pública *–Director of Public Prosecutions–*, conocido por las siglas *DPP*, quien, a su vez, depende del Fiscal General *–Attorney-General–*, que normalmente es un diputado parlamentario y, como tal, es la instancia política responsable de este servicio ante el Parlamento), **Attorney-Generalof the United States, AG** *US* (CONST Fiscal General de los Estados Unidos, Ministro de Justicia en los EE.UU.), **Attorney-General's opinion** *US* (CONST dictamen del Ministerio de Justicia [sobre cuestiones de Derecho solicitadas por el Gobierno]), **attorneyship** (PROC procuraduría), **attorney's contingent fee** (PROC cuota litis), **attorney's lien** (CIVIL derecho de retención que ostenta el apoderado, embargo preventivo [del abogado]), **attorney's privilege** (PROC inmunidad procesal)].

attractive nuisance doctrine *n/v*: CIVIL doctrina de los ilícitos civiles respecto de la responsabilidad *–liability–* que contrae el que elabora objetos peligros susceptibles de atraer a los niños; V. *duty of care*.

auction *n/v*: CIVIL/MERC subasta, remate, venta en pública subasta, almoneda; subastar, rematar; V. *Dutch auction; vendue; put up something for auction*. [Exp: **auction bid** (CIVIL/MERC licitación en la subasta, puja), **auctioneer** (CIVIL/MERC subastador, persona a cargo de una subasta ◊ *Auctioneers use gavels to to mark the conclusion of a transaction*))].

audience *n*: GRAL/PROC audiencia [pública]; V. *right of audience, public hearing*.

audit[1] *n/v*: MERC/CIVIL/ADMIN auditoría; revisión contable; censura de cuentas y de libros contables, intervención, fiscalización; control; verificación; intervenir cuentas; efectuar una auditoría, auditar, examinar, intervenir, fiscalizar, revisar, inspeccionar, censurar, etc., cuentas y libros contables; certificar ◊ *It is the task of the auditors to ensure that a company's accounts are all quite clear and aboveboard*; V. *examine*. [Exp: **audit**[2] *US* (GRAL evaluación, supervisión, control), **audit an account** (MERC/ADMIN/CIVIL verificar una cuenta), **audit certificate/ report** (MERC/CIVIL/ADMIN informe de auditoría), **audit office** (PROC/MERC/ADMIN tribunal de cuentas), **audit program** (MERC/CIVIL/ADMIN programa de auditoría), **audit report** (MERC informe de auditoría), **audited statement** (MERC balance auditado, cuenta certificada o auditada, estado de cuentas certificado), **auditing** (MERC/ADMIN/CIVIL auditoría, intervención, censura de cuentas), **auditing of accounts** (MERC/ADMIN/CIVIL auditoría de cuentas; revisión intervención o censura de cuentas), **auditing standards** (MERC/ADMIN/CIVIL normas de auditoría; criterios normalizados de auditoría), **Auditing Standard Board** (ADMIN/CIVIL Junta de Auditoría), **auditor** (ADMIN/CIVIL interventor de cuentas, auditor, censor de cuentas, experto contable, ordenador de pagos; V. *approved auditor, court of auditors*), **auditor's certificate/report** (MERC/ADMIN/CIVIL informe de auditoría; dictamen/informe del auditor o interventor de cuentas; en el informe los auditores deben expresar si las cuentas se ajustan a lo previsto en la legislación de sociedades; V. *accountant's opinion*), **auditor's office** (MERC/ADMIN/CIVIL auditoría), **auditor's opinion** (MERC/ADMIN/CIVIL dictamen de auditoría), **auditorship** (MERC/ADMIN/CIVIL auditoría)].

authentic *a*: GRAL/PROC auténtico, fehaciente, legalizado, certificado; se aplica a *document, copy, act*, etc.; V. *attesting, certifying, evidencing, true; reliable, satisfactory*. [Exp: **authentic evidence** (PROC prueba fehaciente), **authenticate** (PROC autenticar, autorizar, refrendar, legalizar; V. *attest*), **authentication** (PROC autenticación, legalización de documentos; V. *attestation, certificate of authentication, countersignature*), **authentication clause** (CIVIL otorgamiento, cláusula testimonial, también llamada *testimonium*; suele comenzar con *In witness whereof* y termina con la firma, la fecha y los nombres de los testigos), **authentication of signature** (PROC reconocimiento/autorización de firma)].

authoritative *a*: GRAL autorizado; autoritario; con prestigio o autoridad. [Exp: **authoritative documents** (GRAL justificante, documento justificativo), **authoritative source** (GRAL PROC fuente de prestigio o autoridad; V. *authority*[3]), **authority**[1] (GRAL poder, potestad, competencia, jurisdicción, facultades, autoridad; autorización, permiso ◊ *He acted on the authority of the court*; V. *jurisdiction, competence; full authority, power, ostensive authority, licence, permission, letter of authority; parental authority, pass, permit; assumption of authority; permit, leave, pass*), **authority**[2] (ADMIN organismo público, organismo autónomo, entidad, ente público, servicio, agencia estatal, junta ◊ *London Airport Authority*; V. *board, body, planning authority*), **authority**[3] (GRAL autoridad, precedente fuente de prestigio jurídico; doctrina legal o científica; dominio; cita a leyes *–statutes–*, normas *–rules–*, reglamentos *–regulations–*, resolución judicial *–judicial decision–*, libros de texto, etc. ◊ *Mr Justice Westland cited* Scott v. Aland *as authority for holding that a debtor was bound on his public examination to answer all the questions*; con frecuencia se usa en plural; V. *persuasive authority, authoritative source; contrary to authority*), **authority, by** (PROC por poder, pp.), **authority by estoppel** (CIVIL autorización derivada de la doctrina de los propios actos, autorización basada en la apariencia judicial), **authority of a final decision** (PROC autoridad o valor de cosa juzgada; V. *acquire the authority of a final decision, res judicata*), **authority to pay, AP** (MERC autorización de pago; autorización para pagar la letra negociada), **authority to purchase** (MERC autorización de compra),

authorization/authorisation (GRAL autorización, permiso), **authorize**[1] (GRAL autorizar, habilitar, facultar; V. *entitle, qualify*), **authorize**[2] (PROC/CIVIL escriturar, otorgar ante notario; V. *attesting notary, execute*[3]), **authorized** (GRAL competente, autorizado, responsable; V. *responsible; permit-holder, permittee*), **authorized capital, authorized capital stock, authorized issue, authorized share capital, authorized stock** (SOC capital autorizado o escriturado; se trata del capital autorizado en la carta constitucional de una sociedad mercantil, expresado con el número de acciones y el valor nominal de cada una de ellas; a la parte del capital escriturado, que ha sido emitido y suscrito por los accionistas, se la llama *issued/ subscribed capital* –capital emitido/suscrito–; V. *nominal capital, call, uncalled capital*), **authorized dealer** (MERC distribuidor autorizado), **authorized signature** (GRAL/PROC firma autorizada), **authorized common stock** (SOC acciones ordinarias garantizadas)].

auto-[1] *pref*: GRAL propio, auto-. [Exp: **auto**[2], **automobile** *US* (GRAL automóvil), **auto stripping/tampering** (GRAL desmantelamiento de vehículo), **automated** (GRAL mecanizado, automatizado; V. *mechanized*), **automatic** (GRAL automático), **automatic continuance** (PROC suspensión de una causa por efecto legal; V. *continuance*[2], *postponement, adjournement*), **automatic directions** (PROC directrices o providencias ordinarias dadas por el juez, tras el cierre de la fase de alegatos, para la celebración de la vista oral, especialmente en una demanda por daños; V. *close of pleadings, summons for directions*), **automatic reinstatement clause** (SEGUR cláusula automática de reposición de capital; cláusula de rehabilitación automática del seguro, tras el pago de las primas), **automatic wage adjustment** (LABORAL ajuste automático de salarios, escala móvil de salarios), **automatism** (PENAL automatismo, ejecución de forma irreflexiva, ejecución de actos sin intervención de la voluntad de forma normal o patológica ◊ *Automatism, involuntary conduct and self-defence are three kinds of general defence*; V. *defence*[2], *general defence, involuntary conduct*), **automobile insurance** *US* (SEGUR seguro de automóvil; V. *motor insurance*)].

autonomous *a*: autónomo; V. *self-governing community*.

autopsy *n*: CIVIL autopsia; V. *coroner's inquest, medical examiner, post-mortem*. [Exp: **autoptic** (CIVIL/PROC verificable, comprobable por inspección ocular)]

autrefois acquit/convict *n*: PENAL ya absuelto/ya condenado, excepción de cosa juzgada; se trata de dos cuestiones previas que puede presentar la defensa en el acto formal de acusación *–arraignment–*, intentando demostrar que la acusación es improcedente, porque el acusado ya fue absuelto o condenado del delito que se le imputa; V. *peremptory plea, plea in bar, special plea*.

auxiliary *a*: GRAL auxiliar, accesorio, complementario; V. *accesory, appurtenant, subsidiary*.

avail[1] *n/v*: GRAL beneficio, ventaja, provecho, utilidad; aprovechar, hacer uso; ser útil. [Exp: **avail**[2] (GRAL saldo/ingreso neto tras deducir los gastos o las deudas; V. *net avails*), **avail oneself of** (PROC/GRAL recurrir a, aprovechar, hacer uso), **availability** (GRAL/PROC disponibilidad, posibilidad de ejercicio [de un derecho]), **available assets** (MERC activo disponible o realizable, disponibilidades, activo líquido), **available balance/funds** (MERC saldo disponible en una cuenta corriente, incluidos los talones compensados), **available, be** (GRAL disponer de, estar disponible o a disposición ◊ *If no absolute proof is available, a party to a suit may be entitled to a* *verdict in his favour on the balance of probabilities*; V. *make available to*), **availability** (GRAL disponibilidad)].

Av. *n*: MERC V. *average*.

A.V. *n*: MERC V. *ad valorem freight*.

aval *v*: CIVIL aval; se usa con frecuencia esta voz procedente del Derecho continental.

avenge *v*: GRAL vengar; V. *revenge, retaliate*.

aver *v*: PROC afirmar, declarar, alegar; V. *averment*. [Exp: **averment** *US* (PROC alegato, declaración o aseveración basada en hechos [de forma concisa, clara y directa], que se presenta en los escritos de alegaciones de las partes *–pleadings–*; V. *avowal, admission, confession, acknowledgment, negative averment, particular averment; argumentative allegation*)].

average[1], **Av** *n*: MERC/SEGUR avería, pérdida, daño o gasto extraordinario surgidos durante el transporte marítimo; contribución proporcional a un daño marítimo; este término, también llamado *general/gross average,* puede aludir a dos cosas en el mundo de los seguros marítimos: ① el daño o pérdida, y ② la contribución proporcional para su compensación; V. *adjustment of average, general average, gross average, common average, petty average, particular average, make good an average, certificate of damage, sea damage, taker of averages*. [Exp: **average**[2] (GRAL medio, normal; regular, mediano; promedio, término medio, media, tasa media; índice; alcanzar un promedio de, ser por término medio de ◊ *Sales have averaged £200,000 over the first two quarters of the year*), **average action** (MERC acción/demanda de avería), **average adjuster/adjustor/stater** (SEGUR liquidador de averías, tasador/perito de averías, árbitro de seguros marítimos; V. *taker of averages*), **average adjustment** (SEGUR arreglo/reparto de avería; V. *adjustment of average*), **average agent** (MERC/SEGUR agente de averías, encargado de hacerse cargo de las reclamaciones sobre el cargamento y su liquidación; V. *average surveyor*), **average bond** (MERC/SEGUR garantía o fianza de avería, obligación de avería, compromiso de avería), **average clause** (SEGUR cláusula promedio; cláusula de co-seguro o de distribución a prorrateo; cláusula de ajuste al valor declarado; en las pólizas de seguro no marino se estipula que, cuando el asegurado declaró un valor inferior al real, la indemnización, en caso de siniestro, se ajustará al valor declarado; V. *pro rata condition, pro rata distribution clause, coinsurance clause*), **average man test** *US* (PENAL prueba del hombre medio; se emplea para medir el grado de independencia en la selección de jurados *–jurors–*), **average rate** (GRAL/MERC tipo medio), **average statement** (MERC/segur declaración de avería), **average surveyor** (MERC comisario de averías), **average unless general** (MERC avería distinta de la avería general o gruesa)].

avizandum, in *adv*: PROC en consideración, en tela de juicio ◊ *In Scottish law when a judge takes a case in avizandum, he adjourns the session pending his consideration*; V. *under advisement*.

avoid[1] *v*: MERC/PROC anular un contrato, invalidar, evitar; resolver [un contrato]; V. *annul, cancel, set aside; voidable contracts*. [Exp: **avoid**[2] (FISCAL eludir [el pago de] impuestos), **avoidable** (GRAL/CIVIL anulable, evitable), **avoidable consequences/harm** (CIVIL consecuencias/daños evitables ◊ *One person injured by the tort of another is not entitled to recover damages for any avoidable harm he may have caused*), **avoidance**[1] (GRAL/FISCAL evitación, omisión, prevención, escape; V. *tax avoidance*), **avoidance**[2] (PROC anulación, rescisión, invalidación ◊ *Avoidance of a contract*; V. *confession and avoidance*), **avoidance clause** (MERC/PROCE cláusula de nulidad; solicitud de anulación de alegatos anteriores), **avoidance of tax** (FISCAL elusión de impuestos; V. *tax avoidance/evasion*)].

avoir fiscal *n*: FISCAL avoir fiscal; descuento de la base imponible del impuesto de la renta de los dividendos recibidos, a fin de evitar la doble imposición. [Exp: **avoirdupois** (GRAL sistema de pesas usados en el Reino Unido y en los Estados Unidos expresado en libras, onzas, etc.), **avoirs** (MERC activo líquido)].

avoué *n*: PROC abogado; en el derecho canadiense equivale a las figuras de *barrister, solicitor* o *attorney*.

avow *v*: PROC reconocer y justificar una acción en las alegaciones llamadas *pleadings*; declarar. [Exp: **avowal** (PENAL declaración, admisión, confesión, reconocimiento; V. *admission, confession, acknowledgment*), **avowant** (PENAL declarante, justificador), **avowry** (PENAL justificación; es una alegación o *pleading* en las demandas de reivindicación o *action of replevin*)].

avulsion *n*: CIVIL avulsión [respecto a los predios]; es el súbito movimiento de tierras, de un predio a otro, como consecuencia de una inundación o cambio en el curso de un río o arroyo ◊ *Avulsion is distinguished from accretion in that it is the sudden action of natural forces*; V. *accretion, reliction.*

awaiting *a*: GRAL/PROC pendiente, a la espera de ◊ *A person held in legal custody awaiting trial or appealing against a criminal conviction may be entitled to bail*; V. *pending, in abeyance.*

award[1] *n/v*: LABORAL/CIVIL/MERC laudo [arbitral], fallo arbitral, juicio, compromiso, adjudicación [en contrato]; decisión de conceder la custodia de un menor a una de las partes; fallar a favor de una de las partes, pronunciar una sentencia o laudo, juzgar, otorgar, adjudicar, conceder, conferir ◊ *The plaintiff was awarded damages and the defendant was ordered to pay the costs of both parties*; el fallo de los tribunales de lo social *–employment tribunals, labor courts* US– se llama *award*; V. *arbitration award, compensatory award, damages award, protective award; decree, judgment, sentence, ruling, verdict, adjudication; find, hold, adjudge, accord.* [Exp: **award**[2] (GRAL galardón, premio, recompensa; galardonar, otorgar, premiar, recompensar), **award**[3] (MERC adjudicación; adjudicación al mejor postor en una subasta de bienes; adjudicar), **award a contract** (MERC/CIVIL adjudicar un contrato; V. *contract award, place a contract; void a contract*), **award a prize, a salary increase** (GRAL conceder un premio, un aumento salarial, etc.), **award costs** (PROC imponer el juez el pago de costas), **award damages** (PROC fijar una indemnización por daños y perjuicios), **award of damages** (PROC [sentencia condenatoria de] indemnización por daños y perjuicios; V. *damages award*), **award of experts** (PROC peritaje), **awarding committee** (PROC comité de adjudicación)].

AWOL *n*: ADMIN/LABORAL V. *absence without [official] leave*; V. *desertion.*

ayes and nays/noes, the *n*: GRAL votos a favor y votos en contra; en vez de *nays* modernamente se dice *noes*. [Exp: **ayes have it, the** (GRAL ganan los síes; V. *nayes*)].

B

b *n*: GRAL V. *bag, bale.*
BBB *n*: MERC V. *Better Business Bureau.*
baby *n/a*: GRAL pequeño. [Exp: **baby act** (PROC excepción por incapacidad procesal debido a la minoría de edad del titular; esta excepción *–incidental plea of defence–* tiene como fin, si prospera, anular una actuación contractual *–defeat an action upon a contract–* efectuada durante la minoría de edad del titular del contrato)].
back[1] *n/a/v*: GRAL dorso, espalda, reverso, revés, parte de atrás ◊ *Cheques are endorsed on the back*; V. *face, front.* [Exp: **back**[2] (GRAL atrasado; se emplea en expresiones como *back issue/number/copy* –número atrasado– ◊ *Order back numbers of a magazine*), **back**[3] (GRAL pendiente, vencido, en mora, devengado y no pagado; se aplica a *interest, payments, pensions, taxes,* etc. ◊ *When she realized that the Inland Revenue inspectors were investigating her, she made a voluntary payment of back taxes*; V. *arrears, outstanding, overdue, unsettled, pending*), **back**[4] (MERC avalar, prestar fianza, endosar, afianzar, respaldar, garantizar, apoyar, sostener ◊ *The backed bills were accepted as surety for a further loan*; V. *support, uphold, endorse, second, back up*), **back a bill/person/project** (MERC/GRAL avalar una letra; respaldar a alguien; patrocinar un proyecto), **back-bencher** (CONST diputado de la Cámara de los Comunes que, por no tener cargo en el gobierno, se sienta en los escaños de atrás; V. *front-bencher, rank and file*), **back bond** (MERC contrafianza; V. *bond of indemnity*), **back coverage policy** (SEGUR póliza de cobertura retroactiva), **back down** *col* (GRAL echarse atrás, cambiar de idea ◊ *They threatened to sue us, but backed down when we showed them the clause in the contract*), **back freight** (MERC flete de regreso), **back lands** (CIVIL terrenos no colindantes con vía de comunicación; V. *accommodation*[2]), **back letter**[1] (CIVIL/MERC carta de modificación de un contrato), **back letter**[2] (SEG carta de indemnización; V. *letter of indemnity, backward letter*), **back letter**[3] (MERC carta de garantía o de respaldo; se extiende para evitar un conocimiento de embarque sucio *–claused bill of lading–*), **back out of** *col* (GRAL/MERC retirarse, echarse atrás ◊ *You can't back out of the deal now: you've signed*), **back pay** (LABORAL salarios atrasados; atrasos de sueldo; aumento salarial con efecto retroactivo; V. *back date*), **back-to-back** (GRAL adosado, consecutivo, seguido, uno tras otro, sin solución de continuidad), **back-to-back credit** (MERC crédito respaldado, crédito subsidiario), **back up**

(CIVIL/MERC avalar, prestar fianza, endosar, afianzar, respaldar, garantizar, apoyar, sostener; equivale a *endorse*), **backer** (CIVIL/MERC avalista; V. *surety, sponsor, guarantor, bondsman, acceptor for honour/supra protest*), **backing** (CIVIL/MERC aval, garantía)].

backadation *n*: MERC V. *backwardation*.

backberend *n*: PENAL ladrón sorprendido con lo robado, esto es, llevando la mercancía sobre sus espaldas *–bearing upon the back–*, en inglés antiguo *backberende*; V. *handhabend*.

backbite *v*: PENAL/GRAL calumniar, difamar, desacreditar, murmurar ◊ *To backbite is to express damaging opinions*. [Exp: **backbiter** (PENAL/GRAL detractor, murmurador), **backbiting** (PENAL calumnia, murmuración, maledicencia, detracción; V. *slander, defamation, calumny, detraction; disparagement*)].

backdate *v* GRAL retrotraer, antedatar, antefechar, anticipar, dar efectos retroactivos ◊ *The pay increase has been backdated to April 1st*; V. *date, foredate, postdate*. [Exp: **backdated** (GRAL con efectos retroactivos), **backdating date** (GRAL fecha con efectos retroactivos)].

background[1] *n*: GRAL circunstancias, trasfondo, telón de fondo, información general. [Exp: **background**[2] (GRAL historial, educación, base [cultural], formación [cultural], ambiente cultural o social), **background**[3] (PENAL antecedentes penales o policiales ◊ *Sentences are often adjourned to enable the judge to read the Pre-Sentence Report*; V. *previous convictions*), **background report** *US* (PENAL ficha policial, ficha de antecedentes penales ◊ *Sentencing is sometimes adjourned to enable the judge to read the Pre-Sentence Report*; V. *antecedents, bad character, conviction background, police record, record of convictions*)].

backhander *col n*: PENAL soborno, propina, astilla; bonificación; V. *sweetener, bribe, graft*.

backlash *n*: GRAL/LABORAL reacción violenta, contragolpe; movimiento adverso de rebote, causado normalmente por cambios sociales o políticos ◊ *Management fears a union backlash after the breakdown of talks*.

backlog of orders *n*: MERC cartera de pedidos atrasados, trabajo acumulado o atrasado ◊ *There is a backlog when there is an accumulation of unfilled orders*.

backslider *n*: GRAL reincidente; V. *persistent offender*. [Exp: **backsliding** (GRAL recaída, reincidencia; V. *reverse*)].

backward[1] *a/adv*: GRAL atrasado, retrasado, subdesarrollado; tímido, reacio; V. *underdeveloped*. [Exp: **backward**[2] (GRAL retroactivo, hacia atrás; regresivo; V. *retroactive*), **backward action** (MERC bonificación), **backward area/economy** (GRAL región/economía subdesarrollada; V. *underde veloped*), **backward letter** (SEG carta de garantía o indemnidad; V. *letter of indemnity, back letter*[2]), **backwardness** (GRAL retraso), **backwardation** (MERC margen de cobertura; diferencia entre precios de entrega inmediata y futura; es la situación en la que, en los mercados de futuros *–futures markets–* o a plazo *–forward markets–*, los precios al contado *–spot prices–* son superiores a los precios a plazo *–forward price–* o de entrega futura *–forward delivery–*; interés que paga el bajista; prima pagada por entrega aplazada; retardo ◊ *If you buy stock for delivery at a future date, the «backwardation» –or difference between the prices– is paid by the seller*; V. *contango*)].

bad *a*: GRAL/MERC deficiente, defectuoso, inadecuado, nulo, sin valor, falso, infundado, perverso ◊ *The judge ruled that the claim was bad, being based on an invalid contract*; V. *wrong, ineffectual, inoperat-*

ive, void, base. [Exp: **bad, be to the** *col* (MERC/GRAL haber perdido [una determinada cantidad de dinero] ◊ *Once we had paid expenses and overheads, we found we were £2,000 to the bad*; V. *loss, write-off, out of pocket*), **bad character** (GRAL/PENAL mala conducta/reputación; antecedentes penales; V. *pre-sentence report, police record, record of convictions*), **bad cheque** (MERC/PENAL cheque sin fondos), **bad debt-s** (MERC fallido-s, deuda-s incobrable-s, impagado-s, cuenta-s dudosa-s), **bad debt risk** (MERC riesgo de insolvencia), **bad debt write-off** (MERC cancelación de deuda fallida; V. *write-off*), **bad debtor** (MERC deudor moroso, cliente fallido; insolvencias; V. *debtor in default*), **bad delivery** (MERC entrega de bienes en mal estado), **bad faith** (PENAL dolo, mala fe procesal), **bad faith, in** (PENAL de mala fe), **bad loan** (MERC fallido; V. *recoverable debts, write-off*), **bad loss** (SEG siniestro, pérdida dolosa), **bad plea** (PROC alegato infundado), **bad record** (PENAL ficha delictiva, antecedentes penales; V. *criminal record*), **bad title** (CIVIL título defectuoso o imperfecto; V. *marketable title, cloud on title*)].

badge *n*: GRAL insignia, signo, marca, distintivo; placa, chapa; V. *policeman's badge*. [Exp: **badge of fraud** (PENAL indicio o sospecha fundada de fraude o estafa ◊ *Fictitious consideration or transfer of all of a debtor's property in anticipation of suit or execution are clear badges of fraud*; V. *evidence, cloud on title*), **badges of servitude** *US* (CONST facultad del Congreso para suprimir cualquier indicio de servidumbre involuntaria *–involuntary servitude–* de acuerdo con la enmienda número XIII de la Constitución), **badger** (PENAL acosar, molestar, provocar)].

baffle *col v*: GRAL engañar ◊ *The complexity of the company's finances baffled the attempts of the investigators to trace the source of the payments*. [Exp: **baffled** (GRAL desconcertado ◊ *Everybody was baffled at the verdict of the jury*), **bafflement** (GRAL desconcierto, engaño)].

bag *n*: GRAL saco, valija; V. *diplomatic bag, pouch, BIBO*.

bail *n/v*: PROC fianza, caución, afianzamiento, abonamiento; persona que responde de otra o sale fiadora de ella; puesta en libertad con fianza; poner en libertad bajo fianza, caucionar, fiar, dar fianza, ser fiador de otro; la fianza puede ser incondicional *–bail without conditions, unconditional bail–* o con condiciones, la más importante de las cuales es un aval o *surety* ◊ *He was bailed on a surety of £300* V. *on bail, admit to bail, grant/give bail, remand on bail, release on bail, furnish bail, stand bail*. [Exp: **bail a person out** (PENAL pagar la fianza para poner en libertad provisional a alguien; V. *release on bail, remand on bail, setting at liberty; admit to bail, furnish bail, give bail, go/stand bail, grant bail, post bail*), **bail above** (PROC fianza de arraigo, aseguramiento que se exige al demandante extranjero; V. *security for costs*), **bail absolute** (PROC caución absoluta), **bail below** (PROC fianza ordinaria), **bail bond** (CIVIL caución; escritura de fianza, afianzamiento o caución; compromiso de fianza; obligación de garantía; V. *surety*), **bail credit** (MERC crédito con fianza), **bail hostels** (PENAL centros de rehabilitación; V. *day training centre, community service order; on probation*), **bail in error** (PROC depósito para recurrir en casación; V. *security for costs*), **bail jumping** *col* (PENAL violación de la libertad condicional, quebranto del arraigo; V. *jump bail*), **bail, on** (PENAL en libertad bajo fianza, con fianza; lo contrario de *on bail* es *in custody*; V. *remand on bail, release on bail*), **bail out**[1] (PENAL pagar la fianza para poner en libertad provisional a alguien, también llamado *bail a person out*), **bail out**[2] *col* (MERC sacar de apuros, ayudar, auxiliar, sanear, echar una mano o un cable a ◊ *Bail out a troubled bank*; V. *bailout, bankruptcy*), **bail to the action** (PROC fianza especial o de arraigo; V. *security for costs*), **bail to the sheriff** (PROC V. *bail below*), **bail with/without a security** (PENAL libertad condicional con/sin caución; V. *unconditional bail*), **bailable** (PROC/PENAL caucionable, susceptible de fianza o caución, con derecho a, o susceptible de ser puesto en libertad con fianza; se aplica a *action, offence, process, attachment,* etc.), **bailable attachment** (PROC/PENAL arresto con derecho de caución), **bailee** (CIVIL depositario de bienes, locatario, depositante de fianza, comodatario; V. *commodatum*), **bailee policy** (SEGUR póliza de seguro de la responsabilidad civil del depositario), **bailee's lien** (CIVIL retención prendaria), **bailer, bailor** (CIVIL depositante; fiador, garante, comodante; el que entrega en depósito *–bailment–*), **bailie** *der es* (ADMIN/PROC concejal de un ayuntamiento escocés al que, por votación de los miembros del consistorio, se le han concedido atribuciones especiales, como la de actuar de *magistrate*, **bailment** (CIVIL depósito, locación, comodato; V. *gratuitous bailment, commodatum*), **bailment for hire** (PROC depósito oneroso), **bailout**[1] *US* (SOC dividendo diferido; dividendo de impuesto diferido), **bailout**[2] *col* (MERC ayuda financiera [para el reflotamiento o saneamiento de un banco, empresa, etc., que tenga problemas financieros; V. *bail out; shore up a bank*), **bailsman** (CIVIL garante, fiador; V. *bailor*)].

Bailey, Old *n*: PENAL V. *Old Bailey*.

bailiff *n*: ADMIN alguacil, agente municipal que ejecuta los embargos, etc., oficial de justicia; administrador de una señoría ◊ *When a family is evicted, the bailiffs take possession of their home and any distrained property*; V. *bailiwick, deputy to a sheriff US*.

bailiwick *n*: ADMIN bailía, distrito de *bailiff* o *bailie*, alguacilazgo.

bailment *n*: CIVIL/MERC depósito; entrega en depósito de algo a un tercero para su posesión o tenencia pero no para su propiedad; depósito caucional, fianza ◊ *Goods in the keeping of a pawnbroker are in bailment, and he has a duty to take reasonable care of them*; V. *bailor; gratuitous bailment, involuntary bailment; for mutual benefit*

balance[1] *n/v*: MERC saldo; resto; saldar ◊ *Each month your bank should send you a slip showing the movements on your account and the current balance*; V. *credit balance, debit balance, trade balance*. [Exp: **balance**[2] (MERC balance; V. *balance of verification*), **balance**[3] (MERC balanza; V. *balance of trade*), **balance**[4] (GRAL/MERC equilibrio; equilibrar, mantener el equilibrio, nivelar; V. *checks and balances, balance the budget*), **balance**[5] (MERC cuadrar cuentas, etc.; V. *balance an account*), **balance**[6] **[against]** (GRAL sopesar, pesar; comparar; V. *balance one thing against another*), **balance account** (MERC cuenta de balance), **balance an account** (MERC cuadrar una cuenta; saldar/liquidar una cuenta), **balance brought/carried forward** (MERC saldo a cuenta nueva; suma y sigue), **balance brought down** (MERC saldo total o final), **balance certificate** (MERC certificado de balance; comprobante de balance), **balance due** (MERC saldo pendiente de pago), **balance, in** (MERC equilibrado), **balance in/on hand** (MERC saldo disponible; saldo pendiente), **balance of inequities** (PROC balanza de desigualdades ◊ *The balance of inequities weighs heavily in favour of granting the injunction to the plaintiff*), **balance of, on the** (GRAL/PROC poniendo en la balanza, en un cálculo de;

V. *proof, balance of probabilities*), **balance of payments, BOP** (MERC balanza de pagos; recoge todas las operaciones económicas de una nación con el exterior en un ejercicio contable), **balance of probabilities** (CIVIL mayor probabilidad; es el criterio de la preponderancia de la prueba, considerando los hechos en su conjunto, que se sigue en él los juicios civiles; V. *standard of proof, charge to jury; beyond a reasonable doubt*), **balance of trade** (MERC balanza comercial; diferencia entre las exportaciones e importaciones de un país), **balance of verification** (MERC balance de comprobación), **balance, on** (GRAL/PROC considerándolo todo, viendo las cosas en su conjunto), **balance on hand** (MERC saldo disponible), **balance one thing against another** (GRAL compensar una cosa con otra; sopesar una y otra cosa; V. *balance against*), **balance out** (compensar-se; V. *balance up*), **balance outstanding** (MERC saldo pendiente), **balance sheet** (MERC/SOC balance de ejercicio; balance de situación, hoja de balance, balance general, estado contable, estado financiero; expresa los resultados de operaciones en un determinado período de tiempo), **balance the budget,** etc. (MERC/ADMIN equilibrar el presupuesto, etc.), **balance up** (MERC saldar; finiquitar), **balanced** (GRAL equilibrado, compensado, proporcionado, ajustado; se aplica a *view, budget, differences, growth, etc.* –punto de vista, diferencias, crecimiento, etc.–), **balancing** (GRAL compensador, equilibrador; búsqueda de equilibrio entre los diversos intereses en conflicto), **balancing entry/item** (MERC contraasiento, contrapartida; asiento complementario o de complemento), **balancing of risks** (SEG compensación de riesgos), **balancing test** (PROC cotejo/prueba de los intereses en conflicto)].

bale *n*: GRAL/MERC fardo, bala.

ballast *n*: MERC lastre, balasto. [Exp: **ballast, in** (MERC en lastre; se dice de un buque que no transporta nada más que el lastre), **ballastage** (MERC extracción de arena para ser utilizada como lastre; derechos por la extracción de arena)].

balloon *n*: GRAL/MERC globo; pago del último plazo de una deuda o pagaré cuyo importe es superior a los anteriores; con este significado, se emplea en expresiones como *balloon mortgage, balloon note, balloon payment*, etc.; algunos Estados norteamericanos prohíben estas figuras financieras por su posible carácter engañoso; V. *deception.*

ballot *n*: GRAL votación, voto secreto; papeleta/boleto de votación ◊ *After the election results were published, the losing party accused their rivals of ballot-rigging*; V. *second ballot, secret ballot, single ballot.* [Exp: **ballot box** (GRAL urna electoral), **ballot, by** (GRAL con papeleta de voto, en votación secreta; V. *show of hands*), **ballot-paper** (GRAL papeleta/boleto de votación; V. *voting-slip*), **ballot-rigging** (PENAL manipulación fraudulenta de una votación, «pucherazo electoral»; V. *rig, fraud, cheat, poll rigging*)].

ban *n/v*: GRAL bando, edicto; prohibir ◊ *Some statutes ban canvassing under certain circumstances*; V. *forbid, proscribe, outlaw, prohibit, put a ban on; watchdog committee; banns.*

banc/bank, en/in *fr*: PROC [por] el tribunal o la sala en pleno ◊ *A matter may be reheard «en banc», that is, in a session of all judges sitting together, at the court's motion or at the request of the litigants*; normalmente se refiere a todos los jueces de una sala o distrito constituidos en tribunal; V. *panel, bench, at bar, bank*[2].

band *n*: GRAL banda, pandilla, conjunto; V. *group, faction.* [Exp: **bandit** (PENAL bandido; V. *gangster*), **banditry** (PENAL bandidaje, bandolerismo; V. *brigandage; rid, pillage; plunderer, outlaws*)].

banishment *n*: PENAL deportación, destierro, exilio; V. *exile, deport*. [Exp: **banish** (PENAL desterrar, deportar), **banished person** (PENAL desterrado, deportado, proscrito)].

bank[1] *n/v*: MERC banco; depositar en el banco, ingresar en cuenta ◊ *Monthly bills for gas, electricity, water, etc. can be paid by banker's order*. [Exp: **bank**[2] (PROC tribunal en pleno, pleno del tribunal; V. *banc*), **bank acceptance** (MERC aceptación bancaria), **bank bill** (MERC letra bancaria; V. *billof exchange*), **bank book, bank-book** (MERC cartilla, libreta), **bank charter** (MERC/SOC escritura de constitución de un banco, ficha bancaria), **bank clearing** (MERC compensación bancaria), **bank commercial paper** (bono de caja), **bank draft** (MERC giro bancario, letra bancaria), **bank failure** (MERC quiebra bancaria; V. *bankruptcy, bailout*), **bank holiday** (MERC día feriado; V. *clear days, banking day*), **bank lien** (PROC/MERC gravamen bancario en prevención; V. *banker's lien*), **bank loan** (MERC crédito bancario), **bank mandate** (GRAL/PROC autorización para llevar a cabo ciertas operaciones, como la firma de cheques, etc.), **bank money order** (MERC giro bancario), **bank of issue/circulation** (ADMIN banco emisor), **bank overdraft** (MERC crédito en descubierto o en cuenta corriente), **bank paper** (MERC títulos/efectos bancarios; V. *bankable, commercial, negotiable*), **bank rate** (MERC tipo bancario), **bank rate cut** (MERC reducción del tipo bancario, rebaja del tipo de descuento; V. *fall in the discount rate*), **bank reserves** (MERC activo de caja, reservas bancarias), **bank reserves ratio** (MERC coeficiente bancario obligatorio; V. *ratio*), **bank statement** (MERC extracto/estado de cuenta), **bank syndicate** (MERC consorcio bancario), **bank vault** (GRAL cámara acorazada de un banco), **bankable paper** (MERC efectos negociables o descontables; V. *bills and notes, bank paper*), **banker's lien** (PROC gravamen bancario en prevención; V. *bank lien*), **banker's order** (MERC orden dada al banco para la domiciliación de pagos regulares), **banking** (GRAL banca), **banking day** (MERC día hábil bancario; V. *bank holiday*), **banking house** (MERC institución bancaria), **banknotes** (MERC billetes de banco; V. *dud*)].

bankrupt *a/n*: MERC quebrado, en situación de quiebra, insolvente, concursado, fallido ◊ *The firm went bankrupt as a result of poor management and a series of risky investments*; «declararse en quiebra» o «ir a la quiebra» se forma con *go, become, be made, be adjudicated*; V. *insolvent, be adjudged a bankrupt, declare someone bankrupt, information of the failure*. [Exp: **bankrupt's estate** (MERC masa de la quiebra, conjunto o cuerpo de bienes de un quebrado; V *assets of a bankruptcy*), **bankruptcy** (MERC quiebra, bancarrota; V. *bank failure, adjudication of bankruptcy, criminal bankruptcy, involuntary bankruptcy, fortuitous bankruptcy, necessary bankruptcy, chapter 11; file/dismiss a petition in bankruptcy*), **bankruptcy code** *US* (MERC código/legislación de quiebra; V. *straight bankruptcy, chapter 11*), **bankruptcy commissioner** (MERC comisario de la quiebra; V. *receiver/trustee in bankruptcy, reorganization of a comapny*), **bankruptcy court** (MERC tribunal de quiebras), **bankruptcy discharge** (MERC revocación del estado de quiebra, rehabilitación del quebrado; V. *discharge in bankruptcy*), **bankruptcy order** (MERC/PROC auto judicial declarativo de quiebra; el *bankruptcy order* sustituye a los antiguos *adjudication order* y *receiving order*), **bankruptcy petition** (MERC/PROC petición o solicitud de declaración de quiebra), **bankruptcy proceed-**

ings (MERC/PROC procedimiento o proceso de quiebra, ejecución concursal, concurso de acreedores; V. *reorganization of a copmany*), **bankruptcy protection** (MERC/PROC suspensión de pagos; V. *creditor protection, chapter 11*), **bankruptcy surety** (MERC fiador en bancarrota), **bankruptcy trustee** (MERC síndico de la quiebra; V. *trusteee/receiver in bankruptcy; reorganization of a company, chapter 11*)].

banns of matrimony *n*: CIVIL/FAM amonestaciones matrimoniales, admonición, proclamas de matrimonio ◊ *According to English law, people intending marriage must have the banns proclaimed in a church on three successive Sundays.*

bar[1] *n*: GRAL ① abogacía, los abogados de la acusación y de la defensa llamados *barristers*; se llaman *The bar* porque tienen el privilegio de sobrepasar la barra *–bar of the court–*, que no es más que la línea imaginaria que separa a los jueces *–The Bench–* del público; la mayoría de los jueces han sido antes *barristers*; ② en sentido figurado puede referirse a los trámites procesales; V. *American Bar Association, Barof the Supreme Court.* [Exp: **bar**[2] (GRAL foro, estrado, lugar reservado para el tribunal y los abogados, sala de vistas ◊ *«Prisoner at the bar, how do you plead?»*), **bar**[3] *US* (GRAL el tribunal en pleno ◊ *In its strictest sense, the bar is the court sitting in full term*; V. *bench, case at bar*), **bar**[4] (PROC/CIVIL impedimento legal, obstáculo legal, excepción procesal; V. *action barred by lapse of time*), **bar**[5] (GRAL obstaculizar, excluir, prohibir, impedir ◊ *He has been barred from dealing in Treasury securities because of his past misconduct*; V. *barring, estop, preclude, prohibit*), **bar**[6] (GRAL barra; V. *behind bars*), **bar**[7] (GRAL barra de entrada a un río), **bar and merger** (PROC efecto de cosa juzgada), **Bar Association** *US* (GRAL Colegio de Abogados; V. *American Bar Association, Bar Council*), **bar, at** (GRAL en sesión plenaria; V. *en/in banc*), **bar, be called/admitted to the** (GRAL entrar en el Colegio de Abogados o *barristers*, tras pasar las pruebas correspondientes; darse de alta en el Colegio de Abogados; V. *admit*), **Bar Council** (GRAL Colegio de Abogados o *barristers* de Inglaterra y Gales; el *Bar Council* entiende de los honorarios y de las normas profesionales por las que se rigen estos letrados; V. *[American] Bar Association; Senate of the Inns of Court; Law Society; Bench; legal etiquette; admission/call to the bar*), **bar of the court, be brought to the** (PENAL comparecer ante el tribunal ◊ *When a person is arraigned, he is brought to the bar of the court so that the indictment can be read to him*), **Bar of the House** (CONST barra situada frente al presidente *–Speaker's chair–* de la Cámara de los Comunes que marca el límite territorial de esta cámara), **Bar of the Supreme Court** *US* (PROC abogados autorizados a ejercer su profesión en el Tribunal Supremo), **bar of trial, in** (CIVIL/PROC como excepción perentoria; cuestión previa; artículo de previo pronunciamiento ◊ *An accused person may tender a special plea, such as insanity, in bar of trial*; V. *plea, peremptory plea*), **bar of the court, be brought to the** (PENAL comparecer ante el tribunal ◊ *When a person is arraigned, he is brought to the bar of the court so that the indictment can be read to him*), **Bar of the House** (CONST barra situada frente al presidente *–Speaker's chair–* de la Cámara de los Comunes que marca el límite territorial de esta cámara), **bar of trial, in** (PROC como excepción perentoria; cuestión previa; artículo de previo pronunciamiento ◊ *An accused person may tender a special plea, such as insanity, in bar of trial*; V. *plea, peremptory plea*), **bar pilot**

(GRAL/MERC práctico de barra; V. *pilot, dock pilot*), **bar relief** (CIVIL excepción perentoria a alguna alegación, impedimento legal), **bar to proceedings** (CIVIL obstrucción a los procedimientos, excepción dilatoria; V. *in bar of trial, plea in bar, estoppel, demurrer*), **barred** (GRAL excluido, rayado, arrancado), **barred by lapse of time** (PROC prescrito; V. *caducity, statute of limitations*), **barred by [statute of] limitations** (PROC prescrito; V. *statute barred, action barred by lapse of time*), **bars, behind** *col* (PENAL encarcelado, entre rejas ◊ *He was four months behind bars*; V. *imprisoned*)].

bare *a*: GRAL/PROC escaso, insuficiente, simple, desprovisto, nudo, carente de las condiciones necesarias; V. *naked, nude*. [Exp: **bare-boat charter** (MERC contrato de fletamento por el que se cede el buque, corriendo los gastos de navegación por cuenta del fletador; V. *charter*), **bare/naked contract** (MERC/CIVIL contrato unilateral), **bare essentials, the** (GRAL lo mínimo imprescindible, sólo lo más esencial), **bare majority** (PROC mayoría escasa), **bare ownership** (CIVIL nuda propiedad), **bare possession** (CIVIL posesión de hecho, posesión natural; V. *naked possession*), **bare power** (CIVIL poder nudo; V. *power of appointment*), **bare trust** (CIVIL nudo fideicomiso; fideicomiso simple), **bare trustee** (CIVIL fiduciario pasivo o nominal, sin más autoridad ni más obligación que la de retener el título de propiedad hasta que el beneficiario alcance la mayoría de edad; V. *active trust*)].

barge *n*: MERC barcaza, gabarra; V. *lighter*. [Exp: **barge bill of lading** *US* (MERC conocimiento de embarque para transporte fluvial; V. *bill of lading*)].

bargain *n/v*: GRAL pacto, acuerdo; trato, negociación; negociar, pactar, ajustar; regatear ◊ *After tense negotiations, a bargain was struck and the two sides signed a contract*; V. *strike a bargain, scoop a bargain, drive a bargain; agreement, deal, compact, transact*. [Exp: **bargain**[2] (GRAL regateo ◊ *He is a very shrewd businessman who drives a hard bargain*), **bargain**[3] (MERC ganga, oferta, oportunidad; en función atributiva equivale muchas veces a «de ocasión», «de rebajas», «de gangas», etc. ◊ *You should buy the car: it's a bargain at the price*), **bargain and sale** (CIVIL [contrato de] compraventa inmediata, sobre todo de bienes inmuebles), **bargain sale** (MERC venta de rebajas), **bargainee** (MERC comprador, contratante comprador), **bargain or** (MERC vendedor, contratante vendedor), **bargaining** (GRAL negociación; regateo; V. *collective bargaining*), **bargaining agent** (LABORAL enlace sindical; V. *certification officer*), **bargaining power** (LABORAL capacidad de negociación; fuerza negociadora en un convenio), **bargaining money** *US* (CIVIL señal; V. *earnest money*), **bargaining rights** (LABORAL derechos de negociación colectiva), **bargaining table** (LABORAL mesa de negociaciones), **bargaining unit** (LABORAL grupo o unidad encargada de negociar los convenios colectivos; V. *certification officer*)].

baron *col n*: GRAL pez gordo, cacique, mandamás, persona influyente en un negocio, sector o círculo ◊ *There was a meeting last week of the Press Barons to discuss strategy following the passing of new laws affecting the media*; este término, de carácter peyorativo, no siempre connota ilegalidad, aunque a veces sí, como en *«Barons» are inmates who have more power in prison than others*; V. *drug lord*.

barrator *n*: PROC pleitista, el que sin fundamento claro promueve pleitos. [Exp: **barratry, barretry** (PENAL delito de incitación a los litigios o embrollos jurídicos, propensión a pleitear; cometen este delito, entre otros, los abogados que incitan a iniciar procesos sin causa justa, para obtener beneficios personales; V. *champerty*), **barratry of master and mariners** (MERC/PENAL baratería, actos de baratería; engaño, embrollo jurídico, delito cometido por la pérdida causada a los armadores o a los cargadores de un barco por dolo o engaño del capitán o la tripulación; V. *scuttling a ship, embezzling the cargo, forfeiture of the ship*)].

barrel *n*: GRAL/MERC barril, barrica.

barren money *n*: MERC dinero improductivo, dinero prestado sin interés; V. *yield, bear interest*.

barrier *n*: GRAL obstáculo. [Exp: **barriers to trade** (MERC obstáculos comerciales)].

barring *prep*: GRAL salvo, excepto ◊ *Barring accidents, the meeting will be held on Monday*; V. *bar*[5]

barrister [at-law] *n*: PROC abogado que actúa ante los tribunales ◊ *A barrister is an advocate that has rights of audience in the High Court, Court of Appeals and House of Lords*; los *barristers* son los letrados que gozan del derecho, aunque no exclusivo, para ejercer la abogacía ante los tribunales superiores de Inglaterra y Gales *–High Court of Justice, Crown Court, Court of Appeal–*, pudiendo representar tanto a particulares como a la Corona; en los últimos años también tienen este privilegio los *solicitors* que cumplan ciertos requisitos; V. *advocate, lawyer, solicitor, trial lawyer, attorney at-law, solicitor, counsel, Queen's Counsel*.

barter *n*: MERC trueque, compensación o permuta; suele acompañar a palabras como *agreement, economy,* etc.

base[1] *a/n/v*: GRAL básico; base, fundamento; basar, fundamentar, establecer ◊ *His claim was based on the will his mother made during her last illness*; V. *ground, footing, foundation; found*. [Exp: **base**[2] (MERC base, también llamado *basis*, es la diferencia entre el precio de un efecto/instrumento en efectivo y un contrato a plazo o *forward contract*), **base**[3] (PENAL vil; infame, despreciable ◊ *In sentencing the man, the judge described his conduct as base and cowardly*; V. *bad, bogus, corrupt*), **coin/money** (GRAL/MERC moneda falsa; V. *bogus money*), **base rate**[1] (MERC tipo [de interés bancario] básico, descuento bancario, tasa bancaria), **base rate**[2] (LABORAL remuneración mínima, salario base sin ningún complemento o incentivos; tarifa básica), **based in** (con sede en, radicado en, residente en; se usa también en expresiones como *Madrid-based, London-based, etc.* –con sede en Madrid, con sede en Londres, etc.– ◊ *The company is based in Manchester, and is a market leader in knitted goods*; V. *seat of a company*), **based on** (GRAL basado en), **baseless** (GRAL/PROC infundado, sin fundamento, carentes de fundamentos ◊ *Baseless allegations*; V. *groundless*), **baseline** (CIVIL línea de demarcación; V. *border, boundary, abuttals, party wall, landmark), **baseline costs** (MERC costes básicos o iniciales)].

basic *a*: GRAL básico. [Exp: **basic patent** (MERC patente primitiva; V. *patent*[2]), **basic principles** (CONST principios fundamentales)].

basis[1] *n*: GRAL fundamento, base, cimientos ◊ *His claims have no basis in law*; V. *legal basis, provisional basis*. [Exp: **basis**[2] (GRAL régimen; gestión; modalidad, forma ◊ *Most insurance premiums are paid on a periodic basis*; V. *collection basis*), **basis of, on the** (GRAL basado en, basándose en)].

basket of currencies *n*: MERC cesta de monedas nacionales.

batch *n*: GRAL/MERC lote, fajo, tanda; promoción o clase.

bate *obs v*: PROC/CIVIL minorar, disminuir, rebajar; por ser un término anticuado, en su lugar se emplea *abate, rebate,* etc.

[Exp: **batement** *obs* (PROC/CIVIL disminución, merma o menoscabo; por ser un término anticuado, en su lugar se emplea *abatement, rebate,* etc.)].

batter *v*: PENAL agredir, apalear, golpear, acometer, arremeter ◊ *A worrying number of battered wives and battered children are now coming to light*; V. *assault*. [Exp: **battery**[1] (PENAL agresión, intimidación violenta, lesiones, ataque físico, acometida, ofensa ◊ *You need not actually* batter *somebody to be guilty of battery; it is enough in law, that you lay hold of him in a way that suggests violent intent*; V. *assault and battery, grievous bodily harm, beating*), **battery**[2] (GRAL batería), **battery of questions** (GRAL serie de preguntas disparadas una tras otra)].

bawdy *a*: PENAL obsceno, deshonesto; V. *base, obscene*. [Exp: **bawdy house** (GRAL casa de lenocinio, prostíbulo; V. *brothel, disorderly house, house of ill fame/repute, cathouse*)].

bay *n*: GRAL bahía, dársena, dársena de una estación de autobuses. [Exp: **bay, at** (acorralado, atosigado, acosado, a raya ◊ *A man armed with an automatic rifle climbed to the top of a building in the city centre and held police at bay for 4 hours*; V. *hold at bay, beset*)].

B.C. *adv*: GRAL antes de Cristo.

be it known *fr*: GRAL/PROC se hace saber, hágase saber, sépase, entiendan todos.

beach *v*: MERC varar un buque voluntariamente a fin de evitar daños mayores, en caso de emergencia. [Exp: **beaching** (MERC varada voluntaria)].

beacon *n*: MERC baliza. [Exp: **beaconage** (MERC balizaje; sistema de marcas en el mar para guía de navegantes; tasas que se abonan por el uso de las guías)].

beak *argot n*: PROC magistrado, juez ◊ *He came up before the beak for breach of the peace*; V. *baron*.

bear[1] *v*: GRAL llevar, sufrir, soportar [una carga]; cargar ◊ *The judge told the mother that she bore a heavy responsibility, through her negligence, for her daughter's death*. [Exp: **bear**[2] (GRAL guardar relación con, relacionarse con ◊ *I don't see how this evidence bears on the case*; V. *bear resemblance*), **bear**[3] (GRAL parir, dar a luz ◊ *Surrogate mothers, who bear children for other women, are a source of new legal problems*), **bear**[4] (MERC devengar o producir [intereses] ◊ *Bear interest*; V. *yield, carry*), **bear**[5] (MERC bajista, inversor bursátil con expectativas bajistas; oso; especular a la baja ◊ *A bear is an investor that sells securities or commodities in expectation of a fall in price*), **bear market** (MERC mercado bajista o replegado a la baja; el uso de la palabra *bear* en este contexto probablemente venga del dicho inglés *selling the bearskin before catching the bear* –vender la piel del oso antes de cazarlo–), **bear out** (GRAL/PROC corroborar ◊ *His statement was borne out by the testimony of two eyewitnesses*), **bear raid/raiding** (MERC oferta súbita de valores para producir una baja instantánea de la cotización; V. *dawn raid*), **bear resemblance** (GRAL guardar parecido ◊ *The witness remembered the woman's face, since she bore a striking resem-blance to a famous singer*; V. *bear*[2]), **bear the market** (MERC jugar a la baja, especular a la baja, provocar bajas en el mercado), **bear witness to** (PROC dar testimonio, atestiguar ◊ *The lines on his face bear witness to the strain he is suffering*; como en el ejemplo dado, también se puede usar en sentido figurado; V. *testify, give evidence*), **bearer** (MERC portador ◊ *Pay to the bearer the sum of £500*), **bearer bond [payable to bearer]** (MERC bono al portador; V. *registered bond*), **bearer cheque/check** (MERC talón/cheque al portado), **bearer certificate/instrument** (MERC título al portador), **bearer shares/stock** (MERC acciones al portador), **bearing**[1] (GRAL relación, conexión ◊ *This statement has no bearing on the issue*), **bearing**[2] (MERC orientación; marcación [náutica] ◊ *It is difficult to find one's bearings amidst the complexities of the evidence*), **bearish** (MERC bajista, pesimista; V. *bullish*), **bearish tendency** (MERC tendencia a la baja; V. *downward trend*)].

beat *n*: GRAL área de control y vigilancia de un policía, ronda. [Exp: **beat, on one's** *obs* (GRAL del campo de uno, de la especialidad de uno), **beat, on the beat** (PENAL de servicio, haciendo la ronda), **beat the rap** *col* (PENAL salir absuelto, ser declarado inocente; V. *rap, take the rap*), **beating** (GRAL paliza; V. *batter*)].

become *v*: GRAL convertirse, llegar a ser. [Exp: **become a member of** (GRAL/ADMINS adherirse a, darse de alta ◊ *China became a member of the Convention for the Protection of Industrial property a few years ago*; V. *accede*), dominio **become public** (GRAL/ADMIN ser de dominio público), **become bankrupt** (MERC declararse en quiebra, ir a la quiebra)].

bedevil *v*: GRAL/PENAL plagar, endiablar, envenenar, confundir ◊ *Some areas of American trade and local government are bedevilled by racketeers and gangsters.*

before *prep*: GRAL ante; antes. [Exp: **before-cited** (GRAL antedicho), **before-mentioned** (GRAL susodicho)].

beg *v*: GRAL rogar, implorar, suplicar; se emplea en expresiones muy formales como *beg leave* –pedir la venia, autorización o permiso–, *beg mercy*– implorar misericordia–, etc.; V. *entreat, appeal, petition, request*. [Exp: **beggar** (GRAL mendigo, pordiosero; V. *tramp, pauper, indigent, poor, poverty-stricken, destitute*)].

begin *v*: GRAL comenzar, iniciar, empezar; V. *initiate, commence*. [Exp: **begin functions** (ADMIN/PROC entrar en funciones), **beginning, from the** (GRAL desde el principio; V. *ab initio*)].

behead *v*: PENAL decapitar; V. *capital punishment, execution.*

behest of, at the *US fr*: GRAL a petición de ◊ *The investigation has been carried out at the behest of Congress*; V. *at the request of.*

behalf of, on *fr*: GRAL/PROC en nombre/representación de, por ◊ *An attorney acts on behalf of the donor of the power.*

behaviour *n*: CIVIL V. *unreasonable behaviour.*

belated *a*: GRAL tardío. [Exp: **belated claim** (CIVIL derecho caducado o prescrito, presentación fuera de plazo)].

belibel *obs v*: PENAL V. *libel.*

belief, to the best of my knowledge and *fr*: PROC según mi leal saber y entender; es la fórmula utilizada en declaraciones juradas, testimonios, etc.; V. *affidavit.*

belongings *n*: GRAL/CIVIL efectos, pertenencias; V. *personal effects, personal belongings, chattels.*

below par *fr*: MERC por debajo del valor nominal.

Bench *n*: GRAL la magistratura, los jueces; tribunal o sala de justicia; estrado, tribunal colegiado, en especial cuando se dice *a bench of judges*; en este último caso, también se puede decir *a panel of judges* V. *Queens Bench; banc, Bar*. [Exp: **Bench and Bar** (GRAL jueces y letrados; V. *bar*), **bench, be on the** (GRAL ser juez, pertenecer a la judicatura; estar en el estado), **bench conference** (PROC consulta en el estrado entre abogados y juez; V. *conference*[2]), **bench legislation** (GRAL derecho jurisprudencial; V. *case law*), **bench opinion** (PROC sentencia del tribunal), **bench trial** (PROC juicio sin jurado; V. *jury*), **bench warrant** (PENAL/PROC auto de prisión dictado por un juez de sala –*trial judge*–; este auto contiene una orden de prisión –*order of committal*– por desacato *–contempt of court–* a la citación de comparecencia *–summons, subpoena–*; se dicta por incomparecencia del procesado y en consecencia se excluye expresamente la posibilidad de fianza *–bail–*, llamándose entonces *warrant not backed for bail* –orden con endoso de exclusión de fianza–), **benchers** (GRAL [miembros de la] Junta de Gobierno de cada uno de los *Inns of Court*, también llamados *masters of the Bench*; Decanos ◊ *Benchers exercise disciplinary powers over the members of the Inn*)].

beneficial *n*: GRAL ventajoso, provechoso, útil; relativo a los derechos *–rights–* nacidos en el régimen de equidad o *equity*; V. *benevolent*. [Exp: **beneficial association** (CIVIL sociedad de beneficencia; V. *benefit society, charitable society, benevolente association*), **beneficial improvement** (CIVIL mejora patrimonial), **beneficial interest** (CIVIL derecho ejercido en beneficio propio; beneficio derivado de un derecho), **beneficial occupier** (CIVIL usufructuario de una vivienda), **beneficial owner** (CIVIL dueño eficaz, beneficiario de un fideicomiso o *trust*, beneficiario en equidad), **beneficiary** (CIVIL beneficiario de una herencia, derechohabiente; beneficiario, dueño en equidad o *trustee* de los bienes de un fideicomiso llamado en el pasado *cestui que trust*; cesionario, abandonatario; V. *abandonee, assign, recipient, releasee; trustee; equitable owner*)].

benefit *n/v*: GRAL/CIVIL/MERC privilegio, beneficio, bien, ventaja, provecho; prestaciones, alimentos, indemnización, prestaciones sociales; beneficiar; V. *unemployment benefit, accident benefit, child benefit, family benefit, sick benefit, supplementary benefit, for mutual benefit*. [Exp: **benefit of order** (MERC/CIVIL beneficio del orden; el fiador que goza de este beneficio puede exigir que se proceda en derecho contra el deudor principal antes que contra él), **benefit of the doubt** (PENAL beneficio de la duda, presunción de inocencia; V. *presumption*), **benefit society** (CIVIL sociedad de beneficencia o de previsión social; V. *beneficial association, charitable society*)];

benevolent *a*: GRAL benévolo, benéfico, de benficencia. [Exp: **benevolente association** (CIVIL asociación de beneficencia; V. *beneficial association, benefit society, charitable society*)].

bequeath *v*: CIVIL mandar, dejar en testamento, legar [especialmente bienes muebles o derechos] ◊ *The antique furniture came to us as a bequest from a maiden aunt*; V *devise*. [Exp: **bequeathal/bequeathment** (CIVIL testamento, acto de testar, manda, legado), **bequest** (CIVIL legado [de bienes o derechos]; V. *absolute bequest*)].

bereave *v*: GRAL despojar, quitar, robar, desposeer, arrebatar ◊ *She was bereaved of her father at an early age* (en la actualidad se usa casi siempre en sentido figurado: ① cuando se refiere a cualidades o posesiones abstractas [la vida, la esperanza, etc.], se emplea el participio *bereft*, como en *Bereft of hope and comfort, he died a bitter man*; ② cuando se refiere a la muerte de un familiar, se usa *bereaved*), **bereavement** (GRAL desgracia, aflicción, pérdida de un familiar ◊ *Terrorist atrocities have led some sociologists to study this special experience of bereavement*), **bereavement damages** (CIVIL [indemnización por] daños morales o psicológicos); V. *aggravated damages, psychological damages, pain and suffering*), **bereft** (GRAL despojado, desposeído, carente, privado), **bereft of reason** (GRAL privado de razón; V. *visitation of God*)].

berth[1] *n/v*: MERC atraque, muelle, atracadero, amarradero, puerto de atraque, lugar o espacio que ocupa un buque en un fondeadero; atracar, amarrar; V. *accommodation berth, whether in berth or not*. [Exp:

berth[2] *col* (GRAL acomodo, puesto de trabajo, etc. ◊ *He's found a new berth in the Finance Department, as assistant manager*; V. *niche*), **berthage** (MERC derechos de estancia en puerto; V. *anchorage, towage*)].

beseech *frml v*: GRAL/PROC suplicar, rogar, pedir, instar ◊ *The defence besought the court to consider the fresh evidence.*

beset *a*: GRAL acosado ◊ *The firm is beset with difficulties*; V. *harass, at bay.*

best *a*: GRAL mejor. [Exp: **best bid** (MERC mejor oferta), **best evidence** (PROC prueba directa), **best evidence rule** (CIVIL/PENAL norma procesal que exige la presentación de las mejores pruebas), **best of my knowledge and belief, to the** (PROC según mi leal saber y entender; V. *constructive knowledge, carnal knowledge*), **best use** (PROC el mejor destino)].

bestiality *n*: PENAL bestialidad, sodomía; V. *sexual perversion, buggery, sodomy, fellatio, unnatural acts, hard core pornography.*

bestow *v*: GRAL donar, otorgar, conceder ◊ *The knighthood was bestowed on him in recognition of his services*; V. *grant, endow.*

bet *n/v*: GRAL apuesta; apostar ◊ *The rules governing all forms of gambling are laid out in the Betting, Gaming and Lotteries Act*; V. *game*. [Exp: **Betting, Gaming and Lotteries Act** (ADMIN Ley reguladora de los juegos de azar)].

betray *v*: GRAL/PENAL traicionar ◊ *The statements she made to the Press were regarded by her employeer as a betrayal of confidence*. [Exp: **betrayal** (GRAL perfidia, traición, abuso; V. *breach of trust*), **betrayal of confidence** (ADMIN/GRAL abuso de confianza; V. *breach of trust*)].

betrothal *n*: CIVIL esponsales, noviazgo, compromiso matrimonial; V. *engagement to marry.*

better *a*: GRAL mejor. [Exp: **Better Business Bureau, B.B.B.** *US* (GRAL/MERC oficina para la mejora de las relaciones comerciales y de la defensa de los intereses del consumidor), **betterment** (GRAL mejora ◊ *Certain home improvements are deemed «betterments» and are tax deductible*; V. *melioration; repairs*), **betterment tax** (FISCAL tributo para llevar a cabo una mejora pública)].

beyond *prep*: más allá de, fuera de ◊ *The judge reminded the jury that it was their duty to decide on guilt beyond reasonable doubt*. [Exp: **beyond a doubt** (GRAL sin duda, indiscutible, indudable; V. *proof beyond reasonable doubt*), **beyond a reasonable doubt** (PENAL sin que queden dudas razonables; dada la complejidad de interpretar qué es lo que realmente significa *beyond a reasonable doubt*, en Inglaterra los jueces de sala *–trial judges–*, al dirigirse a los miembro del jurado, emplean desde 1999 una fórmula más sencilla, en la que aparece la expresión *to be sure*: *If after considering all the evidence you are sure that the defendant is guilty, you must return a verdict of 'Guilty'. If you are not sure, your verdict must be 'Not Guilty'*; V. *standard of proof, proof beyond reasonable doubt, balance of*), **beyond repair** (sin posibilidad de reparación ◊ *When it was clear that the ship and her cargo were damaged beyond repair, her owners informed the insurers that they were abandoning ownership*; V. *total constructive loss, damaged beyond repair*), **beyond the assets descended** (V. *acceptance without liability beyond the assets descended*), **beyond the seas** (CIVIL fuera del país, en el extranjero, ilocalizable ◊ *As the witness that had been subpoenaed was beyond the seas, the hearing was adjourned*; V. *absence*)]

bi- *part*: GRAL bi-; V. *bilateral, bimetallic*. [Exp: **biannual** (GRAL semestral; V. *biennial*), **bi-monthly** (GRAL bimensual, cada quince días), **bi-yearly** (GRAL bianual; V. *half-yearly*)].

bias *n/v*: GRAL parcialidad, prejuicio, propensión, predisposición; sesgar, inclinar, predisponer ◊ *The judge discounted the evidence of three witnesses who were clearly biased against the police*; V. *prejudice, bigotry, intolerance*. [Exp: **biased judgment** (PROC fallo parcial o sesgado; V. *impartial; partial, prejudiced*)].

BIBO *n*: carga a granel, descarga en sacos. [Acrónimo formado por *bulk-in, bag-out*].

bicker *v*: reñir, disputar ◊ *The Divorce Court was told that, though the couple bickered constantly, there were no violent quarrels between them.*

bid[1] *n/v*: CIVIL/ADMIN/MERC puja, licitación, propuesta, oferta, oferta de adquisición; pujar, ofrecer, entrar en licitación ◊ *A Japanese company is expected to put in a bid for the bank*; las formas irregulares de este verbo son *bid, bid, bid*; V. *call for bids, hostile bid, take-over bid*. [Exp: **bid**[2] *obs* (GRAL rogar, mandar, decir; las tres formas de este verbo irregular son *bid, bade, bidden*; su uso no es muy frecuente excepto en expresiones formales como *bid someone adieu, welcome,* etc.), **bid and asked** (MERC oferta y demanda; precio de comprador y vendedor en un mercado sobre un valor), **bid bond** (CIVIL/ADMIN fianza de licitación o de participación en un concurso, aval de oferta, caución o garantía de licitador), **bid in** (MERC sobrepujar para beneficiar al vendedor; la suelen hacer amigos de la cosa subastada o vendida), **bid off** (MERC adjudicación inmediata de la cosa subastada), **bid package** (MERC conjunto de bienes, obras, servicios y elementos a licitar), **bid price** (CIVIL/ADMIN precio de oferta; es el que ofrece el comprador potencial), **bidder** (CIVIL/ADMIN/MERC concursante, postor, pujador, licitador, licitante; suele formar expresiones como *best bidder, highest bidder,* etc.; V. *offerer, by-bidder*), **bidding** (ADMIN/CIVIL/MERC licitación, pliego de condiciones), **bidding conditions/specifications/form** (ADMIN/CIVIL/MERC pliego de condiciones, bases de licitación), **bidding up** (MERC elevar sucesivamente el precio en una subasta)].

bigamy *n*: PENAL bigamia; V. *adultery*. [Exp: **bigamist** (PENAL bígamo)]

bigot *a*: GRAL intolerante, fanático; V. *racist, prejudiced*. [Exp: **bigotry** (GRAL fanatismo, intolerancia; V. *prejudice, bias, intolerance*)].

bilateral [contract, agreement, treaty] *a*: GRAL [contrato, acuerdo, tratado] bilateral; V. *mutual, reciprocal*),

bilk *col v*: GRAL/PENAL estafar, defraudar, burlar, dejar a alguien empantanado, dar plantón a alguien *col*; V. *fare-bilking*. [Exp: **bilk creditors** (GRAL burlar a los acreedores ◊ *He bilked his creditors and disappeared without trace*.

bill[1] *n*: MERC factura, cuenta, efecto de comercio; boleto ◊ *Monthly bills for gas, electricity, water, etc., can be paid by banker's order*; V. *bill of exchange, bill*[6]. [Exp: **bill**[2] (CONST proyecto de ley ◊ *All statutes begin as bills which are debated in Parliament*; las divisiones de los distintos instrumentos jurídicos, *acts, bills,* etc., no reciben siempre el mismo nombre; los *bills* constan de *clauses, subclauses* y *paragraphs*; V. *engrossed bill, enrolled bill, act, private bill, private act, public bill, private member's bill, statute; common law, equity; legislature; enactment; appropriation bill, deficiency bill, legislative bill; clause*), **bill**[3] (PROC escrito de petición, instancia o súplica; recurso; acta, auto; en esta acepción, *bill* es un documento de solicitud o súplica, utilizado en [las alegaciones de] las demandas de equidad –*equity*–; en este sentido equivale a *action*; se usa en muchas expresiones con la acepción de «escrito, pliego o acción», como *bill for cancellation* –escrito o acción dirigidos a obtener la anulación de un instrumento–; *bill for reformation* –escrito o acción dirigidos a obtener la modificación de un instrumento–; V. *voluntary bill, petition; equity; quia timet bill; no bill*), **bill**[4] *US* (MERC billete de banco; V. *note*), **bill**[5] (GRAL cartel de anuncios; se emplea especialmente en la expresión *No bills* –se prohíbe fijar carteles–), **bill**[6] (enviar la factura, facturar ◊ *To our horror we were billed for £3,000*), **bill broker** (MERC corredor de obligaciones, agente de letras), **bill**[7] (MERC letra; reconocimiento de deuda), **bill discount** (MERC descuento de efecto), **bill for a new trial** *US* (PROC petición de nuevo juicio; normalmente se emplea en su lugar *motion for a new trial* en Inglaterra y Gales), **bill for foreclosure** (MERC/CIVIL demanda en juicio hipotecario, escrito inicial), **bill for fraud** (MERC/CIVIL reclamación por fraude), **bill in equity** (CIVIL petición, demanda o recurso de equidad), **bill, no** (PENAL no ha lugar a procesamiento, también llamado *not a true bill*; V. *bill of indictment, ignoramus, not found*), **bill obligatory** (MERC pagaré), **bill of appeal** (PROC escrito de apelación), **bill of adventure** (MERC manifestación del armador *–shipowner–* o del capitán de que ciertas mercancías viajan bajo la responsabilidad de un tercero), **bill of attainder** *US* (CIVIL decreto o ley de confiscación de bienes, proscripción o extinción de los derechos civiles del individuo condenado por delito de traición; proscripción y confiscación; muerte civil; actualmente está derogado; V. *attainder*), **bill of certiorari** (CIVIL solicitud de auto de avocación), **bill of complaint** (CIVIL demanda judicial, escrito de agravios), **bill of costs** (PROC pliego de costas; V. *taxing master, taxation of costs, assessor*), **bill of credit** (MERC carta de crédito), **bill of debt** (MERC pagaré; V. *promissory note*), **bill of discovery** (CIVIL petición a la parte contraria en una demanda para que declare los documentos que obran en su poder relacionados con el asunto civil; petición de declaración de hechos presentada por el demandado), **bill of entry** (MERC declaración de entrada en aduanas), **bill of evidence** (PROC acta taquigráfica), **bill of exception** (PROC escrito/pliego de recusaciones, escrito de súplica, nota de excepciones, escrito oponiéndose a las diligencias efectuadas o a las providencias dictadas por el tribunal), **bill of exchange** (MERC letra de cambio; V. *accommodation bill, promissory bill, treasury bill, demand bill*), **bill of favour** (MERC efecto de favor), **bill of freight** (MERC contrato de transporte, carta de porte), **bill of health** (MERC patente de sanidad; la patente de sanidad ha sido sustituida por la Declaración Marítima de Sanidad *–Maritime Declaration of Health–*, expedida por el capitán); V. *clean bill of health, foul bill of health*), **bill of indemnity** (CONST/ADMIN ley de indemnidad o de exoneración de responsabilidad a los funcionarios), **bill of indictment**[1] (PENAL solicitud de auto de procesamiento, escrito de acusación, acta de acusación dictada por un Gran Jurado en los Estados Unidos, informe de acusación ◊ *A bill of indictment is a formal accusation for a serious criminal offence, also called indictable offence*; el *indictment*, escrito formal en el que se le imputa algún delito a alguien, lo dicta en Inglaterra y en Gales un Tribunal de Magistrados *–Magistrates' Court–*, que son jueces legos constituidos en jueces instructores *–examining magistrates–*; en muchas jurisdicciones de los Estados Unidos este escrito lo dicta un Gran Jurado *–Grand Jury–*; V. *committal proceedings, complaint, charge, summary offence, pre-*

fer, libel of accusation der es; V. *indictment, true bill, not a true bill, no bill*), **bill of indictment**[1] (PENAL solicitud de auto de procesamiento; la presenta el fiscal ante el gran jurado *–gran jury–* [dirigida al gran jurado]; si el gran jurado aprueba el procesamiento *–indictment–* lo hará con la expresión *true bill*; en caso contrario, dirá *no bill*; V. *grand jury*), **bill of interpleader** (CIVIL petición del demandado por acción entre dos demandantes ◊ *The bank faced a bill of interpleader from the estate agents, who claimed the house was theirs*), **bill of lading, blading, B/L** (MERC conocimiento de embarque, transporte de mercancías en régimen de conocimiento; V. *through bill of lading*), **bill of lading to bearer/named person** (MERC conocimiento de embarque al portador/nominativo; V. *negotiable bill of lading, blank bill of lading*), **bill of lading to order** (MERC conocimiento de embarque a la orden), **bill of particulars** (PROC exposición revelatoria, petición de delimitación de la imputación, petición de pormenorización del objeto de la demanda o contrademanda, petición que hace una de las partes a la otra solicitando escrito pormenorizado aclarando todo lo que alegan en su demanda; V. *particulars of claim*), **bill of peace** (PROC solicitud de prevención de litigios múltiples), **bill of review** (CIVIL solicitud de revisión judicial; V. *judicial review*), **bill of rights** (CONST ley de derechos, carta o declaración constitucional de derechos; en los Estados Unidos son las diez primeras enmiendas a la Constitución que se incorporaron en 1791; V. *bill*[2]), **bill of sale** (CIVIL contrato de compraventa de bienes muebles, comprobante de venta), **bill quia timet** (CIVIL acción interpuesta por quien teme un daño a sus derechos o sus propiedades a fin de impedirlo), **billing** (MERC facturación; V. *direct billing, pay by direct billing*), **bills and notes** (MERC efectos o títulos negociables; V. *bankable*) **bills payable** (MERC letras a pagar, efectos o letras al cobro), **bills receivable** (MERC letras o efectos al cobro), **bill with documents attached** (MERC letra documentaria, también llamada *documentary draft*)].

billion *n*: GRAL mil millones en Estados Unidos; un millón de millones en el Reino Unido, aunque se observa una tendencia a emplear el término en el sentido norteamericano.

bimetallic standard *n*: ADMIN/MERC patrón bimetal.

bind *v*: GRAL vincular-se, obligar-se ◊ *To be effective, the terms of a contract must be considered binding by both parties*. [Exp: **bind oneself** (GRAL comprometerse, vincularse, obligarse ◊ *By accepting a bill of exchange, you effectively bind yourself to make payment of the full amount at maturity*; V. *honour; reject, refuse to accept*), **bind over** (PROC imponer la obligación de, obligar el juez a una persona a cumplir alguna obligación, poner bajo fianza; entregar a un tribunal superior ◊ *He was found guilty of committing a breach of the peace and was bound over to be of good behaviour*), **binder** (GRAL resguardo provisional; V. *voucher*), **binding** (GRAL vinculante, obligatorio, preceptivo, de obligado cumplimiento ◊ *Minors have no capacity to sue or to enter into a legally binding contract*; V. *legally binding, obliging, mandatory*), **binding force** (GRAL carácter o fuerza vinculante), **binding precedent** (PROC precedente vinculante; V. *persuasive precedent*), **binding receipt** (SEG seguro provisional)].

birth *n*: GRAL/CIVIL nacimiento ◊ *It is expected that the declining birth rate in developed countries will have a long-term effect on pension funds*; V. *death*. [Exp: **birth certificate** (CIVIL partida de nacimiento), **birth rate** (CIVIL índice o tasa de natalidad), **birth record** (CIVIL inscripción en el registro civil)].

bite *US argot n*: PENAL chantaje, amenaza, presión ◊ *I wouldn't deal with that firm if I were you: they'll involve you in some shady business and then put the bite on you.*

B/L *n*: MERC V. *bill of lading.*

black *a*: GRAL negro. [Exp: **Black Maria** *col* (PENAL coche celular; V. *police van*), **black mark** *US* (GRAL mancha [en el expediente]; V. *stain*), **black-market economy** (PENAL mercado negro, contrabando, economía sumergida), **black-market exchange** (PENAL cambio de contrabando), **blackener** (PENAL difamador, calumniador, denigrador), **blackleg** (LABORAL esquirol ◊ *He was accused of being a blackleg and thrown out of the union by his workmates*; V. *scab*), **blackmail** (PENAL extorsión, chantaje; extorsionar, chantajear), **black-mailer** (PENAL chantajista, extorsionista)].

blading, BL *n*: MERC acrónimo de *bill of lading.*

blameful *a*: GRAL/CIVIL/PENAL culpable, reprensible.

blank *a/n*: GRAL en blanco; espacio en blanco; papel en blanco, virgen, liso; aplicado a instrumentos comerciales indica la falta de algún dato fundamental, el tomador, la fecha, etc. ◊ *When we checked in the Land Register, we found the name of the owner of the property had been left blank.* [Exp: **blank acceptance** (MERC aceptación bancaria en blanco o a descubierto), **blank bill** (MERC letra de cambio en blanco; carece del nombre del beneficiario o *payee*), **blank check/cheque** (MERC cheque en blanco), **blank credit** (MERC crédito en blanco), **blank endorsement** (GRAL endoso en blanco; V. *general endorsement*)].

blanket *n*: GRAL manta; en función atributiva tiene el significado de «general, global, total, sin especificar». [Exp: **blanket acceptance** (MERC aceptación global), **blanket agreement** *US* (LABORAL negociación sectorial), **blanket assignment** (MERC cesión en bloque), **blanket bond** (PROC/MERC fianza general o colectiva), **blanket coverage** (SEG cobertura global), **blanket insurance** (SEG seguro general; seguro a todo riesgo; V. *package insurance*), **blanket mortgage** (MERC hipoteca general o abierta, también llamada *blanket trust deed*), **blanket order** *US* (MERC pedido general suele hacerse antes del comienzo de la temporada), **blanket policy** (SEG póliza abierta o general; en ella con una cantidad global se aseguran una cantidad de bienes no detallados, por ejemplo una flota de autobuses; a veces puede incluir daños por deslealtad de los empleados), **blanket rate** (SEGUR/GRAL tarifa general; la misma tarifa se aplica de manera uniforme a conceptos distintos)].

blasphemy *a*: GRAL blasfemia; V. *calumny.*

blatant *a*: GRAL claro, manifiesto, evidente; descarado ◊ *Her conduct was a blatant affront to the authority of the court.*

blemish *n*: GRAL tacha, deshonra, mancha en la reputación.

blind[1] *n/a*: GRAL ciego, confuso, poco claro. [Exp: **blind**[2] (GRAL subterfugio, pantalla; V. *dodge, ploy*), **blind**[2] *col* (empresa falsa o inexistente; V. *front*), **blind trust** (CIVIL fideicomiso/gestor/administrador de un trust ciego; este *trust* está gestionado por administradores anónimos desconocidos por el propietario, que no mantienen relaciones de ningún tipo con la persona que ostenta la propiedad, mientras ésta ejerce su carrera política)].

block *n/v*: GRAL bloque, paquete; manzana de casas; bloquear, impedir; en forma atributiva significa «en bloque, en conjunto, globalmente» como en *block negotiations* –negociación global–. [Exp: **block**

an account, currency, funds, etc. (PROC/MERC bloquear, embargar o congelar una cuenta, dinero, fondos, etc. ◊ *Pending the Fraud Squad's investigation, the man's account has been blocked*; V. *freeze, control*), **block grant** (GRAL/ADMIN subvención global), **block letters, in** (GRAL con letras mayúsculas; V. *in capital letters*), **block of shares** (MERC paquete de acciones ◊ *The company hopes to solve its liquidity problems when the new block of shares comes on the market next week*; V. *body of shareholders*), **block policy** (SEGUR póliza a prima fija para transporte dentro de Gran Bretaña, sin necesidad de declarar el contenido de lo transportado; en los EE.UU. es una póliza a todo riesgo para determinados gremios, por ej., los joyeros), **blockade** (MERC/INTER bloqueo, aislamiento; bloquear, aislar; V *besiege*), **blockage** (MERC obstrucción, oclusión), **blocked** (GRAL/MERC bloqueado, congelado; se emplea en expresiones como *blocked account* –cuenta bloqueada o embargada–, *blocked currency* –divisa no convertible–)].

blood *n*: GRAL sangre; V. *in cold blood*. [Exp: **blood relative** (CIVIL pariente carnal o consanguíneo; V. *cognate, affinity, entire blood, prohibited degrees of relationships*), **bloodshed** (PENAL homicidio, derramamiento de sangre; V. *murder*), **blood-test** (PROC análisis de sangre ◊ *Courts may order blood-tests in paternity suits, cases of drink/drunken driving, etc.*)].

blow *n*: GRAL golpe ◊ *He got a fatal blow from his childhood buddy in the party*. [Exp: **blow away** *col* (PENAL cargarse *col*, liquidar *col*, deshacerse ◊ *The gangsters dicovered who the grass was and blew him away*; V. *bump off*)].

blue *a*: GRAL azul; en contextos mercantiles significa «de confianza»; en otros contexto puede significar «verde *col*, porno, golfo, picante, lascivo, pornográfico» como en *a blue joke* –un chiste verde–. [Exp: **blue-chip** (MERC de confianza, estelar, de primera fila ◊ *JP Morgan is a blue-chip American bank*), **blue law** *US* (GRAL ley que prohíbe que se lleven a cabo determinadas actividades lúdicas los domingos), **blue chips, blue chip stock** (MERC valores seguros, valores punteros en bolsa, valores sólidos o de toda confianza ◊ *Stock of the best-known and most reputable companies in the United States is called «blue chip stock»*; V. *gilt-edged securities, high grade bond*), **blue-collar worker** (LABORAL obrero manual; V. *white-collar offences*), **blueprint**[1] (PROC/GRAL cianotipo, copia heliográfica), **blueprint**[2] *col* (GRAL proyecto, plan ◊ *The Government's blueprint for a new system of taxation was discussed at a meeting of the Cabinet*; V. *cabinet*), **bluesky/blue-sky laws** *US* (MERC normativa reguladora del control de emisión y adquisición de valores; mediante estas normas algunos estados norteamericanos exigen que los valores que se contratan en dichos estados deben registrarse previamente en ellos, con el fin de proteger a los inversores de títulos problemáticos)].

blunder *n*: GRAL error o negligencia evidentes; V. *defect*.

blunt[1] *a*: GRAL desafilado, romo; rotundo, categórico, franco, directo. [Exp: **blunt**[2] *US* (PENAL porro formado por un cigarrillo en el que el tabaco ha sido sustituido por marihuana; V. *spliff, joint*), **blunt instrument** (PENAL arma contundente)].

board[1] *n*: GRAL/MERC/ADMIN órganos rectores, concejo, consejo [de administración], junta, tribunal, junta directiva ◊ *The board of directors is collectively responsible for the management of a company*; V. *commitee, arbitration board, draft board*. [Exp: **board**[2] (GRAL tablón [de anuncios], letrero, cartel, panel, placa),

board[3] (GRAL/CIVIL comidas, alimentos, pensión, manutención), **board**[4] (GRAL/LABORAL lineal, en la expresión *across-the board*), **board**[5] (GRAL subir a un barco o avión; V. *barding card*), **board bill of lading, on** (MERC conocimiento que atestigua que la mercancía está a bordo), **board meeting** (ADMIN/MERC/CIVIL junta del consejo), **board member/boardmember** (ADMIN/MERC/CIVIL vocal de un consejo o junta), **board of appeals** (PROC/ADMIN sala de recurso, en un procedimiento administrativo), **board of banking institutions** (MERC inspección general de las instituciones bancaria del Reino Unido; V. *regulators*), **board of directors** (ADMIN/MERC/CIVIL junta o consejo directivo, consejo de administración), **board of conciliation** (LABORAL comisión arbitral, consejo de arbitraje), **Board of Customs and Excise** (FISCAL Dirección/Junta General del Servicio de Aduanas o de Aranceles; V. *Board of Inland Revenue*), **Board of Equalization** (FISCAL junta de revisión de avalúos), **board of governors** (ADMIN junta directiva o de gobernadores/directores), **Board of Governors of the Federal Reserve** *US* (ADMIN Junta Rectora de la Reserva Federal), **Board of Inland Revenue** (FISCAL Dirección/Junta General de la Hacienda Pública del Reino Unido; V. *Commissioners of Inland Revenue*), **Board of management** (GRAL consejo de dirección/gestión), **Board of Trade** (CONST Ministerio de Comercio; el nombre actual es *Department of Trade*), **board of trustees** (CIVIL consejo de fideicomisarios, patronato, junta o consejo de síndicos, consejo de gerencia, consejo de gestión), **board of underwriters** (SEG junta o consejo de aseguradores), **board, on** (GRAL a bordo; V. *take on board*), **boarding card** (GRAL tarjeta de embarque), **boardroom** (GRAL sala de juntas; V. *assembly room*)].

bodily *a*: GRAL/PENAL/CIVIL corporal; de sangre, de familia ◊ *Murder is homicide with malice aforethought, i.e., with the intention of killing or causing grievous bodily harm*; V. *corporal*. [Exp: **bodily harm** (PENAL/CIVIL daños corporales; V. *aggravated bodily harm, serious/grievous bodily harm*), **bodily heirs/issue** (CIVIL herederos o descendientes en línea directa; V. *consanguinity*), **bodily injuries** (PENAL/CIVIL lesiones corporales, daños personales)].

body[1] *n*: ADMIN/CONST/INTER organismo, órgano, institución, cuerpo ◊ *The local wine producers have set up their own supervisory body*; V. *board, authority*[2]. [Exp: **body**[2] (GRAL/PROC contenido; volumen, caudal, masa ◊ *The body of a deed is its operative part*), **body corporate** (CIVIL persona jurídica, sociedad anónima; se puede decir indistintamente *body corporate* o *corporate body*; V. *artificial person, juristic person*), **body, as a** (GRAL colectivamente), **body of a deed, a document, a law** (PROC contenido sustantivo u operativo de una escritura, un documento, disposiciones sustantivas de una ley), **body of an estate** (PROC caudal de una herencia), **body of creditors** (MERC masa de acreedores), **body of rules** (CONST cuerpo de disposiciones), **body of shareholders** (MERC accionariado; V. *block of shares*), **body of the crime/offence** (PENAL cuerpo del delito, *corpus delicti*; V. *dead body*), **body snatching** (PENAL violación/robo de sepulcros), **bodyguard** (PENAL/CIVIL guardaespaldas ◊ *The visiting President stepped out of the car surrounded by his bodyguards*; V. *henchman*)].

bogus *a*: GRAL/PENAL falso, espurio, fraudulento, imitado ◊ *The Stock Market issued a warning to people not to buy the shares of the bogus company*; V. *counterfeit, hoax, impersonate*. [Exp: **bogus cheque** (MERC cheque sin fondos), **bogus firm**

(MERC empresa fantasma), **bogus money** (MERC/ADMIN dinero falso; V. *base coin/ money; bad money*)].

boiler *n*: GRAL caldera. [Exp: **boiler insurace** (SEGUR seguro contra incendios), **boiler plate** *US col* (MERC/CIVIL cláusulas fijas, normalizadas o esenciales de un contrato; se dice de las cláusulas fijas de los contratos de adhesión *–standard-form contract–*; V. *small print*), **boiler room** *col* (MERC chiringuito financiero; agencia especializada en la compraventa de valores por teléfono de dudosa legalidad; sala de calderas; V. *bucket shop*)].

bomb[1] *n*: PENAL bomba; bombardear; acribillar; volar, destruir con una bomba ◊ *The terrorists bombed the police-station*; V. *firebomb, petrol bomb*. [Exp: **bomb**[2] *col* (GRAL dineral), **bomb alert** (PENAL aviso de bomba), **bomb attack** (PENAL atentado con bomba), **bomb hoax** (PENAL aviso falso de bomba, falsa alarma ◊ *A bomb hoax attempts to spread panic*), **bombard** (GRAL bombardear; V. *attack, assault*), **bombard with questions** (GRAL bombardear con preguntas; V. *ply with questions*)].

bona fide *a*: de buena fe, auténtico, sin engaño o mala intención ◊ *The documents proved that he was a* bona fide *trader; some failures which are not intentional sometimes result from a bona fide error*; se aplica en expresiones como *bona fide error* –error de buena fe–, *bona fide holder* –titular de buena fe–, *bona fide transaction* –negocio de buena fe–, etc.; V. *hoax, bogus*.

bona vacantia *n*: CIVIL bienes vacantes, propiedad real o personal sin dueño.

bond[1] *n*: GRAL/CIVIL compromiso, pacto; lazo, vínculo ◊ *«My word is my bond» is a common English saying, but legally you need someone's written promise*. [Exp: **bond**[2] (MERC bono, obligación, título, pagaré, cédula [hipotecaria] ◊ *Bonds are long term debt instruments of a corporation*; V. *active bond, annuity bond, assessment bond, baby bond, bail bond, callable bond, claim bond, collateral trust bond, continued bond, dated bond, debenture bond, double-barreled bond, fixed rate securities, government bond, high grade bond, income bond, indemnity bond, junk bond, local authority bond, non-marketable bond, passive bond, public bond, refunding bond, registered bond, treasury bond; share, debenture*), **bond**[3] (PROC/GRAL fianza, garantía; garantizar; V. *bonded; appeal bond, arbitration bond, assessment bond, attachment bond, average bond, bail bond, bid bond, back bond, bottomry bond, customs bond, fidelity bond, judgment bond, land bond, penalty bond, performance bond; give bond, in/under bond*), **bond certificate** (MERC título de obligaciones), **bond creditor** (MERC acreedor con caución), **bond for demurrage** (MERC garantía para demoras o sobrestadías), **bond for title** (CIVIL pacto condicionado de traspaso), **bond forfeiture** (PROC caducidad de la fianza), **bond indenture** (MERC contrato de empréstito, escritura de emisión de bonos; V. *indenture, trust indenture*), **bond, in/under** (MERC/CIVIL en depósito; V. *bonded goods, bonder*), **bond loan** (MERC empréstito de amortización), **bond note** (MERC certificado de depósito; V. *certificate*), **bond of indemnity** (CIVIL contrafianza, fianza de indemnización; V. *indemnity bond, back bond*), **bond of notary** (MERC/CIVIL fianza notarial), **bond secured** (MERC bono con garantía, bono hipotecario), **bond secured on landed property** (CIVIL/MERC bono hipotecario garantizado con bienes raíces), **bond secured on personal property** (CIVIL/MERC bono garantizado con bienes personales), **bond washing** (MERC lavado de cupón/bono; venta y recompra en Bolsa de los mismos valores para evitar pagar impuestos, justificando minusvalías o disminuciones patrimoniales; V. *tax avoidance*), **bondage** (CIVIL servidumbre, atadura, subyugación, sumisión; V. *servitude, slavery*), **bonded** (MERC/CIVIL garantizado por obligación escrita, afianzado, hipotecado, asegurado, consolidado, depositado bajo fianza para el pago de los derechos arancelarios), **bonded area** (MERC zona franca; V. *duty-free zone, bonded goods, bonded warehouse*), **bonded debt** (MERC deuda afianzada, garantizada con pagarés u obligación escrita, pasivo representado por bonos), **bonded goods** (MERC mercancías almacenadas o en depósito y sujetas al pago de derechos arancelarios; V. *in bond, bonded area*), **bonded warehouse** (MERC depósito de aduana, depósito/almacén afianzado, bodega fiscal; V. *bonded area*), **bonder** (MERC depositario, guarda, almacén; V. *in/under bond*), **bondholder** (MERC tenedor de bonos, bonista, obligacionista; V. *obligor, obligee; share-holder*), **bonding company** (MERC compañía fiadora), **bondsman** (MERC/CIVIL fiador, garante, afianzador, persona que da fianza por otra; V. *backer, guarantor*)].

bonus *n*: LABORAL/SEGUR/MERC prima, gratificación, bono, bonificación; sobresueldo, paga extraordinaria; V. *no claim bonus*. [Exp: **bonus issue** (MERC entrega de acciones gratuitas, emisión gratuita, entrega de acciones liberadas, dividendo en acciones), **bonus shares/stock** (MERC acciones liberadas, acciones gratuitas)].

bonus[1] *n*: GRAL/LABORAL prima, plus; paga extra/extraordinaria, gratificación; sobresueldo ◊ *The workers in the car industry have been offered a productivity bonus*. [Exp: **bonus**[2] (GRAL bono, bonificación), **bonus**[3] (MERC dividendo extraordinario), **bonus issue** (SOC emisión gratuita; dividendos en acciones; entrega de acciones gratuitas o liberadas), **bonus premium** (SEG prima; V. *no-claim bonus*), **bonus scheme** (LABORAL plan de bonificación), **bonus shares/stock** (SOC acciones liberadas, acciones gratuitas; acciones con prima)].

booby-trap *n/v*: PENAL trampa, bomba [trampa]; poner/colocar una bomba [trampa] ◊ *The terrorists had booby-trapped the hall*; V. *car bomb, suicide bomber*.

book *n/v*: GRAL/MERC libro [de contabilidad, oficial, etc.], registro; anotar; inscribir; reservar ◊ *We booked rooms for the visitors*; en su función atributiva, *book* suele significar «contable» o «en libros», como en *book debts/entries/losses/profits* –deudas/asientos/pérdidas/beneficios contables–; V. *booking, overbooking, keep a book*. [Exp: **book of minutes/proceedings** (MERC/PROC libro de actas; V. *record of proceedings*), **book profit** (MERC beneficio de balance, contable o según libros), **book-keeper** (MERC tenedor de libros, contable; V. *account clerk*), **book-keeping** (MERC teneduría de libros; V. *accountancy*), **book-keeping entry** (MERC asiento contable), **book value** (MERC valor contable o en libros ◊ *Revaluation is the process of writing up the book value of an asset to its market value*), **booking**[1] (GRAL reserva; inscripción; V. *overbooking*), **booking**[2] (PENAL fichar [a un detenido] ◊ *During the booking the details of who a person is and why he or she was arrested are recorded into the police records*), **bookmaker** (GRAL corredor de apuestas profesional, llamado coloquialmente *bookie*), **books, in** (MERC de acuerdo con la contabilidad, según libros), **books, per** (MERC según libros; de acuerdo con los registros contables)].

booth, election *n*: CONST V. *election booth*.

bootlegger *col US n*: PENAL contrabandista, traficante [de licores, etc.], especialmente durante la Ley Seca americana.

booty *n*: PENAL botín, despojo, producto de pillaje ◊ *The police found the stolen jewels and the rest of the booty hidden in a garden-shed.*

border *n*: INTER frontera, línea de separación; V. *baseline, boundary*. [Exp: **border search** (INTER control fronterizo), **borderline case** *col* (GRAL/PROC caso dudoso ◊ *In a borderline case, a judge may find in favour of the party whose need is greater*)].

borough *n*: ADMIN distritos municipales de la ciudad de Londres; históricamente han existido *boroughs* en muchas grandes ciudades inglesas, regidos por un *mayor* y *aldermen*; V. *burgh*.

borrow *v*: GRAL/MERC tomar a préstamo. [Exp: **borrower** (GRAL/MERC prestatario, comodatario; V. *lender*), **borrowing** (MERC endeudamiento, empréstito; solicitud de crédito; V. *loan*)].

Borstal *n*: PENAL V. *detention in a young offender institution*.

bote *n*: GRAL trozo, parte, mordisco; la palabra *bote*, forma dialectal inglesa del verbo *bite* –morder–, se emplea en expresiones como *house bote, plough bote, hay bote* para referirse a los árboles que el inquilino de una finca puede cortar para reparar la casa, el arado o la valla o como leña; V. *estovers*.

both *a*: GRAL ambos. [Exp: **both dates included, bdi** (GRAL ambas inclusive, ambas fechas incluidas), **both ends** (MERC en los puertos de carga y descarga), **both-to-blame collision clause** (SEGUR abordaje [culpable] imputable a ambos buques; cláusula incluida en los contratos de fletamento y conocimientos de embarque, de aplicación en caso de abordaje culpable bilateral; V. *collision, acci dental collision, negligent collision; rules of the road*)].

bottomry *n*: MERC préstamo a la gruesa, préstamo con hipoteca del barco, con el fin de reparar el buque. [Exp: **bottomry bond** (MERC garantía/fianza del préstamo o contrato a la gruesa, hipoteca a la gruesa, contrata a la gruesa), **bottomry loan** (MERC préstamo/empréstito a la gruesa, hipoteca naval; el término *bottomry*, que casi siempre se emplea en el sentido de *bottomry loan*, deriva de *bottom* o casco y quilla del barco; en realidad, se trata de una sinécdoque, porque se usa una parte por el todo, para referirse al barco; en el pasado, raramente en la actualidad, los *loans on bottomry* o *bottomry loans* eran solicitados por los armadores o los capitanes de un barco, en determinadas circunstancias, quedando el barco pignorado como garantía de la devolución del préstamo)].

bounce *v*: MERC devolver [un cheque, etc.] por falta de fondos ◊ *The payments into my accounts were delayed, so the cheques I had written all bounced*; aunque literalmente significa «rebotar», se aplica en expresiones como **bounced cheques** (MERC cheques devueltos), **bouncer** (GRAL gorila, bravucón encargado de expulsar a camorristas, reventadores de mítines, etc., de los establecimientos ◊ *The drunk was ejected from the club by the bouncers*; V. *heckler; bodyguard, steward*)].

bound *n*: GRAL límite. [Exp: **bound by the law, be** (GRAL estar obligado en virtud de una ley; V. *binding*), **boundary** (GRAL/CIVIL/INTER linderos, límites, frontera, linde, confín, término, línea limítrofe ◊ *The description of the property lodged at the Land Registry clearly describes the boundaries*; V. *landmark, baseline, call, abuttals, call*)].

bounty *n*: MERC/CIVIL/GRAL prima, premio, subsidio, subvención, bonificación; generosidad ◊ *Under U.S. law, a subsidy is a bounty or grant that confers a financial benefit on the production, manufacture or distribution of a good*; V. *grant*.

bucket shop[1] *col n*: MERC oficina de reventa, agencia paralela, agencia de viajes que vende billetes con descuento ◊ *We bought cheap return tickets to New York in a London bucket shop*. [Exp: **bucket shop**[2] *col* (MERC «chiringuito»; nombre despectivo con el que se alude a una bolsa clandestina, ilegal o de dudosa reputación; V. *boiler room*)].

box, witness *n*: PROC V. *witness box*.

boycott *n/v*: INTER boicoteo, bloqueo económico; boicotear, aislar ◊ *The international community sometimes puts pressure on an unpopular regime by boycotting its goods*; V. *embargo, ostracize, garnishment*.

bracket *n*: GRAL grupo, nivel, escalón, estrato, categoría, tramo, clase de personas de acuerdo con sus ingresos, edades, etc.; tramo de renta; sector del abanico salarial ◊ *Recent figures show that the tax adjustments have favoured the upper income bracket*; V. *salary brackets, age bracket, income bracket, tax bracket*. [Exp: **bracket indexation** (FISCAL clasificación/ordenación tributaria por grupos de renta; V. *fiscal drag*), **bracket progression** (FISCAL progresión escalonada de impuestos), **bracket system** (FISCAL método de clasificación tributaria por tramos), **bracket tariff** (FISCAL tipo mínimo y máximo)].

brain drain *n*: GRAL fuga de cerebros ◊ *Eastern and central European countries are worried about the brain drain to the west following the collapse of the communist systems*.

branch office *n*: MERC sucursal.

brawl *n/v*: GRAL/PENAL disputa, pendencia, alboroto; alborotar ◊ *A passer-by injured in the brawl is suing the brawlers for damages*; V. *breach of the peace*; *fight, quarrel, war, struggle*.

breach *n/v*: CIVIL/PROC infracción, contravención, quebrantamiento, vulneración, violación, incumplimiento; vicio de forma; desorden en la vía pública, escándalo público, perturbación del orden público; incumplir, contravenir, violar, vulnerar; los términos *breach, violation, infringement* y *transgression* tienen en común «el quebrantamiento de una norma, la violación de un derecho, el incumplimiento de un deber o la alteración de una situación social deseada o normal»; *breach* es el más general; *violation* connota que ha habido intención; *infringement* normalmente se aplica a normas reglamentarias; *transgression* sugiere que se han excedido los límites morales, sociales, o religiosos más que jurídicos ◊ *The opposition claimed that the government's proposals were a breach of statutory rights*; V. *betrayal, trespass*. [Exp: **breach of authority** (CONST/PENAL abuso de poder o autoridad), **breach of close** (CIVIL infracción de la intimidad, violación de la propiedad ajena, translimitación; V. *trespass, close*[3]), **breach of condition** (MERC/CIVIL incumplimiento de contrato, incumplimiento de una cláusula o condición contractual), **breach of confidence** (PENAL/ADMIN cohecho, abuso de confianza), **breach of contract** (MERC/CIVIL incumplimiento/violación/contravención/ruptura de contrato), **breach of copyright** (MERC plagio, violación de la propiedad intelectual ◊ *Plagiarism is a breach of copyright*), **breach of duty** (ADMIN incumplimiento de un deber; V. *breach of statutory duty, duty of care*), **breach of faith** (ADMIN/PENAL cohecho, abuso de confianza), **breach of fiduciary duty** (CIVIL incumplimiento de deber fiduciario), **breach of official duty** (ADMIN/PENAL prevaricación), **breach of privilege** (ADMIN violación o menoscabo de los privilegios), **breach of statutory duty** (ADMIN/PENAL incumplimiento de los deberes exigidos por la ley; V. *derelection of duty, neglect of official duty*), **breach/**

disturbance of the peace (PENAL delito de alteración del orden público; V. *against the peace, keep the peace, maintenance of order, public nuisance, disorderly conduct, brawl*), **breach of trust** (ADMIN/PENAÑ quebrantamiento de la confianza legítima, abuso de confianza, delito de revelación de secreto, infidelidad en la custodia de documentos, violación de secretos, transgresión de la buena fe contractual, prevaricación, violación de los deberes del fiduciario; V. *betrayal of confidence*), **breach of warranty** (SEG violación, quebrantamiento o infracción de garantía, es decir, de algunas de las cláusulas de la póliza de seguro ◊ *Lose an insurance claim as a result of a breach of warranty*; V. *insurance claim*)].

bread *n*: GRAL pan. [Exp: **breadline, be on the** *col* (GRAL vivir en la indigencia, vivir al día), **breadwinner** (GRAL sostén de la familia)].

breadth *n*: MERC manga de un barco; V. *extreme breadth; length, overall.*

break[1] *v*: CIVIL/PENAL/ADMIN infringir, incumplir, transgredir, violar, vulnerar [la ley, las normas, etc.] ◊ *After hours of cross-examination, the alleged victim of attack broke down and confessed she had made the story up*. [Exp: **break**[2] (GRAL romper; ruptura, infracción), **break a drug ring** (PENAL desarticular una red de narcotráfico), **break a strike** (LABORAL romper una huelga, esquirolear *col*), **break a will** (CIVIL quebrantar un testamento, nulificar un testamento; V. *defeat a person's will*), **break bulk** (MERC comenzar la descarga), **break down** (GRAL derrumbarse), **break into a house** (PENAL entrar por la fuerza, allanar una morada; V. *housebreaking, burglary*), **break jail** (PENAL fugarse de la cárcel), **break one's oath** (PENAL faltar al juramento; V. *false oath; swear; administer an oath*), **break the law** (PENAL infringir, incumplir, transgredir, violar, vulnerar la ley, las normas, etc.; V. *go against the law, go to law*), **break up an estate** (CIVIL dividir una herencia), **breakdown**[1] (GRAL desglose [de los detalles de un documento, etc.] ◊ *I can tell you the total amount of the bill, but not the breakdown, as I haven't got the details right now*; V. *itemize*), **breakdown**[2] **[of talks, negotiations, etc.]** (GRAL/LABORAL/INTER punto muerto, bloqueo [en discusiones, negociaciones, etc.] ◊ *Following the breakdown of peace talks, fighting has begun again in the area*), **breakdown**[3] (MERC avería; averiarse), **breakdown service** (GRAL asistencia en carretera), **breaking** (CIVIL/PENAL transgresión, violación, quebrantamiento), **breaking a case** (PROC examen o discusión preliminar entre jueces de un tribunal), **breaking a case** (PROC examen previo de una causa efectuado por el tribunal), **breaking and entering/entry** (PENAL allanamiento de morada, violación de domicilio, robo con escalo; V. *housebreaking*), **breakout sale** (MERC venta de remate), **breakwater** (MERC escollera, rompeolas)].

breathalise *v*: ADMIN/PENAL someter a la prueba de alcoholemia ◊ *The driver failed the breathaliser and he was taken to the police station where he was charged with driving excess alcohol*. [Exp: **breathalyser test** (ADMIN/PENAL prueba de alcoholemia; V. *specimen of blood/breath*)].

brethren *n*: PROC jueces, hermanos, colegas; los jueces, al hablar de los otros miembros del tribunal, los llaman «hermanos».

bribe *n/v*: PENAL soborno, cohecho; sobornar, cohechar ◊ *It was proved that two of the councillors had taken bribes in return for the granting of building permission*; V. *backhander, sweetener, take bribes, graft*. [Exp: **bribery** (PENAL soborno, cohecho ◊ *Anyone caught trying to bribe a* *public official faces the serious charge of bribery and corruption*; V. *graft; trick*)].

bridging loan *n*: PENAL préstamo puente o de empalme.

brief[1] *a*: GRAL breve, resumen, compendio, extracto; se encuentra en expresiones como *brief outline* –breve resumen–; V. *abridgment, abstract, summary; broad lines*. [Exp: **brief**[2] (PROC apuntamiento, escrito, memorial, relación; expediente e informe de una causa preparado por el *solicitor* para el *barrister* ◊ *Barristers argue a case in court with the briefs, or instructions in the case, prepared by the solicitors*; el *brief*, también llamado *trial brief* o *legal brief*, es el expediente preparado por el *solicitor* para el *barrister*, abogado que actúa en los tribunales superiores; este documento consta de una descripción pormenorizada de los hechos, las referencias a los precedentes –*precedents*– y a los artículos –*sections*– pertinentes de la legislación, la opinión del asesor jurídico del bufete y, en general, consejos u orientaciones relativos a la mejor manera de conducir el asunto; todos los documentos que forman parte del *brief* se reúnen en un expediente llamado *bundle* –fajo o legajo–, atado con cinta roja, si el cliente es un particular, o blanca si el abogado representa a la Corona; V. *trial brief, advice on evidence*), **brief a barrister** (PROC facilitar a un *barrister*, por parte del *solicitor* que atiende al cliente, los datos de una causa en el expediente llamado *brief*), **brief of title** (CIVIL resumen de título; V. *abstract of title*), **briefing** (GRAL órdenes, argumentos, resúmenes; V. *press briefing*)].

brigand *n*: PENAL bandido, bandolero; puede tener, según los contextos, un sentido jocoso; V. *bandit, plunderer, outlaw*. [Exp: **brigandage** (PENAL bandidaje; V. *banditry*)].

bring *v*: GRAL traer; el verbo *bring* seguido de *an action, a case, a prosecution, proceedings, suit, etc. against somebody* significa incoar, presentar, interponer [una demanda, una acción judicial] contra alguien, entablar proceso, entablar pleito, demandar, iniciar una acción judicial, ejercer, querellarse, proceder contra alguien ◊ *We brought an action for trespass against the poacher*; V. *lodge a complaint, institute proceedings, proceed against somebody, sue somebody, file, take legal steps, sue, take to court, commence a case, prosecute*; *action brought*. [Exp: **bring a charge** (PENAL acusar, procesar; V. *lay charges, prosecute*), **bring a complaint** (CIVIL/PENAL presentar una denuncia; V. *complaint, information, lodge a complaint*), **bring down**[1] (MERC reducir, rebajar ◊ *To bring down the price of something*), **bring down**[2] (GRAL derrocar, derribar, provocar la caída de ◊ *The issue may bring down the government*), **bring in**[1] (GRAL introducir, solicitar la intervención de, contratar, acudir a los servicios de ◊ *It's time the police were brought in*), **bring in**[2] (PENAL detener, llevar a la comisaría ◊ *Bring a suspect in for questioning*), **bring in**[3] (PENAL dar el veredicto, declarar ◊ *The jury brought a verdict of manslaughter against her*; V. *verdict*), **bring in a bill** (CONST presentar un proyecto de ley), **bring in capital** (MERC aportar capital; V. *put in*), **bring into custody** (PENAL detener ◊ *An armed and dangerous fugitive was captured and brought into custody after a long hunt*; V. *take into custody, arrest*), **bring into disrepute** (GRAL desacreditar, desprestigiar, manchar el buen nombre de ◊ *Bring one's profession into disrepute*), **bring into line** (GRAL acomodarse a), **bring money into court** (PROC depositar judicialmente; V. *security for costs*), **bring suit** (CIVIL interponer demanda/pleito; encausar, enjuiciar, emprender acciones legales; V. *file suit*), **bring to an end** (GRAL poner fin), **bring up for trial** (PROC someter a juicio), **bring to justice** (PENAL capturar), **bring up to date** (GRAL actualizar; V. *update*)].

British *v*: GRAL británico. [Exp: **British citizens** (CONST ciudadano británico; de acuerdo con las leyes actuales, además de los ciudadanos británicos de pleno derecho *–British citizens–*, existen los *British Dependent Territories Citizens* –ciudadanos de territorios de dependencia británica–, por ejemplo, los de Gibraltar, y los *British Overseas Citizens* –ciudadanos británicos de ultramar–; V. *citizen, subject*)].

broad *a*: GRAL amplio; V. *narrow, wide*. [Exp: **broad lines** (GRAL líneas directrices; V. *brief*)].

broker *n*: MERC corredor de comercio, agente de valores y bolsa, agente comisionista o de negocios; intermediario financiero por cuenta ajena; agente mediador en la compraventa de materias primas en el comercio internacional; agente, comisionista, especialmente en operaciones inmobiliarias; los *brokers* son simples intermediarios entre oferentes y demandantes, mientras que los *dealers* pueden, además, negociar por cuenta propia ◊ *Most of the actual buying and selling on the Stock Market floor is done by brokers rather than by the principals*; V. *dealer, factor, jobber, stockbroker, brokerage*. [Exp: **brokage** (MERC V. *brokerage*), **broker-dealer** (MERC agente de bolsa, también llamado «creador de mercado» o especialista *–market maker–*, que puede actuar como principal, es decir como sociedad de valores *–dealer–* y como agente *–broker–*), **broker's commission** (MERC corretaje; V. *fees, agency, clearing*), **brokerage** (MERC corretaje, comisión de intermediación, honorarios por gestión o agencia; casa de corretaje, correduría)].

brothel *n*: PENAL burdel, lupanar, casa de prostitución ◊ *Keeping a brothel is an offence in Great Britain*; V. *bawdy house, disorderly house, house of ill fame/repute, cathouse*.

bucket shop[1] *col n*: MERC oficina de reventa, agencia paralela, agencia de viajes que vende billetes con descuento ◊ *We bought cheap return tickets to New York in a London bucket shop*. [Exp: **bucket shop**[2] *col* (MERC «chiringuito»; nombre despectivo con el que se alude a una bolsa clandestina, ilegal o de dudosa reputación; V. *boiler room; boutique*)].

buddy *col n*: GRAL amigo ◊ *He got a fatal blow from his childhood buddy in the party*.

budget *n*: GRAL/MERC/CONST presupuesto ◊ *The Chancellor announces the national budget every year*. V. *balance the budget, implement the budget*. [Exp: **budgetary** (GRAL/MERC/CONST presupuestario), **budgetary/budget appropriation** (ADMIN/MERC crédito presupuestario, autorización/asignación presupuestaria)].

buffer state *n*: INTER estado colchón/pantalla entre dos países rivales ◊ *Belgium was once considered an important buffer state between France and Germany*.

bug *col n*: GRAL fallo técnico. [Exp: **bugger** (PENAL sodomizar), **buggery** (PENAL sodomía; V. *sexual perversion, bestiality, indecency, rape, sodomy, fellatio, unnatural acts*), **bugging** (PENAL/GRAL interceptación ilegal de conversaciones telefónicas; V. *wire tapping, eavesdropping, electronic surveillance, phone-tapping, bugging*)].

building *n*: GRAL edificio, construcción. [Exp: **building and loan association** *US* (cooperativa de crédito para la construcción, hoy llamada *savings and loan association*; el nombre británico de estas entidades es *building societies*), **building code** (ADMIN ordenanzas municipales reguladoras de la construcción), **building land/plot** (CIVIL parcela), **building lease** (CIVIL arrendamiento especial, arriendo-compra mediante el cual un propietario cede una parcela a un constructor durante un período de 99 años para que construya ciertos edificios sobre la misma; el arrendatario está obligado a pagar un alquiler por el valor de la parcela *–ground rent–* y, al final de dicho período, los edificios pasan al propietario o a sus herederos), **building materials** (GRAL materiales de construcción), **building permit** (ADMIN permiso de obra nueva, autorización para edificar; V. *certificate of occupancy; bribe*), **building plot** (ADMIN/CIVIL parcela para la construcción), **building preservation notice** (ADMIN declaración de interés histórico-artístico de un edificio; V. *listed building*), **building scheme** (CIVIL planificación urbanística privada), **building society** (MERC sociedad cooperativa de viviendas, mutua constructora, empresa constructora ◊ *Most British house-buyers arrange their mortgages with building societies rather than with banks*; V. *building and loan association*), **built-in** (GRAL empotrado, incorporado)].

bulk *n*: MERC granel; conjunto de elementos que constituyen una unidad; V. *break bulk, OBO ship*. [Exp: **bulk cargo** (MERC cargamento a granel), **bulk carrier** (MERC buque de carga a granel), **bulk, in** (MERC a granel) **bulk-in, bag-out** (MERC carga a granel, descarga en sacos; V. *BIBO*)].

bull[1] *a/n*: MERC alcista, especulador de acciones al alza ◊ *If you buy in the present bull market conditions, you may pay more than the shares are worth*; V. *bear, averaging up*. [Exp: **bull**[2] (CANON bula papal; V. *brief*), **bull market** (MERC mercado alcista), **bullish** (MERC alcista)].

bullet-proof *a*: PENAL a prueba de balas ◊ *Fortunately, the politician was wearing a bullet-proof jacket when he was attacked, and so escaped with only minor wounds*. [Exp: **bullet-proof jacket** (PENAL chaleco antibalas)].

bulletin board *n*: GRAL tablón de anuncios.

bullion *n*: ADMIN lingote de oro o plata ◊ *The Bank of England has a special account for bullion reserves.*

bump sb off *col v*: GRAL/PENAL deshacerse de alguien *col*, quitarse de en medio a alguien *col* ◊ *The gang boss had his rival bumped off*; V. *blow away*.

bundle *n*: GRAL atado, fardo; V. *brief, trial bundle*.

bunker *n*: MERC tanque de combustible.

burden[1] *n*: GRAL/PENAL carga, peso ◊ *The object of bail is to relieve the accused pending trial of the burden of imprisonment*; V. *onus*. [Exp: **burden**[2] (GRAL afligir, apesadumbrar, vejar, oprimir, dañar), **burden**[3] (CIVIL gravar, cargar), **burden of the pact** (CIVIL carga del pacto), **burden of proof** (CIVIL/PENAL carga de la prueba, *onus probandi* ◊ *In some enforcement actions the burden of proof is very light*; V. *onus of proof, allocation of the burden of the proof*)].

bureau *n*: GRAL oficina, entidad, agencia, negociado, dirección, cámara; V. *office, department, division*.

burgh *der es n*: ADMIN municipio, villa con privilegio; los *burghs* de Escocia equivalen a los *boroughs* de Londres, y están regidos por un *provost, bailies* y *councillors*.

burglar *n*: PENAL ladrón ◊ *The burglar's footprints were clearly visible in the mud below the window*; V. *thief*. [Exp: **burglary** (PENAL allanamiento de morada, robo con escalorobo con fuerza a las cosas; se usa en expresiones como *burglary alarm* –alarma contra robos–, *burglary insurance* –seguro contra robos–; V. *housebreaking, break into a house, theft, stealing, robbery, lifting, hacking, abstracting*)].

bursar *n*: MERC sobrecargo [de un avión].

burst of fire *n*: PENAL ráfaga de fuego; V. *firearm.*

business *n*: GRAL/MERC negocio/s, operaciones, actividad empresarial, ocupación, profesión, oficio, trabajo; operación comercial, comercio; empresa; asunto; deber, competencia; V. *current business, goodwill, ommerce, trade; bloated business*; en posición atributiva, *business* equivale a «empresarial, comercial, económico, de negocios, de comercio, etc.»; V. *corporate* e *industrial.* [Exp: **business account** (MERC cuenta comercial), **business address** (MERC domicilio social de una empresa; V. *address for service*), **business assets** (MERC fondos comerciales), **business concern/ enterprise** (MERC entidad comercial), **business day** (MERC día laborable, día hábil; V. *clear day, non-business day, bank holiday, banking day, legal holiday, calendar days, running days*), **business failure** (MERC quiebra; V. *bankruptcy*), **business hours** (MERC horario de negocios, de oficina o de trabajo), **business interruption policy** (SEG póliza de seguro por lucro cesante; esta póliza, llamada también *consequential loss policy* y *loss-of profits policy*, cubre la interrupción de la actividad empresarial debido a siniestro; V. *initial period; accountants clause*), **business law** (MERC derecho empresarial; V. *mercantile law*), **business name** (MERC razón social, nombre comercial ◊ *Business names are protected by statute, and anyone using the same or similar to mislead customers may be sued for passing off*), **business tenancy** (MERC alquiler de oficinas con fines comerciales), **business trust** (MERC/CIVIL fideicomiso comercial), **business year** (MERC ejercicio económico, social o fiscal; V. *financial year, accounting year, corporate year, fiscal year; calendar year*), **business-like** (GRAL serio, profesional, eficiente ◊ *I like dealing with them; they are efficient and businesslike*); V. *professional*), **businessman** (MERC empresario, hombre de negocios; V. *man of affairs*), **businesswoman** (MERC empresaria, mujer de negocios)].

bust[1] *col n/v*: GRAL romper-se, estropear-se; se trata de la forma coloquial o popular de *burst*, y todas las acepciones que siguen en esta entrada están relacionadas en un sentido u otro con la idea de «romper-se», «estropear-se» o «reventar-se»; se suele conjugar como regular, esto es, *busted* en el pasado y el participio pasado, tanto en los Estados Unidos como en gran Bretaña; sin embargo, en este país, cuando el significado es «romper-se, estropear-se», no los derivados en las acepciones que siguen, también se emplea *bust* en el pasado y el participio pasado. [Exp: **bust**[2] *col* (PENAL redada; hacer una redada en, acabar con, desarticular, sofocar, cerrar, precintar, aplastar, echar el guante *col*, trincar *col* ◊ *The bar was busted for drugs by the Drug Squad*; V. *crackdown, crime-buster, graft-buster; raid, swoop; smash*), **bust**[3] *col* (MERC [en] quiebra o bancarrota, depresión económica profunda, depresión; romper, reventar; dejar sin blanca; llevar a la quiebra; el término *bust*, aun siendo coloquial, es más empleado que *bankrupt*, que se reserva para los contextos más formales ◊ *It was that deal that busted the company*; V. *broke, go bust*), **bust, be** (GRAL haberlo perdido todo, estar en quiebra; V. *go bust*), **bust-up**[1] (GRAL enfrentamiento, bronca, pelea ◊ *A bust-up on the board of directors*; V. *showdown*), **bust-up**[2] (MERC desmembramiento; forma de adquisición de una empresa *–takeover–* en la que el comprador revende a terceros sus divisiones u otros activos; se emplea en expresiones como *bust-up takeover* –adquisición para la desmembración, esto es, la adquisición de una empresa diseñada para aprovechar la diferencia entre su valor real total y el de la suma de sus componentes–, *bust-up values* –total de los valores desmembrados de una empresa diversificada–, etc.)].

buttals *obs n*: CIVIL variante ortográfica de *abuttals*

buy *n/v*: GRAL/CIVIL/MERC compra, adquisición; comprar, adquirir; V. *purchase, acquire*. [Exp: **buy long** (MERC invertir a largo plazo, comprar especulando al alza; V. *buy short*), **buy off** (PENAL sobornar; pagar a alguien para que se calle, renuncie a un derecho o deje de estorbar ◊ *Buy off a rival bidder*), **buy on the lay-away plan** (MERC comprar una cosa previamente apartada), **buy-out, buyout** (MERC adquisición de una empresa; compra de acciones de una sociedad con el fin de controlarla; V. *leveraged buyout; employee's buyout; management buyout; labour buyout; bid, take over*), **buy over** (PENAL sobornar; V. *buy off*), **buy short** (MERC invertir a corto plazo, comprar especulando a la baja; V. *buy long*), **buy up** (MERC acaparar, monopolizar; V. *corner; monopoly*), **buyer** (MERC comprador; jefe de compras de una empresa), **buyer's market** (MERC FINAN/PROD/DINER mercado comprador, mercado bajo, mercado favorable al comprador por existir una oferta abundante de productos), **buyout** (MERC V. *buy-out*)].

by *pref*: GRAL sub-, derivado. [Exp: **by and through** *US* (GRAL/CIVIL representado por ◊ *Peter Smith, a minor, by and through John Stuart, as next friend*), **by-bidder** (PROC/MERC licitante ficticio), **by-law/bye-law/byelaw** (ADMIN estatuto, normativa, reglamento, disposiciones; estatutos sociales; ordenanzas municipales; los *bye-laws* son reglamentos, normas o disposiciones aprobados por ciertos organismos autónomos, por ejemplo, Aeropuertos Británicos *–British Airports Authorities–*, y por las administraciones locales; aunque forman parte de la legislación delegada *–delegated legislation–* no necesitan ser refrendados por el Parlamento; la tendencia actual en EE.UU. es reservar la palabra *ordinance* para los de las corporaciones locales y *bye-laws* para los demás organismos públicos; V. *delegated legislation, statutory instruments, lay before Parliament*), **by-election** (ADMIN elección parcial por fallecimiento, renuncia o enfermedad del titular del escaño; V. *election*), **by-pass, bypass**[1] (GRAL desviar, derivar; evitar; omitir, obviar, desviación, derivación; carretera de circunvalación o desvío), **by-pass, bypass**[2] (GRAL evitar controles o niveles de supervisión en la toma de decisiones ◊ *Bypass a step in procedure*; V. *bounded discretion; buck passing*), **by-product** (GRAL subproducto, producto secundario, derivados ◊ *Many plastics are by-products of the petro-cheminal industry*)].

C

© *n*: MERC equivale a *copyright*.

c.a. *n*: MERC V. *chartered accountant; current account*.

cabinet *n*: GRAL/CONST gabinete, consejo de ministros, gobierno ◊ *The scandal over the case of sexual harassment involving one of the senior ministers has led to a major reshuffle of the Cabinet*; V. *Shadow Cabinet, Council of Ministers, reshuffle, blueprint*.

CAD/c.a.d. *n*: MERC V. *cash against documents*.

cadastre *n*: CIVIL catastro, centro estadístico de fincas ◊ *A cadastre records property boundaries, subdivision lines, buildings and other details*; en realidad el término *cadastre* es más propio del derecho continental; V. *H M. Land Registry, Department of the Register of Scotland, Registrar General; land office, land certificate, property register, registration of title to property; landmark, call, survey*. [Exp: **cadastral** (CIVIL catastral)].

caduciary right *der es n*: ADMIN/CONST derecho de reversión al Estado de bienes raíces por falta de herederos; V. *escheat*.

caducity *n*: GRAL/CIVIL caducidad; V. *barred by lapse of time, statute of limitations*.

CAF/c.a.f. *n*: MERC V. *cost and freight*.

chahoots with, in *col fr*: GRAL/CIVIL conchabado con *col*, confabulado ◊ *The judge was in cahoots with organized crime*.

calaboose *US n*: PENAL calabozo; V. *jail, police station lockup, dark cell, dungeon*

calculate *v*: GRAL calcular, premeditar, deliberar. [Exp: **calculated** (GRAL intencionado, premeditado, [dicho o hecho] con toda intención ◊ *A calculated action*)].

Calderbank letter *n*: PROC carta mediante la que se propone a la parte contraria una solución al litigio, siempre que las pretensiones de ésta no se refieran a deudas o a indemnización por daños y perjuicios; el nombre nace de la causa *Calderbank v. Calderbank* de 1976 y su singularidad reside en el hecho de que si se llegara a juicio no se podría utilizar la misma contra la parte que hizo la propuesta]; V. *without prejudice*.

calendar *n*: PROC calendario judicial; lista de litigios o pleitos durante un período de sesiones ◊ *A calendar of causes contains a list of the cases or of the prisoners to be tried in court*; *calendar* en el sentido de «calendario judicial» también recibe el nombre de *calendar of causes*; V. *cause book, cause list, court calendar, equity calendar, motion calendar; docket, appearance docket, trial docket, trial list, pre-trial calendar; dropped calendar, strike off the list, mark off*. [Exp: **calen-**

dar call (PROC lectura de las causas que se han de ver, efectuada al principio del período de sesiones, en la que se define su naturaleza y se señalan las fechas de las vistas *–hearings–*), **calendar clear** (PROC lista sin causas para el tribunal), **calendar clerk** (PROC secretario, escribano o funcionario judicial responsable de la lista de causas o pleitos), **calendar commissioner** (PROC juez o secretario responsable del calendario judicial o lista de litigios), **calendar days** (PROC días naturales, días seguidos; V. *business days, running days*), **calendar judge** (PROC juez de la lista de causas, juez del calendario), **calendar of appeals** (PROC lista de causas recurridas), **calendar of cases** *US* (PROC calendario judicial; lista de litigios o de procesados que han de ser juzgados por un tribunal), **calendar year** *US* (PROC año natural, año civil; V. *business year, financial year, accounting year, corporate year, fiscal year)*].

call[1] *n/v*: GRAL/CIVIL emplazamiento, citación, convocatoria; llamar, convocar, emplazar ◊ *Both parties are to call as witnesses all persons who may have been present at the time of the events*; V. *call for bids, call for papers; summons*. [Exp: **call**[2] (GRAL motivo, necesidad ◊ *There is no call to speak in that disrespectful way*; V. *cause, justification*), **call**[3] (SOC dividendo pasivo ◊ *The company has issued a call to shareholders for the payment of the balance outstanding on the shares*; requerimiento de pago de las acciones suscritas), **call**[4] (SEGUR contribución, derrama; en este sentido se emplea en expresiones como *club calls* –derramas que hacen los miembros de las cooperativas de seguros–; V. *club call, protection and indemnity club; apportion*), **call**[5] (PROC ingreso o toma de posesión como miembro del Colegio de Abogados *–barristers–*; V. *call certificate, call to the bar; Bar, Bar Council; admission*[3]), **call**[6] (MERC notificación, requerimiento o petición para que se presenten a amortización los títulos redimibles o amortizables; V. *callable*), **call**[7] (MERC escala portuaria, también llamada *call at port*; hacer escala; V. *port of call, emergency call, stopover*), **call**[8] (MERC opción de compra; también llamado *call option*, es el contrato que da a su propietario el derecho a comprar el activo subyacente *–underlying asset–* en el mercado de valores *–stock market–*, de materias primas *–commodities–* o de divisas *–currency–* a un precio determinado, llamado *strike price* o *exercise price*, hasta la fecha de vencimiento de la opción, llamada *expiration date* ◊ *A call gives you the right to buy shares at a certain price, called the «strike price», until a specified date, called the expiration date*; V. *option, put, hedging*), **call**[9] (MERC derecho a transferir, redimir o amortizar un bono o acción antes de su vencimiento), **call**[10] *US* (CIVIL mojón; marca, objeto, accidente o señal natural usados como linde entre heredades; hito ◊ *In the survey conducted by the land commission, some old oak trees were used as a call of the eastern boundary*; V. *landmark, metes and bounds, abuttal*), **call**[11] *der es* (PROC citar; quedar citado; publicar o publicarse la demanda o emplazamiento; vencer el plazo de contestación a la demanda, o de señalamiento de la audiencia previa, o de convocatoria a efectos administrativos para la celebración de un acto público ◊ *When the case called on 20 May, counsel for the defender applied for a sist of proceedings*; también se emplea como verbo transitivo, p. ej. ◊ *A summons shall not be called earlier than the day on which the period of notice expires*; el traductor encontrará mucha similitud entre este uso del término inglés y el de verbos como «citar», «llamar» y «convocar» en español, ya que se «citan» o «convocan» los aspirantes a un concurso público y se «llama», físicamente por tres veces, a los convocados a una oposición; de igual forma, en Escocia se cita, llama o convoca *–call–* a los interesados en comparecer en cualquier procedimiento; de esta manera, la expresión *the case calls (or is called)* quiere decir que ha vencido el plazo para que el tribunal competente empiece a conocer de la causa, y a tales efectos el demandado tiene que haberse personado o haber comparecido en autos; V. *intimation, notice, service, sist*), **call a general meeting, a strike, an election, etc**. (GRAL/LABORAL convocar una junta general, una huelga, elecciones, etc. ◊ *A Government which cannot command a majority in the Commons will advise the Sovereign to dissolve Parliament and call an election*), **call as a witness** (PROC citar como testigo, llamar a testimoniar ◊ *The couple were called as witnesses at the fatal accident enquiry*; V. *call to witness*), **call, at** (MERC a la vista, exigible en cualquier momento; V. *call deposit account; on demand*), **call back** (GRAL/PROC revocar, anular, destituir ◊ *Once you have given your promise, you cannot call it back*; V. *revoke, recall; annul, cancel*), **call calendar** (PROC lista de pleitos para fijación de fechas), **call certificate** (PROC certificado de admisión [de un licenciado en Derecho] al colegio de abogados *–bar–*; V. *call to the bar, practising certificate; admit to the Rolls*), **call costs** (MERC gastos de escala), **call deposit account** (MERC cuenta de depósito a la vista o exigible en cualquier momento; dinero exigible con preaviso de un día; V. *at call, money at call*), **call evidence** (PROC aportar, aducir, alegar, rendir o presentar pruebas; V. *adduce/ lead/turn up, allege evidence*), **call for**[1] (GRAL hacer un llamamiento ◊ *Washington lawmakers are calling for tighter regulations in the securities market*), **call for**[2] (GRAL necesitar, requerir, exigir ◊ *The political situation in the country is delicate and calls for careful handling by the government*), **call for bids** (MERC/CIVIL convocatoria de propuestas, citación o llamada a licitadores, concurso; convocar a concurso o licitación, sacar a licitación pública ◊ *The company has come up for sale and the board has issued a call for bids*), **call for capital** (MERC solicitud de desembolso de capital), **call for funds, make a** (MERC demandar fondos; V. *capital call*), **call for redemption** (MERC notificación de la amortización de títulos de deuda), **call for redress** (CIVIL solicitud de reparación o desagravio; V. *relief, redress*), **call for papers** (GRAL convocatoria de ponencias), **call forth** (GRAL provocar, causar ◊ *The politician's racist remark called forth a storm of protest*), **call girl** (GRAL prostituta; V. *entanglement, kerbcrawling, streetwalker*), **call in**[1] (MERC retirar fondos, pedir la devolución de dinero, denunciar o redimir un préstamo, exigir el pago inmediato, solicitar la devolución de fondos o dinero ◊ *The company went into liquidation when the banks called in the debt*), **call in**[2] (GRAL pedir el asesoramiento de ◊ *The police have called in a handwriting expert to assist with their enquiries*), **call loan** (MERC préstamo diario, préstamo a la vista; este tipo de préstamo, que suelen hacer los bancos a los agentes de Bolsa con el fin de facilitar las transacciones de valores, es exigible con preaviso de veinticuatro horas), **call money**[1] (MERC dinero exigible con preaviso de un día, dinero a la vista o a la orden, préstamo bancario a la vista o exigible en cualquier momento; V. *at call, money at/on call, day-to-day money, demand loan*), **call money**[2] (SOC dividendo pasivo; V. *call*[3]), **call-money markets** (MERC bancos que prestan dinero a la vista *–call money*[1]– a agentes bursátiles ◊ *Call money markets are big banks which provide brokers with call money*; V. *at call, money at call*; V. *at call, money at call*), **call number** (GRAL índice de referencia ◊ *Call numbers used in legal proceedings are characteristic of this profession*; V. *reference*), **call off**[1] (GRAL/MERC cancelar ◊ *The deal that was to be signed next month has been called off because of the uncertain international situation*; V. *cancel, repeal, revoke*), **call off**[2] (GRAL abandonar, suspender, desconvocar ◊ *The search for the three missing mountaineers has been called off due to bad weather*; V. *abandon*), **call, on** (GRAL de guardia ◊ *Dr. Smith is on call this week*; V. *on duty*), **call option** (MERC V. *call*[10]), **call out** (LABORAL lamar a la huelga ◊ *The electricians' union has called its members out*; V. *come out on strike*), **call premium** (MERC prima de amortización anticipada, prima de rescate; V. *bond premium*), **call price** (MERC precio de redención o amortización de un bono por anticipación de su vencimiento a la fecha fijada; V. *redemption price, call premium*), **call protection** (MERC protección contra rescate anticipado), **call the jury** (PROC anunciar los nombres de los jurados ◊ *Once the full list of people who are to serve as jurors is drawn out of the ballot-box, the jury is called*; V. *array the jury, empanel a jury*), **call to account** (GRAL llamar a capítulo ◊ *If anything goes wrong, it is the manager who is called to account*), **call to order** (GRAL/PROC llamar al orden ◊ *The exchanges during the debate were heated, and the speaker had to call the MPs to order on several occasions*), **call to the Bar** (PROC ceremonia de ingreso [ingresar] en el Colegio de Abogados *–barristers–* tras el preceptivo examen ◊ *The call to the bar is a ceremony whereby a member of an Inn of Court is admitted as barrister*; V. *call certificate, admission to the Rolls, Inns of Court*), **call to witness** (PROC poner por testigo ◊ *I call you to witness that the jewels are in this safe*; V. *call as a witness*), **call value** (MERC valor por amortización anticipada; V. *face value, surrender value*), **called-up [share] capital** (MERC capital social constituido por acciones pagaderas; capital cuyo desembolso se ha solicitado, capital desembolsado; V. *call, uncalled capital*), **calling** (GRAL profesión, ocupación; vocación), **calling upon the prisoner** (PENAL petición que hace el presidente del tribunal al reo condenado por el jurado para que alegue lo que crea conveniente antes de que el tribunal dicte sentencia; V. *pass judgment, plea of mitigation; allocution*), **callable** (MERC exigible, redimible, amortizable de forma anticipada, denunciable, rescatable; con opción de recompra; la opción corresponde a la entidad emisora o *issuer*; V. *redeemable; surrender, rescue, release*), **callable [bond, capital, etc.]** (MERC [bono, capital, etc.] redimible, exigible, retirable, amortizable o rescatable antes de su vencimiento a opción de la entidad emisora)].

calumniate *v*: PENAL calumniar, denigrar. [Exp: **calumny** (PENAL calumnia, injuria, difamación; V. *slander, defamation, disparagement; blasphemy*)].

cambist *n*: MERC banquero, cambista.

camera, in *fr*: PROC en sesión secreta, a puerta cerrada ◊ *When family matters are involved in a civil cause it may be heard in camera, where the public is not present*; V. *in chambers, closed session*.

can[1] *n/v*: GRAL lata, envase, bote, bidón; enlatar, envasar ◊ *A can of beer*. [Exp: **can**[2] *col* (PENAL trullo *col*; V. *cooler, gaol, jug, quod, clink*), **can, be in the** *col* (PENAL estar en la sombra *col*)].

cancel *v*: GRAL rescindir, cancelar, suspender, anular, dar de baja, invalidar ◊ *The* *cancellation of a document may be done by means of a rubber stamp saying «cancelled» or by crossing it with lines with the purpose of depriving it of its effect*; V. *annul, repeal, terminate, call back, call off, rescind, repudiate; callable; defeasance clause; flat cancellation, write-offs*. [Exp: **cancel a contract** (CIVIL/MERC rescindir un contrato), **cancel a document/deed** (CIVIL/MERC anular, invalidar, cancelar una escritura o documento), **cancel a debt** (CIVIL/MERC saldar una deuda), **cancel a meeting** (GRAL suspender una reunión), **cancel an order** (CIVIL/MERC anular un pedido, revocar una orden), **cancel out** (GRAL/MERC compensar; V. *offset*; anular), **cancellable** (GRAL anulable, rescindible, abrogable), **cancellation** (GRAL anulación, cancelación, rescisión, resolución, condonación; extinción; V. *equitable remedies*), **cancellation/cancelling clause** (MERC/CIVIL cláusula resolutoria; cláusula de rescisión del contrato de fletamento; V. *default clause, defeasance clause*), **cancelling entry** (MERC apunte, registro, entrada o anotación de anulación), **cancelling price** (MERC multa/pago por resolución unilateral del contrato)].

canon law *n*: CONST derecho canónico; en Inglaterra comprende también el derecho de la Iglesia Anglicana. [Exp: **canonical disability** (CIVIL impedimento dirimente), **canons** (GRAL reglas, normas o principios), **canons of construction** (PROC reglas de interpretación judicial de leyes, documentos, contratos, etc.), **canons of inheritance** (CIVIL normas de sucesión), **canons of taxation** (FISCAL principios tributarios)].

canvass[1] *v*: GRAL/CONST abordar, discutir, someter a debate o discusión [una cuestión o tema] ◊ *Local lobbyists canvassed the issue of a new municipal water-tax*. [Exp: **canvass**[2] (GRAL/CONST sondear [la intención de voto]; solicitar [votos] puerta a puerta, hacer campaña [política, de *marketing*, etc.] en una zona o en un sector determinado; conquistar [clientes] ◊ *The liberal candidate spent yesterday canvassing votes in the west of the city*; V. *solicit*), **canvasser** (MERC vendedor de productos a domicilio), **canvassing** (MERC/CONST representación comercial, solicitación de votos), **canvassing of votes, customers,** etc. (MERC/CONST solicitación, localización de votos, disputa de clientes, etc.; el derecho a ejercer *canvassing* está prohibido en ciertos casos, por ejemplo, cuando se intenta influir en el nombramiento de un cargo público, un puesto institucional, etc.)].

capability *n*: GRAL/PROC capacidad, aptitud legal; V. *ability, aptitude, proficiency*. [Exp: **capable**[1] (GRAL competente, apto, idóneo, capaz ◊ *She is a very capable barrister*; V. *competent, quali fied*), **capable**[2] **[of pleading,** etc.] (PROC capaz, competente [para litigar, etc.] ◊ *She is capable of pleading because she is over eighteen and is of sound mind*)].

capacity *n*: GRAL/PROC capacidad de obrar, competencia, personalidad, legitimación; calidad; título; capacidad jurídica ◊ *Minors have no capacity to sue or to enter into a legally binding contract*; V. *in an advisory capacity, competence, power, faculty, diminished capacity, full capacity, contractual capacity, legal capacity, private capacity; disability*. [Exp: **capacity to be a party to a suit** (PROC capacidad procesal), **capacity to contract** (MERC capacidad contractual), **capacity to sue** (MERC capacidad procesal, personalidad procesal, capacidad para ser parte; V. *legal capacity*), **capacity of, in the** (en calidad de, a título de, con carácter de; V. *qua, acting*)].

capias, writ of *n*: PROC V. *writ of capias*.

capital[1] *a*: GRAL capital, mortal; principal ◊ *A minor convicted of a capital offence* *can be ordered to be detained during her Majesty's pleasure.* [Exp: **capital**[2] (MERC capital, recursos propios, patrimonio ◊ *Shares issued under the Business Expansion Scheme are exempt from capital gains tax*; V. *authorized capital, called-up capital, called-up [share] capital, debenture capital, impaired capital, nominal capital, paid-up capital, uncalled capital*), **capital allowances** (FISCAL desgravaciones sobre bienes de capital, deducciones de capital, amortización fiscal), **capital assets** (MERC activo de capital, activo fijo o inmovilizado, bienes de capital), **capital debentures** (obligaciones), **capital call** (SOC dividendo pasivo), **capital crime/offence** (PENAL delito punible con la pena de muerte), **capital decrease** (MERC reducción de capital), **capital duties** (FISCAL impuestos sobre el capital), **capital equipment** (MERC bienes de equipo), **capital flight** (MERC/FISCAL evasión de capital), **capital flow** (MERC flujo de capital, corriente de capital, capital circulante), **capital gains** (MERC/FISCAL plusvalías de capital, ganancias de capital, incremento del patrimonio; V. *profit*), **capital gains tax** (FISCAL impuesto sobre incrementos de patrimonio, impuesto sobre plusvalías, impuestos sobre ganancias de capital, impuesto de aumento de patrimonio), **capital gearing** (MERC apalancamiento de capital; V. *low-geared*), **capital goods** (MERC bienes de inversión, bienes de capital, bienes de equipo, bienes invertidos), **capital grant** (MERC donación de capital), **capital increase** (MERC ampliación de capital, capitalización), **capital inflow** (MERC entradas de capital), **capital levy** (FISCAL impuesto, gravamen o exacción sobre el capital o el patrimonio), **capital liabilities** (MERC capital pasivo, pasivo patrimonial, pasivo fijo o no exigible, obligaciones de capital), **capital loss** (MERC minusvalías, pérdidas de capital), **capital/assets of a partnership** (capital social), **capital outlays** (gastos de capital), **capital profits** (MERC beneficios del capital), **capital punishment** (PENAL pena capital o de muerte; V. *execution, behead*), **capital reduction** (MERC reducción de capital), **capital stock** (MERC capital social, acciones de capital, capital escriturado, masa de capital), **capital surplus** (MERC excedente de capital), **capital tax** (FISCAL impuesto de patrimonio), **capital transfer tax, CTT** (FISCAL impuesto sobre sucesiones; este impuesto, llamado en el pasado *estate duty*, fue sustituido por el *capital-transfer tax* y desde 1986 por el *inheritance tax*), **capital turnover** (MERC rendimiento de la inversión, renovación o movimiento del capital, aumento de capital), **capitalization** (MERC capitalización), **capitalization of reserves** (MERC incorporación de reservas)].

capitation *n*: FISCAL impuesto por cabeza, capitación; V. *poll tax.*

capsize *v*: GRAL/MERC/SEGUR naufragar, zozobrar, dar la voltereta o una vuelta de campana.

captain *n*: GRAL/MERC capitán; V. *shipmaster.* [Exp: **captain's copy** (MERC copia complementaria del conocimiento de embarque para uso del capitán), **captain's entry** (MERC/FISCAL declaración de aduanas hecha por el capitán, con el fin de desembarcar las mercancías, por faltar la que debe hacer el importador), **captain's protest** (SEG/MERC protesta del capitán, declaración hecha ante notario por el capitán de un buque británico al llegar a puerto, detallando las circunstancias irremediables que han ocasionado o han podido ocasionar algún daño o perjuicio al barco y/o a la carga; V. *master's protest, protest in common form, note of protest; average.*

caption[1] *n*: GRAL título, epígrafe, encabezamiento de un auto, demanda, sentencia o documento oficial, epígrafe, pie [de foto], leyenda, subtítulo, texto [de un dibujo, chiste, etc.] ◊ *Standardized court forms begin with a caption containing the names of the parties, the court, the index or docket number, etc.* [Exp: **caption**[2] *obs* (MERC/PENAL captura, apresamiento, prisión; en lugar de *caption* se suele emplear *capture*)].

captive *a/n*: GRAL/PENAL cautivo, prisionero de guerra; V. *prisonner of war*. [Exp: **captor** (GRAL/PENAL captor), **capture**[1] (PENAL captura, apresamiento, aprehensión; prender, apresar, aprehender, capturar ◊ *The police have not captured the thief yet*; V. *arrest, apprehend; seizure*), **capture**[2] (GRAL captar ◊ *That provocative advertisement is dangerous because it captures the attention of drivers*), **capture**[3] (MERC/SEGUR salvamento, extracción; rescatar [un barco naufragado, etc.] ◊ *The wreckage of a sunk ship may be deemed a «res nullius» and a person capturing it may acquire ownership rights*)].

car bomb *n*: PENAL coche bomba; V. *booby-trap*.

care[1] *n/v*: CIVIL diligencia razonable, diligencia del buen padre de familia, prudencia, cuidado, precaución, atención, asistencia, cautela; protección; tener al cuidado, tomar precauciones de ◊ *When driving, one must act with the care expected from a normal person under the circumstances*; V. *due care; duty of care, children in care; great care; day care centre; attention, commitment, diligence; negligence; custody*. [Exp: **care**[2] (CIVIL acogimiento; V. *cildren in care*), **care and attention, with/without** (CIVIL con/sin la prudencia o diligencia debida ◊ *According to the Road Traffic Act 1972 careless driving is driving a motor vehicle on a road without due care and attention*; V. *careless and inconsiderate driving*), **care and control** (CIVIL guarda y tutela, cuidado de la integridad física y moral del menor, tutela efectiva ◊ *By the divorce settlement, the parents were granted joint custody of their child, the mother being further granted care and control*; cuando se divorcia un matrimonio que tiene hijos menores, el tribunal se pronuncia explícitamente sobre la patria potestad *–custody–*, esto es, sobre los deberes y obligaciones que tienen los padres para con sus hijos; la patria potestad puede otorgarse a uno solo de los cónyuges o a ambos conjuntamente *–joint-custody–*; en este último caso el tribunal declara de forma expresa cuál de los dos tiene la guarda y tutela *–care and control–* del menor, llamada también tutela efectiva *–actual custody–*; en resumen, el término *custody* se refiere al cuidado físico de la persona del menor y el de *care and control* a cuestiones educativas, religiosas y morales; no es imposible, aunque se suele evitar en la práctica, que la *custody* la tenga uno de los cónyuges y el *care and control* el otro), **care and protection** (CIVIL cuidado y protección [respecto de menores]), **care centre** (CIVIL centro de acogida de menores; V. *put in care*), **care of, under the** (CIVIL bajo la custodia de), **care order** (CIVIL auto judicial mediante el que se encomienda el cuidado de un menor a una institución local ◊ *In view of the parents' manifest incapacity to restrain him, the Juvenile Court made a care order in respect of the young offender*; V. *community homes; custodianship order*), **care-in-the-community order** (CIVIL orden de ingreso en un centro comunitario; orden judicial que determina que un delincuente o paciente psiquiátrico ingrese en un hostal *–home, centre–* encargado de encontrarle un hogar –piso, familia, etc.– donde pueda vivir sin necesidad de vigilancia permanente ◊ *Police suspect a care-in-the-community patient of killing the child*), **care pro-**

ceedings (CIVIL procedimiento judicial relacionado con la guarda y tutela de los menores, expedientes de acogidas de menores ◊ *Care proceedings are instituted to put a child in the care of someone*), **carefully** (cuidadosamente, detenidamente, con esmero), **carefulness** (CIVIL prudencia, meticulosidad, cuidado), **careless** (CIVIL/PENAL imprudente, negligente), **careless driving** (CIVIL/PENAL conducción imprudente, caracterizada por la falta de previsión, la imprudencia, la falta de reflejos o error de cálculo ◊ *According to the Road Traffic Act 1972 careless driving is driving a motor vehicle on a road without due care and attention*; V. *care and attention; dangerous driving, drunken driving, drink-driving, driving with excess alcohol, inconsiderate driving, reckless driving, due*[2]), **carelessly** (GRAL imprudentemente, negligentemente), **carelessness** (CIVIL/PENAL imprudencia, negligencia, descuido, falta de previsión, falta de diligencia debida, indiferencia; V. *recklessness*), **caretaker** (GRAL conserje, encargado, guardián), **caretaker president, chairman, etc.** (GRAL/CONST presidente en funciones ◊ *As the government resigned, the Prime Minister served as caretaker until new leaders could be elected*; se usa en expresiones como *a caretaker government* –un gobierno en funciones–; V. *acting*)].

career *n*: GRAL carrera, trayectoria profesional. [Exp: **career training** (LABORAL formación profesional)].

cargo, cgo *n*: MERC carga, cargamento, mercancía transportada ◊ *The word cargo usually refers to goods or merchandise shipped for carriage by air or water*; a veces también puede significar «capacidad de carga de un buque» o «número de toneladas transportadas»; V. *freight, goods, merchandise; shipment*. [Exp: **cargo boat/steamer/vessel** (MERC carguero, buque de carga), **cargo claim** (MERC derecho nacido del daño o pérdida de mercancías transportadas), **cargo handling** (MERC gestión/manejo de la carga), **cargo lien** (MERC derecho de preferencia sobre la carga transportada, ejercitable mediante el derecho de retención), **cargo-worth clause** (MERC derecho de retención de la carga transportada; V. *lien*), **cargo policy** (SEGUR póliza de seguro de transporte marítimo), **cargo-worth clause** (SEGUR cláusula referida al valor declarado de la mercancía, a efectos del seguro), **cargo worthiness** (MERC/SEGUR idoneidad o aptitud de la nave para el transporte de cierta mercancía; V. *airworthiness, seaworthiness*)].

carnage *n*: GRAL/PENAL carnicería, matanza, mortandad, estrago.

carnal abuse *n*: PENAL abusos deshonestos; V. *indecent assault, sexual abuse, gross indecency, criminal sexual contact, sexual abuse/offences*. [Exp: **carnal knowledge** (GRAL/CIVIL/PENAL conocimiento carnal, relación sexual ◊ *Carnal knowledge with a female under the age of consent constitutes rape*; V. *access*[3]*, sexual abuse, sexual assault, sexual penetration, sexual harassment, rape*)].

carp *v*: GRAL/PROC criticar sin mucho fundamento, poner objeciones nimias ◊ *The defence carped at the ruling*; V. *cavil, niggle; chicanero*.

carriage[1] *n*: MERC porte, transporte, transporte en general, carta de porte; V. *haulage*. [Exp: **carriage**[2] (MERC carruaje, coche, vagón de tren, vehículo), **carriage forward, CF, carr fwd** (MERC [a] portes debidos, contra reembolso de flete; V. *carriage paid*), **carriage free** (MERC sin portes, franco de portes), **carriage note** (MERC carta de portes), **carriage paid, CP** (MERC portes pagados; V. *carriage forward*), **carried** (llevado; V. *carry*), **carried down/forward/over** (MERC suma y sigue, saldo llevado a cuenta nueva; V. *carry down/over/forward*), **carrier** (MERC empresa de transportes, transportista, porteador, ordinario), **carrier's bond** (MERC fianza de transportista), **carrier's lien** (MERC derecho de retención del transportista, gravamen de transportista), **carrier's risk** (MERC riesgo del porteador; V. *common carrier, private carrier*)].

carry[1] *v*: GRAL/MERC transportar, llevar ◊ *Carry arms*. [Exp: **carry**[2] (PENAL ser sancionado con, llevar aparejado, llevar consigo ◊ *That offence carries a maximum sentence of four years' imprisonment*), **carry**[3] (GRAL/CIVIL/MERC/LABORAL devengar, producir, entrañar, comportar, llevar aparejado, llevar consigo, ganar ◊ *A dead account carries no interests*; V. *yield*), **carry**[4] (GRAL ganar, imponer, aprobar ◊ *After a lengthy debate, the House proceeded to a vote and the motion was carried by a narrow majority*; se usa en expresiones como *carry a motion* –aprobar una moción–, *carry a vote or an election* –ganar una votación o elección–, *carry a point* –imponer un criterio o punto de vista–; V. *defeat a motion, reject a motion, motion carried*), **carry away [by force]** (PENAL arrebatar, robar [con violencia] ◊ *The divorced woman claimed that her son had not willingly accompanied his father to the USA, but had been carried away by force*), **carry-back** (FISCAL traslación de pérdidas a un ejercicio anterior a efectos fiscales; norma tributaria que permite a una empresa utilizar las pérdidas de un ejercicio para reducir los impuestos del anterior; V. *carry-over*), **carry costs** (PROC ganar un juicio con costas, imponer costas ◊ *When a verdict «carries costs» the unsuccessful party must pay costs to the successful party*), **carry in stock** (GRAL tener en existencias, tener en almacén, vender ◊ *«I'm sorry sir, you have come to the wrong shop; we don't carry that article»*), **carry into effect** (GRAL/CONST poner en ejecución ◊ *In Spain after a ministerial decision has been published in the Official Gazette, it is carried into effect by the Administration*; V. *effect*), **carry off** (PENAL robar, llevarse sin autorización ◊ *During the riots, looters smashed in shop windows and carried off most of the goods*), **carry out** (GRAL desempeñar, ejecutar, practicar ◊ *He was imprisoned for carrying out an abortion*; V. *fulfil, implement*), **carry out an abortion** (GRAL practicar un aborto), **carry out an agreement** (GRAL ejecutar un acuerdo), **carry-over**[1] (FISCAL remanente; traslación de pérdidas a un ejercicio futuro a efectos fiscales; norma tributaria que permite a una empresa servirse de las pérdidas para reducir los impuestos del año siguiente; V. *carry-back*), **carry-over**[2] (MERC saldo anterior, suma y sigue; pasar a cuenta nueva), **carry forward** (MERC pasar a cuenta nueva), **carry-over arrangements** (MERC/FISCAL sistemas de compensación de remanentes), **carry the can** *col* (GRAL cargar con el muerto *col*, pagar el pato *col*; V. *rap*), **carrying** (MERC acarreo, transporte, traslado), **carrying amount** (MERC valor en libros), **carrying charges** (MERC sobregastos, gastos adicionales, cargos mensuales por saldo inferior al acordado ◊ *Carrying charges are the costs of owning property, such as land taxes, mortgage payments,* etc.), **carrying company** (MERC compañía de transportes), **carrying out of the agreements/programmes** (ejecución de los acuerdos, los programas), **carrying out of the tasks** (GRAL desempeño de las funciones; V. *performance*), **carrying value** (MERC valor en libros; valor no recuperado)].

carte blanche, give *v*: GRAL/MERC/CIVIL dar carta blanca o poderes ilimitados ◊ *He has been given carte blanche to act on behalf of the company.*

cartel *n*: MERC cártel, monopolio; acuerdo ilegal designado para regular la competencia; combinación, consorcio ◊ *Corporations which combine in a cartel do so with the aim of keeping prices high, and their methods are sometimes legally dubious*; V. *code of fair competition/trading, Restrictive Practices Court, combination in restraint of commerce/trade, unfiar practices.* [Exp: **cartelization** (MERC cartelización)].

carve out[1] *v*: GRAL parcelar, dividir ◊ *The terms of the will carved a smaller estate out of the original one, which was much larger.* [Exp: **carve out**[2] *col* (GRAL distribución interesada; grabar), **carve out a career** (GRAL labrarse un porvenir), **carve out a market niche** *col* (GRAL/MERC abrirse o asegurarse [con esfuerzos] una cuota de mercado ◊ *The company found it impossible to carve out its market niche in an already competitive market*), **carve-up** *col* (GRAL reparto interesado, chanchullo ◊ *The reshuffle in the boardroom was supposed to ensure improved efficiency, but a lot of shareholders believed it was a carve-up*), **carve up** *col* (GRAL parcelar, dividir, cortar la tarta)].

case[1] *n*: CIVIL/PENAL causa judicial, causa criminal, proceso civil; sumario; demanda judicial, pleito, caso; precedente ◊ *The plaintiff failed to appear on the date set for trial and the judge dismissed the case*; el anglicismo *caso*, equivalente a «causa» o «proceso», se ha infiltrado en el lenguaje coloquial y en el de la prensa, pero no tanto en el jurídico; véanse los comentario que se ofrecen en la otra parte del diccionario en la traducción de la palabra española *case*[2]; V. *suit, lawsuit, action, cause, issue, law of the case.* [Exp: **case**[2] (GRAL asunto, expediente, caso ◊ *This lawyer has many cases; The police have five constables working on the case*; en esta acepción, la palabra *case* no tiene el significado anterior de pleito o proceso de *case*[1]), **case**[3] (CIVIL/PENAL soporte legal, motivos, fundamentos; argumentos jurídicos de la defensa/acusación; indicios racionales de criminalidad ◊ *The solicitors have spent over ten days preparing their case*; V. *substantial case, statement of case, make one's case, argument, grounds, defence case, prosecution case, prove one's case, sufficient case, there is no case to answer, you have no case*), **case**[4] *argot* (PENAL «reconocer» en la expresión *case the joint* –reconocer el terreno antes de cometer el crimen crimen–), **case agreed on** (CIVIL/PENAL acuerdo alcanzado por los abogados de las dos partes sobre los hechos), **case at bar** (PROC causa en curso, causa enjuiciada o en procedimiento; V. *case under consideration, case in hand, case on trial*), **case heard and concluded** (PROC causa conocida y resuelta; V. *case settled*), **case history** *US* (GRAL antecedentes), **case in chief** (PROC actos probatorios; alude a la práctica de la prueba por la parte sobre la que recae la carga de la misma), **case in hand** (PROC causa en cuestión, enjuiciada o en procedimiento; V. *case under consideration, case at bar, case on trial*), **case in point** (PROC ejemplo ilustrativo, caso aplicable), **case law** (PROC derecho jurisprudencial, derecho consuetudinario, precedentes, jurisprudencia; al derecho consuetudinario *–common law–*, también se le llama derecho jurisprudencial *–case law–*; las resoluciones judiciales de que consta este derecho están recogidas en los llamados *Law Reports* –Repertorios de Jurisprudencia– recopilados y publicados por el *Incorporated Council of Law Reporting*; V. *jurisprudence, precedent, Law Reports, judge-made law*), **case management** (PROC gestión procesal; la ley de enjuiciamiento civil de 1998 ha creado en Inglaterra y Gales la figura de la «gestión procesal», la cual confiere a los jueces de procedimiento *–procedural judges–* la dirección y el control de todo el proceso civil *–civil case–* desde la contestación a la demanda *–defence–* hasta el juicio, en el que intervendrán jueces de sala *–trial judges–*; cuatro conceptos básicos de la gestión procesal, dirigidos y supervisados por los jueces de procedimiento, son las «vías procedimentales» *–court tracks–*, las «conferencias para la gestión procesal» *–case management conferences–*, la «sesión de revisión previa al juicio» *–pre-trial review–* y las soluciones alternativas a las judiciales *–alternative dispute resolutions–*; véase «impulso procesal» en la otra parte del diccionario; V. *out-of-court settlement,procedural judge*), **case may be, as the** (GRAL según el caso, dependiendo del caso concreto), **case, no** (PROC V. *there is no case, submission of no case*), **case of, in the** (GRAL tratándose de, en el caso de), **case on trial** (PROC causa enjuiciada o en procedimiento; V. *case under consideration, case at bar, case in hand*), **case settled** (PROC causa dictaminada; V. *case heard and concluded, dispose*), **case stated** (PROC dictamen hecho por un tribunal de primera instancia *–Magistrates' Court–* en relación con los hechos procesales, a instancias de una de las partes agraviadas por la sentencia dictada por el mismo, existiendo acuerdo respecto de los hechos ◊ *He appealed by way of case stated*; a solicitud de la parte agraviada por la resolución, el tribunal prepara un dictamen en el que explica los hechos y los argumentos procesales *–state the case–* para orientación de la instancia superior, y concluye preguntando si, a la vista de todas las circunstancias, ha actuado correctamente; estos «hechos» se refieren al procedimiento; el dictamen, preparado técnicamente por el *clerk*, y firmado por el magistrado que dictó la sentencia, termina normalmente con una pregunta: «Tras los hechos expuestos, ¿hice bien en condenar al acusado? ¿Actué bien al desestimar el testimonio de X?, etc.»; V. *appeal by way of case stated, judgment on case stated, submission of no case*), **case system** (GRAL enseñanza del derecho mediante el estudio de precedentes), **case, that being the** (GRAL de ser así, siendo así), **case [to answer], no** (PROC sobreseído, no ha lugar a la acusación; V. *submission of no case to answer*), **case the joint** *col* (PENAL reconocer el terreno antes del delito), **case under consideration** (PROC causa en curso, causa enjuiciada o en procedimiento. *In the case under consideration, it is questionable whether the evidence of the husband was competent*; V. *case at bar, case trial*), **casework** (GRAL trabajo de asistencia social individual), **caseworker** (asistente social)].

cash[1] *n*: GRAL/MERC dinero efectivo, activo disponible, metálico, caja, tesorería, liquidez ◊ *Cash means ready money, and it is the starting point and the finishing point of economic activity*; V. *budget cash, in kind, management cash, petty cash*. [Exp: **cash**[2] (GRAL/MERC cobrar, cambiar, hacer efectivo [una letra, un cheque, un cupón, etc.]; descontar, negociar a descuento, hacer efectiva [una letra] ◊ *To cash a cheque, you normally have to go to the branch of the bank where the signatory keeps his account*), **cash advance** (GRAL anticipo de tesorería, anticipo de caja), **cash against documents** (MERC pago contra entrega de documentos), **cash and bank** (MERC activo disponible, tesorería disponible), **cash and carry** (MERC autoservicio mayorista), **cash assets** (MERC activos disponibles), **cash balance** (MERC saldo de caja), **cash count** (MERC arqueo de dinero), **cash entry** (MERC asiento de caja), **cash flow** (MERC beneficios más amortizaciones, flujo de efectivo, flujo de caja, flujo de tesorería; éste es un término polisémico, cuyo significado inicial es «flujo de efectivo o de caja»; por extensión semántica se están formando todos los demás: recursos generados, índice de la capacidad de autofinanciación de una sociedad mercantil, resultado de los movimientos de tesorería durante un período largo; conjunto formado por los beneficios netos, las amortizaciones, las reservas legales, los impuestos y las plusvalías; margen bruto de financiación, recursos generales; pese a su popularidad, el término es impreciso, y para los economistas no tiene más que un valor relativo, siendo uno de entre los varios indicadores del volumen de negocio generado por la empresa y, consecuentemente, de su marcha general, sobre todo en lo que se refiere a liquidez), **cash loan** (MERC préstamo en dinero efectivo), **cash management** (MERC gestión de tesorería, gestión de liquidez), **cash on delivery. COD, c.o.d.** (MERC pago a reembolso, contrareembolso ◊ *All articles are sent C.O.D.*; V. *collect on delivery*), **cash on the nail** *col* (GRAL en metálico, contante y sonante ◊ *I hate being in debt; I'd much rather pay cash on the nail for anything I buy, and do without if I haven't got the ready money*), **cash price** (GRAL precio al contado), **cash voucher** (MERC justificante de caja), **cashier** (GRAL cajero, contador; V. *teller*)].

cassare *v*: PROC anular o invalidar; ésta es una adaptación del «casar» continental; el término inglés correspondiente es *quash*; V. *quash*. [Exp: **cassation of judgment** (PROC casación, anulación o revocación de una sentencia)].

cast[1] *v*: GRAL lanzar, echar, arrojar. [Exp: **cast a ballot** (CONST depositar o emitir un voto), **cast anchor** (MERC echar ancla), **cast away** (MERC lanzamiento de mercancías; V. *jettison*), **cast a vote** (CONST votar, emitir un voto ◊ *Under proportional representation the number of seats won by a party, etc., is calculated as a percentage of the total votes cast*), **cast aspersion** (PENAL difamar, calumniar ◊ *The defendant used the cross-examination as an opportunity to cast aspersions on the character and motives of the plaintiff*), **cast doubt on** (PENAL poner en duda ◊ *The evidence cast doubt on the guilt of the accused*), **cast-iron contract** (CIVIL/MERC contrato blindado; V. *golden parachute*), **cast off**[1] (CIVIL desheredar, despojar, abandonar, desamparar, despedir ◊ *By the terms of the will, the deceased cast off his eldest son, and the estate was divided among the other two*; V. *disinherit*), **cast off**[2] (MERC desamarrar), **castaway** (GRAL náufrago), **casting** (GRAL fundición, pieza fundida, vaciado), **casting error** (GRAL error al sumar cifras; V. *posting error*), **casting vote** (GRAL voto de calidad, preponderante o decisivo ◊ *When the opinions of his fellow judges are evenly balanced, the president uses his casting vote to decide the issue*)].

casual *a*: GRAL casual, eventual, temporero, coyuntural, fortuito ◊ *The evidence of a casual witness to a transaction may prove crucial at the trial*. [Exp: **casual delegation** (CIVIL responsabilidad por hecho ajeno ◊ *A loan of a car constitutes a casual delegation of responsibility*; principio según el cual el que presta algo (por ejemplo, un vehículo) puede ser responsable de los daños causados por éste a terceros; V. *strict liability*), **casual evidence** (PROC prueba fortuita o incidental)].

casualty *n*: GRAL/CIVIL/SEGUR siniestro, accidente, baja, muerto; contingencia ◊ *A casualty loss is due to an event that is sudden, unexpected or unusual [fire, storm, etc.]*. [Exp: **casualty insurance** (SEGUR seguro de accidentes, seguro voluntario en el que no están incluidos daños a terceros, incendio y robo; V. *third-party, fire and theft; fully comprehensive.*), **casualty loss** (SEGUR pérdida por siniestro, pérdida fortuita)].

catch[1] *v*: apresar, coger, aprehender, prender; V. *capture*. [Exp: **catch** *col* (GRAL trampa, pega ◊ *Before you sign a contract, always read the small print very carefully; there may be a catch somewhere*), **catch in the act** (PENAL sorprender *in fraganti*), **catch question** (GRAL PROC pregunta capciosa o insidiosa; por ejemplo *Have you stopped beating your wife?*; es el tipo de pregunta capciosa que no permitiría ningún juez; V. *leading question*), **catching bargain** *US* (MERC contrato abusivo o fraudulento, acuerdo gravoso para una de las partes ◊ *Where a person has been induced by pressure or by unscrupulous means to sign a contract which is evidently unequal or exorbitant, a court will find the contract void on the ground that it is a catching bargain*)].

cater for *v*: GRAL atender, servir a, abastecer a ◊*The legislation catered to various special interest groups*. [Exp: **catering** (MERC hostelería, empresas de restauración social y de colectividades; avituallamiento de los aviones/trenes, etc.; comidas; aprovisionamiento), **catering department** (MERC departamento de restauración)].

caucus[1] *n*: PROC comité popular elegido entre los ciudadanos de una circunscripción con el fin de organizar la actividad política de la misma. [Exp: **caucus**[2] *US* (CONST comité electoral; camarilla política *col*, grupo de presión ◊ *In some eastern states, it is the caucuses which choose the presidential candidate in the primary elections*), **caucus**[3] *US* (PROC sesión de trabajo ◊ *Mediators hold a caucus to discuss delicate issues with litigants*)].

causation *n*: PROC/SEGURO causa interventora, circunstancias causantes, causalidad, nexo causal, relación entre causa y efecto, relación de causalidad ◊ *In marine insurance there are very strict rules for determining causation in cases of loss*; V. *cause*[2].

cause[1] *n/v*: GRAL motivo, razón, principio, origen; antecedente; causar, provocar; V. *adequate cause, ground, call; right of action; show cause; occasion*. [Exp: **cause**[2] (PROC causa, proceso, litigio, caso, juicio ◊ *When the defendant files a demurrer or a plea in bar he tries to prove that there is not a cause for action*; V. *suit, action, case, lawsuit*), **Cause Book** (PROC libro de registro de las demandas, órdenes de comparecencia, etc.), **cause, for** (PROC por motivo justificado), **cause list** (PROC lista de señalamiento de litigios para el período de sesiones; V. *warned list*), **cause [of action]** (PROC/CIVIL/PENAL base jurídica, base o motivo suficiente para iniciar una procedimiento civil, causa, causa de pedir, hecho o motivo que justifican o dan derecho a iniciar un pleito contra alguien; causa o motivo suficiente para acudir a los tribunales; indicios racionales de criminalidad; base incriminatoria o acusatoria; pretensión; para que se pueda iniciar una acción ante los tribunales debe haber hechos que lo justifiquen –*cause of action*– y el derecho ◊ *The opinion issued by the mediation panel said that the plaintiff has no cause*; V. *actionable, right of action*), **cause of action estoppel** (PROC impugnación de no ha lugar, petición de declaración de nulidad radical por identidad del fundamento de la demanda o del procedimiento con el de otra demanda o procedimiento anterior; *aprox* defensa o impugnación de cosa juzgada; V. *estoppel, res judicata*), **cause commotion** (GRAL conmocionar, impactar, escandalizar; V. *outrage*)].

cause ready for trial (PROC causa en condiciones de conocer), **causeless** (infundado, injusto; sin razón, causa, motivo o fundamento; V. *groundless*), **causer** (causador, causante, autor)].

cautio *n*: PROC fianza. [Exp: **cautio pro expensis** (PROC fianza para costas), **cautio usufructuaria** (PROC fianza de usufructuario)].

caution[1] *n*: PROC fianza, garantía, caución, medida cautelar, afianzar, dar fianza; en Escocia esta palabra se pronuncia /'keishon/; V. *security, bail, guarantee.* [Exp: **caution**[2] (PROC reserva, cautela, medida cautelar, oposición cautelar a una inscripción registral ◊ *A person who has an interest in registered land may lodge a caution at the Land Registry to ensure that he is notified of any attempt to register the land in another's person name*; V. *lodge a caution*), **caution**[3] (PENAL/PROC advertencia obligatoria de la policía al detenido, ilustración obligatoria al detenido acerca de sus derechos; caucionar ◊ *Anything you say may be taken down and used in evidence against you*; en Estados Unidos a esta advertencia se la conoce también con el nombre de *Miranda warning* o *Miranda Rule* y, también, *admonishment*; V. *caution a suspect, juratory caution, right of silence, under caution; admonishment*), **caution**[4] (GRAL advertencia, reprimenda; amonestar ◊ *The Magistrate released the drunkard with a caution*; V. *warning*), **caution a suspect** (PROC/PENAL leer los derechos al detenido, prevenir al detenido de sus derechos, advertir al detenido de que si lo desea puede no declarar pero si lo hace cualquier cosa que diga se podrá usar como prueba contra él; la fórmula que suele emplear el policía antes del interrogatorio es la siguiente: «*You do not have to say anything. But it may harm your defence if you do not mention when questioned something you later you rely on in court*»; esta fórmula es nueva en el Reino Unido, en donde hasta los años noventa se solía decir: «*You do not have to say anything unless you wish to do so, but what you say may be given in evidence*»; en Escocia esta advertencia obligatoria recibe el nombre de *admonishment*; V. *under caution, warning, admonition, caveat*), **caution money** (CIVIL depósito en garantía; V. *conduct money*), **cautionary** (PROC cautelar, preventivo, admonitorio, caucionado, dado como fianza, dicho como advertencia u orientación), **cautionary instruction** (PROC orientación que da el juez al jurado), **cautionary payment** (PROC fianza), **cautioner** (PROC fiador; persona que presenta una cautela o caución), **cautious** (PROC prudente, juicioso, discreto; V. *caution,*[2] *judicious, prudent*)].

caveat *n*: PROC advertencia, anotación preventiva; aviso; intimación; solicitud de abstención de actuación a un órgano administrativo o judicial; anotación provisional para asegurar el cumplimiento de resolución judicial ◊ *The deceased's son entered a caveat at the Land Registry to prevent the estate from passing into the hands of his cousin* V. *warning of caveat.* [Exp: **caveat actor** (PROC a riesgo del actor; esta advertencia se da al que efectúa un acto por su cuenta y riesgo), **caveat emptor** (PROC por cuenta y riesgo del comprador), **caveat to will** (CIVIL/SUC impugnación de testamento, advertencia contra la validación de un testamento), **caveat venditor** (MERC por cuenta y riesgo del vendedor), **caveatee** (PROC avisado, advertido; V. *caveat actor*)].

cavil *v/n*: GRAL exponer argumentos capciosos, usar argucias o sofismas; buscarle tres pies al gato; argucia, sofisma, objeción caprichosa, sutilizar ◊ *The judge told the barrister to stop cavilling over the meaning of ordinary words*; V. *quibble.* [Exp: **cavillation** (GRAL aprehensión infundada, juicio poco meditado; V. *baseless, groundless*)].

CC *n*: GRAL puede equivaler a *Civil code, county court, circuit court* o *criminal cases.*

CCR *n*: GRAL equivale a *County Court Rules*; V. *CPR, RSC; order*[4], *part*[2].

CD/c.d. *n*: MERC V. *certificate of deposit.*

cease *v*: GRAL cesar, terminar, extinguir-se ◊ *A carrier's liability for goods ceases when the goods have been delivered*; V. *terminate.* [Exp: **cease and desist order** *US* (PROC mandamiento ordenando el cese de determinada práctica comercial, conducta, etc. ◊ *Cease and desist orders instructing a business to cease certain trade practices that limit competition are issued by the Federal Trade Commission*; V. *mandatory injunction; combination in restraint of commerce/ trade; code of fair competition*), **cease-fire** (INTER alto el fuego; armisticio ◊ *European Union observers and diplomats are trying to arrange a cease-fire in the region as a preliminary to peace talks*; V. *cessation*)].

cell *n*: PENAL celda; V. *dark cell.*

censor *n/v*: GRAL/ADM censor; censurar. [Exp: **censorship** (GRAL censura), **censure** (GRAL voto de censura o desaprobación ◊ *A vote of censure*)].

census *a*: ADMIN censo [de población] ◊ *A census is taken every ten years.*

central *a*: central. [Exp: **Central Arbitration Committee** (LABORAL Comisión central de arbitraje ◊ *The main goal of the Central Arbitration Committee is to offer arbitration to the parties to an industrial dispute*; esta comisión, creada por ley parlamentaria, ofrece mediación a las partes en un conflicto laboral; V. *industrial dispute*), **Central Statistical Office** (GRAL Centro Nacional de Estadística del Reino Unido, que publica el *Blue Book* o *Central Statistical Office Publication*, con datos de la renta nacional y de las cuentas públicas)].

CEO *n*: MERC V. *chief executive officer.*

certain *a*: GRAL indudable, cierto, preciso, definitivo; V. *ascertain.* [Exp: **certain annuity** (SEGUR anualidad/renta a término fijo; seguro mixto a término fijo), **certain contract** (MERC contrato conmutativo), **certainty** (GRAL certidumbre, certeza; seguridad, convicción; inevitabilidad), **certainty of allegations** (PROC certeza y claridad de las alegaciones procesales), **certainty of law** (PROC seguridad jurídica), **certainty, under** (GRAL en condiciones de certeza; V. *under risk*)].

certificate *n*: GRAL certificado, título, partida. [Exp: **certificate of acknowledgment** (GRALL/PROC acta/certificado notarial de reconocimiento; en él las partes admiten la autoría de algún documento jurídico), **certificate of authentication** (GRAL certificado de autenticación de un documento), **certificate of completion** (GRAL certificado de obra acabada), **certificate of convenience and necessity** *US* (ADMIN certificado de utilidad pública extendido al peticionario de una concesión de transporte de personas o mercancías, concesión de una licencia o franquicia estatal a una empresa por razones de interés público; V. *certificate of necessity*), **certificate of damage** (SEGUR certificado de averías), **certificate of deposit, CD/c.d.** (MERC certificado de depósito), **certificate of eviction** (CIVIL orden de desahucio), **certificate of freeboard** (MERC certificado de francobordo), **certificate of incorporation** (MERC certificado de constitución o de incorporación de una sociedad mercantil ◊ *A certificate of incorporation is a company's birth certificate*; el responsable del Registro de Sociedades extiende este certificado cuando comprueba que el *memorandum of association,* los *articles of association* y demás documentos cumplen los requisitos marcados por la ley; en algunos Estados norteamericanos también se usa el término *certificate of incorpor-*

ation en el sentido de *memorandum of association* o en el de *articles of association*; V. *memorandum of association, comply with the statutory requirements*), **certificate of independence** (LABORAL certificado de reconocimiento de independencia; este certificado, expedido por el *Certification Officer*, garantiza que un sindicato es independiente y que no está sometido a ningún control empresarial; sólo los sindicatos que posean este certificado pueden tener acceso a información privilegiada *–disclosure of information–*, gozar de la condición o *status* de tener miembros liberados, etc.]), **certificate of occupancy** *US* (CIVIL cédula de habitabilidad; V. *occupancy permit, building permit*), **certificate of registration of title to a property** (CIVIL título de propiedad), **certificate of residence** (CIVIL carta de vecindad, certificado de residencia; V. *bearer certificate*), **certificate of registry** (MERC patente de navegación; certificado de registro)].

certification[1] *n*: GRAL certificación, certificado, atestación. [Exp: **certification**[2] (LABORAL legalización o reconocimiento por *The National Labor Relations Board* de la formación de un sindicato en una unidad empresarial, que es la voz de los empleados de dicha unidad; V. *union certification, bargaining unit, bargaining agent*), **certification officer** (LABORAL funcionario que expide los *certificates of independence* y es responsable ante el Ministerio de Trabajo de la fiscalización de las cuentas de los sindicatos, etc.; V. *certificate of independence*)].

certify *v*: GRAL certificar, acreditar, dar fe, comprobar, atestiguar, afirmar, autorizar ◊ *The doctor certified that the victim had died between 2 and 6 a.m.*; V. *attest, authenticate, bear witness to*. [Exp: **certified bill of lading** (MERC conocimiento con certificación consular), **certified cheque** (MERC cheque conformado, aceptado o visado), **certified copy** (MERC copia certificada, copia auténtica, copia testimoniada; V. *attested copy*), **certified public accountant, CPA** (MERC contador público, censor público/jurado de cuentas; contable; V. *American Institute of Certified Public Accountants*), **certifying** (ADMIN fehaciente), **certifying officer** (ADMIN funcionario autorizado)].

certiorari[1] *n*: CIVIL auto de avocación dictado por *The High Court of Justice* a un tribunal inferior ◊ *The defence applied for judicial review of the case, and obtained a writ of certiorari removing the matter to the Supreme Court*; el *certiorari*, junto con el *mandamus* y el *prohibition*, es un auto de prerrogativa que puede dictar el *High Court of Justice* a cualquiera de los tribunales inferiores dentro de su jurisdicción de control y tutela de los mismos *–jurisdictional review–*, avocando para sí la causa pendiente en un tribunal inferior; V. *mandamus, prohibition*. [Exp: **certiorari** *US* (PROC recurso de amparo [constitucional]; dos son las vías de acceso *–routes–* a la jurisdicción de revisión judicial *–judicial review–* del Supremo: el recurso de amparo *–certiorari–* y el recurso de apelación *–appeal to the court–*; en la primera vía, el demandante *–petitioner–* pide *–petitions–* al Supremo que conceda el amparo *–grant a writ of certiorari–*; la diferencia entre el auto de amparo y el recurso de apelación reside en el hecho de que la apelación obliga al tribunal a revisar la sentencia del tribunal inferior, siempre que una ley autorice al recurrente *–authorizes the petitioner/ appellant–* a hacerlo, mientras que el auto de amparo es una prerrogativa o discrecionalidad *–discretion–* que tiene el Supremo para entrar a conocer de un asunto *–hear a case–*; por tanto, hay dos formas de revisión judicial en el Tribunal Supremo de los Estados Unidos: revisión por medio de auto de amparo *–review on a writ of certiorari–* y revisión por medio de recurso directo *–direct appeal–*.

cessation *n*: GRAL/INTER cese, suspensión ◊ *Before an armistice can be agreed there must be cessation of hostilities*; V. *ceasefire.*

cesser *n*: CIVIL extinción anticipada de un derecho o interés; cesación de responsabilidad; omisión, negligencia. [Exp: **cesser clause**[1] (MERC cláusula de exención de responsabilidad del fletador en los contratos de fletamento), **cesser clause**[2] (CIVIL cláusula de extinción de hipoteca al abonar los plazos)].

cession *n*: CIVIL/MERC cesión, traspaso, transferencia; V. *transfer, assignment.* [Exp: **cessionaire** (CIVIL/MERC cesionario), **cessionary bankrupt** (MERC fallido o quebrado que todos sus bienes)].

cestui que trust *n*: CIVIL beneficiario de los bienes que están a cargo de fiduciario; V. *trustee, beneficiary of a trust.* [Exp: **cestui que use** (CIVIL usufructuario; transmitente, cedente; término del francés antiguo, en el que *use* significa «beneficio, usufructo, uso o disfrute»), **cestui que vie** (CIVIL beneficiario vitalicio de una propiedad; persona cuya vida sirve de punto de referencia de la posesión o concesión de un interés en una heredad)].

C.G.T. *n*: FISCAL V. *capital gains tax.*

chain *n*: GRAL/MERC cadena, encadenamiento ◊ *The family's fortune is based on their ownership of a chain of department stores.* [Exp: **chain of causation** (PROC nexo causal, cadena de causalidad), **chain of title** (CIVIL cadena o antecedentes de título; consta de las sucesivas transferencias de propietarios de un inmueble; V. *abstract of title*)].

chair *n/v*: GRAL presidencia; presidir, moderar ◊ *The meeting was chaired by the Head of Finance*; V. *preside over.* [Exp: **chairman, chairperson, chairwoman** (MERC presidente [de un órgano o asamblea]; moderador; V. *president, CEO*), **chairman and chief executive** (MERC presidente y máximo responsable/ejecutivo, especialmente en el Reino Unido, en donde el término *president*, con frecuencia, a un cargo honorífico sin poder ejecutivo; sin embargo, no todas las estructuras empresariales son iguales y los títulos fuera de su contexto pueden ser a veces engaños; V. *president, CEO*), **chairman's report** (MERC informe del presidente del consejo de administración, memoria anual de la sociedad; V. *company report, directors' report*), **chairmanship** (MERC presidencia; V. *co-chair man, joint-co-chairmanship*)].

challenge *n/v*: GRAL reto, oposición, impugnación, recusación, desafío; impugnar, objetar, oponerse, recusar, poner en tela de juicio; V. *traverse, dispute, recuse, peremptory challenge.* [Exp: **challenge a judgment** (PROC impugnar una sentencia; V. *attack a judgment*), **challenge a juror** (PENAL/CIVIL recusar o tachar a un jurado ◊ *That juror has been challenged by one of the parties*; las principales causas que se esgrimen en la recusación del jurado son la inhabilitación o descalificación *–disqualification–*, la inelegibilidad *–ineligibility–* o la parcialidad *–partiality–* de los miembros de la lista), **challenge a precedent** (PROC desafiar, recusar un precedente), **challenge for cause** (PROC recusación/tacha con causa o justificación), **challenge for favour** (PROC tacha por parcialidad), **challenge of a juror** (PROC recusación, tacha o impugnación de un jurado; V. *challenge a juror*), **challenge a precedent** (PROC desafiar, objetar recusar [la pliación de] un precedente), **challenge propter affectum** (PROC recusación/tacha por parcialidad), **challenge propter defectum** (PROC recusación por falta de competencia), **challenge propter delictum** (PROC recusación por delincuencia), **challenge to the array** (PROC tacha, recusación, objeción a todo el jurado; la defensa puede tachar a todos los miembros de la lista de candidatos a miembros del jurado alegando parcialidad en el funcionario que confeccionó dicha lista; también se llama *challenge to the whole array* o *challenge propter affectum*), **challenge to the separate polls** (PROC tacha, recusación, objeción a determinados miembros del jurado), **challenge to the whole panel** (PROC tacha, recusación, objeción a todo el jurado colectivamente)].

chamber *n*: PROC sala, cámara o despacho privado del juez; se suele usar en plural: V. *camera, in chambers*. [Exp: **chamber aid** *US* (PROC ayudante del despacho privado del juez; V. *aid*), **chamber of commerce** (MERC cámara de comercio), **chamber of presence** (PROC sala de estrados), **chambers** (PROC despacho o bufete de un *barrister*), **chambers, in** (PROC en sesión secreta, a puerta cerrada ◊ *When family matters are involved in a civil cause it may be heard in chambers, where the public is not present*; V. *in camera, closed session; open court*), **chamber judgment** (PROC sentencia leída en privado)].

champarty/champerty and maintenance *n*: PROC mediación interesada en un pleito por persona indebida; la forma *champerty* se considera hoy obsoleta; al que propicia esta mediación indebida se le llama *champertor*; V. *barratry*.

champion *col n/v*: GRAL defensor de una causa; defender, ponerse al frente de una causa ◊ *He is a very brave as well as a very brilliant barrister, and has championed the cause of human rights in some famous cases*.

chance *n*: GRAL fortuna, suerte, riesgo. [Exp: **chance-medley** (PENAL homicidio en una pelea o reyerta *–affray–*; homicidio en legítima defensa *–homicide in defending one's self–*; V. *death by misadventure*)].

Chancellor *n*: CONST Canciller V. *Lord Chancellor*. [Exp: **Chancellor of the Exchequer** (ministro de Hacienda ◊ *The Chancellor of the Exchequer, whose position is usually regarded as next in importance after the Prime Minister, lives at 11 Downing Street*; V. *Exchequer*)].

Chancery Division *n*: PROC División o Sala de la Cancillería; es la Sala de *The High Court of Justice*, encargada de conocer los pleitos de mayor cuantía relacionados con quiebras, hipotecas, escrituras, testamentarías contenciosas, administración de patrimonios, etc.; tiene dos tribunales especiales: uno, el tribunal de sociedades mercantiles *–Companies Court–*, que entiende de los pleitos y cuestiones de estas sociedades, y otro, el tribunal de patentes *–Patents Court–*, que resuelve las cuestiones relacionadas con las patentes; los pleitos de esta división se incoaban por medio de *originating summons*; V. *High Court of Justice; originating summons*.

change *n/v*: GRAL cambio, traslado; cambiar ◊ *When a property changes hands, fresh title deeds must be drawn up*. [Exp: **change hands** (CIVIL cambiar de dueño o de propietario), **change of possession** (CIVIL traspaso), **change of plea** (CRIM cambio en las alegaciones de la defensa), **change of venue** (CIVIL traslado de jurisdicción)].

chapter *n*: GRAL cabildo, capítulo. [Exp: **chapter 11** *US* (MERC/PROC capítulo de la Ley de Quiebras que protege al quebrado *–bankrupt–* que presenta un plan de rehabilitación y reorganización *–rehabilitation and reorganization–* de la empresa, no de liquidación *–liquidation–* de la misma; el concepto más aproximado en el Reino Unido es *administration order*; V.

bankruptcy, straight bankruptcy, reorganization of a company), **chapter house** (GRAL sala capitular)].

character[1] *n*: GRAL reputación, fama, rasgos morales y personales; suele ir acompañado de *good*. [Exp: **character**[2] (GRAL recomendación; carta de recomendación que da el empresario al empleado ◊ *The letter of recommendation gave her an excellent character*; V. *letter of recommendation*), **character assassination** (PENAL difamación de un personaje público dirigida a arruinar su reputación; V. *slander*), **character evidence** (PROC testimonio de reputación), **character loan** (MERC préstamo a persona de solvencia, sin garantía colateral), **character witness** (PROC testigo de conducta y carácter o de solvencia moral ◊ *The man, summoned by the defence as a character witness, told the court that the accused was a quiet man, a good worker and a family man*; V. *trustworthiness*)].

charge[1] *n*: GRAL/MERC coste, precio, cargo, adeudo ◊ *Bank charges are going up and up, especially if you use cheques*. [Exp: **charge**[2] (MERC/CIVIL gravamen, carga, garantía de una deuda, exacción; canon, derechos, tasa; afección en pago, afectar, dar como garantía, gravar ◊ *The company was forced to charge part of its assets as security for the debt*; V. *chargee, charges, charges register; dues; legal charge*), **charge**[3] (GRAL encargar ◊ *The Central Investigation Agency or CIA is charged with the security of the country*; V. *entrust*), **charge**[4] (PENAL cargo, acusación, imputación ◊ *When there is sufficient evidence of the commission of an offence by an arrested person, the custody officer notes down the specific accusation on the charge sheet*; V. *accusation, count, on a charge of, bring charges against sb, face charges, answer charges, indict; discharge, charge with a crime*), **charge**[5] (PENAL imputar, acusar a alguien de falta o delito ◊ *The man was arrested and taken to the police-station where he was formally charged with murder*; V. *accuse, indict*), **charge**[6] (PROC instrucción; dar instrucciones; V. *charge a jury, charge to jury, general charge*), **charge**[7] (MERC cobrar, cargar en cuenta, adeudar ◊ *Please charge the bill to my account*: V. *overcharge, undercharge*), **charge**[8] *der es* (PROC/CIVIL/ADMIN conminación, advertencia, prevención, emplazamiento, apercibimiento; apremio, diligencia de apremio/embargo, advertencia de embargo; mandamiento judicial, ejecución, orden de ejecución; V. *distraint, enforcement, execution, fieri facias, order, subpoena, warning, warrant*), **charge a jury** (PROC instruir o dar instrucciones al jurado; V. *charge to jury*), **charge-and-discharge statement** (CIVIL informe emitido por el albacea sobre la masa hereditaria y el destino que se le debe dar a la misma), **charge by way of legal mortgage** (CIVIL afección en pago con fuerza de hipoteca), **charge account** (MERC cuenta de crédito, cuenta abierta), **charge certificate** (MERC/CIVIL certificado de inscripción inmobiliaria), **charge note** (MERC cuenta de flete; V. *accrued charges, operating charges, salvage charges, surrender charge*), **charge of, in** (GRAL al frente de, a cargo de, al mando de), **charge of indictment** (PENAL cargos que dan lugar al procesamiento), **charge of, on a** (acusado de), **charge off** (MERC dar de baja [en libros], cancelar con cargo a beneficios), **charge on transactions** (MERC canon sobre las transacciones), **charge sheet** (PENAL lista de detenidos con expresión de la acusación completa que consta en comisarías y en Tribunales de Magistrados; V. *charge*[4]), **charge to jury** (PROC/PENAL instrucciones al jurado, discurso final que da el juez al jurado antes de que éste se retire a deliberar sobre el veredicto; este discurso, también llamado *jury instructions*, contiene instrucciones y orientaciones sobre las normas jurídicas que son de aplicación y que, por tanto, los miembros del jurado deben aceptar y aplicar; en los Estados Unidos, el discurso del juez suele ser mucho más breve y, sobre todo, más abstracto que en el Reino Unido; en particular, el sistema estadounidense no permite que el juez evalúe jurídicamente las pruebas ni que explique su significado debidamente despojado de tecnicismo, como ocurre en los juicios británicos; tampoco permite que el juez ofrezca al jurado un resumen en lenguaje llano de los puntos más destacados, como hacen los jueces británicos; pero ambos sistemas requieren que el juez recuerde a los jurados que son los únicos responsables de determinar la verdad de los hechos –*the only trier of fact*– y que han de estar convencidos *beyond a reasonable doubt* –sin que persista una duda razonable– para pronunciar un fallo condenatorio –*conviction*–; en caso contrario, es decir, ante la persistencia de cualquier duda razonable, su fallo debe ser de inocente; por último, se les recuerda a los jurados que la carga de la prueba –*burden of proof*– recae sobre la parte acusadora; a la defensa le basta con que la acusación fracase o con que quede alguna duda; V. *guilty, mens rea, summing-up*), **charge with a crime** (PENAL acusar; V. *discharge*), **chargeable** (PENAL imputable, sometido, acusable; [susceptible de ser] imputable; sujeto, obligado), **chargeable gain** (FISCAL plusvalía imputable, incremento patrimonial sujeto a contribución ◊ *In calculating a chargeable gain, the cost of the asset may be increased to take account of inflation*), **chargeable period** (FISCAL período impositivo), **chargee** (CIVIL acreedor titular de de un derecho de garantía –*charge*[2]–), **charged [with crime]** (PENAL imputado, acusado; V. *accused, indictee, prisoner at the bar*), **charged [with notice]** (PROC dado por notificado; V. *constructive notice*), **charges** (GRAL gastos atribuibles o asignables a una transacción), **charges register** (CIVIL relación de cargas ◊ *Interests adverse to the proprietor, such as mortgages, easements, etc. are charges*; parte tercera de un asiento o inscripción en el *Land Register*, en la que se relacionan las cargas, los gravámenes, las hipotecas, etc., si las hay; V. *encumbrances, land register, registration of encumbrances*), **charging document** (PENAL escrito de acusación, escrito de denuncia ◊ *The complaint, the information and the indictment are three charging documents*), **charging lien** (PROC gravamen del letrado o abogado; derecho o privilegio sobre un determinado bien), **charging order** (CIVIL auto judicial ordenando el pago mediante el embargo de bienes del deudor)].

charity[1] *n*: CIVIL institución benéfica, obra benéfica, institución, entidad o sociedad de beneficencia; V. *benefit society, beneficial association, eleemosynary corporation*. [Exp: **charity**[2] (GRAL donación, beneficiencias), **charity fund** (GRAL fondo destinado a beneficencia o fines benéficos), **charitable** (GRAL benéfico, de beneficencia ◊ *Money collected or set aside for charitable purposes may be tax-deductible*), **charitable corporation/institution** (CIVIL entidad benéfica, sin fines lucrativos, caritativa o de beneficencia), **charitable remainder** (CIVIL bienes de una sucesión transferidos a una institución benéfica, cuando se han extinguido los intereses de terceros), **charitable trust** (CIVIL fideicomiso benéfico de caridad o beneficencia que el fideicomisario –*trustee*– debe promover; V. *beneficial association, benefit society*)].

chart *n*: GRAL/MERC cuadro, plan, carta náutica, *chart*; escritura de constitución; V. *organisation chart.*

charta partita *n*: MERC V. *charter party.*

charter[1] *n/v*: MERC/CIVIL privilegio real, cédula real, carta estatutaria; carta fundacional, escritura de constitución; estatuir, establecer por ley, constituir, autorizar ◊ *British Universities are founded by charter, i.e. by express grant of privilege from the Crown*; también se le llama *royal charter*; las entidades de beneficencia, las academias *–learned societies–* son *chartered societies* porque se han constituido mediante cédula o privilegio real; el término *charter* deriva del latín *charta* y, en ese sentido, equivale a «privilegio» o «carta real» *–royal charter–*; muchas instituciones británicas como las entidades de beneficencia o patronazgo *–charities–*, las academias o *learned societies*, etc., son *chartered societies* porque se han constituido mediante cédula o privilegio real; V. *indenture.* [Exp: **charter**[2] (MERC fletamento, alquiler de un medio de transporte; fletar [un barco, autobús, etc.] para un viaje discrecional; con el mismo significado original de «carta» de la acepción anterior, se ha empleado en el mundo del transporte marítimo y, después, en todos los demás, en el sentido de «carta de navegación»; V. *bare-boat charter, lump sum charter*), **Chartered Institute of Insurance, CII** (SEGUR Colegio Oficial de Aseguradores), **charter member** (MERC miembro fundador), **charter party** (MERC póliza de fletamento, carta, contrato de fletamento de un buque, contrato de arrendamiento de un buque ◊ *A charter party is an arrangement by which the owner of a ship lets his ship to a person, known as the charterer, for the purpose of carrying a cargo*; el término *charter party* es una derivación de «charta partita», porque el contrato, tras su firma, se dividía en dos partes que guardaban cada uno de los contratantes), **chartered**[1] (GRAL autorizado, contratado, fletado, discrecional, colegiado ◊ *A chartered flight*), **chartered**[2] (GRAL oficial; autorizado; constituido; legalmente reconocido; fundado mediante cédula real; V. *chartered bank*), **chartered accountant, C.A.** (MERC censor público/jurado de cuentas, contador público titulado, experto contable, perito, diplomado en contabilidad; su colegio profesional es *The Institute of Chartered Accountants*, pudiendo ser sus colegiados miembros de pleno derecho o *fellows* y asociados o *associates*; estos profesionales no deben confundirse con los *certified accountants*; V. *certified public accountant*), **chartered bank** (MERC banco con privilegios), **chartered company** (MERC sociedad mercantil nacional creada por cédula real; V. *registered companies, statutory companies*), **charterer** (MERC fletador), **chartering agent** (MERC corredor de fletamentos, agente fletador; son comisionistas cuya función es buscar –en nombre de los transportistas– buques para transportar sus cargamentos), **chartering broker** (MERC corredor fletador; son intermediarios de los armadores que buscan empleo para sus buques)].

chase *n/v*: GRAL/PENAL caza, persecución; perseguir, dar caza ◊ *An armed and dangerous fugitive was captured and brought into custody after a long hunt*; V. *pursue, hunt.*

chastisement *n*: PENAL correctivo, castigo, pena corporal ◊ *In English law a parent or guardian had the right to inflict reasonable and moderate physical punishment or chastisement on his children*; V. *retribution.*

chattel-s *n*: CIVIL bienes muebles, enseres, prenda; derecho; propiedad personal o mobiliaria ◊ *Property in English law may be divided into real property and chattels*;

esta palabra deriva de *cattle*, siendo sus significados originales «ganado» y «hacienda»; V. *corporal chattel, personal belongings, personal effects, goods and chattels; real property, freehold, fee*; los *chattels* se dividen en **chattels personal** (CIVIL efectos personales, bienes tangibles) y **chattels real** (CIVIL bienes raíces que se disfrutan en arrendamiento), **chattel lien** (CIVIL derecho de retención sobre una cosa mueble), **chattel mortgage** (CIVIL hipoteca prendaria, derecho de garantía sobre una cosa mueble, gravamen sobre bienes muebles, crédito mobiliario, prenda, pignoración)].

cheat *n/v*: PENAL tramposo, estafador, cónyuge infiel; trampa, estafa; estafar, hacer trampas, timar, defraudar ◊ *She cheated her brother out of his share in the estate*; V. *swindle, embezzle, faud, trick, bribery, swindle, dole cheat.* [Exp: **cheater** *US* (CRIM impostor, suplantador; V. *fraud, crook, swindler*), **cheating** (PENAL estafa; V. *fraud*)].

check[1] *n/v*: GRAL revisión, examen, reconocimiento, comprobación, inspección, control, verificación; comprobar, inspeccionar, fiscalizar, revisar, controlar, verificar, compulsar, cotejar; puntear ◊ *Bills and invoices have to be checked carefully for errors*; V. *oversee, inspect.* [Exp: **check**[2] (GRAL obstáculo, restricción, freno; parar, impedir, refrenar, atajar, obstaculizar ◊ *These subsidiary rules act as a check to unscrupulous business methods*; V. *checks and balances; stop, restrain, curb, suppress*), **check**[3] *US* (MERC cheque, talón; en inglés británico se prefiere la forma *cheque*; V. *outstanding*), **check against** (GRAL cotejar con), **check an account** (MERC comprobar/puntear una cuenta), **checks and balances** *US* (CONST frenos y equilibrios, frenos y contrapesos; el sistema de división de poderes *–separation of powers–* entre el legislativo, el ejecutivo y el judicial de los EE.UU. está atemperado *–tempered–* por complejos mecanismos llamados de «frenos y contrapesos»; por extensión se emplea también al hablar de los equilibrios de poder que deben existir entre las fuerzas de los órganos de decisión o de gestión económica; V. *separation of powers*), **check clearing** (MERC compensación bancaria de cheques), **check book** *US* (MERC chequera, talonario de cheques; V. *cheque-book*), **check kiting** (MERC emisión de cheques sin fondos), **check off**[1] (GRAL dar el visto bueno) **check-off**[2] *US* (LABORAL cuota sindical descontada del salario; descontar del sueldo la cuota sindical y remitirla al sindicato), **checking** (GRAL/MERC comprobación, verificación, contrastación), **checking account** *US* (MERC cuenta corriente, también llamada *demand deposit account*; en el Reino Unido los términos utilizados son *current account, cheque account* o *drawing account*), **checking deposit** (MERC depósito a la vista), **checkpoint** (GRAL punto de control o vigilancia; V. *watchdog*), **checks and balances** *US* (GRAL frenos y equilibrios; se emplea al hablar de los equilibrios de poder que debe existir entre las fuerzas de los órganos de decisión política o de gestión económica)].

cheque *n*: MERC talón, cheque; en inglés americano se prefiere la forma *check*; V. *certified cheque, crossed cheque.* [Exp: **cheque alteration insurance** (SEG/MERC seguro contra alteración del importe del cheque), **cheque-book** (MERC chequera, talonario de cheques; V. *check book*), **cheque not covered by funds** (MERC cheque al descubierto; V. *flash check*), **cheque not transferable by endorsement** (MERC cheque nominativo), **cheque to the bearer** (MERC cheque al portador), **cheque to the order** (MERC cheque a la orden)].

chicanery *n*: GRAL superchería, trucos, trampas; sofismas, triquiñuelas, sutilezas; argucias, astucias ◊ *The chicanery of an unscrupulous lawyer*; V. *carp, cavil, quibble*.

chief *a/n*: GRAL principal, primer; jefe, director; V. *Lord Chief Justice, Chief Justice*. [Exp: **chief-clerk** (oficial mayor), **chief constable** (PENAL comisario-jefe de policía), **Chief Crown Prosecutor** (Fiscal jefe de zona; V. *Crown Prosecution Service*), **chief executive officer, CEO** (SOC presidente-director general; máximo responsable, consejero delegado, jefe ejecutivo; en la jerga española se emplea a veces la sigla inglesa *CEO* para referirse al presidente del consejo que además tiene las máximas responsabilidades ejecutivas; V. *chairman and chief executive*), **chief judge** (PROC juez presidente, juez decano, presidente de Sala), **Chief Judge of the Circuit** *US* (CONST presidente de un circuito judicial federal *–federal judicial circuit–*; V. *United States Court of Appeals*), **Chief Justice** *US* (PROC Presidente del Tribunal Supremo), **chief of police** (PENAL comisario jefe de policía), **chief office** (MERC sede principal), **chief officer** (GRAL primer oficial), **chief witness** (PROC testigo principal), **Chief Operating Officer, COO** (GRAL Director General)].

child/children *n*: GRAL/CIVIL menor/es ◊ *For the purposes of law, a child is any person under the age of 18*; V. *minor, foundling*. [Exp: **child abuse** (PENAL malos tratos a un menor), **child abduction** (PENAL secuestro, rapto o sustracción de menores ◊ *When children are abducted in the UK, a little- known legal officer, the High Court Tipstaff, plays a crucial role*); **child allowance** (FISCAL desgravación por hijos, subsidio familiar por hijos, V. *allowance, relief; family allowance*), **child benefit** (GRAL ayuda familiar; V. *family benefit*), **child selling** (CRIM venta de niños), **child stealing** (PENAL secuestro o rapto de menores), **children's court** (CIVIL tribunal de menores), **children in care** (CIVIL acogimiento de menores, menores bajo la tutela de cualquier institución pública por haber sido abandonados por sus padres o por haber cometido algún delito; V. *custody*; V. *care and control; abduct, kidnap*)].

chill *n/v*: GRAL frío, enfriamiento, estremecimiento; enfriar, helar; se usa en expresiones como *a chill in international relations* –un enfriamiento en las relaciones internacionales–. [Exp: **chilling a sale** (MERC manipulación del precio de un producto vendido o subastado por acuerdo entre los compradores; V. *combination/conspiracy in restraint of commerce/trade, illegal combination, code of fair competition/trading, Restrictive Practices Court, price-fixing*), **chilling effect doctrine** *US* (CONST doctrina del efecto disuasorio; alude a la ley o práctica jurídica que disuade *–deters–* del ejercicio de algún derecho constitucional *–the exercise of a constitutional right–*; V. *deter, deterrent*)].

choice of court/law *n*: PROC elección del tribunal o del derecho aplicable; V. *conflict of law*.

chose *n*: CIVIL cosa, bien, posesión ◊ *A chose in action, for example a negotiable instrument, is a property right which can only be enforced by legal action*; V. *appurtenant, negotiable instrument*; en el derecho inglés un *chose* es fundamentalmente un bien mueble, pero, como también puede ser un derecho, en la práctica se distinguen dos clases: **chose in possession** (CIVIL bien mueble, objeto o propiedad; bien susceptible de posesión corporal: un collar, un coche, un cuadro, etc.; V. *corporal property*), **chose in action** (CIVIL derecho a promover una acción para recuperar una deuda o dinero por incumplimiento de contrato, daños y perjuicios, etc.; en este sentido es sinónimo parcial de *right of action*; también se aplica a los bienes muebles, enseres, etc. *–personalty, chattels–* que el demandante desea recuperar al estar injustamente *–wrongfully–* en manos de otros; V. *right of action*). Exp: **chose local** (CIVIL anexo a una propiedad, accesorio a un inmueble)].

CI, c&i *n*: MERC V. *cost and insurance*.

CID *n*: PENAL V. *Criminal Investigation Department*.

CIF, cif *n*: MERC V. *cost, insurance and freight; incoterms; customer information file*.

CII *n*: MERC V. *Chartered Institute of Insurance*.

circuit *n*: GRAL/CONST distrito judicial, división o región judicial, circuito, partido judicial; V. *federal judicial circuit; district*. [Exp: **circuit court** (PROC tribunal de circuito judicial; este término en la jurisdicción federal designa a un tribunal de apelación, pero este mismo término en algunos estados puede aludir a un tribunal de primera instancia que tiene jurisdicción en varios condados), **circuit court of appeal** *US* (PROC tribunal federal de apelaciones, con competencias en varios estados; V. *United States Courts of Appeal*), **circuit judge** (PROC juez titular, juez comarcal o de circuito judicial; estos jueces son nombrados de entre abogados *–barristers–* de prestigio que cuenten con más de siete años de práctica profesional; V. *federal circuit judge*), **circuity of action** (PROC complejidad procesal evitable)].

circulation *n*: GRAL circulación; se aplica no sólo a *traffic* sino también a *rumours, news, money, water*, etc.; V. *free circulation; congestion*. [Exp: **circulation**[3] **[of money]** (MERC/ADMIN dinero en circulación, circulación monetaria; V. *put into circulation*), **circulation statement** *US* (GRAL informe mensual del Departamento del Tesoro en el que comunica la cantidad de dinero en circulación *–outstanding–* y el efectivo en poder del Departamento del Tesoro y de los *Federal Reserve Banks*)].

circumstance *n*: GRAL circunstancia, hecho; V. *aggravating/extenuating/exonerating circumstances*. [Exp: **circumstances beyond our control** (GRAL circunstancias ajenas a nuestra voluntad), **circumstantial evidence** (PROC pruebas indirectas; indicios, prueba circunstancial o indiciaria; conjetura fundada en la probabilidad ◊ *Contrary to popular belief, circumstantial evidence may lead to conviction if direct evidence is not available*; V. *direct evidence, hearsay evidence*), **circumstantially** (GRAL circunstancialmente, incidentalmente, de forma accesoria)].

circumvent *v*: GRAL enredar, engañar con artificios, burlar, salvar [obstáculos] ◊ *The new proposals try to prevent countries from circumventing countervailing duties on products they are subsidising*. [Exp: **circumvention** *frml* (GRAL engaño, impostura, trampa, enredo, embrollo)].

citation *n*: PROC emplazamiento judicial, notificación, convocatoria, citación de comparecencia ante un tribunal; cita de fuentes de autoridad doctrinal, procesal, etc. ◊ *They received citations to appear in court as witnesses*; V. *call, notice, citation, service, writ of summons*. [Exp: **citation of authorities** (GRAL/PROC cita/invocación de autoridades, como leyes *–statutes–*, normas procesales *–rules–*, reglamentos *–regulations–*, precedentes *–legal cases–*, etc. ◊ *Citations of authorities are often made in support of the legal positions contended for*; V. *quotation*), **cite**[1] (GRAL/PROC citar, mencionar, alegar, invocar fuentes, autoridades, etc.), **cite**[2] *US* (PROC, PENAL emplazar, citar, convocar ◊ *«No trespassing»; violators will be cited per sec 2714.2 of Streets and Highways Code*), **cite**[3] *US* (PROC nombrar ◊ *«He was cited as representative of the* *defendant*), **cite**[4] (PROC citar, distinguir, dar una distinción ◊ *Dr. Stuart was cited for his great professionalism*)].

citizen *n*: CONST ciudadano, natural; particular; V. *British citizen, subject, individual, national, private person*. [Exp: **citizenship** (CONST ciudadanía, nacionalidad ◊ *He was born abroad but acquired British citizenship through his mother*; V. *naturalization, naturalization, registration*)].

City *n*: GRAL Londres; distrito financiero de la ciudad de Londres situado a la orilla norte del río Támesis. [Exp: **city authority clause** *US* (SEGUR protección por los daños causados por los bomberos o agentes municipales en su actuación contra el fuego), **City Code** (MERC normas de las instituciones financieras de la *City* londinense, entre las que destacan la de facilitar información sobre opas y fusiones ◊ *The main purpose of the City Code is to ensure that shareholders in public companies should have full information about intended takeovers and mergers, and that they, rather than the Board, should make the decisions in such cases*; V. *takeover, dawn raid*), **city corporation** (GRAL ayuntamiento), **city hall** (GRAL ayuntamiento, casa consistorial), **city planning** (ADMIN urbanismo; V. *town planning; planning authority*)].

civil *a*: civil; V. *civil disability, attainder, consolidated fund, tort, common law*. [Exp: **civil action** (CIVIL proceso civil, demanda o acción legal o judicial; V. *claim form, summons*), **civil authority clause** (SEG/ADM cláusula de daños producidos por bomberos o agente de la autoridad), **civil bail** (CIVIL caución por acción civil), **civil code** (CIVIL código civil; no existe un código completo de las leyes inglesas; este término se emplea para hablar de los códigos de otros países, especialmente los derivados del derecho romano; en cambio, en los Estados Unidos las leyes están codificadas en *The United States Code, USC*), **civil contempt** (CIVIL cuasi-contumacia, desacato indirecto; V. *contempt of court*), **civil court** (PROC tribunal, juzgado o sala de lo Civil), **civil damages** (CIVIL daños civiles, daños producidos por infracción de la legislación antialcohólica), **civil death** (CIVIL muerte civil, privación de los derechos, inhabilitación perpetua), **civil disability** (CIVIL incapacidad jurídica o legal), **civil disorder** (CIVIL disturbio, desorden público), **civil docket** (PROC lista de señalamientos), **civil law** (CIVIL derecho civil; V. *law of tort-s*), **civil liability** (CIVIL responsabilidad civil), **civil liability contribution** (GRAL parte alícuota de la indemnización por responsabilidad civil), **civil liberties** (CONST garantías constitucionales, derechos individuales; V. *academic freedom, right of assembly*), **Civil List** (CONST lista civil o presupuesto de la Casa Real Inglesa ◊ *The Civil List for the upkeep of the royal household is adjusted annually*), **civil penalty** (ADMIN multa administrativa), **Civil Procedure Rules** (PROC/CIVIL ley de enjuiciamiento civil, normas procesales civiles; promulgada esta ley en 1998, sustituye a *The Rules of the Supreme Court* y *The County Court Rules*; V. *Federal Rules of Civil Procedure*), **civil rights** (CONST derechos civiles, derechos subjetivos), **civil servant** (ADMIN funcionario público, V. *functionary, government official, public servant*), **Civil Service** (ADMIN Administración civil del Estado, administración civil del Estado, funcionariado de la Administración civil; función pública; V. *The Crown*[2]), **civil service job** (ADMIN puesto o nombramiento de la Administración civil del Estado) **civil status** (CIVIL estado civil), **civil wrong** (CIVIL ilícito civil extracontractual, daño; V. *tort*)].

claim[1] *n/v*: CIVIL/GRAL solicitud, petición, derecho subjetivo, reclamación, reivindicación; alegación; alegar, afirmar, exigir, reclamar, requerir, reivindicar ◊ *His claim was based on the will his mother made during her last illness*; el verbo *claim*, en su sentido de «afirmar o alegar», es sinónimo parcial de *state, affirm, declare, assert, maintain*; en el sentido de «reclamar» es sinónimo de *demand, exact*; V. *misclaim, no-claims bonus, put in a claim; assert; cargo claim*. [Exp: **claim**[2] (PROC demanda, pretensión [de una demanda]; demandar, pedir en juicio; desde finales de los años noventa se usa en sentido de *civil action* o demanda; V. *claim form; particulars of claim; defence; counterclaim*), **claim**[3] (CIVIL derecho; V. *right, title*), **claim adjuster** (CIVIL tasador o ajustador de reclamaciones; V. *adjustment of claim*), **claim and delivery** (PROC acción posesoria respecto de cosas muebles), **claim bond** (PROC fianza de reclamante), **claim damages/claim for damages** (PROC reclamar daños y perjuicios), **claim form** (PROC escrito de demanda, impreso de interposición de una demanda –*civil action*–; desde la reforma procesal civil de 1998 se utiliza en Inglaterra y Gales este término en vez de *writ of summons* o *request for a summons*; V. *issuing office*), **claimable** (CIVIL reclamable o exigible en derecho), **claimant** (CIVIL demandante, actor, litigante, derechohabiente, reclamante, pretendiente a un trono; desde la reforma procesal civil de 1998 se utiliza en Inglaterra y Gales este término en vez de *plaintiff*; V. *petitioner*), **claims [rate]** (SEGUR siniestralidad; V. *loss experience*)].

clare constat *der es*: instrumento que declara probado el título de propiedad de la persona nombrada en el mismo; se suele diferenciar entre *precept of clare constat* y *writ of clare constat*; V. *title deed*.

clash *nv*: GRAL/CRIM choque, pelea; chocar, pelear; V. *war, fight, brawl, quarrel*.

class *n*: GRAL clase. [Exp: **class action suit** *US* (PROC demanda colectiva o de grupo; son acciones de grupo en las que se hacen valer individualmente intereses compartidos por varios sujetos, por ejemplo en materia ambiental; acción civil ejercida conjuntamente por varios afectados; acción popular), **class gift** (CIVIL manda o donación referida a una clase de personas, más que a las personas concretas, por ejemplo: «A mis hijos lego...» en vez de «A mis hijos A y B les lego...»), **class rights** (MERC *n*: derechos [de voto, dividendos, etc.] correspondientes a una clase concreta de accionistas), **class struggle** (GRAL lucha de clases), **classification** (GRAL calificación de secreto o reservado), **classified material** (GRAL documentos secretos ◊ *Classified material is officially confidential material*), **classify** (GRAL clasificar como materia secreta o reservada, declarar secreto; V. *declassify, top secret*)].

clause[1] *n*: GRAL cláusula, artículo ◊ *Special care must be taken over the exact wording of each clause in a contract*; los artículos de los *Bills*, o proyectos de ley, se llaman *clauses*; en cuanto el proyecto se convierte en *Act* –ley–, se llaman *sections*; V *article, section, paragraph*. [Exp: **clause**[2] (SEGUR apéndice de una póliza de seguros), **claused** (GRAL con reservas; V. *qualified*), **claused bill of lading** (MERC conocimiento de embarque con reservas; V. *foul/dirty bill of lading; back letter*), **clausing** (MERC datos contenidos en una letra de cambio)].

clean *a*: GRAL/MERC limpio, sin tacha, incondicional, sencillo, simple, neto; limpiar; V. *dirty, foul, unclean, documentary, qualified*. [Exp: **clean acceptance** (GRAL/MERC aceptación libre o general), **clean bill of exchange** (MERC letra de cambio limpia, sin documentos o no documentaria), **clean bill of health** (MERC certificado de buena salud, patente de sanidad limpia), **clean bill of lading** (MERC conocimiento limpio, conocimiento sin reservas, objeciones, observaciones, salvedades o cláusulas restrictivas relativas a defectos de la mercancía, el embalaje, etc.), **clean break** (CIVIL/FAM arreglo financiero definitivo, especialmente en una sentencia de divorcio ◊ *It is the duty of the court to ensure, wherever possible, that a clean break is achieved through divorce settlements*; V. *property adjustment order*), **clean certificate** *US* (MERC informe de auditoría limpio o sin reservas; V. *qualified/unqualified opinion*), **clean charter** (MERC contrato limpio, contrato neto, contrato justo de fletamento), **clean driving licence** (ADMIN carnet/permiso de conducir limpio, sin apercibimientos ni notas de sanción), **clean hands** (CIVIL conducta intachable, manos limpias, conciencia sin culpa; para acudir a los tribunales de equidad o *equity*, las partes deben mostrar buena conducta; V. *equity*), **clean letter of credit** (MERC carta de crédito simple o abierta), **clean out** (GRAL limpiar, dejar sin blanca ◊ *She foolishly involved herself in a shady deal with a crook who cleaned her out in six months*), **clean up**[1] (MERC/GRAL limpieza, saneamiento; limpiar, sanear, reestructurar, reorganizar ◊ *The stricken company has been refloated but it will take millions to clean it up thoroughly*), **clean up**[2] *col* (GRAL sacar en limpio, llevarse una buena tajada, ponerse las botas ◊ *The crafty speculators cleaned up a million on the deal*), **clean-up**[3] (CIVIL/PENAL [operación de] limpieza, campaña anticorrupción, plan o programa de reforma de la vida pública, acción para combatir los abusos o las prácticas inmorales ◊ *Launch a clean-up campaign*)].

clear[1] *a*: GRAL limpio, sin mancha, sin cargas; V. *good title, marketable title, cloud on title, bad title, in the clear, dark.* [Exp: **clear**[2] (GRAL claro, convincente ◊ *It is a clear case*), **clear**[3] (GRAL neto, líquido; V. *net*), **clear**[4] (GRAL completo, natural, hábil ◊ *You have thirty clear days to file the claim*; se emplea en expresiones de cantidad; para el cálculo de plazos en que aparezca la palabra *clear* no se tendrá en cuenta ni el día de comienzo ni el último, es decir, «ambos exclusive»; V. *calendar clear*), **clear**[5] (PROC despejar o desalojar [la sala] ◊ *The judge ordered the courtroom to be cleared*), **clear**[6] (MERC/CIVIL compensar, liquidar, saldar ◊ *It is wise to wait until a cheque has been cleared before acknowledging receipt*), **clear**[7] (GRAL aclarar, disipar, despejar), **clear**[8] (PROC V. *be cleared*), **clear a mortgage** (MERC pagar o levantar una hipoteca), **clear and convincing proof** (PROC prueba clara y convincente/contundente), **clear day**[1] (CIVIL día hábil, completo o natural; V. *calendar clear, clear working days*), **clear days**[2] (CIVIL/MERC serie de días completos exceptuados el primer y el último, es decir, «ambos exclusive» ◊ *You have thirty clear days to file the insurance claim*; V. *clear working days*), **clear estate** (CIVIL propiedad libre de hipotecas, gravámenes, etc.), **clear, in the** (CIVIL/PENAL libre [de deudas, sospechas, imputaciones, etc.] ◊ *We have paid off the last mortgage instalment and we are now in the clear*), **clear reputation** (CIVIL reputación sin mancha), **clear title** (CIVIL título limpio, título seguro o inobjetable), **clear up** (GRAL aclarar, poner en orden, desembrollar), **clear working days** (CIVIL/MERC días completos excepto domingos y festivos; V. *clear days*), **clearance**[1] (MERC formalidades aduaneras, despacho de aduanas, certificación o recibo del pago de derechos de aduanas, salida del puerto ◊ *You'll have to obtain customs clearance before you can move the goods*; V. *customs clearance*), **clearance**[2] (MERC (liquidación [de existencias]; se emplea solo o en la expresión *clearance sale*]), **clearance**[3] (GRAL acreditación, identificación [seguridad] ◊ *We had to get security clearance before we were allowed into the building*), **clearance by customs** (MERC despacho de aduanas, aduanar), **clearance inwards** (MERC despacho de entrada, cumplimentación de las formalidades del despacho de entrada), **clearance order** (ADMIN orden de desalojo y derribo [de un grupo de casas, un barrio, etc.]. ◊ *The local council declared the houses unfit for human habitation and issued a clearance order, including arrangements for rehousing the people*), **clearance outwards** (MERC despacho de salida, cumplimentación de las formalidades del despacho de salida), **cleared, be** (PENAL absolver, ser declarado inocente, *be found innocent* ◊ *He was cleared of the charge of fraud*; V. *acquit, be found not guilty; atone, purge*), **clearing** (MERC compensación bancaria; convenio bilateral de pagos; V. *bank clearing, check clearing*)].

cleavage *n*: MERC V. *date of bankruptcy/cleavage.*

clemency *n*: PENAL indulto, clemencia, gracia; V. *leniency.*

clerical *n*: GRAL administrativo, de oficina. [Exp: **clerical error/mistake** (GRAL error de escritura o de anotación ◊ *Clerical mistakes in judgments may be corrected by the court at any time of its own initiative or on the motion of any party*), **clerical work** (LABORAL trabajo de oficina)].

clerk *n*: GRAL secretario, escribano, funcionario, administrativo, pasante ◊ *It is the duty of the clerk of the court to keep a full record of all proceedings and sometimes, as in appeals by «stated case», to draw up an account of them for official use*; V. *calendar clerk, articled clerk; marshal.* [Exp: **clerk of the court/court clerk** (PROC oficial del juzgado, secretario de un tribunal, escribano; actuario; V. *law clerk*), **Clerk of the House** (CONST Secretario Permanente de la Cámara de los Comunes), **Clerk of the Parliaments** (CONST Secretario Permanente de la Cámara de los Lores, entre cuyas funciones destaca la de fijar la fecha de las leyes tras la firma real), **clerk to the justices** (PROC letrado consejero o asesor de los tribunales de magistrados, en Inglaterra y Gales; como la mayoría de los jueces que forman los *Magistrates' Courts* son legos, estos letrados, también llamados *justices' clerks* o *magistrates' clerks*, les asesoran en cuestiones jurídicas y procesales), **clerkship** (PROC período de prácticas y formación jurídica)].

clinch *v*: GRAL afirmar, fijar, afianzar, confirmar ◊ *After the two companies had clinched the deal, a contract was drawn up and signed.*

clink *col n*: PENAL cárcel, chirona *col*, trena *col*, etc. ◊ *He fiddled the Stock Market and wound up in the clink*; V. *jail, gaol, jug, cooler, quod, can.*

clique *n*: PENAL manipulación fraudulenta de la bolsa por medio de acuerdos concertados entre inversores.

clog *n*: GRAL obstáculo, impedimento; obstruir, atascar.

close[1] *a*: GRAL minucioso, pormenorizado, reservado, íntimo, cerrado, estrecho ◊ *The witness was subjected to close questioning by the counsel for the defence*; como adjetivo se pronuncia /'klous/; V. *close examination.* [Exp: **close**[2] (GRAL cierre, fin, conclusión, término, intimidad; cerrar, formalizar, concluir un negocio, etc.; clausurar, saldar ◊ *Close a bank account*; como nombre o verbo, se pronuncia /'klouz/; V. *conclude, complete, finalize*), **close**[3] *obs* (GRAL propiedad, terreno vallado; V. *breach of close*), **close a bargain** (MERC cerrar un trato; V. *enter into a contract*), **close a mortgage** (MERC registrar la hipoteca), **close a treaty** (INTER formalizar un tratado), **close company/corporation** (MERC sociedad cerrada; se trata de sociedad anónima especial, controlada por un máximo de cinco socios, llamados «participantes», con privilegios fiscales y cuya sede debe estar en Gran Bretaña; V. *participator*), **close examination** (GRAL examen minucioso), **close jail execution** (PENAL orden de prisión para la persona detenida), **close of pleadings** (PROC cierre de la fase de alegaciones; V. *summons for directions, setting down for trial*), **close ranks** (GRAL estrechar/cerrar filas; V. *rank and file*), **close relationship** (parentesco íntimo), **close season** (veda, período de veda; en inglés americano se prefiere *closed season*), **close surveillance** (PENAL/GRAL estrecha vigilancia), **close the meeting** (PROC/GRAL levantar o clausurar la sesión; V. *adjourn*), **closed season** (GRAL veda; V. *close season*), **closed session, in** (PROC sesión a puerta cerrada; V. *in camera, in chamber*), **closed shop agreement** (LABORAL monopolio gremial, plantilla de sindicación obligada; existe acuerdo de *closed shop* entre un patrono o empleador y un sindicato cuando el primero se compromete a contratar sólo a empleados de un determinado sindicato; si se acuerda que la afiliación se haga antes de entrar en la empresa se llama *pre-entry closed shop* y, si se hace después, se denomina *post-entry closed shop*), **closed trial** (PROC juicio a puerta cerrada; V. *in closed session*), **closing** (GRAL cierre, clausura ◊ *Their house has suffered structural damage and the local council has issued a closing order, as they intend to demolish it*), **closing arguments** (PROC alegatos finales ante juez o jurado), **closing charges** *US* (CIVIL gastos de una escritura de compraventa; V. *title-examination fees, recording fees*), **closing costs** (FINAN gastos, comisiones, etc., de cancelación de una hipoteca; V. *closing statement*), **closing charges** (gastos de una escritura de compraventa; V. *recording fees*), **closing date** (PROC plazo preclusivo; V. *time limit, legal deadline*), **closing entry** (MERC asiento de cierre), **closing order** (CIVIL orden de clausura de un inmueble), **closing speech** (PROC conclusiones finales), **closing statement**[1] (PROC conclusiones finales/definitivas [de la acusación o la defensa]; [derecho a] última palabra en un proceso; V. *opening statement*), **closing statement**[2] (CIVIL cláusula final de un documento de compra-venta de propiedad inmobiliaria, en la que se especifican los gastos que deben ser abonados por el comprador y los que corresponden al vendedor),

closure/cloture *n*: CONST cierre forzado de un debate parlamentario, procedimiento parlamentario cuya finalidad es evitar el filibusterismo parlamentario, zanjando el debate y sometiendo la cuestión a votación ◊ *In the United States a two-thirds majority vote of the body is required to invoke cloture and terminate debate*; V. *filibustering*.

cloud *n*: GRAL sombra de sospecha o de mala reputación ◊ *The accountant's negligence cost his company a lot of money and he is now under a cloud.* [Exp: **cloud on title** (CIVIL imperfección del título, título insuficiente; V. *badge of fraud, title, remove cloud on title, action to remove cloud on title, colour of title, abstract of title, title to property, paper title, cure a defect*)].

clout *col n*: GRAL poder, peso político, influencia, garra *col*, tirón *col* ◊ *A lawyer with a lot of clout.*

club *n*: GRAL/SOC asociación, peña ◊ *A club is an example of unincorporated association.* [Exp: **club call** (SEGUR contribución o derrama a una cooperativa de seguro, etc., de la que se es socio; V. *call, protec-*

tion and indemnity club; apportion), **club together** (GRAL reunir dinero, contribuir a gastos comunes, escotar, pagar a prorrateo, mancomunar ◊ *A group of people decided to sue the newspaper and they clubbed together to raise the money necessary to meet the costs of litigation*; V. *raise money*),

clue *n*: PENAL pista; V. *lead*.

cluster zoning *n*: ADM plan urbanístico de edificabilidad por zonas; V. *town planning*.

co- *prefijo*: GRAL co-, adjunto; V. *joint, mutual*; el prefijo inglés *co-* tiene el mismo significado que en español, equivaliendo a «co-» o a «adjunto», «mancomunado». [Exp: **co-chairman** (GRAL co-presidente), **co-defendant** (CIVIL/PENAL co-demandado, coacusado, coprocesado), **co-drawer** (MERC cogirador), **co-executor** (CIVIL/SUC albacea testamentario adjunto o mancomunado), **co-guarantor** (MERC/CIVIL cofiador, coavalista), **co-heir** (CIVIL/SUC coheredero), **co-inhabitant** (GRAL convecino), **co-inheritance** (CIVIL/SUC herencia conjunta, herencia compartida), **co-inheritor** (CIVIL/SUC coheredero), **co-insurance** (segur coaseguro, seguro copartícipe), **co-insurer** (segur coasegurador), **co-lessee** (CIVIL mediero, el que toma a medias una finca, coarrendatario), **co-lessor** (CIVIL coarrendador), **co-litigant** (CIVIL colitigante), **comaker** (MERC/CIVIL cogirador, fiador, codeudor), **co-management** (MERC cogestión), **co-opt** (GRAL cooptar, elegir a alguien por co-optación), **co-owned property** (CIVIL propiedad poseída en común), **co-owner** (CIVIL condueño, condómino, co-propietario; V. *joint owner; words of severance*), **co-ownership** (CIVIL co-propiedad, dominio de una cosa tenida en común por varias personas), **co-parcenary** (CIVIL/SUC comunidad nacida de herencia intestada; herencia conjunta), **co-parcener** (CIVIL/SUC coheredero), **co-partnership** (MERC asociación, sociedad comanditaria), **co-respondent** (CIVIL codemandado), **co-surety** (MERC/CIVIL cofiador; V. *co-guarantor*)].

coalesce *v*: GRAL/MERC fusionarse; V. *agglomerate*. [Exp: **coalescence** (MERC fusión ◊ *Airlines are coalescing into a few huge agglomerates*)].

coast *n/v*: GRAL costa; costear. [Exp: **coaster** (MERC barco de cabotaje), **coastal trade** (MERC cabotaje, comercio de cabotaje), **coasting** (MERC cabotaje, navegación costera), **coastwise** (MERC barajando la costa)].

COD, c.o.d. *n*: V. *cash on delivery, collect on delivery*.

code[1] *n*: GRAL normas, código ◊ *It is the duty of every driver to be thoroughly familiar with the highway Code*; V. *building code, Highway Code* [Exp: **code**[2] (CONST compilación de leyes ◊ *The Roman Law is usually derived from the Code of Justinian*; V. *digest*), **code**[3] (GRAL clave, código; cifrar, codificar ◊ *Electronic codes on packaged foodstuffs must include the sell-by date*; V. *identification code, decipher*), **code**[4] (GRAL cifrar ◊ *They sent us a coded message to prevent the information from falling into the wrong hands*; V. *coded account*), **code, in** (GRAL cifrado), **Code of Civil Procedure** *US* (CIVIL código o ley de procedimiento o de enjuiciamiento civil; V. *Federacl Rules of Civil Procedure; Civil Procedure Rules, Rules of the Supreme Court, County Court Rules, civil code*), **code of conduct/ practice** (GRAL normas de conducta profesional, código deontológico, normas profesionales y protocolarias de los profesionales del derecho, la medicina, etc.; los términos *code of conduct, code of practice* y *code of professional ethics* son prácticamente intercambiables; sin embargo, el primero tiene un carácter menos formal y se puede referir a normas no escritas), **code of**

criminal procedure/prosecution (PENAL ley de enjuiciamiento criminal; V. *criminal code*), **code of fair competition/trading** (MERC normas que regulan la justa o leal competencia profesional o comercial; V. *chilling a sale, combination/conspiracy in restraint of commerce/trade, illegal combination, price-fixing, Restrictive Practices Court, restraint of commerce/ trade, cartel*), **code of procedure** (PROC práctica forense), **code of professional ethics** (GRAL código de ética profesional; V. *code of practice*), **code of professional responsibility** *US* (GRAL código deontológico y de responsabilidad de los Colegios de Abogados Norteamericanos o *American Bar Association*), **code pleading** *US* (PROC sistema regulado por ley para la presentación de alegaciones ante los tribunales; de acuerdo con este sistema, en muchos países de habla inglesa se han refundido, en lo que se conoce como *code pleading,* las normas que se seguían para la presentación de alegaciones en los procesos de derecho consuetudinario o *common law* y de equidad o *equity*; V. *statements of case*), **coded account** (MERC cuenta codificada), **coding** (GRAL codificación o cifrado)].

codicil *n*: CIVIL/SUC codicilo testamentario; V. *rdider; addendum, appendix, allonge, annex.*

codify *v*: CONST compilar las leyes, formar un código, codificar ◊ *Statutes are occasionally enacted to codify the whole existing body of Law relating to a particular area.* [Exp: **codifying legislation** (CONST ley parlamentaria que unifica en una sola ley las disposiciones de derecho consuetudinario y las estatutarias referidas a una misma cuestión jurídica; V. *consolidation, enabling act*)].

coemption *n*: MERC acaparamiento de toda la oferta; V. *corner, monopoly, engrossment.*

coerce *v*: GRAL/PENAL forzar, obligar, coartar, violentar ◊ *In testamentary law there is coercion when there is undue influence upon the testator*; V. *compel, force, duress, actual coercion, undue influence.* [Exp: **coercion** (GRAL coacción, coerción, fuerza, opresión; apremio), **coercive** (GRAL coercitivo; V. *restraining*)].

cogent *a*: convincente, contundente, poderoso, bien construido, satisfactorio, rotundo; V. *convincing.* [Exp: **cogent argument/reasoning** (GRAL argumento/razonamiento convincente ◊ *The barrister spoke wittily and well but his arguments were not really cogent*), **cogent evidence** (GRAL prueba rotunda o convincente)].

cognation *n*: CIVIL consanguinidad; parentesco cognaticio; normalmente se aplica a la consanguinidad por la línea materna; V. *agnation.* [Exp: **cognate** (CIVIL cognado, consanguíneo; pariente por línea materna; V. *agnated*)].

cognizable *a*: PROC conocible, sujeto a la jurisdicción de un tribunal, de la competencia o jurisdicción ◊ *A cause is cognizable by a court when it has the power to adjudicate the interest in controversy.* [Exp: **cognisance/cognizance**[1] (PROC cognición, presunción, conocimiento por un tribunal de hechos públicos y notorios, reconocimiento por un tribunal de lo que es de dominio público ◊ *The claimant/ plaintiff asked for judicial cognizance to be taken of Spanish immigration law*; el derecho de los países anglófonos da el nombre de *judicial cognizance* o *judicial notice* al conocimiento implícito que se da por sentado tienen los jueces y, a veces, el jurado, de los hechos, situaciones, condiciones o estados que son del dominio público o que nadie puede poner razonablemente en duda [por ejemplo, que Madrid es la capital de España o que el embarazo de la mujer dura nueve meses] o bien de las circunstancias de las que se puede enterar consultando las fuentes adecuadas; en ambos casos, el juez no precisa pruebas: se da, sin más, por enterado y la parte interesada no tiene que demostrar la veracidad de lo que afirma sino que basta con su afirmación; además, una vez que el juez se da por enterado *–takes judicial cognisance–* de un hecho no se admiten pruebas ni alegatos en contra; V. *take judicial cognizance, judicial notice*), **cognisance/cognizance**[2] (PROC jurisdicción, competencia, conocimiento ◊ *The issue between the parties comes under the cognisance of the County Court*; V. *jurisdiction*), **cognizance of the cause** (PROC actos procesales con los que se inicia el ejercicio de jurisdicción de un procedimiento), **cognizant** (PROC con la debida jurisdicción)].

cognovit *n*: GRAL enterado; conformidad. [Exp: **cognovit agreement** (MERC cláusula de un contrato de préstamo, prohibida desde 1985, mediante la cual el prestatario renuncia a cualquier reclamación en el caso de que el juez dictara un auto de impago o deficiencia *–deficiency judgment–*; también se la conoce como *confession of judgment*), **cognovit note** *US* (MERC/PROC reconocimiento formal de una deuda)].

cohabitation *n*: CIVIL cohabitación matrimonial, marital; contubernio, amancebamiento ◊ *It is not necessary to prove the existence of a sexual relationship in order to establish cohabitation.*

coin *n/v*: GRAL moneda; acuñar moneda; V. *legal tender, tender*. [Exp: **coin money** (GRAL moneda fraccionaria), **coin of the realm** (GRAL moneda de un país, moneda de curso legal), **coinage** (GRAL moneda, moneda de curso legal; acuñación, sistema monetario)].

cold *a*: GRAL frío. [Exp: **cold-blooded** (PENAL a/con sangre fría, inhumano ◊ *The prosecution described the killing of the victim as premeditated and cold-blooded murder*), **cold blood, in** (PENAL a sangre fría) **cold turkey** *col* (PENAL mono *col*; V. *withdrawal symptoms*)].

collapse *n/v*: GRAL hundimiento, desplome, caída fuerte o en picado, ruina, derrumbamiento, «colapso»; colapsar, plegar, derrumbarse, desplomarse, hundirse, desmoronarse; venirse abajo; caerse, quebrar, fracasar ◊ *When the share prices collapsed the firm went into liquidation*; V. *heavy fall, crumbling*. [Exp: **collapsible company** (FISCAL sociedad mercantil defraudadora de impuestos)].

collate *v*: GRAL/PROC cotejar, compulsar ◊ *After collating the two documents, experts pronounced them identical.* [Exp: **collation** (GRAL/PROC comparación, cotejo, colación)].

collateral[1] *n*: PROC/MERC garantía prendaria, prenda, bienes dados en garantía, seguridad colateral, contravalor, pignoración, resguardo; V. *guarantee, pledge, security, collateral assurance, impairment of collateral*. [Exp: **collateral**[2] (CIVIL consanguíneo, colateral; V. *cognate, collateral heir/kinsmen*), **collateral**[3] (GRAL colateral, secundario, paralelo, subsidiario, adicional, no esencial, complementario, incidental ◊ *For the moment we are interested in establishing her right of title: her other claims are merely collateral issues*; V. *ancillary, auxiliary, accessory, appurtenant*), **collateral assurance/security** (PROC/MERC garantía subsidiaria, secundaria o indirecta), **collateral attack** (PROC alegato de nulidad), **collateral business** (PROC/GRAL asunto colateral), **collateral consanguinity** (CIVIL/FAM consanguinidad colateral), **collateral contract** (CIVIL contrato de prenda ◊ *If the chairman of a football club offers a player money as an inducement to sign the contract, he is effectively offering a collateral contract*), **collateral covenant** (CIVIL pacto, convención o garantía colateral o de materia ajena), **collateral estoppel** (CIVIL impedimento colateral; es un concepto próximo a cosa juzgada *–res judicata–* porque es un impedimento a determinar hechos que ya fueron probados en un juicio anterior entre los mismos litigantes ◊ *In order to avoid double jeopardy a defendant has the right to plead collateral estoppel*; V. *estoppel, issue preclusion, res judicata*), **collateral heirs** (CIVIL/SUC herederos consanguíneos ◊ *After his death, his estate passed to his cousins as collateral heirs*), **collateral issues** (GRAL cuestiones accesorias), **collateral kinsmen** (CIVIL parientes colaterales), **collateral loan** (MERC/CIVIL préstamo con garantía prendaria, empréstito con garantía, préstamo sobre valores, préstamo pignoraticio, pignoración), **collateral negligence** (CIVIL negligencia colateral, subordinada o incidental), **collateral note** (MERC pagaré con garantía prendaria), **collateral power** (PROC poder colateral; V. *power of appointment*), **collateral security** (MERC fianza pignoraticia o prendaria), **collateral signature** (CIVIL aval, firma colateral), **collateral trust bond** (MERC bono colateral, bono garantizado con títulos emitidos por otra sociedad), **collateral undertaking** (GRAL compromiso colateral), **collateral trust certificate** (MERC/CIVIL certificado con garantía prendaria), **collateralize** (GRAL dar garantías), **collaterally** (GRAL colateralmente, subsidiariamente)].

collect[1] *v*: cobrar [deudas, intereses, etc.], recaudar [impuestos, derechos, etc.], percibir [dividendos, etc.], recoger ◊ *Some of the means used by money lenders to collect debts are extremely dubious, as they often involve threats of violence.* [Exp: **collect**[2] (GRAL recoger; se aplica a paquetes, cartas, etc.), **collect bill** (factura por cobrar), **collect call** *US* (GRAL conferencia telefónica a cobro revertido; V. *reverse charge call*), **collect evidence** (PROC diligenciar pruebas), **collect freight** (MERC flete a cobrar, flete contra entrega, flete efectivo a la entrega de las mercancías; V. *paid freight*), **collect on delivery, COD, cod** *US* (MERC pago a reembolso, o contra entrega de documentos, llamado en el Reino Unido *cash on delivery* o *cash against documents*), **collecting** (MERC cobranza, cobro, recaudación), **collecting bank** (MERC banco de cobranza; banco que hace las gestiones para el cobro de efectos), **collecting commision** (MERC comisión de cobranza), **collection**[1] (MERC cobro, cobranza, percepción, recaudación [de impuestos], colecta ◊ *The standard collection policy in foreign trade is not collection against documents but «thirty days net»*; V. *items of collection*), **collection**[2] (MERC/GRAL recogida de cartas, paquetes, etc.), **collection action** (MERC/CIVIL gestiones para el cobro), **collection against documents** (MERC cobro contra entrega de documentos; V. *collection on delivery*), **collection draft** (MERC efecto al cobro, letra de cobro), **collection fee** (MERC comisión de cobro), **collection of tax** (FISCAL recaudación de impuestos), **collector** (FISCAL recaudador, cobrador, vista [de aduanas]; V. *customs officer*), **collector of internal revenue, collector of taxes, tax collector** (FISCAL recaudador de impuestos o contribuciones), **collector of a port/the customs** (FISCAL vista de aduanas, administrador de aduanas; V. *customs officer*), **collection on delivery** (FISCAL entrega con reembolso; cobro a la entrega; V. *collection against documents*)].

collective *a*: GRAL/LABORAL colectivo, sindical; público, social. [Exp: **collective agreement** (LABORAL convenio colectivo), **collective bargaining** (LABORAL negociación sindical, negociación colectiva ◊ *In collective bargaining there are negotiations between management and trade unions about wages and working condi-*

tions), **collective ownership** (CIVIL propiedad social, colectiva o pública)].

collide *v*: abordar, chocar, entrar en colisión; V. *crash, run into*. [Exp: **collision** (MERC abordaje, choque, colisión ◊ *Even in relatively minor collisions, it is wise to send for the police, so that an official accident report can be drawn up*), **collision clause** (SEG/MERC cláusula de abordaje, llamada también *running down clause*; mediante una prima complementaria, el asegurado queda cubierto, hasta cierto punto, del riesgo de abordaje), **collision insurance** (SEGUR seguro de abordaje), **collision of ships** (MERC abordaje; V. *accidental collision, both-to blame collision, come into collision, crash, negligent collision, rules of the road*)].

collude *v*: CIVIL/PENAL confabularse contra alguien, pactar en perjuicio de tercero, intrigar, maquinar, estar en connivencia; V. *connive*. [Exp: **collusion** (CIVIL colusión, connivencia desleal, confabulación ◊ *The court revoked the order for payment when it transpired that the two litigants had acted in collusion to cheat the insurance company*; en el uso común, *collusion* significa «confabularse»; no obstante, en sentido jurídico su significado es muy preciso: ponerse de acuerdo las partes opuestas para obrar en perjuicio de un tercero, engañando al tribunal; en las demandas de divorcio, dicha connivencia ya no anula los efectos de la sentencia), **collusive** (CIVIL colusorio), **collusive practices** (CIVIL prácticas colusorias), **collusive joinder** (CIVIL incorporación colusoria de un tercero al proceso), **collusive tendering** (CIVIL licitación abusiva; connivencia para la licitación de obras; licitación «aconchabada»; práctica restrictiva del comercio consistente en el reparto, y consiguiente dominio, del mercado por determinadas empresas; también se la llama *common pricing* o *dummy/level tendering*; V. *combination in restraint of commerce/trade, code of fair competition*), **collusor** (CIVIL/PENAL colusor, el que está en connivencia con alguien para llevar a cabo actividades ilícitas ◊ *Husband and wife were accused of being collusors when they agreed to commit adultery in order to get a quick divorce*), **collusory** (CIVIL/PENAL alegación falsificada o colusoria)].

colour *n*: GRAL/CIVIL color, apariencia convincente pero sin sustancia, apariencia, pretexto, fingimiento, apariencia engañosa o especiosa ◊ *To lend colour to his claim to solvency, he produced an impressive number of cheques and bonds, but investigation showed they were worthless*; V. *false, counterfeit*. [Exp: **colour of authority** (GRAL autoridad aparente), **colour of law** (GRAL apariencia de legalidad), **colour of title** (GRAL título aparente ◊ *A person holding a lapsed or forged deed is said to have mere colour of title*; V. *cloud on title, clear title, abstract of title, title to property, cure a defect*), **colourable** (GRAL engañoso, especioso, con apariencia de validez o de derecho ◊ *We are tired of their colourable excuses for non-payment: our best course is to sue them*), **colourable claim** (CIVIL reclamación con apariencia de legalidad o sujeción a las normas de derecho), **colourable title** (CIVIL título con apariencia de validez)].

combination[1] *n*: GRAL/SOC combinación, concentración [de empresas], asociación; V. *absorption, amalgamation, conglomerate, consolidation, holding company, group of companies, integration; merger, trust, combo*. [Exp: **combination**[2] (CIVIL/PENAL trama, conspiración, conjuración, unión, coalición, liga; la palabra *combination*, aunque no tenga por sí sola sentido peyorativo, lo puede adquirir en ciertos usos y expresiones como *combination in restraint of commerce* o *illegal* *combination*), **combination in restraint of commerce/trade** (MERC/PENAL acuerdo monopolista o de limitación de la competencia; V. *conspiracy in restraint of trade, chilling effect, illegal combination, code of fair competition/trading, Restrictive Practices Court, price-fixing*), **combination order** (PENAL pena combinada, es una pena que combina el trabajo en beneficio de la comunidad con el de rehabilitación del penado; V. *community service orders*), **combination policy** (SEGUR póliza de seguros combinada), **combine**[1] (GRAL unirse, fusionar, mancomunar; el acento recae en la segunda sílaba de esta palabra; V. *merge*), **combine**[2] (GRAL maquinar, conspirar; el acento recae en la segunda sílaba de esta palabra; V. *conspiration*), **combine**[3] (GRAL/MERC grupo industrial, asociación; el acento recae en la primera sílaba de esta palabra), **combine group** (MERC grupo industrial; V. *group of companies, trust*), **combined transport bill of lading** (MERC conocimiento de embarque combinado, conocimiento de embarque corrido, conocimiento que cubre la expedición de mercancías por dos o más medios de transporte; V. *through bill of lading, direct bill of lading*)].

combo *col v*: MERC combinación de empresas; V. *combination*.

come *v*: GRAL venir, llegar. [Exp: **come into effect/force** (GRAL entrar en vigor ◊ *Most Acts of Parliament come into effect as laws on the commencement date provided by subordinate legislation*; V. *effect, take effect, come into force, be effective, be operative from*), **come into office** (GRAL entrar en funciones, llegar al poder, asumir un cargo; V. *begin functions*), **come into operation** (GRAL entrar en vigor), **come out [on strike]** (LABORAL declararse en huelga ◊ *The members of the Electricians' Union have come out in sympathy with the miners*; V. *call out*), **come to/make terms** (GRAL/MERC llegar a un acuerdo), **come under** (GRAL estar sujeto a, aparecer bajo el epígrafe de, estar comprendido en ◊ *The matter comes under the jurisdiction of the Queen's Bench Division*), **come up before** *col* (GRAL comparecer ◊ *He came up before the beak for breach of the peace*; V. *appear*), **come up for judgment/sentence** (GRAL ocurrir, tener lugar, estar previsto que se dicte el fallo, llegar el momento del fallo, presentarse, comparecer para recibir, conocer, serle notificada la sentencia, etc. ◊ *The Smith case is coming up for judgment next week*), **come up for sale** (GRAL ponerse en venta, salir a la venta ◊ *The company has come up for sale and the board has issued a call for bids*)].

comfort *a*: GRAL consuelo; V. *aid and comfort.*

comity *n*: GRAL cortesía; gracias a la *judicial comity* un tribunal puede reconocer, por ejemplo, una sentencia de divorcio –*divorce decree*– dictada por un tribunal extranjero. [Exp: **comity of nations** (INTER cortesía internacional, respeto mutuo, *comitas gentium*, acuerdo de reciprocidad entre naciones en el respeto de las leyes)].

command *n/v*: GRAL mando, orden; ordenar, mandar. [Exp: **Command papers** (CONST documentos o proposiciones gubernamentales presentados al Parlamento; se trata de proposiciones, estudios, etc., que el ejecutivo, por mandato real [de ahí viene el nombre de *command*], presenta al Parlamento para su consideración; entre estos documentos destacan los *whitepapers* –proposiciones de ley– y los *green papers* –proposiciones no de ley–), **commandeering** (GRAL requisa)].

commandite *n*: SOC sociedad comanditaria, en comandita simple; V. *partnership.*

commence *v*: incoar ◊ *A suit is officially commenced when the plaintiff takes a writ advising the defendant of his intention to* *proceed*. [Exp: **commence a suit, legal proceedings,** etc. (CIVIL incoar una demanda o proceso civil, incoar una causa criminal, instruir un proceso; V. *bring a case, sue*), **commencement** (GRAL/CONST/CIVIL entrada en vigor de una ley; iniciación o incoación de un procedimiento; comienzo de la cobertura de un seguro, etc.; V. *date of commencement*)].

commend *v*: GRAL comendar/confiar algo a alguien; V. *entrust, confide.*

commerce *n*: MERC comercio, negocio; V. *trade*. [Exp: **commercial** (MERC comercial, mercantil), **commercial agreements** (MERC acuerdos comerciales), **commercial arbitration** (MERC arbitraje comercial), **commercial bank** (MERC banco de comercio/mercantil), **commercial company/enterprise** (MERC empresa mercantil), **Commercial Court** (PROC Tribunal de Comercio, Sala de lo mercantil; dentro del *Queen's Bench* de *The High Court of Justice* existen dos tribunales especiales: *The Admiralty Court* y *The Commercial Court*; este último entiende de pleitos relacionados con cuestiones mercantiles, como, por ejemplo, los pleitos del mundo de los seguros; muchas de las causas surgen por la insatisfacción de alguna de las partes en los laudos arbitrales *–arbitration awards–* dictados en los tribunales de arbitraje), **commercial discount** (MERC descuento comercial), **commercial instruments/papers** (MERC efectos mercantiles, documentos negociables, documentos comerciales ◊ *Securities, shares, stocks, cheques, bonds, bills of exchange, drafts, etc. are commercial instruments*; V. *bankable paper*), **commercial law** (MERC derecho mercantil), **commercial set** (MERC juego de documentos de embarque), **commercial transaction** (MERC operación mercantil)].

commingle*v*: GRAL confundir, mezclar, combinar.

commission[1] *v*: GRAL encargar, comisionar, diputar, encargar ◊ *She was commissioned by the bank to prepare a report on its internal fiances*; V. *appoint, designate.* [Exp: **commission**[2] (GRAL cargo, nombramiento, encargo, mandato; cometido, responsabilidad ◊ *I am acting as the bank's representative here and my commission is from its Board of Directors*; V. *appointment,authority; order, mandate; on behalf of, appointment, designation, appoint; commission of a crime*), **commission**[3] (MERC comisión, porcentaje; arancel de corredores, etc. ◊ *An agent's commission is commonly calculated as a percentage of the business he or she attracts*; V. *fee*), **commission**[4] (GRAL comisión de investigación, comisión de encuesta ◊ *When a public enquiry into an accident, miscarriage of justice, etc. is ordered, it is entrusted to a commission, usually called after its chairperson, e.g. the Harvey Commission*), **Commission**[5] (COM Comisión Europea ◊ *The Commission forwards proposals to the Council of Ministers*; V. *disallow*), **commission agent/merchant** (COMER comisionista), **commission basis** (MERC a comisión; V. *on commission*), **commission billing** (MERC facturación de comisiones), **commission broker** *US* (V. *broker*), **commission for acceptance** (MERC comisión por aceptación), **Commission for Racial Equality** (CONST Comisión para las relaciones entre las razas; es una Comisión permanente del Reino Unido encargada de favorecer la igualdad en el trato y la armonía social entre personas de razas distintas; V. *Race Relations Act*), **commission of a crime** (PENAL perpetración de un delito), **commission, on** (MERC a comisión), **commission rate** (MERC tipo de comisión), **commission stage** (CONST [en] fase de comisión [parlamentaria] ◊ *The bill is expected to reach the commission stage next month*; V. *re-*

port stage), **commissioned officer** (GRAL oficial del ejército), **commissioner** (CONST/MERC comisario, comisionado; comisionista ◊ *Any practising solicitor may act as a commissioner for oaths so long as he or she is not directly interested in the case*; V. *calendar commissioner, Crown Estates Commissioners, National conference of Commissioners on Uniform State Law*), **commissioner of customs** *US* (MERC comisario de aduanas), **commissioner for oaths** (PROC fedatario público, notario; V. *attesting notary, convincing solicitor*), **Commissioners of Customs and Excise** (TRIB inspectores de Aduanas y de impuestos especiales; V. *commissioner of Inland Revenue*), **Commissioners of Inland Revenue** (FISCAL inspectores de Hacienda; V. *Commissioner of Customs and Excise*), **Commissioner of Internal Revenue** *US* (FISCAL director general de tributos), **commissioner of patents** (CIVIL comisario de patentes), **commissioners' values** (FISCAL relación de valores aceptados para la cobertura de reservas técnicas)].

commit[1] *v*: GRAL/PENAL perpetrar, cometer, provocar, incurrir ◊ *He spent two years in prison for a crime he never committed*; V. *commission of a crime*. [Exp: **commit**[2] (PROC/GRAL encomendar, confiar, encargar ◊ *The juvenile court committed the child to the care of the local authority*; V. *entrust, commend*), **commit**[3] (GRAL comprometer, obligar ◊ *The agreement commits both parties*: V. *commit oneself*), **commit**[4] (GRAL asignar, consignar [fondos, recursos] ◊ *Commit funds for a project*; V. *allot*), **commit**[5] (PENAL procesar, dictar auto de prisión, ordenar la apertura de juicio oral ◊ *After examining prosecution evidence, the magistrates committed the accused to the Crown Court for trial*; hay tres supuestos en los que el imputado o acusado puede ser *committed*: (a) cuando el juez o los jueces del *Magistrates' Court*, constituidos en *examining magistrates* –jueces instructores–, deciden que hay indicios suficientes de criminalidad, en cuyo caso el acusado queda *committed for trial*, esto es, a disposición del *Crown Court*, que es el Tribunal Superior de lo Penal; (b) cuando los jueces del *Magistrates' Court*, tras declarar culpable al acusado, lo remiten al *Crown Court* para que sea éste quien imponga la sentencia –*committal for sentence*–, debido a la gravedad de la pena; (c) en casos de desacato –*committal order*–; en estos tres casos el procedimiento es preventivo o cautelar y no tiene carácter de condena *strictu sensu*; V. *prosecute, bill of indictment, committal proceedings*), **commit a tort** (CIVIL cometer un ilícito civil extracontractual, ser responsable de daños y perjuicios; V. *tort*), **commit adultery** (CIVIL cometer o incurrir en adulterio), **commit arson** (PENAL provocar un incendio de forma voluntaria), **commit perjury** (jurar en falso, perjurar), **commit for trial** (PENAL procesar, ordenar la apertura de juicio oral, ordenar auto de procesamiento ◊ *He was commited for trial*; V. *commit*[5]), **commit something to writing/paper** (GRAL consignar algo por escrito), **commit suicide** (PENAL suicidarse; V. *suicide bombers*), **commit to prison** (PENAL encarcelar), **commitment**[1] (GRAL compromiso, deber, obligación, atención, diligencia; V. *care, attention, engagement*), **commitment**[2] (PENAL auto de procesamiento, auto de prisión; V. *committal*), **committal** (PENAL arresto, reclusión), **committal for sentence** (PENAL traslado de una causa desde un Tribunal de Magistrados –*Magistrates' Courts*– al Tribunal de la Corona –*Crown Court*– con el fin de que éste dicte la sentencia; V. *commit*[3]), **committal for trial order** (PENAL auto de procesamiento, auto ordenando la apertura de juicio oral con jurado en el *Crown Court*; ese auto *–order–* contiene la resolución del juez instructor *–examining magistrate–* trasladando la causa al Tribunal de la Corona *–Crown Court–* por haber encontrado indicios suficientes de criminalidad en la instrucción *–committal proceedings–*), **committal order** (PENAL orden de ingreso en prisión (por desacato, impago, etc.), **committal proceedings** (PENAL instrucción [de una causa pena], diligencias de procesamiento; el objeto de las *committal proceedings*, que tienen lugar en los *Magistrates' Courts*, es servir de filtro para que no tengan que comparecer ante el *Crown Court* los acusados contra quienes no existan indicios suficientes de criminalidad *–sufficient evidence–*; en estas diligencias de procesamiento se acompañan las declaraciones de los testigos *–depositions from all the witnesses–*; V. *pre-trial proceedings, preliminary inquiry, committal for trial, Crown Court, examining magistrates, accusatorial/accusatory procedure, precognition, short committal, paper committal; Crown Court*), **committalproceedings on the paper/writing** (PENAL breves diligencias de procesamiento para los delitos graves *–inditable offences–* practicadas por los jueces jueces de instrucción o *examining magistrates*), **committed costs/resources** (MERC costes/recursos comprometidos; V. *commit*[3]), **committing magistrate** (PENAL juez instructor; V. *examining magistrate*)].

committee *n*: GRAL consejo, comisión, junta, delegación; V. *standing committee, board*. [Exp: **committee of control** (GRAL comisión de vigilancia), **Committee of Ways and Means** (CONST Pleno especial de la Cámara de los Comunes *–House of Commons–* para considerar los presupuestos nacionales), **Committee of the Whole House** (Pleno especial de la Cámara de los Comunes para debatir una medida especialmente compleja o importante)].

commodatum, commodate *n*: CIVIL comodato; es un préstamo gratuito *–gratuitous loan–* de algo que puede ser usado por el comodatario *–bailee–*, con la obligación de devolverlo en especie *–in species–*; V. *gratuitous bailment*.

commodity *n*: MERC producto básico, mercadería, mercancía, género, artículo de comercio ◊ *Oil, coffee, sugar and other articles are bought and sold in commodity exchanges and futures markets*. [Exp: **commodity exchange** (MERC mercado de materias primas o de productos básico, lonja o bolsa de contratación de materias primas o de productos básicos; V. *futures markets, goods exchange, stock exchange, merchandise*), **commodities** (MERC productos básicos; mercaderías; géneros, artículos o productos de comercio o de consumo; bienes y servicios; materias primas, elaboradas o semielaboradas *–semiprocessed–* que se compran o venden en lonjas o bolsas de contratación *–exchanges–*, de calidades y tipos normalizados)].

common[1] *a*: GRAL ordinario, común, corriente, habitual, general; público. [Exp: **common**[2] (ADMIN/CIVIL pastos comunales, bien comunal, derecho de pastoreo, servidumbre de pastor ◊ *An old and bitter jibe remarks that «the law will hang the man or woman that steals the goose from off the common, but lets the greater villain loose that steals the common from the goose»*; V. *common at large, common land*), **Common Agricultural Policy, PAC** (DER COM Política Agrícola Común, CAP), **common assault** (PENAL ataque, agresión, violencias físicas, intimidación; también llamado *simple assault* ◊ *The prosecution proved that the accused had shaken his fists at the victim, and the court decided that this constituted com-*

mon assault; V. *battery, grievous bodily harm*), **common at large/in gross** (CIVIL derecho poseído en comunidad con otros, que afecta a la persona y no a la heredad, servidumbre personal; V. *common*[2]), **common average** (MERC avería simple; V. *particular average, petty average*), **common bail** (PENAL fianza simple u ordinaria), **common capital stock** (MERC acciones ordinarias o comunes), **common carrier** (MERC empresa de transporte público, porteador común, transportador general), **common carrier bill of lading** *US* (MERC conocimiento de los transportistas públicos que explotan líneas regulares; este término es más corriente ahora en los Estados Unidos que en Gran Bretaña; V. *bill of lading*), **common counts** (PENAL cargos generales; V. *counts*), **common convict** (PENAL preso común), **Common Customs Tariffs, CCT** (DER COM arancel aduanero comunitario; tarifa exterior Común, TEC), **common defence** (CIVIL excepción planteada por varios co-demandados), **common disaster clause** (SEGUR cláusula de comoriencia; alude al fallecimiento simultáneo de asegurado y beneficiario, y en ella se fija a quién corresponde la indemnización; también se aplica en los testamentos; V. *survivorship clause*), **common dividend** (MERC dividendo ordinario; V. *in arrears, preferred dividend, interim dividend*), **common duty of care** (CIVIL deber de diligencia normal, obligación de prevención, precaución de los más elementales cuidados exigibles a toda persona; obligación legal que tiene quien ocupa o habita una casa de velar por la seguridad de los invitados y visitantes (conservación, señalización de peligros, etc.; V. *occupier's liability, dangerous*), **common equity** (MERC capital social y reservas; recursos propios de una entidad; acciones comunes; patrimonio común, valor líquido común), **common ground, be** (PROC ser pacífico, ser admitido por todos, no ser punto de litigio ◊ *It was common ground that the parties were under no obligation to provide secret information*), **common intendment** (PROC interpretación tradicional, lectura habitual), **common knowledge** (GRAL/PROC hecho de todos conocido), **common, in** (GRAL proindiviso, en común; V. *joint*), **common land** (ADMIN/CIVIL terrenos comunales; V. *common*[2]*, commonage, profit a prendre*), **common law** (CONST derecho consuetudinario, derecho común inglés ◊ *English lawyers use the term «civil law» to refer to legal systems based on Roman Law, and «common law» for the English system*; los tratadistas suelen distinguir entre sistemas jurídicos de *common law* y sistemas de derecho continental, sin traducir el término inglés; el derecho consuetudinario *–common law–* y la equidad *–equity–* son las fuentes más idiosincráticas del derecho inglés y angloamericano; el término *common law* se entiende, al menos, en dos sentidos: (a) las resoluciones judiciales contenidas en las sentencias recogidas en los repertorios de jurisprudencia *–Law Reports–*; en este sentido equivale a *case law* –derecho jurisprudencial, precedentes, jurisprudencia–, que es el derecho elaborado por los jueces *–judge made law–*; (b) las fuentes históricas del derecho inglés; en los EE.UU. se aplica el término al derecho preconstitucional heredado de Inglaterra y no derogado), **common law action** (CIVIL demanda de acuerdo con el derecho común o consuetudinario; V. *equity, judge-made law, case law*), **common law contempt** (CIVIL desacato a la justicia de derecho consuetudinario; V. *direct contempt*), **common-law marriage** (CIVIL matrimonio de hecho, matrimonio que no ha observado las formalidades legales, matrimonio por consenso; esta expresión, muy arraigada en el habla común, no tiene un sentido legal estricto; el derecho habla de *cohabitation* o de *living together as man and wife*; V. *case law, equity, statute law*), **Common Market** (EURO Mercado Común Europeo; V. *European Community, European Union*), **common nuisance** (CIVIL molestia, estorbo o disturbio público), **common of pasture** (CIVIL derechos de pastoreo; V. *commonage*), **common organization of the markets** (organización común de mercados), **common ownership** (CIVIL condominio), **common peril** (CIVIL/SEGURO riesgo corriente o común), **common repute** (GRAL reputación conocida), **common stock** (MERC acciones ordinarias), **commonable** (CIVIL comunal), **commonage** (CIVIL derecho de pastoreo; V. *profit à prendre, common land, tenancy in common*), **commoner** (GRAL plebeyo, ciudadano sin título nobiliario ◊ *There was a certain amount of uneasiness when it was announced that the princess was to marry a commoner*), **commonwealth** (CONST mancomunidad, comunidad, asociación político-económica ◊ *Commonwealth citizens have a privileged status in British law*)].

commotion *n*: GRAL conmoción, impacto; V. *outrage; cause commotion*)].

communication *n*: GRAL notificación, comunicación escrita, mensaje; V. *notice; service*.

community *n*: GRAL comunidad; en mayúsculas *The Community* alude a la Comunidad Europea. [Exp: **community charge** (FISCAL impuesto local, capitación, impuesto municipal calculado por cabeza ◊ *The introduction of the «community charge» to replace the old system of «rates» caused a great social upheaval*; V. *poll tax*), **community estate/property** (CIVIL comunidad de bienes, bienes gananciales, régimen de gananciales, sociedad conyugal), **community homes** (ADMIN hogares/centros de acogida menores regidos por autoridades de la administración local ◊ *Children committed to the care of local authorities are sent to community homes run by those authorities*; V. *remand homes, detention in a young offender institution*), **community law** (EURO derecho comunitario ◊ *Community law is now in many instances superseding the national law of the member states*; los actos jurídicos comunitarios son los tratados (*treaties*), los reglamentos *–regulations–*, las directivas *–directives–* y las decisiones *–decisions–*]; V. *European Court*), **community of assets** (CIVIL régimen de gananciales; V. *family assets*) **community of property** (comunidad de bienes), **community order** (auto ordenando la prestación social sustitutoria como sanción a determinados condenados)]; V. *probation, day training centre*), **community policing** (CIVIL programas de colaboración entre ciudadanos y policía), **community service orders** (PENAL [penas de] trabajo en beneficio de la comunidad ◊ *Judges are increasingly issuing community service orders rather than probation orders in dealing with young offenders*; a partir del año 2000 las *community service orders* se dividen en tres clases: **community punishment orders** –órdenes de castigo comunitario–, **community rehabilitation orders** –órdenes de rehabilitación comunitaria– y **combinationorders** –órdenes que combinan el castigo y la rehabilitación–)].

commutation of imprisonment/sentence *n*: PENAL conmutación de la pena de cárcel/sentencia, abono de tiempo de prisión. [Exp: **commute a sentence** (PENAL conmutar una sentencia)].

compact *n*: CIVIL pacto, concierto; V. *agreement, bargain, contract, deal*.

company[1] *n*: MERC sociedad mercantil ◊ *A company, once formed, has a legal perso-*

nality distinct from its members; las *companies* se llaman también *corporations*, sobre todo en los Estados Unidos, y pueden ser *chartered companies, statutory companies* y *registered companies*; V. *affiliated company, dormant company, joint-stock company, limited company, parent company, partnership, corporation*. [Exp: **company**[2] (MERC tripulación de un buque), **Companies House** (MERC Registro Mercantil de Gales), **Companies Register** (MERC Registro de Sociedades Mercantiles), **company court** (V. *Chancery Court*), **company earnings/profit** (MERC beneficio empresarial), **company law** (MERC derecho societario o de sociedades), **company limited by shares** (MERC sociedad limitada, también llamada *limited company*), **company name** (SOC denominación/razón social, también llamado *firm/trade name, registered office, name of the company*), **company of good standing** (SOC compañía acreditada), **company officers** (MERC cargos directivos de un sociedad o empresa; V. *high/top office*), **company-pension schemes** (MERC planes de pensiones de empresa), **company promoter** (SOC promotor de una mercantil), **Company Registrar** (MERC Registro Mercantil; V. *register of charges*), **company report** (SOC memoria de la sociedad, informe del presidente del consejo de administración, también llamado *chairman's report* y *directors' report*), **company report** (MERC Memoria de la sociedad), **company tax** (FISCAL impuesto de sociedades), **company taxation** (FISCAL tributación de sociedades), **company union** (LABORAL sindicato de empresa; este sindicato sólo actúa en dicha empresa)].

comparative *a*: GRAL comparativo, comparado, relativo. [Exp: **comparative balance sheet** (MERC estado o balance de situación comparativo), **comparative law** (GRAL derecho comparado), **compared with, as** (GRAL con respecto a, con relación a, en contraste con), **comparison** (GRAL comparación, cotejo; V. *collation*), **comparison of handwriting** (PROC cotejo caligráfico o de letra)].

compassion *n*: GRAL compasión, piedad. [Exp: **compassionate** (GRAL compasivo), **compassionate leave/discharge** (LABORAL baja por motivos familiares), **compassionate use, for** (GRAL por razones humanitarias ◊ *The physician prescribed cannabis to his patient for compassionate use*)].

compel *v*: GRAL obligar, apremiar, forzar, compeler. [Exp: **compel payment** (GRAL apremiar el pago), **compellable witness** (GRAL testigo competente, que puede ser requerido u obligado a testificar; de acuerdo con la ley inglesa, los testigos competentes, que son los mayores de edad y con facultades mentales suficientes, tienen obligación de declarar; ahora bien, el derecho inglés distingue entre *competent* y *compellable*; por ejemplo, la esposa de un acusado normalmente no es *competent*, pero sí lo es si a su marido se le acusa de agresión contra ella; aun así, la esposa no es *compellable*; V. *competent witness*)].

compensate *v*: GRAL indemnizar, desagraviar, remunerar, compensar. [Exp: **compensation** (PROC/GRAL compensación, indemnización, reparación, retribución, remuneración, desagravio; se utiliza normalmente *compensation for loss* –compensación por la pérdida experimentada– y *damages for injury* –indemnización por daños causados–; V. *damages, indemnity, recovery, relief*), **compensatory award** (GRAL/ LABORAL laudo de indemnización por despido improcedente *–unfair dismissal–*; V. *industrial tribunal*), **compensatory damages** (PROC/CIVIL daños efectivos, indemnización compensatoria por daños directos, generales o efectivamente causados; este tipo de indemnización, también llamado *actual/general damages*, lo conceden los tribunales cuando se puede determinar con facilidad el valor de lo perdido o dañado; V. *actual/general damages, liquidated damages, consequential/special damages*)].

competence *n*: GRAL competencia jurisdiccional o internacional, capacidad [para realizar un acto], competencia; viabilidad de un medio de prueba ◊ *Every person of sound mind and sufficient understanding has competence to make a will and to be a witness*; V. *jurisdiction, authority; competent evidence*. [Exp: **competent** (GRAL competente, capacitado, idóneo, capaz, habilitado, legitimado; V. *adequate, satisfactory, legally qualified*), **competent, be** (GRAL corresponderle a uno en derecho, haber fundamento para), **competent evidence** (PROC prueba admisible), **competent witness** (PROC testigo competente o capacitado; V. *compellable witness, spouse, unfitness to serve*)].

compete *v*: GRAL/MERC competir. [Exp: **competing** (MERC rival, competitivo, en competencia), **competition**[1] (MERC competencia, concurrencia ◊ *E.C. law expressly forbids any form of dealing or trading which distorts or restricts competition within the Common Market*; V. *code of fair competition/trading, Restrictive Practices Court, combination in restraint of commerce/trade, conspiracy in restraint of trade*), **competition**[2] (GRAL concurso; V. *competitive examina tion*), **competition law** (MERC derecho de la competencia), **competitive** (GRAL/MERC competitivo; se usa en expresiones como *competitive economy* –economía competitiva–), **competitive bid/bidding** (MERC subasta, licitación pública; oferta cerrada), **competitive examination** (GRAL oposición, concurso; examen de acceso a un puesto público o privado ◊ *Admission to the Civil Service and promotion within it is by competitive examination*), **competitiveness** (MERC competitividad, capacidad competitiva; V. *competition*), **competitor** (MERC competidor)].

compilation *n*: GRAL compilación. [Exp: **compile** (GRAL compilar),

complain *v*: GRAL/CIVIL presentar una reclamación, denunciar, demandar; plantear quejas. [Exp: **complainant** (CIVIL denunciante, demandante, acusador, querellante ◊ *A complainant alleging rape, attempted rape, incitement to rape, or being an accessory to rape is allowed by statute to remain anonymous*; los términos *complainant, petitioner y plaintiff* son equivalentes en líneas generales, aunque hay diferencias entre ellos: *complainant* es el más general, pudiéndose emplear tanto en la jurisdicción civil, como en la penal de los *Magistrates' Courts*; *plaintiff* –demandante– se utiliza en la jurisdicción civil, y *petitioner* en las apelaciones, así como en los pleitos de equidad y en los incoados ante el *Chancery Division*; V. *claimant, respondent, private complainant*), **complaint**[1] (PENAL denuncia; querella, queja, demanda, escrito de agravios; querella ◊ *The girl brought a complaint against the couple for stealing her handbag*; en la jurisdicción penal es la acusación preliminar que hace cualquier persona particular contra alguien antes de presentar la *information* o el *indictment*; V. *lodge make/bring a complaint against somebody; information, criminal complaint; bill of complaint*), **complaint**[2] *US* (CIVIL escrito de demanda en la jurisdicción civil norteamericana, es la primera alegación que hace el demandante, exponiendo sus pretensiones y la reparación, satisfacción o indemnización solicitada; V. *statement of claim, amended complaint, plaint*)].

complete[1] *a*: GRAL definitivo, firme, absoluto, pleno, íntegro, incondicional, categórico; V. *absolute, final, unconditional.* [Exp: **complete**[2] (GRAL perfeccionar, cumplir, realizar, consumar, ejecutar, satisfacer hasta sus últimas consecuencias; V. *fail to complete; finalize, close, conclude, fill out*), **complete and true copy** (PROC copia íntegra y exacta; V. *true copy*), **completed crime** (PENAL delito consumado), **completion**[1] (GRAL/CIVIL consumación, conclusión; perfeccionamiento o cumplimiento [de un contrato o una operación]; realización plena ◊ *Completion of a contract for the sale of land takes place when the purchaser pays in full the sum agreed and the vendor conveys the estate to him in due form*), **completion**[2] (GRAL/ADM obra acabada; V. *certicate of completion*), **completion bond** (CIVIL garantía/fianza/depósito para el cumplimiento de contrato)].

compliance *n*: GRAL cumplimiento, conformidad, observancia; V. *admission.* [Exp: **compliance with or acceptance of the claim made by the defendant** (CIVIL allanamiento a la demanda), **compliance with the provisions, in** (de acuerdo con lo dispuesto)]; V. *approval, assent.* [Exp: **comply with** (GRAL cumplir, observar, atenerse a, someterse a lo pactado o dispuesto ◊ *Failure to comply with a court order may lead to prosecution for contempt of court*; V. *abide by*), **comply with a demand** (CIVIL acceder a una demanda, allanarse; V. *observe, conform, observe, follow, abide by*)].

complice *obs n*: PENAL cómplice; V. *accomplice.* [Exp: **complicity** (PENAL complicidad)].

compose *v*: GRAL componer; ajustar, reconciliar ◊ *Both parties managed to compose their differences*; V. *settle, adjust, reconcile.* [Exp: **composite** (GRAL/MERC compuesto; [obra] colectiva, mixtura; índice de precios), **composite name** (GRAL denominación compuesta o colectiva), **composition**[1] (GRAL obra, composición), **composition**[2] (CIVIL acomodamiento, composición, transacción, acción de transigir, ajuste, avenencia; acuerdo o concordato con acreedores ◊ *A debtor or bankrupt who is unable to meet his obligations in full may arrange a composition with his creditors whereby the payment of a proportion of the debts owing is legally deemed to discharge the full debt*; V. *agreement, settlement, scheme of composition*), **composition deed** (CIVIL escritura de concordato con los acreedores), **composition in bankruptcy** (MERC concordato o avenencia jurídica entre el quebrado y los acreedores), **composition of/with creditors** (CIVIL convenio de acreedores), **composition with creditors, make a** (CIVIL/MERC pactar un convenio con los acreedores)].

compound[1] *a*: GRAL compuesto; se usa en expresiones como *compound interest* –interés compuesto–; cuando es adjetivo, se acentúa la primera sílaba; cuando es verbo, el acento recae en la segunda. [Exp: **compound**[2] (CIVIL transigir, transar, componer, llegar a compromiso; incurrir en soborno ◊ *The bankrupt's duty is to compound with his creditors and reach a good accord*; los términos *compound and compromise* suelen ir juntos con el significado «llegar a compromisos y transacciones»; V. *compromise*), **compound**[3] (GRAL agrandar, agravar, incrementar [problemas, riesgos, dificultades, etc.]), **compounder** (CIVIL componedor; árbitro), **compounding a felony/an offence** (PENAL delito consistente en sobornar al querellante o al testigo para que no aporten pruebas en una causa criminal, soborno de testigos ◊ *A person advertising a reward for the return of stolen goods and specifying that no prosecution will result can be charged with compounding an offence*)].

comprehensive *a*: GRAL amplio, general, extensivo; integrado. [Exp: **comprehensive insurance** (SEGUR seguro a todo riesgo, seguro multirriesgo [de hogar]; V. *householder's policy, house owner's policy*)].

compromise *n/v*: GRAL/CIVIL conciliación, transacción, acuerdo, componenda, acomodación, transacción; llegar a un acuerdo, avenirse ◊ *In a compromise, disputes are settled by concessions made by all the parties involved.*; V. *compound, consent judgement.* [Exp: **compromise formula** (CIVIL fórmula de conciliación), **compromise bargain/verdict** (PENAL/CIVIL veredicto por acomodación o avenencia; V. *plea bargain*)].

comptroller[1] *n*: GRAL/ADM interventor, intendente, supervisor de Hacienda, contralor. [Exp: **comptroller**[2] (MERC en las grandes empresas, es el cargo directivo, normalmente el vicepresidente *–Vice president and Comptroller–*, entre cuyas funciones destacan el control y la intervención general), **comptroller**[3] (ADMIN jefe de la oficina de patentes en el Reino Unido), **comptroller general** (GRAL interventor general), **Comptroller General of Patents, Designs and Trademarks** (ADMIN intendente general de la oficina de diseños, marcas y patentes), **Comptroller of the Currency** *US* (ADMIN Inspector de la Moneda, Interventor General o *Chief Regulator*, nombrado por el Presidente para un mandato de cinco años en el Departamento del Tesoro de EE.UU., es el encargado de la inspección de la banca), **comptrollership** (GRAL intervención)].

compulsion *n*: CIVIL/PENAL apremio, compulsión, coacción, coerción. [Exp: **compulsive**[1] (GRAL obligatorio ◊ *The government has adopted compulsive measures to collect taxes*; V. *mandatory*), **compulsive**[2] (GRAL compulsivo ◊ *Compulsive buyer*; V. *obsessive*), **compulsory** (GRAL obligatorio, forzoso, de obligado cumplimiento ◊ *Third party insurance is compulsory in most European countries*; V. *amendment by compulsion*; V. *conscripted, forced, binding, mandatory*), **compulsory assignment** (CIVIL/MERC cesión forzosa a favor de los acreedores; V. *coluntary assignment*), **compulsory liquidation** (SOC liquidación forzosa; V. *compulsory winding up by the court; members' voluntary liquidation*), **compulsory non-suit** (PROC sobreseimiento forzoso), **compulsory procedure** (PROC procedimiento de apremio), **compulsory purchase order/purchase** (CIVIL/ADM expropiación forzosa; V. *appropriate property for public use, ex propriation, condemnation*), **compulsory retirement** (LABORAL jubilación forzosa, cese forzoso; V. *early retirement*), **compulsory winding up by the court** (SOC liquidación forzosa de una mercantil; V. *voluntary winding up*)].

computation *n*: GRAL cómputo, cálculo, estimación, avalúo, evaluación. [Exp: **computable** (GRAL calculable), **computational error** (GRAL error de cálculo), **compute** (GRAL calcular ◊ *A casualty loss due to fire, a storm, etc. is allowable as a deduction in computing taxable income*), **computer** (GRAL ordenador; V. *information technology*), **computerization** (GRAL computarización; V. *information technology*), **computerize** (GRAL informatizar)].

con[1] *n*: GRAL [voto/votante] en contra ◊ *The cons exceed the pros*; V. *pro.* [Exp: **con**[3] *col* (GRAL/PENAL timo, engaño, estafa; timar; engañar, estafar ◊ *The crooked broker conned his customers into buying the shares at an inflated price*), **con-man** (PENAL estafador, mafioso; V. *confidence tricker, racketeer, mobster*), **con-trick** (PENAL estafa, engaños)].

conceal *v*: GRAL ocultar, esconder ◊ *He had an understanding with her victim to* *jointly conceal the truth about their relationship*; V. *hide, disguise*. [Exp: **concealed** (GRAL oculto, encubierto, desleal), **concealed/hidden assets** (MERC activos ocultos o invisibles), **concealment**[1] (PROC ocultación, encubrimiento, disimulación ◊ *Concealment of material facts in making a contract –like failing to tell of damage already suffered by property– is a bankruptcy offence*; V. *disclosure; non-disclosure; innocent non-disclosure*), **concealment**[2] (SEGUR desconfianza o reserva en el contrato de seguro), **concealment of assets** (PENAL alzamiento de bienes)].

concede *v*: GRAL reconocer, admitir, conceder; V. *acknowledge, confess, recognise*. [Exp: **concession** (GRAL concesión; claudicación;V. *tax concessions*), **concession speech** *US* (CONST discurso en el que se admite la derrota, normalmente en las elecciones)].

concern[1] *n*: GRAL asunto, consideración, interés; V. *issue, question*. [Exp: **concern**[2] (MERC empresa, negocio, casa comercial; consorcio ◊ *He's the manager of that big steel concern in Scotland*; V. *enterprise, business, firm, going concern*), **concern**[3] (GRAL preocupación), **concern**[4] (GRAL corresponder, concernir, tener que ver con interesar, afectar, referirse a, interesar, tocar, girar en torno a ◊ *This case concerns an alleged breach of fiduciary duty*; V. *affect, to whom it may concern*), **concern, to whom it may** (GRAL literalmente «a quien corresponda», que se emplea en el encabezamiento de los certificados, equivale a la que se utiliza en español para cerrar los mismos «Y para que conste en donde convenga…»; tiene, por lo tanto, un sentido próximo al de las fórmulas empleadas en español al final de los certificados e informes, como «para que así conste y surta los efectos oportunos» o «para que surta efectos donde convenga», etc.), **concerned** (GRAL correspondiente, responsable, afectado, implicado; del/de la, etc., que se trate; en esta acepción, *concerned* aparece pospuesto al nombre como en *the person concerned, the client concerned*), **concerned, as far as I am** (GRAL por lo que a mí se refiere), **concerning** (GRAL respecto de, en relación con; V. *in accordance with*)],

concert *n/vv*: GRAL concierto, acuerdo; concertar V. *act in concert*. [Exp: **concert party** (MERC grupo concertado; grupo secreto de inversores que se ponen de acuerdo para adquirir la mayoría de acciones de una empresa por oferta directa o mediante una OPA; los inversores que se ponen de acuerdo *–acting in concert–* para hacerse con el 5% o más de una empresa, con el fin de desbancar a su junta directiva tienen la obligación legal de informar de este hecho a las autoridades bursátiles; V. *takeover, takeover bid*), **concerted practices** (MERC prácticas concertadas)].

concession *n*: MERC concesión; V. *licence, dealer*. [Exp: **concessionaire** (MERC concesionario; también se puede escribir *concessionnaire*), **concessionary** (MERC/CIVIL concesionario), **concessor** (MERC/CIVIL concedente)].

conciliation *n*: CIVIL conciliación; V. *ADR arbitration; Advisory, Conciliation and Arbitration Service*. [Exp: **conciliation act** (CIVIL acto de conciliación, acuerdo para evitar el litigio), **conciliation board** (CIVIL/LABORAL junta de conciliación), **conciliation officer** (CIVIL funcionario del *Advisory, Conciliation and Arbitration Service*)].

conclude[1] *v*: GRAL concluir, llegar a conclusión de; terminar, acabar, finalizar. [Exp: **conclude**[2] (GRAL convenir, concertar, firmar, suscribir; V. *conclude a contract, enter into a contract*), **conclude**[3] (GRAL deducir, llegar a una conclusión), **conclude a contract** (MERC celebrar, concertar, suscribir o formalizar un contrato; V. *enter into a contract, make a contract*), **conclude a transaction** (MERC cerrar una operación), **conclude a treaty** (INTER suscribir un tratado), **conclude an agreement** (GRAL alcanzar un acuerdo, llegar a un acuerdo), **conclude for** *der es* (PROC/CIVIL pedir, solicitar, pretender; fijar la parte en su escrito de pretensiones lo que sea objeto de su demanda, reclamación o defensa ◊ *The court repelled the decree concluded for*; V. *apply, claim, crave, seek*), **conclusion**[1] (GRAL término, expiración, conclusión; rescisión), **conclusion**[2] (PROC/CIVIL pretensión, petición, pedimento, petítum, objeto de la demanda; V. *application, claim, crave*), **conclusion of indictment** (GRAL parte final o de cierrre de una acusación), **conclusive** (GRAL definitivo, irrebatible, terminante, concluyente, inapelable, irrefutable ◊ *A person's birth certificate provides conclusive evidence of his or her date of birth*; V. *absolute, definitive*), **conclusive evidence** (PROC prueba contundente, concluyente o definitiva), **conclusive presumption** (PROC presunción absoluta, indicio claro)].

concot *v*: GRAL tramar, inventarse ◊ *Suspected terrorist are often held incomunicado while the investigation is being conducted in order to prevent them from concocting versions which would prejudice police and judicial enquires*; V. *plot*.

concomitant *a*: GRAL concomitante. [Exp: **concomitant actions** (GRAL acciones entabladas conjuntamente)].

concordat *n*: GRAL concordato.

concubinage *n*: GRAL concubinato. [Exp: **concubine** (GRAL concubina)].

concur *v*: GRAL concurrir, coincidir; estar de acuerdo, acordar. [Exp: **concurrence** (GRAL concurrencia o acuerdo en opiniones; concurso), **concurrence of crimes** (PENAL concurrencia de delitos), **concurrent/concurring** (GRAL simultáneo, concurrente ◊ *The man was sentenced to six months' imprisonment on the first charge and two months on the second, the sentences to run concurrently*; V. *accumulative, consecutive, joint, dissenting*), **concurrent insurance** (SEGUR pluralidad de seguros para un mismo riesgo), **concurrent interests** (CIVIL intereses concurrentes, cotitularidad de derechos reales), **concurrent judgment or sentences** (CIVIL sentencias simultáneas o concurrentes), **concurrent jurisdiction** (CIVIL jurisdicción coexistente o concurrente), **concurrent obligation** (obligación concurrente), **concurrent negligence** (CIVIL negligencia concurrente o conjunta), **concurrent tortfeasors** (CIVIL corresponsables de un ilícito civil de forma individual o personal; V. *joint-tortfeasor*) **concurring opinion** (PROC voto u opinión coincidente de un miembro de un tribunal con la mayoría, aunque por razones diferentes; V. *dissenting opinion*), **concurring speech** (PROC voto u opinión coincidente de un miembro de la Cámara de los Lores; V. *speech*[2])].

concussion *n*: PENAL concusión, extorsión.

condemn[1] *v*: GRAL/CIVIL/PENAL condenar; se suele emplear más en su sentido moral, siendo sinónimos parciales de esta acepción *disapprove, blance, criticize, reprobate*, etc.; en el sentido jurídico se prefiere *convict*. [Exp: **condemn**[2] (PROC declarar [judicialmente] ruinoso, no apto para el consumo público, etc.), **condemn**[3] (ADMIN expropiar; V. *appropiate [property] for public use*), **condemnation**[1] (CIVIL/GRAL condena, censura, repulsa; V. *blame, censure, reprobation*), **condemnation**[2] (CIVIL/ADM declaración de estado ruinoso de un inmueble *–property–*), **condemnation**[3] *US* (ADMIN expropiación forzosa por declaración de utilidad pública; V. *appropriate property for public use, compulsory purchase*), **condem-**

nation proceedings/suit *US* (CIVIL juicio de expropiación forzosa; V. *compulsory purchase*), **condemnator** *der es* (PROC/CIVIL fallo condenatorio, sentencia condenatoria; se usa exclusivamente en los procesos civiles, y suele emplearse menos que el término opuesto, *absolvitor*; V. *absolvitor, decree, finding, interlocutor, judgment*), **condemned cells** (PENAL celdas de condenados a muerte; V. *death row*)].

condescend *der es v*: CIVIL alegar, exponer ordenadamente el actor en el escrito de pretensiones los hechos en que funda su demanda; V. *conclude [for], crave*. [Exp: **condescendence** *der es* (CIVIL alegato, lista ordenada en párrafos numerados mediante la cual el demandante expone los hechos en que funda su pretensión ◊ *The court ruled that certain averments contained in the condescendence were irrelevant*; en el Derecho angloamericano se llama *particulars of claim*; V. *claim, particulars, plea-in-law*)].

condition[1] *n*: CIVIL/MERC condición, estipulación básica de un contrato ◊ *Even though a manufacturer describes a term in a contract for the sale of goods as a warranty, a court may decide that it is in fact a condition*; la *condition* es la raíz misma del contrato, de modo que, si se incumple, el contrato queda anulado; si se tratara de un inmueble daría lugar a la reversión de la enajenación; en cambio, la *warranty* es una promesa colateral, cuyo incumplimiento no resuelve el contrato; en plural –*conditions*– significa «plazos y condiciones»; V. *express condition, implied condition, stipulation, suspensive condition, term, warranty*. [Exp: **condition**[2] (GRAL estado), **apparent good condition, in** (GRAL aparentemente en buen estado), **condition for avoidance** (CIVIL condición resolutoria a la que está sujeta una garantía), **condition in fact** (CIVIL condición de hecho), **condition in law** (CIVIL condición de derecho), **condition precedent** (CIVIL condición suspensiva o precedente; en este caso el sustantivo va delante del nombre), **condition subsequent** (CIVIL condición resolutoria), **conditions** (plazos y condiciones), **conditional** (GRAL condicional, condicionado, contingente, eventual, con reservas ◊ *In a conditional offer, if a condition is not met, the offer is terminated*; se utiliza en contratos, acuerdos, ofertas, ventas, etc.; si la condición se incumple, el contrato, la oferta, etc., quedan extinguidos; V. *contingent, qualified, provisional, absolute*), **conditional acceptance** (CIVIL aceptación condicional), **conditional assignment** (CIVIL cesión condicional), **conditional bequest** (legado condicional), **conditional endorsement/indorsement** (endoso condicional), **conditional covenant** (pacto condicionado), **conditional discharge** (libertad condicional), **conditional legacy** (legado contingente o condicional), **conditional release/discharge** (libertad condicional), **conditional sale** (venta condicionada), **conditionally** (condicionalmente o con reserva ◊ *His proposal was accepted conditionally*; V. *provisionally, qualified*)].

condominium[1] *n*: GRAL/CIVIL condominio, soberanía compartida. [Exp: **condominium**[2] *US* (CIVIL comunidad de propietarios, condominio)].

conduct *n/v*: conducta, comportamiento; administración, manejo, dirección; conducir, llevar a efecto; el verbo *conduct* lleva el acento en la última sílaba, y el sustantivo, en la primera; V. *involuntary conduct*. Exp: **conduct a hearing** (PROC celebrar una vista), **conduct a poll** (GRAL efectuar una encuesta ◊ *According to a poll conducted last week, only one in four favour the Government's policy*; V. *inquiry*), **conduct proceedings, a case, etc.**

(GRAL/PROC llevar, tramitar, gestionar una causa, un expediente, un juicio, etc. ◊ *The defendant lodged an appeal on the ground that the judge had conducted the case unfairly*), **conduct negociations** (GRAL llevar a cabo negociaciones), **conduct money** (CIVIL/MERC depósito en garantía; V. *caution money*)].

confer[1] *v*: GRAL otorgar, conferir, reconocer ◊ *The terms of the will conferred special rights on the trustees it appointed.* [Exp: **confer**[2] (GRAL conferenciar, mantener un diálogo privado para aclarar dudas, tomar consejo, etc. ◊ *I would like to confer with my principals before I agree to your proposals*), **confer a right** (CIVIL reconocer un derecho; V. *exercise a right*), **conference**[1] (GRAL reunión, asamblea, conferencia; congreso), **conference**[2] (CONST comisión conjunta de miembros de las dos cámaras legislativas, la Cámara de los Lores y la de los Comunes –*the House of Lords and the House of Commons*–, en el Reino Unido, y la Cámara de Representante y el Senado –*The House of Representatives and the Senate*– en los Estados Unidos, para intentar solventar los problemas habidos en una de las Cámaras con un Proyecto de Ley emanado de la otra), **conference**[3] (PROC consulta [entre *barrister* y *solicitor* para intercambiar puntos de vista en relación a la causa que el primero debe defender ante los tribunales a instancia de un cliente del segundo], consulta entre el juez de procedimiento –*procedural judge*– y las partes, previa al juicio –*trial*–; curiosamente cuando la consulta tiene lugar en el despacho del *barrister* se llama *consultation*; V. *Bench conference, Q.C.*)].

confession *n*: GRAL/CIVIL/PENAL confesión, admisión, reconocimiento ◊ *The principal evidence led by the prosecution was a confession signed by the accused*; V. *admission.* [Exp: **confession of faith** (GRAL profesión de fe), **confession and avoidance** (CIVIL excepción especial, confesión y anulación, defensa de descargo; se aplica normalmente al reconocimiento de los hechos, aunque dándoles otra interpretación jurídica ◊ *The accused, who is charged with murder, has lodged a plea of confession and avoidance, claiming he killed the victim in self-defence*; V. *plea of confession and avoidance*)].

confide *v*: GRAL confiar algo a alguien; V. *entrust, commend, commit.* [Exp: **confidence** (GRAL confianza, relación fiduciaria; V. *trust*), **confidence man** (PENAL estafador; V. *con man; swindler*), **confidence trick** (PENAL timo), **confidence tricker** (PENAL timador; estafador; V. *con man*), **confident** (GRAL seguro), **confidential** (GRAL confidencial, de confianza; V. *classified, top secrete*), **confidential information** (información confidencial; V. *privileged information*), **confidentiality** (GRAL confidencialidad), **confidentiality agreement** (LABORAL acuerdo de confidencialidad de la organización de una empresa)].

confine[1] *v*: GRAL limitar, restringir, confinar, localizar ◊ *Confine the application of an article.* [Exp: **confine**[2] (PENAL/GRAL confinar, recluir, retener; V. *enclose*), **confinement** (PENAL reclusión, internamiento; arresto, detención; encarcelamiento, prisión, reclusión; V. *imprisonment*)].

confirm *v*: GRAL confirmar, verificar; ratificar, sancionar, corroborar; V. *approve, ratify, adopt, repudiate.* [Exp: **confirmation**[1] (GRAL confirmación, aprobación, ratificación; se usa en expresiones como *confirmation of judgement* –confirmación de una sentencia–; V. *approval, ratification, advice and consent*), **confirmation**[2] *US* (MERC/CIVIL en los procesos de quiebra, aceptación del plan propuesto por los acreedores; V. *cramdown*), **confirmed irrevocable credit** (MERC crédito irrevocable confirmado), **confirmed letter of credit** (MERC carta de crédito confirmada por un segundo banco; normalmente el banco pagador se hace responsable subsidiario del banco emisor; V. *letter of credit; documentary credit, bill of credit, direct letter of credit*), **confirmee** (MERC beneficiario de la confirmación de un derecho), **confirming** (MERC confirmación; alude a la operación de financiación de transacciones de comercio exterior realizada por agencias de confirmación o *confirming banks/houses* que, mediante el pago de una comisión, adelantan o garantizan al exportador el cobro de sus mercancías), **confirming bank** (MERC banco confirmador o confirmante; banco que da conformidad a los créditos)].

confiscate *v*: CIVIL confiscar; V. *appropriate*[3]. [Exp: **confiscation** (CIVIL comiso, confiscación; V. *appropriation*[1]; *misappropriation*), **confiscatory taxation** (FISCAL tributación confiscatoria)].

conflict *n/v*: GRAL conflicto, discrepancia; entrar en conflicto, discrepar; cuando es verbo lleva el acento en la segunda sílaba; V. *conflict*. [Exp: **conflict of interests** (GRAL conflicto de intereses ◊ *A solicitor will be unable to act for two or more clients where there is a conflict of interest between the clients*), **conflict of jurisdiction** (PROC conflicto de competencia, conflicto de jurisdicción), **conflict of laws** (INTER conflicto de derecho, normas o de leyes; *conflict of laws* se emplea también en el sentido de *Private International Law* o *International Private Law*, esto es, derecho internacional privado, aunque a veces también se pueda referir derecho internacional público), **conflict with** (GRAL contradecir, estar reñido con, entrar en conflicto con ◊ *Their proposal conflicts with our earlier plan*), **conflicting** (GRAL opuesto, contradictorio), **conflicting evidence** (PROC pruebas contradictorias, prueba en contrario; testimonio contradictorio)].

conform to *v*: GRAL cumplir, atenerse a ◊ *Articles exported to other member states must conform to EC standards*; V. *observe, comply with, observe, follow, abide by*. [Exp: **conformable to** (GRAL conforme con), **conformed copy** (PROC/GRAL copia conformada; se trata de una copia exacta en la que se explican o anotan detalles, por ejemplo, la firma ilegible del documento original), **conforming** (GRAL de acuerdo con), **conformity** (GRAL conformidad), **conformity hearing** (GRAL vista de conformidad; la ordena un tribunal para verificar si un acto procesal cuya redacción se encargó a una de las partes se adecua a la sentencia del tribunal)].

confront *v*: GRAL/PROC carear, llevar a cabo un careo, confrontar, comparar, cotejar; compulsar ◊ *The Spanish judicial tactic of confronting the accused with a hostile witness to check their versions of events against one another has no exact parallel in English law*. [Exp: **confrontation**[1] (GRAL enfrentamiento, confrontación, conflictividad; V. *stand-off*), **confrontation**[2] (PROC careo; V. *identification parade, show up*)].

confute *v*: refutar, confutar; V. *disprove, refute*.

congestion *n*: GRAL congestion; V. *crowding, obstruction*. [Exp: **congestion charge** (ADMIN tasa destinada a evitar la congestión del tráfico de las grandes ciudades como Londres)].

conglomerate *n/v*: MERC conglomerado de empresas; grupo industrial; asociación de empresas con actividades distintas en sectores diferentes; unir-se, fundir-se, conglomerar-se ◊ *A conglomerate is made up of many different and unrelated firms*; V. *absorption, amalgamation, combination,combine, consolidation, holding, group of companies, take-over; merger,* *trust*. [Exp: **conglomerate amalgamation** (MERC amalgamación en conglomerado; unión de empresas que fabrican productos distintos para mercados diferentes), **conglomerate merger** (MERC fusión en conglomerado; unión de dos o más empresas que no tienen ninguna actividad en común)].

Congress *n*: GRAL/CONST congreso; como nombre propio alude normalmente al Congreso de los Estados Unidos, donde reside el poder legislativo; está formado por el Senado *–Senate–* y la Cámara de Representantes *–The House of Representatives–*; los miembros del Congreso se llaman «congresistas» *–congressmen, congresswomen–*; V. *Executive, Legislative, Judiciary, legislature, Parliament*.

conjoint *frml a*: GRAL conjunto ◊ *A conjoint will*. [Exp: **conjointly** (GRAL conjuntamente)].

connexion, connection *n*: GRAL conexión, enlace; V. *liaison, relationship*.

connive *v*: GRAL/PENAL tolerar, consentir tácitamente [en un fraude o daño hecho a tercero] ◊ *To connive at a crime is to be a party to it*; en el uso habitual, *connive* en inglés y «connivar» en español son «falsos amigos», ya que el término inglés ha conservado el sentido etimológico de «cerrar los ojos ante algo», mientras que su homólogo español suele tener sentido activo o participativo; en este caso, en inglés se utilizaría el verbo *collude*; nótese que el verbo inglés se construye con la preposición *at* cuando se expresa el negocio, engaño o delito; V. *collude*. [Exp: **connivance** (PENAL connivencia), **conniving** (PENAL maniobrero, manipulador, intrigante)].

conscience *n*: GRAL conciencia. [Exp: **conscientious objector** (GRAL objetor de conciencia), **consciousness-raising campaign** (GRAL campaña de sensibilización)].

conscript *n/v*: GRAL recluta [obligatorio]; reclutar para el servicio militar obligatorio, alistar, llamar a filas ◊ *Conscription has not been in force in Great Britain since 1959*; V. *absentee conscript*. [Exp: **conscripted** (GRAL forzado, obligado), **conscripted labour** (PENAL trabajo forzoso; V. *hard labour*), **conscription** (GRAL reclutamiento, alistamiento, servicio militar obligatorio)].

consanguinity *n*: CIVIL consanguinidad, parentesco cognaticio; V. *cognateness, half-blood, whole blood, affinity*.

consecutive *a*: GRAL consecutivo. [Exp: **consecutive sentences** (PENAL penas [de prisión] consecutivas), **consecutive voyage charterparty** (MERC póliza de fletamento para viajes consecutivos)].

consensus *n*: GRAL consenso; V. *agreement, accord*. [Exp: **consensus ad idem** (GRAL consentimiento en la cosa y en la causa contractual; V. *consideration*)].

consent *n/v*: GRAL conformidad, consentimiento, aquiescencia, anuencia, venia; consentir, permitir, prestar consentimiento ◊ *It is unlawful to have sexual intercourse with a girl below the age of sixteen, which is the age of consent*; V. *leave, permission, compromise; accede*[2]*, acquiesce, asssent; reject, resist*. [Exp: **common consent, by** (GRAL de común acuerdo), **consent judgment** (CIVIL sentencia acordada o dictada en transacción; V. *agreed judgement, judgement by consent; plea bargaining*), **consent order** (MERC mandato de transacción comercial), **consent search** (PENAL registro con consentimiento del interesado), **consent settlement** (CIVIL avenencia), **consenting adults** (GRAL consentimiento entre mayores de edad, base de la tolerancia jurídica de la homosexualidad; V. *age of consent*)].

consequence *a*: GRAL consecuencia. [Exp: **consequential** (GRAL consecuente, consiguiente, resultante; importante, trascendental), **consequential damages** (CIVIL/SEGURO perjuicios; daños emergentes, consecuentes o especiales; V. *special damages*), **consequential loss** (CIVIL pérdida consecuente, indirecta o emergente)].

conservator *US n*: CIVIL/MERC curador, guardián; persona nombrada por los tribunales para administrar los bienes de quien ha sido declarado incompetente; en contexto bancario, el técnico nombrado por la inspección de Hacienda para hacerse cargo de un banco que tiene problemas; V. *receiver*.

consideration[1] *n*: GRAL consideración, deliberación, estudio; se emplea en expresiones como *after consideration* –previa deliberación–, *under consideration* –en estudio–. [Exp: **consideration**[2] (MERC causa contractual, contrapartida de un contrato, prestación; remuneración ◊ *In a contract of sale of goods the consideration is a money consideration, called price*; un contrato no es válido si carece de causa o contrapartida; quien no ofrezca causa o contrapartida *–consideration–* en un contrato no puede exigir el cumplimiento de la promesa de la otra parte; el *facio ut des* del Derecho romano es una fórmula de prestación o *consideration*; V. *good/fair/illegal/implied/fictitious /meritorious/moral/nominal/past/due consideration; accord; failure of consideration; for a small consideration*), **considerations** (PROC exposición de motivos en un juicio)].

consign *v*: GRAL consignar, remitir, enviar; V. *commit, remit, transfer*. [Exp: **consignee** (MERC consignatario, destinatario ◊ *The consignee should receive an invoice together with the goods*; V. *receiver, addressee*), **consigner** (MERC V. *consignor*), **consignment** (MERC remesa, envío, expedición, partida; entrega, consignación; V. *shipment*), **consignment accounts** (MERC cuentas de consignación; cuentas dudosas), **consignment note** (MERC nota de consignación; carta de porte por carretera, ferrocarril o avión; documento de consignación; guía de carga), **consignor** (MERC expedidor, consignador, remitente)].

consistent *a*: GRAL consecuente, coherente, concordante ◊ *This construction of the clause is consistent with habitual practice*.

consistorial *der es a*: FAM matrimonial, relativo a las relaciones entre marido y mujer, por ejemplo *consistorial proceedings*. [Exp: **consistorial action** *der es* (CIVIL demanda en asunto matrimonial o de la familia, *approx*. demanda de divorcio o de separación conyugal; V. *decree, divorce*)].

consolidate *v*: GRAL unir, fundir; refundir, consolidar; V. *bring together, codify*. [Exp: **consolidated actions** (PROC juicios acumulados; V. *consolidation of actions*), **consolidated balance sheet** (MERC balance consolidado; balance de fusión; alude al balance de empresas relacionadas mediante vínculos societarios), **Consolidated Fund** (CONST/ADM fondos públicos [en Gran Bretaña], fondo consolidado ◊ *The Civil List for the upkeep of the royal household is adjusted annually and paid out of the Consolidated Fund*; V. *civil list*), **consolidating statute** (CONST ley refundida, ley que refunde otras), **consolidation**[1] (MERC consolidación; se aplica a balances, deudas, etc.; V. *consolidated balance sheet*), **consolidation**[2] (MERC consolidación, concentración, combinación o fusión de sociedades; V. *absorption, amalgamation, combination, merger, trust*), **consolidation**[3] (MERC agrupamiento de bultos de diferentes cargadores en un solo contenedor), **consolidation**[4] (CONST consolidación o refundición de leyes, ley refundida ◊ *A consolidation Act brings together under a single Act provisions that were scattered over a number of different Acts*), **consolidation of actions** (PROC unión de litigios)].

consortium *n*: MERC consorcio, grupo de empresas; consorcio conyugal.

conspicuous *n*: GRAL claro, evidente, conspicuo; V. *patent*. [Exp: **conspicuous defect** (GRAL vicio aparente)].

conspiracy *n*: PENAL conspiración, confabulación, conjura, complot, asociación delictiva, pacto colusorio; pacto en detrimento de terceros ◊ *Changes to the laws on conspiracy have not affected the offence of conspiracy to defraud*. [Exp: **conspiracy in restraint of trade** (MERC confabulación para restringir el libre comercio, acuerdo restrictivo de la competencia; V. *chilling effect*), **conspiracy to defraud** (PENAL confabulación para estafar), **conspiracy to deceive creditors** (PENAL quiebra fraudulenta), **conspiracy to rig prices** (PENAL manipulación para alterar el precio de las cosas; V. *chilling a sale, combination/conspiracy in restraint of commerce/trade, price-fixing, illegal combination, code of fair competition/trading, Restrictive Practices Court, restraint of commerce/trade*), **conspiracy to rob** (PENAL conspiración para robar), **conspirator** (PENAL conjurador, confabulado; V. *accessory, accomplice in a crime, abetter*), **conspire** (PENAL conspirar, conjurar contra alguien)].

constable *n*: PENAL/ADMIN [agente de] policía, guardia ◊ *All police officers are constables regardless of their rank within the force, but the term is commonly used to apply to the lowest rank of policemen*; V. *policemen*. [Exp: **constablewick** (PENAL/ADMIN área de jurisdicción de un *constable*), **constabulary** (PENAL/ADMIN cuerpo de policía)].

constitute[1] *v*: GRAL constituir. [Exp: **constitute**[2] (GRAL nombrar, designar; V. *appoint, designate*), **constitute a quorum** (GRAL/SOC reunir o constituir *quorum*; V. *counted out*), **constitutor** (PROC/CIVIL fiador, garante)].

constituency *n*: ADMIN/CONST distrito electoral, circunscripción electoral ◊ *MPs usually try to keep in touch with their constituents either by attending public meetings or by answering letters*; V. *electoral ward*. [Exp: **constituent** (CONST/ADM constituyente; persona con derecho a voto dentro de una circunscripción dada)].

constitution *n*: CONST constitución. [Exp: **constitutional law** (CONST derecho constitucional), **constitutional protection** (CONST/PROC amparo constitucional ◊ *He is entitled to constitutional protection*; V. *protection, equity*)].

constraint *n*: GRAL restricción, limitación; apremio; limitar, restringir.

construction[1] *n*: GRAL construcción, edificación ◊ *The Treaty of Rome was the first step in the construction of the Union of Europe*; este término nace de *construct* –construir–, mientras que en la segunda acepción se deriva de *construe* –interpretar–; V. *build, establish, raise*. [Exp: **construction**[2] (PROC interpretación judicial, interpretación por deducción; explicación, deducción; razonamiento por analogía, analogía de ley, equivalencia procesal ◊ *A contractual licence may be irrevocable depending on the construction of the terms of the contracts between the parties*; se llama *construction* –palabra derivada del verbo *construe*– al proceso mediante el cual los tribunales interpretan el alcance y profundidad de las palabras y de las oraciones en los contratos y en las leyes, de acuerdo con las normas de interpretación –*canons of construction*–; de esta forma se habla de *construction of a will, construction of the terms*, etc.; el término *interpretation*, en muchos casos, puede considerarse como sinónimo del anterior aunque tiene matices diferentes; V. *construe, canons of construction, intendment, interpretation, strict con-*

struction; misconstruction), **constructional defect** (PROC defecto de interpretación)].

constructive[1] *a*: GRAL constructivo, positivo ◊ *A good lawyer will always try to make his arguments as constructive as possible*; este adjetivo se deriva del verbo *construct* –construir, edificar–; V. *positive, effective, productive*. [Exp: **constructive**[2] (GRAL/PROC analógico, aplicable por analogía o por deducción, presunto, presuntivo, a efectos legales, sobreentendido, indirecto, virtual, implícito, indirecto, tácito, a todos los efectos, lo que la ley considera que tuvo lugar aunque no haya sucedido, ficticio, *ope legis*, putativo; coloquialmente se puede decir que equivale a *as if* ◊ *After two years' living alone in the marital home, the wife was granted a divorce on the ground of her husband's constructive desertion*; el adjetivo *constructive* se deriva del verbo *construe* –interpretar–; *implied* y *constructive* son sinónimos parciales aunque hay diferencias entre ellos: el primero se refiere a las intenciones de una de las partes y el segundo a lo que la ley considera que «hay que interpretar como si realmente hubiera ocurrido», es decir, a lo que es deducible de las acciones y comportamientos de las personas o de las palabras escritas, sean leyes o documentos, sin tener en cuenta las posibles intenciones ni siquiera la información que se tiene de los hechos; en español se emplea el término «analógico», como en «atenuante analógica»; el antónimo de *constructive* es *actual*, en tanto que el de *implied* es *expressly*; V. *implied, inferred, understood, undeclared, words to like effect; actual, actually*), **constructive adverse possession** (CIVIL posesión de cosa ajena, presumida por ciertos hechos, como puede ser el pago de impuestos), **constructive assent** (GRAL/PROC consentimiento implícito), **constructive acceptance** (CIVIL aceptación deducida o tácita), **constructive contempt** (PROC contumacia o desacato indirecto), **constructive contract** (CIVIL/MERC contrato implícito), **constructive conversion** (PENAL apropiación implícita o virtual), **constructive crime** (PENAL delito establecido por deducción del tribunal), **constructive delivery** (cuasi-entrega, tradición simbólica, presunta entrega, expresión que se refiere a la posesión provisional de mercancías por el comprador a plazos; V. *symbolic delivery*), **constructive desertion** (CIVIL abandono implícito del hogar; cuando un cónyuge abandona el hogar porque el otro le hace la vida imposible, a efectos legales ha abandonado el hogar el que hizo imposible la convivencia), **constructive dismissal** (LABORAL despido indirecto, despido sobreentendido, despido analógico; cuando un empleado se ve obligado a marcharse de su empresa porque la convivencia es imposible, por ejemplo, por sufrir acoso sexual, etc., a efectos legales ha habido despido, esto es, *constructive dismissal*, y el empleado tiene derecho a la indemnización por despido), **constructive dividend** (MERC dividendo ficticio o implícito), **constructive eviction** (CIVIL desalojo indirecto), **constructive fraud** (PENAL fraude implícito), **constructive knowledge** (PROC conocimiento derivado o por deducción), **constructive mortgage** (MERC/CIVIL hipoteca equitativa), **constructive notice** (PROC notificación sobreentendida; la doctrina del *constructive notice* presume que una persona tiene conocimiento de aquello que es razonable suponer que conoce con independencia del estado real de sus conocimientos; por lo tanto, el que adquiere una propiedad creyendo que se encuentra libre de gravámenes y luego descubre que no es así, es el único responsable de las pérdidas ocasionadas ya que existían medios para que una persona prudente se pudiera enterar de la situación en que se encontraba la propiedad que adquirió; V. *actual notice, charged with notice*) **constructive possession** (CIVIL posesión sobreentendida, etc.), **constructive total loss** (SEGUR siniestro total implícito o a los efectos de la ley; se aplica este término cuando el bien *–property–* asegurado no se ha perdido o destruido, pero su valor es nulo porque el coste de la reparación a su situación original *–restoration to its original condition–* es superior al valor del bien; curiosamente la traducción que aparece en algunos documentos es la de «pérdida total constructiva», cuando lo correcto habría sido «pérdida total equivalente»; en español, algunos especialistas que emplean este término explican, erróneamente, que *constructive* quiere decir que la pérdida ha sido de tal calibre que hay que «construir» otra vez el barco, el medio de transporte o el objeto asegurado, cuando en realidad, este *constructive* no procede de *construct* –construir– sino de *construe* –interpretar–; V. *actual total loss, write-off, beyond repair*), **constructive trust** (CIVIL fideicomiso ficticio o impuesto por la ley; V. *resulting trust*), **constructively** (GRAL de forma implícita, como si lo hubiera sido o estado, como debe entenderse o interpretarse)].

construe *v*: GRAL interpretar, deducir ◊ *The outcome of the case will depend on how the court construes the statute*; V. *construction, constructive, interpretation*.

consult *v*: GRAL consultar, celebrar consultas; asesorarse, tener en cuenta, considerar ◊ *An arrested person has the right to consult a solicitor*. [Exp: **consultancy** (GRAL asesoría, consultoría, «consulting»; el término *consulting*, utilizado en español como sustantivo contable, esto es que puede tener plural, referido a una empresa o bufete, es un falso anglicismo, ya que en inglés se emplea, en su lugar, *consultancy*, siendo *consulting* sólo el gerundio o participio del verbo *consult*), **consultant** (GRAL asesor, consejero, consultor ◊ *The consultant's advice was to cut marketing costs*; V. *adviser, adivosr, management consultan*), **consultation** (GRAL/PROC asesoramiento; sesión de asesoramiento; V. *mutual consultation, conference*[3]), **consulting** (GRAL V. *consultancy*), **consulting board** (GRAL junta consultiva), **consulting solicitors** (GRAL letrados asesores)].

consume *v*: GRAL consumir, gastar, utilizar. [Exp: **consumer** (GRAL usuario, consumidor ◊ *Under the Consumer Protection Act 1987, suppliers of all consumer goods must ensure that the goods comply with general safety requirements*), **consumer goods** (CIVIL bienes de consumo), **consumer protection** (ADMIN protección al consumidor; V. *Federal Trade Commission*), **consumer price index, cpi** (ADMIN índice de precios al consumo), **Consumer Credit Act** (MERC Ley de Crédito al Consumidor), **consumption** (GRAL consumo), **consumption loan** (MERC préstamo personal), **consumption tax** (FISCAL impuesto sobre el consumo)].

consummate *v*: GRAL consumar. [Exp: **consummation of marriage** (CIVIL consumación del matrimonio)].

contact *n/v*: GRAL contacto, comunicación; establecer comunicación, ponerse en contacto; V. *access*[2].

container *n*: GRAL/MERC V. *full container ships, FC ships*.

contango *n/v*: MERC diferimiento, interés de aplazamiento de valores en Bolsa, contango, reporte; aplazar ◊ *Contango is the opposite of backwardation: it is the percentage paid by the buyer for deferring payment due on stock*; V. *backwardation*.

contemplate *v*: GRAL prever ◊ *A defendant is liable for damage if he is presumed to have contemplated it to be likely to result.*

[Exp: **contemplation** (GRAL previsión, proyecto, plan, expectativa; consideración), **contemplation of death** (CIVIL *causa mortis*), **contemplation that, in** (GRAL en previsión de, confiando que, con la esperanza de que; V. *in anticipation*)].

contempt *n*: PROC desprecio, contumacia, desacato; V. *commonlaw contempt, direct contempt*. [Exp: **contempt of authority** (PENAL/PROC rebeldía), **contempt of court** (PROC desacato, desobediencia, rebeldía, quebrantamiento del secreto del sumario; *contempt of court* se refiere exclusivamente al desacato a los tribunales o a sus representantes, no existiendo el concepto más general de desacato a las autoridades; el que insulte a un ministro insulta a un particular que cuenta con los recursos legales habituales; V. *civil contempt, constructive contempt, contumacy; purge*), **contemptuous [words]** (PENAL/CIVIL [lenguaje] ofensivo, insultante, injurioso, bajo, grosero, procaz; rebelde ◊ *Abusive language is insulting, coarse and contemptuous*; V. *insulting language, abusive language, libel, actionable words, invective*)].

contend *v*: GRAL afirmar, sostener; defender ante los tribunales, probar con argumentos, argumentar, debatir, defender, discutir, razonar ◊ *The judge declined to accept that the view conferred for by the barrister was correct in law*. [Exp: **contention** (GRAL alegato, argumento, postura, posición defendida ◊ *The testimony of witnesses is adduced as evidence supporting the contentions of either side in a case*; V. *reasoning, assertion*), **contentious** (GRAL contencioso, beligerante; combativo, terco, discutidor ◊ *The fees payable to a solicitor will depend on whether the business is contentious or non-contentious*; V. *argumentative, litigious, quarrelsome*)].

contents of the pleadings *n*: PROC contenido de los alegatos; V. *allegations; merits of the case.*

conterminous *a*: CIVIL/GRAL contiguo, adyacente, limítrofe, colindante; hoy se prefiere la forma *coterminous*.

contest *n/v*: GRAL litigio, impugnación; impugnar, alegar, contestar, refutar; cuando es verbo se acentúa la segunda sílaba ◊ *The husband did not contest the action for divorce brought by his wife*; V. *contend, dispute, challenge.*

contingency *a*: GRAL contingencia, eventualidad, hecho fortuito. [Exp: **contingency fund** (MERC/CIVIL fondo para imprevistos; fondo de previsión/contingencias), **contingency insurance** (SEGUR póliza que cubre las pérdidas financieras por circunstancias predeterminadas, por ejemplo, pérdida de un documento, etc.), **contingency planning** (SEGUR previsión de accidentes, previsiones), **contingent** (GRAL condicional, contingente, eventual, aleatorio; accidental ◊ *Contingent remainders are now deemed equitable interests*; V. *conditional*), **contingent beneficiary** (CIVIL/MERC beneficiario condicional), **contingent estate** (CIVIL propiedad contingente), **contingent fee** (CIVIL honorario condicional; V. *attorney's contingent fee*), **contingent legacy** (CIVIL legado condicional), **contingent on, be** (GRAL estar supeditado a, depender de), **contingent remainder** (CIVIL legado bajo condición, derecho de propiedad que se hará efectivo cuando se cumpla alguna condición predeterminada)].

continuance *n*: PROC suspensión o aplazamiento [de un acto por más de una sesión]; V. *automatic continuance, postponement, adjournement*. [Exp: **continuation** (GRAL continuación, prórroga; V. *prorogation*), **continue** (GRAL seguir, proseguir, continuar), **continued bond** (MERC bono con vencimiento aplazado), **continuing** (GRAL continuado, en continuación), **continuity of employment** (continuidad en el empleo ◊ *Continuity of employment is important for the purposes of qualifying for certain statutory employment rights, for example, redundancy payments*), **continuing offence** (GRAL delito continuado), **continuous** (GRAL continuo, no interrumpido, repetido), **continuous easement** (CIVIL servidumbre continua), **continuous employment** (LABORAL empleo ininterrumpido)].

contra proferentem rule *n*: PROC norma interpretativa de cláusulas de contratos ambiguas mediante la cual los jueces fallan en contra de la parte que hizo la redacción de las mismas.

contract *n*: CIVIL/MERC contrato; pacto, convenio, precontrato inmobiliario; contratar; como verbo se acentúa la segunda sílaba ◊ *Engagements to marry are no longer treated as enforceable legal contracts*; para que exista un contrato, debe haber un acuerdo vinculante *–binding agreement–* entre las partes, una causa contractual onerosa *–valuable consideration–* y la intención de crear relaciones jurídicas *–legal relations–*; V. *accord, agreement, settlement, accommodation, area of agreement, arrangement, entirety of contract, capacity to contract, standstill agreement; pact, treaty, covenant; consideration, representation, fraudulent representation; enter into contract; breach of contract; conspiracy in restraint of trade; yellow-dog contract*. [Exp: **contract in restraint of trade** (PENAL confabulación para restringir el libre comercio), **contract killer** (PENAL matón a sueldo), **contract of adhesion** *US* (MERC contrato de adhesión ◊ *Contracts of transportation are contracts of adhesion*; V. *standard-form contract*), **contract of affreightment** (MERC contrato de fletamento), **contract of apprenticeship** (LABORAL contrato de aprendizaje o de prácticas), **contract of carriage [by sea]** (MERC contrato de transporte, de fletamento), **contract of hire** (MERC contrato de alquiler), **contract of employment** (LABORAL contrato de empleo), **contract of service/for services** (CIVIL/ADM contrato de servicios), **contract of sale** (MERC contrato de compraventa), **contract uberrimae fidei** (MERC contrato de buena fe, contrato *uberrimae fidei*), **contract under seal** (MERC contrato protocolizado o documentado), **contracting parties** (GRAL/INTER partes contratantes, pactantes ◊ *The Treaty of Rome and related European Community was established among the High Contracting Parties*; V. *covenantee*), **contractor** (MERC contratista, contratista en un contrato de salvamento de obras o de servicios; V. *salvage*), **contractual** (GRAL contractual ◊ *A body incorporated by royal charter has full contractual capacity*), **contractual capacity** (MERC capacidad contractual), **contractual obligation** (MERC obligación o vínculo contractual), **contractual option** (MERC cláusula de rescisión), **contractual provisions** (MERC términos o condiciones contractuales)].

contradict *v*: GRAL contradecir. [Exp: **contradiction** (GRAL contradicción, impugnación; V. *challenge*), **contradiction of witness** (GRAL contradicción incurrida por un testigo), **contradictory** (GRAL contradictorio)].

contrary to *fr*: GRAL contraviniendo, infringiendo [el artículo, etc.] ◊ *He has been charged of taking a conveyance without consent, contrary to section 12(1) of the Theft Act*; V. *act contrary to; according to*. [Exp: **contrary to law/business usage/section 4**, etc. (GRAL en contra de las normas del derecho, los usos y costumbres mercantiles, lo dispuesto en el artículo 4.º, etc.), **contrary to one's knowledge** (GRAL en contradicción con su propio saber), **contrary, unless there is evidence to the** (PROC salvo prueba en contra)].

contravene *v*: GRAL infringir, contravenir; V. *controvert, contradict*. [Exp: **contravention** (GRAL infracción)].

contribute *v*: GRAL aportar, contribuir. [Exp: **contribution**[1] (GRAL aportación, donativo, donación, contribución ◊ *Certain capital contributions are tax-deductible*; V. *cash contribution, charitable contribution*), **contribution**[2] (PENAL/CIVIL parte alícuota de la indemnización exigida por el condenado a otra u otras personas con las que es responsable solidariamente de un agravio hecho a un tercero ◊ *Smith claimed contribution from the other two tortfeasors after judgment was given against all three but he alone was sued for damages*; V. *civil liability contribution*), **contribution notice** (CIVIL notificación de demanda por responsabilidad compartida), **contributor** (CIVIL contribuyente, cooperante), **contributory**[1] (GRAL parcial, negligente, contribuyente, participatorio, accesorio), **contributory**[2] (MERC socio comanditario, socio responsable de una aportación), **contributory infringement** (CIVIL infracción contribuyente), **contributory fault/negligence** (CIVIL imprudencia negligente o contribuyente, negligencia concurrente, concurrencia de culpa civil, negligencia culposa ◊ *A person sued for causing injury or loss through reckless driving may plead contributory negligence in his defence if the injured party was not wearing a seat-belt*; V. *collateral negligence*)].

control *n/v*: GRAL fiscalización, control, intervención; controlar, regular, fiscalizar, dominar; cuando es verbo se acentúa la segunda sílaba; V. *care and control, actual physical control; freeze, block, limit*. [Exp: **control test** (LABORAL prueba utilizada por los tribunales de lo social para determinar la relación contractual entre empleador y empleado, consistente en preguntar al empleador si tiene derecho a controlar lo que hace el empleado o cómo lo hace), **controlled company** (MERC mercantil filial o dominada), **controlled delivery** (GRAL/PENAL entrega controlada), **controlled drugs** (GRAL estupefacientes y/o estupefacientes), **controlled market** (MERC mercado intervenido), **controlled substance** (GRAL sustancia regulada), **controlled trust** (CIVIL fideicomiso del que es fiduciario un abogado), **controller/comptroller** (MERC interventor), **controlling** (mayoritario, dominante), **controlling company** (MERC sociedad matriz/tenedora; V. *holding company*), **controlling interest** (MERC participación de control o dominante, interés mayoritario/dominante), **controlling shareholder** (SOC accionista mayoritario; V. *majority shareholder*), **controlling stake** (MERC participación mayoritaria o de control)].

controversy *n*: GRAL disputa, desacuerdo, controversia, litigio ◊ *Legal controversies are settled by the courts*; V. *argument, dispute*. [Exp: **controvert** (GRAL impugnar, controvertir, disputar; V. *contradict, contravene*)].

contumacy *frml n*: PROC rebeldía, contumacia; V. *contempt of court*. [Exp: **contumacious** (PROC contumaz)].

contuse *frml n*: GRAL contusionar. [Exp: **contusion** (GRAL contusión), **contusive weapon** (GRAL arma contundente)].

convene *v*: GRAL convocar, citar, reunir; reunirse ◊ *The committee convened in the afternoon to discuss the issue*; V. *convention*. [Exp: **convener** (GRAL secretario de una reunión, persona que convoca, coordinador de una mesa, etc.)].

convenience *n*: GRAL comodidad, ventaja; cosa que resulta práctica, fácil o útil ◊ *Having two cars is a real convenience*; V. *all modern conveniences; at your earl-*

iest convenience; flag of convenience; certificate of convenience and necessity; se usa en expresiones como *convenience food* –platos preparados o precocinados–, *convenience store* –tienda de artículos de consumo o de uso diario–. [Exp: **convenience and necessity** (ADMIN V. *certificate of convenience and necessity*), **convenient**[1] (GRAL práctico, útil, cómodo; que viene bien ◊ *How very convenient, you boss retiring just now!*), **convenient**[2] (GRAL cerquita, a mano ◊ *Her new flat is very convenient for the office*), **convenient terms** (MERC facilidades de pago; V. *easy terms*)].

convention[1] *n*: GRAL asamblea, congreso, convención ◊ *During the US elections, the major parties celebrate huge conventions attended by thousands of delegates and supporters.* [Exp: **convention**[2] (GRAL conveniencia, norma de uso, convención ◊ *The convention is that people should stand while the National Anthem is played*), **convention**[3] (INTER tratado de derecho internacional, convención ◊ *The Hague Convention includes procedure to ease the exchange and acceptance of documents across international frontiers*), **conventional** (GRAL convencional, corriente, normal, habitual), **conventional weapons** (GRAL armas clásicas)].

conversant *a*: GRAL experto, entendido, perito.

conversion[1] *n*: GRAL conversión, canje; reconversión. [Exp: **conversion**[2] (GRAL realización en dinero efectivo, conversión en dinero del valor de las propiedades), **conversion**[3] (PENAL apropiación ilícita de los bienes ajenos; retención indebida de los bienes de otro ◊ *The deliberate withholding of goods from their rightful owner is conversion, as clearly defined in the law of tort*; V. *trover*), **conversión of an undertaking** (MERC reconversión de una empresa), **convert** (MERC/GRAL canjear), **convert** (GRAL realizar el valor de una propiedad mediante venta, etc.), **convert into a public document or deed** (ADMIN elevar a instrumento público; V. *put on record*), **convertible bonds, debt, stock** (MERC bonos, deuda, acciones convertibles), **convertible foreign currency** (MERC divisa convertible)].

convey[1] *v*: MERC transportar, acarrear ◊ *Goods being conveyed under a transport contract should be insured.* [Exp: **convey**[2] **[property]** (CIVIL traspasar, transferir, ceder, consignar ◊ *Conveyancing is a specialist field in the legal profession, since the property laws are often highly complex*), **conveyance**[1] (MERC vehículo, medio de transporte; V. *haulage, taking without consent, contrary to*), **conveyance**[2] (CIVIL cesión; transmisión de propiedad; traspaso; acta o escritura de transmisión de propiedad; contrato inmobiliario; contrato transmisorio; transmisión solemne; traslación de dominio; V. *absolute conveyance*), **conveyance by road** (MERC transporte o acarreo por carretera, porte; V. *vehicle, public conveyance*), **conveyancer** (ADMIN/CIVIL especialista en los trámites, documentos, etc., relacionados con cambios y transmisión de propiedades o inmuebles; V. *licensed conveyancer*; V. *licensed conveyancers*), **conveyancing** (CIVIL [especialidad jurídica encargada de lo relacionado con la] transmisión de bienes inmuebles, contratación inmobiliaria), **conveyancing costs** (CIVIL gastos y honorarios derivados de las transmisión de bienes inmuebles), **Conveyancing Standing Committee** (ADMIN Comisión permanente de vigilancia de asuntos relacionados con la transmisión de propiedad)].

convict[1] *n*: PENAL condenado, convicto, penado, reo, presidiario, preso; V. *inmate.* [Exp: **convict**[2] **somebody of an offence** (PENAL condenar, pronunciar sentencia condenatoria, declarar culpable a un acusado ◊ *He was tried and convicted of having performed an illegal abortion*; V. *prove guilty; acquit*), **conviction**[1] (PENAL sentencia condenatoria, condena, fallo condenatorio ◊ *It is important to distinguish between conviction, which is adjudging the accused guilty, and sentence, which is the announcement of the punishment*; en los juicios con jurado, celebrados en el *Crown Court*, la condena la pronuncia el jurado; en los juicios celebrados en el *Magistrates' Court*, los jueces de dicho tribunal pronuncian la condena e imponen la sentencia; V. *convict; list/record of previous convictions, summary conviction; find, pass a sentence; acquittal*), **conviction**[2] (GRAL convicción, creencia, seguridad; V. *convince; certainty, confidence*), **conviction background or record** *US* (PENAL antecedentes penales, historial delictivo; V. *criminal record, previous convictions*)].

convince *v*: GRAL convencer; V. *conviction*[2]. [Exp: **convincing** (GRAL convincente, satisfactorio ◊ *The barrister spoke wittily and well but his arguments were not really convincing*; V. *cogent*), **convincing proof** (PROC prueba suficiente), **convincing solicitor** (GRAL abogado fedatario; V. *commissioner for oaths, attesting*)].

cook *v*: GRAL guisar, cocinar. [Exp: **cook the books** *col* (MERC manipular/amañar/maquillar/falsificar los libros de contabilidad ◊ *The accountant was fired because he refused to cook the books*; V. *accounting, fraud, massaging the numbers; window-dressing*)].

cool[1] *a*: GRAL frío, fresco; enfriarse, entibiarse. [Exp: **cool**[2] (GRAL tranquilo, imperturbable; templanza ◊ *The suspect had nervesof steel and remained cool all the time*), **cool**[3] (GRAL caradura, fresco; descaro), **cool blood, in** (PENAL a sangre fría), **cool down/off** (GRAL enfriarse; calmarse, tranquilizarse ◊ *When you've cooled down a bit we can continue our discussion*), **cooler** *col* (PENAL cárcel, chirona, trena, etc.; en su origen se empleó para referirse al aislamiento *–solitary confinement–* en los campamentos de prisioneros de guerra *–prisoner-of-war camps–* en Alemania ◊ *He fiddled the Stock Market and wound up in the cooler*; V. *jail, gaol, jug, quod, clink, can.*), **cooling-off period** (MERC período de reflexión que la Ley de Crédito al Consumidor *–Consumer Credit Act–* concede al tomador de un crédito, seguro, contrato de compras a plazo, etc., que suele ser de cinco días entre la firma del primer acuerdo y la del acuerdo definitivo ◊ *The government and the unions have agreed on a two-month cooling-off period*; V. *truth in lending act*), **cooling time** (LABORAL período de reflexión en la negociación de relaciones laborales; también se le suele llamar *cooling-off period*)].

co-op[1] *n*: GRAL cooperativa; V. *cooperative*. [Exp: **co-op**[2] *US* (CIVIL/GRAL edificio de apartamentos en régimen de cooperativa o de propiedad en común, también llamado *cooperative building*)].

cooperate *v*: GRAL cooperar, colaborar. [Exp: **cooperation** (GRAL/MERC cooperación, colaboración), **cooperation clause** (SEGUR cláusula de cooperación; mediante esta cláusula el asegurado se compromete a colaborar con la aseguradora en las acciones que emprenda contra terceros), **cooperative, co-op**[1] (MERC/CIVIL cooperativo, conjunto, coordinado; cooperativa, sociedad cooperativa ◊ *Most agricultural cooperatives are very successful*; en forma atributiva significa «mancomunado o en régimen de cooperativa» y se emplea en compuesto como *cooperative bank* –banco/caja rural–, *cooperative farm* –granja en régimen de cooperativa, banco/caja rural–, *cooperative association*

–sociedad cooperativa–, *cooperative insurance* –seguros mutuos–, etc.; V. *pool*), **cooperative apartment/building, co-op**[2] *US* (CIVIL edificio de apartamentos en régimen de cooperativa o de propiedad en común)].

copy[1] *n/v*: GRAL copia, ejemplar, número; copiar; V. *attested copy, captain's copy, certified copy, back*[2]. [Exp: **copy**[2] (GRAL texto publicitario; copia; V. *copywriter*), **copy not negotiable** (GRAL copia de un documento sin valor transaccional), **copyright, ©** (CIVIL/MERC propiedad intelectual, derechos de autor ◊ *Copyright is a wasting asset*; V. *intellectual property; plagiarism, intangible/wasting assets*), **copyright, out of** (CIVIL/MERC de dominio público), **copyrighted name/material** (CIVIL/MERC nombre/obra registrada como propiedad intelectual), **copywriter** (GRAL redactor publicitario; especialista en textos publicitarios; V. *copy*[2])].

coram vobis *obs n*: PROC ante nosotros, en nuestra presencia; se empleaba en la expresión *writ of errors coram nobis*: mandamiento que un tribunal superior dirigía a otro inferior para corregir defectos jurídicos cometidos en una resolución adoptada por éste.

corespondent *n*: PROC codemandado.

corner *n*: GRAL/MERC acaparamiento; V. *monopoly, commodity, exchange; co-emption, engrossment; overstock*. [Exp: **corner the market** (MERC monopolizar/acaparar el mercado ◊ *An excellent sales campaign enabled the new firm to corner the market in their product*), **cornerer/corner man** (MERC acaparador)].

coroner *n*: CIVIL/PENAL funcionario o magistrado, médico o abogado, que investiga las muertes por causas súbitas; pesquisidor ◊ *If a criminal act is suspected, a coroner's inquest will be called*; a institución del *coroner* –literalmente, funcionario o representante de la Corona– es una de las peculiaridades del Derecho inglés que ya aparece en el siglo XII; antiguamente también se le llamaba *crowner*, aunque esta versión ha desaparecido prácticamente; cuando las circunstancias de la muerte no quedan lo suficientemente claras tras la autopsia correspondiente, el *coroner* tiene potestad para constituir un jurado compuesto entre 7 y 11 vecinos; examinados los indicios y oídos los testigos, el jurado emite un veredicto, llamado *inquisition*; en muchos estados norteamericanos el *coroner* ha sido sustituido por la figura del *medical examiner*. [Exp: **coroner's court** (CIVIL/PENAL tribunal del pesquisidor, magistrado; está formado por el *coroner* y un jurado llamado *the coroner's jury*), **coroner's inquest** (CIVIL/PENAL investigación hecha por el pesquisidor; V. *autopsy*), **coroner's jury** (V. *coroner*)].

corporal *a*: GRAL corporal; V. *bodily*. [Exp: **corporal chattel** (CIVIL bien mobiliario tangible; V. *chose in possession*), **corporal oath** (PROC juramento solemne), **corporal property** (CIVIL propiedad sobre bienes materiales), **corporal punishment** (PENAL castigo corporal o físico; V. *chastisement*)].

corporate *a*: MERC social; jurídico; referido a una sociedad mercantil; el término *corporate* se aplica a lo relacionado con sociedades mercantiles; en algunos casos puede ir delante del nombre o detrás de él, como en *corporate body* o *body corporate*. [Exp: **corporate assets** (MERC activo social), **corporate body** (MERC persona jurídica ◊ *A registered building society is a body corporate and as such must sue and be sued in its registered name*; V. *artificial person*), **corporate books** (SOC libros societarios), **corporate business** (MERC empresa constituida en sociedad de capital), **corporate capital**

(MERC capital social), **corporate franchise** (MERC franquicia o autoridad de las personas jurídicas), **corporate group** (MERC grupo de empresas), **corporate leader** (MERC dirigente empresarial), **corporate logo** (MERC logotipo social), **corporate name** (MERC razón social, también llamado *company name*), **corporate purpose** (MERC objeto social o societario), **corporate stocks** (MERC acciones de sociedades, capital accionariado), **corporate tax** (MERC/FISCAL impuesto de sociedades; V. *corporation tax*), **corporate year** (SOC ejercicio social)].

corporation[1] *n*: ADM corporación; V. *city corporation*. [Exp: **corporation**[2] (MERC sociedad mercantil, empresa; persona jurídica; las *corporations* también se llaman *companies* ◊ *A corporation is an artificial entity that may legally own property and engage in business activity*; V. *firm, enterprise, corporation papers, deed of incorporation, certificate of incorporation, articles of incorporation, statutory corporation; company, private companies*), **corporation affected with a public interest** (MERC sociedad mercantil privada que lleva a cabo actividades de interés público), **corporation charter** *US* (MERC escritura o carta de constitución; V. *certificate of incorporation*), **corporation housing** *US* (ADMIN viviendas de protección oficial, viviendas sociales; V. *public housing, council housing*), **corporation incorporated by royal charter** (SOC sociedad constituida mediante el otorgamiento de cédula real), **corporation/company law** (SOC derecho de sociedades), **corporation of Lloyd's** (V. *Lloyd's*), **corporation papers** (MERC escritura social), **corporation sole** (MERC persona jurídica unipersonal), **corporation tax** (FISCAL impuesto de sociedades)].

corporeal *a*: GRAL material, tangible, corpóreo, físico; efectivo; V. *incorporeal, intangible, fixture*. [Exp: **corporeal hereditaments** (CIVIL heredamientos corporales, bienes tangibles por heredar, propiedad real, tangible y transmisible; V. *incorporeal hereditaments*; *fixture*), **corporeal security** (GRAL garantía tangible)].

corps *n*: INTER V. *diplomatic corps*.

corpse *n*: GRAL/PENAL cadáver ◊ *The corpse was found by the river, buried in a shallow grave*.

corpus delicti *n*: PENAL cuerpo de delito.

correct[1] *a*: GRAL correcto; V. *right*. [Exp: **correct**[2] (GRAL/PROC corregir, subsanar ◊ *Clerical mistakes in judgments may be corrected by the court at any time of its own initiative or on the motion of any party*; V. *remedy, modify, amend; cure a defect*. [Exp: **correcting entry** (MERC asiento de corrección o regularización; contrapartida), **corrective advertising** *US* (ADMIN publicidad de rectificación; es una campaña publicitaria, normalmente por mandato judicial, cuyo objeto es rectificar la publicidad falsa o engañosa –*misleading advertising*– emitida con anterioridad; V. *Federal Trade Commission*)].

corroborate *v*: GRAL corroborar, confirmar, probar ◊ *The plaintiffs have ample information to corroborate their claims*; V. *confirm, back*.

corrupt *a/v*: PENAL vil, infame, despreciable, corrupto, doloso; sobornar, corromper ◊ *In the famous phrase, all power corrupts and absolute power corrupts absolutely*. [Exp: **corrupt practices** (PENAL corrupción, costumbres corruptas), **corruption** (PENAL perversión; V. *misuse, abuse*), **corruption of a witness** (PENAL soborno de un testigo)].

cost *n*: GRAL/MERC coste, precio; costas ◊ *Companies in difficulties attempt to reduce costs by reducing staff and overheads*; V. *court costs; carry costs, profits costs*. [Exp: **cost accounting** (MERC contabilidad de costes), **cost allocation** (MERC imputación de costes), **cost and freight, CAF, c.a.f., c. & f.** (MERC coste y flete), **cost and insurance, c&i** (MERC coste o precio y seguro), **cost, insurance and freight, CIF** (MERC coste, seguro y flete; el término *C.I.F.* va seguida del puerto de destino convenido *–named port of destination–*; de acuerdo con los *Incoterms*, *C.I.F.* significa que el vendedor realiza la entrega *–delivers–* cuando la mercancía *–the goods–* sobrepasa la borda del buque *–the ship's rail–* en el puerto de embarque convenido *–at the named port of shipment–*), **cost of living** (GRAL coste de la vida), **costs** (GRAL/PROC costas, litis expensas; V. *security forcosts*), **costs draftsman** (PROC experto que determina el total de las costas judiciales; V. *profits costs*), **costs in any event** (PROC orden judicial de que la parte perdedora de la etapa interlocutoria de una demanda pague las costas de la parte ganadora, cualquiera que sea la resolución final del juicio; V. *interlocutory proceedings*), **costs reserved** (PROC orden mediante la cual el juez se reserva, hasta la resolución final del juicio, el pronunciamiento sobre el pago de las costas de la fase interlocutoria; V. *interlocutory proceedings*)].

coterminous *a*: CIVIL/GRAL contiguo, adyacente, limítrofe, colindante; hoy se prefiere la forma *coterminous* ◊ *Coterminous properties have a common boundary*; V. *abutting, adjacent, adjoining, conterminous*.

council *n*: GRAL/ADM consejo, junta, comité; V. *board, commission, counsel*. [Exp: **Council of arbitration** (LABORAL Tribunal de arbitraje), **Council of Law Reporting** (CONST organismo semioficial encargado de redactar y publicar los repertorios de jurisprudencia, o sea resúmenes, análisis e informes relativos a las causas más relevantes o de mayor interés jurídico; V. *case law*), **Council of Ministers** (CONST Consejo de Ministros; el Consejo de Ministros de la Comunidad da forma legislativa a las propuestas que le eleva la Comisión; en el Reino Unido al Consejo de Ministros se le llama *Cabinet*), **councillor** (ADMININ concejal; consejero; V. *provost, alderman, bailie*)].

counsel[1] *n/v*: GRAL consejo, opinión; aconsejar; V. *advice, advise*. [Exp: **counsel**[2] (PROC abogado, defensa letrada; asistencia letrada, asesor legal; consejo ◊ *When acting professionally barristers are known as «counsel»*; los letrados de la defensa *–counsel for the defence–* y de la acusación *–counsel for the prosecution–* son *barristers* en Inglaterra y Gales, y reciben el nombre genérico de *counsel* o de *counsel-at-law*; los términos *council* y *counsel* son homófonos pero no son sinónimos; el primero se refiere a un organismo deliberativo y con funciones ejecutivas, municipales, etc.; el segundo alude a organismos consultivos oficiales o a la figura del abogado que actúa ante los tribunales; V. *barrister, attorney, legal assistance; access to counsel, Queen's Counsel; independent counsel, counsellor*), **counsel and procure** (PENAL instigar a cometer un delito ◊ *To incite, encourage, help or guide somebody –an accomplice– in the commission of a crime is to «counsel and procure»*; V. *to counsel and procure, to aid and abet*), **counselling** (GRAL asesoramiento), **counsellor**[1] (GRAL asesor jurídico, consejero ◊ *He was appointed financial counsellor*; V. *adviser, advisor, consultant*), **counsellor**[2] (GRAL abogado, letrado; V. *counsel*[2]*; barrister, attorney*), **counsellor-at-law** (PROC letrado, asesor jurídico), **counsellor delegate** (GRAL consejero delegado; V. *managing director*)].

count[1] *n/v*: GRAL conteo, recuento, cuantía; contar; considerar; V. *head count, counting of votes*. [Exp: **count**[2] **[of an indict-**

ment] (PENAL motivo de acusación, imputación, cargo, cada una de las alegaciones contenidas en el escrito de acusación; el escrito de acusación o pliego de cargos *–indictment–* especifica todos los cargos *–counts* o *criminal counts–*, indicando el nombre del delito junto con su tipificación *–statement of offence–* y las circunstancias del mismo *–particulars of offence–*; V. *statement of offence, substantive count, counts framed in the alternative, substantive count*), **counted out, be** (GRAL, CONST, MERC carecer del *quórum* necesario ◊ *Suspension or adjournment of a sitting of the House of Commons is automatic if at any time the House is «counted out»*; V. *constitute a quorum*), **counting of votes** (GRAL escrutinio), **counts framed in the alternative** (PENAL imputaciones alternativas expresadas en el acta de acusación o *indictment*; cuando los mismos hechos pueden ser constitutivos de acusaciones distintas que son mutuamente excluyentes, la fiscalía tiene potestad para expresar ambas posibilidades, dejando a la elección del juez y el jurado la aplicación del derecho y la interpretación de los hechos)].

counter[1] *prep*; GRAL contra, recíproco; se usa para formar muchas unidades compuestas unidas por un guión *–counter-security–*, separadas *–counter wills–* o amalgamadas *–countersign–*. [Exp: **counter**[2] (PROC/GRAL abogado defensor; contestar, replicar, contradecir, hacer frente ◊ *In civil trials it is the task of counsel for each party to counter the other side's arguments*), **counter**[3] (GRAL contador; mostrador; V. *over the counter transactions, over the counter market*), **counter-appeal** (PROC contraapelación, contraapelar; V. *cross appeal*), **counter-charge** (PENAL contradenuncia), **counter-evidence** (PROC contraprueba), **counter-guarantee** (PROC contragarantía), **counter-offer** (MERC contraoferta), **counter-motion** (GRAL contraproposición), **counter-proposal** (GRAL contraproyecto; V. *alternate proposal*), **counter wills** (SUC testamentos recíprocos), **counteract** (GRAL contrarrestar ◊ *The barrister tried to counteract the arguments of his counterpart with fresh evidence*,V. *neutralize, countervail*), **counterclaim/countersuit** (PROC contrademanda, reconvención; a veces, en la contestación a la demanda *–defence–*, el demandado no sólo se opondrá a las pretensiones de la misma *–file a reply and defence–* sino que podrá a su vez demandar al demandante por medio de una «reconvención» *–counterclaim/countersuit–*; si la reconvención se basa en la misma cuestión que es objeto de litigio *–matter in dispute–* en la demanda se la llama «contra-reclamación» *–offset–*; V. *rejoinder, cross-claim*), **counterfeit** (GRAL/PENAL falso, falsificado, espurio; falsificación, moneda falsa; falsificar; V. *fabricate; false, falsify, forge; colorable, bogus, hoax, impersonate*), **counterfeit money** (PENAL dinero falso), **counterfeiter** (PENAL falsario), **countermand an order** (PROC revocar un mandamiento), **counterpart**[1] (GRAL homólogo ◊ *The American Secretary of State will discuss this matter with his French counterpart during the weekend*), **counterpart**[2] (PROC duplicado ◊ *A counterpart is a copy or duplicate of a legal paper* ; V. *duplicate*), **counterproductive** (GRAL contraproducente), **countersign** (GRAL refrendar; V. *endorse*), **countersignature** (GRAL visto bueno, refrendo ◊ *A countersignature is a second or confirming signature*; V. *authentication; endorsement*), **countervail** (GRAL compensar; V. *counteract, neutralize*), **countervailing duties** (MERC gravamen o derechos compensatorios ◊ *Countervailing duties are special duties imposed on imports* *to offset the benefits of subsidies to the producers or exporters in the exporting country*; V. *antidumping duties*), **counter-wills** (SUC testamentos recíprocos; también llamados *reciprocal wills*)].

County *n*: GRAL Condado. [Exp: **County Court** (CONST/PROC Tribunal de Condado, Tribunal local ◊ *All divorce suits must originate in the County Court*; los *County Courts*, de los que hay más de cuatrocientos en Inglaterra y Gales, son los tribunales inferiores de lo civil, que resuelven la mayor parte de los pleitos relacionados con contratos, ilícitos civiles extracontractuales *–tort–*, fideicomisos *–trusts–*, hipotecas *–mortgages–*, demandas por incumplimiento de contrato *–breach of contract–*, demandas por daños y perjuicios *–damages–*, demandas por títulos de la propiedad, quiebras *–bankruptcies–*, testamentarías *–probates–*, demandas matrimoniales, asuntos del Almirantazgo –en lo que afecta a la jurisdicción marítima–, y otras cuestiones como la adopción y tutela de niños *–adoption and wardship of children–*, la ejecución *–enforcement–* de la legislación sobre arrendamientos, etc., siempre teniendo en cuenta la cuantía *–amount of money involved–* y la naturaleza de la demanda; los jueces de estos tribunales son *circuit judges*, y además cada *county court* dispone de un juez a tiempo parcial, llamado *recorder*, que colabora con los jueces y actúa en pleitos de menor importancia; los pleitos de mayor cuantía se resuelven en el *High Court of Justice;* V. *case management, court tracks, procedural jugde*), **County Court Rules** (CIVIL Normas Procesales de los Tribunales de Condado; están contenidas en *The Green Book* que, a pesar de no ser un libro oficial, se acepta como texto de autoridad; las normas se agrupan en títulos llamados *orders*; estas normas han sido sustituidas por *The Civil Procedure Rules* de 1998; sin embargo, algunas han sido reincorporadas *–reenacted–* en forma de anexos *–schedules–* en las nuevas normas procesales de *The Civil Procedure Rules*, conservando su antigua denominación; consecuentemente, el especialista en Derecho procesal civil, al consultar los artículos o normas, debe recordar que en el Derecho procesal anterior, al título se le llama *Order*, y en el actual, *Part*, y debe, además, estar familiarizado con tres siglas: *CPR*, para las normas modernas de *The Civil Procedure Rules*; *RSC*, para las *Rules of the Supreme Court*; y *CCR*, para las *County Court Rules*; V. *Rules of the Supreme Court, Federal Rules of Civil Procedure*; V. *High Court of Justice, order,*[4] *registrar*), **county prosecutor** *US* (PENAL fiscal público; en Estados Unidos a los fiscales de la jurisdicción estatal *–state prosecutors–* también se puede llamar *county prosecutors, prosecuting attorney,* o *district attorneys*; V. *U.S. attorney*)].

coup d'état *n*: PENAL golpe de estado.

coupled with *fr*: GRAL unido a, conectado a. [Exp: **coupled with an interest** (MERC con intereses; se emplea en la expresión *agency coupled with an interest*, en la que el mandatario *–attorney, agent–* tiene intereses en el objeto del mandato *–agency–*)].

course *n*: GRAL rumbo, derrota, curso, trayectoria; marcha, acción; conducta; V. *in the normal course of events*. [Exp: **course of action** (GRAL/PROC línea de conducta, proceder, línea a seguir ◊ *A meeting was held to discuss the best course of action*)].

court *n*: GRAL/PROC tribunal de justicia, órgano jurisdiccional, sala, juzgado, corte, audiencia; V. *tribunal; juvenile court; make a court order; settle out of court; take somebody to court; place oneself on the court record.* [Exp: **court calendar** (PROC lista de litigios o pleitos durante un período de sesiones, calendario judicial), **court case** (PROC juicio), **court clerk** (PROC oficial del juzgado, secretario de actas o de un tribunal, escribano), **court costs** (PROC costas judiciales o procesales, gastos de un procedimiento o pleito, costas judiciales), **court decision** (PROC resolución judicial, sentencia, auto, providencia ◊ *Judgements and injunctions are court decisions*; V. *award, court order*), **court docket** (PROC expediente judicial; V. *docket number*), **court in banc** (PROC tribunal en pleno; V. *panel*), **court list** (PENAL relación de detenidos por la policía que se llevan al juzgado), **court martial** (CONST/PENAL consejo de guerra, Sala de lo Militar; formar [a alguien] un consejo de guerra), **Court of Appeal** (PROC tribunal de apelación; en Inglatera y Gales es la instancia inmediatamente anterior a *The House of Lords*; tiene una división civil para los recursos presentados contra las sentencias del *High Court of Justice*, los *County Courts* y algunos *tribunals*; la sección penal entiende de los recursos contra las sentencias dictadas por el *Crown Court*; además, todos los tribunales superiores son a la vez tribunales de apelación *–appellate courts–* contra las resoluciones dictadas por los tribunales inferiores; V. *U.S. Courts of Appeal, appellate court; The House of Lords, original jurisdiction*), **court of auditors** (MERC tribunal de cuentas), **court of bankruptcy** (MERC V. *bankruptcy court*), **court of equity** (CIVIL V. *equity*), **court of exchequer** (CIVIL uno de los tres tribunales de *common law* que existieron en el pasado; tribunal de cuentas), **court of first instance** (PROC tribunal de primera instancia; V. *court of last resort*), **Court of Justice of the European Communities** (EURO Tribunal de Justicia de las Comunidades Europeas; V. *European Court*), **court of last resort** (PROC tribunal de última instancia; V. *resort, last resort*), **court of law** (PROC juzgado, tribunal de justicia), **court of record** (PROC tribunal ordinario; se aplica el término a los tribunales que guardan constancia de los autos o del sumario; en la práctica lo que implica es que éstos tienen facultad para condenar por *contempt of court*), **Court of Probate** (CIVIL tribunal testamentario o de sucesiones; hasta 1971 el tribunal se llamaba *Probate, Divorce and Admiralty Division*; desde entonces el *Court of Probate* forma parte de la *Family Division* del *High Court of Justice*), **Court of Session** *der es* (CONST Tribunal Superior de Justicia de Escocia; este alto tribunal escocés, con sede en Edimburgo, equivale al *High Court of Justice* de Inglaterra y Gales), **court of summary jurisdiction** (PENAL V. *Magistrates' Courts*), **court office** (PROC secretaría del juzgado), **court order** (PROC auto, providencia, decreto, orden, apremio; V. *order, sentence, award, decision, writ, warrant; make a court order*), **court pleadings** (PROC alegaciones ante los tribunales), **court proceedings** (PROC autos procesales), **court protection** (PROC amparo de los tribunales), **court reporter** (PROC taquígrafo de actas), **court rules** (PROC derecho procesal, también llamado *rules of the court* o *procedural law*; V. *law of the court, law of procedure*), **court stenographer** (PROC taquígrafo de los tribunales), **court tracks** (PROC vías procedimentales; a partir de la Ley de Enjuiciamiento Civil de 1998 *–Civil Procedure Rules 1998–* sólo existe un puerta de acceso para la incoación de una demanda en Inglaterra y Gales: el impreso de demanda *–claim form–* que se notifica *–serve–* al demandado *–defendant–*; sin embargo, este acceso único lo diversificarán los jueces de procedimiento *–procedural judges–* en tres vías: la vía de las demandas pequeñas

–small claims track–; la vía rápida *–fast track–* y la multivía *–multitrack–*; V. *allocation questionnaire, tracking*), **court well** (PROC espacio o zona de la sala donde se sientan los abogados; V. *well*), **courthouse** (PROC palacio de justicia, juzgado), **courtroom** (PROC sala de audiencia o de vistas)].

covenant *n*: GRAL/MERC/CIVIL pacto, contrato, concierto, promesa, convención; cautela; garantía; estipulación contactual, cláusula de un contrato; documento solemne ◊ *In modern law, restrictive covenants run with the land, but positive covenants do not*; el *covenant* es una clase particular de contrato, que se asemeja en parte al concepto español de «convención», tal como lo emplean muchos juristas, aunque se puede traducir también por los otros términos indicados; se distingue del *contract* por dos razones fundamentales: (a) lo prometido en él es vinculante aunque no exista la causa contractual *–consideration–*, característica de los contratos puros; (b) tiene que otorgarse mediante escritura pública *–deed–*, en la que el **covenantee** *–garantizado–* recibe la promesa del **covenantor** –garantizante o signatario– de que éste hará o dejará de hacer alguna cosa; en el primer caso se habla de *positive covenant* y en el segundo de *negative/restrictive covenant*; también se incluyen los *covenants* en las escrituras de cesión o traspaso de tierras y propiedades, surgiendo con frecuencia la duda de si los herederos y otros cesionarios están vinculados por la obligación o promesa adquirida o hecha en la escritura original, o en el caso de los herederos de la promesa del *covenant*, si también tienen derecho a beneficiarse de la promesa dada; aparece entonces la doctrina de que los *covenants run with the land*, esto es, «corren parejos con la tierra» o «se transmiten con la propiedad de la cosas»; V. *absolute covenant, collateral covenant, escrow*. [Exp: **covenant action** (CIVIL demanda por incumplimiento de contrato; V. *action of assumpsit*), **convenant affecting land** (CIVIL pacto de trascendencia inmobiliaria), **covenant against encumbrance** (CIVIL garantía de que una tierra o propiedad se encuentra libre de gravamen), **covenant for title** (CIVIL garantía del título del vendedor de una propiedad), **covenant marriage** *US* (CIVIL matrimonio blindado; las partes aceptan que es indisoluble), **covenant to repair** (CIVIL garantía de mantenimiento y conservación de una propiedad arrendada), **covenantee** (CIVIL pactante; V. *contracting party*)].

cover *v*: GRAL cubrir [gastos, daños, etc.], amparar; recoger, contemplar ◊ *My insurance policy covers me against losses occasioned by third party, fire and theft.* [Exp: **cover note** (SEGUR documento acreditativo de cobertura, resguardo provisional de seguro mientras se tramita éste; S. *agreement for insurance*), **cover up, use as a** (GRAL usar como pantalla; V. *front, front man*), **coverage** (GRAL cobertura)].

covert *a*: GRAL encubierto, cubierto; V. *feme covert, feme sole*. [Exp: **covert surveillance** (CIVIL/PENAL vigilancia a escondidas; V. *wire-tapping, phone-tapping, electronic surveillance*), **coverture** (CIVIL amparo y dependencia de la mujer casada; esta dependencia le impedía celebrar contratos sin el permiso de su marido; V. *feme covert, feme sole*)].

covetous *a*: GRAL codicioso.

CPA *n*: MERC V. *Certified Public Accountant.*

cpi *n*: MERC V. *consumer price index.*

CPR *n*: PROC/CIVIL abreviatura de *Civil Procedure Rules 1998*; V. *RSC, CCR; order*[4], *part*[2].

CPS *n*: PENAL V. *Crown Prosecution Service.*

crack[1] *n/v*: GRAL grieta, fisura; agrietar-se, romper-se; desplomar-se ◊ *Stock markets* *prices have cracked under the strain.* [Exp: **crack**[2] (GRAL de primera clase, de élite, de lo mejorcito *col* ◊ *Hire a crack team of lawyers*), **crack**[3] (GRAL cocaína, *crack*; también se le llama *rock*; V. *addicted*), **crack**[4] (GRAL descifrar, resolver un código o problema ◊ *Crack the code*), **crack**[5] (GRAL aclarar, resolver ◊ *Crack the case*), **crack**[6] (PENAL desmantelar, penetrar en [una organización mafiosa, etc.] ◊ *Crack an international gang of art thieves*), **crack a safe** (PENAL forzar/romper una caja fuerte), **crack down**[1] (GRAL adoptar o tomar medidas drásticas o enérgicas, reprimir ◊ *Crack down on drug abuse*), **crack down**[2] (PENAL hacer redadas, desarticular, desmantelar: ◊ *The police have cracked down on notorious local drug dealers*; V. *raid, bust*[4]), **crack up**[1] (GRAL dar bombo a, dedicar alabanzas a ◊ *Their product's not all it's cracked up to be*), **crack up**[2] (MERC quiebra, derrumbamiento, derrumbarse, quebrar, venirse abajo ◊ *Local businesses have cracked up*), **crackdown** (GRAL/PENAL mano dura, adopción de medidas enérgicas o drásticas con el fin de corregir abusos ◊ *The police crackdown on delinquency*), **cracked trial** (PROC juicio que no llega a iniciarse porque en el último minuto el acusado reconoce su culpabilidad; V. *abortive trial*)].

craft[1] *n*: GRAL GRAL oficio; trabajo manual; destreza manual, habilidad; astucia. [Exp: **craft**[2] (MERC nave, barco, embarcación), **craft clause** (SEGUR cláusula mediante la cual se aplica el seguro al tránsito en barcazas desde o hasta el buque), **craft port** (MERC puerto de alijo, puerto en donde el desembarco se hace sobre barcazas y no sobre el muelle; V. *overside port*), **craft union** (LABORAL sindicato gremial o profesional), **craftsman** (GRAL artesano), **craftsmanship** (GRAL artesanía), **crafty** (GRAL astuto ◊ *They out-manoeuvred their rivals with their crafty marketing policy*; V. *take on*[3])].

crash *n/v*: GRAL choque, colisión, desplome de la Bolsa; chocar; V. *collision, collide.*

crave *der es v/n*: CIVIL/PROC suplicar, rogar, pretender, solicitar, pedir ◊ *The Sheriff granted decree as craved*; súplica, ruego, solicitud, petición, pedimento, petítum, pretensión; término empleado habitualmente, en vez de *claim* o *prayer*, en las demandas presentadas por la vía ordinaria *–summons–* ante el tribunal inferior en Escocia, o *Sheriff Court*; V. *action, application, cause, claim, conclusion, petition, prayer, summons, writ.*

create *v*: GRAL crear, tipificar ◊ *Offences are created by statute.* [Exp: **create a crime/an offence** (PENAL tipificar un delito; V. *make an offence*), **create a precedent** (PROC crear un precedente), **creation** (GRAL creación, constitución), **creative accountancy** (MERC contabilidad creativa; suele ser un eufemismo con el que se alude a situaciones contables ilegales; V. *false statement*)].

crèche *n*: LABORAL guardería infantil; V. *nursery school.*

credence *n*: GRAL crédito; V. *letter of credence, credibility.* [Exp: **credentials**[1] (GRAL credenciales, identificación ◊ *The new ambassador presented his credentials yesterday*; V. *identification, certificate*), **credentials**[2] (GRAL referencia, trayectoria ◊ *He produced excellent credentials testifying his academic achievement and personal character*)].

credible witness *n*: PROC testigo digno de crédito ◊ *The judge advised the jury to discount the man's evidence since his behaviour and testimony showed he was not a credible witness.*

credit[1] *n/v*: GRAL crédito; credibilidad, reputación; acreditar, atribuir ◊ *We were able to get a bank loan easily as our credit is good*; V. *good name, recognition;*

credit standing, credit worthiness. [Exp: **credit**[2] (MERC crédito, préstamo; V. *loan, secured credit, creditor*), **credit**[3] (MERC crédito, saldo a favor; abonar en cuenta, acreditar), **credit**[4] (MERC haber; consignar/asentar/anotar partidas en el haber; V. *debit*), **credit account** (MERC cuenta de crédito), **credit balance** (MERC saldo a favor o acreedor, haber), **credit bureau** *US* (MERC agencia que proporciona información sobre la solvencia crediticia de empresas y particulares; V. *rating bureau*), **credit broker** (MERC agente de créditos), **credit card** (MERC tarjeta de crédito), **credit company** (MERC sociedad financiera), **credit entry** (MERC abono en cuenta), **credit facilities/provisions** (MERC facilidades de crédito), **credit insurance** (SEGUR seguro de riesgo de insolvencia, seguro sobre el crédito), **credit note** (MERC nota o aviso de abono), **credit rating** (MERC clasificación o índice de la solvencia crediticia proporcionada por la *credit reference agency*), **credit reference agency** (MERC agencia de calificación de riesgos, agencia que proporciona información sobre la solvencia crediticia de empresas y particulares), **credit standing/worthiness** (MERC solvencia, reputación financiera o crediticia), **credit union** (MERC cooperativa de crédito, asociación de crédito, unión crediticia), **credit sale** (MERC venta a crédito, venta a plazos), **creditor** (acreedor; V. *attaching creditor, bond creditor, judgment creditor, body of creditors, mortgaging creditor, debtor; composition*), **creditor of a bankruptcy** (MERC acreedor concursal), **creditor protection** (MERC/PROC suspensión de pagos; V. *bankruptcy, chapter 11*), **creditors' meeting** (MERC concurso o junta de acreedores; V. *bankruptcy proceeding*)].

creeping inflation *n*: MERC serpiente inflacionaria; V. *crumbling of prices*.

crew *n*: GRAL/MERC tripulación, tripulante; personal de cabina. [Exp: **crew list** (GRAL/MERC lista de tripulantes)].

crier *n*: PROC/CONST funcionario encargado de hacer las convocatorias o llamadas de viva voz; V. *oyez, oyez*.

crime *n*: PENAL delito ◊ *Handling stolen goods is a crime, but conversion, which sometimes looks similar, is a tort*; aunque los términos *crime* y *offence* son intercambiables, se suele hablar de **crimes against the person** –delitos contra las personas–, **crimes against property** –delitos contra la propiedad–, pero de **sexual offences** –delitos contra la honestidad–, **political offences** –delitos políticos–, **offences against justice** –delitos contra la justicia–, **public order offences** –delitos contra el orden público–, y de **road traffic offences** –delitos por infracción de las normas de circulación del tráfico rodado–; de todas formas, el término *offence* es más técnico y el de *crime* tiene connotaciones humanas y morales; V. *actual crime, misdemeanour, offender; conviction, acquittal, pass a sentence*. [Exp: **crime-buster** (PENAL «superpoli» *col*, policía afamado en la persecución y desarticulación del crimen organizado; V. *graft-buster*), **crime-busting** (PENAL desarticulación o persecución del crimen organizado), **crime squad** (PENAL policía judicial, brigada de investigación criminal), **crimes against nature** (PENAL actos *contra naturam*; V. *sodomy, bestiality*), **crimes against humanity** (PENAL crímenes contra la humanidad ◊ *At the war-crime tribunal he pleaded guilty of crimes against humanity*; V. *genocide, ethnic cleansing*), **crimes of strict liability** (PENAL delitos de responsabilidad inexcusable ◊ *Crimes of strict liability are defined as being those for which* mens rea *need not be proved*; entre estos delitos, que normalmente se sancionan con una multa, destacan los relacionados con los vehículos rodados, los descuidos en la manipulación de fármacos, alimentos, etc.; en ellos no aparece la *mens rea* o intención dolosa y la sanción suele ser una multa)].

criminal *a/n*: PENAL penal, criminal, delictivo, violento; autor de un delito ◊ *When sentencing a convicted prisoner, judges take his or her criminal record into account*; V. *war criminal*. [Exp: **criminal action** (PENAL acción penal o criminal), **criminal attempt** (PENAL atentado), **criminal bankruptcy** (PENAL quiebra fraudulenta), **criminal charges** (PENAL acusación, cargos; V. *count of an indictment*), **criminal code** (código penal), **criminal complaint** (PENAL denuncia), **criminal contempt** (PENAL contumacia; V. *contempt of court*), **criminal count** (PENAL V. *count of an indictment*), **criminal damage** (PENAL daño en propiedad ajena), **Criminal Division of the Court of Appeal** (PENAL V. *Court of Appeal*), **criminal damage** (PENAL daños dolosos), **criminal facilitation** (PENAL facilitación delictiva), **Criminal Investigation Department, CID** (PENAL policía judicial), **criminal intent** (PENAL intención dolosa, *mens rea*), **criminal law** (PENAL derecho penal), **criminal liability** (PENAL responsabilidad penal), **criminal possession** (PENAL tenencia ilegal), **criminal procedure rules** (PENAL ley de enjuiciamiento penal), **criminal proceedings** (PENAL diligencias penales), **criminal prosecution** (PENAL enjuiciamiento penal, causa criminal), **criminal prosecution on indictment** (PENAL procesamiento por delitos graves), **criminal record** *US* (PENAL ficha delictiva, antecedentes penales; V. *list/record of previous convictions, arrest record, bad record, conviction record/ background, rap sheet*), **criminal sexual contact** (PENAL abusos deshonestos)].

cripple *n/v*: GRAL lisiado, tullido; lisiar; V. *disable, damage, impair*. [Exp: **crippling** (GRAL agobiante, abrumador ◊ *His crippling debts were the cause of his suicide*)].

criticism *n*: GRAL V. *scrutiny and criticism*.

crook *n*: PENAL tramposo, estafador, impostor, sinvergüenza; V. *criminal, swindler, trickster, cheat, rogue, cheater* US. [Exp: **crooked** (GRAL perverso, malvado, engañoso, inmoral, deshonesto, sinuoso, sinvergüenza; se aplica a *business, politicians, dealings, etc*.; V. *dishonest, corrupt, fraudulent*)].

cross *n/v*: GRAL cruz; cruzar; en el lenguaje procesal suele significa «contra», «recíproco», o «respecto de o entre ambas partes». [Exp: **cross-action** (CIVIL/PENAL contrademanda, contraquerella), **cross-claim** (CIVIL/PENAL contrademanda, contrareclamación ◊ *If both the original claim and the defendant's cross-claim are upheld, separate judgments may be given*; V. *counterclaim*), **cross collateral** (CIVIL/MERC garantías recíprocas dadas por las distintas partes de un contrato), **cross-default** (CIVIL/PENAL cancelación simultánea), **cross-easements** (CIVIL servidumbres recíprocas), **cross-examination** (PROC repreguntas, contra-interrogatorio, interrogatorio de la parte contraria que ha presentado el testigo ◊ *The accused broke down under cross-examination and confessed to the crime*; V. *direct examination, redirect examination; deposition, recross-examination*), **cross-examination on the accuracy of the evidence** (PROC contra-interrogatorio sobre la exactitud y fidelidad de la prueba de la prueba), **cross-examination on the issue** (PROC contra-interrogatorio sobre el fondo de la cuestión), **cross examine** (PROCL repreguntar), **cross liabilities** (CIVIL responsabilidades recíprocas), **cross-reference** (CIVIL/MERC remisión, referencia cruzada ◊ *It is the duty of the auditors examining a company's accounts to check all cross-references in* *the annual report and ensure all the entries tally*), **cross the floor** (CONST cambiar de partido político, aliarse con la oposición; V. *floor*[2]), **crossed cheque** (CIVIL/MERC cheque cruzado)].

Crown *n*: CONST Corona, el Estado; la fiscalía o acusación; el fiscal; en este último sentido es una forma elíptica de *Crown Prosecution Service*; V. *civil service*. [Exp: **Crown Court** (PENAL Tribunal Superior de lo Penal, Tribunal de la Coronal ◊ *After committal proceedings at the Magistrates' Court, the man appeared on indictment before the Crown Court, charged with murder*; el *Crown Court*, heredero de los antiguos *Assize Courts*, juzga los delitos graves y muy graves *–indictment offences–*; está formado por jueces y jurado; los jueces son profesionales o de carrera *–legally qualified judges–*, es decir, *High Court judges, circuit judges* o *recorders*; este tribunal es, a su vez, tribunal de apelación *–appellate court–* de las sentencias dictadas por los *Magistrates' Courts*, que sólo pueden ser recurridas *–appealed–* por la defensa de los acusados; la instancia siguiente de apelación es la División Penal del Tribunal de Apelación *–Criminal Division of the Court of Appeal–* y, si procede, la Cámara de los Lores *–The House of Lords–*; V. *committal proceedings, Magistrates' Court*), **Crown Estates/Crown Lands** (CONST patrimonio de la Corona administrado por el *Crown Estates Commissioners* o Comisarios del Patrimonio del Estado), **Crown privilege** (CONST inmunidad especial de la Corona o el Estado, fundamentalmente en lo que afecta a la obligación de presentar pruebas documentales, cuando, a criterio del Estado, éstas podrían ir en contra del interés o de la seguridad pública; hoy en día se llama *Public Interest Immunity* o *PII*; V. *Royal prerogative*), **Crown proceedings** (CONST procedimientos especiales, recogidos en el *Crown Proceedings Act* de 1947, que regulan las demandas presentadas contra la Corona), **Crown Prosecution Service, CPS** (PROC/PENAL Fiscalía General del Estado ◊ *With the division of Great Britain into regions, the CPS is represented regionally by an officer known as the Chief Crown Prosecutor*; este servicio, creado por la Ley de Enjuiciamiento Criminal de 1985 *–Prosecution of Offences Act 1985–*, está constituido por **Crown Prosecutors** –fiscales del Estado–, bajo la dirección del Fiscal Jefe o Director de la Acusación Pública *–Director of Public Prosecutions–*, conocido por las siglas *DPP*, quien, a su vez, depende del Fiscal General del Estado *–Attorney-General–*, última instancia responsable políticamente ante el Parlamento; con frecuencia, el *Attorney General*, o en su nombre el *DPP*, encarga, mediante contrato, los servicios de la acusación del Estado a abogados *–barristers, counsel–*; V. *district attorney*)].

cruelty *n*: CIVIL/PENAL crueldad, ensañamiento; en las querellas y demandas modernas de divorcio ya no se emplea el término *cruelty*, que ha sido sustituido por el de *unreasonable behaviour*; V. *mental cruelty*; V. *mental cruelty*.

crumbling of prices *n*: MERC caída repentina de las cotizaciones de Bolsa; V. *collapse, fall, crash, dawn raid, creepling inflation.*

CTT *n*: FISCAL V. *capital transfer tax*.

culpable *a*: PENAL culposo, inexcusable ◊ *The jury found the accused not guilty of murder, but brought in an alternative verdict of culpable homicide*; V. *criminal, reckless, gross*. [Exp: **culpable negligence** (PENAL negligencia inexcusable o culposa), **culpable homicide** (PENAL imprudencia temeraria con resultado de muerte, homicidio involuntario)].

culprit *n*: PENAL delincuente, reo, criminal; V. *offender, criminal, lawbreaker, guilty*.

cumulative *a*: GRAL acumulativo, acumulable, adicional. [Exp: **cumulative dividends** (MERC dividendos, también llamados *accumulative dividends*), **cumulative evidence** (PROC prueba acumulativa), **cumulative legacy** (legado adicional), **cumulative remedy** (PROC recurso adicional), **cumulative sentences** (PENAL condenas acumuladas; V. *concurrent sentences*)].

curative *a*: PROC enmendador, rectificador ◊ *A curative statute is enacted to remedy a defect in previously enacted legislation*; se aplica a las leyes o disposiciones legislativas, jurídicas o administrativas que corrigen o salvan defectos de forma o de fondo de disposiciones anteriores. [Exp: **cure** (GRAL cura, remedio; salvar, curar; V. *no cure nopay*), **cure a defect** (PROC salvar o subsanar un error, rectificar un error; V. *amendment*)].

curb *v*: GRAL frenar, atajar, impedir, parar, obstaculizar; V. *checks and balances; stop, restrain, hamper, check, suppress.*

curfew[1] *n*: PENAL toque de queda ◊ *It is certainly very risky to go out after curfew.* [Exp: **curfew**[2] **[order]** (PENAL arresto domiciliario; V. *under house arrest, home detention*)].

currency[1] *n*: GRAL moneda, divisa, dinero; V. *foreign currency, paper currency.* [Exp: **currency**[2] (GRAL vigencia; V. *prevalence, currrent*[1]), **currency crimes** (PENAL delitos monetarios), **currency market** (MERC mercado cambiario, mercado de divisas), **currency reserves** (MERC reservas en moneda extranjera), **currency unit** (GRAL unidad monetaria) **current**[1] (GRAL actual; en curso; en circulación; corriente, presente, ordinario, vigente, común ◊ *Current legislation on trading must take account of European Community Law*), **current**[2] (MERC corriente [marina]), **current account, c.a.** (MERC cuenta corriente), **current assets** (MERC activo corriente, activo circulante, activo disponible a corto plazo; V. *liquid assets, quick assets, circulating assets, floating assets, working assets*), **current business** (GRAL asuntos de la administración ordinaria), **current expenditure** (GRAL gasto corriente; V. *above-the-line expenditure*), **current liabilities** (MERC pasivo circulante, obligaciones a corto plazo, pasivo flotante), **current ratio** (MERC índice de solvencia; V. *rate, ratio*), **currently** (GRAL en el momento actual, comúnmente, actualmente)].

curriculum vitae, CV *n*: GRAL historial, currículum ◊ *Candidates for the post should send the completed application forms and a full CV to the above address.*

curtail *v*: GRAL acortar, reducir, reducir-se ◊ *Powers can be extended or curtailed by a legal document*; V. *reduce, abridge; extend.* [Exp: **curtailment** (GRAL limitación, restricción; V. *reduction, abatement*)].

curtesy *n*: SUC derechos de usufructo *–right of enjoyment–*, no transmisibles, del marido sobre los bienes raíces de su esposa, a la muerte de ésta.

curtilage *obs n*: GRAL patio, jardín, etc., pertenecientes a un *dwelling-house*; V. *messuage.*

custodial[1] *a*: CIVIL/FAM tutelar, protector, supervisor, acogedor, benéfico, orientador; se usa en expresiones como *custodial duty* –deber de guardia, cuidado o tutela–, *custodial parent* –padre encargado de la tutela–, *custodial household* –familia acogedora o tutelar de menores–, etc.; V. *care of minors, children in care.* [Exp: **custodial**[2] (PENAL privado de libertad; policial; bajo la jurisdicción o custodia policial o de una institución penitenciaria, etc., se emplea en expresiones como en *custodial arrest* –detención policial–, *custodial interrogation* –interrogatorio policial al detenido [realizado mientras está bajo la custodia policial]–, *custodial sentence* –pena privativa de libertad– ◊ *Custodial sentences are required to protect the public from further harm*; V. *non-custodial, probation*), **custodial care, be under** (FAM estar bajo la custodia de un tribunal tutelar de menores), **custodian**[1] (CIVIL/FAM tutor, supervisor ◊ *A custodian has the legal custody of a child or minor committed to his/her care*; V. *care of minors, children in care*), **custodian**[2] (GRAL/PROC depositario, administrador judicial o de cualquier organismo oficial), **custodian**[3] (GRAL/PENAL custodio, guardián; V. *security guard*), **custodianship** (CIVIL/FAMILIA tutela, condición de tutor de un menor; V. *foster parents, adoption, commit*[2]), **custodianship order** (PROC auto judicial mediante el cual se concede la tutela de un menor), **custody**[1] **[of children]** (CIVIL/FAM tutela, patria potestad, custodia ◊ *The father, who had lost custody of his daughter after the divorce, abducted her and carried her away to Australia*; V. *actual custody, care and control, wardship, guardianship, parental authority*), **custody**[2] (PENAL prisión, cárcel, encierro, privación de libertad; arresto; custodia judicial, protección judicial, prisión preventiva ◊ *She was taken into custody by two plainclothes policemen*; con el significado de «prisión preventiva» es lo opuesto a *bail* o a *released pending*; V. *arrest, confinement, detention, restraint of liberty, take into custody, bring into custody*), **custody awaiting trial** (PENAL prisión preventiva; V. *pre-trial custody, preventive custody, protective custody*), **custody case** (PENAL/PROC vista oral contra el acusado que ha estado en prisión preventiva *–custody–*; V. *bail*), **custody for life** (PENAL cadena perpetua), **custody, in** (CIVIL/PENAL bajo la tutela del tribunal de menores; detenido, a disposición judicial; en prisión, encarcelado; V. *under arrest*), **custody officer** (PENAL funcionario policial bajo cuya custodia se encuentra el detenido en una comisaría; V. *custodian*), **custody record** (PENAL ficha policial del detenido; V. *previous convictions*)].

custom[1] *n*: GRAL uso, costumbre; ley no escrita establecida por el uso ◊ *Custom, or customary behaviour of society, is the original source of common law*; V. *customary law*), **custom**[2] (GRAL práctica o uso comercial ◊ *Certain local customs, including trade customs, have the force of law if they are long-established and generally accepted*), **custom**[3] (MERC clientela habitual, costumbre que tiene una persona de preferir un comercio a otro u otros; patrocinio ◊ *The shop was very proud to have the custom of such a distinguished public figure*), **custom and usage** (uso y costumbre), **customary** (GRAL usual, habitual, consuetudinario, convencional, de acuerdo con los usos o las costumbres, acostumbrado, a fuero ◊ *The customary behaviour of society is the original source of the common law*), **customary law** (CONST derecho consuetudinario; V. *common law*)].

customs *n*: ADMIN aduanas. [Exp: **customs appraiser** (ADMIN aforador de aduana), **customs barrier** (MERC barrera aduanera), **customs bond** (MERC fianza aduanera), **customs clearance** (ADMIN despacho de aduana), **customs declaration** (ADMIN declaración de aduana), **customs duty** (ADMIN derecho, tasa, derecho arancelario, arancel de aduanas ◊ *Generally speaking, imported goods are subject to customs duty*), **customs duties allowance** (ADMIN bonificación arancelaria), **customs house** (ADMIN aduanas, edificio de aduanas), **customs inspector** (vista de aduanas), **customs inwards** (ADMIN derechos de entrada), **customs officer** (ADMIN oficial de aduanas), **customs seal**

(ADMIN precinto de aduanas), **customs tariffs** (ADMININ arancel aduanero; V. *excise duty, stamp duty, tariff, duty-free*), **customs warrant** (ADMIN resguardo de aduana)].

cut *n/v*: GRAL rebaja, reducción, recorte; reducir, rebajar, recortar ◊ *Cuts in public spending, especially on health and education, have led to social unrest.* [Exp: **cut-off day** (GRAL día de finalización de un plazo), **cut-price** (MERC rebajado, a precio reducido), **cut-throat** (PENAL agresivo, letal, violento, intenso; asesino ◊ *This cut-throat competition is ruining the trade*; V. *killer, gunman, murderer, triggerman, homicide, slayer, assassin*)].

C.V. *n*: GRAL V. *curriculum vitae.*

cy-près *a/adv*: PROC lo más aproximado posible, lo más parecido posible; esta palabra se emplea en las expresiones *cy-près power* –facultad para aplicar a lo más aproximado– y *cy-près doctrine* –norma de lo más aproximado–; la *cy-près doctrine* se aplica a la interpretación de las disposiciones testamentarias y concretamente cuando el beneficiario es una institución u obra benéfica; si la voluntad del donante es clara, pero ya no existe la institución nombrada, y también cuando sobre dinero o bienes después de satisfacer el legado, el *trust* –o en su caso el tribunal– puede invocar dicha doctrina para aplicar el legado a otro fin lo más aproximado posible.

D

D.A. *n*: PROC V. *District Attorney.*

dabs *col n*: GRAL/PENAL huella dactilar; V. *fingerprint.*

dactylogram *n*: GRAL dactilograma; V. *fingerprint.*

Dáil Éireann *n*: CONST Cámara de Representantes del *Oireachtas*, que es la Asamblea legislativa o Parlamento de la República de Irlanda o Eire.

daily *a*: GRAL diario, cotidiano; V. *monthly, weekly, yearly.* [Exp: **daily allowance** (GRAL/ADM/FISCAL dieta, viático, asignación diaria; V. *per diem, travelling allowance*), **daily occupation** (GRAL ocupación habitual; V. *job*)].

damage[1] *n*: CIVIL/GRAL pérdida, daño, agravio, menoscabo material o moral causado a una persona, quebranto, perjuicio, desperfecto, avería, siniestro ◊ *Damage may be caused to one's person, property or economic position*; el término *damage*, en singular, se aplica al menoscabo material o moral que cualquiera puede experimentar en su persona, en sus derechos, en su reputación o en sus bienes como consecuencia de incumplimiento de contrato; V. *injury, harm, detriment, destruction, wreckage, prejudice, impairment; average; sea damage, assessment.* [Exp: **damage**[2] (CIVIL/GRAL dañar, damnificar, perjudicar la reputación, averiar ◊ *At the trial he alleged that the newspaper article had damaged his reputation as a singer*; V. *injure, hurt, impair, harm, prejudice*), **damage feasant** (CIVIL daños causados por animales ajenos; situación en la que el ganado de una persona causa perjuicio en las propiedades de otro; V. *distress damage feasant*), **damage provision** (CIVIL cláusula sobre reparación o indemnización por daños y perjuicios), **damage recovery** (CIVIL reparación de los daños, resarcimiento de daños), **damage report** (SEGUR denuncia, atestado, acta de avería; V. *certificate of damage*), **damage survey** (SEGUR valoración de daños), **damaged beyond repair** (SEGUR siniestro total, dañado sin posibilidades de reparación ◊ *When it was clear that the ship and its cargo were damaged beyond repair, her owners informed the insurers that they were abandoning ownership*; V. *absolute total loss, write-off, actual total loss, partial loss, constructive total loss; abandon goods, freight, etc.*), **damaging** (GRAL perjudicial, dañoso ◊ *Under cross-examination, the leading witness for the defence made a number of damaging admissions, which seriously undermined the defendant's case*; V. *detrimental, prejudicial*)].

damages *n*: CIVIL/SEGUR indemnización (reparación o compensación económica) por daños y perjuicios, daños y menoscabos, resarcimiento, indemnización pecuniaria ◊ *He won a damages award in a High Court libel verdict*; la palabra *damages*, en plural, se aplica a la indemnización por los daños y perjuicios sufridos por el demandante debido al incumplimiento de contrato del demandado o a los daños morales o materiales causados por éste –*injury*–; a veces se emplea, en su lugar, el término *damages award*; los *damages* pueden ser **liquidated damages** –indemnización por daños y perjuicios acordada en el contrato– y **unliquidated damages** –indemnización por daños y perjuicios cuya cuantía será determinada por los tribunales–; V. *actual damages, aggravated damages, bereavement damages, compensation, compensatory damages, consequential damages, expectation damages, general damages, incidental damages, land damages, liquidated damages, malicious damages, necessary damages, nominal damages, unliquidated damages, indemnity, proceedings for damages, recovery, redress, quantum of damages, strict liability, remoteness of damage; account of profits*. [Exp: **damages at large** (CIVIL daños morales, psicológicos, etc., daños no mensurables), **damages award** (PROC [sentencia condenatoria de] indemnización por daños y perjuicios), **damages in contract/damages for breach of contract** (PROC indemnización daños y perjuicios por incumplimiento de contrato), **damages in law** (CIVIL daños nominales), **damages in lieu** (CIVIL indemnización sustitutoria de la prestación pactada y no cumplida; en muchas demandas, en lugar de solicitar la ejecución o estricto cumplimiento del contrato –*specific performance*– se puede pedir indemnización sustitutoria de daños y perjuicios ◊ *When the singer failed to appear at the concert, the promoters sued her for breach of contract, stating that they no longer wished her to perform and claiming damages in lieu*; V. *lieu*), **damages in tort** (CIVIL indemnización de daños y perjuicios por ilícito civil o por agravio)].

damnification *n*: CIVIL perjuicio; V. *harm*. [Exp: **damnify** (CIVIL dañar, perjudicar, injuriar; obtener una sentencia contra un garante; V. *damage, injure*)].

damnum absque injuria *n*: PROC perjuicio sin acción legal; daño sin antijuricidad; daño que no constituye ilícito civil por concurrir alguna causa de justificación.

danger *n*: GRAL peligro, riesgo; V. *hazard*. [Exp: **danger money** (LABORAL plus de peligrosidad, plus por trabajo peligroso ◊ *Workers on oilplatforms are highly paid because their wages include danger money*; V. *ultrahazardous activities*), **dangerous** (GRAL peligroso, potencialmente peligroso; nocivo; el adjetivo *dangerous* está relacionado con la obligación legal que tiene quien ocupa o habita una finca, casa u otra propiedad de velar por la seguridad de los invitados y visitantes –*common duty of care*–, y con la exigencia de responsabilidad civil inexcusable o estricta –*strict liability rule*– por los daños causados. Exp: **dangerous animals** (GRAL animales peligrosos), **dangerous driving** (PENAL conducción temeraria o peligrosa, caracterizada por la negligencia grave o la imprudencia temeraria; este término ha sustituido en el Reino Unido a *reckless driving*; V. *inconsiderate driving, careless driving*), **dangerous drugs** (PENAL drogas nocivas), **dangerous premises** (ADMIN edificios peligrosos o en estado de ruina), **dangers of the sea** (MERC/SEGUR riesgos del mar, riesgos extraordinarios de la navegación marítima)].

dark *a*: GRAL oscuro; V. *clear*. [Exp: **dark cell** (PENAL calabozo, mazmorra; V. *dungeon, jail, prison, police station lockup*), **darkside hacking** (PENAL expresión popular usada para referirse a la contaminación maliciosa de ordenadores por medio de virus informáticos; V. *hacking*)].

data protection *n*: GRAL protección o salvaguardia de los datos personales almacenados electrónicamente; V. *hacking, darkside hacking.*

date *n/v*: GRAL fecha; fechar, datar ◊ *The date of commencement of an Act of Parliament is the day when it takes effect*; V. *declaration date, delivery date, effective date*. [Exp: **date back** (GRAL retroceder, antedatar; V. *backdate*), **date of attachment** (PROC fecha de un secuestro judicial), **date of bankruptcy/cleavage** (MERC fecha de presentación de la petición de quiebra), **date of commencement** (GRAL/CONST fecha de entrada en vigor de una ley), **date of maturity** (MERC día del vencimiento; V. *maturity date*), **date of issue** (GRAL fecha de emisión), **date of record** (fecha de registro; fecha de reparto de dividendos), **date rape** (PENAL acusación de violación por el acompañante que la invitó al cine, a pasear, a cenar, etc., y se aprovechó de ella forzando relaciones sexuales), **dated securities** (títulos con vencimiento a plazo fijo), **under date of** (GRAL con fecha de)].

dation *n*: MERC/GRAL dación. [Exp: **dative** *der es* (CIVIL/FAM/SUC dativo; se encuentra sobre todo en expresiones como *decree dative* –resolución judicial que confiere la tutela dativa– y *tutory dative* –tutela dativa–, es decir las que se confieren por nombramiento judicial y no por disposición testamentaria ni por designación de la ley; el contrario de *dative* es *nominate*; V. *decree, ejecutor dative, guardian, nominate, ward, will*)].

dawn raid *n*: MERC avalancha o venta masiva de acciones para ocasionar o provocar una caída en la cotización; literalmente significa «redada [policial] al alba» ◊ *Last week's dawn raid on the shares of a major electronics firm is being investigated by the Fraud Squad following complaints from small shareholders that they were not notified in time*; V. *bear raiding, fait accompli*)].

day *n*: GRAL día ◊ *The old maxim is «A fair day's work for a fair day's pay»*; V. *hour, business day, clear day, motion day, non-business day, non judicial day, order of the day, quarter day, running days*. [Exp: **day book** (MERC libro de entradas y salidas, diario), **day care centre** (GRAL guardería), **day certain** (PROC fecha cierta), **day labourer** (LABORAL jornalero), **daylight** (claro, diáfano), **daylight robbery** (PENAL atraco, robo a mano armada; V. *assault, armed robbery*), **daylight trading** (MERC contratación a la luz del día; V. *aboveboard, insider trading*), **day/days of grace** (GRAL período de gracia, prórroga especial; V. *grace period*), **day training centre** (PENAL centro de educación/rehabilitación de jóvenes delincuentes en régimen abierto, al que deben acudir todos los días los que gocen del beneficio de la remisión condicional o *on probation*; V. *young offender institution*), **daytime** (GRAL día hasta la puesta del sol), **daytoday** (GRAL rutinario, diario, día a día), **days' date** (GRAL a uno o más días fecha), **day's wages/pay** (LABORAL jornal)].

DC *n*: PENAL V. *detective constable.*

DCC *n*: PENAL *Deputy Chief Constable.*

de *prep*: GRAL de; con esta preposición latina se forman muchas expresiones corrientes en inglés jurídico: **de cujus** (SUC causante), **de dolo** (PENAL con mala intención), **de facto** (GRAL de hecho), **de jure** (PROC de derecho; V. *by law, of right*), **de son tort** (CIVIL torticero, torticeramente; se utiliza en expresiones como *trustee de son tort, executor de son tort*)].

dead *n*: GRAL inactivo, sin movimiento, sin valor ◊ *As nobody takes heed of this regu-*

lation it has become in fact a dead letter; V. *death*. [Exp: **dead account** (GRAL/MERC cuenta imaginaria, cuenta de persona fallecida), **dead body** (GRAL cadáver), **dead freight** (MERC flete falso), **dead letter** (GRAL papel mojado, carta no reclamada), **dead on arrival, DOA** (CIVIL «ingresó cadáver» ◊ *The accident victim was found to be dead on arrival at the hospital*; en la práctica, los hospitales británicos no admiten a las personas fallecidas, por lo que allí es imposible que alguien «ingrese cadáver»; si el médico de guardia *–The duty doctor–* sube a bordo de la ambulancia y ve que el enfermo o accidentado ha muerto durante el traslado, certifica el fallecimiento *–signs a death certificate–* y ordena el traslado del fallecido *–deceased–* al depósito de cadáveres *–morgue/mortuary–*, donde se procede a elaborar el oportuno informe forense *–forensic report–*), **dead reckoning** (MERC [navegación de] estima), **dead weight** (MERC peso muerto de un buque), **dead weight tons, DWT, dwt** (MERC toneladas de peso muerto), **deadline** (GRAL plazo, término, cierre, fecha límite, vencimiento, fin del plazo ◊ *We have been set a two-month deadline, so we'll have to step up the pace to get the work finished*; V. *legal deadline, mature, meet a deadline*), **deadlock** (GRAL punto muerto; bloquear ◊ *The talks are deadlocked because of one particular clause in the proposed agreement*), **deadly**[1] (GRAL mortal, mortífero, funesto, mortífero fatal; V. *mortal*), **deadly**[2] (GRAL certero, infalible ◊ *He is on the run after having taken part in a deadly insurance scam*)].

deal[1] *n/v*: GRAL trato, acuerdo comercial o de negocios, acuerdo, pacto; negociar, comerciar, tratar, agenciar, pactar ◊ *If this deal goes through it will be extremely beneficial to the firm's subsidiary*; V. *contract, agreement, contract, compact, new deal, package deal*. [Exp: **deal**[2] **with** (GRAL despachar, dar salida ◊ *The secretary was extremely efficient: she dealt with all the mail in about fifteen minutes*), **deal**[3] **with** (PROC resolver judicialmente, decidir ◊ *In dealing with such cases, judges normally bear in mind subsection iv of the Act*), **deal**[4] **with** (PENAL castigar ◊ *The judge dealt very severely with the two main offenders*; esta acepción es una variante de la anterior, es decir, «decidir el castigo, la sanción o la pena»; V. *dispose*), **deal**[5] **with** (GRAL ser responsable de, encargarse de ◊ *I'm afraid you are speaking to the wrong department: we don't deal with customers' enquiries*), **dealer**[1] (MERC comerciante, concesionario, distribuidor; V. *authorized dealer, trader*), **dealer**[2] (MERC sociedad de valores, especialmente en plural *—dealers—*; agente mediador o intermediario financiero que adopta forma societaria; sociedad mediadora en el mercado de dinero; comisionista de valores; agente/operador bursátil por cuenta propia; corredor de Bolsa; creador de mercado o *market maker*; miembro de un mercado financiero que actúa, no sólo por cuenta ajena, sino también por cuenta propia, adoptando una posición determinada en el mercado; miembro de una sociedad de valores; los *brokers* son simples intermediarios mientras que los *dealers* pueden, además, negociar por cuenta propia; V. *broker, authorized dealer, wheelerdealer*), **dealer**[3] (MERC agente colocador de un programa de suscripción de valores), **dealing** (MERC contratación [en Bolsa], negocio, transacciones, gestión, comercio, trato ◊ *In the course of the enquiry, it became clear that the manager of the firm had had dealings with a government representative*; V. *arrangement, insider dealing/trading*), **dealings**[1] (contactos, relaciones, trato), **dealings**[2] (GRAL contactos ◊ *She has* *always been very courteous in her dealings with us*), **dealings with a person, have** (MERC hacer negocios con alguien)].

death *n*: GRAL muerte, fallecimiento ◊ *After having been found guilty he has to await execution on death row*; V. *sudden death, birth rate, at/on the point of death*. [Exp: **death and disability insurance** (SEGUR seguro de vida e invalidez), **death-bed confession** (SUC/GRAL confesión *in articulo mortis*), **death-bed statement** (SUC/GRAL declaración *in articulo mortis*), **death benefit** (SEGUR indemnización/prestación por fallecimiento del asegurado), **death by misadventure** (SEGUR muerte accidental; V. *chance-medley, inquest, misadventure, accidental death*), **death chamber** (PENAL cámara letal), **death certificate** (CIVIL partida de defunción, fe de óbito, acta de defunción; V. *dead on arrival*), **death duty** (SUC impuesto de sucesiones, contribución sobre la herencia. ◊ *Almost half the value of the estate was swallowed up by death duties*; todos los impuestos sobre sucesiones –*estate duty, legacy duty, succession duty* y *capital transfer tax*– son conocidos en Estados Unidos y en el Reino Unido con el nombre genérico de *death duties*; en este último país, a su vez, han sido sustituidos por el llamado *inheritance tax*, que es el nombre moderno de este impuesto; V. *legacy tax*), **death grant** (CIVIL subsidio para gastos de entierro), **death in duty/service** (ADMIN indemnización por muerte en acto de servicio), **death sentence** (PENAL sentencia de muerte), **death penalty** (PENAL pena capital o de muerte), **death rate/ratio/roll** (GRAL índice o tasa de mortalidad), **death row** (PENAL corredor de la muerte, celdas de condenados que esperan ser ejecutados; V. *condemned cells*), **death tax** *US* (SUC V. *death duty*), **death warrant** (PENAL orden de ejecución)].

debar *v*: GRAL/CONST prohibir, excluir, impedir ◊ *He was debarred from voting because he was enrolled on the list after the deadline*; V. *disbar*.

debase *v*: GRAL degradar, envilecer; V. *corrupt, debauch, degrade, pervert, vitiate; seedy*.

debatable *a*: GRAL discutible, dudoso. [Exp: **debate** (GRAL debate, discusión, contienda, litigio, disputa, controversia, examen, análisis; debatir, discutir, argüir, razonar, disputar, defender, probar con argumentos, argumentar, contender [ante los tribunales] ◊ *The debate of the Abortion Bill in the House of Commons was very stormy*; V. *discuss, argue, contend for*.

debauch *v*: GRAL corromper, pervertir ◊ *It is not very edifying to see this youth debauched by drugs and drink*; V. *corrupt, debase, degrade, pervert, vitiate, seduce*. [Exp: **debauched** (GRAL lascivo, pervertido; V. *prurient*), **debauchery** (GRAL libertinaje, vida disoluta o licenciosa ◊ *In sentencing the accused, the judge deplored the life of debauchery he had led*; V. *dissolution, licentiousness*), **debauchee** (GRAL libertino, licencioso, indecente, vicioso; V. *lecher, profligate*)].

debenture[1] *n*: MERC valor de renta fija a largo plazo; obligación, bono, empréstito, préstamo, vale, título de crédito, cédula; orden de pago; V. *bond, treasury bill, certificate of deposit*. [Exp: **debenture**[2] *US* (MERC obligación/título sin garantía; bono sin respaldo específico; al no tener garantía pignoraticia, hipotecaria ni de otra clase en los EE.UU., el prestatario responde con el conjunto de sus bienes, como en el caso del pagaré; en el Reino Unido, en cambio, estas obligaciones/empréstitos suelen tener una garantía prendaria, ya hipotecaria, como en las *mortgage debentures* y *fixed debentures*, ya general, como en las *floating debentures*; las que no tienen garantía se llaman *naked debentures* o *unsecured bonds*), **debenture**[3] (MERC deuda; se aplica genéricamente a todas las formas de deudas, no garantizadas, a largo plazo), **debenture bond** (MERC cédula hipotecaria, obligación; pagaré de empresa; bono con garantía de activos en el Reino Unido y sin esta garantía en los Estados Unidos), **debenture capital** (MERC capital en obligaciones; activo de una mercantil obtenido por medio de la emisión de obligaciones), **debenture holder** (MERC obligacionista, tenedor de obligaciones, acreedor; V. *bondholder*), **debenture loan** (MERC préstamo con obligaciones; crédito o empréstito obtenido mediante la emisión de obligaciones; crédito contra pagaré)].

debit *n/v*: MERC adeudo, débito, cargo, saldo deudor, debe; cargar en cuenta, debitar, adeudar, consignar en el debe ◊ *In double-entry bookkeeping, increases in assets and decreases in liabilities go on the debit side of the account*; V. *credit*. [Exp: **debit balance** (MERC saldo deudor), **debit note** (MERC nota de adeudo; V. *standing order*)].

debt *n*: CIVIL/MERC deuda ◊ *Life will be a lot easier once we have paid off that debt*; V. *bad debts, bonded debt, floating debt, judgment debt, passive debt, recoverable debt, discharge a debt, get into debt, write off*. [Exp: **debt conversion** (ADMIN conversión de la deuda pública), **debt factor** (MERC agente comisionado que negocia el cobro de deudas), **debt, in** (CIVIL/MERC endeudado; V. *indebted*), **debt of record** (MERC deuda por juicio), **debt redemption** (MERC amortización de la deuda), **debt warrant** (MERC opción de compra de bonos), **debtee** (MERC acreedor; V. *creditor*), **debtor** (CIVIL/MERC deudor, prestatario), **debtor in default** (MERC deudor moroso, deudor en mora), **debtor in possession** (MERC deudor sujeto a un proceso concursal)].

decease *n/v*: GRAL/SUC muerte, fallecimiento, defunción, óbito; morir, fallecer ◊ *By the terms of the will, the deceased cut out his eldest son, and the estate was divided among the other two*. [Exp: **deceased** (SUC finado; V. *decedent*)].

decedent *n*: SUC finado, difunto, causante; V. *deceased*.

deceit *n*: GRAL/PENAL engaño, fraude, dolo, impostura; V. *deception, fraudulent representation*. [Exp: **deceitful** (PENAL falso, doloso, engañoso; V. *fallacious*)].

deceive *v*: GRAL/PENAL engañar, defraudar ◊ *He deceived the shareholders into thinking the company was able to meet its liabilities*; V. *defraud*. [Exp: **deceivable** (GRAL/PENAL engañadizo, fácil de engañar), **deceiver** (impostor, engañador), **deceptive** (GRAL/PENAL falso, engañoso ◊ *The Lanham Trademark Act makes actionable, deceptive and misleading use of marks in commerce*; V. *fraudulent*), **deceptive apparent** (GRAL/PENAL de apariencia engañosa)].

deception *n*: GRAL/PENAL engaño, artificio, fraude ◊ *It is an offence under the Theft Act 1978 to obtain services by deception*; V. *practise deception*. [Exp: **deception, by** (GRAL por medio de engaño; V. *by fraud, obtaining by deception*)].

decern *v*: *der es* PROC decretar, resolver, fallar, pronunciar sentencia ◊ *In Scots law a judgment or interlocutor has the force of a final decree only if it contains the word «decerns»*; V. *adjudge, adjudicate, decide, decree, determine, interlocutor, order*. [Exp: **decerniture** *der es* (PROC decreto, fallo, resolución, sentencia definitiva o cada uno de sus pronunciamientos; V. *adjudication, decision, decree, determination, judgment, order*)].

decide *v*: GRAL/PROC fallar, sentenciar, adjudicar, decidir, determinar, resolver. [Exp: **decide the accuracy** (GRAL calibar la exactitud ◊ *The jury must decide the accuracy of each witness' testimony*), **deci-**

sion (GRAL/PROC resolución judicial, sentencia, providencia, auto, sentencia; en el derecho comunitario, es la decisión o acto jurídico dirigido, con carácter vinculante, a un Estado en particular o a cualquier individuo; V. *directive; reporter*[2]), **decision making** (GRAL/PROC toma de decisiones), **decision-making body/power** (GRAL/PROC órgano decisorio, competencia decisoria),
decision-making machinery (GRAL mecanismo de toma de decisiones), **decision tree** (GRAL/PROC organigrama del proceso de toma de decisiones)].

decipher *v*: GRAL descifrar; V. *decode*.

decisory oath *n*: PROC juramento decisorio.

deck *n*: MERC cubierta de un buque. [Exp: **deck cargo** (MERC carga en/sobre cubierta), **deck hand** (MERC marinero; V. *able-bodied seaman, hand*), **deck load** (MERC cubertada)].

declaration[1] *n*: PROC declaración, declaración hecha por el acusado al quedar procesado, exposición, explicación; V. *statement, assertion*. [Exp: **declaration**[2] (PROC juicio declarativo; en algunas demandas se puede solicitar indemnización por daños y perjuicios *–damages–* y también un fallo declarativo *–declaratory judgment–* de los tribunales; V. *action for declaration, declaratory judgment, show standing, statutory declaration*), **declaration against interest** (PROC declaración contra el interés propio), **declaration concerning pedigree** (GRAL/SUC manifestación oral de la voluntad del poseedor de un título nobiliario antes de fallecer, en lo que afecta a la sucesión del título, admitida excepcionalmente como prueba frente a otros testimonios documentales), **declaration date** (MERC fecha de anuncio de dividendos), **declaration in chief** (PROC demanda principal), **declaration of bankruptcy** (MERC declaración de quiebra o de concurso), **declaration of dividend** (MERC declaración de dividendo), **declaration of income** (FISCAL declaración de la renta; V. *tax returns*), **declaration of trust** (CIVIL declaración de fideicomiso o en beneficio de otra persona), **declarator der es** (PROC resolución declarativa, pronunciamiento declaratorio; término del Derecho escocés, equivalente al *declaratory judgment* inglés; V. *decision, decree, finding, interlocutor, judgment, ruling*), **declaratory** (GRAL declarativo, demostrativo), **declaratory action** (PROC acción declarativa), **declaratory exception** (PROC excepción declarativa), **declaratory judgment** (PROC sentencia declarativa, fallo/juicio declarativo, sentencia interpretativa de un documento, sentencia declarativa ◊ *A declaratory judgment simply states the judge's findings on a matter, without making any statement as to the consequences*; V. *enforceable judgment, standing*), **declaratory proceeding** (PROC juicio o procedimiento declarativo), **declaratory statute/act** (CONST ley declarativa), **declare** (GRAL declarar, afirmar, proclamar, asegurar, confesar, escriturar, testificar ◊ *The tax inspectors questioned the company closely about the declared value of the premises, which seemed very low*; V. *announce, pronounce*), **declare a court in session** (PROC declarar abierta la sesión), **declare a dividend** (MERC acordar un dividendo), **declare an interest** (GRAL hacer una declaración de interés, manifestar en público las acciones, los valores, los contactos, en suma, las relaciones que se tienen con determinadas empresas), **declare someone bankrupt** (MERC declarar en quiebra)].

declassify *v*: GRAL levantar el secreto ◊ *To declassify is to remove the official security classification from a document*; V. *classify*.

declinatory *n*: PROC declinatoria; la petición en que se solicita al juez que se abstenga de conocer de un determinado litigio, por carecer de competencia según la ley. [Exp: **declinatory plea** (PROC excepción declinatoria, declinatoria)].

decline[1] *n/v*: GRAL baja, caída, debilitamiento, contracción; descender, bajar ◊ *The country's population is declining*. [Exp: **decline** [2] (GRAL declinar, renunciar, negarse a, rehusar ◊ *The parents declined to take any further responsibility for their son's actions*; V. *refuse*), **decline in demand** (GRAL contracción en la demanda)].

decode *v*: GRAL descifrar; V. *decipher, coding*. [Exp: **decoder** (GRAL descodificador ◊ *Improper use of a decoder to watch satellite TV is a breach of copyright*)].

decommission *n/v*: GRAL entrega [de armas], decomisar. [Exp: **decommissioning of weapons** (PENAL decomiso de las armas)].

decoy *n/v*: GRAL seducción; embaucar o atraer mediante reclamos, señuelos o trampas ◊ *The spy used his beautiful assistant to decoy the enemy agent away from the rendezvous*.

decrease *n/v*: GRAL retroceso, reducción [de capital], disminución [de valor]; disminuir, reducir ◊ *In April reserves showed a slight decrease*.

decree[1] *n/v*: PROC sentencia [de un tribunal de equidad], fallo, decreto, auto, bando, apremio; decretar, mandar, ordenar, establecer, determinar; en muchas sentencias aparece en forma de triplete: *It is ordered, adjudged and decreed* –se ordena, falla y sentencia– ◊ *After all the particulars of the judgment had been complied with, the divorced woman was granted a decree absolute*; en el derecho escocés es el término que se emplea en vez de *judgment*, por ejemplo *to pronounce decree, to grant the pursuer decree*, etc.; en el derecho inglés, *decree* se refiere a los autos, fallos o sentencias de los tribunales de equidad *–courts of equity–*, es decir, testamentarías *–probates–*, derecho marítimo *–Admiralty–* y derecho de familia *–Family Division–*; se llaman *decrees* porque estas resoluciones eran «decretadas» por el Lord Canciller; no obstante, *judgment*, fallo o sentencia de los tribunales de justicia *–courts of law–* se utiliza cada vez con mayor frecuencia en todos los casos; V. *judgment, interlocutory decree, decern, pass sentence*. [Exp: **decree**[2] (CONST decreto; V. *issue a decree*), **decree**[3] *der es* (PROC en el Derecho escocés, el término *decree* –pronunciado en el uso clásico cargando el acento en la primera sílaba–, tiene una aplicación más amplia que en el Derecho inglés o norteamericano, siendo equivalente a la sentencia definitiva o el fallo de cualquier asunto de lo civil; aunque en la práctica habitual las resoluciones, incluidas las sentencias, se llaman *interlocutors* en Escocia, el *decree* se distingue fácilmente porque es prescriptivo que contenga la palabra *decerns* –falla, resuelve, pronuncia–; V. *decerniture, decision, finding, interlocutor, judgment, order, ruling*), **decree absolute** (FAM sentencia de divorcio firme o definitiva), **decree arbitral** *der es* (CIVIL/PROC laudo/resolución arbitral; V. *award*), **decree dative** *der es* (CIVIL/PROC resolución que confiere la tutela dativa o nombra a un tutor dativo; según el *DRAE*, la tutela dativa «se confiere por nombramiento del consejo de familia o del juez y no por disposición testamentaria ni por designación de la ley»; V. *dative, guardian, nominate, tutor, ward*), **decree in absence** *der es* (PROC sentencia dictada en rebeldía), **decree in default** *der es* (PROC sentencia dictada por abandono o incomparecencia de una de las partes; da igual que el motivo de la incomparecencia sea el desistimiento *–abandonment, withdrawal–* o el incumplimiento de un plazo de caducidad

–failure to meet a procedural deadline–; la diferencia entre esta situación y la de la rebeldía *–absence–* es que el rebelde jamás se ha personado en el proceso, mientras que el *decree in absence* se dicta con posterioridad a la litiscontestación *–litiscontestation, joinder of issue–* y puede afectar tanto al actor *–claimant, pursuer–* como al demandado *–defendant, defender–*; V. *abandonment, default, judgment in default, lapse, limitation, stay*), **decree *in foro contentioso*** *der es* (PROC sentencia dictada por desistimiento o incomparecencia de una de las partes; se distingue de la dictada en rebeldía en que, al haberse producido la litiscontestación *–litiscontestation, joinder of issue–*, la sentencia adquiere firmeza inmediata y fuerza de cosa juzgada *–res judicata–*; es frecuente el uso de la forma abreviada *decree in foro*; V. *contentious, issue, join, joinder, non-contentious, notice of intention to defend*), **decree law** (CONST decretoley), **decree nisi** (FAM fallo de divorcio condicional), **decree of bankruptcy** (PROC declaración judicial de quiebra), **decree of insolvency** (PROC declaración de insolvencia, declaración judicial de quiebra), **decree of nullity** (PROC auto de nulidad, declaración de nulidad)].

dedication *n*: CIVIL otorgamiento de servidumbre pública [que se presume tras 20 años de uso público de un camino privado], dedicación a uso público; V. *prescription*. [Exp: **dedication and acceptance** (CIVIL presunción legal de otorgamiento por el dueño y aceptación por el público de servidumbre pública; V. *acceptance*), **dedication by adverse use** (CIVIL servidumbre por uso consentido)].

deduce *v*: GRAL deducir, concluir; V. *infer, interpret*

deduct *v*: GRAL deducir, sustraer, rebajar [Exp: **deductible** (GRAL deducible ◊ *Certain home improvements are deemed «betterments» and are tax deductible*), **deductible expense** (FISCAL gasto deducible), **deduction** (GRAL/FISCAL deducción, desgravación, reducción, rebaja; V. *abatement, allowance*), **deductions at source** (FISCAL deducción en la fuente de ingresos o salario)].

deed[1] *n*: CIVIL escritura, título legal, documento o instrumento jurídico; escritura traslativa de dominio ◊ *Deeds must be witnessed, signed and sealed before they are legally binding*; V. *title, title deeds, vesting deed, certificate, document*. [Exp: **deed**[2] (GRAL acto, hecho, hazaña, realidad; V. *action*), **deed, in** (GRAL de hecho), **deed in fee** (CIVIL escritura de pleno dominio), **deed in lieu of foreclosure** (documento de impedimento de procedimiento ejecutivo), **deed of arrangement** (CIVIL convenio de quita y espera), **deed of assignment** (CIVIL escritura de cesión de la propiedad del deudor al acreedor), **deed of conveyance** (CIVIL escritura de traspaso), **deed of covenant** (CIVIL escritura de garantía), **deed of discharge** (CIVIL escritura de extinción de obligaciones), **deed of gift** (CIVIL escritura de donación), **deed of incorporation** (MERC acta constitutiva de una sociedad mercantil, escritura de constitución de una sociedad; aunque con menor frecuencia, a veces se emplea el término *deed of incorporation* en el sentido de *memorandum of association*; V. *memorandum of association, statutory declaration*), **deed of partnership** (MERC acta o escritura de constitución de una sociedad colectiva; V. *partnership*), **deed of release** (CIVIL escritura de cesión de derechos, escritura de cancelación de hipoteca), **deed of sale** (MERC/CIVIL escritura de compraventa), **deed of surrender** (CIVIL título de cesión), **deed of trust** (CIVIL escritura de fideicomiso), **deed poll** (CIVIL escritura de declaración unilateral; normalmente comienza con

Know all men by these presents..., y se emplea, por ejemplo, para dar fe de un cambio de nombre o apellido decidido voluntariamente por el interesado ◊ *The deed poll is signed only by the grantor*; V. *indenture*)].

deem *v*: GRAL juzgar, considerar, pensar, estimar; V. *judge, decide*. [Exp: **deemster** (PROC juez, magistrado de la isla de Man y de la de Jersey)].

deface *v*: GRAL mutilar, destrozar, desfigurar; mamarrachear, pintajear ◊ *The prosecution held that the accused had deliberately defaced the document, making the signature illegible*; V. *impair, damage*. [Exp: **defacement** (PENAL destrucción maliciosa o mutilación de un documento, etc.)].

defalcate *v*: PENAL desfalcar, malversar; V. *embezzle, defraud, misappropriate, swindle*. [Exp: **defalcation** (PENAL desfalco, malversación, defraudación; V. *embezzlement, fraud, swindling, misappropriation*), **defalcator** (malversador)].

defamation *n*: PENAL difamación ◊ *He sued the newspaper for defamation over an article which he claimed ridiculed him*; hay dos formas de *defamation*: *libel* –libelo o difamación escrita– y *slander* –difamación oral–; V. *action for defamation*. [Exp: **defamatory statement** (PENAL expresión difamatoria; V. *fair comment*), **defame** (PENAL difamar, desacreditar, calumniar), **defamer** (PENAL difamador, calumniador)].

default[1] *n/v*: CIVIL incumplimiento [de un contrato], quebrantamiento, mora, falta de pago, omisión; faltar, incumplir, desatender, con ◊ *They defaulted on payment of their mortgage and their house was repossessed*; V. *breach, derelection, delay*. [Exp: **default**[2] (PROC incomparecencia, rebeldía, contumacia; no comparecer, constituirse en rebeldía; V. *appearance, appearance day, debtor in default*), **default, by** (PROC/MERC por incomparecencia; en rebeldía del demandado, en contumacia, en rebeldía; ausencia de los demás; porque nadie acudió o se presentó ◊ *He was elected by default*), **default action** (CIVIL demanda que se interpone en un *County Court* para el cobro de una deuda, demanda pecuniaria), **default clause** (CIVIL/MERC cláusula resolutoria; V. *cancellation/cancelling clause, defeasance clause*), **default, in** (GRAL/MERC haber incumplido un contrato, en mora, moroso, en ausencia), **default of payment, in** (MERC por falta de pago), **default interests** (MERC intereses de demora), **default judgment** (PROC fallo o sentencia judicial por incomparecencia de la parte; sentencia en rebeldía), **default, make** (PROC no comparecer), **default notice** (MERC notificación al interesado de incumplimiento de alguna cláusula contractual, previa a cualquier demanda ante los tribunales), **default on payments** (MERC no hacer frente, incumplir o retrasarse en los pagos acordados contractualmente), **default risk** (MERC riesgo de cobro), **default summons** (CIVIL notificación de demanda e intimación de pago), **defaulted contract** (MERC contrato incumplido), **defaulted bond** (MERC obligación en mora, bono impagado en mora), **defaulter** (MERC moroso; defraudador, malversador, rebelde, delincuente, contumaz), **defaulting** (PROC incompareciente), **defaulting witness** (PROC testigo que no comparece)].

defeasance *n*: CIVIL/MERC anulación, resolución, abrogación o revocación de algún contrato, escritura de anulación o revocación ◊ *Defeasance clauses have the effect of annulling contracted obligations regarding interest in property which appear in another deed, e.g. a title deed*. [Exp: **defeasance clause** (CIVIL/MERC cláusula/condición resolutoria; V. *cancellation/*

cancelling clause, default clause), **defeasible** (CIVIL/MERC anulable, revocable; V. *fee simple defeasible*)].

defeat[1] *n/v*: GRAL derrota; derrotar, vencer. [Exp: **defeat**[2] (PROC anular, revocar un acuerdo o contrato ◊ *A condition which appears in a document may have the effect, if the situation comes about, of defeating an estate or interest in property*; V. *annul, cancel, void, null and void*), **defeat a bill** (CONST revocar, anular un proyecto de ley ◊ *When the bill presented by the government was defeated, the Prime Minister dissolved Parliament and announced elections*), **defeat a motion** (GRAL derrotar una moción; V. *reject a motion, carry a motion*), **defeat a person's will** (SUC anular el testamento de alguien; V. *break a will*)].

defect *n*: GRAL defecto, vicio; V. *blunder, hidden/patent defects*. [Exp: **defect of substance** (GRAL defecto material), **defective** (GRAL defectuoso, imperfecto, viciado, con defecto de forma; V. *fault, faulty*)].

defence[1] *n*: GRAL defensa, protección; V. *legal defence, defense*. [Exp: **defence**[2] (PENAL contestación a la demanda; alegación, justificación, apología, defensa, réplica ◊ *Judges often have to decide whether a given defence is available in a given case, a matter which may have to be decided by reference to the procedural orders of the Rules of the Supreme Court*; es la primera alegación, llamada también *answer* o *reply*; el orden de los alegatos en el derecho procesal inglés es el siguiente: *claim/defence, reply/rejoinder, surrejoinder/rebutter*; a partir del *rejoinder*, sólo se pueden presentar si el tribunal los admite a trámite *–with the leave of the court–*, y a partir del *surrejoinder* son una rareza en la práctica moderna; V. *answer, common defence, plea, incidental pleas of defence; claim*), **defence**[3] (CIVIL/PENAL eximente, causas de justificación, causas de inimputabilidad criminal, circunstancias eximentes de la responsabilidad criminal, circunstancias, medios o argumentos que se aducen en la defensa, defensa, descargo; la mayoría de las eximentes son alegaciones hechas por la defensa *–counsel for defence–* con las que se pretende demostrar que no hubo delito; pueden ser eximentes generales *–general defences–* y eximentes específicas *–specific defences–*; la diferencia entre las eximentes generales y las específicas radica en el hecho de que corresponde a la acusación probar que las primeras no existieron, mientras que en las segundas es tarea de la defensa demostrar su existencia; muchas leyes, al tipificar un delito, también determinan las eximentes específicas del mismo ◊ *In murder charges, the defence of duress is never available to the principal, though it may be pleaded by an accessory*; V. *automatism, general defenses, specific defences; the defence rests its case*), **defence case** (PENAL conclusiones provisionales de la defensa; V. *prosecution case*), **defence of necessity** (PENAL eximente de necesidad; V. *general defence*), **defence of previous accord or settlement** (CIVIL excepción de compromiso previo), **defence of res judicata** (PROC excepción de cosa juzgada), **defence witness** (PROC testigo de descargo; V. *witness for the prosecution*), **defence wounds** (PENAL lesiones que alega el acusado de un delito que sufrió en su legítima defensa)].

defendant *n*: CIVIL/PENAL demandado, parte demandada [Derecho civil]; parte querellada; reo, acusado, procesado, inculpado [Derecho penal] ◊ *In civil actions, plaintiffs commonly claim that defendants have breached a legal duty or interfered with a legal right*; V. *respondent, plaintiff, appellee, civil action, accused, prisoner* *at the bar, criminal proceedings, security for the defendant's costs.* [Exp: **defendant's bond** (CIVIL fianza de demandado), **defendants' seat in court** (PROC banco o banquillo de los acusados; V. *dock for prisoners*), **defend** (GRAL defender, actuar por la defensa; V. *prosecute*), **defended** (GRAL contencioso; se emplea en expresiones como *defended action* –contencioso, pleito o litigio en el que el demandado opone resistencia a la demanda–, *defended divorce* –divorcio contencioso–; V. *undefended*), **defender** *der es* (CIVIL/CRIM/PROC demandado, acusado, inculpado, querellado; es el equivalente en el Derecho escocés del *defendant* inglés y se opone, en el procedimiento civil, al término *pursuer –actor, demandante–*; en general, la designación escocesa de las partes en litigio se caracteriza por preferir la desinencia en *-er* a la forma en *-ant* característica de la terminología inglesa; compárese *pursuer* (= *claimant, plaintiff*) –demandante–, *complainer* (= *complainant*) –querellante–, *reclaimer* (= *appellant*) –recurrente, apelante–, *suspender* (= *appellant*) –recurrente, apelante–), **defense** *US* (GRAL en inglés americano se emplea *defense* en vez de *defence*), **defensory** (defensivo, justificativo)].

defer *v*: GRAL aplazar, atrasar, diferir, prorrogar, demorar, suspender ◊ *Sentences are often deferred to give the judge time to read the background reports*; V. *delay, postpone, put off*. [Exp: **deferment, deferral** (CIVIL moratoria, prórroga, aplazamiento ◊ *The government has granted a tax deferral for people that have suffered from recent floods*; V. *adjournment, postponement, tax deferral*), **deferred annuity** (MERC anualidad o renta aplazada o diferida), **deferred bond** (MERC bono de interés diferido, bono de cupón cero, título diferido), **deferred calendar** (PROC calendario de causas diferidas; V. *dropped calendar*), **deferred judgment** (PROC resolución aplazada, fallo aplazado ◊ *In a deferred judgment, the original decision was overruled by the appellate court*; los jueces británicos suelen pronunciar el fallo *–give judgment–* en cuanto termina el juicio, pero no es infrecuente que aplacen *–hold over, defer–* la decisión para poder consultar fuentes jurídicas o madurar su resolución; V. *advisement, avizandum*), **deferred liabilities** (MERC pasivo diferido), **deferred shares** (MERC acciones de dividendo diferido; V. *founder's shares*)].

defiance *n*: GRAL desafío, terquedad, contumacia, provocación ◊ *The judge ordered the man to be imprisoned for persistent defiance of court orders*; V. *disobedience, insolence, boldness*. [Exp: **defiant** (GRAL provocador; V. *insolent, rebellious*), **defiance of, in** (GRAL a despecho de, desafiando, haciendo caso omiso de; V. *act in defiance, ignore, neglect*)].

deficiency *n*: GRAL deficiencia, déficit, carencia, insuficiencia, falta, diferencia; menoscabo; impago de impuestos. [Exp: **deficiency assessment** (FISCAL liquidación/valoración/acta de impuestos no declarados), **deficiency bill** (CONST ley de créditos suplementarios para hacer frente a deficiencias o déficit presupuestario), **deficiency judgment** (PROC fallo en el que se condena al deudor hipotecario al pago de la diferencia entre lo realmente debido y la cantidad obtenida en la ejecución de la hipoteca), **deficiency notice** (GRAL notificación de impuestos impagados)].

definitive *a*: GRAL definitivo, en firme ◊ *Judicial precedent, though it must be followed in some cases, is regarded as an authoritative rather than as a definitive statement of the law*; V. *absolute, conclusive*.

deflect *v*: GRAL desviar, distraer, engañar ◊ *All the efforts of the defendant attempted to hinder, impede and deflect an inquiry* *by the grand jury*; V. *divert, distract*. [Exp: **deflection of trade** (MERC desviación del tráfico comercial)].

deforce *v*: CIVIL detentar, usurpar, ocupar una propiedad en menoscabo del derecho de su dueño. [Exp: **deforcement** (CIVIL ocupación ilegal; detentación; usurpación; *der esc* resistencia opuesta a un funcionario del Tribunal; V. *encroachment*)].

defraud *v*: PENAL defraudar, usurpar fraudulentamente, estafar ◊ *The customer, who had altered the wiring to bypass the electricity meter, was sued by the electricity company for defrauding them of due payment*; V. *embezzle, theft, burglary, stealing, forgery*.

defray *v*: GRAL sufragar, hacer frente a, costear, pagar [gastos, etc.] ◊ *The firm undertook to defray reasonable expenses incurred by interviewees for travel and overnight stay*.

defiance *n*: GRAL desafío, reto, provocación, insolencia, desobediencia, oposición obstinada; V. *challenge, dispute*. [Exp: **defy** (GRAL desafiar, contravenir, oponerse con terquedad, negarse a cumplir; V. *challenge, dispute*)].

degree *n*: GRAL grado; V. *forbidden degrees, third degree*.

del credere agent *n*: CIVIL agente del crédere.

delation *obs n*: GRAL acusación, denuncia, delación; V. *accusation*. [Exp: **delator** *obs* (GRAL acusador; V. *informer*)].

delay *n/v*: GRAL demora, retraso, dilación, tardanza; demorar, retardar, diferir ◊ *The dilatoriness of legal procedure is not a new thing - Shakespeare's Hamlet complained of «the law's delay»*; V. *demurrage, time; default*. [Exp: **delayed action bomb** (PENAL bomba de acción retardada)].

delegate *a/n/v*: GRAL/ADMIN delegado, comisionado; delegar, comisionar, diputar ◊ *Statutory instruments and bylaws are examples of delegated legislation*. [Exp: **delegated responsibility** (ADMIN responsabilidad delegada), **delegated legislation** (CONST legislación delegada, legislación subordinada, disposiciones legislativas delegadas; muchos órganos políticos y de la administración [los ministerios, los órganos de la administración local, etc., incluso la Corona] tienen capacidad para legislar y desarrollar determinadas cuestiones de las leyes parlamentarias, gracias a las atribuciones conferidas por una *enabling statute* –ley de autorización– o *parent act* –ley matriz–; por ejemplo, las normas de derecho procesal llamadas *Rules of the Supreme Court* pertenecen a este tipo de leyes, siendo su ley matriz más reciente la *Supreme Court Act 1981*; paradójicamente, esta legislación delegada o subordinada es hoy más voluminosa que la que emana directamente del Parlamento; V. *statutory instruments, enabling statute, parent act, bylaw; lay before Parliament, negative resolution, affirmative resolution*), **delegation** (ADMIN/GRAL delegación, diputación, comisión, transmisión de una deuda), **delegation of authority/powers** (ADMIN delegación de atribuciones o competencias, delegación de poderes; V. *assumption of authority*)].

delete *v*: GRAL borrar; V. *erase*. [Exp: **deletion** (GRAL borradura, tachadura; V. *erasure*)].

deliberate *a*: GRAL intencionado, premeditado; V. *willful*.

deliberate *v*: GRAL deliberar; V. *discuss, debate*.

delinquency[1] *n*: GRAL morosidad, incumplimiento de obligaciones; V. *negligence, nonpayment*. [Exp: **delinquency**[2] (GRAL delincuencia ◊ *The upsurge in juvenile delinquency is worrying parents as well as educational and legal authorities*; normalmente se aplica a las faltas –*petty/mi-*

nor offences– y delitos menores *–summary offences/crimes–*), **delinquency charges** (MERC intereses moratorios), **delinquency proceedings** (PENAL procedimiento de rehabilitación de una sociedad con dificultades financieras; procedimiento para la asignación judicial de menores bajo tutela), **delinquent**[1] (GRAL/MERC incumplido, moroso, atrasado, debido y no pagado; V. *negligent, late, due*), **delinquent**[2] (PENAL delincuente; V. *wrongdoer*), **delinquent debt** (MERC deuda en mora), **delinquent debtor** (MERC deudor moroso)].

deliver[1] *v*: GRAL/MERC entregar, traspasar, enviar, repartir, servir a domicilio ◊ *When goods are delivered, the customer signs the delivery note.* [Exp: **deliver**[2] (PROC dictar, emitir, adoptar; se usa en expresiones como *deliver a judgment* –dictar una sentencia–, *deliver a decision* –adoptar una resolución–, *deliver an opinion* –emitir un dictamen–, *deliver a speech* –pronunciar un discurso–, etc. ◊ *The court heard argument in camera and delivered judgment in open court*; V. *pass judgment*), **deliver**[3] (GRAL pronunciar [un discurso]; V. *make a speech, delivery*[5]), **deliver**[4] (ADMIN librar fondos), **deliver**[5] (CIVIL/ADMIN/NOT otorgar [una escritura, una licencia, etc.] ◊ *Deeds take effect from the moment of their delivery*; V. *grant, issue*), **deliver**[6] (GRAL asistir a una mujer en el parto; V. *be delivered of a child*), **delivered of a child, be** (GRAL dar a luz un niño), **delivery**[1] (GRAL entrega, reparto, suministro, distribución, servicio a domicilio, expedición, distribución; V. *symbolic delivery, constructive delivery; port of delivery*), **delivery**[2] (MERC remesa, libramiento [de fondos, etc.]), **delivery**[3] (GRAL dicción, forma de hablar, expresión oral, declamación, exposición oral ◊ *In courtroom testimony demeanour and delivery are crucial*), **delivery**[4] (CIVIL traspaso, cesión; V. *conveyance*), **delivery**[5] (CIVIL/ADMIN/NOT otorgamiento [de una escritura, etc.]; V. *deliver*[5]), **delivery against acceptance, D/A** (MERC entrega contra aceptación), **delivery against payment, D/P** (MERC entrega contra pago; también llamado *delivery against cash* o *cash on delivery*), **delivery bond**[1] (MERC compromiso de entrega), **delivery bond**[2] (PROC compromiso de entrega, fianza para reintegro de bienes embargados; V. *bailment*), **delivery date** (MERC plazos de entrega), **delivery note** (MERC albarán), **delivery order** (MERC bono de entrega), **delivery period** (MERC plazo de entrega), **delivery of goods** (MERC entrega de mercancías)].

demand[1] *n/v*: GRAL demanda, exigencia, requerimiento, acción en alegación de derecho de alguna cosa; exigir, demandar, reclamar, exigir con autoridad, exponer el actor su acción o derecho; el término español «demanda», y también «demandar» en su acepción de «acto de iniciación de un proceso judicial civil» no es nunca *demand* sino *civil action, case, suit, bring a case,* etc.; un sinónimo de *demand* es *claim*; V. *claim, final demand; renounce, waive, abandon* [Exp: **demand**[2] (MERC demanda; en este sentido es complementario de *supply* –oferta–; en posición atributiva significa «a la vista», como en *demand deposit*, siendo en este caso equivalente a *sight*), **demand a debt** (MERC reclamar una deuda), **demand bill/draft** (MERC letra o giro a la vista), **demand deposit** (MERC depósito exigible o disponible a la vista), **demand draft** (MERC letra a la vista), **demand exchange** (MERC divisa a la vista), **demand for payment** (MERC intimación de pago, requerimiento de pago), **demand liabilities** (MERC obligaciones a la vista), **demand note** (MERC pagaré a la vista), **demand, on** (MERC a la vista; V. *on sight, at call, upon presentation*), **demand security** (MERC exigir garantía), **demand with menaces** (CRIM coaccionar o chantajear con amenazas o violencia para cobrar deudas; V. *harassment of debtor*)].

demesne *n*: CIVIL propiedad de bienes raíces, casa, propiedad o heredad con dominio de pleno derecho, tierras solariegas, jardines, etc., de una mansión; V. *hold in demesne*.

demeanour *n*: CIVIL porte, aspecto exterior ◊ *The witness's demeanour favourably impressed the jury.*; V. *delivery*.

demerger *n*: MERC escisión; V. *splitoff*.

demerit *n*: GRAL demérito; V. *fault, misconduct, defect*.

demise[1] *n/v*: CIVIL muerte, desaparición, extinción de una actividad; V. *death; die, decease*. [Exp: **demise**[2] (CIVIL legado; legar, dejar en testamento ◊ *Under the terms of the will, the hair was allowed to demise the farm to his cousin*; el significado de «fallecimiento» está ligado a la causa de «transmisión y sucesión en la propiedad de una heredad»; ésta es la razón por la que, cuando lo pida el contexto, equivale a «muerte, deceso»; V. *devise, transfer by legacy*), **demise**[3] (CIVIL cesión, arrendamiento; traslación de dominio; arrendar, transferir o ceder los derechos o el dominio de algo; V. *demised premises; transfer by lease*), **demise charter** (MERC fletamento *demise*, en el que armador o dueño abandona la gestión náutica), **demise of the Crown** (CONST muerte del soberano y sucesión de la Corona), **demised premises** (CIVIL propiedad arrendada; V. *devise*)].

demonstration *n*. GRAL manifestación pública; V. *industrial action*. [Exp: **demonstrative** (GRAL demostrativo), **demonstrative evidence** (PROC prueba gráfica o demostrativa; V. *incriminating evidence*), **demonstrative legacy** (SUC legado con cargo a fondo particular, legado demostrativo)].

demur *v*: GRAL/CIVIL objetar, presentar trabas, objeciones, excepciones o reparos, excepcionar ◊ *At first the prosecution demurred to the production of the wife as a witness, but after hearing the defence's arguments they agreed*; V. *dispute, oppose, object*. [Exp: **demurrable** (GRAL aplazable, prorrogable), **demurrage** (MERC sobrestadía, demora o gastos de demora ◊ *Industrial action at the port caused delay in the loading of the ship's cargo, and the shipowner put in a claim for demurrage*; V. *day days, delay*), **demurrage bond** (MERC garantía o fianza para demoras o sobrestadías; V. *lien for demurrage*), **demurrer** (CIVIL excepción perentoria, admisión de los hechos alegando que no constituyen causa suficiente o *cause of action*, excepción previa, objeción ◊ *The defence has put in a demurrer against the claim on the ground that the plaintiff is not the legal owner of the property*; V. *general demurrer, put in a demurrer, special demurrer; plea*), **demurrer to evidence** (PROC objeción a pruebas defectuosas), **demurrer to interrogatories** (PROC objeción a interrogatorios o a prestar declaración), **demurrer to the jurisdiction** (PROC excepción de incompetencia), **demurrer to the person** (PROC excepción de incompetencia)].

denial *n*: GRAL denegación, refutación, desmentido, repulsa; V. *refusal, rejection; specific denial; deny*. [Exp: **denial of justice** (PENAL denegación de justicia), **denial of rent** (CIVIL resistencia a pagar la renta o alquiler)].

denization *obs n*: ADMIN naturalización. [Exp: **denize** *obs* (ADMIN naturalizar), **denizen** *obs* (ADMIN extranjero naturalizado)].

denouncement/denunciation *n*: GRAL denuncia, acusación.

deny *n/v*: GRAL desmentido; negar, contradecir, desmentir, no aceptar; no haber lugar ◊ *The accused denied the charge but several eyewitnesses testified to seeing him take the money*; V. *denial; refuse, object, dispute.*

depart *v*: GRAL apartarse, desviarse ◊ *The judge remarked that if the witness was not lying, she had to some extent departed from the truth*; V. *departure; deviate, detour.*

department *n*: GRAL departamento, ministerio, negociado; V. *office*; normalmente no se emplea el término *ministry* sino el de *department* y en otros *office*, como *Home Office* o *Foreign Office* [Exp: **Department of Trade and Industry, DTT** (CONST Ministerio de Comercio e Industria), **Department of Health and Social Security, DHSS** (CONST Ministerio de Sanidad y de la Seguridad Social), **Department of the Register of Scotland** *der es* (CIVIL catastro, Registro de la Propiedad Inmobiliaria; V. *H. M. Land Register*)].

departure *n*: GRAL salida, partida; desviación; alegación improcedente; alteración o ampliación indebida del objeto del proceso; cambio de rumbo inadmisible en los alegatos ◊ *Counsel for the defence argued that the plaintiff's additional arguments in pleading amounted to a departure from the original claim and therefore should not be allowed*; V. *depart, E.T.D.*

depend *der es v*: PROC pender, estar por resolverse; ser de la competencia de ◊ *The sheriff before whom the cause depends shall proceed without velay.* [Exp: **dependants** (FAM familiares, personas a cargo del cabeza de familia, subalternos, subordinados, derechohabientes ◊ *Tax relief may be claimed by people who support dependants*), **dependency** (GRAL dependencia, pertenencia, sucursal), **dependency, in** *der es* (PROC pendiente de resolución, del que el juez está conociendo; situación del proceso antes de que la sentencia adquiera firmeza; como se ve, se trata de una situación procesal distinta a la de *depending*; V. *depending*), **dependent** (GRAL dependiente; V. *legal dependent*), **dependent relative revocation** (SUC revocación relativa subordinada; de acuerdo con esta doctrina del derecho testamentario, la revocación de un testamento, por voluntad expresa del testador, en otro testamento posterior queda sin efecto si, apreciándose claramente la intención del testador de establecer entre ambos una relación de sustitución, resulta que el segundo no es válido por cualquier razón. Por ejemplo, es válido el primero si el segundo no reúne los requisitos legales o se fundamenta en creencias inciertas o estipula condiciones imposibles de cumplir; V. *wills*), **dependent territories** (CONST territorios dependientes), **depending** *der es* (PROC pendiente de resolución, del que el juez está conociendo; situación del proceso antes de que recaiga sentencia definitiva; V. *in dependency*)].

deplete *v*: GRAL mermar, agotar [fondos recursos, etc.] ◊ *The company's liquid assets have been depleted by spending on emergency oprations.* [Exp: **depletion** (GRAL agotamiento de recursos)].

depone *der es v*: PROC deponer, declarar bajo juramento; V. *depose.* [Exp: **deponent** (PROC deponente, declarante, dicente, firmante de una *deposition*)].

deport *v*: GRAL/PENAL deportar, expulsar, desplazar ◊ *The man, who had no valid travel documents and no means of subsistence, was deported as an undesirable alien*; V. *banish, exile.* [Exp: **deportation** (GRAL/PENAL deportación, destierro, expulsión ◊ *The deportation order was revoked on appeal*; V. *banishment*)].

depose[1] *v*: PROC testificar, deponer ◊ *Three witnesses signed sworn statements deposing to the identity of the accused*; V. *de-*

position, depone. [Exp: **depose**[2] (GRAL deponer, destituir, destronar, degradar ◊ *The president was deposed by a military junta*)].

deposit[1] *n*: MERC/GRAL señal, arras, depósito, fianza, prenda, consignación, ingreso a cuenta ◊ *If a contract is completed without dispute the deposit becomes part of the payment*; V. *gazumping, bailment, time deposit.* [Exp: **deposit**[2] (MERC ingresar, depositar, consignar ◊ *Sums accruing to the trust fund are lodged with the depositaries appointed under the trust itself*; V. *withdraw*), **deposit box** (MERC caja de seguridad; V. *safety deposit box*), **Deposit Guarantee Fund** (MERC Fondo de Garantía de Depósito), **deposit in escrow** (MERC depósito sujeto a condiciones contractuales entre terceros), **deposit rundown** (MERC retirada masiva de fondos), **deposit slip/receipt** (MERC nota o resguardo de depósito), **deposit subject to notice** (MERC depósito con preaviso), **depositary** (CIVIL/GRAL/MERC depositario, guardián, almacenista), **depositor** (MERC depositante, impositor), **depository** (GRAL lugar de custodia, depositaría, almacén de depósitos; V. *vault*)].

deposition *n*: PROC declaración jurada por escrito, confesión, deposición, confesión judicial, testimonio, atestiguación ◊ *The statements made by the witnesses under oath were taken down by the notary, who signed their depositions*; las declaraciones hechas por los testigos *–depositions by a witness–* en el período de instrucción *–committal proceedings–* son recogidas por escrito por el letrado asesor *–magistrates's clerk–* y tras ser firmadas por el testigo son certificadas por el juez instructor *–examining magistrate–*; no obstante, para que puedan ser usadas en la vista oral deben haberse sometido a las repreguntas o contrainterrogatorio *–cross-examination–* de la defensa del acusado]; V. *declaration, statement, deponent, affidavit, acknowledgment.*

depot *n*: MERC depósito; V. *free depot.*

deprave *v*: GRAL/PENAL depravar, corromper ◊ *The Obscene Publications Act defines obscene material as that which is liable to deprave or corrupt*; V. *debauch, debase, degrade, pervert.*

depreciable *a*: GRAL amortizable. [Exp: **depreciate** (MERC depreciar-se, depreciarse; V. *devalue*)].

depreciation (MERC/CRAL amortización, depreciación ◊ *The book value of fixed assets like machinery and vehicles is subject to depreciation, and its value must be adjusted downwards on the balance sheet each year*; V. *appreciation*), **depreciation account** (MERC cuenta de amortización), **depreciation allowance** (MERC/ADMIN asignación para depreciación), **depreciation fund** (MERC fondo de amortización)].

depress *v*: GRAL deprimir ◊ *In contemporary economic jargon, depression combined with inflation is known as «stagflation».* [Exp: **depression** (MERC depresión, crisis económica, bache); V. *recession*)].

deprivation *n*: GRAL privación, pérdida, destitución, deposición ◊ *A report by social workers suggested that there was a link between the rise in the local crime rate and the economic and cultural deprivation of young people in the area*; V. *loss; dispossession, divestiture.* [Exp: **deprivation of liberty** (CONST privación de libertad), **deprivation of rights** (CONST privación de derechos; desafuero), **deprive of** (GRAL privar de, despojar, quitar ◊ *The cancellation of a document deprives it of its effect*), **deprive of a privilege** (CONST desaforar), **deprive of the right to a pension** (LABORAL privar del derecho de pensión)].

depute[1] *v*: ADMIN/MERC delegar, nombrar sustituto, asignar un cargo ◊ *In the absence of the senior partner, the junior* *partner was deputed to look after the clients*. [Exp: **depute**[2] *der es* (GRAL delegado, persona en quien delega otro, suplente, representante; en realidad se trata del antiguo participio pasado del verbo *depute* –nombrar, autorizar, delegar en–, que, en ciertas expresiones muy consolidadas en el uso escocés, aparece pospuesto al sustantivo, como p. ej. *sheriff-depute* o *advocate-depute*; pese al significado literal de la palabra *depute*, en tales casos no se debe traducir por «juez suplente», «fiscal suplente», etc., sino simplemente por «juez» o «fiscal», aunque las expresiones nos recuerdan que, en sus orígenes, el juez y el fiscal en cuestión derivan su autoridad del *sheriff-principal* y del *Lord Advocate* respectivamente), **deputise** (GRAL/ADMIN sustituir a otro, delegar, diputar, comisionar, desempeñar las funciones de otro), **deputy** (ADMIN/MERC diputado, delegado, suplente, sustituto, comisario, comisionado, teniente, lugarteniente, sub, vice ◊ *The Chairman is unable to attend today's meeting, but the vicechairman will deputize for him*; el término *deputy* aparece junto a otros como *manager, president, chairman,* etc., con el significado de «suplente, adjunto, sub, vice», p. ej., subdirector, director adjunto, vicepresidente, etc.), **deputy attorney** (PENAL teniente fiscal), **deputy chairman** (GRAL vicepresidente), **Deputy Chief Constable, DCC** (PENAL Subjefe provincial de policía), **deputy mayor** (ADMIN teniente de alcalde), **deputy registrar** (ADMIN registrador suplente), **deputy to a sheriff** *US* (ADMIN alguacil, agente municipal que ejecuta los embargos, etc.; V. *bailiff*)].

deraign *obs v*: GRAL probar, desagraviar. [Exp: **deraignment** *obs* (GRAL prueba, justificación)].

derangement *n*: GRAL trastorno o perturbación mental; V. *mental derangement, insanity, psychosis, lunacy*.

deregistration *n*: CIVIL cancelación de un asiento o inscripción registral; V. *registration, registry*.

deregulation *n*: ADMIN/MERC desregulación, derregulación, liberalización de las normas o reglamentos. [Exp: **deregulate** (ADMIN/MERC liberalizar, quitar regulación legislativa ◊ *This government has deregulated interest rates*)].

derelict *a/n*: GRAL/CIVIL abandonado, derrelicto; buque u objeto abandonado, cosa abandonada, *res nullius*; V. *flotsam*. [Exp: **derelict lands** (CIVIL tierras abandonadas; V. *ownerless property, avulsion, accretion*), **dereliction** (CIVIL derrelicción, abandono de bienes muebles, negligencia, abandono, desamparo, dejación; adquisición por accesión resultante del retiro de las aguas; V. *abandonment, destitution*), **derelection of duty** (ADMIN abandono de funciones públicas, abandono del servicio ◊ *The two police officers who had failed to report the theft were accused of dereliction of duty*; V. *breach of duty*)].

derivation *n*: GRAL derivación, evolución; V. *evolution, ancestry*. [Exp: **derivative** (GRAL derivativo, consecuencial), **derivative acquisition** (CIVIL adquisición derivativa), **derivative action** (PROC demanda derivada; se llama así a la demanda interpuesta a título personal por los accionistas minoritarios de una empresa cuando ésta ha sufrido un perjuicio pero no puede entablar pleito por tratarse de una materia que escapa de sus competencias; V. *ultra vires*), **derivative deed** (NOT/CIVIL instrumento derivado, escritura auxiliar o subordinada), **derivative nullity** (PROC nulidad derivada), **derivative possession** (CIVIL posesión derivativa), **derivative trust** (CIVIL fideicomiso derivativo; V. *subtrust*), **derive** (GEN/CIVIL derivar, recibir por transmisión ◊ *His right to the title derives from descent through the female line*; V. *descend*)].

derogation *n*: GRAL/CONST derogación, desestimación, detractación; las palabras *derogattion* y *derogate* ya no tienen en inglés moderno el significado original de «anular o anular una ley o disposición legislativa» que conservan sus homólogos castellanos. [Exp: **derogations** (CONST supuestos de inaplicabilidad de una disposición legislativa; V. *repeal*), **derogate** (GRAL detraer, detractar, restringir un derecho, una obligación etc., derogar parcialmente, afectar; derogar, reducir ◊ *You cannot derogate from a grant once you have made it*; V. *quash, repeal, abolish*)].

derogatory *a*: GRAL despectivo ◊ *The judge ruled that certain expressions published in the article were derogatory and offensive to the chairman of the company*; V. *insulting, offensive*.

derrick *n*: MERC puntal de carga.

descend *v*: SUC transmitirse, heredarse, pasar a ◊ *A feetail is an entailed estate which must descend in a particular line*; se aplica a las herencias, legados o bienes que pasan de padres a hijos, etc; V. *acceptance without liability beyond the assets descended*. [Exp: **descendant** (SUC descendiente; ascendant), **descent** (SUC sucesión, transmisión hereditaria, herencia; descendencia, linaje ◊ *The old laws governing inheritance by descent when the owner of the property died have been changed*; V. *lineal descent, mediate descent, ascentry*)].

desert *v*: GRAL abandonar, huir; V. *abandon, flee*. [Exp: **desert children, wife, etc**. (PENAL desamparar, abandonar, descuidar, dejar, desatender, desertar hijos, esposa, etc. ◊ *Children are deserted when they are abandoned to their fate or no longer looked after*; V. *abandonment, non-support*), **desert one's trust** (ADMIN faltar a su deber), **deserted wife** (FAM esposa abandonada), **deserter** (CRIM tránsfuga, desertor), **desertion** (GRAL/FAM deserción, defección, abandono de cónyuge, abandono de familia ◊ *Desertion is a ground for divorce*; V. *destitution*)].

design[1] *n*: GRAL proyecto, plan; designio, intención; se suele aplicar a intenciones perversas o maliciosas; V. *plan, project*. [Exp: **design**[2] (MERC dibujo, diseño; V. *trade marks and designs, abandonment*[2]), **designer** (GRAL diseñador), **designer drugs** (PENAL drogas de diseño)].

designate[1] *v*: GRAL/ADMIN nombrar, destinar, designar; V. *appoint, constitute*. [Exp: **designate**[2] (GRAL designado, nombrado, electo ◊ *The chairman designate made a speech thanking his supporters and promising to put the company back on the rails*; se aplica a la persona nombrada para un cargo del que aún no ha tomado posesión; este adjetivo se coloca siempre detrás del nombre, al igual que *elect*), **designation** (ADMIN nombramiento, designación, destino; V. *appointment*), **designee** (ADMIN persona nombrada; V. *appointee*)].

desist *v*: GEN/CIVIL desistir, abandonar las pretensiones; V. *abandon, cease and desist order*. [Exp: **desistement** *US* (CIVIL interpretación de un testamento extranjero; mediante la doctrina del *desistement* los testamentos extranjeros se interpretan siguiendo las normas norteamericanas)].

despatch *n*: GRAL V. *dispatch*.

despoil *v*: GEN/PENAL despojar, expoliar; V. *plunder, loot*.

destitute *a*: GRAL desamparado, desvalido, pobre de solemnidad, indigente ◊ *It was a principle of English law that, as a man could dispose of his property as he wished, he was free to leave his family and dependants destitute*; V. *poor, indigent, poverty-stricken, homeless, impecunious, abandoned, derelict*. [Exp: **destitution** (GRAL destitución, privación, desamparo, abandono; V. *abandonment*)].

destroy *v*: GRAL destruir, aniquilar, asolar; V. *ravage, ruin, savotage.* [Exp: **destruction** (GRAL destrucción, aniquilamiento, asolación; V. *devastation, wreckage, sabotage.*

desuetude *n*: CIVIL desuso, falta de ejercicio de algún derecho ◊ *Many of the old property laws had fallen into desuetude before they were abolished by the 1925 Act.*

detain *v*: GRAL/PENAL detener, retener; prender; detentar ◊ *The Police and Criminal Evidence Act allows an arrested person to be detained without charge for a maximum of 36 hours without the authorization of a Magistrates' Court*; V. *detention, internment.* [Exp: **detained in custody** (PENAL detenido, a disposición judicial), **detainee** (PENAL detenido, retenido), **detainer** (PENAL detención, arresto, secuestro; detentador, retenedor), **detainment** (SEGUR/PENAL retención, detención; se suele usar en las pólizas de seguro marítimo para referirse a la retención del barco por orden de la superioridad)].

detect *v*: GRAL descubrir, detectar ◊ *Dogs can detect drugs more easily than men can.* [Exp: **detector** (GRAL detector), **detection** (GRAL detección, descubrimiento; V. *dscovery*, **detective** (PENAL agente de policía, oficial de policía, detective [privado]; V. *plainclothes policemen*), **detective agency/bureau** (GRAL agencia de detectives), **detective constable, DC** (PENAL policía, guardia), **detective story** (GRAL novela policíaca), **detective work** (GRAL investigación policial, pesquisas)].

detention *n*: GRAL/PENAL retención, detención ◊ *The arrested man was searched in the detention-room and a list of his property was compiled for the Custody Record*; se entiende que existe *detention* cuando un agente se acerca a alguien para pedirle su identificación o para interrogarle; si se le imputa algún cargo, se trata de *an arrest*; también se usa el término *detention* para aludir al período que se permanece retenido bajo vigilancia policial *–in custody–* tras su detención o *arrest*; V. *administrative detention, detain, arrest.* [Exp: **detention camp** (PENAL campo de concentración; V. *concentration camp, internment camp*), **detention centre** (PENAL correccional, centro de educación y rehabilitación de menores), **detention centre order** (PENAL V. *detention in a young offender institution*), **detention for questioning** (PENAL retención para interrogatorio, identificación, etc. Cuando la policía retiene a una persona para interrogarla, aun sin imputarle cargo alguno, utiliza la expresión ◊ *A man/woman is helping/assisting the police with their enquiries*), **detention in a young offender institution** (PENAL internamiento en un centro de rehabilitación de jóvenes; ésta es la única sentencia que se puede imponer a los menores de 21 años, la cual sustituye a dos más antiguas llamadas *detention centre orders* y *youth custody sentences*; también ha caído en desuso el término *Borstal*, aplicado en el pasado a este tipo de centros, por tener connotaciones más carcelarias que de rehabilitación; V. *youth custody sentence, community home, community service order*), **detention order** (CRIM orden de detención), **detention room** (CRIM sala de interrogatorios, sala de detenidos)].

deter *v*: GRAL desaconsejar, disuadir, escarmentar; impedir ◊ *The ideas of punishment is to deter people from committing crimes*; V. *restrain.* [Exp: **deterrence** (GRAL disuasión, escarmiento), **deterrent** (GRAL disuasivo, disuasorio, freno, medida disuasoria o represiva; V. *chilling effect doctrine*)].

deterioration *n*: GRAL deterioro; V. *devaluation.*

determinable *a*: GRAL determinable, susceptible de extinción o resolución. [Exp:

determinable contract (MERC contrato susceptible de resolución o extinción), **determinable interest/fee/freehold, etc.** (CIVIL propiedad, dominio, etc., sujeto a una condición resolutoria), **determinate** (GRAL fijo, cierto, especificado, etc.; se aplica, por ejemplo, a las penas de reclusión *–determinate sentences–* cuya duración está fijada por ley parlamentaria), **determination**[1] (PROC resolución o decisión judicial, auto definitivo, sentencia, determinación ◊ *In his determination of a case, a judge weighs up both the particular facts and relevant legal precedent*), **determination**[2] (CIVIL prescripción, expiración, caducidad de un derecho, un plazo, etc.; rescisión, resolución; terminación, extinción ◊ *The family's interest in the estate determined upon the death without issue of the old duke*), **determine** (GRAL resolver, adoptar, determinar, prescribir; V. *decide, settle, adopt*), **determine a contract or an agreement** (LABORAL resolver un contrato ◊ *The contract they signed could be determined by either party giving six month's notice*), **determine a dispute** (PROC resolver un litigio), **determine amendments** (CONST adoptar enmiendas), **determine the facts** (PROC ajuzgar sobre los hechos ◊ *It is the duty of the jury to determine the facts*; V. *fact finder*)].

detinue *n*: CIVIL/PROC [acción contra el que ha efectuado una] retención ilegal de bienes muebles.

detour *n*: GRAL/PENAL desvío [de tráfico, de fondos, etc.]; V. *deviate.*

detraction *n*: GEN/PENAL difamación, detracción; V. *slander, backbiting, calumny.*

detriment *n*: CIVIL detrimento, daño, perjuicio, pérdida, quebranto; V. *without prejudice*. [Exp: **detrimental** (CIVIL perjudicial ◊ *The contract contains a clause which is detrimental to our interests*; V. *prejudicial, damaging*)].

deuce *n*: conducción de vehículo bajo efectos de alcohol o drogas.

devaluation *n*: GRAL devaluación, depreciación; V. *deterioration.* [Exp: **devalue** (MERC devaluar; V. *depreciate*)].

develop[1] *v*: GRAL crecer, desarrollarse, madurar, concebir, elaborar ◊ *The developed law has preserved many customs from earlier periods.* [Exp: **develop**[2] (ADMIN urbanizar ◊ *The east side of the city has been undergoing development and the slums are disappearing*), **developed country** (país desarrollado), **developing country** (país en vías de desarrollo; V. *underdeveloped country*), **development**[1] (GRAL fomento, promoción, progreso, avance, impulso, desarrollo; evolución ◊ *During the Renaissance, arts and sciences experienced a substantial development*; V. *advancement, progress*), **development**[2] (GRAL cambio, novedad, acontecimiento ◊ *There have been new developments in the political scandal that is rocking the nation*), **development**[3] (ADMIN desarrollo urbanístico, urbanización; V. *permitted development, property developer, use classes*), **development land** (ADMIN terrenos urbanizables, terrenos edificables)].

devest *v*: CIVIL enajenar, desposeer; V. *divest.*

deviance *n*: PENAL conducta pervertida, anormal o antisocial ◊ *The prosecution dwelt on the deviance of the accused's behaviour*; el término *deviance* se suele aplicar a las conductas no aceptadas por la sociedad, por ejemplo, en el comportamiento sexual, consumo de drogas, etc., y tiene, por tanto, connotaciones negativas. [Exp: **deviant** (GRAL/PENAL desviado; individuo de conducta desviada; V. *depraved, wicked*), **deviate** (GRAL desviarse, apartarse ◊ *They would not let us deviate in any way from the strict terms of the contract*; V. *detour, depart from*), **deviation** (GRAL desvío, desviación, divergencia, incumplimiento de obligaciones o compromisos contractuales, etc. ◊ *The judge's decision showed a slight deviation from established precedent*; V. *detour*), **deviation clause** (MERC cláusula para cambiar el rumbo de un barco; mediante esta cláusula se autoriza al buque para hacer escalas en cualquier puerto con cualquier fin, navegar sin práctico, remolcar o auxiliar a otros buques, etc., con el objeto de salvar vidas o propiedades), **deviation warrant** (MERC garantía contra desviación), **devious** (PENAL tortuoso, enrevesado, astuto, taimado), **devious means** (GRAL artimañanas; V. *frame-up*), **deviousness** (GRAL astucia, malicia, picardía; argucias)].

device *n*: GRAL artefacto, estratagema, aparato, dispositivo; V. *artefact, explosive device*.

devil *v*: PROC realizar tareas legales un abogado por otro. [Exp: **devilling** (PROC tareas que hace un abogado por otro)].

devise[1] *v*: GRAL idear, crear, tramar. [Exp: **devise**[2] (SUC legado de bienes raíces, disposición testamentaria; legar, especialmente, bienes raíces o inmuebles, divisa, letra de cambio; legar ◊ *In her will, the old lady devised her country house to her nephew*; suele haber confusión entre los términos *devise, legacy* y *bequest*; los dos segundos son sinónimos y se aplican a bienes personales, mientras que el primero se refiere a bienes raíces; V. *bequeathe*), **devisee** (SUC legatario [de bienes raíces]), **devisor** (SUC testador que lega bienes raíces)].

devolution[1] *n*: GRAL cesión, transferencia; V. *transfer*. [Exp: **devolution**[2] (CONST traspaso de derecho de dominio; transferencia de competencias, autonomía; V. *The Judicial Committee of the Privy Council*); V. *devolved parliament*), **devolution appeal** (PROC apelación con efecto devolutivo), **devolve** (GRAL/CONST traspasar, devolver, transferir competencias, transmitir), **devolved parliament** (CONST parlamento autonómico o que goza de transferencias de poder; V. *devolution*)].

dicta *n*: PROC V. *dictum*. [Exp: **dictate**[1] (GRAL dictar, establecer; dar órdenes; V. *prescribe, lay down*), **dictate**[2] (GRAL dictamen, precepto, doctrina, documento; V. *opinion*), **dictum** (PROC opinión de un juez expresada en una sentencia o en cualquier momento de la vista ◊ *The report made it clear that the judge's remarks were «obiter dicta» and incidental to the legal actual basis for his decisions*; *dictum*, y su plural *dicta*, son formas elípticas de *obiter dictum*, término con el que se alude a las opiniones no vinculantes expresadas por un juez en la sentencia y que no constituyen un precedente jurisprudencial para posteriores resoluciones de los tribunales; V. *ratio decidendi*)].

dies juridicus *n*: PROC día hábil a efectos jurídicos; V. *legal day, working day*. [Exp: **dies non juridicus** (PROC día inhábil a efectos jurídicos)].

diet *der es n*: PROC sesión [de un tribunal]; día señalado para la comparecencia, la audiencia preliminar o el juicio; V. *session, sitting; fix, set*. [Exp: **diet, desert the** *der es* (PROC suspender el proceso; declarar la caducidad de la instancia; V. *fall*), **diet of appearance** *der es* (PROC día señalado para la comparecencia; V. *arraignment, subpoena*), **diet of trial** *der es* (PROC día señalado para la audiencia o vista)].

digest *n/v*: GRAL recopilación, sumario, repertorio, digesto; recopilar, resumir; V. *code, abstract, summary*.

digital *a*: GRAL digital, dactilar ◊ *He performed a digital examination*; aunque aún conserva acepciones referidas al uso de los dedos, cada día más se emplea con el sentido tecnológico de «digital»; V. *finger*.

diktat *n*: GRAL decreto [se aplica a los dictados en los regímenes autoritarios *–authoritarian regimes–*].

dilapidated *a*: GRAL en ruinas, deteriorado ◊ *They declined the inheritance in view of the dilapidated condition of the house*; V. *fair wear and tear; waste; tenancy.* [Exp: **dilapidations** (GRAL estado de ruina; esta palabra, que no tiene nunca el significado de su homóloga «dilapidar», se encuentra en las cláusulas de los contratos de arrendamiento y se refiere a las reparaciones que son necesarias por el deterioro producido hasta el final del inquilinato)].

dilatory *a*: GRAL lento, tardo, dilatorio ◊ *The defence put in a dilatory plea alleging want of proper parties in the originating writ.* [Exp: **dilatory plea** (PROC excepción dilatoria; las excepciones dilatorias, llamadas también *dilatory defences* y *dilatory exceptions*, son alegaciones aducidas por el demandado para evitar la continuación del pleito, que afectan principalmente a cuestiones formales; si prosperan, impiden que el juez pase a conocer el fondo del asunto; V. *plea, peremptory pleas, demurrer, statement of defence*)].

diligence[1] *n*: precaución, diligencia, prudencia o cuidado que la ley exige en las acciones o actuaciones de toda persona; V. *care, attention, commitment.* [Exp: **diligence**[2] *der es* (CIVIL/PROC ejecución [forzosa]; orden de embargo; despacho/auto/mandamiento/orden judicial ◊ *In Scots law both subpoenas and attachments for security in debt are forms of diligence*; V. *attachment, enforcement, execution, security*)].

diminish *v*: GRAL disminuir; V. *reduce.* [Exp: **diminished capacity** *US* (PROC incapacidad legal, perturbación de las facultades legales ◊ *Diminished capacity is a special defence to a charge of murder*), **diminished responsibility** (CIVIL responsabilidad atenuada), **diminishing assets** (MERC activo amortizable), **diminishing returns** (MERC rendimiento o utilidad decreciente), **diminution** (GRAL reducción), **diminution of capital** (MERC reducción de capital), **diminution of the record** (PROC omisión de algunos documentos del sumario o expediente)].

diplomat *n*: INTER diplomático; V. *envoy, ambassador.* [Exp: **diplomatic** (INTER diplomático), **diplomatic corps** (INTER cuerpo diplomático), **diplomatic bag/pouch** (INTER valija diplomática; en el Reino Unido se prefiere el término *bag* a *pouch* ◊ *He is involved in smuggling arms in diplomatic bags*)].

dip *argot n*: PENAL ratero; V. *pickpocket.*

direct[1] *a*: GRAL directo. [Exp: **direct**[2] (GRAL disponer, orientar, ordenar, dar/dictar instrucciones, administrar ◊ *In view of the breakdown of the prosecution's case, the judge directed the jury to return a verdict of not guilty*), **direct action** (GRAL acción directa), **direct admission** (GRAL admisión directa), **direct bill of lading** (MERC conocimiento de embarque sin trasbordos), **direct billing** *US* (MERC débito bancario; V. *pay by direct billing*), **direct contempt** (PENAL contumacia directa o penal; V. *commonlaw contempt*), **direct damages** (CIVIL daños generales o directos), **direct discrimination** (PENAL/LABORAL discriminación directa ◊ *Exclusion from employment or promotion on the grounds of sex or race are forms of direct discrimination*), **direct evidence** (prueba testifical directa, interrogatorio; V. *circumstancial evidence, hearsay evidence*), **direct examination** (PROC interrogatorio directo; interrogatorio a su propio testigo), **direct investment** (MERC inversión directa), **direct liability** (CIVIL responsabilidad directa o definida), **direct loss** (MERC pérdida efectiva o directa), **direct tax** (FISCAL impuesto directo), **direct taxation** (FISCAL imposición directa, tributación directa), **directed verdict** (PROC veredicto dictado por el juez; V. *motion for a directed verdict*)].

direction *n*: GRAL dirección, instrucción; V. *initial plea and directions*. [Exp: **direction hearing** (PROC audiencia previa), **direction, in either** (GRAL por encima o por debajo, en más o en menos), **direction of the court** (PROC providencia, norma, instrucción; V. *charge, incorrect direction, instruction, misdirect, order*)].

directive *n*: GRAL/EURO directiva, directriz ◊ *Under Community Law, directives must be implemented by member states kut the Community is interested only in the achievement of the result, not in the means by which it is achieved*; acto jurídico de la Comunidad Europea que obliga a modificar leyes de algunos estados miembros; V. *opinion*.

director *n*: GRAL/MERC director, consejero, miembro del consejo de administración ◊ *The articles of association of a company contain such matters as the appointments and duties of the directors and managing director*; V. *board of directors, articles of association*. [Exp: **Director of Public Prosecution, DPP** (PENAL Director General del Servicio de Acusación Pública, Fiscal Jefe del Servicio de Acusación Pública; V. *Attorney General, Crown Prosecution Service*), **Director General of Fair Trading** (Director General de la Competencia; V. *The Restrictive Practices Court*), **directorate** (GRAL directiva, dirección, junta o consejo de administración), **directory**[1] (GRAL directorio, guía, lista; V. *guide, register, list*), **directory**[2] (GRAL [de carácter] orientador o asesor, aconsejable ◊ *A directory rule is a rule of best practice*; se opone a *mandatory*)].

dis- *prefijo*: GRAL dis-, des-, in-; el prefijo inglés *dis-*, en la mayoría de los casos, otorga, como en castellano, un significado negativo a la palabra de la que es constituyente, equivaliendo a los españoles «des-», «dis-», «in-», etc.

disability *n*: GRAL incapacidad, invalidez, inhabilitación, incapacidad legal o procesal, impedimento ◊ *Children and the mentally handicapped are sometimes described as persons «under disability»*; V. *canonical disability, civil disability, physical disability, capacity to sue, non-scheduled disability, death and disability insurance*. [Exp: **disability benefits** (LABORAL pensión de invalidez), **disability retirement** (LABORAL jubilación por invalidez), **disability, under a** (LABORAL incapacitado, inhabilitado), **disable** (GRAL incapacitar ◊ *There are special rules governing the legal rights of the disabled*; V. *disqualify, cripple*), **disabled person** (GRAL persona impedida, disminuida, imposibilitada o incapacitada física o legalmente; V. *handicapped, mentally disabled people*), **disablement** (PROC impedimento legal, inhabilitación; invalidez, incapacidad física, disminución física; V. *disability*), **disabling statute** (CONST ley que restringe el ejercicio de un derecho; V. *enabling statute*)].

disaffection *n*: GRAL desafecto; V. *estrangement, dislike, hostility,disloyalty*.

disaffirm *v*: GRAL denegar la conformidad, repudiar, negar, invalidar, anular, rechazar. [Exp: **disaffirmance** (GRAL renuncia, repudio), **disaffirmation** (GRAL impugnación, confutación)].

disagree *v*: GRAL disentir, desavenirse; V. *dissent, dispute*. [Exp: **disagreement** (GRAL desacuerdo, desavenencia, inconformidad, discordancia, disensión; V. *discrepancy, inconformity, unconformity*)].

disallow *v*: GRAL denegar, desaprobar, rechazar la autoridad de alguien, censurar; V. *reject, forbid, proscribe, prohibit, disapprove, enjoin, veto*. [Exp: **disallowance** (GRAL rechazo, negativa; V. *rejection*)].

disapply *v*: CONST anular [disposiciones]; no aplicar [disposiciones]; V. *enforce, apply*.

disapprobation/disapproval *n*: GRAL desaprobación, censura, reprobación, disconformidad, inconformidad. [Exp: **disapprove** (GRAL desaprobar, reprobar; V. *refuse, object to, reject*)].

disaster *n*: GRAL/SEGUR desastre, desgracia, calamidad; V. *mishap, misfortune, loss, failure*.

disavow *v*: GRAL desautorizar, repudiar, desaprobar; negar, renegar; V. *disclaim, reject, abjure, retract*. [Exp: **disavowal** (GRAL desautorización, desaprobación; V. *rejection, refutation, abjuration*)].

disband *v*: GRAL disolver; licenciar [del servicio militar], desmandarse, desbandarse; V. *dissolve, disappear*), **disbandment** (GRAL disolución, licenciamiento [de tropas]; V. *discharge from army*)].

disbar *v*: PROC expulsar del Colegio de abogados, inhabilitar para el ejercicio de la abogacía, excluir del ejercicio de la abogacía, desaforar ◊ *He was disbarred for manifest incompetence and for bringing the profession into disrepute*; V. *strike off the Rolls, debar; call to the bar*. [Exp: **disbarment** (PROC exclusión del foro del ejercicio de la abogacía, desafuero)].

disburse *frml v*: GRAL desembolsar, pagar, gastar ◊ *A solicitor's bill of costs, often calculated by an expert called a «costs draftsman», includes both the lawyer's fees –«profit costs»– and expenses «disbursements»*. [Exp: **disbursements** (GRAL gastos, desembolso, egreso, pago, salida de efectivo)].

discharge[1] *n/v*: GRAL/MERC descarga; descargar ◊ *The cargo was discharged within 48 hours of the ship's arrival at the port*; V. *unload, empty*. [Exp: **discharge**[2] (GRAL/PENAL disparar, descargar [un arma] ◊ *He discharged his pistol*; V. *shoot, fire*), **discharge**[3] (CIVIL/MERC extinción o anulación de un contrato; anular, resolver o extinguir un contrato ◊ *The contract will be deemed to be discharged if any of these conditions are not satisfied*; V. *termination; terminate, repudiate*), **discharge**[4] (PROC anular; esta acepción es similar a la anterior, aunque el contexto en este caso es el procesal o de los tribunales ◊ *The freezing injunction was discharged on appeal*; V. *set aside, annul*), **discharge**[5] (LABORAL/MERC/CIVIL finiquito, cancelación, pago; satisfacer, pagar; suele ir acompañado de *debt* o *promise* ◊ *The defendant asked the court to strike out the debt on the ground that it had been discharged*; V. *arrangement; pay, settle*), **discharge**[6] (GRAL/LABORAL despido, baja; despedir, dar de baja [de un hospital, el ejército, etc.] ◊ *He was discharged from the army*; V. *dismiss, dismissal*), **discharge**[7] (PENAL perdón o absolución al condenado por algún delito, exoneración, exención; absolver, exonerar, dispensar, liberar, poner en libertad; en este caso es sinónimo parcial de *exonerate, exculpate, acquit* y antónimo de *charge* –acusar–; el perdón o absolución *–discharge–* puede ser total *–absolute–* o condicional *–qualified, conditional–*; cuando los tribunales no absuelven, es decir, cuando condenan, suelen decir *We find the case proved* ◊ *The defendant/accused was discharged at the end of the trial*), **discharge**[8] (CIVIL/MERC rehabilitación, descargo; rehabilitación del fallido o quebrado; rehabilitar ◊ *Bankruptcy is terminated when the court makes an order of discharge in bankruptcy*; V. *bankruptcy discharge*), **discharge**[9] (ADMIN/GRAL cumplimiento [de las funciones] ◊ *It was done in the discharge of his duties in the planning authority office*; V. *perform, performance, execution*), **discharge a debt** (CIVIL saldar, pagar o liquidar una deuda), **discharge a claim** (CIVIL satisfacer una reclamación), **discharge an obligation** (CIVIL cumplir una obligación o un compromiso), **discharge an order/a writ** (PROC anular un auto o mandamiento judicial), **discharge an offer** (GRAL revocar, cancelar), **discharge from army** (GRAL baja del ejército; se suele hablar de *honourable discharge* y de *dishonourable discharge* –honrosa o deshonrosa–; V. *disbandment*), **discharge from hospital** (GRAL/LABORAL alta [hospitalaria]), **discharge from prison** (PENAL puesta en libertad; V. *release, conditional discharge*), **discharge from prosecution** (PENAL abandono de la acusación), **discharge from the army** (GRAL licenciar del servicio militar), **discharge in bankruptcy** (MERC rehabilitación del quebrado), **discharge of attachment bond** (PROC/CIVIL fianza de levantamiento de embargo), **discharge of bill** (MERC/CIVIL extinción de los derechos de demanda por una letra de cambio), **discharge by agreement** (CIVIL finiquito por consenso), **discharge of a contract** (CIVIL/LABORAL anulación o extinción de un contrato), **discharged bankrupt** (CIVIL/MERC quebrado o fallido rehabilitado; V. *certificated bankrupt*)].

disciplinary *a*: GRAL disciplinario. [Exp: **disciplinary measures** (ADMIN/PENAL medidas disciplinarias ◊ *A special committee has been set up to consider disciplinary measures against three inspectors charged with taking bribes*), **disciplinary proceedings** (ADMIN/PENAL expediente o proceso disciplinario)].

disclaim *n/v*: CIVIL renuncia; renunciar a, abandonar, denegar, repudiar ◊ *A beneficiary under a will may disclaim a burdensome gift*; V. *waive, abandon, renounce; claim*. [Exp: **disclaim liability** (CIVIL negarse a asumir la responsabilidad), **disclaimer** (CIVIL declaración de limitación de responsabilidad abandono, [cláusula] de renuncia; V. *waiver*), **disclaimer clause** (MERC cláusula exonerativa de responsabilidad)].

disclose *v*: GRAL divulgar, revelar; V. *reveal; conceal*. [Exp: **disclosure** (CIVIL exhibición, revelación o entrega de documentos [a la otra parte del pleito], también llamada *discovery*; pruebas que obran en el poder de una de las partes, obligación de revelar los datos y las pruebas, revelación, divulgación o declaración de la situación financiera de una empresa; V. *duty of disclosure, discovery, production, concealment*; *certificate of independence; reveal evidence*)].

discontinuance *n*: PROC interrupción, suspensión, desestimiento [de la acción], caducidad de la instancia, sobreseimiento; V. *abandonment*. [Exp: **discontinue** (GRAL suspender, interrumpir ◊ *A trademark shall be deemed to be abandoned when its use has been discontinued with intent not to resume such use*), **discontinuous easement** (CIVIL servidumbre discontinua), **discontinuous employment** (MERC empleo discontinuo)].

discord *n*: GRAL disensión, desavenencia; V. *disagreement*. [Exp: **discordance** (GRAL desacuerdo), **discordant** (GRAL discordante)].

discount *n/v*: GRAL descuento comercial, rebaja, bonificación, reducción [de la pena]; descontar, tener en cuenta; V. *rebate, allowance discount, diminution, abatement*. [Exp: **discount the evidence** (PROC tener en cuenta en la valoración, rebajar, descontar ◊ *The judge discounted the evidence of three witnesses who were clearly biased*), **discountable bill** (MERC efecto descontable), **discounting of bills** (MERC descuento de efectos)].

discover *v*: GRAL descubrir, hallar; V. *find, ascertain*. [Exp: **discovery** (GRAL/PROC acción *ad exhibendum*, proposición de prueba, revelación, exhibición, descubrimiento; divulgación ◊ *Discovery of documents between the two sides must take place after the close of pleadings*; en los procesos civiles ingleses cada una de las partes tiene derecho a conocer las alegaciones *–pleadings–* de la contraria y obligar a la otra a poner al descubierto sus medios de pruebas *–reveal his evidence–*; V. *bill of discovery, disclosure, reveal evidence, production, concealment*)].

discovert feme *n*: CIVIL mujer soltera; V. *feme sole.*

discredit *n/v*: GRAL descrédito; desacreditar; S. *dishonour.*

discrepancy *n*: GRAL discrepancia; se usa en expresiones como *tax discrepancy* –discrepancias en la declaración de la renta–; V. *disagreement, variance.*

discretion *n*: GRAL/PROC discrecionalidad, potestad judicial o administrativa, facultad moderadora o decisoria de los jueces o de la administración, discreción, oportunidad, arbitrio, margen de apreciación o de maniobra, apreciación; voluntad ◊ *Costs in lawsuits are within the discretion of the court*; V. *judicial discretion.* [Exp: **discretional/discretionary** (GRAL potestativo, arbitral, moderador, discrecional, prudencial; V. *optional, facultative, arbitrary, reasoned*), **discretionary powers** (CONST/PROC facultades, potestad, poderes discrecionales)].

discriminate against *v*: GRAL discriminar en contra. [Exp: **discriminating** (GRAL discriminatorio), **discrimination** (GRAL discriminación; V. *intolerance, prejudice, racism, bigotry*)].

discuss *v*: GRAL analizar, examinar, tratar, discutir; V. *examine, consider, debate, review.* [Exp: **discussion** (GRAL examen, debate, intercambio de opiniones, excusión; V. *informal discussion; submit for discussion*), **discussion document** (GRAL ponencia, propuesta escrita que sirve de base de un intercambio o debate)].

disembargo *v*: MERC desembargar.

disseminate *v*: GRAL diseminar, difundir, divulgar ◊ *The claimant agreed to refrain from disseminating any of the defendant's confidential documents*; V. *circulate, spread.*

disencumber *v*: CIVIL desgravar, levantar un gravamen. [Exp: **disencumbrance** (CIVIL desgravamen, saneamiento)].

disentail *v*: SUC liberar de la vinculación que pesa sobre una sucesión; V. *entail.* [Exp: **disentailment** (CIVIL/SUC levantamiento de las limitaciones a la libre sucesión o disposición de un inmueble)].

disenthrall *v*: CIVIL libertar, emancipar, manumitir. [Exp: **disenthrallment** (CIVIL emancipación, manumisión)].

disentitle *n*: CIVIL privar de un título o derecho.

disfigure *v*: PENAL/GRAL desfigurar, deformar; V. *dismember, maim.*

disfranchise *v*: CONST privar de los derechos civiles. [Exp: **disfranchisement** (CONST privación de los derechos civiles)].

disguise *n/v*: GRAL disfraz, falsa apariencia; encubrir, cubrir, disfrazar; V. *conceal, hide.*

disheir *obs v*: SUC desheredar, excluir a alguien del testamento; V. *disinherit.* [Exp: **disherison, disheritance** *obs* (SUC desheredación; V. *disinheritance*)].

dishonest *a*: GRAL deshonesto; V. *corrupt, crooked.*

dishonour *n/v*: GRAL deshonra, deshonor, ignominia, incumplimiento de un pago; incumplir la palabra, desatender el pago ◊ *Cheques that are dishonoured on presentation are bad cheques*; V. *discredit; meet one's duties, honour.* [Exp: **dishonour a cheque/bill of exchange,** etc. (MERC incumplir el pago, negarse a aceptar una obligación, no atender un compromiso contraído, etc.), **dishonoured bill of exchange** (MERC letra devuelta, rehusada, no atendida)].

disincorporate (disolver una sociedad mercantil, liquidar una mercantil).

disinter *v*: CIVIL exhumar, desenterrar; V. *exhume.* [Exp: **disinterment** (CIVIL exhumación; V. *exhumación*)].

disinherison *n*: SUC desheredación. [Exp: **disinherit** (SUC desheredar), **disinheritance** (SUC desheredación, desheredamiento)].

disloyal *a*: PENAL desleal, traidor; V. *treacherous*. [Exp: **disloyalty** (PENAL deslealtad, infidelidad; V. *treachery, infidelity*)].

dismember *v*: PENAL descuartizar, desmembrar ◊ *The convicted murderer showed police where he had buried the bodies after dismembering them*; V. *maim, disfigure*.

dismiss[1] *v*: PROC desestimar, declarar sin lugar, sobreseer una causa ◊ *The magistrates detected inconsistencies in the police evidence and dismissed the case*; V. *quash; allow; motion to dismiss; nonsuit, convict*. [Exp: **dismiss**[2] (GRAL/LABORAL despedir, cesar, destituir [a un empleado], licenciar [a un militar], dejar cesante [a un funcionario] ◊ *Employment tribunals are empowered to award compensation to employees who have been dismissed unfairly, or even to instruct him or her to be reinstated*; V. *sack, fire, discharge; appointment, designation*), **dismiss a case** (PROC desestimar una causa, pretensión punitiva, demanda o pleito; V. *there is no case*), **dismiss a petition in bankruptcy** (PROC rechazar una petición de quiebra por falta de masa), **dismiss an action** (PROC sobreseer una causa; V. *abandon an action*), **dismiss an appeal** (PROC desestimar un recurso de apelación), **dismiss an application** (PROC denegar una solicitud, desestimar una solicitud o súplica), **dismiss an indictment** (PENAL anular o dejar sin efecto un procesamiento), **dismiss upon the merits** (PROC desechar por falta de causa o mérito), **dismissal**[1] (PROC denegación, absolución de la demanda, anulación de la instancia, declaración de no ha lugar, sobreseimiento), **dismissal**[2] (GRAL/LABORAL cese, despido, destitución, desahucio; V. *constructive dismissal, protective award*), **dismissal agreed** (PROC desestimación de una acción acordada por ambas partes), **dismissal and non-suit** (PROC finalización de una acción por desistimiento del actor). **dismissal compensation/indemnity** (LABORAL indemnización por despido), **dismissal for cause** (LABORAL despido justificado o procedente; V. *fair dismissal*), **dismissal for want of prosecution** (PROC sobreseimiento por tardanza excesiva del demandante), **dismissal from civil service** (ADMIN separación del servicio), **dismissal indemnity/compensation** (LABORAL indemnización por despido, cesantía), **dismissal letter** (LABORAL carta de despido), **dismissal pay** (LABORAL finiquito laboral), **dismissal of proceedings** (PROC sobreseimiento), **dismissal statement** (LABORAL carta de despido explicando los motivos del mismo), **dismissal with prejudice** (PROC sobreseimiento provisional; denegación con pérdida de derecho a nuevo juicio por parte del actor, quedando el demandado liberado de lo solicitado en la demanda), **dismissal without prejudice** (PROC denegación sin que el actor pierda el derecho a una nueva acción; V. *without prejudice*)].

disorder *n/v*: GRAL desorden; desordenar; V. *mentally disordered*. [Exp: **disorderliness** (CIVIL/PENAL escándalo, turbulencia, alboroto; V. *riot*), **disorderly** (GRAL ilícito, ilegal, contrario a la ley, licencioso, inmoral; V. *drunk and disorderly*, **disorderly conduct** (GEN/PENAL escándalo público, conducta contra la moral pública, desorden público; V. *breach of the peace*), **disorderly house** (GRAL casa de prostitución, burdel ◊ *Keeping a disorderly house is an offence in Great Britain* V. *brothel, bawdy house, disorderly house*)].

disown *v*: GRAL repudiar, negar, renunciar, renegar, desconocer; V. *repudiate*.

disparage *v*: GRAL desacreditar, menospreciar; V. *depreciate*. [Exp: **disparagement of title** (CIVIL habladurías de desprestigio sobre la legitimidad de un título de propiedad)].

dispensation *n*: GRAL/ADMIN dispensa, exención ◊ *He was given dispensation from the strict letter of the law*; V. *exemption, variance*[2]. [Exp: **dispense [with]** (GRAL dispensar, eximir ◊ *They dispensed with all the legal formalities*; V. *exempt*)].

disrepair *n*: GRAL mal estado o abandono ◊ *Those buildings are in disrepair.*

disparage *v*: GRAL desacreditar, menospreciar. [Exp: **disparagement** (GRAL menosprecio, desdoro, falsedad; V. *slander, backbiting*), **disparagement of title, property, goods** (GRAL descrédito de título, bienes, mercancías ◊ *One can sue for disparagement of title, of property or of goods if the court decides the slander has caused its victim unreasonable distress or loss of reputation or actual financial loss*)].

dispatch *v*: GRAL expedir, despachar; V. *send*. [Exp: **dispatch box** (GRAL tribuna [ministerial]), **dispatch money** (MERC prima o bonificación de celeridad en contratos de fletamentos, premio por *despatch money*)].

displaced people *n*: GRAL refugiados, deportados, desplazados.

display *n*: PROC cosa o instrumento que puede ser llevado como prueba a los tribunales.

dispone *der es v*: CIVIL enajenar, traspasar, donar en forma legal.

disposable *a*: GRAL desechable, disponible ◊ *The abandonment of disposable goods in a public place is punishable by a fine.* [Exp: **disposal** (GRAL evacuación, disposición, enajenación), **disposal of radioactive waste** (GRAL evacuación de residuos radiactivos; V. *waste*), **disposal of uncollected goods** (GRAL enajenación de bienes impagados), **dispose**[1] **of** (GRAL resolver, dar salida ◊ *In disposing of a case, the judge will make any order he thinks fit*; V. *settle a cause, deal*), **dispose**[2] **of property** (CIVIL enajenar, transferir ◊ *According to English law, a man can dispose of his property as he wishes*; V. *alienate, sell*), **disposing capacity** (SUC capacidad de disposición testamentaria)].

disposition[1] *n*: SUC legado, herencia, traspaso; disposición legal; fallo, resolución, sentencia; dictamen de un tribunal; V. *legacy*. [Exp: **disposition**[2] (GRAL temperamento, carácter, propensión ◊ *Evidence of a defendant's character may be admissible if relevant to his credit as a witness*), **disposition**[3] (GRAL disposición, arreglo, organización ◊ *It is incumbent on a company secretary to oversee the orderly disposition of its affairs*), **disposition to the contrary** (GRAL disposición en contrario), **dispositive** *US* (GRAL/CONST amparado o sancionado por disposiciones legales *–recognized or sanctioned by positive law–*), **dispositive allegations** *US* (GRAL/CONST alegaciones de las partes [amparadas por disposiciones legales])].

dispossess *v*: CIVIL desposeer, desalojar, despojar, desahuciar, lanzar; V. *divest*. [Exp: **dispossession** (PROC desposeimiento, lanzamiento; V. *ouster, divestiture*), **dispossession proceedings** (CIVIL juicio de desahucio-lanzamiento)].

disproof *n*: PROC refutación, confutación, prueba contraria, impugnación.

disproperty *v*: CIVIL desposeer a alguien del dominio de propiedades o tierras.

disputable *a*: GRAL presunción dudosa; V. *controversial, questionable*. [Exp: **disputable presumption** (PROC presunción dudosa), **dispute**[1] (GRAL disputa, desacuerdo, diferencia, controversia, conflicto; litigio; disputar, impugnar ◊ *Labour and management disputes are often solved by arbitration which is binding on both par-*

ties; V. *challenge, attack, disagree, dissent; contest a judgment, controversy, labour disputes, industrial disputes*), **disprove**[2] (GRAL refutar, rebatir, desmentir, confutar ◊ *The fresh evidence has weakened the defence case, but it has not disproved it*; S. *confute, refute; disproof*), **dispute an inheritance** (SUC impugnar una herencia), **dispute a judgment** (PROC impugnar una sentencia), **dispute, in** (PROC en litigio), **dispute settlement** (INTER/PROC solución de diferencias), **dispute settlement courts/tribunals** (PROC tribunales de solución de diferencias; V. *abuses, unfair practices, dumping*)].

disqualification *n*: ADMIN/PENAL inhabilitación, descalificación, tacha; V. *ineligibility, disability, legal incapacity.* [Exp: **disqualified** (ADMIN/GRAL inhabilitado, incompetente, incapacitado, impedido, descalificado ◊ *The driver was fined for speeding and disqualified from driving for a year*), **disqualify** (ADMIN inhabilitar, descalificar), **disqualify from driving** (ADMIN retirar el permiso de conducir a; V. *totting up provisions*)].

disregard *n/v*: GRAL desconsideración, desacato; no tener en cuenta, hacer caso omiso de; V. *overlook, ignore, dismiss.*

disreputable *a*: GRAL de mala fama, que tiene mala reputación ◊ *I refuse to deal with that disreputable company*. [Exp: **disrepute** (GRAL descrédito, mala fama; V. *bring into disrepute*)].

disseise *v*: CIVIL usurpar bienes raíces, desposeer, despojar del dominio, usurpar el dominio. [Exp: **disseisin** (CIVIL desposesión ilegítima, usurpación)].

dissent *n/v*: GRAL disensión, disidencia; disentir, presentar un voto particular ◊ *One of the appeal judges dissented from the opinion of his brethren*; V. *disagree, dispute*. [Exp: **dissenting** (GRAL disidente, discrepante o disconforme; V. *concurring*), **dissenting judgment/opinion/vote** (PROC voto discrepante o en contra; voto particular; V. *concurring opinion*)].

dissimulation *n*: GRAL ocultamiento, disimulación.

dissolute *a*: GRAL disoluto, depravado, licencioso; V. *debauched.* [Exp: **dissolute behaviour** (GRAL libertinaje; V. *debauchery*), **dissolution**[1] (GRAL liquidación, disolución ◊ *The dissolution of the partnership was effected by court order*; V. *dissolve; distribution*), **dissolution**[2] (GRAL libertinaje; V. *debauchery, depravity*)].

dissolve *v*: GEN/PROC disolver, anular, liquidar ◊ *A decree absolute finally dissolves a marriage*. [Exp: **dissolving condition** (PROC condición resolutiva)].

distinguish *v*: GRAL distinguir, diferenciar. [Exp: **distinguish a case** (PROC matizar un precedente, introducir distingos explicando en qué la causa que se enjuicia se diferencia del precedente, sentando nueva jurisprudencia mediante esta distinción pormenorizada; plantear una distinción ◊ *The judge allowed there were similarities between the case and the precedent suggested, but he held that the facts were substantially different and the present case should be distinguished*; V. *precedent, ratio decidendi, obiter dictum*), **distinguished from, as** (GRAL en contraste con, a diferencia de; V. *unlike*)].

distort *v*: GRAL distorsionar, tergiversar. [Exp: **distortion** (GRAL distorsión, deformación, tergiversación, falseamiento ◊ *Distortion of truth*; V. *misrepresentation*)].

distrain *v*: GEN/CIVIL detener, retener, embargar, secuestrar [bienes], trabar ejecución ◊ *When a family is evicted, the bailiffs take possession of their home and any distrained property*. [Exp: **distrainer** (CIVIL embargante; V. *garnisher*), **distraint** (CIVIL embargo, secuestro [de bienes], retención, detención, traba de ejecución), **distraint proceedings** (PROC juicio de apremio)].

distress[1] *n/v*: GRAL dolor, aflicción, angustia, daños psicológicos, sufrimiento mental, peligro, apuros; afligir, consternar ◊ *In his divorce petition, the husband claimed his wife's behaviour had caused him acute distress.* S. *pain, suffering, harass, alarm; distress signals, port of distress, vessel in distress.* [Exp: **distress**[2] (CIVIL embargo; secuestro, detención, efectos embargados, secuestro o retención de bienes como garantía o como pago de una deuda, ejecución privada; embargar, ejecutar el embargo de bienes; V. *distress warrant, levy a distress, second distress, sequestration; seize, attach*), **distress call** (GRAL llamada de socorro; V. *distress signals*), **distress damage feasant** (CIVIL derecho a quedarse con el ganado ajeno que cause daños en las tierras propias; este derecho, proveniente del *common law*, ha sido sustituido desde 1971 por el derecho del dueño de una finca a vender el ganado que invada la misma; V. *damage feasant*), **distress proceedings** (PROC juicio de apremio; V. *attachment proceedings, distraint proceedings*), **distress signals** (GRAL señales de socorro o auxilio; V. *port of distress, vessel in distress*), **distress warrant** (PROC auto de embargo [de bienes]; V. *warrant of distress*), **distressed sale** (GRAL/MERC venta en liquidación)].

distribute *v*: GRAL distribuir, repartir; V. *allocate, allot.* [Exp: **distribution** (GRAL/SUC entrega a los beneficiarios de los bienes heredados, reparto de beneficios a accionistas; V. *estate distribution*), **distribution clause** (SUC cláusula de un testamento referida al reparto del patrimonio del finado), **distribution of property on dissolution** (MERC liquidación de los bienes de la sociedad en caso de disolución)].

district *n*: GRAL/CONST distrito; también llamados *federal judicial district* es el primer escalón del poder judicial federal *–federal judiciary–* de los Estados Unidos, de los cuales hay más de 94, al menos uno en cada uno de los Estados; V. *American judiciary, district court, circuit.* [Exp: **district attorney** *US* (PENAL fiscal de distrito, fiscal público ◊ *Under the American system, many district attorneys are elected at the polls*; V. *state prosecutor, county prosecutor, Crown Prosecution Service*), **district court** *US* (CONST tribunal de distrito; en cada uno de los distritos judiciales federales *–federal judicial districts–* hay un tribunal federal de distrito llamado *United States District Court*, que como tribunales de primeria instancia o sentenciadores *–trial courts–* forman el primer peldaño; en cada Estado hay al menos un *federal district court* ; V. *federal judicial districts*), **district judge** (CONST juez de distrito; en los Estados Unidos son los jueces de los *district courts*)].

distrust *n/v*: GRAL desconfianza, falta de confianza; desconfiar; V. *suspicion, misgiving.*

disturb *v*: GRAL perturbar, alterar, molestar; V. *trouble, annoy.* [Exp: **disturbance** (GRAL alteración del orden público, desorden, alboroto, perturbación ◊ *Two youths were arrested for causing a disturbance in the town centre*; V. *mental disturbance*), **disturbance of the peace** (CIVIL/PENAL disturbio, algarada, alborto, desorden, alteración del orden público), **disturber** (CIVIL/PENAL perturbador)].

diversion *n*: GRAL/PENAL desvío, distracción de fondos; V. *embezzlement.* [Exp: **divert** (GRAL destinar a fines distintos de los previstos, apartar, desviar, distraer [fondos])].

divest/devest *v*: SUC/MERC despojar, desposeer; desprenderse de activos [una empresa] ◊ *The court upheld the validity of the second will and divested the heir under the first of all the property*; V. *dispossess.*

[Exp: **divestment** (PROC orden judicial ordenando el despojo de ciertos bienes), **divestiture** (PROC/MERC desinversión por orden judicial ◊ *It is the sale, liquidation or spinoff of a corporate división*; V. *spin-off*[4])].

dividend *n*: MERC dividendo, cupón. [Exp: **dividend paid on account** (MERC entrega de dividendo a cuenta), **dividend-paying shares** (MERC acciones generadoras de dividendos)].

division *n*: GRAL/PROC división, sala; el *High Court of Justice* consta de tres grandes salas o divisiones: *Queen's Bench, Chancery Division* y *The Family Division*. [Exp: **division wall** (CIVIL medianera), **Divisional Courts** (PROC tribunales formados por dos o tres jueces de cada una de las tres *divisions* del *High Court of Justice*, encargados de conocer de determinados recursos de apelación, que por su importancia menor son resueltos en esta instancia inferior al *Court of Appeal*)].

divorce *n*: FAM divorcio ◊ *Divorce proceedings commence when one of the spouses files a petition for divorce*; V. *nullity of marriage, judicial separation, absolute decree, decree nisi*. [Exp: **divorce petition** (FAM demanda de divorcio; V. *petition for divorce*), **divorce settlement** (FAM convenio regulador [entre cónyuges separados o divorciados])].

dock[1] *n*: GRAL muelle, dique; atracar [en un muelle]; V. *dry dock*. [Exp: **dock**[2] (LABORAL reducir, retener, deducir [sueldo, salario] ◊ *The company docks its employees £15 for repeated lateness*), **dock**[3] **[for prisoners]** (PENAL banquillo de los acusados ◊ *In serious criminal cases, the prisoner in the dock is guarded and handcuffed if he is known to be dangerous or prone to attempt escape*; V. *defendant's seat in court*), **dock officer** (GRAL guardia de seguridad), **dock pilot** (GRAL práctico de puerto; V. *pilot, bar pilot*), **dockage** (GRAL derechos de atraque), **docker** (GRAL cargador del muelle)].

docket *n/v*: PROC registro de actos procesales, expediente de una causa; lista de señalamientos para un período de sesiones, extracto o lista de autos, sentencias, etc., de un tribunal; registrar en el libro procesal un acto procesal ◊ *Your case is on the docket for next Monday*; V. *court docket, cause list, court calendar, trial list, judgment docket, civil docket; file*. [Exp: **docket number** (número de la causa)].

document *n*: GRAL instrumento, acta, documento ◊ *The documents in a case are usually tied together in bundles*. [Exp: **documentary**[1] (GRAL documental, documentario, literal o escrito), **documentary**[2] (MERC documentario; se dice de las letras que, en las transacciones internacionales, van acompañadas de documentos de embarque o de alguna restricción, siendo en este caso antónimo de *clean, clear* o *unqualified*), **documentary acceptance credit** (MERC crédito de reembolso, crédito de aceptación documentario; este crédito se le concede al importador, conviniéndose que en su país la letra de cambio del exportador será aceptada al presentar los documentos de embarque; V. *acceptance credit*), **documentary bill** (MERC letra documentaria; efecto documentario; letra adjunta a los documentos de embarque de un envío; también se la llama *document bill*; V. *documentary draft*), **documentary collection** (MERC cobro documentario, remesa documentaria), **documentary credit** (MERC crédito documentario; carta de crédito; documento de pago en el comercio internacional mediante el cual un banco anticipa un crédito al comprador, con el fin de que se le pague inmediatamente al vendedor previa entrega de los documentos correspondientes; V. *letter of credit*), **documentary draft** (MERC letra documentaria, también llamada *bill with documents attached* o *documentary bill*; efecto comercial avalado por documento o carta de crédito), **documentary evidence** (PROC prueba documental, literal o escrita; V. *parol evidence*), **documentary letter of credit** (MERC carta de crédito documentaria), **documentary remittance** (MERC remesa documentaria), **documentation** (GRAL documentación)].

dodge *n/v*: GRAL artificio, trampa, subterfugio, evasión; hacer trampas; V. *ploy, blind*[2]. [Exp: **dodge the draft** (GRAL eludir el servicio militar), **dodger** (GRAL estafador)].

Doe *US n*: GRAL V. *John Doe*.

dole *col n*: LABORAL subsidio de desempleo. [Exp: **dole, be on the** *col* (LABORAL estar en el paro), **dole cheat** (LABORAL/PENAL defraudador del subsidio de desempleo), **dole cheating** (LABORAL/PENAL fraude en el subsidio de desempleo), **dole out** (GRAL repartir miseria, distribuir con parquedad o espíritu ahorrativo), **dole queue** (LABORAL cola del paro)].

domain *n*: CIVIL propiedad, dominio, bienes, tierras patrimoniales, tierra solariega; en sentido figurado, «campo, esfera o área de conocimiento o del saber, actividad, etc.»; V. *eminent domain, public domain*. [Exp: **domain name** (MERC nombre de dominio ◊ *Domain names in internet are the cause of civil actions in court*)].

domesday *n*: CIVIL V. *doomsday*.

domestic *a*: GRAL nacional, interior, familiar, intestino ◊ *Nobody can appeal to the European Court of Human Rights without having exhausted domestic remedies*. [Exp: **domestic administration** (ADMIN administración interior), **domestic agreement** (GRAL acuerdo familiar), **domestic attachment** (CIVIL embargo contra deudor residente), **domestic bill** (MERC letra girada en el interior), **domestic commerce** (MERC comercio interior), **domestic law** (CONST legislación interna), **domestic trade** (MERC comercio interior), **domestic remedies** (PROC recursos o soluciones jurídicas ofrecidos por los jueces o tribunales nacionales; V. *European Court of Human Rights*), **domestic tribunal** (PROC tribunal interior), **domestic war** (PROC guerra intestina)].

domicile *n/v*: país, domicilio; domiciliar ◊ *Nobody can have two domiciles under British law*; V. *abode, abandonment of domicile, address for service, matrimonial home, necessary domicile, residence*; la palabra *domicile* en el sentido de «casa donde se reside» es norteamericana, así como en la acepción de «domiciliar cuentas»; en inglés británico los términos correspondientes son *home address* y *pay by banker's order*; V. *abode, abandon domicile*. [Exp: **domicile a bill** *US* (MERC domiciliar una letra de cambio), **domicile of corporation** (MERC domicilio social), **domicile of choice** (PROC país de adopción), **domicile of origin** (CONST país de origen), **domiciliation of bills** (MERC domiciliación de efectos), **domiciling bank** (MERC banco domiciliatario de las declaraciones y licencias de importación y exportación)].

dominant *a*: GRAL dominante [Exp: **dominant estate** (CIVIL predio o heredad dominante), **dominant owner** (CIVIL dueño de predio dominante), **dominant tenement** (CIVIL predio dominante, heredad dominante ◊ *The dominant tenement enjoys an easement from the servient tenement*; V. *easement, servient tenement*)].

donate *v*: GRAL donar, contribuir; V. *give, grant*. [Exp: **donation** (GRAL/CIVIL donación, donativo, dádiva; V. *gift*), **donator** (GRAL/CIVIL donante, donador), **donee** (GRAL/CIVIL donatario o receptor de una donación, apoderado), **donor** (GRAL/CIVIL donante, dador, mandante, poderdante; V. *power of attorney*)].

doomsdaybook *n*: CIVIL catastro de Inglaterra, hecho en el reinado de Guillermo el Conquistador; V. *domesday.*

dope *n/v*: GRAL droga, estimulante; drogarse, doparse ◊ *The decadence of cannabis-doped youth*; V. *stoned, hooked, be high; pot.*

dormant *a*: GRAL inactivo, oculto, secreto, durmiente, en suspenso, en expectativa, latente, en letargo V. *hidden.* [Exp: **dormant account** (MERC cuenta inactiva ◊ *If a dormant account is not reactivated within 60 months, the funds in the account are escheated to the State*;), **dormant commerce clause** (MERC cláusula de comercio durmiente), **dormant company** (MERC mercantil cuyo domicilio social, a efectos fiscales, está en el extranjero), **dormant execution** (MERC ejecución provisional), **dormant partner** (MERC socio comanditario inactivo; V. *sleeping partner, silent partner, ostensible partner*)].

dot *n*: GRAL/MERC punto; se emplea para hacer referencia a empresas dedicadas al comercio electrónico, por ejemplo, *dot com* –punto com–; V. *@, e-.* [Exp: **dotted line** (GRAL línea de puntos ◊ *You are kindly requested to sign on the dotted line*)].

double *a*: GRAL doble. [Exp: **double assessment** (FISCAL doble imposición), **double-barrelled bond** (MERC bono con doble garantía), **double criminality** (PENAL doble incriminación [en los procedimientos de extradición]), **double-cross** (GRAL/PENAL engaño, traición; engañar, traicionar jugando a dos bandas o barajas ◊ *He double-crossed his accomplices in the bank robbery by escaping alone with all the money*; V. *scheme, plot, trick, ruse, wile, dodge, frame-up*), **double dealing** (GRAL simulación, doblez), **double entry** (MERC partida doble; V. *bookkeeping by simple/double entry, single entry*), **double entry bookkeeping** (MERC teneduría de libros por partida doble; V. *singleentry book-keeping*), **double indemnity** (SEGUR indemnización doble por muerte accidental), **double jeopardy** (PENAL/CIVIL doble enjuiciamiento por los mismos hechos; *no double jeopardy* equivale a *non bis in idem* del derecho europeo), **double taxation** (FISCAL doble imposición)].

doubt *n/v*: GRAL duda, dudar; poner en duda ◊ *Do you doubt her word?*; V. *distrust, cast a doubt on, entertain a doubt, beyond a doubt, actual doubt.* [Exp: **doubtful** (GRAL dudoso, incierto, discutible; sospechoso ◊ *A doubtfullooping witness*; V. *suspicious, uncertain, dubious*), **doubtless** (GRAL indudable; sin duda, indudablemente, seguramente; V. *certain*)].

Dower Act *n*: CONST ley del usufructo viudal.

down *adv/n/v*: GRAL abajo; entrega; pagar [o pago] en efectivo como señal o primera entrega ◊ *Today's bargain buy in washing machines, £50 down and 4 interestfree instalments.* [Exp: **downpayment** (MERC primer plazo, entrega a cuenta, pago inicial), **downplay** *US* (GRAL quitar/restar importancia a, tratar de minimizar ◊ *The White House was quick to downplay the verdict*; en el inglés británico se prefiere la forma *play down*; V. *minimize*), **downturn** (MERC caída en el volumen de negocios; V. *drop, turnover*), **downward trend** (MERC tendencia a la baja; V. *bearish tendency; upward trend*)].

dowry *n*: FAM dote, bienes dotales.

DPP *n*: PENAL V. *Director of Public Prosecutions.*

draft[1] *n/v*: CONST anteproyecto de ley, borrador; redactar un anteproyecto de ley ◊ *The draftsman used the concept of «relevant association» for the purposes of exemption from the community charge*; V. *rough draft*). [Exp: **draft**[2] (MERC letra de cambio, efecto, libramiento, letra girada; girar una letra de cambio; V. *sight draft, collection draft, demand draft*), **draft**[3] (GRAL reclutar), **draft board** (ADMIN consejo o junta de reclutamiento; V. *dodge the draft*), **drafting committee** (GRAL comité de redacción), **draftsman** (CONST legislador, redactor de una ley; V. *costs draftsman*)].

drag *col n*: GRAL calada; V. *pull*.

draught *n*: MERC calado de un buque. [Exp: **draught marks** (MERC marcas de calado)].

draw[1] *v*: GRAL librar, emitir, extender, girar o expedir. [Exp: **draw**[2] (GRAL sortear ◊ *Bonds are redeemable by drawing*; V. *draw lots*), **draw a bill on somebody** (MERC girar una letra a cargo de alguien), **draw a cheque** (MERC extender un cheque), **draw lots** (GRAL echar suertes; V. *throw in one's lot with someone, long drawn-out, drawn bond*), **draw one's salary** (LABORAL cobrar el sueldo), **draw up** (elaborar, redactar; establecer; V. *work out*), **draw up a programme** (GRAL establecer, redactar un programa), **drawee of a bill of exchange** (MERC librado, girado de una letra de cambio, aceptante; V. *acceptor*), **drawer** (MERC girador, librador, dador), **drawer of a bill of exchange** (MERC librador, girador de una letra de cambio), **drawn bond** (MERC título sorteado), **drawback** (MERC devolución, reembolso, reintegro, restitución de derechos, rebaja o descuento), **drawback debenture** (MERC certificado para reintegro)].

drift *n*: MERC deriva; V. *adrift*.

drink-driving *n*: GRAL V. *drunken driving*.

drip *n*: CIVIL V. *easement of drip*.

driver's license *US n*: ADMIN permiso de conducir; V. *driving licence*. [Exp: **driving** (GRAL conducción ◊ *The driver was fined for speeding and disqualified for driving for a year*; V. *inconsiderate driving, careless driving, dangerous driving, drunk driving, reckless driving*), **driving licence** (ADMIN permiso de conducir; V. *driver's license*), **driving while intoxicated, D.W.I.** *US* (PENAL conducción bajo efectos etílicos; V. *drunk driving*), **driving with excess alcohol** (PENAL/GRAL conducción en estado de embriaguez o bajo efectos etílicos; V. *drunk driving*)].

drop *n/v*: caída, baja; abandonar, desistir, dejar caer; V. *abandon, renounce, leave, forsake*. [Exp: **drop a case/an appeal** (PROC desistir de/renunciar a una instancia/apelación ◊ *The police dropped the case against one suspect for lack of evidence*; V. *abandon*), **drop charges** (PENAL retirar los cargos o la acusación ◊ *The doctor, whose testimony was sine qua non for successful prosecution, dropped the charges without any explanation*), **drop-out** (GRAL marginado social), **drop pills** *col* (GRAL empastillarse, tomar pastillas), **dropped calendar** (PROC lista de causas abandonadas; V. *deferred calendar*)].

drug *n*. GRAL/PENAL medicamento, fármaco; droga, narcótico, estupefaciente; drogar, administrar narcóticos a, echar un estupefaciente a ◊ *Somebody drugged her*; V. *Mickey Finn, alcoholism, controlled drugs, designer drugs, dangerous drugs, hard/soft drugs*. [Exp: **drug abuse/addiction** (GRAL toxicomanía, drogodependencia ◊ *Drug abuse is a ground for divorce in some US states*; V. *addiction*), **drug addict/dependent** (GRAL toxicómano, drogodependiente; V. *addict, heroin addict*), **drug baron/lord** (PENAL jefe de bandas de drogas), **drug-peddler/-pusher** (PENAL traficante de drogas, camello; V. *pusher*), **drug-related offences/crime** (PENAL drogodelincuencia), **drug thug** (PENAL mafia de la droga), **drug racket/traffic** (PENAL narcotráfico, tráfico de estupefacientes), **drug ring** (PENAL red de narcotráfico; V. *break a drug ring*), **drug use** (GRAL consumo de drogas)].

drunk *a*: GRAL borracho, ebrio ◊ *Police have statutory powers to obtain blood* *samples from people stopped on suspicion of drunk driving.* [Exp: **drunk and disorderly** (GRAL pendenciero, camorrista; se aplica a la persona que incurre en escándalo por su estado de embriaguez, el cual, cuando es público y notorio, también constituye delito; V. *quarrelsome, troublemaker*), **drunken/drink driving** (PENAL conducción en estado de embriaguez o bajo efectos etílicos; V. *driving while intoxicated, DWI; driving with excess alcohol*), **drunkard** (GRAL ebrio, borracho; V. *habitual drunkard*), **drunkenness** (GRAL/PENAL embriaguez, ebriedad ◊ *The court did not find him guilty of drunkenness*; V. *inebriation, intoxication*)].

dry *a*: GRAL seco; V. *wet*. [Exp: **dry dock** (MERC dique seco; V. *graving/wet dock*), **dry trust** (CIVIL fideicomiso pasivo)].

dubious *a*: GRAL dudoso, cuestionable, sospechoso, de dudoso valor ◊ *A dubious piece of evidence*; V. *suspicious*.

dud *col a/n*: GRAL falso; objeto falso, inútil o inoperante ◊ *The banknotes turned out to be duds*; V. *dummy*.

dull *a/v*: GRAL torpe, lerdo; atontar, entorpecer ◊ *Alcohol impairs the judgement and dulls the brain.*

due[1] *a*: MERC debido, exigible, vencido, pendiente de pago ◊ *Those bills are due on July 5th*; V. *unpaid, unsettled; become due, come due, fall due; delinquent.* [Exp: **due**[2] (GRAL razonable, justo, legítimo, propio, apropiado, correspondiente, debido, conveniente, oportuno, esperado ◊ *Whoever impedes the due administration of justice has committed a felony*; V. *reasonable, appropriate, suitable, deserved*), **due and payable** (MERC vencido y no abonado), **due and proper care** (CIVIL la atención razonable que se espera), **due and proper form, in** (PROC con los requisitos/formalidades exigidas por la ley), **due and reasonable care** (PROC cuidado o precaución debida y razonable), **due balance** (MERC saldo vencido), **due bill** (MERC letra aceptada), **due care and attention** (CIVIL diligencia debida, cuidado y atención razonables; V. *duty of care*), **due care and attention, without** (CIVIL sin la precaución debida ◊ *According to the Road Traffic Act (1972), driving a motor vehicle on a road without due care and attention is careless driving*), **due compensation** (CIVIL indemnización apropiada, justa remuneración), **due consideration** (MERC causa contractual razonable), **due coupon** (MERC cupón vencido), **due course, in** (PROC/GRAL a su debido tiempo, como es debido), **due course of law** (PROC proceso legal vigente, proceso que marca la ley), **due date** (PROC fecha de vencimiento, plazo), **due diligence** (CIVIL diligencia debida; diligencia en poner el buque que ha de efectuar el transporte en las debidas condiciones de navegabilidad; V. *negligent*), **due form, in** (PROC en buena y debida forma, en tiempo y forma, de forma apropiada, en la forma debida o adecuada, en forma legal), **due interest** (MERC intereses vencidos), **due notice** (MERC/PROC aviso de vencimiento, notificación debida), **due on demand** (MERC pagadero a la vista), **due process of law, in** (PENAL/PROC con las garantías procesales debidas, ajustado a derecho, debido procedimiento legal; V. *abuse of the process of the court, process*[3]*; unsafe*), **due proof** (PROC prueba razonable o debida), **due to** (GRAL debido a, causado por), **due to arrive** (MERC debe llegar), **dues** (ADMIN/GRAL derechos, tributos ◊ *I've had a letter from the Union asking me to pay my dues*; V. *pier dues*), **duly** (GRAL debidamente ◊ *The new wording of the Act met with the MPs' approval and it was duly passed*; V. *suitably, timely*), **duly attested** (NOT/PROC debidamente atestiguado), **duly qualified** (GRAL con los títulos pertinentes), **duly sworn,**

[being] (GRAL/PROC bajo juramento, habiendo prestado juramento en la forma establecida por la ley)].

dummy *a/n*: GRAL ficticio, simulado; entidad fantasma, hombre de paja ◊ *I've checked in the registry and that firm is a dummy*; V. *dud, nominee, straw man, front man*. [Exp: **dummy corporation** (MERC/GRAL empresa fantasma o simulada), **dummy directors** (PENAL directivos o consejeros ficticios), **dummy stockholders** (PENAL accionistas fantasmas)].

dumping *n*: MKTNG dumping; el verbo *dump* significa «verter, deshacerse de basura o de objetos inservibles»; librarse de acciones basura en la Bolsa o de mercancías obsoletas o de mala calidad, sobre todo, en países del tercer mundo; vender productos por debajo de su valor con el fin de trastornar o desbaratar el mercado; V. *unfair practices, abuses, dispute settlements tribunals, countervailing duties*.

dungeon *n*: PENAL mazmorra, calabozo; V. *dark cell*.

dupe *n/v*: GRAL/PENAL víctima de engaño o dolo; engañar, embaucar ◊ *They duped him into thinking the shares were valuable*.

duplicate *a/n/v*: GRAL duplicado; duplicar ◊ *Most firms want duplicate invoices*; V. *counterpart, copy*. [Exp: **duplicate, in** (GRAL por duplicado, en doble ejemplar)].

duration *n*: GRAL vigencia, duración; V. *term*.

duress *n*: PENAL miedo insuperable, miedo grave, coacciones, coacción con violencia, presión, compulsión, estado de necesidad ◊ *Acts carried out under duress usually have no legal effect*; V. *defence, coercion, self-defence*. [Exp: **duress of goods and property** (CIVIL compulsión por detención de bienes), **duress of imprisonment** (PENAL detención ilegal de una persona), **duressor** (PENAL el que emplea la coacción), **duress, under** (PENAL con intimidación, coaccionado, bajo coacción; V. *admission under duress, under violence, undue influence*)].

during *prp*: GRAL durante. [Exp: **during good behaviour** (CONST siempre que su conducta sea intachable, siempre y cuando desempeñe fielmente los cometidos de su cargo), **during Her/His Majesty's pleasure** (PROC por tiempo indefinido, a discreción de las autoridades ◊ *A minor convicted of a capital offence can be ordered to be detained during her Majesty's pleasure*; esta expresión se refiere al tiempo de retención impuesto al menor o al disminuido mental que ha incurrido en delito grave)].

Dutch auction *n*: MERC/ADMIN subasta a la baja; V. *vendue* US.

duty[1] *n*: GRAL obligación, deber, responsabilidad, competencia ◊ *It is the duty of every driver to be thoroughly familiar with the highway code*; V. *liability, responsibility*. [Exp: **duty**[2] (GRAL servicio, turno, guardia ◊ *The two guards who were on duty when the breaking occurred gave a full report to the police*; V. *on duty*), **duty**[3] (ADMIN/MERC tasa, derecho arancelario, derecho de aduana ◊ *These goods are subject to customs duty*; V. *countervailing duties, death duties, fee*), **duty-free** (INTER libre de impuestos, con franquicia), **duty-free zone** (INTER zona franca, V. *bonded area*), **duty, from** (GRAL por obligación), **duty of care** (CIVIL deber de diligencia, deber de socorro, deber de cuidado, deber de prevención, deber legal de prudencia, precaución y diligencia hacia los demás y sus bienes; V. *due care and attention, dangerous, breach of duty; attractive nuisance doctrine*), **duty of disclosure** (PROC deber de información; obligación de ofrecer datos, de acuerdo con la ley, a la parte contraria en un pleito; V. *disclosure*), **duty of fidelity/good faith** (LABORAL deber de fidelidad que tienen los empleados con relación a los intereses de su empresa), **duty officer** (PENAL policía u oficial de guardia o de servicio en comisaría), **duty, on** (GRAL de guardia; V. *attendant*), **duty to account** (CIVIL/MERC obligación [que tiene todo agente] de rendir cuentas al principal), **duty solicitor** (PROC abogado o letrado de guardia o de oficio)].

dwell *v*: GRAL habitar, vivir; V. *reside, occupy*. [Exp: **dwelling-place/house** (GRAL/CIVIL residencia, morada, domicilio; V. *domicile, abode, whereabouts, curtilage*)].

DWI *US n*: PENAL V. *driving while intoxicated.*

dying declaration *n*: CIVIL prueba testifical *in articulo mortis*, testimonio de moribundo oído y repetido luego por testigos; V. *living will.*

E

€ *n*: GRAL/EURO símbolo de la moneda europea «euro».

E[1] *n*: EURO Europa; letra que colocada en el envase de un producto sirve para garantizar que éste cumple las normas establecidas por la Unión Europea. [Exp: **e**[2] (GRAL forma elíptica de «electrónico»), **e-business** (GRAL comercio electrónico), **e-mail** (GRAL correo electrónico; emilio *col*; comunicar por correo electrónico ◊ *They e-mailed us the text*; V. *electronic mail, @, dot; snail mail*)].

early *a*: GRAL prematuro, anticipado; precoz. [Exp: **early-closing day** (LABORAL día de la semana en que los comercios, de acuerdo con las disposiciones municipales de cada ciudad, cierran a las 13 horas), **early neutral evaluation** (CIVIL evaluación neutral precoz; es uno de los métodos del llamado *A.D.R.* o *Alternative Dispute Resolutions*), **early payment** (MERC pronto pago, amortización anticipada), **early release** (PENAL libertad condicional; V. *parole*), **early retirement** (LABORAL jubilación anticipada; V. *compulsory retirement, redundancy*)].

earmark *n/v*: GRAL/ADMIN marca, señal, etc., efectuada para identificar bienes, partidas, cuentas, etc.; asignar, afectar, destinar, reservar o consignar [fondos, cuentas, impuestos, etc.] a fines específicos ◊ *Council funds have been earmarked for the building of a new school*; V. *allocate, appropriate, reserve, set aside*. [Exp: **earmarked account** (ADMIN cuenta reservada), **earmarked funds** (ADMIN fondos afectados), **earmarked taxes** (FISCAL impuestos finalistas, impuestos afectados), **earmarking** (ADMIN/FISCAL finalismo; afectación; normalmente alude a la vinculación o afectación de determinados tributos o ingresos presupuestarios a gastos públicos concretos; V. *dedication of revenues; appropriation, allocation*)].

earn *v*: GRAL ganar, obtener, devengar, producir; V. *payasyouearn*. [Exp: **earned income** (FISCAL ingresos devengados, renta salarial o del trabajo, ingresos, retribución por el trabajo; V. *profit, revenue*), **earned income allowance** (FISCAL deducciones por renta de trabajo), **earned interest** (MERC intereses devengados; V. *rebate*), **earned premium** (MERC prima devengada), **earning assets** (MERC activo que devenga intereses), **earnings** (LABORAL ingresos; rentabilidad, rendimiento, beneficio, producto, renta; entradas, ganancias; V. *wages, salary, pendable earning, recapture of earnings*), **earnings per share, EPS** (MERC rendimientos por acción), **earnings statement** (MERC estado de resultados, estadillo de pérdidas y ganancias), **earned surplus** (MERC beneficios acumulados)].

earnest [money] *n*: CIVIL arras, señal. V. *hand money, bargain money.*

earwitness *n*: PROC testigo de oídas o auricular ◊ *The servant did not see the transaction, but was an earwitness to what was said*; V. *eyewitness.*

ease *v*: GRAL/PENAL tranquilizar, apaciguar, calmar, aliviar, relajar ◊ *The thief eased his conscience after returning the stolen jewels*; V. *assuage, ease.* [Exp: **easy** (GRAL fácil, asequible, barato, V. *convenient*), **easy money syndrome** *col* (GRAL/PENAL cultura del pelotazo; V. *sleaze*), **easy payments, easy payment terms** *US*, **easy terms of payment** (MERC facilidades de pago)].

easement *n*: CIVIL servidumbre de uso ◊ *The owner of land abutting on the property of another often has the benefit of an easement of light, water,* etc.; V. *ancient lights, appurtenances; water rights, servitude; affirmative easement, agreed easement, implied easement, intermittent easement; servitude; bind; bondage, dominant tenement, servient tenement; encumbrance; lien.* [Exp: **easement appendant/appurtenant** (CIVIL servidumbre real, servidumbre sobre finca colindante), **easement by custom** (CIVIL servidumbre basada en el uso o costumbre), **easement by estoppel** (CIVIL servidumbre por acción innegable o por tolerancia), **easement by implication** (CIVIL servidumbre tácita o sobreentendida), **easement by prescription** (CIVIL servidumbre por prescripción), **easement in gross** (CIVIL servidumbre personal), **easement of access** (CIVIL servidumbre de paso o acceso; V. *accommodation road, access easement*), **easement of convenience** (CIVIL servidumbre de conveniencia), **easement of drip** (CIVIL servidumbre de recibir aguas de techos vecinos), **easement of light** (CIVIL servidumbre de luces), **easement of necessity** (CIVIL servidumbre legal, necesaria o imprescindible), **easement of view** (CIVIL servidumbre de vistas)].

EAT *n*: LABORAL V. *Employment Appeal Tribunal.*

eavesdrop *v*: GRAL fisgonear; escuchar sin ser visto, disimuladamente, clandestinamente, en secreto o ilegalmente [por ejemplo, detrás de las puertas, con medios electrónicos, etc.] ◊ *Many people are worried about the increase in electronic eavesdropping which is being tolerated by the courts*; V. *electronic surveillance, spy, bug, wiretapping.*

EC *n*: EURO V. *European Community.*

Economic and Social Committee *n*: EURO Comité Económico y Social.

ECU *n*: EURO V. *European Currency Unit*; V. *euro.*

edict *n*: PROC edicto, bando, auto, decreto.

EEC *n*: EURO V. *European Economic Community.*

effect[1] *n*: GRAL resultado, influencia, efecto, consecuencias, repercusión, incidencia; V. *implication; suspensory effect.* [Exp: **effect**[2] (GRAL vigencia ◊ *That statute is no longer in effect, so we can ignore its provisions*; V. *take effect, come into effect, come into force, be effective, be operative*), **effect**[3] (GRAL efectuar, realizar, llevar a cabo, poner en ejecución ◊ *Payment may be effected by cheque, postal order or banker's draft*; V. *carry into effect, give effect to, achieve, bring about*), **effect an arrest** (PENAL detener), **effect, be in** (GRAL regir, tener vigencia, estar vigente o en vigor; V. *be effective*), **effect investments** (MERC llevar a cabo inversiones), **effect from, with** (GRAL con efectos desde, vigente a partir de), **effect, of no** (GRAL/PROC nulo a todos los efectos), **effects** (CIVIL pertenencias, efectos, bienes, caudal ◊ *A person's effects are his* *property including his goods and chattels*; V. *chattels, property, personal effects, personal belongings, movable effects*), **effects vis-à-vis third parties** (CIVIL oponibilidad frente a terceros), **effector** (CIVIL causador, actor)].

effective *a*: GRAL efectivo, eficaz, convincente, operativo, práctico, de valor, real ◊ *The defence's arguments were clear and effective*; V. *actual, real.* [Exp: **effective, be** (GRAL estar en vigor, empezar a regir, estar en vigencia; V. *be in effect, come into effect, take effect, come into force, be operative from, obtain*), **effective cause** (PROC causa real), **effective date** (GRAL fecha de entrada en vigor, fecha de valor o de vigencia), **effective date of termination** (MERC fecha real de extinción de un contrato), **effective yield** (MERC rendimiento efectivo)].

efficacy *n*: GRAL eficacia, poder, validez, eficiencia.

efficiency *n*: GRAL rendimiento, productividad; eficacia, eficiencia; buena marcha; también se encuentra la forma sinónima *efficience.* [Exp: **efficiency bonus** (LABORAL prima de rendimiento), **efficient** (GRAL eficiente, eficaz, competente, que rinde, de elevado rendimiento; apto, capaz; bien organizado), **efficient cause** (PROC causa eficiente; V. *proximate cause*), **efficiently** (GRAL bien, con economía de medios, con habilidad, con diligencia)].

effluxion of time *n*: GRAL/PROC caducidad, transcurso del plazo de tiempo previsto ◊ *His term of office expired by effluxion of time*; V. *expiry, discontinuance.*

effraction *n*: PENAL allanamiento de una casa o propiedad. Exp: **effractor** (PENAL intruso que entra por la fuerza en una propiedad privada.

EFTA *n*: EURO V. *European Free Trade Association.*

egg on *v col*: GRAL/PENAL incitar, inducir, provocar ◊ *Smith, egged on by his friends, punched the man who had insulted him.* [Exp: **egger on** (PENAL incitador, instigador), **egging on** (PENAL instigación)].

either way, offences triable *n*: PENAL V. *offences triable either way.*

eject *v*: GRAL expulsar, desalojar ◊ *The heckler was ejected from the political meeting by the stewards*; V. *oust, expel.* [Exp: **ejectment** (GRAL/CIVIL acción posesoria; diligencias de lanzamiento; V. *dispossession proceedings*)].

ejusdem generis rule [e.g.] *fr*: PROC del mismo género; norma merced a la cual los jueces interpretan como iguales cosas de la misma naturaleza, siempre que vayan en expresiones como *etc.* o *and all other perils*].

elaborate on *v*: GRAL dar detalles sobre, extenderse en consideraciones sobre.

elapse *v*: GRAL transcurrir el tiempo, expirar un plazo ◊ *A driver whose licence has been endorsed may apply to have a new «clean» licence after 4 years have elapsed.*

elder *a*: GRAL mayor; en la Iglesia Presbiteriana de Escocia, se dice del presbítero o feligrés con voz y voto en los asuntos de la Iglesia. Exp: **Elder Brethren [of Trinity House]** (PROC técnicos del mar [que pueden actuar de asesores en los procesos incoados en el *Admiralty Court*] ◊ *The Elder Brethen of Trinity House is an ancient corporation entrusted with duties relating to pilotage, lighthouses, etc.*), **elderly, the** (GRAL los ancianos; v. *underage*), **our elders** (GRAL nuestros mayores)].

elect *a/v*: GRAL electo; elegir; el adjetivo *elect*, al igual que *designate*, se coloca detrás del nombre, como en *the president elect.* [Exp: **elected domicile** (GRAL domicilio convencional o convenido), **election**[1] (CONST comicios, elección ◊ *Parliament was dissolved shortly after the announcement of the date of the general* *election*; V. *byelection, general election, local election; voting by proxy*), **election**[2] *US* (GRAL opción; V. *choice, option*), **election**[3] (CIVIL opción, fundada en el derecho de equidad *–equity–*, que tiene el heredero a aceptar a la vez los beneficios, o activo, y las cargas, o pasivo, de una herencia o a repudiarla; aceptación a beneficio de inventario; V. *accept a legacy subject to an inventory, acceptance without liability beyond the assets descended*), **election board** (CONST junta electoral), **election booth** (CONST cabina electoral), **election court** (PROC tribunal que entiende de las querellas por fraude electoral), **election of remedies** (PROC facultad del demandante para elegir el recurso que solicita en su demanda), **election petition** (PROC querella por fraude electoral), **election returns** (CONST resultados de una elección; V. *returning officer*), **elective**[1] (GRAL electo), **elective**[2] *US* (GRAL opcional, optativo; V. *optional; compulsory*), **elective officer** (MERC/GRAL cargo electo ◊ *The elective officers in a company are usually the president, the secretary and the treasurer*), **elective benefits** *US* (SEGUR opción que se le da al asegurado para que elija el beneficio alternativo que más le interese de los ofrecidos en una póliza de seguros; V. *elector*[2]), **elector**[1] (CONST elector; V. *register of electors*), **elector**[2] *US* (SEGUR persona que hace uso de *elective benefits*), **electoral** (CONST electoral), **electoral campaign** (CONST campaña electoral; V. *road show*), **electoral college** (CONST colegio electoral; en inglés se refiere al conjunto de electores elegidos, a su vez, por un gran colectivo con el fin de que voten en representación de éste; en el sentido de lugar en donde se lleva a cabo la votación, colegio electoral se llama *polling station*), **electoral ward** (circunscripción), **electoral college** (CONST colegio electoral), **electorate** (CONST electorado ◊ *The electorate is the body of qualified voters*)].

electrocution *n*: GRAL electrocución; V. *death penalty.*

electronic *a*: GRAL electrínicio. [Exp: **electronic surveillance** (GRAL escuchas electrónicas ◊ *Electronic surveillance of private citizens is a disturbing area of modern police practice*; V. *eavesdropping, wiretapping*), **electronic tags** (PENAL pulseras telemáticas [aplicadas a condenados o preventivos en libertad provisional]; V. *tagging*)].

eleemosynary corporation *n*: GRAL sociedad de beneficencia privada; V. *charity.*

eligible *US a*: GRAL elegible, con derecho a, aspirante, que reúne o cumple los requisitos o condiciones para ser elegido o designado, apto, capaz ◊ *He is eligible to vote*; V. *qualified, suitable*. [Exp: **eligible paper** *US* (MERC efectos redescontables), **eligible securities** (MERC títulos, etc., incluidos en la lista oficial), **eligibility** (GRAL elegibilidad)].

elimination *n*: GRAL supresión, erradicación; V. *suppression.*

eloigne *v/n*: PROC trasladar/alzar bienes para evitar su secuestro; comunicación indicando el alzamiento de bienes.

elope *obs v*: GRAL fugarse dos amantes [con el fin de contraer matrimonio] ◊ *The two youngsters eloped to Gretna Green and were married over the anvil.* [Exp: **elopement** (GRAL fuga de amantes)].

embargo *n*: INTER/MERC bloqueo económico, embargo, secuestro de géneros, detención de buques, prohibición de cargar o descargar, afectación de bienes a un proceso ◊ *The government ordered an embargo on ships belonging to the foreign power which was threatening international stability*; V. *boycott, lay an embargo on goods.*

embezzle *v*: PENAL desfalcar, malversar, sustraer dinero, hurtar ◊ *An enquiry into the* *disappearance of the company secretary revealed that he had embezzled £1,000,000 from the accounts*; V. *fraud* [Exp: **embezzlement** (PENAL desfalco, malversación de fondos; V. *theft, misappropriation, misuse of trust, peculation; forfeiture of the ship, scuttling a ship, barratry of masters and mariners*), **embezzler** (PENAL desfalcador, malversador)].

embody[1] *v*: GEN encarnar, personificar, plasmar ◊ *Most recent laws try to embody the new values of modern societies*. [Exp: **embody**[2] (GRAL incorporar, incluir ◊ *The new law embodies a revenue provision that will favour everybody*; V. *include, incorporate*)].

embrace[1] *v*: GRAL cohechar, abarcar, abrazar; V. *squeeze, encompass, include*. [Exp: **embrace**[2] (PENAL cohechar, intentar sobornar a un tribunal o jurado; V. *bribe*), **embracer** (PENAL cohechador, sobornador), **embracery** (PENAL tentativa de influir en un miembro del jurado, soborno a jurados *–jurors–* cohecho, soborno; V. *tampering with witnesses*)].

emend *v*: GRAL enmendar, corregir; V. *amend*. [Exp: **emendation** (GRAL revisión, enmienda de textos, etc.; V. *amendment*), **emendator** (GRAL corrector, revisor)].

emergency *n*: GRAL urgencia, crisis, emergencia, accidente, caso o situación de urgencia o de fuerza mayor, caso de necesidad, caso imprevisto, necesidad o apuro; V. *accident, disaster, mishap*. [Exp: **emergency call** (MERC arribada forzosa), **emergency legislation** (CONST legislación de excepción o de emergencia), **emergency powers** (CONST poderes excepcionales asumidos por el Jefe del Estado o del Gobierno), **emergency procedure** (PROC procedimiento de urgencia), **emergency protection order** (CIVIL mandamiento judicial mediante el que se encomienda la patria potestad a una institución de la administración local; V. *safety order*)].

eminent domain *n*: ADMIN dominio eminente o capacidad de expropiar por interés público; V. *expropriation*.

emissary *n*: CONST emisario; V. *legation*.

empanel *v*: PROC constituir; V. *panel*. [Exp: **empanel an arbitration tribunal** (PROC constituir un tribunal de arbitraje), **empanel a jury** (PROC constituir el jurado ◊ *The jury is empanelled and sworn and a foreman appointed*; V. *array; challenge, packing the jury*)]

emotion *n*: GRAL emoción, sentimientos, emotividad; V. *excitement*. [Exp: **emotional wear and tear** (GRAL desgaste emocional)].

emphyteusis *n*: CIVIL enfiteusis. [Exp: **emphyteutic lease** (CIVIL arriendo enfitéutico), **emphyteuticary** (CIVIL enfiteuta, el que tiene el dominio útil de alguna hacienda y está obligado a pagar un canon por él)].

employ *v/n*: LABORAL/GRAL emplear, dar trabajo o empleo; empleo *frml* ◊ *The court held that the company was partly responsible for the acts of those in its employ*. [Exp: **employee** (LABORAL asalariado, empleado, dependiente, subalterno, oficinista; V. *servant*), **employer** (LABORAL empresario, patrón, dueño, patrono, empleador; V. *master*), **employer's liability insurance** (LABORAL seguro de responsabilidad patronal), **employers' association** (LABORAL asociación patronal o de patronos; V. *management*), **employment** (LABORAL empleo; V. *applications for employment, at will employment*), **employment agency/bureau** (LABORAL agencia de empleos, bolsa de trabajo), **Employment Appeal Tribunal, EAT** (LABORAL/PROC Tribunal de Apelación de las resoluciones adoptadas por los tribunales de lo social *–industrial tribunals–* en lo que afecta a cuestiones de derechos de los trabajadores), **employment contract** (LABORAL contrato de trabajo), **employment tribunals** (LABORAL magistratura de trabajo, juzgado de lo social ◊ *Employment tribunals are empowered to award compensation to employees who have been dismissed unfairly*; están constituidos por un juez o especialista del mundo del derecho y dos representantes del mundo laboral, empresa *–management–* y sindicato *–trade union–* y conocen de las demandas *–complaints–* por despido improcedente *–unfair dismissal–*, discriminación y expedientes de regulación de empleo *–redundancy–*; hasta finales de los años noventa se llamaban *industrial tribunals*; en los EE.UU. se emplea el término *labor court*)].

empower *v*: GRAL/CONST facultar, capacitar, dar poder, autorizar, conferir poderes, diputar ◊ *The statute empowers the state to withdraw the licences of persons contravening the provisions of the Act*; V. *enable, qualify.*

emption *n*: MERC compra, adquisición; la acción de comprar o adquirir y sus efectos.

empty *a/v*: GRAL vacío, nulo, de ningún valor ni efecto; vaciar ◊ *It is an empty phrase with no legal meaning*; V. *null, void.*

enable *v*: GRAL/CONST habilitar, hacer posible que, hacer capaz, capacitar ◊ *An enabling statute provides the general legal framework and the appropriate legal bodies make detailed regulations*; V. *empower.* [Exp: **enabling act/statute** (CONST ley de habilitación/autorización; V. *delegated legislation, parent act; empower*)].

enact *v*: CONST promulgar, sancionar, estatuir, adoptar una medida ◊ *All Acts of Parliament begin with the words «Be it enacted that ...».* [Exp: **enact a measure** (CONST/GRAL adoptar una medida), **enacting words** (fórmula promulgatoria), **enacted, be it** (CONST queda promulgado, decrétese), **enacted law** (CONST derecho legislado; equivale a *statute law*; V. *common law, equity*), **enacting clause** (CONST cláusula de declaración de vigencia de la ley), **enacting statute** (CONST ley habilitadora), **enacting words** (fórmula promulgatoria), **enactment** (CONST ley, estatuto; promulgación de una ley), **enactment, on** (CONST en el momento de su promulgación)].

enclave *v*: CONST enclave.

enclose[1] *v*: GRAL/MERC incluir, adjuntar ◊ *Please find enclosed a cheque amounting to €500*; V. *attach; herewith.* [Exp: **enclose**[2] (GRAL circundar, encerrar ◊ *In old times convicts were enclosed within walls for life*; V. *confine, surround*), **enclosed order** (GRAL orden de clausura), **enclosure**[1] (GRAL/MERC anexo, adjunto), **enclosure**[2] (CIVIL recinto, cercado; cerramiento; finca rústica cerrada)].

encourage *v*: GRAL fomentar, animar, fomentar, estimular; incitar, instigar; V. *stimulate; abet.*

encroach *v*: CIVIL/PENAL invadir subrepticia o gradualmente el terreno o los derechos de otro; usurpar, abusar ◊ *We couldn't build the garage at the corner, as we would have been encroaching on our neighbour's land*; V. *usurpate, trespass; acquiesce.* [Exp: **encroacher** (CIVIL/PENAL usurpador), **encroaching** (CIVIL/PENAL usurpación), **encroachingly** (CIVIL/PENAL por usurpación o intrusión), **encroachment** (CIVIL/PENAL invasión/usurpación de terreno ajeno, intrusión; terreno usurpado; cercenamiento [de derechos]; si el que sufrió la usurpación del terreno consiente durante 12 años, el terreno pasa a poder del usurpador ◊ *An encroachment is a small or big construction built on another individual's property*; V. *deforcement*)].

encumber *v*: CIVIL/GRAL gravar, hipotecar, afectar; obstaculizar ◊ *The estate was en-*

cumbered with mortgages; V. *charge, lien, easement*. [Exp: **encumbered** (gravado con hipoteca, etc.; cargado de deudas, obligaciones, etc.), **encumbrance** (CIVIL/GRAL gravamen, carga, carga inmobiliaria; impedimento, afectación, servidumbre; V. *free and clear; registration of encumbrances, charges register*), **encumbrancer** (CIVIL/GRAL acreedor hipotecario, tenedor de gravámenes)].

endanger *v*: GRAL perjudicar, poner en peligro; V. *jeopardize*. [Exp: **endangered species** (GRAL especie en peligro de extinción; V. *extinct species, poaching of endangered species*), **endangerment** (GRAL imprudencia temeraria, peligro; V. *reckleness*)].

endorsable *a*: GRAL endosable. [Exp: **endorsable credit** (MERC crédito transferible), **endorse**[1] (MERC endosar, apoyar, garantizar, aceptar, suscribir, respaldar; aprobar, sancionar, ratificar ◊ *The endorsed bills were accepted as surety for a further loan*; V. *approve, back, support, ratify, back up*), **endorse**[2] (ADMIN anotar las infracciones en el permiso de conducir ◊ *He was fined and had his licence endorsed for speeding*), **endorsed bond** (MERC bono asumido o garantizado por otra empresa), **endorsee** (MERC endosatario, tenedor o portador por endoso), **endorsement**[1] (GRAL/MERC endoso, garantía, aval, aceptación, respaldo; anotación al dorso de un documento público de firmas o datos exigidos por la ley; aditamento o suplemento que modifica parcialmente una póliza de seguro ◊ *The endorsement consists in signing or endorsing a note or a draft acting as a guarantor or surety for the borrower*; V. *support, guaranteed by endorsement, accommodation endorsement, conditional endorsement*), **endorsement**[2] (ADMIN anotación de sanción en el permiso de conducción), **endorsement in blank** (GRAL endoso en blanco), **endorsement in full** (GRAL endoso completo o perfecto), **endorsement of service** (GRAL/PROC acuse de recibo y aceptación, por parte del abogado, de la demanda presentada contra su cliente), **endorsement of writ** (PROC anotación al dorso de la citación de la demanda *-writ of summons-* indicando, además de los datos del demandado, la naturaleza de la demanda y, en su caso, la cantidad reclamada), **endorsement without recourse** (GRAL/MERC endoso limitado o condicional), **endorser** (endosante, cedente, endosador)].

endow *v*: GRAL/CIVIL dotar, fundar ◊ *The marriage formula includes the phrase «with all my worldly goods I thee endow»*; V. *confer*. [Exp: **endowment** (CIVIL dotación, dote, fundación; patrimonio familiar permanente), **endowment annuity** (GRAL anualidad o pensión dotal), **endowment mortgage** (MERC hipoteca avalada por una dote o fundación), **endowment contract** (MERC contrato de capitalización), **endowment policy** (CIVIL póliza dotal)].

enforce *v*: GRAL/PROC aplicar, ejecutar, hacer cumplir/respetar/valer, poner en vigor, asegurar el cumplimiento de una ley, exigir, forzar el cumplimiento, imponer ◊ *Courts have statutory powers to enforce the orders that they make*. [Exp: **enforce a law** (CONST aplicar la ley), **enforce a judgment** (CIVIL ejecutar una sentencia), **enforceable** (PROC ejecutable, con fuerza ejecutiva, defendible ante los tribunales con fuerza ejecutiva, exigible por ley o por los beneficiarios, que se puede hacer cumplir, ejecutorio; ser título ejecutivo ◊ *Court decisions are enforceable in a number of ways, ranging from seizure of goods to imprisonment*), **enforceable judgment** (PROC ejecutoria; V. *declaratory judgment*), **enforceability** (PROC fuerza ejecutiva), **enforceable** (GRAL ejecutorio), **enforceable, be** (PROC tener fuerza ejecutiva, legal), **enforced** (GRAL forzoso, impuesto), **enforced collection action** (MERC procedimiento de cobro coercitivo), **enforcement** (PROC ejecución, ejecución forzosa, cumplimiento, observancia, respeto a una ley, acciones para hacer efectiva una resolución; el término *enforcement* se utiliza en el sentido de «aplicación, cumplimiento ó ejecución»; cuando la ejecución consiste en el embargo de bienes muebles del deudor mediante **a writ of execution** o **warrant of execution** se habla de *execution*; la expresión más corriente es **enforcement of judgment** –ejecución de una sentencia [firme]–; la ejecución se puede llevar a cabo por medio de *a writ of fieri facias, a warrant of execution, garnishee proceedings, charging orders, the appointment of a receiver, a writ of sequestration, attachment of the debtor's earnings, a writ of possession, a writ of delivery, a warrant of delivery, an injunction,* o de *an order of committal*; V. *law enforcement, order of enforcement, application, implementation, execution*), **enforcement action** (PROC ejecutoria, demanda solicitando el cumplimiento o la ejecución de una ley o de una sentencia), **enforcement agency** *US* (ADMIN departamento de seguridad del Estado), **enforcement notice** (ADMIN orden municipal dada a un promotor o constructor que incumple las ordenanzas de la construcción, para que repare lo incumplido o detenga las obras), **enforcement of a judgment** (PROC ejecución de una sentencia o fallo judicial), **enforcement officer** *US* (ADMIN agente de la autoridad/ley), **enforcement order** (PROC auto o sentencia de ejecución de otra sentencia dictado por un tribunal), **enforcement proceedings** (PROC juicio de apremio; V. *attachment proceedings*)].

enfranchise *v*: CONST conceder el derecho al voto, franquear, dar carta de naturaleza ◊ *The statutes enfranchising women were a major breakthrough for the feminist movement.* [Exp: **enfranchisement** (CIVIL/CONST concesión de un derecho o privilegio; conversión en pleno dominio; emancipación), **enfranchisement of tenancy** (CIVIL derecho que tiene el inquilino a adquirir la vivienda en donde vive)].

engage *v*: LABORAL/GRAL contratar, emplear ◊ *They engaged the services of a lawyer.* [Exp: **engagement**[1] (GRAL/LABORAL contrato, acuerdo; V. *employment*), **engagement**[2] (GRAL compromiso, obligación; V. *marriage engagement, commitment, obligation, responsibility; enter into mutual engagement*), **engagement**[3] (GRAL prenda; V. *pledge, gift*), **engagement to marry** (FAM compromiso matrimonial; V. *betrothal*), **engaging** (GRAL contagioso, atractivo)].

engaol *obs v*: PENAL encarcelar, aprisionar; V. *gaol.*

engross[1] *v*: GRAL/CONST redactar en forma legal; pasar a limpio ◊ *The deed was engrossed and signed by the solicitors for the two parties*; V. *ingross*. [Exp: **engross**[2] US (MERC monopolizar, acaparar mercancías ◊ *The old offence of engrossing was an illegal form of stockpiling; V. corner*), **engrossed bill** (CONST proyecto de ley que se presenta a las cámaras legislativas para su tercera lectura; S. *third redaing*), **engrosser** (GRAL calígrafo), **engrosser** (MERC acaparador), **engrossing**[1] (GRAL copia de un instrumento legal), **engrossing** (MERC acaparamiento; V. *monopoly, coemption*), **engrossment**[1] (CONST redacción definitiva de un documento; transcripción manuscrita de un documento; acuerdo de intenciones), **engrossment**[2] (MERC monopolio, acaparamiento, compra en bloque para influir en el precio del mercado), **engrossment paper** (GRAL papel timbrado o de documentos oficiales)].

enjoin *v*: GRAL/PROC mandar, prohibir; requerir ◊ *The writ enjoined the company from removing the goods from the store*; el verbo *enjoin* expresa la acción derivada del término *injunction*; V. *forbid, proscribe, prohibit, disallow*. [Exp: **enjoinment** (GRAL/PROC orden, mandato, precepto; prohibición)].

enjoy *v*: GRAL gozar. [Exp: **enjoy a right, a privilege, a monopoly** (CIVIL gozar o disfrutar de un derecho, privilegio o monopolio), **enjoy exemption from duty** (ADMIN disfrutar de franquicia aduanera), **enjoyment of a right** (CIVIL disfrute o usufructo de un derecho; V. *quiet enjoyment, adverse enjoyment*)].

enlarge *v*: GRAL ampliar, agrandar, extender ◊ *The new law enlarges the scope of the old Act.*; V. *increase, add, extend*. [Exp: **enlargement** (GRAL ampliación; V. *extension, expansion, widening*)].

enlist[1] *v*: GRAL alistarse [voluntariamente]; V. *join, enroll, register*. [Exp: **enlist**[2] (GRAL conseguir, lograr ◊ *They enlisted the support of a group of shareholders opposed to the company's present policies*), **enlistment** (GRAL enganche, alistamiento; V. *conscription*)].

enquire/inquire *v*: GRAL inquirir, investigar, pedir información ◊ *We enquired at the Post Office whether the giro had been sent*; V. *examine, investigate, enquire, probe*. [Exp: **enquiry/inquiry** (GRAL estudio, encuesta, investigación, indagación, pesquisa, consulta; se emplea en la empresión *a man is helping police with their enquiries*, que es un eufemismo para indicar que la policía está interrogando a un sospechoso; un sospechoso que se encuentra retenido tras las investigaciones policiales ◊ *The couple were called as witnesses at the fatal accident enquiry*; V. *affidavit of inquiry, fatal accident enquiry*)].

enroll *v*: GRAL inscribir-se, matricular-se, registrar-se ◊ *He couldn't vote because he was enrolled on the list after the deadline*; V. *register, matriculate*. [Exp: **enrolled bill** (CONST proyecto de ley aprobado por las dos Cámaras del Congreso norteamericano listo para ser firmado por el Presidente; S. *enactment, engrossed bill*), **enrolled order** (PROC auto listo para ser firmado por el juez o tribunal), **enrolment, enrollment** *US* (GRAL matriculación, registro; inscripción de una sentencia en el registro judicial)].

ensue *v*: GRAL seguir, ser la consecuencia de premisas o actos anteriores ◊ *They sent a letter of complaint to the local MP and an enquiry ensued*; V. *follow*. [Exp: **ensuing liability** (CIVIL responsabilidad derivada/emanada/resultante)].

ensure *v*: GRAL garantizar, asegurar-se ◊ *It is the driver's duty to ensure that the passenger's seatbelt is properly fastened*; V. *insure, assure*.

entail[1] *v*: GRAL implicar, tener, entrañar, traer consigo ◊ *That offence entails a penalty*; V. *carry, involve*. [Exp: **entail**[2] (SUC/CIVIL condición impuesta al titular de determinados bienes raíces para que la sucesión siga una determinada línea, por ejemplo, sólo los primogénitos, sólo los varones, sólo las mujeres, etc.; vincular/transmitir la condición o limitación anterior; transformar un dominio libre *–fee simple–* en un dominio vinculado o limitado a herederos *–fee tail–*, amortizar; V. *disentail*), **entailed property/estate/interest** (CIVIL interés o bienes vinculados o con condición modal; derechos reales limitadamente heredables; este tipo de bien o interés es anacrónico en la actualidad; V. *estate tail*), **entailment** (CIVIL/SUC limitaciones a la libre disposición, vinculación, acción de vincular un inmueble; mayorazgo)].

entangle *v*: GRAL enredarse, complicarse; V. *involve* [Exp: **entanglement** (GRAL enredo, complicación, participación ◊ *He lied* *under oath about his entanglement in a sexual affair with a call girl*; V. *implication, involvement, connection*)].

enter[1] *v*: GEN/CIVIL registrar, inscribir, asentar, contabilizar; tomar posesión de un inmueble. [Exp: **enter**[2] (PROC formalizar, celebrar, incoar; aducir, presentar; dictar ◊ *Writs carry a warning that if the defendant fails to appear on the date stated, judgment may be entered against him or her*), **enter a judgment** (PROC dictar una sentencia, registrar una sentencia en el libro de actas), **enter a judgment for the plaintiff** (PROC prosperar la demanda, acoger una sentencia la pretensión del demandante, condenar al demandado), **enter a document into record** (CIVIL protocolizar un documento), **enter a plea of not guilty** (PROC declarse inocente), **enter into a contract, an insurance, partnership,** etc. (MERC celebrar un contrato, formalizar un seguro, constituir una sociedad colectiva, etc.; V. *conclude*), **enter into a mutual engagement** (MERC obligarse recíprocamente), **enter into possession** (CIVIL entrar en posesión, tomar posesión de un inmueble), **enter into recognisance** (PENAL constituir/prestar fianza), **entered as second class matter** (ADMIN registrado como artículo de segunda clase [en correos]), **entered value** (ADMIN valor declarado),**entering** (ADMIN entrada, registro, anotación; V. *breaking and entering, entry*), **entering in possession** (ADMIN toma de posesión; V. *swearing-in ceremony, assumption of office, entry upon office*)].

enterprise *n*: MERC empresa; V. *entrepreneur.*

entertain *v*: PROC/GRAL estar dispuesto a considerar, admitir, atender, entender, tolerar ◊ *The court will not entertain pleadings or arguments clearly designed to gain time*; V. *refuse to entertain a proposal*. [Exp: **entertain a claim** (SEGUR considerar una reclamación), **entertain a doubt** (GRAL albergar/abrigar una duda), **entertain an action** (PROC admitir una demandar ◊ *Class actions may be entertained by the court*), **entertainment allowance/expenses** *US* (LABORAL/GRAL gastos de representación; V. *representation expenses*)].

entice *v*: GRAL/PENAL instigar, incitar, persuadir, motivar, inducir; atraerse ◊ *If a company can prove that one of its rivals has enticed away an employee, it may sue for loss of the employee's services*; V *lure, solicit*. [Exp: **enticement** (GRAL/PENAL instigación; V. *inducement*), **enticer** (GRAL/PENAL incitador, instigador)].

entire *a*: GRAL indivisible, entero, completo, sin limitaciones. [Exp: **entire blood** (FAM con descendencia materna y paterna; V. *full blood*), **entire day** (GRAL día natural [completo]), **entirety** (GRAL totalidad, íntegramente; conjunto indiviso; V. *estate by entirety, tenancy by entireties*), **entirety of contract** (MERC indivisibilidad del contrato)].

entitle *v*: GRAL dar derecho, legitimar; conceder el derecho ◊ *People who are 18 on the 10 October are entitled to vote*. [Exp: **entitled to, be** (GRAL estar legitimado, tener derecho), **entitlement** (GRAL título, derecho ◊ *Possession of shares gives the shareholder entitlement to a proportion of any profits accruing*)].

entrap[1] *v*: GRAL atrapar, estafar, hacer caer en la trampa; V. *lure into the trap; cheat, defraud, swindle*. [Exp: **entrap**[2] (GRAL incitar a la comisión de un delito), **entrapment** (GRAL trampa, añagaza, inducción dolosa a la comisión de un delito, autoría intelectual ◊ *Entrapment, even if proved, is not a defence to prosecution for the offence*; V. *ambush*)].

entreat *v*: GRAL suplicar, rogar; V. *beg, petition.*

entrench *v*: GRAL atrincherar; hacer fijo o inalterable. [Exp: **entrenched clause**

(MERC cláusula no susceptible de modificación)].

entrepot *n*: MERC almacén, depósito [especialmente en puerto franco].

entrepreneur *n*: MERC empresario; V. *enterprise.*

entrust *v*: GRAL/CIVIL confiar, encomendar, asignar; atribuir ◊ *A bailee is a person to whom goods are entrusted by way of bailment*; V. *confide, commend, charge*[3], *commit*[2].

entry[1] *n*: MERC/GRAL asiento, apunte o anotación contable, anotación registral; partida, registro, inscripción; palabra, vocablo o artículo de un diccionario ◊ *When the accounts don't balance, every entry must be checked*; V. *accounting entry, adjusting entry, cancelling entry, cash entry, closing entry, complementing entry, credit entry, cross entry, debit entry, double entry, ledger entry, opening entry, reversing entry, simple entry.* [Exp: **entry**[2] (GRAL entrada, acceso; V. *access; forcible entry*), **entry customs** (MERC aduana de entrada; V. *passing customs*), **entry into force** (entrada en vigor; V. *take effect, come into effect, come into force, be effective, be operative*), **entry inwards** (MERC mercancías de entrada; despacho, cumplimentación de los trámites de entrada o descarga de un buque), **entry on register** (MERC anotación registral), **entry outwards** (MERC mercancías de salida; cumplimentación de los trámites de carga o salida de un buque), **entry upon office** (ADMIN toma de posesión; V. *swearing-in ceremony, assumption of office, entering in possession*)].

enure *n*: GRAL V. *inure.*

environment *n*: GRAL medio ambiente. [Exp: **Environmental Protective Agency** *US* (ADMIN Agencia para la protección del medio ambiente ◊ *The Environmental Protective Agency was created in the United States to abate pollution*), **environmental impact statement** (GRAL declaración de impacto medioambiental), **environmental law** (GRAL derecho medioambiental)].

envisage *v*: GRAL prever; V. *contemplate.*

envoy *n*: CONST enviado, representante; V. *ambassador, diplomat, agent.*

e. o. e. *fr*: MERC V. *errors and omissions excepted.*

e. o. h. p. *fr*: PROC V. *except otherwise herein provided.*

epitome of title *n*: CIVIL epítome de título ◊ *An epitome of title lists all the documents going back to the root of title*; S. *abstract of title.*

eps *n*: MERC V. *earnings per share.*

equal *a*: GEN igual, imparcial. [Exp: **equal legal status** (CONST cooficialidad), **equal pay** (MERC igual retribución), **equal protection of the law** (CONST amparo jurídico; igualdad ante la ley), **Equal Protection Clause claim** *US* (PROC demanda presentada al amparo de la cláusula de protección igual de la ley), **Equal Opportunities Commission** (CONST Organismo oficial encargado de velar y de fomentar el principio de igualdad de oportunidades), **equal terms, on** (GRAL en igualdad de condiciones), **equalization** (GRAL igualación, homogeneización de los gravámenes impuestos)].

equitable[1] *a*: GRAL equitativo; igualitario, justo, justo; V. *evenhanded, on an equitable basis.* [Exp: **equitable**[2] (CONST/PROC relacionado con el derecho de equidad; la rama de la justicia inglesa llamada equidad *–equity–* ha creado los llamados «remedios o recursos de equidad» *–equitable remedies–*, al igual que el derecho *–law–* tiene sus propios recursos *–legal remedies–*; los **equitable remedies** –recursos, remedios o soluciones de equidad– nacieron en su día en los tribunales de equidad *–equity court–* siguiendo las máximas de la equidad; por ejemplo, el recurso llamado «ejecución de un contrato en su estrictos términos» *–specific performance–* es un remedio de equidad porque nació en un tribunal de equidad, frente a la solución general, llamada *damages* –indemnización por daños y perjuicios–, dada por los tribunales ordinarios de justicia *–courts of law–*; para acudir a un tribunal de equidad la conducta del peticionario debía ser intachable *–clean hands–*; entre los recursos de equidad más importantes destacan: *specific performance* –orden de cumplimiento estricto del contrato–, *rescission* –rescisión de un contrato–, *cancellation* –cancelación–, *rectification* –rectificación–, *account* –rendición de cuentas–, *injunction* –interdicto–, *equitable receivership* –administración judicial en equidad–, etc.), **equitable assets** (SUC bienes sucesorios que forman parte del activo solamente por disposición de un Tribunal de equidad), **equitable basis, on an** (GEN de forma equitativa; V. *fair*), **equitable charges** (CIVIL afecciones en pago con fuerza de hipoteca equitativa), **equitable construction** (PROC interpretación amplia o equitativa), **equitable defence** (PROC defensa basada en el principio de equidad), **equitable easement** (CIVIL servidumbre equitativa o necesaria), **equitable estate** (CIVIL propiedad basada en el derecho de equidad), **equitable estoppel** (CIVIL exclusión o impedimento en equidad; *aprox* doctrina de los actos propios; se trata de un principio invocado por los tribunales para anular cualquier pretensión de una de las partes en litigio de alegar una lesión de sus derechos derivada de los actos, palabras u omisiones de su oponente que ella misma haya consentido o tolerado, aunque sea mediante su silencio; un elemento de la doctrina es la máxima de que «quien calla, otorga», pero habitualmente el tribunal considera también la buena fe con la que haya actuado el demandado, sobre todo si éste puede demostrar que la actitud aparentemente consentidora del demandante lo ha inducido a incurrir en gastos o a realizar algún esfuerzo en detrimento propio; a veces el principio se considera como parte de la doctrina de la admisibilidad de las pruebas, ya que su aplicación puede producir el efecto de amordazar judicialmente al demandante: el tribunal no escuchará a quien no habló cuando debió hacerlo; pero otras veces tiene la consideración de norma jurídica, como cuando, por ejemplo, impide que la parte actora se desdiga ante un tribunal de lo que haya afirmado ante otro en relación con la misma materia ◊ *Equitable estoppel is a rule of law that prevents a person from denying the truth of a statement he has made or from denying facts that he has alleged to exist*; V. *res judicata*), **equitable execution** (PROC [procedimiento de] ejecución equitativa de una sentencia por parte del acreedor de la misma; la ejecución de las sentencias normalmente se hace por medio de un embargo *–seizure–*; no obstante, si esto no fuera posible, el acreedor, basándose en la equidad, y para evitar que el deudor pueda comerciar con sus bienes o fondos, puede solicitar del juez que dicte un *injunction* o que nombre un administrador judicial *–receiver–*; V. *enforcement, execution*), **equitable garnishment** (PROC procedimiento dirigido a descubrir bienes del demandado, para satisfacción de la sentencia), **equitable interest** (PROC intereses de equidad ◊ *A person made a tenant for life under a will or trust is said to have an equitable interest in the property thus owned*; V. *ownership, interest*[2]), **equitable lien** (CIVIL derecho de retención como garantía de precio aplazado, gravamen equitativo), **equitable maxims** (CONST máximas de equidad; entre las máximas de equidad destacan las siguientes: *equity acts in personam* –la equidad actúa *in personam*–, *equity aids the vigilant, not the indolent* –la equidad asiste al diligente, no al indolente–, *equity follows the law* –la equidad está subordinada a la ley–, *equity imputes an intent to fulfil an obligation* –la equidad presupone la intención de cumplir una obligación–, *equity is equality* –equidad es igualdad–, *equity looks to the intent rather than to the form* –la equidad considera más la intención que la forma–, *equity looks upon that as done which ought to have been done* –da por hecho lo que hacerse debiera–, *equitable remedies are discretionary* –las resoluciones de equidad dependen de la discrecionalidad del tribunal–, *equity suffers not a wrong without a remedy* –la equidad no tolera ningún agravio sin una reparación correspondiente–, *delay defeats equity* –la tardanza anula la equidad–, *he who comes into equity must come with clean hands* –quien busca equidad debe tener las manos limpias–, *where there are equal equities, the law prevails* –ante dos equidades iguales prevalece la ley escrita–, *where there are equal equities the first in time prevails* –ante dos equidades iguales prevalece el derecho anterior en el tiempo–), **equitable mortgage** (CIVIL hipoteca equitativa), **equitable owner** (CIVIL dueño/propietario en equidad), **equitable receivership** (PROC administración judicial en equidad), **equitable right** (CIVIL derecho de equidad; V. *legal right*), **equitable title** (CIVIL título en equidad), **equitable value** (CIVIL valor equitativo de venta)].

equities *n*: MERC V. *equity*[2].

equity[1] *n*: CONST justicia natural, derecho de equidad, derecho de amparo, derecho lato; derecho equitativo; una de las características singulares del derecho inglés reside en que durante mucho tiempo hubo dos tipos de tribunales: *Common law courts* y *Courts of equity*; los primeros enjuiciaban los litigios surgidos entre los ciudadanos por cuestiones de tierras –*property*–, por daños personales –*personal injuries*– y por vulneración de los contratos –*breach of contracts*–, basándose en los precedentes del derecho jurisprudencial –*case law*–, es decir, en las decisiones o resoluciones adoptadas por los jueces en casos anteriores similares; si alguno de los litigantes no estaba de acuerdo con la decisión de los jueces acudía al rey en busca de amparo o justicia; éste, a través del Lord Chancellor, clérigo en quien residía la conciencia de la Corona, ejercía la justicia por medio de la equidad –*equity*–, la cual está basada en el derecho natural más que en la letra estricta de la ley; la administraba el Lord Canciller con los llamados recursos o soluciones de equidad –*equitable remedies*–, aplicando libremente principios de conciencia; en el siglo XVII el rey Jacobo I resolvió que, en cualquier conflicto entre la ley y la equidad, debía prevalecer siempre la equidad, y a partir de ese momento el tribunal del Lord Chancellor, llamado *Court of Chancery*, empezó a desarrollar un corpus de doctrina y de jurisprudencia que está en la raíz de las leyes modernas inglesas, sobre todo las que rigen la propiedad –*ownership*–, las herencias –*wills*– y los fideicomisos –*trusts*–; abolido dicho tribunal en el siglo XIX porque el retraso de sus resoluciones se había hecho insoportable debido a la propia inflexibilidad de los fundamentos jurídicos que, de acuerdo con su misión fundacional, debía haber combatido, se creó la *Chancery Division* del *High Court of Justice* con jurisdicción similar en cuestiones de propiedad; en la actualidad, los tribunales ordinarios –*courts of law*– administran tanto la ley como la equidad, aunque ésta tenga su propia doctrina y jurisprudencia, basada en las **equitable/equity maxims** –máximas de equidad–; muchas de las demandas, como *action for accounting*, son de equidad; en estos casos, el demandante –*claimant/plaintiff*– recibe el nombre genérico de *complainant* o *petitioner*, y al demandado –*defendant*– se le llama *respondent*; V. *action at law; in good faith*. [Exp: **equity**[2] (MERC fondos propios, capital más reservas; acciones ordinarias; en plural significa «acciones ordinarias de una mercantil, renta variable» ◊ *He sold all his equities before the stockmarket crash*; S. *equity*[2], *ordinary shares, common stock*), **equity calendar** (PROC lista de causas para los tribunales de equidad), **equity court** (PROC tribunal de equidad o sin jurado), **equity of redemption** (CIVIL derecho de rescate o de redención. Si el acreedor hipotecario –*mortgagee*– ejerce su derecho a forzar la venta de la propiedad por impago, el derecho legal del deudor sobre la propiedad se transfiere, mediante la operación de *overreaching*, al dinero producto de la venta; de esta manera, se protege el derecho del deudor al mismo tiempo que se garantiza que la propiedad traspasada esté libre de cargas o *charges/encumbrances*), **equity maxim** (CONST V. *equitable maximd*), **equity remedy** (CONST solución o recurso de equidad), **equity right** (CONST bien jurídico; *V. legal right*), **equity receivership** (PROC/MERC administración judicial en equidad), **equity securities/shares** (MERC renta variable, mercado de o títulos, acciones ordinarias), **equity to a settlement** *obs* (CIVIL derecho de retención de bienes por la esposa contra la reclamación del esposo o de sus acreedores)].

equivocal *a*: GRAL equívoco ◊ *We shall have to request an interpretation as the wording of the statute is equivocal*; V. *misleading, uncertain*. [Exp: **equivocation** (GRAL equivocación; tergiversación, evasiva, subterfugio)].

eradicate *v*: GRAL extirpar o desarraigar una injusticia ◊ *Those abuses have been eradicated by reform of the old laws*.

erase *v*: GRAL borrar; V. *delete*. [Exp: **erasure** (GRAL tachadura, borradura; V. *deletion*)].

err in law *der es v*: PROC cometer un error judicial.

error[1] *n*: GRAL error, yerro, equivocación; V. *mistake, lapse, flaw, slip; bail in error, judicial error, clerical error*. [Exp: **error**[2] (PROC auto de casación; en este caso es la forma elíptica de *writ of error*), **error in law** (PROC error de derecho), **error in vacuo** (PROC error que no perjudica los derechos del apelante), **error of fact** (PROC error de hecho o sobre la cosa), **error of law on the face of record** (PROC error judicial en las actuaciones judiciales, error subsanable por un tribunal superior), **errors and omissions excepted, e. o. e.** (GRAL salvo error u omisión)].

escape *n/v*: GRAL fuga, huida, escape, salida; escapar-se, huir, eludir, evitar; V. *run away, flee, abscond*. [Exp: **escape clause** (MERC cláusula de salvaguardia o de evasión, cláusula que permite ajustar las condiciones o retirarse de un contrato; V. *saving clause*), **escape-proof prison** (PENAL prisión de alta seguridad; V. *top-security prison*), **escaped** (PENAL prófugo, fugitivo, contumaz, rebelde, declarado en rebeldía; V. *absconder*)].

escheat *v/n*: PROC caer en reversión; en el pasado, derecho de reversión al Estado de bienes raíces por falta de herederos o por herencia vacante; reversión señorial; en los Estados Unidos es el derecho a la sucesión o herencia de una persona por caducidad; confiscación por falta de herederos o por prescripción ◊ *If a dormant account is not reactivated within 60 months, the funds in the account are escheated to the State*; V. *caduciary right*.

escort *n/v*: GRAL escolta, escoltar; V. *guard; accompany; armed escort, under police escort.*

escrow *n*: CIVIL/MERC plica, garantía bloqueada, escritura otorgada que no entra en vigor el día de su otorgamiento, sino en una fecha aplazada o cuando se cumpla una determinada condición; es un contrato mixto, propio del *common law*, que integra, por una parte, un depósito y, por otra, un mandato específico de los depositantes al depositario; se asemeja, en ciertos sentidos, al depósito en garantía ◊ *The deed detailing the lease was prepared as an escrow and handed over to a solicitor to be kept by him till the marriage had been celebrated*; V. *deposit in escrow.* [Exp: **escrow agent** (CIVIL/MERC depositario de plica), **escrow agreement** (CIVIL/MERC contrato mediante el que se crea un *escrow*), **escrow deposit** (CIVIL/MERC depósito de plica), **escrow funds** (CIVIL/MERC fondos en plica), **escrow officer** (CIVIL/MERC oficial de custodia o de plica)].

essence *n*: GRAL esencia, meollo, quid de la cuestión ◊ *Time is of the essence of a contract.* [Exp: **essence, of the** (GRAL crucial, esencial, fundamental, de suma importancia), **essential**[1] (GRAL esencial, crucial, indispensable, imprescindible), **essential**[2] (GRAL punto o elemento fundamental o imprescindible, requisito esencial; V. *the bare essentials*)].

est. *a*: GRAL V. *estimated.*

establish *v*: GRAL establecer, adoptar, crear, fundar, instituir; acreditar, probar, quedar probado, dejar probado, demostrar; hacer constar, determinar, averiguar; proclamar ◊ *It was established during the hearing that the accused had acted of his own accord and not under duress as he had claimed*; V. *ascertain, determine, draw up, hold.* [Exp: **establish a fact** (PROC probar la existencia de un hecho), **establish the existence** (PROC probar la existencia), **established usage** (GRAL uso establecido), **establishment, the** (GRAL establecimiento, institución; poder establecido)].

estate *n*: CIVIL propiedades, [patrimonio de] bienes raíces, hacienda; pertenencia; herencia, caudal hereditario, masa hereditaria, activo neto relicto ◊ *The only estates in land that can be created or conveyed at law are an «estate in fee simple absolute in possession» and a «term of years absolute»*; V. *absolute estate, acceptance of an estate, administrator of an estate, bankrupt's estate, community estate, equitable interest, freehold estate, leasehold estate, property, real estate, residual estate, realty*. [Exp: **estate administration** (SUC liquidación de una sucesión), **estate administrator** (SUC administrador judicial; V. *executor*), **estate and interest** (SUC inmuebles y derechos del causante), **estate at will** (CIVIL arrendamiento a voluntad o sin plazo determinado), **estate by entirety** (CIVIL propiedad indivisible, copropiedad de cónyuges), **estate by sufferance** (CIVIL posesión por tolerancia, posesión a título precario), **estate contract** (CIVIL precontrato inmobiliario; V. *conveyance, capital transfer tax*), **estate distribution** (SUC partición de la herencia, reparto judicial entre los legitimados), **estate duty/duties** (FISCAL impuesto sobre sucesiones, contribución sobre la herencia; esta denominación pertenece al pasado; después se llamó *capital transfer tax*, y desde 1986 *inheritance tax*; V. *death duty, legacy duty, succession duty, inheritance tax*), **estate for life** (CIVIL pertenencia de por vida), **estate for years** (CIVIL posesión por tiempo fijo), **estate in fee simple absolute in possession** (CIVIL propiedad en dominio pleno, alodio), **estate in severalty** (CIVIL propiedad unititular; V. *fee simple, term of years, absolute possession*), **estate of a bankrupt** (MERC patrimonio de un quebrado), **estate of a de-**

ceased person (SUC caudal hereditario, sucesión; herederos o administradores del finado ◊ *The action of negligence was brought by the estate of the deceased*), **estate of freehold** (CIVIL forma dominical de duración ilimitada y de contenido máximo; V. *estate in fee simple absolute in possession*), **estate owner** (CIVIL titular de los derechos de propiedad), **estate tail** (CIVIL heredad o propiedad con derecho de sucesión limitado a la línea de los varones sólo *–tail male–* o de las mujeres sólo *–tail female–*; desde 1925 una propiedad así sólo puede constituir derecho en equidad y, por tanto, materia de fideicomiso, pero no puede ser traspasada; V. *entailed property, fee tail*), **estate upon condition** (CIVIL dominio condicional [o sujeto a condición] sobre inmuebles)].

esteem *n/v*: GRAL estimación, aprecio; estimar, apreciar, valuar.

estimation *n*: GRAL juicio, valoración; V. *calculation, appraisal, estimate*. [Exp: **estimate** (GRAL GRAL estimación, cálculo, previsión; estimar, tasar, computar, hacer un presupuesto ◊ *We are planning to build a new wing on to our house and have requested estimates from a few firms*), **estimate the damage** (PROC tasar el daño), **estimated, est.** (GRAL estimado), **estimated time of arrival, E.T.A** (GRAL hora estimada de llegada), **estimated time of departure, E.T.D.** (GRAL hora estimada de partida), **estimator** (GRAL justipreciador; V. *appraiser, surveyor*)].

estop *v*: GRAL impedir, prevenir, anular, precluir; V. *preclude, bar, prohibit*. [Exp: **estoppel** (CIVIL impedimento legal, acción innegable, exclusión, doctrina/vinculación de los actos propios, petición de inadmisibilidad o exclusión de una prueba, de una demanda o de parte de las pretensiones de una de las partes; solicitud de declaración de nulidad procesal; cualquier impugnación o defensa basada en la doctrina de los actos propios; el término *estoppel*, derivado del normando antiguo *estouper*, se aplica a la norma legal y/o testifical mediante la cual el que ha inducido a otro a actuar de determinada manera –aseverando algo, con su conducta, con su silencio, por medio de una escritura pública, etc.– no puede negar lo dicho o hecho, o volverse atrás cuando las consecuencias jurídicas de su aseveración le son desfavorables ◊ *It is an old principle of law that estoppel works to prevent a person from denying in one court what he has averred in another*; V. «doctrina de los actos propios» en la segunda parte del diccionario; *adoption by estoppel, agency by stoppel, collateral estoppel, easement by estoppel, issue estoppel, bar, promissory estoppel, proprietary estoppel; res judicata*), **estoppel by conduct** (CIVIL impedimento por razón de conducta, impedimento por contradicción con manifestaciones o comportamientos anteriores), **estoppel by deed** (CIVIL impedimento por escritura), **estoppel by laches** (CIVIL impedimento por negligencia), **estoppel by record or by judgment** (PROC impedimento por registro público), **estoppel by representation** (PROC impedimento por declaraciones propias), **estoppel by silence** (CIVIL impedimento por falta de declaración), **estoppel in pais** (CIVIL V. *estoppel by conduct*)].

estovers *n*: CIVIL alimentos a favor de la esposa separada; derecho a cortar árboles de un fundo del que se goza sólo de la posesión; este último derecho lo disfruta normalmente el arrendatario *–lessee–* así como el inquilino vitalicio *–tenant for life–*; los *estovers* gozan de la consideración de *profits à prendre* –beneficios de una finca que se tiene en explotación– y como tales son *appurtenants* –pertenencias accesorias–; a la madera que pueden cortar para diversos usos se la llama *bote*)].

estrange *v*: GRAL extrañar, indisponer, enajenar, alejar ◊ *She has become estranged from her husband and is thinking of asking for a divorce*; V. *alienate*. [Exp: **estrangement** (GRAL enajenamiento, alejamiento; V. *disaffection, hostility, dislike*)].

estray *n*: GRAL animal vagabundo o sin dueño que aparece en la finca de un particular, pudiendo, tras las proclamas oportunas, pasar a pertenecer al dueño de la finca o a la Corona; *estray* es una forma antigua de *stray*.

estreat *n/v*: GRAL extracto, copia o traslado, sobre todo de una orden judicial imponiendo una multa o decretando fianza; en el sentido más usual, significa «orden confiscando una fianza, etc., por incomparecencia, incumplimiento de la condición impuesta, etc.»; como verbo, significa «perder fianza», «quedar decomisado» ◊ *The bail deposited by the boy's uncle estreated when he failed to appear in court*; V. *forfeit*.

estrepe *v*: CIVIL causar deterioros en la tierra o propiedad de la que se es inquilino. [Exp: **estrepement** (CIVIL deterioros causados en tierras o bosques con perjuicio del propietario)].

E.T.A. *fr*: GRAL V. *estimated time of arrival*.

E.T.D. *fr*: GRAL V. *estimated time of departure*.

ethnic *a*: GRAL étnico. [Exp: **ethnic cleansing** (PENAL limpieza étnica)].

etiquette *n*: GRAL normas profesionales y protocolarias de la alta sociedad y de la conducta de los profesionales ◊ *The barrister's treatment of the witness, though not illegal, was a clear breach of professional etiquette*; V. *code of practice*.

euro[1] *n*: EURO/MERC euro; es la moneda oficial de la llamada «zona euro» *–euro zone–* de la Unión Europea; V. *currency, eurolibor, euribor, ERI*. [Exp: **Euro**[2] (EURO euro; el prefijo *euro* equivale a «europeo» o «relacionado con instituciones europeas», y en el mundo de las finanzas a «internacional», sin referencia concreta a ningún país del mundo en el mercado internacional de deuda y en el de emisión y colocación *–issuance and placement–* internacional de acciones), **Euro Banking Association** (MERC Asociación bancaria en euros; es una alternativa a las transferencias paneuropeas de importe mediano que no exigen una rapidez excesiva en su tramitación; V. *TARGET*), **Eurocitizen Action Service** (EURO grupo de presión ciudadana que milita por la supresión de las fronteras intereuropeas), **Eurocommercial paper, ECP** (FINAN europapel comercial, EPC; europagarés de empresa; instrumentos de comercio emitidos en euromoneda; V. *backup credit*), **Eurodollar** (EURO eurodólar; son dólares depositados en bancos no estadounidenses, y no necesariamente europeos), **Eurojust** (EURO Eurojust; V. *European Judicial Network*), **EuroMP** (EURO eurodiputado; V. *MEP*), **Euro-sterling** (EURO eurolibras), **Eurotrack** (EURO V. *The Financial TimesStock Exchange Eurotrack 100 Index*), **euro zone** (EURO zona euro; países de la Unión Europea cuya moneda oficial es el euro), **Eurobond** (EURO eurobono, euroobligación ◊ *Eurobonds are bearer securities* **Eurocrat** (EURO eurócrata; burócrata de la Unión Europea; V. *burocrat*), **Eurocredit** (EURO eurocrédito), **Euroclear** (EURO/MERC cámaras de compensación de eurobonos; hay dos, una en Bruselas y otra en Luxemburgo; V. *depository trust*), **Euro currency** (EURO eurodivisa; son depósitos en monedas fuertes pertenecientes a personas o instituciones no residentes en el país de la moneda de denominación), **euro equity** (EURO euroacción), **Euromarket** (Mercado Europeo; es sinónimo de Mercado Común Europeo), **Eurospeak** (EURO eurohabla; jerga tecnócrata empleada por burócratas y periodistas), **Eurostat** (EURO Eurostat; Oficina de Estadística de la Unión Europea)].

European *a*: GRAL europeo. [Exp: **European Central Bank** (EURO Banco Central Europeo, cuya sede está en Francfort; V. *TARGET*), **European Commission** (EURO Comisión Europea ◊ *The European Commission is responsible for the formulation of community policy*), **European Community, EC** (EURO Comunidad Europea; V. *Common Market, European Economic Community, Single European Act*), **European Convention on Human Rights** (EURO Convención Europea de Derechos Humanos), **European Court of Justice** (EURO Tribunal de Justicia Europeo ◊ *The decisions of the European Court may also be regarded as community law as its decisions are binding*; el Tribunal de Justicia Europeo, también llamado *Court of Justice of the European Communities*, está constituido por nueve jueces asistidos por seis *Advocates General*, y es la instancia última en la interpretación de la legislación comunitaria; V. *community law, Court of Justice of the European Communities*), **European Court of Human Rights** (EURO Tribunal Europeo de Derechos Humanos ◊ *The Commission or a member State may file complaints alleging violation of the European Convention to the European Court of Human Rights*), **European currency unit, ECU** (EURO unidad de cuenta europea, unidad de cambio europea, hoy llamada euro), **European Economic Community, EEC** (EURO Comunidad Económica Europea; V. *Common Market*), **European Free Trade Association, EFTA** (EURO Asociación Europea de Libre Comercio), **European investment bank** (EURO banco europeo de inversiones), **European Judicial Network** (EURO Red Judicial Europea; V. *Eurojust*), **European Parliament** (EURO Parlamento Europeo ◊ *The functions of the European Parliament, are mostly advisory and consultative*), **European Social Charter** (EURO Carta Social Europea), **European Union** (EURO Unión Europea)].

evade *v*: GRAL eludir, evadir, evitar, esquivar, soslayar, substraerse a; se aplica a *evade payments, liability, taxes,* etc.; V. *evasion, dodge*. [Exp: **evade rules** (GRAL sustraerse a las normas)].

evaluate *v*: GRAL valuar, tasar, evaluar, juzgar, ponderar, calcular; determinar, precisar; V. *assess, appraise*. [Exp: **evaluation** (GRAL avalúo, evaluación; V. *assessment*), **evaluation of evidence** (PROC evaluación de la prueba)].

evasion *n*: GRAL evasión, evasión fiscal, impago; acción o efecto de sustraerse a una responsabilidad ◊ *Al Capone was finally caught and jailed for tax evasion*; V. *evade*. [Exp: **evasive** (GRAL evasivo;V. *slippery, misleading*)].

even *a/v*: GRAL equilibrado, parejo, igual; igualar; V. *balanced; level* . [Exp: **evenhanded** (GRAL imparcial, justo ◊ *Justice is usually described as evenhanded, though it is sometimes difficult to agree with its decisions*; V. *equitable, objective, impartial*), **evenness** (GRAL imparcialidad; V. *balance, fairness, equity*)].

event *n*: GRAL acontecimiento, suceso, evento; resultado; decisión ◊ *In the event of the owner of the land dying intestate, the property reverts to the Crown*; el significado de «decisión» es propio del lenguaje jurídico. [Exp: **event of, in the** (GRAL en el caso de que…, si aconteciere que…)].

evergreen *a*: GRAL perenne, autorrenovable; se dice de los contratos, créditos, etc., que se renuevan automáticamente.

evict *v*: CIVIL expulsar, desahuciar, desalojar ◊ *The court order evicting the family for failure to pay the rent was considered harsh by many observers*; V. *oust, eject, certificate of eviction*. [Exp: **eviction** (CI-

VIL expropiación de bienes por sentencia judicial, desahucio, desalojo, expulsión, lanzamiento; V. *actual eviction,* **eviction proceedings** (PROC juicio de desahucio; V. *action of eviction*)].

evolution *n*: GRAL evolución; V. *derivation, ancestry, descent.*

evidence[1] *n*: GRAL/PROC testimonio, [medios de] prueba, probanza, pruebas documentales, indicios ◊ *In trial by jury, it is up to the jury to find a verdict by examining the facts of the case as proved by the evidence*; V. *concurrent evidence, grounds.* [Exp: **evidence**[2] (GRAL/PROC testimoniar, dar muestras de, ser testigo de ◊ *The witness's demeanour evidenced her extreme nervousness*; V. *evince; adduce evidence, call evidence, casual evidence, character evidence, circumstantial evidence, conflicting evidence, conclusive evidence, corroborating evidence, cumulative evidence, direct evidence, documentary evidence, expert evidence, extrinsic evidence, fabricated evidence, furnish evidence, give evidence, hearsay evidence, incriminating evidence, inadmissibility of evidence, lack of evidence, law of evidence, lead evidence, material evidence, pertinent evidence, proof, parol evidence, preponderance of evidence, presumptive evidence, prima facie evidence, probative evidence, rebutting evidence, rules of evidence, secondary evidence, take evidence from, taking of evidence, testimony evidence, turn King's/Queen's evidence, turn up evidence; display*), **evidence by inspection** (PROC prueba real), **evidence for the defence** (PROC prueba de descargo), **evidence for the prosecution** (PROC prueba de cargo), **evidence in rebuttal** (PROC pruebas en refutación de las aportadas por la parte contraria), **evidence obtained illegally** (PROC pruebas obtenidas por medios ilegales o antijurídicos; en general tales pruebas son inadmisibles ante los tribunales norteamericanos, mientras que en Gran Bretaña son admisibles, siempre que no se obtengan mediante la tortura, la violencia, las amenazas o la coacción; se da por válidas las pruebas obtenidas mediante el engaño de los sospechosos por parte de la policía o las descubiertas en locales visitados por la policía sin la debida autorización judicial; V. *fruit of the poisoned tree*), **evidence on/to the contrary** (PROC pruebas en contra; V. *eyewitnesses*), **evidence of identity** (PROC prueba de la identidad; V. *prove the identity, establish identity*), **evidence of opinion** (PROC prueba pericial; V. *opinion*), **evidence production** (PROC presentación de pruebas), **evidence sufficient in law** (PROC prueba real o material), **evident** (PROC evidente), **evidential** (PROC probatorio), **evidential exposure** (PROC presentación documental de pruebas), **evidential facts** (PROC hechos justificativos, hechos evidenciales o probatorios), **evidentiary** (PROC V. *evidential*), **evidentiary documents** (GRAL pruebas documentales), **evidentiary examiner** *US* (ADMIN es el nombre que se daba en el pasado a los actuales jueces de tribunales administrativos *–law administrative judges–*)].

evil *a/n*: depravado, dañoso, pernicioso; maldad, depravación ◊ *The judge described the accused's conduct as an evil scheme to pervert innocent children.* [Exp: **evildoer** (malhechor; V. *wrong-doer*)].

evince *v*: GRAL/PROC justificar, probar, testimoniar, dar muestras de; V. *prove, show, confirm, disclose; evidence.*

ex *prefijo*: ex; el prefijo inglés *ex* tiene el mismo significado y valor que en español, equivaliendo a «ex» o a «por»; V. *former.* [Exp: **ex aequo et bono** (PROC ex aequo et bono, en equidad y justicia), **ex aequus** (SUC [división] en partes iguales), **ex bonus** (MERC sin distribución de rendimientos a los accionistas), **ex contractu** (MERC por contrato), **ex delito** (PENAL ex delito, por delito), **ex dock, ex quay** (MERC franco en el muelle), **ex gratia payment** (MERC gratificación, pago graciable por servicios a la empresa; V. *golden handshake*), **ex officio** (CONST/PROC ex oficio, oficialmente, nato; V. *by application of the law,*), **ex interest** (MERC sin interés), **ex parte** (PROC a petición de parte interesada, de una de las partes solamente ◊ *The woman, who feared violence from her husband, applied for an ex parte injunction preventing him from entering the matrimonial home*; V. *at the request of one of the parties*), **ex post facto** (GRAL de hechos posteriores), **ex post facto law** (CONST ley no aplicable por ser posterior a los hechos), **ex rights** (MERC sin derechos de suscripción), **ex ship** (MERC franco, fuera del buque), **exconvict** (PENAL ex penado)].

exact *v*: GRAL exigir ◊ *The contract gives us the right to exact full payment by next week.*; V. *cliam, requie, demand.* [Exp: **exaction** (GRAL exacción; V. *requirement, demand, claim; fee*), **exactor** (FISCAL recaudador de impuestos)].

examination *n*: PROC interrogatorio de las partes, examen, registro, inspección, indagación, reconocimiento, confesión, exploración; examen del testigo; V. *direct examination, preliminary examination, search, inquiry, interrogatory.* [Exp: **examination-in-chief** (PROC primer interrogatorio de testigo; V. *cross examination, direct examination*), **examination before the trial** (PROC diligencias previas, comprobación antes del juicio), **examination of a witness** (PROC interrogatorio o examen de un testigo), **examination of title** (CIVIL revisión de título a fin de determinar su validez), **examine**[1] (**GEN/PROC** examinar, interrogar, reconocer, registrar, cotejar; V. *investigate, enquire, analyze, probe*), **examine**[1] (GEN/PROC cotejar, comparar; V. *collate, compare, check*), **examiner** (GRAL examinador, inspector), **examining magistrate** (PROC juez instructor; V. *committing magistrate, investigating judge; magistrates' court, preliminary inquiry, committal for trial, Crown Court, accusatorial/ accusatory procedure*)].

exceed *v*: GRAL sobrepasar, superar, exceder ◊ *Offer exceeds the demand*; V. *surpass.* [Exp: **exceed one's authority/powers** (ADMIN/PROC abusar de sus poderes; V. *abuse of power, act ultra vires, act in excess of one's powers*)].

except *conj/prep/v*: GRAL/PROC excepto; exceptuar; recusar, excepcionar, deducir excepción; V. *save, excluding.* [Exp: **except against** (PROC alegar una excepción), **except as otherwise provided by this section** (GRAL salvo que se disponga expresamente lo contrario, excepto que se disponga lo contrario en esta sección), **except otherwise herein provided, e. o. h. p.** (GRAL a menos que se estipule lo contrario en el presente documento), **excepting** (GRAL con excepción de; V. *excluding*)].

exceptio *n*: PROC excepción, objeción. [Exp: **exceptio in personam** (PROC excepción personal), **exceptio in rem** (PROC excepción real), **exceptio rei judicatae** (PROC excepción de cosa juzgada)].

exception *n*: GRAL/PROC excepción, exclusión, exoneración, recurso contra una decisión judicial durante la vista; objeción firme, salvedad ◊ *Exceptions are pleas in bar of the plaintiff's action, challenging the legal basis of the claim*; V. *objection.* [Exp: **exception clause** (GRAL/MERC/CIVIL cláusula exonerativa o de exoneración; cláusula de exclusión parcial), **exception of compact** (CIVIL excepción de compromiso previo; V. *defence of previous accord or settlement*), **exception of lack of**

capacity (PROC excepción de incapacidad de la parte o de falta de personalidad), **exception of misjoinder** (PROC excepción de acumulación errónea o de unión indebida), **exception of no cause of action** (PROC excepción de falta de causa de acción), **exception of no right of action** (PROC excepción de falta de derecho de acción), **exception of want of interest** (GRAL excepción de falta de interés o de acción), **exceptionable** (GRAL impugnable, oponible, recusable), **exceptionableness** (impugnabilidad), **exceptional** (GRAL excepcional, de carácter excepcional), **exceptional powers** (CONST/GRAL poderes excepcionales)].

excess[1] *n*: GRAL exceso; V. *abandoment of excess, surplus*. [Exp: **excess**[2] (MERC franquicia en los contratos de seguros ◊ *I received my car insurance with a £100 excess*; V. *abandonment of excess, franchise*), **excess loss/losses** (SEGUR exceso de siniestralidad) **excess profit** (MERC ganancias extraordinarias), **excess profit tax** (FISCAL impuesto sobre beneficios extraordinarios), **excess of loss, X/L** (SEGUR exceso de siniestralidad), **excessive** (GRAL excesivo; V. *superfluous, unreasonable, unmoderate*)].

exchange *n/v*: GRAL/MERC cambio, canje, trueque o permuta, intercambio, cambio exterior, comisión de cobro; mercado, lonja, bolsa; canjear, cambiar, intercambiar; permutar ◊ *With the liberalisation of the economy and the growth of the EC, exchange controls have been lifted*; V. *foreign exchange, commodity exchange stock, law of exchange, rate of exchange, Stock Exchange*. [Exp: **exchange broker** (MERC agente corredor de Bolsa), **exchange bureau** (MERC casa de cambio), **exchange control** (ADMIN control de cambios), **exchange control board** (ADMIN junta de control de cambios), **exchange cover** (MERC cobertura de cambio), **exchange floor** (MERC sala o parqué de la Bolsa), **exchange insurance** (SEGUR seguro de cambio), **exchange of notes** (INTER intercambio de notas), **exchange rate** (MERC tipo de cambio; índice de cotización), **exchange value** (MERC contravalor)].

Exchequer *n*: CONST erario público; V. *Chancellor of the Exchequer, Court of Exchequer, Consolidated Fund, Treasury*.

excisable *a*: FISCAL imponible, sujeto a exacción ◊ *Alcoholic drinks are excisable liquors*. [Exp: **excise** (FISCAL impuesto sobre el consumo; V. *tax, duty*), **excise duty** (FISCAL tasa, impuesto sobre consumos específicos, derecho arancelario, derecho de aduana), **excise tax** (FISCAL impuesto sobre consumos o ventas, arbitrios)].

excite *n*: GRAL excitar, provocar. [Exp: **excitement** (GEN emoción, excitación, entusiasmo; V. *emotion, emotional tear and wear*)].

exclude *v*: GRAL excluir ◊ *Women were excluded from the bar last century*. [Exp: **excluding** (GRAL sin contar, descontado, excluido, con exclusión de; V. *exclusive of*), **exclusion** (GRAL exclusión), **exclusion clause** (SEGUR cláusula de riesgos excluidos), **exclusion order** (PROC orden judicial requiriendo que abandone el hogar temporal o definitivamente el marido que maltrata a su esposa; orden de expulsión de un extranjero; V. *non-molestation order*), **exclusionary rule** (PROC regla de exclusión), **exclusive** (GRAL exclusivo, cerrado, selecto, distinguido, caro, lujoso; noticia en exclusiva), **exclusive jurisdiction** (PROC jurisdicción exclusiva), **exclusive licence** (MERC licencia/permiso exclusivo), **exclusive of** (GRAL sin contar, con exclusión de ◊ *Prices shown are exclusive of VAT*; V. *excluding*), **exclusive possession** (CIVIL posesión exclusiva), **exclusive remedy** (PROC recurso exclusivo), **exclusive rights** (CIVIL derechos exclusivos)].

exculpate *v*: justificar, disculpar, exculpar; V. *exonerate, absolve, acquit, excuse.* [Exp: **exculpatory** (PROC eximente, exculpatorio, justificativo, disculpable, dispensable), **exculpatory circumstances** (PROC circunstancias eximentes; V. *defense, alleviating/extenuating circumstances*), **exculpatory evidence** (PROC prueba exculpatoria)].

excusable *a*: GRAL/PROC excusable, involuntario ◊ *The court decided that the fatal shooting of the sportsman by his friend while they were hunting was excusable homicide.* [Exp: **excusable homicide** (PENAL homicidio involuntario), **excusable neglect** (CIVIL negligencia excusable o involuntaria), **excuse** (GRAL excusa, disculpa; excusar, disculpar; V. *exoneration; exonerate, absolve, acquit*)].

excussion *n*: GRAL excusión, embargo de bienes.

exeat *n*: PROC V. *writ of ne exeat.*

executable *a*: PROC ejecutable. [Exp: **executable judgment** (CIVIL sentencia firme), **execute**[1] (PROC otorgar, perfeccionar, completar, firmar, formalizar, celebrar, legalizar, ejecutar, cumplir, consumir ◊ *The deed was executed by the solicitor in the presence of both parties and of witnesses*; V. *authorize*[3], *exercise, perform*), **execute**[2] (PENAL ejecutar, ajusticiar; V. *execute a criminal, put to death; executioner*), **execute**[3] (PROC ejecutar los derechos del acreedor en virtud de una sentencia; V. *enforcement, execution, equitable execution*), **execute a criminal** (PENAL ejecutar a un reo), **execution** (PENAL ejecución de la pena de muerte, ajusticiamiento), **execute a deed** (CIVIL otorgar una escritura), **execute an agreement** (GRAL formalizar un acuerdo), **execute an order** (MERC servir un pedido), **execute the law** (CONST cumplir, ejecutar ◊ *The President's constitutional duty is to faithfully execute the laws*; V. *give effect to*), **executed consideration** (MERC causa contractual ejecutada), **executed contract** (MERC contrato perfeccionado), **executed estate** (CIVIL propiedad y posesión actual), **executed licence** (CIVIL permiso para acto hecho), **executed remainder** (CIVIL propiedad actual con derecho de posesión futura), **executed sale** (MERC venta consumada), **executed trust** (CIVIL fideicomiso formalizado o perfecto; V. *perfect trust, completely constituted trust, equitable execution*), **executed verbal agreement** (CIVIL pacto verbal cumplido por ambas partes)].

execution[1] *n*: CIVIL otorgamiento, acto de otorgamiento, formalización, perfeccionamiento, celebración; firma, sellado y entrega de un instrumento. [Exp: **execution**[2] (MERC ejecución de los derechos del acreedor, mandamiento judicial, vía ejecutiva; en la mayoría de los casos, «ejecución» equivale a *enforcement*; V. *alias execution, dormant execution, equitable execution, enforcement, warrant of execution; put into execution, stay of execution*), **execution**[3] (ADMIN cumplimiento [del deber, etc.], ejercicio de poderes o *powers* ◊ *A police officer was assaulted in the execution of his duty*; V. *discharge performance*), **execution**[4] (PENAL ejecución, ajusticiamiento; V. *behead*), **execution creditor** (PROC acreedor ejecutante), **execution committee** (GRAL comité ejecutivo), **execution creditor** (MERC/CIVIL acreedor ejecutante), **execution docket** (PENAL lista de ejecuciones pendientes), **execution lien** (CIVIL gravamen por ejecución, embargo ejecutivo): **execution of a deed, a will, an instrument** (CIVIL otorgamiento/firma de una escritura, testamento, documento) **execution sale** (PROC venta judicial), **executioner** (PENAL verdugo; V. *capital punishment*)].

executive *a/n*: GRAL/MERC ejecutivo, directivo, alto cargo, alto funcionario; en mayúsculas alude al poder ejecutivo, que reside en el gobierno *–government–*; V. *Judiciary, Legislative; legal executive, managing clerk*. [Exp: **executive agreement** (GRAL convenio ejecutivo), **executive committee** (GRAL comisión directiva o gestora o ejecutiva), **executive council** (GRAL consejo ejecutivo), **executive meeting** (GRAL sesión ejecutiva)].

executor *n*: SUC albacea testamentario ◊ *Executors are usually appointed by a will*; V. *administrator.*; V. *general executor, estate administrator*. [Exp: **executor by substitution** (albacea en sustitución, albacea sucesivo), **executor dative** (SUC albacea nombrado por el tribunal), **executor de son tort** (SUC albacea ilegítimo), **executorship** (SUC albaceazgo)].

executory *a*: GRAL/PROC ejecutorio, por efectuar, incompleto, no cumplido, pendiente de cumplimiento, aún no cumplido, que ha de cumplirse; el antónimo de *executory* es *executed* ◊ *Executory agreements «leave something to be done», so that an executory trust is an agreement to create a trust at some future date*. [Exp: **executory agreement** (MERC acuerdo que ha de cumplirse en el futuro), **executory bequest** (SUC legado contingente o diferido de bienes muebles), **executory consideration** (MERC causa contractual o contraprestación realizable o ejecutable; la promesa hecha por una de las partes de un contrato de forma vinculante es ejecutable), **executory contract** (MERC contrato para ser cumplido), **executory estate** (CIVIL derecho de propiedad, cuyo goce depende de determinada contingencia), **executory interests** (MERC/CIVIL intereses futuros), **executory license** (ADMIN permiso para actos futuros), **executory process** (PROC juicio o procedimiento ejecutivo), **executory sale** (MERC venta acordada, pero no realizada), **executory trust** (CIVIL fideicomiso imperfecto, que no puede ser ejecutado por los beneficiarios sin el cumplimiento de alguna condición), **executory uses** (GRAL usos contingentes), **executory warranties** (CIVIL garantías de condiciones futuras)].

exemplary damages *n*: CIVIL daños punitivos o ejemplares ◊ *In awarding exemplary damages against the defendants for writing and publishing their «scurrilous and defamatory book» against the plaintiff, the judge told them that he was determined to stamp out trafficking in sensationalism and make it clear that «tort, like crime, does not pay»;* los daños punitivos no tienen como objeto la compensación de las pérdidas causadas al demandante sino el castigo por la conducta desconsiderada del demandado; V. *punitive damages, presumptive damages, vindictive damages.*

exempt *a/v*: exento, libre de carga u obligación; eximir, liberar, franquear, dispensar, exceptuar; V. *dispense*. [Exp: **exempt from** (GRAL exento/eximido de; V. *free from*), **exemption** (FISCAL exención, franquicia, inmunidad, dispensa, privilegio; V. *allowance, dispensation, enjoy exemption from duty*), **exemption clause** (MERC cláusula de exención o exoneración de responsabilidad en un contrato ◊ *Exemption clauses do not necessarily limit the liability of the person including them in the contract, and may even be in breach of the Unfair Contract Acts*; V. *main purpose rule, exonerating clause*), **exemption for dependants** (FAM exención por [tener] personas a su cargo), **exemption from duty** (ADMIN exención [del pago] de derechos)].

exequatur *n*: INTER procedimiento del juicio de exequátur.

exercise *n/v*: GRAL ejercicio, desempeño; ejercer, ejercitar; V. *performance; perform; execute*. [Exp: **exercise a profession** (GRAL ejercer una profesión; V. *prac-*

tise), **exercise a right** (PROC ejercer un derecho), **exercise of his powers/duties, in the** (PROC en el ejercicio/desempeño de sus funciones/deberes ◊ *In the exercise of his criminal enforcement duties*), **exercise of jurisdiction** (PROC ejercicio de la jurisdicción)].

exhaust *v*: GRAL agotar ◊ *Nobody can appeal to the European Court of Human Rights without having exhausted domestic remedies*; V. *use up, expend.* [Exp: **exhaustion** (GRAL agotamiento), **exhaustion of remedies** (PROC agotamiento de acciones y recursos)].

exhibit[1] *n*: GRAL exponer, demostrar, mostrar, poner de manifisto; V. *display, expose, show.* [Exp: **exhibit**[2] (PROC elemento de prueba, prueba material, documento; prueba real admitida; cualquier objeto o documento presentado como prueba en un tribunal de justicia ◊ *Counsel for the prosecution showed the jury a knife, labelled «Exhibit A», which he told them had been used in the attack*; V. *offer an exhibit*), **exhibition** (GRAL/PROC exhibición; V. *disclosure, discovery*), **exhibition priority** (GRAL prioridad de expresión), **exhibitionism** (PENAL exhibicionismo; V. *indecent exposure, public lewdness, sexual indecency*), **exhibitionist** (PENAL exhibicionista; V. *flasher*)].

exhumation *n*: GRAL exhumación; V. *disinterment.* [Exp: **exhume** (GRAL exhume; V. *disinter*)].

exile *n/v*: PENAL exiliar, exiliar; exilado, exilio; V. *banish; banishment, deport.*

existing *a*: GRAL en vigor, vigente, actual; V. *applicable, operative, ruling, in force.* [Exp: **existing laws** (CONST leyes vigentes), **existing right** (CIVIL derecho existente)].

exonerate *v*: GEN/PROC exonerar, descargar ◊ *It is the duty of the defence, if possible, to lead evidence tending to exonerate the accused*; V. *acquittal, discharge, pardon.* [Exp: **exonerating clause** (MERC cláusula de exoneración de responsabilidad; V. *exemption clause*), **exonerating circumstances** (PROC eximentes; V. *defence, aggravating circumstance*), **exoneration** (CIVIL exoneración, liberación, descargo; V. *release*), **exoneration of bail** (PROC exoneración de la fianza)].

expect *v*: GRAL esperar, suponer, imaginarse. [Exp: **expectancy of life** (SEGUR expectativa de vida), **expectancy tables** (SEGUR tablas actuariales de expectativa de vida), **expectant** (GRAL vacante, en expectativa, contingente, condicional ◊ *An unfair contract in which an expectant heir is induced to sign away his expectations at much less than their true value in return for immediate cash, may be set aside by a court*; V. *dormant, fee expectant*), **expectant beneficiary** (CIVIL beneficiario en expectativa), **expectant heir** (SUC heredero en expectativa), **expected ready to load** (MERC hora estimada de inicio de las operaciones de carga)].

expediency *v*: GRAL conveniencia, oportunidad, razonabilidad. [Exp: **expedient** (GRAL expeditivo, conveniente, oportuno)].

expedite *v*: GRAL acelerar; V. *accelerate.* [Exp: **expedited** (GRAL urgente)].

expel *v*: GRAL expulsar ◊ *The student was expelled from college for his band manners*; V. *oust, eject, evict.*

expend *v*: GRAL gastar, consumir; V. *use, exhaust.* [Exp: **expendable** (GRAL prescindible, que no es necesario o insustituible; V. *dispensable, superfluous*), **expenditure** (GRAL gasto, desembolso, consumo; V. *aboveline expenditure*)].

experience *n/v*: GRAL experiencia; sufrir, experimentar; en la expresión *loss experience* equivale a «siniestralidad»; V. *claims rate.*

expert *a/n*: GRAL especialista, experto, perito, entendido, técnico; pericial; V. *hand-*

writing expert. [Exp: **expert accountant** (MERC contador, perito mercantil, técnico contable), **expert advice** (MERC asesoramiento técnico), **expert appraisal** (MERC tasación pericial), **expert appraiser** (MERC perito tasador o valuador), **expert evidence** (PROC prueba pericial), **expert opinion/report** (GRAL dictamen pericial), **expert testimony** (PROC peritaje, dictamen pericial), **expert witness** (PROC testigo pericial), **expertise** (GRAL pericia ◊ *In joint ventures, American partners usually provide the technology and the expertise*; V. *know-how*)].

expiration *n*: GRAL expiración, caducidad, término, vencimiento; V. *maturity*. [Exp: **expiration date** (GRAL fecha de caducidad), **expiration day** (GRAL fecha de vencimiento), **expiration of a contract** (GRAL vencimiento de un contrato), **expiration of a partnership** (MERC término de una asociación mercantil; V. *partnership*), **expire** (GRAL caducar, prescribir, vencer, expirar; V. *maturity, lapse; unexpired*), **expiry** (GEN vencimiento, expiración; caducidad; V. *effluxion of time, lapse*), **expiry date** (GRAL fecha o plazo de vencimiento), **expiry period** (GRAL plazo o fecha de vencimiento, plazo de prescripción)].

exploration *n*: GRAL exploración, indagación; V. *examination, inquiry, investigation*. [Exp: **exploratory** (GRAL indagatorio, preliminar, preparatorio; V. *preliminary, preparatoty*), **explore** (GRAL estudiar, examinar, explorar; V. *inquire, examine*)].

explosive *a/n*: GRAL explosivo. [Exp: **explosive device** (GRAL artefacto explosivo)].

export licence *n*: MERC permiso de exportación; V. *import licence*.

expose *n/v*: GRAL exposición oral, presentación, discurso; denunciar, poner al descubierto, revelar, dar publicidad ◊ *The blackmailer threatened to expose her affair with the politician if she didn't pay him*; V. *display, exhibit, show*. [Exp: **expository** (GRAL explicativo, aclaratorio), **exposure** (GRAL denuncia, publicidad, revelación; ridículo), **exposure of a person or of sexual organs** (PENAL exhibición impúdica o deshonesta; V. *indecent exposure*), **exposure of children** (PENAL abandono de menores), **expository statute** (CONST ley explicativa o aclaratoria)].

expound *v*: GRAL exponer, interpretar, analizar ◊ *The book is a little arid, but it expounds the law with great authority*; V. *explain*.

express *a/v*: GRAL absoluto, expreso, preciso, explícito, inequívoco, manifiesto, por escrito; expresar ◊ *Until we have their express consent in writing we can do nothing further in the matter*; el significado del adjetivo *express* es aproximado al de *absolute*, pero mientras que el primero resalta lo «definitivo e irrevocable», este último pone de relieve lo «inequívoco y explícito»; antónimos de *express* son *implied, implicit* y *constructive*. [Exp: **express acceptance** (CIVIL aceptación absoluta o expresa), **express admission** (CIVIL aceptación absoluta o expresa), **express agreement** (MERC acuerdo expreso), **express assumpsit** (CIVIL compromiso expreso), **express authority** (ADMIN autorización expresa), **express condition** (MERC condición expresa), **express consent** (CIVIL consentimiento expreso), **express consideration** (MERC causa o contraprestación expresa), **express contract** (MERC contrato expreso o explícito), **express covenant** (CIVIL convenio expreso o de hecho), **express license** (MERC patente expresa), **express/actual malice** (PENAL dolo, intención dolosa, maldad, ruindad, dolo, malicia expresa o de hecho; en el delito de asesinato *–murder–* es la *mens rea* –intención de matar–; V. *implied malice, universal/general malice, transferred* *malice*), **express obligation** (CIVIL obligación expresa o convencional), **express repeal** (CONST derogación expresa de una ley al promulgar una nueva), **express reserves** (MERC reservas expresas), **express terms** (MERC términos inequívocos), **express trust** (CIVIL fideicomiso directo o expreso), **express waiver** (MERC/CIVIL renuncia voluntaria o expresa), **express warranties** (GRAL garantías escritas, expresas)].

expropriate *v*: ADMIN expropiar ◊ *The difference between a compulsory purchase order and expropriation is that, in the latter case, no compensation need be paid.* [Exp: **expropriation** (ADMIN expropiación, enajenación forzosa, confiscación; en la mayoría de los casos equivale a «confiscación o nacionalización», sin derecho a indemnización, y debe hacerse mediante ley parlamentaria; V. *eminent domain, compulsory purchase order*), **expropriator** (ADMIN expropiador, expropiante)].

extend *v*: GRAL extender, ampliar, prorrogar, prolongar, renovar ◊ *Powers can be extended or qualified by a legal document*; V. *enlarge, increase; curtail, qualify*. [Exp: **extend a mortgage** (CIVIL aplazar o prorrogar el vencimiento de la hipoteca), **extend a note** (MERC aplazar un pagaré, extender el plazo), **extend an invitation** *frml* (GRAL cursar una invitación ◊ *He was extended six invitations to testity but he refused*), **extend credit** (MERC conceder crédito), **extend powers** (MERC ampliar los poderes), **extend terms** (GRAL conceder plazos), **extend the time** (GRAL dar prórroga), **extend the time of payment** (MERC prorrogar el plazo de vencimiento, diferir el plazo), **extend to** (GRAL ser de aplicación a ◊ *This Act does not extend to Northern Ireland*), **extended sentence** (PENAL pena ampliada; en determinadas condiciones el juez puede imponer una pena más amplia que la máxima normalmente imponible por un delito concreto, al condenado que ha incurrido persistente y contumazmente en el delito), **extendible** (GRAL prorrogable, extensible)].

extenuate *v*: PENAL atenuar; V. *mitigate*. [Exp: **extenuating circumstances** (PENAL atenuantes, circunstancias extraordinarias modificativas; V. *mitigating/attenuating circumstances; aggravating circumstances, defence*)].

extension *n*: GRAL prórroga, ampliación del plazo, crédito, etc.; V. *enlargement, widening*. [Exp: **extensive** (extenso, extensivo, amplio), **extensive interpretation** (CIVIL interpretación por extensión o extensiva), **extension of lease term by operation of law** (CIVIL prórroga tácita del contrato de alquiler), **extensive powers** (ADMIN amplios poderes o facultades ◊ *Constables are accorded more extensive powers than those accorded the ordinary citizen*), **extent** (GRAL alcance, extensión, amplitud; V. *range*), **extent, to the** (GRAL en la medida en que; V. *in so far* as)].

extinct *a*: GRAL extinto, abolido, suprimido ◊ *The title had been extinct since the death of the last earl fifty years ago.* [Exp: **extinct species** (GRAL especie extinta; V. *endangered species*), **extinction** (GRAL anulación, abolición, amortización), **extinction of a maturity** (MERC amortización de una renta, de una anualidad), **extinctive prescription** (CIVIL prescripción extintiva) **extinguish** (CIVIL/GRAL prescribir, extinguirse, desaparecer; finiquitar, liquidar ◊ *His liability was extinguished upon payment of the debt*; V. *cancel, terminate, abate*), **extinguishing condition** (GRAL condición extintiva), **extinguishment** (GRAL extinción, anulación, prescripción)].

extort *v*: PENAL extorsionar; V. *threaten, force*. [Exp: **extortion** (PENAL extorsión, concusión, exacción, el delito que comete un empleado público realizando exacciones injustas; V. *bribery, coercion*), **extortionate** (GRAL vejatorio, abusivo, gravoso, excesivo), **extortioner, extortionist** (PENAL extorsionador, concusionario)].

extract[1] *n*: GRAL fragmento, extracto, cita literal, reproducción de un fragmento seleccionado [de un texto]; los significados inglés y español no son enteramente coincidentes; en inglés significa «fragmento», mientras que en español equivale a «resumen»; V. *summary, abstract, fragment*. [Exp: **extract**[2] (GRAL extraer; el verbo se pronuncia acentuando la segunda sílaba; obtener copia literal o autenticada [de una escritura pública, una sentencia firme, etc.]; V. *obtain, exact*), **extract**[3] *der es* (GRAL copia literal o autenticada ◊ *She applied an extract of her birth certificate from the registry office*; V. *certificate, copy*), **extract decree** *der es* (CIVIL/PROC obtener certificación de sentencia firme o ejecutoria), **extract of account** (MERC extracto de cuenta, últimos movimientos de la cuenta; V. *statement*), **extract of decree** *der es* (CIVIL/PROC ejecutoria, copia literal/certificada o compulsa de sentencia firme; V. *attachment, diligence, enforcement, execution, fieri facias*)].

extradite *v*: INTER/CONST extradir, llevar a cabo la extradición de una persona ◊ *Most western nations will not extradite suspects accused of «political crimes»*. [Exp: **extradition** (INTER/CONST extradición)].

extrajudicial *a*: PROC extrajudicial. [Exp: **extrajudicial divorce** (FAM divorcio extrajudicial; se aplica al divorcio otorgado en el Reino Unido por secta religiosa no reconocida oficialmente), **extrajudicial oath** (GRAL juramento extrajudicial)].

extraneous *a*: GRAL externo, no esencial. [Exp: **extraneous evidence** (PROC prueba que no guarda relación con el proceso en curso), **extraneous offence** (PENAL delito no relacionado con el del juicio en curso), **extraneous perils** (SEGUR peligros no previstos en las pólizas de seguro a todo riesgo de transporte de mercancías por mar; V. *navigation perils*)].

extraordinary *a*: GRAL extraordinario, excepcional; V. *ordinary*. [Exp: **extraordinary care** (CIVIL prudencia o diligencia extraordinaria) **extraordinary legal remedies** (CIVIL recursos legales excepcionales)].

extraterritorial *a*: CONST/INTER extraterritorial. [Exp: **extraterritoriality** (CONST/INTER extraterritorialidad ◊ *According to the legal fiction of extraterritoriality, a monarch on a state visit is not really in the foreign country, but in his/her own*)].

extrinsic *a*: GRAL extrínseco. [Exp: **extrinsic evidence** (PROC pruebas externas o de fuente distinta)].

eye *n*: GRAL ojo. [Exp: **eyes only, for your** (GRAL alto secreto, confidencial; V. *classified material, for official use only*), **eyewitness** (PROC testigo presencial u ocular ◊ *Unless there is evidence to the contrary, the statements of two eyewitnesses are sufficient proof*; V. *earwitness; evidence on/to the contrary*)].

F

fabricate[1] *v*: GRAL fabricar, edificar, construir; V. *manufacture*. [Exp: **fabricate**[2] (PENAL urdir, fingir, falsear, falsificar ◊ *Investigations have shown that the evidence on which the men were convicted was fabricated by the police*; V. *falsify, fake, fix*), **fabricated evidence** (PENAL prueba falsificada), **fabricated goods** (GRAL productos elaborados), **fabrication**[1] (GRAL fabricación, obra, construcción), **fabrication**[2] (PENAL mentira, invento. falsificación ◊ *His statement in court was a complete fabrication*; V. *forgery, fake, falsification, fix, counterfeit, false fact, padding, frame*), **fabrication of evidence** (PROC falsificación de pruebas), **fabricator** (PENAL falsificador de documentos públicos)].

face[1] *n*: GRAL faz, cara, anverso; importe o valor nominal; idea literal o aparente expresada por las palabras escritas ◊ *A document is valid on its face*; V. *back*. [Exp: **face**[2] (GRAL/PENAL arrostrar, enfrentarse a, afrontar ◊ *He faces three charges of insider trading*), **face amount** (GRAL/MERC importe, monto nominal o pagadero al vencimiento; V. *call value, face value, surrender value, nominal amount*), **face of, in the** (GRAL en presencia de), **face of a bill of exchange** (MERC importe de una letra de cambio), **face of judgment** (PROC importe de la sentencia sin interés), **face of policy** (SEGUR primera página de una póliza de seguros, valor asegurado, texto íntegro de una póliza), **face of record** (PROC autos, documentación, expediente completo, sumario, conjunto de actuaciones o piezas de un procedimiento judicial ◊ *The entire record of a case is its face of record*; V. *error of law on the face of record*), **face, on its** (GRAL por lo que dice, a juzgar por las apariencias), **face value** (MERC valor nominal o principal de un título de crédito, de un instrumento de comercio, de una póliza de seguros, de una acción o de una unidad monetaria, llamado también *par value* o *nominal value*; V. *denomination; market value*)].

facilitation *n*: PENAL complicidad indirecta; S. *aid, help*. [Exp: **facilitate** (GRAL facilitar, hacer fácil), **facility** (GRAL facilidad, recurso, servicio, instalación), **facilities** (GRAL facilidades; prestaciones; medios, recursos, servicios e instalaciones ◊ *It is sometimes cheaper to take a cash loan from your own bank than to accept the credit facilities offered by shops*; V. *credit facilities, overdraft facilities*)].

fact *n*: GRAL hecho, dato ◊ *In a jury trial the jury are said to be «masters of the facts»*. V. *false fact, marshalling of facts, material fact, matters of fact, question of* *fact, recital of facts, statement of facts; competent evidence; trier of fact.* [Exp: **fact adjudication** (PROC determinación de los hechos), **fact finder** (PROC órgano que, en una causa, tiene la responsabilidad de determinar los hechos ◊ *In a trial the jury is the fact-finder*; V. *trier of fact; determine the facts*), **fact-finding** (GRAL determinación de los hechos), **factfinding board/mission** (GRAL comisión/misión de encuesta o investigación), **fact of common knowledge** (GRAL hecho notorio), **facts** (PROC antecedentes de hecho; V. *whereas clauses, points of law*), **facts as found** (PENAL hechos probados, los hechos tal como han quedado demostrados; en la jurisdicción civil también se usa con el significado de «antecedentes de hechos»), **facts in issue** (PROC hechos contenciosos; puntos o cuestiones en litigio)].

faction *n*: GRAL facción; V. *group, band.* [Exp: **factious** (CRIM faccioso; V. *hostile, quarrelsome*)].

factor[1] *n*: GRAL elemento, factor; V. *imponderable factors.* [Exp: **factor**[2] (MERC factor, agente comercial, comisionista; agente comisionado que negocia el cobro de deudas; administrador de fincas en Escocia; el *factor* se diferencia del *agent* en que el primero guarda en depósito las mercancías que vende como intermediario ◊ *In Scotland the rent collector is commonly called «the factor»*; V. *agent, debt factor, dealer; factorize*), **factor**[3] *der es* (CIVIL/ADMIN agente, administrador, apoderado; V. *administrator, agent, bailiff, manager, steward, judicial factor*), **factor in** (GRAL contar con un elemento o incluirlo como factor; tener en cuenta, incluir en el cálculo), **factor's lien** (MERC gravamen de factor), **factorage** (MERC factoraje, comisión, corretaje o porcentaje que reciben los comisionistas), **factoring** (MERC venta de deudas a un *factor,* cobro de deudas de otra persona, descuento de facturas, compañía de seguros que paga en operaciones con empresas extranjeras, facturación), **factorize** *US* (CIVIL embargar; V. *garnish*), **factorizing [process]** *US* (CIVIL embargar; en algunos Vermont y Connecticut el término *factorizing* –sentencia o auto de embargo– equivale a *garnishment* y, consecuentemente, *factor* –embargado– puede equivaler a *garnishee*)].

facultative *a*: GRAL facultativo, potestativo; V. *discretionary, optional.*

faculties *n*: GRAL/FAM facultades; capacidad económica del marido a efectos de determinar la pensión compensatoria de su esposa y los alimentos de los hijos. [Exp: **faculties, be in full possession of one's** (CRIM estar en el pleno uso de las facultades; V. *be in sound mind*), **faculty** (GRAL facultad, competencia, personalidad, capacidad ◊ *A person whose mental faculties are impaired lacks the necessary legal capacity to enjoy rights or to incur liabilities or obligations*; V. *capacity; disability*), **faculty of advocates** *der es* (PROC colegio de abogados de Escocia; V. *Bar Council, American Bar Association, ABA*)].

fail[1] *v*: GRAL fallar, fracasar, abortar, dejar de, faltar ◊ *Due to the failure to appear of the witness who had been subpoenaed, the hearing was adjourned.* [Exp: **fail**[2] (GRAL equivale a «no» o a un prefijo negativo en español: *fail to resolve* –no resolver–, *fail to perform/comply* –incumplir–, etc.), **fail**[3] (PROC no prosperar ◊ *The application for an order for security for costs failed*; V. *succeed*), **fail to complete** (GRAL incumplir, dejar de cumplir), **fail to fulfill** (GRAL incumplir), **fail to perform** (GRAL incumplir), **fail, without** (GRAL sin falta), **failing**[1] (GRAL fallo, quiebra), **failing**[2] (CRIM en defecto de, sin, a falta de; V. *in the absence of, without*), **failure**[1]

(GRAL/MERC incumplimiento, inobservancia, falta, fracaso, fallo; quiebra, bancarrota; extinción de un derecho; V. *insolvency, bankruptcy, information of the failure, absolute failure*), **failure**[2] (GRAL/SEGUR pérdida ◊ *Crop failure*; V. *disaster, loss*), **failure, due to** (GRAL debido a fallo), **failure of consideration** (MERC falta de causa contractual), **failure of evidence** (PROC falta de prueba), **failure of issue** (FAM falta de sucesión o descendencia, muerte sin descendencia), **failure of justice** (PROC perjuicio de derechos, injusticia), **failure of title** (CIVIL falta de título bueno), **failure to act** (PROC incumplimiento de un acto exigido por la ley), **failure to appear** (PROC incomparecencia; V. *default*), **failure to complete** (GRAL incumplimiento; V. *complete*), **failure to comply** (falta de cumplimiento; V. *comply*), **failure to make discovery** (PROC incumplimiento del deber de exhibición; alude al incumplimiento de una de las partes de la obligación de revelar a la otra datos o documentos esenciales), **failure to operate** (GRAL incumplimiento de aplicación), **failure to pay** (MERC impago, falta de pago), **failure to perform** (GRAL incumplimiento), **failure to state cause of action** (PROC excepción procesal que impide que prospere una demanda por imprecisión en las pretensiones o en los hechos)].

faint *a*: GRAL V. *feigned*.

fair *a*: GRAL justo, leal, equitativo, razonable, imparcial; de buena fe; justiciero ◊ *It is a principle of democratic societies that every person accused of a crime has a right to a fair trial and to an opportunity to defend himself*; V. *just*. [Exp: **fair and equitable** (PROC/PROC justo y equitativo), **fair and feasible** (GRAL justo y factible), **fair and just** (GRAL justo y equitativo; V. *right and proper*), **fair cash value** (MERC valor justo de mercado o en efectivo), **fair comment** (PROC sana crítica, comentario directo o claro, pero no malicioso; derecho a criticar la conducta de los políticos y funcionarios sin ser acusado de difamación; la doctrina del *fair comment* ha nacido de los continuos conflictos entre dos derechos básicos: el del público a tener acceso a información veraz y objetiva de los asuntos de interés público y el de los individuos a su intimidad; V. *rolled up plea, defamation; scandalous statement*), **fair competition** (MERC competencia leal o justa), **fair consideration** (causa justa o razonable), **fair copy** (GRAL copia limpia o en limpio; V. *rough draft*), **fair dealing** (GRAL utilización de buena fe, conducta justa y equitativa), **fair field** (GRAL condiciones justas y equitativas), **fair hearing** (vista imparcial), **fair market value** (valor normal de mercado, valor equitativo de venta), **fair play** (MERC proceder leal, juego limpio), **fair preponderance** (PROC CIVIL preponderancia suficiente [en los procesos civiles]; V. *beyond a reasonable doubt, balance of probabilities*), **fair price** (MERC precio justo), **fair return** (MERC beneficio justo, producto equitativo), **fair question** (GRAL pregunta legítima), **fair trade** (MERC mercado basado en la libre y leal competencia), **fair trial** (PROC juicio imparcial), **fair wear and tear** (GRAL V. *wear and tear*), **fair warning** (GRAL aviso oportuno o de antemano, plazo prudencial), **fairness** (GRAL equidad, imparcialidad; V. *evenness, equity*)].

fait accompli *n*: GRAL/CIVIL/PENAL hecho consumado ◊ *The idea of a «dawn raid» is to present the small shareholders with a fait accompli*; V. *accomplished fact*.

faith *n*: GRAL fe; V. *bad/good faith*. [Exp: **faithful** (GRAL fiel, honesto, leal; V. *reliable, loyal*), **faithful observance/performance** (GRAL fiel cumplimiento)].

fall *n/v*: GRAL caída, baja, rebaja, reducción; caer, bajar, reducir ◊ *Many of the old pro-*

perty laws have fallen into abeyance. [Exp: **fall due** (MERC vencer un efecto de comercio), **fall foul of** (GRAL chocar con, tener un encontronazo con alguien, estar a malas o en conflicto), **fall in demand** (GRAL caída de la demanda), **fall in prices** (MERC baja de los precios), **fall in the discount rate** (MERC reducción del tipo bancario, rebaja del tipo de descuento; V. *bank rate cut*), **fall into abeyance** (CIVIL caer en desuso), **fall into arrears with** (MERC retrasarse [en el pago de algo])].

fallacious *a*: GRAL falaz, engañoso, fraudulento; V. *deceitful, crooked.*

false *a*: GRAL falso, falsificado, falaz, infundado, fraudulento; con apariencia de validez; postizo ◊ *He was accused of obtaining the money under false pretences*; V. *misleading, counterfeit, forged, fabricated.* [Exp: **false action** (PROC acción falsa), **false accusation** (PENAL calumnia, acusación falsa), **false advertising** (PENAL publicidad engañosa; V. *misleading advertising, corrective advertising, Federal Trade Commission*), **false arrest** (PENAL detención ilegal; privación injustificada de la libertad de una persona), **false claim** (CIVIL pretensión infundada, reclamación fraudulenta), **false draft** (MERC letra de «pelota» o de favor; V. *kite, accommodation*), **false evidence** (PROC pruebas falsas), **false fact** (PENAL hecho fabricado, falso), **false impersonation/personation** (PENAL suplantación de la personalidad para fines ilícitos), **false imprisonment** (PENAL detención ilegal, detención injustificada, secuestro, prisión o encarcelamiento ilegal, privación ilegal de la libertad), **false instrument** (PENAL documento o escritura falsificados), **false oath** (PENAL perjurio, juramento en falso), **false plea** (PROC alegación falsa o ficticia), **false pretences** (PENAL mentiras o apariencias engañosas para defraudar o estafar a alguien; medios fraudulentos, pretextos falsos, impostura; V. *pretence*), **false representation** (PENAL representación falsa), **false return** (FISCAL falsedad en la declaración de renta; incumplimiento del deber; prevaricación; se aplica a los funcionarios que faltan a la verdad en la redacción de un informe, las cuentas, el resultado de una elección, etc.), **false statement**[1] (PENAL declaración falsa dolosa; V. *actual malice*), **false statement**[2] (MERC/PENAL estado contable falso; V. *creative accountancy*), **false oath/swearing** (PENAL perjurio; V. *perjury*), **false testimony** (testimonio falso; V. *perjury*), **false advertising** (PENAL publicidad engañosa; V. *Federal Trade Commission*), **falsehood** (PENAL falsedad, engaño, perfidia ◊ *Slander of goods is a form of malicious falsehood and is actionable under certain circumstances*; V. *slander, backbiting*), **falsification** (PENAL falsificación, falseamiento; V. *misrepresentation*), **falsify** (PENAL falsificar, falsear, adulterar, violar; V. *fabricate*)].

family *n*: GRAL/CIVIL familia. [Exp: **family allowance** (FISCAL desgravación por hijos, subsidio familiar por hijos, V. *allowance, relief; child allowance*), **family assets** (FAM bienes gananciales, régimen de gananciales, sociedad conyugal; V. *community estate/property, community of assets*), **family benefit** (PENAL alimentos, ayuda familiar; V. *child benefit*), **Family Division** (PROC División o Sala de Asuntos de la Familia; es la Sala del Tribunal Superior de Justicia *–High Court of Justice–*, encargada de conocer los pleitos matrimoniales *–defended divorces–*, las adopciones *–adoptions–*, las tutelas *–wardships–*, etc., así como las testamentarías no contenciosas *–non contentious probates–* o de mutuo acuerdo; es, al mismo tiempo, tribunal de apelación *–appellate court–* de los recursos interpuestos contra las sentencias dictadas por *Magis-*

trates' Courts y *County Courts* en asuntos de familia; el nombre de este tribunal antes de 1971 era *Probate, Divorce and Admiralty Division*; V. *High Court of Justice*), **family ties** (FAM vínculos familiares o de parentesco)].

far as, in so *fr*: GRAL en la medida en que; V. *to the extent.*

fare *n*: MERC/ADMIN tarifa de transporte de viajeros en tren. [Exp: **fare bilking** (GRAL engañar en la tarifa de transportes ◊ *Fare-bilking is travelling on public transport without paying the appropriate fare*)].

farm *n*: GRAL granja. [Exp: **farm partnership** (MERC sociedad agraria de transformación, aparcería)].

FAS, f.a.s *n*: MERC V. *free alongside ship.*

fast *a*: GRAL rápido. [Exp: **fast track** (CIVIL vía rápida; esta vía procesal está pensada en el Reino Unido para las demandas *–claims–* de reclamación de cantidad comprendida entre £5.000 y £15.000, surgidas, por ejemplo, de negligencia profesional *–professional negligence–*, accidentes mortales *–fatal accidents–*, estafa *–fraud–*, etc.; V. *court track*)].

fatal *a*: GRAL mortal, letal; V. *deadly*. [Exp: **fatal accident** (GRAL/SEGUR accidente mortal), **fatal accident enquiry** (PENAL investigación de las causas de un accidente con resultado de muerte; V. *right of action relating to fatal accident*), **fatal injury** (lesión o herida mortal)].

fault *n*: GRAL defecto; falta, culpa, vicio, negligencia; V. *active fault, defect*; aunque en el habla cotidiana se emplea este término aplicado a conductas culposas, en la práctica jurídica no tiene un sentido especial o técnico; técnicamente se habla de *crime, offence, liability, responsibility, tort* o *breach* según el caso. Exp: **fault liability** (CIVIL responsabilidad por culpa), **faulty** (GRAL defectuoso, imperfecto, culpable)].

favour *n/v*: GRAL favor; estar a favor de, estar de acuerdo con, favorecer, patrocinar, proteger ◊ *It is the duty of the court to dispense justice impartially, without fear or favour*; V. *weigh in favour of*)].

FC ships *n*: MERC V. *full container ship.*

FCC *n*: ADMIN Comisión Federal de Comunicaciones; V. *Federal Communications Commission.*

FCS *n*: SEGUR V. *free from capture and seizure.*

F & D *n*: MERC V. *freight and demurrage.*

FDA *n*: ADMIN V. *Federal Drug Administration.*

FDIC *n:* ADMIN/SEGUR V. *Federal Deposit Insurance Corporation.*

feasant, damage *n*: CIVIL V. *damage feasant.*

feasibility *n*: GRAL viabilidad; V. *viability, probability*. [Exp: **feasible** (GRAL factible, practicable, viable, hacedero ◊ *It is simply not feasible to build flats here: the municipal bylaws expressly forbid it*; V. *possible, credible*)].

featherbed rule *n*: LABORAL norma sindical que obliga al trabajo lento para evitar despidos en temporada baja. [Exp: **featherbedding**[1] (LABORAL «colchón de plumas», exceso de trabajadores; V. *overmanned; laboursaving devices*; se aplica a la contratación innecesaria de personal por presión sindical), **featherbedding**[2] (LABORAL protección gubernamental de una industria nacional por medio de subsidios, impuestos o cuotas a la importación)].

federal *a*: GRAL/ADMIN federal; en el ámbito norteamericano se distinguen dos grandes jurisdicciones: la estatal y la federal; la palabra *federal* cuando precede al nombre de un organismo o institución es sinónima de *national*; también se pueden emplear en estos casos las siglas *U.S.*, por ejemplo, *The U.S. Supreme Court*. [Exp: **Federal Aviation Administration, FAA** *US* (ADMIN Administración de la Aviación Federal; V. *Administrative agency*), **Fed-**

eral Bureau of Investigation, FBI *US* (ADMIN Agencia Federal de investigación Criminal y en algunas cuestiones civiles y de seguridad, entre las que destacan el espionaje *–espionage–*, el sabotaje *–sabotage–*, las actividades subversivas *–subversive activities–*, los secuestros *–kidnapping–*, la extorsión *–extortion–*, los asuntos relativos a derechos civiles *–civil rights matters–*, la defraudación a la Administración Pública *–fraud against the government–*, etc.), **Federal Communications Commission, FCC** *US* (ADMIN Comisión Federal para las Comunicaciones; es el organismo independiente encargado por orden del gobierno federal de los EE.UU. de la supervisión y control de los medios de comunicación; tiene competencias administrativas y cuasijudiciales; Comisión de Comunicación Federal; es una agencia administrativa *–administrative agency–* encargada de la regulación, de acuerdo con el interés público, de las comunicaciones interestatales y con el extranjero nacidas por la radio, el teléfono, el telégrafo, la televisión y los satélites), **federal court** (CONST Tribunal Federal, Juzgado Federal; V. *State court*), **federal district court** *US* (CONST tribunal federal de distrito; en cada distrito judicial de distrito *–federal judicial district–* hay uno o varios tribunales federales de distrito; V. *federal judicial system*), **federal judicial circuit** *US* (CONST circuito judicial federal; es un tribunal de apelación *–appellate court–*; es el segundo escalón del ordenamiento federal judicial *–federal judicial system–* de los cuales hay trece en todo el país; estos circuitos constituyen el segundo nivel del ordenamiento judicial federal; hay 13 circuitos en todo el país, cada uno de ellos presididos por *The Chief Judge of the Circuit*; cada uno de estos trece circuitos federales ejerce su jurisdicción sobre varios estados; por ejemplo, el circuito judicial federal número 10 ejerce su jurisdicción en seis estados: Wyoming, Utah, Colorado, Nuevo Méjico, Kansas y Oklahoma; en cada uno de estos circuitos judiciales hay un tribunal federal de apelación que se llama *The United States Court of Appeals for the First Circuit, for the Second Circuit*, etc.; el número de jueces o juzgados *–judgeships–* no es el mismo para todos los circuitos; el que más tiene es el noveno, veintiocho, y el que menos el primero, con sólo seis), **federal judicial district** *US* (CONST distrito judicial federal; estos distritos constituyen el primer nivel del ordenamiento judicial federal; son tribunales sentenciadores *–trial courts–* o de primera instancia *–first instance court–*; hay 94 distritos en todo el país, cada uno de ellos presididos por *The Chief Judge of the District*), **federal judicial system** *US* (CONST ordenamiento judicial federal; consta de tres niveles *–tiers–*; en la base, los distritos judiciales federales *–federal judicial districts–*, a continuación, los circuitos judiciales federales *–federal judicial circuits–*, y en la cúspide el Tribunal Supremo *–The Supreme Court–*; V. *state judicial system*), **Federal Register** *US* (ADMIN Boletín Federal; contiene las disposiciones adoptadas por cualquier organismo federal *–federal agency–*), **Federal Reporter** *US* (PROC Boletín del Tribunal de Apelación; contiene las actas de las resoluciones aprobadas en los tribunales de apelación *–courts of appeal–*), **Federal Reserve Bank** (ADMIN/MERC Banco de la Reserva Federal), **Federal Reserve Board** (ADMIN Comisión de la Reserva Federal), **Federal Rules of Civil Procedure** *US* (PROC Derecho procesal civil; V. *Rules of the Supreme Court, The White Book, The Green Book*), **Federal Trade Commission, FTC** *US* (ADMIN Comisión federal para el comercio; en lo que afecta a los medios de comunicación entiende de las cuestiones relacionadas con la publicidad falsa y la protección de los derechos de los consumidores), **Federal Trademark Act** *US* (MERC ley federal de las marcas; también conocida como *Lanham Act*; V. *trademark*)].

fee[1] *n*: ADMIN tasa, derecho ◊ *A planning authority may charge a fee for consultation*; V. *duty, excise, charge*. [Exp: **fee**[2] (GRAL honorarios; normalmente se usa en plural ◊ *People often refrain from going to law because they cannot afford to pay the lawyers' fees*; V. *payment*), **fee**[3] (CIVIL pleno dominio o propiedad susceptible de ser vendida o heredada, bienes raíces en pleno dominio; heredad, pertenencia ◊ *A conveyance of freehold land without words of limitations passes the fee simple, unless a contrary intention appears*; la palabra *fee*, derivada de *feudal* o de *feodor*, significa «tierra o bienes raíces» sobre los que se tiene pleno dominio y, consecuentemente, se pueden vender o dejar en herencia; en este sentido, eran sinónimas *fee, fee absolute* y *fee simple*, pero desde la Ley de la Propiedad de 1925, la única clase de propiedad legal que subsiste es la de *fee simple absolute in possession*, que es el dominio pleno, absoluto e inmediato; todas las demás formas de *fee* se han convertido en derechos o intereses de equidad *–equity interests–*, lo que ayuda a garantizar que los derechos contingentes *–trust, lease, mortgage, covenant,* etc.– sean validados y tengan primacía sobre los derechos legales, puesto que si surge un conflicto entre *law* y *equity* siempre triunfa ésta; V. *chattel, freehold, firm fee, grant in fee simple, limited fee*), **fee absolute** (CIVIL dominio absoluto, dominio pleno), **fee contract** (BSNSS contrato a costo más honorarios), **fee damages** (CIVIL daños indirectos a bienes raíces), **fee expectant** (CIVIL dominio expectante), **fee farm rent** (CIVIL renta agrícola pertenencial), **free from** (GRAL exento/eximido de; V. *exempt from*), **fee, in** (CIVIL en propiedad), **fee owner** (CIVIL dueño en propiedad), **fee simple** (CIVIL pertenencia plena, pleno dominio, dominio absoluto; V. *absolute ownership; grant in fee simple*), **fee simple absolute** (CIVIL pleno dominio, dominio absoluto), **fee simple defeasible/determinable** (CIVIL dominio sobre inmueble sujeto a condición resolutoria), **fee splitting** (GRAL división de los honorarios; S. *attendance fees, management fees*), **fee simple upon condition** (CIVIL pertenencias sujetas a condición o término), **fee tail** (CIVIL dominio limitado con condición modal a determinados herederos, pertenencia limitadamente heredable; V. *entailed property, property in tail*)].

feed *n/v*: GRAL alimento; alimentar. [Exp: **feedback** (GRAL reacción, respuesta evaluadora, información, retroalimentación ◊ *The Lord Chancellor's Office has asked The Crown Court for feedback on the new 'Access to Justice Act'*), **feeder**[1] (GRAL alimentador), **feeder**[2] *US* (MERC fondo de inversión), **feeder court** (PROC tribunal auxiliar, juzgado auxiliar, tribunal para la presentación de demandas; se aplica este término en la Ley de Enjuiciamiento Civil de 1998 *–Civil Procedure Rules 1998–* a cualquier juzgado o tribunal en donde se puede presentar una demanda, que es distinto al *trial centre*, que es el juzgado o tribunal en donde se celebra la vista oral)].

feign *v*: GRAL fingir, simular; V. *deceive*. [Exp: **feigned** (GRAL fingido, ficticio; en el lenguaje jurídico también aparece escrito con la forma *faint*), **feigned/faint action** (PROC acción sin derecho), **feigned/faint pleading** (PROC alegaciones ficticias en perjuicio de tercero), **feigned issue** (GRAL cuestión artificial)].

fellatio *n*: GRAL felación; V. *sexual perversion, bestiality, indecency, buggery, rape, sodomy, unnatural acts.*

fellow *n*: GRAL compañero ◊ *People who do not pay their taxes are cheating their fellow-citizens.* [Exp: **fellow citizen** (GRAL conciudadano, compatriota), **fellow commoner** (CIVIL copartícipe de derechos), **fellow heir** (SUC coheredero, partícipe de una herencia), **fellow helper** (GRAL coadjutor, coadyuvador), **fellow partner** (MERC consocio), **fellowship** (MERC/GRAL sociedad, asociación, comunidad de intereses)].

felon *n*: PENAL felón, criminal, autor de un delito; V. *offender, convict, law-breaker.* [Exp: **felonious** (PENAL criminal; V. *criminal, unlawful*), **felonious assault** (PENAL ataque o asalto con intención criminal), **felonious homicide** (PENAL homicidio premeditado o culposo), **felony** *US* (PENAL felonía, crimen, delito mayor o grave ◊ *Whoever impedes the due administration of justice has committed a felony*; el nombre que se da a los delitos graves o muy graves en la mayoría de los países de habla inglesa es el de *felony*; sin embargo, desde 1967 en el Reino Unido se emplea en su lugar el término *indictable offence*; V. *compound a felony; offence, crime; misdemeanour*)].

feme *n*: CIVIL mujer [en *common law*]. [Exp: **feme covert** (CIVIL mujer casada, mujer que se halla bajo la potestad o autoridad del marido), **feme discovert/feme sole** (CIVIL mujer soltera, viuda o divorciada; V. *discovert feme, coverture*)].

fence *col n*: PENAL receptador de objetos robados, perista ◊ *The man was widely known to be a fence but the police could never find stolen goods on his premises*; V. *receiving stolen goods, handling, reset.*

feodum talliatum *n*: CIVIL V. *tail.*

feoffment *obs n*: CIVIL acción de donar o traspasar el dominio de un fundo; V. *conveyance of land.* [Exp: **feoffor** *obs* (CIVIL donante de un fundo)].

ferry *v*: MERC transbordar. [Exp: **ferryboat** (MERC transbordador de coches y trenes)].

fetters *n*: PENAL grilletes.

feu *der esc n*: CIVIL variante escocesa de «fee». [Exp: **feu duty** *der esc* (CIVIL renta o impuesto predial), **feuar** *der esc* (CIVIL propietario en perpetuidad a cambio de una renta o *feu duty*)].

feud *n/v*: enemistad heredada; contienda, «vendetta»; contender, pelear. [Exp: **feudal incidents** (V. *use*)].

fiar *der esc n*: dueño de un *feu*, dueño o propietario en pleno dominio o de derecho; V. *feuar, legal owner, liferent.*

fiat *n*: PROC fiat, decreto; hágase, cúmplase; orden judicial, providencia, mandato absoluto. [Exp: **fiat money** (CIVIL dinero fiduciario)].

fib *n*: MERC V. *free into barge.*

fiction *n*: GRAL ficción [Exp: **fiction of the law** (PROC ficción jurídica), **fictitious** (GRAL ficticio, falso), **fictitious consideration** (MERC causa [contractual] fingida ◊ *Fictitious consideration or transfer of all of a debtor's property are clear badges of fraud*)].

fidelity *n*: GRAL fidelidad. [Exp: **fidelity bond** (LABORAL fianza de fidelidad)].

fiddle *col n/v*: PENAL trampa, timo; embaucar, engañar, amañar, hacer chanchullos ◊ *He fiddled the Stock Market and wound up in the quod*; S. *end up*; V. *tamper, work a fiddle.* [Exp: **fiddle, be on the** (PENAL andar metido en chanchullos, dedicarse a la estafa)].

fiducial/fiduciary *a*: CIVIL fiduciario, de fideicomiso; V. *trust.* [Exp: **fiduciary duty** (CIVIL deber fiduciario; es el deber de actuar en beneficio de otro *–to act for someone's else's benefit–* subordinando los propios intereses *–one's personal interest–* a los de la otra persona; V. *breach of fiduciary duty*)].

field *n*: GRAL campo, materia, especialidad. [Exp: **field of application** (GRAL campo de aplicación; V. *scope*)].

fieri facias *n*: CIVIL V. *writ of fieri facias.*

fifo *n*: MERC V. *first in, first out.*

fifth amendment *US n*: CONST V. *incriminate.*

fight *n/v*: GRAL/CRIM pelea, lucha, combate; pelear, luchar, combatir; V. *war, struggle, brawl, quarrel.* [Exp: **fight or plea [of guilt]?** (GRAL ¿[Habrá] pleito o declaración de culpabilidad?; cuando los abogados de las partes se ven en la sala de toga *–robbing room–* suelen hacerse esta pregunta informal en torno al proceso que allí les ha reunido)].

file[1] *n*: GRAL expediente, sumario, autos ◊ *The file in a case includes the original complaint and all the pleadings and papers belonging thereto*; V. *record, docket.* [Exp: **file**[2] (GRAL cursar, elevar, presentar, instar, formular, iniciar, entablar; archivar, residenciar ◊ *She has filed for divorce on the ground of her husband's infidelity*; V. *lodge, bring, petition, request*), **file**[3] (GRAL archivar; V. *shelve*), **file a bill/petition in bankruptcy** (MERC/PROC declararse en quiebra, instar la declaración judicial de quiebra), **file a claim/complaint** (PROC elevar una queja, reclamación), **file a lawsuit/suit** (PROC demandar, entablar un pleito, incoar un proceso civil), **file a motion** (PROC cursar, elevar un recurso), **file a protest** (PROC elevar una protesta), **file a [tax] return** (FISCAL presentar la declaración de la renta; V. *file separately, abridged tax return*), **file a suit** (PROC V. *file a lawsuit*), **file an appeal** (PROC interponer un recurso de apelación), **file an application** (PROC presentar una instancia, presentar una súplica o petición; V. *table*), **file an exception** (PROC plantear excepción), **file an objection** (PROC formular un reparo, objetar un acto procesal), **file for divorce** (FAML presentar una demanda de divorcio), **file separately** (FISCAL presentar por separado un matrimonio la declaración de la renta), **file, on** (GRAL fichado, archivado, que consta en los archivos; V. *archive*), **file suit** (PROC entablar juicio), **filing** (GRAL/ADMIN/PROC presentación [de una instancia, documento, etc.] ◊ *The last date for filing with court office is February 19*), **filing cabinet** (GRAL archivador), **filing system** (CIVIL sistema de garantías registrales de inmuebles, mediante su registro)].

filibuster[1] *n*: GRAL filibustero, pirata. [Exp: **filibuster**[2] (CONST filibusterismo, filibusterismo parlamentario, práctica de maniobras parlamentarias dilatorias, obstruccionismo en asambleas parlamentarias o deliberantes mediante el uso de discursos prolongados e irrelevantes ◊ *Cloture is a means of cutting off filibustering*; V. *floor, stonewalling*), **filibuster**[3] (CONST practicar el filibusterismo u obstruccionismo parlamentario, practicar tácticas dilatorias; V. *stonewall*), **filibustering practice** (CONST táctica dilatoria u obstruccionista)].

fill *v*: GRAL llenar, rellenar, ocupar, proveer. [Exp: **fill a seat/vacancy** (GRAL proveer una vacante, cubrir/ocupar una vacante), **fill an order** (MERC cumplimentar o ejecutar un pedido), **fill in**[1] (GRAL rellenar [un impreso, cuestionario, etc.]), **fill in**[2] *US* (GRAL resumen, síntesis, compendio; V. *summary, abstract, digest*), **fill out** (GRAL rellenar ◊ *Fill out the income tax return*; V. *complete*)].

filo *n*: MERC V. *first in, last out.*

final *a*: GRAL definitivo, firme, absoluto, irrevocable, pleno, incondicional, categórico, final, decisivo ◊ *The judge acquitted the driver and absolved him from all blame*; el adjetivo *final*, en contextos procesales, es antónimo de *interlocutory* –provisional, cautelar–; V. *absolute, irrevocable, complete.* [Exp: **final decision or decree** (PROC auto definitivo, firme o irevocable), **final injunction** (PROC interdicto definitivo, mandamiento final), **final judgment** (PROC sentencia firme), **final jurisdiction** (PROC jurisdicción de último grado o instancia), **final pleadings** (PROC escrito de conclusiones), **final receipt** (MERC/GRAL finiquito), **final settlement** (SUC auto de finalización de un procedimiento sucesorio), **final speech** (PROC conclusiones finales del juez), **finality** (GRAL irrevocabilidad), **finality, with** (GRAL de modo tajante, terminante o irrevocable), **finalize** (GRAL concluir, fijar, concretar; V. *close, complete, finish*)].

finance *a/v*: MERC financiero; financiar. [Exp: **finance company** (MERC entidad financiera, compañía de crédito comercial), **finance bills** (MERC efectos financieros), **finance house** (MERC establecimiento financiero), **financial** (MERC financiero, monetario, bancario ◊ *Treasury bills and Treasury Bonds are among the most popular financial assets held by small investors*), **financial liability** (CIVIL responsabilidad pecuniaria o económica), **financial paper** (MERC efectos financieros), **financial product** (MERC producto financiero), **financial provision** (FAM pensión compensatoria entre cónyuges separados o divorciados; V. *alimony*), **financial provision order** (FAM orden judicial disponiendo el pago de una pensión o indemnización a uno de los cónyuges tras el divorcio o separación legal; V. *property adjustment order; alimony*), **financial rating** (MERC categoría financiera; V. *standing*), **financial statement** (MERC estado financiero, extracto o clasificación), **financial year** (MERC ejercicio económico; V. *fiscal year*), **financial worth** (MERC patrimonio neto)].

find[1] *v*: GRAL encontrar, hallar, descubrir; V. *discover.* [Exp: **find**[2] (PROC fallar, dictar sentencia, resolver, decidir; apreciar; declarar; V. *not found, proved*), **find against/for the plaintiff** (PROC fallar en contra del/a favor del demandante), **find guilty** (PROC declarar culpable, hallar culpable, condenar), **find the case proved, we** (PROC condenamos al acusado; ésta es la fórmula de condena empleada en los juicios celebrados en los *Magistrates' Courts*; V. *summary conviction*), **finding** (PROC fallo, laudo, determinación de una cuestión de hecho, comprobación; conclusión de un juez, ponente, comisión, etc.; sentencia, decisión; V. *fact-finding*), **finding of fact** (PROC decisión sobre cuestión de hecho [adoptada por el jurado]; V. *advisory instruction, instruct the jurors*), **findings** (GRAL/PROC conclusiones, resultados de una investigación), **findings of law** (PROC fundamentos de Derecho; V. *points of law*)].

fine *n/v*: PENAL/ADMIN multa, multar ◊ *He was fined £100 for speeding*. [Exp: **fineable** (PENAL/ADMIN castigable, multable)].

finger *n/a*: GRAL dedo, dactilar o digital [en posición atributiva]; V. *digital*. [Exp: **fingerprint** (GRAL/PENAL huellas dactilares o digitales, dactilograma; tomar las huellas dactilares ◊ *He was fingerprinted when he arrived at the sheriff's office*; V. *dactylogram, blue prints, dabs*)].

f.i.o *n*: V. *free in and out.*

fire[1] *n*: fuego, incendio ◊ *The laws governing the possession of firearms are much stricter in Europe than in the USA*; V. *arson; set fire to*. [Exp: **fire**[2] (PENAL fuego, disparos; V. *a burst of fire, firearms*), **fire**[3] *col* (LABORAL cesar, despedir, echar; V. *dismiss, sack*), **fire a shot** (PENAL disparar un tiro), **firearms** (PENAL armas de fuego), **fire insurance** (SEGUR seguro contra incendios), **fire underwriters** (SEGUR asegurador contra incendios), **fired sale** (MERC venta a precio de coste [porque el local quedó casi destruido por el fuego]), **fireproof** (GRAL incombustible), **firebomb** (PENAL bomba incendiaria, lanzar bombas incendiarias)].

firm[1] *a*: GRAL firme, fijo, definitivo. [Exp: **firm**[2] (MERC empresa, sociedad mercantil, compañía; V. *company*), **firm bid** (MERC oferta en firme), **firm fee** (CIVIL dominio útil; V. *fee*), **firm name** (MERC razón social, denominación comercial; S. *trade name*), **firm offer** (MERC oferta en firme), **firm order** (MERC pedido en firme), **firm price** (MERC precio fijo o definitivo), **firm quotation** (MERC cotización en firme), **firm sale** (MERC venta en firme)].

first *a*: GRAL inicial, primero; V. *last*. [Exp: **first cost** (MERC valor de adquisición), **first degree murder** *US* (PENAL homicidio premeditado), **first-hand information/knowledge** (GRAL información de primera mano), **first in, first out, fifo** (MERC método de valoración de existencias basado en el principio de que los primeros artículos que entraron en el inventario son los primeros en ser vendidos), **first in, last out, filo** (MERC método de valoración de existencias basado en el principio de que los primeros artículos que entraron en el inventario son los últimos en ser vendidos), **first lien** (CIVIL primer gravamen), **First Lord of Treasury** (CONST Primer Lord del Tesoro; este acorgo lo ostenta *–is held by–* siempre el Primer Ministro; V. *treasure*), **first mate** (MERC primer oficial de un buque), **first mortgage bond/loan, etc**. (CIVIL obligación/préstamo, etc., de primera hipoteca), **first offence** (PENAL primera infracción; V. *recidivist, persistent offended, habitual offender*), **first offender**(PENAL persona declarada culpable de un delito por primera vez; V. *habitual offender, persistent offender*), **first refusal** (GRAL V. *right to first refusal*), **first ruling procedure** (EURO cuestión de prejudicialidad; V. *make reference for a preliminary ruling*)].

fiscal year *n*: FISCAL ejercicio económico, año fiscal; S. *accounting year, calendar year, financial year, tax year.*

fish *n/v*: GRAL pescado; pescar. [Exp: **fishery** (MERC pesquería), **fishing gear** (MERC aparejos), **fishing grounds** (MERC caladeros), **fishing vessel** (MERC buque pesquero)].

fit[1] *a*: GRAL apto, capaz, en forma, sano; V. *healthy, suitable, proper*. [Exp: **fit**[2] (GRAL encajar, tener sentido; V. *correspond, match*), **fit**[3] (GRAL ataque, acceso, arrebato; V. *fit of anger*), **fit of anger, in a** (GRAL acaloradamente, furiosamente; V. *furiously, ab irato*), **fit to plead** (PROC con capacidad procesal, capaz de defenderse), **fitness** (GRAL capacidad, aptitud, competencia; V. *suitability*), **fitted** (GRAL capacitado, apto, adecuado; V. *qualified*), **fittings** (GRAL/CIVIL accesorios [de cocina, baño, electricidad, etc.)].

fix[1] *v*: GRAL fijar, determinar, evaluar, valorar, calcular, señalar [fecha de la vista]; sujetar; V. *determine, establish, assess, adjust, ascertain*. [Exp: **fix**[2] *col* (GRAL lío, problema, trampa, tongo ◊ *The whole thing is a fix: they have tampered with the jury and fabricated the evidence*), **fix**[3] *col* (GRAL arreglar, amañar trapichear; sobornar; cargarse a uno, arreglar a uno ◊ *They fixed a jury who brought in a not guilty verdict*; V. *jury fixing*), **fix**[4] *col* (GRAL dosis [de droga], pinchazo; V. *dose, dosage; give oneself a fix*), **fix a jury** (PROC comprar a un jurado), **fixation** (GRAL/CIVIL fijación, obsesión; V. *obsession, addiction*), **fixed abode, with no** (GRAL paradero desconocido; V. *unknown whereabouts*), **fixed assets** (MERC activo inmovilizado, activo fijo), **fixed date action** (PROC demanda no pecuniaria; V. *default action*), **fixed debt** *US* (MERC deuda perpetua, deuda consolidada), **fixed interest securities** (MERC renta fija, valores de renta fija), **fixed liabilities** (MERC pasivo fijo no exigible, deuda consolidada; V. *funded liabilities*), **fixed liability** (CIVIL responsabilidad determinada), **fixed rate of**

interest (MERC tipo fijo de interés), **fixed term** (MERC plazo fijo), **fixed term deposits** (MERC imposiciones a plazo), **fixed-term tenancy** (CIVIL alquiler por un período fijo o determinado; V. *periodic tenancy*), **fixed trust** (MERC sociedad inversora con restricciones), **fixed yield** (MERC renta/rendimiento fijo), **fixing** (MERC cambio base)].

fixture[1] *n*: CIVIL instalación accesoria a un bien inmueble, accesorio fijo; inmueble o cosa inmueble por incorporación y destino; V. *appurtenant, tenant's fixtures*. [Exp: **fixture**[2] (PROC causa o proceso con una fecha de señalamiento fijada; V. *warned list*)].

flag *n/v*: GRAL pabellón, bandera; hacer señales ◊ *The police at the road block flagged down the motorists*. [Exp: **flag down** (GRAL hacer señales a un conductor para que se detenga), **flag of convenience** (MERC bandera de conveniencia), **flag of distress** (GRAL señal de socorro), **flag of truce** (INTER bandera de parlamento o de tregua), **flag ship** (MERC buque insignia)].

flagrant *a*: flagrante, notorio, escandaloso; V. *notorious*.

flash *a/n/*: GRAL repentino; destello; destellar. [Exp: **flash check** *US* (MERC cheque librado, a conciencia, sin provisión de fondos; V. *cheque not covered by funds*), **flasher** *slang* (PENAL exhibicionista; V. *exhibitionist*)].

flat *a*: GRAL claro, definitivo, lisa y llanamente ◊ *Our offer was turned down flat*. [Exp: **flat cancellation** (MERC rescisión definitiva sin prima de indemnización), **flat fee** (MERC comisión fija), **flat loan** (MERC préstamo sin interés)].

flaw *n*: GRAL error, vicio; tara ◊ *There was a flaw in the prosecution's case which the defence lawyer cleverly exploited*; V. *error, mistake, slip*.

flee *v*: GRAL escaparse, fugarse ◊ *The bank robbers got away with the money and fled to Brazil*; V. *abscond, escape, run away*.

flight of capital *n*: MERC/PENAL fuga de capitales, evasión de capitales.

flit *der es, col v*: GRAL cambiar de residencia. [Exp: **flitting** (GRAL mudanza)].

float[1] *n/v*: MERC flotación; flotar o hacer flotar una divisa ◊ *The pound is floating against the euro*. [Exp: **float**[2] (MERC efectivo en caja, llamado también *cash float*), **float**[3] (MERC lanzamiento de una empresa), **float**[4] *US* (MERC parte de una nueva emisión no adquirida por el público), **float**[5] *US* (MERC flotación; cuentas o talones pendientes de cobro), **float**[6] (MERC fondos en tránsito; dinero creado por la demora en la compensación bancaria de cheques), **float a company** (MERC fundar o constituir una sociedad mercantil; V. *flotation*), **float a loan** (MERC emitir/colocar un empréstito, emitir deuda, lanzar una emisión de bonos; V. *emit/issue/launch a loan*), **float securities** (MERC emitir/colocar valores; V. *launch an issue*), **floating**[1] (GRAL flotante, fluctuante, variable; con el significado de «flotante, fluctuante, circulante» es sinónimo parcial de *current* y se aplica a *assets, capital, debt, charge, exchange rate, etc.*), **floating**[2] (GRAL flotación), **floating**[3] (MERC lanzamiento de una sociedad), **floating debt** (MERC deuda flotante; se trata de la parte de deuda nacional o *national debt* formada por títulos a corto plazo, en especial, por letras del Tesoro o *Treasury bills*), **floating insurance** (SEGUR póliza de seguros que abarque a más de un edificio o a más de un empleado en los casos de seguros contra la deslealtad o *fidelity insurance*), **floating liabilities** (MERC pasivo circulante), **floating policy** (SEGUR póliza general o flotante, póliza abierta, también llamada *open policy* o *declaration policy*), **floating prime rate of interest** *US* (MERC tipo de interés flotante), **floating rate** (MERC tipo de interés flotante)].

flog *v*: GRAL azotar ◊ *Adulterous men and women are flogged in some countries if they found guilty of fornication*; V. *whip*. [Exp: **flogging** (GRAL flagelación; V. *stoning*)].

floor[1] *n*: GRAL suelo, planta baja. [Exp: **floor**[2] (GRAL hemiciclo, sala, los escaños de los diputados; V. *questions from the floor of the House, cross the floor, wipe the floor with*), **floor**[3] (GRAL asamblea, los asistentes a una reunión o acto público ◊ *Take/anwer questions from the floor*), **floor**[4] (GRAL uso de la palabra, derecho de dirigirse a la asamblea ◊ *Give/have sb the floor, throw the meeting open to the floor*; V. *request the floor, throw the meeting open to the floor*), **floor**[5] (MERC parqué o patio de operaciones de la Bolsa, corro), **floor**[6] (MERC suelo, mínimo, límite/banda inferior), **floor trading** (MERC contratación en el parqué)].

flotation *n*: MERC flotación, emisión; salida a Bolsa; emisión abierta; proceso de financiación de una actividad económica; lanzamiento/emisión de una sociedad, también llamado *going public*, ofreciendo la suscripción de acciones. [Exp: **flotation of an issue** (MERC lanzamiento de una emisión de títulos)].

flotsam *n*: MERC derelicto, restos flotantes de un naufragio; V. *derelict*. [Exp: **flotsam and jetsam** (MERC derelicto)].

flow chart *n*: organigrama, diagrama de flujo.

fluctuate *v*: GRAL oscilar ◊ *The market is fluctuating*. [Exp: **fluctuation** (GRAL oscilación, fluctuación), **fluctuation margins/range** (MERC bandas de fluctuación), **fluctuating unemployment** (LABORAL paro fluctuante)].

fob off *col n*: GRAL deshacerse de alguien con engaños o excusas; «meterle» a uno una mercancía inferior ◊ *The used car dealer fobbed me off with a car which lasted a month*.

FOB, f.o.b *n*: MERC V. *free on board; incoterms, CIF*.

follow *v*: GRAL seguir; cumplir, atenerse a ◊ *Following last week's controversial judgment, a parliamentary committee has been set up to look into the wording of the Act*; V. *observe, conform, observe, comply with, abide by; ensue*. [Exp: **follow suit** (GRAL hacer lo mismo, seguir el ejemplo, imitar ◊ *When the big banks cut the interest rate, the others followed suit*), **follow trust property** CIVIL (mantener el dominio de la propiedad fiduciaria; se dice del derecho del beneficiario a seguir siendo el dueño en potencia de bienes si el fideicomisario los ha enajenado fraudulentamente o los ha mezclado con los suyos), **follow-up letter** (GRAL/MERC carta de seguimiento), **following** (GRAL a raíz de, como consecuencia de, a consecuencia de, a resultas de; V. *due to*)].

fonds perdu, à *fr*: MERC a fondo perdido; V. *non-recoverable grant*.

foot *n*: GRAL pie. [Exp: **footing** (GRAL equilibrio, base; V. *foundation, base*), **footing, on an equal** (GRAL/PROC en igualdad de condiciones, con las mismas armas procesales), **footpath** (GRAL/CIVIL sendero, servidumbre de paso; V. *right of way*), **footprint** (GRAL huella de pisada ◊ *The burglar's footprints were clearly visible in the mud below the window*)].

forbear *v*: GRAL desistir, abstenerse [de ejercer un derecho, etc.]; V. *give up, decline, abstain, waive, forfeit*. [Exp: **forbearance** (PROC abstención de ejercer un derecho ◊ *Forbearance to sue for debt may, if it is the result of a fresh promise by the debtor to pay, be interpreted as the basis of a new contract*; V. *abstinence*)].

forbid *v*: GRAL prohibir; los verbos *forbid* y *prohibit* son sinónimos, prefiriéndose el segundo para las cuestiones jurídicas y el primero para las morales o religiosas ◊ *An offence is the commission of an act forbidden by law or the omission of a duty commanded by law*; V. *proscribe, prohibit, disallow, enjoin*. [Exp: **forbidden degrees** (FAM V. *prohibited degrees*)].

force *n*: GRAL fuerza, vigor V. *binding force, come into force/effect, take effect, be effective from; put into force*. [Exp: **force, in** (en vigor, en vigencia, vigente), **force, come into** (GRAL entrar en vigor ◊ *Sections 8 and 22 came into force on enactment*; V. *take effect, be/become effective, come into operation/effect*), **force majeure** (GRAL/SEGUR fuerza mayor), **force of law** (CONST fuerza de ley), **forced heir** (SUC heredero forzoso, heredero necesario), **forced labour** (PENAL trabajos forzados; V. *conscripted labour, hard labour, penal servitude*), **forced loan** (MERC empréstito forzoso), **forced sale** (PROC/ADMIN venta forzosa), **forcible** (PROC obligatorio, violento, caracterizado por el uso de la fuerza), **forcible detainer** (PENAL detención violenta), **forcible entry** (PENAL allanamiento de morada, toma de posesión a la fuerza; acción posesoria ◊ *In certain circumstances, the police may make a forcible entry into private premises for the purpose of search and arrest*; V. *unlawful entry*), **forcible trespass** (PENAL translimitación con violencia)].

foreclose *v*: PROC privar [al deudor hipotecario] del bien hipotecado, entablar juicio hipotecario; embargar los bienes hipotecados por impago; obsculizar el ejercicio de un derecho ◊ *In the High Court action, the mortgagor was foreclosed from the property for failure to redeem the mortgage*. [Exp: **foreclose a credit/mortgage** (PROC ejecutar un crédito/una hipoteca), **foreclosure** (PROC privación, procedimiento ejecutivo hipotecario, ejecución de hipoteca, embargo de bienes hipotecados, ejecución coactiva), **foreclosure by sale** (PROC ejecución de una garantía mediante su venta), **foreclosure decree** (PROC resolución judicial comisoria), **foreclosure order absolute** (PROC orden judicial ejecutando la hipoteca y concediendo plenos derechos al acreedor hipotecario sobre los bienes hipotecados), **foreclosure order nisi** (PROC orden judicial exigiendo al deudor hipotecario que pague las deudas pendientes al acreedor hipotecario; V. *nisi*), **foreclosure proceedings** (PROC acción hipotecaria), **foreclosure sale** (PROC venta judicial o hipotecaria), **foreclosure suit** (PROC juicio hipotecario)].

foredate *v*: GRAL antefechar; V. *backdate*.

foregoing *a*: GRAL antecedente, precedente, antes citado; V. *aforegoing*.

forestall the market *v*: MERC impedir el acceso de productos o *commodities* al mercado con el fin de especular; V. *corner; abbroachment*.

foreign *a*: GRAL extranjero, exterior ◊ *The government's foreign policy has recently come under attack from the opposition*; V. *alien*. [Exp: **foreign attachment** (INTER/PROC embargo contra persona no residente), **foreign currency** (INTER/MERC divisas, moneda extranjera), **foreign exchange**(INTER/MERC divisas, cambio exterior), **foreign law** (GRAL derecho extranjero; el derecho escocés también es extranjero para el sistema inglés), **foreign nationals** (GRAL extranjeros), **Foreign Office** (CONST Ministerio de Asuntos Exteriores; V. *Ministry of Foreign Affairs*), **foreign plea** (PROC excepción declinatoria, consistente en oponerse a la competencia del juez; excepción de incompetencia), **foreign policy** (CONST/INTER política exterior)].

foreman *n*: PROC capataz. [Exp: **foreman of a jury** (PROC presidente o portavoz del jurado)].

forensic analysis *n*: PROC análisis forense ◊ *The keys found in the glove compartment* *were sent away for forensic analysis but no fingerprints were found*; V. *autopsy, medical examiner, coroner.*

foresee *v*: GRAL prever, anticipar; V. *anticipate, forecast.* [Exp: **foreseeable damage** (CIVIL daños previsibles o posibles, deber de prudencia ◊ *The keeper of a dangerous animal is liable for any damages it causes, whether foreseeable or unforeseeable*; V. *duty of care*), **foresight** (GRAL previsión ◊ *Foresight is one of the ingredients of negligence*; V. *lack of foresight, duty of care*)].

forfeit[1] *a*: PENAL sujeto a multa, confiscado ◊ *After the dealer's conviction, the judge ordered the heroin found in possession to be forfeit and destroyed.* [Exp: **forfeit**[2] (CIVIL comiso, decomiso; caducidad, prescripción, pérdida legal de algún derecho; perder el derecho a una cosa ◊ *She forfeited her right to the property by failing to keep her side of the bargain*; V. *confiscate*), **forfeit clause** (CIVIL cláusula de confiscación; pacto de desahucio o confiscación), **forfeitable** (CIVIL confiscable; sujeto a confiscación, decomiso o pérdida por incumplimiento de obligación o contrato), **forfeiture** (CIVIL/PENAL confiscación, decomiso, secuestro; resolución; pérdida de un derecho [por ejemplo, el de propiedad] por incumplimiento de una obligación o como multa o sanción; multa; caducidad; V. *abandonment, non use, surrender*), **forfeiture of a bond** (CIVIL/MERC caducidad de la fianza), **forfeiture of a recognizance** (PROC pérdida de la fianza por incumplimiento de las condiciones), **forfeiture of payment** (PROC pérdida legal de pago)].

forge *v*: PENAL falsificar, falsear ◊ *His signature was forged by his son*; V. *fabricate, frame.* [Exp: **forged** (PENAL falsificado; V. *false, counterfeit, falsified*), **forger** (falsificador, falsario), **forgery** (PENAL falsificación, falsedad; V. *fabrication*), **forgery bond** (PENAL fianza de falsificación), **forgery insurance** (SEGUR seguro contra falsificación), **forgery proof** (PENAL infalsificable)].

forgiveness *n*: GRAL perdón, condonación ◊ *Forgiveness of the tax liability*; V. *remission, pardoning, forgiveness.*

form[1] *n*: GRAL formulario, cuestionario, modelo; forma ◊ *Candidates should complete the attached form and return it within 10 days*; S. *application form.* [Exp: **form** (GRAL/MERC fundar, constituir una mercantil ◊ *The company was formed by merging three older firms*; V. *incorporate*)].

formal *a*: GRAL solemne, formal, ceremonioso; esencial, constitutivo; V. *solemn; essential.* [Exp: **formal contract** (MERC contrato formal), **formal defect** (defecto de forma), **formal issue/question** (GRAL detalle técnico), **formal opening** (GRAL acto solemne de inauguración), **formal promise** (GRAL promesa formal), **formal requirement** (GRAL requisito formal), **formalities** (GRAL trámites, diligencias; solemnidades ◊ *Once the formalities were over, the session got under way*; V. *step, proceedings*), **formalize** (GRAL formalizar, oficializar, cumplimentar, concretar; V. *legalize*)].

former *a*: GRAL anterior, previo, antiguo ◊ *The firm's president is a former High Court judge*; V. *ex.*

fornicate *v*: GRAL fornicar. [Exp: **fornication** (GRAL fornicación; V. *adultery*)].

forsake *v*: PROC renunciar a, desistir de, abandonar, ceder a; suele acompañar a *an action, an appeal, rights, a claim*, aunque en la actualidad es un término obsoleto, prefiriéndose en su lugar *waive, renounce, abandon, relinquish*].

forswear[1] *obs v*: PENAL jurar en falso, perjurar; V. *renounce/repudiate under oath.* [Exp: **forswear**[2] (GRAL abjurar, renegar; V. *renounce, repudiate, disavow*)].

forthwith *frml adv*: GRAL inmediatamente, en seguida ◊ *The case was sent forthwith for trial in accordance with section 51 of the Crime and Disorder Act 1998.*

fortiori, a *adv*: GRAL con mayor motivo ◊ *If you are not guilty of a homicide, then a fortiori you can't be guilty.*

fortuitous *a*: GRAL accidental, fortuito. [Exp: **fortuitous bankruptcy** (MERC quiebra fortuita), **fortuitousness** (GRAL eventualidad)].

forum *n*: PROC foro, tribunal, jurisdicción; V. *court, jurisdiction.* [Exp: **forum clause** (PROC tribunales competentes), **forum shopping** *col* (PROC búsqueda del foro más favorable, selección ventajista del foro o tribunal más favorable; práctica –relativamente frecuente entre las grandes empresas norteamericanas– de seleccionar el foro o tribunal teóricamente más favorable a sus pretensiones a la hora de interponer una demanda ◊ *Senior American judges in some Circuits have expressed their concern about the increasing prevalence of forum shopping in large claim cases*)].

forward[1] *a/adv/v*: GRAL hacia adelante, remitir, enviar, elevar, proponer ◊ *The European Commission forwards proposals to the Council of Ministers.* [Exp: **forward**[2] (GRAL/MERC a plazo, en el futuro; V. *spot*), **forward contract** (MERC contrato anticipado o de futuro; V. *spot contract*), **forward market** (MERC mercado de futuros, mercado a plazo fijo; V. *spot market*), **forwarder merchant** (MERC comisionista expedidor), **forwarding agency/agent** (MERC expedidor; V. *shipper*), **forwarding** (MERC envío, remisión), **forwarding address** (GRAL dirección para hacer seguir el correo), **forwarding fee** (GRAL participación en honorarios, comisión)].

foster *v*: GRAL/CIVIL adoptar, acoger, proteger; V. *adopt, affiliate; assist.* [Exp: **foster home** (CIVIL hogar de niños expósitos; V. *foundling*), **foster parents** (CIVIL padres de acogida, padres adoptivos ◊ *Strictly speaking, foster parents have no legal rights over the children they look after*; V. *custodianship order*), **fostering** (CIVIL acogimiento familiar; V. *care, children in care*)].

foul *a/n*: GRAL sucio, viciado, defectuoso; mal, juego sucio o innoble ◊ *Police report that, following the discovery of the body of an elderly man in the park, foul play is not suspected*; V. *clean, fair; unclean; fall foul of.* [Exp: **foul play** (GRAL/PENAL juego sucio, violencia criminal, proceder desleal), **foul bill of health** (MERC patente de sanidad con anotaciones), **foul bill of lading** (MERC conocimiento de embarque tachado, sucio, con defectos, etc.; V. *bill of lading*)].

found[1] *v*: GRAL constituir, fundar ◊ *That big international company was founded as a local concern in the last century*; V. *build, create, establish.* [Exp: **found**[2] (GRAL basar, apoyar, fundar, fundamentar ◊ *His claim was founded on the will his mother made during her last illness*; V. *base, ground*), **foundation** (GRAL fundamento, fundación; V. *lay the foundation, base, support, base, footing*), **found, not** *US* (PROC no ha lugar a procesamiento; V *ignoramus, no bill, not a true bill; find*[2]), **found on a precedent** (PROC tomar un precedente como fundamento de la pretensión, etc.), **founder** (GRAL/CIVIL/MERC fundador, fideicomitente), **founder of a trust** (CIVIL fideicomitente), **founder's shares** (MERC cédulas de fundador, cédulas beneficiarias, acciones de los promotores)].

foundling *n*: FAM niño expósito, inclusero; V. *abandonment of children. foster home.*

four corners rule *n*: PROC norma interpretativa de un documento de acuerdo con su contenido y sin referencias externas.

frame[1] *n/v*: GRAL marco, sistema; encuadrar, enmarcar, constituir. [Exp: **frame**[2] *col*

(PENAL falsificar pruebas para inculpar a alguien ◊ *The jailed man claimed he had been framed*; V. *fabricate, forge*), **frame-up** (PENAL complot, estratagema, trampa, ardid, maniobra; V. *deviousness*), **framed evidence** (PENAL condenado por pruebas falsas), **framed evidence** (PENAL prueba falsificada, testimonio fraudulento), **framework** (GRAL marco, sistema, ámbito ◊ *An enabling statute provides the general legal framework, and the appropriate legal bodies make detailed regulations*), **framework agreement** (GRAL acuerdo marco; V. *delegated legislation, parent act, legal framework*)].

franchise[1] *n/v*: MERC franquicia, privilegio, patente, inmunidad, exención, derechos, concesión, licencia; otorgar/dar licencia a ◊ *The firm holds the franchise to run ferries to the outlying islands*; V. *enfranchise, disfranchise, charter, lie in franchise*. [Exp: **franchise**[2] (SEGUR franquicia; V. *excess*), **franchise clause** (SEGUR cláusula de franquicia; el seguro no cubre los daños por una cantidad pequeña predeterminada), **franchise contract** (MERC contrato de franquicia), **franchised** (MERC autorizado, con licencia), **franchised dealer** (MERC vendedor en régimen de franquicia), **franchisee** (MERC franquiciado), **franchiser/franchisor** (MERC franquiciador), **franchising** (MERC franquicia; concesión de franquicia o licencia)].

fraud[1] *n/v*: PENAL/CIVIL estafa, fraude, engaño, dolo civil; estafar, engañar ◊ *In the court's opinion, the description of the goods provided on the box and in the brochure was tantamount to fraudulent representation*; V. *deception, deceit, rigging, cheat, feign; constructive fraud; Serious Fraud office*. [Exp: **fraud**[2] (CRIM impostor, farsante, suplantador; V. *cheater, crook*), **fraud, by** (PENAL por medio de fraude o engaño; V. *by deception*), **Fraud Squad** (PENAL brigada que investiga los delitos de estafa), **fraud upon a power** (PENAL fraude en el ejercicio del poder), **fraudulence/ fraudulency** (PENAL fraudulencia), **fraudulent** (PENAL fraudulento; V. *corrupt, deceptive, wicked, dishonest*), **fraudulent bankruptcy** (PENAL quiebra fraudulenta), **fraudulent bankrupt** (PENAL alzado), **fraudulent conversion** (CRIM apropiación ilícita; V. *conversion*[3]), **fraudulent representation** (CRIM afirmación o descripción fraudulenta, escrito fraudulento, falsedad fraudulenta, fraude; V. *representation, misrepresentation*)].

free *a/v*: GRAL/PENAL/MERC libre, franco, sin intereses, gratuito; liberar, poner en libertad, librar de carga, responsabilidad, impuestos, etc.; V. *set free, release*. [Exp: **free advance payment** (MERC adelanto sin intereses), **free alongside vessel, FAS, f.a.s** (MERC libre o franco al costado del buque; de acuerdo con los *Incoterms, F.A.S.* va seguida del nombre del puerto de carga convenido *–named port of shipment–* y significa qué vendedor realiza la entrega *–delivers–* cuando la mercancía *–the goods–* es colocada al costado del buque *–placed alongside the vessel–* en el puerto de embarque convenido *–named port of shipment–*; V. *CIF, FOB, incoterms*), **free and clear** (CIVIL libre de cargas y gravámenes; V. *encumbrance*), **free circulation** (GRAL/INTER libre circulación), **free convertibility** (INTER convertibilidad gratuita), **free depot** (MERC depósito franco), **free from capture and seizure, FCS** (SEGUR exento de la responsabilidad que surja por actos de piratería, etc.; esta cláusula en los seguros marinos exime de responsabilidad a los aseguradores por las pérdidas causadas por actos de piratería y similares; a veces va redactada de esta forma *free of capture and seizure and riots and civil commotions*), **free from encumbrance** (CIVIL sanear), **free in and**

out, f.i.o. (MERC sin gastos dentro y fuera), **free into barge, fib** (MERC franco en barcaza), **free market economy** (GRAL economía libre de mercado), **free movements of capital** (MERC/INTER libre circulación de capitales), **free of/from** (GRAL libre de, exento de, franco de), **free of charge** (GRAL gratis), **free of charges** (MERC/CIVIL libre de cargas), **free of duty** (ADMIN/MERC libre o franco de derechos), **free of incumbrances** (CIVIL libre de gravámenes), **free of interest** (MERC sin interés), **free of particular average** (MERC franco de avería particular), **free of stamp** (ADMIN exento de timbre), **free on board FOB, f.o.b** (MERC franco a bordo; V. *CIF, FAS, incoterms*), **free on quay** (MERC franco sobre muelle), **free on rail** (MERC libre sobre vagón, franco en estación), **free on truck** (MERC franco sobre vagón), **free pardon** (PENAL indulto, perdón, medida de gracia ◊ *A free pardon releases a person from the punishment incurred*; V. *amnesty*), **free port** (MERC/ADMIN puerto franco), **free trade** (MERC libre cambio, libertad comercial), **free-trade area** (MERC zona de libre cambio), **free trader** (MERC librecambista), **freedom** (GRAL libertad; V. *academic freedom*; la enmienda *–amendment–* I de la Constitución norteamericana garantiza la libertad religiosa o de credo *–freedom of religion–*, libertad de expresión *–freedom of speech–*, libertad de prensa *–freedom of press–* y libertad de petición *–petition–* al gobierno), **freedom of movement** (EURO libre circulación), **freedom on bail** (PROC libertad bajo fianza, libertad caucional), **freedom without bail** (PROC libertad sin fianza; V. *on one's own recognizance*), **freehold** (CIVIL dominio absoluto e inmediato, propiedad libre de cargas; V. *fee, chattel*), **freehold estate/property** (CIVIL propiedad de dominio absoluto, propiedad sin limitación alguna; V. *absolute ownership*), **freeholder** (CIVIL dueño, propietario absoluto de una casa, heredad, etc.), **freelance** (GRAL independiente, autónomo), **freelance translator** (GRAL traductor autónomo)].

freeze *v*: GRAL/PROC bloquear, embargar o congelar; se aplica a *an account, currency, funds*, etc. –una cuenta, dinero, fondos, etc.– ◊ *The firm's assets have been frozen by a court order, pending an inquiry into the true state of its finances*; V. *block*. [Exp: **freezing order/injunction** (PROC auto de embargo preventivo ◊ *On appeal the freezing injunction was discharged*; V. *Mareva injunction, seizure of goods*)].

freight *n/v*: MERC flete; cargamento, carga, mercancías transportadas; fletar ◊ *If the freight is not paid, the shipowner has a lien over the goods*; V. *cargo, shipment, collect freight, dead freight*. [Exp: **freight a vessel** (MERC fletar un buque), **freight allowances** (MERC bonificaciones sobre fletes), **freight and demurrage, F&D** (MERC flete más demoras), **freight paid** (MERC flete pagado), **freight rate** (MERC tarifa o precio de transporte), **freightage** (MERC carga, su transporte, el flete), **freighter** (MERC fletador), **freightment contract** (MERC contrato de fletamento)].

friendly *a*: GRAL amigable, favorable; V. *amicable*. [Exp: **friendly receivership** (MERC sindicatura amigable), **friendly settlement** (MERC transacción amigable), **friendly suit** (PROC acción amigable) **friendly witness** (PROC testigo favorable; V. *hostile witness*)].

frisk *v*: GRAL registrar, cachear; V. *search for arms and weapons.*

fringe benefits *n*: LABORAL beneficios laborales, ingresos suplementarios, beneficios marginales, beneficios adicionales o suplementarios al salario normal, ventajas adicionales ◊ *One of the fringe benefits of the job is that the firm pays our children's school fees.*

frivolous *a*: GRAL frívolo, carente de fundamento o propósito, improcedente.

front[1] *a*: GRAL delantero; aparente, espurio *fig*; V. *back* . [Exp: **front**[2] (GRAL frente ◊ *The firm went bankrupt through operating on too many fronts*), **front**[3] (PENAL/GRAL pantalla, tapadera; apariencia, persona o empresa con apariencia de respetabilidad detrás de la que se oculta una organización criminal u otra empresa *fig* ◊ *His profession as a lawyer was a front for his terrorist activities*), **front man** (PENAL hombre de paja, testaferro, cabeza visible ◊ *He was the front man of that illegal organization*; V. *cover up, nominee, dummy*), **frontbencher** (CONST diputado de la Cámara de los Comunes que, por tener un cargo en el gobierno, se sienta en los escaños de la primera fila, banco azul; V. *back bencher, rank and file*)].

fruit *n*: GRAL fruto, fruta. [Exp: **fruit of the poisoned tree** (PROC «el fruto del árbol envenenado»; expresión metafórica que alude a las pruebas obtenidas por medios ilegales o antijurídicos; V. *evidence obtained illegally*)].

frustrate *v*: GRAL frustrar; V. *frustrate, baffle, thwart, disappoint*. [Exp: **frustration** (GRAL frustración, imposibilidad; V. *failure, disappointment*; el término más habitual para describir el delito en grado de frustración es *attempted*: *attempted murder, attempted robbery,* etc.), **frustration clause** (MERC cláusula en la que se determina lo aplicable en caso de frustración de los fines del contrato)].

fugitive *n*: PENAL fugitivo, prófugo ◊ *An armed and dangerous fugitive was captured and brought into custody after a long hunt*; V. *outlaw; be on the run*.

fulfil *v*: GRAL cumplir, cumplir con [un deber o promesa]; realizar [una ambición], satisfacer [una condición]; ejecutar [una orden, etc.] ◊ *They fulfilled their promise to give us first refusal on the house when it came up for sale*. [Exp: **fulfil a formality** (GRAL cumplir un trámite, cumplimentar un requisito), **fulfilment** (GRAL cumplimiento, ejecución; V. *completion, accomplisment*)].

full *a*: GRAL pleno, completo, suficiente ◊ *A person over eighteen having a sound mind has full capacity*. [Exp: **full age** (CIVIL mayoría de edad, edad legal; V. *lawful age, major, majority*), **full and final settlement** (MERC finiquito), **full authority** (CONST capacidad plena), **full bill of lading** (MERC conocimiento con responsabilidad completa de la empresa de transporte), **full blood** (FAM V. *entire blood*), **full capacity** (CIVIL plenitud de capacidad de obrar), **full container ship, FC ship** (MERC buque portacontenedores), **full copy** (GRAL/PROC transcripción completa), **full court, the** (PROC el tribunal en pleno, pleno del tribunal, juicio plenario), **full covenants** (CIVIL garantía de título), **full employment** (LABORAL pleno empleo), **full endorsement** (MERC endoso completo o regular o a la orden), **full, in** (GRAL íntegramente), **full pardon** (PENAL indulto total, amnistía, medida de gracia; V. *free pardon, absolute pardon, amnesty*), **full jurisdiction** (PROC plena competencia), **full legal age** (CIVIL mayoría de edad), **full member** (GRAL miembro/socio/afiliado de pleno derecho), **full power-s** (GRAL carta blanca, plenos poderes; V. *carte blanche*), **full satisfaction** (MERC/CIVIL pago completo; entera satisfacción), **full set of bills of lading** (MERC juego completo de conocimientos de embarque), **full settlement** (MERC pago completo), **full stock** (MERC acción con valor a la par), **fully** (GRAL totalmente, por completo, sin limitaciones ◊ *Many people think it wise to take out a fully comprehensive insurance policy on a new car*), **fully comprehensive insurance** (SEGUR seguro a todo riesgo; V. *allrisk* *policy, allin policy; thirdparty, fire and theft; allrisk insurance*, **fully empowered** (CONST/PROC con plenos poderes, plenamente autorizado), **fully paid-up share** (MERC acción completamente liberada)].

function *n*: GRAL función, ocupación, atribución. [Exp: **functionary** (ADMIN funcionario; para referirse a los funcionarios del Reino Unido se prefiere, no obstante, el término *civil servant*)].

fund *n/v*: fondo, caja; consolidar, pagar, financiar; en plural, *funds*, significa fondos, recursos financieros, dinero; V. *closed end fund, management fund, pension fund, public funds, sinking fund, redemption fund, reserve fund, renewal fund, strike fund, superannuation fund, trust fund.* [Exp: **fund a debt** (MERC consolidar una deuda), **funded debt** (deuda perpetua consolidada; pasivo consolidado), **fund-raising activities** (GRAL actividades destinadas a recuadar fondos ◊ *In furtherance of the objectives, the association shall have power to engage in various fund-raising activities*), **funded liabilities** (MERC pasivo fijo; V. *fixed liabilities*), **funded trust** (CIVIL fideicomiso con depósito de fondos), **fundholder** (rentista; tenedor de acciones), **funding** (MERC financiación, consolidación de deuda; V. *party funding*), **funding bond** (MERC bono de consolidación), **funds and properties** (CIVIL bienes muebles y bienes raíces), **funds available** (MERC activo disponible; V. *cash assets*), **funds statement** (MERC estado de flujo de fondos)].

fund *n/v*: GRAL fondo, caja; consolidar, pagar, financiar; en plural, *funds*, significa fondos, recursos financieros, dinero; V. *closed end fund, management fund, pension fund, public funds, sinking fund, redemption fund, reserve fund, renewal fund, strike fund, super-annuation fund, trust fund.* [Exp: **fund a debt** (MERC consolidar una deuda), **funded debt** (ADMIN deuda perpetua consolidada; pasivo consolidado), **funded liabilities** (MERC pasivo fijo; V. *fixed liabilities*), **funded trust** (CIVIL fideicomiso con depósito de fondos), **fundholder** (rentista; tenedor de acciones), **funding** (MERC financiación, consolidación de deuda; V. *party funding*), **funding bond** (MERC bono de consolidación), **funds and properties** (CIVIL bienes muebles y bienes raíces), **funds available** (MERC activo disponible; V. *cash assets*), **funds statement** (MERC estado de flujo de fondos)].

fundamental *a*: GRAL esencial, fundamental; V. *basic, essential.* [Exp: **fundamental law** (CONST derecho orgánico, ley fundamental, legislación de fondo), **fundamental error** (GRAL error esencial, error de raíz), **fundamental rights** (CONST derechos fundamentales)].

fungible *a/n*: GRAL fungible. [Exp: **fungibles, fungible articles** (GRAL fungibles)].

furious *a*: GRAL furioso, violento; V. *raging, violent.* [Exp: **furiously** (GRAL furiosamente, violentamente; V. *ab irato, in a fit of anger*)].

furnish *v*: GRAL facilitar, proveer, proporcionar ◊ *He could furnish no proof in support of his claim*; V. *supply.* [Exp: **furnish a bond** (CIVIL otorgar una fianza), **furnish a guaranty** (CIVIL otorgar, efectuar una garantía), **furnish a legal opinion** (GRAL evacuar una consulta), **furnish bail** (CIVIL prestar, constituir fianza o caución), **furnish capital** (MERC aportar capital), **furnish evidence/proof** (PROC presentar/suministrar una prueba, evacuar pruebas), **furnish information** (GRAL facilitar informes), **furnishings** (GRAL lencería del hogar ◊ *The petitioner is awarded the property of the furniture and furnishing presently under his control*)].

furniture and fixtures *n*: GRAL muebles y enseres, mobiliario y equipo; V. *chattel-s.*

further *a*: GRAL adicional, más; además, adicionalmente ◊ *No further points were raised and the judge adjourned the session.* [Exp: **further and better particulars** (PROC ampliación del escrito de pretensiones *–statement of claim–*; se trata de una solicitud dirigida por la defensa al demandante en la que se exige la ampliación y aclaración de los alegatos originales; si la parte activa no atiende tal exigencia, la demanda puede quedar sobreseída; V. *strike out*), **furthermore** (GRAL otrosí, además), **further notice/order, till** (GRAL hasta nueva orden), **furtherance of, in** (GRAL en aras del mejor cumplimiento ◊ *In furtherance of the objectives, the association shall have power to engage in various fund-raising activities*)].

future *a/n*: GRAL futuro; diferido. [Exp: **future interests** (derechos futuros), **futures** (futuros ◊ *Oil, coffee, sugar and other articles are bought and sold in commodity exchanges and futures markets*; V. *forward, spot*), **futures contract** (MERC contrato de futuros; en el pasado, los contratos de futuros eran considerados como juego y no se podían defender ante los tribunales; hoy en día, sin embargo, son ejecutables como los demás), **futures market** (MERC mercado de futuros; V. *commodity exchange*), **future interests** (MERC intereses futuros)].

fuzz *argot n*: PENAL la policía, la poli, la bofia, etc.

G

G/A *n*: MERC V. *general average*.

gag *n/v*: GRAL mordaza; amordazar, impedir que alguien hable ◊ *Journalists are gagged by the court order*. [Exp: **gagging order, gag order** *US* (PROC auto de reserva; esta resolución judicial pone límites a la información que se puede dar sobre un proceso; V. *reporting restrictions*)].

gage[1] *n*: CIVIL prenda, caución; V. *pawn*. [Exp: **gage**[2]**, gauge** (GRAL medida, cálculo; calcular, medir, aforar)].

gain *n/v*: MERC ganancia, beneficio, utilidad, lucro; obtener, ganar ◊ *They spent their ill-gotten gains in the London casinos and nightclubs*; V. *capital gains, profit, ill-gotten gains*. [Exp: **gain and loss statement** *US* (MERC estado de pérdidas y ganancias; V. *profit and loss account*), **gainful** (GRAL lucrativo; V. *lucrative, profitable*), **gainful employment** (LABORAL/MERC actividad lucrativa, empleo provechoso), **gainsay** (GRAL negar, refutar, contradecir ◊ *She disagreed with her husband but she did not gain say him*; V. *contract, deny, dispute*)].

gallows *n*: GRAL HORCA; V. *scaffold*. [Exp: **gallows bird** (GRAL/PENAL carne de horca)].

gamble *n/v*: GRAL juego de azar; riesgo, jugada arriesgada, apuesta; jugar por dinero, apostar ◊ *He lost all his money in a Stock Market gamble*. [Exp: **gamble in stock** (MERC hacer agiotaje; V. *speculate on exchange, gaming*)].

game[1] *n*: GRAL caza; en esta acepción *game* no tiene plural. [Exp: **game**[2] (GRAL juego; jugar ◊ *It is against the law for under 18s to be in a casino when gaming is taking place*; V. *gamble, wager, bet*), **game licence** (ADMIN permiso de caza; V. *poaching*), **game of chance** (GRAL juego de azar), **gaming** (GRAL jugarse el dinero a juegos de azar), **gaming licence** (ADMIN autorización para abrir establecimientos dedicados a juegos de azar)].

gang *n*: GRAL mano, cuadrilla, pandilla; colla de estibadores ◊ *Police are hunting for the members of the armed gang which hijacked a security van*. [Exp: **gang of crooks** (PENAL banda criminal; V. *mob of gangsters*), **gang of robbers**, etc. (PENAL pandilla o cuadrilla de ladrones), **gangster** (PENAL gángster, bandido, hampón; V. *racketeer*), **gangland** (PENAL mafia de gángsters)].

gaol *n/v*: PENAL cárcel; encarcelar ◊ *He was gaoled*; en Gran Bretaña se usan *gaol* y *jail* indistintamente; V. *engaol, jail*. [Exp: **gaol delivery** (PENAL auto de excarcelación inmediata que, en el pasado, dictaba *The High Court of Justice*), **gaoler** (PENAL carcelero)].

gap[1] *n*: GRAL brecha, separación; agujero, discontinuidad, disparidad; vacío, espacio, hueco. [Exp: **gap**[2] (CONST vacío legal, laguna [en una o disposición]; V. *lacuna, loophole, legal vaccum*)].

garnish *v*: GEN/CIVIL prevenir, emplazar; ordenar judicialmente la retención de una cosa, embargar. [Exp: **garnishment** (PROC embargo de bienes o de créditos en posesión de terceros; V. *attachment, boycott, embargo, equitable garnishment, execution, factorizing, lien of garnishment*; el verbo *garnish* se emplea en el sentido de iniciar acciones judiciales para obtener de los tribunales un **garnishment order** (PROC sentencia o auto de embargo), siendo un caso de *enforcement* (ejecutoria), ya que sólo puede solicitar el auto correspondiente el acreedor que cuente con el respaldo de una sentencia favorable; en este caso también se puede emplear el verbo *to garnishee*; lo peculiar de esta sentencia reside en el hecho de que se embarguen bienes [derechos, etc.] del deudor que se hallan en posesión de un tercero; la persona contra la que se dicta la sentencia se llama **garnishee** (PROC embargado, el que recibe un mandato de entredicho), el acreedor se llama **garnisher/garnishor** (PROC embargante), la contracautela exigida a un embargante (PROC **garnishment bond**), y el procedimiento se llama **garnishment proceedings** (PROC procedimiento de embargo), **garnishee order** (PROC auto de subrogación en los créditos)].

gavel *n*: GRAL/PROC mazo ◊ *Gavels are used by American judges*; V. *auction*.

gazette *n*: CONST diario oficial ◊ *The London Gazette, the Belfast Gazette and the Edinburgh Gazette are official publications which contain bankruptcy orders, proclamations, and so on*; V. *official journal*.

gazumping *n*: MERC retirada del contrato, ruptura de las negociaciones contractuales; voz inventada, pero tan popular como la práctica que describe, la cual consiste en retractarse el que vende una casa o propiedad en el último momento, cuando ya hay acuerdo pero aún no se ha firmado el contrato, porque ha recibido otra oferta superior o para obligar al comprador a pagar un precio más alto; la acción no es ilegal pero causa muchos trastornos y pérdidas económicas, ya que el comprador frustrado tiene que pagar a su *solicitor* aunque no se perfeccione el contrato; la *Conveyancing Standing Committee* aconseja a los abogados que insten a las partes a que aporten una señal al principio de las negociaciones como prueba de buena fe, señal que se perdería en caso de que una de las partes se echara atrás sin justificación.

gbh *n*: PENAL V. *grievous bodily harm*.

gdp *n*: GRAL V. *gross domestic product*.

gear *v*: MERC incrementar el apalancamiento financiero, a saber, la relación entre el pasivo exigible y los fondos propios en la estructura financiera de la empresa ◊ *Low-profit highly-geared companies are taking risks with their shareholders' money*. [Exp: **gearing** (MERC apalancamiento; V. *capital gearing, leverage*)].

gender *n*: GRAL género; V. *sex*.

general *a*: GRAL general, universal; el adjetivo *general* tiene un amplio uso en el inglés jurídico, siendo sus antónimos más corrientes *special, limited, particular* y también *qualified*; en algunos casos, *gross* es sinónimo de *general*; V. *special, limited, qualified, particular*. [Exp: **general agent** (MERC/CIVIL apoderado, mandatario o agente general), **general assignment in favour of creditors** (MERC cesión incondicionada de bienes), **general assumpsit** (CIVIL/MERC proceso por incumplimiento de compromiso implícito), **general authority** (CIVIL/MERC poder general), **general/gross average, G/A** (MERC avería gruesa; la avería general o gruesa deben costearla proporcionalmente las partes que se benefician de ella; V. *particular average, petty average*), **general cargo** (MERC carga general), **general charge** (PROC instrucciones generales dadas por el juez a los miembros del jurado), **general committee** (GRAL presidencia, mesa presidencial), **general covenant** (CIVIL garantía general), **general customs** (GRAL costumbres nacionales, práctica comercial), **general damages** (SEGUR/CIVIL daños efectivos, indemnización compensatoria por daños directos, generales o efectivamente causados, de acuerdo con lo que la ley estima que el agraviado debe recibir; este tipo de indemnización también se llama *actual/ compensatory damages*; cuando se puede precisar fácilmente el valor de lo perdido o dañado se habla de *specific damages*), **general defences** (PENAL eximentes generales; corresponde a la acusación demostrar que no existieron; entre estas eximentes destacan: la enajenación mental *–the mentally abnormal offender–*, el estado de embriaguez *–the intoxicated of-fender–*, la legítima defensa *–self-defence–*, el estado de necesidad *–necessity–*, la coacción *–duress–*, el ejercicio legítimo de una cargo *–legal performance of duty or office–*, etc.; la diferencia entre las eximentes generales y las específicas radica en el hecho de que corresponde a la acusación probar que las primeras no existieron, mientras que en las segundas es tarea de la defensa demostrar su existencia; muchas leyes, al tipificar un delito, también determinan las eximentes específicas del mismo ◊ *Automatism, involuntary conduct and selfdefence are three kinds of general defence*; V. *specific defences*), **general demurrer** (CIVIL excepción general), **general devisee** (SUC legatario general), **general ice clause** (SEGUR cláusula de hielo, que se incluye en las pólizas de fletamento), **general issue** (PROC excepción a la totalidad; declaración general de que son falsos todos los hechos alegados por la parte contraria; en la actualidad está en desuso ya que hay que rebatir las alegaciones punto por punto), **general elections** (CONST elecciones generales), **general execution** *US* (MERC/ CIVIL ejecución general de los derechos del acreedor mediante auto de embargo dictado al *sheriff*), **general executor** (SUC albacea universal), **general legacy** (SUC legado general), **general lien** *US* (CIVIL gravamen, derecho prendario, embargo preventivo), **general/universal malice** (PENAL intención dolosa indiscriminada o sin objeto concreto; se dice de la clase de dolo que mueve al homicida que dispara de forma indiscriminada contra un grupo de personas con la intención de matar, pero sin importarle a quién mata en concreto; las víctimas son personas concretas pero la intención dolosa no se dirigía contra ellas en particular; V. *actual/express malice, implied malice, transferred malice*), **general meeting of shareholders** (MERC junta general de accionistas), **general partner** (MERC socio colectivo), **general partnership** (MERC sociedad colectiva; sociedad regular colectiva; sociedad civil, sociedad personal ◊ *In a general partnership each of the members is liable for all the debts of the business up to the full extent of their personal fortunes*), **general public** (GRAL población), **general strike** (LABORAL huelga general), **general tenancy** (CIVIL tenencia sin plazo; V. *at will, tenant at will*), **general verdict** (PROC veredicto general; V. *special verdict*), **general warrant** (PENAL auto de detención general)].

genocide *n*: PENAL genocidio; V. *crimes against humanity*.

gentlemen's agreement *n*: MERC/INTER pacto de caballeros; se aplica en materia de acuerdos internacionales para restarles fuerza vinculante.

genuine *a*: GRAL/PROC auténtico, legítimo, genuino, veraz. [Exp: **genuineness** (GRAL/PROC autenticidad)].

get *v*: GRAL conseguir, obtener, alcanzar. [Exp: **get into debt** (MERC/CIVIL endeudarse), **get off scot-free** (PENAL salir impune, quedar sin castigo; V. *send down, let sb scot-free*), **get the sack** (LABORAL ser despedido)].

ghastly *a*: GRAL/CRIM espantoso, horrendo ◊ *A ghastly discovery was made yesterday: five bodies, all family members of the killer*; V. *terrible, awful, repulsive, gruesome, macabre*

gift *n*: CIVIL donación, regalo, dádiva ◊ *An engagement gift is an absolute gift and cannot be recovered when the engagement is broken*; V. *gratuitous, absolute gift*. [Exp: **gift, as** (MERC/CIVIL a título gratuito), **gift inter vivos** (CIVIL donación inter vivos), **gift mortis causa** (SUC donación por causa de muerte), **gift tax** (SUC impuesto sobre donaciones o sobre transferencias a título gratuito)].

giltedged securities *n*: MERC bonos o valores del Estado, valores de primera clase, valores de canto rodado, valores de toda confianza; V. *blue chip bond, high-grade bond.*

give *v*: GRAL dar, otorgar, etc. ◊ *He gave me his word in front of witnesses that he would repay the loan*; V. *confer*. [Exp: **give a sentence** (PENAL imponer una pena), **give a suspended sentence** (PENAL dictar sentencia condicional), **give an address** (GRAL dar un discurso, arenga o alocución), **give bail** (PROC prestar, constituir fianza o caución; V. *grant bail, stand bail*), **give effect to** (GRAL cumplir, ejecutar ◊ *The President's constitutional duty is to faithfully give effect to the laws*; V. *execute*), **give evidence** (PROC prestar declaración, declarar, deponer, aportar pruebas, dar testimonio, testificar, atestiguar ◊ *The defendant is not obliged to give evidence*; V. *evidence, take evidence from*), **give leave for a case to go ahead** (PROC admitir a trámite), **give leave to appeal** (PROC admitir a trámite la apelación), **give judgment against/in favour of** (PROC fallar a favor/en contra, emitir un fallo, dictar sentencia; V. *grant a decree, pass a sentence, issue an order, find against/for*), **give notice** (PROC emplazar, comunicar, citar, notificar a la otra parte sobre la rescisión del contrato laboral, siguiendo los plazos que marca la ley; dar aviso de despido; despedirse de un puesto de trabajo voluntariamente, dando la notificación reglamentaria, notificar la extinción del contrato por voluntad del trabajador), **give one's word** (GRAL dar su palabra; V. *promise, pledge*), **give oneself a fix** (GRAL pincharse [droga], chutarse, picarse; V. *mainline, shoot up, give oneself a fix*), **give oneself up** (GRAL/PENAL entregarse, surrender), **give preliminary rulings** (PROC pronunciarse con carácter prejudicial), **give redress** (CIVIL reparar), **give something in evidence** (PROC utilizar como prueba), **give the floor** (GRAL ceder/dar el uso de la palabra), **give the sack** *col* (LABORAL despedir, echar a uno; V. *dismiss, fire*), **give up** (GRAL renunciar; V. *abandon, surrender, renounce, abnegate*)].

glasshouse *col n*: PENAL calabozo militar.

glut *n/v*: MERC saturación, exceso; saturar ◊ *These articles are a glut on the market at the moment.*

GMT *n*: V. *Greenwich Mean Time.*

go *v*: GRAL ir, salir, etc. ◊ *They have invested a lot of money in the business and it is once more a going concern*. [Exp: **go against the law** (PENAL ir contra la ley; V. *break the law, go to law*), **go back on one's words** (GRAL desdecirse, echarse atrás, faltar a una promesa), **go bail** (PROC salir fiador), **go between** (GRAL intermediario; V. *agent*), **go beyond one's remit** (GRAL excederse en el uso de sus atribuciones; V. *act ultra vires, exceed one's authority*), **go bust** (MERC quebrar, ir a la quiebra; V. *bankrupt, success or bust*), **go into bankruptcy** (MERC ir a la quiebra; V. *windingup*), **go into hiding** (PENAL pasar a la clandestinidad), **go into receivership** (MERC pasar a administración judicial), **go on strike** (LABORAL declararse en huelga), **go public** (MERC entrar en Bolsa, cotizar en Bolsa), **go straight** *col* (GRAL hacer vida nueva; V. *straight*), **go surety for** (MERC fiar), **go to** (GRAL ser relevante con, aludir a ◊ *That point refers to your first proposition*; V. *be relevant*), **go to law** (PROC entablar juicio, demandar, meterse en pleitos; V. *go against the law*), **go to the bad** (GRAL malearse; V. *bad*), **go to the polls** (CONST ir/acudir a las urnas), **go to the country** (GRAL apelar al pueblo [en unas lecciones generales), **going** (GRAL en marcha, que funciona, vigente), **going concern** (GRAL negocio en marcha), **going rate** (GRAL tipo de cambio vigente)].

gold *n*: GRAL oro. [Exp: **golden** (GRAL dorado, de oro, áureo, de gran valor), **golden handcuffs** (MERC «esposas doradas»; incentivo o prima de permanencia en una empresa para altos ejecutivos; «bufanda»; V. *golden parachute*), **golden handshake** *col* (LABORAL broche de oro, despido con compensación en metálico; gratificación otorgada a la jubilación de un empleado que ha prestado largos servicios o que cesa antes del período previsto, debido a fusión de la empresa, etc.; también se emplea cuando la empresa quiere librarse de un alto cargo *–get rid of a senior employee–* con el fin de evitar acudir a los tribunales; V. *ex gratia payment*), **golden hello** (MERC prima de fichaje/enganche; incentivo o prima por fichaje o incorporación; se da al agente o directivo que ingresa en una empresa, por abandonar su empresa anterior; V. *golden handcuff*), **golden parachute** (LABORAL contrato blindado; cláusula de un «contrato blindado», que asegura grandes beneficios al ejecutivo que sea despedido o cesado en su cargo; V. *cast-iron contract*), **golden share** (MERC acción de oro; alude a la propiedad estratégica de una sociedad; en algunas empresas el Estado se reserva una acción de este tipo)].

good *a*: GRAL bueno; V. *bad*. [Exp: **good cause [appearing]** (PROC [existiendo al parecer] justificación o motivo suficiente; V. *show good cause*), **good character** (GRAL solvencia moral, reputación, fama; V. *credentials; trustworthiness*), **good conduct** (GRAL buen proceder, buena conducta), **good consideration** (MERC causa contractual adecuada), **good faith, in** (GRAL de buena fe ◊ *In claims based on equity it is essential for the plaintiff to show that he or she acted in good faith*), **good offices** (GRAL buenos oficios), **good root of title** (CIVIL buen fundamento de título), **good time** (PENAL remisión de la duración de la pena), **good title** (CIVIL título válido, título seguro o inobjetable; V. *clear title; bad title, cloud on title*), **good until cancelled** (GRAL válido hasta nueva orden)].

goods *n*: GRAL/MERC productos, bienes, mercancías, efectos de comercio, géneros, especies, mercaderías ◊ *Ordinary commercial transactions are regulated by the Sale of Goods Act*; V. *bonded goods, consumer goods, perishable goods, investment goods, chattels*. [Exp: **goods and chattels** (GRAL bártulos), **goods and services** (GRAL bienes y servicios), **goods exchange** (MERC bolsa de comercio)].

goodwill *n*: MERC fondo de comercio, prestigio e imagen profesional, clientela de una empresa o negocio; reputación comercial, gancho, tirón, plusvalía ◊ *The goodwill of a firm is part of its intangible fixed assets*; V. *negative goodwill.*

gouge *col v*: PENAL estafar, extorsionar ◊ *One can gouge a person either by overcharging or defrauding him.*

govern *v*: GRAL regir ◊ *A court's discretion is governed by the law of the court where the case is tried.* [Exp: **governing board** (GRAL/MERC Consejo de administración), **governing body** (ADMIN/MERC órgano, organismo o junta directiva), **governing law** (CONST ley vigente), **government** (CONST gobierno, Estado, administración del Estado ◊ *Three new ministers have entered the government as a result of the Cabinet reshuffle*; la palabra *government*, de acuerdo con el contexto en el que se use, puede equivaler a «Estado» en expresiones como *the organs of government*, –los órganos del Estado–, *government bonds* –bonos del Estado–; a «Administración», como en *the Federal Government*; o simplemente a «gobierno», como en *the government of the Church* –el gobierno de la Iglesia–), **government agency** (CONST organismo público), **government attorney** *US* (PROC/PENAL fiscal; V. *district attorney*), **government bank** (MERC banco estatal o nacional), **government circulars** (CONST directrices ministeriales), **government department** (CONST ministerio), **government securities** (MERC títulos o valores del Estado, efectos públicos), **government official** *US* (CONST/LABORAL funcionario público; V. *civil servant*), **governmental** (GRAL gubernamental; V. *non-governmental organisation*)].

gown *n*: GRAL toga; V. *robe*. [Exp: **gownman** (GRAL togado)].

grace period *n*: GRAL/MERC/PROC período de gracia o de espera; V. *days of grace.*

graft[1] *col n*: PENAL chanchullo, depravación, trampa, granujería, corrupción, soborno político ◊ *Graft scandals involving building contracts*; V. *cheat, bribery, corruption, backhander; antigraft probe*. [Exp: **graft**[2] *col* (LABORAL trabajo duro, curro *col*; trabajar duro, currar *col* ◊ *He got to where he is by hard graft*), **graft-buster** *col* (PENAL «superpoli» en la lucha contra la corrupción; V. *crime buster*), **grafter**[1] (PENAL sinvergüenza, granuja, chanchullero, tramposo, corrupto, especulador sin escrúpulos ◊ *Local business is being ruined by grafters and cheats*), **grafter**[2] *col* (LABORAL currante *col*; persona que se mata a trabajar; trabajador nato; V. *toil*)].

grand *a*: GRAL solemne, majestuoso, ceremonial; mayor, importante; V. *petit*. [Exp: **grand jury** (PENAL gran jurado, jurado de acusación; en Estados Unidos, el gran jurado tiene como función decidir si existen indicios razonables *–probable cause–* para procesar a un acusado, función que en Inglaterra realizan los *magistrates* de los *Magistrates' Courts* en su función de jueces instructores *–examining magistrates–*; V. *indictment*[2], *presentment; petit jury; ignoramus, true bill, not a true bill*), **grand larceny** (PENAL hurto mayor; este término y su antónimo *petty larceny* –hurto menor– ya no tienen vigencia jurídica, empleándose la palabra *theft* para todos los casos de robo), **grandees** (CONST barones de un partido)].

grant *n/v*: GRAL concesión, donación, cesión, permiso; privilegio, decreto, subvención, beca, bolsa (de estudios o de viaje); otorgar, conceder, ceder, dar, dispensar ◊ *Her divorce petition was undefended and she was granted a decree nisi*; V. *bounty, bestow, confer; nonrecoverable grants; take for granted.* [Exp: **grant a decree** (PROC dictar sentencia un tribunal [de equidad]), **grant a delay** (GRAL acordar/conceder una prórroga o dilación; V. *allow time*), **grant a discount/an allowance** (MERC conceder/hacer un descuento/una rebaja), **grant a licence** (GRAL otorgar una licencia o concesión), **grant a loan** (MERC conceder un préstamo), **grant a motion** (PROC aceptar una petición; V. *motion granted*), **grant a patent** (MERC otorgar una patente), **grant a postponement** (CIVIL/MERC conceder un plazo para el pago), **grant a request** (PROC acceder a una demanda), **grant a respite** (PROC acordar una moratoria), **grant a stay** (PROC conceder la suspensión de la instancia), **grant a subsidy** (MERC/ADMIN conceder una subvención), **grant amnesty** (PENAL amnistiar, conceder una amnistía), **grant an application** (PROC/ADMIN acceder a lo solicitado, aceptar, admitir a trámite una petición, instancia o solicitud), **grant an injunction** (PROC dictar un interdicto o medida cautelar), **grant bail** (PENAL conceder la libertad provisional bajo fianza ◊ *The magistrate granted bail in/of £200 and the prisoner was released*; V. *give bail, stand bail*), **grant of favour or privilege** (GRAL acto graciable), **grant-in-aid** (GRAL ayudas estatales; subvención; aplicación de fondos de un gobierno central a proyectos específicos), **grant in fee simple** (CIVIL transmitir en pleno dominio), **grant interim protection** (EURO otorgar amparo cautelar ◊ *It is understood that when a reference for a preliminary ruling is made by a national court, Community law gives that national court the power to grant interim protection*), **grant leave** (GRAL otorgar permiso, dar la venia, admitir, admitir a trámite, autorizar ◊ *Grant leave to appeal*; V. *seek leave of the court*), **grant relief** (GRAL exonerar, reparar), **grantee** (GRAL/CIVIL cesionario, concesionario; V. *grantor*), **granting clause** (CIVIL cláusula en la que especifica la transmisión de derechos propiedad; V. *habendum clause*), **granting of licences** (ADMIN concesión de licencias), **grantor** (GRAL/CIVIL cesionista, otorgante, poderdante, dador ◊ *Indentures are signed by both the grantor and the grantee*), **grants basis, on a** (GRAL en régimen de donación, a título de donación)].

grassroots movements *n*: GRAL movimientos de comunidades de base.

gratuitous *a*: GRAL gratuito, gracioso; V. *gift; free; commodatum*. [Exp: **gratuitous contract** (MERC contrato a título gratuito; V. *without valuable consideration*), **gratuitous bailment** (CIVIL comodato, depósito civil; V. *commodatum*), **gratuity** (GEN gratificación)].

graving dock *n*: MERC dique seco; S. *dry dock*.

great *a*: GRAL gran, grande, genuino, sensacional. [Exp: **Great Seal** (CONST sello oficial; V. *Keeper of the Great Seal*)].

green *a*: verde ◊ *The government has published a Green Paper on new legislation against drug abuse*. [Exp: **Green book** (PROC libro que contiene las normas procesales de los *County Courts*; desde 1998 están contenidas en *The Civil Procedure Rules*; V. *White Book*), **Green Paper** (CONST proposición no de ley ◊ *Green Papers are government documents that discuss approaches to a problem*; se trata de proposiciones, estudios, etc., que el ejecutivo, por mandato real, presenta al Parlamento para su consideración; entre estos documentos destacan los *white papers* y los *green papers*; V. *White Paper, command papers*)].

Greenwich Mean Time *n*: GRAL tiempo universal, tiempo medio de Greenwich.

grievance *n*: CIVIL agravio, base de la queja o demanda, injusticia, ofensa; V. *score*.

grievous *a*: GRAL/PENAL ofensivo; V. *serious, painful*. [Exp: **grievous/serious bodily harm, gbh** (PENAL lesiones [corporales] graves ◊ *Murder is homicide with malice aforethought, i.e., with the intention of killing or causing grievous bodily harm*;

V. *battery; bodily harm; redress a grievance*)].

gross[1] *a*: MERC/GRAL bruto, íntegro; con este sentido, es decir, «no neto», aparece junto a *dividends, earnings, income, margin, price, proceeds, profit, revenue,* etcétera; V. *net.* [Exp: **gross**[2] (PENAL/CIVIL/GRAL grave, flagrante, temerario, ilegal, inexcusable; evidente ◊ *We are claiming damages on the ground of the railway company's gross negligence*; V. *criminal, flagrant, obvious*), **gross**[3] (GRAL basto, grosero, burdo ◊ *Gross language*), **gross/general average, G/A** (MERC avería gruesa o común), **gross charter** (MERC fletamento con operación por cuenta del fletante), **gross domestic product, gdp** (GRAL producto interior bruto), **gross margin** (MERC margen comercial bruto), **gross fault** (CIVIL negligencia/culpa grave), **gross, in** (GRAL/CIVIL absoluto, por derecho propio; personal genérico; la expresión *in gross* se aplica en expresiones como *a profit à prendre in gross* para señalar que el derecho es absoluto con independencia de que se tenga o no la propiedad de la tierra; V. *in common; profits in gross*), **gross inadequacy** (GRAL insuficiencia evidente; V. *flagrant*), **gross indecency** (PENAL abusos deshonestos), **gross national product, gnp** (GRAL producto nacional bruto), **gross negligence** (CIVIL/PENAL imprudencia o negligencia temeraria, negligencia grave; a pesar de que los tribunales rechazan el término, alegando que la negligencia existe o no existe y no tiene adjetivos, la expresión es frecuente y se asemeja bastante al espíritu del término «negligencia temeraria») **gross register tonnage, GRT** (MERC tonelaje de registro bruto; V. *net register tonnage*), **gross weight** (MERC peso bruto)].

ground[1] *n/v*: GEN fundamento, causa, razón, motivo, base, argumento, alegato, defensa; terreno; fundar, fundamentar, establecer, basar ◊ *His claim was grounded on the will his mother made during her last illness*; V. *argument, reason; legal ground, proof, faction.* [Exp: **ground**[2] (MERC embarrancar; V. *aground; run aground*), **ground for appeal** (PROC motivo de apelación), **ground for divorce** (FAM causa de divorcio), **ground rent** (CIVIL renta fijada en función del terreno y no de las casas u otros edificios), **ground that, on the** (GRAL basándose en, alegando que), **grounds of, on** (GRAL por razón de, por razones de; V. *evidence*), **groundless** (GRAL sin causa), **groundlessness** (GRAL inconsistencia, incoherencia, contradicción, falta de razón o fundamento; V. *inconsistency*)].

gruesome *a*: GRAL/CRIM truculento, horripilante ◊ *A gruesome discovery was made yesterday: five bodies, all family members of the killer*; V. *terrible, awful, repulsive, ghastly, macabre.*

guarantee, guaranty *n/v*: MERC/CIVIL garantía, caución, fianza, aval; avalar, garantizar, constituirse en fiador, afianzar ◊ *The company could not find a bank willing to guarantee the loan, and had to sell some of its assets*; las palabras *guarantee, warranty* y *guaranty* son parcialmente sinónimas; en principio, *guarantee* se emplea en el habla cotidiana, muchas veces con el sentido de fiador, es decir, el que ofrece un aval; *warranty* aparece en contextos jurídicos o escritos, y *guaranty* es la forma más obsoleta; V. *surety.* [Exp: **guarantee bond** (CIVIL fianza), **guarantee debenture** (MERC obligación garantizada), **guarantee fund** (MERC fondos de reserva o de garantía), **guarantee stocks** (MERC valores garantizados), **guaranteed** (MERC avalado), **guaranteed by endorsement** (MERC avalado), **guarantor** (MERC/PROC avalista, fiador, garante de una fianza judicial)].

guardian *n*: FAM tutor, guardián, custodio, depositario ◊ *As the orphan is a minor,* *the court has appointed a guardian to exercise parental rights and duties.* [Exp: **guardian ad litem/guardian for the suit** (PROC defensor judicial, curador *ad litem*), **guardian by election** (PROC tutor elegido por el menor), **guardian by statute** (SUC tutor testamentario), **guardianship** (FAM tutela; V. *tutorship, wardship*)].

guidance *n*: GRAL guía, orientación; V. *provide guidance; supervision, advice.* [Exp: **guide** (GRAL guía; guiar; V. *advise, orient, counsel*), **guidelines** (GRAL orientaciones, directrices; V. *instructions*)].

guild *n*: MERC/LABORAL gremio, corporación, cuerpo ◊ *The old trade guilds were the ancestors of the modern trades unions*; V. *trades union.*

guile *n*: GRAL astucia, insidia ◊ *The fraud trial showed the extent of the businessman's guile and the depth of his knowledge of finance.*

guilt *n*: PENAL culpa, culpabilidad ◊ *Under Scots law there are three possible verdicts: guilty, not guilty and not proven.* [Exp: **guilty** (PENAL culpable; V. *culprit, find guildty, plead guilty*), **guilty knowledge** (CRIM dolo), **guilty party** (PENAL parte culpable), **guilty plea** (PENAL admisión de culpabilidad)].

gun *n*: GEN/PENAL pistola ◊ *No civilised person would uphold a contract signed at gunpoint.* [Exp: **gunfight** (GRAL tiroteo; V. *shoot-out*), **gunman** (PENAL bandido, pistolero; V. *killer, cutthroat, murderer, triggerman, homicidal, slayer, assassin*), **gun-point, at** (PENAL a punta de pistola; V. *point blank, at knifepoint*), **gun-runner** (PENAL traficante de armas)].

H

habeas corpus *n*: PENAL *habeas corpus*, auto de prerrogativa de protección de los derechos del detenido, ley básica de protección de los derechos del detenido; literalmente quiere decir «Vd. tiene el cuerpo; [que comparezca lo antes posible ante mí para saber si ha sido detenido ilegalmente]»; V. *writ, writ of habeas corpus.*

habendum *n*: CIVIL parte o división de una escritura de propiedad que comienza con *to have and to hold,* determinándose en ella los derechos transferidos. [Exp: **habendum clause** (CIVIL cláusula de adquisición de un inmueble; V. *granting clause*)].

habitual *a*: GRAL habitual, reincidente. [Exp: **habitual drunkard** (GRAL bebedor empedernido; V. *teetotaller*), **habitual offender** (PENAL delincuente habitual; V. *first-time offender, persistent offender, recidivist*)].

hacker *n*: PENAL pirata informático; *kidnapper, abductor, abactor.* [Exp: **hacking** (PENAL hurto de información contenida en ordenadores; V. *darkside hacking, theft, burglary, stealing, lifting, abstracting, kidnapping, abaction*)].

Hague Convention, The *n*: CONST Convención de la Haya.

half *a/n*: GRAL medio, mitad. [Exp: **half-blood** (FAM consanguinidad, de un solo vínculo; V. *affinity, consanguinity*), **half brother/sister** (FAM hermano-a de un solo vínculo), **half-yearly** (GRAL semestral; V. *biyearly*)].

hallmark *n*: GRAL marca de legitimidad, origen o calidad, sello, marca, distintivo.

hamper *n/v*: GRAL obstaculizar, dificultar; V. *encumber.*

hand *n/v*: GRAL mano; obrero; entregar con la mano; V. *change hands, deck hand, show of hands, highhanded.* [Exp: **hand and seal** (PROC/GRAL firma y sello), **hand and seal, under my** (PROC firmado de mi puño y letra y con mi sello, firmado y sellado por mí), **hand-habend** (PENAL ladrón sorprendido con lo robado en sus manos o «con las manos en la masa»; V. *backberend*), **hand down a decision/sentence** (PROC anunciar/dictar un fallo o decisión, una condena), **hand in a report** (PROC elevar o presentar un informe o una memoria), **hand out information** (PROC facilitar noticias), **hand money** (CIVIL/FAM arras, depósito), **hand-picked** (GRAL nombrado a dedo), **hand, to** (GRAL a mano ◊ *I have your report to hand and I see you recommend a price increase*), **handcuff** (PENAL esposas; maniatar, esposar ◊ *The accused, who was reputed to be dangerous, sat handcuffed to two prison officers throughout the trial*), **handout**

(GRAL expediente, notas), **handwriting** (GRAL/PROC letra, caligrafía), **handgun assault** (PENAL asalto/atraco a mano armada), **handwriting expert** (PROC perito caligráfico ◊ *The police have called in a handwriting expert to assist with their inquiries*)].

handicap *n/v*: GRAL impedimento; impedir; V. *impair, hamper, disable*. [Exp: **handicapped** (GRAL/LABORAL disminuido, desfavorecido ◊ *Physically handicapped people are allowed to vote by proxy*; V. *disabled*)].

handle *v*: GRAL/MERC manejar, comerciar [en determinados artículos o negocios], tratar con, manejar [personas] ◊ *Handling stolen goods is a very serious offence and covers a wide range of activities such as sharing in the proceeds of blackmail or assisting in the disposing of anything bought with the proceeds of robbery, etc.* [Exp: **handler** (MERC tratante, comerciante), **handling stolen goods** (MERC tráfico de artículos robados; V. *receiving stolen goods, fence*)].

hang *v*: GRAL/PENAL ahorcar; con el significado de «ahorcar», el verbo *hang* es regular. [Exp: **hanging** (PENAL patibulario, muerte en la horca, ahorcamiento; V. *gallows*), **hangman** (PENAL verdugo, ejecutor de la justicia; V. *executioner*)].

Hansard *n*: CONST Libro de Actas del Parlamento Británico ◊ *The only reliable source of information on exactly what is said in Parliament are the reports in Hansard*; aunque hoy son publicadas por la Imprenta Oficial de la Corona [*HMSO*], las actas taquigráficas del Parlamento británico todavía conservan el nombre de la familia Hansard, en cuya imprenta se publicaron hasta el siglo XIX.

harass *v*: GRAL/PENAL acosar, hostigar, atormentar ◊ *Harassing a witness may lead to a charge of interfering with witnesses*; V. *abuse, distress, mistreat, stress*. [Exp: **harassment** (PENAL hostigamiento, ejercicio abusivo de un derecho; V. *sexual harassment, mobbing*), **harassment of debtors** (CIVIL/PENAL delito de coacción violenta para el cobro de deudas; V. *demand with menaces, aggressive collection*), **harassment of occupier** (CIVIL coacción violenta para desalojar a un inquilino)].

harbour *n/v*: GRAL puerto; cobijar, esconder, abrigar, albergar; V. *shelter, safe harbor rule* US. [Exp: **harbour a criminal** (PENAL cobijar o esconder a un delincuente; V. *impeding apprehension or prosecution, aid and abet*), **harbour dues** (ADMIN derechos de puerto), **harbour master** (MERC capitán de puerto; V. *warden of a port*)].

hard *a*: GRAL duro, severo, empedernido ◊ *That judge has the reputation of being hard but fair*; V. *harsh, adamant*. [Exp: **hard and fast rule** (PROC/CONST regla rígida; V. *inflexible*), **hard cash** (MERC dinero efectivo o en metálico), **hard core** (GRAL núcleo; esencial, básico), **hard core pornography** (PENAL pornografía dura ◊ *Bestiality is a kind of hard core pornography*), **hard currency** (MERC moneda o divisa fuerte), **hard drug** (PENAL droga dura; V. *soft drug*), **hard labour** (PENAL trabajos forzados; V. *conscripted labour*), **hard money** (MERC moneda contante y sonante, moneda metálica), **hard-line** (GRAL de línea dura ◊ *A hard-line judge sentenced the adulterous woman to stoning*), **hard words** (GRAL palabras duras, severas o injuriosas), **hardship** (GRAL opresión, injusticia, penalidad)].

harm *n/v:* GRAL daño, perjuicio, agravio, detrimento; dañar, perjudicar ◊ *It was generally felt that internment without trial as a means of combating terrorism in Northern Ireland did more harm than good*; V. *bodily harm*; V. *damage*. [Exp: **harmful** (GRAL nocivo, perjudicial, peligroso), **harmful error** (GRAL error perjudicial, error inexcusable), **harmless** (GRAL inocuo, inofensivo), **harmless error** (GRAL error sin perjuicio o excusable)].

harmonisation *n*: GRAL/EURO equiparación, armonización ◊ *The Council of Ministers of the EU periodically issues directives aimed at securing a harmonisation of laws between member states*. [Exp: **harmonisation of laws** (CONST armonización de leyes; V. *approximation of legal provisions*.

harsh *a*: GRAL duro, severo, áspero, riguroso ◊ *Counsel for the defence, who felt his client had been harshly treated, lodged an appeal against the sentence*; V. *hard, ruthless, adamant*. [Exp: **harsh treatment** (GRAL severidad)].

hazmat *US n*: GRAL material peligroso; está formado por la mutilación de *hazardous material*.

haulage *n*: GRAL portes, transporte ◊ *Haulage contractors are responsible for the safety of the goods they transport*; V. *carriage, conveyance*.

have *v*: GRAL tener, haber. [Exp: **have a hold over** (GRAL/PENAL dominar a uno, ejercer influencia sobre uno, tener a alguien a su merced), **have and hold** (GRAL tener y poseer), **have no case, you** (PROC sus argumentos no tienen base/consistencia jurídica), **have no record** (GRAL/PENAL no tener constancia; carecer de antecedentes penales; en este caso equivale a *have no criminal record*), **haver** *der es* (GRAL tenedor, persona que tiene algo [p. ej. un escrito, un efecto de comercio] en su posesión o bajo su custodia o control)].

haven *n*: GRAL refugio, puerto; V. *tax haven*.

hay bote *n*: CIVIL V. *bote*.

hazard *n/v*: GRAL peligro, riesgo, azar; arriesgar, poner en peligro; V. *danger, occupational hazard; industrial accident; jeopardy,*. [Exp: **hazardous** (GRAL arriesgado, peligroso; V. *dangerous, ultrahazardous activities*), **hazardous and noxious substance, HNS** (GRAL producto peligroso y tóxico; V. *hazmat*), **hazardous contract** (MERC contrato gavoso para una de las partes), **hazardous negligence** (PENAL imprudencia temeraria; V. *gross negligence*), **hazardousness** (GRAL peligro, riesgo)].

head[1] *n*: GRAL jefe, principal, superior, cabeza. [Exp: **head**[2] (GRAL epígrafe, título, preámbulo), **head of the company** (MERC presidente de la empresa), **head count** (GRAL cómputo/recuento por personas [presentes] ◊ *Let's do a head count of those likely to vote in our favour*; V. *show of hands, quorum*), **head of state** (CONST jefe de Estado), **head office** (MERC oficina principal, central, casa matriz, sede), **headquarters** (GRAL sede principal, cuartel general), **head tax** (capitación; V. *poll tax*), **heading** (GRAL título, partido, epígrafe ◊ *The headings used at the start of the sections of a statute give shape to the Act and are helpful in resolving possible ambiguities*; V. *title, rubric, subheading, paragraph*)].

health *n*: GRAL salud, higiene, sanidad; V. *mental health*. [Exp: **Health and Safety at Work Act** (LABORAL ley de seguridad e higiene en el trabajo ◊ *Under the Health and Safety at Work Act dangerous machinery must be securely fenced*), **health care** (LABORAL atención/asistencia sanitaria, cuidado sanitario), **health care system** (ADMIN servicio de salud [pública]), **health insurance** (SEGUR seguro de enfermedad)].

hear *n*: GRAL/PROC oír, ver, conocer ◊ *A civil action is usually heard by a single judge*. [Exp: **hear a case** (PROC conocer de una causa, ver una causa), **hear evidence** (PROC practicar una prueba), **hearing** (PROC vista, audiencia, examen de testigos, juicio; V. *prehearing assessment, pretrial hearing, split hearing*), **hearsay evidence** (PROC testimonio indirecto, de segunda mano o de oídas; testimonio en el que el testigo refiere el contenido de rumores, opiniones de terceros o habladurías sin confirmar; normalmente no se admite pero hay muchas excepciones; V. *direct evidence, circumstancial evidence, intermediate witness*), **hearsay exception** (PROC excepción a la regla de inadmisibilidad del testimonio indirecto o de segunda mano)].

heat of passion *n*: GRAL arrebato y obcecación; V. *fit of anger*.

heavily*adv*: GRAL fuertemente, pesadamente. [Exp: **heavily armed** (PENAL fuertemente armado), **heaviness of the market** (MERC depresión del mercado), **heavy** (GRAL grave, fuerte, importante; oneroso ◊ *He resigned because he found the burden of responsibility too heavy to carry*; V. *light*), [Exp: **heavy fall** (MERC hundimiento, derrumbamiento, colapso; V. *collapse*), **heavy penalty** (PENAL pena grave), **heavy sentence** (PENAL sentencia o condena grave; V. *serious*)].

heckle *v*: GRAL abuchear a un conferenciante o político, reventar un mitin. [Exp: **heckler** (GRAL reventador de mítines ◊ *The stewards ejected a number of hecklers from yesterday's political meeting*)].

henchman *n*: GRAL seguidor político, secuaz, hombre de confianza, gorila ◊ *The politician was always surrounded by a group of henchmen*; V. *bodyguard, bouncer.*

hedge[1] *col n/v*: GRAL evasiva, respuesta no comprometida; argumento evasivo o escurridizo; responder con evasivas; ponerse a cubierto, salirse por la tangente. [Exp: **hedge**[2] (MERC cobertura contra cambios de precios de los mercados financieros; protección; resguardo; operación financiera efectuada para protegerse de los riesgos de los posibles riesgos de otra anterior), **hedge**[3] (MERC cubrirse o protegerse en operaciones financieras; compensar las apuestas u operaciones de bolsa entre sí; cubrir los contratos de futuros, compensar contratos ◊ *The firm hedged its bets by investing in safe stock to cover against the eventuality of losses elsewhere*), **hedge currency** (MERC moneda de cobertura), **hedge funds** (MERC fondos de cobertura; son fondos de inversión especulativa de muy alto riesgo, formados con productos derivados *–derivatives–* ◊ *In theory, hedge funds make money in financial markets that are falling as well as rising*), **hedged** (MERC con posición de riesgo compensado), **hedged about with legal problems** (GRAL plagado/cargado de problemas legales), **hedged money market instrument** (MERC FINAN/PROD/DINER instrumento protegido del mercado de dinero; V. *basis,*[2] *futures contract*), **hedged in** (GRAL atado, coartado, restringido, limitado ◊ *Many developers feel hedged in by local regulations*), **hedger** (MERC FINAN/PROD/DINER operador de cobertura, inversor asegurado; V. *long investor, writer*), **hedging**[1] (GRAL evasivas; aseveración, respuesta o argumento poco arriesgados, llenos de rodeos o excesivamente *–intentionally noncommittal statements–*; la cortesía entre profesionales hace uso del *hedging* a fin de evitar situaciones comunicativas desagradables o no deseadas), **hedging**[2] (MERC estrategias de cobertura, cobertura de operaciones a plazo; cobertura de futuros; garantía de cambio; compensación de riesgos; operaciones de cobertura o compensatorias; protección/cobertura contra las oscilaciones de precio del mercado; se aplica a las medidas de protección que adoptan tanto el comprador como el vendedor de los grandes mercados internacionales con la compra y venta de *calls* –opciones de compra– y *puts* –opciones de venta– en las operaciones con *forward* *contracts* –contrato a plazo– y *futures contracts* –contrato de futuros–; V. *call*[10], *put*[2], *futures market, long investor, writer*), **hedging**[3] (MERC arbitraje [en la Bolsa de Comercio])].

heinous *a*: GRAL vil, atroz, aborrecible, odiosos, infamante ◊ *A heinous crime*; V. *abominable, ruthless*.

heir *n*: SUC heredero ◊ *He married an American oil heiress, apparently for love*; con *heir*, muchos adjetivos aparecen pospuestos al nombre, aunque también pueden precederle; V. *conventional heir, joint heir, presumptive heir, rightful heir, testamentary heir, unconditional heir.* [Exp: **heir apparent** (heredero forzoso, presunto heredero), **heir-at-law** (SUC heredero legítimo), **heir by adoption** (SUC heredero adoptivo), **heir collateral** (SUC heredero colateral), **heir expectant** (SUC heredero en expectativa o expectante), **heir presumptive** (SUC heredero presunto), **heir testamentary** (SUC heredero testamentario o instituido, heredero voluntario), **heir unconditional** (SUC heredero absoluto o libre), **heir under a will** (SUC heredero testamentario), **heiress** (SUC heredera)].

help *n/v*: GRAL ayuda; ayudar; es corriente en inglés jurídico el eufemismo *A man is helping police with their enquiries*, que significa «La policía está interrogando a un sospechoso»; V. *aid, assist, support*.

HM *n*: CONST siglas de *His/Her Majesty*, que se encuentran en documentos e instituciones oficiales del Estado británico, a saber, **Her/His Majesty's Ship** (CONST Buque de la Marina Real), **H.M. Land Registry** (CIVIL Catastro oficial ◊ *Property should be registered at the Land Registry*), **HMSO, Her/His Majesty's Stationery Office** (CONST Imprenta oficial del Estado)].

Her Majesty, HM *n*: CONST su majestad; los nombres de muchos cargos oficiales suelen comenzar por *HM*, en cuyo caso equivale a «estatal» u «oficial»; por ejemplo, inspector de enseñanza es *HMI –Her Majesty's Inspector–*. [Exp: **Her Majesty's pleasure, during** (CONST/PROC por tiempo ilimitado, mientras lo quiera, lo disponga o lo estime conveniente la Corona; de acuerdo con el criterio de los jueces ◊ *A minor who kills somebody cannot be tried, but he/she may be detained during Her Majesty's pleasure*), **Her Majesty's Stationery Office, HMSO** (CONST imprenta oficial de la Corona/del Estado)].

here *adv*: GRAL aquí ◊ *The present contract, hereinafter called the agreement, has been voluntarily entered into by the two principals, who agree as follows...*; V. *there*. [Exp: **here unto set his hand and seal** (PROC/NOT firmó y selló el presente), **hereabouts** (GRAL por aquí, en estos alrededores), **hereafter** (GRAL en el futuro, de hoy en adelante), **hereby** (PROC por el/la presente, por este acto, por este medio, de este modo ◊ *I do hereby certify that this signature is the genuine signature of the court officer*), **herefrom** (GRAL de ahí, por esto), **herein** (GRAL en dicho documento o lugar, en la presente, adjunto), **hereinafter** (GRAL más abajo, después, más adelante), **hereinafter called** (GRAL que en adelante llamaremos; V. *aforementioned, aforesaid*), **hereof** (GRAL de eso mismo, perteneciente al, a lo mismo, etc.), **hereto** (GRAL anteriormente; hasta ahora), **heretofore** (GRAL en otro tiempo, anteriormente; hasta ahora), **hereupon** (GRAL sobre esto; en eso, acto seguido, a raíz de eso), **herewith** (GRAL adjunto, con la presente; V. *enclose*)].

hereditament *n*: SUC herencia, propiedades, derechos reales susceptibles de ser heredados; V. *corporeal hereditament, incorporeal hereditament.* [Exp: **hereditary** (SUC hereditario), **hereditary prince** (SUC príncipe heredero), **hereditary succession** (SUC sucesión hereditaria), **heritor**

(SUC propietario; en el derecho escocés propietario de un derecho o bien transmisible)].

heroin *n*: PENAL heroína; V. *drug*. [Exp: **heroin addict** (PENAL heroinómano)].

hesitant *a*: GRAL vacilante, titubeante ◊ *The witness gave his evidence in a hesitant, unconvincing manner*; V. *vacillating, doubtful*. [Exp: **hesitate** (GRAL vacilar, titubear; V. *falter, vacillate*)].

hide *v*: GRAL ocultar, encubrir; V. *conceal, disguise*. [Exp: **hidden** (GRAL subyacente, encubierto, secreto, oculto; V. *dormant*), **hidden defect** (GRAL defecto o vicio oculto; V. *inherent/latent defect, patent defect*), **hidden inflation** (MERC inflación subyacente), **hidden obstacles to trade** (MERC barreras encubiertas a la libre transacción comercial), **hidden protectionism** (MERC proteccionismo encubierto), **hidden reserves** (MERC reservas encubiertas en los libros, reservas ocultas), **hideout** (GRAL escondite), **hiding** (GRAL/PENAL encubrimiento; V. *go into hiding*)].

high[1] *a*: superior, elevado, alto; grave ◊ *Drugs were found aboard the ship on the high seas after the police had received a tipoff from her last port of call*; V. *low*. [Exp: **high**[2] *slang* (PENAL «colocado» ◊ *When they smoked cannabis they soon were high*; V. *get stoned*), **high and dry** (MERC buque en seco, en bajamar), **High Commissioner for Refugees** (INTER Alto Comisionado para Refugiados), **High Court of Justice** (PROC tribunal superior de Inglaterra y Gales; consta de tres Salas o «Divisiones», cada una de las cuales ejerce competencias distintas, repartidas según la materia, tanto en primera instancia *–at first instance, with original jurisdiction–* como en grado de apelación *–with appellate jurisdiction–*; la *Queen's Bench Division* conoce de los asuntos comerciales y de los pleitos de origen contractual y extracontractual *–actions in contract and tort–*, tiene encomendado el control judicial *–supervisory jurisdiction–* de los tribunales inferiores mediante los procedimientos de la revisión judicial *–judicial review–* y revisa, en su Sala de lo penal, ciertas resoluciones de los *magistrates' courts*; la *Chancery Division* es competente para entender en los asuntos más complejos o de mayor cuantía relacionados con la propiedad real, intelectual e industrial *–real, intellectual and industrial property–* y en ciertos litigios mercantiles; y a la *Family Division* corresponden los asuntos más complejos relacionados con la familia, como p. ej. el divorcio, la tutela de los menores o los huérfanos, las testamentarías contenciosas, etc.), **High Court of Justiciary** *der es* (PROC tribunal superior de lo penal en Escocia; asimismo tiene competencias de tribunal supremo en la jurisdicción penal, ya que contra sus resoluciones en la instancia de apelación no cabe recurso alguno; quiere esto decir que en materia penal, a diferencia de lo que ocurre en la jurisdicción civil ejercida por el *Court of Session*, no existe la posibilidad de recurrir en casación ante la Cámara de los Lores *–House of Lords–*; V. *solemn procedure*), **High Court Tipstaff** (PROC *aprox* alguacil mayor ◊ *When children are abducted in the UK, a little known legal officer, the High Court Tipstaff, plays a crucial role*), **high seas, on the** (MERC en alta mar; V. *open seas*), **high treason** (PENAL alta traición), **high water** (GRAL pleamar), **higher courts** (CONST tribunales superiores ◊ *All higher court are appellate courts as they have jurisdiction to review decisions taken by lower courts*; además de *The Court of Appeal* y de *The House of the Lords*, que tienen jurisdicción de apelación, los tribunales superiores son *The High Court of Justice* en lo civil –y en ciertas cuestiones de lo penal– y *The Crown Court* en lo penal; V. *superior courts, lower courts; lord chancellor*), **highhanded** (GRAL arbitrario, imperioso), **highgrade bond** (MERC bono de confianza, de canto rodado; V. *gilt-edged securities, blue chip bond*), **highjack** (PENAL V. *hijack*), **highway** (GRAL carretera ◊ *He failed his driving test because he didn't know the highway code thoroughly*), **highway code** (ADMIN código de la circulación), **highway robbery** (PENAL atraco; V. *holdup*)].

hijack *v*: PENAL secuestrar [un avión o vehículo] ◊ *Police are hunting for the members of the armed gang which hijacked a security van.* [Exp: **hijacker** (PENAL pirata aéreo, secuestrador; V. *kidnapper, abductor, hacker*), **hijacking** (PENAL piratería aérea; V. *abduction, kidnapping; commandeering, seizure*)].

hinder *v*: GRAL impedir, obstaculizar, estorbar, causar o poner impedimentos; V. *obstruct, block.* [Exp: **hindrance** (GRAL impedimento, obstáculo, estorbo; V. *encumbrance, difficulty, obstruction*)].

hint *n/v*: GRAL consejo práctico; orientar; V. *tip.*

hinterland *n*: GRAL traspaís.

hire *n/v*: GRAL/CIVIL alquiler, arriendo, contratación; alquilar, tomar en arrendamiento; contratar personal; V. *lease, rent.* [Exp: **hire-purchase** (MERC compra, o venta, a plazos), **hireling** (GRAL mercenario), **hiring** (CIVIL arrendamiento)].

His Majesty, HM *n*: CONST V. *Her Majesty.*

HNS *n*: GRAL V. *hazardous and noxious substance.*

hoard *v*: MERC acaparar ◊ *People often hoard food when there is a threat of war*; V. *victualling, corner.*

hoax *n*: GRAL broma pesada, trampa; falsa alarma; V. *counterfeit, bogus, impersonate.* [Exp: **bomb hoax** (PENAL aviso falso de bomba ◊ *Hundreds of children were sent home as a result of a bomb hoax*)].

hood *n/v*: GRAL capucha, encapuchar; V. *manacle.*

hold[1] *n*: GRAL/PENAL apresamiento, custodia, posesión ◊ *The man had some hold over her and was blackmailing her.* [Exp: **hold**[2] (MERC bodega de un barco), **hold**[3] (GRAL tener, poseer, gozar, guardar, ocupar ◊ *The girl's uncle held her property in trust during her minority*), **hold**[4] (GRAL/PROC mantener, opinar, defender, sostener, tener un punto de vista, considerar, estimar, juzgar, creer ◊ *The court held that the payment was good consideration and dismissed the appeal for nullity of contract*; V. *rule*), **hold**[5] (GRAL/PENAL detener, retener ◊ *An arrested person will not normally be held more than 24 hours without being charged*; V. *keep hold of, lay hold of, hold for trial, have a hold over*), **hold**[6] (PROC suspender, dejar sin efecto, anular ◊ *A federal judge can hold the application of acts of executive officials if they are held unconstitutional*; V. *set aside*), **hold**[7] (GRAL celebrar, tener lugar ◊ *The trial is to be held later this month*; V. *hold an interview*), **hold a brief for sth** (GRAL abogar por algo, respaldar algo con argumentos), **hold a hearing** (PROC celebrar una audiencia), **hold a session** (GRAL celebrar una reunión), **hold an inquest** (V. *inquest*), **hold an interview** (GRAL mantener una entrevista), **hold an office or a position** (GRAL desempeñar un cargo; V. *occupy an office, hold office*), **hold as pledge** (CIVIL conservar como fianza), **hold at bay** (GRAL/PENAL tener a raya; V. *at bay, keep in check, keep off*), **hold court** (GRAL/PROC celebrar sesión, hallarse en sesión), **hold elections** (GRAL/CONST celebrar elecciones), **hold for trial** (PENAL encarcelar al procesado; V. *retain, detain, imprison, administrative detention.*), **hold harmless** (GRAL/PENAL librar de responsabilidad, conservar sano y salvo, amparar, dejar a salvo), **hold in**

abeyance (GRAL/CIVIL tener o quedar en expectativa, dejar en suspenso, pendiente; V. *fall into abeyance*), **hold in demesne** (CIVIL tener en dominio pleno), **hold in due course** (GRAL poseer de acuerdo con la ley, tener en la forma debida), **hold in legal custody** (PENAL detener, retener), **hold in trust** (CIVIL guardar en depósito), **hold office** (GRAL ostentar un cargo, desempeñar una función, desempeñar un cargo público ◊ *She held office under the previous Prime Minister and may very well be offered a senior post in the new government*; V. *hold an office*), **hold out for** (GRAL empeñarse en conseguir algo, no rendirse hasta recibir algo ◊ *The strikers are holding out for a further £30 a week*), **hold over** (CIVIL retener posesión el inquilino o arrendatario después del vencimiento del contrato), **hold pleas** (PROC conocer causas), **hold responsible** (CIVIL hacer responsable), **hold to** (GRAL/PROC aferrarse, persistir ◊ *During the five hours of crossexamination, the alleged victim held to her main accusation*; V. *stick to*), **holdup, holdup** (PENAL atraco, asalto; atracar, asaltar), **holdup man, holdupman** (PENAL atracador, asaltante, salteador de caminos; V. *robber*), **hold without bail** (PENAL detener sin fianza), **holder** (CIVIL/GRAL titular, portador, tenedor, poseedor ◊ *The holder of a bill is the person who is entitled to claim on it, whether he be the bearer, the payee or the endorsee*; V. *shareholder, incumbent*), **holder in due course** (CIVIL/GRAL tenedor legítimo o de buena fe; V. *in due course*), **holder of a chattel mortgage** (CIVIL/MERC acreedor prendario), **holder of an account** (MERC titular de una cuenta), **holder of bonds/debentures/shares** (MERC bonista, obligacionista, accionista), **holder of record** (GRAL/MERC tenedor inscrito), **holding**[1] (CIVIL tenencia, pertenencia, posesión, posesión de tierras, terratenencia; grupo industrial, asociación, sociedades tenedoras de títulos; S. *holding of office*), **holding**[2] *US* (PROC/CIVIL *ratio decidendi*, esto es, el principio jurisprudencial o la norma legal que sirven de base para tomar una resolución en un proceso; a veces se usa en el sentido de sentencia o *judgement*), **holding company** (SOC sociedad de control, sociedad instrumental ◊ *A holding company is one which controls another company or companies through possession of at least half of its shares*; aunque a veces los términos *holding company* y *parent company* aparecen como sinónimos, es decir, como «mercantil tenedora o matriz», con frecuencia la primera es la «sociedad instrumental creada para liberar a la primera de transacciones y de responsabilidades»; sociedad de control o sociedad mercantil que controla a otras sociedades; sociedad tenedora de acciones de otras sociedades, sociedad de cartera de inversiones; V. *absorption, amalgamation, combination, conglomerate, consolidation, group of companies, integration, takeover; merger, trust*), **holding of office** (GRAL mandato; V. *incumbency US*), **holdings** (CIVIL/MERC cartera, valores en cartera, tenencias, propiedades), **holdover tenant** (CIVIL locatario que no abandona el local una vez vencido el plazo del contrato), **holdup**[1] (PENAL embotellamiento, atasco, demora, retraso), **holdup**[2] (PENAL atraco, asalto)].

holograph *a*: SUC hológrafo, ológrafo, de su puño y letra *–in his/her handwriting–*. [Exp: **holographic will** (SUC testamento ológrafo)].

Holy See *n*: INTER Santa Sede.

home *n*: GRAL hogar, domicilio, residencia; nación [Exp: **home detention** (PENAL arresto domiciliario; V. *curfew*), **Home Office** (CONST Ministerio del Interior; V. *Ministry of the Interior*), **home rule** (CONST autonomía ◊ *Recently there has* *been strong support for the idea of home rule for Scotland*; V. *selfgoverning*), **Home Secretary** (CONST ministro del Interior), **homeless, the** (GRAL los más pobres/necesitados, los desamparados, los indigentes, los sin hogar, los sin techo, los pobres de solemnidad *col* ◊ *A publication sold by and for the homeless*; V. *destitute, refuge, community homes*), **homestead** (FAM casa, sobre todo la parte donde vive la familia), **homestead exception** *US* (PROC excepción de embargo, privilegio de inembargabilidad del que gozan algunas granjas), **homestead right** (CIVIL derecho de posesión y goce de la residencia particular)].

homicidal *a*: PENAL homicida. [Exp: **homicidal attempt** (tentativa de homicidio), **homicide** (PENAL homicidio; V. *manslaughter, excusable homicide, felonious homicide, justifiable homicide, involuntary homicide, voluntary homicide*), **homicide by misadventure** (PENAL homicidio involuntario o accidental), **homicide by necessity** (PENAL homicidio justificado o por necesidad; V. *self-defence*), **homicide by negligence** (PENAL homicidio por imprudencia), **homicide squad** (PENAL policía criminal)].

homosexual conduct *n*: GRAL comportamiento homosexual; V. *consenting adults, age of consent*.

honest *a*: GRAL honrado, honesto, sincero, legítimo, leal, de buena fe; V. *fair, righteous*. [Exp: **honest confession** (PROC confesión sincera), **honest dealing** (GRAL proceder leal, de buena fe), **honesty** (GRAL probidad, integridad; V. *righteousness, fairness*)].

honour *n/v*: GRAL honor, honradez, rectitud; hacer frente a, atender, pagar una deuda, una letra, un pago ◊ *When a bill has been honoured, a cancelled copy is delivered to the drawee*. [Exp: **honour a debt, a bill,** etc. (pagar una deuda, una letra; V. *meet one's duties, dishonour*), **honour supra protest** (MERC pago por intervención; V. *acceptance for honour*), **honour, your** (GRAL señoría; V. *Lordship*)].

hook *n/v*: GRAL gancho; enganchar. [Exp: **hook up** (GRAL conectarse; transmitir en cadena ◊ *Hook up TV stations*), **hooked on drug** *col* (GRAL enganchado en las drogas), **hooked on sth** *col* (GRAL enganchado a/con algo, enviciado con algo; entusiasmo con algo ◊ *Hooked on an idea*), **hooker** *US col* (GRAL puta *col*, ramera; V. *prostitute, hustler*)].

hostage *n*: PENAL rehén ◊ *During the riot at the prison, 6 warders were held as hostages*; V. *prisoner, slave*.

hostel *n*: GRAL GRAL albergue, residencia, hogar; V. *bail hostel*.

hostile *a*: GRAL hostil ◊ *The judge warned the hostile witness that, whatever his feeling towards the accused, he must tell the truth*; V. *factious, aggressive; friendly, amicable*. [Exp: **hostile bid** (MERC puja hostil, opa hostil), **hostile embargo** (MERC embargo de buques enemigos), **hostile possession** (CIVIL posesión hostil), **hostile takeover bid** (MERC opa hostil; oferta pública de adquisición de acciones), **hostile witness** (PROC testigo desfavorable; V. *friendly witness*)].

hot *a*: GRAL caliente ◊ *In some very dubious financial transactions, hot money is moved rapidly from one operation to another*. [Exp: **hot money** *col* (GRAL dinero caliente, dinero que entra y sale, dinero especulativo), **hot pursuit** (PENAL persecución extraterritorial, persecución «en caliente»)].

hotchpot *n*: SUC colación; V. *collation*.

hour *n*: GRAL hora; V. *market hours, working hours, business day*.

house *n*: GRAL casa; V. *home*. [Exp: **house arrest, under** (CIVIL bajo arresto domiciliario; V. *curfew order*), **house bote** (CIVIL V. *bote*), **house breaker, housebreaker**

(PENAL escalador, ladrón), **housebreaking** (PENAL llanamiento de morada, escalamiento; V. *break into a house, burglary*), **House of Commons** (CONST Cámara de los Comunes; V. *Committee of Ways and Means, Committe of the Whole House*), **house of evil/ill fame** (GRAL burdel, prostíbulo; V. *brothel, bawdy house, disorderly house*), **House of Keys** (CONST Cámara del Parlamento de la Isla de Man; V. *Tynwold*), **House of Lords** (CONST/PROC Cámara de los Lores; en lo político es la Cámara alta del Parlamento de Gran Bretaña, equivalente al Senado español; en lo jurídico es el tribunal supremo de Gran Bretaña, o tribunal de última instancia *–court of last resort–*; en realidad, esta función judicial la ejercen exclusivamente los catorce o quince magistrados que forman los tribunales de casación *–appellate committees–*, normalmente compuestos por cinco miembros; son jueces de gran experiencia y prestigio que ingresan en la Cámara alta al ser nombrados, y no participan en las tareas legislativas del cuerpo; V. *Court of Appeal, Court of Session, County Court, Crown Court, High Court, High Court of Justiciary, Privy Council*), **House of Representatives** *US* (CONST Cámara de los Representantes en el Congreso de Estados Unidos), **house owner's policy** (SEGUR seguro multirriesgo [de hogar]; V. *comprensive insurance, householder's policy*), **house agent** (MERC agente de la propiedad inmobiliaria; V. *real estate property agent, realtor*), **householder's policy** (SEGUR seguro multirriesgo [de hogar]; V. *comprensive insurance, house owner's policy*), **Housing Act** (CONST ley de la Vivienda), **housing estate** (ADMIN barrio periférico, urbanización de casas baratas; sociológicamente este término tiene connotaciones de barrio popular con casas modernas, normalmente en las afueras de una gran ciudad; V. *slum; suburb*), **housing shortage** (GRAL carestía o falta de viviendas)].

hull *n*: MERC casco de un buque.

human *a*: GRAL humano. [Exp: **human rights** (GRAL derechos humanos), **human relations** (GRAL relaciones humanas), **humane** (GRAL humanitario)].

hung jury *n*: PENAL jurado en desacuerdo o sin veredicto.

hunt *n/v*: GRAL/PENAL caza, captura, cazar, capturar ◊ *An armed and dangerous fugitive was captured and brought into custody after a long hunt*; S. *pursue, chase.*

hurl abuse *v*: GRAL insultar ◊ *Police evidence indicated that the accused had hurled abuse at his neighbours during the altercation*; V. *abusive language.*

husband *n*: GRAL marido, esposo. [Exp: **husbandman** (GRAL agricultor), **husbandry** (GRAL agricultura, explotación agrícola)].

hushmoney *col n*: PENAL soborno; V. *bribe.*

hustle[1] *v/n*: GRAL apremiar, ajetrear, apurar, meter prisa, presionar ◊ *Hustle sb into signing a contract.* [Exp: **hustle**[2] (GRAL ajetreo, bullicio, ritmo frenético ◊ *The hustle of the Stock Exchange*; V. *pressure*), **hustle and bustle** (GRAL bullicio, ajetreo, prisas), **hustler**[1] *col* (GRAL/PENAL empresario o abogado agresivo y poco escrupuloso o poco respetuoso con las normas; espabilado *col*; canalla simpático; estafador, timador ◊ *Watch him; he's a bit of a hustler*; V. *shark, shyster*), **hustler**[2] *col* (puta; V. *hooker, whore*)].

hypothecation *n*: GRAL/MERC pignoración. [Exp: **hypothecator** (GRAL/MERC hipotecante), **hypothecate** (MERC hipotecar, pignorar, empeñar; término empleado en el derecho marítimo para describir la acción del capitán de un buque al hipotecar el barco y/o el cargamento como garantía de la devolución de un préstamo pedido por causa urgente [reparaciones, avería, etc.])].

I

ice *n*: GRAL hielo; V. *general ice clause*. [Exp: **icebound** (GRAL/MERC bloqueado por el hielo), **icebreaker** (GRAL/MERC rompehielos)].

identification *n*: GRAL identificación; V. *credentials, clearance*[3]. [Exp: **identification card** (ADMIN V. *identity card*), **identification code** (GRAL referencia técnica, clave de identificación), **identification parade** (rueda de presos, de reconocimiento o de identificación ◊ *At an identification parade, the witness, who is concealed from view, is asked to look at a row of people, not all of whom are suspects, and to say whether any of them are the person, or persons seen in the vicinity of a crime*; V. *confrontation; lineup, photoarray*), **identify** (GRAL identificar; V. *recognize*), **identity** (GRAL identidad), **identity card** (ADMIN carné de identidad, cédula de identidad), **identity of causes** (identidad de litigios; V. *evidence of identity, prove the identity, establish identity*), **identity of parties** (PROC identidad de las partes)].

identikit *n*: GRAL retrato robot; V. *mug shot*.

idle *a*: GRAL inactivo, estéril, infecundo, ocioso o improductivo, desocupado, desganado, sin utilizar ◊ *Instead of letting your money lie idle at the bank, you should invest it*; V. *inactive, dormant*.

ignoramus *US*: PENAL palabra que en el pasado escribía el Gran Jurado *–grand jury–* al dorso del escrito de acusación *–bill of indictment–* presentado por la fiscalía o la acusación, declarando que no había lugar al procesamiento o la apertura de juicio oral; en la actualidad la fórmula empleada es *No bill, Not a true bill, Not found*; no obstante, a la acción se le llama *Ignore the bill*.

ignore *v*: GRAL no tener en cuenta, no hacer caso, hacer caso omiso de, prescindir ◊ *The witness tried to ignore the question but the prosecutor was adamant*; V. *neglect, act in defiance, of, ignore*. [Exp: **ignorance** (GRAL ignorancia, desconocimiento), **ignorance of the law is no excuse** (CONST el desconocimiento de las leyes no exime de su cumplimiento; V. *defence*), **ignore the bill** *US* (PROC declarar que no ha lugar a procesamiento o a la apertura de juicio oral; V. *ignoramus, plead ignorance*)].

il- *prefijo*: GRAL el prefijo negativo inglés *in* adopta la forma *il-* cuando la palabra siguiente comienza por *l*, como en *illegal, illegitimate, illiquid, illogical*. [Exp: **ill** (GRAL malo, enfermo, errado; V. *unwell, wrong*), **ill-gotten gains** (PENAL lucro o beneficio del robo o de un negocio poco honrado), **ill treat** (PENAL maltratar), **ill**

treatment (PENAL malos tratos ◊ *Ill-treatment of wives and childabuse are two scourges of modern society*; V. *abuse*), **illegal** (GRAL ilegal, ilícito, ilegítimo, contrario a la ley; V. *unlawful, void; legal, lawful*), **illegal combination** (MERC/PENAL coalición ilegal; la presencia de las palabras negativas *restraint* o *illegal* da la connotación negativa y orienta la traducción hacia «conspiración, trama, complot, etc.»), **illegal consideration** (PENAL causa contractual ilícita), **illegal practice** (PENAL corruptela; V. *malpractice*), **illegal strike** (LABORAL huelga no autorizada), **illegalize** (PENAL ilegalizar), **illegally** (PENAL/CIVIL ilegalmente), **illegally obtained evidence** (PENAL prueba ilegal), **illegitimate** (GRAL/CIVIL ilegítimo, falso; espúreo, bastardo; ilegitimar, declarar ilegítimo), **illegitimate child** (FAM hijo bastardo ◊ *Children born out of wedlock are considered illegitimate in some English speaking countries*; V. *acknowledge an illegitimate child*), **illegitimacy** (GRAL ilegitimidad), **illicit** (PENAL ilícito, prohibido, contrario a la ley, ilegal; V. *pocket*), **illiquid funds** (MERC activo no realizable o convertible en efectivo)].

illusion *n*: GRAL ilusión; V. *falsehood, fabrication*. [Exp: **illusory** (GRAL ilusorio, ficticio, aparente; se emplea en unidades léxicas como *illusory promise* –promesa ficticia o aparente–; *illusory trust* –fideicomiso aparente–)].

im- *prefijo*: GRAL in-; el prefijo negativo inglés *in* adopta la forma *im* cuando la palabra comienza por *m*, *b* o *p*.

imaginary *a*: GRAL simulado, imaginario; V. *invented, fabricated*. [Exp: **imaginary account** (MERC cuenta simulada)].

IMF *n*: INTER V. *International Monetary Fund*.

immaterial *a*: GRAL impertinente, sin importancia, irrelevante, no esencial; V. *irrelevant, inconsequential*.

immediacy *n*: GRAL independencia absoluta, capacidad de actuación sin dependencia o intervención de otros. [Exp: **immediate cause** (GRAL causa inmediata), **immediate beneficiary** (CIVIL primer beneficiario, también llamado *present/primary beneficiary*), **immediate specific performance** (PROC ejecución forzosa inmediata; V. *specific performance*)].

immigration *n*: GRAL inmigración. [Exp: **Immigration and Naturalization Service** *US* (ADMIN Servicio de Inmigración y Naturalización)].

immobilization *n*: GRAL inmovilización; V. *paralysation*. [Exp: **immobilize** (GRAL paralizar, inmovilizar; V. *lock up, tie up*), **immobilized assets** (MERC activo fijo, activo inmovilizado)],

immoral *a*: GRAL inmoral, desaprensivo, deshonesto, malvado, sinvergüenza ◊ *It is an offence to live on immoral earnings, as in the case of a man investing or banking money earned by a prostitute*; V. *unscrupulous, fraudulent, crooked, dishonest; moral*.

immovable *a*: GRAL inmóvil, inamovible, inmueble. [Exp: **immovable goods** (CIVIL bienes inmuebles), **immovable property, immovables** (CIVIL bienes inmuebles o raíces; propiedad inmobiliaria/inmueble; inmuebles; patrimonio inmueble; valores inmobiliarios/inmuebles; V. *real assets/estate/property, realty; rural property*)].

immunity *n*: GRAL inmunidad, exención de cargas y obligaciones impuestas, libertad, franquicia ◊ *Parliamentary privilege gives MPs rights and immunities, such as immunity from civil arrest*; V. *privilege, inviolability*. [Exp: **immunity from taxation** (FISCAL inmunidad tributaria/fiscal), **immune from seizure** (CIVIL exento de embargo), **immunity against from prosecution or claim** (PROC inmunidad procesal penal, fuero; inmunidad de la jurisdicción penal y civil; V. *absolute privilege*),

immunity from suit (PROC excepción de jurisdicción)].

impair *v*: GRAL dañar, perjudicar, menoscabar, deteriorar, disminuir, empeorar ◊ *A person whose mental faculties are impaired lacks the necessary legal capacity to enjoy rights or to incur liabilities or obligations*; V. *handicap, disable, dull.* [Exp: **impaired capital** (MERC capital no respaldado por activo equivalente), **impaired hearing** (CONST facultad auditiva afectada o sensiblemente reducida), **impaired judgement** (GRAL facultades mentales disminuidas ◊ *He was of sound mind and his judgement was not impaired*; V. *sound mind*), **impairment** (GRAL menoscabo, deterioro, afectación; V. *damage, disability*), **impairment of collateral** (CIVIL deterioro de la garantía prendaria), **impairment, without** (GRAL sin menoscabo)].

impanel *v*: GRAL V. *empanel.*

impartial *a*: GRAL imparcial; V. *neutral, objective; biased.* [Exp: **impartiality** (GRAL imparcialidad; V. *fairness*)].

impawn *obs v*: MERC empeñar; V. *pawn, put in pawn.*

impeach[1] *v*: PENAL acusar de traición u otro grave delito; V. *charge, arraign, incriminate.* [Exp: **impeach**[2] *US* (PENAL recusar, objetar o tachar V. *challenge*), **impeach a witness** (PENAL recusar a un testigo ◊ *A witness who gives evidence unfavourable to the party who called him cannot be impeached*), **impeachment**[1] *US* (PENAL procedimiento de destitución [de un presidente o alto cargo de la administración] ◊ *President Nixon resigned when it became clear that the alternative was impeachment.* acusación, recusación, tacha; juicio político; formulación solemne de cargos contra un alto funcionario; en el Reino Unido esta práctica es obsoleta, pero en los EE.UU. se sigue contra cargos electos o altos funcionarios; proceso de inhabilitación, destitución o de sustitución, proceso de residencia), **impeachment**[2] *US* (PENAL impugnación revocación), **impeachment proceedings** (PROC proceso de destitución o juicio contra altos cargos o de residencia), **impeachable** (PROC procesable, susceptible de acusación; V. *actionable*), **impeacher** (PROC fiscal)].

impecunious *a*: GRAL carente de fondos, sin fondos, insolvente; V. *insolvent, poor, destitute.* [Exp: **impecuniousness/impecuniousity** (GRAL insolvencia; V. *poverty, indigence*)].

impede *v*: GRAL obstaculizar, impedir, poner trabas, trabar ◊ *Withholding evidence, obstructing a police officer, giving false or misleading information and harbouring a known criminal or helping him to escape or avoid detection are all ways of impeding apprehension or prosecution*; V. *check, block.* [Exp: **impede apprehension or prosecution** (PENAL obstaculizar, entorpercer, obstruir la acción de la justicia o la autoridad), **impediment** (GRAL impedimento, obstáculo; V. *obstacle, obstruction*)].

imperative *a*: CONST imperativo, imperioso, perentorio, apremiante, ineludible; V. *binding, pressing.*

imperfect *a*: GRAL imperfecto, incompleto, defectuoso; V. *defective, faulty, bad.* [Exp: **imperfect right** (CIVIL derecho imperfecto o indeterminado), **imperfect competition** (MERC competencia imperfecta), **imperfect obligation** (GRAL obligación ética o natural), **imperfect ownership** (CIVIL dominio imperfecto), **imperfect title** (CIVIL título imperfecto; V. *cloud on title, legal title*), **imperfect trust** (CIVIL fideicomiso imperfecto; V. *perfect trust*)].

impersonate *v*: PENAL hacerse pasar por, utilizar nombre ajeno, usurpar o suplantar la personalidad ◊ *The woman was caught impersonating a neighbour at the polling* *station*; se emplean indistintamente *personate* e *impersonate*. [Exp: **impersonation** (uso indebido de nombre; suplantación de la personalidad, falsa personalidad, usurpación de nombre ajeno; V. *false impersonation*)].

implead *obs v*: PROC entablar un pleito, demandar, accionar; V. *sue, commence proceedings*.

implement *v*: GRAL ejecutar, cumplir, instrumentar, llevar a cabo, dar efecto, aplicar, implementar ◊ *The implementation of the new system of social security benefits involves individual notification to claimants of their new codes*; V. *effect. execute, achieve*. [Exp: **implement the budget** (GRAL/ADMIN ejecutar el presupuesto), **implementation** (GRAL cumplimiento, aplicación, ejecución, instrumentalización, realización, puesta en práctica, desarrollo), **implementing regulation** (ADMIN reglamento de ejecución), **implements** (GRAL útiles, utensilios, herramientas)].

implicate *v*: GRAL/PENAL implicar, complicar; acusar, comprometer ◊ *The evidence shows that there are several other companies implicated in the fraud*; V. *incriminate* [Exp: **implication** (GRAL/PENAL repercusión, efecto, consecuencias; complicidad; deducción, inducción ◊ *The new statute has far-reaching implications for shareholders*)].

implied *a*: GRAL implícito, sobreentendido, tácito, presunto; los términos *implied, tacit* e *implicit* son sinónimos parciales y, hasta cierto punto, también lo es *constructive*; *implied* se refiere a lo que hay que interpretar para poder llevar a efecto la voluntad de las partes, y su antónimo es *express*. [Exp: **implied abandonment** (CIVIL/PROC desistimiento o abandono tácito), **implied acceptance** (GRAL aceptación implícita), **implied acknowledgement** (GRAL reconocimiento tácito; V. *admission by silence*), **implied assumpsit** (CIVIL compromiso implícito), **implied authority** (ADMIN/GRAL autorización sobreentendida o implícita), **implied condition** (GRAL condición implícita), **implied consent** (GRAL consentimiento tácito o implícito), **implied consideration** (MERC causa contractual implícita), **implied covenant** (CIVIL pacto o convención tácitos), **implied easement** (CIVIL servidumbre tácita o sobreentendida), **implied malice** (PENAL dolo atenuado o implícito; se califica así la presunta intención del agresor que mata a su víctima cuando lo que pretendía era causarle lesiones *–grievous bodily harm–*; V. *actual/express malice, transferred malice, general/universal malice*), **implied obligation** (obligación implícita), **implied power** (ADMIN autoridad administrativa presunta o sobreentendida), **implied rescission** (rescisión tácita), **implied trust** (CIVIL fideicomiso implícito; tanto los *constructive trust* como los *resulting trusts* son *implied trusts*), **implied waiver** (CIVIL renuncia implícita o tácita), **implied warranties** (MERC garantías implícitas), **imply** (GRAL implicar, significar, presuponer)].

imponderable *a*: GRAL imponderable. [Exp: **imponderables** (GRAL/SEGUR factores imponderables; V. *acts of God*)].

import[1] *n/v*: MERC importación, artículo de importación; importar ◊ *He works for an importexport company in Hong Kong*. [Exp: **import**[2] (importancia, significación; significar ◊ *The ambiguity of the wording makes it difficult to determine the import of the document*; V. *purport, gist*), **import duties** (ADMIN derechos de importación), **import licence** (ADMIN permiso o licencia de importación; V. *export licence*), **import licence/permit** (ADMIN permiso o certificado o licencia de importación), **importer** (MERC importador), **importation** (GRAL/MERC importación de mercancías)].

impose *v*: GRAL imponer, gravar, prescribir, exigir ◊ *The law imposes a general duty of prudence on all responsible adults*; V. *assess, charge*. [Exp: **impose a fine** (PENAL imponer una multa), **impose on/upon** (GRAL abusar de), **impose secrecy** (exigir el secreto), **impose taxes** (FISCAL establecer impuestos; V. *levy*), **imposition** (GRAL/CIVIL imposición, carga, obligación impuesta; abuso; V. *burden, encumbrance*)].

impossibility *n*: GRAL imposibilidad. [Exp: **impossibility of performance** (CIVIL/MERC imposibilidad de cumplimiento), **impossible condition** (CIVIL/MERC condición imposible)].

impost *n*: FISCAL impuesto, contribución, derechos de aduana; V. *tax, duty*. [Exp: **impostor** (PENAL impostor, embaucador; V. *swindler, cheater*), **imposture** (GRAL impostura, engaño culpable, fraude; V. *fraud*)].

impound *v*: CIVIL/ADMIN incautar, embargar, confiscar, depositar judicialmente ◊ *The goods shipped from Australia were impounded at Southampton pending payment of customs duties*. [Exp: **impound account** (MERC cuenta con fondos incautados, secuestrados o confiscados para hacer frente a gastos de un deudor), **impounder** (GRAL embargante)].

imprescriptibility *n*: GRAL imprescriptibilidad. [Exp: **imprescriptible** (GRAL imprescriptible)].

imprison *v*: PENAL encarcelar, recluir, apresar ◊ *Indictable offences are often punishable by imprisonment*; V. *incarcerate*. [Exp: **imprisonment** (PENAL ingreso en prisión, auto de prisión, reclusión, prisión, presidio, arresto correccional; V. *incarceration, false imprisonment, confinement*)].

improper *a*: GRAL incorrecto, inadecuado; impropio, indecente. [Exp: **improper use** (GRAL abuso; uso incorrecto o inadecuado)].

improve *v*: GRAL mejorar, perfeccionar, explotar, hacer producir [una finca o industria]. [Exp: **improved real estate** (CIVIL predio edificado, terreno con edificios), **improvement** (GRAL/CIVIL mejoras ◊ *A tenant may, in certain circumstances, claim compensation from the owner for improvements made to the property*; V. *betterments*), **improvement notice** (CIVIL aviso dado al propietario de una finca o fábrica de la obligación de efectuar reparaciones o mejoras por razones de seguridad o sanidad; V. *prohibition notice*), **improver** (GRAL mejorador, enmendador)].

improvidence *frml n*: GRAL imprevisión; V. *negligence*.

impugn *v*: GRAL/CIVIL impugnar, contradecir, poner en tela de juicio, cuestionar ◊ *To impugn a political opponent's record*; V. *contest, challenge*. [Exp: **impugnable** (GRAL/CIVIL impugnable), **impugnment** (CIVIL impugnación, acción de impugnar)].

impunity *n*: PENAL impunidad.

imputable *a*: GRAL imputable [Exp: **imputation** (GRAL imputación, acusación), **imputation service** (FISCAL sistema de imputación de liquidación de impuestos), **impute** (GRAL imputar, acumular; V. *attribute*), **imputed** (GRAL imputado, implícito; V. *constructive, implicit*), **imputed knowledge** (GRAL conocimiento implícito, imputado o atribuido), **imputed notice** (CIVIL notificación implícita, conocimiento atribuido), **imputed negligence** (PENAL negligencia derivada)].

in- *prefijo*: in ◊ *The petition in bankruptcy has been dismissed for insufficiency*; el prefijo inglés *in* tiene el mismo significado negativo que en español, equivaliendo en la mayoría de los casos a «in»; también equivale a «dis» y en ocasiones se acude a la perífrasis «falta de» para su traducción; a veces, el prefijo *in*, por influencia de la consonante que sigue, se transforma en *il* (*illicit*, etc.), en *im* (*im-*

mobilized, etc.) o en *ir* (*irrelevant*, etc.). [Exp: **in** (GRAL en; se emplea en muchísimas expresiones como *in camera* –en la sala privada del juez, en privado–, *in cash* –en efectivo–, *in dubio* –en caso de duda–, *in lieu* –en lugar de–, *in pais* –extrajudicialmente–, etc.)].

inability *n*: GRAL impotencia, incapacidad, falta de medios/aptitud; V. *disability, handicap*.

inaction *n*: GRAL inacción, descanso. [Exp: **inactive** (GRAL inactivo; V. *idle*), **inactive account** (MERC cuenta sin movimiento; V. *dormant*)].

inadequacy *n*: GRAL insuficiencia; V. *insufficiency*. [Exp: **inadequate** (GRAL insuficiente, inadecuado; incapaz ◊ *The court ruled that the evidence was inadequate*; en muchos casos, *inadequate* y el término español «inadecuado» son «falsos amigos»; por ejemplo, en inglés nunca tiene el valor de «inoportuno» o «inapropiado», para lo que habría que decir *unsuitable, improper, unfitting, unseemly, unbecoming*, etc.; V. *insufficient, unqualified*), **inadequacy** (GRAL insuficiencia, desproporción), **inadequate damages** (CIVIL daños no equitativos), **inadequate evidence** (PROC prueba insuficiente), **inadequate lawyer**, etc. (GRAL abogado, etc., incapaz, inepto, incompetente)].

inadmissibility *n*: GRAL inadmisibilidad. [Exp: **inadmissibility of evidence** (PROC inadmisibilidad de prueba), **inadmissible** (GRAL inadmisible; V. *unacceptable*)].

inalienable *a*: GRAL inalienable ◊ *Some rights are inalienable*; V. *render inalienable*.

inappropriate *a*: GRAL inadecuado, inoportunas ◊ *The measures taken by the Government have been deemed inappropriate*; V. *appropriate*.

inauguration *n*: CONST ceremonia de transmisión de poderes públicos ◊ *In the inauguration ceremony, the new president of the United States is sworn in*; V. *investiture*. [Exp: **inaugurate** (CONST transmitir el cargo)].

inc. *n*: MERC V. *incorporated company*.

incapacitated *a*: GRAL incapacitado; V. *handicapped*. [Exp: **incapacitation** (GRAL incapacitación), **incapacity** (GRAL incapacidad), **incapacity to sue** (GRAL incapacidad procesal; V. *legal incapacity*)].

incarcerate *v*: PENAL encarcelar; V. *imprison*. [Exp: **incarceration** (PENAL encarcelamiento; V. *imprisonment*)].

incendiarism *n*: PENAL incendio doloso, intencional o premeditado; V. *arson*. [Exp: **incendiary** (GRAL incendiario)].

incentive *n*: GRAL/PENAL móvil, incentivo ◊ *The pay deal agreed between the employers and the union included overtime bonuses and incentive payments*; V. *inducement, incitement*.

inception *n*: GRAL comienzo, iniciación, origen ◊ *Prior to the the inception of this suit, the defendant tinkered with the wording of the contract*; V. *commencement, beginning*.

incest *n*: PENAL incesto. [Exp: **incestuous** (PENAL incestuoso)].

inchmaree clause *a*: SEGUR seguro marítimo contra daños causados por negligencia o culpa de la tripulación o por vicios del barco.

inchoate *a*: GEN incoado, rudimentario, inmaduro, incompleto, iniciado pero no consumado; no perfeccionado; con tentativas; en expectativa; iniciado y no concluido [Exp: **inchoate crime/offence** (CRIM acto delictivo preparatorio, delito no consumado o en grado de tentativa, delito de conspiración o de incitación ◊ *Someone who attempts to persuade someone else to commit a crime is guilty of an inchoate offence of incitement*), **inchoate instrument** (GEN instrumento no registrado), **inchoate interest** (MERC interés sujeto a revocación), **inchoate right** (CIVIL derecho en expectativa; V. *in abeyance*), **inchoate title** (CIVIL título en trámite)].

incidence *n*: GRAL incidencia; V. *frequency, occurrence*. [Exp: **incident** (GRAL incidente, episodio, disputa, percance; V. *event, happening, disturbance*), **incidental** (GRAL accesorio, incidental, impevisto, de acompañamiento, concomitante ◊ *The court ruled that most of the woman's evidence was irrelevant, since it bore on matters incidental to the main cause of action*; V. *secondary, accompanying, attendant, concomitant; minor*), **incidental expenses** (GRAL gastos imprevistos), **incidental loss** (CIVIL pejuicios/pérdidas suplementarias ocasionadas al demandante), **incidental pleas of defence** (PROC excepciones, alegaciones o peticiones, expuestas por el demandado, que, si prosperan, evitan la continuación del pleito; V. *baby act; pleas in suspension, pleas in abatement*), **incidental powers** (MERC/ADMIN poderes accesorios o concomitantes)].

incite *v*: GRAL/PENAL incitar, instigar, provocar ◊ *The complainant alleging rape, attempted rape, incitement to rape, or being an accessory to rape is allowed by statute to remain anonymous*; V. *provoke, inspire, motive, induce, arouse*. [Exp: **incitement** (GRAL/PENAL motivo, móvil; incitación, instigación, provocación, auxilio, inducción, autoría intelectual, apoyo; V. *provocation, incitation, inducmente, aid and abet, incentive*), **incitement to commit a crime** (PENAL instigación a cometer un crimen)].

inclosure *n*. CIVIL cerramiento o cercamiento de tierras.

include *v*: GRAL comprender, englobar, encerrar, incluir, adjuntar, insertar, meter ◊ *The new law includes a revenue provision that will favour everybody*; V. *embody, incorporate, contain, encompass, contain*. [Exp: **included in the agenda, be** (GRAL figurar en el orden del día; V. *agenda*), **included offence** (PENAL delito incluido o absorbido por otro mayor)].

income *n*: MERC/CIVIL renta, ingreso ◊ *The essence of sound economics is balancing income against expenditure*. [Exp: **income allowance** (FISCAL deducción o desgravación fiscal por gastos personales; V. *abate, rebate, abatements, earned income*), **income bracket/class/group** (FISCAL tramo/escalón de renta; grupo, nivel, categoría, clase de personas/rentas, grupo/nivel de ingresos/rentas; V. *salary bracket, age bracket, tax bracket*), **income bond** (MERC/FISCAL bono con retención fiscal de los intereses), **income support** (LABORAL V. *supplementary benefit*), **income tax** (FISCAL impuesto sobre la renta), **income tax return** (FISCAL declaración de la renta)].

incompetence *n*: GRAL incompetencia, inhabilidad; V. *ineptitude, inadequacy, inefficiency*. [Exp: **incompetent** (GRAL inepto, incompetente; V. *disqualified, incapable, ineffectual, unqualified*)].

inconclusive *a*: GRAL no convincente, no concluyente, inacabado, relativo; V. *undetermined, unresolved*. [Exp: **inconclusive presumption** (PROC presunción relativa, presunción no concluyente) **inconclusive proof** (PROC prueba inconclusa)].

inconformity *n*: GRAL disconformidad, desacuerdo, falta de oportunidad; V. *disagreement, conformity, unconformity*.

inconsequential *a*: GRAL irrelevante, instranscendente; V. *irrelevant, incidental, immaterial*.

inconsiderate *a*: GRAL desconsiderado, sin educación o cortesía ◊ *Inconsiderate driving, such as driving aggressively or splashing pedestrians with water or mud, may constitute an offence under the Road Traffic Act.*; V. *thoughtless, impolite*. [Exp: **inconsiderate driving** (PENAL conducción descuidada, faltando al respeto, con desconsideración o sin la atención debida; V. *careless driving, dangerous driving*)].

inconsistency *n*: GRAL falta de coherencia, contradicción, inconsecuencia ◊ *The defence pointed out an inconsistency between two versions presented by the police*; esta palabra se refiere a la incongruencia entre dos cosas o dos partes de un argumento, etc.; es, por tanto, la *incoherencia lógica* la que el término pondera, más que la debilidad o pobreza del fondo o la forma del discurso; por esta razón, no es equivalente al término castellano «inconsistente», que sería más bien *weak, flimsy, loose,* etc. [Exp: **inconsistent** (GRAL contradictorio, incongruente, incompatible, incoherente ◊ *The jury must take into account any inconsistent statement the witness may have made*; V. *arbitrary, contradictory, unpredictable*), **inconsistent presumptions** (GRAL presunciones contradictorias)].

incontestability *n*: GRAL incontestabilidad, inatacabilidad; V. *irrefutability, indisputability*. [Exp: **incontestability clause** (SEGUR/MERC cláusula de incontestabilidad [con relación a las declaraciones del asegurado]), **incontestable** (GRAL incontestable, inatacable, inimpugnable; V. *indisputable, irrefutable*)].

incorporate[1] *v*: GRAL incorporar, agregar, incluir; constituir [una sociedad mercantil, etc.] ◊ *The agreement of both parties is necessary before any new clauses can be incorporated into a contrac*; V. *include*. [Exp: **incorporate**[2] (GRAL encarnar, personificar ◊ *Most recent laws try to incorporate the new values of modern societies*; V. *embody*), **incorporate a company** (MERC constituir una sociedad mercantil; V. *form a company*), **incorporated company, inc** (MERC sociedad anónima), **Incorporated Council of Law Reporting** (CONST organismo semioficial formado por representantes de *The Inns of the Court, The Law Society* y *The Bar Council*, responsable de la publicación de los *Law Reports* o Compilación del derecho jurisprudencial, en donde se recogen las decisiones judiciales que constituyen jurisprudencia), **Incorporating Council of Law Reporting** (CONST V. *Law Reports*), **incorporation** (MERC constitución de una sociedad anónima, acto constitutivo; incorporación, en sentido general), **incorporation by royal charter** (MERC sociedad creada mediante cédula o privilegio real; V. *corporation charter*), **incorporation papers** (MERC escritura social o constitutiva, contrato de sociedad; certificado de incorporación; V. *deed of incorporation, certificate of incorporation, articles of incorporation*), **incorporator** (otorgante)].

incorporeal *a*: GRAL intangible; V. *intangible*. [Exp: **incorporeal hereditaments** (CIVIL bienes intangibles por heredar; inmueble por analogía), **incorporeal property** (CIVIL bienes intangibles)].

incorrect *a*: GRAL incorrecto, inválido, erróneo. [Exp: **incorrect direction by a judge** (PROC instrucciones erróneas dadas por el juez al jurado en una cuestión de derecho; V. *misdirect*)].

incoterms *a*: MERC incoterms; en español se suele emplear el termino inglés, el cual alude al conjunto de reglas internacionales *–set of international rules–*, constantemente actualizadas *–updated–*, dirigidas a la interpretación de los términos comerciales más utilizados en las transacciones internacionales *–the most commonly used terms in foreign trade–*, con el fin de evitar las incertidumbres *–uncertainties–* derivadas de las distintas interpretaciones *–of different interpretations–*; entre los términos incoterms destacan CIF o *c.i.f.*, *FOB* o *f.o.b., FAS* o *f.a.s.*, etc.

increase *n/v*: GRAL aumento, ampliación, elevación, alza; aumentar, ampliar, elevar

◊ *The recent price increases are going to make it difficult for the government to keep inflation within the limits forecast*; V. *enlarge*.

incriminate *v*: PENAL incriminar, acriminar, acusar de un crimen o de un delito ◊ *Under American law, a person may decline to answer a question if he fears the reply might incriminate him; this is called «taking the fifth amendment»*; V. *accuse, blame, inculpate, charge* [Exp: **incriminating** (PENAL incriminatorio, inculpatorio), **incriminating circumstance** (PENAL circunstancia inculpatoria), **incriminating evidence** (PROC prueba delatora/comprometedora, pieza de acusación), **incriminating statement** (PENAL aseveración incriminadora; V. *standing mute*), **incrimination** (PENAL acusación, incriminación; V. *standing mute*)].

incroach *v*: GRAL/PENAL V. *encroach*.

inculpate *v*: PENAL inculpar, incriminar; V. *incriminate, accuse, blame*. [Exp: **inculpation** (PENAL inculpación, incriminación; V. *incrimination*), **inculpatory statement** (PENAL declaración inculpatoria)].

incumbency *US n*: GRAL mandato ◊ *During an incumbency of more than 30 years his voice has denounced all sorts of abuses*; S. *holding of office*. [Exp: **incumbent** *US* (GRAL titular de un cargo político, religioso, etc., cargo en ejercicio; en el Reino Unido se prefiere decir *the holder*, por ser *incumbent* arcaico o jocoso en este sentido ◊ *The incumbent mayor has many more chances of being elected than his opponent*), **incumbent on sb, be** (GRAL corresponder la responsabilidad a alguien, incumbir a alguien ◊ *It is incumbent on her, as the plaintiff, to prove the truth of what she alleges*)].

incumbrance *n*: CIVIL V. *encumbrance*.

incur *v*: GRAL contraer, asumir, atraerse ◊ *Any expenses incurred when about the firm's business are refundable*; V. *assume*. [Exp: **incur a debt/expenses** (CIVIL/MERC contraer una deuda/gastos ◊ *As a result of the accident, the plaintiff had his leg broken and incurred in expenses for medical attention and hospitalization in the sum of one thousand dollars*), **incur a liability** (CIVIL contraer una responsabilidad u obligación), **incur suspicion** (PENAL caer en sospecha), **incur the risk of** (GRAL/SEGUR correr el riesgo de, hacerse responsable del riesgo de), **incurred expenses** (GRAL gastos contraídos/ocasionados), **incurred losses** (SEGUR siniestros ocurridos; pérdidas sufridas/experimentadas)].

indebted[1] *a*: GRAL/MERC/CIVIL endeudado, empeñado; V. *in debt*. [Exp: **indebted**[2] (GRAL agradecido, obligado ◊ *I'm indebted to you for your help*; V. *grateful, obliged*), **indebtedness**[1] (GRAL/MERC/CIVIL endeudamiento, adeudo, deudas, pasivo, obligaciones; V. *borrowing*), **indebtedness**[2] (GRAL agradecimiento; V. *thankfulness*)].

indecency *n*: PENAL obscenidad, indecoro, abusos deshonestos, deshonestidad; V. *obscenity, lewdness, debauchery*. [Exp: **indecency with a child** (PENAL abuso deshonesto con un menor), **indecent** (CRIM indecente, indecoroso; V. *obscene, improper, offensive*), **indecent assault** (PENAL agresión sexual, abusos deshonestos; V. *sexual harassment, unlawful sexual intercourse, sexual abuse, rape*), **indecent exposure** (PENAL exhibicionismo, exhibición impúdica, escándalo u ofensa contra el pudor ◊ *The court did not find him guilty of indecent exposure*; V. *public lewdness, sexual indecency, exhibitionism, flasher*)].

indefeasibility *n*: GRAL irrevocabilidad. [Exp: **indefeasible** (GRAL irrevocable, inabrogable)].

indefinite *a*: GRAL indefinido. [Exp: **indefinite failure of issue** (FAM falta de sucesión sin límite de tiempo), **indefinite legacy** (FAM legado de cosa indeterminada)].

indeterminate *a*: GRAL indeterminado. [Exp: **indeterminate obligation** (CIVIL obligación de dar cosa incierta), **indeterminate sentence** (PENAL sentencia indeterminada cuya duración está condicionada a la conducta del recluso)].

indirect *a*: GRAL indirecto, implícito. [Exp: **indirect claim** (PROC demanda indirecta; demanda por daño emergente), **indirect confession** (PROC confesión implícita), **indirect damages** (SEGUR daños indirectos, daño emergente), **indirect discrimination** (GRAL discriminación indirecta; V. *direct discrimination*), **indirect evidence** (PROC prueba indirecta), **indirect tax** (FISCAL impuesto indirecto)].

indefeasible *a*: GRAL irrevocable, absoluto, incondicionado.

indemnification *n*: CIVIL indemnización, saneamiento. [Exp: **indemnify** (CIVIL indemnizar ◊ *Judgment went against him and he had to indemnify the plaintiff for the full amount of the bill plus costs*; V. *reimburse, compensate*), **indemnify oneself** (GRAL resarcirse), **indemnity** (CIVIL indemnización, resarcimiento; V. *compensation, bill of indemnity, protection and indemnity club*), **indemnity agreement/contract** (CIVIL pacto de indemnización), **indemnity bond** (CIVIL contrafianza, caución de indemnidad, fianza de indemnización; V. *back bond, bond of indemnity*), **indemnity clause** (CIVIL cláusula de indemnización), **indemnity rule** (PROC/CIVIL norma procesal que obliga al condenado al pago de las costas)].

indenture *n/v*: CIVIL/GRAL escritura, escritura bilateral, contrato, instrumento; obligarse por contrato el *indenture*, que, al igual que el *charterparty*, se partía en dos trozos –de ahí viene el nombre de «dentado», por las irregularidades que quedaban en los bordes del papel al partirlo–, es un término obsoleto en algunos sentidos; en su lugar se prefiere *deed*; V. *bond indenture, trust indenture*. [Exp: **indentured to, be** (GRAL tener contrato de aprendiz o de prácticas en una empresa ◊ *She is indentured to a law firm but will have served her time by next spring*; V. *in articles*)].

independent *a*: GRAL independiente. [Exp: **independent counsel** *US* (PENAL fiscal especial o independiente; es un profesional de prestigio, responsable ante el Congreso, nombrado por tres jueces federales para la investigación de posibles delitos de altos cargos de la administración federal; V. *impeachment*), **independent regulatory agency** *US* (ADMIN agencia administrativa; equivale a *administrative agency*)].

index *n/v*: índice; indexar. [Exp: **indexation** (MERCCO indexación; indiciación), **index on appeal** (PROC sumario del expediente en apelación), **indexed pension** (LABORAL pensión actualizada al coste de la vida), **indicia** (GRAL indicios, señales), **indication** (GRAL indicio)].

indict *v*: PENAL acusar formalmente [por delito o falta grave], procesar [para juicio con jurado]; V. *prosecute, accuse, charge*. [Exp: **indictable** (PENAL encausable, procesable; V. *triable*), **indictable offence** (PENAL delito grave o muy grave; estos delitos se juzgan en el Tribunal de la Corona o *Crown Court*, en juicio con jurado, tras la resolución adoptada por los magistrados de un *Magistrates' Court* en su función de jueces de instrucción o *examining magistrates* en unas breves diligencias de procesamiento llamadas *committal proceedings on the writing or on the paper*; V. *notifiable offence; solemn procedure*), **indictee** *US* (PENAL procesado, acusado; V. *accused, charged, prisoner at the bar*), **indicted** (PENAL acusado, procesado), **indicter** (PENAL demandante, denunciante acusador, fiscal), **indictment**[1] (PENAL auto de procesamiento, acusación formal, procesamiento, documento inculpatorio, acta o escrito de acusación solemne utilizado en los juicios con jurado presididos por jueces profesionales en el *Crown Court*; cumple la misma función que la *information* en los juicios celebrados en el *Magistrates' Court* ◊ *A person accused of a serious offence appears on indictment at the Crown Court*; V. *trial on indictment, prosecution, complaint*), **indictment**[2] *US* (PENAL auto de procesamiento dictado *–returned–* por el gran jurado *–grand jury–* en los tribunales de la jurisdicción federal y casi en la mitad de los estados de la Unión; la petición del procesamiento la suele hacer el fiscal con su escrito de solicitud de procesamiento *–bill of indictment–* dirigido al gran jurado; si el gran jurado aprueba el procesamiento lo hará con la expresión *true bill*; en caso contrario, dirá *no bill*; la iniciativa de procesar a una persona a instancia del propio gran jurado se llama *presentment*; el auto de procesamiento dictado por el propio fiscal se llama *information*; V. *prosecution arraignment*)].

indigent *n*: GRAL indigente, sin recursos; V. *poor, pauper, poverty-stricken, insolvent.*

indignity *n*: GEN/PENAL vejación, ultraje, indignidad; S. *unworthiness; inflict indignities.*

indirect *n*: GRAL indirecto, implícito.

indisputability *n*: GRAL incontestabilidad; V. *incontestability*. [Exp: **indisputable** (GRAL incontestable, inatacable, inimpugnable; V. *incontestable, undeniable, irrefutable*)].

individual *n*: GRAL/CIVIL persona física; V. *natural person; artificial person, juristic person, legal person*). [Exp: **in one's individual capacity** (GRAL a título personal), **individual income tax return** (FISCAL declaración de la renta por separado; V. *joint income tax return*)].

indorse/indorsement *v/n*: GRAL/CIVIL/MERC V. *endorse, endorsement.*

induce *v*: GRAL/PENAL inducir, instigar, inducir, incentivar ◊ *The football star's club plans to sue their rivals for inducing their player to break his contract with them*; los términos *incitement, abetting* e *inducement* son sinónimos parciales; *incitement* y *abetting* describen dos delitos penales, siendo el primero la acción de inducir a otro, por cualquier medio, para que cometa un delito; *abetting*, que casi siempre aparece en la expresión *aiding and abetting*, se refiere a la acción de cómplice del transgresor, normalmente en tareas secundarias, como la vigilancia, el desplazamiento en coche al lugar del delito, etc.; *induce* no tiene siempre connotación negativa, aunque sí es negativo en **induce breach of contract** (CIVIL inducir a la ruptura de contrato por medio de ventajas ofrecidas que constituyen ilícito civil), **inducement**[1] (PENAL instigación, persuasión; acicate, aliciente, incentivo, móvil; contiene la idea de la promesa de una ventaja o premio; V. *incentive, procurement*), **inducement**[2] (PROC prólogo o preámbulo de los alegatos; introducción explicativa de los alegatos).

induction *frml n*: presentación, toma de posesión de un cargo, iniciación de una actividad, asunción de funciones ◊ *The formal induction of the new judges will take place at a ceremony next week.*

industrial *a*: GRAL/LABORAL industrial, referido a las relaciones laborales; el término *industrial* se aplica al mundo de lo social de la empresa, mientras que *corporate* se aplica a la esfera de la patronal; recientemente se emplea más el sustantivo *employment* en función adjetiva en lugar de *industrial*. [Exp: **industrial accident** (LABORAL accidente laboral; V. *occupational injury, accident at work*), **industrial action** (LABORAL movilizaciones, medidas reivindicativas, de conflicto colectivo o de fuerza; acciones de reivindicación; V. *demonstration*), **industrial arbitration** (LABORAL arbitraje entre empresa y obreros), **industrial dispute** (LABORAL conflicto laboral), **industrial insurance** (SEGUR seguro contra accidentes del trabajo), **industrial park** (MERC polígono industrial), **industrial partnership** (MERC empresa laboral, empresa cooperativa), **industrial property** (MERC propiedad industrial: patentes, marcas, etc.), **industrial relations** (LABORAL relaciones laborales), **industrial restructuring** (reconversión industrial; V. *rationalisation of a sector*), **industrial shares** (MERC valores industriales), **industrial tribunal** (LABORAL magistratura de trabajo, juzgado de lo social ◊ *Industrial tribunals are empowered to award compensation to employees who have been dismissed unfairly*; los *industrial tribunals*, llamados *employment tribunals* desde los años noventa del siglo XX, constituidos por un juez o especialista del mundo del derecho y dos representantes del mundo laboral, empresa *–management–* y sindicato *–trade union–*, conocen de las denuncias *–complaints–* por despido improcedente *–unfair dismissal–*, discriminación y expedientes de regulación de empleo *–redundancy–*; en los EE.UU. se emplea el término *labor court*), **industrial unrest** (LABORAL malestar laboral, clima de crispación laboral)].

inebriate *a/v*: GRAL ebrio; embriagar, emborrachar; V. *drunk, intoxicated; intoxicate*. [Exp: **inebriation** (GRAL embriaguez, borrachera; V. *drunkenness, intoxication, alcoholism*)].

ineffective *a*: GRAL ineficaz; V. *ineffectual*.

ineffectual *a*: GRAL que no surte efectos, ineficaz; persona poco eficaz, inútil o poco convincente; V. *bad, wrong, inoperative, void*. [Exp: **ineffectual under the law, be** (GRAL carecer de validez jurídica ◊ *The asylum application was ineffectual uner the law*)].

inelegible *a*: GRAL no apto, inadecuado; inaceptable, innegociable; que no reúne o cumple los requisitos o condiciones para gozar de un derecho o para ser elegido o designado ◊ *She's ineligible on the grounds of age*; V. *eligible; disqualified*. [Exp: **inelegibility** (GRAL/CONST incapacidad o imposibilidad de ser elegido para ejercer un cargo; incumplimiento de los requisitos exigidos; inadmisibibilidad al redescuento del Banco de Inglaterra; V. *eligibility; disqualification*)].

inequitable *a*: GRAL injusto; V. *unfair*. [Exp: **inequity** (GRAL injusticia, falta de equidad ◊ *The balance of inequities weighs heavily in favour of granting the injunction to the plaintiff*; V. *unfairness, injustice*)].

inescapable a: GRAL inevitable, ineludible; V. *unavoidable*.

inexcusable *a:* imperdonable, injustificable; V. *unjustified*. [Exp: **inexcusable neglect** (GRAL negligencia inexcusable)].

infamous *a*: GRAL infame, famoso por su maldad, perversión o vileza, de notoria maldad; despreciable; la palabra inglesa implica no sólo mala reputación o vileza externa sino celebridad, de modo que a veces es conveniente traducirla por «famoso» como en *the infamous Jack the Ripper*, «el famoso Jack el destripador»; nunca se aplica a una cosa cotidiana que nos disguste mucho; es decir, no tiene el sentido coloquial del español «infame», aplicado, por ejemplo, a una comida, que, en todo caso, sería *awful, disgusting loathsome,* etc., o a la conducta de una persona, que sería *disgraceful,* etc. [Exp: **infamous crime** (PENAL delito infamante), **infamous punishment** (PENAL pena infamante), **infamy** (PENAL infamia, descrédito, oprobio; V. *vicious, corrupt*)].

infancy *n*: FAM minoría de edad; V. *under age*. [Exp: **infant** (FAM menor de edad; V. *under age*), **infant mortality** (mortalidad infantil; V. *birth rate*), **infanticide** (PENAL infanticidio)].

infer *v*: GRAL deducir, inferir, concluir. [Exp: **inference** (GRAL deducción, inferencia, conclusión), **inferences of law** (GRAL inferencias ajustadas a derecho; V. *allegation of law*), **inferential** (GRAL deductivo)].

inferior courts *n*: CONST tribunales inferiores; los tribunales inferiores en Inglaterra son los *County Courts* en lo civil y los *Magistrates' Courts* en lo penal; V. *lower courts; higher courts, superior courts.*

infidelity *a*: GRAL infidelidad; V. *disloyalty.*

infirm *a*: GRAL débil, enfermo; V. *weak, frail.* [Exp: **infirmation** *obs* (GRAL invalidación), **infirmative** *obs* (GRAL susceptible de vicios o invalidez), **infirmity** (PROC vicio, causa de nulidad o invalidez; V. *weakness, disorder*)].

inflation *n*: MERC inflación ◊ *Inflation is running at above 5 per cent.*

inflexible *a*: GRAL inflexible; V. *hard and fast.*

inflict *v*: GRAL infligir, imponer, aplicar; causar; V. *impose, perpetrate.* [Exp: **inflict indignities** (PENAL infligir vejaciones), **inflict punishments** (PENAL infligir castigos), **inflict wounds** (PENAL infligir heridas)].

influence *n/v*: GRAL influencia, efecto/s; influir; pesar; sugestionar ◊ *He was banned for six months for driving while under the influence of drink or drugs*; V. *fix, tamper, undue influence, with excess alcohol.* [Exp: **influence peddling** (PENAL tráfico de influencias; V. *spoils system*)].

inform *v*: GRAL avisar, informar; denunciar; V. *notify, advise, acquaint.* [Exp: **informer** (PENAL delator, informador, denunciador ◊ *The police got word of the planned robbery from an underworld informer*; V. *tipster, snitch*), **informing** (PENAL acusador, denunciante), **informing officer** (PENAL agente de policía encargado de denunciar las infracciones de la ley), **information**[1] (GRAL aviso, información), **information**[2] (PENAL denuncia ◊ *Following a number of complaints from neighbours, the police laid an information before the magistrate, who issued a warrant for the man's arrest*; los términos *information* y *complaint*, ambos con el sentido de «denuncia», son similares, si bien el primero es más solemne o formal y el segundo más coloquial; aunque cualquier ciudadano puede presentar una denuncia en un juzgado *–lay an information before a magistrate–* verbalmente o por escrito, esta expresión se reserva normalmente para la denuncia que hace la policía ante el juez; la acción que ejerce el ciudadano ante el juzgado o la comisaría se llama *complain* o *make a complaint*; a continuación el juez normalmente dictará una citación judicial *–issue a summons–* contra la persona a la que le imputa el supuesto delito *–the person that is charged with the alleged offence–*; V. *arraignment, indictment, informing officer*), **information**[3] *US* (PENAL auto de procesamiento [del fiscal]; en los Estados Unidos el fiscal puede procesar a un detenido *–person under arrest–* por medio de un documento acusatorio *–a charging document–* llamado «escrito de procesamiento del fiscal» o *information*; su finalidad es informar al acusado *–defendant–* de los cargos por los que se le someterá a un juicio *–he will stand trial–* y, a la vez, impedir *–prevent–* que se le juzgue dos veces *–for being tried again–* por el mismo delito, como prohíbe la Enmienda V de la Constitución; la otra forma de procesamiento se llama *indictment*), **information for bidders** (ADMIN pliego de licitación, bases del concurso), **information of the failure** (MERC/CIVIL aviso de la quiebra; V. *bankruptcy notice, advice, price sensitive information*), **information technology** (GRAL tecnología de la información ◊ *Thanks to information technology reminders can be sent to the parties to* *a suit without human intervention*; V. *computer*)].

informal *a*: GRAL no solemne, familiar, oficioso, extraoficial, sencillo. [Exp: **informal discussion** (PROC conversación oficiosa o extraoficial ◊ *The judge asked the parties if they wished there to be one month to settle they claim by informal discussion*; S. *alternative dispute resolution*), **informal issue** (GRAL cuestión extraoficial o que no se ajusta a las reglas de procedimiento), **informality** (GRAL diligencia o trámite que no sigue los cauces procedimentales; cordialidad, sencillez; V. *formalities*)].

infract *US v*: PENAL quebrantar, violar; V. *infringe, trespass, breach*. [Exp: **infraction** (PENAL infracción, violación, contravención, transgresión; V. *infringement, offence, transgression, violation, breach*), **infractor** (PENAL infractor)].

infringe *v*: GRAL infringir, violar, vulnerar, conculcar ◊ *The publication of the author's manuscript without his permission and in the absence of a contract was a clear infringement of copyright*; la palabra *infringe* y sus derivados aluden principalmente a la violación, vulneración, etc., de los derechos de patentes *–patents–*, marcas comerciales *–trademarks–*, derechos de autor *–copyrights–*, etc. [Exp: **infringe a contract/right/rule,** etc. (MERC infringir un contrato, derecho, norma, etc.), **infringe a patent** (MERC violar los derechos de una patente), **infringement** (MERC violación, incumplimiento, vulneración, infracción, contravención, uso indebido [de una norma legal]; V. *infraction, repetition of infringement, breach of statutory duty*), **infringement of the law/rights,** etc. (GRAL violación, infracción de la ley/derechos), **infringement of patent rights** (MERC violación de patentes), **infringer** (PENAL/CIVIL infractor, violador)].

ingredient *n*: GRAL elemento; V. *element, component, factor*.

ingross *n*: GRAL V. *engross*.

inhabit *v*: GRAL habitar, residir, vivir; V. *dwell, reside, live, occupy*.

inherent *a*: GRAL inherente, interno; V. *internal*. [Exp: **inherent defect** (GRAL defecto o vicio oculto; V. *hidden/latent defect, patent defect*)].

inherit *v*: SUC heredar. [Exp: **inheritable** (SUC heredable), **inheritance** (SUC herencia, sucesión, abolengo, posesión de los bienes heredados), **inheritance tax** (FISCAL impuesto sobre sucesiones, impuesto hereditario; el impuesto sobre sucesiones, llamado en el pasado *estate duty*, fue sustituido posteriormente por el *capital transfer tax*, y desde 1986 por el *inheritance tax*; V. *estate tax, death duties, canons of inheritance*), **inheritance per capita** (SUC sucesión por cabeza), **inheritor** (SUC heredero)].

inhibit *v*: GRAL inhibir, impedir, prohibir; V. *obstruct, prohibit*. [Exp: **inhibition**[1] (GRAL/ORIC inhibición; auto inhibitorio, prohibición de la inscripción en el registro de la propiedad por fraude, quiebra, etc.; V. *abstention*), **inhibition**[2] *der es* (CIVIL embargo preventivo ◊ *The judge issued an inhibition restraining the debtor from burdening or alienating his property*; V. *arrestment, attachment, freezing order, restrain*), **inhibitor** *der es* (CIVIL embargante, embargador), **inhibitory** (GRAL inhibitorio)].

iniquity *n*: GRAL iniquidad, injusticia; V. *unfairness*.

initial *a/v*: GRAL inicial; rubricar, poner las iniciales a un documento. [Exp: **initial plea and directions** (PENAL diligencia de declaración de culpabilidad o inocencia y de información procesal; es una vista preliminar en el *Crown Court* en la que se pide al acusado que se declare culpable o inocente y se le informa sobre el proceso que seguirá contra él en este tribunal), **initials** (GRAL siglas, iniciales)].

initiate *v*: GRAL iniciar, dar comienzo a; V. *institute, commence*. [Exp: **initiate a prosecution, proceedings, an action, etc.** (PROC emprender, incoar, instar, iniciar un procesamiento, una demanda, etc.), **initiative** (GRAL iniciativa), **initiative, at its own** (PROC de oficio, por propia iniciativa ◊ *Clerical mistakes in judgments may be corrected by the court at any time of its own initiative or on the motion of any party*), **initio, ab** (GRAL V. *ab initio*)].

injunction *n*: CIVIL/PROC interdicto, auto preventivo, requerimiento judicial, prohibición, mandato judicial, control judicial, orden de juicio de amparo, orden de actuación o de abstención; medidas cautelares ◊ *The firm took out an injunction preventing their competitors from marketing a product copied from their own*; el nombre *injunction*, cuyo verbo correspondiente es *enjoin*, es un recurso de equidad consistente en un mandamiento mediante el cual el juez pide o prohíbe que se haga algo; normalmente es de carácter cautelar (*interim, interlocutory, equitable remedy*); V. *interdict, grant an injunction, mandatory injunction, freezing order/injunction, mandatory injunction, perpetual injunction, prohibitory injunction, temporary injunction; restraining order; order, command; enjoin*. [Exp: **injunction against molestation** (CIVIL orden de alejamiento), **injunction bond** (CIVIL fianza de entredicho), **injunctive relief** (PROC desagravio por mandato judicial)].

injure *v*: GRAL/CIVIL/PENAL dañar, perjudicar, lesionar, damnificar, agraviar, ofender ◊ *A body called the Criminal Injuries Compensation Board examines applications from the victims of criminal violence and assesses the compensation that is payable*; V. *harm, wound*. [Exp: **injured** (GRAL/CIVIL agraviado, lesionado, siniestrado, dañado), **injured party** (CIVIL/PENAL parte perjudicada, ofendida o agraviada; V. *aggrieved party*), **injurer** (CIVIL/PENAL el/la que perjudica; V. *wrongdoer*), **injuries and losses** (CIVIL daños y perjuicios; V. *damages*), **injurious** (GRAL/PENAL perjudicial, injurioso, ofensivo), **injuriously** (GRAL/PENAL injuriosamente), **injuriousness** (GRAL injuria), **injury** (CIVIL/PENAL lesión, herida, daños corporales, perjuicio, agravio; V. *loss, damages, legal injury; sustain injury*), **injury to credit** (PENAL descrédito)].

injustice *n*: GRAL injusticia, iniquidad, agravio; V. *inequality, unfairness*.

inland *a*: GRAL del interior de Gran Bretaña, doméstico. [Exp: **inland bill of exchange** (MERC letra de cambio interior), **inland revenue** (FISCAL Hacienda pública de Gran Bretaña responsable de la recaudación de los impuestos y de la inspección correspondiente ◊ *When she realized that the Inland Revenue inspectors were investigating her, she made a voluntary payment of back taxes*), **inland transportation** (GRAL transporte terrestre), **inland waterway** (GRAL vía navegable)].

inmate *n*: PENAL preso, recluso; V. *prisoner, intern, pretrial inmate, jailbird* col.

Inner House *der es n:* PROC sala principal o primera del *Court of Session* escocés; V. *Court of Session, Lord Ordinary, Outer House*.

innocence *n*: GRAL inocencia; V. *presumption of innocence*. [Exp: **innocent** (GRAL de buena fe, inocente; la palabra *innocent* tiene un significado moral; el término jurídico correspondiente es *not guilty*; V. *good faith*), **innocent holder for value** (CIVIL tenedor por valor o de buena fe, portador inocente), **innocent misrepresentation** (CIVIL falsedad inocente o no culpable), **innocent party** (CIVIL parte inocente, parte de buena fe), **innocent**

purchaser (MERC/CIVIL comprador de buena fe; V. *bona fide*),

innominate *a*: GRAL innominado, sin especificar; implícito. [Exp: **innominate contract** (MERC contrato innominado), **innominate terms** (CIVIL términos/estipulaciones/cláusulas implícitas o sin concretar, son intermedias entre las *conditions* y las *warranties*, por lo que su incumplimiento produce un perjuicio imposible de determinar o cuantificar de antemano)].

Inns of Court *n*: GRAL cada uno de los cuatro colegios de formación de abogados [*Gray's Inn, Lincoln's Inn, Inner Temple, Middle Temple*] a los que están afiliados jueces y *barristers*; V. *benchers, call to the Bar.*

innuendo *n*: GRAL alusión, insinuación; V. *allusion, suggestion, hint.*

inoperative *a*: GRAL ineficaz; V. *bad, wrong, ineffectual, void.*

input *n*: GRAL aducto; V. *output.*

inquest *n*: PENAL/CIVIL investigación, sumario, información judicial, indagatoria, encuesta, investigación; la principal función de las *inquests* en actualidad es determinar las circunstancias de cualquier muerte violenta o no natural acaecida en el distrito de un *coroner*, que es el funcionario que dirige la investigación y eleva el informe final; si lo estima pertinente, nombra un jurado extraído del Registro delectores *–Register of Electors*, llamado *coroner's jury–*, el cual puede fallar que la muerte se debió a suicidio, asesinato *–murder by a person or persons unknown–* o a accidente *–accidental death, death by misadventure–*; V. *matrimonial inquest.*

inquiry *n*: GRAL V. *enquiry.*

inquisition *n*: CIVIL/PENAL indagatoria, investigación, examen; inquisición; V. *coroner's inquest.* [Exp: **inquisitorial procedure** (PROC procedimiento inquisitorial; desde el punto de vista inglés, el sistema penal que se sigue en el continente europeo es inquisitorio porque los jueces dirigen la práctica de las pruebas, interrogan a los testigos, etc., tanto durante la vista oral como previamente en la instrucción cuando un juez instructor instruye el sumario con procedimiento inquisitorial; V. *accusatorial procedure, adversary procedure, committal proceedings, examining magistrates*)].

insane *a*: GRAL demente, loco ◊ *Counsel for defence claimed that his client was insane and unfit to plead.* [Exp: **insanity** (GRAL demencia, enajenación mental, locura; V. *mental derangement, psychosis*)].

inscription *n*: inscripción, registro, admisión. [Exp: **inscription on the stock exchange list** (MERC admisión a cotización oficial)].

insecure *a*: GRAL insolvente, peligroso; V. *unsafe, uncertain.* [Exp: **insecurity** (GRAL inseguridad, peligro; V. *uncertainty*)].

insert *v*: GRAL insertar, introducir. [Exp: **insertion** (GRAL inclusión, inserción)].

insider *n*: GRAL/MERC persona con información privilegiada, enterado, «iniciado», el que está dentro de un secreto, el de dentro. [Exp: **insider dealings/trading** (MERC/PENAL uso ventajista de información privilegiada, contratación en Bolsa con información privilegiada, delito de iniciado, delito o tráfico de información privilegiada *–privileged information–*, especialmente, en la contratación *–trading–* y transacciones llevadas a cabo en los mercados de valores; transacciones comerciales hechas utilizando información privilegiada a la que tienen fácil acceso muy pocas personas en razón de su cargo o de su puesto de trabajo en una empresa ◊ *The liberalization of commercial laws and the close contacts between financial and political institutions have led recently to a lot of accusations of insider trading*; V. *aboveboard, daylight trading, price sensitive information, face*[2])].

insolvency *n*: MERC insolvencia, quiebra; V. *bankruptcy*. [Exp: **insolvency practitioner** (MERC profesional especialista en liquidación de quiebras), **insolvency proceedings** (PROC concurso de acreedores), **insolvent** (MERC insolvente, quebrado, fallido; V. *impecunious*), **insolvent debtor** (MERC deudor insolvente)].

inspect *v*: GRAL revisar, reconocer, examinar, registrar, fiscalizar; V. *acceptance inspection, customs inspector.* [Exp: **inspector** (GRAL inspector, revisor; V. *sergeant, superintendent*)].

install *v*: GRAL instalar, dar posesión al que ha obtenido algún empleo, cargo o beneficio religioso o académico ◊ *He was installed as Bishop of Winchester at last month's ceremony*. [Exp: **instalment** (MERC entrega; plazo; pago o desembolso del nominal total o parcial de las acciones de una sociedad mercantil en la fecha predeterminada el día de su emisión ◊ *Shareholders are hereby notified that the payment of the second instalment on the May issue is now due*; V. *call*[3]), **installment buying** (MERC compra a plazos), **instalment credit** (MERC crédito que se devuelve en un solo plazo), **instalment payment** (MERC pago escalonado)].

instance *n*: GRAL/PROC solicitud, ruego, instancia ◊ *An informal meeting between the parties was held at the instance of the arbitrator*; V. *court of first instance*. [Exp: **instant** (GRAL inmediato), **instant case, in the** (GRAL en el caso concreto), **instant committal** (PROC procesamiento abreviado)].

instigate *v*: GRAL/PENAL incitar, inducir, instigar, apoyar, favorecer, sostener; V. *incite, provoke*. [Exp: **instigation** (PENAL instigación, provocación a hacer daño), **instigator** (PENAL instigador; V. *accessory, abettor*)].

institute[1] *v*: incoar, instruir, entablar; V. *commence, initiate*. [Exp: **institute**[2] (GRAL crear, fundar [una sociedad, una institución]; V. *incorporate, form*), **institute an action** (PROC entablar una acción), **institute proceedings** (PROC instruir un proceso, interponer recurso ◊ *The holder of the bills has instituted proceedings to recover the debt*), **institute private proceedings** (PENAL querellarse), **institution** (GRAL institución; V. *establishment*)].

intolerance *n*: GRAL intolerancia; V. *prejudice, discrimination, prejudice*.

instruct *v*: GRAL dar instrucciones, dirigir, dar, instruir; V. *advise, notify*. [Exp: **instructed, as** (GRAL siguiendo las instrucciones recibidas), **instructions to jury** (GRAL instrucciones al jurado; normalmente se emplea la expresión *charge to jury*)].

instrument *n*: GRAL documento, instrumento, escritura ◊ *In the Forgery and Counterfeiting Act, the term «false instrument» covers computer disks, recordings and stamps as well as instruments*; V. *false instrument*. [Exp: **instrument of evidence** (PROC medio de prueba), **instrumental** (GRAL eficaz; instrumental), **instrumental trust** (CIVIL fideicomiso, sin albedrío fiduciario), **instrumentality** (GRAL agencia, medio)].

insult *n/v*: injuria, insulto, ultraje; injuriar, insultar, ultrajar ◊ *He was charged with using insulting words and behaviour*. [Exp: **insulting** (injurioso, insultante), **insulting language** (ofensa, palabras injuriosas; V. *libel, actionable words, invective, abusive language*)].

insufficiency *n*: GRAL insuficiencia; V. *inadequacy*. [Exp: **insufficiency in bankruptcy** (MERC falta de masa), **insufficient** (GRAL insuficiente; V. *inadequate*), **insufficient consideration** (MERC causa contractual insuficiente o no reconocida por la ley), **insufficient in law** (GRAL insuficiente en derecho, que carece de la base jurídica necesaria)].

insurable *a*: SEGUR asegurable. [Exp: **insurance** (SEGUR seguro; V. *accident insurance, blanket insurance, casualty insurance, disability insurance, endowment insurance, life insurance, all-risk insurance; a.a.r.*), **insurance against fire** (SEGUR seguro contra incendios), **insurance agent/broker** (SEGUR corredor de seguros), **insurance and bonds** (SEGUR seguros y fianzas), **insurance policy** (SEGUR póliza de seguro ◊ *In order to obtain credit it is often necessary to give collateral security, for example, an insurance policy on property*), **insurance claim** (SEGUR solicitud de indemnización por siniestro; V. *breach of warranty*), **insurance premium** (SEGUR prima de seguro), **insurance trust** (SEGUR fideicomiso de seguro), **insure** (SEGUR asegurar; V. *assure, ensure, uberrimae fidei*), **insure against sea risks** (SEGUR asegurar contra riesgos marítimos), **insured** (SEGUR asegurado), **insured bank** (SEGUR banco asegurador de depósito), **insurer** (SEGUR asegurador; V. *underwriter*)].

insurrection *n*: GRAL revolución; V. *revolution, rebellion.*

intangible *a*: GRAL intangible; V. *incorporeal.* [Exp: **intangible assets** (MERC activo nominal, activo inmaterial o inmovilizado), **intangible fixed assets** (MERC activos intangibles inmovilizados, intangibles; V. *goodwill*), **intangible property** (MERC bienes intangibles, incorporales o inmateriales)].

integration *n*: GRAL/SOC integración; V. *absorption, amalgamation, combination, conglomerate, consolidation, takeover; merger, trust.*

intelligence *n*: GRAL información; inteligencia. [Exp: **intelligence service** (GRAL comisaría general de información)].

intellectual property *n*: MERC propiedad intelectual ◊ *Intellectual property rights includes such things as copyright, patents, trademarks, registered designs and know-how*; V. *copyright.* [Exp: **intellectual theft** (PENAL robo o apropiación indebida de la propiedad intelectual)].

intendment of law *n*: CONST intención, significado o interpretación correcta de la ley ◊ *The meaning of any ambiguous section of an act may be settled by common intendment, or failing that, by judicial decision*; V. *construction, common intendment.*

intent *n*: GRAL intención, voluntad, ánimo, propósito, significado o tenor de las palabras ◊ *The attacker was accused of assault with intent to wound*; V. *letter of intent, assault with intent, loiter with intent.* [Exp: **intents and purposes, to all** (GRAL prácticamente, en realidad, en efecto)].

intercessor *n*: GRAL intercesor, administrador, mediador.

interdict *der es n*: PROC interdicto ◊ *What English law calls an «injunction» is an «interdict» in Scots law*; V. *prohibitory interdict.* [Exp: **interdiction** (PROC prohibición, interdicción, interdicto ◊ *In Scotland a person of unsound mind may be restrained by an interdiction from managing his or her own affairs*; V. *injunction*)].

interest[1] *n*: GRAL interés; interesar ◊ *He showed no further interest or curiosity in that question.* [Exp: **interest**[2] (CIVIL intereses o relaciones jurídicas transmisibles, derecho o título que se tiene sobre alguna propiedad, bienes; pretensión jurídicamente motivada; interés jurídico; el término *interest* se emplea en expresiones tales como *equitable interest, interest in property*, etc., para aludir a los derechos que alguien posee sobre alguna propiedad, como pueden ser *a mortgage, an easement, a lease,* etc., y también a las responsabilidades que emanen de su relación con ella; V. *legal interest, title, claim, right, absolute interest*), **interest**[3]

(MERC/CIVIL renta, interés; es el precio –*charge*– que se paga por un préstamo; V. *rate of interest*), **interest-bearing/yielding** (MERC con intereses, con rendimiento de intereses; V. *interestyielding*), **interest-bearing paper/securities** (MERC valores que generan intereses; V. *yield*), **interest claim** (CIVIL demanda en reclamación de intereses), **interest charge** (MERC cobro de intereses), **interest-free** (MERC sin intereses), **interest groups** (MERC grupos dominantes), **interest in remainder** (CIVIL interés residual, derecho relativo a un inmueble que se ejercerá cuando expiren los que tiene un tercero sobre el mismo), **interest in reversion** (CIVIL interés de reversión), **interest for payment on arrears/for late payment** (MERC intereses moratorios; V. *interest on arrears*), **interest of capital** (MERC renta de capital), **interest payment** (MERC abono de intereses, pago de intereses), **interest rate** (MERC tipo o tasa de interés), **interest warrant** (MERC orden de pago de intereses), **interest-yielding** (MERC con rendimiento de intereses; V. *interest-bearing*), **interested party** (GRAL parte interesada), **interested witness** (PROC testigo con interés en el juicio)].

interfere[1] *v*: GRAL interponerse, entrometerse, intervenir sin autorización o justificación, meterse ◊ *It is unwise to interfere in quarrels between husband and wife*; es conveniente utilizar las equivalencias dadas, en lugar de traducir siempre con el calco inglés «interferir-se»; V. *intrude; interloper*. [Exp: **interfere**[2] (GRAL estorbar, impedir, obstaculizar; V. *hinder, obstruct*), **interfere with vehicles** (PENAL rondar un vehículo de forma sospechosa), **interfere with witnesses** (PENAL presionar a los testigos mediante amenazas o soborno ◊ *Any attempt to influence the evidence given by a witness constitutes the offence of interference with witnesses*; V. *tamper, perverting the course of justice, subornation of perjury*), **interference** (GRAL/CIVIL/PENAL injerencia, intromisión; obstaculización, quebrantamiento, incumplimiento, influencia indebida, soborno, etc.), **interference with custody** (CIVIL quebramiento de las normas de tutela; V. *tortious interference*)].

interim *a*: GRAL provisional, provisorio, interino, precautorio; V. *interlocutory, provisional*. [Exp: **interim arrangements** (CONST disposiciones provisorias), **interim balance sheet** (MERC balance provisional), **interim decree/order** *der es* (PROC auto que resuelve un incidente procesal, auto por el que se dictan medidas cautelares; sentencia definitiva o que aún no ha adquirido firmeza; V. *decree, extract, interlocutor*), **interim dividend** (MERC dividendo provisional, a cuenta), **interim injunction** (PROC interdicto, requerimiento o mandato cautelar; V. *interlocutory injunction, mesne process*), **interim interdict** *der es* (PROC medida cautelar; V. *injunction*), **interim judgment** (PROC sentencia interlocutoria, provisional), **interim order** (PROC auto cautelar, apremio provisional), **interim proceedings** (PROC medidas cautelares; V. *protective measure*), **interim protection** (EURO amparo cautelar; V. *grant interim protection*), **interim report** (GRAL informe provisional), **interim relief** (PROC medida cautelar de suspensión de una ley o reglamento, remedio o indemnización provisional o cautelar)].

interlocution *n*: PROC auto interlocutorio. [Exp: **interlocutor** *der es* (PROC/CIVIL resolución, auto, sentencia ◊ *On appeal, the House of Lords reversed the interlocutor of the Lord Ordinary*; estrictamente, el término se refiere a cualquier resolución judicial a excepción de la sentencia definitiva –*decree* en el Derecho escocés, o *judgment* en el anglo-norteamericano–, pero en la práctica se usa para aludir a cualquier pronunciamiento judicial, incluida la sentencia; V. *absolvitor, condemnator, decision, declarator, decree, finding, judgment, ruling*), **interlocutory** (PROC provisional, incidental, cautelar, procesal; interlocutorio ◊ *The court decided that an interlocutory order should be granted in favour of the defendant*; la palabra *interlocutory* es sinónimo parcial de *interim* –provisional–, y *final* –definitivo– es uno de sus antónimos; el término *interlocutory* acompaña a *decree/judgment/order* para indicar el carácter provisional o cautelar de las medidas o providencias procesales, o simplemente para hacer constar que no entran en el fondo de la cuestión *–merits of the case–*; también significa «interlocutorio», es decir, aplicado a la fase en la que las partes de un proceso civil entran en contacto para exponer sus pretensiones; en este sentido, se opone al término *trial* que, además de significar «juicio» o «proceso» en general, tiene el significado técnico de «prueba» o «fase de prueba»; V. *provisional, inerim, temporary*), **interlocutory decree/judgment** (auto o decreto cautelar, interlocutorio o procesal), **interlocutory injunction** (interdicto, requerimiento o mandato cautelar; V. *interim injunction*), **interlocutory order** (auto interlocutorio, apremio o providencia cautelar), **interlocutory proceedings** (actuaciones interlocutorias, autos incidentales, trámites en los que se formulan alegaciones de fijación y las alegaciones conclusivas, fase declarativa, fase cognoscitiva, fase interlocutoria de los procesos civiles; entre el momento en que se dicta la citación de la demanda *–the issue of the writ of summons–* y la vista oral *–hearing–* existe un largo período de trámites preparatorios de la vista oral llamado fase declarativa, cognoscitiva o interlocutoria, en el curso de los cuales se determina la identidad de las partes, la naturaleza de las pretensiones y las alegaciones, y el juez puede dictar las providencias cautelares a fin de proteger los derechos de las partes; V. *pretrial review*), **interlocutory question** (cuestión incidental), **interlocutory relief** (V. *interim relief*)].

interloper *n*: GRAL intruso, entrometido en asuntos [comerciales] ajenos; V. *interfere, trespass*.

intermediary *n*: GRAL intermediario; V. *agent*.

intermediate *a*: GRAL intermedio. [Exp: **intermediate order** (PROC auto o apremio interlocutorio), **intermediate witness** (PROC testigo de oídas; V. *hearsay evidence*)].

intermission *n*: GRAL intermisión, interrupción, suspensión; V. *adjournment, postponement*.

intermittent easement *n*: CIVIL servidumbre intermitente.

intern *v*: GRAL/PENAL recluir, encerrar, encarcelar [sobre todo sin juicio previo, de acuerdo con las leyes antiterroristas] ◊ *The use of internment without trial of terrorist suspects in Northern Ireland was widely criticised as unconstitutional.* [Exp: **internee** (PENAL encarcelado, recluido; V. *inmate*), **internment** (PENAL reclusión, encarcelamiento, encierro; V. *detention*), **internment camp** (GRAL/PENAL campo de internamiento o concentración; V. *concentration camp, detention camp*)].

internal *a*: GRAL interno. [Exp: **Internal Revenue Service, I.R.S.** *US* (FISCAL agencia tributaria; V. *Board of Inland Revenue*)].

international *a*: GRAL internacional. [Exp: **International Bank for Reconstruction and Development** (INTER Banco Internacional para la Reconstrucción y el Desarrollo; V. *World Bank*), **International Court of Justice** (INTER Tribunal de Justicia Internacional), **International Chamber of Commerce** (INTER Cámara de Comercio Internacional), **international tax agreements** (INTER acuerdos fiscales internacionales), **International Monetary Fund, IMF** (INTER Fondo Monetario Internacional), **International Military Tribunal** (INTER Tribunal Militar Internacional)].

interpellation *n*: CONST interpelación; la voz inglesa es traducción literal del francés y la realidad que describe no tiene equivalente directa en la tradición parlamentaria británica, cuya práctica de interpelación consta de iniciativas parlamentarias tales como *questions from the floor of the House* y *tabling a motion*.

interplea *v*: PROC solicitud del demandado transfiriendo los intereses del pleito a terceros y renunciando *–disclaiming–* a lo que a él le pudiera afectar; tercería. [Exp: **interplead** (PROC pleitear entre sí varios demandantes ◊ *Both the building society and the insurance company laid claim to the debtor's funds, so the bank, which was being sued by both, applied for interpleader summons to be served on them*), **interpleader** (PROC procedimiento mediante el cual el tenedor accidental de un bien pretendido por dos derechohabientes rivales emplaza a ambos a que diriman sus diferencias ante un tribunal pleiteando entre sí *–interpleading–*), **interpleader summons** (PROC citación para iniciar el procedimiento de *interpleader*; se distinguen dos clases: *stakeholder's interpleader* y *sheriff's interpleader*)].

interpretation *n*: PROC interpretación ◊ *Though the general rule is that all words and expressions used in an Act are to have their usual meaning, the interpretation section clarifies any possible ambiguities*; la *interpretation* y la *construction* son dos funciones fundamentales de los jueces, previas a la toma de cualquier decisión o resolución; en muchos casos, *interpretation* y *construction* son términos intercambiables, ya que se puede decir *the construction of a will* o *the interpretation of a will*; sin embargo, afinando más, la *construction* trata de explicar el significado textual que una palabra, cláusula u oración tiene dentro de un enunciado o de un documento completo, tras un análisis lingüístico en el que se tiene muy en cuenta, por supuesto, el significado dado por el diccionario, la puntuación ortográfica y todo el contexto gramatical; en cambio, la *interpretation* se hace a la luz de una teoría, de una creencia, de las normas morales de las sociedades modernas, etc., o del precedente judicial, es decir, del precedente sentado por un tribunal superior; V. *construction, comparative interpretation, strict interpretation, intendment*. [Exp: **interpretation clause** (MERC cláusula o apartado de definiciones de los términos utilizados en un documento), **Interpretation Act** (CONST Ley de 1978 que define el sentido en que han de entenderse muchos términos de uso frecuente en los *Acts of Parliament*), **interpretation section** (CONST artículo de una ley dedicado a la definición de los términos utilizados)].

interrogate *v*: GRAL interrogar, examinar; V. *question, examine*. [Exp: **interrogator** (PROC policía, juez, etc., interrogador; V. *examining magistrate*), **interrogatory** (PROC interrogatorio, posiciones; V. *examination*)].

interval *n*: GRAL intervalo, período, plazo; suspensión, interrupción ◊ *Bills are sent out at monthly intervals*; V. *period, break, intermission*.

intervene *v*: intervenir, tomar la palabra, tomar cartas en un asunto; V. *interfere*. [Exp: **intervene a draft** (MERC intervenir una letra), **intervene for non acceptance** (MERC intervenir por falta de aceptación),

intervene for the honour of a signature (MERC intervenir en honor de una firma), **intervener** (MERC/CIVIL interventor, tercerista), **intervening cause** (PROC causa interpuesta [produce efectos imprevistos]), **intervening damages** (PROC daños por demora de la apelación), **intervening defendant** (PROC demandado interviniente), **intervening party** (CIVIL avalista), **intervention** (CIVIL intervención, tercería)].

intestacy *n*: SUC sucesión intestada, falta de testamento, situación de intestado ◊ *When the millionaire died intestate, a host of claimants to his estate came forward*; V. *abinstestate*. [Exp: **intestate** (SUC intestado, sin haber hecho testamento; V. *ab intestato*)].

intimacy *n*: GRAL intimidad; V. *friendship, privacy*. [Exp: **intimate**[1] (GRAL íntimo; V. *private, exclusive, personal*), **intimate**[2] (GEN/CIVIL/PROC notificar, informar, comunicar, enterar, poner en el conocimiento de, dar traslado [de algo a una de las partes], publicar, hacer público; V. *notify, serve*), **intimation** (GEN/CIVIL/PROC notificación, comunicación, conocimiento, publicación; término muy frecuente en el Derecho escocés ◊ *A person on whom intimation has been made may apply for leave to be sisted as a party and lodge defences*; V. *notice, service*)].

intimidate *v*: GRAL intimidar ◊ *The court ordered the defendant not intimidate or tamper with any witness to or victim of the acts he was charged with committing*; V. *coerce, retaliate, frighten*. [Exp: **intimidation** (GRAL intimidación; V. *coercion, constraint, duress*)].

intoxicate *v*: GRAL embriagar; V. *inebriate*. [Exp: **intoxicated** (GRAL embriagado, ebrio ◊ *Fines for driving while intoxicated are getting higher and higher*; V. *inebriated, drunk*), **intoxication** (GRAL embriaguez, borrachera; V. *inebriation, drunkenness, alcoholism*)].

intra vires *fr*: PROC dentro de su competencia; se aplica a las decisiones administrativas, judiciales, etc., tomadas, dentro de su competencia, por cualquier organismo; V. *ultra vires*.

introduce *v*: GRAL introducir; V. *ffer, submit, open*. [Exp: **introduce a provision** (CONST adoptar una disposición), **introduce evidence** (PROC presentar pruebas), **introduction** (GRAL introducción; V. *submission, opening, presentation*)].

intrude *v*: CIVIL/PENAL apoderarse de una cosa sin tener derecho a ello ◊ *The old lady was awakened by the noise made by the intruders, who escaped without taking anything*; V. *trespass*. [Exp: **intruder** (PENAL intruso, ladrón ◊ *He was branded a murderer after shooting a teenage intruder*; V. *trespasser*), **intrusion** (PENAL/CIVIL intrusismo, invasión o vulneración de los derechos de otro; V. *trespass*)].

intrust *v*: GRAL V. *entrust*.

inure[1] *v*: GRAL habituar [a algo desagradable] ◊ *They soon became inured to the unpalatable food of the prison*. [Exp: **inure**[2] (GRAL redundar en, devengar, ser de uso, producir), **inure to the benefit of** (GRAL redundar en beneficio de ◊ *No earning of the company will inure to the benefit of any private member*)].

invade *v*: GRAL/CIVIL/PENAL invadir, irrumpir en; V. *overrun, assault, attack; invasion*. [Exp: **invade one's rights** (CIVIL/PENAL usurpar los derechos de alguien; V. *encroach*), **invade somebody's privacy** (CIVIL invadir la intimidad de alguien)].

invalid *a*: GRAL inválido, nulo, írrito; V. *null, void, groundless*. [Exp: **invalidate** (GRAL anular, invalidar, cancelar; V. *annul, cancel*), **invalidation** (GRAL invalidación; V. *annulment, canacelation*), **invalidity** (GRAL nulidad, incapacidad, invalidez; V. *disablement, illness*), **invalidity benefit** (LABORAL prestaciones por invalidez)].

invasion *n*: GRAL/CIVIL/PENAL invasión; V. *intrussion, assault, trespass*. [Exp: **invasion of privacy** (CIVIL invasión de la privacidad; V. *trespassing*)].

inventory *n*: MERC inventario, existencias; V. *stock, estate inventory*. [Exp: **inventory account** (MERC cuenta de inventario o de almacén), **inventory turnover** (MERC movimiento del inventario, rotación de existencias)].

invest[1] *v*: MERC invertir ◊ *She invested part of her savings in giltedged securities*. [Exp: **invest**[2] (GRAL revestir, investir de poder, autoridad, dignidad, etc. ◊ *The powers invested in the House of Lords include the right to sit as the highest court of appeal*; V. *vest, investiture*), **investiture** (CONST investidura; V. *inauguration, vest*[2]), **investment** (MERC inversión, colocación), **investment bank** (MERC banco de negocios, banco de inversiones; V. *merchant bank*), **investment paper** (MERC valor de colocación), **investment portfolio** (MERC cartera de inversiones), **investment securities** (MERC valores propios para inversión), **investment trust** (MERC compañía de inversiones o de rentas, compañía de sustitución de valores, fondo de inversión cerrado, sociedad de cartera), **investor** (MERC inversor, inversionista), **investing company** (MERC compañía de inversiones)].

investigate *v*: GRAL/PENAL investigar, hacer indagaciones; averiguar; estudiar, examinar; V. *examine, enquire, probe*. [Exp: **investigation** (GRAL/PENAL investigación, estudio, averiguación), **investigating judge** (PENAL juez instructor; V. *examining magistrate*), **investigator** (GRAL/PENAL investigador, detective, inspector)].

inviolability *n*: CONST inviolabilidad; V. *immunity*. [Exp: **inviolable** (CONST inviolable ◊ *The peson of the king is inviolable*; V. *unassailable, privileged*)].

invitation *n*: GRAL invitación, ruego, petición, solicitud; V. *request* [Exp: **invitation to bidders** (ADMIN/MERC convocatoria a licitadores, llamada a licitación, citación a licitadores), **invitation to treat** (MERC solicitud de ofertas, licitaciones ◊ *Technically, the displaying of an article for sale in a shop is construed as an invitation to treat*), **invite** (GRAL invitar; V. *request, bid*), **invite tenders** (MERC/ADMIN sacar a concurso, convocar a licitadores), **invited error** (PROC decisión errónea del tribunal a solicitud de parte)].

invoice *n/v*: MERC factura; facturar. [Exp: **invoicing** (MERC facturación; V. *proforma invoice*)].

involuntary *a*: GRAL fortuito, involuntario, accidental; V. *unintentional, unconscious*. [Exp: **involuntary conduct** (PENAL automatismo, acto reflejo; acto realizado bajo coacción en defensa propia o como resultado de enajenación transitoria; V. *automatism*), **involuntary bankruptcy** (MERC quiebra forzosa o fortuita, concurso necesario), **involuntary bailment** (CIVIL depósito accidental), **involuntary confession** (PROC confesión provocada o involuntaria), **involuntary manslaughter** (PENAL homicidio accidental o involuntario; homicidio culposo involuntario; V. *voluntary manslaughter*), **involuntary nonsuit** (PROC sobreseimiento involuntario), **involuntary trust** (CIVIL fideicomiso sobreentendido o implícito), **involuntary servitude** *US* (CONST servidumbre involuntaria; V. *slavery, badges of servitude*)].

involve *v*: GRAL complicar, involucrar, implicar; V. *contain, encompass*. [Exp: **involved in, be** (GRAL hallarse inmerso en ◊ *He was involved in a suit with his former employer*), **involvement** (GRAL participación, complicación, implicación ◊ *He lied under oath about his involvement in a sexual affair with a call girl*; V. *implication, entanglement, connection*)].

inwards *n*: GRAL hacia el interior, de importación; V. *carriage inwards, clearance inwards.*

I.O.U. *n*: MERC pagaré, reconocimiento de deuda; las cuasisiglas *I.O.U.* corresponden a la oración *I owe you.*

ir- *prefijo*: GRAL el prefijo negativo inglés *in* adopta la forma *ir-* cuando la palabra siguiente comienza por *r*. [Exp: **irrebutable** (GRAL irrefutable, irrebatible; V. *irrefutable, incontestable, indisputable*), **irrebuttable presumption** (CIVIL presunción absoluta, presunción irrefutable), **irrecoverable debt** (MERC crédito incobrable; V. *bad debts*), **irredeemable** (MERC irredimible, que no se puede redimir, rescatar o reembolsar; V. *callable*), **irrefutable** (GRAL irrefutable, inatacable, incontestable, inatacable; V. *incontestable, indisputable*), **irregular** (GRAL irregular, anormal, anómalo, ocasional, casual; V. *abnormal, anomalous*), **irregular bid** (MERC propuesta informal), **irregular endorsement** (MERC endoso irregular), **irregular deposit** (MERC depósito irregular), **irregular dividend** (MERC dividendo casual u ocasional), **irregularity** (GRAL irregularidad; V. *abnormality, anomaly*), **irrelevant** (GRAL impertinente, inoportuno, fuera de lugar; V. *immaterial*), **irremovability** (GRAL inamovilidad), **irremovable** (GRAL inamovible), **irreparable** (GRAL irreparable; V. *irreversible, incurable*), **irrepealability** (PROC irrevocabilidad), **irrepleviable** (PROC no reivindicable), **irrepleviable** (GRAL no reivindicable), **irreprochable** (GRAL intachable), **irrespective of** (GRAL con independencia de, independientemente de, sea cual sea, no obstante lo anterior), **irrespective of the terms of the agreement** (GRAL no obstante lo dispuesto en el contrato), **irretrievable breakdown of marriage** (FAM ruptura o fracaso matrimonial irrecuperable/irreparable), **irrevocable documentary credit** (MERC crédito documentario irrevocable)].

I.R.S. *US n*: FISCAL V. *Internal Revenue, Service.*

issuable *a*: MERC emisible. [Exp: **issuable plea** (CIVIL defensa negable), **issuable defence** (CIVIL/PENAL eximente o inimputabilidad basadas en el fondo de la cuestión), **issuance day** (MERC día de emisión), **issue**[1] (GRAL emisión [de moneda, valores, etc.]; edición, tirada, libramiento; conclusión, expedición, pronunciamiento; V. *flotation of an issue*), **issue**[2] (GRAL punto, asunto, fondo de la cuestión, punto debatido, controversia ◊ *The point at issue is whether the contract is binding or not*; V. *at issue, issue in litigation, subject*), **issue**[3] (CIVIL/SUC descendencia, sucesión, prole; V. *bodily issue, failure of issue, offspring*), **issue**[4] (GRAL/PROC resultado, consecuencias, decisión ◊ *Counsel for the defence argued his case well, but in the issue his client was found liable*; V. *in the issue*), **issue**[5] (MERC emitir, expedir, librar ◊ *The firm is expected to issue a new batch of shares next month*), **issue**[6] (PROC/GRAL dictar, emitir, publicar, expedir ◊ *The magistrate issued a warrant for the arrest of the suspect*; *Issue an order* es «dictar un auto», aunque en algunas ocasiones convenga traducirlo por «dictar una sentencia», por ejemplo *issue a probation order*; V. *give a judgment, grant an order, pass a sentence, issue a summons*), **issue a decree** (CONST dictar un decreto), **issue/deliver an opinion** (PROC dictaminar ◊ *The mediation panel will issue an opinion in three days*), **issue, at, in** (GRAL en disputa; controvertido), **issue a cheque** (MERC extender o librar un cheque), **issue a letter of request** (PROC librar una comisión rogatoria; V. *rogatory commission*), **issue a loan** (MERC emitir un empréstito), **issue a summons** (PENAL dictar un auto de emplazamiento), **issue**

an order (PROC dictar un auto»; dictar una sentencia; V. *order*), **issue estoppel** (PROC exclusión o impedimento de una parte de los alegatos por haber sido juzgado ya en un juicio previo; para que sirva esta impugnación, es necesario demostrar que las partes comparecientes son idénticas o están íntimamente relacionadas en ambos juicios y que, en ambos casos, comparecen en la misma calidad; el *issue estoppel*, también conocido como *judgment estoppel* o *estoppel by record*, se fundamenta en la resolución del tribunal original respecto de un hecho considerado probado; de esta manera, se diferencia del *cause of action estoppel*, que versa sobre el fundamento de la demanda; V. *res judicata*), **issue in dispute** (PROC punto litigioso ◊ *If the defendant does not admit the claims of the plaintiff the issues in dispute will be determined in a trial*), **issue in law** (PROC cuestión de derecho), **issue in litigation** (PROC cuestión objeto de disputa), **issue, in the** (GRAL al final), **issue of fact** (PROC cuestión de hecho), **issue of law** (PROC cuestión jurídica, cuestión de derecho; V. *collateral issue, join issue*), **issue price** (MERC tipo de emisión; V. *bank of issue, date of issue, new issue, rights issue, scrip issue*), **issued capital** (MERC capital emitido; V. *calledup capital*), **issued stock** (MERC acciones libradas o emitidas), **issuer** (MERC dador, emisor, persona o sociedad emisora de valores), **issuing bank** (MERC banco emisor), **issuing office** (PROC oficina [de un juzgado] expedidora de formularios procesales *–practice forms–* empleados en los procesos; V. *claim form*)].

item *n*: GRAL artículo, punto [del orden del día], rubro; efecto-s, valor-es; partida; asiento, apunte, partida de un balance ◊ *Items under this head are tax exempt*; V. *article, issue, point, entry*. [Exp: **item-s for collection** (MERC valores al cobro), **item-s in transit** (MERC efectos en tránsito), **item of evidence/proof** (PROC prueba, elemento de prueba o probatorio), **item on the agenda** (GRAL punto del orden del día), **itemise** (GRAL detallar, pormenorizar; V. *arrange, detail*), **itemised invoice** (MERC factura detallada o pormenorizada; V. *breakdown*)].

J

jactitation/jactation of marriage *obs n*: PENAL/FAM declaración falsa de ser cónyuge de quien no se es; V. *action in jactitation, presumption of marriage.*

jail *n/v*: PENAL cárcel, calabozos judiciales, prisión; encarcelar; V. *gaol, cell, police station lockup, prison; send down, bust*[3]. [Exp: **jailbird** *col* (PENAL presidiario, recurrente de la cárcel; V. *inmate, prisoner, intern*), **jailkeeper** (PENAL carcelero), **jailbreaker** (PENAL fugitivo de la cárcel), **jailer** (PENAL carcelero)].

jeopardise, jeopardize *v*: GRAL poner en peligro, exponer, arriesgar; V. *endanger, menace*. [Exp: **jeopardy** (GRAL riesgo, peligro, posibilidad de ser condenado en una causa penal ◊ *The board's fool-hardy investment policy put the company in jeopardy*; V. *danger, risk, peril; double jeopardy, plea of double jeopardy*), **jeopardy, in** (GRAL en peligro), **jeopardy assessment** (FISCAL evaluación y exacción de impuestos por vía impositiva)].

jetsam *n*: MERC artículos o mercancías arrojadas al mar, echazón; V. *flotsam, jettisoned goods.*

jettison *v*: MERC arrojar artículos o mercancías al mar, alijar; *fig* abandonar a alguien o algún proyecto por embarazoso, molesto o costoso ◊ *The firm quickly jettisoned the project when they realised how much it would cost them*; V. *cast away, throw away.*

jetty *n*: MERC pantalán, espigón; V. *pier.*

job *n*: LABORAL/GRAL puesto de trabajo, empleo; tarea, cometido; V. *employment, occupation; task.* [Exp: **job in stocks** (MERC jugar al alza y baja en la Bolsa), **job seeker** (LABORAL persona que busca empleo), **job title** (LABORAL puesto de trabajo, denominación del puesto de trabajo; la ley exige que el puesto de trabajo tenga una denominación, a efectos de definir los derechos y obligaciones contractuales), **jobber**[1] *US* (MERC agente de cambio y bolsa, corredor de bolsa ◊ *Jobbers are agents who buy and sell for other people*; V. *broker, dealer*), **jobber**[2] (MERC agiotador, agiotista, el que negocia con fondos públicos, especulador), **jobber**[3] (LABORAL trabajador eventual), **jobbing** (MERC agiotaje de Bolsa) **jobless** (LABORAL desempleado; V. *unemployed*)].

John Doe *US n*: GRAL fulano de tal, mengano, zutano, etc.; nombre ficticio empleado por los juristas norteamericanos para referirse a una persona hipotética en cualquier situación prevista por el Derecho.

join *v*: GRAL afiliarse, incorporarse a, inscribirse en una asociación, unirse a. [Exp: **join a firm** (LABORAL entrar en una empresa), **join a party to an action** (PROC declarar a alguien parte en un juicio), **join an agreement** (GRAL adherirse a un acuerdo), **join issue** (PROC ponerse de acuerdo las dos partes en la cuestión o cuestiones a dirimir; formular alegaciones de fijación; oponerse a alguien, llevarle la contraria en un asunto ◊ *The opposition has joined issue with the government over its plans to redraw electoral boundaries*), **joined issue** (PROC cuestión sustantiva fijada en los alegatos para ser el centro de debate), **joined shares** (MERC agrupación de acciones)].

joinder *n*: GRAL/PROC unión, asociación, acumulación de acciones, proceso acumulativo, concurrencia de acciones; litisconsorcio, junta, unión ◊ *A joinder is the action of joining parties as plaintiffs or defendants in a suit.* [Exp: **joinder in demurrer** (PROC aceptación de la excepción), **joinder in issue** (PROC réplica a las cuestiones de hecho), **joinder in pleading** (PROC aceptación de la cuestión y del método de instrucción), **joinder of actions** (PROC unión de varias demandas en una sola), **joinder of charges** (PENAL unión de cargos o acusaciones emanados del mismo delito o de una serie de delitos en el mismo escrito de acusación o *indictment* ◊ *When a person is accused of a number of similar or related offences, joinder of charges is a convenient means of bringing him to trial on all counts at the same time*), **joinder of error** (PROC negación de errores que han sido alegados), **joinder of informations** (PROC acumulación de denuncias), **joinder of issue** (PROC fijación de la litis; fijación de posiciones; aclaración del punto o puntos que fundamentan el litigio), **joinder of offences** (PENAL unión de varias acusaciones en un mismo proceso penal), **joinder of remedies** (PROC acumulación de acciones o de pretensiones)].

joint[1] *a*: GRAL conjunto, colectivo, común, mancomunado, copartícipe, en participación, asociado, solidario; como prefijo, equivale a «co», «con» como en *joint owner, joint participation, joint property*, etc., pero es distinto de *common, concurrent* y otros; por ejemplo: *joint tortfeasors* es distinto de *concurrent tortfeasors* porque los primeros actúan mancomunadamente mientras que los segundos no, a saber, los involucrados en un accidente culposo. [Exp: **joint**[2] *argot* (GRAL porro, canuto, petardo; V. *spliff*), **joint**[3] *argot* (PENAL cárcel; lugar o edificio indecente, sórdido o de mala fama; V. *case the joint*), **joint account** (CIVIL/MERC cuenta mancomunada, cuenta conjunta), **joint action** (PROC proceso colectivo, acción mancomunada o conjunta), **joint agent** (GRAL coagente), **joint agreement** (GRAL acuerdo mutuo, convenio), **joint aid** (GRAL asistencia recíproca), **joint and mutual will** (SUC testamento conjunto y mutuo), **joint and service annuity** (CIVIL anualidad, pensión mancomunada o de supervivencia), **joint and several** (GRAL solidario, compartido; V. *several*), **joint and several bond** (CIVIL fianza solidaria), **joint and several liability** (CIVIL solidaridad, responsabilidad solidaria), **joint-and survivor annuity** (CIVIL anualidad o pensión mancomunada y de supervivencia o de última vida a favor de varias personas, que concluye a la muerte de la última), **joint bond** (CIVIL fianza u obligación mancomunada), **joint cash** (GRAL caja social), **joint covenant** (CIVIL pacto mancomunado), **joint chairmanship** (GRAL presidencia conjunta), **joint committee** (GRAL comité conjunto), **joint contract** (MERC contrato colectivo o conjunto), **joint creditors** (MERC coacreedores, acreedores mancomunados), **joint debt** (MERC débito mancomunado), **joint debtor** (MERC codeudor, deudor mancomunado), **joint defendant** (PROC codemandado, coencausado, coacusado), **joint enterprise** (MERC empresa colectiva común o conjunta), **joint estate** (CIVIL copropiedad, propiedad mancomunada), **joint executor** (SUC coalbacea, albacea mancomunado), **joint income tax return** (FISCAL declaración de la renta conjunta; V. *individual income tax return*), **joint indictment** (PENAL procesamiento colectivo o conjunto), **joint interest** (CIVIL interés común, colectivo), **joint insurance** (SEGUR seguro colectivo), **joint liabilities** (MERC pasivo mancomunado), **joint liability** (CIVIL responsabilidad conjunta, obligación mancomunada), **joint management** (MERC cogestión), **joint negligence** (CIVIL negligencia conjunta), **joint note** (MERC pagaré mancomunado), **joint obligation** (CIVIL obligación conjunta o mancomunada), **joint obligor** (CIVIL coobligado, obligado mancomunado), **joint offence** (PENAL delito conjunto de dos o más personas), **joint owner** (CIVIL comunero, copropietario, condómino, condueño; V. *coowner*), **joint ownership** (CIVIL condominio, propiedad mancomunada, coposesión, copropiedad, comunidad de bienes), **joint partnership** (MERC empresa colectiva), **joint policy** (SEGUR póliza conjunta), **joint procedure** (PROC procedimiento conjunto), **joint property** (CIVIL propiedad indivisa), **joint production** (GRAL producción conjunta), **joint programme** (GRAL programa común), **joint resolution** (GRAL resolución conjunta), **joint return** (FISCAL declaración de la renta conjunta), **joint security** (CIVIL garantía mancomunada), **joint signature** (CIVIL firma colectiva o mancomunada), **joint stock company/firm** (MERC sociedad anónima), **joint surety** (CIVIL cofiador, garante mancomunado), **joint tenancy** (CIVIL comunidades en mano común; coarriendo, condominio; V. *sever a joint tenancy*), **joint tenant** (CIVIL coarrendatario, usufructuario mancomunado; V. *tenants in common*), **joint tort** (CIVIL agravio conjunto), **joint tortfeasors** (CIVIL responsables conjuntos de un acto negligente; V. *concurrent tortfeasor*), **joint trial** (PROC juicio conjunto contra dos o más procesados), **joint trustee** (CIVIL cofiduciario), **joint venture** (MERC empresa conjunta, empresa en común; riesgo comercial compartido, riesgo colectivo, sociedad en participación; es una especie de *partnership* formada por varias empresas para operaciones concretas que normalmente no carecen de riesgo), **joint will** (SUC testamento conjunto), **jointly** (GRAL/CIVIL mancomunado; conjuntamente, colectivamente, mancomunadamente, acordadamente ◊ *This project is being jointly developed by a Spanish and a British firm*), **jointly liable** (CIVIL responsables solidariamente), **jointly and severally** (CIVIL [mancomunada y] solidariamente), **jointly with** (GRAL en colaboración con), **jointress** (SUC beneficiaria de un *jointure*), **jointure** (SUC beneficiaria vitalicia *–during her lifetime–* [de los bienes del marido])].

joyriding *col n*: PENAL viaje en vehículo robado ◊ *Joyriding is on the increase among unemployed youths from the depressed areas of the country.*

JP *n*: PENAL V. *Justice of the Peace.*

journal, official *n*: ADMIN V. *official journal.*

judge[1] *n*: GRAL juez ◊ *Judges are appointed by the Crown, but cannot be dismissed by the Crown or by anyone else except for gross misconduct or discreditable behaviour*; el término *judge* se aplica normalmente al «juez de carrera» *–professional judge–*; los jueces legos *–lay judges–* se llaman *magistrates*; en el Reino Unido los jueces de carrera son los *High Court Judges,* los *Circuit Judges* y los *District Judges*; V. *court; associate judge, lawful* *judge, lay judge, presiding judge, puisne judge, industrial tribunals.* [Exp: **judge**[2] (GRAL juzgar, enjuiciar, sentenciar, adjudicar, resolver ◊ *Each case must be judged on its own merits*), **judge acting as rapporteur** (PROC juez ponente), **judge advocate** (CONST auditor de guerra), **judge entertaining/having jurisdiction** (PROC juez competente), **judge giving the judgement for the court** (PROC juez ponente) **judge in charge of the settlement of industrial disputes** (EMPLOY magistrado de trabajo; V. *employment/industrial tribunals*), **judge-made law** (CONST derecho jurisprudencial; V. *case law, common law*), **judge of appeals courts** (PROC juez de alzada o de apelación), **judge of first instance** (PROC juez de primera instancia), **judge sitting alone without a jury** (CONST juez único), **judge's chambers** (PROC despacho del juez, juzgado), **judge's order** (PROC auto dictado por un juez que actúa *in camera*), **judge's rules** (PROC directrices preparadas por el poder judicial para uso de la policía y relativas a las normas a seguir al detener, interrogar o acusar a un ciudadano)].

judgment, judgement[1] *n*: PROC fallo, sentencia, decisión judicial ◊ *After delivering judgment in favour of the plaintiff, the court made an order awarding him damages of £75,000*; la decisión, resolución o fallo que adoptan los jueces y los tribunales se llaman *judgment, decree, court decision*, e incluso, *finding-s*; *verdict* es la resolución de un jurado; la palabra *judgment* se aplica a los fallos o sentencias de los tribunales civiles *–courts of law–* y *decree* a los fallos de los tribunales de equidad *–courts of equity–* y a cualquier resolución de los tribunales escoceses; no obstante, *judgment* se utiliza cada vez más en la mayoría de los casos; al fallo contenido en la sentencia se le llama también *ruling* y *opinion* en los Estados Unidos; V. *judgment, court judgment, ruling, decision, decree, order, consent judgment, default judgment, interlocutory judgment, give judgment, render judgment; adjudication.* [Exp: **judgement**[2] (GRAL juicio ◊ *Alcohol impair the judgement and dulls the brain*), **judgment bond** (PROC fianza de apelación), **judgment by default** (PROC sentencia en contumacia, sentencia en rebeldía), **judgment by consent** (PROC sentencia acordada), **judgment debt** (PROC deuda decretada en juicio), **judgment debtor** (PROC ejecutado, deudor por fallo o juicio; V. *judgment creditor*), **judgment creditor** (CIVIL ejecutante, acreedor por fallo o juicio; V. *judgment creditor*), **judgment docket** (PROC registro de sentencias), **judgment filed** (PROC sentencia registrada), **judgment in civil matters** (PROC juicio por lo civil), **judgment in error** (PROC decisión del tribunal de apelaciones por error), **judgment in personam** (PROC sentencia relativa a una obligación personal), **judgment in rem** (PROC sentencia contra la cosa, sentencia relativa a una obligación real), **judgment in retraxit** (PROC sentencia después de retirada la acción), **judgment lien** (PROC gravamen por fallo o por juicio), **judgment of acquittal** (PROC fallo absolutorio), **judgment of affirmance** (PROC sentencia de confirmación), **judgment of conviction** (fallo condenatorio), **judgment of dismissal** (PROC declaración de no ha lugar, sentencia desestimatoria), **judgment of foreclosure** (sentencia o auto de ejecución), **judgment on case stated** (PENAL sentencia de un tribunal superior de lo penal *–Crown Court–* sobre cuestiones de derecho planteadas por un tribunal inferior; V. *case stated*), **judgment on demurrer** (PROC sentencia sobre excepción previa), **judgment on the merits** (PROC sentencia relativa al fondo de la demanda), **judgment on verdict**

(PROC sentencia conforme al veredicto del jurado), **judgment roll** (PROC legajo de sentencia; expediente judicial; transcripción de las actuaciones; V. *roll*), **judgment vacated** (PROC sentencia revocada)].

judicature *n*: CONST judicatura, tribunal, jurisdicción, magistratura *US*.

judicial *a*: CONST judicial, procesal, impuesto por resolución judicial. [Exp: **judicial act** (PROC acto/actuación judicial ◊ *To construe law or to apply it to a particular set of facts are typical judicial acts.*), **judicial action** (PROC actuación judicial), **judicial admission** (PROC admisión procesal o judicial), **judicial bond** (PROC fianza judicial), **judicial cognisance** (PROC presunción, hechos que el juez tiene que dar por sentados, conocimientos que el juez tiene de oficio; V. *take judicial cognizance*), **Judicial Committee of the Privy Council** (PROC Comisión Judicial del Consejo del Reino; este organismo tiene, sobre todo, funciones consultivas y una jurisdicción reducida a apelaciones que emanan de contenciosos derivados de la aplicación de *Acts of Parliament* y, en especial, en cuestiones de litigios de competencia autonómica *–devolution disputes–* y en las presentadas por algunos países de la Commonwealth; V. *the Appellate Committee of the House of Lords*), **judicial confession** (PROC confesión judicial o en juicio o en pleno tribunal), **judicial construction** (PROC interpretación judicial), **judicial custody** (PROC custodia judicial), **judicial decision** (PROC resolución judicial), **judicial deposit** (PROC consignación o depósito judicial), **judicial discretion** (PROC capacidad decisoria de los jueces), **judicial enquiry** (PROC investigación judicial), **judicial error** (PROC error judicial ◊ *The recent spate of revelations of judicial error in Britain provide good arguments for the abolition of the death penalty everywhere*), **judicial estoppel** (PROC impedimento, doctrina de los actos propios; principio jurídico que impide que se pueda desdecir de lo manifestado o actuado en un juicio anterior o en un momento procesal previo a la vista oral), **judicial factor** *des es* (CIVIL/ADMIN agente judicial), **judicial immunity** (PROC inmunidad judicial), **judicial notice** (PROC presunción judicial; V. *judicial cognizance*), **judicial oath** (PROC juramento legal), **judicial opinion** *US* (PROC sentencia poder judicial), **judicial power** (PROC poder judicial), **judicial precedent** (PROC V. *precedent*), **judicial probe** (PROC investigación judicial), **judicial proof** (PROC prueba en juicio), **judicial proceedings** (PROC procedimiento judicial), **judicial process** (PROC procedimiento judicial; las *warrants, summons*, etc., y, en general, los mandamientos, autos, providencias judiciales que piden la comparecencia del demandado y las notificaciones que sirven para entablar un proceso o demanda, reciben el nombre genérico de *process*), **judicial question** (PROC cuestión que han de decidir los tribunales), **judicial record** (PROC acta, protocolo judicial; V. *record of the proceedings*), **judicial remedy** (PROC recurso legal), **judicial review** (CONST potestad revisora, revisión/control judicial de los actos de la Administración; recurso contenciosoadministrativo; corresponde a los tribunales ordinarios revisar *–review–* los actos administrativos *–administrative actions–* efectuados por cualquier nivel de la Administración, por sus organismos *–agencies–*, etc.; V. *Solicitor General, review, administrative review, jurisdictional review, order*[3]), **judicial sale** (PROC venta judicial), **judicial separation** (FAM/PROC separación de cuerpos; V. *a mensa et thoro, nullity of marriage, divorce*), **judicial sequestra-**

tion (PROC secuestro judicial), **judicial settlement** (PROC arreglo judicial; V. *out-of-court settlement*), **judicial system** (CONST ordenamiento judicial; V. *federal judicial system*), **judicial valuation** (PROC valuación judicial), **judicial trustee** (PROC fiduciario judicial, funcionario de un tribunal de equidad), **judicial settlement** (PROC arreglo judicial; V. *out-of-court settlement*), **judicial writ** (PROC orden o auto judicial)].

judiciary *n*: CONST poder judicial, judicatura ◊ *The procedures for appointing members of the judiciary are supposed to guarantee its independence*; V. *American judiciary, legislature.*

jug *obs argot n/v*: CRIM cárcel, chirona, trena, etc.; encarcelar, meter en chirona; V. *jail, gaol, cooler, quod, clink.*

jump *n/v*: GRAL salto; saltar. [Exp: **jump bail** *col* (PENAL burlar la fianza, quebrantar la libertad bajo fianza, fugarse bajo fianza ◊ *He jumped bail and disappeared*), **jump-over** (PENAL atraco/asalto dando un salto por encima del mostrador, robo «al salto»)].

junior *a*: GRAL joven, inferior, secundario, de rango inferior, menor; V. *senior* [Exp: **junior accountant** (MERC contador auxiliar), **junior barrister** (*barrister* que no ha llegado al grado de *Queen's Counsel*, o bien el de menor rango o experiencia de los que representan a un cliente; V. *silk, Queen's counsel*), **junior creditor** (MERC acreedor secundario), **junior execution** (PROC ejecución posterior o inferior), **junior lien** (MERC gravamen inferior, preferencia posterior o subordinada a la de otro acreedor), **junior mortgage** (CIVIL hipoteca secundaria o posterior), **junior partner** (MERC socio menor), **junior staff** (GRAL/MERC personal en formación o de poca experiencia, personal auxiliar)].

junk[1] *n*: GRAL basura. [Exp: **junk**[2] *col* (PENAL caballo *col*, heroína; V. *paper*), **junk bond** (MERC bono basura ◊ *Although junk bonds are high-risk, low-rated bonds, some people find them attractive because they yield high interest*; V. *bond*), **junkie** *col* (GRAL yonqui *col*, drogadicto)].

jurat *n*: CONST magistrado [en las Islas del Canal de la Mancha]; legalización de una declaración; también se aplica el término de *jurat* a la parte de una certificación o declaración jurada en la que se identifican la persona que presta la declaración y la que la toma.

juridical *a*: GRAL jurídico. [Exp: **juridical day** (GRAL día hábil para la administración de justicia)].

jurisconsult *n*: GRAL jurisconsulto.

jurisdiction *n*: CONST jurisdicción, competencia, potestad, fuero ◊ *In certain cases, leave may be obtained by a court to serve writs out of the jurisdiction*; el término *jurisdiction* se puede entender en varios sentidos; en primer lugar es el poder *–power–* que tienen los tribunales para entender *–take cognizance of–* de procesos *–cases–* y adoptar las resoluciones *–take decisions–* correspondientes; en este sentido es sinónimo de *authority* y de *competence*; en segundo lugar, se refiere a la clase de poder, por ejemplo, jurisdicción civil, jurisdicción penal, etc.; y en tercer lugar al territorio o zona geográfica en donde se ejerce dicho poder o donde se interpone una demanda *–a case is brought–*; aquí es sinónimo de *venue*; V. *claim jurisdiction, cognizance, concurrence of jurisdiction, outside the jurisdiction, venue.* [Exp: **jurisdictional** (PROC jurisdiccional), **jurisdiction of subject matter** (CONST competencia material), **jurisdictional plea** (PROC defensa dilatoria o jurisdiccional; V. *plea to the jurisdiction*), **jurisdictional review** (PROC revisión jurisdiccional; es la función de control de los tribunales inferiores por el

High Court of Justice, puede ejercer esta función dictando, entre otros, los siguientes autos de prerrogativa *–prerogative orders–*: *certiorari* –auto de avocación–, *mandamus* –mandamiento judicial–, *prohibition* –auto inhibitorio–, etc.; V. *judicial review*)].

jurisprudence *n*: GRAL jurisprudencia, jurispericia; técnicamente el término inglés *jurisprudence* puede tener el significado con que suele emplearse su homónimo español «jurisprudencia», esto es, según un comentarista, como «sinónimo grandilocuente» de la práctica o dogmática de un sistema jurídico determinado; sin embargo, dadas las peculiaridades del sistema inglés, con relativamente pocas leyes escritas y una gran masa de precedentes y decisiones judiciales, la costumbre más arraigada es la de emplear el término *case law* para jurisprudencia, reservando el de *jurisprudence* para designar los fundamentos históricos, científicos y filosóficos del derecho; por esta razón, es muy importante tener presente el contexto en el que aparece el término para traducirlo adecuadamente; entre las posibles traducciones destacamos «filosofía del derecho», «ciencia jurídica», «teoría del derecho», «dogmática jurídica comparada», «jurispericia» y «jurisprudencia».

jurist *n*: GRAL jurista, jurisconsulto, jurisperito ◊ *Americans sometimes call lawyers «jurists», but in British usage the term means a legal writer or expert.*

juristic *a*: GRAL jurídico. [Exp: **juristic act** (CONST acto jurídico, hecho jurídico), **juristic person** (GRAL persona jurídica ◊ *A corporation, for example, is a juristic person as the law gives it some of the rights and duties of a person*; V. *artificial person, legal person, natural person*)].

juror *n*: CONST jurado, miembro del jurado; V. *talesman*. [Exp: **jury** (PROC/CONST jurado, tribunal del pueblo; jueces populares, jueces de conciencia ◊ *Under English law, any person charged with a serious crime is brought to trial by jury*; al jurado también se le llama *petty/petit jury*, para diferenciarlo del *grand jury*; en el sistema anglonorteamericano el jurado actúa de juzgador de los hechos *–trier of fact–*; y al jurado que compete llegar a una decisión sobre la verdad de los hechos que considera probados o demostrados *beyond a reasonable doubt*; para ello, los jurados sólo han de tener en cuenta las cuestiones técnicas de derecho que el juez les explica en sus instrucciones *–charge to jury–* , y deben aplicar la razón y el sentido común a las pruebas presentadas por las dos partes y a lo expuesto por los testigos; V. *hung jury, charge to jury, fact finding; bench trial; fix a jury*), **jury box** (PROC tribuna del jurado), **jury calendar** (PROC lista de causas que han de ser vistas con jurado), **jury bribing** (PENAL soborno de jurados), **jury fixing** (PENAL soborno de los miembros de un jurado), **jury instructions** (PROC V. *charge to jury*), **jury panel** (PROC lista de personas preseleccionadas para formar el jurado por medio de sorteo; V. *panel of jurors*), **jury polling** (PROC petición del voto a los miembros del jurado hecha por el presidente o *foreman*), **jury room** (PROC sala de deliberaciones del jurado), **jury summoning officer** (PROC funcionario judicial que confecciona la lista de candidatos a jurado o *array*; en los Estados Unidos este funcionario es el *sheriff*), **jury process** (PROC citación de jurados), **jury trial** (PROC juicio con jurado; V. *trial by jury*)].

just *a*: GRAL equitativo, legítimo, razonable, de justicia, justificado ◊ *It is sometimes hard to remember that the law concerns itself with what is legally just or unjust, rather than what is right or wrong*; V. *fair, equitable*. [Exp: **just charge** (PROC acusación fundada)].

justice[1] *n*: CONST justicia, equidad; V. *fairness; Eurojust; obstruct justice, do justice.* [Exp: **justice**[2] (CONST juez, justicia ◊ *Apart from its use in the expression «Justice of the Peace», the word «justice» is used as a courtesy term in speaking of High Court judges, who are called Mr/ Mrs Justice Smith, etc.*; V. *chief justice, Lord Chief Justice*), **Justice of the Peace, JP** (CONST juez de paz; V. *magistrate*), **justices' clerk** (CONST V. *clerk to the justices*)].

justiciary *der es n*: PENAL V. *solemn procedure.*

justifiable *a*: GRAL aceptable, justificable ◊ *In an action for defamation, the defence of justification puts the onus on the defendant to prove that his or her offensive words are true.* [Exp: **justifiable homicide** (PENAL homicidio involuntario), **justification** (GRAL justificación; defensa en un juicio por difamación, que consiste en alegar que las palabras deshonrosas no son difamatorias puesto que responden a la verdad; V. *fair statement*)].

juvenile *a/n*: GRAL juvenil, de menores; menor; V. *youth, minor.* [Exp: **juvenile court** (PROC tribunal de menores ◊ *In cases heard by juvenile courts the identity of the children involved is kept secret*), **juvenile delinquency** (PENAL delincuencia juvenil), **juvenile delinquent/offender** (PENAL delincuente juvenil)].

K

K.B. *n*: CONST V. *King's Bench*; V. *Q.B.*

KC *n*: PROC V. *King's Counsel.*

keelage *n*: MERC derechos de puerto.

keep[1] *n*: GRAL manutención, alimentación; V. *living, support, maintenance*. [Exp: **keep**[2] (GRAL mantener, contener), **keep**[3] (retener, detener ◊ *After his arrest, he was kept in custody pending police enquiries*; V. *detain, impound, imprison, incarcerate*), **keep**[4] (MERC regentar, estar al frente de, ser responsable de ◊ *Keeping a disorderly house is an offence in Great Britain*; V. *manage, control, supervise*), **keep a book** (PROC mantener un registro ◊ *The clerk will keep a book known as civil docket*), **keep books, an account, a register, etc.** (MERC llevar libros de comercio, una cuenta, un registro, etc.; V. *bookkeeping*), **keep illegally** (PENAL detentar; V. *deforce*), **keep hold of** (no soltar, guardar para sí), **keep in check** (GRAL tener a raya; V. *hold at bay*), **keep off** (GRAL tener a raya; V. *hold at bay*), **keep term** (GRAL no perder el curso por faltas a clase en el período de formación), **keep the peace** (CIVIL mantener el orden público, jurar no alterar el orden público ◊ *As it was the young man's first offence, he was bound over to keep the peace*; V. *breach of the peace*), **keep under observation** (GRAL vigilar, tener bajo vigilancia), **keeper** (GRAL guardián, depositario, administrador, carcelero; defensor), **Keeper of the Great Seal** (CONST Guardián del Sello Real o Gran Sello ◊ *The Lord Chancellor is the keeper of the Great Seal*), **Keeper of the King's Conscience** (CONST Guardián de la conciencia real)].

kerbcrawling *col n*: PENAL incitación persistente a la prostitución o a la corrupción hecha por un hombre desde un coche o tras apearse de él causando molestias a la mujer o a la vecindad, hacer la calle *col*; V. *soliciting, streetwalker.*

key[1] *n*: GRAL llave, clave. [Exp: **key**[2] *col US* (PENAL un kilo de marijuana, cocaína o heroína)].

kickback *col v*: PENAL soborno, mordida *col*, comisión ilegal ◊ *In the modern business world the payment of kickbacks and sweeteners seems to be prevalent everywhere*; V. *siphon.*

kidnap *v*: PENAL secuestrar ◊ *Kidnappers are often caught when they try to pick up the ransom*; V. *child stealing, hijacking; abduct, ransom.* [Exp: **kidnapper** (GRAL secuestrador; V. *abductor*), **kidnapping** (GRAL secuestro, rapto; plagio; V. *abduction*)].

kill *v*: GRAL/PENAL matar ◊ *If the victim of an assault dies, his assailant may be charged with murder even if he did not intend to* *kill him*; V. *riddle with bullets, murder*. [Exp: **kill oneself** (PENAL suicidarse), **killer** (PENAL asesino; V. *cut-throat, gunman, murderer, triggerman, homicide, slayer, assassin*), **killing** (asesinato, homicidio; V. *manslaughter, mercy killing, serial killing*), **killing by misadventure** (PENAL homicidio accidental; V. *manslaughter*), **killing spree** (PENAL matanza indiscriminada; V. *massacre, butchery*)].

kin *n*: FAM familia, parientes, parentesco, vínculo, conexión; S. *nextofkin, kindred.* [Exp: **kindred** (FAM parentesco, parentela, deudos; V. *family, race, relatives*), **kinship** (FAM parentesco; afinidad; V. *prohibited degrees of kinship/relationship*)].

kind, in *adv*: GRAL en especie ◊ *Payment in kind is still the norm in many underdeveloped countries*; V. *in cash; barter.*

king *n*: CONST rey; V. *queen*. [**King's Bench** (CONST V. *Queen's Bench*), **King's Bench Division, K.B.** (CONST V. *Queen's Bench Division*), **King's Counsel, K. C.** (PROC abogado de categoría o rango superior; se emplea *King's Counsel* en vez de *Queen's Counsel* cuando reina un rey), **King's Proctor** (CONST V. *Queen's Proctor*), **kingpin** (GRAL cerebro ◊ *Everybody expects that the most wanted terrorist kingpin will be soon apprehended*; V. *mastermind*)].

kiting *obs n*: MERC circulación de cheques en descubierto; V. *check kiting, balloon, overdraft*.

knife *n*: GRAL cuchillo, navaja. [Exp: **knife wound** (GRAL herida incisa; V. *stab wound*), **knifepoint, at** (PENAL con arma blanca; V. *at gunpoint*)].

knock down *v*: MERC rematar, adjudicar en pública subasta ◊ *Auctioned products are knocked down to the highest bidder*; V. *adjudge*.

know *vr*: GRAL saber, conocer. [Exp: **know all men by these presents** (PROC Por la presente se hace saber..., Sepan todos los que el presente vieren..., Sepan todos aquellos que [quienes] leyeren el presente documento; esta fórmula se suele emplear en las escrituras llamadas *deed polls* –escrituras acreditativas de declaración unilateral–), **know-how** *col* (GRAL pericia, experiencia, práctica ◊ *Some of the old industrial areas of Europe now specialise in selling know-how rather than manufactured products*; V. *expertise*), **knowingly** (PENAL/GRAL a sabiendas, a conciencia, consciente, con dolo ◊ *A person who knowingly and voluntarily helps another commit an offence is guilty as an accessory*; V. *scienter; substandard*), **knowledge** (GRAL conocimiento, saber; V. *to the best of my knowledge and belief, carnal knowledge*)].

L

£ *n*: GRAL equivale a *pound*.

label *n/v*: GRAL etiqueta; brazalete; etiquetar, tachar a alguien de.

labour *n*: GRAL mano de obra ◊ *In some countries political detainees are sent to labour camps without any court order*; la forma *labor* es la utilizada en el inglés americano;V. *hard labour*. [Exp: **labour camp** (PENAL campo de trabajos forzados, colonia penitenciaria), **labour court** *US* (LABORAL magistratura de trabajo; V. *industrial tribunal, award*), **labour dispute** (LABORAL conflicto o disputa laboral), **labour force** (fuerza laboral; V. *manpower, work-force*), **labour force adjustment plan** (LABORAL expediente de regulación de empleo; V. *redundancy*), **labour law** (LABORAL derecho del trabajo, reglamentos sociales), **labour organizations** (LABORAL organizaciones de trabajadores), **labour turnover** (LABORAL rotación de personal), **labour union** (LABORAL gremio o sindicato obrero), **labourer** (LABORAL peón, jornalero, obrero, trabajador; V. *worker, workman, employee*)].

lace a drink *v*: GRAL «arreglarle» la copa a uno, echar algún estupefaciente en la bebida [normalmente con la intención de abusar de la víctima], también llamado *spike a drink*; V. *Mickey Finn*.

laches *n*: CIVIL prescripción negativa, tardanza en reclamar un derecho o en actuar, negligencia procesal; *laches* se refiere a la negligencia del demandante en hacer valer un derecho, normalmente un derecho de equidad; V. *lapse, equity right, limitation*.

lack *n/v*: GRAL ausencia, falta, carencia, defecto; carecer ◊ *Lack of age and lack of consent are grounds for nullity of marriage*. [Exp: **lack of evidence** (PROC falta de pruebas), **lack of foresight** (GRAL imprevisión; V. *unwariness, common duty of care*), **lack of legal capacity** (CIVIL incapacidad jurídica, legal o procesal)].

lacuna *n*: CONST vacío legal; V. *loophole, gap, legal vacuum*.

lade *v*: MERC cargar un buque; V. *load*.

lading, bill of *n*: MERC V. *bill of lading*.

Lady Day *n*: CIVIL Fiesta de la Anunciación. *March 25th, Lady Day, is one of the quarter days when rent is paid for land*; V. *quarter day*.

lag *col n*: PENAL ex presidiario, persona que ha pasado numerosos períodos en la cárcel ◊ *The witness was known to be an old lag and his evidence counted for little with the jury*.

lame duck *col n*: GRAL cargo político o público que está a punto de ser sustituido por el que ha sido elegido; tocado del ala *col*.

land[1] *n/v*: GRAL/CIVIL tierra, terreno; inmueble; propiedad, bienes raíces; nación; en función atributiva, *land* puede traducirse por «inmobiliario» ◊ *The purchaser of a property owns the land on which it stands and the airspace above it*; V. *building land/plot, derelict lands*. [Exp: **land**[2] (GRAL/MERC aterrizar, amarar, atracar, desembarcar, descargar; V. *load*), **land agent** (CIVIL administrador de fincas), **land and buildings** (CIVIL bienes raíces, propiedades inmuebles), **land bond** (MERC fianza de desembarque), **land certificate** (CIVIL certificado de inscripción inmobiliaria; título de propiedad expedido por el Registro de la Propiedad Inmobiliaria o *Land Registry*; el asiento o inscripción que se hace en el *Land Register* consta de tres partes: *property register, proprietorship register* y *charges register*), **land charges** (CIVIL cargas inmobiliarias; cargas a las que está sometido un bien raíz, como hipotecas, contribución y también las servidumbres que pesan sobre la propiedad; V. *registration encumbrances*), **land damages** (SEGUR/CIVIL indemnización por terreno expropiado o por daños producidos a terreno colindante), **land held on trust** (CIVIL propiedad en fideicomiso), **land law** (CIVIL derecho inmobiliario), **land office** (CIVIL oficina del catastro; V. *cadastre*), **land registration** (CIVIL inscripción de la propiedad inmobiliaria; V. *register, registration, registry*), **Land Registry** (CIVIL Catastro, Registro de la Propiedad Inmobiliaria ◊ *Property should be registered at the Land Registry*; V. *Department of the Register of Scotland, Registrar General of Northern Ireland*), **land surveyor** (GRAL agrimensor), **land tax** (FISCAL contribución rústica, contribución territorial), **land tenure** (CIVIL terratenencia), **landed price** (MERC precio puesto en destino), **landed property** (CIVIL bienes raíces, predio), **landed proprietor** (CIVIL terrateniente; V. *landlord, landowner*), **landing bond** (MERC fianza de desembarque), **landing charges** (MERC gastos de descarga), **landing order** (MERC autorización de descarga), **landlocked property** (CIVIL predio enclavado), **lands in abeyance** (CIVIL bienes mostrencos; V. *abeyance; unclaimed goods, waif*)].

landlady *n*: GRAL/CIVIL casera, patrona. [Exp: **landlord** (GRAL/CIVIL arrendador, casero, terrateniente, patrón ◊ *There are special rules governing the relations between landlord and tenant*; V. *lessee, lessor, tenant; landowner; absentee landlord; landed proprietor*)].

landmark *n*: CIVIL mojón de lindero, marca de lindes, señal, límite ◊ *A landmark is an identifiable natural object serving to mark the boundary of the land in an instrument of conveyance*; V. *abuttals, call, boundary*), **landmark case** (PROC caso considerado como precedente; causa o proceso que sienta precedente, proceso creador de un precedente, llamado en inglés británico *leading case*), **landmark decision** *US* (CONST sentencia que sienta jurisprudencia; V. *leading case*)].

landowner *n*: GRAL terrateniente, dueño de una finca.

lapping *US n*: PENAL encubrimiento; falsificación de los libros de contabilidad.

lapsable *a*: CIVIL prescriptible. [Exp: **lapsation** (CIVIL caducidad), **lapse**[1] (GRAL lapso [de tiempo], período, intervalo; V. *interval*), **lapse**[2] (GRAL error, lapso, lapsus; V. *error, mistake, fault, slip*), **lapse**[3] (PROC caducidad, extinción de un derecho; caducar, prescribir, extinguirse ◊ *There are rights which lapse if they are not exercised*; V. *expiry, laches, statute-barred, time-barred, ademption*) **lapse of time** (GRAL/CIVIL caducidad, transcurso o lapso de tiempo; V. *acquisition by lapse of time*), **lapsed** (CIVIL caducado, prescrito;

V. *expired*), **lapsed devise or legacy** (SUC legado anulado por muerte del legatario, legado caducado), **lapsed policy** (SEGUR póliza caducada), **lapsing of action** (PROC/CIVIL caducidad de la instancia; prescripción; V. *abandonment of action*)].

larcenist *n*: PENAL ladrón, ratero; V. *thief*. [Exp: **larceny** (PENAL hurto, robo de poca importancia, ratería, robo de cantidades pequeñas ◊ *The statutory offence of larceny has been abolished and all forms of stealing are now known as «theft»*; V. *simple larceny, grand larceny*)].

large, at *a*: GRAL/PENAL con amplios poderes, general; en libertad, prófugo; V. *ambassador-at-large, representative at large*.

last *a*: GRAL último; V. *first*. [Exp: **last in, first out, lifo** *col* (MERC norma laboral por la que en caso de expediente de regulación de empleo o *redundancy*, se despide a los que entraron en último lugar, es decir, los últimos que entraron son los primeros en salir ◊ *Redundancies have been announced in the steel-works on a «last in, first out» basis*; V. *fifo, filo*), **last resort** (PROC última instancia, último recurso; en Gran Bretaña la jurisdicción de última instancia la ejerce la Cámara de los Lores, constituida en Tribunal de Apelación y, contra su resolución, no cabe más recurso), **last resort, as** (GRAL como último recurso, a la desesperada, en último caso o término; V. *court of last resort, first instance*), **last will and testament** (SUC testamento y últimas voluntades; los términos *will* y *testament* son sinónimos en inglés, de modo que la expresión es parcialmente redundante, aunque sancionada por el uso; en cambio, *testament* se usa menos y, cuando se aplica en sentido estricto, se refiere, de acuerdo con la terminología del derecho consuetudinario, sólo a los bienes personales, no a los bienes raíces o *property*; sin embargo, esta distinción ha caído en desuso; V. *will, testament*), **lastage** (MERC derechos de flete o embarco, lastre, cargamento de un buque)].

late *a*: GRAL tarde; difunto. [Exp: **lateness** (GRAL retraso, tardanza ◊ *She was sacked for continued lateness*; V. *delay*), **latest, at the** (GRAL a más tardar; V. *not later than*), **latest date** (GRAL fecha límite; V. *deadline*)].

latent *a*: GRAL latente, oculto; V. *hidden*. [Exp: **latent ambiguity** (GRAL ambigüedad latente), **latent deed** (CIVIL escritura de propiedad oculta durante más de veinte años), **latent defect** (GRAL vicio o defecto oculto; V. *hidden/inherent defect, patent defect*), **latent goodwill** (MERC plusvalía latente)].

launch *v/n*: GRAL iniciar, emprender; botar; botadura; V. *introduce, inaugurate*. [Exp: **launch an appeal** (GRAL hacer un llamamiento, iniciar una campaña)].

launder money *v*: PENAL blanquear dinero ◊ *An investigation by the Fraud Squad revealed that the firms transacted no real business and existed solely for the purpose of laundering money*; V. *money laundering*.

law *n*: GRAL derecho, ley, jurisprudencia; la palabra *law* equivale a «derecho» y a «ley»; en este segundo sentido, esto es como *a law*, es sinónima parcial de *Act* –ley positiva–, es decir, la norma legal escrita aprobada por el Parlamento, producto del derecho legislado o *statutory law*; V. *common law, statutory law, break the law, go against the law, go to law; adjective law, adminis-trative law, admiralty law, alien law, anti-trust law, business law, case law, civil law, codified law, commercial law, com-parative law, corporation law, eccle-siastical law, maritime law, martial law, mercantile/merchant law, patent law, statute law, tax law*. [Exp: **law-abiding** (GRAL cumplidor, decente, cumplidor con/observante de la ley), **law**

and order (GRAL orden público, ley y orden), **law, at** (GRAL de forma legal, de acuerdo con el derecho o las leyes; en inglés se suele emplear esta expresión para aludir a las acciones relacionadas con el Derecho, en contraposición a la Equidad *–equity–*), **law clause** (GRAL ley aplicable), **law clerk** (GRAL ayudante o auxiliar temporal de un juez; V. *managing clerk, legal executive*), **law court** (GRAL palacio de justicia), **law day** (GRAL día de vencimiento), **law digest** (GRAL recopilación de leyes), **law enforcement** (CONST ejecución o cumplimiento de la ley, observancia forzosa), **law enforcement agencies** (CONST organismos públicos encargados de velar por el cumplimiento de las leyes), **law enforcement authority** (CONST autoridad competente, agente de la autoridad), **law enforcement officer** (CONST agente de la autoridad, funcionario encargado del cumplimiento de la ley), **law enforcement services** (CONST agentes de la ley/autoridad, la policía), **law expenses** (PROC gastos del pleito), **law firm** (GRAL bufete de abogados), **Law Lords** (PROC conjunto de magistrados de la Cámara de los Lores, también llamados *Lords of Appeal in Ordinary*; traducir esta expresión coloquial por *jueces lores*, como hacen algunos, resulta un tanto confuso; no son *lores* que casualmente combinen esta condición con la de jueces, sino que, al contrario, son magistrados de gran prestigio que ingresan en la cámara alta al ser nombrados jueces del Supremo, y en ella desempeñan funciones exclusivamente judiciales; V. *House of Lords, Appellate Committee of the House of Lords*), **law list** (GRAL lista oficial de profesionales de la abogacía publicada cada año; V. *roll*), **law-maker** (CONST legislador; V. *law-giver*), **law-making** (CONST proceso normativo), **law-making power** (CONST competencia legislativa, capacidad normativa), **law merchant** (derecho mercantil; V. *mercantile law*), **law of evidence** (PROC derecho probatorio, derecho dedicado a la regulación de la prueba, código de pruebas), **law of exchange** (MERC derecho cambiario; V. *law of instruments*), **law of mercantile companies** (MERC ley general de sociedades mercantiles; V. *corporation law*), **law of mortgages** (MERC derecho hipotecario, ley hipotecaria), **law of nature** (GRAL derecho natural), **law of negotiable instruments** (MERC ley cambiaria; V. *law of exchange*), **law of procedure** (PROC derecho procesal, leyes de enjuiciamiento; V. *law of the court, adjective law*), **law of real property** (CIVIL derecho inmobiliario), **law of supply and demand** (MERC ley de la oferta y la demanda), **law of the court** (PROC derecho procesal; V. *rules of the court, law of procedure*), **law of the land** *US* (CIVIL Derecho vigente), **law of tort-s** (CIVIL derecho de daños, derecho de responsabilidad civil, ley de ilícitos civiles extracontractuales; dentro del Derecho Civil español se está configurando una rama autónoma llamada «Derecho de daños» que, en cierto sentido, es equivalente a *The Law of Tort*; V. *civil law*), **Law Reports** (CIVIL libro de derecho jurisprudencial, compilación de decisiones judiciales, repertorios de jurisprudencia; el derecho jurisprudencial consta de las resoluciones judiciales dictadas por los jueces en sus sentencias; estas resoluciones están recogidas en los *Law Reports*, publicado por el *Incorporated Council of Law Reporting*, organismo semioficial formado por representantes de *The Inns of the Court*, *The Law Society* y *The Bar Council*; V. *Administrative law reports, case law*), **Law School** (GRAL Facultad de Derecho), **Law Society** (GRAL Colegio de abogados o *solicitors* de Inglaterra y Gales; V. *solicitor*), **lawbreaker** (PENAL infractor, transgresor), **lawbreaking** (infracción de ley), **lawful** (GRAL legal, lícito, legítimo, de acuerdo con las leyes en vigor; hábil ◊ *It is for the court to decide whether an action is lawful*; los términos *lawful* y *legal* son sinónimos, aunque cada uno de ellos tiene matices propios; el primero atiende más al fondo ético de la ley o el derecho, mientras que el segundo alude a la forma jurídica; V. *statutory*), **lawful age** *US* (CIVIL mayoría de edad, edad legal; V. *age of majority, full age*), **lawful day** (GRAL día hábil), **lawful holder** (CIVIL/MERC tenedor o titular legal), **lawful issue** (FAM hijos legítimos, descendencia legítima), **one's lawful occasions, one's** (GRAL actividades legítimas de uno), **lawful title** (CIVIL título legítimo), **lawfully** (GRAL legalmente, legítimamente), **lawfulness** (legalidad, legitimidad), **lawgiver** (CONST legislador; V. *law-maker*), **lawless** (PENAL ilegal, ilícito, desaforado; licencioso, desordenado), **lawlessness** (PENAL ilegalidad, ilicitud, desorden, desobediencia), **laws** (GRAL legislación, disposiciones legales; V. *legislation*), **lawsuit** (PROC pleito, litigio, proceso/acción/demanda judicial; esta palabra es hoy más propia del inglés norteamericano que del británico, en donde se prefieren *case* o *action* ◊ *A lawsuit is a case brought to a court by a private person*; V. *action, case, suit*), **lawyer** (GRAL abogado, jurisconsulto, procurador, jurista), V. *barrister, solicitor, advocate*), **lawyer's office** (GRAL bufete)].

lay[1] *a*: GRAL lego; seglar, secular. [Exp: **lay**[2] (GRAL poner, colocar, imponer cargas u obligaciones), **lay an action to someone's charge** (PENAL acusar de una acción, considerar responsable), **lay/place/put an embargo on goods,** etc. (PENAL prohibir el comercio con mercancías, etc., secuestrar mercancías), **lay an information before a magistrate** (PENAL denunciar, presentar una denuncia en un juzgado; V. *information, complaint, summons; put in writing*), **lay before Parliament** (CONST exponer a la consideración del Parlamento; dar cuenta anticipada al Parlamento antes de su entrada en vigor ◊ *When an order is laid before Parliament, petitions for its amendment or annulment may be presented*; los instrumentos de legislación delegada deben quedar expuestos durante 40 días a la consideración del Parlamento o *laid before Parliament*, el cual ejerce control sobre los mismos; V. *parliamentary control, negative resolution, affirmative resolution, delegated legislation*), **lay claim to** (GRAL reclamar, pretender), **lay corporation** (CIVIL sociedad secular), **lay damages** (CIVIL reclamar daños y perjuicios), **lay days, lay time** (MERC plancha, tiempo de plancha, estadía; el *lay time*, también llamdo *lay days*, se refiere al tiempo que un buque permanece dedicado a tareas de carga o descarga, cuya duración y cómputo se acuerda en las pólizas de fletamento; V. *demurrage; reversible laydays, running days; reporting day*), **lay down a provision/the time and the agenda** (GRAL establecer o fijar una disposición, fijar la hora y el orden del día), **lay hold of** (GRAL agarrar, hacerse con; V. *battery, assault*), **lay magistrate** (PROC magistrado lego; hoy todos los *magistrates* son legos; los antiguos *stipendiary magistrates* se denominan *district judges*), **lay off** (LABORAL despido, despedir), **lay out** (MERC gastar, invertir dinero; V. *outlay*), **lay over** (GRAL aplazar), **lay the foundation** (GRAL sentar las bases), **lay time** (MERC V. *day lays*), **lay time for discharging** (tiempo de plancha para la descarga), **lay time for loading** (MERC tiempo de plancha para la carga), **lay-up refund/return** (SEGUR reducción de la prima del seguro de un barco que está fuera de servicio; V. *laying up clause*), **laying up clause** (MERC cláusula de reducción de la prima de seguro en caso de que el buque quede fuera de servicio; V. *lay-up return*), **layman** (GRAL lego)].

lead[1] *n*: GRAL pista ◊ *The police are following several leads in the investigation of this murder*; V. *clue*. [Exp: **lead**[2] (GRAL guiar, conducir; V. *persuade, influence*), **lead/leading counsel** (PROC letrado principal [de la defensa o la acusación]), **lead evidence** (PROC aportar, aducir, alegar, rendir, presentar pruebas ◊ *Counsel for the plaintiff led evidence of the defendant's failure to repay the loan*; V. *adduce/call/allege evidence*), **leader** (GRAL dirigente, jefe), **Leader of the House of Commons/Lords** (CONST Ministro Responsable de las Relaciones con el Parlamento; V. *Speaker*), **Leader of the Opposition** (CONST Jefe de la Oposición; V. *Shadow Cabinet*), **leading**[1] (GRAL principal ◊ *In taking through the authorities, counsel be expected to cite the leading ones*), **leading**[2] (GRAL tendencioso, capcioso, sugestivo, impertinente), **leading question** (GRAL pregunta que sugiere la respuesta que se quiere obtener; por ejemplo *Were you provoked?* pertenece a este grupo de preguntas; la pregunta más neutra sería *What was in your mind then?*; V. *catch question*), **leading case** (PROC caso considerado como precedente; causa o proceso que sienta precedente, proceso creador de un precedente, llamado en inglés americano *landmark case*), **leading counsel** (PROC abogado principal)].

league *n/v*: GRAL/INTER liga, alianza, confederación, unión; confederarse, ligarse, aliarse, unirse. [Exp: **League of Nations** (INTER Liga/Sociedad de Naciones)].

leak *n/v*: GRAL fuga [de agua, de información, etc.]; derramar; filtrar información o noticias; hacer agua ◊ *An unofficial account of the Cabinet's discussions was leaked to the press*. [Exp: **leak information** (GRAL pasar información al adversario), **leakage** (SEGUR merma, derrame, escape, vía de agua; descuento por derrame; V. *extraneous perils*)].

leap *n/v*: salto, brinco; saltar, brincar. [Exp: **leap-frog procedure** (PROC salto de jurisdicciones, *per saltum*. [En los casos excepcionales en que se precise la interpretación de una ley parlamentaria, desde el año 1969 la apelación puede pasar directamente a la Cámara de los Lores «saltando» por encima de la instancia intermedia, que es el Tribunal de Apelación o *Court of Appeal*; V. *House of Lords, Court of Appeal*]), **leap-year** (GRAL año bisiesto)].

lease *n/v*: CIVIL [escritura de] arriendo, arrendamiento o locación, contrata de arriendo, alquiler-compra; tomar en arrendamiento; arrendar ◊ *We have taken a lease on the property for 21 years*; V. *let on lease, net lease, parol lease, take on lease, extension of lease*. [Exp: **lease at will** (CIVIL arriendo a voluntad, arriendo denunciable o sin plazo fijo de duración; V. *at will*), **lease-back** (CIVIL cesión-arrendamiento), **lease for years** (CIVIL arriendo a plazo), **lease on parol** (CIVIL arriendo verbal), **lease, on a** (CIVIL en arrendamiento), **lease period** (CIVIL plazo o período de duración del arrendamiento), **leasehold** (CIVIL inquilinato, derecho de arrendamiento, contrato de locación), **leasehold improvements** (CIVIL mejoras en propiedad arrendada; V. *improvements*), **leasehold mortgage bond** (MERC cédula hipotecaria garantizada con el arrendamiento de una propiedad), **leaseholder** (CIVIL arrendatario), **leased property** (CIVIL propiedad arrendada), **leasing** (CIVIL alquiler con opción a compra, arrendamiento financiero), **leasing company** (MERC sociedad de arrendamiento financiero)].

leave[1] *v*: GRAL dejar, abandonar, salir de; V. *abandon*. [Exp: **leave**[2] (GRAL/PROC venia, autorización, permiso, licencia ◊ *The prisoner was found guilty and leave to appeal was refused*; V. *authority, permit, permission, pass; grant leave, refuse leave*), **leave of absence** (LABORAL licencia sin sueldo, permiso para ausentarse; V. *absence without leave, maternity leave*), **leave of court** (PROC venia del Tribunal), **leave office** (ADMIN/LABORAL abandonar o dimitir de un cargo), **leave to appeal** (PROC autorización para presentar recurso), **leave to proceed** (PROC admisión a trámite)].

LBO *n*: MERC V. *leveraged buy-out*.

LC *n*: CONST V. *Lord Chancellor*.

L/C *n*: MERC V. *Letter of credit*.

ledger *n*: MERC libro Mayor. [Exp: **ledger entry** (MERC asiento del libro Mayor), **ledger value** (MERC valor en los libros)].

lecher *n*: GRAL libidinoso; V. *debauchee*. [Exp: **lecherous** (GRAL lascivo, libidinoso; V. *obscene, lewd*)].

leeward *a*: MERC sotavento. [Exp: **leeway** (MERC abatimiento de un buque)].

legacy *n*: SUC legado, manda ◊ *That nice old desk was a legacy from my aunt*; V. *gift; absolute legacy, lapsed legacy, substitutional legacy*; los términos *legacy* y *bequest* se consideran sinónimos y se aplican sólo a los bienes personales; en el lenguaje corriente se emplea el primero con mayor frecuencia; el término *devise* se refiere a bienes inmuebles o bienes raíces. [Exp: **legacy tax** (SUC impuestos sucesorios; V. *inheritance tax*)].

legal *a*: GRAL jurídico, legal, que marca la ley, en derecho, de acuerdo con la ley; implícito; el término *legal* se suele aplicar a los derechos, resoluciones, etc., procedentes del *common law*, frente a *equitable*, nacido de la equidad; V. *statutory, lawful, legitimate*. [Exp: **legal abortion** (PENAL aborto despenalizado), **legal act** (GRAL acto jurídico), **legal action** (PROC acto procesal, actuación judicial; V. *take legal actions*), **legal address** (PROC domicilio a efectos legales; V. *address for service*), **legal advice** (PROC asesoramiento jurídico), **legal adviser** (PROC asesor jurídico, asesor letrado), **legal age** (PROC mayoría de edad), **legal aid and assistance** (PROC asistencia letrada al detenido), **legal aid lawyer** (PROC abogado de turno u oficio), **legal aid scheme** (turno de oficio), **legal aid board** (PROC junta que, con amplios poderes, está encargada de la organización del turno de oficio y de la administración de los fondos correspondientes), **legal assets** (SUC bienes sucesorios disponibles para liquidación de deudas), **legal assistance** (PROC abogado, defensa letrada; asistencia letrada, asistencia letrada al detenido, asesor legal; V. *right of access to a solicitor*), **legal brief** *US* (PROC equivale a *brief*[2]), **legal capacity** (PROC capacidad legal; V. *disability, lack oflegal capacity*), **legal capacity to sue** (PROC legitimación procesal; V. *locus stand*), **legal cause** (PROC causa legal, inmediata o próxima), **legal charge** (PROC/CIVIL afección en pago con fuerza de hipoteca legal), **legal charges** (PROC gastos judiciales), **legal claim** (PROC derecho legal), **legal consideration** (MERC causa contractual lícita), **legal consultant** (GRAL jurisconsulto), **legal counsel** (PROC asesor jurídico), **legal cruelty** (FAM crueldad que justifica el divorcio), **legal custody** (PENAL detención), **legal custodian** *US* (CIVIL tutor; V. *next-friend*), **legal currency** (ADMIN moneda de curso legal), **legal damages** (CIVIL perjuicios indemnizables), **legal dealine** (PROC plazo preclusivo; V. *closing time limit, time limit*), **legal debts** (PROC deudas documentarias), **legal defence** (PENAL legítima defensa; V. *self-defence*), **legal dependent** (FAM persona con derecho de alimentos de acuerdo con la ley; V. *alimony*), **legal disability** (PROC incapacidad procesal o jurídica), **legal doctrine** (PROC derecho positivo), **legal entity** (PROC/CIVIL persona o entidad jurídica; V. *juristic person, artificial person*), **legal executive** (GRAL pasante; en el pasado se les llamaba *managing clerks*), **legal fees** (PROC honorarios del letrado), **legal framework** (GRAL marco legal o jurídico), **legal holiday** (GRAL día inhábil; V. *business day*), **legal incapacity** (PROC inhabilidad, incapacidad jurídica; V. *disqualified*), **legal injury** (CIVIL vulneración de derechos legales), **legal interest** (CIVIL derecho real; V. *title*), **legal irregularity** (PROC irregularidad en la forma), **legal liability** (CIVIL responsabilidad jurídica), **legal loophole** (CONST escapatoria, vacío [legal]; connota «treta, engaño o trampa»; V. *lacuna, legal loophole, gap, legal vacuum*), **legal malice** (PENAL dolo presumido por la ley), **legal mandate** (CONST imperativo legal), **legal measures** (PROC trámites, diligencias, medidas o medios jurídicos), **legal money** (ADMIN dinero de curso legal), **legal mortgage** (MERC hipoteca legal), **legal name** (MERC denominación legal), **legal negligence** (CIVIL negligencia clara o evidente), **legal notice** (PROC notificación legal, notificación implícita), **legal obligation** (CIVIL obligación legal), **legal opinion** (GRAL dictamen jurídico), **legal owner** (PROC dueño legal), **legal performance of duty or office** (ADMIN ejercicio legítimo de un cargo; V. *discharge*), **legal parlance** (GRAL jerga jurídica), **legal person** (CIVIL persona jurídica; V. *artificial person, juristic person*), **legal possession** (CIVIL posesión legal o de jure), **legal practitioner** (GRAL abogado, letrado), **legal prescriptions** (GRAL prescripciones legales), **legal presumption** (PROC presunción legal), **legal principles** (CONST principios jurídicos), **legal problems** (PROC problemas jurídicos; V. *hedged with legal problems*), **legal proceeding** (PROC acto jurídico, procedimiento judicial), **legal proceedings for collection** (PROC apremio), **legal procedure** (PROC tramitación legal, trámites establecidos), **legal process** (PROC mandamiento, decreto u orden dictada por un tribunal; V. *process*), **legal profession** (GEN abogacía), **legal protection** (PROC amparo jurídico, amparo legal), **legal question** (GRAL cuestión jurídica), **legal rate** (MERC tipo de interés que marca la ley), **legal relevancy** (pertinencia o admisibilidad en derecho), **legal remedies** (PROC recursos, remedios, medios o soluciones legales; desde un punto de vista histórico, alude a las soluciones o recursos dados por los tribunales de derecho consuetudinario; V. *equitable remedies*), **legal representation** (GEN abogado y procurador), **legal requirement** (CONST imperativo legal), **legal reserve** (CONST reserva legal o estatutaria), **legal residence** (PROC domicilio legal), **legal right** (CIVIL bien jurídico), **legal separation** (FAM separación legal), **legal services** (GEN asistencia jurídica; V. *legal assistance*), **legal status** (CIVIL situación/personalidad jurídica), **legal strike** (EMPLOY huelga autorizada; V. *right to strike*), **legal system** (CONST ordenamiento/régimen jurídico), **legal team** (GRAL asesores jurídicos; V. *legal representation*), **legal tender** (ADMIN moneda de curso legal), **legal title** (CIVIL título perfecto), **legal translator** (GEN intérprete jurado), **legal vacuum** (CONST vacío legal; carencia legislativa o reglamentaria sobre una cuestión importante; V. *gap, lacuna, loophole*), **legal validity** (CONST validez legal), **legal vulnerability** (PROC impugnabilidad), **legal warning** (GRAL texto legal, advertencia; V. *mandatory copy*), **legal year** (GRAL año civil; V. *accounting year, calendar year, fiscal year, tax year*), **legalese** (GRAL jerga de los juristas), **legality**

(GRAL legalidad, legitimidad), **legalization** (GRAL legalización), **legalize** (GEN legalizar, legitimar, convalidar; V. *authorize*), **legally** (GEN legalmente, de acuerdo con la ley ◊ *Once a contract has been signed by both parties, its terms are legally binding on them*), **legally binding** (CONST de obligado cumplimiento, preceptivo), **legally constituted** (CONST establecido de acuerdo con las leyes vigentes), **legally proved** (PROC establecido por pruebas, provado en juicio; V. *proved*), **legally qualified** (GRAL competente; V. *competent*), **legally sufficient evidence** (PROC prueba admisible y suficiente; indicios razonables, indicios suficientes; V. *sufficient case*), **legally vulnerable** (PROC impugnable)].

legate *n*: CONST legado, emisario; V. *emissary*. [Exp: **legatee** (SUC legatario, asignatario, acreedor testamentario; V. *residual legatee*), **legation** (CONST legación; V. *mission*), **legator** (SUC testador; V. *testator*)].

legislate *v*: CONST legislar ◊ *Modern societies try to keep the legislature separate from the judiciary*. [Exp: **legislation** (CONST legislación, actos jurídicos, facultad legislativa; V. *laws, Bench legislation*), **legislative** (CONST legislativo; en plural alude al poder legislativo, que en el Reino Unido reside en el Parlamento *–Parliament–* y en los Estados Unidos, en el Congreso; V. *Judicicary, Executive*), **legislative body** (CONST cuerpo legislativo), **legislature** (PROC legislativo, poder legislativo, asamblea legislativa; V. *Parliament, Congress*)].

legitimacy *n*: PROC/CONST legitimidad, legalidad; V. *validity, legality*. [Exp: **legitimate**[1] (PROC/CONST legítimo; legitimar, legalizar; V. *lawful*), **legitimate**[2] (PROC/CONST V. *legitimize*), **legitimate bargain** (GRAL operación legítima), **legitimate child** (FAM hijo legítimo), **legitimate claim** (PROC pretensión legítima), **legitimate expectations** (GRAL confianza legítima), **legitimation** (GRAL legalización, legitimación), **legitimize** (GRAL/PROC legitimar)].

lend *v*: MERC/CIVIL prestar; V. *loan*. [Exp: **lend-lease** (MERC/CIVIL préstamo y arriendo), **lend on bottomry/collateral/pawn,** etc. (MERC prestar dinero a la gruesa, con seguridad colateral, con prenda, etc.), **lender** (CIVIL/MERC prestamista; V. *borrower*), **lending rate** (MERC/CIVIL tipo de interés en préstamos)].

length *n*: MERC eslora de un buque; V. *breadth*. [Exp: **length overall** (MERC eslora total)].

leniency *n*: GRAL/CONST clemencia, lenidad; V. *clemency, mercy*. [Exp: **lenient** (GRAL poco severo, blando, indulgente; V. *merciful*)].

lessee *n*: CIVIL arrendatario, locatario, inquilino; V. *lease*. [Exp: **lessor** (CIVIL arrendador, locador; V. *tenant; landlord*)].

let[1] *v*: CIVIL arrendar, permitir; V. *hire*. [Exp: **let**[2] (GRAL autorizar, permitir; V. *allow*), **let**[3] (GRAL estorbo, obstáculo), **let a bill lie over** (MERC no atender una letra; V. *dishonour*), **let or hindrance, without** (GRAL sin estorbo ni obstáculo ◊ *British passports contain a request to foreign authorities to allow British subjects to travel freely through their country without let or hindrance*),), **let sb scot-free** *col* (PENAL soltar sin imponer pena o castigo ◊ *The judge let the young offender scot-free*), **let the contract** (MERC/CIVIL adjudicar el contrato), **letting** (CIVIL/MERC arrendamiento)].

letter *n*: GRAL carta; V. *dispatch, message; dead letter*. [Exp: **letter of advice** (MERC carta de aviso, de expedición; V. *letter of readiness*), **letter of allotment** (MERC aviso de asignación), **letter of application** (GRAL/ADMIN instancia, carta de solicitud), **letter of attorney** (CIVIL poder, procuración, carta; los términos *letter of at-*

torney y *power of attorney* son intercambiables; el primero se refiere al documento que lleva la autorización; V. *power of attorney*), **letter of authority** (ADMIN carta de autorización), **letter of credence** (GRAL carta credencial), **letter of credit, L/C** (MERC carta de crédito, letra de crédito), **letter of delegation** (GRAL carta de diputación, poder), **letter of guaranty** (GRAL carta de garantía), **letter of indemnity** (SEGUR carta de garantía o indemnidad; V. *back letter, backward letter*), **letter of intent** (MERC carta de intenciones o de compromiso, pecontrato), **letter of licence** (GRAL escritura de concordato; moratoria, espera), **letter of recommendation** (GRAL carta de recomendación; V. *character*[2]), **letter of request** (PROC comisión rogatoria, exhorto; carta suplicatoria enviada por un juez a otro juez de un país extranjero, rogándole que le tome declaración a un particular; V. *rogatory commission; issue a letter of request*), **letter of safe-conduct** (INTER salvoconducto), **letter of the law** (GRAL letra de la ley), **letter of transmittal** (ADMIN escrito u oficio de remisión), **letter of undertaking** (GRAL carta de compromiso), **letter-proxy** (CIVIL carta poder), **letters of administration** (SUC título de administrador-ejecutor; auto de autorización del administrador, auto judicial de designación de albacea), **letters of guardianship** (FAM cartas de tutoría), **letters patent** (MERC cédula o patente de invención; título de privilegio), **letters testamentary** (SUC auto judicial de autorización de albacea, carta testamentaria)].

level *n*: GRAL nivel, cuantía; V. *standard.*

leverage *n*: MERC apalancamiento financiero, índice de endeudamiento; V. *gearing*. [Exp: **leveraged buy-out, LBO** (MERC compra/adquisición apalancada; compra de activos por emisión de obligaciones; operación de compra de las acciones de una empresa basadas en el endeudamiento; V. *leveraged management buyout; bid, take over*)].

levy *n/v*: FISCAL exacción, exacción reguladora, imposición, gravamen; embargo; gravar, imponer ◊ *It is the responsibility of the Customs and Excise to levy duties on all products imported from abroad*; V. *capital levy.* [Exp: **levy a distress** (PROC exigir el pago de una deuda mediante secuestro o embargo), **levy of execution** (PROC ejecución forzosa, embargo ejecutivo), **levy taxes** (FISCAL gravar impuestos, fijar/recaudar/exigir impuestos)].

lewd *a*: GRAL lascivo; injurioso, indecente; V. *obscene, lecherous.* [Exp: **lewdness** (GRAL lascivia, obscenidad, indecencia; V. *indecency, public lewdness*)].

liabilities *n*: MERC pasivo, deudas, obligaciones; la palabra *liabitiy* en plural se aplica al pasivo, siendo el antónimo de *assets*; V. *capital liabilities, current liabilities, double liabilities, joint liabilities, net liabilities, passive liabilities.* [Exp: **liability** (GRAL/CIVIL responsabilidad civil, obligación ◊ *Some newspapers insure against liability for defamation*; los términos *accountability, liability* y *responsibility* comparten el significado común de «responsabilidad»; el último es el más general y, como su parónimo español, alude tanto al deber o la obligación moral o profesional de quien cumple concienzudamente con su cometido; *liability* se refiere a la situación objetiva, normalmente legal, de la persona sujeta a sanción, o al deber de compensar, en caso de incumplimiento de una obligación; de ahí su uso jurídico con el significado de «culpa» o de «responsabilidad civil» y, en plural, su significado financiero de «deudas, obligaciones, pasivo»; por último, *accountability* es la responsabilidad que constituye un desiderátum de la vida pública, por lo que es el término más abstracto de los tres, relacionándose con los conceptos de transparencia y probidad en la administración de los bienes y los derechos ajenos; V. *civil liability, double liability, legal liability, joint and several liability, strict liability; incur liability, meet liabilities*), **liability bond** (CIVIL fianza de responsabilidad civil), **liable**[1] (GRAL/CIVIL responsable, obligado, sujeto ◊ *The court held the actress to be in breach of contract and liable in damages to the agency*; V. *answerable, responsible*), **liable**[2] (CIVIL/PENAL expuesto a, amenazado con, susceptible de ◊ *Parents who do not look after their children are liable to be prosecuted*; V. *exposed, open, subject to*), **liable to duty/tax** (FISCAL sujeto a derechos/impuestos; gravable, imponible)].

liaise with v.: GRAL/PROC coordinarse con, actuar de enlace, mantener un estrecho contacto. [Exp: **liaison** (GRAL enlace; V. *relationship*), **liaison officer** (PROC oficial, secretario o funcionario de enlace [con jueces, etc.])].

libel *n/v*: PENAL libelo, difamación escrita; difamar por escrito ◊ *The heavy sums awarded by juries in recent libels actions have led to debate over whether these cases should not be tried by judges alone*; V. *abusive language, insulting language; actionable words, invective.* [Exp: **libel action/suit** (PENAL/CIVIL proceso, demanda o querella por difamación), **libelant** *US* (PENAL/CIVIL demandante, libelista), **libelee** *US* (PENAL/CIVIL demandado), **libeler** *US* (PENAL/CIVIL libelista, difamador), **libellous** (PENAL/CIVIL difamante, difamatorio)].

liberty *n*: GRAL libertad; V. *civil liberties.* [Exp: **liberal** (GRAL amplio, liberal; V. *radical*), **liberal interpretation** (GRAL interpretación amplia, sentido lato), **liberalism** (GRAL liberalismo), **liberalization** (GRAL liberalización), **liberalize** (GRAL liberar, liberalizar, eximir), **liberalized** (GRAL liberalizado, exento de derechos)].

licence, license *US n*: ADMIN licencia, permiso, autorización, licencia [de uso], permiso de conducción; cesión [de derecho de autor *–copyright–*, patente *–patent–*, etc.] ◊ *In Britain and other European countries you need a television licence, renewable annually*; V. *authority, permit, leave; driving licence, exclusive licence, export/import licence, game licence, gaming licence, granting of licences, off-licence.* [Exp: **licence, under** (MERC con licencia ◊ *Manufacture under licence*), **license** (ADMIN autorizar, ceder permiso, permitir, licenciar ◊ *Only licensed restaurants may serve wine with meals*), **license a car** (ADMIN sacar el impuesto de circulación), **licensed conveyancer** (CIVIL profesional autorizado para emitir escrituras de traspaso de dominio), **licensed premises** (ADMIN establecimiento autorizado para vender bebidas alcohólicas), **licensed trader** (ADMIN comerciante autorizado), **licensee** (MERC [con]cesionario, persona/empresa autorizada, beneficiario de la licencia, licenciatario), **licensing** (ADMIN autorización, [con]cesión; sistema de licenciar o ceder derechos ◊ *Problems over licensing with the arrival of satellite TV*), **licensing board/agency** (ADMIN junta/organismo/agencia supervisora de la concesión de licencias, órgano rector de la cesión y adquisición de derechos [de comisión, de publicación, de exposición, etc.]), **licensor** (ADMIN concedente, otorgante de una licencia), **licensure** *US* (ADMIN [sistema de] concesión de licencias para el ejercicio de una profesión)].

licentious *a*: GRAL licencioso, libertino; V. *profligate, abandoned, wanton.* [Exp: **licentiousness** (libertinaje; V. *debauchery*)].

licit *a*: GRAL lícito, permitido; V. *lawful.* [Exp: **licitness** (GRAL legalidad; V. *lawfulness*)].

lie[1] *n/v*: GRAL mentira; mentir ◊ *They both lied under oath about their sexual relationships.* [Exp: **lie**[2] (yacer), **lie**[3] (GRAL haber/tener lugar, haber fundamento para, corresponder, caer, venir ◊ *If your car is stolen from a car-park, an action may lie against the owners or management for negligence*; V. *action which does not lie*), **lie**[4] **to** (PROC ser de la incumbencia de, competer a ◊ *Appeals from a Magistrates' Court lie to the Crown Court from both conviction and/or sentence*), **lie at anchor** (MERC estar fondeado un buque), **lie detector** (GRAL/PENAL detector de mentiras), **lie in franchise** (CIVIL estar sujeto a posesión sin acción judicial), **lie in grant** (CIVIL estar sujeto a traspaso por escritura solamente), **lie in livery** (CIVIL ser susceptible de traspaso por entrega efectiva) **lie over** (V. *let a bill/letter lie over*), **lie under oath** (PENAL mentir bajo juramento, jurar en falso, perjurar ◊ *He lied under oath about his involvement in a sexual affair with a call girl*; V. *perjury, forswear*)].

lien *n*: MERC/CIVIL derecho de preferencia de un acreedor, [derecho de] retención [posesoria], embargo preventivo, derecho prendario, gravamen; este nombre suele ir seguido de otros como *freight, insurance policy*, etc., que se refieren al objeto de la retención o preferencia ejercitables por el acreedor privilegiado o *lienor* ◊ *The seller of a property has an equitable lien on it for the purchase price, and this gives him the right to remain in possession until the full price has been paid*; V. *Admiralty's lien, attachment lien, attorney's lien, bailee lien, banker's lien, cargo lien, carrier's lien, charging lien, mechanic's lien, vendor's lien; encumbrance, easement.* [Exp: **lien account** (MERC/CIVIL explicación/descripción/informe de los derechos de preferencia de determinados bienes), **lien by contract** (MERC/CIVIL derecho de preferencia [constituido entre deudor y acreedor] por contrato), **lien creditor** (MERC/CIVIL acreedor embargante, prendario o privilegiado; V. *atttaching creditor*), **lien waiver** (MERC/CIVIL renuncia a un derecho de preferencia), **lien of partners** (MERC/CIVIL derecho de preferencia del socio en la distribución de los bienes sociales de una *partnership*), **lienee** (MERC/CIVIL embargado), **lienor** (MERC/CIVIL embargante o embargador, acreedor privilegiado)].

lieu *n*: GRAL lugar; palabra normando-francesa que se usa casi siempre en la expresión *in lieu [of]* ◊ *In bankruptcy cases, when the full amount of a debt cannot be paid, the bankrupt's duty is to compound with his creditors and reach a good accord in lieu of full settlement*; *V. damages in lieu.* [Exp: **lieu lands** (GRAL tierras de compensación o sustitución; se suelen entregar a cambio de otras expropiadas), **lieu tax** (GRAL impuesto sustitutivo)].

life *n*: GRAL vida, vigencia, plazo, duración; vitalicio ◊ *A person with a life interest in an estate cannot transfer that right or alienate the property*; cuando acompaña a palabras como *contract, loan,* etc., equivale a «plazo» o «duración»; V. *service life*. Exp: **life annuity** (SEGUR renta vitalicia, censo de por vida), **life assurance/insurance policy** (SEGUR [póliza de] seguro de vida; V. *policy*), **life beneficiary** (SEGUR beneficiario vitalicio), **life estate** (SEGUR dominio vitalicio), **life expectancy table** (SEGUR [tabla de] esperanza de vida al nacer; V. *actuarial*), **life, for** (GEN con carácter vitalicio), **life imprisonment** (PENAL cadena perpetua), **life interest** (CIVIL derecho vitalicio; usufructo de la pertenencia; V. *liferent*), **life member** (GRAL socio o miembro vitalicio), **life of a guaranty** (vigencia de la garantía), **life of a Parliament** (legislatura parlamentaria), **life of a patent** (BSNSS plazo o duración de la patente), **life tenancy** (CIVIL derecho de usufructo [o propiedad] limitado a duración de la vida de una persona), **life tenant** (CIVIL usufructuario vitalicio; titular de la pertenencia limitada a su propia vida)].

liferent *der esc n*: FAM/SEGUR renta vitalicia, dominio o usufructo vitalicio; V. *life interest.*

lifo *n*: V. MERC *last in, first out.*

lift[1] *v*: GRAL alzar, levantar ◊ *The government has lifted the embargo on the sale of firearms*; V. *raise, remove*. [Exp: **lift**[2] *argot* (PENAL birlar, mangar, robar, plagiar; hurtar, robar, despojar), **lift a ban** (levantar una prohibición), **lift a mortgage** (MERC/CIVIL extinguir una hipoteca; V. *raise, remove*), **lift an embargo** (INTER levantar un embargo), **lift parliamentary immunity** (CONST levantar la inmunidad parlamentaria), **lift reporting restrictions** (PROC levantar el secreto del sumario; V. *gag order*), **lift/pierce the corporate veil** (MERC descorrer el velo societario), **lifting** (PENAL hurto; V. *shoplifting*; S. *abstracting, shoplifting, stealing, theft, burglary, hacking, nick, dip*)].

light[1] *n*: GRAL luz, servidumbre de luces. [Exp: **light**[2] (GRAL ligero; V. *heavy*), **light**[2] (MERC [de un buque] sin cargar, en lastre), **light draught** (MERC calado en lastre), **light of, in the** (GRAL a la vista de), **lighter** (MERC gabarra), **lighterage** (MERC gastos de gabarra)].

like *a*: GRAL similar. [Exp: **like effect, to** (GRAL del mismo efecto, del mismo significado o valor; V. *words to like effect; construction*), **likelihood of confusion** (MERC probabilidad de confusion; esta expresión se emplea en el derecho de marcas ◊ *Likelihood of confusion may arise from a resemblance in the appearance, pronunciation or suggestiveness of a product*), **likely** (GRAL probable, susceptible ◊ *Her proposals were likely to be accepted*; V. *potential, probable*)].

limb[1] *n*: GRAL extremidad, miembro, brazo o pierna ◊ *In the accident most passengers broke a limb*. [Exp: **limb**[2] (GRAL ampliación, expansión ◊ *The first limb of Article 5(1)(b) encompasses certain forms of contempt proceedings*)].

limit *n*: GRAL/CIVIL límite, frontera, acotación; V. *border, frontier, edge boundary*. [Exp: **limit** (GRAL limitar, restringir; V. *restrict, forbib*), **limitation** (GRAL/CIVIL limitación, prescripción, prescripción extintiva; caducidad ◊ *Section 33 gives a judge the discretion to proceed despite the expiry of the limitation period*; V. *qualification, restriction; statute of limitations, postponement of limitations*), **limitation in law** (CIVIL derecho que se tiene sobre un inmueble sujeto a una condición resolutoria), **limitation of action** (PROC prescripción de acción; V. *statute of limitations*), **limitation of liability** (CIVIL limitación de responsabilidad), **limitation period** (CIVIL plazo de prescripción), **limited** (GRAL limitado, parcial, restringido ◊ *In a company limited by shares the maximum liability of a contributor is limited to the amount unpaid on shares*; el adjetivo *limited* es sinónimo de *qualified* y antónimo de *absolute*), **limited company** (MERC sociedad de capitales; V. *company limited by shares*), **limited fee** (CIVIL derecho inmobiliario sujeto a restricciones; V. *fee simple, fee simple absolute*), **limited interpretation** (PROC interpretación restrictiva), **limited jurisdiction** (PROC jurisdicción limitada), **limited liability company** (MERC sociedad de responsabilidad limitada), **limited liability partner** (MERC socio comanditario), **limited oath** (PROC juramento condicional), **limited partnership** (MERC sociedad en comandita, sociedad personalista de responsabilidad limitada; en este tipo de sociedad comandita la responsabilidad de ciertos socios queda limitada a la de sus aportaciones), **limited partnership by shares**

(MERC sociedad comanditaria por acciones)].

line[1] *n*: GRAL línea; cadena, cuerda, cable; en su función atributiva, equivale a «lineal». V. *accommodation line, above-line expenditure*. [Exp: **line**[2] (MERC producto, artículo; V. *product*)].

lineup (PENAL rueda de presos, rueda de identificación/reconocimiento de sospechosos; V. *identification parade, photo array*), **lineage** (FAM linaje, línea; V. *ancestry*), **lineal** (GRAL directo, en línea directa ◊ *The property came down to her in lineal descent*), **lineal ancestor** (FAM ascendiente en línea directa, ascendiente directo; V. *descendant*); **lineal consanguinity** (FAM consanguinidad lineal), **lineal descent** (FAM descendencia en línea directa), **lineal heir** (SUC heredero en línea directa), **liner** (MERC buque de línea regular; V. *tramp*), **lines** (MERC cabos de amarre de un buque), **lines and corners** (CIVIL descripción de los límites físicos de una propiedad; V. *metes and bounds*)].

liquid *a*: GRAL líquido, disponible, realizable ◊ *The company went into liquidation when the banks called in the debt*. [Exp: **liquid assets** (MERC activo circulante, realizable o disponible; V. *current assets, quick assets, circulating assets, floating assets, working assets*), **liquid money** (MERC dinero líquido), **liquid reserves** (MERC reserva realizable), **liquidate** (MERC liquidar, pagar, cancelar; el verbo *liquidate* se aplica normalmente a la liquidación por orden judicial; V. *wind up*), **liquidate by order of the Court** (PROC liquidar judicialmente), **liquidated** (GRAL/MERC liquidado, definitivo, efectivo, líquido, fijo, pagado; el adjetivo *liquidated*, cuando acompaña a palabras como *claim* o *damages*, indica que el monto de la pretensión o de los daños ha sido prefijado en el contrato), **liquidated and ascertained** (CIVIL líquida y cierta), **liquidated claim** (PROC reclamación en cantidad prefijada), **liquidated damages** (PROC indemnización fijada en el contrato [por las partes]; V. *unliquidated damages, compensatory damages*), **liquidated debt** (CIVIL deuda líquida y exigible), **liquidating value** (MERC valor liquidable o en liquidación o en realización), **liquidating trust** (CIVIL fideicomiso creado para la liquidación de una empresa), **liquidation** (MERC liquidación, pago, cancelación; V. *proceed to liquidation*), **liquidator** (PROC liquidador, síndico, administrador judicial; V. *receiver*), **liquidity** (MERC liquidez), **liquified gas carrier, LGC** (MERC buque de transporte de gas licuado)].

lis pendens *n*: PROC litispendencia.

list *n*: GRAL lista, relación, boletín, nómina, planilla; [de un buque] escora ◊ *The plaintiff failed to appear on the day set for trial and the action was struck off the list*; V. *cause list, civil list, law list, warned*. [Exp: **list of assets** (MERC cartera), **list of cases** (PROC lista de causas; V. *calendar, court calendar, calendar of cases, docket, trial list*), **list/record of previous convictions** (PENAL antecedentes penales; V. *criminal record, ba record*), **list of quotations** (MERC boletín de cambios), **list officer** (PROC V. *listing officer*), **listed building** (ADMIN edificio declarado de interés histórico; V. *building preservation notice*), **listed company** (MERC empresa cotizada en Bolsa; V. *quoted company*), **listed securities** (MERC títulos admitidos a cotización en Bolsa, valores cotizados, valores registrados en Bolsa; V. *unlisted securities*), **listed share/stock** (MERC acción cotizable o cotizada), **listing**[1] (MERC listado, cotización en Bolsa; contrato con un agente de la propiedad inmobiliaria para venta de un inmueble), **listing**[2] (PROC señalamiento), **listing/list officer** (PROC funcionario encargado de los señalamientos)].

lite pendente *n*: PROC durante el juicio, provisional; equivale a *pendente lite*.

litigate *v*: GRAL/PROC litigar, pleitear ◊ *These anti-fraud provisions have precipitated more litigations than any other regulations*. [Exp: **litigant** (PROC litigante; V. *argumentative, quarrelsome, contentious*), **litigated issues** (PROC peticiones contenciosas), **litigation** (PROC litigio, litigación, pleito; *litigation* no se usa en plural; V. *dispute, action*)].

live *a/v*: GRAL vivo, pendiente; sin liquidar o satisfacer; vivir; el adjetivo se pronuncia *laiv* ◊ *Live claim*. [Exp: **live at subsistence level** (GRAL tener lo justo para vivir; V. *be on the breadline*), **living**[1] (GRAL vida, medios de vida), **living**[2] (GRAL vivo), **living expenses** (GRAL gastos de manutención), **living issue** (SUC descendientes vivos), **living trust** (CIVIL fideicomiso activo), **living wage** (LABORAL salario mínimo), **living will** (CIVIL testamento vital; V. *dying declaration*)].

livery *n*: CIVIL entrega o tradición; acto formal de traspaso dominio; la palabra *livery* es una forma arcaica de *delivery*, entrega, y se oponía a *grant*, otorgamiento por escritura, en que la primera implicaba la entrega física de la cosa, aunque fuera una propiedad real, mediante la transmisión simbólica de un objeto perteneciente a la propiedad y/o una fórmula verbal de concesión de la posesión. Cayó en desuso al desaparecer los últimos vestigios de la posesión feudal, pero aún se encuentra en muchos documentos referidos al dominio de la propiedad; V. *seisin*. Exp: **livery of seisin** (CIVIL entrega efectiva de la propiedad real, transmisión o traspaso de dominio)].

Lloyd's *n*: SEGUR/MERC Lloyd's; aunque en su nacimiento *Lloyd's* fue una única entidad, hoy son dos instituciones distintas ligadas al tráfico marítimo y al mundo de los seguros: el Registro de Buques de Lloyd *–Lloyd's Register of Shipping–* y la Corporación Lloyd's *–Corporation of Lloyd's–*, también llamada *Lloyd's of London*. [Exp: **Lloyd's names** (SEGUR inversores institucionales de *Lloyd's of London*, llamados también *names*), **Lloyd's of London** (SEGUR Corporación Lloyd's; con sede en Leaden Hall St. de Londres, la Corporación Lloyd's, también llamada el *Lloyd's of London* es, en realidad, una asociación, o mercado internacional de seguros, formada por aseguradores *–underwriters–* y agentes de seguros *–insurance brokers–* interesados en suscribir *–underwrite–* seguros de alto riesgo *–high-risk insurance–*, tanto marítimos como de aviación *–aircraft–* o de automóviles *–motor car–*; los clientes no tratan directamente con los aseguradores *–underwriters–*; son los agentes de seguros los que hacen las propuestas de seguro a las compañías, que se formalizarán tras los estudios de primas *–premiums–* y riesgos efectuados por ésta; desde esta perspectiva de mercado o de asociación, el *Lloyd's* es en sí el organismo rector *–a governing body–* de una asociación, encargado de dictar normas para sus miembros y de asesorarles; los miembros pueden trabajar individualmente *–singly–* o en grupos *–groups–* llamados «consorcios» *–syndicates–*, los cuales están formados, a su vez, por «nombres» *–names–*, es decir, por inversores), **Lloyd's Register of Shipping** (MERC Registro de Buques de Lloyd's; es una asociación sin ánimo de lucro *–charitable/non profit association–*, financiada con las tasas correspondientes a los servicios de clasificación de buques, los de inspección *–surveys–*, con su correspondientes certificados *–certificate of survey* o *survey report–* y con la finalidad de facilitar información clara, veraz e independiente sobre la calidad y estado de los barcos a los aseguradores *–underwriters–* y demás personas o entidades que la necesiten; todos los años publica las «reglas/normas de Lloyd's» *–Lloyd's rules–*, que son las de mayor prestigio y que regulan el mantenimiento y conservación de buques; relación de buques registrados y clasificados por *Lloyd's*, los cuales llevan en su costado una cruz maltera), **Lloyd's agent** (SEGUR agente del *Lloyd's*)].

load *v*: GRAL cargar; V. *discharge*. [Exp: **load lines** (MERC líneas de máxima carga), **load draught** (MERC calado en cargo), **loading** (MERC operación de carga)].

loan *n*: MERC préstamo, empréstito; V. *borrowing, bond loan, capital loan, cash loan, debenture loan*. [Exp: **loan account** (MERC cuenta de préstamo, cuenta de crédito), **loan against securities** (MERC préstamo garantizado con títulos-valores), **loan on bottomry** (MERC préstamo a la gruesa, préstamo a riesgo martímo; V. *bottomry loan*), **loan on landed property** (MERC/CIVIL crédito hipotecario), **loan on policy** (SEGUR anticipo sobre póliza; el asegurado puede pedir un anticipo con cargo al valor de rescate de la póliza de seguro de vida), **loan payment** (MERC plazo)].

loathsome *a*: GRAL detestable, aborrecible, abominable ◊ *She rejected his most loathsome sexual advances*; S. *detestable, abhorrent, repulsive*.

lobby *n/v*: CONST grupo de presión o de intereses; antecámara; presionar, cabildear, tratar de influir ◊ *In modern parliamentary practice, lobbying by interested parties is a frequent and effective means of getting the law changed*. [Exp: **lobbying** (GRAL cabildeo; gestión para influir en los legisladores), **lobbyist** (PROC cabildero; V. *pressure group*)].

local *a*: GRAL municipal, nacional. [Exp: **local authority** (ADMIN administración local, corporación local), **local currency** (ADMIN moneda nacional), **local election** (ADMIN elecciones municipales), **local government** (ADMIN gobierno municipal), **local rates** (FISCAL/ADMIN impuestos municipales), **local venue** *US* (PROC jurisdicción en un solo condado)].

lock *n/v*: GRAL cerradura; cerrar con llave. [Exp: **lock gate** (MERC puerto de esclusa), **lockout** (LABORAL cierre patronal), **lock up** (GRAL encerrar), **lockup** (calabozo; V. *police station lockup*)].

loco parentis , in *fr*: FAM en sustitución de los padres, con las obligaciones correspondientes a los padres. [Exp: **locum [tenens]** (GRAL sustituto, suplente ◊ *When a doctor is sick or absent, he must arrange for his patients to be looked after by a locum [tenens]*), **locus sigilli, L.S** (GRAL lugar del sello), **locus standi** (PROC legitimación procesal; derecho a dar a conocer la versión de uno [por alusiones, etc.], derecho de audiencia; V. *standing, legal capacity to sue*)].

lodge[1] *v*: PROC presentar, formular, remitir, entregar, cursar, residenciar [se emplea este término normalmente en los procesos civiles] ◊ *He lodged an appeal against the decision of the Queen's Bench Divisional Court*; V. *file*. [Exp: **lodge**[2] (GRAL logia, reunión de francmasones), **lodge a caution** (PROC pagar una fianza), **lodge a complaint against somebody** (PROC querellarse contra alguien; V. *bring action, institute proceedings, proceed, sue*), **lodge an appeal** (PROC recurrir, apelar, interponer un recurso de apelación; V. *make/ launch an appeal*), **lodge an objection** (GRAL/PROC impugnar), **lodge claims** (PROC formular pretensiones), **lodge with the court** (PROC someter al tribunal, remitir a la justicia)].

log-book *n*: MERC cuaderno de bitácora; (para vehículos) cuaderno de inspección, mantenimiento y traspasos, historial técnico. [Exp: **logging** (MERC anotación en el cuaderno de bitácora)].

logo *col n*: MERC logotipo ◊ *After two years of research we are very proud of our corporate logo*; forma coloquial de *logotype*; V. *corporate logo*.

logrolling *US col n*: GRAL intercambio de favores políticos ◊ *Some politicians seem to spend more time logrolling than looking after their constituents' interests.*

loiter *v*: GRAL holgazanear, merodear. [Exp: **loiter with intent** (GRAL merodear o rondar con fines delictivos o sospechosos)].

long *a/adv*: GRAL largo; largamente, por mucho tiempo ◊ *The long-standing agreement between the two countries cannot simply be ignored.* [Exp: **long-dated** (MERC a largo plazo), **long-distance** (GRAL interurbano, internacional), **long-drawn-out** (GRAL exhaustivo, prolongado, larguísimo), **long-established** (GRAL arraigado, tradicional, ancestral), **long investor** (BSNSS inversor asegurado; V. *hedger, writer*), **long-shoreman** *US* (MERC estibador; V. *stevedore*), **long-standing** (GEN en pie hace tiempo, histórico, de rancia tradición; V. *standing*), **long tenancy** (CIVIL arrendamiento por más de 21 años), **long-term** (GEN a largo plazo; se aplica a *bonds, creditors, debt, liabilities, loans*, etc.; V. *short-term*), **long-term liabilities** (MERC pasivo a largo plazo), **long title** (CONST título completo de una ley; V. *act, short title*)].

lookout, be on the *fr*: GRAL andar a la caza de ◊ *Authorities are on the lookout for a man who is suspected in the slaying of a retired fisherman.*

loophole *n*: GRAL escapatoria, vacío [legal] ◊ *There is almost always a loophole in the law if you look close enough*; con el significado de vacío legal connota «treta, engaño o trampa»; V. *legal loophole, gap, legal vacuum*.

loot *n/v*: PENAL botín, pillaje; saquear, pillar; V. *plunder, despoil*. [Exp: **looter** (PENAL rapiñador, merodeador; V. *outlaw, marauder*)].

Lord *n*: GRAL lord, señor; además de los pares del Reino, tienen el tratamiento de *Lord* algunos jueces y alcaldes, como son el *Lord Advocate* –equivalente en Escocia al *Attorney General* de Inglaterra–, *Law Lords* –jueces del *Court of Appeal*, que reciben el tratamiento de *Lord* para poder actuar como miembros del Tribunal de Apelación de la Cámara de los Lores–, *Lord Provost* –Alcalde o Preboste de algunas ciudades escocesas como Glasgow o Edimburgo; V. *drug lord*–. [Exp: **Lord Advocate** *der es* (CONST/PROC *approx.* fiscal general del Estado en Escocia; es la máxima autoridad encargada de la persecución del delito en Escocia, con sede en la *Crown Office* en Edimburgo –equivalente escocés del *Crown Prosecution Service* inglés–; dada la absoluta independencia de la jurisdicción penal en Escocia, que no está supeditada al control casacional de la Cámara de los Lores en materia criminal, el *Lord Advocate* goza de plenos poderes fiscales, de ahí que se le llame *master of the instance* –esto es, «dueño y señor de la instancia», responsable en último término de decidir si dirige o no la causa contra cualquier persona sospechosa de haber delinquido–; por medio de los fiscales de sala, que son *advocates-depute* o *Crown counsel* en el tribunal superior de lo penal –*High Court of Justiciary*– y *procurators-fiscal* en el inferior –*sheriff court*–, dirige toda acusación pública, combinando en su persona las funciones propias del *Attorney General* y del *Director of Public Prosecutions* en Inglaterra; como sus colegas ingleses, tiene asignadas también ciertas atribuciones asumidas por el ministro de Justicia en aquellos países que, a diferencia de Gran Bretaña, cuentan con dicha figura política), **Lord Chancellor, LC** (CONST Lord Canciller o Gran Canciller, Juez Presidente del Tribunal Constitucional y del Supremo, máxima autoridad judicial de Gran Bretaña, Presidente de la Cámara de los Lores ◊ *The Lord Chancellor is the highest-ranking judge in Breat Britain*; es, además, miembro nato del *Judicial Committee of the Privy Council* y Presidente del Tribunal de Apelación de los Lores, con rango de ministro; su escaño en los Lores se denomina *Woolsack* o «saca de lana» para distinguirlo en comodidad y prestancia de la de los meros pares), **Lord Chief Justice** (CONST Presidente de la Sección Penal del *Court of Appeal*, Presidente del Tribunal Supremo, en Inglaterra), **Lord Mayor** (ADMIN Alcalde presidente), **Lord Ordinary** *der es* (PROC magistrado del tribunal superior de lo civil en Escocia, el llamado *Court of Session*; recibe esta denominación cuando se constituye en tribunal unipersonal *–sits alone–*; V. *Inner House, Outer House, Lords of [Council and] Session*), **Lords of Appeal in Ordinary** (PROC conjunto de magistrados de la Cámara de los Lores; se trata de la designación formal del colectivo, conocido coloquialmente como los *Law Lords*; V. *House of Lords, Law Lords*), **Lords of [Council and] Session** *der es* (PROC conjunto de magistrados del tribunal superior de lo civil en Escocia, el llamado *Court of Session*; V. *High Court of Justiciary, Lord Ordinary*), **Lordship** (GRAL señoría), **Lordship's permission, with your** (GRAL con la venia de su señoría; V. *leave*)].

loss *n*: GRAL/SEGUR pérdida, quebranto, comiso, daño, detrimento, quiebra, siniestro; V. *mishap, misfortune, failure, capital loss; compensation*. [Exp: **loss according to the books** (MERC pérdida contable), **loss adjustor** (SEGUR tasador de los siniestros; V. *average adjuster*), **loss [experience]** (SEGUR siniestralidad; V. *claims rate*), **loss of amenity** (GRAL perjuicios de disfrute o placer; se suelen hacer pólizas de seguros para compensar por la frustración de la diversión esperada, debido, por ejemplo, a lluvia u otro inconveniente), **loss of amenity claim** (CIVIL/SEGUR/LABORAL [demanda por] perjuicios de disfrute o de placer, demanda por pérdida de ocio), **loss of claim** (SEGUR pérdida del derecho de indemnización), **loss of office** (GRAL cese en el cargo; pérdida del puesto), **loss of profit** (MERC lucro cesante, pérdida de beneficios; V. *be to the bad, write-off*), **loss of profits policy** (SEGUR póliza de seguro contra pérdida de beneficios o lucro cesante), **losses incurred** (GRAL daños sobrevenidos, siniestros pendientes)].

lot[1] *US n*: GRAL terreno, solar ◊ *The land the old station stood on has been turned into a parking lot*; V. *land*. [Exp: **lot**[2] (GRAL lote ◊ *The paintings and statues were auctioned together as a lot*), **lot**[3] (GRAL suerte; V. *draw lots*)].

low *a/n*: GRAL bajo; V. *high*. [Exp: **low-geared** (MERC con un índice bajo de apalancamiento de capital; con una proporción baja de fondos ajenos con relación a los propios ◊ *Low-geared companies sectors*; V. *capital gearing; gear, leverage*), **low profile** (GRAL tono medio, nivel de compromiso o participación bajo, actuación distante o poco comprometida, perfil bajo), **lower** (GRAL inferior; reducir ◊ *Judgments by the lower courts do not establish precedents*), **lower courts** (PROC tribunales inferiores; los tribunales inferiores en la jurisdicción civil son los *County Courts*, y en la penal, y en algunos asuntos de la civil, también los *Magistrates' Courts*; V. *superior courts*), **lower income bracket** (FISCAL trama/nivel inferior de ingresos), **lowest bidder** (MERC licitante que presenta la oferta más baja; V. *best bid*)].

loyal *a*: GRAL leal, fiel; V. *faithful, reliable*. **loyalty** (GRAL lealtad, fidelidad; V. *faithfulness, [pledge of] allegiance*)].

L.S. *n*: CONST V. *locus sigilli.*

Ltd. *n*: MERC V. *limited company; Inc.*

lucrative *a*: GRAL lucrativo; V. *gainful, profitable.*

lump sum *n*: GRAL precio global, cifra global, cantidad global, tanto alzado ◊ *Workers who took early retirement were guaranteed a lump sum under the scheme*; V. *all-round price.* [Exp: **lump sum charter** (MERC fletamento a tanto alzado), **lump sum settlement** (CIVIL indemnización a tanto alzado; V. *all-round price*), **lump-entry** (MERC asiento global), **lump-sum contract** (MERC contrato a tanto alzado)].

lunacy *n*: GRAL insania, perturbación mental; V. *derangement, insanity.* [Exp: **lunatic** (GRAL lunático, demente; V. *maniac, crazy*)].

lure *v*: GRAL inducir, incitar; V. *entince.* [Exp: **lure into the trap** (GRAL hacer caer en la trampa)].

lying *a*: GRAL yacente, a la espera; V. *dormant.* [Exp: **lying by** (GRAL [acto de dar] aquiescencia por silencio o inactividad), **lying in wait** (PENAL al acecho)].

lynch *v*: PENAL linchar, tomarse la justicia por su mano, ejecutar sumariamente ◊ *Police had to intervene to prevent the rapist being lynched.* [Exp: **lynching** (PENAL linchamiento)].

M

machinate *v*: GRAL/PENAL maquinar, fraguar; V. *manipulate, plot, scheme, contrive, collude, connive*. [Exp: **machination** (GRAL maquinación, conjura, trama, intriga; V. *scheme, connivance*). **machine** (GRAL máquina, maquinaria ◊ *Once the legal machinery has been put in motion, it is very hard to stop it*), **machinery** (GRAL máquinas; aparato, organización, maquinaria, mecanismos; V. *administrative machinery*), **machinery of justice** (GRAL mquinaria de la justicia; V. *decision-making machinery*)].

magistracy *n*: PROC magistratura. [Exp: **magistrate** (PROC juez de los tribunales inferiores de lo penal; magistrado, juez de paz, juez de primera instancia e instrucción, justicia; los términos «magistrado» y *magistrate* no se corresponden, ya que si el primero se refiere al juez superior, el *magistrate* inglés es un juez de paz o *justice of the peace*; son todos legos o *lay magistrates* y no reciben retribución alguna por su trabajo; los antiguos *stipendiary magistrates*, hoy se llaman *district judges*, de forma tal que en la actualidad todos los *magistrates* son legos; V. *justice, lay magistrate, stipendary magistrate*), **Magistrates' Court** (PROC/PENAL Tribunal de Magistrados; Tribunal inferior de lo penal; estos tribunales, conocidos también con el nombre de *Courts of Summary Jurisdiction*, son de primera instancia y, en cierto sentido, de instrucción, y constituyen la piedra angular del sistema penal anglosajón, aunque también tienen competencias en la jurisdicción civil, como en los procedimientos de adopción, los de afiliación, etc.; cuando un acusado o imputado comparece ante un Tribunal de Magistrados, si se trata de una falta o delito leve *–summary offence–*, es juzgado por éstos; si es grave *–indictable-only offence–*, los magistrados actúan de jueces instructores o *examining magistrates*, instruyendo las diligencias de procesamiento o *committal proceedings*; esta función de procesamiento la efectúan normalmente en Norteamérica los llamados *grand juries*; V. *sufficient case, preliminary inquiry*), **magistrates' clerk** (PROC letrado asesor de los tribunales de magistrados o jueces legos *–magistrates–*; V. *clerk to the justices, clerk of the court*)].

Magna Carta *n*: CONST Carta Magna; la Carta Magna, firmada en 1215 por el rey Juan, es la primera declaración escrita de libertades cívicas y políticas del Reino Unido.

maiden *n*: CIVIL/ADMIN doncella, señorita; virgen. [Exp: **maiden name** (ADMIN/CIVIL apellido de soltera; de acuerdo con la legislación y la convención, la mujer al casarse pierde el apellido paterno y toma el del marido, si no expresa formalmente el deseo contrario; sin embargo, en muchos casos se sigue pidiéndole que consigne su nombre de soltera en los documentos oficiales para que no haya confusiones de identidad, y en las declaraciones es frecuente el uso de la fórmula *Margaret Smith née Jones*, en donde la expresión francesa *née* introduce el nombre de soltera ◊ *Married women are required to give their maiden name in many official documents*; V. *née*), **maiden speech** (GRAL primer discurso parlamentario pronunciado por un diputado nuevo), **maiden voyage** (MERC viaje inaugural, primer viaje)].

maim *v*: PENAL/GRAL mutilar, lesionar, lisiar; V. *dismember, disfigure; mayhem.*

main *a*: GRAL fundamental, básico, principal ◊ *The main clauses in a contract are those which identify the parties, stipulate the mutual aims and consideration and state the period of validity*; V. *major*. [Exp: **main office** (MERC oficina central, casa matriz, sede social o central; V. *headquarters*), **main purpose rule** (PROC norma de interpretación jurídica por la que ninguna cláusula de excepción de un contrato, a menos que lo exprese de forma clara y manifiesta, puede ir contra el fin fundamental del mismo; V. *exemption clause, construction*), **main sea** (GRAL mar abierto)].

mainline *col v*: GRAL/PENAL chutarse *col*, picarse *col*, meterse una dosis *col*.

maintain[1] *v*: GRAL conservar, preservar, mantener, sustentar; V. *keep, preserve, repair.* [Exp: **maintain**[2] (GRAL defender, argumentar, justificar, sostener, mantener ◊ *The defence maintains that there is no case against their client*; V. *argue, assert, claim, hold*), **maintain one's right** (GRAL hacer valer su derecho), **maintenance** (GRAL conservación; entretenimiento, mantenimiento, cuidado; sustento, alimentación; pensión compensatoria entre cónyuges separados o divorciados; éste es el término técnico que se usa en Inglaterra para referirse a lo que comúnmente se llama *alimony*; V. *upkeep, financial provision*), **maintenance and cure** (GRAL [obligación de proveer] mantenimiento y atención médica), **maintenance bond** (PROC fianza de conservación o de manutención), **maintenance charges** (GRAL gastos de conservación), **maintenance of order** (GRAL mantenimiento del orden), **maintenance order** (PROC/FAM sentencia ordenando el pago de pensión de alimentos a ex mujer e hijos ◊ *The court made a maintenance order against the man, obliging him to contribute towards the upkeep of his wife and children*), **maintenance pending suit** (FAM alimentos a la espera del juicio), **maintaining peace** (GRAL mantenimiento de la paz)].

Majesty's pleasure, during her/his *fr*: CONST por tiempo ilimitado, a discreción de las autoridades ◊ *A minor convicted of a capital offence can be ordered to be detained during her Majesty's pleasure*; expresión que se refiere al tiempo de retención impuesto al menor o al disminuido mental que ha incurrido en delito grave.

major[1] *a*: GRAL fundamental, principal, sustantivo, mayoritario, de primera importancia ◊ *Anton Piller orders and Mareva Injunctions are two modern examples of major legal innovation*; V. *main, minor*. [Exp: **major**[2] (CIVIL mayor de edad; V. *full age, lawful age, majority; minor*), **major crimes** (PENAL delitos graves ◊ *Murder, rape and armed robbery are major crimes*), **major in age** (GRAL mayor de edad), **majority**[1] (GRAL mayoría, mayoritario; se usa en expresiones como *majority decision* –voto mayoritario–, *majority of votes* –mayoría de votos–, *majority rule* –gobierno/norma de la mayoría, por mayoría de votos–, *majority vote* –voto mayoritario–, etc.; V. *minority*), **majority**[2] (CIVIL mayoría de edad; V. *full age, lawful age, majority; minority*), **majority holding** (SOC participación mayoritaria), **majority verdict** (PROC veredicto mayoritario; en este tipo de veredictos debe haber al menos 10 votos a favor o en contra sobre los doce posibles ◊ *If a jury returns a majority verdict, the foreman must inform the court how many jurors voted for and against*;), **majority shareholder** (MERC accionista mayoritario; V. *controlling shareholder*), **majority shareholding** (MERC V. *majority interest*)].

make *v*: GRAL hacer. [Exp: **make a claim, a complaint, a demand, a petition, a protest** (GRAL exponer/cursar/elevar/formular una pretensión, una queja, una demanda, una petición, una protesta; V. *file, lodge*), **make a composition with creditors** (MERC pactar un convenio con los acreedores), **make a contract** (MERC celebrar un contrato; V. *enter into a contract, conclude a contract*), **make a court order** (PROC dictar una providencia o mandamiento judicial, acordar el inicio de la vía de apremio), **make a recommendation** (GRAL dirigir una recomendación), **make actionable** (PROC declarar perseguible ◊ *The Lanham Trademark Act makes actionable, deceptive and misleading use of marks in commerce*), **make admissions** (PROC declararse culpable; V. *admission*[2]), **make allowances for** (GRAL hacer concesiones, tener en cuenta, ser comprensivo o poco severo, ser considerado ◊ *The judge made allowances for the youth of the accused and only fined him £25*; V. *age allowance*; V. *allowance*[1]), **make an appeal** (PROC apelar, interponer recurso de apelación; V. *lodge an appeal*), **make an appearance in court** (PROC comparecer ante el tribunal), **make an application** (GRAL cursar una solicitud; V. *apply*), **make an assignment** (GRAL hacer cesión), **make an entry** (MERC asentar una partida, efectuar un asiento, inscribir en un libro), **make an order** (PROC dictar un auto), **make available to** (GRAL poner a disposición de), **make away with** (PENAL llevarse, hurtar), **make default** (PROC no comparecer), **make good the damage** (CIVIL indemnizar o compensar daños), **make one's case** (PROC preparar las alegaciones, preparar las conclusiones finales o definitivas), **make someone redundant** (LABORAL despedir a alguien por exceso de mano de obra; V *dismiss*), **make out documents, certificates, etc.** (GRAL expedir documentos, certificados, etc.; V. *issue*), **make over a business** (MERC traspasar, ceder un negocio), **make provision** (CONST/MERC disponer, adoptar disposiciones; V. *provide*), **making off without payment** (PENAL irse sin pagar ◊ *Leaving a restaurant without paying after having had a meal is an offence called «making off without payment»*), **make reference to a first ruling procedure** (EURO elevar una cuestión de prejudicialidad ◊ *It is understood that when a reference for a preliminary ruling is made by a national court, Community law gives that national court the power to grant interim protection*), **maker** (GRAL firmante, otorgante, girador, librador, dador ◊ *The maker of a bad cheque must satisfy the payee upon notice of dishonour*; V. *market maker; sign*)].

makeshift *a*: GRAL provisional, temporal, improvisado; arreglo improvisado o temporal; V. *provisional, temporary*.

mal- *prefijo*: GRAL acarrea el significado de malo, anormal, irregular, inadecuado. [Exp: **maladministration** (ADMIN incompetencia en la administración; V. *corruption*), **malefactor** (PENAL malhechor, criminal, culpable; V. *lawbreaker*), **malevolence** (GRAL malevolencia; adversión;

V. *malice, hostility*), **malevolent** (GRAL malévolo; V. *spiteful*), **malfeasance** (PENAL falta, fechoría, perversión, corrupción, acto ilegal, impropio o de mala conducta ◊ *Carelessness in building or repairs undertaken by a local authority may lead to an action against the authority for malfeasance if anybody is hurt as a result*; V. *wrongdoing, misconduct, misbehaviour*)].

male issue *n*: FAM descendientes directos por la línea masculina.

malice *n*: PENAL maldad, malicia, dolo, ruindad; temeridad, osadía, imprudencia temeraria, omisión de la prudencia debida, falta de justificación, inexcusabilidad; en su sentido técnico este término no implica necesariamente intención aviesa, maliciosa u hostil; basta con que se aprecie en el infractor una intención ilícita unida a la indiferencia ante los derechos, la integridad física o la reputación de los demás ◊ *Killing does not amount to murder unless done with malice aforethought, i.e. an intention to kill or to cause grievous bodily harm*; V. *actual/express malice, implied malice, transferred malice, gbh*. [Exp: **malice aforethought** (PENAL premeditación dolosa, malicia premeditada, intención dolosa), **malice in fact** (PENAL malicia de hecho o expresa; V. *actual malice*), **malice, with/without** (PENAL con/sin premeditación), **malicious** (malicioso, doloso, avieso; premeditado, intencional ◊ *Slander of goods is a form of malicious falsehood and is actionable under certain circumstances*), **malicious arrest** (PENAL detención maliciosa), **malicious assault** (PENAL violencia dolosa contra las personas), **malicious falsehood** (PENAL falsedad dolosa o intencionada; V. *slander, backbiting*), **malicious mischief** (PENAL agravio malicioso), **malicious prosecution** (PENAL enjuiciamiento malicioso, demanda de mala fe), **malicious trespass** (PENAL violación maliciosa), **maliciously** (PENAL dolosamente, con alevosía o mala fe; V. *wilfully*), **maliciousness** (PENAL malicia, maldad, mala intención)].

malign *a*: GRAL maligno; se aplica a *influence, motive, environment*, etc.; V. *evil*. [Exp: **malign**[2] (PENAL calumniar, difamar; V. *slander, backbite, asperse, libel*), **malignant** (GRAL maligno; V. *spiteful, mean*)].

malingering *n*: PENAL simulación de enfermedad ◊ *The personnel manager told the industrial tribunal he had advised his superior to sack the woman for continual malingering*.

malpractice *n*: PENAL conducta ilegal o inmoral en el ejercicio de una profesión, práctica abusiva, falta grave contra la ética profesional, negligencia ◊ *The doctor was struck off the roll for blatant malpractice*; V. *illegal/sharp practice, misconduct, negligence*. [Exp: **malpractice insurance** (SEGUR seguro de cobertura de la negligencia profesional)].

maltreat *v*: PENAL maltratar, ultrajar; V. *abuse, damage, harass*. [Exp: **maltreatment** (PENAL maltrato; V. *ill-treatment*)].

man *n*: GRAL hombre. [Exp: **man of straw** (PENAL testaferro; V. *straw man.), **manpower** (LABORAL mano de obra; V. *labour, work-force*), **manslaughter** (PENAL homicidio sin premeditación ◊ *Manslaughter is never accidental killing; it is close to murder and differs from it only if some mitigating circumstance is present*; V. *involuntary manslaughter, voluntary manslaughter*), **manstealing** (PENAL secuestro de personas)].

manacle *v*: GRAL maniatar, esposar; V. *handcuff*. [Exp: **manacles** (GRAL esposas; V. *handcuffs*)].

manage *v*: GRAL dirigir, gestionar, administrar, controlar; planificar, intervenir. [Exp: **management**[1] (MERC administración, dirección empresarial, gestión, dirección;

V. *court management, mismanagement*), **management**[2] (LABORAL patronal, empresa ◊ *The relations between management and work-force are a crucial area of modern business practice*), **management company** (sociedad gestora; V. *holding company*), **management fund** (GRAL fondo de maniobra), **management of portfolio** (gestión de cartera de valores; V. *portfolio investment*), **management representative** (LABORAL representante patronal), **managing clerk** (GRAL pasante; V. *law clerk, legal executive*), **managing director** (MERC consejero delegado, miembro del consejo de administración; administrador, director, gerente, gestor, ejecutivo, jefe, responsable; V. *chief executive officer*), **managing partner** (MERC socio gerente o administrador)].

mandamus *n*: PROC auto, mandato judicial dictado por el *High Court of Justice* a un tribunal inferior ordenando el cumplimiento de un deber legal ◊ *A Magistrates' Court can be compelled to «state a case» by a mandamus*; el *mandamus*, junto con el *certiorari* y el *prohibition*, son tres autos judiciales de prerrogativa –*prerogative orders*– que puede dictar el *High Court of Justice* a cualquiera de los tribunales inferiores dentro de su jurisdicción de control y tutela –*jurisdictional review*–; este recurso se plantea normalmente al alegar falta de jurisdicción del tribunal inferior o al suplicar el amparo del *High Court of Justice* por el supuesto exceso en el uso de sus facultades o *ultra vires* del tribunal inferior; V. *writ*.

mandate *n*: GRAL mandato, mandamiento, imperativo legal, orden, procuración, encargo; ordenar, mandar V. *bank mandate*. [Exp: **mandatary** (GRAL mandatario), **mandator** (GRAL mandante), **mandatory** (GRAL preceptivo, obligatorio, imperativo, de obligado cumplimiento, forzoso, mandatorio, obligatorio; *mandatory* significa «preceptivo»; por ejemplo, un informe preceptivo no tiene por qué ser vinculante –*binding*– para la persona que lo solicita; V. *directory*), **mandatory copy/message/text** (GRAL texto de inserción exigida por la ley ◊ *Health warnings on cigarette packets are mandatory copy*; se usa *mandatory message* cuando se aplica a anuncios emitidos por las ondas; V. *legal warning*), **mandatory injunction** (PROC mandamiento, mandato de ejecución, requerimiento imperativo, interdicto mandatario, orden de hacer ◊ *By means of a mandatory injunction a court can compel a party to remove an erection built on land in contravention of a restrictive covenant*; V. *prohibitory injunction*), **mandatory instructions** (GRAL mandato imperativo), **mandatory power** (GRAL capacidad mandataria), **mandatory statute** (CONST estatuto esencial al procedimiento o de obligada aplicación), **mandatum** (GRAL mandato)].

maniac *n*: GEN maníaco; V. *lunatic, crazy*.

manifest[1] *a/n*: GRAL obvio, manifiesto; V. *apparent, evident*. [Exp: **manifest**[2] (MERC manifiesto de aduanas, declaración de mercancías importadas o exportadas ◊ *All goods shipped by sea or air are identified on the manifest*; V. *passenger manifest*)].

manipulate *v*: GRAL manipular ◊ *Successful politicians are said to manipulate public opinion in their favour*; V. *manage, use, exploit, deal, handle*. [Exp: **manipulation** (GRAL manipulación; V. *exploitation, dealing*), **manipulator** (GRAL manipulador)].

manor *n*: CIVIL señorío territorial, feudo; residencia, casa; derechos de señorío. [Exp: **manorial** (CIVIL señorial, feudal)].

maraud *v*: PENAL rapiñar, merodear; V. *raid, plunder, ransack*. [Exp: **marauder** (PENAL rapiñador, merodeador; V. *outlaw, looter*), **marauding** (PENAL merodeo, saqueo), **marauding band** (PENAL pandilla de saqueadores o maleantes saqueadores)].

Mareva injunction *n*: PROC auto de embargo preventivo, bloqueo cautelar del patrimonio, interdicto Mareva ◊ *The London firm took out a Mareva injunction against the German contractors, freezing their London assets*; nació en el caso *Mareva Compañía Naviera S.A. v. International Bulkcarriers S.A.* en 1975; sin embargo, desde la Ley de Enjuiciamiento Civil de 1998 *–Civil Procedure Rules 1998–* se le llama *freezing order*; normalmente los tribunales no conceden interdictos para congelar, bloquear o embargar las cuentas de los demandados; sin embargo, excepcionalmente, dentro del campo del comercio internacional, para impedir los posibles movimientos fraudulentos de capitales efectuados con el fin de evitar responder a las demandas, los tribunales, mediante este interdicto, pueden bloquear el activo o patrimonio *–freeze the assets–* de los demandados extranjeros, con el fin de que el demandante pueda demandar con garantía al demandado por incumplimiento de contrato *–breach of contract–*.

margin *n*: GRAL margen; V. *gross margin*. [Exp: **marginal** (GRAL marginal, mínimo, nimio, insignificante), **marginal note** (GRAL nota al margen, apostilla), **marginal sea** (INTER aguas jurisdiccionales), **marginal revenue** (MERC ingreso marginal)].

marine *a*: GRAL marino; V. *maritime*. [Exp: **marine underwriters** (SEGUR aseguradores contra riesgos marítimos), **marine insurance** (SEGUR seguro marítimo), **marine interest** (MERC interés sobre préstamos o según contrato a la gruesa)].

marital *a*: FAM matrimonial, marital; V. *matrimonial*. [Exp: **marital privileges** (FAM privilegio o inmunidad que garantiza que ningún cónyuge tenga que declarar en contra del otro, salvo en raras excepciones), **marital rights** (FAM derechos conyugales), **marital status** (FAM estado civil)].

maritime *a*: GRAL marítimo; V. *marine*. [Exp: **maritime attachment** (PROC embargo martímo), **maritime cause** (PROC litigio dentro del derecho marítimo), **maritime Court** (PROC Tribunal marítimo; V. *Admiraty court*), **maritime declaration of health** (MERC V. *bill of health, foul bill of health*), **maritime interest** (MERC interés sobre préstamos o según contrato a la gruesa), **maritime law** (MERC derecho marítimo), **maritime lien** (gravamen o privilegio marítimo), **maritime perils** (SEGUR V. *perils of the sea*), **maritime tort** (MERC agravio, falta o delito marítimo), **maritime waters** (MERC aguas territoriales)].

mark *n/v*: GRAL marca, señal; marcar ◊ *The mark of a tire*; V. *kite mark*. [Exp: **mark off the calendar** (PROC borrar de las listas de causas; V. *calendar*), **marked down prices** (MERC precios con rebaja), **marks and numbers** (MERC marcas y números de la carga), **marksman** (GRAL persona que, por no saber escribir, firma con una marca o X; francotirador, tirador de primera; V. *sniper, sharpshooter*), **markup** (MERC aumento del margen comercial, incremento del precio)].

market *n/v*: MERC mercado, bolsa, plaza; vender, explotar comercialmente, lanzar al mercado, poner en venta; V. *be priced out of the market, black market, bull market, Common Market, forward markets*. [Exp: **market economy** (MERC economía de mercado; V. *planned economy*), **market hours** (MERC horas de contratación bursátil), **market maker** (MERC especialista, sociedad de contrapartida), **market niche** (MERC/GRAL cuota, porción de mercado; hueco abierto/asequible para el mercado de un producto ◊ *Even the most bizarre publications have their market niches*; V. *niche*), **market overt** (mercado abierto), **market price** (MERC mercado abierto ◊ *The market price of goods is supposed to be determined by the law of supply and demand*), **market quotation** (MERC precio del mercado), **market share** (MERC cuota de mercado; V. *market niche*), **market sluggishness** (atonía del mercado), **market survey** (MERC análisis/estudio del mercado), **market value** (MERC valor de plaza o de mercado; V. *actual value, revaluation*), **marketable** (MERC vendible, comerciable, realizable), **marketable bond** (MERC bono negociable), **marketable title** (CIVIL título limpio, título válido, seguro o inobjetable; V. *good title, clear title; cloud on title, bad title*), **marketable papers** (MERC valores cotizables), **marketing** (MERC comercialización, mercadotecnia)].

marriage *n*: FAM matrimonio; V. *betrothal, engagement to marry; common-law marriage, marital, matrimonial*. [Exp: **marriage articles/settlement** (FAM capitulaciones matrimoniales; V. *matrimonial articles; settlement*[3]), **marriage banns** (FAM amonestaciones), **marriage by proxy** (FAM matrimonio por poderes), **marriage certificate** (FAM acta o partida de matrimonio, libro de familia), **marriage fertility rate** (GRAL tasa de fecundidad), **marriage licence** (FAM licencia, certificado o título de matrimonio), **marriage of convenience** (FAM matrimonio de conveniencia para adquirir la nacionalidad o para obtener alguna ventaja; V. *sham marriage*), **marriage portion** (FAM dote), **marriage settlement** (FAM vinculación matrimonial, régimen de bienes, contrato matrimonial, capitulaciones matrimoniales), **married couple** (FAM cónyuges, marido y mujer)].

marshal[1] *n*: PROC oficial de justicia; funcionario encargado de los trámites y del funcionamiento del *Admiralty Court*; miembro del servicio de vigilancia; V. *provost-marshal*. [Exp: **marshal**[2] *US* (PROC alguacil, ejecutor de los decretos de los tribunales federales; en estos tribunales un *marshal* desempeña prácticamente las misma funciones que el *sheriff* de los tribunales estatales norteamericanos; V. *federal*), **marshal** [3] (GRAL ordenar, clasificar, graduar, establecer una prelación ◊ *A good barrister must have the ability to marshal facts in argument*; V. *organize, arrange*), **marshal remedies** (GRAL ordenar recursos o soluciones jurídicas), **marshal assets** (MERC/PROC graduar la masa de la quiebra), **marshalling assets and claims** (GRAL ordenación de los bienes y clasificación de las deudas según un orden de prioridad a fin de satisfacerlas con los bienes existentes), **marshalling lien** (GRAL ordenación de los bienes del deudor con el fin de responder a los acreedores preferenciales), **marshalling of facts** (GRAL presentación ordenada de hechos), **marshalling securities** (GRAL ordenamiento de gravámenes en caso de quiebra)].

martial law *n*: PENAL/CONST ley marcial; V. *court-martial*.

mass *a/n*: GRAL colectivo, masivo, generalizado, en masa: masa, grupo, conjunto; V. *quantity, volume*. [Exp: **mass action** (CIVIL demanda colectiva), **mass grave** (GRAL fosa común), **mass media** (GRAL medios de comunicación social ◊ *The power of the mass media is viewed by some people with anxiety*), **mass meeting** (GRAL reunión o concentración popular), **mass killings/murder** (PENAL carnicería, masacre; V. *carnage, massacre*), **mass production** (MERC producción en masa), **mass strike** (LABORAL transporte público o colectivo), **mass transportation** (GRAL transporte público o colectivo), **mass unemployment** (LABORAL paro generalizado)].

massacre *n*: PENAL carnicería, matanza; V. *mass killings, carnage*.

massage *n/v*: GRAL masaje; dar un masaje; maquillar, manipular ◊ *Massage the accounts*; V. *mask*. [Exp: **massaging the numbers** (MERC maquillaje de cifras/números; V. *window dressing; cook the books*)].

master[1] *a*: GRAL principal, maestro, original. [Exp: **master**[2] (LABORAL patrono, dueño, amo; capitán de barco ◊ *A dog's master is responsible for any injury it does to people or property*; hasta no hace mucho, al hablar de las relaciones entre la patronal y la parte social se utilizaban los términos *masters and servants*; hoy se emplea, en su lugar, *employers and employees*; V. *management*), **Master**[3] (PROC asesor o ayudante de los jueces de la *High Court of Justice* ◊ *Interlocutory proceedings in the High Court are often heard by Masters rather than judges*; V. *taxing master*), **master**[3] (GRAL dominar, vencer; se aplica a *drugs, fear, impulse*, etc. ◊ *She was able to master her addiction to drugs*), **master copy of a file** (GRAL copia maestra), **Master of the Rolls** (PROC juez presidente de la sección civil del *Court of Appeal* y presidente nato del *Roll of Solicitors* y, como tal, responsable de la admisión de abogados al mismo; V. *roll*), **Master Warden of the Mint** (CONST director de la Casa de la Moneda), **master's protest** (MERC protesta del capitán; V. *captain's protest*), **master-mind** (PENAL cerebro [de una banda criminal, de un gran proyecto, etc.], organizar y planear, ser el cerebro de ◊ *The police have arrested the terrorist who mastermind last weeks attacks*; V. *conceive*), **Masters of the Bench** (ADMIN miembros o decanos de la Junta de Gobierno de cada uno de los *Inns of Court*; V. *benchers*)].

mate *n/v*: GRAL compañero, cónyuge; oficial de puente de un barco mercante; aparear; el término *mate* se emplea en expresiones como *first mate, second mate* y *third mate* con el significado de primer piloto, segundo piloto y tercer piloto. [Exp: **mate's receipt** (MERC recibo del piloto que se entrega como justificante de haber recibido las mercancías)].

material[1] *a*: GRAL esencial, sustancial, importante, influyente, apreciable, significativo; material, físico; V. *immaterial, physical*. [Exp: **material**[2] (GRAL material; se suele usar en plural al hablar de *building materials* –materiales de construcción–, *raw materials* –materias primas–, etc. ◊ *The building materials were so bad that the edifice collapsed*), **material**[3] (GRAL datos, notas, observaciones, documentación ◊ *The commissioners assemble the facts, then deliver the material to the secretary, who prepares the report*; V. *classified material, obscene material, raw material*), **material alteration** (GRAL modificación sustancial, modificación deliberada de un dato fundamental que invalida el documento), **material evidence** *US* (PROC prueba relevante, pertinente o sustancial; V. *relevance*), **material fact** (GRAL hecho esencial, fundamental o pertinente ◊ *In drawing pleadings in a civil action, counsel must restrict allegations to material facts*), **material misrepresentation** (PROC falsedad importante), **material witness** (PROC testigo importante o esencial; V. *pertinent evidence*), **materialise** (GRAL sustanciarse, materializarse; V. *develop*)].

maternal *a*: FAM maternal; V. *paternal*. [Exp: **maternity** (FAM maternidad), **maternity leave** (LABORAL baja por maternidad; V. *leave*)].

matrimonial *a*: FAM marital, matrimonial; V. *marital*. [Exp: **matrimonial articles** (FAM V. *marriage articles*), **matrimonial causes** (PROC procedimientos de separación, divorcio, etc.), **matrimonial home** (FAM domicilio conyugal o habitual del matrimonio), **matrimonial inquest** (PROC examen en juicio matrimonial; V. *in-*

quest), **matrimonial power** (PROC poder matrimonial), **matrimonial settlement** (FAM V. *marriage settlement*)].

matter *n*: GRAL cuestión, materia ◊ *When the information contained in a document can be revealed to the public, the document is said to be a matter of public record*. [Exp: **matter at/in issue** (cuestión objeto de disputa, cuestión en litigio), **matter has been referred, the** (PROC se ha dado traslado del asunto a otras instancias; se está a la espera de la resolución de instancias superiores), **matter in controversy/dispute** (PROC cuestión, disputa o litigio; V. *matter in issue*), **matter in deed** (PROC cuestión de hecho, cuestión probada mediante una escritura o documento oficial), **matter in pais** (PROC cuestión resuelta o asunto concluido sin conocimiento de los tribunales, fuera de la sala, sin procedimiento legal ◊ *Matters in pais must be proved by parol evidence, since by definition there are no documents or deeds available*; V. *pais*), **matter of course** (GRAL cosa o hecho natural), **matter of course, as a** (GRAL por rutina), **matter of fact** (GRAL cuestión de hecho), **matter of fact, as a** (GRAL de hecho, en realidad, el caso es que…), **matter of public record** (ADMIN asunto de interés público, documento público), **matter of record** (GRAL materia de registro o de autos), **matter of law** (GRAL cuestión de derecho), **matter of substance** (GRAL cuestión sustancial), **matter on the agenda** (GRAL punto del orden del día; V. *item*)].

mature[1] *a*: GRAL/MERC vencido; se aplica a *bonds, debentures*, etc.; V. *overdue*. [Exp: **mature**[2] (GRAL maduro, suficientemente estudiado o trabajado; se aplica a *arguments, decisions, reflections, plans of actions*, etc.), **mature**[3] (GRAL madurar; V. *develop, grow*), **mature**[4] (MERC vencer [un efecto de comercio], cumplirse el plazo ◊ *When a long-term loan matures, the principal is redeemable*; V. *fall due*), **matured claim** (MERC crédito exigible), **maturity** (GRAL/MERC madurez, vencimiento de un efecto, etc.; V. *expiration*), **maturity date** (MERC fecha de vencimiento; V. *deadline, date of maturity, expiry*), **maturity period** (MERC período de maduración), **maturity value** (MERC valor al vencimiento)].

maximize *v*: GRAL maximizar, potenciar al máximo ◊ *We must maximize efficiency and minimize costs if the business is to survive*. [Exp: **maximum** (GRAL máximo), **maximum punishment** (PENAL pena máxima; V. *capital punishment*)].

mayhem *obs n*: PENAL mutilación criminal de una parte del cuerpo, lesión permanente; la palabra se emplea hoy en sentido metafórico como cuando se dice *It was absolute mayhem* para describir un estado de cosas caótico o peligroso; V. *maim, dismember, disfigure*.

mayor *n*: ADMIN alcalde. [Exp: **mayor's office** (ADMIN alcaldía)].

M.C. *n*: CONST V. *Member of Congress*.

mean *n*: GRAL medio; promedio. [Exp: **means** (GRAL recursos, ingresos ◊ *The defendant was without means, so he was granted legal aid*), **means inquiry** (GRAL investigación de solvencia)].

measure *n*: GRAL medida; diligencia, trámite; acto; evaluación ◊ *The new safety measures come into force this month*. [Exp: **measure of damages/indemnity** (CIVIL medida o evaluación de los daños/indemnización; V. *action, disciplinary measures, illegal measures, retaliatory measures, safety measures, step*)].

mechanic's lien *n*: PROC embargo de constructor.

meddle *v*: GRAL entrometerse, inmiscuirse; V. *interfere, tanker, fiddle, invade*.

media *n*: GRAL V. *mass media*.

mediate[1] *a*: GRAL mediato. [Exp: **mediate**[2] (GRAL mediar, intervenir), **mediate de-**

scent (FAM descendencia mediata), **mediate interest** (GRAL interés mediato), **mediate powers** (ADMIN poderes incidentales o necesarios), **mediate testimony** (PROC prueba derivada), **mediation** (LABORAL/PROC mediación, tercería, interposición, intercesión; V. *ADR*, *arbitration*), **mediator** (GRAL mediador, tercero, avenidor, medianero; V. *win-win solution*)].

medical[1] *a*: GRAL médico, clínico. [Exp: **medical**[2] (GRAL chequeo médico; V. *physical*), **medical attention** (GRAL asistencia médica/clínica ◊ *The expenses for medical attention and hospitalization amounted to in the sum of one thousand dollars*), **medical care** (GRAL asistencia médica), **medical evidence** (PROC testimonio pericial médico), **medical examiner** (PROC funcionario encargado de la investigación de las muertes súbitas; V. *coroner, forensic medicine, autopsy*), **medical jurisprudence** (GRAL medicina legal, jurisprudencia médica)].

medium *a*: GRAL medio. [Exp: **medium-sized firms** (MERC empresas medianas ◊ *This scheme will encourage small and medium-sized firms*), **medium-term** (GRAL a medio plazo)].

meet *v*: GRAL responder, satisfacer, atender, hacer frente a [gastos, obligaciones, etc.] ◊ *The firm was unable to meet its liabilities and went into liquidation.* [Exp: **meet a deadline** (GRAL cumplir los plazos de vencimiento), **meet a draft** (MERC atender una letra), **meet one's liabilities** (GRAL hacer frente a los compromisos contraídos), **meet the needs** (GRAL satisfacer las exigencias), **meet the requirements** (GRAL cumplir los requisitos, satisfacer las necesidades, reunir las condiciones), **meeting** (GRAL asamblea, sesión, reunión, junta general; V. *assembly, throw the meeting open to the floor; board meeting, mass meeting, round-table meeting, notice of a meeting*), **meeting of creditors/shareholders,** etc. (MERC junta de acreedores, de accionistas, etc.), **meeting of minds** (GRAL/MERC acuerdo de voluntades; V. *mutual assent*), **meeting of parliament** (CONST sesión parlamentaria), **meeting-room** (GRAL sala de juntas; V. *boardroom*), **meeting stands adjourned, the** (GRAL se levanta la sesión)].

meliorate *v*: GRAL mejorar, beneficiar. [Exp: **melioration** (GRAL mejora; V. *betterment*)].

member *n*: GRAL socio, miembro, vocal, afiliado, integrante ◊ *The new wording of the Act met with the MPs' approval and it was duly passed*; V. *become a member; full member.* [Exp: **Member of Congress, MC** (CONST diputado, congresista, miembro del Congreso), **Member of Parliament, MP** (CONST diputado), **member of the bar** (PROC abogado en ejercicio, letrado), **member of the board** (GRAL vocal; V. *boardmember*), **member of the crew** (MERC tripulante), **membership** (GRAL calidad de miembro o socio, conjunto de socios ◊ *Those applying for membership of the association must be proposed and seconded by active members*; V. *withdraw from membership*), **membership committees** (GRAL comité de admisiones), **membership dues** (GRAL cuotas de socio; V. *association dues*)].

memo *n*: GRAL forma abreviada de *memorandum.* [Exp: **memorandum** (GRAL memoria, memorándum, nota ◊ *The memorandum of association of a company or corporation contains such matters as the purpose of the company, its authorised capital, etc.*), **memorandum agreement** (GRAL memoria de un acuerdo concertado), **memorandum bill of lading** (MERC copia justificativa de que se ha emitido el conocimiento original), **memorandum invoice** (MERC factura provisional), **memorandum of association** (MERC escritura/acta constitutiva de una sociedad mercantil, carta constitucional, estatutos sociales; V. *certificate of incorporation, articles of incorporation*), **memorandum of satisfaction** (MERC documento de satisfacción o de cancelación, documento del acuerdo entre las partes por la cancelación de la hipoteca, etc.; V. *satisfaction piece*), **memorandum clause** (MERC cláusula o lista de excepciones que limita la responsabilidad en avería simple; V. *particular average*)].

memory *n*: GRAL memoria; V. *mind and memory*. [Exp: **memory refresher** (GRAL [documento, notas, etc.] que ayudan a refrescar la memoria; V. *refresh*)].

menace *n/v*: PENAL amenaza; amenazar; V. *threat; threaten; demand with menaces.*

mens rea *n*: PENAL *mens rea* [mente culpable], intención dolosa, culpabilidad, intencionalidad ◊ *It is not usually sufficient to show that an act is illegal: to prove its case, the prosecution must prove «mens rea» [criminal intent] on the part of the accused*; la *mens rea* está claramente definida en la ley que tipifica cada delito o en los precedentes *–cases–* contenidos en los repertorios de jurisprudencia *–Law Reports–*; en algunos casos la *mens rea* es «la intención de producir un determinado efecto»; en otros, es el «conocimiento doloso», y en otros, la «negligencia»; V. *criminal intent, guilty knowledge; actus reus.*

mensa et thoro, a *fr*: FAM de mesa y lecho; V. *judicial separation.*

mental *a*: GRAL mental, psíquico ◊ *A contract made by a person who is mentally disordered or drunk is voidable.* [Exp: **mental alienation** (GRAL enajenación mental, locura, demencia), **mental cruelty** (PENAL crueldad mental; V. *unreasonable behaviour, cruelty, non compos mentis*), **mental derangement/disturbance** (GRAL alienación, demencia, trastornos mentales ◊ *The doctor found no evidence of mental disturbance in the inmate*; V. *insanity, psychosis*), **mental health** (GRAL salud mental; V. *sanity*), **mental incapacity or incompetency** (GRAL incapacidad mental; V. *non compos mentis*), **mental reservation** (GRAL reserva mental; reserva tácita), **mentally disabled people** (GRAL personas con las facultades mentales disminuidas), **mentally disordered person** (GRAL personas con las facultades perturbadas; V. *stand mute; visitation of God*)].

mercantile *a*: MERC mercantil, comercial, mercante. [Exp: **mercantile law** (MERC derecho mercantil o comercial; V. *law merchant*), **mercantile marine** (MERC marina mercante; V. *merchantile marine*), **mercantile paper** (MERC efectos de comercio, papel comercial)].

merchandise *n*: MERC mercancía, mercaderías, primeras materias, géneros; V. *commodity*. [Exp: **merchandising** (MERC comercialización)].

merchant *n*: MERC comerciante, negociante, mercader; V. *trader, dealer*. [Exp: **merchant bank** (MERC banco financiero, banco de negocios; V. *investment bank*), **merchant marine/navy** (MERC marina mercante; V. *mercantile marine*), **merchant shipping** (MERC navegación mercantil), **merchantable** (MERC comerciable, negociable ◊ *Goods which are offered for sale are supposed to be of merchantable quality*), **merchantable goods** (MERC mercancía apta para el comercio o consumo), **merchantable title** (MERC título válido o seguro)].

merciful *a*: GRAL misericordioso; V. *lenient*. [Exp: **merciless** (GRAL inmisericorde, despiadado, cruel; V. *ruthless*), **mercy** (GRAL/CONST clemencia, gracia; V. *clemency, leniency; grant mercy, petition for mercy*), **mercy killing** (GRAL eutanasia ◊ *So-called «mercy killing» or euthanasia is considered unlawful killing in most systems of developed law*)].

merge[1] *v*: GRAL/MERC fusionar-se, combinar-se, fundir, unir; V. *absorbe*. [Exp: **merge**[2] (PROC confundir derechos; unir varias acciones en una a efectos procesales), **merger** (MERC fusión, incorporación, unión, consolidación de empresas; confusión de derechos ◊ *The BBV was formed by a merger of two Basque-based banks*; *absorption, amalgamation, combination, conglomerate, consolidation, group of companies, integration, take-over; merger, trust*), **merger of estates** (CIVIL consolidación en uno de diferentes derechos respecto de un bien inmueble), **merger of offences** (PENAL absorción o consolidación en una de todas las figuras delictivas), **merger of rights** (PROC confusión de derechos)].

mere *a*: GRAL mero; V. *bare, naked; common, ordinary*. [Exp: **mere equity** (CIVIL derecho equitativo de naturaleza estrictamente privada o particular)].

merit *n/v*: GRAL mérito; fondo de la cuestión, lo alegado, fundamento, fundamentos de derecho; tener derecho a reclamar ◊ *The movant needs to show a substantial case on the merits*; V. *basis, ground*. [Exp: **merits of the case** (PROC/CIVIL/PENAL fondo o sustancia del asunto, fondo del litigio, cuestión central del proceso o pleito, base jurídica de la causa, bases de la acción, mérito procesal; derechos sustantivos que asisten a las partes de un juicio, *cognitio judicial* ◊ *As the issue was raised in interlocutory proceedings, the court did not pronounce on the merits of the case*; V. *pleadings on the merit of the case, theory of the case, object of an action*), **merits, on the** (PROC visto el fondo de la cuestión, de acuerdo con lo que manda la ley), **meritorious** (GRAL sustancial, básico, con derechos claros que le respaldan; meritorio, benemérito), **meritorious defence** (GRAL buena defensa), **meritorious consideration** (CIVIL/MERC causa contractual basada en criterios morales, por lo que no hay contraprestación económica)].

mesne *n*: GRAL intermedio; se pronuncia *miin*. Exp: **mesne profits** (PROC demanda entablada para recuperar el lucro cesante por ocupación de una vivienda, pasado el plazo acordado)].

messuage *obs n*: GRAL/CIVIL vivienda, patio y edificios adyacentes; V. *curtilage*.

mete[1] *n*: GRAL marca, límite. [Exp: **mete**[2] (GRAL dar, distribuir; se usa casi siempre en la forma *mete out*), **mete out** (PENAL imponer [castigo, multa, reprimenda]), **metes and bounds** (CIVIL marcas de lindes, naturales o artificiales [de un inmueble] ◊ *The purchaser of the property requested a copy of the surveyor's plan setting out the metes and bounds of the property*; V. *landmark, lines and corners*)].

method *n*: GRAL método, modalidad, procedimiento. [Exp: **method of settlement** (PROC procedimiento de solución), **methods of quotation** (MERC modalidades de cotización)].

metropolitan stipendiary magistrate *n*: PROC juez único estipendiario en los Tribunales de Magistrados de Londres; hoy se llaman *district judges*; V. *stipendary magistrates*.

Mickey Finn *col n*: GRAL droga o estupefaciente introducido a traición en la bebida de alguien; bebida drogada ◊ *The prostitute slipped her client a Mickey Finn*; V. *drug, lace a drink, spike a drink*.

middleman *n*: MERC intermediario, mediador, comerciante, agente de negocios ◊ *It's the middleman's profit margin that makes costs so high in some service industries*.

migration *n*: GRAL migración.

militant *a/n*: GRAL activista, radical, extremista; V. *activist, radical, revolutionary, terrorist*.

military action *n*: GRAL intervención militar.

mind *n*: GRAL mente; V. *of unsound mind.* [Exp: **mind and memory** (GRAL facultades mentales; V. *be in sound mind*)].

minimise *v*: GRAL reducir al mínimo ◊ *We must maximise efficiency and minimise costs if the business is to survive*. [Exp: **minimum** (GRAL mínimo), **minimum-term imprisonment** (PENAL arresto menor)].

minister *n*: CONST ministro; las expresiones **Minister of the Interior** (CONST ministro del Interior; V. *Secretary of State for the Home Office, Home Secretary*), **Minister of Finance** (CONST ministro de Finanzas; V. *Chancellor of the Exchequer*), etc., son traducciones de los cargos ministeriales más frecuentes en otros países; V. *secretary; ministry*. [Exp: **Minister of State** (CONST ministro de Estado, con rango inferior al de *minister*), **Minister without Portfolio** (CONST ministro sin cartera), **ministerial** (CONST ministerial), **ministerial act** (ADMIN acto ministerial), **ministerial trust** (CIVIL fideicomiso sin albedrío fiduciario), **ministerial benches** (CONST bancos o escaños ministeriales), **ministry** (CONST ministerio; normalmente al hablar de los ministerios británicos no se emplea el término *ministry* sino *department*; sí se usa, en cambio, para referirse a los de países extranjeros; V. *department, board, office*), **Ministry of the Interior** (CONST Ministerio de Gobernación, del Interior; V. *Home Office*), **Ministry of Foreign Relations** (CONST Ministerio de Relaciones Exteriores, Ministerio de Asuntos Exteriores; V. *Foreign Office*), **Ministry of Industry** (CONST Ministerio de Industria), **Ministry of Treasury** (CONST Ministerio de Hacienda)].

minor *a/n*: GRAL/FAM menor, menor de edad; V. *child, under age, next friend, next-of-kind*. [Exp: **minor interests** (derechos menores o susceptibles de anotación registral), **minor offence** (GRAL contravención; V. *petty offence, regulatory offence*), **minority** (GRAL/FAM minoría, minoritario; V. *majority, baby act*), **minority interest** (GRAL/MERC intereses de minoría, participación de la minoría), **minority parties** (CONST partidos de la minoría), **minority protection** (MERC legislación que ampara a los accionistas minoritarios de las mercantiles frente a los posibles abusos cometidos por los accionistas mayoritarios), **minority shareholder or stockholder** (MERC accionista minoritario)].

mint *n/v*: GRAL Casa de la Moneda; acuñar moneda; fortunón *col*, potosí *col*; cuando se refiere a la Casa de la Moneda se escribe con la inicial en mayúscula; V. *Master Warden of the Mint*. [Exp: **mintage** (GRAL acuñación, derecho de acuñación; moneda metálica)].

minute[1] *n/v*: GRAL/ADMIN/PROC nota, apunte; memoria; extracto, resumen, borrador [de un informe, etc.]; [en plural] acta ◊ *It's the secretary's job to take down and keep the minutes of the meetings*; V. *proceedings, record, transcript; agree as correct record*. [Exp: **minute**[2] *der es* (PROC escrito o instancia en que una de las partes formula alguna petición o cuestión incidental, o manifiesta su intención de desistir, recurrir, etc. ◊ *Counsel for the pursuer put in process a minute of abandonment of the cause*; apuntar, redactar un borrador, levantar acta; dirigir una nota o un escrito breve a ◊ *The MP minuted the minister about her constituents' concerns over the proposals*; V. *file, memo, memorandum, note, record*), **minute book** (GRAL libro de actas), **minuter** *der es* (PROC solicitante, recurrente, parte afectada o interesada; parte que se dirige al juez mediante *minute*)].

Miranda hearing *US n*: PROC vista pública para determinar que la policía cumplió con el requisito de *caution* también llamado *Miranda warning* o *Miranda Rule*. [Exp: **Miranda warning/rule, issue a** *US* (PENAL leer los derechos al detenido; V. *caution, privilege against self-incrimination*)].

mis- *prefijo*: GRAL dis-, des-, in-; el prefijo inglés *mis-*, en la mayoría de los casos transporta la idea negativa de «error, falsedad, fracaso, anulación, mala intención, antijurídico», etc. [Exp: **misacceptation** (GRAL aceptación falsa), **misadventure** (GRAL contratiempo, desgracia, accidente, infortunio, caso fortuito; V. *death/killing/homicide by misadventure, inquest chance-medley*), **misallegation** (PROC alegación falsa, errónea), **misallege** (PROC/CRIM alegar falsamente), **misallocation** (GRAL asignación desacertada o inadecuada), **misappropriate** (PENAL malversar, distraer fondos; V. *embezzle; confiscate*), **misappropriation** (PENAL malversación, defraudación, apropiación indebida, distracción de fondos; V. *embezzlement, misappropriation; confiscation*), **misbehaviour** (GRAL mala conducta; V. *malfeasance, wrongdoing, misconduct*), **miscarriage of justice** (GRAL error judicial, injusticia, perjuicio de derechos), **mischarge** (PROC instrucciones erróneas dadas por el juez al jurado; V. *misdirection*), **mischief** (GRAL/CIVIL perjuicio, daño, agravio; V. *malicious mischief*), **mischief rule** (PROC principio de interpretación que consiste en averiguar cuál era el daño o agravio que la ley ha de subsanar), **misconduct** (GRAL/CRIM mala conducta, conducta indebida; fraudulento; V. *professional misconduct; negligence, misbehaviour, wrongdoing, treasury*), **misconstruction** (GRAL/PROC mala interpretación, interpretación errónea; V. *construction*), **misconstrue** (GRAL/PROC interpretar erróneamente; V. *misinterpret*), **misdeed** (PENAL transgresión, crimen, delito, fechoría, conducta ilícita o inmoral), **misdemeanant** (PENAL reo de delito menor o falta), **misdemeanour** (PENAL falta, delito menor, contravención, infracción penal, desafuero, conducta criminal; V. *offence*), **misdirect** (PROC dar instrucciones erróneas al jurado; V. *pervert*), **misdirection** (error cometido por un juez al dar instrucciones incorrectas al jurado en cuestiones de derecho, instrucciones erróneas al Jurado; V. *mischarge*), **misenter** (GRAL inscribir por error), **misfeasance** (ADMIN/CRIM acto legal efectuado de forma ilegal o negligente; prevaricación, abuso de autoridad, infidencia o infidelidad; negligencia, dejación del deber con resultado de agravio o perjuicio causado a un ciudadano; V. *malfeasance*), **misfortune** (GRAL/SEGUR desgracia, infortunio; V. *loss, mishap, failure*), **misgiving** (GRAL recelo, desconfianza; V. *distrust*), **misgovernment** (GRAL desgobierno), **misguide** (GRAL inducir a error), **mishap** (GRAL/SEGUR percance, contratiempo; V. *loss, misfortune, failure*), **misinterpret** (GRAL interpretar mal; V. *misconstrue*), **misinterpretation** (GRAL falsa interpretación), **misjoinder** (PROC unión errónea o indebida, acumulación impropia de acciones; V. *exception of misjoinder*), **misjudge** (PROC juzgar erróneamente), **mislead** (GRAL engañar), **misleading** (GRAL engañoso ◊ *The Lanham Trademark Act makes actionable, deceptive and misleading use of marks in commerce*; V. *ambiguous, vague, uncertain*), **misleading advertising** (ADMIN/PENAL publicidad engañosa ◊ *Accuse a competitor of false and misleading advertising*; V. *corrective advertising*), **mismanagement** (ADMIN/GRAL mala administración), **misnomer** (GRAL nombre equivocado o inapropiado), **mispleading** (PROC alegatos erróneos), **misprision** (PENAL ocultación de un delito), **misprision of treason** (PENAL ocultación de traición), **misrepresent** (PE-

NAL falsificar), **misrepresentation** (PENAL falseamiento, desnaturalización, desfiguración; impostura, falsedad en documento, versión falsa, falsa declaración; se usa en compuestos como *fraudulent misrepresentation* –falsedad fraudulenta– y *negligent misrepresentation*– falsedad negligente–; V. *material misrepresentation*)].

miss *v*: GRAL echar de menos, pasar por alto, fallar, errar. [Exp: **missing** (GRAL ausente; V. *absent*)].

mission *n*: CONST legación; V. *legation*.

misstatement *a*: GRAL tergiversación, error, información falsa o equivocada.

misswear *v*: PENAL jurar en falso.

mistake *v*: GRAL error; confundir [algo/alguien por algo/alguien]. [Exp: **mistake in venue** (PROC elección incorrecta del tribunal en donde interponer la demanda), **mistake of law** (PROC error de derecho), **mistake of fact** (PROC error de hecho)].

mistrial *n*: PROC juicio nulo, juicio viciado de nulidad.

misunderstand *v*: GRAL mal interpretar, interpretar mal, entender mal. [Exp: **misunderstanding** (GRAL malentendido)].

misuse *n*: GRAL explotación abusiva, aplicación abusiva, aplicar o explotar abusivamente; V. *abuse, corruption, perversion*. [Exp: **misuse of power** (ADMIN desvío de poder, abuso de poder; V. *abuse of power*), **misuse of trust** (GRAL/ADMIN abuso de confianza; V. *embezzlement*), **misuse of authority** (ADMIN abuso de autoridad; V. *abuse*), **misuse of law** (ADMIN/PROC abuso, uso indebido; V. *abuse of law*)].

mittimus *n*: PENAL auto de prisión dirigido por el juez al alcaide de una cárcel ordenándole que tenga al detenido a buen recaudo y a disposición del tribunal.

mitigate *v*: GRAL mitigar, atenuar, aliviar; V. *assuage, ease*. [Exp: **mitigating circumstances** (PENAL [circunstancias] atenuantes, circunstancias minorantes ◊ *The judge took mitigating circumstances into consideration in passing sentence*; V. *attenuating/extenuating/aggravating circumstances*), **mitigation** (PENAL atenuante, atenuación), **mitigation of damages** (CIVIL atenuante, minoración; V. *abatement of damage*), **mitigation of loss** (CIVIL reducción de las pérdidas), **mitigation of sentence** (PENAL atenuación de la sentencia)].

mixed *a*: GRAL mixto, mezclado, variado ◊ *In its origins, the trust fund was a mixed fund, made up of the proceeds of the sale of the estate and the movables*. [Exp: **mixed action** (PROC acción real y personal, proceso mixto), **mixed condition** (GRAL condición mixta), **mixed contract** (MERC contrato mixto), **mixed marriage** (FAM matrimonio entre personas de religiones o razas distintas, matrimonio mixto), **mixed insurance company** (SEGUR compañía de seguros mixta), **mixed policy** (SEGUR póliza mixta; póliza combinada; en derecho marítimo se trata de una «póliza de doble»), **mixed presumption** (PROC presunción de hecho y de derecho), **mixed property** (CIVIL bienes reales y personales), **mixed question of law and facts** (PROC materia que comparte cuestiones de derecho y de hecho), **mixed race, of** (GRAL de raza o etnia mixta)].

mob *n/v*: GRAL turba, muchedumbre populacho, band; en los Estados Unidos *The Mob* es la «mafia». [Exp: **mob of gangsters** (PENAL banda criminal; V. *gang of crooks*), **mob rule** (PENAL la ley de la calle), **mobbing** (LABORAL acoso/asedio psicológico [en el puesto de trabajo], hostigamiento psicológico en el trabajo, psicoterror laboral; V. *[sexual] harrassment*), **mobster** *US* (PENA gángster, mafioso; V. *con man, racketeer*)].

mobilization *n*: GRAL movilización.

mock *n*: GRAL simulado. [Exp: **mock trial** (GRAL simulacro de juicio, juicio ficticio;

se emplean en la formación de los futuros abogados)].

mode *n*: GRAL tipo, modalidad, modo. [Exp: **mode of proceeding** (GRAL modo de proceder), **modes of transport** (tipos de transporte)].

model *n*: modelo; V. *design, form*. [Exp: **modelo law** *US* (CONST ley modelo), **model rules of professional conduct** *US* (GRAL código deontológico del colegio de abogados norteamericano, (*American Bar Association*; esta normativa ha sustituido al llamado *Code of Professional Responsibility* desde 1984)].

molest v*:* PENAL abusar sexualmente; importunar, molestar ◊ *He was convicted of molesting his two daughters*; V. *harass, mistreat*. [Exp: **molestation** (PENAL abusos deshonestos, acoso; V. *harassment, vexation, mistreatment, injunction against molestation, non molestation order*), **molestation of a child** (PENAL pederastia)].

money *n*: GRAL dinero ◊ *It is one of the greatest seizures ever made in money-laundering*. [Exp: **money at/on call** (MERC dinero a la vista, dinero con preaviso de un día), **money broker** (corredor de cambios, cambista), **money flow** (MERC flujos monetarios), **money-lender** (MERC prestamista), **money-laundering** (PENAL blanqueo de dinero; V. *launder money*), **money market house** (MERC sociedad mediadora del mercado de dinero), **money order** (GRAL giro postal), **moneys** (GRAL cantidades, fondos)].

monitor *v*: GRAL seguir, observar, controlar; V. *watch, inspect, follow*. [Exp: **monitoring** (GRAL seguimiento)].

monopoly *n*: GRAL monopolio ◊ *The telephone service is a regulated monopoly in Spain*; V. *cartel, coemption, commodity, corner, trust*. [Exp: **monopolist** (MERC monopolizador, acaparador), **monopolize** (MERC monopolizar, acaparar), **monopolizer** (MERC acaparador)].

monthly *a*: GRAL mensual; V. *daily, weekly, yearly*. [Exp: **monthly installment** (GRAL/MERC mensualidad)].

moonlighting *col n*: LABORAL pluriempleo ◊ *One consequence of the economic liberalism of the past two decades has been the increase in moonlighting*. [Exp: **moonlighter** (LABORAL pluriempleado)].

moor *v*: MERC amarrar, atracar; fondear. [Exp: **moorage** (MERC derechos de amarre)].

moot[1] *a*: GRAL discutible, dudoso; ficticio; opinable ◊ *Whether the proposed changes would be beneficial or otherwise is a moot point*. [Exp: **moot**[2] (GRAL/PROC debate, intercambio de ideas y propuestas; debatir, tratar [algún punto de derecho, sobre todo, como práctica para los estudiantes de Derecho], someter a debate, proponer a debate ◊ *The question of a new bus service for the area was mooted at a recent meeting of the town council*), **moot**[3] (PROC sin valor jurídico ◊ *If the petitioner leaves United States during the pendency of his appeal, his case will likely become moot*), **moot case** (PROC cuestión académica, debate sobre un caso práctico, caso académico), **Moot Court** (GRAL tribunal ficticio de los estudiantes de Derecho)].

moral *a*: GRAL moral; V. *honest, immoral, honourable*. [Exp: **moral consideration** (MERC causa contractual equitativa), **moral damages** (CIVIL/SEGUROS daños psicológicos; V. *physical damage*), **moral turpitude** (GRAL infamia, vileza/bajeza moral, comportamiento vil o degenerado; V. *moral turpitude*)].

mortal *a*: GRAL mortal; V. *deadly, lethal, fatal*. [Exp: **mortality** (GRAL/SEGUR mortalidad, mortandad; V. *birth rate*), **mortality table** (SEGUR tabla de mortalidad)].

mortgage *n*: CIVIL/MERC hipoteca, fianza hipotecaria ◊ *People unable to meet their mortgage repayments face repossession*;

V. *endowment mortgage, equitable mortgage, general mortgage, pledge, real estate mortgage, regulated mortgage, security, tenant in mortgage, trust mortgage.* [Exp: **mortgage bank** (MERC banco hipotecario o de crédito inmobiliario), **mortgage bond** (MERC cédula hipotecaria, bono hipotecario, obligación hipotecaria), **mortgage certificate** (CIVIL/MERC cédula hipotecaria), **mortgage credit** (MERC crédito hipotecario), **mortgage company** (MERC sociedad de crédito hipotecario), **mortgage debenture** (MERC cédula hipotecaria), **mortgage debt** (CIVIL escritura hipotecaria), **mortgage law** (GRAL derecho hipotecario), **mortgage loan** (MERC préstamo hipotecario), **mortgage loan bank** (MERC banco de crédito hipotecario), **mortgage note** (MERC pagaré hipotecario), **mortgagee [in possession]** (CIVIL acreedor hipotecario [con posesión de la propiedad]; V. *attaching creditor*), **mortgage ordered by the court** (PROC hipoteca judicial), **mortgage receivable** (MERC hipoteca a cobrar), **mortgage securities** (MERC títulos hipotecarios), **mortgage security** (garantía hipotecaria), **mortgaged** (gravado con hipoteca; V. *covered by a mortgage*), **mortgagee** (MERC acreedor hipotecario), **mortgaging credit** (MERC crédito hipotecario), **mortgaging creditor** (MERC acreedor hipotecario; V. *mortgagee, tenant in mortgage*), **mortgagor** (MERC deudor hipotecario), **mortgagor in occupation** (CIVIL deudor ocupante), **mortgageable** (MERC/CIVIL hipotecable)].

mothball *col v*: GRAL aparcar, dar carpetazo, archivar; V. *shelve*.

motion *n/v*: GRAL/PROC moción, iniciativa, propuesta, petición, instancia, ponencia, pedimento; peticionar, proponer; los términos *application, petition* y *motion* tienen significados compartidos, ya que los tres son peticiones dirigidas a los tribunales; en Norteamérica al peticionario se le llama *movant*, y la expresión «solicito...» es *I move to*...; el más general de todos es *application* –solicitud, instancia, petición o súplica–; *motion* es una solicitud normalmente oral, aunque también puede ser escrita, dirigida al tribunal suplicando que adopte alguna medida o que dicte alguna resolución antes, durante o después del juicio; la resolución que se pide que dicte el tribunal por medio de la *motion* se llama *order* –auto, providencia, resolución judicial–; las peticiones que tienen como fin obtener un *remedy* se llaman *petitions*; V. *carry a motion, defeat a motion, grant a motion, file/make a motion, put a motion to the vote, second a motion, set aside a motion, table a motion.* [Exp: **motion calendar** (PROC lista de causas para elevación de recursos, lista de recursos contenciosos), **motion day** (PROC día designado para deliberación y resolución de las peticiones dirigidas al tribunal), **motion for a new trial** (PROC petición para que se abra de nuevo el juicio), **motion for a directed verdict** (PROC petición para que sea el juez el que dicte el veredicto en vez del jurado), **motion for a repleader** (PROC petición para presentar nuevos alegatos), **motion for a venire facias de novo** (PROC solicitud de un nuevo juicio ante otro jurado), **motion in arrest of judgment** (PROC petición para impedir el registro de la sentencia), **motion granted** (PROC se acepta la petición), **motion in bar** (PROC excepción perentoria), **motion of any party, on the** (PROC a instancia de cualquiera de las partes ◊ *Clerical mistakes in judgments may be corrected by the court at any time of its own initiative or on the motion of any party*), **motion of censure** (PROC moción de censura; V. *table a motion of censure*), **motion of dismissal** (PROC solicitud o petición de sobreseimiento hecha por la defensa, solicitud de archivo de lo actuado;

V. *submission of no case to answer*), **motion, of its own** (PROC de oficio ◊ *The court has to decide of its own motion whether it should sit in camera or adjourn into chambers*), **motion, of one's own** (GRAL/PROC a iniciativa propia), **motion of, on the** (GRAL por iniciativa de; V. *at the request of*), **motion papers** (PROC instancia de solicitud, documentos de la petición), **motion to adjourn** (PROC moción para aplazar o levantar la sesión), **motion to dismiss** (PROC solicitud de declaración de no ha lugar, petición para que una demanda sea rechazada), **motion to quash indictment** (PROC recurso de reforma), **motion to set aside** (PROC recurso de reposición, moción para dejar sin efecto), **motion to preclude** (PROC petición para prevenir), **motion to vacate a judgment** (PROC recurso de casación, demanda de nulidad)].

motivation *n*: GRAL motivación; V. *incentive, enticement*. [Exp: **motivate** (GRAL motivar, animar; V. *encourage, prompt, stimulate, induce*), **motive** (GRAL/PENAL motivo, razón, móvil; V. *inducement*)].

motor *n*: GRAL máquina, motor; V. *engine*. [Exp: **motor insurance** (SEGUR seguro de automóvil; V. *automible insurance*), **Motor Insurers' Bureau** (SEGUR consorcio de aseguradores de automóviles), **motorship, M/S, m/s, M.S.** (GRAL motonave), **motor vehicle code** (GRAL código de circulación; V. *Highway Code*), **motorway** (GRAL autopista; V. *toll*), **motoring offences** (delitos o faltas por infracción del código de circulación)].

mount *v*: GRAL montar, preparar, aprestar, organizar, poner en marcha ◊ *Mount an attack/a defence/a campaign*; V. *set up*. [Exp: **mounted police** (ADMIN policía montada)].

movable *a*: CIVIL/GRAL V. *moveable*. [Exp: **movables** (CIVIL bienes muebles, valores mobiliarios), **movable effects** (CIVIL bienes muebles, valores mobiliarios), **movant** *US* (PROC peticionario; V. *move*[2]), **move**[1] (GRAL iniciativa, movimiento; tomar una iniciativa, promover, incitar, impulsar; V. *take a step*), **move**[2] (CIVIL solicitar, pedir, suplicar; proponer ◊ *Counsel for the appellant moved the court for a reversal of the decision*; V. *apply, crave, request, seek; motion*), **move an amendment** (PROC proponer una enmienda, presentar una propuesta de reforma o rectificación), **move for** (PROC solicitar ◊ *The plaintiff intends to immediately move for summary disposition*; V. *take a step*), **move to sedition** (PENAL incitar a la sedición), **moveable/movable estate/property** (CIVIL bienes muebles; V. *real property*), **movement** (GRAL movimiento, circulación; V. *freedom of movement*), **movements of capital** (GRAL circulación de capitales; V. *action, activity; free movements of capital*)].

MP *n*: CONST V. *Member of Parliament*.

M/S, m/s, M.S. *n*: MERC V. *motorship*.

mud *n*: GRAL barro; opium.

mug[1] *argot n*: GRAL jeta *col*, careto *col*, morro *col*, cara, rostro ◊ *Recognise sb's ugly mug*. [Exp: **mug**[2] *col* (primo *col*, tonto, bobo, inocentón, ingenuo ◊ *Take sb for a mug*), **mug**[3] *argot* (PENAL robar mediante tirón), **mug shot** (PENAL foto del preso tomada al ingresar en prisión, fotografía para el archivo o la ficha policial; V. *identikit*), **mug's game** *col* (GRAL mal negocio, asunto sin futuro, pérdida de tiempo, cosa de tontos/necios; de imbéciles ◊ *Suing the wealthy is a mug's game*), **mugger** *col* (PENAL tironero; V. *sneak thief, pickpocket*), **mugging** (PENAL robo del bolso mediante tirón, asalto con robo, sobre todo, cuando la víctima está sola en la calle y los asaltantes son varios; V. *snatch*)].

multi- *prefijo*: GRAL múltiple. [Exp: **multifariousness** (PROC desemejanza de alegatos), **multilateral** (GRAL multilateral),

multilateral agreement (GRAL/MERC acuerdo o contrato multilateral), **multilateral payment system** (MERC sistema de pagos multilaterales), **multiline** (GRAL/SEGUR multirramo), **multiline insurance** (SEGUR seguro multirramo), **multinational** (GRAL multinacional, transnacional), **multinational corporation** (MERC sociedad multinacional o transnacional), **multistage tax/taxation** (FISCAL imposición multifásica, imposición en cascada), **multitrack**[1] (GRAL de muchas/varias vías, de varias velocidades ◊ *The multitrack Europe of Maastricht*), **multitrack**[2] (PROC multivía ◊ *All insolvency proceedings are allocated to the multitrack*; esta vía procedimental está reservada a los procesos cuya cuantía supera las £15.000 y a los de gran complejidad, entre los que destacan la mayoría de los procesos comerciales, encuadrados en el Derecho mercantil –*business law*–, o el de las grandes mercantiles, dentro del Derecho societario –*company law*–, y también los de los llamados procedimientos especializados –*specialist proceedings*–, que sólo se pueden conocer en *The High Court of Justice*; V. *fast track, court tracks; specialist proceedings*), **multiple** (GRAL múltiple, múltiplo), **multiple admissibility** (PROC principio de las normas que regulan la admisibilidad de las pruebas según el cual, cuando hay múltiples cuestiones –*multiplicity of issues*– no se puede desestimar una prueba que sería admisible para decidir una de ellas sólo porque sea inadmisible en otras), **multiple-stage tax** (FISCAL impuesto multifásico, en cascada o de etapas múltiples), **multiplicity** (GRAL multiplicidad, pluralidad, gran diversidad), **multiplicity of issues** (PROC múltiples cuestiones), **multiplicity of suit** (PROC multiplicidad de acciones judiciales)].

municipal *a*: ADMIN municipal. [Exp: **municipal council** (ADMIN cabildo, ayuntamiento), **municipal lien** (ADMIN gravamen municipal por tasación para mejoras), **municipal loan** (ADMIN empréstito municipal), **municipal ordinance** (ADMIN estatuto municipal; ordenanza municipal), **municipality** (ADMIN municipio)].

murder *n*: PENAL asesinato, crimen; asesinar ◊ *Murder is homicide with malice aforethought, i.e., with the intention of killing or causing serious bodily harm*; V. *homicide, maslaughter, slay, kill*. [Exp: **murder in the first degree** *US* (PENAL homicidio premeditado, asesinato en primer grado; V. *wilful murder*), **murder in the second decree** *US* (PENAL homicidio en segundo grado), **murder squad** (PENAL brigada de homicidios), **murderer** (GRAL asesino, homicida; V. *slayer*)].

mutatis mutandis *fr*: GRAL por analogía.

mute *a*: GRAL mudo; V. *standing mute*.

mutilate *v*: PENAL mutilar; V. *maim, dismember, disfigure; mayhem*.

mutiny *n/v*: PENAL motín, rebelión; amotinarse, rebelarse; V. *riot, sedition, rebellion, uprising, revolution, insurrection, riot*; la palabra inglesa se emplea casi exclusivamente para referirse a la sublevación de los marineros o la tropa contra sus oficiales; si el motín es de presos en una cárcel, por ejemplo, se habla de *riot*. [Exp: **mutineer** (PENAL amotinador, sedicioso, rebelde; V. *rebel, seditious*)].

mutual *a*: GRAL mutuo, recíproco; V. *bilateral*. [Exp: **mutual agreement** (GRAL convenio mutuo), **mutual assent** (GRAL consentimiento mutuo; V. *meeting of the minds*), **mutual benefit, for** (en GRAL interés recíproco), **mutual condition** (GRAL condición mutua), **mutual consent** (GRAL consentimiento mutuo), **mutual consideration** (MERC causa contractual recíproca, contraprestación recíproca), **mutual consultation** (GRAL consultas recíprocas), **mutual covenant** (GRAL pacto de obligación mutua), **mutual dealings** (GRAL relaciones mutuas), **mutual debt** (MERC/CIVIL débito recíproco), **mutual fund** (MERC mutualidad, fondo de inversión mobiliaria, fondo mutualista), **mutual guarantee company** (MERC sociedad de garantía recíproca), **mutual insurance company** (SEGUR mutua de seguros, compañía de seguros mutuos), **mutual investment company** (MERC sociedad mutualista de inversiones), **mutual mistake** (MERC/CIVIL error mutuo cometido por las partes contratantes que invalida el contrato), **mutual obligation** (GRAL/CIVIL obligación recíproca), **mutual savings bank** (MERC caja de ahorros mutuos), **mutual society** (CIVIL/MERC sociedad mutua), **mutual trust and confidence** (LABORAL obligación legal de respeto y confianza mutuos entre empleador y empleado), **mutual understanding** (GRAL convenio recíproco), **mutual wills** (SUC testamentos mutuos), **mutuality** (GRAL mutualidad, reciprocidad), **mutuum** (GRAL mutuo, contrato de mutuo, préstamo de consumo)].

N

naked *a*: GRAL desnudo, nudo; mero; carente de las condiciones necesarias; este adjetivo y los sinónimos *bare* y *mere* se combinan espontáneamente con un gran número de sustantivos, siempre con la idea de un «sin más» o «sin otros elementos»; V. *nude, bare, mere*. [Exp: **naked authority** (GRAL autorización unilateral), **naked confession** (GRAL confesión sin confirmación o sin pruebas), **naked contract** (MERC/CIVIL contrato unilateral, también llamado *bare contract*), **naked possession** (CIVIL nuda posesión, posesión sin título, posesión de hecho; V. *bare possession*), **naked power** (CIVIL poder sin interés del apoderado; V. *power of appointment*), **naked promise** (CIVIL promesa unilateral o sin causa), **naked trust** (CIVIL fideicomiso pasivo ◊ *The trustee in a naked trust has no rights of any kind and no other responsibility than that of handing over the property to the beneficiary when the time comes*), **naked truth** (GRAL verdad pura)].

name *n/v*: GRAL nombre; nombrar ◊ *Police named two of the accused but withheld the names of two others, who are minors*. [Exp: **name of, in the** (GRAL en nombre de; V. *on behalf of*), **name of the company** (MERC razón social; V. *trade name, registered office, composite name*), **named bill of lading** (MERC conocimiento de embarque nominativo; V. *straight bill of lading*), **naming** (ADMIN/GRAL nombramiento, documento o título de nombramiento; V. *appointment*), **namely** (GRAL a saber), **name** (SEGUR V. *Lloyd's names*)].

narcotics *n*: GRAL narcóticos, estupefacientes, drogas; V. *drugs, amphetamine*.

narrative recitals *n*: GRAL/ADMIN/PROC enumeración de resultandos y considerandos [de un instrumento jurídico]; V. *whereas clause*.

narrow *a/v*: GRAL GRAL estrecho, restrictivo, restringido; restringir, reducir, estrechar ◊ *The defence objected to the narrow construction of the terms of the Act advanced by the plaintiff*; V. *tight, broad*. [Exp: **narrow definition approach sense** (PROC definición o interpretación estricta o restrictiva; V. *wide definition approach sense*), **narrow down** (GRAL reducirse, restringirse), **narrow market** (MERC mercado escaso, mercado con escaso volumen de contratación), **narrow the commercial margin** (MERC reducir el margen comercial)].

national *a/n*: GRAL nacional; súbdito, ciudadano; V. *citizen*; los adjetivos *domestic* y *national* son casi sinónimos; sin embargo, en el ámbito norteamericano se distinguen dos grandes jurisdicciones: la estatal y la federal; la palabra *national* cuando precede al nombre de un organismo o institución es sinónima de *federal*; también se pueden emplear en estos casos las siglas *U.S.*, por ejemplo, *The U.S. Supreme Court*; V. *foreign, citizen, subject, domestic*. [Exp: **National Coal Board, NCB** (ADMIN Junta Nacional del Carbón), **national debt** (ADMIN deuda pública; V. *private debt*), **National Conference of Commissioners on Uniform State Law** *US* (CONST Comisión nacional, encargada, junto con *The American Law Institute*, de la elaboración de las *Uniform State Laws*), **National Health Service** (ADMIN Servicio Nacional de Salud), **national heritage** (ADMIN patrimonio nacional; V. *national treasures*), **national insurance** (ADMIN/LABORAL seguridad social), **national insurance contribution, NIC** (LABORAL cuota a la seguridad social), **national insurance tribunal** (LABORAL tribunal que entiende de las reclamaciones de subsidio de paro, enfermedad, accidentes laborales, etc.), **National Labor Relations Board** *US* (LABORAL Junta Nacional de Relaciones Laborales), **national security** (ADMIN defensa nacional), **national treasures** (ADMIN patrimonio nacional; V. *national heritage*), **nationality** (ADMIN nacionalidad), **nationalise** (ADMIN nacionalizar), **nationalised industry** (GRAL industria estatal o nacionalizada)].

natural *a*: GRAL natural, nativo; ilegítimo, razonable. [Exp: **natural-born citizen** (ADMIN ciudadano por nacimiento, ciudadano con nacionalidad adquirida por nacimiento; V. *naturalization, naturalized citizen*), **natural death** (GRAL/SEGUR muerte natural; V. *civil death, sudden death, accidental death*), **natural child** (FAM hijo natural; en el pasado se aplicaba al nacido fuera del matrimonio), **natural domicile** (GRAL domicilio de origen), **natural guardian** (FAM tutor natural, el padre o la madre), **natural heir** (SUC heredero natural), **natural justice** (GRAL justicia natural, derecho natural; V. *equity*), **natural law** (GRAL ley natural, derecho natural), **natural obligation** (GRAL deber natural), **natural person** (CIVIL persona física; V. *individual, artificial person, juristic person, legal person*), **natural possessor** (CIVIL poseedor originario), **natural presumption** (PROC inferencia natural o lógica), **natural rights** (CIVIL derechos naturales), **natural succession** (SUC sucesión natural), **naturalization** (ADMIN naturalización), **naturalization papers** (ADMIN carta de naturaleza o naturalización), **naturalized citizen** (ADMIN ciudadano nacionalizado o naturalizado; V. *natural-born citizen*)].

navigation *n*:GRAL/MERC navegación. [Exp: **navigation company** (MERC compañía naviera), **navigation perils** (SEGUR peligros del mar; en las pólizas de seguro a todo riesgo de transporte de mercancía por mar, el término se aplica a *negligence* –negligencia, imprudencia–, *short delivery* –merma, entrega corta, insuficiente o deficiente– y *leakage* –derrame–, recibiendo los demás riesgos el nombre de *extraneous perils*; V. *perils of the sea*)].

nay *n*: CONST voto negativo; V. *ayes, yea*. [Exp: **nays have it, the** (CONST ganan los noes; hoy es más corriente decir *The noes have it*)].

ne exeat regno *n*: PROC providencia precautoria de arraigo, depósito de personas; aseguramiento que se exige al demandante extranjero; V. *writ of ne exeat; bail above*.

neap tides *n*: GRAL mareas muertas.

NCB *n*: ADMIN V. *National Coal Board*.

necessary *a*: GRAL necesario, indispensable; lógico, razonable; con el significado de necesario acompaña a palabras tales como *damages, diligence, easement*, etc.

[Exp: **necessaries** (GRAL/CIVIL artículos de primera necesidad, auxilios necesarios para la vida, lo imprescindible, cosas necesarias, ropa y sustento; V. *alimony, allowance, palimony*), **necessary bankruptcy** (MERC quiebra forzosa), **necessary damages** (CIVIL daños generales o directos), **necessary domicile** (GRAL domicilio necesario), **necessary inference** (GRAL deducción o inferencia ineludible o que se impone), **necessary parties** (GRAL/PENAL partes indispensables), **necessity** (PENAL estado de necesidad ◊ *Necessity can be a defence to an action in tort under certain circumstances.* V. *general defences, certificate of convenience and necessity; need*)].

née *a*: GRAL/CIVIL nacida [con el nombre de], de soltera; la palabra francesa *née* va seguida del nombre de soltera para que no haya confusiones de identidad; V. *maiden name.*

need *n*: GRAL necesidad, exigencia; V. *necessity.*

negative *a/n*: GRAL negativo; negativa; esta palabra se combina espontáneamente con gran número de sustantivos: **negative averment** (PROC negativa, aseveración negativa), **negative covenant** (CIVIL acuerdo o promesa de no hacer algo), **negative easement** (CIVIL servidumbre negativa o pasiva), **negative evidence** (PROC prueba negativa, prueba indirecta), **negative goodwill** (CIVIL/MERC plusvalía negativa; fondo de comercio o valor de un negocio inferior al de sus activos netos), **negative pregnant** (PROC respuesta o alegación negativa cargada de una implicación afirmativa favorable a las tesis de la parte contraria; V. *affirmative pregnant*), **negative prescription** (CIVIL prescripción por falta de ejercicio), **negative misprision** (PENAL ocultación de un delito o de un hecho denunciable), **negative resolution** (GRAL resolución negativa; V. *parliamentary control, delegated legislation, lay before Parliament, affirmative resolution*), **negative testimony** (PROC testimonio negativo o por inferencia), **negatory** (GRAL negatorio)].

neglect *n/v*: CIVIL/PENAL descuido, negligencia; descuidar, desatender ◊ *Parents who fail to feed, clothe or look after them, are liable to prosecution for neglect*; V. *ignore, act in defiance of.* [Exp: **neglect of official duty** (ADMIN/PENAL incumplimiento o inobservancia de un deber oficial; V. *breach of statutory duty, dereliction of duty*), **neglectful** (GRAL descuidado; V. *negligent*), **negligence** (CIVIL negligencia, imprudencia ◊ *The action of negligence was brought by the estate of the deceased*; V. *contribury negligence, misconduct, navigation perils*), **negligence in law** (PROC negligencia procesable; V. *active fault/negligence, actionable negligence, comparative negligence, contributory negligence, gross negligence*), **negligence-liability policy** (SEGUR póliza contra responsabilidad por negligencia), **negligent** (GRAL negligente, culposo ◊ *A negligent misrepresentation, however innocently made, may be actionable if another party to a contract relies upon it in making the contract and suffers loss as a result*; V. *duty of care, remiss*), **negligent act** (CIVIL omisión negligente), **negligent collision** (SEGUR/MERC abordaje culpable, abordaje con negligencia; V. *accidental collision, both-to-blame collision, rules of the road*), **negligent misrepresentation/misstatement** (PROC aseveración falsa hecha por descuido y sin ánimo de engañar, falsedad negligente), **negligent offence** (PENAL delito por negligencia)].

negotiate *v*: GRAL/MERC negociar, gestionar, agenciar ◊ *The payment was negotiated by our Hong Kong representative with a local bank*; V. *bargain, transact, settle, deal.* [Exp: **negotiable bill of lading**

(MERC conocimiento al portador), **negotiable effects** (MERC efectos de comercio), **negotiable instruments** (efectos, títulos, instrumentos o valores negociables o de comercio), **negotiable securities** (MERC valores transmisibles), **negotiation** (MERC negociación; negociación con valores o letras de cambio), **negotiator** (MERC negociador, gestor)].

neighbour *n*: GRAL vecino; colindar ◊ *His property neighbours on mine*; V. *abut*. [Exp: **neighbourhood** (GRAL vecindad; V. *vicinity, area, region, territory*)].

nem. con. *fr*: GRAL/PROC sin oposición, objeciones o votos en contra ◊ *The motion was carried nem. con.* es la forma abreviada de **nemine contradicente**.

neutral *a/n*: GRAL neutro, neutral; en los Estados Unidos a los árbitros también se les llama *neutrals* ◊ *A neutral country*; V. *impartial, biased*. [Exp: **neutrality** (GRAL/CONST neutralidad), **neutralize** (GRAL neutralizar ◊ *Propanganda is often neutralized with effective counter-propaganda*; V. *counteract*)].

net, nett[1] *a*: GRAL/MERC neto, líquido; en contadas ocasiones, se puede escribir *net* o *nett* como en *net/nett price*; con el sentido de «neto, líquido», aparece junto a *assets, dividends, earnings, income, margin, price, proceeds, profit, revenue, worth, yield*, etc., al igual que su antónimo *gross* –íntegro, bruto–; V. *clear*. [Exp: **net**[2] (ganar una cantidad neta ◊ *The company netted £2 m on all activities last year*), **net**[3] (GRAL red), **net avails** *US* (MERC neto disponible; es el valor nominal de un pagaré menos el descuento bancario), **net charter** (MERC póliza de fletamento en la que los gastos de operación corren por cuenta del fletador; V. *gross charter*), **net gain/profit/value** (MERC ganancia/provecho/valor neto), **net lease** (CIVIL arrendamiento más gastos, arrendamiento en el que el arrendatario se hace cargo, además, del pago de impuestos, del seguro y del mantenimiento), **net liabilities** (MERC pasivo real), **net option** (MERC opción de compra a precio prefijado), **net quick assets** (MERC activo neto realizable), **net register** (MERC toneladas de registro neto), **net register tonnage, NRT** (MERC tonelaje de registro neto), **net weight** (MERC peso neto; V. *gross weight*), **net worth** (CIVIL/MERC patrimonio neto, neto patrimonial), **network** (GRAL red de distribución, de ventas, etc. ◊ *The firm's sales network covers the entire country*)].

new *a*: GRAL nuevo. [Exp: **new deal** (ADMIN/MERC nuevo pacto/trato; programa o pacto político-económico ofrecido por el presidente Roosevelt), **new issue** (MERC emisión de acciones nuevas), **new trial** (PROC nuevo juicio ordenado por el tribunal de apelación; V. *retrial, former trial*), **newly discovered evidence** (PROC prueba descubierta después de la sentencia)].

next *a*: GRAL próximo ◊ *When somebody dies in an accident, their next-of-kin should be informed as soon as possible*. [Exp: **next friend** (CIVIL representante de un menor o de un incapacitado; puede ser un empleado de la administración), **next-of-kin** (FAM pariente-s más próximo-s; V. *related in the direct line*)].

nick *argot n/v*: PENAL trena, jaula; mangar, birlar, afanar, trincar ◊ *Bert was nicked for pinching a motorbike*; V. *arrest, jug, steal*.

niggle *v*: GRAL perder el tiempo con detalles nimios; buscarle tres pies al gato ◊ *Niggle over trifles*. [Exp: **niggling** (GRAL persistente, fastidioso, que no se disipa pese a ser insignificante ◊ *Niggling questions/doubts*)].

night *n*: GRAL noche. [Exp: **night court** (PROC juzgado de guardia), **night duty** (GRAL servicio nocturno), **night shift** (GRAL turno de noche)].

nisi *a*: GRAL provisional ◊ *An order or rule nisi is made on the application of one* *party*; la palabra *nisi* implica la idea de «condición», «advertencia», «y si no», o «provisionalidad»; se usa en expresiones como *order nisi, decree nisi*, etc.; en el pasado se empleó **nisi prius** (PROC auto), ahora en desuso, que ordenaba al *sheriff* del condado en el que se había originado un pleito, que reuniera al jurado y lo enviase a Londres para celebrar allí el juicio, a no ser que antes *–nisi prius–* de la fecha prevista se hubiese celebrado ya en el *Assize Court* del Condado en cuestión; el proceso se llamaba también *trial at nisi prius*; con la desaparición del *Assize Court*, cuya jurisdicción se distribuyó entre el *High Court* y el *Crown Court*, este auto ha quedado obsoleto; V. *decree nisi, foreclosure order nisi.*

nitpick *col v*: GRAL buscarle tres pies al gato, reparar en defectos insignificantes, criticar con argumentos rebuscados ◊ *Stop nitpicking and get to the point!*; V. *quibble*. [Exp: **nitpicker** (GRAL criticón, quisquilloso, maniático, persona que lo mira todo), **nitpicking** (GRAL críticas nimias; análisis, revisión o corrección quisquillosa o chinchorrera *col*)].

no *adv*: GRAL no, sin; el adverbio *no* actúa como prefijo en ciertas expresiones, pudiendo estar a veces unido por medio de guión: **no admittance except on business** (GRAL prohibida la entrada a las personas ajenas a este centro), **no bill, not a true bill** (PROC no ha lugar a procesamiento; V. *ignoramus, not found*), **no bills** (GRAL se prohíbe fijar carteles), **no case to answer** (PROC V. *there is no case to answer*), **no-claims bonus** (SEGUR reducción o bonificación en la prima anual de la póliza de seguro por no haber sufrido ningún siniestro), **no collateral** (GRAL sin garantías), **no criminal record** (PENAL sin antecedentes penales), **no cure, no pay** (MERC/SEGU regla de salvamento según la cual el salvamento sin éxito no es remunerado; V. *salvage*), **no-fault liability** (CIVIL responsabilidad en daños sin culpa; mediante esta norma, la víctima de un accidente tiene derecho a indemnización sin que se tenga que demostrar la culpa o negligencia de otro), **no-par-value stock** (MERC acciones sin valor nominal)].

nobble *argot v*: GRAL/CRIM intentar sobornar o influir en alguien ◊ *Some of the defendant's associates were suspected of nobbling two members of the jury.*

nolle prosequi *fr*: PROC abandono de la instancia; ahora se emplea el término *discontinuance*; sin embargo, el *Attorney General*, y en su caso el fiscal, utiliza esta fórmula para anunciar que no sigue adelante en el procesamiento del reo, bien porque éste sufra algún tipo de incapacidad, bien porque, a juicio de los anteriores, dicho procesamiento no es deseable; esta acción no equivale a retirar los cargos, ni impide que la acusación siga adelante en un momento posterior; V. *abandonment, discontinuance.*

nolo contendere *n*: PENAL «no deseo litigar»; es una de las tres respuestas que puede dar al tribunal el imputado/acusado *–defendant–*, siendo las otras dos *guilty* –culpable–, *not guilty* –no culpable–; la respuesta de *nolo contendere* supone una admisión de culpabilidad, la cual no se puede utilizar contra el acusado en una demanda civil por los mismos actos; V. *arraingment.*

nominal *a*: GRAL nominal ◊ *Nominal damages, which are usually very small amounts, are awarded to show that the loss or harm was technical rather than actual.* [Exp: **nominal accounts** (MERC cuentas de resultados, cuentas nominales), **nominal capital** (MERC capital autorizado, capital nominal; V. *uncalled capital, authorized capital*), **nominal consideration** (MERC causa contractual o precio nominal), **nominal damages** (CIVIL/

SEGUR daños nominales; V. *actual damages*), **nominal partner** (MERC socio nominal), **nominal plaintiff** (CIVIL demandante nominal sin interés en la causa), **nominal security** (PROC caución nominal ◊ *Nominal security is set in this matter in the amount of €1.00*), **nominal trust** (CIVIL fideicomiso nominal), **nominal value** (GRAL valor nominal; V. *face, par value*)].

nominate[1] *v*: GRAL/ADMIN designar, nombrar, proponer una candidatura, dar nombres de candidatos ◊ *Candidacy for the post of Secretary General is by nomination only*; V. *appoint, designate, choose*. [Exp: **nominate**[2] *der es* (CIVIL/FAM/SUC nombrar o designar personalmente o por disposición testamentaria; nombrado o designado así ◊ *The executor-nominate or executor-testamentary is the person designated by the testator personally in the will*; en esta acepción el término se contrapone a *dative*; V. *administrator, appoint, [personal] representative*), **nomination** (ADMIN designación, nominación, propuesta, presentación de candidaturas, candidatura, nombramiento; V. *appointment, designation*), **nominations committee** (ADMIN comité de candidaturas), **nominate someone as proxy** (CIVIL/GRAL nombrar representante), **nominate somebody to a post** (ADMIN designar a alguien para un cargo o puesto no electivo), **nominative** (GRAL nominativo), **nominative cheque** (MERC cheque nominativo), **nominee**[1] (GRAL/ADMIN candidato [propuesto], nominatario; representante; apoderado; V. *appointee*), **nominee**[2] (MERC sociedad interpuesta, también llamada *nominee company/ holding* o *street name*; persona interpuesta; tenedor nominativo de un título cuyo dueño es otro, hombre de paja, testaferro; V. *dummy, front man, straw man*)].

non *prefijo*: no, dis, etc.; *non* actúa como prefijo negativo; puede presentarse de forma discontinua, es decir, sin constituir una palabra con la unidad léxica que sigue, o de forma continua, ya con guión, ya sin él; se traduce normalmente por «in», «falta de»; no obstante, a veces es preferible recurrir a un antónimo o a una perífrasis para evitar, en lo posible, una traducción forzada o extranjerizante. Exp: **non-acceptance** (MERC rechazo de algún instrumento comercial, etc.), **non-accrual assets** (MERC activo no acumulado), **non-admission** (GRAL inadmisión, rechazo, no admisión), **non-admitted assets** (MERC activo no confirmado), **non-admitted carrier** (MERC compañía de transporte no autorizada), **non-apparent easement** (CIVIL servidumbre discontinua, no aparente), **non-appearance** (PROC contumacia, incomparecencia, rebeldía; V. *absence, failure to appear, beyond the seas*), **non-apportionable annuity** (SEGUR anualidad sin pago por muerte), **non-arrestable offence** (PENAL delito que lleva aparejada una pena inferior a 5 años o no especificada), **non-assenting stockholders** (MERC accionistas disidentes), **non-assessable stocks** (MERC/FISCAL acciones no gravables), **non-assignable** (GRAL no transferible, no negociable), **non-attendance** (GRAL inasistencia; V. *appearance*), **non-bailable** (PROC no caucionable, que no admite fianza), **non-business day** (LABORAL día no laboral), **non-callable bond** (MERC bono no retirable), **non-commercial agreement** (GRAL acuerdo no especulativo), **non-committal** (GRAL evasivo, equívoco), **non-compliance** (GRAL incumplimiento, falta de cumplimiento), **non-compos mentis** (GRAL demente, con las facultades mentales perturbadas; V. *insane, unreasonable behaviour, cruelty*), **non-concurrent** (GRAL no concurrente), **non-conformance** (GRAL disconformidad, falta de conformidad), **non-consolidated** (GRAL no consolidado), **non-contentious** (PROC no contencioso, que no implica litigio), **non-contestable** (PROC incontestable, indisputable), **non-contractual** (MERC/CIVIL extracontractual), **non-custodial sentence** (PENAL pena no privativa de libertad; V. *custodial*), **non-delivery** (MERC incumplimiento de la entrega prometida), **non-direction** (PROC error o insuficiencia en las instrucciones que da el juez al jurado), **non-disclosure** (GRAL omisión del deber de revelar datos o hechos en un proceso civil, en una póliza de seguros, etc.; V. *concealment, disclosure, discovery*), **non-dutiable** (ADMIN/FISCAL franco de derechos), **non-executive director** (MERC consejero sin cargo ejecutivo), **non-fatal injury** (SEGUR lesión no mortal), **non-feasance** (GRAL inobservancia, omisión, negligencia, incumplimiento), **non-forfeitable** (CIVIL/PROC inconfiscable, indecomisable, inalienable, no sujeto a pérdida), **non-fulfillment** (GRAL falta de cumplimiento, incumplimiento), **non-fundable** (GRAL/MERC no consolidable), **non-governmental organisation** (GRAL organización no gubernamental ◊ *Any non-governmental organisation has a right of individual petition to the European Court of Human Rights under Article 34*), **non-indictable offence** (PENAL falta leve), **non-instalment credit** (MERC crédito a devolver de una sola vez), **non-interest bearing** (MERC que no devenga interés), **non-joinder** (falta de unión o de asociación), **non-judicial day** (LABORAL/PROC día inhábil), **non-jury calendar** (PROC lista de causas para vistas sin jurado), **non-leviable** (FISCAL no gravable, no embargable), **non-marketable bond** (MERC bono no transferible), **non-member** (GRAL no asociado, que no es socio), **non-mol, non-molestation order** (FAM/PENAL orden de alejamiento, para que cesen los malos tratos o las vejaciones a su cónyuge; V. *exclusion order*), **non-negotiable** (CIVIL/MERC no negociable, intransferible), **non-observance** (GRAL inobservancia, incumplimiento), **non-observance of a formality** (GRAL incumplimiento de un trámite o formalidad), **non-occupational accident** (SEGUR accidente no laboral), **non-par** (MERC que no participa en el sistema de compensaciones a la par), **non-par stock** (MERC acciones sin valor nominal), **non-payment** (CIVIL impago, falta de pago; V. *failure to pay*), **non-performance** (GRAL incumplimiento, falta de ejecución o de cumplimiento; V. *specific performance*), **non-performing loan** (MERC fallido), **non-profit organization** (MERC/CIVIL empresa u organización sin ánimo de lucro, ente moral), **non-recoverable grant** (ADMIN/FISCAL subvención a fondo perdido; V. *à fonds perdu*), **non-renewable** (GRAL improrrogable, no extendible), **non-resident** (ADMIN no residente), **non-restrictive** (GRAL sin restricción, completo; V. *qualified*), **non-scheduled disability** (CIVIL incapacidad no especificada en la ley), **non-scheduled airline** (GRAL línea aérea no regular o independiente), **non-stock corporation** (MERC sociedad sin acciones), **non-, non-suit** (PROC sobreseimiento, sobreseer; desistimiento, renuncia a la instancia, actualmente llamado *discontinuance* o *withdrawal*; V. *abandonment, there is no case to answer, dismissal of a case, want of prosecution, withdrawal, compulsory non-suit*), **non-support** (GRAL falta de manutención), **non-transferable** (GRAL intransferible, innegociable), **non-voting share/stock** (MERC acciones sin derecho a voto), **non-taxable** (GRAL exento de impuestos, no gravable, libre de contribución), **non-tenure** (PROC alegación de exención de jurisdicción), **non-use, non-user** (CIVIL abandono de un derecho, prescripción o pérdida de un derecho por falta de ejercicio ◊ *Non-use of a trade-*

mark for two consecutive years shall be prima facie evidence of abandonment; V. *abandonment, forfeiture, surrender, use*)].

norm *n*: GRAL norma, ley, regla; V. *standard; rule*. [Exp: **normal tax** (FISCAL impuesto normal o básico), **normal value** (GRAL valor normal)].

not *adv*: GRAL no ◊ *The jury returned a verdict of not proven and the prisoner was immediately assoilzied and discharged.* [Exp: **not due** (MERC no vencido), **not guilty** (PENAL no culpable, inocente; V. *innocent*), **not later than** (GRAL en un plazo no superior a), **not liable** (GRAL sin responsabilidad), **not negotiable** (CIVIL/MERC no negociable; V. *copy not negotiable*), **not otherwise herein provided** (GRAL salvo disposición contraria en la presente ley, etc.), **not proven** *cots* (PENAL absuelto por falta de pruebas; una peculiaridad del derecho penal escocés reside en el hecho de que se disponga de tres veredictos: *guilty, not guilty, not proven*; el procesado en este último caso queda absuelto o *assoilzied* y es puesto en libertad, pero no tiene la satisfacción de ver su honor restablecido)].

notarial *a*: CIVIL notarial. [Exp: **notarial act/certificate** (CIVIL acta o testimonio notarial), **notarial instrument** (CIVIL escritura pública), **notarial power** (CIVIL poder notarial), **notarisation** (CIVIL atestación por notario público), **notarise** (CIVIL otorgar ante notario), **notary [public]** (CIVIL notario; V. *convincing solicitor*), **notary's office** (CIVIL notaría)].

note[1] *n*: GRAL/MERC pagaré, efecto, obligación, nota de crédito; documento fehaciente; V. *air consignment note, acceleration note, bank note, bearer note, consignment note, credit note, debit note, joint note, promissory note.* [Exp: **note**[2] (GRAL billete de banco; V. *bill*), **note**[3] (GRAL/PROC levantar acta, impugnar, protestar una letra, un efecto, etc.), **note**[4] *der es* (PROC escrito o instancia en que una de las partes formula alguna petición o cuestión incidental, o manifiesta su intención de desistir, recurrir, etc.; V. *minute*), **note a bill, a draft** (CIVIL/PROC protestar un pagaré o una letra, levantar acta notarial, a instancias del tenedor, en la que se hace constar la falta de aceptación o falta de pago del librado; V. *protest*), **note an exception** (PROC anotar excepción; como sustantivo se llama *note of exceptions*, y alude al certificado redactado en la sala por el abogado de la parte que quiere impugnar algunas de las aseveraciones contenidas en las instrucciones dadas por el juez al jurado o *charge to the jury*; contiene una relación de las bases de la impugnación y de las estimaciones contrarias del juez, quien lo firma para que pueda ser presentado en un posible recurso), **note-holder** (MERC tenedor de pagaré u obligación), **note of hand** (MERC pagaré), **notes payable** (MERC efectos a pagar, pagarés), **note of protest** (MERC notificación del protesto efectuado por el notario, protesta del mar/averías; V. *captain's protest*), **notes receivable** (MERC efectos a cobrar), **noting a bill** (CIVIL/PROC protesto de una letra)].

notice *n*: GRAL aviso, informe, anotación; nota; preaviso, notificación formal, notificación por anticipado, notificación con la antelación debida, emplazamiento, requerimiento, citación, convocatoria; conocimiento, doctrina del conocimiento; V. *call; citation; subject to notice, at short notice; account subject to notice; give notice, serve notice; service; special notice, previous notice.* [Exp: **notice clause** (SEGUR cláusula de preaviso; de acuerdo con esta cláusula el asegurado está obligado a notificar a la compañía de seguros los siniestros ocurridos, dentro de un tiempo marcado), **notice in writing** (GRAL requerimiento por escrito, notificación por escrito), **Notice is hereby given that** (GRAL Por la presente se hace saber que...; ésta es la frase usual con la que comienzan las convocatorias a asambleas, juntas, etc.; V. *notice of meeting*), **notice of a meeting** (GRAL conovocatoria de una junta), **notice of abandonment** (SEGUR aviso de abandono; este escrito lo remite un asegurado a su compañía de seguros en reclamación de una pérdida total; V. *abandonment*), **notice of appeal** (PROC notificación de apelación), **notice of appearance** (GRAL aviso de comparecencia), **notice of discharge** (LABORAL notificación de despido; V. *give notice*), **notice of discontinuance** (PROC notificación de desistimiento o abandono de la demanda ◊ *A party to a lawsuit may abandon an action in the High Court by serving a notice of discontinuance*; V. *abandonment*), **notice of dishonour** (PROC notificación o aviso de no aceptación de una letra), **notice of intention to defend** (PROC notificación al demandante de que defenderá la demanda contra él presentada), **notice of judgment** (PROC notificación de sentencia registrada), **notice of meeting** (GRAL convocatoria, citación; V. *Notice is hereby given*), **notice of motion** (PROC V. *originating notice of motion*), **notice of, on/upon** (GRAL al serle notificado, al recibir la notificación; V. *on presentation*), **notice of protest** (CIVIL aviso de protesto), **notice of readiness** (MERC carta de aviso, carta de alistamiento dando cuenta de que se está listo para cargar o descargar, estando con póliza de fletamento o en *charter*), **notice of trial** (PROC notificación del juicio o del proceso), **notice of withdrawal** (PROC preaviso de retiro), **notice to plead** (PROC notificación al demandado para que presente alegatos), **notice to produce** (PROC notificación instando a la parte contraria a que presente un determinado documento; V. *disclosure*), **notice to quit** (CIVIL aviso/preaviso de desalojo, requerimiento del casero al arrendatario para que desaloje la vivienda, previo al inicio del proceso de desahucio; V. *fixed term tenancy, periodic tenancy*), **notice, until further** (GRAL hasta nuevo aviso, hasta aviso en contra), **notice, with** (GRAL con conocimiento de la existencia de algo)].

notifiable *a*: GRAL notificable, con notificación [a las autoridades exigida por la ley] ◊ *Smallpox is a notifiable disease*. [Exp: **notifiable offence** (PENAL delito grave; V. *indictable offence*), **notification** (PROC citación, notificación; V. *service*), **notify** (GRAL notificar, participar; V. *advise, acquaint, inform, announce*), **notifying bank** (MERC banco notificador; V. *advising bank*)].

notional day *n*: GRAL día imaginario, hipotético, teórico, convencional, nominal; fracción de día real.

notorious *a*: GRAL notorio, público; el adjetivo *notorious* siempre tiene una connotación negativa y, por tanto, acompaña siempe a palabras de significado negativo; V. *flagrant*. [Exp: **notorious insolvency** (MERC insolvencia notoria)].

novation *n*: MERC novación, sustitución; delegación ◊ *For the substitution or novation of a new party to a contract instead of the original debtor, the consent of the party entitled to benefit is necessary*; V. *contract*.

noxious *a*: GRAL dañino, perjudicial; V. *hazardous and noxious substance*.

NRT *n*: MERC V. *net register tonnage*.

nude *a*: GRAL desnudo, carente de algún requisito legal; V. *naked*. [Exp: **nude contract/pact** (MERC nudo pacto, contrato sin validez jurídica por falta de prestación o causa contractual *–consideration–*; V. *naked contract, bare contract*)].

nuisance *n*: CIVIL molestia, perjuicio, daño, acto perjudicial, infracción de las normas de convivencia civilizada; actividades insalubres o molestas, nocivas o peligrosas; infracción del reglamento de actividades molestas, insalubres, nocivas y peligrosas ◊ *The owners of the discotheque are being sued by the neighbours for causing a nuisance by playing music too loudly late at night*; V. *abatable nuisance, tort; private nuisance, public nuisance; action of nuisance, attractive nuisance doctrine.* [Exp: **nuisance abatement** (CIVIL supresión, atenuación o eliminación de un daño, perjuicio o acto perjudicial, trámite legal para la extinción de un daño; V. *abatable nuisance, abatement of nuisance*)].

null *a*: GRAL nulo, sin valor ◊ *Failure to honour this part of the bargain will render the entire contract null and void*; V. *invalid, ineffectual, bad, wrong, inoperative, void.* [Exp: **null and void** (GRAL/CIVIL nulo de pleno derecho, nulo y sin efecto, sin valor, írrito), **nullification** (CIVIL/PROC anulación; V. *annulment*), **nullify** (CIVIL/PROC/GRAL anular, invalidar; V. *annul, dissolve, abolish, repeal, abrogate; abate proceedings, abolish, repeal, set aside, invalidate, quash, revoke*), **nullity** (CIVIL/PROC nulidad, vicio de fondo o de forma; V. *absolute nullity, derivative nullity; annulment*), **nullity of marriage** (FAM nulidad matrimonial; V. *annulment, judicial separation, divorce*), **nullity plea** (PROC recurso de nulidad)].

nunc pro tunc *n*: GRAL/PROC con efecto retroactivo.

nuncupate *v*: SUC testar oralmente; V. *testate.* [Exp: **nuncupative** (PROC nuncupativo, verbal, de viva voz), **nuncupative will** (SUC testamento nuncupativo; V. *oral/parol will*)].

nursery school *n*: LABORAL guardería infantil; V. *crèche.*

O

oath *n*: PROC/GRAL juramento ◊ *Witnesses at a trial swear upon oath to tell the truth, the whole truth and nothing but the truth*; V. *administer an oath to someone, break one's oath, take an oath, commissioner for oaths, false oath.* [Exp: **oath-breaking** (PROC/CRIM perjurio, violación de juramento; incurrir en perjurio, quebrantar un juramento; V. *perjury*), **oath in litem** (CIVIL/PROC juramento del demandante para probar el valor de lo que constituye el objeto del pleito), **oath of allegiance** (GRAL juramento de fidelidad), **oath of office** (ADMIN juramento de toma de posesión de un cargo público), **oath, on/under/upon** (GRAL/PROC bajo juramento ◊ *They both lied under oath about their sexual relationships*)].

obey *v*: GRAL obedecer, cumplir, acatar; V. *comply with.*

obiter dictum *n*: PROC *obiter dictum,* opinión o dictamen incidental expresado por un juez en la fundamentación de la sentencia, sin que suponga la *ratio decidendi*; V. *precedent; distinguish; persuasive authority.*

object *n*: GRAL objeto, fin, propósito; materia, cuestión, punto; V. *goal, objective, purpose; issue, question.* [Exp: **object [to]** (GRAL oponerse a, objetar, impugnar, formular reparos, hacer cargos; V. *raise [an] objection, lodge objection, sustain an objection*), **object, I** (PROC me opongo, protesto; pido la palabra; fórmula utilizada para intervenir en un debate político), **object of an action** (CIVIL/PROC objeto de la demanda o acción; V. *merits of the case*), **objectable** (GRAL objetable, discutible), **objection** (GRAL/PROC reparo, objeción, oposición, impugnación, recusación, excepción, réplica, reclamación; ¡protesto! ◊ *The judge sustained the prosecution's objection to the leading questions put to the witness by the defence*), **objection to the jurisdiction** (PROC excepción de incompetencia), **objectionable** (GRAL objetable, censurable), **objector** (GRAL/PROC objetor, impugnador, recusante; V. *conscientious objector*), **objects clause** (MERC cláusula de la carta constitucional de una sociedad mercantil –*Memorandum of Association*– que expresa los fines de la misma)].

oblige/obligate *v*: GRAL apremiar, obligar, ligar; hacer un favor ◊ *The guarantor is obliged to pay the principal debtor's liabilities if the latter fails to pay*; en inglés americano se usa también la palabra *obligate.* [Exp: **obligation** (GRAL/CIVIL/MERC obligación, deuda; responsabilidad, compromiso, deber, incumbencia; V. *duty, liability, promise*), **obligatory** (GRAL obligatorio, vinculante; V. *binding, mandatory*), **obligee** (CIVIL/MERC tenedor de una obligación, obligante, sujeto activo de una obligación), **obligor** (CIVIL/MERC deudor, obligado, persona que contrae una obligación; sujeto pasivo de una obligación)].

obliterate *v*: GRAL borrar, destruir; V. *suppress, eliminate, demolish, annihilate*. [Exp: **obliteration** (GRAL tachadura, cancelación, extinción, destrucción, devastación; V. *elimination, annihilation, destruction*)].

OBO ship *n*: GRAL forma abreviada de *ore bulk oil* [mineral, granel/grano, crudo].

obscene *a*: GRAL obsceno, indecente, procaz, grosero, impúdico, libidinoso, pornográfico; escandaloso ◊ *Obscene publications are now generally defined as being those «liable to deprave and corrupt»*; V. *bawdy, lewd, indicent*. [Exp: **obscene material** (GRAL pornografía), **obscenity** (GRAL obscenidad, pornografía; V. *indecency, lewdness*)].

observe *v*: GRAL observar, cumplir, guardar, atenerse a, respetar, velar por el cumplimiento ◊ *Members failing to observe the club's rules will be refused entry*; V. *comply with, obey to, follow, abide by*. [Exp: **observance** (GRAL cumplimiento, acatamiento, observancia; V. *compliance, acquiescence*), **observant** (GRAL celoso cumplidor de su deber), **observation** (GRAL observación, comentario; V. *comment, remark, comentary*), **observe all the formalities** (GRAL cumplir todos los trámites, requisitos o formalidades)].

obstacle *n*: GRAL impedimento, traba, cortapisas, obstáculo; V. *hindrance, impediment, bar.*

obstruct *v*: GRAL obstruir, dificultar, impedir, poner trabas, obstaculizar, bloquear, impedir; V. *hinder, impede, block*. [Exp: **obstruct a police officer** (PENAL poner resistencia a la autoridad ◊ *Obstructing an officer is an offence*; V. *resist arrest*), **obstruct justice** (PENAL obstruir la labor de la justicia ◊ *He obstructed justice during the lawsuit by lying under oath and concealing evidence*), **obstruction** (GRAL obstrucción, traba, bloqueo; V. *obstacle, hindrance, filibusterism*)].

obtain[1] *v*: GRAL recabar, sacar, adquirir, obtener, lograr ◊ *A marriage licence must be obtained from the Registry Office before the marriage can take place*; V. *seek*. [Exp: **obtain**[2] (GRAL existir, ser el caso, estar en vigor, regir, prevalecer ◊ *This right does not obtain in judicial proceedings*; V. *come into effect, take effect, come into force, be operative from*), **obtaining by deception** (GRAL apropiación indebida ◊ *He was charged under the Theft Act with obtaining by deception*)].

obtemper *der es v*: GRAL obtemperar, obedecer, cumplir, acatar ◊ *The Sheriff's order shall be obtempered in the manner and in the time specified*; V. *abide by, carry out, perfora*.

obtrude *v*: GRAL entremeterse, imponer una opinión, etc., de forma molesta a los demás, molestar a los demás, importunar; V. *interfere, intrude, trespass*. [Exp: **obtruder** (GRAL intruso, entremetido; V. *trespasser*), **obtrusion** (GRAL entremetimiento, imposición), **obtrusive** (GRAL intruso, molesto, entremetido)].

occasion *n/v*: GRAL ocasión, motivo, causa, origen; causar, ocasionar ◊ *She alleged that her wounds were occasioned by her husband's ill-treatment*; V. *cause, provoke; one's lawful occasions*.

occupancy[1] *n*: CIVIL/GRAL tenencia, ocupación ◊ *That building id for commercial occupancy*; se emplea también en el sentido de «ocupación hotelera», «ocupación [de un sitio] por la fuerza», etc.; V. *tenancy, occupation*. [Exp: **occupancy**[2] (ADMIN desempeño [de un cargo] ◊ *Occupancy of the post/position*; V. *performance, dispatch*), **occupancy permit** (CIVIL cédula de habitabilidad; V. *certificate of occupancy* US), **occupant** (CIVIL/GRAL ocupante, el que toma posesión, inquilino; V. *tenant*), **occupation**[1] (CIVIL ocupación, tenencia; V. *tenancy, occupancy*), **occupation**[2] (ADMIN/LABORAL empleo, ocupación, profesión, cargo; V. *job, position*), **occupational** (LABORAL laboral, profesional, ocupacional; en estos casos aparece junto a *accident, disease, injury, hazard, illness, injury,* etc.; V. *industrial accident, accident at work*; *non-occupational*), **occupational disease** (LABORAL enfermedad laboral), **occupational pension scheme** (LABORAL plan de pensiones [de empresa]), **occupational seniority** (LABORAL antigüedad en el empleo, prioridad en el cargo de acuerdo con la antigüedad), **occupational therapy** (LABORAL terapia de rehabilitación laboral por haber sufrido amputación de algún miembro, etc.), **occupier** (CIVIL/GRAL inquilino; ocupante ◊ *The letter was addressed to the occupier of the premises*;V. *tenant*), **occupier's liability** (CIVIL responsabilidad del ocupante de una vivienda; V. *common duty of care*), **occupy**[1] (GRAL ocupar; cuando es ocupar por la fuerza es sinónimo de *seize*), **occupy** (CIVIL ocupar, habitar/vivir [como propietario *–owner–* o inquilino *–tenant–*] ◊ *He occupies the house built by his grandfather*; V. *reside, inhabit, live*), **occupy**[2] (LABORAL dar empleo o trabajo)**, occupy** (ADMIN desempeñar [un cargo])].

occur *v*: GRAL ocurrir, suceder; V. *happen*. [Exp: **occurrence** (hecho, suceso, incidente, acaecimiento, suceso fortuito; caso; V. *event, occasion, adventure*)].

ODC *n*: PENAL V. *ordinary decent criminal*.

off *adv*: GRAL de permiso; frente a la costa, a la altura de ◊ *He has taken three days off*. [Exp: **off calendar** (PROC removido de la lista de causas), **off-licence** (ADMIN permiso para vender bebidas alcohólicas que van a ser consumidas fuera del establecimiento; establecimiento con este permiso), **off the price** (MERC descuento sobre el precio marcado), **off-the-record** (GRAL extraoficial, sin que conste en acta, fuera de actas; en jerga periodística significa «no atribuible, sin que se pueda revelar la fuente, etc.»; V. *unofficial, on the record*), **off the Rolls** (ADMIN suspendido del ejercicio de la abogacía; V. *admit to the Rolls, strike off the Rolls, suspend a solicitor from practice*)].

offence *n*: PENAL delito, violación, acto punible, ofensa ◊ *An offence is the commission of an act forbidden by law or the omission of a duty commanded by law*; los términos *crime* y *offence* son sinónimos; en inglés americano se escribe *offense*; en el Reino Unido los delitos se clasifican en *summary offences, offences triable either way* y *indictable offences; crime, misdemeanour, arrestable offence, create an offence*. [Exp: **offences triable either way** (PENAL delitos de tipo intermedio, que se pueden juzgar por cualquiera de los procedimientos anteriores, es decir, por los jueces del *Magistrates' Court* o en el *Crown Court*, en este último caso con jueces y jurado), **offences relating to road traffic** (PENAL delitos relacionados con el tráfico rodado), **offend** (GRAL/PENAL ofender, ultrajar, agraviar, faltar a, ir en detrimento de; V. *abuse, outrage, insult*), **offended party** (PENAL parte perjudicada, agraviada, dañada; V. *aggrieved party*), **offender** (PENAL delincuente, ofensor, malhechor, transgresor de la ley), **offending** (PENAL delincuente, injurioso, ofensivo, ultrajante), **offensive** (PENAL ofensivo, injurioso, ultrajante; V. *abusive; contemptuous, insulting; outrageous*)].

offer *n/v*: GRAL oferta, propuesta; ofrecer, proponer: V. *submission, proposal; supply, provide; tender*. [Exp: **offer an exhibit**

(PROC presentar una prueba; V. *evidence*), **offer and acceptance** (GRAL oferta y aceptación; V. *supply and demand*), **offer in evidence** (PROC presentar como prueba), **offer resistance** (GRAL ofrecer resistencia), **offeree** (GRAL receptor/beneficiario de una oferta), **offeror** (GRAL oferente)].

office *n*: GRAL/ADMIN oficina, despacho, bufete; cargo; ministerio, cartera ministerial ◊ *On leaving office, the former Chancellor took up a post as consultant to a finance house*; V. *oath of office, term of office*; la palabra *office* precedida del nombre de un cargo indica el rango del mismo, por ejemplo: **dean's office** (GRAL decanato), **prosecutor's office** (PENAL fiscalía); también se emplea con el significado de Ministerio, en **Home Office** (CONST Ministerio del Interior), **Foreign Office** (CONST Ministerio de Asuntos Exteriores; V. *Department, Secretary*); V. *be in/out of office, come into office, good offices, hold office, leave office, perform the office of, political office, remain in office, serve an office, take office*. [Exp: **office, be in** (GRAL tener el poder; V. *out of office*), **Office for harmonization in the internal market** (EURO Oficina de armonización del mercado interior), **office holder** (ADMIN empleado o funcionario público), **office hours** (GRAL horas de oficina), **office of a minister** (CONST cartera ministerial), **office-seeker** (GRAL candidato), **office supplies** (GRAL suplidos, material de oficina)].

officer[1] *n*: CONST/ADMIN funcionario, oficial, ejecutivo, administrador, dirigente; las palabras *officer* y *official* no son intercambiables; la primera suele designar a un funcionario uniformado, como un oficial del ejército o cualquier agente de la policía, mientras que la segunda se aplica preferentemente a los funcionarios civiles con responsabilidad en sección, negociado, departamento, etc.; no obstante, muchos funcionarios civiles de los tribunales y de los ministerios también se llaman *officers*, y el mismo término se aplica a veces a los médicos con una región a su cargo; V. *functionary, police officer, personnel officer*. [Exp: **officer**[2] (MERC cargo directivo ◊ *Some officers are appointed at the regular annual meeting*; V. *elective officer, treasurer, secretary*), **officer of the court** (PROC funcionario de los tribunales ◊ *Any person duly admitted as a solicitor shall be an officer of the Supreme Court*), **officer of the law** (PROC agente de la ley; V. *law enforcement officer*), **official** (CONST oficial, público; funcionario público, autoridad, dignatario, juez eclesiástico, provisor; V. *officer, government official*), **official authority** (GRAL poder público), **official bond** (ADMIN fianza de funcionario público), **official document** (ADMIN acta pública, documento oficial), **official duties** (ADMIN funciones públicas), **official journal** (ADMIN gaceta oficial, boletín oficial; V. *gazette*), **official log book** (MERC diario de navegación), **official quotation** (MERC precio oficial, cotización oficial en Bolsa), **official return** (ADMIN declarararación oficial), **Official Receiver** (PROC administrador o síndico judicial de una quiebra), **Official Referee's business** (PROC ajuste de cuentas, tasación, etc., preparado por un juez árbitro nombrado por el Supremo; V. *Scott schedule*), **Official Secrets Act** (CONST ley de secretos oficiales), **official use only, for** (GRAL reservado para uso oficial; V. *top secret, classified material, for your eyes only*)].

off-load *col v*: GRAL descargar, endilgar/endosar a alguien *col* ◊ *The senior partner offloads all the paperwork on the junior.*

offset *n/v*: GRAL compensación, equivalencia; absorber, compensar, contrarrestar, equilibrar ◊ *The payment of these large* *debts was offset by a fresh injection of funds from the subsidiaries*; V. *compensate for, cancel out; set off*. [Exp: **offset account** (MERC contracuenta), **offset liabilities** (MERC absorber pérdidas)].

offshore *a*: GRAL frente a la costa. [Exp: **offshore oil** (MERC petróleo procedente de las plataformas de perforación marítima), **offshore company** (MERC compañía inscrita en paraísos fiscales *–tax haven–*)].

offspring *n*: GRAL/FAM descendencia, prole; V. *issue*.

oil *n/v*: GRAL/MERC aceite, petróleo; engrasar; sobornar, lubricar *col* ◊ *Pay an insider to oil a merger*; V. *offshorre oil* [Exp: **oil exchange** (MERC mercado de petróleo), **oil field** (MERC yacimiento petrolífero), **oil rig** (MERC plataforma petrolífera, torre de perforación), **oilwell** (MERC pozo petrolífero/de petróleo)].

Oireachtas *n*: CONST Asamblea legislativa o Parlamento de la República de Irlanda o Eire; V. *Dáil Éireann*.

old *a*: GRAL viejo; V. *age*. [Exp: **Old Bailey** (PENAL Tribunal Central de lo Criminal de Londres; V. *Crown Court*), **old-age** (GRAL vejez; V. *underage*), **old-age insurance** (LABORAL/SEGUR subsidido de vejez), **old-age pension** (LABORAL/SEGUR jubilación de vejez), **old-age pensioner** (LABORAL pensionista)].

ombudsman *n*: CONST defensor del pueblo, comisario parlamentario, *ombudsman*; V. *Parliamentary Commissioner for Administration*.

omission *n*: GRAL omisión; V. *exclusion, deletion, cancellation*. [Exp: **omit** (GRAL omitir, excluir; suprimir, olvidar ◊ *The form was returned to us because we had omitted to fill in one section*; V. *neglect, forget*)].

omnibus bill *v*: CONST proyecto de ley que trata de varias cuestiones.

onerous *a*: GRAL oneroso, a título oneroso; V. *burdensome, difficult*. [Exp: **onerous title** (CIVIL título oneroso)].

onus *n*: GRAL/PENAL carga, peso de la prueba ◊ *The onus is on the plaintiff to prove his case*; V. *burden*. [Exp: **onus probandi/onus of proof** (PROC *onus probandi*, carga de la prueba, obligación de probar; V. *burden of proof*), **onus is upon him, the** (GRAL le incumbe a él)].

open[1] *a*: GRAL abierto; público, claro; no resuelto, pendiente ◊ *The court heard the arguments in camera and delivered judgment in open court*; V. *free, clear, overt*. [Exp: **open**[2] (GRAL abrir ◊ *Inspectors from the Board of Trade have opened a file on the activities of the firm*; V. *disclose, display*), **open a file** (GRAL abrir/incoar un expediente), **open a case** (PROC abrir el juicio), **open a default** (PROC anular una sentencia en rebeldía o contumacia), **open account** (cuenta abierta; V. *charge account*), **open an inquiry** (GRAL abrir una investigación, instruir diligencias), **open and notorious adultery** (GEN/FAM adulterio notorio o flagrante), **open bids** (GRAL abrir propuestas), **open bulk** (MERC a granel), **open charter** (MERC contrato de fletamento abierto, contrato de fletamento en el que no se especifica la carga o el destino), **open cheque** (MERC cheque abierto, no cruzado; V. *uncrossed cheque*), **open contract** (MERC precontrato inmobiliario conciso), **open court** (GRAL iniciar la sesión), **open court, in** (PROC ante la sala, en sesión pública, en audiencia pública, en pleno, en presencia judicial; V. *in camera*), **open door policy** (GRAL política de puertas abiertas), **open-end investment company** (MERC empresa inversionista de capital variable y fondo mutualista), **open-end mortgage** (MERC hipoteca sin límite de importe), **open-end trust** (MERC sociedad inversionista), **open-ended** (GRAL sin límites preestablecidos, abierto, no limitado de antemano), **open field system** (GRAL cultivo abierto), **open market** (MERC mercado abierto), **open negotiations** (GRAL entablar conversaciones), **open policy** (MERC póliza abierta), **open question** (GRAL cuestión pendiente, punto sin resolver), **open seas** (MERC alta mar; V. *high seas*), **open shop** (LABORAL empresa asequible a todos los trabajadores; V. *closed shop agreement*), **open the meeting** (GRAL abrir la sesión; V. *call the meeting to order*), **open the pleadings** (PROC comenzar el turno de alegatos), **open verdict** (PROC veredicto de «causa de muerte desconocida» en caso de muerte repentina emitido por el *coroner*), **opened quota** (MERC contingente abierto)].

opening *a/n*: GRAL inicial, inaugural; apertura. [Exp: **opening balance** (GRAL saldo de apertura), **opening bids** (GRAL apertura de propuestas), **opening entries** (MERC asientos de apertura o de constitución), **opening of accounts** (MERC apertura de cuentas), **opening of new markets** (MERC apertura de nuevos mercados), **opening inventory** (MERC inventario inicial), **opening licence** (ADMIN licencia de apertura), **opening speech** (GRAL discurso inaugural; V. *closing speech*), **opening statement** (GRAL/PENAL declaración inaugural, conclusiones provisionales [de la acusación o de la defensa]; V. *closing statements*)].

operate *v*: GRAL operar, funcionar; obrar, proceder, ser de aplicación; negociar, llevar a cabo operaciones comerciales, desarrollar actividades; ejercer una influencia o un poder moral; hacer funcionar, poner en marcha, conducir, pilotar, dirigir, explotar; V. *manage, run, direct, perform.* [Exp: **operate under cover of** (GRAL tener como pantalla), **operating** (GRAL operativo), **operating assets** (MERC activo de explotación; V. *working assets*), **operating accounts** (cuentas de explotación), **operating charges** (MERC gastos de explotación), **operating company** (MERC compañía operadora o de explotación, empresa de explotación), **operating earnings/profit** (MERC beneficio de explotación, ganancias especulativas o de explotación), **operating expenses** (MERC gastos de operación, gastos de funcionamiento, gastos de explotación), **operating income** (MERC entrada neta de operación), **operating results** (MERC beneficios de explotación; V. *trading profits*), **operating statement** (MERC estado de pérdidas y ganancias), **operation** (GRAL operación, transacción, funcionamiento, actividad; V. *come into operation*), **operation, be in** (GRAL funcionar), **operation, in** (GRAL en curso), **operation of law, by** (PROC de oficio, por efecto o ministerio de la ley, de forma tácita o implícita; por disposición legal; V. *agency by operation of law*), **operative** (GRAL válido, operativo, eficaz, vigente; V. *functional*), **operative from, be** (GRAL estar en vigor desde; V. *come into effect, take effect, come into force, be effective from*), **operative part** (CIVIL parte o sección efectiva de una escritura), **operative words** (CIVIL fórmula verbal que expresa lo esencial de una escritura o instrumento, palabras valederas), **operator** (MERC agente, corredor de Bolsa; V. *broker, dealer*)].

opinion[1] *n*: PROC opinión, dictamen; V. *Attorney General's opinion; advisory opinion, auditor's opinion, expert opinion, deliver/issue an opinion.* [Exp: **opinion**[2] *US* (PROC sentencia, fallo, voto; V. *judicial opinion*), **opinion evidence** (PROC V. *evidence of opinion*), **opinion of counsel** (PROC dictamen jurídico), **opinion poll** (GRAL encuesta, sondeo de opinión; V. *enquiry*)].

opponent *n*: adversario, contrario, antagonista, rival, oponente, opositor; V. *adversary, rival.* [Exp: **oppose** (GEN oponerse ◊ *There has been a lot of opposition to the new building regulations*), **opposite** (GEN opuesto, contrario ◊ *In opposite direction*; V. *reverse*), **opposing counsel** (PROC abogado de la parte contraria), **opposition** (GEN oposición; V. *antagonism, disapproval*), **opposition, upon** (PROC mediando oposición), **opposition party** (GEN partido de la oposición)].

oppress *v*: GRAL oprimir, agobiar V. *repress, restrain, curb, punish*. [Exp: **oppression** (GRAL opresión; V. *repression, persecution*)].

opt *v*: GRAL optar, decidir; V. *choose, select, prefer*. [Exp: **opt out** (GRAL excluirse voluntariamente, decidir no participar), **opting-out clause** (GRAL cláusula de [auto]exclusión voluntaria), **option** (GRAL opción, alternativa, derecho de elección, derecho prioritario; prima de opción ◊ *They had an option to buy the house they were renting, but allowed it to lapse*; V. *choice; call option, put option, stock option; pre-emption*), **option stock** (MERC acciones con prima), **option to purchase** (MERC opción de compra), **option warrant** (MERC certificado para compra de acciones a precio definitivo), **optional** (GRAL facultativo, opcional, discrecional; V. *voluntary, non-compulsory*), **optional clause** (GRAL cláusula facultativa), **optional condition** (GRAL condición potestativa)].

O.R. *n*: PROC V. *own recognizance*.

oral *a*: GRAL oral, no solemne; V. *written*. [Exp: **oral agreement** (CIVIL acuerdo verbal), **oral argument** (PROC alegato), **oral contract** (CIVIL contrato verbal), **oral defamation** (PENAL calumnia, difamación oral), **oral evidence** (PENAL prueba verbal o testimonial), **oral trust** (CIVIL fideicomiso no solemne), **oral vote** (GRAL votación oral; V. *show of hands*), **oral will** (SUC testamento nuncupativo)].

ordeal *n*: GRAL mal rato, prueba dura, experiencia difícil o desagradable; ordalía *obs* ◊ *The prosecutor's cross-examination was quite an ordeal for the witness*; V. *burden, strain*.

order[1] *n/v*: GRAL orden; ordenar, poner en orden; en esta primera acepción, *order* es sinónimo de «método o sistema»; V. *arrangement; public order; arrange, organize, systematize*. [Exp: **order**[2] (CONST orden, orden ministerial, decreto; resolución; ordenar, dar/dictar una orden, gobernar, dirigir; en este caso, *order* equivale a «mandato político o administrativo»; V. *Order in Council, decree, excecutive order, interim order*), **order**[3] (PROC ordenar; en muchas sentencias aparece en forma de triplete: *It is ordered, adjudged and decreed* –se ordena, falla y sentencia–), **order**[4] (PROC auto, sentencia, mandamiento y resolución judicial, actuación judicial, auto, mandamiento, orden judicial, precepto ◊ *The High Court clarified the point of law referred to it, but abstained from making an order as to sentence*; este significado es similar al anterior, pero aquí las órdenes o mandatos son de tipo judicial, equivaliendo a «resoluciones», «autos» o «fallos judiciales» y pueden ser de distintas clases: *prerogative orders, writs, warrants, summons*, etc.; las peticiones que se elevan a los tribunales para que dicten *an order* se llaman *motions* y también *bills*; las *orders* pueden ser: (a) *prerogative orders*, que son las que dicta el *High Court of Justice* en su función de *review* o tutela y control de los tribunales inferiores, y (b) *writs*, que son autos dictados en nombre del monarca), **order**[5] (PROC providencia; en esta acepción es sinónimo de *instruction, direction* y *charge*), **order**[6] (PROC título, sección ◊ *There are a total of 115 Orders in The Rules of the Supreme Court*; las normas de derecho procesal civil, contenidas en *The Rules of the Supreme Court* o *The White Book*, y *The County Court Rules* o *The Green Book*, se llaman *rules*, las cuales se agrupan en varios grandes títulos llamados *orders*; así, la sección de citaciones *–Order 7–* del *County Court Rules* consta de más de veinte artículos procesales *–rules–*; las divisiones numeradas de cada *rule* se llaman respectivamente *paragraphs* y *subparagraphs*; esta denominación es sólo válida para el Derecho procesal o *rules of court*; en las de Derecho sustantivo se habla de *sections* –artículos– y de *articles* –títulos–; sin embargo, desde de promulgación de la Ley de Enjuiciamiento Civil de 1998 *–Civil Procedure Rules 1998–* a los títulos en que se agrupan los artículos o normas procesales *–rules–* se les llaman *CPR parts*; como la nueva ley incorpora muchos de los antiguos títulos de las leyes procesales anteriores se emplean tres tipos de denominaciones: *CPR part* –«título» de *Civil Rules Procedure–*, *RSC order* –«título» de *The Rules of the Supreme Court–*, *CCR order* –«título» de *The County Court Rules–*; V. *part, paragraph, subparagraph, section; delegated legislation*), **order**[7] (MERC pedido, encargo; hacer un pedido ◊ *The shop placed an order for 500 pairs of shoes*; V. *money order, place an order purchase order, sales order, shipping order*), **order**[8] (CONST condecoración), **Order 14 summons** (PROC petición de fallo rápido o sumarial en procesos civiles; cuando el demandante está seguro de que el demandado no cuenta con una defensa sólida contra su demanda, especialmente en procesos por deudas o daños y perjuicios, puede pedir al tribunal que dicte un fallo rápido o sumarial, cumplimentando el impreso *Order 14 summons*), **order acceptance** (MERC aceptación del pedido), **order and on account of, by** (de orden y por cuenta de; V. *by order of*), **order bill of lading** (MERC conocimiento negociable o a la orden, carta al portador o a la orden), **order book** (MERC libro de pedidos), **order for account** (PROC auto ordenando que las partes en litigio sometan el cómputo de las cuentas pendientes al arbitrio de un tribunal especializado), **order for enforcement** (PROC orden ejecutiva, orden de ejecución), **order for search and seizure** (PROC orden de registro y embargo [en las dependencias de una empresa]; V. *Anton Piller order*), **order, in** (GRAL ordenado; V. *out of order*), **Order in Council** (CONST decreto ley, decreto legislativo ◊ *Subordinate legislation may be created by orders in Council*; las *orders in council* son disposiciones legislativas promulgadas solemnemente por el monarca y el Consejo Privado *–Privy Council–*, sin necesidad de ser ratificadas por el Parlamento; están formadas por *articles, paragraphs* y *subparagraphs*; V. *delegated legislation, statutory instruments*), **order nisi** (PROC orden provisional), **order of arrest** (orden de detención; V. *warrant of arrest*), **order of business** (MERC/GRAL orden del día; V. *agenda*), **order of, by** (GRAL por orden de; V. *by order and on account of*), **order of commitment to prison** (PENAL auto de prisión), **order of committal** (PENAL/PROC auto de prisión), **order of confinement** (PENAL orden de detención, prisión), **order dismissal** (PROC auto de sobreseimiento), **order of filiation** (FAM decreto de filiación), **order of mandamus** (PROC V. *mandamus*), **order of precedence/priority/seating** (GRAL orden de prioridad; disposición o distribución de los asientos), **order of release** (PENAL orden de puesta en libertad), **order of, to the** (a la orden de), **order of the day** (PROC orden del día, agenda; V. *agenda, order of business, point of order*), **Order of the Garter** (CONST Orden de la Jarretera), **Order of the British Empire** (CONST Orden del Imperio Británico), **order to proceed** (GRAL auto de sustanciación, auto de proceder), **order to show cause** (PROC V. *show cause*), **ordered** (GRAL ordenado), **orderly** (GRAL metódico, ordenado, sistemático)].

ordinance *n*: GRAL ordenanza; en EE.UU. se aplica este término a las ordenanzas municipales, mientras que en Inglaterra se aplica a ordenanzas o leyes coloniales; V. *precept, bye-law.*

ordinary *a*: GRAL ordinario, común, normal, corriente ◊ *They got through the ordinary business of the meeting quickly and were able to spend more time on the complex issue of finance*; V. *common, usual*. [Exp: **ordinary care** (CIVIL diligencia razonable o normal; prudencia; V. *due care*), **ordinary decent criminal** *col* (PENAL delincuente común ◊ *An ordinary decent criminal is one who commits crimes other than terrorist ones*), **ordinary hazards** (SEGUR riesgo profesional sin negligencia, riesgos corrientes; V. *occupational hazards*), **ordinary mail** (GRAL correo ordinario), **ordinary meeting** (GRAL junta ordinaria), **ordinary negligence** (CIVIL negligencia simple), **ordinary offence** (PENAL delito común; V. *political offence*), **ordinary proceeding** (PROC procedimiento ordinario, acción plenaria u ordinaria, procedimiento ordinario), **ordinary share/stock** (MERC acción ordinaria; a las acciones ordinarias también se las llama *equities*)].

organic law *n*: CONST ley orgánica, básica o fundamental.

organize *v*: GRAL organizar-se, constituir-se; V. *order, arrange*. [Exp: **organization** (GRAL organización; V. *arrangement, association*), **organisation chart** (MERC organigrama), **organisation meeting** (GRAL asamblea o sesión constitutiva), **organiser** (GRAL organizador; agenda profesional muy completa)].

original *a/n*: GRAL original, inicial, primario o no derivado; documento original; V. *initial, primary; duplicate*. [Exp: **original bill** (PROC demanda original; V. *bill*), **original bill of lading** (MERC conocimiento de embarque original), **original capital** (MERC capital inicial), **original jurisdiction** (MERC jurisdicción en primera instancia; V. *appellate jurisdiction*), **originate** (GRAL originar; V. *produce, begin*), **originating notice of motion** (PROC notificación que el demandante hace llegar al demandado de haber solicitado verbalmente, por medio de una *motion*, alguna medida cautelar *–intrerim/interlocutory proceedings–*, como una *injunction*), **originating petition** (PROC auto incoativo en el que consta el remedio solicitado en las causas incoadas por divorcio, quiebra o fraude), **originating process** (PROC citación incoativa, orden de comparecencia, notificación, emplazamiento, auto inicial; este término, que incluye el *summons, originating summons, writ of summons, originating petition* y *originating notice of motion*, es el más general de los empleados en inglés para referirse al documento oficial mediante el que se pone en conocimiento de la otra parte la incoación del proceso, citándole para que comparezca en el día y hora señalados), **originating summons** (PROC citación para la incoación de un proceso; notificación que sirve para entablar un proceso civil en el *Chancery Division* del *High Court of Justice*; la forma habitual de entablar una demanda es mediante *a writ of summons*; no obstante, cuando se prevé que la disputa girará en torno a cuestiones de derecho, estando claras las de hecho, el mecanismo empleado es el *originating summons*. Tal es el caso de los procesos ante el *Chancery Division*, y a veces ante el *Queen's Bench Division*, referidos a la administración del caudal hereditario, la interpretación de una ley, un testamento, una escritura o las obligaciones contractuales; en la citación, el demandante hace constar el punto o los puntos de derecho de los que pide aclaración, y expone la causa de la demanda que presenta y el remedio o recurso que solicita; V. *writ of summons, claim form, case management, procedural judge*)].

ostensible *a*: GRAL aparente, pretendido ◊ *His ostensible purpose is bringing the action was to claim damages, but what he really wanted to do was to humiliate his former partner*; esta palabra es un «falso amigo», ya que en inglés tiene la connotación de «aparente más que real»; V. *apparent*. [Exp: **ostensible authority** (GRAL autoridad/poder/representación aparente ◊ *A agent possesses ostensible authority in the eyes of third parties, which binds his principal*), **ostensible partner** (MERC socio aparente; V. *dormant/sleeping partner*), **ostensible right** (CIVIL derecho aparente o pretendido)].

ostracize *v*: GRAL/CONST aislar, hacer el vacío ◊ *A country may be ostricized by its neighbours if it fails to respect human rights*; V. *boycott*.

OTC market *n*: MERC V. *over-the-counter market*.

otherwise *adv*: GRAL de lo contrario, de no haber mediado dicha circunstancia; V. *except as otherwise provided by this section, except as otherwise herein provided, unless otherwise stated*.

oust *v*: GRAL desalojar, desposeer, despedir, dictar orden de lanzamiento ◊ *There is a presumption that the jurisdiction of the courts is never ousted by any statute nor the terms of a contract*; V. *dismiss, overthrow, eject*. [Exp: **ouster** (CIVIL ocupación ilegal, violación del derecho de propiedad), **ouster of jurisdiction** (GRAL pérdida de jurisdicción de un tribunal en una causa concreta), **ouster order** (PROC orden de lanzamiento, auto judicial que restringe o anula el derecho de uno de los esposos a ocupar el domicilio matrimonial)].

out[1] *adv/prep*: GRAL fuera, afuera, pasado ◊ *It is out of order for the defence to adduce fresh evidence at this stage*. [Exp: **out-**[2] (GRAL como prefijo se emplea en la formación de muchas palabras, confiriendo la idea de «más alto, hacia afuera, exceso, etc.»), **out-of-court settlement** (PROC/CIVIL arreglo extrajudicial; arreglo amistoso; V. *judicial settlement, alternative dispute resolution*), **out of date** (CONST caducado), **out of office, be** (GRAL no tener el poder; V. *in office*), **out of order** (GRAL inadmisible; roto, que no funciona, desarreglado, descompuesto), **out of term** (GRAL fuera del período de sesiones), **outbid** (MERC licitar más alto, sobrepujar), **outbound vessel** (MERC buque de salida), **outbreak** (GRAL estallido), **outcast** (PENAL desterrado, proscrito; ilegalizar), **outcome** (GRAL resultado, consecuencia; V. *result*), **Outer House** *der es* (PROC sala inferior o segunda del *Court of Session* escocés; V. *Court of Session, Lord Ordinary, Inner House*), **outlaw** (PENAL proscrito, bandido bandolero, forajido, declarar fuera de la ley, proscribir; V. *bandit, plunderer, looter, marauder, brigand; ban, proscribe, prohibit*), **outlay** (MERC gastos; V. *lay out*), **outlet** (MERC punto de venta, establecimiento, mercado; salida comercial; V. *retail outlets, major retail outlets*), **outline** (GRAL bosquejo, esquema, líneas generales; delinear), **outlook** (GRAL actitud, punto de vista, perspectiva, expectativa), **output** (MERC producción; rendimiento; educto; V. *input*), **output rate** (MERC tasa o índice de rendimiento o beneficio; V. *yield rate, rate of return*), **outrage** (PENAL ultraje, injuria, atropello, escándalo; ultrajar, atropellar, escandalizar; atentado; V. *offence, abuse, insult*), **outsell** (MERC vender a mayor precio), **outside the jurisdiction** (PROC no sometido a la jurisdicción), **outstanding**[1] (GRAL destacado, excepcional, extraordinario); pendiente de pago, atrasado, en mora, vencido, devengado y no pagado, no cancelado; V. *cheque, overdue, unsettled, pending, arrears, back*), **outstanding**[2] (GRAL/MERC pendiente, por resolver, pendiente de pago, atrasado, en mora, vencido, devengado y no pagado, no cancelado; V. *cheque, overdue, unsettled, pending, arrears, back*), **outstanding balance** (MERC saldo pendiente), **outstanding bills of exchange** (MERC letras o efectos por pagar o impagados), **outstanding cheque** (MERC talón no presentado al cobro), **outstanding share/stock** (MERC acción en circulación), **outward** (GRAL de ida, de salida), **outward and home freight** (MERC flete de ida y vuelta), **outward bill** (MERC letra de remesa o salida), **outward cargo** (MERC cargamento de ida; V. *clearance outwards*), **outward clearance** (MERC despacho de salida de un buque), **outweigh** (GRAL compensar, pesar más que, contrapesar)].

over *prep/pref*: GRAL de más, por exceso; como prefijo transporta la idea de «exceso», «sobre», siendo antónimo, en este caso, de *under*. [Exp: **over-and-short** (MERC cuenta de faltas y sobrantes), **over-the-counter transactions** (MERC operaciones hechas directamente sin pasar por la Bolsa de Comercio o en mercados no organizados), **over-the-counter market, OTC** (MERC segundo mercado), **overall** (MERC global; eslora total; V. *length, length overall; breadth*), **overall measures** (GRAL medidas generales), **overall policy** (GRAL política general), **overall survey** (visión de conjunto; V. *survey*), **overboard** (MERC por encima de la borda), **overbooking** (MERC exceso de contratación de plazas hoteleras, de transportes, etc.), **overburden** (GRAL sobrecargar), **overcapitalize** (MERC sobrecapitalizar), **overcharge** (MERC cobro excesivo, recargo, carga excesiva; cobrar de más; V. *undercharge*), **overcome** (GRAL superar, vencer), **overcredit** (MERC abonar de más), **overdebit** (MERC debitar de más), **overdose** (GRAL sobredosis; tomar una sobredosis; morir de sobredosis), **overdraft** (MERC descubierto bancario; V. *bank overdraft*), **overdraft facilities** (MERC crédito en cuenta corriente, autorización para girar en descubierto; V. *bank overdraft*), **overdraw** (MERC sobregirar, girar en descubierto), **overdrawn** (MERC en descubierto), **overdue** (GRAL vencido, en mora, atrasado, pendiente, devengado y no pagado; V. *back, unsettled, pending, outstanding, arrears*), **overdue bill** (MERC efecto impagado), **overdue coupon** (MERC cupón pendiente por falta de pago), **overfishing** (GRAL exceso de captura pesquera), **overhead charges/expenses** (MERC gastos generales o indirectos), **overheads** (GRAL sobrecarga, gastos indirectos, gastos de fábrica), **overindulgence** (GRAL abuso de comida o bebida ◊ *He had a road accident as a result of overindulgence*; V. *immoderation, excess*), **overissue** (MERC emisión excesiva [de acciones]), **overinvestment** (MERC sobreinversión, inversión excesiva), **overlap** (GRAL superponer), **overload** (GRAL sobrecargar), **overpopulation** (GRAL exceso de población), **overproduction** (GRAL sobreproducción), **overrate** (GRAL sobrevalorar), **overreach** (PROC sobrepasar, ir más allá de, convertir un derecho real en el valor correspondiente, realizar el valor de una propiedad, cancelar o extinguir un derecho mediante su conversión en el valor correspondiente ◊ *In cases of land held on trust for sale, the legal rights attaching to the estate are overreached by sale of the property by the trustees, who then become trustees for the resultant proceeds*; la doctrina del *overreaching*, o doctrina de la consignación liberatoria del precio, se invoca para dar prioridad entre dos derechos reales en conflicto; de esta manera, el acreedor hipotecario *–mortgagee–* puede ir más allá *–overreach–* del derecho del deudor hipotecario *–mortgagor–* mediante la venta forzosa de la propiedad por impago, con lo que los derechos de cada uno en la propiedad quedan convertidos en su equivalente monetario; se extinguen y convierten de igual forma los derechos de las partes de un *trust* y, en general, en cualquier caso de intereses de equidad *–equitable interests–*; de esta forma queda claro que prevalecen los derechos de equidad sobre los de la ley), **override** (PROC/GRAL no hacer caso de, anular, invalidar; V. *annul*), **overriding** (GRAL dominante, superior), **overriding interests** (GRAL derechos dominantes), **overrule** (PROC anular, invalidar, revocar; dejar sin efecto [un precedente]; denegar, rechazar, desestimar; se suele emplear para indicar que un tribunal superior no acepta *–refuses to endorse–* la justificación jurídica *–statement of law–* dada en un proceso por un tribunal inferior; V. *annul; reverse*), **overrun** (GRAL exceder, rebosar, pasarse; exceso, rebosamiento), **overseas** (GRAL en el extranjero, foráneo), **overseas divorce** (FAM divorcio concedido por un tribunal extranjero), **oversight** (GEN descuido, inadvertencia ◊ *Some errors arise from oversight*; V. *carelessness*), **overstep** (GRAL rebasar/sobrepasar el límite; exceder-se, extralimitar-se ◊ *The court overstepped its powers*; V. *ultra vires*), **overstep the mark** (GRAL pasarse, extralimitarse, propasar-se, ir demasiado lejos; V. *abuse*), **overstock** (MERC abarrotar, acumular en exceso), **oversubscribe** (MERC haber más solicitudes que acciones disponibles), **oversubscription** (MERC suscripción cubierta con exceso), **overtake** (GRAL adelantar a otro vehículo), **overtax** (FISCAL gravar en exceso), **overthrow** (PROC derribar, derrocar; anular; V. *annul*), **overtime** (GRAL horas extraordinarias), **overturn** (GRAL revocar, anular, dar un vuelco a la sentencia; V. *supervisory court, appellate court*; *set aside*; *strike out*), **overvalue** (GRAL tasar, valuar en exceso), **overzealousness** (GRAL exceso de celo)].

overt *a*: GRAL abierto, público; V. *clear, open*. [Exp: **overt act** (PROC acción que revela la intención del que la ejecuta ◊ *Prosecution for treason must rely on an overt act of the accused calculated to threaten the monarch's life*)].

overtures *n*: GRAL propuesta, tanteo, insinuaciones ◊ *The multinational company has made overtures to a Hong Kong bank which it is interested in purchasing*; V. *proposal, approach; sexual overtures, proposition*.

owe *v*: GRAL/MERC deber, adeudar. [Exp: **owing to** (GRAL debido a, por culpa de, a causa de)].

own[1] *a*: GRAL propio ◊ *For your own sake you had better withdraw the charges, or you may get into serious trouble*. [Exp: **own**[2] (GRAL/CIVIL poseer, tener a propio ◊ *Buying and selling involve changes in ownership*), **own account, for** (GRAL por cuenta propia), **own cost and risk** (GRAL costo y riesgo propios), **own recognizance, on one's** (GRAL con la palabra y compromiso personal, por su propia reputación; V. *recognizance*), **own sake, for one's** (GRAL por su propio bien, por el bien de uno), **own outright** (CIVIL ser dueño absoluto), **owner** (GRAL/CIVIL dueño, propietario, armador, naviero, titular; V. *proprietor, freehold owner*), **owner of record** (CIVIL propietario registrado; V. *registered*), **ownerless property** (CIVIL objeto abandonado; V. *derelict*), **ownership** (CIVIL titularidad, propiedad, pertenencia, dominio; la ley actual de propiedad se funda en la reforma radical que tuvo lugar en 1925, basada, a su vez, en la antigua distinción entre derechos legales *–legal rights–* y derechos de equidad *–equitable rights–*; dicha reforma fija con toda claridad el concepto de propiedad típicamente inglés, delimitando, a la vez, los derechos y las obligaciones del propietario en su relación con otros interesados; V. *proprietorship, possession; act of ownership, imperfect ownership, act of ownership*), **ownership in common** (CIVIL condominio), **ownership proceedings** (CIVIL expediente de dominio)].

oyer and terminer *fr*: PROC entender y resolver; esta fórmula era utilizada para poner a disposición de un tribunal de lo penal al acusado en quien el *grand jury* encontraba indicios razonables de criminalidad. Ahora esta jurisdicción la ejerce el *Crown Court.*

oyez, oyez *n*: PROC ¡atención!; voz que se emplea en las proclamaciones públicas o en los anuncios públicos; se pronuncia no como en francés sino como en *oh yes.*

P

P *n*: PROC V. *President of the Family Division of the High Court.*

P & I *n*: MERC/SEGUR V. *protection and indemnity.*

PA *n*: MERC V. *particular average.*

PACE *n*: PENAL V. *Police and Criminal Evidence Act 1984.*

pacification *n*: GRAL pacificación; V. *appeasement, peace* [Exp: **pacifist** (GRAL pacifista), **pacify** (GRAL apaciguar)].

pack *n/v*: GRAL embalaje, envase, paquete, fardo, bulto; embalar, envasar ◊ *The judge ordered a re-trial when it was discovered that the associates of the accused had packed the jury.* [Exp: **pack a jury** *obs* (PROC influir en la formación de un jurado), **packing** (GRAL envasado, embalaje)].

package, pkge *n*: GRAL/MERC embalaje, envase; bulto, paquete; lote, conjunto; condiciones, propuesta; paquete o conjunto de medidas económicas; conjunto de servicios ofrecidos a un precio unitario o global. [Exp: **package deal** (MERC «paquete», venta de un conjunto de artículos o servicios a un precio económico y único)].

pact *n*: GRAL convenio, pacto, convención, acuerdo; V. *agreement, covenant, treaty.*

paedophile *n*: PENAL pedófilo; V. *pedophile, pederast.* [Exp: paedophilia (PENAL pedofilia; V. *pedophilia, pederasty*),

paid *a*: GRAL pagado, retribuido; V. *pay*. [Exp: **paid-in capital** *US* (MERC capital desembolsado), **paid in full** (GRAL/MERC liquidado, cancelado), **paid-in surplus** (MERC prima de emisión), **paid leave/permit** (LABORAL licencia o permiso con sueldo), **paid-up capital** (MERC capital desembolsado ◊ *Issued capital and paid-up capital are the same when a company has received the full nominal value of the capital issued*; V. *paid-in capital, authorized capital, uncalled capital*), **paid-up shares/stock** (MERC acciones cubiertas, acciones liberadas)].

pain *n*: GRAL dolor; V. *distress*. [Exp: **pain and suffering** (CIVIL/PENAL daños físicos y morales, lesiones y daños psíquicos y morales, tenidos en consideración al valorar la indemnización por daños y perjuicios *–damages–*, daños morales; V. *bereavement damages, moral/psychological damages*), **pain of, on** (GRAL bajo apercibimiento)].

pair off/pairing off *n*: CONST práctica parlamentaria inglesa mediante la cual dos miembros de opiniones distintas se abstienen de tomar parte en la votación durante cierto tiempo.

pais *obs n*: PROC territorio nacional considerado como ámbito extrajudicial, vecindad; jurado; actos *in pais* son los acuerdos, negocios, etc., que las personas llevan a cabo sin la intervención de los tribunales o sus representantes, y sin que medien escrituras u otros documentos legales ◊ *Matters in pais must be proved by parol evidence, since by definition there are no documents or deeds available.* [Exp: **pais, in** *obs* (PROC extrajudicial; V. *estoppel in pais*), **per pais** *obs* (PROC se dice del juico con jurado)].

palimony *col n*: alimentos o pensión alimenticia ◊ *Some Hollywood lawyers make a good living out of palimony cases, which abound in the area*; V. *alimony, necessaries*; es un término jocoso basado en un juego de palabras, entre *pal* –amiguito/amiguita– y *alimony* –pensión alimenticia pagadera tras el divorcio–.

palm-tree justice *n*: GRAL justicia salomónica.

panel[1] *n*: CONST tribunal; se usa, sobre todo en Norteamérica, en la expresión *a panel of judges* con el sentido de *a bench of judges*; V. *en banc*. [Exp: **panel**[2] (GRAL comisión, comité, comisión técnica ◊ *The matter was referred to a panel of experts, who were asked to provide their personal opinion in writing*; V. *arbitration panel, empanel*), **panel**[3] *der esc* (PENAL acusado), **panel of jurors** (PROC lista de candidatos a formar parte de un jurado, propuestos normalmente por el *sheriff*; a esta lista igualmente se la llama *array*, y el acto de constitución del jurado también recibe el nombre de *empanelling a jury*; V. *jury panel*), **panel of experts** (PROC comisión de expertos)].

paper *n*: GRAL papel, efectos, instrumento de crédito; ponencia; V. *call for papers; command paper, green paper, accommodation paper, committal proceedings on the paper, engrossment paper, ship's papers, financial paper, working paper.* [Exp: **paper**[2] (PENAL papelina de droga; V. *junk*), **paper committal** (CRIM diligencias de procesamiento abraviadas, [auto de] procesamiento abreviado; los *magistrates* utilizan este tipo de procesamiento para los delitos graves), **paper currency/money** (CONST/MERC papel moneda), **paper profit** (MERC beneficio ficticio o sobre el papel), **paper title** (CIVIL título dudoso; V. *cloud on title, paramount*), **paper work** (GRAL burocracia, papeleo, trabajo administrativo ◊ *She is not a very good public speaker, but she is very thorough on the paper work*; V. *redtape*), **papers** (GRAL documentos, documentación)].

par *n*: GRAL paridad, equivalencia; se emplea en expresiones como *at par* –a la par–, *above par* –por encima de la par– y *below par* –por debajo de la par–; V. *parity*. [Exp: **par items** (MERC efectos cobrables sin comisión), **par of exchange** (MERC cambio a la par), **par value** (MERC paridad, valor a la par, sin prima ni descuento ◊ *The par value on bonds specifies both the maturity payment and interest base*)].

parade *n*: GRAL V. *identification parade*.

paraphernalia *n*: GRAL equipo, objetos [personales]; parafernalia; V. *effects, belongings*.

paragraph *n*: GRAL apartado, párrafo, sección, inciso ◊ *«The Companies Act 1948, s. 10 (2) (a) (ii)» means sub-paragraph (ii) of paragraph (a) of subsection (2) of section 10 of that Act*; véase *act*[3] y *bill*[2] sobre los nombres que reciben las partes de estos instrumentos jurídicos; V. *bill, act, schedule, order in council; regulations, rules; clause, section, subparagraph.*

paralysation *n*: GRAL inmovilización, paralización; V. *immobilization*.

paramount *a*: GRAL supremo, superior, con mejor título o derecho, indiscutible. [Exp: **paramount clause** (MERC cláusula suprema o principal que contienen todos los conocimientos de embarque a los que se les aplica el arbitrio de las Reglas de La Haya de 1924; V. *bill of lading*), **paramount title** (CIVIL título de propiedad indiscutible)].

parcel[1] *n*: GRAL parcela de terreno, partida; V. *plot*. [Exp: **parcel**[2] (CIVIL sección de una escritura que describe la propiedad objeto del traspaso y establece sus límites, también llamada *parcel clause* o cláusula descriptiva de un inmueble), **parcel-bomb** (PENAL paquete bomba), **parcels** (CIVIL descripción y límites de un inmueble)].

parcenary *n*: CIVIL herencia de varios herederos; herencia conjunta; es más frecuente, en su lugar, el término *coparcenary*.

pardon *n/v*: PENAL indulto, perdón, medida de gracia; indultar, perdonar ◊ *The political prisoners were pardoned by the newly elected president*; V. *acquit, amnesty, exonerate, free pardon, reprieve; peremptory plea*.

parent *n*: padre o madre ◊ *Both parents exercise parental rights and duties jointly*. [Exp: **parent act** (ley de autorización; ley marco; V. *delegated legislation, enabling statute*), **parent company** (MERC empresa o sociedad matriz, controladora o principal; V. *affiliate, subsidiary*), **parental authority** (patria potestad), **parents' liability** (responsabilidad civil de los padres)].

parity *n*: MERC paridad; V. *par*.

parlance *n*: GRAL jerga; V. *legal parlance*.

Parliament *n*: CONST Parlamento británico, compuesto por *The House of Lords* –Cámara de los Lores– y *The House of Commons* –Cámara de los Comunes–; V. *legislature, Congress*; V. *delegated legislation, lay before Parliament; affirmative resolution, negative resolution*. [Exp: **Parliament roll** (GRAL nómina o relación de los miembros del Parlamento), **Parliamentary Commissioner for Administration** (CONST Defensor del Pueblo; V. *Ombudsman*), **parliamentary control** (CONST control parlamentario; la mayor parte de las disposiciones legislativas adoptadas en desarrollo de lo que preceptúa una ley de autorización o *enabling statute*, son controladas por el Parlamento por medio de *affirmative resolutions* o *negative resolutions*; en el primer caso hace falta la aprobación expresa de las Cámaras para que la disposición entre en vigor; en el segundo, la disposición entra en vigor a menos que haya una resolución negativa; a veces, sin embargo, el control parlamentario se reduce a la exigencia de que la nueva legislación sea presentada en las Cámaras), **parliamentary counsel** (CONST letrados del Parlamento), **parliamentary immunity/privilege** (CONST inmunidad parlamentaria), **parliamentary practice** (GRAL práctica o uso parlamentario)].

parol *a*: GRAL verbal, oral, no solemne ◊ *It is unusual for extrinsic evidence, such as parol evidence, to be admitted to supplement, modify or clarify the terms of a written transaction, like a contract*; V. *oral*. [Exp: **parol agrement** (GRAL acuerdo verbal o no escriturado; V. *under seal*), **parol arrest** (PENAL detención por orden verbal del juez), **parol contract** (MERC contrato verbal), **parol evidence** (PROC testimonio oral; V. *documentary evidence, pais*), **parol evidence rule** (PROC norma que regula la admisibilidad de pruebas verbales para la interpretación de documentos), **parol lease** (CIVIL contrato de arrendamiento informal o de palabra), **parol will** (SUC testamento oral; V. *nuncupative will*)].

parole[1] *n/v*: PENAL libertad vigilada, anticipada o condicional, en régimen abierto; dar la libertad condicional o vigilada, bajo la supervisión de la junta de tratamiento o *parole board*, tras haber cumplido parte de la sentencia *–having served part of the sentence–*; la figura de *parole* se diferencia de *probation* en que esta última es un tipo de sentencia, llamada *probation sentence*, consistente en la libertad supervisada por un juez o funcionario judicial; V. *probation, early release, suspended sentence; incarceration.* [Exp: **parole**[2] (PROC confiar a alguien el cuidado de un menor, un enfermo, etc. ◊ *The minor was paroled to a relative*), **Parole Board** (PENAL junta de tratamiento; junta que examina y concede las solicitudes de libertad condicional bajo palabra de honor ◊ *The parole board is responsible for the granting, denying, revocation and supervision of parole*), **parole officer** (PENAL funcionario o juez de vigilancia penitenciaria), **parole, on** (PENAL en libertad condicional, bajo palabra de honor; V. *on bail*), **parolee** (PENAL condenado por un tribunal que es beneficiario de la libertad vigilada)].

parricide *n*: PENAL parricidio.

part[1] *n*: GRAL parte, sección, pieza, porción; papel; V. *section*. [Exp: **part**[2] (PROC/CIVIL título ◊ *CPR Part 15 Defence and Reply*; a los títulos en que se agrupan los artículos o normas procesales *–rules–* de la ley de enjuiciamiento civil de 1998 *–Civil Procedure Rules–* se les llaman *CPR parts*; en las antiguas *Rules of the Supreme Court* y *County Court Rules* los títulos se denominaban *orders*), **part-owner** (condueño, copropietario; V. *time-sharing*), **part-performance** (CIVIL/MERC ejecución/cumplimiento parcial, satisfacción parcial; doctrina de la validez del contrato satisfecho en parte ◊ *The plaintiff had no written record of the contract to buy the defendant's house, but she alleged that the fact that she had paid him £5000 and was in possession constituted part performance of the informal contract*; esta doctrina de equidad sobre las responsabilidades contractuales asumidas se puede invocar para impedir que una de las partes contratantes, aprovechándose de un defecto de forma, se eche atrás cuando la otra ha empezado a obrar de acuerdo con lo estipulado en el contrato; es prerrogativa exclusiva del demandante alegar dicho cumplimiento parcial; si gana, el tribunal ordenará el pago de daños por incumplimiento de contrato o *specific performance*, según proceda), **part-time** (GRAL a tiempo parcial)].

partial[1] *a*: GRAL sesgado, parcial ◊ *A partial judge*; en el mundo del Derecho aparece en muchas unidades compuestas con el significado de «parcial»; V. *prejudiced, biased.* [Exp: **partial**[2] (GRAL incompleto; V. *incomplete*), **partial assignment** (MERC cesión parcial), **partial cargo** (MERC carga parcial), **partial dismissal of proceedings** (PROC sobreseimiento definitivo parcial), **partial loss, P/L** (SEGUR pérdida parcial; V. *actual total loss*), **partial verdict** (PENAL/PROC sentencia parcial)].

participate *v*:GRAL participar; V. *take part in*. [Exp: **participant** (GRAL/MERC partícipe, participante), **participator** (MERC socio de una *close company*)].

particular *a*: GRAL determinado; V. *specific, individual*. [Exp: **particular average** (MERC avería particular o simple, pérdida; V. *average, gross average, petty average; memorandum clause*), **particular estate** (CIVIL dominio por tiempo fijo, dominio parcial, limitado o condicionado; expresión en desuso desde la Ley de la Propiedad de 1925), **particular lien** (CIVIL derecho de retención de un objeto o bien concreto ◊ *The vendor or repairer of specified goods may have a particular lien over them*), **particulars** (GRAL datos, datos [personales]; pormenores, extremos, detalles, informe pormenorizado ◊ *We have written to the insurance company* *giving full particulars of the accident and our claim*), **particulars of claim** (CIVIL escrito de pretensiones; pormenorización de la demanda; desde la reforma procesal civil de 1998 de Inglaterra y Gales, el impreso de demanda *–claim form–* deberá ir acompañado del *particulars of claim*, en el que el demandante *–claimant–* manifestará el objeto y la naturaleza de la misma, fijará *–state–* sus pretensiones *–claims–*, es decir, la solución judicial *–remedy–* que solicita, al tiempo que expondrá los hechos *–statements of fact–*, haciendo referencia a los fundamentos de derecho *–legal grounds–* que le sirven de apoyo; V. *statement of claim, bill of particulars*), **particulars of offence** (PENAL descripción o detalles del delito cometido; el escrito de acusación o *indictment*, que contiene todos los cargos o *counts*, especifica el nombre del delito junto con su tipificación o *statement of offence* y las circunstancias del mismo o *particulars of offence*; V. *count; indictment; statement of offence*)].

partition *n*: GRAL partición o división política; reparto, división, o distribución formal de bienes inmuebles entre copropietarios ◊ *The partition of the estate among the joint owners, which must be recorded in a deed, gives each absolute ownership of his or her part*; V. *part*. [Exp: **partition of chattels** (CIVIL reparto de bienes muebles entre copropietarios), **partition wall** (CIVIL pared medianera; V. *party wall*), **partitioner** (SUC contador, partidor; V. *executor*)].

partner *n*: MERC/SOCIO socio, asociado; partícipe; consocio V. *active partner, dormant partner, managing partner, senior partner, sleeping partner, silent partner*. [Exp: **partnership** (MERC/SOCIO sociedad civil; sociedad colectiva, entidad social; V. *deed of partnership, general partnership, farm partnership, limited partnership, limited partnership by shares, special partnership*; *capital of a partnership*), **partnership account** (MERC/CIVIL cuenta colectiva), **partnership agreement** (MERC/CIVIL contrato de sociedad), **partnership articles** (MERC/CIVIL cláusulas estatutarias, estatutos, escritura de sociedad), **partnership asssets** (MERC/CIVIL activo social), **partnership contract** (MERC/CIVIL contrato de sociedad), **partnership property** (MERC fondo social, bienes sociales), **partnership at will** (MERC sociedad sin plazo fijo de duración; V. *at will*)].

party *n*: GRAL partido político; parte, persona ◊ *The burden of proof is on the plaintiff, as the party who instigated the action*; se emplea en plural en las siguientes expresiones *parties in litigation* –partes litigantes–, *parties to the contract* –partes contratantes–, *parties to the suit* –litigantes, sujetos de la acción–; V. *accommodation party; privy*. [Exp: **party and party basis of taxation** (PROC sistema según el cual la parte que perdía un pleito era condenada a pagar todas las costas razonables de la parte ganadora; V. *standard basis of taxation*), **party funding** (CONST financiación de partidos), **party ticket** (CONST lista de candidatos patrocinada o autorizada por el partido), **party to a crime** (PENAL cómplice en un crimen; V. *guilty party, injured party*), **party to something, be** (PROC ser parte interesada o afectada en algo, apersonarse, personarse en algo), **party wall** (CIVIL medianera; V. *partition wall, abuttals*)].

pass[1] *n*: GRAL permiso, autorización, pase; V. *permit, authority, leave*. [Exp: **pass**[2] (GRAL aprobar, pasar ◊ *Laws cannot come into force until they have been passed by Parliament*), **pass a sentence** (PENAL dictar/pronunciar sentencia, condenar ◊ *The only custodial sentence that can be passed on a person under 21 is «deten-*

tion in a young offender institution»; V. *give judgment, sentence*), **pass a test** (GRAL soportar una prueba), **pass a law** (CONST votar o aprobar una ley), **pass a resolution** (GRAL acordar/adoptar un acuerdo o resolución), **pass off** (MERC/PENAL engañar haciendo pasar sus productos por los de otro, cometer el fraude de imitación, usurpar ◊ *They passed the goods off as their own*; V. *appropriation, economic torts, passing off*), **pass-offs** (PENAL/CIVIL imitaciones fraudulentas; artículos o mercancías que son comercializadas haciéndolos pasar por producto de una marca conocida o registrada; V. *knock-offs*), **pass over** (GRAL pasar por alto; V. *promotion*), **pass the case** (PROC diferir la causa), **pass up a claim** (CIVIL renunciar a un derecho), **passage of a law** (CONST aprobación de una ley), **passing customs** (MERC aduana de paso; V. *entry customs*), **passing-off** (PENAL/CIVIL suplantación; ilícito civil de imitación o engaño ◊ *The «champagne» and the «sherry» cases are classic examples of the tort of passing-off*; incurre en este ilícito civil *–tort–* el comerciante que intenta aprovecharse de la fama de una marca o clase de mercancías intentando «hacer pasar» su producto como los de dicha clase o marca, o induciendo al público a engaño en la descripción o etiquetado *–labelling–* de los artículos en cuestión; V. *plagiarism*), **passbook** (GRAL libreta de ahorros; V. *savings book*)', **passport** (GRAL pasaporte; V. *safe-conduct*)].

passenger *n*: GRAL pasajero, viajero. [Exp: **passenger clause** (SEGUR cláusula que concede doble indemnización por muerte o lesión del viajero), **passenger liner** (GRAL buque de viajeros), **passenger list** (GRAL lista de pasajeros; V. *crew list*)].

passive *a*: GRAL pasivo; V. *active*. [Exp: **passive assets** (MERC activo intangible), **passive bond** (MERC bono sin intereses), **passive debt** (MERC deuda que no lleva aparejado interés), **passive liabilities** (MERC pasivo fijo), **passive negligence** (CIVIL negligencia pasiva), **passive trust** (CIVIL fideicomiso pasivo o simple)].

past *a*: GRAL pasado. [Exp: **past consideration** (MERC causa contractual pasada), **past due** (GRAL sobrevencido), **past record** (GRAL antecedentes)].

pasture *n*: CIVIL pastos, derechos de pastos; se considera *a profit à prendre*; V. *common of pasture*.

patent[1] *a*: GRAL manifiesto, claro, evidente, patente; en este caso se pronuncia /peitent/; V. *clear, evident; hidden, concealed*. [Exp: **patent**[2] (MERC patente, privilegio de invención; patentar; en esta acepción se pronuncia /patent/, aunque en los Estados Unidos también se puede pronunciar /peitent/; V. *trade marks and designs, abandonment*[2]; V. *basic patent*), **patent ambiguity** (GRAL ambigüedad patente o evidente), **patent an invention** (ADMIN patentar un invento) **patent and trademark office** (ADMIN oficina de marcas y patentes), **patent agent** (GRAL abogado especializado en patentes), **patent application** (ADMIN solicitud de patente), **patent defect** (GRAL vicio manifiesto o patente; V. *hidden/latent/inherent defect*), **patent infringement** (PENAL/ADMIN violación o infracción de patente), **patent law** (GRAL derecho de patente), **patent licence** (ADMIN licencia de patente), **patent office** (ADMIN oficina de patentes), **patent pending** (ADMIN patente en tramitación), **patentee** (GRAL tenedor, poseedor o concesionario de una patente), **patent priority date** (GRAL fecha de entrada en vigor de una patente), **patents rolls** (MERC registro de patentes), **patent royalty** (ADMIN derechos de patente, derechos de fabricación), **Patents Court** (PROC tribunal formado por jueces especializados en cuestiones de patentes)].

paternal *a*: GRAL paternal; V. *fatherly; maternal*. [Exp: **paternity** (FAM paternidad ◊ *Courts may order blood-tests in paternity suits, cases of drunken driving*, etc.), **paternity suit** (FAM juicio de filiación, pleito para determinar la paternidad)].

patrimony *n*: GRAL patrimonio; V. *estate, inheritance*.

patrol *n/v*: GRAL patrulla, patrullar. [Exp: **patrol car** (coche patrulla, furgón policial ◊ *Police in patrol cars tour the area at night in case of trouble*; V. *prison van, Black Maria*)].

pauper *a*: GRAL pobre de solemnidad, indigente; V. *indigent, poor, poverty-stricken, destitute, beggar*.

pawn *n/v*: GRAL/CIVIL prenda; dejar en prenda, empeñar; pignorar; V. *put in pawn; lend; borrow*. [Exp: **pawn, in** (CIVIL en prenda), **pawn to** (GRAL a merced de, en manos de), **pawnee** (CIVIL/MERC acreedor prendario, prestamista, prendero, el que recibe un objeto en prenda; V. *pledgee, mortgageee*), **pawner** (MERC prestatario, el que deja un objeto en prenda; V. *mortgagor*), **pawning** (CIVIL empeño, pignoración), **pawnbroker** (MERC prestamista, fiador ◊ *In a pawnbroker's loan, the lender has physical possession of the security for the loan*; V. *agent, broker, factor*), **pawnbroker's shop** (MERC casa de empeños, monte de piedad)].

pay *n/v*: GRAL paga, sueldo, abono; pagar, satisfacer, abonar, hacer efectivo, retribuir, desembolsar; consignar, remunerar, producir ganancia, ser provechoso ◊ *The judge handed out a stiff sentence, remarking that crime doesn't pay*; V. *salary, wages, sick pay; settle, satisfy*. [Exp: **pay accounts** (MERC saldar/liquidar/ajustar cuentas), **pay-as-you-earn, PAYE** (FISCAL impuesto a cuenta, retención de impuestos en la fuente de la renta de trabajo; esta retención, también llamada *pay-as-you-go*, se aplica mensual o semanalmente a las rentas de trabajo; V. *withholding*), **pay back** (GRAL devolver, pagar una deuda), **pay-bed** (cama o habitación por la que se paga en un hospital estatal), **pay by direct billing** *US* (MERC domiciliar los pagos, pagar por débito bancario), **pay calls on shares** (MERC pagar los plazos de las acciones), **pay cash** (MERC pagar en efectivo o en metálico), **pay claim** (LABORAL reivindicación salarial), **pay-day** (LABORAL día de paga), **pay dispute** (LABORAL conflicto salarial; V. *pay settlement*), **pay down** (GRAL pagar al contado; pagar como depósito o desembolso inicial), **pay-in slip** (LABORAL estadillo o nominilla detallada del sueldo, impuestos y retenciones), **pay into court as security** (PROC prestar fianza ante el juzgado, pagar como consignación), **pay-slip** (LABORAL estadillo o nominilla que se da al empleado), **pay statement** (LABORAL nómina; hoja detallada de haberes), **PAYE** (FISCAL V. *pay as you earn*), **paymaster** (ADMIN/LABORAL pagador; gerente, habilitado, funcionario o empleado encargado de pagar los salarios), **Paymaster General** (ADMIN ordenador general de pagos, habilitado general), **pay off** (GRAL compensación; saldar, liquidar una deuda, etc.; despedir a un empleado, liquidándole los haberes; amortizar o redimir una hipoteca, etc.; ajustar cuentas, *lit.* y *fig.*), **pay off a mortgage** (MERC/CIVIL deshipotecar), **pay out** (GRAL desembolsar), **pay settlement** (LABORAL acuerdo salarial; V. *pay conflict*), **pay over** (GRAL entregar una cantidad), **payroll** (GRAL nómina), **payroll tax** (FISCAL impuesto sobre rentas de trabajo; V. *pay-as-you-earn*), **pay up** (MERC desembolsar acciones, etc.), **payee of a bill, a cheque,** etc. (MERC tomador, tenedor o portador de una letra, beneficiario de un cheque), **payable** (MERC pagadero, por pagar, pagable, debido), **payable at sight** (MERC pagadero a la vista), **payable on**

presentation (MERC pagadero a su presentación), **payable to order** (MERC pagadero a la orden), **payables** (MERC efectos a pagar), **payment** (MERC pago, desembolso; V. *ex gratia payments*), **payment bond** (PROC fianza, fianza de pago), **payment cash against documents** (MERC pago contra entrega de documentos; V. *cash against documents*), **payment for honour** (MERC pago por honor o por intervención), **payment into Court** (PROC fianza, pago por consignación al Tribunal), **payment of freight** (MERC pago del flete), **payment on delivery, P.O.D.** (MERC pago contra entrega)].

peace *n*: GRAL paz, tranquilidad; V. *disturbance of the peace, maintaining peace; pacification, appeasement; quiet; war; pacify*. [Exp: **peace-breaker** (CIVIL perturbador del orden público), **peace-broker** (INTER intermediario que ofrece sus buenos oficios entre dos Estados en conflicto para encontrar una solución pacífica), **peace-keeper** (GRAL conciliador, que mantiene la paz), **peace- keeping** (GRAL mantenimiento de la paz), **peace talks** (INTER negociaciones de paz), **peace terms** (INTER condiciones de paz), **peaceable** (GRAL pacífico, amante de la paz)].

P.C. *n*: GRAL V. *Privy Councillor/police constable*.

peculation *n*: PENAL desfalco, distracción de fondos; V. *embezzlement, misappropriation*.

pecuniary *a*: MERC pecuniario; V. *monetary, financial, economic*.

peddle *v*: GRAL vender en las calles, hacer proselitismo; V. *influence peddling*. [Exp: **peddle drugs** (PENAL traficar con drogas), **peddler** *US* (GRAL vendedor ambulante, buhonero; proselitista; V. *pedlar, drug peddler, vend* US)].

pederast *n*: PENAL pederasta; V. *pedophile*. [Exp: **pederasty** (PENAL pederastia; V. *paedophilia, unnatural acts*)].

pedigree *n*: FAM/SUC genealogía, linaje; V. *declaration concerning pedigree*.

pedlar *n*: GRAL vendedor ambulante, buhonero; proselitista; V. *peddler*.

paedophilia *n*: PENAL pedofilia; V. *pederasty*. [Exp: **pedophile** (PENAL pedófilo; V. *pedophile*)].

peer *n*: GRAL par, compañero; noble británico. [Exp: **peer of the realm** (GRAL par del reino), **peerage** (GRAL dignidad de par, nómina de los pares)].

penal *a*: penal. [Exp: **penal action** (PENAL acción penal), **penal bond** (PENAL obligación penal, fianza para multa), **penal clause** (PENAL cláusula penal; V. *penalty clause*), **penal interest** (PENAL intereses punitivos o de moratoria, intereses de demora), **penal laws** (PENAL leyes penales, código penal), **penal servitude** (PENAL trabajos forzados; V. *forced labour, conscripted labour, hard labour*), **penalize** (PENAL penalizar, sancionar, castigar, multar, causar inconvenientes), **penalty** (PENAL pena; penalidad, inconveniente; cláusula penal; precio, perjuicio, consecuencias desagradables; V. *sanction, punishment, sentence*), **penalty bond** (PENAL fianza de incumplimiento), **penalty clause** (PENAL cláusula de penalización; V. *penal clause, prepayment penalty*), **under penalty of** (PENAL so pena de)].

pendency *n*: PROC pendencia ◊ *During the pendency of an appeal clerical mistakes may be corrected by the trial court*; V. *pending* [Exp: **pendente lite** (PROC provisional, sin resolución judicial, durante el juicio; equivale a *lite pendente*), **pending**[1] (GEN pendiente, en trámite, sin resolver ◊ *There are a lot of questions pending*; como adjetivo puede colocarse también detrás del nombre; V. *overdue, outstanding, unsettled; arrears*), **pending**[2] (GEN/PROC a la espera de, hasta que ◊ *The manager has been suspended from duty pending an enquiry into his running of affairs*; V.

awaiting; patent pending, released pending), **pending appeal** (PROC hasta que se vea el recurso ◊ *The plaintiff is entitled to an injunction pending appeal*)].

penetration *n*: GRAL penetración; V. *sexual penetration*. [Exp: **penetrate** (GRAL penetrar; V. *enter, infiltrate, pierce*)].

penitentiary *n*: PENAL penal, penitenciaría, presidio, centro penitenciario; V. *jail, prison*.

pension *n*: ADMIN/LABORAL jubilación, pensión, retiro; jubilar, pensionar; V. *indexed pension*. [Exp: **pension fund** (MERC/LABORAL fondo de pensiones), **pension off** (GRAL/LABORAL pensionar ◊ *The woman, who was a chronic invalid, was pensioned off by the firm*), **pension trust** (CIVIL fideicomiso de pensiones), **pensioner** (LABORAL jubilado, pensionista)].

peppercorn rent *n*: CIVIL alquiler nominal.

per *prep*: GRAL por. [Exp: **per annum, p.a.** (GRAL por año, anualmente), ***per capita*** (GRAL per cápita, por habitante, por cabeza), **per capita income** (MERC renta per cápita), **per cent** (por ciento), **per diem allowance** (ADM/GRAL/FISCAL dieta; viático; V. *travelling allowance*), **per exhibit** (GRAL según anexo), **per hour** (GRAL por hora), **per pro, per procurationem** (PROC por poderes; V. *pro*), **percentage** (MERC porcentaje, tanto por ciento)].

peremption *n*: PROC instancia a que no ha lugar ◊ *Unlike dilatory pleas, peremptory pleas are defences on the merits, and if successful, they put an end to the plaintiff's claim*. [Exp: **peremptory** (PROC perentorio), **peremptory challenge** (PROC tacha sin causa o justificación, recusación sin causa; la defensa, pero no la acusación, puede tachar hasta tres miembros de la lista de candidatos a miembros del jurado sin tener que justificarlo), **peremptory defence** *der es* (PROC excepción perentoria), **peremptory exception** (PROC excepción perentoria), **peremptory plea** (PROC excepción de nulidad; artículos de previo pronunciamiento; en los juicios por delitos graves o *trials on indictment* son cuatro las excepciones de nulidad: *autrefois acquit, autrefois convict, pardon* y *special liability to repair*; en las demandas civiles, las *peremptory pleas* o excepciones perentorias, llamadas también *demurrers* y *pleas in bar*, eran escritos de protesta que el demandado instaba al tribunal intentando demostrar que el asunto presentado por el demandante carecía de base legal suficiente; si prosperaban eliminaban el derecho del actor por afectar al fondo del pleito o *merits of the case*; en el derecho escocés se mantienen estas excepciones, y en algunos países de habla inglesa han sido sustituidas por el *statement of defence*; V. *plea; demurrer, pleas in bar; dilatory plea*), **peremptory rule** (PROC fallo definitivo), **peremptory writ** (PROC auto perentorio o definitivo)].

perfect *a*: GRAL legal, perfecto, completado, formalizado. [Exp: **perfect equity** (CIVIL título completo de equidad), **perfect obligation** (CIVIL obligación perfeccionada), **perfect ownership** (CIVIL dominio perfecto), **perfect trust** (CIVIL fideicomiso formalizado o perfecto, que puede ser ejecutado por los beneficiarios; V. *executed trust, executory trust, imperfect trust*)].

perfidy *n*: GRAL perfidia, alevosía.

perforce *adv*: GRAL a la fuerza, por fuerza.

perform *v*: cumplir, ejercer, practicar, desempeñar, ejecutar ◊ *The parties to a contract are legally bound to perform their obligations under it*. [Exp: **perform a post-mortem/an autopsy** (GRAL practicar una autopsia), **perform a contract** (MERC cumplir un contrato), **perform a duty** (GRAL cumplir con un deber), **perform a task/a function** (GRAL llevar a cabo una tarea, desempeñar una función), **perform the office of** (GRAL/ADMIN suplir a alguien en un cargo, hacer las veces de alguien),

performing (GRAL/MERC que produce beneficios o intereses, rentable, productivo), **Performing Right Society** (GRAL Sociedad de Derechos de Autor), **Performing Right Tribunal** (PROC Tribunal del Derecho de Representación), **performance**[1] (GRAL cumplimiento, desempeño, ejercicio, ejecución ◊ *He did that in the performance of his duties*; V. *discharge*[5], *acquittal*[2], *part-performance, non-performance, specific performance*), **performance**[2] (GRAL rendimiento, nivel de ejecución ◊ *Our products help businesses reduce costs, increase productivity and improve performance*), **performance bond** (PROC aval de cumplimiento, fianza de cumplimiento), **performance of his duties, in the** (GRAL/ADMIN en el ejercicio/desempeño de su cargo)].

perfunctory *a*: GRAL descuidado, desganado, negligente ◊ *The court ruled that the carrier had acted in a perfunctory manner and had failed in his duty of care.* [Exp: **perfunctoriness** (GRAL descuido, negligencia)].

peril *n*: GRAL peligro, riesgo; V. *maritime perils, dangerous, extraneous perils.* [Exp: **perils of the sea** (GRAL riesgo, accidentes o eventualidades del mar)].

period *n*: época, período, plazo; V. *transitional* [Exp: **period of appointment** (duración de las funciones), **period of grace** (GRAL período o plazo de gracia; V. *days of grace*), **period of validity** (GRAL período de vigencia), **periodic tenancy** (CIVIL arriendo o inquilinato por tiempo indefinido; V. *fixed-term tenancy, notice to quit*)].

perishable goods *n*: MERC productos perecederos; V. *wasting assets.*

perjury *n*: PENAL perjurio, falso testimonio, juramento falso ◊ *A person who makes an affirmation is subject to the same penalty for perjury as a person who makes an oath*; V. *false oath/swearing, commit perjury; affirmation.*

perk *col n*: LABORAL plus, extra, emolumento, gaje ◊ *The basic salary is not great, but if you add perks it's not a bad job.*

permanent *a*: GRAL permanente, definitivo; V. *perpetual.* [Exp: **permanent assets** (MERC activo fijo, movilizado o permanente), **permanent injunction** (PROC auto de medidas cautelares permanentes; V. *injunction*), **permanent total disability** (LABORAL incapacidad absoluta permanente)].

permission *n*: GRAL permiso, autorización, licencia; V. *leave, authority, authorization, licence.* [Exp: **permissive** (GRAL permisivo, tolerante, indulgente; V. *lenient, liberal, indulgent*), **permissive waste** (CIVIL deterioro que sufre una vivienda por la negligencia del inquilino; omisión del deber de reparar; V. *waste, wear and tear*), **permissiveness** (GRAL tolerancia; V. *tolerance*), **permit** (GRAL/CIVIL/ADMIN permiso; V. *licence, building permit*), **permit-holder** (GRAL/CIVIL/ADMIN titular de un permiso o autorización ◊ *As of the 15th of June, parking outside the building is for permit-holders only*; V. *authorized, permittee*), **permittance** (GRAL permiso, autorización), **permitted development** (ADMIN urbanización autorizada), **permittee** (GRAL autorizado, tenedor de licencia o de patente; V. *permit-holder, authorized*)].

permutation *n*: GRAL permuta, trueque, cambio; V. *barter.*

perpetrate *v*: CRIM perpetrar, consumar, cometer. [Exp: **perpetration** (CRIM perpetración, acción de cometer un crimen, un atentado, un delito), **perpetrator** (CRIM autor material de un crimen, perpetrador)].

perpetual *a*: GRAL perpetuo; V. *permanent, lasting.* [Exp: **perpetual annuity** (SEGUR censo perpetuo, anualidad perpetua o continua), **perpetual bond** (MERC bono sin vencimiento, bono de renta perpetua), **perpetual debt** (ADMIN deuda perpetua),

perpetual injunction (PROC requerimiento perpetuo o permanente, mandamiento perpetuo), **perpetual loan** (MERC empréstito de renta perpetua), **perpetual trust** (CIVIL fideicomiso perpetuo), **perpetuate** (GRAL perpetuar, hacer permanente) **perpetuating testimony** (PROC toma de declaración testimonial anticipada para conservarla; se emplea en algunos casos cuando hay riesgo de que el testigo fallezca antes de la vista; perpetuación de una prueba testimonial), **perpetuity** (GRAL perpetuidad; V. *rule against perpetuities*)].

perquisite *n*: LABORAL plus, extra, emolumento; se usa más la forma coloquial *perk*.

persecute *v*: GRAL perseguir, molestar, incordiar, agobiar; V. *harass, torment, molest, annoy*. [Exp: **persecution** (GRAL persecución; V. *harassment, molestation*), **persecutor** (GRAL perseguidor; V. *tormentor*)].

persistent offender *n*: PENAL reincidente ◊ *Persistent offenders are liable to heavier punishment*; V. *habitual offender, recidivist.*

person *n*: GRAL persona; V. *artificial person, juristic person, natural person*. [Exp: **person, in** (GRAL en persona), **person of unsound mind** (GRAL persona demente), **person or persons unknown** (PROC por desconocido, a manos de persona o personas sin identificar; se trata de la fórmula utilizada por el *coroner* en su informe cuando el veredicto es de asesinato y se desconoce la identidad del culpable o de los culpables), **personal** (GRAL personal, particular, privado, individual), **personal account** (GRAL/MERC cuenta individual o personal), **personal allowance** (GRAL/LABORAL deducción o desgravación por gastos personales; V. *abate, rebate*), **personal bar** *der es* (CIVIL impedimento personal; equivale al *estoppel* del derecho inglés), **personal belongings** (GRAL/CIVIL efectos personales; V. *chattels, belongings, personal effects*), **personal bond** (CIVIL bono personal o particular), **personal defence** (CIVIL excepción personal), **personal effects** (CIVIL/GRAL efectos personales; V. *chattels, belongings, personal belongings*), **personal injuries** (CIVIL daños personales), **personal injury claim** (CIVIL demanda por daños personales; es aquella en la que se solicita *–seek–* indemnización *–damages–* por daños físicos y psicológicos *–pain and suffering–* o por pérdida de ocio *–loss of amenity–*, también llamado «perjuicios de disfrute o placer»; V. *pursue a personal injury claim*), **personal liberties** (CONST derechos fundamentales), **personal property** (CIVIL bienes muebles), **personal protection** (GRAL/PENAL protección policial), **personal representative** (SUC albacea; administrador-ejecutor de la herencia; V. *executor*), **personal security** (PROC garantía personal o fianza; V. *suretyship*), **personal service** (PROC notificación personal de la demanda, entrega en mano de la notificación; V. *service, address for service*), **personality** (GRAL personalidad), **personalty** (CIVIL [derechos sobre] bienes muebles; V. *personal property; realty*), **personate** (PENAL incurrir en el delito de uso indebido de nombre, hacerse pasar por, usurpar nombre o estado legal ajeno; representar, subrogarse en los derechos y obligaciones de otro; se emplean indistintamente *personate* e *impersonate* y sus derivados), **personation** (PENAL representación engañosa)].

personnel *n*: MERC personal de una empresa; V. *staff, employees*. [Exp: **personnel manager/officer** (MERC jefe de personal)].

persuade *v*: GRAL persuadir, convencer, incitar; V. *convince; incite*. [Exp: **persuading to murder** (PENAL inducción o instigación al asesinato, autoría intelectual), **persuasive authority** (PROC precedente convincente pero no vinculante; entre estos precedentes destacan los *obiter dicta* de los jueces, los fallos de los tribunales inferiores y algunas resoluciones de tribunales escoceses, de la *Commonwealth* o del extranjero), **persuasive precedent** (PROC precedente persuasivo, moral o no vinculante; V. *binding precedent*)].

pertinent evidence *n*: PROC prueba pertinente; V. *material evidence, relevance.*

perturb *v*: GRAL perturbar, inquietar; V. *annoy, disturb.* [Exp: **perturbation** (GRAL perturbación; V. *distress, unease, harassment*)].

peruse *v*: GRAL leer detenidamente.; V. *scan, study, examine, browse*

perverse *a*: GRAL perverso, obstinado, retorcido; V. *obstinate, stubborn.* [Exp: **perverse verdict** (PROC veredicto perverso, veredicto contrario a los hechos probados o a las directrices judiciales), **perversion** (GRAL perversión; V. *corruption, misuse; buggery, unnatural acts; rape*), **pervert**[1] (GRAL pervertir, depravar, distorsionar; V. *corrupt, misdirect*), **pervert**[2] (GRAL pervertido, depravado), **perverting of the course of justice** (PENAL distorsión, manipulación o perversión de la justicia; bajo este concepto se incluyen los delitos de falso testimonio, destrucción u ocultación de pruebas, y el intento, consumado o no, de sobornar o amenazar a los testigos o influir en su testimonio; V. *tamper, contempt of court, interfere, obstruction*)].

petit *a*: GRAL pequeño, inferior; en la mayoría de los casos ha cambiado la grafía a *petty*; V. *grand.* [Exp: **petit jury** (PENAL jurado; V. *jury, grand jury*)].

petition *n/v*: PROC escrito de súplica, solicitud, petición, demanda, recurso; suplicar, rogar, dirigir una petición; los términos *application, petition* y *motion* son sinónimos parciales; una *petition* es un escrito de súplica dirigido a la Corona, al Parlamento o a los tribunales, con el fin de incoar, entre otras, demandas de divorcio, quiebras, etc., mediante un *prayer* –súplica, ruego–, o para la solicitud de una solución de los tribunales *–remedy–*; V. *application, motion, bill, crave* der es*; originating process.* [Exp: **petition for annulment** (PROC petición de anulación), **petition for arrangement** (GRAL solicitud de arreglo o acuerdo), **petition for divorce** (FAM demanda de divorcio; V. *divorce petition*), **petition for mercy** (PENAL solicitud de clemencia), **petition for redress of grievances** (PROC derecho de amparo), **petition for rehearing** (PROC petición de nueva vista oral), **petition in bankruptcy** (MERC solicitud de declaración de quiebra; V. *bankruptcy proceedings*), **petition in error** (PROC recurso de queja), **petition of clemency** (PROC petición de gracia o de clemencia), **petition of right** (PROC demanda contra el Estado hasta 1947; desde entonces, contra el Estado se sigue el procedimiento ordinario), **petitionary** (PROC demandante), **petitioner** (PROC demandante, peticionario, recurrente, suplicante, solicitante; en los procesos de equidad, al demandante se le llama *petititioner* o *complainant* y al demandado, *respondent*; V. *claimant*)].

petrol bomb *n*: PENAL cóctel molotov.

pettifogger *n*: GRAL picapleitos; V. *ambulance chaser* US, *shyster* US; *vexatious litigant.* [Exp: **pettifoggery** (GRAL argucias jurídicas)].

petty *a*: GRAL menor, pequeño, insignificante, de poca monta, de mala muerte *col*; mezquino; V. *minor, trivial.* [Exp: **petty average** (MERC avería simple o menor; V. *common average, particular average*), **petty cash** (GRAL fondo para gastos menores; V. *management cash*), **petty crime** (PENAL V. *petty offence*), **petty expendi-**

ture (gastos menores), **petty jury** (PROC jurado; V. *jury, grand jury*), **petty larceny** (PENAL hurto de cosas de poco valor; V. *grand larceny*), **petty offence** (PENAL falta, infracción menor; V. *minor offence, misdemeanour, regulatory offence, violation*), **petty offender** (PENAL infractor), **petty officer** (GRAL oficial de inferior categoría, maestranza, contramaestre), **petty sessions** (PROC tribunales o juzgados de primera instancia, hoy llamados *Magistrates' Courts* ◊ *A probation order shall name the petty sessions area in which the offender resides or will reside*), **petty racket** *US* (GRAL delincuencia menor, trampa, sablazo *col*, «negociete»), **Petty Sessional Division** (PROC distrito de jurisdicción del *Magistrates' Court*), **petty thief** (PENAL ratero, carterista, caco *col*; V. *pickpocket, pilferer, sneak-thief*)].

phone-tapping *n*: PENAL escuchas telefónicas ilegales; V. *telephone-tapping, eavesdropping, electronic surveillance, wire-tapping.*

photofit *n*: PENAL retrato robot; V. *identikit picture, composite photo*

physical[1] *a*: GRAL material, real, tangible, inmediato, corporal, físico, natural; V. *substantial, material.* [Exp: **physical**[2] (GRAL chequeo, reconocimiento médico; V. *medical*), **physical assets** (MERC valores materiales), **physical control** (GRAL control efectivo; conducción [de un vehículo]; V. *actual physical control*), **physical damages** (GRAL daños materiales o corporales; V. *moral damages*), **physical disability** (GRAL/LABORAL invalidez o incapacidad física; V. *handicapped*), **physical fact** (GRAL hecho tangible), **physical force** (PENAL violencia; V. *actual violence*), **physical harm** (GRAL daño corporal), **physical impossibility** (GRAL imposibilidad material), **physical injury** (GRAL lesión corporal), **physical inventory** (MERC inventario real o físico), **physical necessity** (necesidad natural o física), **physical possesion** (CIVIL posesión efectiva ◊ *In a pawnbroker's loan, the lender has physical possession of the security for the loan*)].

picket *n/v*: LABORAL piquete de huelga, miembro de piquete; estacionar piquetes de huelguistas ◊ *Picketing is not illegal so long as it has been agreed by a ballot of the members of the trade union involved.* [Exp: **picketline** (LABORAL barrera que forma el piquete, piquete, grupo de huelguistas)].

picklock *n*: GRAL ganzúa.

pickpocket *n*: PENAL carterista, ratero, descuidero, caco *col*; V. *dip, petty theife, pilferer, sneak-thief.*

piece[1] *n*: GRAL trozo, pieza; declaración; V. *satisfaction piece.* [Exp: **piece**[2] *US* (GRAL compañera sexual o compañera de cama), **piece together** (GRAL reconstruir, reparar; idear), **piece work** (LABORAL destajo; V. *work at piece rates*)].

pier *n*: GRAL espigón, muelle. [Exp: **pier due** (MERC derecho de muelle)].

pierce/lift the corporate veil *v*: MERC descorrer el velo corporativo.

pignoration *n*: CIVIL/MERC pignoración; V. *pledge.*

PII *n*: CONST V. *Public Interest Immunity.*

pilfer *v*: PENAL hurtar, ratear, sisar; V. *steal.* [Exp: **pilferage** (PENAL hurto, ratería, sisa), **pilferer** (CRIM ratero, carterista, caco *col*; V. *pickpocket, pilferer, sneak-thief, petty-thief*)]

pillage *n/v*: GRAL pillaje, saqueo; saquear, pillar; V. *plunder, loot, despoil, sack; banditry.*

pilot *n*: GRAL piloto, guía; práctico; V. *bar pilot, dock pilot.* [Exp: **pilot boat** (GRAL embarcación de práctico), **pilotage** (GRAL practicaje)].

pimp *n/v*: GRAL alcahuete, proxeneta; alcahuetear ◊ *A pimp arranges prostitution for a customer*; V. *procurer.*

piracy *n*: PENAL piratería; plagio, violación de los derechos de autor; V. *plagiarism; copyright.* [Exp: **pirate** (GRAL pirata; V. *filibuster*)].

pit *US n*: MERC corro ◊ *A pit is a section of the floor of an exchange used for a specific commodity, e.g. the oil pit*; V. *ring.* [Exp: **pitfall** (GRAL fallo, escollo, trampa; V. *danger, peril*)].

P/L *n*: SEGUR V. *partial loss.*

placard *n*: GRAL pancarta; edicto, anuncio.

place *n/v*: GRAL lugar, sitio; situar, colocar. [Exp: **place and date of issue** (GRAL lugar y fecha de la emisión, de la firma, de la expedición, etc.), **place an order** (MERC hacer un pedido), **place for discussion** (GRAL incluir en el orden del día; V. *table*²), **place money** (MERC invertir; V. *raise money*), **place of abode/residence** (GRAL lugar de residencia), **place of business** (GRAL domicilio social o comercial), **place on the agenda** (GRAL incluir en el orden del día; V. *adopt the agenda, table*²), **place on the record** (GRAL hacer constar en acta), **place oneself on the court record** (PROC aceptar la jurisdicción, constituirse como parte en el proceso), **place somebody under surveillance** (PENAL mantener vigilado a alguien ◊ *As investigators came upon more evidence linking him to the cartel he was placed under surveillance*), **placement**¹ (LABORAL empleo, colocación; experiencia laboral, período de prácticas), **placement**² *US* (MERC colocación institucional de una emisión nueva de acciones; en Gran Bretaña también se llama *placing of shares*)].

plagiarism *n*: PENAL plagio ◊ *Plagiarism is a breach of copyright*; V. *piracy; copyright; passing off.* [Exp: **plagiarist** (PENAL plagiario), **plagiarize** (PENAL plagiar, hurtar)].

plain *a*: GRAL sencillo, claro, evidente; V. *clear, evidente.* [Exp: **plain-clothes [police/security personal/policemen]** (PENAL policías de paisano, policía no uniformada, agente de policía secreta ◊ *She was taken into custody by two plain-clothes policemen*; V. *uniformed security personal, detective*)].

plaint *n*: PROC demanda, reclamación, querella; en la jurisdicción civil de los *County Courts* es la primera alegación que hacía el demandante, exponiendo sus pretensiones y la reparación, satisfacción o indemnización solicitada; hoy se llama *statement of case*; V. *complaint, civil action, suit.*

plaintiff *n*: PROC demandante, actor, parte actora; desde la reforma procesal civil de 1998 se utiliza en Inglaterra y Gales *claimant* en vez de *plaintiff*, aunque este último es el término más general en los demás países de habla inglesa; V. *complainant, petitioner, pursuer; defendant, respondent.* [Exp: **plaintiff's final brief** (PROC petición concluyente), **plaintiff in error** (PROC apelante, demandante por auto de casación)].

plan *n/v*: GRAL plan, proyecto; planificar/planear ◊ *Through careful planning and energetic execution many firms have achieved increases in their revenues and earnings*; V. *design, project.* [Exp: **planned economy** (GRAL economía dirigida o planificada; V. *market economy*), **planning** (GRAL planificación, programación, organización, previsión; V. *town planning*), **planning authority** (ADMIN autoridad urbanística, gerencia de urbanismo ◊ *A planning authority may charge a fee for consultation*), **planning permission** (ADMIN autorización de urbanización; plan de urbanización; V. *development, permitted development, plot, town planning*)].

play down *v*: GRAL quitar/restar importancia a, tratar de minimizar ◊ *The defence played down her client's violent record*; V. *downplay.*

plc *n*: MERC V. *public limited company.*

plea[1] *n*: CIVIL alegato, alegación; contestación [a la demanda], declaración; defensa, excepción; la palabra *plea*, en términos generales ① se refiere a las alegaciones que hace el demandado, en cuyo caso es sinónima de *explanation* o *justification*; con un significado más preciso; ② equivale a la primera alegación que hace el demandado, conocida también con el nombre de *defence* o *answer*, es decir, defensa o contestación; y ③ «excepción, instancia»; en último sentido se distinguen dos clases de excepciones: las *peremptory pleas* y las *dilatory pleas*; estas excepciones se conservan en el derecho escocés; sin embargo, en algunos países de habla inglesa han sido sustituidas por el *statement of defence* o «pliego de defensas», escrito que contiene la contestación a la demanda, aunque aún se mantiene el término *peremptory pleas* en los juicios con jurado por delitos graves; con el uso generalizado del *statement of defence*, van quedando en desuso en algunos países varias de las expresiones compuestas recogidas a continuación, utilizadas, no obstante, en los trabajos jurídicos; V. *demurrer, dilatory plea, foreign plea, peremptory plea; incidental pleas of defence, put in a plea.* [Exp: **plea**[2] (PENAL contestación a la acusación; ésta puede ser de culpabilidad *–guilty–*, no culpabilidad *–not guilty–* o de renuncia a litigar *–nolo contendere–* ◊ *An accused person may tender a special plea, such as insanity, in bar of trial*; V. *change of plea, initial plea and directions*), **plea bargaining** (PENAL transacción de la pena, sentencia de conformidad; sentencia acordada; pacto entre el ministerio fiscal y la defensa en una causa penal; consiste en que el acusado acepte declararse culpable a cambio de la sustitución del delito imputado por otro menos grave, de la retirada de alguno de los cargos, si hay varios, o de la garantía de una rebaja en la pena impuesta por el juez; tales negociaciones se llevan a cabo entre el juez, el fiscal y el abogado defensor, y el acusado no puede intervenir directamente en las mismas, aunque no puede haber acuerdo sin su consentimiento; requieren mucho tacto, ya que el juez no puede dar garantías absolutas ni debe indicar en ningún momento la pena que tiene pensado aplicar en los distintos casos; V. *compromise verdict, consent judgment*), **plea before venue** (PENAL declaración relativa a inocencia o culpabilidad antes de determinar el tipo de tribunal de lo penal que entendera del proceso; desde 1997 se ha introducido en el derecho inglés una diligencia previa, llamada *Plea before venue*, en la que se pide al acusado que, antes de entrar a determinar cuál será la jurisdicción *–venue–* que lo juzgará, ya el *Crown Court*, ya un *Magistrates' Court*, haga una declaración *–plea–* relativa a su inocencia o culpabilidad), **plea for mitigation** (PROC atenuante), **plea in abatement** (PROC instancia de nulidad; V. *in abatement, revival*), **plea-s in bar** (CIVIL/PROC excepción dilatoria, cuestión/incidente de previo pronunciamiento, impedimento legal, excepción general; en el derecho escocés, sin embargo, son «alegatos de incapacidad de defenderse por demencia»), **plea in/of confession and avoidance** (PROC alegación admitiendo hechos pero negando responsabilidad, defensa de descargo), **plea in discharge** (PROC defensa de descargo), **plea-in-law** *der es* (en el derecho escocés *pleas-in-law* son los alegatos, tanto del demandante o *pursuer* como del demandado, que se consignan por escrito en los documentos que dan origen al juicio; completan así el *condescendence* o «alegatos de hecho»), **plea in mitigation of damages** (PROC petición de reducción o rebaja de daños y perjuicios), **plea in re-**

convention (contrademanda, reconvención), **plea in suspension** (PENAL petición o instancia de suspensión de la pena; V. *stay of sentence*), **plea of defence** (PROC V. *incidental plea of defence*), **plea of double jeopardy** (PROC excepción de cosa juzgada), **plea of estoppel** (CIVIL excepción de impedimento), **plea of guilty** (PENAL declaración/admisión de culpabilidad), **plea of insufficiency of plea** (CIVIL excepción de demanda insuficiente), **plea of not guilty** (PENAL declaración de inocencia), **plea of release** (PROC excepción o defensa basada en el pago o en la liberación de la obligación), **plea puis darrein continuance** (PROC introducción *a posteriori* de nuevos hechos), **plea to the jurisdiction of the court** (PROC excepción de incompetencia, excepción declinatoria)].

plead *v*: PROC defender una causa, alegar, abogar, defender ◊ *Defendants can plead that they had reasonable grounds or they can also plead ignorance*; V. *argue a case*. [Exp: **plead guilty** (PENAL declarse culpable, inculparse), **plead ignorance** (PROC alegar ignorancia), **plead not guilty** (declararse inocente), **plead to the charge** (CRIM declararse culpable incondicionalmente), **plead to the merits** (PROC presentar excepciones o defensas respecto del fondo del litigio), **pleadable** (PROC alegable, abogable), **pleader** (alegador, alegante), **pleading** (CIVIL/PROC alegato, alegación, actuaciones alegatorias de las partes, escrito solemne conteniendo las alegaciones de hechos que dirigen al tribunal cada una de las partes de una demanda o acción civil ◊ *Pleadings must contain only allegations of relevant facts and a statement of claim*; desde la reforma procesal civil de 1999, en el Reino Unido se utiliza el término *statement of case* en vez de *pleading*; los *pleadings* más importantes eran *statement of claim, answer, replication*, etc.; V. *allegations, amended pleadings, code pleadings, close of pleadings, dilatory pleas, file pleading; surrebutter*; V. *code pleading*), **pleadings in the alternative** (PROC presentación de alegatos, técnica de presentar dos o más alegatos, derivados de los mismos hechos, para que el tribunal atienda la petición mejor fundada), **pleadings on the merits of the case** (PROC alegaciones sobre el fondo de la cuestión), **pleadings plea** (PROC defensa, contestación a la demanda), **pleadings rebutter** (PROC respuesta a la tríplica), **pleadings rejoinder** (PROC contrarréplica), **pleadings surrejoinder** (PROC tríplica, respuesta a la dúplica)].

pleasure of the Crown, at the *fr*: CONST a discreción gubernamental ◊ *Judges hold office during good behaviour and not at the pleasure of the Crown*; V. *during her/his Majesty's pleasure*.

plebiscite *n*: CONST plebiscito.

pledge *n/v*: GRAL/CIVIL prenda, promesa, plegaria; caución, pignoración, garantía, derechos reales de garantía; dar en prenda, dejar en prenda, pignorar ◊ *We have received an advance payment against pledged securities*; V. *mortgage, pawn*. [Exp: **pledge agreement/contract** (CIVIL contrato prendario), **pledge allegiance** (CONST jurar lealtad; V. *oath of allegiance*), **pledge loan** (MERC préstamo pignoraticio o prendario; V. *mortgage, security*), **pledge of allegiance** *US* (CONST plegaria de lealtad) **pledgeable** (CIVIL pignorable), **pledgeable** (CIVIL/MERC pignorable), **pledged assets** (MERC activos gravados), **pledged securities** (MERC efectos pignorados; V. *against pledged securities*), **pledgee** (MERC acreedor prendario, depositario, tenedor de una prenda; V. *pawnee, mortgagee*), **pledger** (MERC prendador; V. *mortgagor*)].

plenary *a*: GRAL plenario, pleno; forma parte de muchas unidades léxicas como *plenary confession* –confesión plena–, *plenary powers* –plenos poderes–, *plenary meeting/session* –sesión plenaria–, etc.

plenipotentiary *n*: GRAL plenipotenciario.

plight[1] *v*: GRAL dar, empeñar; V. *pledge*. [Exp: **plight**[2] (GRAL situación difícil; V. *crisis, disaster*), **plight one's troth** *col* (GRAL dar palabra de matrimonio, prometerse)].

plot[1] *n*: PENAL complot, trama, conspiración; conspirar, urdir, tramar, intrigar ◊ *Senior army officers were arrested when a plot to overthrow the government was discovered.* ; V. *conspire, scheme*. [Exp: **plot**[2] (CIVIL parcela de terreno, solar ◊ *They discovered after buying the plot of land that planning permission for the area had been refused*; V. *building land/plot*), **plotting** (conspiración, confabulación; v. *conspiracy*)].

ploy *n*: GRAL treta, ardid, estratagema; V. *trick; trade, dodge, blind*[2].

plunder *n/v*: PENAL despojo, pillaje, saqueo, botín; despojar, pillar, saquear; V. *loot, despoil, sack, pillage; banditry*. [Exp: **plunderer** (PENAL ladrón, bandido, saqueador; V. *bandit, outlaw, brigand*)].

ply *v*: GRAL/MERC comerciar, ejercer un negocio, practicar, llevar un negocio; [aplicado a buques] tener una línea regular; realizar el servicio entre dos puntos concretos. [Exp: **ply between** (GRAL hacer el servicio entre), **ply for hire** (LABORAL ofrecer sus servicios el trabajador autónomo poniéndose regularmente en un lugar convenido, como los taxistas, etc.), **ply one's trade** (MERC llevar un negocio), **ply with questions** (GRAL acosar con preguntas, importunar; V. *bombard with questions*)].

PM *n*: CONST V. *Prime Minister*.

pm *n*: GRAL V. *premium*.

poach *v*: PENAL cazar furtivamente. [Exp: **poacher** (PENAL cazador furtivo), **poaching** (PENAL caza o pesca furtiva o en vedado)].

P.O.D. *n*: V. *payment on delivery*.

pocket *n/v*: GRAL bolsillo; embolsarse *col* ◊ *The five executives were accused of pocketing the money they had made on illicit deals*. [Exp: **pocket veto** *US* (CONST veto indirecto, veto de bolsillo; sucede cuando el presidente no sanciona una ley aprobada por el Congreso)].

point *n*: GRAL punto, cuestión, proposición; V. *issue*. [Exp: **point of death, at/on** (GRAL en artículo de muerte), **point at issue** (GRAL punto en cuestión), **point blank** (PENAL a quemarropa; V. *at gunpoint*), **point of order** (GRAL cuestión de orden, cuestión de procedimiento), **point of sale** (GRAL punto de venta; V. *outlet*), **points of law** (PROC fundamentos de Derecho; V. *whereas clause, facts*)].

poison *n/v*: GRAL veneno; envenenar; en forma atributiva se emplea *poison* en el lenguaje, muy coloquial, de muchas operaciones financieras.

police *n*: PENAL policía ◊ *All police officers are constables regardless of their rank within the force*; V. *policing*. [Exp: **police action** (PENAL intervención policial), **Police and Criminal Evidence Act 1984, PACE** (PENAL Ley de enjuiciamiento criminal; ley sobre policía judicial y su dependencia de la acusación pública), **police bail** (PENAL fianza fijada de oficio en comisaría; el objetivo es el de conceder la libertad provisional a los acusados de delitos menores o, en el caso de delitos graves, el de ganar tiempo para ampliar la investigación y buscar las pruebas inculpatorias necesarias para mantener la acusación ante el tribunal competente), **police beat** (PENAL ronda de policía), **police blotter** *US* (PENAL fichero de la policía; V. *record book*), **police commissioner** (PENAL comisaría de policía), **police constable, PC** (PENAL agente de policía), **police control, under** (PENAL bajo vigilancia policial), **police court** (PENAL juzgado de guardia; nombre con que se conocía antiguamente a los *Magistrates' Courts*; V. *night court*), **police dog** (PENAL perro policía), **police enquiry** (PENAL práctica de las diligencias policiales), **police escort, under** (PENAL con escolta policial; V. *armed escort*), **police evidence** (PENAL pruebas aportadas por la policía), **police force** (cuerpo de policía), **police headquarters** (PENAL jefatura de policía), **police inspector** (PENAL comisario de policía), **police officer** (PENAL agente de policía), **police power** (PENAL fuerza pública, facultad policial), **police precinct** (PENAL distrito de una comisaría), **police record** (PENAL antecedentes delictivos; V. *criminal record*), **police regulations** (PENAL código de policía), **police raid** (PENAL redada policial, incursión policial; V. *dawn raid*), **police record** (PENAL antecedentes o historial delictivo; V. *record of convictions*), **police report** (PENAL atestado policial, parte policial de incidencias), **police station** (PENAL comisaría de policía), **police state** (PENAL estado policial), **police station lockup** (PENAL depósito policial, dependencias policiales, calabozo policial; V. *jail, prison*), **policeman** (PENAL [agente de] policía), **policeman's badge** *US* (PENAL chapa/placa de policía)].

policy[1] *n*: GRAL política, programa, directrices, normas de actuación, líneas de conducta ◊ *Overall policy is discussed at the Annual General Meeting.* [Exp: **policy**[2] (SEGUR póliza ◊ *The policy only covers us for third-party liability, fire and theft*; V. *open policy, sea/marine policy; life insurance; householder's policy, house owner's policy*), **policy-holder** (SEGUR asegurado, titular de una póliza de seguros), **policy of welfare** (ADMIN política de bienestar)].

political *a*: GRAL político. [Exp: **political allegiances** (GRAL filiaciones políticas), **political asylum** (INTER asilo político), **political detainee** (GRAL/PENAL preso político ◊ *In some countries political detainees are assigned to labour camps with no judicial hearing*), **political football** (GRAL tema muy manido), **political funds** (GRAL fondos sindicales destinados a objetivos políticos), **political offence** (PENAL delito político), **political prisoner** (PENAL preso político), **political office** (ADMIN cargo político, función política), **politician** (GRAL político), **politics** (GRAL política)].

poll *n/v*: GRAL cabeza, persona, individuo; encuesta, sondeo, votación; elección, elecciones, escrutinio, lista electoral; votar, obtener votos; sondear, realizar una encuesta ◊ *Under the new legislation, a strike called by a union must be decided by a poll of its members*; V. *conduct a poll, to the polls, opinion poll.* [Exp: **poll a jury** (PROC preguntar a los jurados individualmente su conformidad con el veredicto, escrutar los votos individuales de los jurados), **poll-rigging** (PENAL fraude electoral, pucherazo; inscripción fraudulenta en el registro electoral ◊ *The party, who lost by a narro margen, accused their rivals of poll-rigging*; V. *ballot-rigging, fraud, rig*), **poll tax** (FISCAL capitación, reparto de tributos o contribuciones, por personas o cabezas; V. *capitation, head tax, rate*), **polling** (GRAL sondeo), **polling-booth** (GRAL cabina electoral), **polling-place/polling station, polls** (GRAL mesa electoral, colegio electoral; se refiere al lugar en donde se lleva a cabo la votación; el conjunto de electores elegidos por un gran colectivo con el fin de que, a su vez, voten en representación de éstos se llama *electoral college*)].

pollicitation *obs n*: GRAL policitación, compromiso, oferta o compromiso contraído por alguno, sin ser aceptado por la otra parte.

pollute *v*: GRAL contaminar. [Exp: **pollution** (GRAL contaminación ◊ *The seriousness of the pollution problem has led to the* *creation of the Ministry of the Environment*; V. *corruption*].

polygamy *n*: FAM poligamia.

pool *n/v*: GRAL fondo, equipo, consorcio, fuente, reserva; mancomunar, unir esfuerzos o recursos, contribuir ◊ *The Ministry is staffed by a pool of 100 typists*; V. *co-operative* [Exp: **pool resources** (GRAL unir los recursos, unir esfuerzos, llegar a un acuerdo de cooperación), **pooling agreement** (MERC acuerdos que establecen empresas para reducir la competencia en algunas líneas; V. *monopoly, shipping pool*)].

poor *a*: GRAL pobre; V. *indigent, pauper, poverty-stricken, destitute*.

pornography *n*: GRAL pornografía.

port *n*: GRAL puerto; babor. [Exp: **port authorities** (MERC autoridades portuarias), **port dues** (GRAL derechos portuarios), **port of call** (GRAL puerto de escala ◊ *Drugs were found aboard the ship on the high seas after the police had received a tip-off from her last port of call*), **port of delivery** (GRAL puerto final o terminal), **port of departure** (GRAL puerto de salida), **port of distress** (GRAL puerto de refugio o de arribada forzosa; V. *distress, vessel in distress*), **port of entry** (GRAL puerto de entrada o aduanero; puerto fiscal, puerto habilitado), **port of refuge** (GRAL puerto de refugio, de arribada forzosa o de amparo), **port of registry** (GRAL puerto de matriculación)].

portfolio *n*: MERC cartera ◊ *A major part of the portfolios of banks, insurance companies, pension funds, investments trusts, and so on, now consists of foreign investments*. [Exp: **portfolio investments** (MERC inversiones de cartera), **portfolio management** (MERC gestión de cartera de valores)].

portion *n/v*: GRAL/SUC lote, parte; cuota hereditaria; distribuir, repartir ◊ *By the terms of her father's will, the girl was entitled to her portion on her marriage*; V. *share*.

position *n*: GRAL empleo, puesto, cargo; situación ◊ *She has found a new position with a London bank*; V. *post, office; hold/occupy a position*. [Exp: **position of dominance** (MERC abuso de posición dominante; V. *abuse of a position of dominance*)].

positive *a*: GRAL positivo, afirmativo, directo, claro, seguro ◊ *The witness was positive she had seen the man outside the bank*; V. *negative; affirmative*. [Exp: **positive easement** (CIVIL servidumbre positiva; V. *affirmative easement*), **positive evidence** (PROC prueba directa), **positive identification** (GRAL identificación positiva o sin confusión posible), **positive fraud** (PENAL fraude real), **positive law** (GRAL derecho positivo), **positive proof** (PROC prueba positiva)].

posse *US n*: GRAL/PENAL partida, cuadrilla, panda, pandilla; son tres los principales usos de esta palabra: ① partida al mando de un sheriff, como en *They sent an armed posse to hunt the outlaw*; ② banda de forajidos, como en *The last member of a bank-robbing posse that has terrified the Atlanta area is still on the run*; ③ en sentido coloquial, grupo numeroso, nube de [reporteros o fotógrafos], como en *A posse of journalists milled about outside the prime minister's official residence*; V. *gang*. [Exp: **posse comitatus** (GRAL el poder de un condado; alude a los habitantes de un condado que pueden ser convodados *–summoned–* por el sheriff para ayudarle a salvaguardar el orden público *–preserve public order–*)].

possess *v*: GRAL tener, poseer, gozar, disfrutar ◊ *The laws governing the possession of firearms are much stricter in Europe than in the USA*; V. *own, have*. [Exp: **possession** (GRAL/CIVIL tenencia, goce, disfrute, posesión; recuperación de la posesión; acción posesoria; V. *enjoyment; constructive possession; enter into possession, adverse possession, quiet possession, take possession, writ of possession*), **possession in deed or in fact** (CIVIL posesión efectiva o de hecho), **possession in law** (CIVIL posesión legal o *de jure*), **possession in trust** (CIVIL dominio fiduciario), **possessor** (GRAL poseedor), **possessor bona fide/mala fide** (CIVIL poseedor de buena fe/de mala fe), **possessory** (GRAL posesorio), **possessory action** (PROC juicio/acción/pleito posesorio), **possessory interest** (CIVIL derecho de posesión), **possessory judgment** (PROC sentencia posesoria), **possessory lien** (CIVIL derecho o privilegio de preferencia; gravamen posesorio), **possessory offence** (PENAL delito contra la propiedad), **possessory title** (CIVIL título posesorio de propiedad)].

post[1] *n/a/v*: GRAL correos; postal; enviar por correo, echar al buzón; V. *mail, postage*. [Exp: **post**[2] (GRAL puesto, empleo, cargo; V. *position, office*), **post**[3] (GRAL puesto o destacamento militar), **post**[4] (GRAL avisar, pegar carteles fijar/poner [carteles] ◊ *On the walls of buildings you sometimes see the sign «Post no bills»*; V. *bill*), **post**[5] (GRAL publicar resultados ◊ *Post profits of £5,000*), **post**[6] (MERC pasar asientos al Libro Mayor, contabilizar; registrar; anotar; se emplea en expresiones como *post a credit* –abonar, anotar en el haber–, *post a debit* –adeudar, cargar, anotar en el debe–; V. *posting*), **post**[7] (GRAL destinar, enviar ◊ *Be posted abroad*; V. *post*[2]), **post-**[8] (GRAL post-), **post bail** (PENAL pagar la fianza ◊ *The person that posts bail acts as a guarantor or surety*; V. *setting at liberty; admit to bail, furnish bail, give bail, go/stand bail, grant bail, put up bail*), **post-code** (GRAL código postal; en los Estados Unidos se llama *zip code*), **post-entry closed shop** (LABORAL empresa cuyo reglamento interno obliga al empleado a hacerse militante de un sindicato determinado en un plazo señalado contado desde la fecha de ingreso; V. *closed shop, pre-entry closed shop*), **post exchange** (GRAL economato de un destacamento militar), **post office** (GRAL oficina de correos), **post-office box** (GRAL apartado de correos), **postage** (GRAL franqueo) **postage and packing, p. & p.** (GRAL gastos de franqueo y embalaje), **postage extra** (GRAL gastos de envío no incluidos), **postage paid** (GRAL franqueo concertado, porte pagado, con franqueo pagado), **postage stamp** (GRAL sello), **postage stamp** (GRAL sello), **postal authority** (ADMIN administración postal), **postal/money order** (GRAL giro postal), **postmark** (GRAL matasellos; poner el matasellos), **postmaster** (ADMIN administrador de correos), **Postmaster General** (ADMIN Director General de Correos), **postman** (GRAL cartero; V. *mailman*), **postpaid** (GRAL franqueo concertado/pagado; portes pagados; V. *prepaid*)].

post- *prefijo*: post- [Exp: **post-entry closed shop** (lugar de trabajo cuyo reglamento interno incluye la obligación de hacerse militante de un sindicato determinado dentro de un plazo señalado a partir de la admisión como empleado; V. *closed shop, pre-entry closed shop*), **post-mortem examination** (PROC autopsia; el término *post-mortem* se prefiere en Gran Bretaña al de *autopsy*, que es más frecuente en EE.UU. ◊ *A post-mortem is always carried out when a person dies suddenly or as the result of an accident*; V. *coroner's inquest, autopsy, medical examiner*), **post-obit** (GRAL después de la muerte), **post-obit bond** (MERC obligación pagadera después de la muerte de un tercero de la que el prestatario es heredero)].

postdate *v*: GRAL postfechar, diferir, tener lugar después de; V. *backdate*.

postpone *v*: GRAL aplazar, posponer, diferir, dilatar, postergar.; V. *delay, table, put off.* [Exp: **postponable** (GRAL aplazable, prorrogable), **postponement** (GRAL aplazamiento, prórroga; V. *adjournment, deferment*), **postponement of limitations** (CIVIL interrupción de la prescripción)].

pot *col n*: GRAL marihuana ◊ *Many scientists believe that pot smokers are literally blowing their minds*; V. *dope; stoned, hooked, be high.*

potential *a/n*: CONST capacidad, aptitud, potencial; V. *capacity; possible, probable, prospective.*

pouch *n*: INTER bolsa, valija; V. *bag, diplomatic pouch.*

pound, £ *n*: GRAL libra; depósito de bienes secuestrados. [Exp: **pound breach** (PROC violación del secuestro impuesto sobre los bienes de un deudor)].

poverty *n*: GRAL indigencia, pobreza; V. *indigence.* [Exp: **poverty-stricken** (GRAL menesteroso, necesitado, indigente; V. *indigent, pauper, destitute*)].

power *n*: GRAL poder, competencia, capacidad, potestad, poder de acción, facultad; apoderamiento; potencia, energía ◊ *To act* ultra vires *is to do something beyond the scope of one's powers*; V. *competence, capacity, faculty; advisory powers, decision-making powers; police power; purchasing power; supervisory powers, under compulsory powers.* [Exp: **power appurtenant or coupled with interest** (CIVIL potestad restrictiva; poder subordinado a la propiedad; cuando el apoderado es parte interesada en la propiedad; V. *power of appointment*), **power-broker** (MERC intermediario; estadista o persona de prestigio internacional que interviene como hombre bueno o arbitra como tercero en las disputas entre naciones; V. *umpire*), **power-driven vessel** (GRAL buque de propulsión mecánica; V. *sailing-boat*), **power, in** (ADMIN gobernante, en el poder), **power in gross** (CIVIL poder no restrictivo; poder independiente de la propiedad, en cuyo caso el propio apoderado puede declararse beneficiario de acuerdo con el poder; V. *power of appointment*), **power of alienation** (CIVIL poder de disposición), **power of appointment** (CIVIL facultad de determinar o de designar; derecho, facultad o capacidad de disponer de una propiedad nombrando a un beneficiario; este poder, que es parecido a un *trust*, nace de un poderdante o *donor* y lo ejerce el donatario o *donee*, en su calidad de nominador o *appointer* para designar al beneficiario de la propiedad objeto del poder; se distinguen tres clases de poderes: *power appurtenant/appendant or coupled with interest, power in gross* y *bare/naked/collateral power*), **power of attorney** (CIVIL poder de representación, mandato de procuraduría, poder notarial), **power of attorney, by** (CIVIL por poder, pp; V. *by authority*), **power of disposition** (CIVIL poder de disposición; V. *power of alienation*), **power of revocation** (CIVIL poder de revocación), **power of substitution** (CIVIL poder de sustitución), **power to take decisions** (GRAL poder de decision), **powerful** (GRAL poderoso, omnipotente)].

practice *n*: GRAL/PROC práctica, uso, costumbre, tramitación; V. *code of practice, concerted practices, corrupt practices, malpractice, parliamentary practice, restrictive practices, rule of practice, sharp practice, standard practice, unfair practice.* [Exp: **practice directions** (PROC normas procesales; son directrices que publican periódicamente los jueces del Supremo, dando instrucciones para la correcta aplicación de las leyes y los procedimientos; V. *rules of court*), **practice forms** (PROC formularios procesales u oficina expedidora de formularios procesales *–court forms–*), **practice of law** (PROC ejercicio de la profesión de abogado), **practise law/a profession** (PROC ejercer la abogacía, una profesión ◊ *A practising lawyer must be either a solicitor or a barrister*), **practise** (GRAL ejercer una profesión), **Practising Certificate** (PROC certificado de colegiación o de admisión [de un licenciado en Derecho] al colegio de abogados *–solicitors–*; V. *admission*[3], *admit to the Rolls, call certificate*), **practising lawyer** (PROC abogado en ejercicio; V. *solicitors, barristers; suspend from practice*), **practitioner** (GRAL profesional; normalmente se aplica a los profesionales de la abogacía y de la medicina; V. *legal practitioner*)].

pray *v*: GRAL rogar, suplicar, pretender, solicitar, pedir; V. *beg, entreat, petition, appeal, crave*. [Exp: **prayer** (PROC súplica, ruego, solicitud, petición, pedimento, petítum, pretensión ◊ *The prayer of a petition specifically contains the relief or remedy sought*; V. *action, application, cause, claim, conclusion, crave, petition, summons, writ*), **prayer for relief** (PROC petición o demanda de satisfacción o solución judicial *–remedy–*, remedio jurídico)].

pre- *prefijo*: GRAL pre-; como parece lógico son muchas las unidades léxicas que se pueden formar con el prefijo *pre-*; he aquí algunas de las más comunes, en las que se nota claramente la presencia del prefijo: **pre-decease clause** (SUC/SEGUR cláusula de premoriencia; V. *common disaster clause, survivorship clause*), **pre-empt** (CIVIL tener derecho de prioridad), **pre-emption** (CIVIL prioridad, derecho de prioridad, opción de compra prioritaria), **pre-emption clause** (CIVIL cláusula de prioridad), **pre-emptive** (GRAL preventivo; preferente ◊ *Pre-emptive war/strike*), **pre-emptive right** (MERC derecho de prelación; prioridad que tiene todo accionista a suscribir acciones de nuevas emisiones; V. *rights issue*), **pre-emptive war** (GRAL guerra preventiva), **pre-entry closed shop** (LABORAL empresa o lugar de trabajo que, por acuerdo sindical, condiciona la contratación de nuevo personal a la afiliación de éste al sindicato en cuestión; V. *closed shop, post-entry closed shop, shop steward, union rules*), **pre-financing** (MERC prefinanciación), **pre-hearing assessment** (PROC sesión evaluativa de un tribunal de lo social, previa a la vista oral, con el fin de evaluar las posibilidades de que prosperen las tesis de las partes; V. *industrial tribunal*), **pre-engage** (GRAL comprometer a alguien), **pre-established** (GRAL determinado/establecido de antemano), **pre-sentence report** (PENAL antecedentes penales o policiales ◊ *Sentences are often adjourned to enable the judge to read the Pre-Sentence Report*; en el pasado se llamaba *social enquiry report*; V. *remand*[2]), **pre-tax profits** (MERC beneficios antes de impuestos), **pre-trial** (anterior a la causa; previo al juicio), **pre-trial calendar** (PROC relación o calendario de causas por conocer), **pre-trial custody/detention** (PENAL prisión preventiva; V. *custody awaiting trial*), **pre-trial hearing/review** (PROC vista preliminar; antejuicio; reunión preliminar que mantiene un juez auxiliar o *registrar* del *County Court* con las partes antes de la iniciación del proceso con el fin de estudiar su aligeramiento y reducir costes; procedimientos similares se celebran en el *Magistrates' Courts* y en el *Crown Court*; V. *interlocutory proceedings*), **pre-trial investigation/proceedings** (PENAL instrucción; V. *committal proceedings*), **pre-trial release** (PENAL libertad provisional), **pre-trial review** (PROC sesión de revisión previa al juicio; el objeto de esta sesión es comprobar que las partes han cumplido *–comply with–* todos los requisitos necesarios para que se pueda celebrar el juicio en el menor tiempo posible; V. *court management*)].

preamble *n*: GRAL preámbulo; V. *act.*

precarious *a*: GRAL precario; V. *baseless, groundless*. [Exp: **precarious possession** (CIVIL posesión precaria), **precarious right** (CIVIL derecho o título precario)].

precatory *a*: GRAL de súplica, rogatorio ◊ *Though precatory words in a deed of gift may be a guide to the donor's intention, a court will consider the entire deed before deciding if a trust was intended to be created.* [Exp: **precatory trust** (CIVIL fideicomiso implícito, fideicomiso creado mediante la interpretación de un testamento u otro documento, atendiendo al deseo implícito del testador de que el beneficiario disponga de su propiedad de una manera determinada), **precatory words** (GRAL palabras que expresan el ruego o solicitud en un escrito dirigido a una autoridad)].

precaution *n*: GRAL precaución, cautela; V. *safeguard.*

precedence *n*: GRAL precedencia, prioridad; V. *priority*. [Exp: **precedent** (GRAL/PROC precedente contenido en un fallo anterior, decisión que crea jurisprudencia ◊ *The judicial decisions of higher courts create precedents which are binding on all lower ones*; en el derecho inglés, el precedente o *judge-made law* es una fuente muy importante de jurisprudencia; las decisiones de un tribunal superior son vinculantes para todos los tribunales inferiores, pero no siempre para el propio tribunal de origen, respetando la jerarquía establecida de *House of Lords, Court of Appeal* y *High Court of Justice*; el precedente está contenido en los fundamentos de la sentencia, en la parte llamada *ratio decidendi*, y no en la resolución en sí ni en las apreciaciones incidentales del juez original *–obiter dicta–*; en los fundamentos de la sentencia el juez decide si sigue o no el precedente que le reclaman las partes; si ve que hay gran similitud entre la causa presente y la señalada como precedente, queda vinculado por aquella decisión; pero si, a su juicio, se dan elementos nuevos o distintos, la doctrina le permite *distinguish the case*, esto es, introducir distingos explicando en qué se diferencia esta causa de aquélla, pudiendo a su vez sentar nueva jurisprudencia mediante esta distinción pormenorizada), **precedent condition** (PROC V. *condition precedent*)].

precept *n*: GRAL/ADMIN/PROC directriz, precepto, mandato, orden judicial, mandamiento; norma, canon, orden cursada por un organismo oficial a otro inferior, orden de recaudar ◊ *The county council may issue a precept ordering a district council to levy rates on its behalf*; V. *order.*

precinct[1] *n*: GRAL circunscripción electoral, distrito o división judicial o administrativa, recinto, barrio; V. *police precinct, constituency*. [Exp: **precinct** [2] (GRAL límites, recinto ◊ *No photos within the court or its precincts*; V. *area, zone*)].

precipitate *v*: GRAL dar lugar a, acelerar ◊ *These anti-fraud provisions have precipitated more litigation than any other regulations*; V. *trigger, stimulate.*

preclude *v*: GRAL impedir, prevenir, excluir, descartar, imposibilitar, ser obstáculo, oponerse a ◊ *You are not precluded by the decision from lodging an appeal*; V. *forbid, bar, preclude, prohibit.* [Exp: **preclusion** (GRAL prevención, exclusión; V. *prevention*)].

precognition *der es n*: PENAL diligencias instruidas por el fiscal escocés para determinar antes de un juicio la naturaleza y calidad del testimonio que pueden aportar los testigos incluidos en el sumario; V. *committal proceedings.*

preconceive *v*: GRAL preconcebir; V. *invent, devise, design.* [Exp: **preconceived malice** (PENAL premeditación)].

predecease *v*: SUC/SEGUR premorir.

predecessor *n*: GRAL predecesor, antecesor, cada uno de los dueños anteriores de una finca.

predominance *n*: GRAL predominio, predominar, tener prioridad; V. *power, pre-eminence, supremacy*. [Exp: **predominate** (GRAL predominar; V. *rule, control*)].

prefer [1] *v*: GRAL dar preferencia o prioridad; V. *select*. Exp: **prefer**[2] (PENAL presentar o formular cargos ◊ *The usual method of preferring a bill of indictment, i.e, of bringing it before a court, is by committal proceedings before a magistrates' court*; V. *bring, lay*), **prefer**[3] (GRAL ascender, nombrar para un cargo o dignidad; V. *preferment*), **prefer an indictment** (PENAL levantar acta de acusación, acusar formalmente, acusar), **prefer charges** (PENAL presentar cargos, formular una acusación, acusar), **preference** (GRAL preferencia; los términos *preference, preferential, preferred* aplicados a *terms, price, discount, tariff*, etc., tienen el sentido de «preferente, privilegiado, prioritario», siendo sinónimos parciales de *privileged* y de *priority*. V. *order of preference*), **preference beneficiary** (CIVIL beneficiario de preferencia), **preference shares/stock** (MERC acciones privilegiadas, acciones de capital, acciones preferentes), **preference-shareholder** (MERC titular de acciones privilegiadas), **preferential** (GRAL privilegiado, preferente, con prioridades; V. *preference*), **preferential agreement** (GRAL acuerdo preferencial), **preferential assignment** (CIVIL cesión con prioridades), **preferential bond/debenture** (MERC obligación preferente), **preferential creditor** (MERC acreedor preferente: V. *marshalling liens*), **preferential debt** (PROC deuda privilegiada; V. *priority of debts, privileged debt*), **preferential shares/stock** (MERC títulos o acciones preferentes o privilegiadas en Bolsa), **preferential tariff** (aranceles preferenciales), **preferential treatment** (GRAL trato preferencial, medidas preferenciales), **preferment** (GRAL ascenso; V. *prefer*[3]), **preferred** (CONST preferido, con prioridad; V. *preference*), **preferred as to assets/dividend** (GRAL privilegiado en el patrimonio, privilegiado en los dividendos), **preferred causes** (GRAL causas con prioridad), **preferred creditor** (PROC acreedor privilegiado o preferente), **preferred debt** (PROC deuda privilegiada o de prioridad), **preferred lien** (CIVIL gravamen preferente)].

pregnancy *n*: GRAL embarazo, gestación; V. *miscarriage, abortion*. [Exp: **pregnant** (GRAL embarazada), **pregnant affirmative** (GRAL V. *affirmative pregnant*), **pregnant negative** (GRAL V. *negative pregnant*)].

prejudge *v*: GRAL prejuzgar. [Exp: **prejudgment** (GRAL prejuicio; V. *bias*)].

prejudice [1] *n/v*: GRAL detrimento, perjuicio, daño; producir o acarrear perjuicios, lesionar ◊ *Contracts to commit acts prejudicial to public safety, for example sexually immoral contracts, are totally illegal*; V. *harm, injury*. [Exp: **prejudice**[2] (GRAL prejuicio; prejuzgar; V. *intolerance, bigotry, bias*), **prejudice of, to the** (GRAL en perjuicio de), **prejudice, without** (PROC sin perjuicio; sin perjuicio o detrimento de los propios derechos o los de los firmantes; sin producir los efectos de cosa juzgada; cuando se quiere llegar a un acuerdo extrajudicial *–out-of-court settlement–* con la parte contraria, pero sin reconocer la responsabilidad civil, se suele escribir una carta, cuyo encabezamiento comienza con *without prejudice*; estos términos quieren decir que el autor de la carta acepta el acuerdo propuesto, quedando bien claro que la carta no se pueda utilizar como prueba en una posible demanda; en este sentido *without prejudice* significa que la cuestión de la responsabilidad queda intacta «sin perjuicio de los derechos que asisten a la parte que ha escrito la carta»; V. *Calderbank letter, detriment, res judicata*), **prejudiced** (GRAL con prejuicio, parcial; V. *biassed, partial*), **prejudicial** (GRAL perjudicial; V. *damaging, detrimental*)].

preliminary *a/n*: GRAL preliminar, previo; ceremonias previas, preparativos, etc. ◊ *As the meeting is very important, we shall dispense with preliminaries*. [Exp: **preliminary examination** (PROC interrogatorio preliminar), **preliminary hearing** (PROC vista o examen preliminar), **preliminary inquiry/investigation** (PROC investigación hecha por el juez instructor para decidir si encuentra suficientes indicios de criminalidad; V. *sufficient case*), **preliminary proceedings** (PROC actuaciones preliminares), **preliminary point of law** (PROC cuestión legal fundamental que se ha de dilucidar antes de entrar en el fondo de la cuestión), **preliminary question** (PROC cuestión previa), **preliminary report** (PROC informe preliminar), **preliminary ruling** (EURO cuestion prejudicial; V. *first preliminary ruling, give preliminary rulings*)].

premarital agreement *n*: FAM capitulaciones matrimoniales.

premature *a*: GRAL prematuro; V. *mature; early*.

premeditate *v*: GRAL premeditar; V. *preconceived*. [Exp: **premeditation** (GEN premeditación, intención; S. *aforethought*)].

premise *n*: GRAL premisa ◊ *The premise from which his argument starts out is false*. [Exp: **premises** (GRAL locales, establecimiento, local, propiedad ◊ *Unauthorised personnel are not permitted to enter these premises*; V. *dangerous premises, licensed premises*)].

premium, pm *n*: GRAL/SEGUR prima ◊ *His insurance premium went up as a result of the accident*; V. *insurance premium, acceleration premium, earned premium, prepayment premium*. [Exp: **premium, be at a** (GRAL ser muy solicitado, tener buena demanda), **premium stock** (MERC acción con prima o primada)].

preparatory offences *n*: PENAL actos delictivos preparatorios.

prepay *v*: GRAL pagar por anticipado. [Exp: **prepayment** (GRAL anticipo, pago previo o por adelantado), **prepayment penalty/premium** (GRAL sanción/prima por cancelar el préstamo antes de su vencimiento)].

preponderance of evidence *n*: PROC preponderancia de la prueba, prueba irrefutable, inclinación de la balanza; V. *fair preponderance*.

prerequisite *n*: GRAL condición, requisito necesario o previo ◊ *A knowledge of European Union Law is a prerequisite for the post*.

prerogative *n*: GRAL prerrogativa, privilegio; V. *privilege, royal prerogative*. [Exp: **prerogative Court** (SUC Tribunal testamentario), **prerogative order** (PROC auto judicial de prerrogativa; este auto lo dicta el *High Court* en el ejercicio de su prerrogativa de tutela de los tribunales inferiores *–jurisdictional review–*; entre los autos de prerrogativa destacan los siguientes: *certiorari, mandamus, prohibition*; V. *review*), **prerogative writ** (mandamiento real de prerrogativa; V. *writ, writ of habeas corpus*)].

prescribe *v*: GRAL prescribir, caducar; ordenar ◊ *The police breathalised the driver, and found he was over the prescribed limit*; V. *order, lay down*. [Exp: **prescribed by law, as** (GRAL con arreglo a la ley), **prescribed limit** (GRAL límite máximo de alcohol en sangre permitido a los conductores), **prescription** (CIVIL prescripción; V. *extinctive prescription; dedication*), **prescriptive owner** (CIVIL propietario por prescripción), **prescriptive right** (CIVIL derecho real o de servidumbre adquirido por uso continuado y por consecuente prescripción del derecho de otro; V. *acquisitive prescription, negative prescription*), **prescribed conditions, under** (GRAL de acuerdo con lo establecido por las leyes)].

presence *n*: GRAL presencia ◊ *He deposed in the presence of his lawyer*; V. *company*. [Exp: **present**[1] (GRAL actual, presente, inmediato; V. *current, absent*), **present**[2] (GRAL/PROC presentar, elevar [una petición, documentos], dar, entablar, denunciar, citar ◊ *Cheques that are dishonoured on presentation are bad cheques*), **present interest** (CIVIL derecho de posesión inmediato), **present use** (CIVIL uso actual), **present for acceptance** (CIVIL/MERC presentar a la aceptación), **present for collection/ payment** (CIVIL/MERC presentar al cobro, al pago), **present for signature** (GRAL presentar a la firma), **presentment**[1] *US* (PENAL procesamiento de un gran jurado [a iniciativa propia]; por lo general, los procesamientos hechos por el gran jurado a petición del fiscal se llaman *indictments*; el *presentment* es el procesamiento hecho por el gran jurado por propia iniciativa) **presentment**[2] (MERC presentación de un título para su aceptación o pago), **presentation** (GRAL presentación), **presentation, on /upon** (GRAL al ser presentado; a la vista; V. *at sight, on call, on demand, on notice of*), **presents, these** (GRAL/CIVIL la presente, el presente certificado/documento, etc.; se emplea en expresiones como *Know all men by these presents*… –por la presente se hace saber que…–)].

preserve *v*: GRAL garantizar, asegurar, salvaguardar, mantener ◊ *A sheriff may summon all the inhabitants of his county to assist him in preserving the public peace*; V. *maintain, uphold*. [Exp: **preservation** (GRAL conservación, mantenimiento; V. *maintenance, defence; building preservation notice*)].

preside over *v*: GRAL presidir ◊ *The Queen presides over the ceremony in Parliament*; V. *chair*. [Exp: **President, P** (PROC juez presidente de la *Family Division of the High Court*), **presiding judge** (PROC juez presidente de la sala; juez del *High Court* encargado de supervisar la labor judicial en un distrito o *circuit*), **presidential** (GRAL presidencial)].

press *n/v*: GRAL prensa, periodistas; presionar, apremiar, instar, obligar, abrumar, afligir ◊ *The bank is pressing us for repayment of the loan*. [Exp: **press a debtor** (GRAL apremiar a un deudor), **press briefingt** (GRAL sesión informativa con la prensa; V. *reporting restrictions*), **press coverage** (GRAL cobertura informativa), **press gallery** (GRAL tribuna de prensa; V. *reporter's gallery*), **pressure** (GRAL presión, urgencia; presionar; V. *constraint, restraint*), **pressure group** (GRAL grupo de presión; V. *lobby*), **pressure, under** (GRAL presionado ◊ *He confessed under pressure from the police*)].

presume *v*: GRAL suponer, presumir, dar por hecho; partir del principio ◊ *In English law the accused is presumed to be innocent until he is proved to be guilty*; V. *believe*. [Exp: **presumption** (GRAL presunción, conjetura ◊ *A binding presumption in a contract can be rebutted by the express words of the parties*; V. *absolute presumption, legal presumption, mixed presumption; survivorship clause*), **presumption of death, fact, innocence, sanity, survivorship** (GRAL presunción de muerte, hecho, inocencia, capacidad mental, supervivencia), **presumption of legality** (GRAL conformidad a derecho, legitimidad), **presumption of innocence** (PENAL presunción de inocencia), **presumptive** (GRAL presunto, basado en presunciones), **presumptive death** (GRAL muerte presunta), **presumptive evidence** (PROC prueba basada en presunciones; V. *prima* *facie evidence*), **presumptive heir** (SUC heredero presunto)].

presuppose *v*: GRAL presuponer. [Exp: **presupposition** (GRAL presupuesto, presuposición)].

pretend *v*: GRAL fingir; pretender ◊ *The thieves gained entry by pretending to be electricians*; V. *feign, simulate*. [Exp: **pretended child** (FAM hijo putativo; V. *putative*), **pretender** (GRAL pretendiente), **pretense** (GRAL pretensión, pretexto, fingimiento; V. *false pretenses, under false pretenses*), **pretension** (GRAL pretensión; V. *claim*)].

pretermission *n*: CIVIL/SUC preterición del heredero.

prevail *v*: predominar, prevalecer, imponerse ◊ *The prevailing view among the courts is that there is a substantial legal vacuum in the regulation of electronic money*; V. *dominate*. [Exp: **prevailing** (GRAL corriente, extendido, preponderante, dominante, predominante, común, generalizado, imperante, subsistente, reinante, en vigor; V. *current, dominant, major, principal, widespread*), **prevailing opinion** (GRAL opinión generalizada)].

prevalence *n*: GRAL predominio, frecuencia; V. *control, influence*. [Exp: **prevalent** (GRAL predominante; V. *widepread, dominant, prevailing*)].

prevaricate *v*: GRAL contestar con evasivas, ocultar la verdad; expresión inglesa, que nada tiene que ver con su parónimo español; en el derecho escocés se emplea con el sentido formal de «tergiversar, ocultar voluntariamente la verdad» ◊ *The judge intervened sharply to remind the witness that she was on oath and must stop prevaricating*. [Exp: **prevarication** (GRAL evasivas, tergiversación), **prevaricator** (GRAL tergiversador; V. *falsifier*)].

prevent *v*: GRAL evitar, impedir; V. *preclude, hinder*. [Exp: **prevention** (GRAL prevención, protección, impedimento; V. *preclusion*), **preventive** (GRAL preventivo, precautorio, cautelar; V. *cautionary*), **preventive action** (PROC proceso cautelar), **preventive arrest** (PENAL arresto preventivo), **preventive attachment** (PROC secuestro precautorio/cautelar), **preventive injunction** (CIVIL interdicto preventivo, requerimiento precautorio o cautelar), **preventive measures** (GRAL medidas preventivas)].

previous *a*: GRAL previo, anterior; en el lenguaje empleado en los medios judiciales la expresión *Does he have any previous?* significa: «¿Tiene antecedente penales?»; V. *former, preceding, past*. [Exp: **previous convictions** (PENAL antecedentes penales; V. *previous*), **previous convictions, with no** (PENAL sin antecedentes penales), **previous notice, without** (GRAL sin previo aviso), **previous statements rule** (PROC norma de inadmisibilidad de testimonio cuando se demuestra que es incompatible con otras versiones dadas por el mismo testigo en algún momento anterior al juicio; el juez advierte al jurado que no lo tenga en cuenta)].

price *n/v*: GRAL precio; fijar, poner o calcular el precio; estimar ◊ *Western manufacturers are being priced out of the market by the low costs and high efficiency of Japanese industry*. [Exp: **price-fixing** (MERC/PENAL manipulación para alterar el precio de las cosas, acuerdo para la fijación de precios; V. *chilling a sale, combination/conspiracy in restraint of commerce/trade, conspiracy to rig prices, illegal combination, code of fair competition/trading, Restrictive Practices Court, restraint of commerce/trade*), **price-rigging** (PENAL manipulación de precios; maquinación para alterar el precio de las cosas), **price-sensitive information** (MERC información privilegiada que afecta a la cotización de valores; V. *insider dealing*)].

prima facie *a*: GRAL a primera vista, tras un primer examen. [Exp: **prima facie case** (PROC versión razonablemente verosímil, versión de una de las partes que viene avalada por pruebas que, sin ser concluyentes, tienen cierto peso y pueden ser suficientes, si la otra parte no las tiene mejores ◊ *The plaintiff built up a strong prima facie case suggesting that the defendant had dismissed him unfairly*), **prima facie evidence** (PENAL sospechas fundadas, indicios racionales pero no concluyentes; V. *presumptive evidence, strong prima facie evidence*)].

primage *n*: MERC capa, bonificación que daba el cargador al capitán de un buque; hoy en día va aparejada al flete y la percibe el armador.

primary *a*: GRAL primario, primordial, directo ◊ *Evidence in the form of an original document is called primary evidence, because it suggests that none better will be produced*; V. *chief, fundamental*. [Exp: **primaries** (CONST elecciones preliminares), **primary evidence** (PROC prueba primaria; V. *secondary evidence*), **primary powers** (GRAL poderes primarios o principales)].

prime *a*: GRAL principal ◊ *The prime rate, available only to the top American corporations is the basis of the whole commercial structure in the USA*; V. *main, best, excellent*. [Exp: **prime bills** (MERC letras de cambio sin riesgo), **prime lending rate** (MERC tipo preferencial, tipo básico), **Prime Minister, PM** (CONST Primer Ministro, Presidente del Gobierno)].

primogeniture *n*: FAM primogenitura.

principal[1] *a*: GRAL principal, fundamental, primario, básico; V. *chief, main, primary*. [Exp: **principal**[2] (MERC principal, jefe, poderdante, cedente, mandante ◊ *An agent or attorney is accountable to his principal for all actions done in his name*; V. *donor; agent, assignee, attorney, factor, proxy, ostensive authority*), **principal**[3] (PENAL autor material, actor principal de un delito, principal, causante ◊ *A person who aids, abets, counsels or procures the commission of a summary offence is treated as principal*; V. *accessory, offender*), **principal**[3] (MERC capital, principal, valor actual), **principal and agent** (GRAL/PROC poderdante y apoderado, mandante y mandatario, principal y agente), **principal and interest** (MERC capital e intereses), **principal in the first degree** (PENAL autor material), **principal in the second degree** (PENAL autor intelectual; V. *accessory, accomplice, offender*), **principal office** (MERC sede social)].

principle *n*: GRAL principio, norma fundamental; V. *reason*.

print *v*: GRAL imprimir. [Exp: **printed matter** (GRAL impresos)].

prior *a*: GRAL anterior, previo; privilegiado, de rango preferente; V. *past, former, foregoing*. [Exp: **prior approval** (GRAL aprobación previa), **prior creditor** (PROC/MERC acreedor privilegiado), **prior indorser** (MERC endosante anterior), **prior jeopardy** (PENAL procesamiento por segunda vez por un mismo delito; V. *double jeopardy, former jeopardy*), **prior lien** (CIVIL gravamen precedente o anterior, obligación preferente), **prior negligence** (CIVIL negligencia indirecta), **prior preferred stock** (MERC acciones preferidas superiores), **prior repayment** (GRAL reembolso anticipado), **prior to** (GRAL antes de), **prior to maturity** (MERC antes del vencimiento), **priority** (GRAL prioridad, derecho de prioridad; prelación; precedencia; V. *precedence, preeminence, preference*), **priority notice** (GRAL preaviso), **priority of debt** (PROC/MERC prioridad de la deuda, prelación de créditos, deuda privilegiada; V. *privileged debt*)].

prison *n*: PENAL prisión, cárcel, penitenciaría, penal, presidio ◊ *People accused of* *serious offences are kept in prison until trial unless the judge grants bail*; V. *jail, police station lockup, penitentiary, escape-proof prison, top security prison*. [Exp: **prison benefits** (PENAL beneficios penitenciarios), **prison sentence** (PENAL sentencia de privación de libertad en un establecimiento penitenciario; V. *custodial*), **prison term** (PENAL pena), **prison van** (PENAL coche celular; V. *Black Maria*), **prisoner** (PENAL recluso, preso), **prisoner at the bar** (PENAL acusado, reo; V. *accused, defendant, charged, indictee*), **prisoner of war, POW** (PENAL prisionero de guerra), **prisoners' aid desk** (PENAL asistencia letrada al detenido; V. *legal aid and assistance*)].

privacy *n*: GRAL intimidad ◊ *Unlike Spanish law, English law does not explicitly recognise the right to privacy, though some protection is given by the laws of trespass and defamation*. [Exp: **private** (GRAL privado, particular; soldado raso), **private limited company, limited, ltd.** (MERC compañía cuyas acciones no se ofrecen al público; V. *public limited company*), **Private Act** (CONST ley aprobada por el Parlamento a petición o iniciativa de un particular o de una autoridad local, de quien es privativa; V. *public act*), **private bill** (CONST proyecto de ley presentado por la parte interesada que luego, por su interés, se convertirá en *public act* o en *private act*), **private carrier** (MERC transportista privado; el transportista privado suele estar especializado en el transporte de mercancías homogéneas, no estando sujeto a las obligaciones del porteador común; V. *common carrier*), **private company/corporation** (MERC empresa privada, sociedad particular, corporación privada, entidad de derecho privado), **private complainant** (PENAL querellante), **private criminal proceedings** (querella; V. *institute private proceedings*), **private defence** (PENAL defensa en un pleito por *tort* o ilícito civil, alegando defensa de la persona, los familiares o la propiedad del demandado), **private easement** (CIVIL servidumbre particular), **private enterprise** (GRAL empresa libre), **private guard** (GRAL guardia jurado), **private hearing** (PROC audiencia a puerta cerrada; V. *chambers*), **private international law** (GRAL Derecho internacional privado), **private member's Bill** (CONST proyecto de ley presentado por un diputado parlamentario que no es miembro del gobierno; V. *bill, private act, public bill*), **private nuisance** (CIVIL invasión o lesión del derecho que tiene toda persona a la tranquilidad o al disfrute tranquilo de una posesión; V. *public nuisance, nuisance*), **private party/person** (GRAL particular), **private police** (GRAL guardas jurados), **private property** (CIVIL propiedad particular), **private prosecution** (PENAL querella; V. *Scottish Sheriff Court*), **private prosecutor** (PENAL acusador particular), **private rights** (CIVIL derechos particulares o de dominio privado), **private sale** (MERC venta en documento privado), **private-security firm** (GRAL empresa privada de seguridad; V. *private guards*), **private trust** (CIVIL fideicomiso particular o privado), **private view** (GRAL opinión personal o extraoficial), **privatisation** (GRAL privatización ◊ *The government has recently privatised water in Britain*; V. *nationalisation*), **privatise** (GRAL privatizar)].

privilege *n*: GRAL fuero, inmunidad, concesión, privilegio, gracia, prerrogativa, dispensa, patente, opción ◊ *Courts cannot order the disclosure of the contents of privileged communication whether in evidence or for any other purpose*; V. *parliamentary privilege, prerogative, preference, absolute privilege, marital privilege, qualified privilege; breach of privi-*

lege; immunity; charter. [Exp: **privilege against self-incrimination** (PENAL derecho, prerrogativa o privilegio que tiene el testigo de negarse a contestar a una pregunta si teme que la respuesta pueda inculparlo; derecho de no inculparse; V. *caution, Miranda warning/rule*), **privilege from arrest** (PENAL inmunidad de detención), **privileged** (GRAL aforado, privilegiado), **privileged communication** (GRAL comunicación de confianza o privilegiada, por ejemplo entre profesional y cliente, etc.), **privileged bank** (MERC banco privilegiado), **privileged debt** (MERC/PROC deuda privilegiada o prioritaria; V. *preferential debt*), **privileged information** (MERC information privilegiada; V. *insider trading, confidential information*), **privileged person** (GRAL persona aforada), **privileged plea** (PROC alegación privilegiada), **privileged witness** (PENAL testigo exento o privilegiado), **privileges and inmunities** (GRAL privilegios e inmunidades; V. *immunity, priority*), **privileged will** (SUC testamento privilegiado, testamento exento de las formalidades habituales)].

privity *n*: GRAL relación de partes, relación jurídica, relación contractual, de interés común, coparticipación, relación jurídica entre dos o más personas; consentimiento culpable, coparticipación, corresponsabilidad en la falta o culpa de algún subordinado ◊ *Mere privity to a crime may involve legal penalties.* [Exp: **privity in/of estate** (CIVIL interés mutuo en la propiedad, relación entre arrendador y arrendatario, relación que vincula al subarrendatario con el arrendamiento original; pacto inmobiliario), **privity of contract** (CIVIL obligación contractual, relación particular de las partes contratantes, pacto obligacional de un precontrato inmobiliario o *contract*), **privy** (GRAL privado, secreto; partícipe, copartícipe, relacionado con otro; en este caso a ambos se les llama *privies* ◊ *As the secretary of the organisation, he is privy to the secrets of the boardroom*), **Privy Council** (CONST consejo privado del soberano; V. *The Judicial Committee of the Privy Council*), **privy to, be** (GRAL tener conocimiento de, estar en el secreto, ocultar o dejar de denunciar lo que uno sabe de un asunto), **privy verdict** (PROC veredicto oral declarado al juez fuera de la Sala), **Privy Councillor** (CONST miembro del *Privy Council*)].

prize *n*: GRAL presa [marítima]; premio, botín; V. *booty*. [Exp: **prize-court** (PROC Tribunal marítimo que conoce de la propiedad de buques y sus cargamentos y de su captura en tiempo de guerra; en la actualidad la jurisdicción la tiene el *Admiralty Court*), **prize law** (GRAL derecho de presas)].

pro *prep*: GRAL a favor de, por; V. *con*[1]. [Exp: **pro bono [publico]** (GRAL gratis, sin remuneración ◊ *On a pro bono basis*), **pro-emptore** (MERC a título de comprador), **pro-forma invoice** (MERC factura proforma), **pro per** (PROC sin representación procesal, actuando en nombre propio, forma elíptica de *in propria persona*), **pro rata** (GRAL prorrata), **pro se** (PROC por sí solo, sin representación procesal, actuando en nombre propio, V. *in propria persona*), **pro tempore** (GRAL interino, *pro tempore*; V. *temporary*)].

probable *a*: GRAL probable ◊ *The doctor gave evidence that the probable cause of death was heart failure.* [Exp: **probable cause** (PROC causa fundada, motivo razonable; sospechas fundadas ◊ *Probable cause may be the belief that a person has committed a crime*; V. *indicios racionales de criminalidad*), **probable evidence** (PROC prueba presunta)].

probate *n/v*: SUC certificado de testamentaría; acta probativa de un testamento, validación/homologación de un testamento;

procedimiento para determinar la validez de un testamento; validar un testamento. [Exp: **probate a will** *US* (SUC probar judicialmente un testamento), **probate action** (SUC/PROC demanda de testamentaría), **probate court** (SUC V. *court of probate*), **probate duty** (ADMIN impuesto de sucesión; V. *capital-transfer tax*), **probate jurisdiction** (SUC fuero de sucesiones), **probate of adoption** (SUC juicio de adopción), **probate order** (PROC fallo de validación del testamento), **probate proceedings** (SUC juicio testamentario o sucesorio; V. *propounder*)].

probation[1] *n*: LABORAL período de prueba en un empleo ◊ *Before being given a permanent job, most teachers are on probation*; V. *on trial*. [Exp: **probation**[2] (PENAL [sentencia de] libertad condicional o a prueba, libertad probatoria, decisión judicial en la que el condenado goza de libertad bajo la supervisión de un *probation officer*; la diferencia entre *parole* o *release on licence* y *probation* radica en que la primera es un beneficio penitenciario concedido por la *Parole Board*, que es la junta de tratamiento, encargada de examinar y conceder las peticiones de libertad bajo palabra de honor a determinados internos, condenados a más de 3 años de cárcel, tras haber cumplido parte de la condena en una institución penitenciaria; en cambio, la *probation* es una sentencia o pena dictada por el tribunal sentenciador, consistente en la suspensión de la condena cuando estima que es más conveniente dictar un *probation order* que una pena de privación de libertad *–custodial sentence–*, teniendo en cuenta la naturaleza y las circunstancias del delito, el historial del delicuente, etc.; V. *suspended sentence, conditional dismissal*), **probation officer** (PENAL oficial probatorio, funcionario encargado de vigilar la libertad del beneficiado por la sentencia suspendida), **probation board** (PENAL junta de rehabilitación; junta encargada de recomendar a los tribunales la concesión o denegación a acusados, imputados o condenados de la libertad condicional a prueba; V. *conditional discharge, parole board*), **probation order** (PENAL auto mediante el que se otorga la libertad condicional a prueba, sentencia de libertad probatoria; V. *petty sessions area*), **probation, on** (PENAL a prueba ◊ *Since it was the young man's first offence, he was put on probation for a year*; V. *day training centre, community service order, bail hostel*), **probational** (GRAL probatorio), **probationary** (GRAL probatorio), **probationary period** (PENAL período de libertad vigilada), **probationer** (PENAL condenado en régimen de libertad a prueba), **probative** (GRAL probatorio), **probative evidence** (PROC prueba eficiente), **probative value** (PROC valor probatorio; V. *value as evidence*)].

probe *v/n*: GRAL investigar, tantear, explorar, sondear; investigación, pesquisa, tanteo ◊ *When people apply for sensitive posts at the Ministry of Defence, the authorities probe fairly deeply into their background*; V. *enquire, examine, investigate, antigraft probe, judicial probe*.

problem *n*: GRAL problema, dificultad, obstáculo; V. *obstacle, barrier, let; hedged with legal problems*.

proclaim *v*: GRAL/CONST proclamar, declarar; promulgar ◊ *The new leader proclaimed the independence of the colony*; V. *announce, acclaim*.

procedure *n*: GRAL/PROC trámites, procedimiento, tramitación, medida, normas de procedimiento; proceder ◊ *The articles of association of a company contain such matters as the procedure to be followed at meetings*; V. *administrative procedure, civil procedure, emergency procedure, court rule, law of the court, legal pro-*

cedure, customs procedure, rules of procedure. [Exp: **procedure for revising** (PROC procedimiento de revisión), **procedural** (PROC procedimental, procesal, de carácter procesal), **procedural defects** (PROC quebrantamiento de forma; V. *recursos por quebrantamiento de forma*), **procedural judge** (PROC juez de procedimiento; la ley de enjuiciamiento civil de 1998 ha creado en Inglaterra y Gales la figura del juez de procedimiento encargado de la dirección y el control de todo el proceso civil *–case management–* desde la contestación a la demanda *–defence–* hasta el juicio, en el que intervendrán jueces de sala *–trial judges–*; V. *allocation questionnaire*), **procedural law** (PROC derecho procesal, ley de procedimientos, también llamado *rules of the court* o *court rules*), **procedural protection** (PROC amparo procesal), **procedural steps** (PROC diligencias, medidas)].

proceed *v*: GRAL obrar, proceder, actuar, seguir los trámites ◊ *The letter warned the company that if they failed to pay, the bank would proceed against them*; se suele decir *proceed* o *proceed legally*; V. *act, carry on*. Exp: **proceed against somebody** (PROC procesar a alguien, demandar a alguien, proceder legalmente contra alguien; V. *sue somebody*), **proceed as one's own counsel** (GRAL representarse procesalmente a sí mismo), **proceed to** (GRAL dirigirse a), **proceed to liquidation** (MERC proceder a la liquidación), **proceeds** (MERC ganancias, frutos, productos, producto neto o líquido de una operación ◊ *The proceeds of the sale will be distributed among the members of the company*; V. *returns*)].

proceeding-s[1] *n*: PROC procedimiento, actuaciones, trámites, diligencias, actos, acto procesal, proceso ◊ *Proceedings in criminal trials begin with the reading of the charge*; V. *action, adversarial proceeding, bar to proceedings, committal proceeings, conduct of proceedings, institute proceedings, interlocutory proceedings, legal proceedings, preliminary proceedings, private proceedings, probate proceedings, take proceedings; stay of proceedings*. [Exp: **proceedings**[2] (PROC actas, minutas, autos; V. *assembly proceedings, book of proceedings, record of proceedings, minutes, certificates, files, record*), **proceedings for damages** (PROC recurso de indemnización), **proceedings for settlement of an estate** (SUC juicio sucesorio o mortuorio), **proceedings in bankruptcy** (MERC procedimiento de la quiebra)].

process[1] *n/v*: GRAL proceso, método; elaborar, procesar, transformar ◊ *The application will be processed and an answer will be returned as soon as possible*. [Exp: **process**[2] (PROC documentación procesal de la etapa inicial del proceso civil; equivale a *writ* o a *summons*; V. *process-server, jury process, serve a process, put in process*), **process**[3] *US* (PROC proceso, procedimiento judicial ◊ *The tactics of obstruction to justice employed by the agency have not been confined to the judicial process*; es el nombre genérico para referirse a todo el procedimiento judicial *–the entire course of a judicial proceedings–* desde el inicio hasta el fallo, el cual queda reflejado en los autos del tribunal y en los alegatos escritos por las partes; en esta segunda acepción equivale también a actos procesales, documentos procesales; V. *abuse of process, in due process of law, legal proceedings*), **process, in** (GRAL en gestión o en curso), **process of garnishment** (PROC proceso de embargo), **process of law** (PROC proceso legal; V. *indue process of law*), **process-server** (PROC agente judicial, notificador, portador de citaciones o notificaciones judiciales, ujier), **processed**

product (GRAL producto transformado), **processing** (GRAL trámite; elaboración, transformación)].

proctor *n*: PROC procurador; antiguamente, abogado o procurador de los tribunales eclesiásticos, ahora sólo se emplea en la expresión *Queen's Proctor*.

procuration *n*: GRAL procuración, poder, agencia; V. *proxy*. [Exp: **procuration money** (MERC derecho de comisión sobre un préstamo), **procuration fee** (PROC honorarios de procurador), **procurator** (PROC procurador; en Escocia, fiscal, acusador), **procurator fiscal for the area** *der es* (fiscal de zona), **procure**[1] (GRAL procurar; conseguir ◊ *He procured clients for his company*; V. *obtain, appropriate, acquire*), **procure**[2] (GRAL instigar; V. *entice, incite; counsel, aid and abet, solicit*), **procure**[3] (GRAL alcahuetear, dedicarse al proxenetismo ◊ *To procure is to obtain sexual partners for others*; V. *solicit*), **procure**[4] (GRAL producir; V. *bring about, procuring cause*), **procure funds** (GRAL obtener fondos), **procurement** (GRAL obtención, adquisicón), **procurer** (PENAL alcahuete, proxeneta, buscona; V. *pimp*), **procuring cause** (GRAL causa próxima)].

produce[1] *v*: GRAL presentar, aportar, exhibir, dar traslado a [un documento u otra pieza]; conducir ante el tribunal competente de acuerdo con la garantía del *habeas corpus*, poner a disposición judicial; sacar; causar, surtir; V. *bring about, present, show, disclose, discover*. [Exp: **produce**[2] (GRAL producto; producir ◊ *Our products help businesses reduce costs, increase productivity and improve performance*), **produce a document** (GRAL exhibir un documento), **produce a gun** (GRAL sacar un arma), **produce an effect** (GRAL surtir [un] efecto), **produce a prisoner** (PENAL conducir a un acusado ante el tribunal competente; V. *arraign, charge, indict*), **produce a profit** (producir beneficio), **produce evidence** (PROC presentar/aportar/aducir/practicar pruebas ◊ *It is the duty of the jury to determine the facts from the evidence produced in court*), **produce results** (GRAL resultar, dar resultado, dar frutos, resultar eficaz o beneficioso), **product** (GRAL producto; V. *outcome, result*), **production**[1] (GRAL producción; presentación), **production**[2] (PROC presentación [de un documento u otra pieza como prueba], exhibición, manifestación, aportación; norma según la cual cada una de las partes en un litigio debe poner a disposición de la otra y del tribunal las pruebas sobre las cuales descansan sus tesis y sus pretensiones; V. *disclosure*), **production** *der es* (PROC documento o pieza presentada como prueba), **production of, on** (GRAL presentando, a la presentación, al presentar ◊ *A police officer is entitled to enter private premises on production of a search warrant*; V. *on demand, upon request*), **productive** (GRAL rentable, remunerativo; V. *profitable*), **productivity** (MERC productividad)].

professional *a*: GRAL profesional; con este adjetivo se pueden formar muchas unidades léxicas junto a *negligence, libablity, etc.* ◊ *The doctor was struck off the rolls for professional misconduct*. [Exp: **professional disease** (GRAL enfermedad profesional; V. *industrial disease*), **professional misconduct** (GRAL mala conducta profesional, falta de ética profesional), **professional trouble-shooter** (LABORAL mediador de disputas laborales)].

profit *n*: GRAL beneficio, utilidad, ganancia, lucro; disfrute ◊ *You have capital gains when you sell shares at a profit*; V. *benefit, gain, advantage*. [Exp: **profit à prendre** (CIVIL beneficio de una finca que se tiene en explotación, derecho de extracción de minerales, de pasto para el ganado, etc., en terrenos comunales; el usufructo, los objetos extraídos, los beneficios conseguidos, etc.; servidumbre de usufructo; el derecho inglés distingue entre dos clases principales de servidumbres: por un lado, los *easements*, que implican la obligación de ceder un bien o un derecho, como agua corriente, luz o derecho de paso, que no se agota con tal cesión; y por otro, los *profits à prendre*, que implican la merma o consumo de los bienes objeto de usufructo; V. *common land, pasture; appurtenant*), **profit and loss account** (MERC cuenta de pérdidas y ganancias), **profit and loss statement** (MERC balance de resultados, estado de pérdidas y ganancias), **profit, at a** (GRAL con beneficio), **profit by** (GRAL sacar provecho de), **profit-taking session** (MERC sesión bursátil de realización de beneficios), **profitability** (GRAL rentabilidad), **profitable** (GRAL fructífero, provechoso, ventajoso, rentable; V. *productive, gainful, money-making, lucrative*), **profiteer** (GRAL agiotista, acaparador, logrero; usurear, explotar, dedicarse a la usura o al estraperlo), **profiteering** (GRAL estraperlo), **profits** (CIVIL servidumbre de disfrute; V. *easement*), **profits appendant** (CIVIL servidumbres de origen legal), **profits costs** (PROC honorarios del letrado ◊ *A solicitor's bill of cost, often calculated by an expert called a «costs draftsman», includes both the lawyer's fees –«profits costs»– and expenses –«disbursements»–*), **profits in gross** (CIVIL servidumbres personales)].

programme *n*: programa; campaña; V. *policy, project, design, plan.*

progress *n/v*: promoción, progreso, avance; progresar, subir la cotización ◊ *BP shares have been progressing*; V. *development, advancement.* [Exp: **progress, in** (GRAL en curso), **progress report** (GRAL informe sobre la marcha de los trabajos), **progressive tax** (FISCAL impuesto progresivo)].

prohibit *v*: GRAL prohibir; los verbos *forbid* y *prohibit* son sinónimos, prefiriéndose el segundo para las cuestiones jurídicas y el primero para las morales o religiosas; V. *proscribe, forbid, disallow, enjoin.* [Exp: **prohibited** (GRAL prohibido), **prohibited degrees of kinship/relationship** (FAM/CIVIL impedimentos matrimoniales por razón de parentesco, consanguinidad, adopción, afinidad, etc.; V. *blood relationships*), **prohibited weapon** (PENAL arma peligrosa, arma prohibida), **prohibition** (PROC prohibición, auto inhibitorio; auto dictado por el *High Court of Justice* a un tribunal inferior pidiéndole que se abstenga de actuar; el *prohibition* junto con el *certiorari* y el *mandamus* son tres autos judiciales de prerrogativa *–prerogative orders–* que puede dictar el *High Court of Justice* a cualquiera de los tribunales inferiores dentro de su jurisdicción de control y tutela de los mismos *–jurisdictional review–*; este recurso se plantea normalmente al alegar falta de jurisdicción del tribunal inferior o al suplicar el amparo del *High Court of Justice* por el supuesto exceso en el uso de sus facultades o *ultra vires* del tribunal inferior; V. *writ*), **prohibition notice** (LABORAL orden dictada por la inspección de trabajo prohibiendo la actividad laboral hasta que se haya subsanado el riesgo o el peligro detectado; V. *improvement notice*), **prohibitory injunction** (PROC prohibición, interdicto prohibitivo o de no hacer; V. *mandamus*), **prohibitory interdict** *der es* (PROC interdicto prohibitorio; V. *interdict*)].

project *n*: GRAL proyecto, plan; V. *design, plan, programme, policy.*

prolongation of time *n*: GRAL ampliación del plazo; V. *extension; prorogue; continuance.*

promise *n/v*: GRAL promesa; prometer ◊ *A promise is legally binding if it is contained in a contract or made by deed.*

[Exp: **promisee** (CIVIL tenedor de una promesa), **promisor** (CIVIL el que promete), **promissory** (CIVIL promisorio), **promissory estoppel** (CIVIL impedimento por promesa, doctrina de los actos propios aplicada al caso de una promesa; se trata de una aplicación concreta de la doctrina del *equitable estoppel*; a diferencia del *estoppel* reconocido por el derecho común, que tan sólo abarca los hechos, derechos y relaciones existentes en el momento presente, la doctrina equitativa amplía el ámbito de aplicación para incluir los actos futuros; en particular, la equidad entiende que es vinculante la recisión pactada, o satisfacción parcial, de un contrato, aun en ausencia de nueva causa o contraprestación contractual; el tribunal que invoca este principio no permite que la parte que haya dado su palabra de aceptar una cantidad inferior a la acordada originalmente, satisfaciendo así plenamente las condiciones pactadas y extinguiendo el contrato, se eche atrás después y demande a la otra parte por incumplimiento de contrato; sin embargo, salvo ciertas excepciones, como el *proprietary estoppel*, la doctrina no se puede invocar para crear nuevas relaciones entre dos partes ya vinculadas entre sí; se emplea únicamente como resistencia y no como fundamento de una demanda, o, como dijo el juez en una célebre decisión, funciona como escudo y no como espada *–as a shield, and not as a sword–*; V. *accord and satisfaction)*, **promissory oath** (CIVIL juramento promisorio), **promissory bill** *US* (MERC pagaré), **promissory note** (MERC pagaré, vale, abonaré, nota de pago, reconocimiento de deuda, papel comercial; V. *note of hand*), **promissory warranty** (CIVIL garantía promisoria)].

promote *v*: GRAL agenciar, fomentar, promover, promocionar, ascender ◊ *She took early retirement after being passed over for promotion*; V. *encourage, advance, develop*. [Exp: **promoter** (gestor, promotor de una mercantil; V. *developer*), **promotion** (GRAL ascenso, promoción; fomento; V. *advancement, development*)].

promulgate *v*: GRAL promulgar; V. *enact, proclaim, declare*. [Exp: **promulgation** (GRAL promulgación; V. *enactment*)].

prone *a*: GRAL propenso, proclive ◊ *In serious criminal cases, the prisoner in the dock may be guarded and handcuffed if he is known to be prone to attempt escape*; V. *predisposed, inclined* .

pronounce *v*: GRAL declarar, decretar ◊ *After collating the two documents, experts pronounced them identical*; V. *declare, proclaim, issue*. [Exp: **pronounce a judgment** (PROC pronunciar sentencia o fallo), **pronounce sentence** (PROC/PENAL decretar una pena), **pronouncement** (GRAL pronunciamiento; V. *announcement, declaration*)].

proof[1] *n*: GRAL prueba, práctica de la prueba, demostración, medios de prueba, comprobación, comprobante, probanza ◊ *If conclusive proof is not available, cases are decided on the balance of probabilities*; V. *furnish proofs, evidence*. [Exp: **proof**[2] *der es* (PROC/CIVIL vista, juicio; práctica de la prueba, debate; alude normalmente al acto del juicio o de la vista en el procedimiento civil cuando se celebra sin la intervención del jurado popular *–jury trial–*; en la modalidad conocida como *proof before answer*, se trata de la práctica de la prueba ordenada por el juez para resolver *–answer–* un incidente procesal en el que resulta imprescindible esclarecer algunos elementos fácticos para poder determinar la cuestión de Derecho controvertida ◊ *After listening to submissions from both sides, the Lord Ordinary ordered a proof before answer*), **proof by witness** (PROC prueba testifical), **proof department** (departamento de comprobación), **proof of evidence** (PROC práctica de la prueba), **proof of handwriting** (PROC prueba caligráfica), **proof beyond a reasonable doubt** (PROC prueba suficiente sin que quede duda razonable; véase en *beyond a reasonable doubt* la fórmula empleada por los jueces cuando se dirigen al jurado desde 1999 en el Reino Unido; V. *standard of proof*), **proof of service** (GRAL prueba o comprobante de que ha efectuado la notificación o *service*)].

proper *a*: GRAL adecuado, apropiado, razonable, correcto, debido, pertinente, justo; V. *appropriate, suitable, correct*. [Exp: **proper care** (CIVIL prudencia razonable), **proper evidence** (PROC prueba admisible), **proper law of a contract** (PROC ley de aplicación de un contrato, fuero competente), **proper notice to quit** (CIVIL requerimiento de desalojo), **proper party** (PROC parte interesada; V. *party to the suit*), **properly** (GRAL en la forma debida ◊ *Trial by jury has been properly demanded*)]; V. *suitably, appropriately*)].

property *n*: CIVIL bienes, pertenencias; inmueble, bienes inmuebles, propiedad; haberes; la palabra *property*, en términos generales, se aplica a cualquier cosa de la que uno es el dueño o propietario; aunque siempre hay que tener en cuenta el contexto, se suele entender como «bienes raíces»; V. *ownership; real assets, absolute property, incorporeal property, joint property, movable property, private property, real property*. [Exp: **property adjustment order** (FAM orden judicial disponiendo la conclusión y liquidación de la sociedad de gananciales; V. *allegation of faculties, clean break, financial provision order*), **property developer** (GRAL promotor de viviendas; V. *development, permitted development*), **property holder** (CIVIL tenedor de bienes), **property increment tax** (FISCAL impuesto de plusvalía o sobre incremento de valor), **property register** (ADMIN parte primera de un asiento o inscripción en el *Land Register*, en la que se describe el bien mueble objeto de la inscripción), **property rights** (CIVIL derechos de propiedad), **property tort** (CIVIL agravio contra la propiedad), **proprietor** (CIVIL proprietario, duelo; V. *dueño*), **proprietor of a trademark** (MERC titular de una marca ◊ *The registrant holds the title of possession and use of a trademark*; V. *registrant of a trademark*), **proprietorship register** (ADMIN parte segunda de un asiento o inscripción en el *Land Register*, donde quedan consignados el nombre del titular y la clase de título que posee, a saber, absoluto, posesorio, limitado, etc.)].

proposal *n*: GRAL propuesta, proyecto, proposición, oferta; V. *offer, suggestion*. [Exp: **propose** (GRAL PROPONER; proyectar ◊ *The proponent always bears the burden of proof in relation to an issue in litigation*; V. *submit, advance, suggest*), **proposition**[1] (GRAL propuesta, proposición, oferta; V. *proposal, suggestion, submission, suggestion*), **proposition**[2] (GRAL proposición deshonesta, invitación a la cama; hacer a alguien proposiciones deshonestas, invitar a la cama; V. *sexual harassment, sexual intercourse*)].

propound *v*: GRAL proponer, exponer; defender la validez de un testamento ◊ *The theory of property propounded by the Roman lawyers has been developed in many European countries*; V. *argue, contend*. [Exp: **propound a question** (GRAL plantear, presentar una cuestión; V. *raise a question*), **propounder** (GRAL/SUC proponente, la parte que, en un juicio de testamentaría, defiende la validez de un testamento; V. *probate proceedings*)].

propria persona, in *n*: PROC sin representación procesal, actuando en nombre propio, V. *in pro per; pro se*.

proprietary *a*: CIVIL propietario, particular, confidencial. [Exp: **proprietary estoppel** (impedimento por creación de derecho de propiedad; si una persona cree que un terreno le pertenece y empieza, con el consentimiento del verdadero propietario, a construir una casa en la finca, el dueño legal no puede alegar después que la casa es suya, ya que calló mientras el otro se metía en gastos ◊ *Proprietary estoppel exists to prevent anyone from taking unfair advantage of another person's good faith*; V. *accession, estoppel*), **proprietary rights** (CIVIL derechos de propiedad)].

proprietor *n*: CIVIL propietario, dueño, titular; las palabras *owner* y *proprietor* son casi sinónimas; la primera es más general –*the owner of a car*–, y la segunda se aplica con más frecuencia a propiedad inmobiliaria –*the proprietor of land, a building,* etc.–. [Exp: **propriety** (GRAL corrección, decoro; esta palabra es sinónima de *appropriateness*, no de *property*; V. *correctness, suitability*), **proprietorship** (CIVIL derecho de propiedad, calidad de propietario), **proprietorship certificate** (CIVIL certificado de propiedad), **proprietorship register** (ADMIN registro de la titularidad de los bienes raíces; V. *land certificate, land registry, land registration, property register*)].

prorogue *v*: GRAL suspender [temporalmente las sesiones del Parlamento u otra asamblea legislativa], aplazar [las sesiones], clausurar [por vacaciones]; V. *adjourn, postpone*. [Exp: **prorogation** (GRAL suspensión o clausura temporal del Parlamento; en el derecho escocés, extensión de la jurisdicción de un tribunal, prórroga o ampliación de un plazo; V. *extension, prolongation of time, continuance, postponement, adjournment*), **prorogate** *der es* (PROC extender la jurisdicción de un tribunal; ampliar un plazo; prorrogar; nótese que la expresión del derecho escocés, como tantas otras, se parece a la española; en cambio, el sentido inglés es radicalmente distinto, tratándose de un «falso amigo» tan sorprendente que equivale al contrario de su parónimo español)].

pros and cons *n*: GRAL argumentos a favor y en contra; ventajas y desventajas.

proscribe *v*: GRAL prohibir, proscribir; V. *forbid, prohibit, ban, outlaw*. [Exp: **proscribed** (GRAL proscrito), **proscribed organization** (PENAL organización proscrita o prohibida de acuerdo con la ley)].

prosecute *v*: PROC enjuiciar, entablar una acción judicial; procesar, acusar ◊ *The prosecution must withdraw the charge if they cannot gather enough evidence*; V. *sue; indict*. [Exp: **prosecute a claim** (CIVIL presentar una demanda), **prosecute a criminal** (PENAL encausar o enjuiciar a un delincuente), **prosecute a suit** (PROC seguir un pleito o una causa), **prosecuting attorney** *US* (PENAL fiscal, abogado acusador), **prosecuting authorities** (PENAL fiscales), **prosecution witness** (PENAL testigo de cargo; V. *witness*), **prosecution** (PENAL acusación, procesamiento, seguimiento de una causa criminal, enjuiciamiento; V. *indictment, information, presentment; initiate a prosecution, malicious prosecution, private prosecution, DPP*), **prosecution case** (PENAL conclusiones [provisionales] de la acusación; V. *closing/final statement, defence case*), **prosecution of an action** (PROC ejercicio de la acción), **prosecution witness** (PENAL testigo de cargo; V. *witness*), **prosecutor** (PENAL fiscal, acusador público; V. *prosecuting attorney, Crown prosecutor, private prosecutor*)].

prostitute *n*: GRAL prostituta; V. *immoral earnings, procure, pimp, kerb-crawling, solicit*. [Exp: **prostitution** (GRAL prostitución), **prostitution ring** (PENAL red de prostitución)].

protect *v*: GRAL proteger, amparar, tutelar; V. *protect, guard, save*. [Exp: **protected** (GRAL seguro, protegido; V. *sheltered, safe*), **protected persons** (ADMIN personas con derecho a protección oficial), **protected by law** (PROC tutelado por la ley), **protected shorthold tenancy** (CIVIL similar al *protected tenancy* pero por tiempo fijado), **protected tenancy** (CIVIL contrato de arrendamiento regulado por leyes anteriores al *Housing Act* de 1988; V. *assured tenancy*), **protection** (GRAL protección, amparo; V. *bankruptcy/creditor protection, constitutional protection, legal protection, procedural protection; constitutional protection, procedural protection, court protection, writ of protection*), **protection and indemnity club** (SEGUR club o asociación de protección e indemnidad; V. *club call*), **protection racket** *US* (PENAL extorsión sistematizada), **protective** (protector, amparador, preventivo, que protege), **protective award** (LABORAL fallo que condena al empleador a pagar una indemnización a un empleado por despido sin preaviso o sin notificación suficiente; V. *dismissal, redundancy*), **protective custody** (PENAL prisión preventiva), **protective measure** (PROC medida preventiva, cautelar o de salvaguardia; V. *interim proceedings*), **protective trust** (CIVIL fideicomiso alimenticio, fideicomiso vitalicio para amparar al beneficiario y su familia en caso de quiebra), **protector of settlement** (CIVIL protector de la vinculación; persona con derecho prioritario en el orden de sucesión o *settlement* de una propiedad; V. *settlor*)].

protest *n/v*: GRAL protesta, protesto, objeción; protestar, objetar ◊ *The defence counsel protested about the prosecution's treatment of his witness, but his objection was overruled*; V. *dissent, object, complain, complain; file a protest, serve a protest, note a bill*. [Exp: **protest in common form** (MERC protesta del capitán, declaración hecha ante cónsul o notario por el capitán de un barco inglés al llegar a puerto, detallando las circunstancias irremediables que han ocasionado algún daño o perjuicio; V. *captain's protest; note of protest*), **protestable** (GRAL protestable; con gastos), **protest charges** (MERC gastos de protesto), **protest for non-acceptance** (MERC protesto por falta de aceptación), **protest for non-payment** (MERC protesto por falta de pago), **protest of a bill** (MERC protesto de una letra), **protestee** (MERC protestado), **protestor** (MERC acreedor que ordena levantar un protesto), **protested bill** (MERC letra o efecto protestado; V. *serve a protest*), **protest, under** (GRAL protestado; bajo protesta, haciendo constar la protesta), **protestation** (GRAL declaración [de inocencia lealtad, etc.]; protesta; V. *dissent, declaration*)].

prove *v*: GRAL probar, comprobar, demostrar, verificar; V. *establish, determine, ascertain, find the case proved*. [Exp: **prove a will** (SUC homologar un testamento, hacerlo público; v. *probate*), **prove by evidence** (PROC demostrar por medio de pruebas), **prove one's case** (PROC demostrar con argumentos la verdad que uno defiende), **prove the truth of one's statement** (PROC demostrar la verdad de una declaración), **proved** (GRAL probado; en la expresión *We find the case proved*, utilizada en los *Magistrates' Courts*, significa «se condena al acusado»; V. *legally proved*), **proved facts** (PENAL hechos probados)].

proven, not *der es n*: PROC veredicto de «sin pruebas o de falta de pruebas» ◊ *Under Scots law there are three possible verdicts: guilty, not guilty, not proven*; V. *verdict*.

provide [1] *v*: GRAL disponer, establecer, estipular, estatuir, fijar, señalar ◊ *The specific* *provisions of an Act are laid out in numbered sections*; V. *lay down, stipulate*. [Exp: **provide**[2] (GRAL facilitar, ofrecer, proveer, suministrar ◊ *The law provides the lender with remedies if the borrower doesn't pay his debt*; V. *supply, deliver, furnish*), **provide for acceptance** (CIVIL cubrir aceptaciones), **provide guidance** (GRAL orientar), **provided that** (GRAL a condición de que, siempre que, con tal que), **provider** (GRAL proveedor; V. *supplier*), **provision**[1] (GRAL disposición, precepto, artículo; V. *regulation*), **provision**[2] (MERC abastecimiento, provisión), **provision of funds** (GRAL provisión de fondos), **provisional** (GRAL provisional, provisorio, cautelar, interino ◊ *Bankruptcy orders usually include provisional measures to be taken until the estate is wound up*; V. *interim, qualified, conditional, temporary*), **provisional basis, on** (GRAL a título provisional), **provisional injunction** (PROC mandato interlocutorio, requerimiento provisional), **provisional measures** (PROC medidas provisionales), **provisional remedy** (PROC recurso interino, proceso cautelar)].

proviso *n*: GRAL condición, estipulación, requisito; V. *clause, provision, stipulation*.

provocation *v*: GRAL provocación; V. *incitement, instigation*. [Exp: **provocative** (GRAL provocativo, provocador), **provoke** (GRAL provocar; V. *cause, induce, generate, defy*)].

provost *der es n*: ADMIN alcalde; los *burghs* de Escocia equivalen a los *boroughs* de Londres, y están regidos por un *provost, bailies* y *councillors*; V. *Lord Provost, councillor*. [Exp: **provost-marshal** (GRAL oficial del ejército encargado de la vigilancia de los militares arrestados o detenidos)].

proximate *a*: GRAL próximo; V. *near, neighbouring*. [Exp: **proximate cause** (PROC causa inmediata o próxima; son sinónimos de *proximate cause* los siguientes: *causa causans, causa proxima, dominant cause, efficient cause, immediate cause, legal cause, moving cause, next cause, producing cause*), **proximate consequence** (GRAL consecuencia inmediata, natural o próxima), **proximate damages** (CIVIL daños inmediatos o consecuentes), **proximate result** (GRAL resultado natural), **proximity** (GRAL proximidad, parentesco ◊ *Proximity of blood*; V. *causation*)].

proxy *n*: GRAL poder, procuración, delegación; apoderado, mandatario, poderhabiente, representante o delegado en una junta; V. *procuration*. [Exp: **proxy for, as** (GRAL en sustitución de), **proxy, by** (GRAL por persona interpuesta, por poder), **proxy form** (GRAL impreso de representación; cuando el interesado no puede ir a un junta o reunión delega su voto por medio de este impreso; algunas sociedades mercantiles exigen que este representante sea un abogado especialista en ejercicio *–a qualified legal practitioner–* o un auditor oficial *–an approved auditor–*), **proxy holder** (GRAL apoderado, poderhabiente; V. *power of attorney*), **proxy marriage** (FAM matrimonio por poder)].

prurient *a*: GRAL lascivo; V. *obscene, debauched*.

pry *v*: GRAL curiosear, fisgonear, meter la nariz, meterse uno donde no le llaman ◊ *Snoop into sb's private affairs*; V. *sleuth, tail*.

psychological *a*: GRAL psicológico; V. *mental, emotional*. [Exp: **psychological damages** (GRAL daños morales), **psychosis** (GRAL psicosis, locura; V. *insanity, mental derangement*)].

puberty *n*: GRAL pubertad; V. *adolescence, childhood*.

public *a*: GRAL público ◊ *Noise and pollution can be a public nuisance*; V. *general, official; governmental*. [Exp: **public accountability** (ADMIN transparencia de las gestión pública), **public accountant**

(MERC contador público; V. *certified public accountant*), **public act** (CONST ley general; ley de aplicación nacional o regional), **public administrator** (SUC testamentario público de una sucesión *ab intestato*), **public attorney** (PENAL fiscal), **public auction** (MERC subasta, venta en almoneda), **public authority** (ADMIN organismo público autónomo, autoridad pública), **public bill** (COST proyecto de ley presentado por el gobierno; V. *private member's bill*), **public body** (ADMIN organismo público), **public bond** (ADMIN letra del tesoro; V. *treasury bill, treasury bond*), **public bonded warehouse** (ADMIN almacén afianzado para todos los importadores), **public domain** (GRAL dominio público; información, terrenos o propiedades que están a disposición del público), **public corporation** (ADMIN corporación pública o municipal; entidad de derecho público), **public debt** (ADMIN deuda pública; V. *sink the public debt*), **public document** (CIVIL escritura pública), **public domain** (ADMIN dominio público; información, terrenos o propiedades que están a disposición del público; V. *public property*), **public easement** (CIVIL servidumbre pública), **public enterprise** (ADMIN empresa pública), **public funds** (ADMIN fondos públicos), **public hearing** (PROC vista pública, audiencia pública), **public instrument** (CIVIL instrumento público), **public interest** (PROC interés público), **Public Interest Immunity, PII** (CONST inmunidad especial de la Corona o el Estado, fundamentalmente en lo que afecta a la obligación de presentar pruebas documentales, cuando, a criterio del Estado, éstas podrían ir en contra del interés o de la seguridad pública; también se le llama *Crown privielege*), **public interest, with** (de interés o uso público; V. *affected with a public interest*), **public law** (GRAL derecho público), **public lewdness** (PENAL exhibición deshonesta; V. *indecency, indecent exposure*), **public liability** (CIVIL responsabilidad civil o pública, responsabilidad ante terceros), **public liability insurance** (SEGUR seguro de responsabilidad civil), **public limited company, plc** (MERC sociedad anónima que cotiza en Bolsa; V. *incorporated company, go public*), **public nuisance** (CIVIL/PENAL cuasidelito contra la tranquilidad, seguridad o salud pública, por exceso de ruido, fabricación o venta de productos en mal estado, contaminación, etc.; *public nuisance* es un delito mientras que *private nuisance* simplemente es un ilícito civil; V. *nuisance*), **public notary** (CIVIL notario público), **public notice** (GRAL aviso al público), **public office/service** (ADMIN cargo público), **public opinion** (GRAL opinión pública), **public order** (GRAL orden público), **public peace** (ADMIN orden público), **public plaintiff** (PENAL acusador público), **public policy** (PENAL orden público), **public property** (ADMIN bienes públicos o de dominio público; V. *public domain*), **public prosecutor** (PENAL fiscal, acusador público; V. *Crown prosecutor*), **public record** (ADMIN documento público, registro público, archivo público; V. *matter of public record*), **public service corporation** (ADMIN empresa de servicio público), **public spending** (ADMIN gasto público), **public trust** (CIVIL fideicomiso público o de beneficencia), **public utilities** (ADMIN empresas de interés público), **public welfare** (GRAL bienestar público), **public works** (ADMIN obras públicas), **public wrong** (CIVIL acto ilícito civil de carácter público)].

proclamation *n*: GRAL publicación, edición, divulgación; V. *proclamation, disclosure*. [Exp: **publicise** (GRAL dar publicidad a), **publish** (publicar, promulgar; V. *announce, proclaim, issue*)].

puisne *a*: GRAL de segundo orden o rango; viene del francés antiguo *puis né*, nacido después. [Exp: **puisne judges** (PROC jueces superiores, magistrados, magistrados de término; paradójicamente se aplica a los jueces del Supremo o superiores, quienes en jerarquía van detrás del *Lord Chancellor*, del *Lord Chief Justice* y del *President of the Family Division*), **puisne mortgage** (CIVIL hipoteca menor o secundaria sobre una propiedad o finca no inscrita en el registro; dado que el acreedor hipotecario original se queda normalmente con la escritura, es aconsejable que el tenedor de la segunda –que es de tipo legal o *legal*, a diferencia de la primera que es de equidad o *equity*– registre su derecho como carga o gravamen sobre la propiedad)].

puff *n*: GRAL bocanada, calada; V. *pull, drag*.

pull *col n*: GRAL calada; V. *drag*.

punish *v*: GRAL/PENAL castigar; V. *sanction, chastise*. [Exp: **punishable** (PENAL punible, sancionable, castigable ◊ *Speeding is punishable by a fine and ban from driving*), **punishment** (PENAL pena, castigo, sanción), **punishment cell** (PENAL celda de castigo)].

punitive damages *n*: CIVIL daños punitivos, daños ejemplares ◊ *A court may award punitive damages if it comes to the conclusion that the defendant has calculated that the advantage to him of committing the tort would outweigh the damages against him*; V. *exemplary damages*.

pur autre vie *fr*: CIVIL durante la vida de otro, circunscrita a la vida de un tercero; se aplica esta expresión en algunos tipos de contrato, como los de arrendamiento.

purchase *n/v*: GRAL/MERC compra, adquisición; comprar, adquirir; V. *buy, acquire*. [Exp: **purchase order** (MERC pedido u orden de compra, carta de pedido; V. *compulsory purchase order*), **purchaser** (MERC adquirente; V. *buyer*), **purchaser for value** (MERC comprador con contraprestación; V. *consideration*)].

pure *a*: GRAL puro; V. *spotless, innocent, mere, simple*. [Exp: **pure accident** (SEGUR accidente inevitable), **pure economic loss** (CIVIL pérdidas o daños puramente económicos, quebranto económico; expresión que se aplica a la clase de perjuicios para la que el derecho extracontractual *–tort–* no ofrece solución alguna; según esta rama del derecho inglés, la parte actora tiene que alegar y demostrar que ha sufrido daños personales, o que su adversario ha lesionado otro derecho personal suyo al incumplir un deber, explícito o innato, de prudencia *–duty of care–*; de lo contrario, la demanda no prosperará, ya que los tribunales consideran que lo normal es que la persona razonable *–the ordinary reasonable man–* tenga la prudencia suficiente como para protegerse contra la posibilidad de sufrir daños meramente económicos mediante la formalización de un contrato, como, por ejemplo, un contrato de seguros), **pure endowment** (CIVIL dotación pura), **pure interest** (CIVIL interés puro)].

purge *v*: GRAL/PENAL purgar, expiar, absolver; aunque se emplea en expresiones de tipo moral, .puede en ocasiones aparecer en otras de tipo penal, como *purge of an imputation for contempt of law* –absolver de la imputación de desacato–; V. *atone, acquit*.

purloin *v*: PENAL hurtar, sustraer, robar: V. *steal, snatch, abstract*.

purport *n/v*: GRAL sentido, significado; pretender, dar a entender ◊ *A letter purporting to be from the owner of the property arrived yesterday*. [Exp: **purported** (GRAL presunto), **purportedly** (GRAL presuntamente; V. *allegedly*)].

purpose *n*: GRAL intención, propósito, objeto ◊ *In the criminal law it is sufficient to show that the accused was aware of the* *probable consequences of his act to establish that his purpose was criminal*; V. *object, stated purpose*. [Exp: **purpose, on** (GRAL a propósito), **purpose trusts** (ADMIN se trata de fondos excepcionales, creados para el cuidado de animales, el mantenimiento de tumbas, para que digan misas en sufragio de los fallecidos, etc.)].

pursuance *n*: GRAL cumplimiento. [Exp: **pursuance of, in** (GRAL de conformidad con, a tenor de, en cumplimiento de; V. *under*), **pursuant to** (PROC en virtud de, en aplicación de, de conformidad con, de acuerdo con, a tenor de lo dispuesto ◊ *He submitted an application for asylum pursuant to USC sec 23*; V. *under, in accordance with*), **pursue** (GRAL procesar, demandar; proseguir, seguir, continuar ◊ *He will not be allowed to pursue if he does not put up €1,5 m security for costs*), **pursue a personal injury claim** (CIVIL presentar una demanda por daños personales), **pursue a policy** (GRAL aplicar una política), **pursuer** *der es* (CIVIL demandante; equivale al *plaintiff* del derecho inglés), **pursuit** (GRAL búsqueda; persecución, perseguimiento; ejercicio; V. *hot pursuit*)].

purvey *v*: GRAL proveer, suministrar ◊ *The witness was described as a purveyor of wines and spirits.*; V. *supply, furnish, provide*. [Exp: **purveyor** (GRAL abastecedor)].

purview *n*: CONST parte dispositiva de una ley; la parte dispositiva de una ley comienza con la fórmula *be it enacted*; V. *preamble, repealing clause*.

pusher *n*: PENAL camello, traficante de drogas; V. *drug pedlar.*

put[1] *v*: GRAL poner, colocar; V. *put it to you*. [Exp: **put**[2] (MERC opción de venta; opción de venta de acciones, prima de opción a vender o a la baja; también llamado *put option*, es el contrato que da a su propietario el derecho a vender el activo subyacente –*underlying asset*– en el mercado de valores –*stock market*–, de materias primas –*commodities*– o de divisas –*currency*– a un precio determinado, llamado *strike price* o *exercise price*, hasta una fecha fijada, llamada *expiration date*; V. *option, call, hedging*), **put a ban on** (GRAL prohibir, proscribir; V. *raise the ban on*), **put a child in care** (FAM/PROC ordenar que un menor sea alojado en un centro de acogida), **put a motion to the vote** (GRAL someter a votación una moción), **put away** *col* (encerrar *col*, encarcelar, recluir ◊ *The judge put the dope pusher away for ten years*; V. *jail, send down, bust*[3]), **put down on the agenda** (GRAL incluir en el orden del día), **put forward** (GRAL exponer, presentar, plantear, sugerir), **put in** (GRAL presentar, cursar; V. *file*), **put in a bid** (MERC pujar), **put in a claim** (PROC presentar una reclamación ◊ *He put in a claim to his insurance company when his house was burgled*), **put in a demurrer** (PROC presentar o cursar una defensa de excepción; V. *plead*), **put in a plea** (PROC presentar un alegato; V. *plead*), **put in capital** (PROC aportar capital), **put in pawn** (MERC empeñar; V. *pawn*), **put in process** *der es* (PROC unir a autos; solicitar que se admita como prueba ◊ *Crown counsel challenged the authenticity of the letter put in process by the defence*), **put into circulation** (GRAL poner en circulación; V. *utter*[2]), **put into effect** (GRAL ejecutar), **put into execution** (GRAL poner en ejecución), **put it to you, I** (PROC diga ser cierto que…; V. *I submit*), **put off** (GRAL posponer; V. *adjourn*), **put on record** (GRAL elevar a documento público, dejar constancia; V. *convert into a public document oro deed*), **put one's trust in** (GRAL depositar la confianza en), **put option** (MERC V. *put*[2]), **put over** (GRAL prorrogar, diferir; V. *adjourn*), **put to a vote** (GRAL someter a votación), **put to death** (PENAL ajusticiar, ejecutar; V. *execute*), **put up bail** (PENAL pagar la fianza), **put up something for auction** (MERC sacar a pública subasta, subastar, rematar; V. *auction*), **put up something for sale** (GRAL poner en venta, sacar a la venta)].

putative *a*: GRAL putativo; V. *pretended child.*

Q

QB/QBD *n*: PROC V. *Queen's Bench Division.*

QC *n*: PROC V. *Queen's Counsel.*

qua *prep*: GRAL en funciones de, en su condición de ◊ *The Lord Chancellor took this decision qua head of the Judiciary*; V. *acting, in the capacity of.*

qualification[1] *n*: GRAL capacitación profesional, preparación, formación, habilitación; competencia, título, certificado, diploma, requisito; en plural, *qualifications* significa «currículum, formación, capacidad, aptitudes, idoneidad, méritos» y, en general, el conjunto de títulos, diplomas o certificados que acreditan la formación teórica y práctica de una persona que la habilita para el ejercicio de una profesión; V. *period of qualification.* [Exp: **qualification**[2] (GRAL/MERC/SOC salvedad, excepción, matización, precisión, limitación; las «salvedades» son objeciones del auditor a las cuentas de la empresa auditada; V. *qualified opinion, aboveboard*), **qualification shares** (MERC acciones de garantía), **qualifications for a career** (GRAL requisitos para ejercer una profesión), **qualified**[1] (GRAL profesional, preparado, habilitado, autorizado, experto, idóneo, capaz, apto, que reúne las condiciones o requisitos, que está en posesión del título que lo habilita para el ejercicio de una profesión, «cualificado»; V. *skilled, suitable, fitted*), **qualified**[2] (GRAL condicional, limitado, con reparos, con salvedades; es sinónimo de *conditional* o de *special*, y antónimo de *absolute* y también de *clean* o de *general*; en algunos casos puede ser ambiguo el significado; por ejemplo, *a qualified opinion* puede ser «un dictamen autorizado» o «un dictamen restrictivo» ◊ *A qualified acceptance of a bill of exchange*; V. *conditional, claused; absolute*), **qualified**[3] (GRAL que reúne los requisitos exigidos, apto, capaz; V. *eligible*), **qualified accountant** (MERC experto contable), **qualified accounts** (MERC cuentas aceptadas con salvedades o reservas; V. *qualified audit report*), **qualified audit report** *US* (MERC cuentas aceptadas con reservas; V. *qualified accounts*), **qualified certificate/opinion** *US* (CONT informe/certificado con salvedades; informe de auditoría con reservas o restricciones; V. *unqualified opinion*), **qualified elector** (GRAL elector habilitado o que cumple los requisitos), **qualified endorsement** (MERC endoso limitado o condicional), **qualified interest** (CIVIL interés limitado), **qualified guarantee** (CIVIL garantía condicional), **qualified majority** (MERC mayoría cualificada), **qualified oath** (PROC juramento limitado o condicional), **qualified opinion**[1] (MERC dictamen de auditoría con salvedades, restricciones o reparos; abstención de opinión; también ha entrado el calco inglés «opinión calificada», con el significado de «informe de un auditor» que pone de relieve sus reparos a la auditoría efectuada; V. *qualification, qualified*[2]), **qualified opinion**[2]/ **certificate** (MERC dictamen autorizado; V. *unqual ified certificate*), **qualified owner** (CIVIL tenedor de interés limitado), **qualified possession** (CIVIL posesión limitada), **qualified privilege** (PROC/CONST inmunidad limitada; se puede tener inmunidad ilimitada para ciertas situaciones, por ejemplo, para hablar mal de alguien sin incurrir en el delito de difamación; esta situación se puede presentar al informar de lo sucedido o en el Parlamento, o al llamar la atención sobre una injusticia pública y manifiesta, siempre que se haga sin ánimo de ofender y con la debida precisión y objetividad; V. *absolute privilege*), **qualified property** (CIVIL interés limitado, dominio imperfecto), **qualified rights** (MERC derechos limitados o condicionales), **qualified voter** (GRAL elector habilitado o que reúne los requisitos exigidos por la ley ◊ *The electorate is the body of qualified voters*), **qualify**[1] (GRAL habilitar, capacitar, autorizar; tener derecho a, cumplir los requisitos), **qualify**[2] (GRAL restringir, limitar, modificar; aprobar con reservas; en esta segunda acepción, significa «restringir» y *qualified* equivale a «condicional, limitado, con salvedades», siendo sinónimo de *conditional* y antónimo de *absolute*; en algunos casos puede ser ambiguo el significado; por ejemplo, a *qualified opinion* puede ser «un dictamen autorizado» o «un dictamen con salvedades»; V. *qualify the accounts*), **qualify as** (GRAL efectuar estudios de; prepararse/capacitarse/habilitarse para ejercer de), **qualify for** (GRAL cumplir/satisfacer los requisitos, tener derecho ◊ *She qualifies for unemployment pay*; V. *entitle*), **qualify the accounts** (MERC aprobar las cuentas con reservas; V. *agree the accounts*), **qualifying certificate** (GRAL certificado de capacidad), **qualifying clauses** (GRAL/SEGUR cláusulas modificadoras o restrictivas), **qualifying date** (GRAL fecha límite ◊ *October the 10th is the qualifyng date to register as an elector in Great Britain*), **qualifying period**[1] (GRAL período de prueba o de formación), **qualifying period**[2] (SEGUR período de carencia; período o plazo legal, es el período durante el cual una póliza de seguros no ofrece cobertura; plazo que ha sido fijado reglamentariamente), **qualifying shares** (MERC acciones de/con garantía; acciones necesarias para acceder a determinados derechos societarios; acción estatutaria de garantía)].

quango *n*: ADMIN organismo para-estatal; la palabra *quango* se forma con las siglas de qu*asi*-*a*utonomous *n*on*g*overnmental *o*rganization ◊ *The University Grants Committee is one instance of a quango.*

quantity surveyor *n*: GRAL aparejador; V. *surveyor.*

quantum *n*: GRAL cantidad, cuantificación, cuanto ◊ *As they could not agree on the quantum of damages they had to go to trial*; en muchos procesos por incumplimiento de contrato, el demandante solicita que se le indemnice «lo que se considere justo» por lo que ya hizo; y si el pleito es por mercancías, «por su valor»; alude a la reclamación presentada por el actor que, por error subsanable, o sin percatarse de la invalidez de un supuesto contrato o cuasicontrato, haya pagado una cantidad al demandado, o le haya suministrado mercancía, o le haya prestado algún servicio, sin reçibir nada a cambio. En tal caso, puede recuperar daños razonables, tasados según *quantum meruit* o «tanto como se haya merecido»; V. *part performance,* *substantial performance*. [Exp: **quantum of damages** (CIVIL/PROC cuantificación de la indemnización por daños y perjuicios), **quantum meruit** (PROC tanto como se ha merecido, lo que se considere justo), **quantum valebat** (PROC tanto como valía, por su valor)].

quarantine *n*: GRAL cuarentena; V. *proscription, limitation.*

quarrel *nv*: GRAL/CRIM pelea, lucha, altercado, riña; pelear, reñir, luchar; V. *war, fight, brawl, clash*. [Exp: **quarrelsome** (GRAL pendenciero, camorrista, pleitista; V. *aggressive, drunk and disorderly troublemaker*)].

quarter *n*: GRAL trimestre; es frecuente que la renta de alquiler se abone por anticipado en los llamados **quarter days** (CIVIL días en que se debe abonar el alquiler: 25 de marzo, 24 de junio, 29 de septiembre y 25 de diciembre; V. *Lady's Day*), **quarter session** *obs* (PENAL antiguos tribunales de lo penal, sustituidos en la actualidad por el *Crown Court*), **quarter's rent** (CIVIL alquiler trimestral; V. *quarter days*)].

quash[1] *v*: PROC/GRAL anular, invalidar, casar, abrogar, derogar; esta anulación se produce por decisión judicial, mientras que en *repeal*, por ejemplo, se debe a decisión parlamentaria o gubernamental; *quash* etimológicamente está relacionada con *cassare* ◊ *Her conviction was quashed on appeal*; V. *cassare, set aside, strike out/off; annul, abrogate, repeal, abate*[4]*; annulment, abatement; derogate; overrule, repel, overturn.* [Exp: **quash** [2] (GRAL sofocar, acallar, aplastar ◊ *The rebellion was easily quashed by the police*; V. *suppress, quell*), **quash a rumour** (GRAL desmentir)].

quasi *a*: GRAL cuasi; se aplica en expresiones como *quasi-contractual, quasi crime, quasi tort*, etc., con el mismo significado que en español. [Exp: **quasi-contract** (MERC cuasi contrato), **quasi easement** (CIVIL cuasi servidumbre), **quasi entail** (CIVIL derecho de usufructo o posesión y sucesión que termina con la muerte del creador del vínculo), **quasi judicial** (PROC cuasi judicial; se dice de la capacidad decisoria y de interpretación que nace del poder ejecutivo más que de la aplicación de las leyes), **quasi-public corporation** (ADMIN persona privada de derecho público)].

quay *n*: GRAL/MERC muelle de atraque.

queen *n*: GRAL/CONST reina. [Exp: **Queen's Bench Division, QB/QBD** (PROC la *Queen's Bench Division* es la sala más importante del *High Court of Justice* y conoce de *hears* –cualquier tipo de demanda civil–; dentro de esta división está también el *Admiralty Court* y el *Commercial Court* que entienden de cuestiones mercantiles, por ejemplo, los pleitos del mundo de los seguros; esta división también tiene jurisdicción de apelación en lo penal en las causas juzgadas en Tribunales de Magistrados o *Magistrates' Court* y en el Tribunal de la Corona o *Crown Court*; cuando el titular de la corona es un rey, el *Queen's Bench* se llama *King's Bench*), **Queen's Counsel, QC** (PROC abogado de categoría o rango superior; cada año la reina eleva a la categoría de *Queen's Counsel* a los *barristers* que han destacado profesionalmente; se les llama también *silks* porque sus togas son de seda; a los demás *barristers* se les llama simplemente *barristers* o *junior barristers*), **Queen's evidence** (PROC V. *turn Queen's evidence*), **Queen's Proctor** (CONST representante del Estado con capacidad para intervenir en las demandas complejas de divorcio y de testamentaría; el cargo lo suele ostentar el Letrado de Hacienda –*Treasury Solicitor*–)].

querela *obs n*: PENAL acción; demanda, querella.

question *v/n*: GRAL pregunta; cuestión; interrogar, preguntar; dudar; disputar; recusar; V. *point, issue, preliminary question;*

ask, query, propound a question. [Exp: **question at issue** (GRAL cuestión palpitante o controvertida), **question of fact** (PROC cuestión de hecho; V. *facts in issue*), **question of law** (PROC cuestión de derecho), **question time** (CONST tiempo de preguntas; es el período asignado a los parlamentarios ingleses para hacer preguntas al gobierno), **questioner** (GRAL interrogador), **questioning** (GRAL interrogatorio; V. *interview*), **questionnaire** (GRAL cuestionario [de encuestas sociológicas, etc.]; V. *allocation questionnaire*), **questions from the floor of the House** (CONST turno de preguntas abierto a los diputados que no ostentan cargo; V. *interpellation*)].

quia timet action *n*: PROC porque teme; solicitud de una orden judicial para impedir un daño futuro; en esta solicitud se pide al tribunal que el demandado haga o no haga algo a fin de evitar un daño previsto en sus bienes, porque se teme *–quia timet–* que sin esa orden los daños sean irreparables; V. *injunction.*

quibble *n*: GRAL reparo, objeción irrelevante, nimiedad, sutileza, queja injustificada; poner peros o reparos a todo, cuestionarlo todo ◊ *Some advocates are experts in legal quibbles*; la palabra *quibble* usada en contextos jurídicos comparte con *carp, cavil, niggle, nitpick* el significado de «poner peros o reparos a cosas triviales», casi siempre con fines tácticos, maniobreros, dilatorios, etc.; V. *trick*. [Exp: **quibbler** (GRAL quisquilloso; V. *troublesome, cumbersome*)].

quick *a*: GRAL rápido. [Exp: **quick assets** (MERC activo disponible o realizable, valores realizables; V. *net quick assets; current assets, circulating assets, floating assets, liquid assets, working assets*), **quickie divorce** *col* (FAM divorcio por procedimiento rápido)].

quid pro quo *fr*: PROC/GRAL *quid pro quo*, una cosa por otra, equivalente.

quiet *a/nv*: GRAL tranquilo; tranquilidad; acallar. [Exp: **quiet enjoyment** (CIVIL posesión pacífica y tranquila por parte del arrendatario, derecho del inquilino a disfrutar de la posesión de la vivienda alquilada sin trabas de ningún tipo. [Exp: **quiet possession** (CIVIL disfrute y posesión plena de lo adquirido; se usa este término en los contratos de compraventa), **quiet title action** (CIVIL acción para resolver/solucionar demandas sobre la titularidad de inmuebles)].

quit *n*: GRAL abandonar; V. *abandon, cease, discontinue*. [Exp: **quitclaim** (LABORAL finiquito), **quittance** (GRAL finiquito, descargo; V. *settlement, full and final settlement*)].

quiz *col v*: GRAL interrogar, someter a interrogatorio ◊ *The suspects are being quizzed by the police*; V. *question.*

quoad *prep*: GRAL en lo que le afecta; es una preposición latina de uso frecuente en el inglés jurídico y equivale a *so far as it concerns.*

quod *obs argot n*: PENAL cárcel, chirona, trena, etc. ◊ *He fiddled the Stock Market and wound up in quod*; V. *jail, clink, gaol, jug, cooler.*

quorum *n*: GRAL quórum; V. *head count, by show of hands, by ballot.*

quota *n*: GRAL cuota, contribución; cupo, contingente; V. *share, proportion, allotment, opened quota*. [Exp: **quota system** (GRAL sistema de cuotas)].

quotation[1] *n*: GRAL cita; S. *citation of authorities*. [Exp: **quotation**[2] (GRAL presupuesto; V. *estimate*), **quotation**[3] **[of securities]** (MERC cotización [de valores en Bolsa]), **quote**[1] (GRAL citar), **quote**[2] (MERC ofrecer, dar ◊ *This is the lowest price that we can quote for your company*; S. *offera*), **quote**[3] (GRAL cotizar [en Bolsa]), **quoted company** (MERC mercantil cuyas acciones cotizan en Bolsa; V. *listed company*)].

R

R *n*: PROC/CONST abreviatura de *Rex* –rey– o *Regina* –reina–.

r & d *n*: MERC V. *research and development.*

race *n*: GRAL raza, etnia ◊ *The politician's racist remark called forth a storm of protest*; V. *kinship, of mixed race.* [Exp: **Race Relations Act** (GRAL/LABORAL Ley de relaciones interraciales), **Race Relations Board** (GRAL/LABORAL Comisión encargada de la vigilancia del cumplimiento del *Race Relations Act*, ahora llamada *Commission for Racial Equality*), **racial** (GRAL racial ◊ *It is an offence to use words in public that stir up hatred against racial groups; Commission for Racial Equality*), **racial discrimination/segregation** (CONST discriminación/segregación racial ◊ *In the Brown v. Topeka decision, the US Supreme Court decided that racial segregation in public schools was unconstitutional*), **racism** (GRAL racismo; V. *xenophobia, intolerance, prejudice, segregation*), **racist** (GRAL racista; V. *xenophobe, intolerant, prejudiced*)].

rack rent *n*: CIVIL arriendo exorbitante; renta de un inmueble fijada en función del suelo y del edificio; S. *rent, quarter's rent.* [Exp: **rackrent property** (CIVIL finca o inmueble con un alquiler desmesurado)].

racket *US n*: PENAL extorsión sistematizada, crimen organizado, actividad ilícita ◊ *Some areas of American trade and local government are said to be bedevilled by racketeers and gangsters*; V. *protection racket, petty racket.* [Exp: **racketeer** (PENAL extorsionista, extorsionador, pandillero, bandolero; V. *gangster, con man, mobster*), **Racketeer influenced and corrupt organizations act, RICO Act** (PENAL Ley contra el crimen organizado), **racketeering** (PENAL bandolerismo, extorsión de chantaje e intimidación)].

radical *a/n*: GRAL radical; V. *activist, revolutionary, terrorist.*

rage *n/v*: GRAL furia, cólera; bramar; V. *[fit of] anger.* [Exp: **raging** (GRAL furioso, embravecido, rugiente; V. *furious*)].

raid[1] *n/v*: PENAL redada/batida policial; hacer una redada; irrumpir en un local ◊ *The police have raided several night clubs where they found drugs.* V. *bear raid, dawn raid, police swoop.* [Exp: **raid**[2] (PENAL atraco, asalto [por ladrones]; V. *maraud*), **raid**[3] (MERC toma de posiciones por sorpresa en la Bolsa; V. *bear raiding, dawn raid*), **raider** *US* (MERC tiburón, especulador), **raiding** (MERC maniobra bursátil dirigida a controlar una mercantil mediante la adquisición imprevista de la mayoría de acciones)].

raise *v*: GRAL elevar, subir, levantar, alzar; V. *lift, increase, advance; remove.* [Exp: **rai-**

se[2] (GRAL plantear, presentar, formular ◊ *A new objection has been raised*; V. *bring up, present, produce, file, raise difficulties*), **raise**[3] (GRAL recaudar, reunir ◊ *The company is desperately trying to raise funds to stave off bankruptcy*; V. *collect, amass, raise cash*), **raise a cheque** (PENAL alterar el valor de un cheque con fines fraudulentos), **raise a loan** (MERC conseguir un empréstito), **raise a mortgage** (MERC levantar una hipoteca; V. *lift, remove*), **raise a point** (GRAL plantear una cuestión; V. *point of order*), **raise a presumption** (PROC suscitar una presunción), **raise a requisition on title** (CIVIL solicitar un certificado oficial que garantice que un inmueble está libre de cargas; V. *requisition*), **raise an embargo, an injunction,** etc. (PROC alzar, levantar un embargo, un entredicho, etc.; V. *lift, remove*), **raise an objection** (PROC formular un reparo u objeción; V. *overrule an objection*), **raise cash/money** (GRAL arbitrar recursos, recoger fondos, sacar dinero, procurar-se dinero o efectivo, movilizar fondos; V. *club*), **raise funds** (GRAL recaudar fondos; V. *fund-raising activities*), **raise difficulties** (GRAL suscitar dificultades), **raising an embargo or attachment** (PROC desembargo)].

rake-off *n/v*: PENAL participación en ganancias ilícitas; participar en ganancias ilícitas.

ram-raid, ram-raiding *argot n*: PENAL alunizaje.

rampage *n*: GRAL turbulencia, alboroto, saqueo, destrozo; saquear, destrozar; V. *rage, roar, ransack.*

range *n*: GRAL gama, banda, hilera, serie, fila, orden; V. *extent, scope*. [Exp: **range of tide** (GRAL amplitud de la marea)].

rank *n/v*: GRAL grado, rango, categoría, dignidad, empleo, honores, graduación; figurar, contarse entre, encuadrarse, colocarse, clasificar ◊ *An envoy ranks between an ambassador and a chargé d'affaires*; V. *rank, classify*. [Exp: **rank and file** (GRAL tropa, soldados rasos o sin graduación; aplicado a partidos políticos, sindicatos, etc., significa «bases de un partido, militantes de base»; V. *backbencher, frontbencher, close ranks*), **ranks, in the** (GRAL en filas, en el servicio militar), **ranking** (GRAL clasificación, orden, rango, orden de importancia o de prioridad, lugar que se ocupa en una clasificación)].

ransack *v*: PENAL saquear, rapiñear; S. *plunder, maraid, raid, rampage.*

ransom *n*: GRAL rescate, redención; V. *payment, release.*

rap[1] *col v/n*: golpear; reprender, criticar ◊ *Court rapped over unfair decision.* [Exp: **rap**[2] *US* (PENAL reprimenda, sentencia, acusación; V. *accuse, arraign, charge, indict, beat the rap, take the rap*), **rap sheet** *col* (PENAL ficha policial; V. *arrest/criminal record*)].

rapacious *a*: GRAL rapaz, con tendencia al robo, hurto o rapiña; V. *fierce, predatory.*

rape *n/v*: PENAL violación, estupro; violar ◊ *Carnal knowledge with a female under the age of consent constitutes rape*; V. *attempted rape, incitation to rape, accessory to rape, access, sexual abuse, sexual assault, sexual harassment; sexual perversion, bestiality, indecency, buggery, rape, fellatio, sodomy, unnatural acts*), **rapist** (GRAL violador, estuprador)].

rapporteur *n*: GRAL ponente.

rash *a*: GRAL temerario, imprudente; V. *imprudent, reckless*. [Exp: **rash presumption** (PROC suposición temeraria o infundada, indicio leve)].

rate *n/v*: GRAL índice, coeficiente, tasa, tarifa, flete; cambio, canon; proporción, grado, razón, tipo, cotización, impuesto o contribución municipal; precio, honorarios; rédito; valor; tasar, evaluar, calificar, baremar; V. *grade, value*; *average rate, bank rate, birth rate, mortality rate, poll tax; poll.* [Exp: **ratable** (GRAL proporcional, imponible, gravable), **rate base** (GRAL base tarifada), **rate of exchange** (MERC tasa de cambio, tipo de cambio, cotización de divisas), **rate of interest** (MERC rédito, tipo o tasa de interés, precio del dinero), **rate of issue** (MERC tasa de emisión), **rate of rental** (CIVIL canon de arrendamiento), **rate of return** (MERC tasa o índice de rendimiento o beneficio; V. *yield rate, output rate*), **rate of, at the** (GRAL a razón de), **rate per cent** (PROC tanto por ciento), **rateable** (GRAL valuable, tasable), **rated concern** (MERC empresa clasificada por una agencia calificadora de crédito o/y solvencia *–rating bureau–*), **ratepayer** (ADMIN contribuyente municipal), **rating** (GRAL categoría, rango; clasificación, tasación, valor asignado ◊ *This company has a low financial rating*; V. *grade*), **rating bureau** (MERC agencia calificadora de crédito y solvencia; V. *financial rating*; *credit bureau*)].

ratify *v*: GRAL ratificar, confirmar ◊ *When he was of age he ratified the contract that had been signed by him when he was a minor*; V. *confirm, approve, adopt*. [Exp: **ratification** (GRAL ratificación; V. *confirmation, approval*)].

ratio *n*: GRAL índice, razón, cociente, relación, coeficiente, proporción, porcentaje, grado ◊ *It is the «ratio decidendi» in a given decision that may serve as a precedent in a future similar case*; V. *current ratio, working capital ratio*. [Exp: **ratio decidendi** (PROC fundamentación de una sentencia; V. *obiter dictum, precedent, distinguish*), **ratio of collection** (MERC índice de cobros)].

re[1] *prep v:* GRAL con relación a; asunto ◊ *Re your enquiry of 28 April, we enclose details of our offer*. [Exp: **re**[2] (GRAL en el proceso de, en la causa de ◊ *This issue arose in re Smith's will (1972)*; en los *law reports*, o compilaciones de jurisprudencia o de decisiones judiciales, se emplea la fórmula *re* o *in re* ... seguida por el apellido del demandante o interesado o la materia objeto de litigio)], **re**[3] (GRAL re-, de nuevo; volver a; en las unidades léxicas en las que aparece *–readmission, readmittance, rehear, etc.–*; transporta la idea de «re-» o «volver a»)].

readjust *v*: GRAL reajustar; V. *correct, regulate*.

ready *a*: GRAL listo, dispuesto. [Exp: **readiness** (MERC V. *notice of readiness*), **ready for sea** (MERC a son de mar; V. *seaworthy*), **ready money** (GRAL efectivo, dinero contante; V. *cash*), **ready for trial** (PROC listo para la vista oral)].

real *a*: GRAL efectivo, real, material ◊ *Real evidence usually takes the form of physical objects, called «exhibits», or a person's physical appearance*; V. *actual, true, substantial*. [Exp: **real action** (PROC antiguamente, demanda cuyo objeto era la recuperación de bienes inmuebles), **real assets** (CIVIL bienes inmuebles, bienes raíces; V. *real estate, realty, property*), **real bond** (CIVIL bono inmobiliario, bono hipotecario), **real defence** (PROC defensa legítima o legal), **real estate** (CIVIL bienes raíces o inmuebles; propiedad real; V. *realty, estate, real assets*), **real estate agency** (CIVIL agencia de la propiedad inmobiliaria), **real estate agent/broker** (CIVIL agente de la propiedad inmobiliaria), **real estate bond** (CIVIL bono hipotecario), **real estate mortgage** (CIVIL hipoteca inmobiliaria), **real estate tax** (FISCAL impuesto sobre bienes raíces, contribución inmobiliaria), **real evidence** (PROC pruebas reales o materiales), **real injury** (CIVIL perjuicio material), **real property** (CIVIL bienes inmuebles), **real security** (CIVIL garantía hipotecaria), **realty** (CIVIL bienes raíces; V. *real estate; personal property*)].

realise *v*: GRAL/MERC liquidar, convertir en efectivo ◊ *The duties of the trustee in bank-*

ruptcy are to administer and to realize the bankrupt's estate for the creditors. [Exp: **realise**[2] (GRAL darse cuenta, comprender, hacerse cargo; V. *understand*), **realisable value** (MERC valor realizable), **realisation** (GRAL realización), **realization value** (valor en liquidación)].

reappraisal *n*: GRAL reavalúo, revaluación; V. *reassessment*. [Exp: **reappraise** (GRAL volver a tasa; v. *revalue, reexamine*)].

reason *n/v*: GRAL argumento, alegato, defensa, razón, motivo; motivar, razonar ◊ *She said that she had reasonable grounds for suspicion*; V. *argument, ground, proof.* [Exp: **reason of, by** (GRAL a causa de), **reasonable** (GRAL fundado, razonable, racional, moderado, decoroso, justo, prudencial, equitativo, legítimo, lógico, suficiente; V. *arbitrary, discretional*), **reasonable cause** (PROC motivo fundado), **reasonable doubt** (PROC duda razonable; V. *proof beyond reasonable doubt*), **reasonable evidence** (PROC indicios racionales de criminalidad), **reasonable grounds** (PROC motivos fundados), **reasonable inference** (GRAL deducción razonable), **reasoned decision** (PROC sentencia motivada), **reasoned opinion** (GRAL dictamen motivado), **reasoning** (GRAL razonamiento)].

reassurance *n*: GRAL reaseguro; V. *support.*

rebate *n/v*: MERC/FISCAL devolución o desgravación fiscal, descuento, bonificación; desgravar, reducir, descontar, anular ◊ *We bought a new TV with the tax rebate we got last month*; V. *allowance.*

rebel *n/v*: GRAL rebelde; rebelarse, sublevarse; V. *dissident, insurgent; protest.* [Exp: **rebellion** (PENAL rebelión, acto de rebeldía; V. *uprising, revolution, insurrection, sedition*), **rebellious** (GRAL rebelde; V. *unruly, disloyal*)].

rebound tax *n*: FISCAL impuesto repercutido.

rebuff *n/v*: GRAL rechazo; rechazar ◊ *His attempt to act in good faith has been rebuffed*; V. *disregard, ignore, reject.*

rebut *n*: GRAL refutar, contradecir, rebatir ◊ *A binding presumption in a contract can be rebutted by the express words of the parties*; V. *dispute, contradict.* [Exp: **rebuttable** (GRAL refutable, rebatible, disputable), **rebuttable presumption** (PROC presunción refutable o disputable, presunción simple; V. *res ipsa loquitur*), **rebuttal** (CIVIL refutación; V. *reply in rebuttal*), **rebutter** (PROC contrarréplica a la tríplica, respuesta a la tríplica, refutación; V. *surrebutter*), **rebutting evidence** (PROC contraprueba)].

recall[1] *n/v*: GRAL revocación, retiro; revocar, anular, destituir; V. *revoke, call back; annul.* [Exp: **recall**[2] *der es* (PROC anular, revocar ◊ *The Lord Ordinary allowed the appeal and recalled the sheriff's interlocutor*; V. *annul, cancel, overrule, overturn, quash, revoke, set aside, strike out, vary*), **recall a judgment** (PROC revocar una sentencia), **recall a witness** (PROC someter a nuevo interrogatorio a un testigo), **recallable** (GRAL revocable)].

recaption *n*: PROC rescate legal de los bienes embargados, secuestrados o retenidos ilegalmente. [Exp: **recapture** (GRAL rescate, recuperación; represa de un navío), **recapture of earnings** (ADMIN reintegro al Tesoro del superávit de las empresas públicas)].

receipt *v/n*: GRAL recibo, resguardo, carta de pago, recibí, talón; recepción; extender un recibo, finiquitar una deuda, dar recibo ◊ *You should keep the receipt as proof of payment*; V. *bill, invoice.* [Exp: **receipts and expenditures** (MERC entradas y salidas), **receipt in full** (MERC finiquito, recibo por saldo de cuenta), **receipt of goods** (GRAL recepción de la mercancía)].

receive *v*: GRAL recibir, cobrar, percibir V. *take in, admit.* [Exp: **receivable** (GRAL a/por cobrar, vencido), **receivables** (MERC partidas a cobrar, activo exigible), **receiver**[1] (GRAL receptor, destinatario, depositario; consignatario, administrador, recuadador; V. *addressee, consignee*), **Receiver**[2] **[in bankruptcy]** (MERC/PROC síndico [de la quiebra], administrador concursal, depositario, tenedor, consignatario ◊ *The company has stopped payments and an official receiver has been called in*; V. *bankruptcy receiver, official receiver, referee, trustee in bankruptcy*), **receiver of stolen goods** (PENAL receptador), **receiver of taxes** (ADMIN recaudador de impuestos; V. *tax collector*), **receiver's certificate** (MERC/PROC certificado del síndico), **receivership** (MERC/PROC sindicatura, receptoría, administración judicial; V. *friendly receivership, go into receivership, temporary receivership*), **receiving book** (GRAL libro de entradas), **receiving order** (PROC auto de declaración judicial de quiebra; los antiguos *receiving orders* y *adjudication orders* han sido sustituidos por el *bankruptcy order*), **receiving stolen goods** (PENAL receptación de cosas robadas; V. *handling, fence*)].

recess *n*: GRAL suspensión, descanso, receso; vacaciones parlamentarias; V. *adjournment.*

recession *n*: GRAL/MERC regresión económica, retroceso de la actividad económica, recesión; V. *depression.*

recidivist *a*: GRAL reincidente, delincuente habitual; recidivista; V. *habitual offender.*

recipient *n*: GRAL beneficiario, destinatario; V. *beneficiary.*

reciprocal *a*: GRAL bilateral, mutuo, recíproco; V. *mutual, bilateral.* [Exp: **reciprocal wills** (SUC testamentos recíprocos; también llamados *counterwills*; en estos testamentos cada testador es el heredero del patrimonio del otro), **reciprocate** (GRAL reciprocar), **reciprocity** (GRAL derecho u obligación recíprocos, reciprocidad)].

recitals *n*: CIVIL parte expositiva de una escritura, relación de hechos contenida en un instrumento legal; preámbulo de un instrumento o escritura; V. *body of a deed, part, witnessing part.*

reckless *a*: GRAL temerario, imprudente, irresponsable ◊ *In criminal law* reckless *means «giving no thought or being indifferent to an obvious risk»*; V. *careless, heedless.* [Exp: **reckless, be** (GRAL cometer una imprudencia, ser imprudente o temerario), **reckless conduct** (PENAL conducta temeraria), **reckless driving** (PENAL conducción temeraria o peligrosa, caracterizada por la negligencia grave o la imprudencia temeraria; este término es sinónimo de *dangerous driving*; V. *inconsiderate driving, careless driving, dangerous driving, drunk driving*), **recklessly** (GRAL temerariamente; V. *intentionally*), **recklessness** (PENAL imprudencia temeraria, dolo eventual; V. *carelessness*)].

reclaim *der es v:* PROC recurrir, impugnar, apelar ◊ *A party dissatisfied with the Lord Ordinary's decision may reclaim to the Inner House or sometimes to the House of Lords*; V. *appeal, suspend.* [Exp: **reclaimer** *der es* (PROC recurrente, apelante; V. *appellant*), **reclaiming motion** *der es* (PROC recurso, impugnación)].

recognition *n*: GRAL reconocimiento, gratitud, agradecimiento; ratificación, confirmación; fama, renombre ◊ *The knighthood was bestowed on him in recognition of his services*; V. *acceptance, acknowledgement; refuse recognition.* [Exp: **recognition strike** (LABORAL huelga para reconocimiento del gremio; V. *sympathetic strike, wildcat strike*), **recognisance** (PROC obligación judicial, compromiso u obligación formalizado ante un tribunal; caución judicial; a veces, los acusados pueden quedar en libertad sin fianza hasta la celebración del juicio, debido al prestigio o reputación que le consta al juez que tienen; V. *release on own recognizance,* *enter into recognisance*), **recognisance of debt** (MERC reconocimiento de deuda; V. *on one's own recognizance, release on one's own recognizance*), **recognisance of good behaviour** (GRAL/PROC caución de buen comportamiento), **recognise** (GRAL reconocer, investigar, examinar; determinar la veracidad de un hecho; V. *admit, acknowledge, accept*), **recognise an obligation** (CIVIL reconocer una obligación), **recognise the speaker** (GRAL conceder la palabra; V. *floor*), **recognisee** (PROC beneficiario de un reconocimiento o de una caución judicial), **recognisor** (PROC autor o agente de un reconocimiento o de una caución judicial)].

recommend *v*: GRAL recomendar, acreditar, aconsejar [Exp: **recommendation** (GRAL recomendación; propuesta ◊ *In sentencing the man to life imprisonment, the judge included a recommendation that he should serve a minimum of fifteen years*; V. *character*[2])].

recompense *v*: GRAL resarcir un daño, indemnizar, recompensar; V. *reward, reimburse*.

reconcile *v*: GRAL reconciliar; V. *adjust, settle, conciliate*. [Exp: **reconciliation** (GRAL conciliación; V. *settlement, accord, adjustment*)].

reconnaissance *v*: GRAL reconocimiento. [Exp: **reconnaissance patrol** (GRAL patrulla de reconocimiento)].

reconnoitre *v*: GRAL reconocer, efectuar un reconocimiento del terreno; S. *inspect, make a reconnaissance*

reconversion *n*: CIVIL reconversión; ficción mediante la cual una conversión anterior, puramente imaginaria, de una finca, etc., en su valor crematístico queda anulada por una segunda conversión que «restituye» la propiedad a su estado anterior, que en realidad nunca cambió; V. *conversion*[2].

record[1] *n*: GRAL/PROC acta, informe, memorial, protocolo judicial; registro, inscripción; antecedentes; en plural significa «documentación, registro oficial; autos, actas, actuaciones»; *records of the case* puede equivaler a «sumario, autos procesales»; V. *public record, minutes, transcript, verbatim record; agree as a correct record, put on record; appeal record*. [Exp: **record**[2] (GRAL/PROC inscribir, registrar, anotar, hacer constar en acta; como verbo lleva el acento en la segunda sílaba; V. *register*), **record a deed** (CIVIL registrar un escritura), **record a mortgage** (CIVIL registrar una hipoteca), **record book** (GRAL fichero, V. *police blotter*), **record date** (GRAL fecha según registro; V. *date of record*), **record of convictions** (PENAL antecedentes penales o delictivos; V. *criminal background, antecedents*), **record of marriage** (acta de nacimiento; V. *marriage certificate*), **record of previous convictions** (PENAL antecedentes penales; V. *list of previous convictions*), **record of the proceedings** (PROC actas del proceso, actas de las actuaciones, acta de las deliberaciones), **record, off-the-** (GRAL extraoficial, sin que conste en acta, no atribuible; V. *on the record*), **record office** (GRAL archivo), **record on appeal** (PROC expediente de apelación), **record, on the** (GRAL en el acta; V. *place on the record; off the record; there is no record*), **record owner** (CIVIL titular registrado o de acuerdo con el registro), **recordation** (CIVIL inscripción de una carga o gravamen sobre un inmueble), **there is no record** (PROC no consta en acta), **recorded delivery** (PROC/GRAL entrega con acuse de recibo), **recorder**[1] (PROC/ADM jefe del archivo o registro judicial, municipal, etc.), **recorder**[2] (PROC juez auxiliar o suplente ◊ *A recorder is a barrister, solicitor or attorney appointed as a part-time judge*; en los Estados Unidos puede tener competencias en lo penal, sobre todo, en la fase inicial o instrucción *–pre-trial proceed-*

ings–; en el Reino Unido es un juez auxiliar de lo civil en los *County Courts*; V. *judge*), **recording** (CIVIL registro; V. *rerecording*), **recording fees** (CIVIL gastos de inscripción de una escritura)].

recoup *v*: GRAL recuperar, reembolsar; V. *regain, reimburse, repossess, deduct, withhold*. [Exp: **recoup one's losses** (MERC resarcirse de las pérdidas), **recoupment** (GRAL recuperación, resarcimiento; V. *repossession*)].

recourse *n/v*: GRAL recurso, remedio; recurrir ◊ *Everybody has got the right to recourse to the courts to have their rights restored*; V. *plea; resort to, appeal*. [Exp: **recourse, have** (PROC apelar, recurrir), **recourse, without** (PROC sin garantías; V. *assignment without recourse*)].

recover *v*: GRAL recobrar, recuperar, resarcirse [de daños y perjuicios], obtener un fallo o sentencia favorable ◊ *All the attempts made by the police to recover the stolen car were useless*; V. *regain, repossess, rescue*. [Exp: **recover consciousness** (GRAL recobrar el conocimiento), **recover damages** (PROC obtener indemnización por daños y perjuicios; resarcirse de daños y perjuicios), **recover oneself** (GRAL volver en sí), **recoverable** (GRAL recuperable, indemnizable, recobrable, reivindicable; V. *debtor in default, write-off*), **recovery** (GRAL/PROC [medidas encaminadas a la] recuperación, reintegro; sentencia favorable en la que se ordena un pago, resarcimiento)].

rectification *n*: GRAL rectificación, modificación; rectificación registral; V. *amendment, correction*. [Exp: **rectification of boundary** (CIVIL rectificación de fronteras o límites), **rectify** (GRAL rectificar, modificar, reequilibrar ◊ *Deeds, contracts and other written instruments may be rectified with the consent of both parties*; V. *repair, adjust, arrange, remedy*)].

recur *v*: GRAL repetirse, recurrir, salir u ocurrir repetidamente, aparecer una y otra vez ◊ *His name recurs several times in the records of the case*; V. *repeat, persist*. [Exp: **recurrence** (GRAL reaparición, reincidencia; V. *repetition, return*), **recurrent** (periódico, que se repite, recurrente; V. *frequent*)].

recuse *v*: PROC recusar ◊ *The Court recused itself on the ground of the judge's prior association with the accused*; este término ha quedado anticuado en Gran Bretaña, donde se prefiere el de *challenge*, pero se sigue empleando en los Estados Unidos; V. *reject, challenge, except*.

red *a*: GRAL rojo. [Exp: **red, be in the** (GRAL/MERC estar en números rojos), **red-handed** (PENAL *in fraganti*, con las manos en la masa; la expresión latina correspondiente es *in flagrante*), **red herring** (GRAL pista falsa, trampa para desviar la atención del investigador), **red tape** (GRAL papeleo administrativo, rutina, burocracia; V. *paper work*)].

reddendum *n*: CIVIL cláusula de un contrato de alquiler en donde se especifican la cantidad a pagar y los plazos acordados.

redeem *v*: GRAL cancelar, redimir, amortizar; V. *recover, regain, rescue*. [Exp: **redeem a loan** (MERC amortizar un préstamo), **redeem a mortgage** (MERC cancelar una hipoteca), **redeem a pledge,** etc. (CIVIL desempeñar o liberar una prenda, etc.), **redeem a promise** (GRAL cumplir una promesa), **redeem shares** (MERC reembolsar acciones), **redeemable** (GRAL redimible, rescatable, reembolsable, amortizable; V. *callable*), **redemption** (CIVIL amortización de deudas, bonos, obligaciones, etc., redención, rescate, cancelación; V. *call for redemption*), **redemption fund** (MERC fondo de redención, de amortización)].

redress *n/v*: PROC/GRAL reparación, compensación, desagravio, satisfacción, justicia; reparar, compensar, remediar, equilibrar ◊

Civil actions are brought to redress wrongs or injuries the plaintiff claims he has suffered; los términos *remedy, redress* y *relief* son sinónimos parciales; el primero es el más general y se aplica normalmente a las indemnizaciones económicas por algún daño causado al demandante –*claimant*–; el *remedy* más general es el llamado *damages* –indemnización por daños y perjuicios–; *redress* se refiere a la reparación o desagravio por medio de la recuperación o reconocimiento de un derecho, etc., y *relief* es sinónimo de remedio de equidad –*equity remedy*–, y también de compensación económica a la que uno tiene derecho, por ejemplo, por tener un hijo minusválido o cualquier otro motivo social; en derecho fiscal equivale a desgravación; V. *aggrieve, give redress*. [Exp: **redress a wrong/grievance** (CIVIL reparar una injusticia, daño o perjuicio), **redress of grievances** (CIVIL desagravio, reparación de agravios)].

reduce[1] *v*: GRAL disminuir, rebajar, reducir, cercenar ◊ *The sentence was reduced on appeal*; V. *abate, curtail, diminish*. [Exp: **reduce**[2] *der es* (CIVIL rescindir, revocar, anular ◊ *The pursuer brought an action to have the fake deed reduced*; como se ve en el ejemplo, el término alude a la acción de anular o dejar sin efecto una escritura u otro documento falso o erróneo; también se aplica a la revocación o rescisión de un auto o sentencia manifiestamente errónea o injusta; V. *annul, cancel, rescind, revoke, set aside, strike out*), **reduce in writing** (PROC poner por escrito ◊ *When an information has been laid it is the duty of the court to reduce it in writing*; V. *simplify*), **reduction**[1] (GRAL reducción, rebaja, disminución; V. *abridgment, abatement, discount, rebate*), **reduction**[2] *der es* (CIVIL rescisión, revocación, anulación; V. *annulment, cancellation, rescission*)].

redundancy *n*: LABORAL excedente de plantilla, expediente de regulación de empleo ◊ *The relations between management and labour force have been strained by the recent spate of redundancies*; V. *early retirement, compulsory retirement, make someone redundant, pay off, lay off*. [Exp: **redundancy payment** (LABORAL indemnización por despido), **redundant** (excedente, excedentario, redundante, superfluo, ocioso)].

reentry *n*: GRAL/CIVIL reingreso, reintegración, recuperación de la posesión; V. *possession*.

refer[1] *v*: GRAL remitir, someter; referir ◊ *The matter has been referred to a committee*; V. *advert*. [Exp: **refer**[2] (GRAL consultar ◊ *The jury can refer to the jury instructions when they need*), **referee** (GRAL árbitro, administrador judicial de la quiebra, ponente de la quiebra, juez de la quiebra; interventor del concurso nombrado por los acreedores, síndico en quiebras, árbitro, ponente, componedor amigable, hombre bueno, funcionario auxiliar del Tribunal; V. *receiver, trustee in bankruptcy*), **reference** (GRAL referencia; remisión, informe para solicitud de trabajo, mención, alusión, bibliografía; V. *call number*), **reference on consent** (PROC referencia al ponente con consentimiento de las partes), **reference, with to** (GRAL en lo que afecta a; V. *with respect to*), **referral** (GRAL remisión, referencia)].

referendum *n*: CONST referéndum.

reflect *v*: GRAL mostrar a la luz a una persona o institución; si no aparece ningún adverbio positivo, siempre se toma con significado negativo como «reprochar, dejar en mal lugar, decir poco en favor, poner en tela de juicio» ◊ *Your behaviour reflects on the whole institution*. [Exp: **reflection** (GRAL reflejo; [expresión indirecta de] censura, reproche, tacha)].

reform *n/v*: GRAL reforma; reformar-se; V. *correct, amend*. [Exp: **reformatory** (PE-

NAL reformatorio, establecimiento penitenciario; V. *jail, penitentiary, penal institution*)].

refrain *v*: GRAL abstenerse de ◊ *The claimant agreed to refrain from using or disseminating any of the defendant's confidential documents*; V. *desist, avoid.*

refresh *v*: GRAL refrescar ◊ *The police officer, when giving evidence, was allowed to refresh his memory from his note-book*; V. *memory refresher*. [Exp: **refresher**[1] (GRAL recordatorio; V. *reminder*), **refresher**[2] (GRAL honorarios adicionales; V. *fee*)].

refuge *n*: GRAL refugio; asilo, hogar; hostal u otro hogar social/comunitario puesto a disposición de una persona sin medios económicos propios por el Estado o las autoridades municipales; V. *destitute, homeless; take refuge*. [Exp: **refugee** (GRAL refugiado, asilado; V. *runaway, fugitive*)].

refund *n/v*: devolución, reembolso, reintegro; bonificar, reembolsar, amortizar ◊ *The customer returned the unsatisfactory goods and asked for the money to be refunded*; V. *repay, return, compensate*. [Exp: **refundable** (GRAL reintegrable, reembolsable), **refunding** (MERC reintegro, amortización; V. *reimbursement*), **refunding bond** (MERC bono de conversión, bonos de reintegración o de refundición), **refunding mortgage** (CIVIL hipoteca de reintegración)].

refusal *n*: GRAL denegación, desestimación, rechazo, negativa, resistencia, repulsa; se usa en expresiones como *refusal of acceptance* –no aceptación–, *refusal of payment* –denegación de pago; negativa a pagar–, etc.; V. *rejection, disapproval, dismissal, right to first refusal*. [Exp: **refusal to consider an application** (PROC no admisión a trámite), **refuse** (GRAL/PROC denegar, negar ◊ *The prisoner was found guilty and leave to appeal was refused*; V. *dismiss, reject; grant, quash, uphold*), **refuse an application** (PROC/GRAL denegar, desestimar o no admitir a trámite una petición, instancia o solicitud; V. *grant leave*), **refuse to entertain a proposal** (GRAL rechazar una propuesta de plano o sin contemplaciones; no querer ni oír hablar de una propuesta; V. *entertain a proposal*), **refuse to accept** (GRAL rechazar)].

refute *v*: GRAL refutar, rebatir, negar ◊ *An important politician refute the results of the by-elections*; V. *contradict, disprove, confute*. [Exp: **refutable** (GRAL refutable, impugnable), **refutation** (GRAL refutación; V. *disapproval, repudiation*)].

regard[1] *n/v*: GRAL concepto, consideración; considerar, juzgar, estimar; V. *consideration; judge, consider*. [Exp: **regard to, having** (GRAL visto ◊ *The European Commission has adopted this directive having regard to the proposal from the commission*; V. *whereas*), **regard to, with** (GRAL en materia de)].

Regina *n*: GRAL reina; V. *rex, roi*.

register *n/v*: GRAL acto de registrar; lista, archivo, inscripción, asiento, asiento registral, anotación a registro, matrícula; libro de registro; establecimiento de registro; inscribir-se, registrar-se, fichar, matricular, consignar, certificar ◊ *If your name is not on the register, you can't vote*; V. *net register, property register, proprietorship register*. [Exp: **register a ship** (MERC abanderar un buque), **register book** (MERC libro de registro), **register of electors** (GRAL censo electoral), **register of members, ships, etc.** (MERC lista o registro de socios, buques, etc.), **registered offender** (PENAL delincuente fichado y reconocido), **registered tonnage** (MERC tonelaje de registro), **registered bond/share, etc**. (MERC bono/acción, etc., nominativos; V. *bearer*), **registered capital** (MERC capital nominal), **registered com-**

pany/corporation (MERC sociedad inscrita en el registro mercantil; V. *corporation incorporated by royal charter; chartered company, statutory companies*), **registered holder** (MERC tenedor inscrito), **registered land** (MERC finca o propiedad inscrita en el registro), **registered mail** (GRAL correo certificado), **registered office** (MERC domicilio social; V. *domicile, address for service*), **registered property** (CIVIL bienes inmuebles inscritos o registrados), **registered trademark** (MERC marca registrada), **registrant** *US* (MERC titular de una marca ◊ *The registrant holds the title of possession and use of a trademark*; V. *proprietor of a trademark*)].

registrar *n*: GRAL/PROC registrador; secretario o registrador judicial, juez auxiliar; el *registrar* actúa de Escribano Oficial o Secretario del Tribunal *–Clerk of the Court–*, siendo responsable de la organización administrativa de los *County Courts*, y también puede actuar de juez auxiliar en algunos casos; otra de sus funciones es velar por el cumplimiento de las normas procesales *–rules of the court–* especialmente durante las diligencias previas a la vista oral, resolviendo los problemas que puedan surgir en la aplicación de las mismas; igualmente se encarga del seguimiento de las fases procesales que siguen al fallo judicial *–post-judgment stages of the case–*; hoy en día el *Registrar* de los County Courts es un *district judge*. [Exp: **Registrar General** (CIVIL Registro de la Propiedad Inmobiliaria en Irlanda del Norte; V. *H.M. Land Registry, Department of the Register of Scotland*), **Registrar of Companies** (MERC secretario del Registro de Sociedades), **registrar of deeds** (CIVIL registrador de la propiedad), **registrarship** (MERC registro, registraduría, funciones de registrador o archivero)].

registration *n*: ADMIN/CIVIL asiento registral, asiento de inscripción, inscripción, [acto de] inscripción en el registro; matriculación, abanderamiento; V. *registry; deregistration*. [Exp: **registration and transmittal** (ADMIN regístrese y comuníquese a quien corresponda), **registration fee** (GRAL derechos de inscripción, etc.), **registration number** (GRAL número de matrícula de un coche; número de registro o de inscripción), **Registration of Deeds** (ADMIN Registro de Escrituras Inmobiliarias Solemnes), **registration of encumbrances** (CIVIL registro de cargas inmobiliarias o sobre los bienes raíces), **registration of title to property** (CIVIL inscripción de título, registro en el Catastro de un derecho de propiedad), **registration statement** *US* (MERC declaración a la Comisión de Valores y Bolsa en torno a una propuesta de venta de valores; V. *Stock Exchange Commission*)].

registry *n*: CIVIL/ADMIN inscripción; registro; equivale al libro de registro *–book for official records–*, al lugar *–the place where such records are kept–*, y también al acto de registro; en este último caso es sinónimo de *registration*; V. *certificate of registry*. [Exp: **registry in the Trade Register** (ADMIN/CIVIL inscripción en el Registro Mercantil), **registry of charges** (registro de cargas; V. *land certificate; registration of encumbrances*), **registry of ships** (ADMIN registro de buques), **Registry Office** (CIVIL/ADMIN Oficina del Registro Civil), **registry of property** (CIVIL/ADMIN registro de la propiedad; V. *cadastre, land registry*)].

regular *a*: GRAL ordinario, corriente, regular; V. *common, ordinary, frequent*. [Exp: **regular session** (GRAL sesión ordinaria; V. *special session*), **regular course of business** (GRAL marcha o curso normal de los negocios), **regular meeting** (MERC junta ordinaria ◊ *Some officers are ap-*

pointed at the regular annual meeting; V. *annual general meeting*), **regular member** (GRAL/MERC vocal titular), **regular term** (GRAL período ordinario de sesiones)].

regulate *v*: GRAL regular; V. *adjust, control*. [Exp: **regulated mortgage** (CIVIL hipoteca protegida por tratarse de propiedad afectada por *regulated tenancy*), **regulated tenancy** (CIVIL inquilinato o contrato de arrendamiento protegido por la Ley de Viviendas, inquilinato reglamentado o estatutario)].

regulation *n*: GRAL regulación, disposición, reglamento, ordenanza. [Exp: **regulations** (GRAL disposiciones reglamentarias, normas, normativa, reglamento, reglamentación; cada *regulation* consta de *paragraphs* y *subparagraphs*; V. *provision*), **regulations for preventing collisions at sea** (MERC reglamento internacional para prevenir los abordajes en la mar; V. *rules of the road*), **regulator** (MERC organismo regulador, inspector/supervisor de instituciones privadas de carácter financiero, sanitario, etc.; V. *board of banking institutions*), **regulatory** (GRAL reglamentario, regulador; V. *independent regulatory agency*), **regulatory offence** *US* (PENAL delito o falta por infracción de alguna norma [de carácter administrativo]; delito tipificado ◊ *Driving over the speed limit is a regulatory offence*; V. *statutory offence*), **regulatory power** (CONST/ADM capacidad normativa, competencia normativa; V. *law-making power, administrative agency*), **regulatory scheme** (GRAL normativa, marco legal), **regulatory underbrush** (ADM excesos ordenancistas)].

rehabilitate *v*: PENAL/GRAL rehabilitar, reinsertar. [Exp: **rehabilitation** (GRAL rehabilitación), **rehabilitation order** (PENAL pena consistente en la que el penado está obligado a hacer cursos o actividades de rehabilitación social; V. *community service orders*)].

rehear *v*: PROC repetir un juicio o vista oral. [Exp: **rehearing** (PROC nueva vista pública, nuevo juicio, nueva audiencia)].

reimburse *v*: GRAL reembolsar, reintegrar; V. *refund*. [Exp: **reimbursement** (GRAL reembolso, reintegración; V. *withdrawal, repayment*)].

reinstate *v*: GRAL/LABORAL readmitir, reponer, rehabilitar/restituir [en el cargo], restablecer; V. *restore, replace*. [Exp: **reinstatement** (GRAL/LABORAL readmisión, reposición, rehabilitación; V. *automatic reinstatement clause; unfair dismissal, dismissal statement*)].

reinsurance *n*: SEGUR reaseguro. [Exp: **reinsurance pool** (SEGUR consorcio de reaseguro; V. *syndicate*)].

reintegrate *v*: GRAL reintegrar, reinsertar; V. *restore*. [Exp: **reintegration of a prisoner** (PENAL reinserción/rehabilitación social de un penado)].

reject *v*: GRAL rechazar, rehusar, desechar, denegar, desestimar ◊ *The Minister has rejected the County's education proposals*; V. *dismiss, rebuff, allow*[4]. [Exp: **reject a motion** (GRAL rechazar una propuesta; V. *carry a motion, defeat a motion*), **reject a will** (SUC repudiar una herencia), **rejection** (GRAL rechazo, repulsa, inadmisión; V. *disapproval, dismissal*)].

rejoin *v*: PROC hacer dúplica, responder. [Exp: **rejoinder** (PROC dúplica, respuesta; es la respuesta que el demandado hace a la reconvención *–counterclaim–* del demandante; V. *counterclaim, surrebutter*)].

relapse *n/v*: GRAL reincidencia, reiteración; recaer, reincidir, reiterar; V. *backslide, regress*.

relate *v*: GRAL referirse a; emparentar; relatar; V. *refer*. [Exp: **related charge** (PENAL delito conexo), **related in the direct line** (FAM pariente en línea directa), **related to** (GRAL/FAM emparentado con, conexo a), **relation** (GRAL/FAM relación, relato; pariente; V. *bearing*), **relative** (GRAL/FAM relativo, pariente; deudo), **relations** (GRAL intercambios comerciales, etc.), **relationship**[1] (GRAL relación; V. *liaison, connection, affinity*), **relationship**[2] (FAM parentesco; V. *kinship*)].

release[1] *v*: PENAL poner en libertad, soltar, liberar ◊ *The suspect was released after questioning*; V. *free, set free*. [Exp: **release**[2] (PENAL puesta en libertad, liberación), **release**[3] (GRAL/MERC/CIVIL condonación finiquito, exención; relevar [de una carga o promesa], librar, descargar), **release a mortgage** (CIVIL redimir una hipoteca; V. *dismortgage*), **release a pledge** (CIVIL despignorar), **release from a promise/obligation** (GRAL absolver o descargar de una promesa/obligación), **release of a debt** (MERC condonación de una deuda), **realease of a security** (MERC liberación de una garantía), **release on bail** (PENAL poner en libertad bajo fianza; V. *admit to bail, grant bail, remand on bail, discharge, commit in custody*), **release on licence/parole** (PENAL conceder libertad condicional a un preso), **release on own recognizance** (PENAL libertad provisional bajo caución juratoria), **release the bond** (MERC desafianzar), **release to a third party** (PENAL libertad provisional bajo caución personal), **released pending** (PENAL en libertad provisional a la espera del juicio; equivale en cierto sentido a *bail* y es por tanto lo opuesto a *custody*)].

relevancy[1]**/relevancy** *n*: GRAL pertinencia, aplicabilidad; V. *relationship, application*. [Exp: **relevancy**[2] *der es* (PROC adecuación, pertinencia y suficiencia en Derecho, fundamentación, lo bien fundado [de una alegación/una actuación/una acusación, etc.] ◊ *The defence challenged the relevancy of the charge*; en el Derecho escocés, este término alude al encaje entre el principio normativo y el hecho alegado, adecuación que determina la eficacia de la pretensión de la parte que la establece; contrariamente, si no se aprecia el encaje hecho-Derecho, se considera infundada la pretensión; en el ejemplo, el letrado defensor no niega los hechos imputados en sí, sino que combate la suposición de que éstos sean constitutivos de delito según el Derecho escocés; tales *pleas to the relevancy* representan incidentes procesales o excepciones perentorias ya que, de ser estimadas, ponen término al proceso con libre absolución del acusado; V. *competency*), **relevant**[1] (GRAL pertinente, que hace al caso, que está a la altura o acorde con los tiempos; V. *appropriate*), **relevant**[2] *der es* (PROC ajustado a Derecho, fundamentado, bien o correctamente fundado, procedente, conducente al pleito o a la cuestión en litigio, pertinente y suficiente según las normas; V. *competent, found*), **relevant to, be** (GRAL venir al caso ◊ *We point this because it is relevant*; V. *go to*)].

relict *obs n*: FAM viuda. [Exp: **reliction** (CIVIL terreno ganado por receso de las aguas ◊ *Reliction is the gradual and imperceptible withdrawal of water from land which it covers*; V. *accretion, avulsion*)].

relief[1] *n*: CIVIL reparación de los derechos lesionados solicitada a los tribunales o concedida por éstos, amparo; desagravio, reparación, compensación, satisfacción; socorro, ayuda material, asistencia o prestación social; conjunto de prestaciones de la seguridad social; beneficencia ◊ *The plaintiff must state clearly the nature of the relief sought*; el término *relief* o *equitable relief* se refiere normalmente a los remedios o soluciones de equidad concedidos por los tribunales, tales como *injunction, specific performance, rescission*, etc. Exp: **relief**[2] (FISCAL desgravación; V. *allowance, tax relief*), **relief against forfeiture** (revocación de los efectos del desahucio o confiscación), **relieve**[1] (GRAL aliviar, librar; relevar ◊ *The officer was relieved of his command following allegations of misconduct*; V. *release*), **relieve**[2] *col* (PENAL robar, quitar ◊ *She was relieved of her purse*; V. *steal, rob*)].

relinquish [an action, an appeal, rights, a claim, etc.] *v*: CIVIL renunciar a, desistir de, abandonar una demanda, un recurso o apelación, derechos, una pretensión, etc. ◊ *He signed a statement relinquishing all claims to the property*; V. *abandon, forsake, renounce, waive.* [Exp: **relinquishment** (GRAL renuncia, abandono; V. *abandonment*)].

reliability *n*: GRAL fiabilidad, formalidad, seriedad, veracidad, crédito, confianza; V. *confidence, faithfulness.* [Exp: **reliable** (GRAL fiel, fiable, seguro, fidedigno, serio, seguro, veraz, fidedigno; V. *loyal, faithful, credible, reputable*), **reliance** (GRAL confianza, buena fe; V. *faith, belief, confidence*), **rely** (GRAL fiarse, confiar; basarse, alegar como fundamento, alegar de buena fe ◊ *The judge ruled that the facts on which the plaintiff relied were irrelevant*)].

relocation *v*: GRAL traslado; V. *transfer.*

rem, action in *n*: PROC acción contra la cosa; V. *res, rights in rem.*

remainder[1] *n*: GRAL restante, resto; V. *rest, residue.* [Exp: **remainder**[2] (CIVIL derecho que se posee respecto de un inmueble, el cual se ejercerá cuando se extinga el que tiene otra persona sobre el mismo inmueble; derecho en expectativa al dominio de una propiedad ◊ *The will gave the estate to Jones for life, the remainder to Smith in fee simple*; V. *interest in remainder, charitable remainder, contingent remainder, vested remainder, reversion*), **remainder**[3] (GRAL residuo, ejemplares de una edición no vendida; vender a precio de lote los ejemplares que quedan de una edición ◊ *The book sold badly, and several hundred copies were remaindered*), **remainder balance** (MERC saldo remanente), **remainder estate** (CIVIL nuda propiedad; propiedad disminuida por estar gravada con un usufructo), **remainderman** (CIVIL titular expectante instituido; tenedor del derecho en expectativa, nudo propietario; V. *reversioner*)].

remand[1] *v*: PROC devolver, reenviar; se emplea cuando un tribunal superior devuelve las actuaciones *–proceedings–* a un tribunal inferior para que lleve a cabo trámites adicionales o adecue la sentencia al fallo *–decision–* del tribunal de apelación; en los Estados Unidos la expresión *we reverse and remand* significa «anulamos el fallo del tribunal de primera instancia y les devolvemos los autos para las modificaciones pertinentes». [Exp: **remand**[2] (PROC dictar o confirmar un auto de prisión; dictar auto de prisión preventiva, reenviar, entregar ◊ *The youth was remanded in custody pending a pre-sentence report*), **remand**[3] (PENAL reformatorio, hogar tutelar de menores; V. *community homes*), **remand home** (PENAL reformatorio, hogar tutelar de menores; V. *community homes*), **remand in custody** (PENAL dictar auto de prisión preventiva), **remand on bail** (PENAL dictar libertad bajo fianza a la espera de juicio o de ampliación de los informes; V. *release on bail, admit to bail, grant bail; on parole*), **remand prison** (PENAL establecimiento de preventivos), **remand prisoner** (PENAL preso preventivo)].

remedy *n/v*: PROC solución jurídica, remedio, medios, recurso, derechos y acciones; satisfacción; vías de satisfacción; rectificar, superar, subsanar ◊ *The law provides the lender with various remedies if the borrower doesn't pay his debt*; el término *remedy* se usa en la acepción que se encuentra en la frase *ubi jus, ibi remedium* –donde hay Derecho, hay remedio o solución jurídica–; con este término se alude a los medios, recursos, o procedimientos con que cuenta el Derecho para la aplicación de una ley, para el amparo de derechos o para la recuperación de los mismos, que el demandante normalmente solicita de los tribunales; los *remedies* pueden ser *legal remedies* y *equitable remedies*; los primeros comprenden las soluciones o recursos dados por los tribunales de *common law courts* a los demandantes; el más importante de todos es *damages*; el término *remedy* está relacionado con el de *redress* y *relief*. [Exp: **remedial** (GRAL/PROC reparador, corrector, curativo, que da satisfacción o indemnización), **remedial statute** *US* (CONST ley de corrección de errores o erratas de otra anterior, ley mediante la que se crean nuevos remedios, recursos o soluciones), **remedy or action available** (PROC acción a que tuviere derecho), **remedy a mistake** (GRAL rectificar un error), **remedy of appeal** (PROC recurso de apelación; V. *redress, relief*)].

remembrancer *obs n*: CONST antiguo alto funcionario cuya principal función está relacionada con la selección de *sheriffs* y la toma de juramento del Alcalde de Londres *–swearing in of the Lord Mayor of London–*.

reminder *n*: GRAL aviso, recordatorio. [Exp: **reminder of due date** (GRAL aviso de vencimiento)].

remise *v*: GRAL renunciar a un derecho, abandonar una pretensión; V. *relinquish, surrender*.

remiss *a*: GRAL/CIVIL negligente ◊ *It was extremely remiss of them not to send the bill immediately*; V. *negligent*. [Exp: **remissness** (GRAL/CIVIL negligencia; v. *negligence*)].

remission *n*: GRAL remisión, absolución, perdón, exoneración, rebaja, disminución; reducción aplicada a delitos, deudas, etc.; remesa comercial; abandono de un derecho; V. *pardon*. [Exp: **remission of sentence** (PENAL reducción de la pena ◊ *There is no remission of a life sentence*)].

remit *n*/*v*: GRAL mandato; precepto; condonar, perdonar, eximir, exonerar; remitir, enviar, hacer remesas, remesar; V. *go beyond one's remit*. [Exp: **remitment** (PENAL gracia, exoneración, exención, condonación), **remittal** (GRAL cesión, abandono, renuncia; remesa), **remittance** (MERC provisión de fondos, envío, consignación, remesa, giro, letra de cambio; V. *eimbursement*), **remittee** (GRAL destinatario de una remesa)].

remittitur *US n*: PROC potestad de los jueces para reducir el importe de la indemnización concedida por un jurado a la parte demandante; potestad que tienen los tribunales superiores en su función de tribunales de apelación para negar la admisión a trámite de la apelación de aquellos procesos en los que el demandado acepta indemnizar al demandante en una cantidad inferior a la acordada por el tribunal de origen. [Exp: **remittitur of record** (PROC devolución de los autos o del sumario a un tribunal inferior a fin de que ejecute la resolución acordada por el superior)].

remnant *n*: GRAL remanente, residuo, resto; V. *remainder, rump, balance*.

remote *a*: GRAL remoto, indirecto; v. *distant, faraway*. [Exp: **remote cause** (GRAL causa indirecta o remota, motivo indirecto), **remote damage** (CIVIL daños remotos o indirectos), **remoteness** (GRAL lejanía, improbabilidad), **remoteness of damage** (CIVIL grado de proximidad de la causa del perjuicio ◊ *Except in strict liability, the remoteness of damages is a matter of consequences that were within the defendant's «reasonable contemplation»*)].

removal *US n*: GRAL/ADMIN remoción, supresión, eliminación; deposición de un empleo, cambio de domicilio; V. *dismissal*. [Exp: **removal from office** (ADMIN destitución de un cargo), **removal of a case** (PROC traslación de una causa o proceso, normalmente desde un tribunal estatal a otro federal), **remove** (GRAL deponer, destituir, quitar, mudar, trasladar, suprimir; V. *detach, dismiss, take off, extinguish, eradicate*), **remove the ban** (GRAL levantar la prohibición), **remove cloud on title** (V. *action to remove cloud on title*), **remove the embargo** (CIVIL/MERC levantar el embargo; V. *lift, raise*)].

remunerate *v*: GRAL remunerar, premiar; V. *pay, reward, reimburse*. [Exp: **remuneration** (GRAL retribución, remuneración, premio; V. *disbursement, payment*)].

render *v*: GRAL hacer, rendir, prestar, devolver; verter ◊ *Concealment of material facts in making a contract renders the contract void*; V. *make, give*. [Exp: **render a judgment/verdict** (PROC pronunciar/dictar/emitir sentencia, veredicto; V. *return*), **render a service** (GRAL prestar un servicio), **render an account** (MERC rendir una cuenta, pasar la factura), **render assistance** (GRAL prestar auxilio), **render justice** (GRAL hacer justicia), **render into** (GRAL traducir, verter al), **render void** (GRAL anular), **rendering** (GRAL versión, traducción, rendición), **rendering of accounts** (MERC rendición de cuentas)].

renew *v*: GRAL prorrogar, extender, reanudar, renovar; se aplica a *contracts, bills of exchange*, etc.; V. *renovate*. [Exp: **renewal** (GRAL renovación; V. *renovation*)].

renounce *v*: GRAL/ADMIN/CIVIL renunciar, abandonar, abdicar ◊ *He has renounced all claim to his parents' estate*; V. *abandon, waive, disclaim; abdicate, resign, relinquish, disown, forsake, give up*. [Exp: **renouncement/renunciation** (GRAL/ADMIN/CIVIL renuncia, renunciación), **renunciation of an inheritance** (SUC renuncia o dejación de herencia), **renounce a right** (CIVIL/ADMIN renunciar a un derecho)].

rent *n/v*: GRAL/CIVIL alquiler, arriendo, arrendamiento, canon, renta, anualidad; alquilar, arrendar, dar/tomar en arrendamiento ◊ *Disputes between landlord and tenant may be referred to a rent tribunal*; V. *denial of rent, peppercorn rent, rack rent*. [Exp: **Rent Assessment Committee** (ADMIN comisión evaluadora o supervisora de los alquileres; V. *tribunal*), **rent-book** (CIVIL libreta que conserva el inquilino y donde se anotan los pagos periódicos del alquiler), **rent-charges** (CIVIL rentas censales), **rent officer** (funcionario nombrado por el gobierno para supervisar los alquileres en una región determinada), **rent rebate** (ADMIN/CIVIL subsidio o subvención del alquiler), **rent registration** (ADMIN registro de los alquileres oficiales permitidos en una región), **rent tribunal** (ADMIN tribunal de alquileres), **rental** (CIVIL arrendamiento, arriendo, alquiler, renta), **rental period** (CIVIL plazo o periodicidad del alquiler)].

reopen a case *v*: PROC reabrir una causa.

reorganisation *n*: GRAL reorganización. [Exp: **reorganisation of a company** *US* (MERC reorganización o saneamiento de una sociedad mercantil; esta reorganización, que es un plan de viabilidad *–feasibility–*, la propone el síndico de la quiebra *–bankruptcy trustee–* y la aprueban los tribunales en el procedimiento de quiebra *–bankruptcy proceedings–*, al amparo del *chapter 11* del *Bankruptcy Code*), **reorganise** (GRAL reorganizar, reconstituir; V. *correct, rectify*)].

repair *n/v*: GRAL reparación; reparar, remediar ◊ *Betterments improve the price of the property; repairs or replacements leave the price unchanged*; V. *amendment; mend, redress*. [Exp: **reparation** (GRAL reparación, indemnización, satisfacción; V. *payment, redress*)].

repatriate *v*: GRAL repatriar. [Exp: **repatriation** (GRAL repatriación)].

repay *v*: GRAL reembolsar, reintegrar, devolver; V. *return, reimburse, compensate*. [Exp: **repayment** (GRAL pago, reembolso, devolución; V. *return, reimbursement, compensation*)].

repeal *n/v*: CONST derogación, abrogación, revocación, casación; derogar, revocar, abrogar, anular ◊ *Laws can only be repealed with the consent of Parliament*; *repeal* se aplica normalmente a la anulación por medio de una disposición legislativa; V. *abrogation; quash, revoke, abrogate, invalidate, cassare, set aside, strike down; annul, abrogate, abate; annulment, abatement; derogate*. Exp: **repealing clause** (CONST cláusula/disposición derogatoria ◊ *Most Acts end with a repealing clause*)].

repel *der esc v*: GRAL repeler, rechazar; en el derecho escocés se emplea el término *repel* en lugar de *dismiss, overrule*, etc., con el sentido de «rechazar» o «desestimar» ◊ *The reclaiming motion was repelled and the appellant ordered to pay costs*; V. *dismiss, refuse*.

repetition of infringement *n*: GRAL reincidencia.

replace *v*: GRAL sustituir; V. *restore*. [Exp: **replacement** (GRAL renovación, reemplazo, sustitución; V. *substitution*), **replacement cost** (MERC costo o valor de reposición, reemplazo o renovación; amortización; V. *repairs, betterment*)].

replead *v*: PROC presentar alegatos nuevos. [Exp: **repleader** (PROC alegatos nuevos)].

replete *US a*: GRAL repleto, lleno ◊ *The record is replete with evidence*; V. *full, abundant*.

replevin *obs n*: CIVIL/PROC reivindicación [de bienes muebles]; V. *action of replevin*. [Exp: **replevy** *obs* (CIVIL/PROC entrega al demandante de los bienes muebles ante la posibilidad de una acción reivindicatoria –*replevin*–), **replevy bond** *obs* (CIVIL/PROC fianza reivindicatoria)].

replication *n*: GRAL réplica; V. *copy*.

reply *n/v*: GRAL contestación, respuesta, réplica; contestar, responder; replicar a la demanda. [Exp: **reply and defence to counterclaim** (PROC réplica), **reply in rebuttal** (respuesta de refutación; V. *surrebuttal*), **reply to interrogatories** (CIVIL/PROC absolución de posiciones, confesión judicial, prueba confesional, contestación a interrogatorios)].

report[1] *n/v*: GRAL atestado, denuncia, parte o informe [de un accidente, etc.], memoria, dictamen, nota, comunicación; informar, relatar, comunicar; denunciar, dar cuenta ◊ *Even in relatively minor collisions, it is wise to request the presence of the police, so that an official accident report can be drawn up*; V. *audit report, damage report, police report; reporting restrictions*. [Exp: **report**[2] (PROC decisión o fallo contenido en los repertorios de jurisprudencia –*law reports*– o de jurisprudencia de resoluciones administrativas –*administrative law reports*–), **report stage** (CONST fase de ponencia parlamentaria; V. *commission stage; engrossed bill, enrolled bill*), **reportable offences** (PENAL antecedentes penales computables), **reportedly** (GRAL al parecer, según se dice), **reporter**[1] (GRAL periodista; informante, relator), **reporter**[2] *US* (PROC recopilador de los fallos de un tribunal, compilador, también llamado *reporter of decisions*), **reporter's gallery** (GRAL tribuna de la prensa o de los periodistas; V. *press gallery*), **reporting day** (MERC día en que el capitán comunica a los fletadores que pueden iniciar las tareas de carga o descarga; V. *lay days*), **reporting restrictions** (PROC secreto del sumario; V. *gag order, press lifting; lift reporting restrictions*)].

repossess *v*: GRAL recuperar, recobrar, reivindicar ◊ *People unable to meet their mortgage repayments face repossession*;

V. *recover, recoup*. [Exp: **repossession** (PROC/GRAL ejecución de una hipoteca por parte de un banco, recuperación, recobro)].

reprehend *obs v*: GRAL reprender, censurar; V. *criticize, reprimand*. [Exp: **reprehensible** (GRAL reprensible; V. *objectionable, blamewotthty, censurable*), **reprehensibleness** (GRAL incorrección), **reprehension** *obs* (GRAL reprensión, amonestación, censura, corrección)].

represent[1] *v*: GRAL/PROC representar, ser apoderado de alguien. [Exp: **represent**[2] (GRAL/PROC describir, caracterizar ◊ *The goods are not as they were represented*), **representation**[1] (GRAL/PROC representación; V. *legal representation*), **representation**[2] (PROC aseveración oral o escrita realizada durante la negociación de un contrato; si resulta ser falsa *–misrepresentation* – podrá dar lugar a la anulación del contrato y a una demanda por daños y perjuicios; protestas, declaraciones, manifestaciones ◊ *A representation is a written or oral statement made during the negotiations for a contract*; V. *fraudulent representation, estoppel by representation, strong representation*), **representation allowance/expenses** (LABORAL gastos de representación; V. *entertainment expenses*), **representation letter** (PROC carta de manifestaciones del cliente), **representations, make** (PROC elevar una protesta), **representative** (GRAL/PROC agente, albacea, diputado, representante; V. *legal representative*), **representative at large** (GRAL representante con amplios poderes)].

repress *v*: GRAL reprimir; V. *restrain, coerce*. [Exp: **repressive** (GRAL represivo), **repressive measures** (GRAL medidas represivas), **repression** (GRAL represión; V. *constraint*)].

reprieve *n/v*: PENAL suspensión temporal de una pena, indulto; indultar, suspender la ejecución de sentencia en causa criminal, sobre todo, de la pena de muerte ◊ *The condemned man's lawyers won a last-minute reprieve*; V. *stay; pardon*.

reprimand *n/v*: GRAL reprimenda, corrección; llamar la atención, amonestar, advertir ◊ *The young man admitted the lesser charge, and the judge reprimanded him but did not fine him*; V. *admonish, caution*.

reprisal *n*: GRAL/PENAL represalia ◊ *Boycotts and embargos are examples of reprisals*; V. *retaliation, retaliatory measures, riposte, counter-attack*.

reproach *n/v*: GRAL tacha, reproche, culpa; reprochar; V. *criticism; criticize*.

reprobate *a/n/v*: GRAL réprobo, depravado; V. *profligate, disapprove, censure*.

reprove *v*: GRAL censurar, desaprobar, reprender; V. *admonish, reprimand*.

republication of will *n*: SUC segunda ejecución de un testamento o codicilo, enmendando o subsanando algún defecto; V. *revival of a will*.

repudiate *v*: GRAL repudiar, renunciar, rechazar ◊ *He repudiated the contract shortly after signing it*; V. *disclaim, reject, refuse*. [Exp: **repudiation** (GRAL repudio, repudiación, rechazo, renuncia; V. *rejection, denial*)].

repugnancy *n*: GRAL incoherencia, incompatibilidad, contradicción ◊ *If the terms of a deed show repugnancy, the court tries to interpret the document in the light of the primary intentions of the parties*. [Exp: **repugnant** (GRAL repugnante, odioso ◊ *Xenophobia is repugnant*; V. *hateful, offensive, repulsive*), **repugnant condition** (GRAL condición contractual incompatible con otras del mismo contrato), **repugnant to** (GRAL contrario a, contradictorio con, incompatible con ◊ *An Act of the legislature repugnant to the Constitution is void*)].

repurchase *n/v*: MERC readquisición/recompra por el vendedor original.

reputation *n*: GRAL nombre, crédito, reputación; V. *credit, good name*. [Exp: **reputable** (GRAL estimable, honorable, honrado), **repute** (GRAL juzgar, reputar, considerar ◊ *The accused, who was reputed to be dangerous, sat hand-cuffed to two dock/prison officers throughout the trial*), **reputed father** (FAM padre putativo), **reputed owner** (CIVIL dueño aparente)].

request *n/v*: GRAL petición, ruego, demanda, instancia, rogar. [Exp: **request for a summons** (CIVIL escrito con el que se iniciaba una demanda en un County Court; desde la reforma procesal civil de 1998 se utiliza en Inglaterra y Gales *claim form* en vez de este término; V. *writ of summons*), **request for review** (interponer recurso de reposición), **request of, at the** *US* (GRAL a petición de ◊ *The investigation has been carried out at the request Congress*; V. *at the behest of*), **request of one of the parties, at the** (PROC a instancias de parte; V. *at the motion of, ex parte, by application of the law*), **request the floor** (GRAL solicitar el uso de la palabra), **requester** (GRAL solicitante; V. *petitioner*)].

require *v*: GRAL exigir, pedir alguna cosa; demandar, necesitar; V. *need, call for, demand*. [Exp: **requirements** (GRAL necesidades, requisitos, estipulaciones, deberes; V. *statutory requirements*), **requirements of procedure** (PROC trámites establecidos, requisitos habituales), **requisite** (GRAL necesario, requisito; V. *needful, necessary, essential*)].

requisition[1] *n*: GRAL indagación, requisición, requisitoria. [Exp: **requisition**[2] (ADMIN requisa; requisar; V. *seize, confiscate, commandeering*), **requisition**[3] (ADMIN solicitud de extradición ◊ *The prisoner, George Campbell, has been arrested on the requisition of the French Government*), **requisition on title** (CIVIL solicitud de certificado oficial que garantice que un inmueble está libre de cargas; V. *raise a requisition, abstract of title*)].

rerecording *US n*: CIVIL asiento registral de corrección de errores; también se le llama *correction deed, confirmation deed* o *reformation deed*; V. *recording, reformation*.

res *n*: GRAL cosa; objeto [de un testamento, fideicomiso, etc.]; V. *in rem*. [Exp: **res gestae** (CIVIL *res gestae*, circunstancias esenciales; se aplica a las aseveraciones relacionadas con un hecho ya probado o admitido; V. *estoppel*), **res ipsa loquitur** (CIVIL los hechos hablan por sí solos; se trata de un principio del derecho de daños *–law of tort–*, según el cual, ante unos hechos sólo explicables por la negligencia de alguien, se presume, sin más, la responsabilidad del demandado bajo cuyo control estaba el instrumento causante directo de los daños sufridos por el demandante; en consecuencia la carga de la prueba *–burden of proof* u *onus probandi–* recae en el demandado; V. *negligence, strict liability*), **res judicata** (CIVIL cosa juzgada, *res judicata*; V. *without prejudice, collateral estoppel*; la *res judicata* se diferencia de *issue estoppel* en que en aquélla se prohíbe taxativamente la presentación de pruebas nuevas por ser firme la resolución judicial, mientras que *issue estoppel* no pone claramente esta barrera), **res nullius** (CIVIL *res nullius*, cosa de nadie, sin dueño)].

rescind *v*: CIVIL/MERC anular, rescindir, liquidar ◊ *Failure to keep the terms of the bargain automatically rescinds a contract*; en la *rescission* la anulación va a la raíz de los hechos, que, a efectos contractuales, se considera que nunca existieron; V. *annul, cancel*. Exp: **rescindible** (CIVIL/MERC rescindible), **rescinding/rescission** (CIVIL/MERC resolución; rescisión, abrogación, anulación), **rescissory** (CIVIL/MERC rescisorio)].

rescript *n*: GRAL decreto, rescrito, nueva redacción.

rescue *n/v*: GRAL rescate, auxilio; rescatar; V. *release, discharge*. [Exp: **rescue party** (GRAL equipo de socorro), **rescuer** (GRAL libertador)].

resell *v*: MERC/CIVIL revender.

reservation[1] *n*: GRAL reserva, reservación; V. *booking*. [Exp: **reservation**[2] (GRAL reserva, salvedad, duda; V. *doubt*), **reservation of title clause** (CIVIL cláusula contractual mediante la cual el vendedor se reserva el derecho de no entregar las mercancías al comprador hasta que éste no haya pagado el importe correspondiente; V. *Romalpa clause*), **reserve** (GRAL reserva; reservar, hacer salvedades ◊ *The defence reserved the right to appeal against the court's decision*), **reserve currency** (MERC divisas fuertes; V. *currency reserves*), **reserve for renewals and replacements** (GRAL reserva para renovaciones y sustituciones), **reserve for taxes** (reserva para impuestos), **reserve fund** (MERC fondo de reserva; V. *sinking fund reserve*), **reserve for working capital** (MERC reserva para aumentar el capital circulante), **reserve price** (MERC precio de salida de una subasta, también llamado *reserve*; V. *with reserve*), **reserve rights** (GRAL reservarse el derecho o derechos), **reserve, with/without** (GRAL con/sin precio mínimo fijado, y se aplica a los precios de determinados objetos en una subasta), **reserved** (GRAL reservado ◊ *Lands reserved*; V. *all rights reserved*)].

reset *der es n/v*: PENAL receptación de objetos robados; receptar; V. *receiving stolen goods, handling*.

resettlement *n*: GRAL reasentamiento, repoblación; modificación de una disposción legislativa.

reshuffle of the Cabinet *n*: CONST remodelación ministerial, reajuste del consejo de ministros ◊ *The scandal involving one of the senior ministers has led to a major reshuffle of the Cabinet*; V. *cabinet*.

reside *v*: GRAL/CIVIL residir, morar en algún lugar ◊ *A residential occupier cannot be forced to leave the premises he is occupying*; V. *occupy, inhabit, dwell*. [Exp: **residence** (GRAL domicilio, residencia, morada; desde la Ley de Menores de 1989 se ha cambiado el término *access* por el de *residence*; V. *abode, certificate of residence*), **residence permit** (ADMIN permiso de residencia), **resident** (GRAL residente, habitante, vecino), **resident alien** (GRAL extranjero con permiso de residencia), **residential occupier** (CIVIL ocupante legal de una vivienda)].

residual/residuary *a*: GRAL remanente, residual; V. *remnant, remainder*. [Exp: **residual legatee** (SUC heredero del remanente, heredero universal después de la liquidación), **residual value** (GRAL valor residual), **residuary** (GRAL residual, remanente; V. *residual*), **residuary bequest/devise/legacy** (SUC legado remanente; V. *devise* y *legacy*), **residuary clause** (SUC cláusula testamentaria sobre la heredad residuaria), **residuary estate** (SUC heredad o patrimonio residual), **residue** (SUC bienes residuales, remanente del patrimonio una vez satisfechos los gastos del entierro y la administración, pagadas las deudas y efectuados los legados)].

resign *v*: GRAL dimitir, renunciar ◊ *The union have demanded the resignation of the chairman*; V. *retire, abdicate,leave*. [Exp: **resignation** (GRAL renuncia, dimisión; V. *tender one's resignation*; V. *retirement*)].

resile *v*: GRAL echarse atrás, desdecirse, cambiar de parecer o postura, retirar la palabra dada, romper un compromiso, faltar a una promesa ◊ *The principle of estoppel will not allow a promissor to resile from his promise if the promisee has acted on it to his detriment*; V. *go back on one's word*.

resist *v*: GRAL resistir, rechazar, oponerse; V. *endure, challenge, dispute*. [Exp: **resist arrest** (PENAL resistirse a la autoridad), **resisting arrest** (PENAL resistencia a la autoridad), **resistance** (GRAL resistencia; V. *opposition, protest*)].

resolute *a*: GRAL resuelto, decidido, firme; S. *firm, uncompromising*. [Exp: **resoluteness** (GRAL resolución, determinación; V. *determination*), **resolution** (GRAL resolución, acuerdo, decisión ◊ *The resolution was carried by 8 votes to 5*; V. *decision*), **resolutive** (resolutorio), **resolutory condition** (MERC/CIVIL condición resolutoria)].

resolve[1] *n*: GRAL resolución, determinación, decisión; V. *resoluteness, decision, determination*. [Exp: **resolve**[2] (GRAL resolver, aclarar; V. *clear up*), **resolve**[3] (GRAL resolver, acordar; V. *decide*), **resolved be it** (ADMIN resuélvase)].

resort *n/v*: recurso; recurrir a, interponer recurso ◊ *As they could not win by fair means they have resorted to foul*; V. *court of last resort*. [Exp: **resort to a remedy** (PROC ejercitar una acción)].

resources *n*: recurso, medios, fuentes ◊ *She is a resourceful young woman who should do well in business*. [Exp: **resource allocation** (asignación de recursos), **resourceful** (emprendedor, ingenioso, imaginativo)].

respect *n/v*: GRAL respeto; respecto; acatar, respetar ◊ *Court decisions must be respected, although they may seem unfair.* [Exp: **respect of/with respect to** (GRAL en razón de, en lo que afecta, en el campo de, en materia), **respectively** (GRAL respectivamente)].

respite *n*: GRAL/PROC aplazamiento, plazo, respiro, dilación, suspensión de una ejecución ◊ *One of our bigger clients settled his account, giving us some respite from our own debts*; V. *grant a respite; stay*.

respondent *n*: CIVIL demandado, apelado ◊ *An answer is a pleading served by the respondent to a petition*; este término se usa en vez de *defendant* en los procesos matrimoniales, en los de equidad y también en algunos tribunales superiores; V. *defendant, co-respondent*.

respondentia *n*: MERC préstamo a la gruesa.

responsible *a*: GRAL/CIVIL responsable, fiable, solvente, autorizado ◊ *The final decision is the minister's responsibility*; los términos *responsible, liable* y *answerable* son sinónimos parciales; *responsible* se refiere más a la cualidad moral y a las obligaciones de los cargos, puestos de mando, autoridad, etc.; *answerable* contempla el hecho de cargar con las consecuencias de los actos ante los superiores, mientras que *liable* subraya la penalización en que incurre el que responde de actos con consecuencias negativas. [Exp: **responsible for, be** (GRAL incumbir), **responsible bidder** (MERC proponente solvente y técnicamente capaz), **responsibility** (CIVIL/MERC responsabilidad, carga; obligación, solvencia; los términos *accountability, liability,* y *responsibility* comparten el significado común de «responsabilidad»; véase en *liability* la relación entre los tres; V. *diminished responsibility, liability*)].

rest *v*: GRAL descansar, apoyar; recaer, corresponder, dar por concluido ◊ *The issue rests on the evidence given by the girl.* [Exp: **resting a case** *US* (GRAL dar por concluidos las pruebas o los alegatos), **rests its case, the defence** *US* (PROC la defensa da por concluidos sus alegatos, la defensa no tiene nada más que alegar), **rests with them, the responsibility** (PROC la responsabilidad recae sobre/corresponde a ellos)].

restate *v*: GRAL redactar de nuevo; repetir, reiterar; V. *reword*. [Exp: **restated balance sheet** (MERC balance regularizado), **restatement** (GRAL nueva exposición, puesta a punto, nuevos planteamientos ◊ *This argument is merely a restatement of the old one*), **Restatement of Law** *US* (PROC/GRAL [nuevos] planteamientos jurídicos; es una recopilación, en forma de código comentado, de las normas jurisprudenciales *–case law–* aplicables en los Estados Unidos, preparado por el *American Law Institute*, que goza de autoridad en los tribunales y en el mundo del Derecho; V. *Law Reports*)].

restitution *n*: GRAL restitución, devolución, reintegración; V. *restoration*. [Exp: **restitution order** (PROC auto ordenando la restitución de los bienes a sus dueños), **restitution of conjugal rights** (FAM restitución de los derechos conyugales, abolida en 1971)].

restoration *n*: GRAL restauración, restitución, rehabilitación. [Exp: **restore** (GRAL restaurar, restablecer, restituir ◊ *The speaker intervened to restore order*; V. *repair, refurbish, give back*), **restore a case** (PROC reponer la causa, reinstalar el caso), **restore order** (GRAL restablecer el orden), **restoring** (GRAL restitución)].

restrain *v*: GRAL limitar, reprimir, restringir, prohibir; disuadir, contener, controlar, refrenar ◊ *It is the duty of the owner of an animal to restrain it from attacking people*; V. *deter, control, limit*. [Exp: **restraining** (GRAL coercitivo, limitativo; V. *deterrent*), **restraining order** (PROC inhibitoria, interdicto, juicio de amparo, orden de entredicho; V. *prohibition, injunction*), **restraint** (GRAL represión, restricción, sujeción, limitación; encierro; V. *limitation, restriction; confinement*), **restraint order** (PROC orden de anotación preventiva; normalmente se expresa indicando el tribunal que la ordena *–High Court restraint order–* y los bienes afectados *–in respect of any property held by ... in Spain–*), **restraint of commerce/trade** (MERC restricción de comercio, represión del comercio; V. *chilling a sale, combination/conspiracy in restraint of commerce/trade, illegal combination, code of fair competition/trading, Restrictive Practices Court, price-fixing*), **restraint of liberty** (GRAL restricción o limitación de libertad; V. *arrest, custody, confinement, detention*), **restraint of ship** (ADMIN secuestro de navío)].

restrict *v*: GRAL limitar, restringir, coartar ◊ *The plaintiff claimed the terms of the settlement unfairly restricted his rights as owner*; V. *restrain, control, confine*. [Exp: **restricted contract** (CIVIL contrato de inquilinato de vivienda amueblada; V. *security of tenure, assured tenant*), **restriction** (GRAL restricción, limitación, limitación voluntaria; V. *limitation, qualification, constraint*), **restriction order** (PROC auto prohibiendo que una persona declarada culpable de un delito, y en tratamiento psiquiátrico por orden judicial, sea dada de alta durante un período de tiempo determinado), **restrictive** (GRAL restrictivo, represivo), **restrictive condition** (MERC condición limitativa, restrictiva o negativa), **restrictive covenant** (CIVIL pacto restrictivo o limitativo), **restrictive endorsement** (MERC endoso restrictivo con prohibición de negociación), **restrictive measures** (GRAL medidas restrictivas), **restrictive practices** (MERC prácticas comerciales restrictivas; V. *collusive*), **Restrictive Practices Court** (MERC Tribunal de Defensa de la Competencia; V. *code of fair competition/trading, Director-General of Fair Trading*)].

result *n/v*: GRAL resultado, efecto; resultar, recaer, acarrear, ocasionar. [Exp: **resulting trust** (CIVIL fideicomiso resultante, fideicomiso creado por presunción legal; V. *constructive trust*), **results** (GRAL resultado, conclusión)].

resume *v*: GRAL reanudar; reasumir ◊ *The meeting was resumed in the afternoon* *after its adjournment at half past ten*; V. *renew, restart.* [Exp: **resumption** (GRAL reanudación, reasunción)].

retail *n/v*: MERC vender, venta al por menor. [Exp: **retail outlets** (MERC puesto de venta al por menor; V. *major retail outlets*), **retail price index, rpi** (MERC índice de precios al consumo, IPC), **retail trade** (MERC comercio al por menor; V. *wholesale*), **retail trader** (MERC comerciante al por menor, detallista, minorista; V. *wholesale trader*), **retailer** (MERC minorista; V. *wholesaler*)].

retain *v*: GRAL conservar, retener; V. *keep, hold back; retention.* [Exp: **retain counsel** (GRAL contratar letrado o defensa), **retained profits** (beneficios retenidos), **retainer** (GRAL iguala; contrato de servicios mediante cuota; cuota por el servicio contratado), **retaining fee** (GRAL provisión de fondos, anticipo sobre los honorarios), **retaining wall** (GRAL muro de contención)].

retaliate *v*: GRAL/PENAL vengarse, desquitarse, tomar represalias ◊ *The court ordered the defendant not intimidate, retaliate against or tamper with any witness to or victim of the acts he was charged with committing*; V. *intimidate, harass, tamper with.* [Exp: **retaliation** (GRAL/PENAL desquite, represalia; V. *reprisal, revenge, retortion*), **retaliatory measures** (GRAL/PENAL medidas de represalia; V. *riposte, counter-attack*)].

retention *n*: GRAL retención, mantenimiento; V. *retain.*

retire *v*: LABORAL jubilarse, retirarse; redimir ◊ *The jury retired to consider the verdict*; V. *withdraw.* [Exp: **retiral** *US* (GRAL retiro; V. *retirement*), **retire bonds** (MERC amortizar bonos), **retired** (LABORAL jubilado, pensionista), **retirement** (LABORAL jubilación, retiro; redención; V. *compulsory retirement; disability retirement, early retirement; redundacy, retiral*), **retirement annuity** (LABORAL pensión de jubilación, pensión), **retirement plan** (PENAL plan de pensiones o de jubilación), **retiring president** (GRAL/ADMIN presidente saliente)].

retort *n/v*: GRAL réplica; replicar; V. *reply, rebut.* [Exp: **retorsion, retortion** *obs* (INTER represalia; V. *retaliation, reprisal.*

retour sans protêt *fr*: MERC expresión francesa que se incluye en una letra de cambio para que se devuelva sin protesto en caso de impago.

retract *v*: GRAL retractar, retirar; abjurar; V. *disavow, diclaim.* [Exp: **retractation** (GRAL retractación)].

retrial *n*: PROC nuevo juicio ordenado por el tribunal de apelación; V. *new trial, review.*

retribution *n*: GRAL castigo justo; correctivo, pena merecida ◊ *The concept of retribution has been replaced by the concept of rehabilitation*; V. *punishment.*

retroactive *a*: GRAL retroactivo; V. *backward.* [Exp: **retroactivity** (GRAL retroactividad), **retroactive law** (CONST ley retroactiva), **retroactive legislation** (CONST legislación retroactiva)].

retrocede *v*: GRAL hacer retrocesión, retroceder. [Exp: **retrocession** (GRAL retrocesión; V. *recession*)].

retrospective *a*: GRAL retrospectivo. [Exp: **retrospective legislation** (GRAL legislación retroactiva)].

return[1] *n/v*: GRAL regreso, vuelta, devolución, restitución, recuperación, reembolso; retroventa. [Exp: **return**[2] (FISCAL declaración [de la renta, etc.]; V. *income tax return, false return*), **return**[4] (MERC rendimiento, resultado, producto; recompensa ◊ *Foreign investors will not risk their money unless they are reasonably sure of a return on it*; V. *financial return, diminishing returns, rate of return*), **return**[3] (CONST elección de/elegir un parlamentario ◊ *He stood for election and was duly returned*; V. *election return*), **return**[4]

(GRAL devolver, restituir, emitir), **return a verdict** (PROC pronunciar/dar el veredicto; V. *pass sentence*), **return day** (PROC día de comparecencia del demandado), **return of post, by** (GRAL a vuelta de correos), **return of writ** (PROC contestación al auto; V. *writ of summons*), **returning officer** (CONST funcionario judicial encargado de vigilar las elecciones de un distrito electoral; V. *elections return*)].

revaluation *n*: GRAL/MERC revaluación, revalorización, revalúo, adaptar el valor que consta en los libros al precio del mercado ◊ *Revaluation is the process of writing up the book value of an asset to its market value*. [Exp: **revalue** (GRAL revalorizar, revaluar, revalorar)].

reveal *v*: GRAL revelar, mostrar, poner de manifiesto; V. *discover, disclose*. [Exp: **reveal evidence** (PROC revelar las pruebas; en los procesos civiles celebrados en el *Chancery Court* y en la *Family Division* del *High Court of Justice* cualquiera de las partes puede obligar a la otra a que revele, es decir, a que ponga al descubierto sus pruebas; a este proceso se le llama descubrimiento de las pruebas o *discovery of evidence*; V. *disclosure*)].

revenge *n/v*: GRAL venganza; vengar; V. *avenge; retaliation*.

revenue *n*: GRAL/MERC/FISCAL ingresos, rentas, recaudación, rendimiento, entradas; contribuciones a la hacienda pública ◊ *Through careful planning and energetic execution many firms have achieved increases in their revenues and earnings*; V. *earning, profit, income, inland revenue; Internal Revenue Service, Board of Inland Service*. [Exp: **revenue and expenditure** (ADMIN/MERC ingresos y gastos), **revenue expenditure** (ADMIN/ADMIN gastos corrientes o de operación), **revenue laws** (FISCAL leyes fiscales), **revenue officer** (FISCAL oficial de aduanas), **revenue ruling** (FISCAL acta/resolución tributaria), **revenue stamp** (FISCAL timbre fiscal o de impuesto)].

reversal[1] *n*: GRAL revés, infortunio; V. *setback*. [Exp: **reversal**[2] (PROC revocación, anulación ◊ *Reversal of a judgment*; V. *annulment*), **reverse**[1] (GRAL inverso ◊ *In inverse order*; V. *opposite, contrary*), **reverse**[2] (PENAL/PROC revocar, anular un fallo, una sentencia, una condena [en apelación] ◊ *The Court of Appeal reversed the man's conviction by five votes*; casi siempre va acompañado de *judgment, sentence* o *conviction*; V. *annul; revoke, call back, overrule*), **reverse**[3] (GRAL marcha atrás, recaída; V. *backsliding, relapse*), **reverse a judgment on appeal** (PROC anular un juicio en la instancia de apelación), **reverse charge call** (GRAL conferencia telefónica a cobro revertido; V. *collect call*), **reversible** (GRAL anulable, revocable, reponible), **reversible laydays** (MERC días de plancha reversibles; el tiempo ganado en la carga se puede acumular en la descarga, o el tiempo empleado de más en la carga se puede compensar empleando menos tiempo en la descarga), **reversing entry** (MERC asiento de reversión, contra-asiento, contrapartida), **reversion** (CIVIL derecho remanente; cesión de los derechos remanentes del arrendador; reversión, derecho de reversión, acto de reversión; V. *remainder*), **reversionary** (GRAL reversible, recuperable, de reversión), **reversionary interest** (CIVIL derecho de reversión), **reversionary lease** (CIVIL arrendamiento remanente; se trata de un arrendamiento cuya titularidad recaerá en el arrendatario en una fecha futura), **reversioner** (CIVIL titular o tenedor de un derecho expectante, remanente o de reversión)].

revert *v*: GRAL revenir, retornar, volver a ◊ *The property will revert to its original owners next year*; V. *return*. [Exp: **reverter** (CIVIL reversión; V. *reversion*), **reverter of**

sites (CIVIL derecho de reversión a los propietarios originales o sus herederos de las parcelas que en su día se donaron o se expropiaron para determinados fines, siempre que se modifiquen los fines o las circunstancias para los que fueron donados o expropiados), **revertible** (GRAL reversible)].

revest *v*: CIVIL volver a la propiedad de, recuperar la propiedad de.

review *n/v*: GRAL/PROC revisión judicial; recurso de apelación ante un tribunal superior contra las resoluciones y/o actuaciones de cualquier tribunal inferior por procedimiento simplificado; revista, examen, revisión; revisar, fiscalizar ◊ *The defence applied for judicial review of the case, and obtained a writ of certiorari removing the matter to the Supreme Court*; V. *administrative review, judicial review, jurisdictional review; prerogative order; certiorari, mandamus, prohibition*), **reviewing authority** (FISCAL autoridad fiscalizadora), **review, under** (GRAL en estudio)].

revise *v*: GRAL revisar, reconsiderar; modificar, enmendar, corregir; V. *review, amend* [Exp: **revision** (GRAL corrección, revisión; V. *review, amendment*)].

revive *v*: GRAL restablecer, volver a aplicarse; reanimar ◊ *The plaintiff applied for an order reviving the ownership rights over the property*. [Exp: **revival** (GRAL renovación, reactivación, restablecimiento; V. *republication of a will*; V. *renewal; abeyance, suspension*)].

revocability *n*: GRAL revocabilidad. [Exp: **revocable** (GRAL revocable), **revocable documentary credit** (MERC crédito documentario revocable), **revocation** (GRAL revocación, caducidad, derogación; V. *invalidation, repeal*), **revocation of an order** (revocación de una orden), **revocation of probate** (anulación de la validación de un testamento), **revocation of will** (cancelación de un testamento), **revoke** (GRAL revocar; V. *recall, repeal, quash, annul, set aside, invalidate*)].

revolution *n*: GRAL revolución; V. *insurrection, rebellion*. [Exp: **revolutionary** (GRAL radical; V. *activist, radical, terrorist*)].

reward *n*: GRAL recompensa, gratificación, premio, remuneración ◊ *A reward is offered for the return of a pedigree dog which is missing from its home*; V. *damages reward, salvage reward.*

Rex *n*: GRAL rey; V. *roi, regina*.

reyne le veult, la *fr*: CONST la reina rey así lo desea; venimos en acordar; fórmula del *Royal Assent* –consentimiento real– mediante el cual un proyecto de ley o *Bill* se convierte en ley o *Act*)].

RICO Act *n*: PENAL ley contra las organizaciones corruptas o influidas por extorsionistas; ley contra el crimen organizado; es la sigla correspondiente a *Racketeer influenced and corrupt organizations Act.*

riddle with bullets *fr*: PENAL coser a balazos; V. *kill.*

rider *n*: GRAL/CIVIL anexo, acta adicional, añadidura, cláusula adicional; recomendación del jurado ◊ *That matter is clearly set out in a rider to the contract;* V. *codicil; addendum, appendix, allonge, annex.*

rifle *n/v*: GRAL rifle; desvalijar, pillar, robar; V. *plunder, pillage.*

rig[1] *v*: MERC aparejar, armar, equipar un buque. [Exp: **rig**[2] *col* (PENAL manipular, cometer fraude, hacer chanchullos ◊ *After the election results were published, the losing party accused their rivals of ballot-rigging*). **rigging** (MERC aparejo de un buque), **rigging** (PENAL chanchullos, manipulación, fraude; V. *price-rigging, poll rigging, ballot-rigging, fraud, cheat*)].

right[1] *a*: GRAL correcto, legítimo; V. *wrong.* [Exp: **right**[2] (GRAL derecho, privilegio, título, poder, facultad, autoridad; V. *as of right; privilege; cause of action, precarious right; renounce a right*), **right**[3]

(GRAL corregir ◊ *She intervened between the two sides to try and right matters*), **right a wrong** (CIVIL corregir un abuso), **right and proper** (GRAL justo y adecuado; V. *fair and just*), **right in action** (CIVIL bien jurídico), **right of access to a solicitor** (PROC/PENAL derecho a asistencia letrada al detenido; V. *legal assistance, right to counsel*), **right of action** (PROC base jurídica suficiente [para iniciar un procedimiento], derecho a interponer una demanda o a plantear una cuestión ante los tribunales, derecho a entablar acciones para tutelar un derecho o bien; derecho a acudir a la vía judicial; derecho a demandar o proceder judicialmente; también se aplica el término *right of action* como sinónimo de *chose in action*; V. *cause of action*), **right of action, no** (PROC sin respaldo legal o jurídico [suficiente para iniciar un procedimiento]), **right of action relating to fatal accident** (PROC derecho de los familiares de la víctima mortal de un accidente de demandar al causante del mismo aunque éste haya fallecido también), **right of admission reserved** (GRAL reservado el derecho de admisión; V. *admission*[1]), **right of appeal** (GRAL derecho de apelar o recurrir), **right of assembly** (CONST derecho de reunión o de asamblea; V. *civil liberties*), **right of audience** (PROC derecho a ser oído por los tribunales, derecho de actuar en juicio), **right of benefit** (LABORAL derecho a las prestaciones sociales), **right of enjoyment** (CIVIL derecho de disfrute), **right of entry** (CIVIL derecho de entrada; derecho de reversión, facultad recuperatoria), **right of first refusal** (GRAL derecho a primera opción ◊ *They fulfilled their promise to give us right of first refusal of the house when it came up for sale*), **right of free speech** (CONST libertad de expresión), **right of inheritance** (SUC derecho de sucesión), **right of lien** (CIVIL derecho prendario), **right of passage** (CIVIL derecho de paso; V. *right of way*), **right of petition** (CONST derecho de petición, recurso de súplica), **right of pre-emption** (GRAL derecho de prioridad), **right of primogeniture** (FAM derecho de primogenitura), **right of privacy** (CIVIL derecho a la intimidad), **right of property** (CIVIL derecho de dominio privado), **right of redemption** (CIVIL retracto, derecho de retracto, derecho a redimir una propiedad, derecho de redención, de tracto), **right of retainer** (CIVIL derecho de retención), **right of retention** (CIVIL derecho de retención), **right of silence** (PENAL derecho a no declarar o a guardar silencio; derecho a no contestar a las preguntas de la policía y a permanecer callado en el juicio; V. *caution, standing mute, visitation of God*), **right of way** (CIVIL servidumbre de paso, permiso de paso), **right to air** (CIVIL derecho a ventilación; normalmente se trata de una servidumbre con respecto a otros inmuebles o propiedades), **right to begin** (PROC derecho a exponer en primer lugar en la vista pública; normalmente corresponde al demandante o al acusador), **right to buy** (CIVIL derecho que tienen ciertos inquilinos a comprar el inmueble en el que habitan a precio inferior al del mercado; V. *secure tenancy*), **right to counsel** (PROC derecho a asistencia letrada; V. *right of access to a solicitor, right to legal assistance*), **right to discharge** (LABORAL derecho de despido, libertad de desahucio), **right to speak** (CONST derecho de palabra), **right to strike** (LABORAL derecho de huelga, etc.), **right to work law** *US* (LABORAL ley que prohíbe la filiación sindical obligatoria para poder acceder a determinado puesto de trabajo; V. *union shop arrangement*), **rightful** (GRAL legítimo; V. *lawful, legal*), **rightful heir** (SUC heredero legítimo), **rightful owner** (CIVIL propietario legítimo), **righteous**

(GRAL recto, honrado; V. *decent, honourable*), **righteousness** (GRAL rectitud, honradez; V. *decency, integrity*), **rights** (CIVIL derechos de propiedad), **rights in rem** (CIVIL derechos reales), **rights issue** (MERC emisión gratuita de acciones; emisión con derechos para los accionistas; emisión de acciones con derecho preferente de adquisición por parte de accionistas; V. *pre-emptive right*)].

ring *n*: GRAL/PENAL camarilla, banda, pandilla, red; cártel, sindicato; corro, parqué de la Bolsa ◊ *Three senior members of the spy ring have been captured*; V. *drug ring, syndicate*². [Exp: **ringleader** (GRAL/PENAL cabecilla)].

riot *n*: GRAL motín, tumulto, revuelta; V. *affray, mutiny, disorderliness*. [Exp: **rioter** (GRAL alborotador, amotinador, bullanguero)].

rip-off *col n/v*: PENAL robo, timo, estafa; timar, estafar; V. *theft, con*.

riparian rights *n*: INTER derechos ribereños.

riposte *n/v:* GRAL respuesta, contraataque; V. *counter-attack, retaliatory measure*.

rise *n/v*: GRAL alza, aumento; subir, levantar la sesión ◊ *The court rose at 12:30 p.m.* [Exp: **rising tendency** (GRAL tendencia al alza en la Bolsa, etc.), **rising of the court** (PROC suspensión de la sesión, terminación del período de sesiones; V. *adjournment, defernment*)].

risk *n/v*: GRAL riesgo, peligro; arriesgar; V. *danger, bad debt risk, on account and risk, run a risk, against all risks, at sender's risk*. [Exp: **risk of, without** (GRAL sin riesgo de, con alevosía; V. *treacherously*)].

road *n*: GRAL carretera. [Exp: **road-block** (GRAL control policial o militar en carretera), **road show** *col* (GRAL campaña electoral; V. *electoral campaign*), **road tax** (impuesto de vehículos rodados ◊ *Drivers who have paid their road tax must display the tax-disc in a prominent place*)].

rob *v*: PENAL robar, atracar; V. *steal, pilfer, snatch; theft, burglary, abstracting, theft, stealing*. [Exp: **robber** (PENAL ladrón, atracador, bandido ◊ *The bank robbers escaped in a waiting van*; V. *hold-up man, thief; abactor*), **robbery** (PENAL robo con violencia o lesiones, latrocinio, sustracción, piratería, bandolerismo; V. *aggravated robbery, armed robbery, bank robbery, daylight robbery, snatch, mugging*)].

robe *n*: GRAL toga, túnica; V. *gown; fight or plea*. [Exp: **robe of office** (GRAL traje de ceremonias), **robbing office** (GRAL sala de togas)].

rock *argot n*: GRAL/PENAL cocaína; equivale a *crack*³.

rogatory *obs a*: GRAL rogatorio. [Exp: **rogatory commission** (PROC comisión rogatoria; V. *letters rogatory, letter of request; issue a letter of request*), **rogatory letters** (PROC suplicatoria, exhorto, carta rogatoria; V. *letter of request*)].

roi le veult, le *fr*: CONST el rey así lo desea; venimos en acordar; fórmula del *Royal Assent* –consentimiento real– mediante el cual un proyecto de ley o *bill* se convierte en ley o *Act*.

roll *n*: GRAL legajo, expediente, registro; lista o relación de colegiados o asociados de un colegio o asociación profesional; *Roll* es el nombre antiguo de los documentos de registro público; de ahí, el nombre de *Master of the Rolls*; la palabra *Rolls* se emplea en sentido de relación de abogados *–solicitors–* colegiados o autorizados para ejercer la abogacía *–practice law–*. V. *admit to the Rolls, strike off the rolls, off the rolls, judgment roll, Parliament roll, patent rolls; Master of the Rolls*. [Exp: **roll-call** (GRAL votación nominal), **roll of solicitors** (PROC lista oficial de *solicitors* colegiados; V. *law list, roster, Master of the Rolls*), **rolled-up plea** (PROC nombre técnico de cierta defensa o circunstancia eximente, alegando comentario justo *–fair comment–* en las demandas o querellas por difamación ◊ *Rolled-up pleas in actions for defamation claim that the comments are fair, made in good faith and true in substance and fact*)].

Romalpa clause *n*: MERC cláusula contractual mediante la cual el vendedor se reserva el derecho de no entregar las mercancías al comprador hasta que éste haya pagado el importe correspondiente; V. *Reservation clause.*

root of title *n*: CIVIL escritura matriz, título o escritura original de un inmueble o propiedad, fundamento de título; V. *abstract of title.*

rough *a*: GRAL áspero; V. *coarse, harsh.* [Exp: **rough draft** (GRAL primer borrador, borrador en sucio ◊ *I've written a rough draft of the report and I should have the fair copy ready by next week*), **roughneck** (PENAL matón; V. *mug, thug*)].

round *a/n/v*: GRAL redondo; círculo, redondear, dar la vuelta. [Exp: **round-table meeting/conference** (GRAL mesa redonda), **round-trip charter** (MERC contrato de fletamento de ida y vuelta), **round up** (PENAL ronda policial; redada policial, detención policial; efectuar una redada la policía ◊ *In some countries police round up some suspects first and sort them out after*)].

row *n*: GRAL fila; V. *death row.* [Exp: **row, in a** (GRAL seguidos, continuados ◊ *An employee can claim statutory sick pay when he has been ill for four days in a row*; V. *running*)].

royal *a*: GRAL real; V. *roi, reyne.* [Exp: **Royal Assent** (GRAL sanción real ◊ *Royal Asset is the last but necessary stage for a Bill to become an Act*), **Royal Charter** (GRAL cédula real, carta real, título real, carta de privilegio ◊ *Most charities and learned societies are formed by the grant of a Charter by the Crown under the Royal Prerogative or under special statutory powers*), **royal prerogative** (CONST inmunidad especial de la Corona o el Estado, fundamentalmente en lo que afecta a la obligación de presentar pruebas documentales cuando, a criterio del Estado, éstas podrían ir en contra del interés o de la seguridad pública; V. *Crown privilege*), **royal signet** (CONST sello oficial del monarca; V. *Great Seal*), **royalty** (GRAL miembro de la familia real; regalía, canon), **royalty of an author** (MERC derechos de autor, regalía del autor)].

RSC *n*: GRAL equivale a *Rules of the Supreme Court*; V. *CPR, CCR; order*[4], *part*[2].

r.t.a. *n*: GRAL accidente de tráfico; corresponde a *road traffic accident.*

rubber stamp *n/v*: GRAL sello de caucho; poner el sello; dar el visto bueno ◊ *A rubber stamp saying «cancelled» may be used to call off or revoke the effects of a document.*

rubric *n*: GRAL título, encabezamiento, objetivo, intención general; división, sección; V. *heading, title.*

rule[1] *n/v*: GRAL regla, norma, artículo, principio; auto, fallo de un juez, resolución procesal; ley; reglamentar, estatuir, fallar, dictaminar; en plural, *rules* equivale a *regulation* –reglamento–; V. *adopt rules, evade rules; body of rules.* [Exp: **rule**[2] (CONST gobierno, forma de gobierno; poder, mando, autoridad; mandar, dominar, ordenar; gobernar, reinar, regir ◊ *The judge ruled that the claim was bad, being based on an invalid contract*), **rule absolute** (PROC fallo imperativo o final), **rule against** (GRAL fallar en contra; V. *rule for*), **rule against accumulation** *US* (MERC ley que impide la formación de *trusts*), **rule against perpetuities** (MERC principio que limita la inalienabilidad de bienes; V. *statutory lives in being; vest*), **rule for** (GRAL fallar a favor; V. *rule against*), **rule-making power** (CONST capacidad normativa; en los Estados Unidos alude a la facultad que el Congreso puede otorgar al Tribunal Supremo para dictar normas de carácter procesal *–rules of procedures–* para los tribunales inferiores *–lower courts–*; V. *administrative agency/ law*), **rule of four** *US* (CONST regla de cuatro; es una norma no escrita mediante la cual para admitir a trámite un asunto o proceso en el Tribunal Supremo se necesita el voto favorable de cuatro jueces *–justice–*), **rule of law, the** (CONST el estado de derecho, el imperio de la ley ◊ *Everybody has to abide by the rule of law*; V. *rules of law*), **rule on** (PROC fallar, resolver ◊ *In the Crown Court, the jury decides issues of fact and the judge rules on points of law*), **rule out** (descartar, desechar, no admitir), **rule over** (GRAL dominar, gobernar), **ruler** (GRAL gobernante, dirigente; V. *leader*), **rules** (GRAL reglamento; V. *regulation*), **rules and regulations** (GRAL normas y reglamento), **rules of [the] court** (PROC derecho procesal, reglamento procesal, usos forenses o de los tribunales, normas procesales; V. *procedural law, court rules*), **rules of evidence** (PROC normas que rigen la pertinencia y admisibilidad de las pruebas; V. *evidence law*), **rules of law** (GRAL normas jurídicas; V. *the rule of law*), **rules of practice** (GRAL reglamento de procedimiento, reglamento procesal), **rules of procedure** (PROC derecho procesal, reglamento de procedimiento, disposiciones procesales, artículos, reglas o normas procesales de derecho procesal civil; las normas procesales civiles de Inglaterra y Galés están contenidas en el *Civil Procedure Rules*; las de Estados Unidos en *The Federal Rules of Civil Procedure*; V. *The White Book, The Green Book, rules of the court, court rules; rulemaking power*), **rules of professional conduct** (V. *model rules of professional conduct*), **Rules of the Supreme Court, RSC** (CIVIL/PROCESAL normas procesales del Tribunal Supremo o derecho procesal civil de aplicación en el *High Court of Justice*; se encuentran publicadas en *The Supreme Court Practice*; este libro, también conocido por los juristas con el nombre de *The White Book* o «Libro Blanco», contiene, además, comentarios, explicaciones e ilustraciones procesales aclaratorias; las normas se agrupan en títulos llamados *orders*; estas normas han sido sustituidas por *The Civil Procedure Rules* de 1998; algunas de las normas de *The Rules of The Supreme Court* han sido reincorporadas *–reenacted–* en forma de anexos *–schedules–* en las nuevas normas procesales, conservando su antigua denominación; consecuentemente, el especialista en Derecho procesal civil, al consultar los artículos o normas, debe recordar que en el Derecho procesal anterior, al título se le llama *Order*, y en el actual, *Part*, y debe, además, estar familiarizado con tres siglas: *CPR*, para las normas modernas de *The Civil Procedure Rules*; *RSC*, para las *The Rules of the Supreme Court*; y *CCR*, para las *The County Court Rules*; V. *Federal Rules of Civil Procedure*), **rules of the road** (MERC normas de la buena marinería; en realidad es la expresión coloquial para referirse a *Regulation for preventing collisions at sea*; V. *accidental collision, negligent collision*), **rule the market** (MERC controlar o dominar el mercado), **ruling**[1] (GRAL vigente ◊ *We sell at ruling prices*; V. *current*), **ruling**[2] (GRAL dominante, dirigente ◊ *Citizens are not always happy with their ruling classes*; V. *in power*), **ruling**[3] (PROC decisión, fallo, auto judicial, resolución, sentencia ◊ *The defendant was aggrieved by the ruling of the court when it excluded that question*; *ruling* se aplica al «fallo» de un *judgment* y también a las resoluciones procesales adoptadas por los jueces o tribunales en el desarrollo de todo proceso civil o penal; V. *judgment, rule, resolution*), **ruling case law** (GRAL compendio de principios de derecho jurisprudencial con las decisiones fundamentales de cada uno)].

rummage *n/v*: GRAL inspección de/inspeccionar un buque.

rump *n*: GRAL residuo, restos, núcleo ◊ *A coalition of the Liberals and the rump of the Old Radical Party*; esta palabra, que literalmente significa «grupa, ancas, cuarto trasero», se emplea, como se ve en el ejemplo, para expresar la idea del grupo residual o núcleo que queda después de una escisión, reforma o disolución; V. *remnant.*

run[1] *v*: GRAL correr ◊ *We run the risk of losing all if we take this case to court.* [Exp: **run**[2] (GRAL dirigir, organizar ◊ *In every court there is a clerk who runs the organization of the court*), **run**[3] (GRAL ser de aplicación, tener validez legal, estar vigente), **run**[4] (GRAL presentarse [a elecciones] ◊ *He is running for Senator for the fifth time*; V. *stand*[5]), **run**[5] (MERC huida o retirada masiva de títulos de la Bolsa o de los fondos de un banco a causa del pánico financiero), **run a risk** (GRAL correr un peligro o riesgo), **run a ship aground** (MERC hacer varar un buque), **run afoul of the law** (GRAL cometer un delito ◊ *He ran afoul of the law*; V. *afoul of*), **run aground** (MERC embarrancar; V. *ground*), **run away** (GRAL/PENAL huir; V. *abscond, escape, flee*), **run, be on the** (GRAL andar suelto, encontrarse huido ◊ *The last member of a bank-robbing posse that has terrified the Atlanta area is still on the run*), **run into** (GRAL abordar; V. *collision, rule of the road*), **run for** *US* (GRAL presentarse a ◊ *Her friends urged her to run for the presidency*; V. *stand for*), **run to** (GRAL ascender a ◊ *It runs to £156*), **run with** (GRAL/CIVIL ir anejo con, correr parejo con la tierra, la propiedad, etc., transmitirse con la propiedad, etc. ◊ *In modern law, restrictive covenants run with the land, but positive covenants do not*), **runner**[1] (GRAL corredor, agente, mensajero), **runner**[2] *col US* (PENAL contrabandista, carterista, ratero *col* ◊ *He was accused of belonging to a gang of whisky runners*; V. *smuggler*), **running** (GRAL organización, marcha), **running account credit** (MERC crédito en cuenta corriente), **running days** (GRAL días seguidos, días naturales; V. *lay days; business day, calendar days, banking day*), **running with the land** (MERC ir parejo con la tierra)].

rustling *n*: PENAL robo de ganado; robar ganado; V. *abaction.*

S

s[1] *n*: CONST artículo [de una ley]; equivale a *section* ◊ *«The Companies Act 1948, s. 10 (2) (a) (ii)» means sub-paragragh (ii) of paragraph (a) of subsection (2) of section 10 of that Act.* [Exp: **s**[2] (MERC V. *steamer*)].

s.a.e. *fr*: GRAL V. *stamped addressed envelope*.

sabotage *n/v*: PENAL sabotaje, daño premeditado, acto criminal; sabotear. V. *destruction, subversion, ruin; destroy, subvert, undermine*.

sack[1] *col v*: LABORAL despedir, echar del trabajo ◊ *She was sacked for continued lateness*; V. *dismiss, fire, get the sack, give somebody the sack*. [Exp: **sack**[2] (PENAL saquear, pillar; V. *loot, plunder*)].

safe [1] *a/n*: GRAL seguro, fuera de peligro, franco, ileso, prudente, sin riesgo, salvo ◊ *The centres of modern cities are not very safe at night*; V. *secured, sheltered, protected, woundless; dangerous*. [Exp: **safe**[2] (GRAL caja fuerte, caja de caudales; cámara acorazada; V. *crack a safe*), **safe conduct** (GRAL salvoconducto; V. *passport*), **safe-cracker** (PENAL ladrón de cajas fuertes), **safe-deposit company** (MERC empresa o compañía de depósitos, de seguridad), **safe harbor rule** *US* (FISCAL norma protectora contra sanciones fiscales; de acuerdo con esta norma quien colabora con la administración fiscal no es sancionado aunque haya declarado cantidades inferiores en su declaración anual de renta; V. *income tax return, underpayment penalty*), **safe house** (GRAL/PENAL piso franco), **safeguard** (GRAL salvaguardia, garantía, medida de control/protección; salvaguardar, proteger; V. *precaution; shelter*), **safekeeping** (GRAL custodia), **safety** (GRAL seguridad ◊ *Under the Health and Safety at Work Act dangerous machinery must be securely fenced*; V. *security, protection*), **safety at work** (LABORAL seguridad en el trabajo; V. *Health and Safety at Work*), **safety belt** (SEGUR cinturón de seguridad), **safety measures** (GRAL medidas de seguridad), **safety order** (PROC mandamiento judicial mediante el cual se concede la patria potestad del menor que pueda sufrir daño o estar en peligro a una institución de la administración local; V. *emergency protection order*), **safety paper** (GRAL papel de seguridad ◊ *Safety paper is difficult to duplicate*)].

sail *n/v*: GRAL vela; navegar a vela, hacerse a la mar, navegar. [Exp: **sailing boat** (GRAL embarcación de vela; V. *power-driven boat*), **sailing directions** (MERC derroteros del Almirantazgo)].

salary *n*: LABORAL salario, jornal; V. *income, earning*. [Exp: **salary bracket/level/scale**

(LABORAL categoría/nivel/escala salarial; V. *age bracket, tax bracket*), **salaried** (LABORAL asalariado), **salaried post** (LABORAL cargo retribuido)].

sale *n*: MERC/CIVIL venta; V. *purchase*; *absolute sale, bill of sale, clearance sale, conditional sale, execution sale, come up for sale, short sale.* [Exp: **sale and leaseback** (MERC/CIVIL venta [de una propiedad] y arrendamiento [a quien lo vendió]), **sale and return** (MERC/CIVIL venta con derecho de devolución), **sale by auction** (ADMIN/MERC remate, venta en subasta), **sale by order of the court** (PROC venta judicial), **sale by sample** (MERC compraventa mercantil sobre muestras), **sale by tender/private treaty** (MERC venta por contrato privado), **sale for future delivery** (MERC venta a entrega), **sale, on** (MERC/CIVIL en venta, de venta), **sale on approval** (MERC venta a prueba, venta sujeta a aprobación; V. *sale or return*), **sale or return** (MERC venta a prueba, venta con derecho de devolución; V. *sale on approval*), **saleable** (GRAL vendible), **sales allowance** (GRAL bonificación sobre ventas), **sales tax** (FISCAL impuesto sobre las ventas)].

salvage *n/v*: MERC/SEGUR salvamento, [indemnización por] servicio de salvamento; salvar, recuperar, recobrar ◊ *The cost of general average or salvage charges is adjusted according to the contract of affreightment and/or the governing law and practice*; V. *rescue, save, contractor; rocket signals.* [Exp: **salvage agreement/charges/reward, etc.** (MERC contrato de salvamento, derechos de salvamento, premio o indemnización por el servicio de salvamento), **salve** (GRAL salvar), **salvor** (MERC salvador)].

sample *n*: GRAL muestra, muestreo ◊ *Goods sold by sample must match the standard of the specimen shown.*

sanction[1] *n/v*: GRAL/CONST aprobación, autorización, sanción, ratificación; aprobar, sancionar, autorizar ◊ *The court has sanctioned government efforts to protect women from violence*; V. *approval, assent, confirmation, ratification, endorsement; approve, confirm, ratify, endorse.* [Exp: **sanction** [2] (PENAL castigo, sanción, restricción; castigar ◊ *UN sanctions against an offending country may include an embargo on trade*; V. *penalty, punishment, sentence; punish*)].

sanctuary *n*: GRAL asilo, santuario; V. *right of sanctuary.*

sane *n*: GRAL cuerdo; V. *sound, reasonable.* [Exp: **sanity** (GRAL cordura, sensatez; V. *mental health*)].

satisfaction *n*: GRAL satisfacción, agrado; V. *pleasure.* [Exp: **satisfaction**[2] (GRAL satisfacción, cumplimiento, pago; V. *fulfilment, discharge, achievement*), **satisfaction**[3] (CIVIL reparación, desagravio; V. *indemnity, redress, settlement, compensation, accord and satisfaction*), **satisfaction of judgment** (CIVIL [documento que certifica el] cumplimiento de la sentencia), **satisfaction of mortgage** (CIVIL [documento que certifica la] liquidación de la hipoteca), **satisfaction piece** (CIVIL escritura de cancelación, carta de pago, documento de satisfacción; V. *memorandum of satisfaction*), **satisfactory evidence** (PROC prueba suficiente), **satisfied, be** (GRAL constar a alguien algo, estar convencido de ◊ *The Crown Court has summoned the witness because it is satisfied that she will produce material evidence*), **satisfied judgment** (PROC sentencia liquidada), **satisfied lien** (MERC gravamen cancelado o liquidado), **satisfied term** (GRAL plazo cumplido), **satisfy**[1] (GRAL convencer, satisfacer ◊ *The Court was satisfied that the woman was at risk from her husband, and granted her an injunction*), **satisfy**[2] (GRAL pagar, liquidar, indemnizar; cancelar, finiquitar; cumplir; V. *settle, indemnify*)].

save[1] *v*: MERC/GEN salvar; V. *rescue, salvage, protect*. [Exp: **save**[2] (MERC exceptuar, eximir; V. *exempt, avoid*), **save**[3] (MERC/GRAL ahorrar), **saving** (GRAL/MERC ahorro), **saving clause** (CIVIL cláusula de excepción, salvedad o reserva; V. *escape clause*), **saving of goods** (SEGUR salvamento de mercancías en un naufragio), **savings account** (MERC cuenta de ahorro), **savings and loan association** (MERC cooperativa de ahorros y préstamos), **savings bank** (MERC caja de ahorros), **savings book** (MERC libreta o cartilla de ahorro; V. *passbook*)].

scab *col n*: LABORAL esquirol, rompehuelgas ◊ *He was accused of being a scab and thrown out of the union by his workmates*; V. *blackleg, strike-breaker.*

scaffold *n*: PENAL cadalso; V. *gallows*.

scam *col n*: GRAL chanchullo *col*, estafa ◊ *He is on the run after having taken part in a deadly insurance scam*; V. *fraud*.

scale *n*: GRAL baremo, escala, balanza; S. *chart, sliding scale, table*. [Exp: **scale down** (GRAL reducir según escala), **scale of fees** (GRAL arancel de honorarios), **scale of wages** (GRAL escala salarial)].

scandal *n*: GRAL escándalo, difamación; V. *indecent exposure*. [Exp: **scandalize** (GRAL escandilizar; V. *offend, outrage*), **scandalous libel** (PENAL libelo difamatorio), **scandalous statement** (PENAL alegato escrito que contiene materia impertinente u ofensiva y que puede ser excluido por orden del tribunal; V. *fair comment*)].

scapegoat *n*: GRAL víctima propiciatoria, chivo expiatorio, cabeza de turco.

scar *n*: GRAL cicatriz; V. *blemish*.

scene of the crime *n*: PENAL lugar del delito o del crimen.

schedule[1] *n/v*: GRAL plan, lista, tabla, cuadro; horario; especificar; V. *non-scheduled disability, Scott schedule, tax rate schedule*. [Exp: **schedule**[2] (CONST anexo [de una ley, etc.], cédula ◊ *There is a schedule to the Act containing a list of the goods it applies to*; V. *annex*), **schedule, behind** (GRAL atrasado, retrasado), **schedule of charges** (PENAL pliego de cargos), **schedule of conditions** (CIVIL pliego de condiciones; V. *specifications*), **schedule of legal fees** (PROC arancel de procuradores), **schedule of court fees** (PROC arancel judicial), **scheduling and planning** *US* (PROC programación de las actuaciones previas al juicio), **scheduling order** *US* (PROC auto de ordenación del calendarico procesal marcado por los jueces ◊ *Attorneys can be fined if they do not obey scheduling orders*)].

scheme [1] *n*: GRAL/CONST marco estatutario, régimen, plan, proyecto, sistema ◊ *Workers who took early retirement were guaranteed a lump sum under the scheme*; V. *savings/pension scheme*. [Exp: **scheme**[2] (PENAL ardid, confabulación, plan, conspiración ◊ *Their scheme to obstruct justice included to lie under oath about their sexual relationship*; V. *plot, trick, ruse, wile, dodge, frame-up, double cross*), **scheme of composition** (MERC acuerdo preventivo, transacción previa a la quiebra; V. *arrangement, composition, amicable settlement*; V. *composition*)].

scienter *adv*: GRAL/PENAL a sabiendas, a conciencia, con pleno conocimiento; conocimiento que es razonable suponer; con dolo, con conocimiento doloso ◊ *Under the old common law classification of animals, the scienter rule was often applied to determine liability for damage caused*; en Inglaterra se invoca esta figura, dentro de la expresión *scienter rule* –norma según la cual el demandado era consciente de los efectos perjudiciales–, casi exclusivamente en las demandas por daños causados por animales, para sentar las bases de que al demandado no se le puede exigir responsabilidad civil si no se demuestra que era consciente de la tendencia potencialmente perjudicial de un objeto o animal; V. *knowingly; trespassing livestock.*

scope *n*: GRAL ámbito, alcance, extensión ◊ *To act* ultra vires *is to do something outside the scope of one's powers*; V. *range; field of application*; *extent*. [Exp: **scope of a provision** (GRAL ámbito o alcance de aplicación de una disposición)].

score[1] *n/v*: GRAL puntuación, resultado, marcar, anotar. V. *mark, grade*. [Exp: **score**[2] (PENAL/CIVIL cuenta, agravio ◊ *A scores a grievance that is harboured and requires satisfaction*; V. *grievance, settle scores*)].

Scott *n*: GRAL escocés. [Exp: **scot-free** (CRIM impune, ileso; V. *guilty, get off scot-free, let sb scot- free*), **Scott schedule** (MERC hoja de balance de formato preestablecido utilizado en el cálculo y presentación ante el tribunal de cuentas ajustadas, de acuerdo con el procedimiento *Official Referee's business*), **[Scottish] Sheriff Court** *der es* (PENAL tribunal de primera instancia ◊ *Prosecutions in the Scottish Sheriff Courts are conducted by the Procurators-Fiscal for the area*; V. *sheriff*)].

scrip *n*: GRAL/MERC cédula, póliza, vale; V. *certificate*. [Exp: **scrip certificate** (MERC certificado de dividendo diferido, resguardo provisional), **scrip dividend** (MERC dividendo abonado con pagaré), **scrip issue** (MERC emisión de acciones gratuitas distribuidas entre accionistas; V. *bonus shares, capitalization issue*)].

scrutiny *n*: GRAL examen minucioso, análisis, investigación, escrutinio ◊ *One of the functions of Parliament is the scrutiny and criticism of government policy and administration*. [Exp: **scrutiny, under** (GRAL vigilado; V. *tail, keep sb under surveillance*)].

scupper *col v*: GRAL echar por tierra, hundir, arruinar, destruir; frustrar ◊ *This policy decision has scuppered the government's savings plan*; el significado corriente de este verbo coloquial se deriva del que tiene el sustantivo técnico *scupper*, que es el imbornal o desagüe abierto en la borda de un barco; se aplica sobre todo a los planes, previsiones, estrategias, etc.; V. *scuttle*.

scurrilous *a*: GRAL ofensivo ◊ *The court found against the claimant who had written a scurrilous and defamatory book against the claimant*; V. *offensive, defamatory, abusive*.

scuttle a ship *v*: GRAL hundir un buque abriendo las válvulas de fondo, provocando intencionadamente una vía de agua ◊ *The court decided that the captain had scuttled his ship to claim the insurance money*; V. *embezzling the cargo, forfeiture of the ship, barratry of master and mariners*.

SDR, S.D.R. *n*: MERC V. *special drawing rights*.

sea *n*: GRAL mar; como adjetivo se emplea en el sentido de «marítimo» o «relacionado con el mundo del mar». [Exp: **sea and air transport** (MERC transporte marítimo y aéreo), **sea carrier** (MERC empresa de transporte marítimo), **sea customs** (MERC costumbres marítimas), **sea damage** (MERC avería marítima; V. *average*), **seagoing vessel** (MERC buque de altura), **sea perils** (SEGUR riesgos, peligros de la navegación), **sea risks** (SEGUR riesgos del mar), **seaworthy** (SEGUR apto para navegar, a son de mar; V. *ready for sea*), **seaworthiness** (SEGUR navegabilidad; aptitud para navegar; V. *airworthiness*)].

SEA *n*: EURO V. *Single European Act*.

seal *n/v*: GRAL sello, precinto, sello de papel timbrado; sellar, lacrar ◊ *Deeds should be signed, sealed and delivered*; V. *customs seal, Great Seal, under my hand and seal, hand and seal; wax sea; sign and seal*. [Exp: **seal with wax** (GRAL lacrar), **sealed and stamped** (GRAL sellado y lacrado),

sealed bids (MERC ofertas de compra, opas en pliegos cerrados), **sealed document** (MERC documento solemne; V. *covenant*), **sealed instrument** (CIVIL escritura sellada), **sealed lease** (CIVIL arrendamiento solemne), **seal, under** (CIVIL con sello autentificador y firma; escriturado, protocolizado)].

search *n/v*: GRAL registro, busca, investigación, examen; consulta de título; allanamiento; registrar, buscar, investigar, cachear; V. *strip search*. [Exp: **search and seizure order** (PENAL/CIVIL allanamiento, orden de registro e incautación), **search for arms and weapons** (PENAL cacheo; V. *frisk*), **search of premises** (PENAL registro domiciliario), **search of title** (CIVIL revisión de título), **search order** (PROC/CIVIL orden de registro y embargo [en dependencias empresariales]; V. *Antón Piller order*), **search warrant** (PENAL orden de registro, mandamiento de registro ◊ *Police entered the building with a search warrant signed by a local magistrate*; V. *warrant for arrest*), **searcher** (GRAL inquiridor, investigador)].

seasonal unemployment *n*: LABORAL desempleo estacional.

seat *n*: GRAL escaño, sede, residencia, morada; cabecera de un distrito ◊ *The MP lost his seat at the last election*; V. *see*. [Exp: **seat belt** (SEGUR cinturón de seguridad), **seat of government** (ADMIN sede del gobierno)].

SEC *n*: MERC V. *Stock Exchange Commission*.

second[1] *a*: GRAL segundo. [Exp: **second**[2] (GRAL apoyar, respaldar una moción ◊ *The motion has been seconded by almost all the directors*; el verbo *second* se pronuncia con acento en la segunda sílaba), **second**[3] (GRAL/ADMIN trasladar, enviar en comisión de servicio ◊ *He was seconded for service in the President's main office*; en este caso el verbo *second* se pronuncia con acento en la segunda sílaba), **second a motion** (GRAL apoyar una moción, secundar; V. *back, support*), **second ballot** (GRAL votación en segunda vuelta; V. *single ballot*), **second degree murder** *US* (PENAL homicidio impremeditado), **second distress** (CIVIL/PROC embargo suplementario), **second interrogatory** *US* (PROC preguntas añadidas), **second mortgage** (MERC segunda hipoteca, hipoteca de segundo grado), **second offence** (PENAL delito reincidente, reincidencia; V. *recidivist*), **secondary** (GRAL derivado, secundario, subordinado, accesorio), **secondary easement** (PROC servidumbre accesoria), **secondary evidence** (PROC prueba derivada, secundaria; V. *primary evidence*), **secondary liability** (CIVIL responsabilidad secundaria o subsidiaria), **secondary market** (MERC mercado secundario), **secondary rights** (CIVIL derechos secundarios)].

secret *a/n*: GRAL secreto, confidencial. [Exp: **secret ballot** (CONST voto secreto; V. *show of hands*), **secret partner** (MERC socio secreto; V. *sleeping partner*), **secret service** (PENAL policía secreta; V. *security police*), **secret trust** (CIVIL fideicomiso secreto), **secrecy** (GRAL secreto, reserva)].

secretary *n*: GRAL secretario; V. *elective officer*. [Exp: **secretary-general** (GRAL secretario general), **Secretary of State** *US* (ADMIN título de algunos ministros en los países de habla inglesa), **Secretary of State for the Foreign Office** (ADMIN ministro de Asuntos o de Relaciones Exteriores), **secretary's office** (GRAL secretaría)].

section *n*: CONST artículo de una ley; sección ◊ *Acts are divided into sections, sub-sections and paragraphs*; al hablar de las divisiones del texto de una ley, *section* equivale a «artículo» y *article* a «sección» o división formada por varios artículos o *sections*; pero la denominación no es la misma en el derecho procesal, donde los «artículos» son *rules* y las «secciones», *orders*; en los proyectos de ley *–bills–* los artículos se llaman *clauses*, y en el derecho comunitario redactado en inglés *articles* equivale a «artículo».

secure *v*: GRAL asegurar, garantizar, obtener ◊ *The Court attempted unsuccessfully to secure a friendly settlement*; V. *protect, guard*. [Exp: **secure oneself** (GRAL cubrirse o asegurarse con una prenda), **secured** (GRAL asegurado, garantizado, con caución; V. *safe, sheltered*), **secured bail bond** (PROC caución real), **secured bond** (MERC bono hipotecario o con caución ◊ *A secured bond is protected by the ledger of landed property [real] or personal property*), **secured credit** (MERC/CIVIL crédito con caución), **secured creditor** (MERC/CIVIL acreedor pignoraticio o garantizado), **secured value** (MERC valor en prenda o garantía)].

securities *n*: MERC valores, activos financieros ◊ *Shares and debentures are company securities*; V. *asset backed securities, bonds, debentures, dated securities, discount securities, listed securities, shares, treasury securities*. [Exp: **Securities and Exchange Commission, SEC** *US* (ADMIN *approx* Comisión Oficial del Mercado de Valores, CNMV), **securities market** (MERC Bolsa, Bolsa de comercio, mercado bursátil o de valores, plaza bursátil), **securities trading department** (MERC sección de valores), **securities with a fixed interest** (valores de renta fija), **security**[1] (CIVIL garantía, caución, prenda, título, caución; V. *collateral; pledge; securities*), **security**[2] (GRAL seguridad; V. *safety, certainty*), **security agreement** (GRAL acuerdo de garantía), **Security Council** (INTER Consejo de Seguridad de las Naciones Unidas), **security for [the defendant's] costs** (CIVIL [caución de] arraigo en el juicio; caución respecto de las costas procesales; aseguramiento que se exige al demandante extranjero; el demandado *–defendant–* puede pedir al tribunal que exija al demandante extranjero *–foreign claimant–* este tipo de caución o aseguramiento, con el fin de tener garantizadas las costas procesales en el caso de que los resultados del proceso fueran favorables al demandado; está prohibido entre los países de la Comunidad Europea; V. *bail above; bail in error, pursue, fail*[2]), **security deposit** (GRAL depósito de garantía), **security guard** (GRAL guardia de seguridad, guardián; V. *custodian*), **security investment company** (MERC sociedad de inversión mobiliaria), **security officers** (GRAL guardias/empleados de seguridad), **security police** (PENAL policía secreta; V. *secret service*)].

sedition *n*: PENAL sedición; V. *rebellion, uprising, revolution, insurrection, riot, mutiny*. [Exp: **seditious** (PENAL sedicioso; V. *rebellious*)].

seduce *v*: GRAL seducir; V. *tempt, debauch*. [Exp: **seduction** (GRAL seducción; V. *temptation*)].

see *n*: GRAL sede; se utiliza en expresiones como *The Holy See, The See of York, etc.*; V. *seat, headquarters*.

seedy *a*: GRAL sórdido, cutre *col*, pobre, desaliñado, mugriento ◊ *The witness was a seedy-looping individual*; *disreputable, shady*; V. *sordid, debased, debauched*.

seek *v*: GRAL/PROC solicitar, pedir, exigir, proponer, buscar, instar, recabar, tratar de lograr, procurar ◊ *In the statement of claim he sought the award of damages*; V. *petition, urge, obtain*. [Exp: **seek a court judgment** (PROC acudir a los tribunales), **seek a remedy** (PROC solicitar una solución jurídica ◊ *Every claim form must specify the remedy which the claimant seeks*), **seek an employment** (LABORAL buscar o solicitar empleo), **seek damages** (CIVIL reclamar daños y perjuicios), **seek**

divorce (FAM entablar demanda de divorcio), **seek leave of the court** (GRAL solicitar la admisión a trámite), **seeker** (GRAL solicitante; V. *asylum seeker*)].

segregate *v*: GRAL segregar, separar; V. *divide, separate, exclude*. [Exp: **segregation** (GRAL segregación; V. *racism*)].

seisin/seizin *obs n*: CIVIL posesión física, posesión inmobiliaria; posesión inglesa de inmuebles. [Exp: **seised of, be** (CIVIL estar en posesión, ser dueño de; conocer)].

seize *v*: GRAL/PENAL secuestrar, incautar, embargar, aprehender ◊ *The bankrupt's goods were seized for debt*; V. *attachment, confiscate, forfeiture, garnishment, immune from seizure, impound, levy, sequestrate*. [Exp: **seizure** (GRAL/PENAL captura, embargo, secuestro, confiscación, aprehensión, incautación; decomiso, comiso; la palabra *capture* se usa en el ámbito militar mientras que *seizure* se aplica a la jurisdicción civil), **seizure of goods** (CIVIL embargo de bienes; V. *freezing order*)].

self *a*: GRAL propio, auto-. [Exp: **self-defence** (PENAL defensa propia, legítima defensa), **self-determination** (CONST autodeterminación), **self-employed person** (LAGORAL trabajador autónomo), **self-employment** (LABORAL auto-empleo), **self-enforcing** (PROC de aplicación inmediata), **self-executing** (GRAL de efecto inmediato), **self-government** (CONST autonomía; V. *Home rule*), **self-governing community** (CONST comunidad autónoma, ente autonómico; V. *devolved parliament*), **self-help** (GRAL ayuda propia, práctica social de dejar en manos de los individuos los medios de resolver solos sus problemas), **self-incrimination** (PENAL autoincriminación; V. *caution, Miranda warning/Rule, privilege against self-incrimination*), **self-inflicted injury** (PENAL autolesión), **self-interest** (GRAL egoísmo)].

sell *v*: GRAL/MERC vender; V. *buy, purchase*. [Exp: **sell at auction** (MERC vender mediante subasta), **sell at a sacrifice** (MERC vender con pérdida), **sell-by date** (MERC fecha de caducidad), **sell off** (MERC liquidar), **sell out** (MERC liquidar, agotarse; traicionar), **sell up** (vender, realizar el valor ◊ *The business went bankrupt and was sold up*), **seller** (GRAL vendedor), **selling price** (GRAL precio de venta)].

Senate *n*: CONST Senado, sala de gobierno. [Exp: **Senate of the Inns of Court** (CONST Senado de los *Inns of Court*; es una institución histórica que ejercía funciones de coordinación entre los *Inns of Court*, y tenía potestad disciplinaria; V. *disbar, Bar Council*)].

send *v*: GRAL enviar [Exp: **send down** *col* (PENAL condenar a prisión, encarcelar, recluir ◊ *He was sent down for 10 years for armed robbery*; V. *put away, jail; get off scot-free*), **sender's risk, at** (GRAL por cuenta y riesgo del remitente)].

senior *a*: GRAL principal, veterano, el de más antigüedad, rango o responsabilidad; confirmaciones directivas; padre; se aplica, dentro de una escala, al que posee antigüedad, mientras que *junior* se aplica al de menor categoría, al menor o al que no tiene experiencia; V. *junior*. [Exp: **senior citizaens** (GRAL los mayores, V. *the aged*), **senior counsel** *US* (PROC abogado principal), **senior in commission** *US* (GRAL de mayor antigüedad en el cargo), **senior partner** (MERC socio principal), **senior officer** (ADMIN/MERC alto cargo, cargo directivo), **senior post** (ADMIN cargo directivo o de responsabilidad), **seniority** (GRAL antigüedad ◊ *Seniority generally counts for a lot in job promotions*)].

sensitive information *n*: GRAL información delicada, susceptible o confidencial ◊ *The chairman was asked to resign following allegations that he had made improper use of sensitive information.*

sentence *n/v*: PENAL sentencia, condena; imponer una pena; dictar sentencia, sentenciar ◊ *When there are concurrent sentences the accused serves the longest one*; a diferencia de lo que ocurre en español, la palabra *sentence* se emplea única y exclusivamente para designar la pena impuesta en juicios penales y, por tanto, *judgment* y *sentence* no son intercambiables; V. *award, judgment; concurrent sentences, determinate sentences, extended sentences, indeterminate sentences, suspended sentence; impose sentence, pronounce sentence.* [Exp: **sentence appealed** (PENAL sentencia/pena recurrida), **sentence of exile** (PENAL pena de exilio)].

separate *a/v*: GRAL separado; separar-se [Exp: **separate property** (FAM bienes privativos), **separation agreement** (FAM acuerdo de separación entre marido y mujer ◊ *Written separation agreements sometimes include provision for maintenance*), **separate filing** (FISCAL declaración de la renta por separado; V. *file separately*), **separate maintenance** *US* (FAM pensión alimenticia abonada por el marido a la esposa tras la separación o divorcio; V. *alimony*), **separation of powers** (CONST separación de poderes; V. *checks and balances*)].

sequelae *n*: GRAL secuelas; V. *consequences, effects.*

sequester[1] *v*: GRAL aislar; V. *isolate, confine, enclose, quarantine, sequester a jury.* [Exp: **sequester**[2] (CIVIL confiscar, incautar-se; V. *seize, confiscate*), **sequester a jury** (PROC aislar al jurado ◊ *During its deliberation the jury is sequestered*), **sequestered account** (PROC cuenta embargada; V. *freeze assents*), **sequestrate**[1] (CIVIL equivale a *sequester*[2]), **sequestrate**[2] (declarar judicialmente la quiebra, o instar esta declaración el acreedor demandante ◊ *The creditors sought an order sequestrating the debtor's estate*), **sequestration**[1] (GRAL aislamiento; V. *confinement, sequester a jury*), **sequestration**[2] (CIVIL embargo, secuestro; V. *seizure, embargo, attachment*), **sequestration** *der es* (PROC declaración judicial de quiebra), **sequestration of jury** (PROC aislamiento del jurado), **sequestrator** (CIVIL agente judicial encargado de llevar a cabo un embargo de bienes, depositario judicial)].

sergeant-at-arms *a/n*: PROC ujier [responsable del orden de los juzgados, el Parlamento, etc.]; V. *usher, attendant, serjeant.*

serial *a/n*: GEN consecutivo, en serie; serial. [Exp: **serial killer** (PENAL asesino múltiple o en serie). [Exp: **serial killing** (PENAL asesinatos en cadena o en serie), **serial thriller** (GRAL serial de misterio o de suspense)].

serious *a*: GRAL grave ◊ *The company's dealings have come to the attention of the Serious Fraud Office*; V. *grave.* [Exp: **serious and wilful misconduct** (PENAL mala intención, conducta dirigida a ocasionar daños graves), **serious/grievous bodily harm** (PENAL lesiones corporales graves), **serious fraud** (PENAL fraude o desfalco importante), **Serious Fraud Office** (PENAL Fiscalía especial de delitos monetarios, brigada antifraude), **serious offence** (PENAL delito grave; V. *indictable offence*)].

serjeant-at-arms *a/n*: PROC ujier [responsable del orden de los juzgados, el Parlamento, etc.]; V. *usher, attendant.*

servant *n*: GRAL/LABORAL empleado; criado; hasta hace poco la ley que regulaba las relaciones entre la patronal y los empleados se llamaba *Masters and Servants Acts*; V. *workman, employee, worker, labourer.* [Exp: **public servant** (ADMIN funcionario del Estado; V. *civil servant*)].

serve[1] *v*: GRAL servir, ser miembro, prestar servicio, ser útil a, desempeñar un cargo ◊ *She served for ten years on the local li-*

censing committee; V. *serve in an office*. [Exp: **serve**[2] (PROC dar traslado a, notificar cualquier comunicado oficial, hacer entrega de; V. *service, serve proceedings*), **serve**[3] (GRAL/PENAL cumplir; se emplea en expresiones como *serve a conviction/sentence* –cumplir una condena– V. *sentence, parole*), **serve a summons** (PROC notificar una citación, entregar una citación; V. *service*), **serve a warrant** (PROC/PENAL ejecutar una orden de detención), **serve a writ on somebody** (PROC/CIVIL demandar a alguien, dictar o presentar un auto judicial contra alguien; V. *serve proceedings*), **serve an indictment** (PROC/PENAL notificar una acusación), **serve an injunction** (PROC notificar un interdicto), **serve articles** (GRAL trabajar de pasante ◊ *Before a lawyer can become a solicitor, he must serve articles in a solicitor's office*; V. *articles, articled clerk*), **serve in an office** (GRAL desempeñar un cargo, cumplir una serie de mandatos ◊ *He served two terms in Congress*), **serve proceedings** (PROC presentar una demanda, iniciar acciones judiciales, entablar un proceso judicial ◊ *He filed an affidavit sworn in support of an application for leave to serve proceedings out of the jurisdiction*), **server** (PROC notificador, portador de citaciones oficiales o notificaciones judiciales, dador de la notificación, agente judicial que hace entrega de una notificación judicial, ujier; V. *process server*), **serving** (GRAL ración), **serving prisoner** (PENAL interno; V. *inmate*)].

service[1] *n*: GRAL/LABORAL servicio, administración; V. *employment service*. [Exp: **service**[2] (PROC notificación judicial, servicio, entrega; en la incoación de la demanda *–civil action–*, el emplazamiento *–writ of summons–* es nulo si la notificación *–service–* no se hace en la forma debida; V. *actual service, constructive service; accept service; acknowledge service; affidavit of inquiry, affidavit of service, acceptance/acknowledgment of service, accept service; personal service*), **service**[3] (MERC servicio, amortización, pago; V. *ability to service*), **service by publication at court** (PROC notificación en el tablón oficial de anuncios), **service industry** (GRAL empresa de servicios), **service industry** (GRAL/SEGUR vida útil), **service of process/summons** (PROC traslado de la demanda, notificación de la demanda, diligencias de emplazamiento), **service record** (ADMIN/LABORAL hoja de servicios), **serviceable** (GRAL útil, utilizable)].

servient *a*: GRAL sirviente, subordinado [Exp: **servient estate or tenement** (CIVIL predio sirviente, heredad sirviente ◊ *The servient tenement is subject to the encumbrance of an easement, a profit à prendre, or a restrictive covenant*), **servitude**[1] (GRAL sumisión; V. *bondage, slavery, involuntary servitude, penal servitude*), **servitude**[2] (CIVIL servidumbre; los términos *easement* y *servitude* son sinónimos parciales; mientras que el segundo se refiere a la carga que pesa sobre un bien o derecho, el primero alude, desde el punto de vista del otro, al beneficio que alguien tiene sobre un bien o derecho que no es suyo; V. *water rights, positive servitude, dominant tenement*), **servitude of drainage** (servidumbre de desagüe), **servitude of light and view** (CIVIL servidumbre de luces y vistas)].

session *n*: PROC período de sesiones de un Tribunal; período parlamentario, normalmente de un año de duración, el cual consta de *sittings* ◊ *During today's session [of court] the main defence witnesses were called to give evidence*; V. *court of session*. [Exp: **session, be in** (GRAL celebrar sesión; V. *hold a session*)].

set[1] *n*: GRAL/PROC conjunto; expediente formado por el original y las copias. [Exp: **set**[2] (PROC fijar, señalar; premeditar ◊ *The* *trial date was set for the end of the month*), **set aside**[1] (PROC dejar sin efecto, no tomar en consideración, anular, desestimar, rechazar, cancelar, resolver, abrogar ◊ *A court may set aside a contract if it can be shown that a party has entered into it under violence*; V. *reverse, vacate, cancel, annul, invalidate, hold*[6], *repeal, revoke, quash, abate; unsafe*), **set aside**[2] (GRAL reservar, recoger, apartar ◊ *Money collected or set aside for charitable purposes may be tax-deductible*; V. *earmark, allocate, reserve*), **set back** (GRAL retrasar, obstaculizar, trabar, causar o suponer un revés ◊ *Interference by the various committees has set us back at least two months*; V. *setback*), **set bail** (PROC fijar la fianza), **set down** (GRAL hacer constar, poner por escrito, apuntar, registrar; V. *take down*), **set down for trial** (PROC fijar/señalar la fecha de la vista, tras el cierre de los alegatos; V. *summons for directions, close of pleadings*), **set effect** (GRAL poner en vía de ejecución), **set free/at liberty** (PENAL poner en libertad; V. *release*), **set fire to** (GRAL incendiar, prender fuego ◊ *Life imprisonment can be imposed for treason, piracy with violence or setting fire to HM ships*; V. *arson*), **set-off**[1] (GRAL reconvención, contrademanda; contraponer, equilibrar; plantear una contrademanda o reconvención ◊ *In his defence, B set off his claim of the debt due to him from A against A's claim against him*; V. *offset*), **set-off**[2] (GRAL hacer explotar o estallar [una bomba]), **set-off**[3] (MERC/GRAL deducir, restar ◊ *Some expenses can be set off in your income tax return*; V. *deduct, discount, subtract, take away/off*), **set on** (GRAL/PENAL incitar, instigar; V. *setting on*), **set out** (GRAL alegar, afirmar; exponer, expresar ordenadamente ◊ *The plaintiff must clearly set out the nature and basis of his or her claims*), **set over** (GRAL traspasar, transferir), **set-up**[1] *col* (GRAL arreglo, organización; estructuración, estructura financiera; apaño, tinglado ◊ *It takes people a while to understand the set-up* ; el sustantivo *set-up*, en ocasiones, puede tener cierto tono coloquial o incluso despectivo, a diferencia del verbo *set up,* que no lo suele tener), **set up**[2] (crear, establecer, montar, constituir, fijar, marcar; presentar, alegar como defensa o impugnación ◊ *The government has set up a committee of enquiry*), **setback**[1] (GRAL contratiempo), **setback**[2] (GRAL retranqueo [en una obra]), **setting** (GRAL marco; V. *framework*), **setting on** (GRAL instigación, incitación)].

settle[1] *v*: GRAL resolver, solucionar, determinar, allanar; liquidar, saldar, arreglar, transar, finiquitar, ajustar; V. *satisfy, compose, pay*. [Exp: **settle**[2] (GRAL colonizar ◊ *North America was settled by Europeans who subdued the Indians*; V. *settlor*), **settle**[3] (CONST fijar una sucesión [al trono]), asignar una dote o una pensión; V. *act of settlement*), **settle**[4] (GRAL arraigar, consolidar), **settle accounts** (MERC saldar/liquidar/ajustar cuentas; V. *pay accounts, keep accounts*), **settle by arbitration** (PROC ajustar por arbitraje o por vía arbitral), **settle claims** (MERC satisfacer demandas o reclamaciones), **settle differences** (PROC componer o arreglar diferencias), **settle disputes** (PROC resolver o arreglar las disputas), **settle money on somebody** (GRAL asignarle una cantidad o renta a alguien), **settle out of court** (PROC llegar a un acuerdo o conciliación para evitar el juicio, arreglar extrajudicialmente; V. *out-of-court settlement, ADR*), **settle scores** (PENAL ajustar cuentas; V. *settle disputes*), **settle up** (MERC pagar deudas, arreglar cuentas), **settled land** (CIVIL propiedad vinculada a las condiciones y disposiciones del *Settled Land Act*; V. *vesting deed*), **Settled Land Act** (CONST Ley de la Propiedad Fiduciaria o Vinculada), **settled**

law (PROC derecho consolidado, invetera-do, estable ◊ *Justices are always willing to apply what was once considered settled law*), **settled point of law** (PROC cuestión jurídica bien asentada), **settler** (GRAL colono, colonizador, poblador), **settlor** (CIVIL fideicomitente, constituyente del vínculo, creador de la disposición sucesoria o *settlement*, encargado de nombrar a los fiduciarios o *trustees of the settlement* en los dos documentos fundacionales: el *trust instrument* y el *vesting deed*; *protector of settlement*)].

settlement[1] *n*: GRAL/MERC/CIVIL/INTER acomodo, acuerdo, composición, solución, acuerdo extrajudicial, convenio, arreglo, solución, transacción, conciliación, liquidación, dote; V. *covenant, agreement, arrangement, clean break; amicable settlement, dispute settlement, friendly settlement, equity to a settlement, out-of-court settlement, judicial settlement, full and final settlement, pay settlement*), **settlement**[2] (CONST V. *act of settlement*), **settlement**[3] (CIVIL/FAM convenio regulador, también llamado *divorce settlement*), **settlement**[4] (CIVIL propiedad vinculada; vinculación; disposición sucesoria que establece condiciones y limitaciones; las distintas clases de *settlement* se rigen por las normas del *trust* o fideicomiso y suelen tener el objeto de asegurar la continuidad de la cadena de la sucesión dentro de una misma familia), **settlement of action** (PROC retirada de la demanda por acuerdo entre las partes), **settlement of an estate** (V. *proceedings for settlement of an estate*), **settlement of creditors** (MERC convenio de acreedores)].

sever *v*: GRAL/CIVIL romper, dividir, separar; disolver, excluir, anular ◊ *After negotiations broke down, the sportsman severed his contract with the club*; V. *severance*. [Exp: **sever a joint tenancy** (CIVIL disolver una comunidad), **severability** (GRAL divisibilidad; en un contrato *–severability of contract–* es la posibilidad de separar las cláusulas inválidas o nulas de las válidas, conservando estas últimas todas su fuerza o vigencia; en una declaración o *deposition* se refiere a la posibilidad de excluir o separar determinadas partes; en una ley, *severability of statute* es la posibilidad de separar los artículos *–sections–* o disposiciones *–provisions–* inválidos o nulos de los válidos, conservando estos últimos todas su vigencia), **severability clause** (CIVIL cláusula de exclusión o de separabilidad; mediante esta cláusula, en una ley o contrato, los elementos nulos o no válidos quedan excluidos, manteniéndose la vigencia de los otros), **severability of contract** (CIVIL divisibilidad de un contrato; alude a la posibilidad de separar las cláusulas válidas o nulas de las válidas, conservando estas últimas toda su validez), **severable** (GRAL/CIVIL divisible, separable; se aplica a *action, contract, judgement, statute*, etc., poniendo de relieve la divisibilidad o independencia de las partes que se encuentran vinculadas en una demanda, contrato, sentencia, ley, por ejemplo, *a severable contract* es uno que es válido aun después de la exclusión de alguna cláusula viciada), **several**[1] (GRAL varios, diversos, distintos), **several**[2] (GRAL/CIVIL individual, divisible, independiente, [por] separado, de cada uno, privativo; V. *joint and several, separate*), **several actions** (CIVIL demandas independientes, pluralidad de demandas), **several inheritance** (CIVIL herencia dividida en partes independientes), **several obligation** (GRAL obligación independiente de la de otra u otras partes), **several obligor** (CIVIL obligado independiente), **several profits à prendre** (CIVIL servidumbres de disfrute común a varias personas), **severally** (CIVIL independientemente, separadamente, individualmente),

severally liable (CIVIL responsable individualmente), **severalty** (GRAL/CIVIL exclusión, separación, división; posesión exclusiva; parte de una propiedad o conjunto de bienes que pertenece exclusivamente a uno; V. *estate in severalty*), **severance**[1] (GRAL/CIVIL ruptura, separación, disolución, cese, cesantía; determinación de porciones; [en un contrato] exclusión de las disposiciones nulas de un contrato, conservando la validez de las restantes; [en un condominio] disolución de una comunidad; V. *sever a joint-tenancy, words of severance*), **severance**[2] (LABORAL despido cese, cesantía; desahucio; V. *severance payment*), **severance damage** (CIVIL perjuicio por división), **severance of actions** (GRAL/CIVIL separación de acciones, demandas o querellas), **severance of criminal prosecution** (PENAL enjuiciamiento separado de causas o de imputados vinculados), **severance of diplomatic relations** (CONST ruptura de relaciones diplomáticas), **severance payment** (GRAL/LABORAL/CIVIL cesantía, indemnización por despido o desahucio), **severance tax** (FISCAL impuesto por extracción de productores minerales o forestales)].

sex *n*: GRAL sexo, sexualidad; V. *gender*. [Exp: **sex change** (GRAL intervención quirúrgica para cambio de sexo), **sex discrimination** (GRAL discriminación sexual ◊ *Despite several changes in the law and in people's attitudes, sex discrimination is still rife*), **sex offender** (PENAL delincuente sexual; V. *registered offender*), **sexual abuse** (PENAL abusos deshonestos, abusos contra la libertad sexual; V. *molest, proposition, rape, gross indedency*), **sexual affair** (GRAL aventura amorosa; en muchas demandas de divorcio se diferencia entre *sexual affair, sexual relationship* y *sexual relations*), **sexual assault** (PENAL agresión sexual), **sexual advances** (GRAL/PENAL insinuaciones sexuales ◊ *She rejected his most abhorrent sexual advances*; V. *sexual overtures, proposition*), **sexual harassment** (PENAL acoso sexual; V. *molestation*), **sexual indecency** (PENAL obscenidad sexual, exhibicionismo; V. *public lewdness, indecent exposure, exhibitionism*), **sexual intercourse** (GRAL coito, ayuntamiento carnal, conocimiento carnal con penetración en la vagina; V. *proposition, access, carnal knowledge*), **sexual offences** (PENAL delitos contra la honestidad o la libertad sexual, abusos deshonestos), **sexual overtures** (GRAL insinuaciones sexuales ◊ *She rejected his most abhorrent sexual overtures*; V. *secual advances*), **sexual penetration** (GRAL acceso carnal; V. *carnal knowledge*), **sexual perversion** (GRAL perversión sexual; V. *bestiality, sodomy, fellatio*), **sexual relations/relationship** (GRAL relaciones sexuales; en muchas demandas de divorcio se diferencia entre *sexual relationship* y *sexual relations*, siendo esporádicas las primeas y estables las segunas; V. *sexual affair*)].

shadow *a/v*: GRAL sombra; seguir secretamente ◊ *The detective shadowed the suspect and saw him exchange bags with a stranger*. [Exp: **Shadow Cabinet** (CONST consejo de gobierno en la sombra; conjunto de ministrables de la oposición), **shady** (GRAL turbio, sospechoso ◊ *Be involved in a shady deal*), **shady customer/character** (GRAL tipo sospechoso; sujeto poco de fiar o que no es trigo limpio *col*; pájaro de cuidado *col*)].

sham *a/n*: GRAL fingido, simulado; ficción, simulacro, superchería; farsante ◊ *The name, address and description of the company are a sham: it does no business and has never traded*. [Exp: **sham defence/plea** (PROC defensa/alegación falsa, frívola o de mala fe), **sham marriage** (GRAL/FAM matrimonio de conveniencia para adquirir la nacionalidad o para obtener alguna ventaja; V. *marriage of convenience*)].

share[1] *n*: GRAL/MERC acción, parte alícuota del capital de una empresa comercial; cuota, contingente, cupo, participación ◊ *The company is controlled by a consortium holding 55 % of the shares*. [Exp: **share**[2] (GRAL compartir, participar; V. *partake, participate, take part in*), **share and share alike** (GRAL por iguales cuotas), **share capital** (MERC capital social), **share certificate** (MERC resguardo de acciones), **share in the profits** (MERC participar en los beneficios), **share-cropper** (CIVIL aparcero), **shareholder** (MERC accionista; V. *debenture holder*), **share transfer** (MERC certificado de transferencia de acciones al portador), **share warrant** (MERC certificación de acciones al portador), **sharecropping** (CIVIL aparcería)].

shark *n*: GRAL/MERC tiburón ◊ *The company was swallowed up by its rivals, who were commercial sharks*.

sharp[1] *a*: GRAL afilado. [Exp: **sharp**[2] (MERC/PROC cláusula que permite al acreedor entablar una acción civil rápida), **sharp practice** (GRAL malas artes, trucos, chanchullos, trampas), **sharper** (GRAL estafador, timador), **sharpshooter** (GRAL tirador de élite, tirador certero; V. *sniper, marksman, sniper*)].

shelter *n/v*: GRAL refugio; cobijar-se, proteger-se, resguardarse; V. *harbour, tax shelter*. [Exp: **sheltered** (GRAL seguro, protegido; V. *secured, protected, safe*)].

shelve *US v*: GRAL archivar, dar carpetazo *col*, aparcar *col*; V. *mothball, defer, table US*.

sheriff[1] *n*: PROC oficial de la justicia, alguacil, ejecutor de las órdenes y autos judiciales; las funciones del *sheriff* varían mucho en los distintos países de habla inglesa; en Inglaterra y Gales es un «administrador regional de justicia»; como tal, representa a la Corona en su condado de residencia, donde es responsable de la organización de las elecciones y del cumplimiento forzoso de los autos del *High Court*; en cambio, en Escocia es «juez titular de primera instancia»; como juez titular de un tribunal inferior aglutina las funciones y la jurisdicción equiparables a las ejercidas en Inglaterra por los *Magistrates Courts, Crown Court* y *County Court*; finalmente, en los Estados Unidos es el «jefe de policía del condado»; V. *Scottish Sheriff Court; panel of jurors, array*. [Exp: **sheriff**[2] *der es* (PROC juez titular de primera instancia, juez del tribunal inferior *–sheriff court–* en Escocia; cada una de las regiones escocesas cuenta con un magistrado o juez superior, llamado el *sheriff-principal*, y un número variable de jueces de sala, llamados *sheriffs-substitute*, que normalmente desempeñan funciones de jueces de primera instancia; en principio, contra las resoluciones del *sheriff-substitute* cabe recurso ante el *sheriff-principal*, en primer lugar, y posteriormente, en su caso, ante el magistrado correspondiente del tribunal superior, o *Court of Session*, para los asuntos civiles, o del *High Court*, para los asuntos penales; V. *Lords of Council and Session, High Court of Justiciary, Lord Ordinary*), **Sheriff Court** *der es* (PENAL tribunal de primera instancia ◊ *Prosecutions in the Sheriff Courts are conducted by the Procurators-Fiscal for the area*), **sheriff clerk** *der es* (PROC secretario judicial del *sheriff*, o juez de primera instancia en Escocia), **sheriff's sale** (PROC venta judicial), **sheriff's interpleader** (CIVIL/PROC citación hecha por el funcionario de policía judicial constituido en tenedor de los bienes objeto de litigio al haberse incautado de ellos por embargo)].

ship *n/v*: GRAL buque; transportar por vía marítima o fluvial; despachar, expedir ◊

The goods were shipped to Rio de Janeiro by a reputable import-export company. [Exp: **ship building** (MERC construcción naval), **ship broker** (MERC corredor marítimo), **shipmaster** (MERC capitán de barco; V. *captain*), **shipment** (MERC carga, cargamento, envío, remesa, partida, embarque, expedición; V. *cargo*), **shipper** (MERC cargador, embarcador), **ship mortgage** (CIVIL/MERC hipoteca marítima o naval), **shipowner** (MERC naviero, armador), **ship's agent** (MERC consignatario del buque), **ship's articles** (MERC contrato de empleo de los marineros; V. *articles*), **ship's book/journal** (MERC diario de navegación, cuaderno de bitácora; V. *logbook*), **ship's papers** (MERC documentación de a bordo; certificado y documentos que identifican a un buque y sus actividades), **shipping** (MERC expedición), **shipping agent** (MERC consignatario de buques), **shipping charges** (MERC gastos de envío o de embarque), **shipping company** (MERC compañía armadora, empresa naviera o marítima), **shipping documents** (MERC documentos de embarque), **shipping order** (MERC orden de embarque o envío), **shipping pool** (MERC fusión de intereses de varios armadores; V. *pooling agreements*), **ship's receipt** (MERC recibo de a bordo o de embarque), **shipwreck** (MERC/SEGUR naufragio), **shipyard** (MERC astillero)].

shoot *v*: GRAL fusilar, disparar, matar a alguien ◊ *The rebel leaders were shot by a firing-squad.* [Exp: **shoot-out** (PENAL tiroteo ◊ *He was picked up after a shoot-out with the police*), **shoot up**[1] (MERC/GRAL dispararse ◊ *Prices have shot up dramatically over the past year*), **shoot up**[2] *col* (GRAL chutarse *col*, pincharse *col*, picarse *col*), **shot** (GRAL disparo, tiro; jeringazo *col*)].

shop *n*: GRAL almacén, tienda, taller, fábrica; lugar de trabajo. [Exp: **shop steward** (LABORAL enlace sindical; V. *closed shop*), **shop-lifter** (PENAL ladrón, ratero de tienda; V. *pcikpocket, pilferer, petty thief* US), **shoplifting** (PENAL hurto o ratería de tiendas; V. *making off without payment*)].

shore *n*: GRAL tierra, orilla, costa. [Exp: **shore up a bank** (MERC apuntalar, sostener o apoyar un negocio que se tambalea ◊ *In order to shore up the bank, the new board chose Mr Stewart for chairman*; V. *bail-out*)].

short *a*: GRAL corto, reducido, escaso, insuficiente, deficiente ◊ *The Government has proposed special measures to cope with the housing shortage.* [Exp: **short cause list** (PROC lista de causas ante el *High Court* cuya vista se prevé durará menos de cuatro horas), **short committal** (PENAL procesamiento por vía abreviada), **short-dated** (GRAL a corto plazo), **short delivery, S.D.** (SEGUR entrega corta, insuficiente o deficiente, merma; V. *extraneous perils*), **short lease** (CIVIL arriendo a corto plazo), **short notice, at** (GRAL con corto plazo de aviso), **short paper** (MERC papel bursátil a corto plazo), **short sale** (MERC venta en descubierto), **short summons** (PROC emplazamiento para pronta contestación), **short-term** (GRAL a corto plazo; se aplica a *bonds, creditors, debt, liabilities, loans,* etc.; V. *long-term*), **short-term imprisonment** (PENAL prisión menor), **short title** (CONST título abreviado de una ley; V. *act, long title*), **shortage** (GRAL falta, escasez, carestía)].

show *n/v*: demostración, indicación; mostrar, demostrar. [Exp: **show cause** (PROC justificar, dar razones o explicaciones, fundamentar jurídicamente una pretensión ◊ *If you cannot appear on the day stated in the citation you have to show cause*), **show of hands, by** (GRAL a mano alzada; V. *by ballot, head count, quorum*), **show standing** (PROC demostrar legitimación procesal o que se es parte interesada ◊ *The applicant for a declaratory judgment must show standing, i.e. the legal right to initiate a lawsuit*; V. *locus standi, standing*[5]), **show up** (PROC reconocimiento del sospechoso, careo; V. *confrontation [of witnesses]*), **showdown** (GRAL confrontación, enfrentamiento, agarrada; V. *bust-up, clash, conflict, confrontation*)].

shyster *n*: GRAL litigante oneroso o vejatorio, picapleitos, leguleyo; V. *pettifogger, vexatious litigant, ambulance chaser US*.

sick *a*: GRAL enfermo; V. *ill*. [Exp: **sick benefit/pay** (LABORAL subsidio o beneficio por invalidez, o indemnización por enfermedad, subsidio de invalidez: V. *statutory sick pay*)].

sidebar *US n*: PROC consulta en el estrado; V. *bench conference*.

sight *n*: vista ◊ *Some bills of exchange are payable at sight*. [Exp: **sight, at** (GRAL a la vista; V. *on demand, upon presentation*), **sight, on** (GRAL a la vista; V. *on demand*), **sight bill of exchange** (MERC letra a la vista), **sight rate** (MERC cambio a la vista)].

sign *n/v*: GRAL señal, nota; firmar, suscribir, rubricar ◊ *A deed is not valid unless it has been signed by the maker in the presence of witnesses*. [Exp: **sign and seal** (GRAL firmar y rubricar), **sign by procuration/proxy** (GRAL firmar por poder), **sign jointly** (MERC mancomunar firmas), **sign in** (registrarse, firmar la entrada), **sign off** (LABORAL firmar la ficha al terminar el trabajo, firmar la salida), **sign somebody in/out** (GRAL firmar el registro de llegadas/salidas, de visitas, de alta/baja médica, etc.), **sign something over to somebody** (CIVIL firmar la cesión o traspaso de algo o alguien), **sign up** (MERC contratar), **signature** (GRAL firma)].

signal *n*: GRAL señal, aviso; V. *distress signals*.

signatory *n*: GRAL signatario, firmante; V. *sign*.

signet *n* GRAL sello; V. *royal signet*.

silence *n*: GRAL silencio; V. *admission by silence, right of silence*. [Exp: **silent partner** (MERC socio comanditario secreto o capitalista; V. *dormant partner; ostensible partner*)].

silk *col n*: PROC es el nombre coloquial que se da a los *Queen's Counsels*.

simple *a*: GRAL simple, sencillo; V. *plain, elementary*. [Exp: **simple assault** (PENAL acometimiento), **simple average** (MERC avería simple), **simple battery** (PENAL agresión simple), **simple confession** (PENAL declaración de culpabilidad), **simple contract** (MERC contrato simple o verbal), **simple interest** (MERC interés simple), **simple majority** (GRAL mayoría simple), **simple negligence** (GRAL/CIVIL imprudencia o negligencia simple), **simple trust** (fideicomiso puro o simple), **simplify** (GRAL simplificar; V. *clarify*)].

simulate *v*: GRAL simular, fingir; V. *fabricate*.

sine die [a meeting, a hearing, etc.] *v*: GRAL suspender, diferir, trasladar indefinidamente [una sesión, una vista oral, etc.] ◊ *The meeting was adjourned sine die*; V. *adjourn, postpone, suspend*.

single *a*: GRAL único, sencillo ◊ *In 1992 the European Market became a single market*. [Exp: **single ballot** (GRAL votación a una sola vuelta; V. *second ballot*), **single condition** (GRAL condición única), **single entry** (MERC partida simple), **single entry bookkeeping** (MERC teneduría de libros por partida simple; V. *double entry*), **Single European Act, SEA** (EURO Acta Única Europea; V. *EEC, Common Market*), **single market** (MERC mercado único)].

sink *v*: GRAL hundir, hundirse, irse a pique ◊ *The share price has sunk dramatically as a result of the company's difficulties*; V. *ruin, shipwreck*. [Exp: **sink a debt** (MERC amortizar una deuda), **sink in price** (GRAL disminuir en el precio), **sinking**

fund (GRAL fondo de amortización), **sinking fund loan** (GRAL empréstitos de amortización; V. *bond loan*)].

siphon *n/v*: GRAL sifón; sacar con sifón. [Exp: **siphon off** *col* (PENAL/GRAL desviar ◊ *Siphon off funds*; V. *kickback*)].

sist[1] *der es v/n*: PROC suspender, aplazar, diferir, posponer; suspensión, aplazamiento ◊ *The defence applied for a sist of diligence*; V. *adjourn, stay, stop, suspend.* [Exp: **sist**[2] *der es* (PROC citar, emplazar, llamar al proceso, autorizar u ordenar la comparecencia como parte [del que acredite algún interés], permitir [al interesado] personarse; personarse, intervenir en el proceso ◊ *The dead man's son sisted himself in the proceedings*; la aparente contradicción entre los dos sentidos de esta palabra se explica por la ambigüedad del verbo latino *sistere* del que se deriva, y que significaba tanto emplazar como aplazar; V. *appear, cite, summon*)].

sit *v*: GRAL/PROC constituir un tribunal, formar parte de un tribunal, celebrar una sesión, reunirse, tener la sede ◊ *By statute, juvenile courts sit in different locations from other courts.* [Exp: **sit-down strike** (LABORAL huelga de brazos caídos o cruzados; sentada; V. *work to rule strike, slow-down strike*), **sit-in** (GRAL sentada), **sit on a jury** (PROC ser miembro de un jurado; V. *serve*), **sit on the bench** (PROC ser juez o magistrado), **sit upon** (PROC juzgar, sentenciar), **sitting** (GRAL sesión, turno, junta, reunión; V. *session*), **sitting in bank** (PROC sesión de todo el tribunal)].

situation *n*: GRAL/LABORAL empleo, puesto, situación; V. *place, position, job.* [Exp: **situations vacant/wanted** (LABORAL oferta de puestos de trabajo anunciada en la prensa)].

skeleton *n*: GRAL esquema, trazado, proyecto pergeñado ◊ *The sales manager gave the board the skeleton of the campaign and promised to fill in the details later*; V. *outline.* [Exp: **skeleton argument** (PROC argumentos presentados en forma esquemática; alude al esquema que contiene los puntos que se abordarán oralmente ante el tribunal; equivale a *written brief* y aunque se llama *skeleton* suele ir acompañado de muchas citas de autoridad *–authorities–*), **skeleton staff** (LABORAL servicios mínimos, personal reducido), **skeleton in the closet/cupboard** (GRAL asunto tapado, secreto vergonzoso)].

skim[1] col v: FISCAL/PENAL omitir ingresos en la declaración de la renta para eludir el pago de impuestos. [Exp: **skim**[2] **credit cards** (PENAL falsificar tarjetas de créditos; esta falsificación se hace en el momento de pagar en una tienda, un restaurante, etc., por medio de artilugio, que envía la información de la tarjeta a un ordenador, con el que se hacen las falsificaciones)].

skipper *n*: MERC patrón de cabotaje.

skyjacking *n*: PENAL secuestro aéreo.

slander *n/v*: PENAL calumnia oral, difamación oral o gestual, maledicencia, acusación falsa; calumniar, denigrar ◊ *Slander of goods is a form of malicious falsehood and is actionable under certain circumstances*; V. *defamation, backbiting, calumny, disparagement, libel, character assassination.* [Exp: **slander of title, property, goods** (GRAL menosprecio, descrédito, imputación falsa de título, bienes o mercancías; V. *jactitation, suit*), **slanderer** (PENAL calumniador, infamador), **slandering** (PENAL maledicencia), **slanderous** (PENAL calumnioso, injurioso, infamatorio)].

slaughter *n*: PENAL matanza, carnicería, masacre; V. *slay, massacre, carnage, mass killing.*

slave *v*: GRAL esclavo; V. *badges of servitude, servitude; abolish.* [Exp: **slavery** (CONST esclavitud; V. *servitude, bondage; abolish*)].

sleaze *col n*: GRAL/PENAL corrupción, corruptelas; historias turbias/sórdidas, rumores de escándalo; cultura del pelotazo; V. *easy money syndrome*. [Exp: **sleaze factor** (GRAL/PENAL factor corrupción, efecto de las alegaciones escandalosas ◊ *A firm whose business is suffering as a result of the sleaze factor*)].

slay *US v*: PENAL asesinar, matar; en los EE.UU. se emplea, sobre todo, en el lenguaje periodístico como sinónimo de *murder* o *assassinate*; en Gran Bretaña el término es anticuado y tiene connotaciones de «masacrar o cometer una carnicería»; V. *slaughter*. [Exp: **slayer** (PENAL asesino, homicida; V. *cut-throat, killer, gunman, murderer, triggerman, homicide, assassin*), **slaying** (PENAL asesinato ◊ *That man is suspected in the slaying of a retired fisherman*), **slayer** (PENAL asesino, homicida; V. *cut-throat, killer, gunman, murderer, triggerman, homicide, assassin*)].

sleeping *a*: GRAL dormido, inactivo; V. *dormant, inactive, latent*. [Exp: **sleeping partner** (MERC socio inactivo, socio comanditario, socio capitalista; V. *dormant partner*)].

sleuth *n/v*: GRAL/PENAL sabueso, detective, sobre todo privado; investigador aficionado; ponerse sobre la pista, investigar [por cuenta propia] ◊ *The journalist discovered the plot after doing some private sleuthing*; V. *snoop, pry*.

slide *n/v*: GRAL baja, deslizamiento; bajar, deslizar ◊ *Salaries are subject to a sliding scale, depending on age and experience*. [Exp: **slide in rates** (MERC baja en los tipos de interés), **sliding scale** (GRAL/LABORAL escala móvil, variable; V. *chart, scale*), **sliding scale tariff/duties** (GRAL tarifa de escala móvil, derechos móviles)].

slight[1] *a*: GRAL insignificante, más bien poco; V. *light*. [Exp: **slight**[2] (GRAL desaire, menosprecio; desairar, menospreciar ◊ *Smith threatened to take Jones to court over the slight on his family's honour*; V. *insult, scorn*), **slight evidence** (PROC prueba insuficiente ◊ *The evidence is too slight to allow us to sue*), **slighting** (GRAL despectivo, despreciativo)].

slip[1] *n*: GRAL resguardo, recibo, matriz, papel ◊ *When she checked her pay-slip she found she had been overtaxed*; V. *pay-in slip*. [Exp: **slip**[2] (GRAL error, desliz; V. *error, mistake*), **slip of the tongue** (GRAL lapsus, *lapsus linguae*), **slip of the pen** (GRAL *lapsus calami*, error de pluma), **slip rule** (PROC norma procesal de las *Rules of the Supreme Court* que dispensa los errores leves cometidos en las alegaciones), **slip up** (GRAL desliz, patinazo; cometer un desliz, patinar)].

slow-down strike *n*: LABORAL huelga de brazos caídos.

slum *n*: GRAL suburbios, barriada; V. *suburb, housing estate; suburban*.

smack *col n*: PENAL caballo *col*, heroína.

small *v*: GRAL pequeño; V. *little, tiny*. [Exp: **small claims** (CIVIL demandas de pequeña cantidad), **small claims track** (CIVIL vía procedimental para pequeñas demandas; la Ley de Enjuiciamiento Civil –*Civil Procedure Rules 1998*– asigna esta vía procedimental a las demandas generales cuya cuantía –*amount involved or financial value*– no exceda de las 5.000 libras, las demandas por daños o mal estado en la vivienda –*housing disrepair claims*– cuya cuantía no sea superior a £1.000, y también las demandas por daños personales –*damages for personal injuries*– cuya cuantía no exceda de £1.000; V. *court tracks*), **small consideration, for a** (GRAL si me pagas un poco, por una pequeña cantidad; V. *consideration*), **small print** (CIVIL cláusulas de un contrato de adhesión –*standard-form contract, contract of ashesion*–; V. *boiler plate*)].

smuggle *v*: PENAL pasar o introducir de contrabando ◊ *There is a long tradition of* *smuggling along the rocky coasts of the southwest of England*. [Exp: **smuggle in** (PENAL introducir fraudulentamente), **smuggled goods** (PENAL mercancías prohibidas), **smuggler** (PENAL contrabandista), **smuggling** (PENAL contrabando)].

sneak-thief *n*: PENAL ratero, carterista, descuidero, caco *col*; V. *pickpocket, petty thief.*

snatch *n/v*: PENAL robo, tirón [de bolso, etc.]; robar, arrebatar; V. *mugging, robbery.*

sniff *v*: GRAL esnifar; V. *smell, snort, whiff.* [Exp: **sniffer dog** (PENAL perro policía entrenado para detectar drogas/explosivos, perro antidroga o antiexplosivos ◊ *Passengers' hand luggage is checked by sniffer dogs*)].

sniper *n*: GRAL francotirador; esta palabra tiene connotaciones negativas en inglés: «tirador oculto, persona cobarde que dispara sin ser vista»; se aplica, por tanto, a los enemigos y criminales, empleándose *sharpshooter* o *marksman* cuando quien dispara es de los «nuestros»; V. *sharpshooter, marksman; ambush.*

snitch *obs n*: GRAL soplón, chivato policial; V. *stool pigeon, informer.*

snoop *v*: GRAL fisgonear, entrometerse, husmear; investigar de forma solapada o clandestina ◊ *The youth was found snooping about the neighbour's premises*; V. *pry, undercover, underhand.*

snort *v*: GRAL esnifar; V. *snort.*

society *n*: GRAL sociedad. [Exp: **social** (GRAL social), **social enquiry report** (PENAL antecedentes penales o policiales; este nombre ha sido sustituido recientemente por el de *pre-sentence report*), **social security** (LABORAL seguridad social, previsión social ◊ *Social security helps people who are ill, disabled, unemployed, etc.*), **social work assistance** (LABORAL asistencia social, labor de los asistentes sociales), **social service** (LABORAL servicio social, prestación social), **social worker** (LABORAL asistente social)].

sodomy *n*: PENAL sodomía; V. *sexual perversion, bestiality, indecency, buggery, rape, fellatio, unnatural acts.*

soft *a*: GRAL blando. [Exp: **soft currency** (MERC moneda débil; V. *hard currency*), **soft credit** (MERC crédito blando), **soft drug** (PENAL droga blanda; V. *hard drug*)].

sole *a*: GRAL individual, único, exclusivo; este adjetivo se encuentra a veces pospuesto al nombre, como en *agent sole*; V. *feme sole.* [Exp: **sole agency** (MERC agencia con exclusiva), **sole agent** (MERC representante, agente, mandatario, apoderado, factor o gestor exclusivo; *V. assignee, attorney, factor, proxy; principal*), **sole and unconditional owner** (CIVIL propietario único de dominio pleno), **sole corporation** (MERC sociedad anónima formada por una sola persona), **sole heir** (SUC heredero único), **sole licensee** (MERC concesionario único), **sole owner** (CIVIL único propietario), **sole proprietor** (CIVIL empresario individual), **sole representative** (CIVIL representante o agente exclusivo), **sole trader** (MERC empresario individual; V. *enterprise*)].

solemn *a*: GRAL solemne; V. *formal.* [Exp: **solemn procedure** *der es* (PROC procedimiento penal equivalente al que se sigue en la justicia inglesa para los *indictable offences*; estos procedimientos se celebran en el tribunal superior de lo penal –*High Court of Justiciary*– o en el inferior –*Sheriff's Court*–; V. *indictable offence*)].

solicit[1] *v*: GRAL solicitar, requerir; V. *seek, ask, request.* [Exp: **solicit**[2] (GRAL ejercer la prostitución callejera, ofrecerse para la prostitución, abordar a clientes en busca de prostitución ◊ *The woman, a known prostitute, was accused of soliciting in a public place*; V. *kerb crawling, accost*), **solicit**[3] (GRAL atraer, incitar; V. *entice, in-*

cite), **solicitation** (GRAL solicitación, incitación, invitación, proposición delictiva, tentativa de corrupción), **soliciting** (GRAL/PENAL incitación a la corrupción, tentativa de corrupción; V. *kerb crawling, procurement, streetwalker*)].

solicitor *n*: abogado; procurador, abogado-procurador ◊ *Solicitors offer legal advice to the public and prepare the case for the barrister*; los abogados en ejercicio de Inglaterra y Gales son *barristers* o *solicitors*, y en Escocia *advocates* y *solicitors*; los *barristers* y *advocates* ejercían la abogacía *–advocacy–* con exclusividad ante los tribunales superiores *–High Court of Justice, Crown Court,* etc.–; los *solicitors*, además de ser asesores jurídicos, pueden ejercer la abogacía en los tribunales inferiores *–Magistrates' Courts* y *County Courts–*; en los últimos años a los *solicitors* se les ha ofrecido la posibilidad de conseguir el llamado *Higher Rights of Audience*, que les faculta para ejercer la abogacía *–advocacy–* en los tribunales superiores; a estos *solicitors* se les llama *solicitor advocates*; por otra parte, los *solicitors* son los encargados de preparar el expediente de la causa, que servirá de base para la defensa que hará el *barrister*; cada uno de estos abogados pertenece a distintos colegios profesionales, *The Inns of Court* y *The Law Society*, respectivamente; para referirse al hecho de «darse de alta en su colegio profesional», se usan distintos términos: los *solicitors* son *admitted to practice* mientras que los segundos son *called to the bar*; V. *convincing solicitor, practising lawyer*. [Exp: **Solicitor General**[1] (PENAL Fiscal-Jefe; segundo cargo de la Fiscalía de Inglaterra y Gales después del *Attorney general*), **Solicitor General**[2] *US* (CONST Abogado Federal del Estado; entre las funciones del *U.S. Solicitor General* destacan la de representar al Gobierno norteamericano ante los tribunales, la de decidir si las resoluciones se deben someter a la revisión judicial *–judicial review–*, etc.; V. *Attorney General*), **Solicitor General for Scotland** (PENAL Fiscal-Jefe de Escocia; se trata del segundo cargo de la Fiscalía de Escocia después del *Lord Advocate*), **solicitor's bill of costs** (PROC costas y honorarios del letrado; V. *fee, profits costs*), **solicitor's lien** (GRAL derecho de retención de la propiedad del cliente del que disfruta un abogado para asegurarse el cobro de los honorarios), **Solicitors' Disciplinary Tribunal** (PROC Tribunal disciplinario de los abogados en ejercicio)].

solidarity *n*: GRAL solidaridad; V. *cooperation: joint and several*.

solidum, in *fr*: GRAL en todo, solidariamente, *in solidum*.

solitary confinement/imprisonment *n*: PENAL prisión incomunicada.

solvency *n*: MERC solvencia; V. *bankruptcy, insolvency, receivership*. [Exp: **solvent** (GRAL solvente; V. *well-off*)].

sound[1] *a*: GRAL cabal, justo, cuerdo ◊ *A person is capable of pleading when he is over eighteen and is of sound mind*. [Exp: **sound**[2] (GRAL sonar, ser relevante a ◊ *That sounds iin damages/costs*), **sound in body and mind** (GRAL sano de cuerpo y alma), **sound mind, be in/of** (GRAL estar en pleno uso de las facultades ◊ *He was of sound mind and his judgement was not impaired*; V. *be in possession of one's faculties*), **soundness** (GRAL rectitud, justicia, solidez, lo fundamentado)].

source *n*: GRAL fuente, origen; V. *fountain, origin*. [Exp: **source, at** (FISCAL en origen), **sources of law** (GRAL fuentes del derecho ◊ *Past judgments in similar cases are a major source of English law*)].

sovereignty *n*: CONST soberanía; V. *authority, jurisdiction*.

spanner *n*: GRAL llave inglesa; V. *throw a spanner in the works*.

Speaker of the House *n*: CONST Presidente de cualquiera de las Cámaras del Parlamento británico.

special *a*: GRAL especial, singular, excepcional, específico, extraordinario; V. *singular, uncommon, unique*. [Exp: **special acceptance** (MERC aceptación de una letra para pago en lugar concreto), **special agent** (MERC apoderado singular o para un fin determinado), **special appearance in court** (PROC comparecencia ante los tribunales para objetar su jurisdicción), **special assessment** (FISCAL tasación para mejoras), **special bail** (PROC fianza especial o de arraigo, caución, fianza real; arraigo en el juicio, aseguramiento que se exige al demandante extranjero; V. *bail above*), **special business** (MERC orden del día para junta extraordinaria), **special case** (PROC juicio incidental; momento o fase especial del pleito; conflicto surgido de las versiones distintas de los hechos, o de la interpretación del derecho, presentadas por las dos partes, que requiere resolución judicial distinta a la del pleito central, y que es ventilado en juicio oral especial ordenado por el tribunal; sustanciar con carácter previo), **special charge** (PROC instrucción al jurado sobre un punto especial; V. *charge to the jury*), **special damages** (CIVIL daños cuantificables, daños susceptibles de comprobación y cálculos; compensación por daños concretos que se pueden precisar de forma clara; los daños que no se pueden precisar de forma clara y que se indemnizan de acuerdo con lo que determina la ley se llaman *general/actual/compensatory damages*; V. *consequential damages*), **special defence** (PENAL eximente especial; argumento o circunstancias especiales que se alegan en la defensa; la diferencia entre las eximentes generales y las específicas radica en el hecho de que corresponde a la acusación probar que las primeras no existieron, mientras que en las segundas es tarea de la defensa demostrar su existencia; V. *defence*[2], *general defences*), **special demurrer** (CIVIL excepción especial), **special drawing rights, S.D.R.** (MERC derechos especiales de giro), **special duties** (GRAL derechos específicos), **special endorsement** (GRAL endoso completo o perfecto), **special finding** (PROC decisión incidental o parcial), **special jurisdiction** (PROC jurisdicción especial), **special notice** (PROC notificación especial hecha con 28 días hábiles de antelación para presentación de puntos de especial importancia en la junta de accionistas de una sociedad mercantil), **special partnership** (MERC sociedad constituida para un fin concreto y determinado), **special plea** (PENAL excepción especial, excepción perentoria contra el procesamiento mediante la declaración de *autrefois acquit*, etc., esto es, que el reo ya ha sido condenado o absuelto de la misma acusación en un juicio anterior y, por lo tanto, no debe ser procesado de nuevo; V. *plea*), **special procedure** (PROC procedimiento especial), **special procedure material** (PROC material e información especiales adquiridos en el ejercicio de una profesión o práctica comercial, por ejemplo el periodismo, y que no puede ser incautado por la policía si no es con un mandamiento especial), **special rule** (GRAL regla especial, providencia concedida conforme a una moción; regla para gobierno de un caso particular), **special session** (sesión extraordinaria; V. *regular session*), **special term** (PROC período de sesiones extraordinario), **special verdict** (PROC veredicto sobre algunos hechos sin pronunciamiento general; veredicto en el que el jurado da por probados ciertos hechos y pide que sea el juez el que diga si constituyen o no delito o ilícito; veredicto de inocente por demencia; V. *general verdict*), **specialist** (GRAL especialista ◊ *Heart specialist*), **specialist proceedings** (PROC procedimientos especializados; se aplica este término a aquellos procesos que sólo se pueden conocer en *The High Court of Justice* por medio de la multivía –*multitrack*–; entre estos procedimientos especializados destacan los del Almirantazgo –*Admiralty proceedings*–, los de arbitraje –*arbitration proceedings*–, los de la propiedad intelectual, dibujos y patentes –*copyright, designs and patents proceedings*–, los contencioso-administrativos o de revisión judicial –*judicial review*–, los de libelo o calumnia –*libel or slander*–, los relacionados con la interpretación judicial de un documento, una cláusula, un testamento, etc. –*court construction of a document, clause, a will, etc.*–, en *The Chancery Division of The High Court of Justice*, etc.; también son exclusivas de esta vía los autos de embargo preventivo –*freezing orders*–, también conocido con el nombre de *Mareva injunction*, los de registro de domicilios de profesionales o de empresarios –*search orders*–, también llamados *Anton Piller Order*), **specialise** (GRAL especializar), **specialty** (GRAL especialidad), **specialty contract** (CIVIL escritura de convenio, contrato sellado), **specialty debt** (CIVIL deuda escriturada)].

specific *a*: concreto, específico. [Exp: **specific bequest** *amer* (legado de cosa cierta), **specific defence** (V. *special defence*), **specific denial** (CIVIL/GRAL negación de un punto concreto), **specific performance** (cumplimiento o ejecución exacta del contrato tal como se estipuló; orden expresa de cumplimiento; demanda o recurso exigiendo el estricto cumplimiento de lo convenido en el contrato; ejecución forzosa, cumplimiento material ◊ *Courts will order specific performance only if the loss occasioned by the breach of contract cannot be adequately compensated for by the payment of damages*; éste es un recurso de equidad que los jueces conceden en las demandas por incumplimiento de contrato cuando creen que la indemnización por daños y perjuicios es insuficiente o beneficia al que incumple el contrato; en estos casos, el actor solicita en su demanda el estricto cumplimiento de lo convenido en el contrato; V. *damages in lieu, action for specific performance, part-performance*), **specifically** (GRAL concretamente, expresamente, explícitamente), **specifications** (GRAL pliego de condiciones, especificaciones; V. *schedule of conditions*), **specify** (GRAL mencionar, especificar, precisar; V. *stipulate, detail*)].

specimen of blood/breath *n*: GRAL muestra de sangre/muestra mediante respiración para determinar la ingestión de alcohol; V. *breathalise.*

speech[1] *n*: GRAL discurso; V. *lecture, address, final speech*. [Exp: **speech**[2] (PROC sentencia [sólo en la Cámara de los Lores])].

speed *col n*: PENAL anfeta *col*. [Exp: **speed limit** (GRAL límite de velocidad), **speeding** (GRAL exceso de velocidad en carretera; conducir a más velocidad de la permitida ◊ *He was fined and banned from driving for a year for speeding*), **speedy** (GRAL rápido, veloz), **speedy trial** (PROC juicio rápido y sin dilaciones)].

spend *v*: gastar, consumir ◊ *Profits have dropped because of the slowdown in consumer spending*. [Exp: **spending** (GRAL gasto), **spent conviction** (PENAL culpa redimida, cancelación de antecedentes penales), **spendthrift** (GRAL pródigo, disipador, derrochador; V. *squanderer*), **spendthrift clause** (cláusula de inembargabilidad de los beneficios), **spendthrift trust** (CIVIL fideicomiso en protección de los pródigos, fideicomiso sin discreción en el beneficiario, fideicomiso para los pródigos)].

spike a drink *v*: GRAL «arreglarle» la copa a uno, echar algún estupefaciente en la bebida [normalmente con la intención de abusar de la víctima], también llamado *lace a drink*; V. *Mickey Finn*.

spin *n/v*: GRAL giro, vuelta; revolución; efecto giratorio; dar vueltas a. [Exp: **spin-off**[1] (GRAL subproducto, producto secundario o derivado), **spin-off**[2] (GRAL consecuencia, resultado o efecto indirecto ◊ *The new appointments are spin-off from the merger*), **spin-off**[3] (MERC beneficio indirecto/secundario/incidental ◊ *His consultancy work is a spin-off from his job*), **spin-off**,[4] **spinoff** (MERC segregación, escisión; constitución de una nueva sociedad por escisión; transformar una parte de una mercantil en una filial de la misma, distribuyendo las acciones de la nueva sociedad entre los accionistas de la primera ◊ *Spin off a subsidiary company*), **spin-off split** (MERC división de una sociedad mercantil en dos o más, a fin de optimizar o proteger mejor los negocios; V. *break-up; merger*), **spin out** (GRAL alargar, prolongar ◊ *Spin out a speech*)].

spliff *col n*: GRAL porro, canuto, petardo; V. *joint*[2].

split[1] *v*: GRAL dividir, partir. [Exp: **split**[2] *argot* (PENAL denunciar, «cantar», «soplar», «chivarse» ◊ *The hooligan threatened to knife his girlfriend if she split on him*), **split decision** (PROC decisión arbitral con división de opiniones o votos disidentes), **split hearing** (PROC vista oral en la que se examina en primer lugar las responsabilidades *–liability–* y luego los daños y perjuicios *–damages–*), **split sentence** (PROC pena mixta, sentencia de multa con suspensión de la encarcelación), **split-off** (MERC escisión; V. *demerger*), **split up** (GRAL dividirse; separarse), **splitting** (GRAL/MERC division; V. *fee splitting*)].

sponsor *n*: GRAL garante, responsable, avalista; patrocinador, padrino ◊ *When they saw the financial trouble the company was in, the sponsors withdrew their support*; V. *surety, backer, guarantor*. [Exp: **sponsorship** (GRAL patrocinio), **sponsoring country** (GRAL país firmante, responsable o patrocinador)].

spot[1] *n*: GRAL sitio, paraje, lugar; punto, punto exacto; V. *spot improvement*. [Exp: **spot**[2] (MERC anuncio, cuña publicitaria; V. *advertising spot*), **spot**[3] (MERC compra para entrega en el acto; V. *forward*), **spot**[4] (GRAL en forma atributiva, *spot* se usa con el sentido de «disponible» como en *spot goods* –mercancías disponibles–, o «inmediato» como en *spot delivery* –entrega inmediata–; V. *on the spot*), **spot broker** (MERC corredor de mercaderías *–commodities–* de entrega inmediata), **spot cash** (MERC pago al contado; pago y entrega inmediata; dinero contante; V. *cash on delivery, futures; pay cash-down*), **spot-check** (GRAL/PENAL control/inspección al azar; efectuar un control al azar, inspección sorpresa ◊ *Spot-checks made by the police showed that 15 % of drivers had drunk alcohol*), **spot contract** (MERC contrato al contado), **spot delivery** (MERC entrega inmediata), **spot improvement** (ADMIN bacheo, reparación de baches; V. *road patching*), **spot market** (MERC mercado al contado; mercado a término; también se le llama *cash market*; V. *forward market*), **spot, on the** (GRAL en el acto)].

spouse *n*: GRAL cónyuge ◊ *The spouse of an accused is generally not a competent witness*. [Exp: **spousal right** *US* (FAM derecho conyugal [a ser heredero de su cónyuge]), **spousal support** *US* (FAM pensión compensatoria entre cónyuges divorciados o separados; V. *maintenance, alimony*)].

squat *v*: GRAL usurpar, establecerse en el terreno o la propiedad de otro, apropiarse indebidamente o vivir ilegalmente en la propiedad de otro ◊ *Squatting has become* *a significant social problem among the urban poor.* [Exp: **squatter** (GRAL «okupa», ocupapisos, colono usurpador, el que se establece en tierras ajenas, persona que vive ilegalmente en la casa de otro, ocupante ilegal, precario o sin título), **squatter's title** (CIVIL prescripción adquisitiva; V. *adverse possession*)].

stab *n/v*: GRAL/PENAL puñalada, cuchillada, navajazo; apuñalar, acuchillar; V. *injure, hurt, wound.* [Exp: **stab wound** (GRAL/PENAL herida incisa, herida de arma blanca), **stabbing** (GRAL apuñalamiento)].

staff *n/v*: GRAL plantilla, personal; estado mayor; dotar de personal ◊ *The office is staffed by a manager and 4 secretaries.* [Exp: **staff, be on the** (LABORAL pertenecer a la plantilla)].

stage *n*: GRAL etapa, estadio, fase; V. *phase, period, first-stage processing, multi-stage tax.*

stagflation *n*: MERC estanflación; estagflación; estancamiento con inflación; V. *stagnation, depression.*

stagnant *a*: GRAL estancado. [Exp: **stagnate** (GRAL estancarse), **stagnation** (MERC estancamiento ◊ *In contemporary economic jargon, depression combined with inflation is known as «stagflation»*; V. *stagflation*)].

stake *n*: MERC participación en una sociedad ◊ *While Morgan has raised its stake in SVH from 4.9 per cent to 7.5 per cent, Morris has sold its 23.7 per cent stake.* [Exp: **stakeholder** (GRAL depositario), **stakeholder's interpleader** (PROC citación para la incoación del procedimiento de *interpleader* hecha por el que guarda el bien en depósito o en prenda, por ejemplo, el banco en el que el deudor tiene fondos en cuenta; V. *interpleader, sheriff's interpleader*), **stakeout** (GRAL operación de vigilancia [policial])].

stale *a*: GRAL caducado, vencido; V. *spoiled*; se suele aplicar a *stale cheque, stale claim, stale date, stale debt,* etc. [Exp: **stalemate** (GRAL estancamiento, paralización, punto muerto, posición de tablas en ajedrez; V. *laches*)].

stamp *n/v*: GRAL sello, timbre, cuño; sellar, timbrar; S. *seal.* [Exp: **stamp duty** (FISCAL impuesto transmisorio, timbre), **stamped addressed envelope, s.a.e.** (GRAL sobre con sello y con el nombre y dirección del solicitante, etc.), **stamped paper/documents** (GRAL papel/efectos timbrados), **stamping** (GRAL estampillado)].

stand[1] *US n*: PROC banco o banquillo de testigos, también llamado *witness stand* ◊ *Counsel for defence made an effective use of all the witnesses on the stand*; V. *witness box, take the stand, stand down.* [Exp: **stand**[2] (GRAL permanecer ◊ *The meeting stands adjourned*; V. *stand mute*), **stand**[3] (GRAL avalar; V. *stand bail*), **stand**[4] (GRAL soportar, sufrir; V. *stand trial*) **stand**[5] (GRAL presentarse como candidato; V. *run*[4]), **stand bail/security/surety** (PROC prestar fianza, salir fiador, avalar ◊ *The accused's father stood bail and the man was released on remand*), **stand by** (PROC estar o ponerse a disposición judicial), **stand-by ticket** (GRAL billete de avión adjudicable en lista de espera), **stand-by underwriting** (GRAL compromiso para compra de valores no vendidos), **stand mute** (PROC guardar silencio), **stand down**[1] (ADMIN dimitir de un cargo; V. *step down*), **stand down**[2] (PROC abandonar el estrado de los testigos ◊ *The witness may stand down*; V. *take the stand*), **stand for** (GRAL presentarse a ◊ *Her friends urged her to stand for the presidency*; V. *run for*), **stand-off**[1] (GRAL enfrentamiento, pulso ◊ *There was a standoff between protesters and police*; V. *confrontation, demonstration, face-off, showdown*), **stand-off**[2] *US* (GRAL callejón sin salida ◊ *Negotiations are at a standoff*;

V. *deadlock, standstill*), **stand surety for sb** (PENAL salir fiador de alguien), **stand trial** (PENAL sentarse en el banquillo de los acusados, someterse a juicio, hacer frente a un juicio, soportar un juicio ◊ *The three businessmen are to stand trial next week on charges of fraud*), .**standing**[1] (GRAL de pie; V. *standing vote*), **standing**[2] (GRAL vigente, permanente; V. *standing civilian court, standing army, standing committee, standing order*), **standing**[3] (GRAL/MERC crédito, posición, reputación, fama, prestigio, solvencia, estatus ◊ *This company has a high financial standing*; V. *company of good standing, rating, status, credit standing, creditworthiness, soundness*), **standing**[4] (GRAL antigüedad; ◊ *The division of the legal profession into barristers and solicitors is of long standing*; V. *seniority*), **standing**[5] (PROC legitimación [procesal], capacidad legal [para personarse en un proceso], derecho; en este sentido es una forma abreviada de *locus standi*; V. *show standing, want of standing*), **standing civilian court** (PROC tribunal permanente para causas no militares, destinado a enjuiciar, según la jurisdicción ordinaria, a los familiares, etc., de los militares británicos con destino en el extranjero), **standing committee** (GRAL comisión permanente ◊ *For convenience, a great deal of the business of Parliament is handled by standing committees*), **standing mute** (PROC/PENAL permanecer callado, estar o permanecer mudo; cuando el acusado se niega a contestar a la acusación, el tribunal ordena la formación de un jurado para que decida si el silencio del acusado se debe a la mera perversidad –*mute of malice*– o a una perturbación de sus facultades mentales –*mute by visitation of God*–; en el primer caso se toma el silencio como declaración de inocencia; en el segundo, el jurado debe decidir si el acusado es incapaz de defenderse; V. *right of silence, visitation of God*), **standing order**[1] (GRAL normal, habitual, procedimiento normal, reglamento; V. *regulation*), **standing order**[2] (MERC domiciliación, orden de domiciliación bancaria, también llamada *standing order at a bank*; la diferencia entre *direct debit* y *standing order* radica en que en esta última se especifican las cantidades y las facturas ◊ *Pay rent by standing order*; V. *banker's order*), **standing order**[3] (MERC pedido regular o permanente), **standing order form** (MERC impreso para domiciliar el pago de determinadas facturas), **standing vote** (GRAL voto que se emite y se cuenta poniéndose de pie; V. *show of hands*)].

standard *n/a*: GRAL criterio, norma, medida, rasero, estándar; habitual, normal, oficial; V. *level*. [Exp: **standard basis of taxation** (PROC normas para la adjudicación de las costas), **standard-form contract** (CIVIL contrato de adhesión; V. *adhesion contract, boilerplate, small print*), **standard of living** (GRAL nivel de vida), **standard of proof** (PROC [grado de] certeza jurídica [requerido por las leyes o la jurisprudencia]; criterio judicial al evaluar las pruebas; norma o criterio jurídico que deben satisfacer las pruebas; para la jurisprudencia de los países de habla inglesa son dos: en el juicio criminal se requiere *proof beyond a reasonable doubt* –prueba o convicción que excluye cualquier duda razonable– para una fallo condenatorio; el criterio de aplicación en los juicios civiles, en cambio, es de *balance of probabilities* –la mayor probabilidad–, esto es, la preponderancia de la prueba considerando los hechos en su conjunto; V. *charge to jury, beyond a reasonable doubt*), **standard practice** (GRAL norma habitual), **standard price** (GRAL precio regulador), **standardization** (GRAL normalización)].

standstill *n*: GRAL punto muerto; V. *deadlock*. [Exp: **standstill procedure** (GRAL statu quo), **standstill agreement** (MERC acuerdo para la suspensión de un contrato o procedimiento)].

stare decisis *fr*: PROC «estar a lo decidido», considerar vinculantes las decisiones judiciales anteriores en causas similares, que es la base del *precedent*.

state *n*: GRAL estado; V. *country, nation*. [Exp: **state of emergency** (GRAL estado de emergencia), **state machinery** (GRAL aparato de la administración pública, maquinaria del Estado), **state of mind** (GRAL estado de ánimo), **state of origin** (GRAL país de nacimiento), **state resources** (GRAL fondos estatales)].

state *v*: GRAL afirmar, declarar, informar, establecer, fijar, estipular, indicar; V. *case stated, statement of case*. [Exp: **stated account** (MERC cuenta conforme o convenida), **stated case** *der es* (PROC V. *case stated*), **stated purpose** (CONST/MERC exposición de motivos de una ley o documento), **stated capital** (MERC capital declarado), **statement** (GRAL declaración, informe; estado, cuenta, estadillo; estado de posición ◊ *At the trial the accused retracted the statement he had made to the police*; V. *fair comment, false statement, financial statement, scandalous statement, sworn statement*), **statement notice** (PROC notificación de declaraciones hechas), **statement of account** (MERC estado de la cuenta; V. *extract*), **statement of case** (CIVIL alegación; desde la reforma procesal civil de 1998 se utiliza en Inglaterra y Gales este término en vez de *pleading*), **statement of claim** (CIVIL escrito de pretensiones; cuerpo de la demanda conteniendo los hechos y los fundamentos de derecho, formalización de la demanda, motivos expuestos; desde la reforma procesal civil de 1998 se emplea en Inglaterra y Gales *particulars of claim* en vez de este término), **statement of defence** (PROC pliego de defensa, declaración de la defensa; V. *peremptory plea, defence*), **statement of facts**[1] (CIVIL declaración de hechos), **statement of facts**[2] (MERC exposición detallada de hechos relativos a las operaciones de carga y descarga correspondientes a una póliza de fletamento, que sirve de base a las hojas de tiempo *–time sheets–*, con las que se calculan los días de plancha y, por tanto, las posibles demoras *–demurrages–* o el despacho adelantado o premio por despacho adelantado *–despatch money–*, si existe), **statement of means** (CIVIL declaración de los recursos económicos), **statement of offence** (PENAL exposición o especificación del delito cometido, nombre del delito cometido; el escrito de procesamiento o acusación formal *–indictment–* especifica todos los cargos *–counts–*; cada uno de estos cargos debe contener el nombre del delito *–statement of offence–* y sus circunstancias *–particulars of offence–*; V. *count, indictment, particulars of offence*), **statement of the prosecution** (PENAL declaración de la acusación), **statement of truth** (CIVIL declaración jurada o de veracidad; desde la reforma procesal civil de 1999, en el Reino Unido se utiliza el término *statement of truth* en vez de *affidavit*)].

status *n*: GRAL estado, posición, consideración, condición social, categoría, rango, régimen; V. *marital status*. [Exp: **status conference** *US* (PENAL consulta ante el juez)].

statute *n*: CONST ley parlamentaria; los términos *Act* y *statute* son sinónimos y se refieren a las leyes que emanan del Parlamento británico o del Congreso norteamericano y son distintas de las disposiciones de carácter jurisprudencial *–judge-made law–*, es decir, el *common law* y la *equity*; V. *act, enabling statute/act, dis-*

abling statute; common law, equity. [Exp: **statute-barred** (PROC prescrito; V. *time-barred, expiry, lapse, statute of limitations*), **statute-barred debt** (CIVIL deuda extinguida y no cobrable según ley, al haber transcurrido el plazo de prescripción; V. *barred by statute*), **statute book** (CONST los códigos; todo el *corpus* del derecho escrito, actualmente en vigencia), **statute, by** (CONST por imposición de la ley), **statute law** (GRAL derecho parlamentario), **Statute of Frauds** (PENAL ley contra el fraude), **statute of limitations** (CIVIL ley de prescripción o de exención de derechos; V. *postponement of limitations, accrual, lapse, laches, caducity*), **statutes at large** *US* (CONST compilación de leyes del Congreso)].

statutory *a*: CONST legal, que la ley otorga, reconocido o amparado explícitamente por las leyes [parlamentarias] o normas derivadas de éstas; es decir lo que se llama derecho legislado; alude a las disposiciones jurídicas nacidas en el Parlamento y no a las de carácter jurisprudencial –*case law*–; de esta forma expresiones como *statutory sick leave* es permiso legal por enfermedad, es decir, permiso que nace de un norma dictada por el Parlamento ◊ *An employee can bring a complaint against an employer, when his statutory employment rights have been infringed*; V. *statutory law; legal, lawful*. [Exp: **statutory company/corporation** (MERC sociedad constituida por ley parlamentaria expresa; V. *corporation incorporated by royal charter; chartered company, registered companies*), **statutory declaration** (MERC declaración que se presenta en el registro mercantil manifestando que la sociedad en cuestión cumple todos los requisitos exigidos por la ley), **statutory instruments** (CONST disposiciones o instrumentos legislativos; el objeto de los *statutory instruments* es el desarrollo de una ley de autorización –*enacting act*–, o ley matriz o de bases –*parent act*–; antes de su entrada en vigor, estas disposiciones deben ser notificadas al Parlamento –*laid before Parliament*–, el cual ejerce un control sobre las mismas; las principales disposiciones legislativas son *Orders, Regulations, Rules, Directions, orders of local authorities*, etc.), **statutory law** (CONST derecho legislado; leyes emanadas del Parlamento; también se llama *enacted law*; V. *common law, equity*), **statutory lives in being** (SUC duración de la vida de la persona o personas nombradas directa o indirectamente en un testamento como posibles beneficiarios de una propiedad; el período se utiliza como base del cómputo de la duración de una disposición testamentaria cuando es incierta, formando parte de la *rule against perpetuities*, o norma jurídica que impide que se perpetúe o se aplace indefinidamente un derecho real sin concretarse en una persona determinada; en evitación de esto, se fija un período concreto, pasado el cual la propiedad toma raíz –*vests*– de manera definitiva e inalienable en el último beneficiario), **statutory offence** (PENAL delito establecido por la ley, delito tipificado; V. *regulatory offence*), **statutory owner** (CIVIL propietario legal, propietario *de iure* en defecto de otro con mayor derecho o durante la minoría de edad del beneficiario futuro), **statutory sick pay, SSP** (LABORAL indemnización por baja laboral por enfermedad), **statutory tenancy** (CIVIL arriendo o inquilinato amparado por las leyes de la vivienda)].

stave off *v*: GRAL diferir, retrasar, retardar ◊ *The company is desperately trying to raise funds to stave off bankruptcy*; V. *avoid, defeat*.

stay *n/v*: GRAL/PROC suspensión, paralización, aplazamiento; paralizar, suspender, aplazar ◊ *The judge asked the parties if they wished there to be one month stay to attempt to settle the claim*; V. *grant a stay; postpone; ADR, informal discussion*. [Exp: **stay of proceedings** (PROC suspensión del procedimiento ◊ *A court may order stay of proceedings if it considers a plaintiff's conduct is unreasonable*; los jueces de procedimiento *–procedural judges–* tienen la obligación de preguntar a las partes, durante la gestión procesal *–case management–*, si desean una suspensión temporal del procedimiento civil, mientras buscan una solución a sus diferencias por medios alternativos *–alternative dispute resolutions–* a los judiciales; V. *court management*), **stay of execution** (PROC inejecución de la sentencia de acuerdo con los supuestos del código; suspensión de la ejecución de una sentencia cualquiera; V. *suspended sentence*)].

steal *v*: PENAL robar; V. *rob, purloin, theft, burglary, abaction, abstraction, lifting*. [Exp: **stealth** (GRAL sigilo), **stealth, by** (GRAL furtivamente)].

steamer *n*: MERC buque de vapor.

stenographic record *v*: GRAL transcripción/acta taquigráfica; V. *verbatim record.*

step *n*: PROC/GRAL gestión, trámite, diligencia, medio ◊ *The first step in civil proceedings is the issue of a writ of summons*; V. *arrangement, measure, formality, proceedings; take steps*. [Exp: **step by step** (GRAL paso a paso)].

steward *n*: GRAL camarero, auxiliar de vuelo, persona encargada de mantener el orden ◊ *The heckler was ejected from the political meeting by the bouncers*; V. *heckler; bodyguard, bouncer*; V. *shop steward*.

stick to *v*: GRAL aferrarse a ◊ *The accused stuck firmly to his story despite the prosecutor's penetrating cross-examination*; V. *hold to.*

stifle *v*: GRAL sofocar; reprimir; suprimir, controlar; V. *suppress*.

sting[1] *argot n*: PENAL trampa [tendida por la policía] ◊ *He was caught in a great sting by undercover agents*. [Exp: **sting**[2] *argot* (PENAL timo; V. *swindle*)].

stipend *n*: GRAL estipendio, retribución ◊ *The defendant was given a small stipend to cover basic living expenses*; V. *salary, grant, income, pension, allotment*. [Exp: **stipendiary magistrate** (PENAL hoy se llaman *district judges*; en el pasado recibían esta denominación los *magistrates* de los *Magistrates' Courts* que eran profesionales y como tales recibían una retribución *–stipend–*; V. *lay magistrate, justice, magistrates' courts, metropolitan stipendiary magistrate; committal proceedings*)].

stipulation *n*: GRAL estipulación; V. *condition, regulation*. [Exp: **stipulate** (GRAL estipular, especificar; pactar; V. *provide, specify*)].

stir [up] *v*: GRAL atizar, agitar, provocar ◊ *It is an offence to use words in public that stir up hatred against racial groups*; V. *provoke, arouse*.

stock[1] *n*: MERC existencias; V. *inventory*. [Exp: **stock**[2] (MERC valores, acciones; el término es prácticamente sinónimo de *shares* ◊ *We have bought stock in the largest Japanese electronics company*; V. *listed stock, non-voting stock, voting stock, premium stock, option stock, outstanding stock*), **stock dividend** (MERC acción liberada; V. *bonus share*), **Stock Exchange** (MERC Bolsa de Valores; V. *commodity exchange*), **Stock Exchange Commission, SEC** (MERC Comisión Nacional del Mercado de Valores, CNMV; V. *registration statement*), **Stock Exchange list** (MERC boletín de cambios, boletín de la Bolsa), **stock jobber** (MERC bolsista), **stockbroker company** (MERC sociedad instrumental de agentes), **stockbroker**

(MERC corredor o agente de Bolsa, bolsista), **stockholder** (MERC accionista; V. *shareholder*), **stockholder of record** (MERC accionista registrado) **stockfarming** (MERC ganadería)].

stone *n/v*: GRAL piedra; lapidar. [Exp: **stoned**[1] (PENAL lapidado), **stoned**[2] (PENAL enganchado, colocado; V. *hooked, be high, dope*), **stoning** (PENAL lapidación ◊ *In some countries women can still be sentenced to stoning for adultery*), **stonewall** (GRAL rehuir, eludir, bloquear, utilizar tácticas obstruccionistas ◊ *Justice is not a tool for stonewalling the aggrieved*; V. *filibuster*)].

stool pigeon *obs col n*: GRAL/PENAL soplón, chivato policial; V. *snitch*.

stop *v*: GRAL detener, parar, paralizar, interrumpir ◊ *The judgment creditors issued a stop notice to prevent the debtor from transferring shares to his partner*; V. *suspend, revoke, adjourn* [Exp: **stopover** (MERC escala en un puerto; V. *call*), **stoppage** (MERC arada, cesación, interrupción)].

store *n/v*: GRAL provisión, pertrecho; almacén; almacenar. [Exp: **store list** (MERC manifiesto de provisiones de un buque), **storage charges** (MERC derechos de depósito)].

stow *v*: MERC arrumar, estibar; V. *hoard*. [Exp: **stowage** (MERC arrumaje, estiba), **stowage factor** (MERC factor de estiba)].

straight *a*: GRAL recto; honrado ◊ *The accused told the judge that he had been going straight for two years*; V. *go straight*. [Exp: **straight bnakruptcy** *US* (MERC quiebra directa; en esta quiebra se busca la liquidación de la mercantil y la distribución de los activos del quebrado –*bankrupt's assets*– entre los acreedores –*creditors*–; V. *chapter 11*), **straight bill** (MERC letra simple, sin acompañamiento o respaldo de documentos), **straight bill of lading** *US* (MERC conocimiento de embarque no negociable, conocimiento de embarque nominativo, conocimiento a persona determinada; V. *named bill of lading*)].

strand *n*: GRAL orilla, costa. [Exp: **stranded** (GRAL varado, embarrancado), **stranding** (GRAL varada)].

straw *n*: GRAL paja; suele formar unidades compuestas con el significado de «nominal» o «sin valor». [Exp: **straw man** (GRAL/PENAL testaferro; V. *man of straw*), **straw vote** (GRAL voto de tanteo)].

street *n*: GRAL calle, vía pública. [Exp: **street certificate** (MERC endoso en blanco), **street crime** (PENAL violencia callejera), **street offences** (PENAL delitos relacionados con actos ilegales realizados en la vía públiça), **street trading** (MERC venta ambulante o en la vía pública), **streetwalker** (GRAL prostituta de calle; V. *solicitation, kerbcrawling, call girl*)].

stress *n*: *n*: GRAL angustia, estrés ◊ *harassing may cause a person stress*; V. *pain and suffering, suffering*.

strict *a*: GRAL riguroso, estricto. [Exp: **strict construction** (interpretación rigurosa de la ley), **strict liability** (PENAL responsabilidad no culposa u objetiva civil y penal, responsabilidad por hechos ajenos, responsabilidad por riesgo creado ◊ *Crimes of strict liability are defined as being those for which* mens rea *need not be proved*; V. *casual delegation, remoteness of damage*), **strict liability rule** (CIVIL norma de responsabilidad inexcusable o estricta; V. *dangerous, common duty of care*)].

strike *n/v*: LABORAL huelga; declararse en huelga ◊ *The union called on its members to strike in support of their pay-claim*; V. *sympathetic strike, wildcat strike, call a strike*. [Exp: **strike a bargain/deal** (LABORAL cerrar un trato, llegar a un acuerdo ◊ *After tense negotiations, a bargain was struck and the two sides signed a con-*

tract), **strike a solicitor off the Rolls** (GRAL borrar, tachar, dar de baja en el Colegio de Abogados; V. *disbar*), **strike-breaker** (LABORAL esquirol; V. *blackleg, scab*), **strike fund** (LABORAL caja de resistencia, fondo de huelga), **strike off, out** (GRAL suprimir, borrar, tachar; sobreseer, archivar ◊ *The plaintiff failed to appear on the day set for trial and the action was struck off the list*), **strike from the record** *US* (PROC/GRAL borrar del acta), **strike notice** (LABORAL aviso de huelga), **strike, on** (LABORAL en huelga), **strike price** (MERC precio de ejercicio ◊ *An option is the right to buy shares at a certain price, called the «strike price», until a specified date, called the expiration date*), **striker** (LABORAL huelguista), **strikes, riots and civil commotions clause** (SEGUR cláusula de las pólizas de seguro referidas a huelgas, tumultos y desórdenes)].

strip *n/v*: GRAL banda, tira, tira de cupones; desnudarse; despojar, vaciar ◊ *Strip a company of its assets*. [Exp: **strip of jurisdiction** (PROC dejar a un tribunal sin jurisdicción o competencias ◊ *The failure of the court to issue an injunction stripped the court of jurisdiction*), **strip search** (PENAL registro integral, sin ropa, efectuado por la policía al detenido)].

stroke *n*: GRAL ataque, apoplejía.

strength *n*: GRAL fuerza, valor; V. *fortitude, courage*. [Exp: **strength of will** (GRAL fuerza de voluntad), **strong** (GRAL fuerte; V. *weak*), **strong representations** (GRAL fuertes protestas o manifestaciones), **strong prima facie evidence** (PROC sospechas muy fundadas)].

sub *prefijo*: sub-; V. *under*. [Exp: **subheading** (GRAL subtítulo), **sub-lease** (CIVIL subarriendo), **sub-tenant** (CIVIL sub-inquilino)].

subject[1] *n*: GRAL tema, asunto; V. *issue, subject-matter*. [Exp: **subject**[2] (CONST súbdito ◊ *Under present law, a British subject may not be a British citizen*; V. *registration, citizenship, naturalisation*), **subject**[3] (GRAL/PROC someter, sojuzgar ◊ *Counsel for defence subjected the complainant to a stiff cross-examination in order to show the inconsistencies of her testimony*; V. *submit*), **subject to** (GRAL a reserva de, sin perjuicio de, previa condición de, dentro de, sujeto a, sometido a, pendiente de, supeditado a, subordinado a; que admite ◊ *An offer made subject to contract is not a binding agreement*), **subject to approval** (GRAL pendiente de aprobación), **subject to contract** (GRAL previo contrato, sujeto a contrato), **subject to legal regulations** (GRAL dentro de lo que marca la ley), **subject to notice** (GRAL con preaviso; V. *account subject to notice*), **subject to tax** (FISCAL gravable, imponible, tributable), **subject to the limits provided by law** (GRAL dentro de los límites legales)].

subjugate *v*: GRAL subyugar; V. *suppress, submiss*. [Exp: **subjugation** (GRAL subyugación; V. *oppression, persecution*)].

sublet *v*: CIVIL subarrendar. [Exp: **subletting** (CIVIL subarrendamiento)].

submission[1] *n*: GRAL sumisión, sometimiento; V. *submit*[1]*; obedience, compliance*. [Exp: **submission**[2] (PROC propuesta, petición, solicitud ◊ *«It is my submission», said the prosecutor, «that you were present at the scene of the crime»*; V. *submit*[2]*; proposal, suggestion, recommendation*), **submission of no case [to answer]** (PROC solicitud o petición de sobreseimiento hecha por la defensa, solicitud de archivo de lo actuado; V. *motion of dismissal, there is no case to answer*), **submit**[1] (GRAL subyugar; V. *subjugate, yield, surrender*), **submit**[2] (GRAL proponer doruular, solicitar, solicitar el verbo *submit* y el sustantivo *submission* los utilizan los abogados durante la vista oral para proponer, solicitar o sugerir; para decir «pienso que» se dice *I submit that* y, consecuentemente, el sustantivo *submission* significa «teoría, interpretación o tesis» del abogado; V. *suggest, propose, put it to you, file, propose*), **submit evidence** (PROC practicar una prueba), **submit for discussion** (PROC presentar a debate)].

subordinate *a/v*: GRAL subalterno, subordinado: subordinar; V. *junior, dependent, secondary; subdue*. [Exp: **subordinate legislation** (CONST legislación subordinada o delegada; es sinónimo de *delegated legislation*)].

subornation *n*: PENAL soborno, instigación; V. *bribery*. [Exp: **subornation of perjury** (PENAL soborno para la comisión de perjurio, incitación a la comisión del delito de perjurio)].

subparagraph *n*: GRAL subapartado; letra; V. *paragraph, clause, section, heading*.

subpetition *n*: GRAL/PROC otrosí, punto complementario o adicional.

subpoena *n/v*: PROC citación con apercibimiento, orden judicial de comparecencia; apercibir; citar para estrados so pena de multa ◊ *The witness received a subpoena instructing her to appear in court the following month*; V. *summons*.

subrogate *v*: GRAL subrogar. [Exp: **subrogation** (GRAL subrogación)].

subsection *n*: GRAL inciso, subsección; V. *section*.

subscribe *v*: GRAL suscribir, firmar; contribuir, abonarse; V. *underwrite*. [Exp: **subscribe a loan, capital, shares,** etc. (GRAL suscribir un empréstito, capital, acciones, etc.), **subscriber** (GRAL suscriptor, abonado; V. *underwriter*), **subscription** (GRAL suscripción, abono), **subscription certificate/warrant** (MERC certificado, resguardo provisional o cédula de suscripción; V. *warrant*), **subscripción right** (MERC derecho de suscripción)].

subsequent *a*: GRAL subsiguiente, posterior; V. *following, posterior*. [Exp: **subsequent pleadings** (PROC alegatos posteriores a la réplica del demandante, como la contrarréplica, tríplica, etc.), **subsequently** (GRAL posteriormente, más tarde)].

subsidiary *a/n*: MERC subsidiario, filial ◊ *The tendency is for each modern subsidiary to specialize in a particular link in the chain of production*; V. *secondary, subordinate*. [Exp: **subsidiarity** (GRAL subsidiariedad), **subsidiary company** (MERC sociedad mercantil dominada, subsidiaria o filial; V. *parent company, affiliate*)].

subsidise *v*: GRAL subvencionar; V. *sponsor, support*. [Exp: **subsidy** (GRAL subsidio, subvención; V. *grant*)].

subsistence *n*: GRAL subsistencia ◊ *Student grants often include the payment of a subsistence allowance*; V. *grant, necessaries*. [Exp: **subsistence allowance** (GRAL/LABORAL dietas y viáticos, gastos de manutención; V. *travelling allowance*)].

substandard *a*: GRAL de calidad inferior a la media, inferior, defectuoso ◊ *The company was accused of knowingly marketing substandard goods*.

substantial *a*: GRAL apreciable, considerable, importante, sustancial ◊ *As a result of arbitration, workers in the sector are to receive a substantial rise in wages*. [Exp: **substantial case** (GRAL base jurídica de peso ◊ *The movant needs to show a substantial case on the merits*; V. *case*[3]), **substantial performance** (MERC cumplimiento sustancial, esencial o fundamental de un contrato; doctrina que se invoca para amparar al demandado por incumplimiento de contrato cuando ha realizado una parte importante de lo pactado; en tal caso las cantidades desembolsadas, o el valor de los servicios prestados, se pueden descontar de los posibles daños a los que sea condenado. V. *part-performance, specific performance, substituted performance*)].

substantiate *v*: GRAL confirmar, establecer, probar, sustanciar ◊ *The accused was* *unable to substantiate his claims with evidence*; V. *confirm*.

substantive *a*: GRAL real, sustantivo. [Exp: **substantive law** (GRAL derecho sustantivo; V. *adjectival law*)].

substitute *a/v*: sustituto, suplente; sustituir, reemplazar; V. *alternate; replace*. [Exp: **substituted performance** (MERC cumplimiento sustitutorio, contraprestación equivalente; alude a un pago parcial, o al cumplimiento de alguna contraprestación sustitutoria de lo pactado en un contrato, que el demandado por incumplimiento de contrato pretende restar a los daños pedidos por su adversario; V. *part-performance, substantial performance*), **substituted service** (PROC citación o notificación por cualquier medio sustitutorio de entrega en mano o envío por correo), **substitution** (GRAL sustitución, reemplazo), **substitutional legacy** (SUC legado que pasa a los descendientes del beneficiario si éste premuere al testador)].

subtrust *n*: CIVIL fideicomiso derivado de otro, creado cuando un beneficiario del primero se declara fideicomiso de terceros.

suburb *n*: GRAL barrio residencial ◊ *It is very unusual for a publican to obtain a licence to open premises in a suburb*; V. *slum, housing estate*. [Exp: **suburban** (GRAL residencial, burgués; el término español «suburbio» se traduce al inglés por *slum*)].

subvert *v*: GRAL socavar, trastocar, minar, subvertir; V. *undermine, corrupt*. [Exp: **subversion** (PENAL subversión; V. *conspiracy, insurrection, sabotage*), **subversive** (PENAL subversivo; V. *insurgent, treacherous*)].

succeed[1] *v*: GRAL/SUC heredar, suceder; V. *follow*. [Exp: **succeed**[2] (PROC prosperar ◊ *The application for an order for security for costs did not succeed*; V. *fail*[2]), **succession** (SUC herencia, sucesión), **successor in title** (SUC derechohabiente)].

sudden death *n*: GRAL fallecimiento repentino, muerte súbita [en deportes, juegos, concursos, etc.] ◊ *Inquests are held in cases of sudden death*.

sue *v*: PROC entablar juicio contra, pedir en juicio, demandar, pleitear ◊ *The actor threatened to sue the journalist if the article was published*; V. *suit*. [Exp: **sue and labour** (MERC cláusula de gestión y trabajo; mediante su inserción en una póliza de seguros marítimos, el asegurado se compromete a tomar todas las medidas razonables y oportunas con el fin de evitar o disminuir en lo posible las consecuencias del riesgo; el asegurador queda obligado a indemnizar esos gastos razonables independientemente del éxito que se obtenga; V. *waiver clause*), **sue for damages** (PROC demandar por daños y perjuicios)].

suffer *v*: GRAL sufrir; V. *endure, undergo*. [Exp: **sufferance** (GRAL consentimiento, tolerancia ◊ *The tenant is occupying the property on sufferance, but we have asked him to make other arrangements as soon as possible*; V. *endurance, pain*), **sufferance, at/on** (GRAL en precario, por tolerancia; V. *estate by sufferance*), **suffering** (PROC daños morales; V. *pain and suffering, stress*)].

sufficient *a*: GRAL suficiente [Exp: **sufficient case** (PROC indicios racionales de criminalidad ◊ *A magistrate decides through the preliminary inquiry if there is a sufficient case to commit an accused person to trial*), **sufficient evidence** (PROC elementos/indicios suficientes)].

suffrage *n*: GRAL sufragio; V. *ballot, plebiscite*.

suicide *n*: GRAL/PENAL suicidio, suicida; V. *commit suicide*. [Exp: **suicide bomber** (PENAL kamikaze *col*, terrorista suicida; V. *car bomb, homicide bomber*), **suicide pact** (PENAL pacto de suicidio)].

suit *n*: PROC demanda, litigio, pleito, proceso; esta palabra es hoy más propia del inglés norteamericanao que del británico ◊ *The company brought a suit against their competitors for slander of goods*; V. *sue; abandonment of suit, vexatious suit, bring suit*. [Exp: **X at the suit of Y; X a.t.s.Y** (PROC X demandado por Y; se emplea esta fórmula para referirse a un pleito determinado, a modo de ilustración o ejemplo)].

sum *n/v*: GRAL suma, recapitulación; sumar ◊ *In his summing up, the judge goes over the main points of the evidence and of the relevant law*; V. *lump sum*. [Exp: **sum-up** (GRAL/PROC resumir, recapitular ◊ *In criminal proceedings judges sum-up and sentence*), **summing-up** (GRAL/PROC resumen, recapitulación; discurso dirigido por el juez al jurado a la conclusión de la vista oral *–public hearing–* en un juicio penal; en sus instrucciones, el juez recapitula las cuestiones controvertidas y explica su interpretación jurídica, recordándoles a los jurados *–jurors–* los puntos que pueden tener en cuenta o no, los fallos posibles y la necesidad de que evalúen escrupulosamente todas las pruebas presentadas antes de llegar a una decisión; a diferencia de la situación en los EE.UU., los jueces británicos también pueden aconsejar al jurado *–jury–*, en caso necesario, que extremen la precaución al evaluar el testimonio de determinados testigos o incluso que su fallo ante una acusación concreta debe ser absolutorio *–acquittal–* por falta de pruebas concluyentes o jurídicamente aceptables; para emitir un fallo condenatorio *–conviction–*, les recuerda, tienen que estar convencidos, sin que persista una duda razonable *–beyond a reasonable doubt–*, de la culpabilidad del acusado ya que la carga de la prueba *–burden of proof–* recae en el fiscal, por lo que la duda razonable favorece al inculpado; V. *charge to jury, beyond a reasonable doubt, standard of proof, trier of fact, summation; victim impact statement*)].

summarily *adv*: GRAL por procedimiento sumario ◊ *The factory worker was summarily dismissed for being drunk in charge of dangerous machinery.*

summarize *v*: GRAL resumir, compendiar; V. *recapitulate*.

summary[1] *n*: GRAL resumen, sumario, síntesis; V. *brief*. [Exp: **summary**[2] (GRAL sumario, rápido, abreviado; V. *concise, condensed; summary offences*), **summary conviction** (PENAL condena por un delito menor dictada por tribunal sin jurado *–Magistrates' Courts–*; V. *offence triable either way, indictable offence; we find the case proved*), **summary crime/offence** (PENAL delito menos grave; estos delitos los juzgan directamente y mediante un procedimiento inmediato o abreviado, caracterizado por la rapidez y la sumariedad, los *Magistrates' Courts*; V. *indictable offences, triable either way, misdemeanour*), **summary disposition** (PROC juicio abreviado ◊ *The plaintiff intends to immediately move for summary disposition*), **summary judgment under Order 14** (PROC fallo rápido o sumarial en causas civiles; cuando el demandante está seguro de que el demandado no tiene argumentos que oponer, especialmente en demandas por deudas o daños y perjuicios, puede pedir al tribunal que dicte un fallo rápido o sumarial, cumplimentando el impreso *Order 14 summons*; V. *quickie*), **summary procedure** *der es* (PROC procedimiento penal abreviado que equivale al *summary trial* del derecho inglés; el procedimiento comienza con una *complaint* o denuncia, normalmente a instancias de la policía, casi siempre en el Sheriff's Court, ante uno o varios jueces legos o *lay judges*), **summary trial** (PROC juicio abreviado o rápido en el tribunal de magistrados sin jurado, por delito menos grave; no es indispensable que el acusado comparezca, y si se declara culpable, puede hacerlo por carta, en cuyo caso no hay actuación de ninguna de las partes, comunicándosele el fallo también por correo; V. *summary procedure*)].

summation *n*: PROC escrito de conclusiones ◊ *Summation is the closing argument in a trial.*

summon *v*: GRAL/CIVIL/PENAL citar, notificar; convocar ◊ *The Parliamentary secretary was summoned to the Minister's presence*; V. *cite, lay an information.* [Exp: **summon Parliament** (convocar las Cámaras/el Parlamento), **summons** (CIVIL/PENAL emplazamiento, citación, notificación, requerimiento, convocatoria, notificación que sirve para la incoación de un proceso civil; citación de inculpado; citar, emplazar, convocar ◊ *He received a summons ordering him to appear in court at 10 a.m. on 21 March*; en la incoación de un procedimiento civil se emplea en la expresión *writ of summons* –emplazamiento–; V. *subpoena, originating summons, issue summons*), **summons for directions** (PROC cédula de comparecencia emitida, a instancia del actor, en un litigio iniciado por *writ* en el *High Court*; forma parte del procedimiento obligatorio, a no ser que el propio tribunal emita *automatic directions*; tales directrices o instrucciones concluyen la etapa interlocutoria, cuando ya están cerrados los alegatos –*close of pleadings*–, y anuncian la vista oral, incluida la fecha; V. *set down for trial*)].

sundry questions *n*: GRAL otras cuestiones.

sunset clause *US n*: CONST cláusula de limitación temporal de la vigencia de una ley.

superannuation *n*: SEGUR fondo de pensiones ◊ *We pay a percentage of our salary each month to the superannuation scheme.*

superintend *v*: GRAL supervisar, vigilar, ser responsable ◊ *It is the task of the secretary to superintend the work of the committee*; V. *supervise.* [Exp: **superintendent** (GRAL responsable, vigilante, supervisor), **superintendent of police** (PENAL superintendente de policía, comisario de policía; V. *constable, sergeant*)].

superior *a/n*: GRAL superior, de mayor rango; V. *higher; manager, boss.* [Exp: **superior court** (PROC tribunal superior; los tribunales superiores de Inglaterra son la Cámara de los Lores o *House of Lords*, el Tribunal de Apelación o *Court of Appeal* y el Tribunal de la Corona o *Crown Court*; V. *higher courts, lower courts*), **superior orders** (GRAL órdenes de la superioridad, obediencia debida ◊ *The soldier accused of shooting a civilian entered a plea of superior orders*)].

supergrass *col n*: GRAL arrepentido.

supersede *v*: GRAL reemplazar, sustituir ◊ *The old regulation has been superseded by the new directives*; V. *replace.* [Exp: **superseding** (GRAL sustitutivo)].

supersedeas *n*: PROC sobreseimiento. V. *writ of supersedeas.*

supervene *v*: GRAL sobrevenir; V. *follow, ensue, succeed.*

supervise *v*: GRAL intervenir, supervisar ◊ *The welfare officer begged the court to make out a supervision order for the child, whose parents showed no interest in looking after him*; V. *review, oversee, control.* [Exp: **supervision** (GRAL superintendencia, supervisión; V. *control, guidance, direction*), **supervision order** (PROC orden de acogimiento de un menor bajo la tutela de una autoridad o institución), **supervisor** (GRAL supervisor), **supervisory** (GRAL relacionado con la superintendencia o supervisión), **supervisory powers** (GRAL competencias de control)].

supplement *n/v*: GRAL suplemento; completar, suplementar; V. *attachment, accessory; complete.* [Exp: **supplementary** (GRAL suplementario, secundario; V. *additional, secondary*), **supplementary**

benefit (LABORAL sobresueldo, subvención que se pagaba en el pasado para igualar un salario al mínimo establecido; su nombre actual es *income support*)].

supply *n/v*: GRAL/MERC oferta, suministro; abastecer, proveer, suministrar ◊ *An increase in the supply of raw materials normally forces down their prices*; en plural significa «suministros, pertrechos, aprovisionamientos»; V. *offer, provide; tenders and supplies*. [Exp: **supply and demand** (MERC/GRAL oferta y demanda)].

support *n/v*: GRAL apoyo, manutención; avalar, prestar fianza, afianzar, respaldar, apoyar, suscribir; amparar, sostener, mantener ◊ *The divorce petition included a claim for financial support for the children*; V. *backing, support, backup, uphold, endorse, second*. [Exp: **support of, in** (GRAL en apoyo de, en favor de, en pro de), **supporter** (GRAL defensor, protector, simpatizante; V. *follower, backer*), **supporting** (GRAL justificativo, de apoyo, fundado), **supporting documents** (GRAL comprobantes o documentos justificativos), **supporting evidence** (GRAL justificante)].

supra protest *n*: MERC supraprotesto, intervención bajo protesto; V. *acceptance supra protest*.

Supreme Court *US n*: CONST Tribunal Supremo; también se le llama *U.S. Supreme Court*; V. *U.S.* [Exp: **Supreme Court of Judicature, The** (CONST Tribunal Supremo de la Judicatura; el nombre de *The Supreme Court of Judicature* abarca todos los órganos jurisdiccionales superiores *–higher courts–* excepto la Cámara de los Lores; V. *Lord Chancellor, superior courts, higher courts*)].

suppress *v*: GRAL anular, abolir, omitir, suprimir; callar, ocultar ◊ *Suppression of documents is a form of fraud if somebody is deprived of a right by this means*; V. *delete, omit*, [Exp: **suppress evidence** (PROC excluir prueba), **suppression** (GRAL supresión, eliminación; V. *elimination, destruction*), **suppression of documents** (GRAL ocultación o destrucción de documentos, ocultación o destrucción de documento público o privado)].

surcharge *n*: FISCAL recargo, sobretasa; V. *surtax*.

surety *n*: CIVIL/PROC fianza, caución, recaudo; fiador, garante; abonamiento ◊ *The surety forfeits his security in the event the defendant on bail fails to appear in court*; V. *guarantor; security; backer, sponsor, joint surety, stand surety*. [Exp: **surety bond** (PROC fianza, fianza de caución o de seguridad), **surety company** (PROC institución de fianzas), **surety for a bill** (CIVIL/MERC aval de una letra), **suretyship** (CIVIL fianza, garantía, seguridad, afianzamiento, obligación de indemnidad en favor de alguno; V. *personal security*)].

surmise *n/v*: GRAL conjetura, suposición, sospecha; conjeturar, suponer, sospechar ◊ *Everything the prosecution witness alleges is mere surmise; they have not produced a shred of evidence*; V. *conjecture, imagine, guess*.

surplus *n*: superávit, excedente, sobrante; V. *excess*. [Exp: **surplusage** (PROC alegato innecesario, material impertinente o innecesario incluido en los alegatos)].

surrebut *v*: PROC contrarreplicar. [Exp: **surrebutter** (PROC contestación a la contrarréplica; el orden de los alegatos en el derecho procesal inglés es el siguiente: *claim/defence, reply/rejoinder, surrejoinder/rebutter*; a partir del *rejoinder*, sólo se pueden presentar si el tribunal los admite *–with the leave of the court–*, y a partir del *surrejoinder* son una rareza en la práctica moderna)].

surprise *v*: GRAL sorprender ◊ *Her shop had been broken into but she surprised the burglar in the very act*; V. *attack alarm*.

surrejoinder *n*: PROC tríplica o respuesta a la dúplica; V. *surrebutter.*

surrender *n/v*: GRAL entrega, renuncia, renuncia [mediante acuerdo] en favor del arrendador; cesión, dación, abandono, rendición, rescate; renunciar, ceder; capitular, rendirse ◊ *A person released on bail undertakes to surrender to custody at an appointed time*; se aplica a *property* –bienes–, *rights* –derechos–, *charter* –cédula, privilegio o concesión real–, etc.; V. *abandonment; give up, forfeiture, non use.* [Exp: **surrender charge** (CIVIL/MERC coste de rescate), **surrender of passport** (PENAL entrega de pasaporte), **surrender to custody** (PROC/PENAL entregarse a la autoridad; V. *escape, abscond*), **surrender value** (SEGUR valor de rescate de una póliza de seguros; V. *call value, face value*), **surrenderee** (GRAL cesionario), **surrenderor** (GRAL cesionista)].

surreptitious *a*: GRAL subrepticio, clandestino; V. *clandestine, covert.*

surrogacy *n*: GRAL alquiler de úteros. [Exp: **surrogate**[1] (GRAL sustituto, suplente, de alquiler; V. *stand-in, alternate*), **surrogate**[2] *US* (PROC juez [en materia de sucesiones y otras]), **surrogate mother** (GRAL madre sustituta ◊ *Surrogate mothers, who bear children for other women, are a source of new legal problems*)].

surtax *n*: FISCAL recargo tributario, sobretasa, impuesto complementario; V. *surcharge.*

surveillance *n*: GRAL vigilancia; V. *covert surveillance, electronic surveillance, under control, place somebody under surveillance; tail.* [Exp: **surveillance, under** (GRAL vigilado, controlado ◊ *As investigators came upon more evidence linking him to the cartel, he was placed under surveillance*)].

survey *n/v*: GRAL estudio, reconocimiento, medición, informe detallado, peritaje, panorámica; catastro, registro, apeo; examinar, medir, estudiar, peritar, inspeccionar, levantar un plano, etc. ◊ *The local corporation ordered a survey of housing in the area*; V. *damage survey.* [Exp: **survey and marking of boundaries** (CIVIL deslinde y amojonamiento; V. *cadastre, landmark*), **surveyor** (GRAL inspector; topógrafo, agrimensor; V. *average surveyor, quantity surveyor*)].

survival *n*: GRAL supervivencia. [Exp: **survive** (GRAL sobrevivir), **surviving spouse** (FAM cónyuge supérstite), **survivor** (GRAL superviviente), **survivorship annuity** (GRAL anualidad de supervivencia), **survivorship clause** (SUC/SEGUR cláusula de supervivencia del testador, también llamada *pre-decease clause*; V. *presumption of survivorship*)].

sus *col n*: GRAL sospecha ◊ *The police arrested him on sus*; forma coloquial formada por la mutilación de *suspicion*; V. *suspect.*

suspect [1] *v/n*: sospechar, recelar, desconfiar; sospechoso ◊ *The police suspected the husband right from the start*; cuando *suspect* se emplea como verbo, se carga el acento tónico en la segunda sílaba, y cuando es sustantivo, en la primera; V. *distrust; sus, suspicious.* [Exp: **suspect**[2] (GRAL sospechoso, persona bajo sospecha ◊ *Round up the usual suspects*; V. *suspicious*)].

suspend[1] *v*: GRAL suspender, dejar en suspenso, diferir, sobreseer; V. *delay, defer.* [Exp: **suspend**[2] (PROC recurrir al tribunal supremo con efecto suspensivo de la sentencia dictada; V. *appeal*), **suspend business** (MERC suspender los negocios), **suspend from practice** (ADMIN/LABORAL suspender en el empleo o cargo, dar de baja provisional, prohibir el ejercicio de la profesión), **suspend payments** (MERC suspender pagos), **suspended sentence** (PENAL condena/sentencia condicional; V. *stay of sentence*), **suspender** *der es* (PROC recurrente), **suspension**[1] (GRAL suspensión; V. *postponement, adjournment, abeyance*), **suspensión**[2] (PROC recurso con efecto suspensivo; más correctamente llamado *bill of suspension*), **suspension of payments** (MERC suspensión de pagos; V. *temporary receivership*), **suspensive condition** (CIVIL condición suspensiva), **suspensory** (CIVIL suspensivo), **suspensory effect** (CIVIL efecto suspensivo)].

suspicion *n*: GRAL sospecha, presunción; simple conjetura; V. *sus, distrust.* [Exp: **suspicious** (GRAL sospechoso; suspicaz, receloso, desconfiado; el adjetivo *suspicious* se emplea en inglés en dos sentidos diferentes: referido al objeto de la sospecha, esto es, sospechoso, como en *The accused actions were suspicious*, y referido al sujeto de la sospecha –suspicaz, receloso, desconfiado–, esto es, la aplicación del término al estado de ánimo de quien recela de un acto o de unas circunstancias, como en *She has a very suspicious mind*; V. *dubious, questionable*)].

sustain[1] *v*: GRAL sufrir, soportar, experimentar ◊ *The plaintiff claimed compensations for the injuries he had sustained*; V. *suffer, bear, endure*. [Exp: **sustain**[2] (GRAL sostener, mantener, sustentar; aceptar, admitir; confirmar, corroborar ◊ *The judge sustained the prosecution's objection to the leading questions put to the witness by the defence*; V. *hold, uphold, maintain, support, confirm*), **sustain a conviction** *US* (PROC confirmar una condena o sentencia), **sustain a loss/a wrong, damage/injury** (MERC sufrir o experimentar una pérdida/ daño), **sustain an objection** *US* (GRAL/PROC hallar con lugar una protesta, dar validez a una objeción o considerarla justificada o fundamentada)].

sustenance *n*: GRAL alimentos, manutención; V. *necessaries.*

swap *n/v*: GRAL trueque, cambio; cambiar, canjear, intercambiar ◊ *The two businessmen swapped addresses and phone numbers*; V. *barter, change*.

swear *v*: GRAL/PROC jurar, prestar juramento ◊ *A person who does not wish to swear an oath may solemnly affirm that he will tell the truth*; V. *promise, pledge; administer an oath, take an oath; oath of allegiance, oath-breaking*. [Exp: **swear a witness** (tomar juramento a un testigo), **swear allegiance** (GRAL jurar fidelidad), **swear false** (PENAL hacer un juramento en falso; V. *perjury, false oath*), **swear in** (ADMIN tomar juramento a alguien al ocupar el cargo), **swearing-in ceremony** (ADMIN toma de posesión; V. *assumption of office*), **swearing of a witness** (PROC juramento de un testigo)].

sweat *v*: GRAL sudar. [Exp: **sweat shop** *col* (LABORAL taller de la economía sumergida, taller donde los pagos son insuficientes en relación con el trabajo ◊ *A lot of these electronic gadgets are made in sweat shops*), **sweating** *argot* (GRAL interrogatorio bajo amenazas; V. *third degree, wring a confession*)].

sweep *col n*: PENAL redada o barrida policial; V. *round-up, bust, police raid/swoop.*

sweeten *col v*: GRAL/PENAL dulcificar *col*, sobornar ◊ *Sweeten a deal*; V. *bribe*. [Exp: **sweetener** *col* (GRAL/PENAL astilla, gratificación, soborno ◊ *The court was told that 3 of the accused had received sweeteners from the foreign firms which won the contract*; V. *bribery*)].

swindle *n/v*: PENAL estafa, timo; estafar, timar ◊ *She was swindled out of her life savings by a crook*. [Exp: **swindler** (PENAL estafador, timador, impostor; V. *crook, fraud, cheat, cheater* US), **swindling** (PENAL fraude, estafa, timo; V. *fraud*)].

sworn *n*: GRAL V. *duly sworn, swear.*

swoop *n*: CRIM V. *police swoop.*

sworn *a*: PROC jurado ◊ *Three witnesses signed sworn statements deposing to the identity of the accused*; V. *swear*. [Exp:

sworn, being duly (PROC bajo juramento, habiendo prestado juramento), **sworn broker** (MERC corredor jurado), **sworn declaration/statement** (NOT declaración jurada), **sworn in, be** (PROC prestar declaración, declarar bajo juramento; V. *take an oath*)].

symbolic delivery *n*: CIVIL entrega simbólica, esto es, entrega del albarán o de otro documento acreditativo de envío; S. *constructive delivery.*

sympathetic strike *n*: EMPLOY huelga de solidaridad o de apoyo; V. *wildcat strike*. [Exp: **sympathy** (GRAL compasión; solidaridad; V. *support*), **sympathy, come out in** (EMPLOY declararse en huelga de solidaridad o apoyo)].

syndicate[1] *n*: GEN corporación de síndicos, consorcio, sindicato. [Exp: **syndicate**[2] *US argot* (PENAL banda criminal; V. *ring*), **syndicate of brokers** (MERC Colegio de Corredores)].

synthetic drugs *n*: PENAL drogas sintéticas; V. *designer drugs.*

system *n*: GRAL régimen, sistema; V. *legal system.*

T

table[1] *n/v*: GRAL tabla, lista, índice; tabular; V. *expectancy tables*. [Exp: **table**[2] (GRAL someter a aprobación, presentar un informe, poner sobre el tapete ◊ *An opposition MP tabled a motion requesting the setting up of a committee*; suele ir con palabras como *a motion, a bill, an amendment, a report*, siendo sinónimo de *submit*; V. *place on the agenda, submit for discussion*), **table**[3] *US* (GRAL retrasar [la presentación de un informe, etc.], dar carpetazo [a un asunto]; V. *shelve, postpone, defer*), **table a motion of censure** (GRAL presentar una moción de censura; V. *interpellation*), **table of contents** (GRAL índice de materias), **table of organisation** (GRAL organigrama; V. *organisation chart*)].

tacit *a*: GRAL tácito, implícito, de común acuerdo, no legislado expresamente; de oficio o por funcionamiento de la ley; V. *implied, implicit; constructive; expressed*. [Exp: **tacit acknowledgment** (GRAL reconocimiento tácito; V. *admission by silence*)].

tag *n/v*: GRAL etiqueta, pulsera; etiquetar; V. *electronic tag, label*. [Exp: **tagging** (PENAL telecontrol de condenados o preventivos en libertad provisional; V. *electronic tag*)].

tail[1] *n*:CIVIL/SUC propiedad limitada a ciertos herederos ◊ *A fee tail was an interest in an estate that was limited to the lineal descendant of the original owner*; en desuso desde 1926, el *fee tail* o *feodum talliatum* era una disposición testamentaria que limitaba la herencia de una propiedad real a los descendientes en línea directa del testador, bien en general *–tail general–*, es decir, incluyendo a los descendientes directos habidos con una o más esposas, bien a un matrimonio concreto *–tail special–*, con la posibilidad de limitar aún más la clase de herederos: sólo para varones *–tail male–* y sólo para mujeres *–tail female–*; desde 1926 se considera que todos los derechos nacidos de esta clase de heredad son *equitable interests*; V. *entailed property, property in tail, fee tail*. [Exp: **tail**[2] *col* (GRAL detective, sombra, persona que sigue a otra a la que vigila; seguir, vigilar, seguir a alguien con mucho sigilo, seguir los pasos a alguien ◊ *Put a tail on a suspect*), **tail a suspect** (GRAL seguir los pasos a un sospechoso; V. *place a tail on, keep under surveillance*), **tail away/off** *col* (GRAL decaer paulatinamente, irse debilitando, mermar, disminuir ◊ *Demand for the product has been tailing off over the last two years*; V. *diminish*), **tail, in** (SUC limitado a los descendientes)].

take *v*: GRAL tomar, llevar. [Exp: **take a position** (GRAL pronunciarse [sobre algo]; V. *pronounce on*), **take action** (GRAL emprender acciones judiciales, actuar), **take against a will** (SUC recibir por testamento), **take an account** (MERC pedir cuentas; calcular o ajustar el estado de las cuentas entre dos o más personas y un tercero que actúa de juez o árbitro), **take an exception to** (PROC objetar a, oponerse a), **take an inventory** (MERC hacer inventario), **take an oath** (PROC prestar juramento; V. *swear; be sworn in, administer an oath; break one's oath; affirm*), **take back** (GRAL revocar), **take bids** (MERC licitar, rematar, subastar), **take bribes** (PENAL aceptar sobornos), **take charge of** (GRAL encargarse de, tomar en depósito), **take delivery** (GRAL tomar posesión, aceptar, hacerse cargo de), **take down** (GRAL anotar ◊ *The secretary set down the declarations verbatim*; V. *set down*), **take effect** (GRAL surtir efecto, entrar en vigor, entrar en vigencia, empezar a regir, tener efecto, producir efectos; V. *effect, come into effect*), **take evidence from** (PROC tomar declaración a; V. *give evidence, evidence, taking of evidence*), **take for granted** (GRAL asumir, dar por hecho), **take-home pay** (LABORAL salario/sueldo líquido), **take in a cargo** (MERC tomar mercancías en depósito), **take in intestacy** (SUC recibir por sucesión intestada), **take into account** (GRAL tener en cuenta), **take into custody** (PENAL detener), **take issue** (GRAL disputar), **take judicial cognizance** (PROC V. *cognizance*), **take judicial notice of** (PROC tener conocimiento de oficio; V. *judicial notice*), **take legal actions** (PROC emprender actuaciones judiciales), **take legal measures** (PROC adoptar o tomar medidas judiciales; V. *take action*), **take legal proceedings** (PROC entablar un pleito), **take steps** (GRAL tomar medidas), **take off the embargo, the sequestration** (levantar el embargo, el secuestro; V. *lift, raise*), **take office** (ADMIN tomar posesión de un cargo), **take on lease** (CIVIL tomar en arrendamiento), **take out insurance** (SEGUR asegurarse), **take over** (GRAL hacerse cargo de), **take-over, takeover** (MERC toma/cambio de control de una empresa por otra, por medio de su absorción o compra; V. *bust-up takeover, bankmail; absorption; contested takeover; reverse takeover*), **takeover bid** (MERC oferta pública de adquisición, opa; V *tender offer*), **take-over merger** (MERC fusión por absorción), **take possession** (ADMIN tomar posesión, entrar en posesión), **take private** (MERC salir de Bolsa), **take proceedings against** (PROC proceder judicialmente contra), **take steps** (GRAL hacer gestiones), **take the floor** (GRAL tomar la palabra), **take the rap** (GRAL cargar con el muerto *col*, cargar con la culpa, pagar el pato *col* ◊ *His accomplice took the rap and he got off scot-free*; V. *rap; acquit, bring in, can, clear, scot-free, send down*, **take the stand** *US* (PROC testificar, dirigirse al banquillo; V. *stand down*), **take to court** (PROC llevar a los tribunales, demandar), **take umbrage** (GRAL sentirse agraviado u ofendido, quedar resentido o molesto ◊ *The judge took umbrage at remarks made about him in the newspapers*), **take over**[1] (GRAL hacerse cargo de, tomar el mando de; absorber, asumir; V. *The've been taken over by a Japanese firm*; V. *take a position*[2]), **take over**[2] (GRAL sustituir, ocupar el puesto de ◊ *She has taken over the retired sales manager*), **take-over, takeover** (MERC toma/cambio de control de una empresa por otra, por medio de su absorción o compra), **taker** (SEGUR tomador de un seguro, adquirente, etc.), **taker of averages** (MERC tasador o liquidador de averías; V. *average adjustor*), **taking a conveyance without consent** (PENAL llevarse un vehículo sin permiso del dueño; coloquialmente se emplean las expresiones *twoc* y *twocking* formadas por las iniciales de esta expresión), **taking of an oath** (PROC prestación de un juramento), **taking of evidence** (PROC diligencia de prueba), **takings** (MERC ingresos, ganancias)].

tales *n*: PROC jurados adicionales o suplentes; V. *juror*. [Exp: **talesman** (PROC jurado suplente)].

tally *n/v*: GRAL cuenta, cómputo; contar, computar, llevar la cuenta, cuadrar; V. *calculate*. [Exp: **tally clerk/man** (MERC contador)].

tamper *v*: GRAL/PENAL entrometerse; falsificar, hacer modificaciones fraudulentas; V. *fiddle, meddle, influence*. [Exp: **tamper resistant** (GRAL de difícil falsificación; se dice de los productos que tienen un envase o sello de difícil falsificación), **tampering with witnesses** (PENAL sobornar a los testigos o influir en ellos ◊ *Tampering with witnesses by offering bribes or using threats is a serious offence*; V. *intimidate, molest, harass*)].

tangible *a*: GEN tangible; V. *corporeal*. [Exp: **tangible evidence** (PROC prueba real o tangible)].

tangle *v*: GRAL enredar, enmarañar ◊ *He is involved in a tangled affair*; V. *afoul, embroil*.

tantamount *a*: equivalente a, [es tanto] como si ◊ *If you sign that document it is tantamount to giving up your right*; V. *constructive, equivalent*.

tap *v*: GRAL pinchar, intervenir, interceptar; V. *wire-tapping, telephone tapping*.

target *n/v*: GEN objetivo, blanco; centrarse en, dirigirse preferentemente a, elegir/tomar como objeto prioritario.

tariff *n*: ADMIN derecho aduanero, arancel ◊ *Customs tariffs are being phased out by the operation of EC law*; S. *customs duty, excise duty, stamp duty*. [Exp: **tariff quotas** (ADMIN cuotas o cupos arancelarios)].

task *n*: GRAL tarea, función, labor, mandato, misión.

tax *n/v*: FISCAL impuesto, contribución, gravamen; imponer impuestos ◊ *The sharing of the tax burden is one of the most constant sources of social grievances*; V. *betterment tax, earmarked taxes, land tax, multi-stage tax, rebound tax*. [Exp: **tax abatement** (FISCAL reducción del tipo impositivo), **tax accruals** (FISCAL impuestos acumulados), **tax adviser/advisor** (FISCAL asesor fiscal; en inglés americano se suele usar *tax advisor*), **tax allowance** (FISCAL desgravación fiscal, bonificación, deducción en los impuestos; V. *abatement*), **tax assessment** (FISCAL estimación de la base impositiva; V. *double assessment*), **tax at source** (FISCAL impuesto pagado en la fuente o en origen), **tax avoidance** (FISCAL rebaja fiscal utilizando recursos legales; elusión legal de impuestos; V. *bond washing, tax evasion*), **tax base** (FISCAL base imponible), **tax bill** (FISCAL cuota tributaria final o a pagar), **tax bracket** (FISCAL categoría impositiva, grupo/tramo/escalón fiscal), **tax burden** (FISCAL carga tributaria), **tax collector** (FISCAL recaudador de impuestos), **tax concessions** (FISCAL exenciones tributarias), **tax deferral** (FISCAL moratoria), **tax deductible** (FISCAL deducible), **tax deduction** (FISCAL deducción de impuestos), **tax discrepancy** (FISCAL discrepancia en la declaración de la renta), **tax evasion** (FISCAL defraudación fiscal; V. *tax avoidance*), **tax exempt** (FISCAL exento de impuesto; V. *non taxable*), **tax exemption** (FISCAL exención o exoneración de impuestos), **tax foreclosure** (FISCAL ejecución fiscal), **tax haven** (FISCAL paraíso fiscal; V. *offshore company*), **tax inspector** (FISCAL inspector de Hacienda), **tax law** (FISCAL derecho fiscal, disposición tributaria), **taxpayer** (FISCAL contribuyente, sujeto pasivo), **tax rate** (FISCAL tipo impositivo; V. *abatement*), **tax rate schedule** (FISCAL tarifa impositiva), **tax rebate** (FISCAL desgravación fiscal, bonificación tributaria; V. *rebate*), **tax refund** (FISCAL devolución de impuestos pagados), **tax relief** (FISCAL desgravación), **tax relief to export** (FISCAL desgravación a la exportación), **tax retained** (FISCAL impuesto retenido; V. *tax withheld*), **tax return** (FISCAL declaración a Hacienda, autoliquidación), **tax roll** (FISCAL censo de contribuyentes, registro tributario), **tax shelter** (FISCAL amparo tributario, refugio fiscal; exención fiscal para proyectos industriales, etc.), **tax shield** (FISCAL amparo fiscal), **tax system** (FISCAL sistema tributario), **tax valuation** (FISCAL avalúo catastral), **tax withheld** (FISCAL impuesto retenido; V. *tax retained*), **taxable** (FISCAL gravable, imponible, tributable), **taxable base** (FISCAL base imponible), **taxable income** (FISCAL líquido imponible, renta imponible o gravable, valor gravable, cuota imponible; V. *assessable*), **taxable year** (FISCAL año fiscal), **taxation** (FISCAL imposición, tasación, fijación de impuestos, tributación; V. *double taxation*), **taxation of costs** (FISCAL tasación de costas; V. *assessor, taxing master, bill of costs*), **taxing** (FISCAL tasación), **taxing master** (ADMIN funcionario de los tribunales que calcula las costas de los litigantes; V. *assessor, taxation of costs, bill of costs*)].

technical *a*: GRAL técnico. [Exp: **technical error** (GRAL error material), **technical matters** (GRAL cuestiones técnicas), **technical service** (GRAL servicio técnico), **technicality** (GRAL tecnicismo, formalidad ◊ *The contract was adjudged void on a technicality*)].

teetotaller *n*: GRAL abstemio; V. *habitual drunkard; abstainer.*

telephone-tapping *n*: PENAL escuchas telefónicas ilegales; V. *eavesdropping, electronic surveillance, wire-tapping.*

teller *n*: MERC cajero; escrutador de votos; V. *cashier*. [Exp: **teller's proof** (MERC arqueo de caja)].

temp *col n*: GRAL forma abreviada de *temporary*.

temporary *a/n*: GRAL temporal, provisional, eventual, transitorio, provisorio, interino, momentáneo; oficinista o mecanógrafo eventual o interino ◊ *Many young actresses take jobs as temps while awaiting roles*; V. *momentary, acting*. [Exp: **temporary basis, on a** (GRAL con carácter transitorio), **temporary injunction** (PROC interdicto temporal, requerimiento provisional; en caso de perder el pleito el demandante resarcirá al demandado por los daños ocasionados por el interdicto), **temporary partial disability** (LABORAL incapacidad parcial temporal), **temporary provisions** (CONST disposiciones transitorias; V. *transitional provisions*), **temporary receivership** (PROC suspensión de pagos; V. *suspension of payments*), **temporary restraining doles** (PROC interdicto provisional), **temporary total disability** (LABORAL incapacidad absoluta temporal)].

tempt *v*: GRAL tentar; V. *seduce, debauch*. [Exp: **temptation** (GRAL tentación; V. *seduction*)].

tenancy *n*: CIVIL arrendamiento, inquilinato, tiempo de arrendamiento; período durante el cual se ocupa un cargo; tenencia, duración de un derecho, tiempo de posesión ◊ *A tenancy at sufferance arises where the lease period ends and the tenant wrongfully holds over*; V. *occupancy, possession, assured tenancy, business tenancy, general tenancy, jointtenant, landlord, leasehold, protected tenancy, coheir*. [Exp: **tenancy at sufferance** (CIVIL posesión por tolerancia), **tenancy at will** (CIVIL arrendamiento sin plazo fijo, arrendamiento denunciable en cualquier momento sin necesidad de preaviso a la parte contraria ◊ *A tenancy at will is terminable without notice*; V. *at will*), **tenancy by estoppel** (CIVIL arrendamiento real por acto propio), **tenancy by the entirety** (FAM comunidad conyugal, condominio de matrimonio), **tenancy for life** (CIVIL tenencia vitalicia), **tenancy in common** (CIVIL condominio, copropiedad, tenencia/comunidad por cuotas; V. *joint tenancy*), **tenant** (CIVIL arrendatario, inquilino, usufructuario; V. *lessee; lessor, landlord*), **tenant at will** (GRAL inquilino sin plazo fijo; V. *tenancy at will*), **tenant in fee simple** (CIVIL poseedor en dominio absoluto; V. *fee*), **tenant for life** (CIVIL usufructuario vitalicio; titular vitalicio de la pertenencia), **tenant for years** (CIVIL inquilino a término, arrendatario a plazo cierto), **tenant from year to year** (CIVIL inquilino sin plazo fijo; V. *tenant at will*), **tenant in severalty** (CIVIL inquilino exclusivo), **tenant in common** (CIVIL codueño, cotitular; V. *co-heirs*), **tenant in tail** (CIVIL titular de un arrrendamiento hereditariamente limitado), **tenant's fixtures** (CIVIL instalaciones o muebles fijos aportados por el arrendatario)].

tender[1] *n*: GRAL oferta formal, propuesta, ofrecimiento, concurso público; V. *offer, submission; legal tender, collusive tendering; sale by tender treaty*. [Exp: **tender**[2] (GRAL ofrecer, hacer una oferta, presentar; V. *offer, submit*), **tender a plea** (PROC contestar a la demanda o a la acusación, presentar un alegato ◊ *An accused person may tender a special plea, such as insanity, in bar of trial*), **tender before action** (PROC consignación del importe de una deuda u obligación; contestación a una demanda por deuda en la que el demandado alega que se había ofrecido para cancelar la deuda antes de que se le demandara y como prueba de buena fe consigna la cantidad en el juzgado y se lo comunica al demandante), **tender of amends** (PROC oferta de reparación, compensación, corrección, satisfacción, gratificación; V. *rewards*), **tender of issues** (PROC palabras de una alegación que someten la cuestión litigiosa a decisión), **tender of payment** (GRAL/PROC oferta de compensación económica), **tender offer** (MERC oferta pública de adquisición de acciones; V. *take over bid*), **tender one's resignation** (ADMIN presentar la dimisión), **tenders and supplies** (ADMIN convocatorias para la adjudicación de obras, servicios y suministros)].

tenement *n*: GRAL vivienda, casa de vecindad o de pisos; heredad, finca ◊ *Strictly, a tenement is any property which may be held in tenure, though it usually means an old-fashioned town house divided into flats*; V. *servient tenement, dominant tenement.*

tenet *n*: GRAL credo, dogma, principio ◊ *The most influential economists at the moment believe in the tenets of neoliberalism*; V. *doctrine, conviction.*

tentative *a*: GRAL provisional, provisorio o tentativo, de prueba o tanteo ◊ *The opposition MP made a tentative counter-proposal which he later withdrew*; V. *provisional, temporary.*

tenure *n*: GRAL/CIVIL tenencia, cargo en propiedad, duración del mandato, período de posesión ◊ *The court ruled that the teacher could not be sacked as he had tenure*; V. *land tenure.*

term[1] *n*: GRAL término, terminología, texto. [Exp: **term**[2] (GRAL plazo, duración, período, vigencia; V. *duration, long term, short term*), **term**[3] (ADMIN mandato ◊ *The members of each committee are elected for a term of two years*), **term**[4] (GRAL/MERC condición ◊ *The president of the commission asked for the term of reference to be clearly defined*; V. *warranty, condition, stipulation; on equal terms, easy terms*), **terms and conditions** (MERC estipulaciones, condiciones), **terms of art** (GRAL terminología especializada de cualquier profesión, disciplina o área de conocimiento), **terms of the treaty** (GRAL/INTER texto de un tratado), **term of a patent** (GRAL/PROL duración de la patente), **term of court** (MERC período de sesiones), **term of insurance** (SEGUR vigencia de la póliza), **term of office** (CONST mandato, período de un cargo, tenencia, disfrute ◊ *President Clinton's term of office expired on January 20, 2001*), **term of years** (CIVIL dominio por tiempo fijo; arrendamiento ◊ *A term of years is an estate or interest in land to be enjoyed for a fixed period*; V. *estate in fee simple absolute*), **term of years absolute** (CIVIL contrato real temporal absoluto), **terms of payment** (MERC condiciones de pago, plazos; V. *easy terms of payment*), **terms of reference** (GRAL puntos concretos de una investigación, ámbito de un informe, campo de aplicación, ámbito de competencias, atribuciones; cometido, mandato), **terms of sale** (MERC condiciones de venta)].

terminate[1] *v*: GRAL terminar, poner fin, acabar, finalizar ◊ *The train terminates in Walpone Station*; V. *finish, stop, cease*. [Exp: **terminate**[2] (GRAL causar baja, quedar cesante; V. *dismiss*), **terminate a contract** (LABORAL resolver/rescindir un contrato, extinguir las relaciones laborales ◊ *He terminated his employment contract with Uniterm*), **termination** (GRAL/MERC extinción, cese, expiración, interrupción, fin, terminación; V. *conclusiom completion, cessation, revocation*), **termination of contract** (MERC extinción de un contrato), **termination of employment** (LABORAL baja laboral, cese de la relación laboral), **termination of pregnancy** (GRAL interrupción del embarazo), **termination of a treaty** (INTER expiración de un tratado)].

terminis, in *fr*: GRAL en términos inequívocos.

territory *n*: GRAL región, territorio; V. *region*. [Exp: **territorial waters** (INTER aguas jurisdiccionales o territoriales, mar territorial)].

terror *n*: GRAL/PENAL terror; V. *fear, dread*. [Exp: **terrorism** (PENAL terrorismo), **terrorist** (PENAL terrorista; V. *activist, revolutionary, readical*)].

test *n/v*: GRAL prueba, ensayo, análisis; probar, evaluar, comprobar, examinar, poner a prueba; V. *put to the test, stand the test*. [Exp: **test action** (PROC acción constitutiva), **test case** (PROC causa instrumental; acción constitutiva; juicio cuyo fallo sirve de fundamento para la presentación de demandas similares; juicio que pone a prueba cierta legislación o que sienta jurisprudencia en materia controvertida o debatida; precedente judicial que sienta doctrina o jurisprudencia), **test an allegation** (PROC comprobar un alegato ◊ *The court assumed the truth of the as yet untested factual allegation*), **test blood** (GRAL analizar la sangre), **testing clause** (cláusula de cierre de un instrumento notarial con una fórmula del tipo «en fe de lo cual»)].

testament *n*: SUC testamento; V. *last will and testament*. [Exp: **testamentary** (SUC testamentario), **testamentary execution** (SUC testamentaría), **testamentary executor** (SUC albacea testamentario), **testamentary instrument** (SUC testamento, documento testamentario), **testamentary succession** (SUC sucesión testamentaria), **testamentary trust** (SUC fideicomiso testamentario), **testamentary trustee** (fiduciario por testamento, fideicomiso testamentario, fideicomiso), **testate** (SUC testar; testado ◊ *Testate property*), **testate succession** (SUC sucesión testamentaria), **testator** (SUC testador, el que hace un testamento), **testatrix** (SUC testadora)].

testify *v*: PROC dar testimonio, atestiguar, atestar, testificar ◊ *She could not testify to the man's identity*; V. *bear witness, give evidence, certify.* [Exp: **testimony** (PROC testimonio, prueba testifical, declaración testimonial, deposición ante la justicia ◊ *The testimony of witnesses or the presentation of real evidence to the court is competent evidence*), **testimonial** (PROC testimonial; certificado, carta de recomendación, homenaje ◊ *One of the candidates for the post asked her former employer to supply her with a testimonial*), **testimonial evidence** (PROC prueba testifical; V. *competent evidence, negative evidence, real evidence, admissible, inadmissible, rules of evidence*), **testimonium** (CIVIL cláusula testimonial; otorgamiento; también llamada *authentication clause* suele comenzar con *In witness whereof* y termina con la firma, la fecha y los nombres de los testigos)].

theft *n*: PENAL robo, hurto, sustracción ◊ *The punishment for theft is up to ten years' imprisonment*; V. *abaction, stealing, burglary, larceny, lifting, hacking, abstracting*. [Exp: **theft by deception** *US* (PENAL apropiación indebida)].

thence *adv*: GRAL de allí, por tanto.

theory of the case *US n*: PROC bases de la acción, mérito procesal, base jurídica de la causa; tesis mantenida por cualquiera de las partes, es decir, lo que según cada una de ellas ocurrió o es de justicia; V. *merits of the case.*

there *adv*: GRAL allí. [Exp: **there is no case [to answer]** (PROC auto de archivo, auto de sobreseimiento, la causa queda sobreseída, sobreseimiento, archivo, no existen hechos punibles al amparo de las normas legales vigentes, las pruebas no son suficientes, no hay nada que juzgar; tras la exposición de los hechos por la acusación en la vista oral, la defensa puede solicitar del juez que dicte auto de sobreseimiento –*submission of no case to answer*–, ya que no hay nada que contestar, porque no ha demostrado la acusación que existan indicios racionales de haberse perpetrado el hecho constitutivo del delito, o porque el hecho no sea constitutivo de delito, etc.; V. *submission of no case, want of prosecution, non-suit, dismissal of a case*), **thereabouts** (GRAL por ahí, cerca, aproximadamente), **thereafter** (GRAL después de eso), **therein** (GRAL en dicho documento o lugar), **therefore** (GRAL por ello), **thereby** (GRAL al hacerlo, de ese modo), **therefrom** (de ahí), **thereto** (GRAL a eso, al mismo, al citado documento ◊ *The seal annexed thereto is the genuine seal of the court*), **theretofore** (GRAL antes de aquello, hasta entonces), **thereof** (GRAL de eso mismo, perteneciente al, a lo mismo, etc. ◊ *Subject to the jurisdiction thereof*), **thereupon** (GRAL en eso, acto seguido, a raíz de eso), **therewith** (GRAL con eso, con esto)].

through *prep*: GRAL a través de. [Exp: **through bill of lading** (MERC conocimiento de embarque mixto; conocimiento directo o corrido sin intervención de reembarcadores, conocimiento de embarque combinado; este tipo de conocimiento se usa cuando son varios los transportistas –ferrocarril y barco, por ejemplo– que se hacen cargo de la mercancía; V. *combined transport bill of lading, direct bill of lading*), **through the offices of** (GRAL por el conducto de, por mediación de), **throughout** (GRAL en el conjunto de, en todas partes de, durante todo, en todo momento, durante todo el período, etc.)].

ticket *n*: GRAL billete, entrada; resguardo, boleto; lista electoral; multa por aparcar mal ◊ *He parked on a double yellow line and later found he had been given a ticket.*

tie *n/v*: GRAL empate; empatar; paralizar, inmovilizar ◊ *The two candidates tied and* *there had to be a second ballot*. [Exp: **tie vote** (GRAL empate), **tied-up capital** (MERC capital inmovilizado)].

tight *a*: GRAL ajustado, estrecho, estanco; V. *narrow*. [Exp: **tightness of money** (GRAL escasez de dinero)].

time *n*: GRAL plazo, tiempo; V. *allow time, period*. [Exp: **time-barred** (CIVIL prescrito; caducidad; prescripción; V. *statute-barred, expiry, lapse*), **time charter** (MERC fletamento en *time charter*, fletamento por tiempo y precio determinado), **time deposit** (MERC cuenta a plazo fijo, imposición a plazo), **time-draft** (MERC letra de cambio a fecha cierta), **time-lag** (GRAL efecto diferido), **time limit** (PROC plazo preclusivo; V. *closing time limit, legal deadline*), **time of prescription** (CIVIL plazo de prescripción), **time operation** (CIVIL contrato a término), **time rates** (LABORAL V. *work at time rates*), **time sharing** (CIVIL multipropiedad; V. *part-owner*), **timeous** *der es* (GRAL oportuno, puntual; palabra arcaizante, derivada con dudoso acierto de *time –tiempo, hora, plazo–*, pero muy querida por los juristas escoceses y frecuentísima en sus escritos; se pronuncia /'taiməs/), **timeously** *der es* (GEN/PROC puntualmente, oportunamente, en el momento oportuno; dentro del plazo/término, en tiempo y forma ◊ *The defender entered appearance timeously*; V. *closing date, deadline, limitation, period, time limit*)].

tinker *v*: GRAL hacer pequeños ajustes o propuestas ◊ *Mr Westmore tinkered with the business plan, changing portions of it and plugging in the new name*; V. *tamper with, play with*.

tip *n*: GRAL consejo práctico; V. *hint*. [Exp: **tip** (GRAL propina), **tip-off** (GRAL dar el chivatazo), **tip-off** (GRAL chivatazo ◊ *Drugs were found aboard the ship on the high seas after the police had received a tip-off from her last port of call*), **tipster** (GRAL chivato, soplón ◊ *A tipster recognised the thief and turned him in*; V. *informer, turncoat*), **tipstaff** (PROC alguacil; V. *High Court Tipstaff*)].

title[1] *n*: GRAL título, rótulo; dominio, derecho de propiedad; denominación, inscripción; tratamiento [de Excelencia, etc.] ◊ *A person claiming property must show clear title to it*; V. *heading, rubric; abstract of title; bad title, colour of title, cloud on title, action to remove cloud on title, cure a defect, absolute title, clear title, qualified title, paper title, possessory title; imperfect title, badge of fraud, colour of title*; V. *legal interest*. [Exp: **title**[2] (CONST título [de una ley]; V. *long title, short title*), **title by prescription** (CIVIL título por prescripción adquisitiva), **title bond** (CIVIL fianza de título o de propiedad), **title deed** (CIVIL escritura/título de propiedad, título traslativo de dominio; título de pertenencia; V. *clare constat*), **title examination fee** (CIVIL gastos por consulta en el registro), **title to land/property** (CIVIL derecho a la propiedad; título de propiedad, derecho sobre la finca)].

TM *n*: MERC V. *trade mark*.

together with *fr*: acompañado de.

toll[1] *n*: GRAL peaje. [Exp: **toll**[2] (GRAL tasa; número de bajas o víctimas; estragos, daños, siniestralidad, mortalidad ◊ *The toll of road deaths continues to rise*)].

tonnage *n*: GRAL tonelaje; derecho de tonelaje. [Exp: **tonnage certificate** (GRAL certificado de arqueo), **tonnage dues** (GRAL derechos de tonelaje)].

top *a/n*: GRAL alto; cumbre, tope. [Exp: **top security prison** (PENAL prisión de alta seguridad; V. *escape-proof prison*), **top secret** (GRAL alto secreto; V. *classified material, for your eyes only*)].

tort *n*: CIVIL acto ilícito civil extracontractual, daño [legal extracontractual], agravio, responsabilidad por culpa extracontractual, cuasidelito, culpa aquiliana, hecho u omisión ilícitos, agravio, lesión jurídica, perjuicio; entuerto, culpa ◊ *The usual remedy for tort is an action for damages*; una buena parte de las demandas civiles que se presentan ante los tribunales se deben a *torts* o a un *breach of contract*; el término inglés *tort* tiene el mismo origen que las palabras españolas «torticero» y «entuerto», y comparte su significado; el primero, usado en expresiones como *conducta torticera*, equivale a «injusto, ilegal o desprovisto de razón»; el segundo, que significa «daño o agravio causado injustamente», es arcaico, y normalmente se usa con conciencia de este matiz arcaico; dos de los *torts* más antiguos son *nuisance* y *trespassing*; V. *civil wrong, actionable/maritime/wilful tort, law of torts*. [Exp: **tort, de son** (SUC V. *executor de son tort*), **tortfeasor** (CIVIL responsable/autor del daño, agravio o ilícito civil; V. *joint tort-feasor*), **tortious** (CIVIL torticero, ilícito, agravioso, dañino, culpable), **tortious interference** (CIVIL intromisión ilícita), **tortious liability** (CIVIL responsabilidad que emana de una pérdida causada por un acto torticero)].

tot up *col v*: GRAL sumar, sacar el total; esta expresión, derivada de la palabra *total*, se aplica corrientemente a las operaciones aritméticas en cualquier situación, incluida la jurídica ◊ *Tot up the necessary points*; V. *disqualify, provision*). [Exp: **totting-up provisions** (GRAL sistema de puntos; normas de aplicación para el cálculo de los puntos negativos que determinan eventualmente la suspensión o retiro cautelar del permiso de conducir; V. *endorsement*)].

total *n/v*: GRAL total, completo; ascender una cifra a. [Exp: **total dependency** (GRAL dependencia total), **total disability** (GRAL/LABORAL incapacidad o invalidez absoluta, inhabilitación total, inutilidad física total), **total loss** (SEGUR siniestro total, pérdida total efectiva o absoluta; V. *actual total loss, constructive total loss*), **total sum** (GRAL cifra global, suma total)].

tough *a*: GRAL duro, violento; V. *harsh, hard.*

tow *n/v*: GRAL remolque; remolcar ◊ *The owners of the crippled ship had to pay towing charges to the rescuers*. [Exp: **towage** (MERC derecho de remolque; V. *anchorage, berthage*), **tow-boat** (MERC remolcador), **towing charges** (MERC derechos de remolque)].

town *n*: GRAL ciudad. [Exp: **Town Hall** (ADMIN ayuntamiento, casa consistorial), **town clerk** (ADMIN secretario municipal), **town-council** (ADMIN corporación consistorial), **town planning** (ADMIN urbanismo; V. *city planning, planning authority*)].

trace *n/v*: GRAL huella, vestigio, señal; seguir la pista, localizar.

track *n*: GRAL vía; V. *court tracks*. [Exp: **tracking** (PROC asignación de vía procesal; separación en grupos; es el nombre con el que se conoce a la asignación de los procesos *–cases–* a tres vías procedimentales, de distinta duración y complejidad, de acuerdo con la Ley de Enjuiciamiento Civil inglesa de 1998; V. *allocation questionnaire, case management*)].

trade *n/v*: GRAL/MERC comercio, ocupación, profesión; intercambios comerciales, tráfico; mercancía; comerciar, negociar, traficar, contratar, llevar a cabo transacciones comerciales ◊ *I traded in my old car to buy the new one*; V. *Board of Trade*. [Exp: **trade agreement** (MERC tratado o convenio comercial, acuerdo de intercambio), **trade cycle** (MERC coyuntura, ciclo económico), **trade bill** (MERC papel comercial), **trade in** (MERC ofrecer como parte del pago; descuento por aportar el vehículo o artículo usado), **trade mark, TM** (MERC marca registrada, marca de fábrica, marca industrial; V. *patents and* *trademarks*), **trade marks and designs** (MERC marcas y dibujos/diseños; V. *design*[2], *abandonment*[2]), **trade name** (MERC razón social, nombre o denominación comercial, nombre de marca o de fábrica; V. *name of the company*), **trade register** (MERC registro mercantil), **trade secret** (MERC secreto industrial), **trade/trades union** (LABORAL sindicato; V. *guild, agency shop*), **trader** (MERC operador; comerciante, mercader, detallista; agente económico), **Trades Union Congress, TUC** (LABORAL congreso nacional de los gremios y sindicatos de Gran Bretaña), **tradesman** (MERC repartidor; tendero; artesano), **trading** (MERC contratación de valores; V. *insider trading*), **trading account** (MERC cuenta de explotación), **trading corporation** (MERC sociedad mercantil), **trading enterprise** (MERC empresa mercantil), **trading partnership** (MERC asociación comercial), **trading practices** (MERC usos o prácticas comerciales), **trading profits** (MERC beneficios de explotación)].

traffic police *n*: ADMIN agrupación de tráfico.

train *v*: GRAL formar-se, educar-se, preparar-se ◊ *After leaving school she trained as a nurse*. [Exp: **trained** (GRAL preparado, licenciado, titulado, competente), **training** (GRAL formación, preparación, enseñanza, aprendizaje, adiestramiento; V. *day training centre*), **training programme** (programa de enseñanza)].

traitor *n*: GRAL traidor; V. *betrayer, treason*.

tramp *n*: GRAL vagabundo. [Exp: **tramp corporation** *US* (MERC sociedad anónima constituida en un estado donde no tiene negocios), **tramp ship** (MERC buque que no tiene línea regular; V. *liner*)].

tranche *n*: GRAL/MERC tramo, paquete, bloque ◊ *A tranche of shares*; V. *block, tier*.

transact *v*: GRAL/MERC negociar, llevar a cabo negocios o transacciones comerciales ◊ *As a result of the accident, the plaintiff had his leg broken and was prevented from transacting his business*; V. *bargain, arrange, negotiate, settle*. [Exp: **transaction** (MERC transacción, negocio, gestión; V. *deal, bargain, arrangmente; auctioneer*), **transactional** (MERC transaccional)].

transcript *n*: GRAL copia oficial, transcripción literal, acta literal, texto íntegro; registro, expediente ◊ *A law report only covers the essential matters in a case; for full details, you must read the transcript*; V. *minutes, record*. [Exp: **transcript of record** (PROC registro literal del juicio)].

transfer *n/v*: GRAL/CIVIL traspaso, cesión; traspasar, transferir, ceder, consignar, hacer una transferencia; se usa en expresiones como *transfer by lease* –transferir, ceder o traspasar en arrendamiento– y *transfer by legacy* –legar–; V. *consignment, demise*[3]. [Exp: **transfer a business** (CIVIL traspasar un negocio), **transfer by indorsement** (traspaso por medio de endoso), **transfer entry** (MERC asiento de traspaso), **transfer of a cause** (PROC traslado de una causa), **transfer of title** (CIVIL traslación de dominio, transmisión de la propiedad), **transfer tax** *US* (FISCAL impuesto de timbre en las operaciones de Bolsa), **transferable** (GRAL transferible), **transferor** (CIVIL cesionista, transferidor, enajenante), **transferred malice** (PENAL «dolo desviado», grado de dolo aplicable al delito cometido en *concurso ideal* con otro, como, por ejemplo, cuando en una tentativa de asesinato el homicida dispara contra A pero, sin querer, mata a B; V. *actual/express malice, implied malice, general/univesal malice*)].

transgress *v*: GRAL/CIVIL/PENAL transgredir; V. *infringe, trespass, violate, offend*. [Exp: **transgression** (GRAL/CIVIL/PENAL transgresión, ofensa, delito; V. *infringement, trespass*), **transgressor** (PENAL transgresor, infractor; V. *lawbreaker*)].

tranship, transship *n*: MERC transbordar; V. *transfer*. [Exp: **transshipment** (MERC transbordo; V. *conveyance*)].

transit *n*: GRAL tránsito ◊ *Transit passengers do not have to clear customs*; V. *passage, transportation*. [Exp: **transition** (GRAL paso; V. *passage, shift*), **transitional/transitory provisions** (CONST disposiciones transitorias; existe una diferencia entre *transitional provisions* y *transitory provisions*; en la primera se quiere decir «que una disposición sirve de transición, paso o puente de la ley antigua a la moderna»; en la segunda se quiere decir que su vigencia es muy breve; en este caso equivale a *temporary*; V. *temporary provisions*)].

transmission *n*: GRAL transmisión; V. *transfer, dispatch*. [Exp: **transmit** (GRAL transmitir, enviar; V. *deliver, dispatch, trasnfer*), **transmittal** (GRAL transmisión; V. *transferral*), **transmittal, for** (GRAL comuníquese)].

trap *n*: GRAL trampa; V. *booby-trap bomb*.

travel *n/v*: GRAL viaje; viajar. [Exp: **travel and entertainment expenses** (GRAL gastos de viaje y representación), **travel expenses** (GRAL gastos de viaje), **traveller's cheques** (MERC cheques de viaje), **travelling allowance** (FISCAL gastos de viaje, compensación por gastos de viaje, viático; V. *allowance, daily allowance, per diem, subsistence allowance*)].

traverse *n/v*: GRAL contradicción, denegación de hechos; contradecir, negar lo que la otra parte afirma; V. *denial, deny*. [Exp: **traverse jury** *US* (PENAL jurado; equivale a *trial jury*, distinto del *grand jury* –gran jurado– encargado, en cierto sentido, de la instrucción *–pre-trial proceedings–*), **traverse of indictment** *US* (PENAL contestación a la acusación penal), **traverse of office** *US* (CIVIL impugnación por defectuosa y falsa *–defective and untruly–*, de una investigación o de un informe; V. *challenge*), **traverser** (CIVIL denegador de hechos), **traversing note** (CIVIL retractación, por parte del demandante, de hechos aducidos por él con anterioridad, con el fin de acelerar el proceso)].

treachery *n*: PENAL perfidia, traición, alevosía; V. *betrayal*. [Exp: **treacherous** (PENAL pérfido; V. *disloyal*), **treacherously** (PENAL con alevosía; V. *without risk, disloyally*)].

treason *n*: PENAL traición; V. *treachery, traitor*.

treasure *n*: GRAL tesoro ◊ *He has been barred from dealing in Treasury securities because of his past misconduct*. [Exp: **treasure trove** (ADMIN tesoro; tesoro con objetos de oro y plata hallado en un sitio donde ha estado oculto; en virtud de la prerrogativa real, tales tesoros pertenecen a la Corona ◊ *The police have confirmed a trove of papers, computer records and other information from the terrorists*; V. *national treasure*), **treasurer** (MERC tesorero; V. *elective officer*), **Treasury** *US* (ADMIN tesorería; Tesoro público, erario, Departamento del Tesoro, Hacienda Pública; también llamado *Department of the Treasury, First Lord of Treasury, Exchequer*), **treasury bill** (MERC letra del tesoro, bono de caja), **treasury bond** (MERC bono del tesoro; V. *public bond*), **Treasury Counsel** (ADMIN abogado del Estado, grupo de *barristers* seleccionados por el Fiscal de la Corona o *Attorney General* para representar al Estado como fiscales en el *Old Bailey*; V. *Crown Prosecution Service*), **treasury note** (MERC cédula o vale de tesorería, cédula), **Treasury securities/stocks** (MERC valores del Tesoro; autocartera, acciones en cartera), **Treasury Solicitor** (ADMIN Procurador General de su Majestad; entre sus funciones destacan la de cursar instrucciones a los letrados del Ministerio de Hacienda y la de representar a la Corona en las causas matrimoniales más conflictivas; este último cometido lo realiza en su calidad de *Queen's Proctor*)].

treat *v*: GRAL negociar, tratar ◊ *A shopkeeper's display of goods and prices is considered to be an invitation to treat*; V. *bargain, deal*. [Exp: **treatise** (GRAL tratado, obra), **treatment** (GRAL tratamiento; V. *preferential treatment*), **treaty** (CONST tratado, trato, pacto, convenio; V. *terms of a treaty*)].

treble damages *n*: PROC indemnización triple por daños y perjuicios.

trespass *n/v*: CIVIL intromisión ilegítima, infracción de derechos subjetivos ajenos, transgresión, agresión ilegítima, agresión a la intimidad, violación de la propiedad o de la intimidad, extralimitación; infringir, contravenir, transgredir, violar lo ajeno, vulnerar, entrometerse ◊ *The common warning «Trespassers will be prosecuted» is often inaccurate, since trespass is usually a tort rather than a crime*; la transgresión o translimitación *–trespass–*, junto con las molestias o perjuicios *–nuisance–*, es uno de los ilícitos civiles *–torts–* más peculiares del derecho civil inglés; este término, cuyo significado etimológico *–trans + passare–* nos recuerda su significado de invasión de terrenos no autorizada, se entiende en un sentido amplio y, a estos efectos, se habla normalmente de tres tipos de *trespass*: **trespass to the person** –violación de la intimidad, violación de los derechos personales o individuales, intromisión en la vida privada–, **trespass to land** –entrar sin derecho, invadir, rebasar; asalto a la propiedad, allanamiento de morada, violación de domicilio; asalto a casas, viviendas, chalés, etc.–, **trespass to goods** –manosear las pertenencias de otro, moverlas o llevárselas–; V. *action of trespass, malicious trespass, privacy; encroach*. [Exp: **trespasser** (CIVIL/PENAL intruso, transgresor, violador de la propiedad ajena), **trespassing** (CIVIL invasión de la privacidad; V. *invasion of privacy*), **trespassing livestock** (CIVIL ganado que invade la propiedad de un vecino; V. *scienter*)].

triable *a*: GRAL procesable, conocible, enjuiciable; V. *indictable, actionable*. [Exp: **triable either way** (PENAL enjuiciable o procesable por cualquiera de los dos procedimientos, esto es, *on indictment* o procesamiento solemne ante juez y jurado en el Tribunal Penal de la Corona *–Crown Court–* o por el método abreviado, de aplicación a los delitos menores o *summary offences*, ante un tribunal de magistrados; V. *offences triable either way, Crown Court, Magistrates Court, indictment*), **trial**[1] (GRAL comprobación, ensayo; prueba, experiencia; V. *trial period*), **trial**[2] (PROC juicio, pleito, vista ◊ *After the close of pleadings, a case proceeds to trial*; a veces se emplea en el sentido de «tribunal con jurado», como cuando se dice *The case was sent forthwith for trial in accordance with section 51 of the Crime and Disorder Act 1998*; V. *case on trial, in bar of trial*), **trial and error** (GRAL ensayo y error; tanteo), **balance** (MERC balance de comprobación), **trial at bar** (PROC juicio ante el tribunal en pleno; antiguamente, juicio muy solemne que se celebraba en el *Queen's Bench* ante tres o más jueces y jurado; V. *in bar of trial*), **trial brief** (PROC expediente, documentación o actas de un juicio; V. *brief*[2], *legal brief*), **trial bundle** (PROC legajo/expediente/sumario del proceso), **trial by jury** (PROC juicio por jurado o ante jurado), **trial by the record** (PROC juicio basado en el sumario sin testimonio), **trial calendar** (PROC calendario de causas por conocer), **trial court** (PROC tribunal de primera instancia, tribunal o juzgado en donde se celebran vistas; de acuerdo con la Ley de Enjuiciamiento Civil de 1998 *–Civil Procedure Rules 1998–* estos tribunales o juzgados ingleses son distintos a los *feeder courts*, que son los centros en donde se presentan las demandas; V. *apellate court*), **trial docket** (PROC orden del día), **trial judge** (CONST juez de sala, juez sentenciador, juez que entiende de la causa, juez competente, juez de primera instancia; desde la reforma procesal civil de 1998, en esta jurisdicción se diferencian los jueces de procedimiento *–procedural judge–* de los jueces de sala; V. *examining magistrate*), **trial lawyer** *US* (PROC abogado procesalista, abogado que actúa ante los tribunales; V. *barrister*), **trial list** (PROC lista de litigios durante un período de sesiones; V. *calendar, court calendar, calendar of cases, docket*), **trial balance** (MERC balance de comprobación), **trial court** (tribunal de primera instancia; V. *appellate court*), **trial, on** (GRAL a prueba), **trial on first appeal** (PROC segunda instancia), **trial on indictment** (PROC juicio con jurado), **trial period** (LABORAL período de prueba), **trial without pleadings** (PROC vista oral sin presentación previa de los alegatos)].

tribunal *n*: GRAL/PROC tribunal, organismo deliberativo con ciertas atribuciones judiciales; de la misma forma que en inglés un *magistrate* es menos que un *judge*, un *tribunal* es menos que un *court*; los *tribunals* son órganos judiciales creados por ley parlamentaria para entender de disputas y litigios de orden administrativo, social y laboral, etc., siendo los más importantes los *administrative tribunals* y los *industrial tribunals*, aunque también tienen consideración de *tribunal* algunos comités como el *rent assessment committee*, etc.; se caracterizan por la flexibilidad, la rapidez y la sencillez de sus procedimientos, y contra sus resoluciones se pueden invocar la doctrina de *ultra vires* y el recurso de *error on the face of the record*, para que resuelvan instancias superiores; V. *court, administrative tribunal, industrial tribunal; face of record.*

trick[1] *n*: GRAL trampa, truco, timo, ardid; estratagema ◊ *Play a dirty trick on sb*; V. *cheat, bribery, graft.* [Exp: **trick**[2] (GRAL/PENAL engañar, estafar, timar ◊ *The old woman was tricked into parting with her jewels*), **trick sb out of sth** (PENAL quitar/robar algo a alguien mediante engaño; timarle/birlarle algo a alguien *col*, meterle un pufo a alguien *col*), **trickery** (GRAL engaño, astucia, supercherías, artimañas; V. *deception*), **trickster** (PENAL timador, estafador; V. *cheat, crook, rogue*), **tricky**[1] (GRAL astuto, vivo, zorro *col*, pícaro ◊ *Be careful of them, they're tricky customers*), **tricky**[2] (GRAL complicadillo *col*, problemático; peliagudo; delicado ◊ *This is a tricky matter which requires careful thought*), **Tricky Dicky** *col* (GRAL vivales *col*, picarón *col*, tío listo *col*, timador)].

trier *n*: PROC juzgador; en el sistema anglosajón se distingue entre el juzgador de los hechos *–trial of facts–* y el juzgador de los fundamentos de derecho que son de aplicación *–trial of law–*; la primera función está asignada al jurado *–jury–* y la segunda, al juez *–judge–*; en los juicios en los que no hay jurado, por ejemplo los *Magistrates' courts*, el juez es a la vez *trier of law* y *trier of facts*; V. *try.*

trigger *n/v*: GRAL/PENAL gatillo; disparar, hacer estallar, desencadenar. [Exp: **trigger dates** (PROC plazos preclusivos, fechas prefijadas), **triggerman** (GRAL/PENAL asesino, pistolero; V. *gunman, killer, cut-throat, murderer, homicide, slayer, assassin*)].

trim *n/v*: GRAL trimado; asiento, diferencia de calado; trimar, estibar adecuadamente la carga, poner en calado.

trip *argot*: GRAL viaje *col*; estado de alucinación provocado por drogas.

trouble *n*: GRAL molestia. [Exp: **troublemaker** (GRAL camorrista, pendenciero;

V. *quarrelsome, drunk and disorderly*), **troubleshooter** (GRAL/LABORAL apagafuegos; mediador, conciliador; solucionador de problemas; V. *professional trouble-shooter*)].

trove *n*: GRAL; V. *treasure trove*. [Exp: **trover** (CIVIL/PROC recuperación de la propiedad de un bien mueble; es el nombre antiguo de la demanda interpuesta para recuperar la propiedad; V. *action of trover, conversion*[3])].

truck bill of lading *US n*: MERC conocimiento de transporte por carretera; V. *bill of lading*.

true *a*: GRAL verdadero, auténtico, legítimo, fiel, fehaciente, seguro; V. *certain, correct, genuine, complete and true; false*. [Exp: **true and lawful attorney** (PROC apoderado, mandatario o representante legal), **true bill** *US* (PENAL procesamiento, acusación fundada, acusación oficial aprobada por un gran jurado de EE.UU., procésese al acusado ◊ *When a bill of indictment is approved by a grand jury it becomes a true bill or indictment*; V. *grand jury, bill of indictment*), **true born** (FAM legítimo, de nacimiento legítimo), **true copy** (GRAL copia exacta, fiel copia del original; V. *complete and true*), **true lease** (CIVIL arrendamiento auténtico; son contratos de arrendamiento cuyo fin principal es la reducción de los impuestos, ya que el arrendador, por ser el dueño del activo, obtiene los descuentos fiscales por amortización y por inversión; V. *lease*), **true value** (GRAL valor verdadero), **true verdict** (PENAL veredicto sin compulsión; es el veredicto no perjudicado por instrucciones equivocadas), **truth** (GRAL verdad), **truth in lending [Act]** *US* (MERC [ley que obliga a la] transparencia/veracidad en todas las operaciones de crédito, etc., por parte del prestamista; V. *cooling-off period*)].

trump *v*: GRAL falsificar; V. *fabricate, forge*. [Exp: **trump up charges** (PENAL presentar acusación falsa; V. *slander, false accusation, trumped charges*), **trumped-up** (GRAL falso; V. *forged, fabricated*)].

trust[1] *n*: GRAL confianza lícita; V. *breach of trust, desert one's trust, put one's trust in*. [Exp: **trust**[2] (MERC grupo industrial, combinación, consorcio, cártel; V. *combine, group of companies; cartel, coemption, commodity, corner, trust*), **trust**[3] (CIVIL fideicomiso, consorcio; fiducia ◊ *The duties of the trustee in bankruptcy are to administer and to realise the bankrupt's estate for the creditors*; el *trust*, como conjunto de bienes que constituyen un patrimonio afecto a un fin determinado por voluntad de la persona que lo constituye, es una de las instituciones jurídicas más características del derecho inglés; en un *trust*, el fideicomisario *–trustee–* es el dueño jurídico de los bienes del fideicomiso, mientras que el *beneficiary*, que es el receptor del beneficio real de los mismos, es el dueño en equidad o administración *–equitable owner–*; V. *use; settlement; active trust, bare trustee, account in trust, board of trustees, breach of trust, collateral trust bond, executed trust, executory trust, mixed trust, living trust, naked trust, derivative trust, funded trust, perfect trust, precatory trust, advancement; have in trust, hold in trust, cy-près doctrine*), **trust account** (CIVIL cuenta fiduciaria, cuenta de registro; V. *account in trust*), **trust accounting** (CIVIL contabilidad fideicomisaria), **trust agreement** (CIVIL convenio de fideicomiso, contrato de fiducia), **trust bond** (CIVIL obligación de fideicomiso), **trust company** (MERC compañía o institución fiduciaria, sociedad de fideicomiso, banco fiduciario), **trust corporation** (MERC sociedad fiduciaria), **trust deed** (escritura fiduciaria, contrato de fideicomiso, título constitutivo de hipoteca), **trust deposit** (MERC depósito especial), **trust estate** (CIVIL bienes de fideicomiso), **trust for sale** (CIVIL fideicomiso para venta), **trust funds** (CIVIL fondos fiduciarios o de fideicomiso), **trust indenture** (CIVIL escritura de fideicomiso, contrato fiduciario; V. *indenture, bond indenture*), **trust, in** (GRAL en fideicomiso), **trust instrument** (CIVIL escritura fiduciaria; V. *settlement*), **trust legacy** (SUC legado en fideicomiso), **trust mortgage** (SUC hipoteca fiduciaria), **trust, on** (GRAL sin más prueba que la palabra, a crédito, al fiado), **trust territory** (INTER territorio bajo fideicomiso o tutela, territorio fideicometido), **trustee** (CIVIL fideicomisario, consignatario; V. *board of trustees, settlor*), **trustee de son tort** (CIVIL fideicomisario torticero; V. *de son tort, testamentary trustee*), **trustee in bankruptcy** (MERC/PROC síndico de una quiebra, síndico definitivo, liquidador, administrador judicial, intendente de liquidación; V. *receiver in bankruptcy, bankruptcy trustee, official receiver, commissioner*), **trustee of a settlement** (CIVIL fideicomisario; V. *settlement*), **trusteeship** (CIVIL condición de fideicomisario; administración fiduciaria), **trusteeship system** (CIVIL régimen de administración fiduciaria), **trustor** (CIVIL fideicomitente; V. *settlor*)].

truth (GRAL verdad, veracidad; V. *statement of truth*),

try *v*: GRAL juzgar, enjuiciar, someter a juicio; ensayar, probar ◊ *A minor who kills somebody cannot be tried*; de este verbo nacen dos conceptos jurídicos: *trial* –juicio– y *trier* –juzgador–. [Exp: **try a case** (PROC ver una causa, conocer [de] una causa), **try on indictment** (PROC procesar por el procedimiento solemne reservado a los delitos graves; V. *indictment*), **try summarily** (PROC procesar por el procedimiento abreviado; V. *summary offence*)].

Trades Union Congress, TUC *n*: LABORAL V. *Trades Union Congress*

turn *n/v*: GRAL rotación, vuelta; girar ◊ *They never turned up a shred of evidence.* [Exp: **turn, in** (por rotación), **turn down** (GRAL rechazar ◊ *Our offer was turned down flat*; V. *reject, discard*), **turn King's/Queen's evidence** (PROC posibilidad que tiene todo inculpado de delatar a otros, aportando pruebas condenatorias a cambio de su propia exculpación o de una condena más favorable), **turn in** (GRAL/PENAL entregar [a un criminal], delatar, traicionar ◊ *A tipster recognised the thief and turned him in*; V. *informer*), **turn state's evidence** *US* (PROC tiene el mismo significado que *King's/Queen's evidence*), **turn up evidence** (PROC aportar, aducir, alegar, rendir, presentar pruebas; V. *adduce, call, lead, allege evidence*), **turncoat** (PENAL criminal arrepentido, traidor, cambiachaquetas ◊ *Thanks to one turncoat, the police have arrested an important Mafia lord*; S. *tipster*), **turnover** (MERC volumen de negocios, facturación, volumen de contratación, cifra de las transacciones, movimiento de mercancías o de capital, rotación ◊ *The big cut-price supermarkets rely on quick turnover to make a profit*; V. *capital turnover, labour turnover*), **turnover tax** (FISCAL impuesto sobre los ingresos brutos o sobre el volumen de contratación)].

turpitude *n*: GRAL infamia, bajeza moral, comportamiento vil o degenerado; V. *moral turpitude.*

tutor *der es n*: CIVIL tutor; V. *guardian.* [Exp: **tutory** *der es* (CIVIL/FAM/SUC tutela; V. *guardianship*), **tutory-dative** *der es* (CIVIL/FAM/SUC tutela dativa; V. *dative, guardianship*), **tutorship** *der es* (CIVIL tutela; V. *guardianship*), **tutorship by will** *der es* (CIVIL curaduría o tutela testamentaria)].

twoc, twocking *n/v*: GRAL llevarse un vehículo sin permiso del dueño; en realidad este término raras veces aparece por escrito; es una palabra creada con las iniciales de *taking a conveyance without consent*.

Tynwald *n*: CONST asamblea anual del Consejo de la Isla de Man, situada frente a Liverpool, en el noroeste de Inglaterra, en la que se promulgan las nuevas leyes; V. *House of Keys*.

U

uberrimae fidei *n*: GRAL de la máxima confianza, de total buena fe ◊ *Insurance contracts are «contracts uberrimae fidei» and are voidable if the insured has concealed some material fact or circumstance from the insurer.*

ultimate *a*: GRAL final, último, decisivo, esencial, fundamental, primario; V. *utmost.* [Exp: **ultimate facts** (GRAL hechos decisivos, en la acusación o en la defensa), **ultimate issue** (GRAL cuestión decisiva)].

ultra *a*: GRAL más allá de, por encima de. [Exp: **ultra-hazardous activities** (LABORAL actividades extremadamente peligrosas; V. *danger money, dangerous, common duty of care*), **ultra vires** (PROC extendiéndose o extralimitándose en el uso de sus atribuciones, más allá de su capacidad legal, judicial o contractual, actuación desproporcionada ◊ *If a Minister has acted ultra vires, his action is invalid even if done in complete good faith and in accordance with the public interest*; V. *act ultra vires*)].

umbrage *n*: GRAL resentimiento, agravio; V. *take umbrage; insult, outrage.*

umpire *n/v*: GRAL árbitro, compromisario, tercero; arbitrar, decidir, juzgar; V. *arbitrator*. [Exp: **umpirage** (PROC tercería, laudo de árbitro; V. *arbitral award*)].

UN *n*: INTER equivale a *United Nations*; V. *UNO.*

un- *prefijo*: GRAL in-; el prefijo inglés *un-* otorga un significado negativo [privación, negación, oposición] a la palabra de la que forma parte, equivaliendo a los españoles «in-», «des-», y también a «sin», «no» y otros; si la palabra a la que acompaña es de significación negativa, el resultado final será positivo como en **unabridged** –completo, íntegro, no disminuido–.

unable *a*: GRAL incapaz, impotente, imposibilitado; V. *helpless, poweless*

unacknowledged *a*: GRAL inconfeso, no reconocido, no confesado, no declarado, no acreditado.

unadjusted *a*: GRAL no ajustado, pendiente, ilíquido. [Exp: **unadjusted assets** (MERC activo o valores transitorios), **unadjusted credits** (MERC abonos pendientes), **unadjusted debits** (MERC débitos pendientes), **unadjusted liabilities** (MERC pasivo transitorio, pasivo por ajustar), **unadjusted profits** (MERC utilidades por aplicar)].

unalienable *a*: GRAL inalienable, inajenable.

unallowable *a*: GRAL inadmisible; V. *inadmissible, intolerable, unacceptable.*

unanswerable *a*: GRAL incontrovertible, irrefutable, incontestable.

unappealable *a*: GRAL inapelable.

unappropriated *a*: GRAL sin consignar, sin asignar, disponible; V. *appropriate*².
unassailable *a*: GRAL inviolable, inatacable, inexpugnable, irrefutable ◊ *The person of the king is unassailable*; V. *inviolable, privileged.*
unassignable *a*: GRAL intransferible.
unattached *a*: GRAL no embargado.
unauthenticated *a*: GRAL no legalizado, no autorizado.
unauthorized use of a vehicle *a*: GRAL utilización ilegítima de vehículo ajeno.
unavailable *a*: GRAL no disponible, agotado; V. *unobtainable*
unavoidable *a*: GRAL inevitable; V. *inevitable, compulsory.*
uncertain *a*: GRAL vago, incierto; V. *vague, dubious.*
unclaimed *a*: GRAL no reclamado, no solicitado. [Exp: **unclaimed dividends** (MERC dividendos no cobrados), **unclaimed goods** (CIVIL bienes mostrencos; V. *lands in abeyance, waif*)].
unclean *a*: GRAL sucio, con observaciones; V. *foul*. [Exp: **unclean bill of lading** (MERC conocimiento con reservas u observaciones)].
uncollectible *a*: GRAL incobrable; V. *bad debts.*
uncommitted *a*: GRAL no comprometido, sin pronunciarse, disponible, imparcial; V. *undecided, unsure.*
uncompromising *a*: GRAL intransigente.
unconditional *a*: GRAL incondicional; V. *complete, final and absolute*. [Exp: **unconditional pardon** (PENAL amnistía o indulto total e incondicional), **unconditional bail** (PENAL libertad condicional/sin caución; V. *bail without security*)].
unconformity *n*: GRAL disconformidad, desacuerdo, falta de oportunidad; V. *disagreement, conformity, inconformity.*
unconscionable *a*: GRAL sin escrúpulos, poco razonable, excesivo, desmedido; V. *unconsciousnability*. [Exp: **unconscionability** *US* (GRAL/PENAL falta de moral o de escrúpulos en los negocios; se aplica a la práctica comercial fraudulenta, sancionada por los tribunales norteamericanos, consistente en inducir a firmar contratos de compraventa con cláusulas leoninas muy desventajosas en la letra pequeña)].
unconscious a: GRAL inconsciente; V. *unaware, oblivious*. [Exp: **unconsciousness** (GRAL falta de conciencia)].
unconstitutional *a*: CONST inconstitucional, anticonstitucional ◊ *A federal judge can hold the application of acts of executive officials if they are held unconstitutional.*
uncontested *a*: GRAL indiscutible, no impugnado, sin oposición; V. *undefended.* [Exp: **uncontested election** (GRAL candidatura única)].
uncontrollable impulse *n*: GRAL arrebato, emoción violenta, impulso incontenible o incontrolable.
undamaged *a*: GRAL indemne, intacto, ileso; V. *unimpaired, unhurt.*
undefended *a*: GRAL/PROC indefenso, no litigioso, que no presenta reclamación, con el consenso de las partes, de mutuo acuerdo; V. *undisouted*. [Exp: **undefended divorce/separation** (FAM divorcio o separación no litigiosos de mutuo acuerdo o no litigioso; V. *mutual consent*)].
under¹ *prep*: GRAL debajo de, bajo, a tenor de lo dispuesto, en virtud de, en el marcȍ de, de conformidad con, de acuerdo con, al amparo de, según, comprendido/contemplado/considerado en ◊ *He was charged under the Theft Act with obtaining by deceptionunder the Sale of Goods Act with fraud and intent to deceive.* [Exp: **under**² *prefijo*: GRAL sub-, infra, secundario, etc.; *under* puede actuar como prefijo, siendo sinónimo de *sub-* y antónimo de *over* en la mayoría de los casos; el significado más típico es el de «sub» o «por debajo de», con las connotaciones de «secundario, accesorio, menor, infe-

rior, mal, etc.»), **under caution** (PROC advertido de sus derechos; se dice tal detenido a quien se comunica que puede no declarar y, si lo hace, lo que diga se podrá usar como prueba contra él; V. *caution, stand mute*), **under bond** (PENAL bajo fianza), **under compulsory powers** (GRAL de oficio), **under contract** (MERC con contrato), **under duress** (PENAL bajo coacción, por coacción), **under false pretences** (PENAL con dolo, con medios fraudulentos, bajo falsas apariencias), **under instructions from** (GRAL por orden de), **under licence** (GRAL con licencia), **under my hand and seal** (GRAL sellado y firmado por mí; de mi puño, letra y sello), **under oath** (PROC bajo juramento), **under obligation** (GRAL obligado, bajo obligación), **under penalty of** (PENAL bajo/so pena de), **under protest** (GRAL con reserva), **underaction** (PROC acción secundaria, acción accesoria), **underage** (CIVIL menor de edad; V. *minor, lderly, full legal age*), **underagent** (GRAL subagente), **underbought** (MERC comprado por menos del valor real), **undercharge** (GRAL cobrar de menos; V. *charge, overcharge*), **underbrush** (GRAL maleza, sotobosque; V. *regulatory underbrush*), **undercover** (GRAL solapado, clandestino, secreto, por bajo cuerda ◊ *An undercover police operation*), **undercover agent** (PENAL agente secreto de policía ◊ *He was caught in a great sting by undercover agents*), **underdeveloped** (GRAL subdesarrollado), **underestimate** (GRAL subestimar), **underhand** (GRAL poco limpio, turbio, poco honrado, ladino ◊ *A lawyer who uses underhand methods*; V. *dubious, tricky*), **undergo** (GRAL sufrir), **undergraduate** (GRAL licenciando, alumno de licenciatura), **underlie** (GRAL subyacer, estar en el fondo), **undermine** (GRAL minar, socavar; V. *discredit*), **underpaid** (GRAL mal pagado, mal retribuido), **underpayment penalty US** (FISCAL sanción por declarar una cantidad inferior en la renta anual; V. *income tax return, safe harbor rule*), **undersecretary** (GRAL subsecretario), **undersigned** (GRAL infrascrito, suscrito, abajo firmante), **understanding** (GRAL acuerdo; V. *agreement*), **understading, have an** (GRAL llegar a un acuerdo ◊ *He had an understanding with her victim to jointly conceal the truth about their relationships*), **undertake** (encargarse de, asumir un compromiso; V. *agree to, assume, accept*), **undertaker** (MERC especulador, empresario), **undertaking** (MERC empresa, compromiso), **undertenant** (CIVIL subarrendado), **undervalue** (GRAL infravalorar, tasar en menos de su valor real, subestimar), **underworld** (GRAL mundo del hampa, bajos fondos), **underwrite** (SEGUR asegurar, reasegurar, suscribir, firmar; V. *subscribe*), **underwriter** (GRAL suscriptor, asegurador, empresa aseguradora, reaseguradora; V. *subscriber*)].

undisclosed *a*: GRAL no revelado. [Exp: **undisclosed principal** (MERC/CIVIL comitente encubierto o no revelado, mandante encubierto)].

undisputed *a*: GRAL sin debate, incontestable, indiscutible; V. *undefended.*

undivided *a*: GRAL indiviso.

undue *a*: GRAL injusto, ilegal, innecesario, excesivo, desmedido, no apropiado; V. *improper, unjustified*. [Exp: **undue influence** (PENAL intimidación, prevalimiento, influencia indebida o impertinente, abuso de poder, tráfico de influencias; V. *abuse of power, coercion, duress*), **undue diligence** (GRAL exceso de celo), **undue means** (GRAL medios abusivos), **unduly** (GRAL indebidamente, ilícitamente; V. *excessively*)].

unemployed *a/n*: LABORAL parado, desocupado, desempleado, en paro forzoso; V. *unoccupied*. [Exp: **unemployment** (LABORAL desempleo, paro, cesantía), **unem-**

ployment benefit (LABORAL seguro de desempleo; V. *dole*), **unemployment insurance** (SEGUR seguro de paro o desempleo; V. *forced unemployment, fluctuation unemployment*), **unemployment rate** (LABORAL tasa de desempleo)].

unencumbered *a*: CIVIL libre de gravamen, sin cargas.

unenforceable *a*: GRAL inexigible, inejecutable.

unforseeable *a*: GRAL imprevisible.

unexpired *a*: GRAL inconcluso, no cumplido, no vencido; V. *lapsed*. [Exp: **unexpired insurance premium** (SEGUR seguro vigente, primas de seguros no vencidas; V. *lapsed*), **unexpired term of office** (ADMIN mandato inconcluso)].

unfair *a*: GRAL no equitativo, injusto, sin equidad, de mala fe; V. *prejudiced*. [Exp: **unfair competition** (MERC competencia desleal o injusta, concurrencia desleal o inequitativa), **unfair dismissal** (LABORAL despido improcedente o injusto; V. *wrongful dismissal, constructive dismissal, dismissal statement, reinstatement*), **unfair practices** (MERC/INTER prácticas injustas; V. *abuses, dumping; dispute settlements courts/tribunals, countervailing duties*)].

unfaithful *a*: GRAL infiel, pérfido, desleal, traidor; V. *dsiloyal*.

unfinished *a*: GRAL inconcluso, no concluido; V. *incomplete*.

unfit *a*: GRAL incapaz, incompetente; V. *unqualified*. [Exp: **unfit to plead** (PROC incapaz de defenderse; V. *standing mute*)].

unfounded *a*: GRAL infundado, sin motivo; V. *groundless, unsubstantiated*.

unfunded *a*: GRAL no consolidado, sin fondo para el pago de intereses. [Exp: **unfunded debt** (MERC deuda flotante), **unfunded trust** (CIVIL fideicomiso sin depósito de fondos)].

ungrounded *a*: GRAL sin fundamento, infundado, gratuito; V. *groundless*.

unhurt *a*: GRAL ileso; V. *uninjured, unscathed, undamaged, unimpaired*.

uniform *a/n*: uniforme. [Exp: **Uniform [State] Law** *US* (CONST derecho uniforme; estas leyes, que son adoptadas por la mayoría de los estados norteamericanos, son elaboradas por *The American Law Institute* y *The National Conference of Commissioners on Uniform State Law*), **uniformed police** (policía nacional), **uniformed security personnel** (guardas jurados uniformados; V. *plain-clothes police/security personal/policemen*)].

unimpeachable *a*: GRAL incontestable, irreprochable, irrecusable; V. *blameless*.

unimpaired *a*: GRAL intacto, indemne, ileso; V. *undamaged*.

unincorporated association *n*: MERC sociedad sin personalidad jurídica; V. *partnership, club, society, trade unions*.

uninjured *a*: GRAL ileso; V. *unhurt, unscathed, unimpaired*.

union *n*: LABORAL agrupación; sindicato obrero, gremio, asociación ◊ *For some jobs, membership of a union is obligatory*; V. *trade union*. [Exp: **union membership** (LABORAL afiliación sindical), **union rules** (LABORAL reglamento aprobado por los afiliados a un sindicato), **union shop** (LABORAL empresa cuyo contrato colectivo exige la afiliación del contratado en el sindicato; V. *agency shop, right to work law, closed shop agreement*)].

Union Jack *n*: GRAL nombre popular de la bandera del Reino Unido.

unite *v*: GRAL unir; V. *combine, join*. [Exp: **United Kingdom, UK** (GRAL Reino Unido), **United Nations, UNO** (INTER Naciones Unidas), **United States Attorney** (CONST/PENAL fiscal de un tribunal de distrito *–district court–*), **United States Code, USC** (CONST código de los Estados Unidos; contiene todas las leyes *–statutes–* en vigor; cada año aparece un suplemento y cada seis aparece una nueva edición en la que se refunden las leyes de los suplementos anuales), **United States Court of Appeals** *US* (CONST tribunal de apelación federal; estos tribunales están presididos por *The Chief Judge of the Circuit*; V. *federal judicial circuit*), **United States of America, U.S., U.S.A.** (GRAL Estados Unidos de América; V. *U.S.*)].

unity of possession *n*: CIVIL posesión conjunta.

universal *a*: GRAL universal, general; V. *general, unlimited.* [Exp: **universal agent** (CIVIL/MERC apoderado general), **universal/general malice** (PENAL intención dolosa indiscriminada o sin objeto concreto; se dice de la clase de dolo que mueve al homicida que dispara de forma indiscriminada contra un grupo de personas con la intención de matar, pero sin importarle a quién mata en concreto; las víctimas son personas concretas pero la intención dolosa no se dirigía contra ellas en particular; V. *actual/express malice, implied malice, transferred malice*)].

unless *conj*: GRAL a menos que, salvo. [Exp: **unless otherwise stated** (GRAL salvo que se exprese lo contrario, salvo estipulación/pacto en contra), **unless there is evidence to the contrary** (GRAL salvo prueba en contra), **unless contrary intention appears** (GRAL salvo que se aprecie intención contraria)].

UK *n*: GRAL V. *United Kingdom.*

unknown whereabouts *n*: GRAL paradero desconocido; V. *with no fixed abode.*

unlawful *n*: GRAL antijurídico, contra/contrario a derecho, ilegal, ilícito; V. *illegal.* [Exp: **unlawful detainer** (PENAL detención ilegal), **unlawful entry** (PENAL allanamiento de morada; V. *forcible entry*), **unlawful possession** (PENAL tenencia ilícita, posesión ilegítima), **unlawfulness** (GRAL ilegalidad)].

unlicensed *a*: GRAL no autorizado, sin licencia.

unlimited *a*: GRAL ilimitado, pleno; V. *endless, full.*

unliquidated *a*: GRAL/CIVIL ilíquido, por liquidar, no saldado; por determinar. [Exp: **unliquidated damages** (PROC indemnización por daños y perjuicios cuyo monto se determinará en la ejecución de la sentencia; indemnización cuyo monto, al no haber sido acordado en un contrato, debe ser fijado por los tribunales, daños no determinados o no liquidados; V. *liquidated damages; compensatory damages*), **unliquidated debt** (CIVIL deuda ilíquida).

unlisted securities *n*: MERC valores no inscritos en la Bolsa de Comercio; V. *listed securities.*

unmarketable *a*: GRAL invendible. [Exp: **unmarketable title** (CIVIL título incierto)].

unnatural acts *n.* GRAL actos contra natura; V. *pederast, sexual perversion, bestiality, indecency, buggery, rape, fellatio, sodomy, rape.*

UNO *n*: INTER V. *United Nations Organization*; V. *UN.*

unofficial *a*: GRAL extraoficial; V. *off-the-record, unauthorized.*

unprejudiced *a*: GRAL sin prejuicios, imparcial; V. *unbiased.*

unqualified *a*: GRAL incondicional, sin restricciones, absoluto, poco preparado, poco profesional, que reúne los requisitos; V. *qualified.* [Exp: **unqualified endorsement** (MERC endoso total o sin reservas)].

unreasonable *a*: GRAL arbitrario, no acorde a razón, poco razonable; V. *absurd, unfair.* [Exp: **unreasonable behaviour** (CIVIL/PENAL comportamiento poco razonable, conducta no acorde con las normas de la convivencia civilizada; en el pasado, en las demandas de divorcio se empleaba el término *cruelty*, que ha sido sustituido por el de *unreasonable behaviour*)].

unrest *n*: GRAL desorden, disturbios, malestar, inquietud; V. *anxiety, disorder.*

unsafe *a*: GRAL peligroso, inseguro; contrario a derecho, sin las debidas garantías judiciales o procesales, manifiestamente injusto ◊ *The court of Appeal set aside the verdict on the ground that it was unsafe*; V. *set aside, strike out, overturn, uphold, in due process of law*.

unscathed *a*: GRAL ileso; V. *unhurt, uninjured, unimpaired*.

unscheduled overtime *n*: LABORAL horas extraordinarias no programadas.

unsecured *a*: GRAL sin garantía, sin caución o colateral. [Exp: **unsecured bail bond** (MERC caución sin garantía real), **unsecured credit** (MERC crédito en blanco, sin fianza o sin garantía), **unsecured debt** (CIVIL deuda sin garantía o caución), **unsecured loan** (CIVIL préstamo sin caución o en descubierto; V. *unwarranted*)].

unseverable *a*: GRAL no susceptible de determinación o especificación de cuotas.

unserved *a*: PROC no notificado; V. *service*.

unsettled *a*: GRAL pendiente de pago, atrasado, pendiente, en mora, vencido, sobrevencido, sin pagar, devengado y no pagado; V. *overdue, outstanding, unsettled, pending, arrears, back*.

unsound *a*: GRAL defectuoso, erróneo, falso, viciado, perturbado, mentalmente inestable o incapacitado. [Exp: **unsound mind, of** (GRAL privado de razón; V. *insania, non compos mentis, mental cruelty, abnormality of mind*), **unsoundness of mind** (GRAL perturbación de las facultades mentales; V. *aberration, abnormality*)].

unspeakable *a*: GRAL atroz, inefable, indescriptible; V. *inconceivable*.

unsubstantiated *a*: PROC no probado, infundado; V. *groundless, unfounded*.

update *v*: GRAL actualizar, poner al día ◊ *Laws have to be continually updated to keep pace with social change*; V. *renovate, redesign*. [Exp: **updating** (GRAL actualización)].

uphold *v*: GRAL avalar, confirmar, respaldar, apoyar, sostener ◊ *No court would uphold a contract signed at gun-point*; V. *back, support, endorse*. [Exp: **uphold a conviction/sentence** (PROC confirmar una condena, una sentencia; V. *reverse a conviction*), **uphold an appeal** (PROC admitir un recurso, dar la razón al recurrente, fallar a favor del recurrente)].

upkeep *n*: GRAL mantenimiento; V. *maintenance*.

upon *prep*: GRAL en, al. [Exp: **upon condition** (GRAL bajo condición), **upon being notified** (GRAL a partir de la notificación)].

uprising *n*: PENAL rebelión, alzamiento; V. *rebellion, riot, mutiny*.

urban *a*: GRAL urbano; urbanístico. [Exp: **urban development** (ADMIN desarrollo urbanístico; V. *town planning*), **urban easement/servitude** (CIVIL servidumbre urbana), **urban planning standards** (ADMIN normas urbanísticas), **urban sprawl** (ADMIN crecimiento descontrolado de los barrios periféricos; expansión urbana descontrolada ◊ *Urban sprawl is irregular or ungraceful development*)].

urge *v*: GRAL instar, exhortar, animar, solicitar, urgir ◊ *Her friends urged her to stand for the presidency*; V. *seek*. [Exp: **urgency** (GRAL urgencia; V. *emergency*), **urgent** (GRAL urgente; V. *pressing, critical*)].

U.S. A., U.S. *n*: GRAL siglas correspondientes a *United States of America*; cuando aparece delante de nombres de instituciones puede equivaler a «federal» o «nacional», como en *The U.S. Supreme Court*.

usage *n*: CIVIL/GRAL costumbre, uso. [Exp: **use**[1] (CIVIL uso, disfrute, beneficio; cesión fiduciaria; V. *enjoyment;* el término *use*, en el sentido de «usufructo, derecho de disfrute o derecho de beneficiario», quedó obsoleto desde la entrada en vigor de la Ley de la Propiedad de 1925, que lo abolió; sin embargo, aún aparece en pleitos aislados y es muy frecuente en textos jurídicos; la característica principal del *use* es la separación entre dueño legal *–le-*

gal owner– y beneficiario *–cestui que use–*; esta separación se generalizó en el período medieval para evitar el pago de impuestos o *feudal incidents*, y contribuyó a conformar con el tiempo dos rasgos importantes del derecho inglés, a saber: la distinción entre *legal rights* y *equitable rights*, por un lado, y la creación de las figuras del *trustee* o fideicomisario y del beneficiado del *trust* o fideicomiso, por otra; se puede decir que, en cierto sentido, el *trust* nació del fracaso de la legislación diseñada para acabar con el *use*, y que la legislación moderna se ideó para poner orden en una situación marcada por la fragmentación de propiedades, derechos de sucesión y títulos, y por los conflictos surgidos entre los titulares del dominio y los del derecho de beneficiario, o los herederos de ambos; V. *non use, usufruct*), **use**[2] (GRAL uso, costumbre, destino, aprovechamiento, gasto, consumo; utilizar, usar, hacer uso; se emplea en expresiones como *business use* –destino comercial de un inmueble– ◊ *Planning permission is required to change an office building into a supermarket since they belong to different use classes*; V. *drug use, improper use*), **use a privilege** (GRAL/CIVIL hacer uso de un privilegio), **use classes** (ADMIN clasificación de terrenos y edificios según el uso al que se destinan; para este tipo de control de desarrollo urbanístico *–development–*, el mero cambio de actividad dentro del mismo *use class* no afecta la calificación del inmueble o terreno, pero si cambia la clase de actividad y, por ende, el *use class*, estamos entonces ante un caso de recalificación, necesitándose autorización gubernamental o municipal para que se pueda modificar o reconstruir el inmueble o dedicar el terreno a otro uso; V. *development*), **use something in evidence** (PROC utilizar como prueba; V. *give in evidence*), **use upon use** (CIVIL cesión fiduciaria de segundo grado), **usual** (GRAL habitual, usual), **usual address** (GRAL domicilio habitual), **usual covenants** (MERC/CIVIL garantías habituales), **usual place of abode** (CIVIL residencia habitual; V. *whereabouts*), **usefruct** (CIVIL usufructo; V. *use, non use*), **useful** (GRAL útil; V. *effective*), **useful life** (GRAL vida útil), **user** (GRAL usuario, consumidor)].

usher *n*: GEN/PROC ujier; V. *sergeant-at-arms, attendant*. [Exp: **usher somebody in** (GRAL hacer que alguien pase o entre, marcar el inicio de algo, ser el preludio de algo –en sentido figurado–)].

usucapio/usucaptio *n*: CIVIL usucapión, modo de adquirir por la posesión, prescripción adquisitiva.

usufruct *n*: CIVIL usufructo ◊ *Usufruct seems to be more common under the Roman law than under English practice*; V. *use*.

usurp *v*: GRAL/PENAL usurpar, arrogarse; V. *arrogate, appropriate, encroach*. [Exp: **usurpation** (usurpación), **usurpation of authority** (PENAL usurpación de autoridad, abuso de autoridad; V. *abuse*), **usurper** (PENAL usurpador, el que se apodera de los bienes de otro mediante violencia o astucia)].

utility *n*: GRAL utilidad; servicio público, empresa de servicio público; empresa de suministro público; en plural puede aludir a las acciones de una empresa de suministro público –agua, gas, electricidad, etc.–; en posición atributiva significa «funcional, utilitario, de servicio», por ejemplo, *utility furniture* –mobiliario funcional–, *utility vehicle* –vehículo de servicio–, etc. [Exp: **utility company** (ADMIN empresa de servicios públicos)].

utter[1] *v*: GRAL decir, emitir; V. *say, express*. [Exp: **utter**[2] (GRAL poner en circulación; se suele aplicar a monedas o documentos falsos; V. *put into circulation*), **utter barrister** (PROC abogado auxiliar; equivale a *junior counsel*)].

V

v: *n*: PROC V. *versus*.

vacancy *n*: GRAL puesto vacante, laguna ◊ *She read in the paper that a local firm had a vacancy for a bilingual secretary*; V. *fill a vacancy* [Exp: **vacant** (GRAL vacante; V. *unoccupied, empty; situations vacant, appointments vacant*), **vacant possession** (CIVIL derecho del comprador de una vivienda, etc., de encontrarla libre de ocupantes una vez la ha escriturado a su nombre), **vacant throne** (CONST trono vacante), **vacate**[1] (PROC anular, rescindir, revocar ◊ *Vacate a judgement/ contract*), **vacate** [2] (GRAL evacuar, desalojar, desocupar; V. *withdraw*)].

vacantia *n*: CIVIL V. *bona vacantia*.

vacate[1] *v*: PROC anular, rescindir, revocar ◊ *The eviction order required the family to vacate the premises immediately*; V. *annul, overrule, revoke*. [Exp: **vacate**[2] (GRAL evacuar, desalojar, desocupar; V. *withdraw*), **vacate a judgment** (PROC anular una demanda; V. *motion to vacate a judgment*), **vacate the premises** (CIVIL desocupar el local), **vacation** (GRAL vacaciones, feria judicial), **vacation of court** (PROC receso judicial, período de inactividad judicial), **vacation of judgment** (GRAL revocación de sentencia)].

vacuum *n*: GRAL vacío; V. *void, emptiness, legal vacuum*.

vagrancy *n*: GRAL vagabundeo, vagancia. [Exp: **vagrant** (GRAL vago y maleante, persona de mal vivir, vagabundo, prostituta ◊ *The prostitute, who had previous convictions for soliciting in public places, was picked up by police as a vagrant*)].

vague *a*: GRAL vago, impreciso; V. *obscure, ambiguous*. [Exp: **vagueness** (GRAL imprecisión, vaguedad; V. *obscurity, uncertainty, void for vagueness*)].

valid *a*: GRAL válido, legal, vigente; V. *legitimate, true, authentic*. [Exp: **validate** (GRAL validar, convalidar, legalizar; V. *confirm*), **validating statute** (CONST ley de validación o de convalidación; V. *consolidating statute*), **validation** (GRAL convalidación; V. *sanction, confirmation*), **validity** (GRAL vigencia, validez, fuerza legal, vencimiento; V. *pertinence, period of validity*)].

value *n/v*: GRAL valor; valorar, dar valor a; V. *appraised value, asset value, book value, market value, secured value, sound value, surrender value, residual value*. [Exp: **value of the action** (CIVIL cuantía ◊ *When the value of the action is small, civil cases are heard in County Courts*; V. *amount involved [in a suit]*), **valuable** (GRAL valioso, de valor; V. *beneficial, advantageous*), **valuable consideration** (MERC causa contractual de valor cierto;

V. *remuneration*), **valuable consideration, without** (MERC a título oneroso), **valuables** (MERC valores, artículos de valor), **valuation** (GRAL tasación, valoración, avalúo, evaluación, apreciación; V. *assessment, appraisal*), **valuator** (GRAL tasador, evaluador), **value added tax, VAT** (FISCAL impuesto sobre el valor añadido, IVA; V. *zero-rated supply*), **value as evidence** (PROC valor probatorio; V. *probative value*), **value at maturity** (MERC valor al vencimiento), **value, for** (MERC a título oneroso), **value in exchange** (MERC valor al cambio), **valued policy** (MERC póliza de seguro marítimo en la que se especifica el valor asegurado), **valuer** (GRAL tasador, evaluador)].

variance[1] *n*: GRAL discrepancia, diferencia, oposición, disidencia ◊ *The councillors are at variance over the planned route for the new motorway*; V. *discrepancy*; *vary*. [Exp: **variance**[2] *US* (CIVIL/ADMIN excepción, dispensa, se emplea en el contexto de dispensa o excepción de las ordenanzas municipales *–ordinances–*, en especial las referidas a la construcción de edificios *–building regulations–*; V. *dispensation, exemption*), **variance with, be at** (GRAL estar en desacuerdo con, en discrepancia con, reñido con; discrepar con/de, V. *disagree*)].

vary[1] *v*: GRAL alterar, variar, modificar; cambiar, ser cambiante/variado/divergente/diverso ◊ *Legal opinion on such matters varies*. [Exp: **vary**[2] (PROC modificar; admitir un recurso y dictar una resolución de modificación de lo acordado ◊ *The Court of Appeal varied an asset-freezing injunction granted by the trial judge*; V. *set aside, stay*), **vary a decision/an order/a sentence** (PROC dictar sentencia nueva/auto nuevo/nueva condena tras admitir el recurso oportuno; V. *uphold an appeal*), **vary a contract** (MERC admitir o dar curso a la novación de un contrato), **variation** (GRAL variación; modificación, cambio; discrepancia; novación; V. *modification*)].

VAT *n*: FISCAL V. *Value Added Tax*.

vault *n*: GRAL cámara [acorazada], depósito, bodega; V. *depository*.

vehicle *n*: GRAL vehículo. [Exp: **vehicular homicide/manslaughter** (PENAL homicidio culposo por conductor de vehículo)].

vend *US v*: GRAL vender; se suele aplicar a la máquina expendedoras *–vending machines–* y a los vendores ambulantes *–peddlers–*. [Exp: **vendee** *US* (GRAL comprador; V. *buyer*), **vendor** (MERC vendedor; V. *seller*), **vendor and purchaser summons** (PROC citación para que el vendedor y el comprador de una vivienda o un terreno comparezcan ante el juez a puerta cerrada para ventilar sus diferencias contractuales), **vendue** *US* (GRAL subasta, venta judicial; V. *auction*)].

venire facias *US n*: PROC orden dada por el juez al *sheriff* para formar un jurado. [Exp: **venireman** (PROC miembro del jurado)].

venture *n*: MERC actividad comercial nueva, empresa con mayor o menor riesgo ◊ *Some of the company's shareholders are not happy about the new venture*; V. *joint venture*. [Exp: **venture capital** (MERC capital riesgo)].

venue[1] *n*: PROC vecindad en donde se ha cometido un delito o el ilícito civil; [cláusula que indica el] lugar en el que se celebrará el juicio; [cláusula que indica el] lugar en donde se hizo la declaración jurada *–where the affidavit was sworn–* ◊ *The trial venue is nowadays stated at the commencement of the indictment*. [Exp: **venue**[2] (PROC competencia jurisdiccional; tribunal por el que ha de ser juzgada una persona acusada de un delito; competencia, jurisdicción; los términos *jurisdiction* y *venue* no son sinónimos: *jurisdiction* se refiere a la autoridad o capacidad jurisdiccional para fallar o sentenciar en un proceso, en tanto que *venue*, que ya no se aplica en Inglaterra al enjuiciamiento civil, es la dependencia del tribunal competente más próxima al lugar donde había tenido lugar el delito; en la actualidad, basta con señalar en el auto de procesamiento el tribunal y la sala que habrá de entender en la causa, que puede ser cualquiera de los que tiene jurisdicción; en EE.UU. *venue*, en el enjuiciamiento civil, se refiere al lugar en donde se celebra el juicio, y también al derecho que tiene el demandado a que éste se celebre en determinado distrito judicial; V. *plea before venue, change of venue, local venue, mistake in venue*), **venue jurisdiction** *US* (PROC jurisdicción territorial de un tribunal), **venue of the trial** (PROC [cláusula en donde se indica el] lugar donde se celebra el juicio)].

verbal[1] *a*: GRAL oral, verbal. [Exp: **verbal**[2] (PROC/PENAL poner palabras en la boca de un sospechoso), **verbal agreement** (GRAL acuerdo verbal), **verbal warning** (GRAL amonestación verbal, conminación; V. *written warning*)].

verbatim *a/adv*: al pie de la letra ◊ *The Hansard reports, published by HMSO, contain a verbatim record of debates and all other proceedings.* [Exp: **verbatim record** (acta literal)].

verdict *n*: PENAL veredicto, fallo del jurado ◊ *Under Scots law there are three possible verdicts: guilty, not guilty, not proven*; V. *alternative verdict, majority verdict, open verdict, perverse verdict, special verdict, sentence, judgment.* [Exp: **verdict of not guilty** (PENAL absolución libre, exculpación, veredicto absolutorio o de no culpabilidad; V. *acquittal*), **verdict of guilty** (PENAL veredicto de culpabilidad o de condenación), **verdict of not proven** *der es* (PENAL veredicto de «sin pruebas o de falta de pruebas»)].

verify *v*: GRAL averiguar, comprobar, verificar; V. *check, attest, establish.* [Exp: **verification** (GRAL verificación, comprobación, constatación; V. *validation*)].

versus, v, s *prep*: GRAL/PROC contra; en los procedimientos civiles versus se lee *and* ◊ *Krammer US Krammer.*

very *adv*: GRAL muy. [Exp: **verily** *formal* (PROC en verdad, sin duda alguna ◊ *I verily believe that this is the genuine signature of the judge*)].

vessel *n*: GRAL buque; V. *seagoing vessel.* [Exp: **vessel in distress** (MERC buque en peligro; V. *distress, port of distress, signals of distress*), **vessel term bond** (MERC fianza de buque a término)].

vest *v*: GRAL investir, conferir, conceder, transferir el título de propiedad, pasar a, descender a, recaer en ◊ *A valid will transfers property rights, which vest in the heirs*; V. *invest, investiture.* [Exp: **vested** (GRAL efectivo, fijado, absoluto, incondicional; V. *established, granted fixed, guaranteed*), **vested devise** (CIVIL legado incondicional), **vested estate/property** (CIVIL propiedad en dominio pleno), **vested in, be** *US* (GRAL residir ◊ *In the United States public administration is vested in public bodies called administrative agencies*), **vested in interest** (CIVIL con derecho de goce futuro; dícese del derecho ya creado, que se hará efectivo cuando se produzca una condición futura, como por ejemplo el nacimiento del heredero), **vested in possession** (CIVIL conferido y poseído, creado y traspasado, y cuya posesión y disfrute son inmediatos, con derecho de goce actual), **vested interests** (CIVIL intereses creados, derechos adquiridos), **vested remainder** (CIVIL nuda propiedad efectiva), **vested rights** (CIVIL derechos adquiridos, derechos intrínsecos, derechos inalienables), **vesting** (GRAL adjudicación final), **vesting assent** (CIVIL documento privado, escrito de consentimiento; instrumento sin sello o no protocolizado, ejecutado por el fideicomisario, que traspasa la propiedad del dueño fallecido al beneficiario o al representante legal del beneficiario), **vesting declaration** (GRAL declaración mediante la que se nombra a los nuevos fideicomisarios en quienes ha de recaer la posesión de una propiedad traspasada), **vesting deed** (CIVIL escritura de traspaso *inter vivos* de una propiedad vinculada por disposición testamentaria en cadena o *settled land*; V. *settled land, trust, statutory owner, vesting assent*)].

veto *n/v*: GRAL veto; vedar, vetar, poner el veto ◊ *The UNO charter gives the power of veto to certain countries*; V. *prohibit, reject.*

vexatious *a*: GRAL/PROC vejatorio, perverso, povocador; en el lenguaje procesal se dice de procedimientos que se incoan sin que exista una causa fundada *–probable cause–* o razonable *–reasonable cause–*; V. *annoying*. [Exp: **vexatious action** (PROC litigio vejatorio, demanda perversa presentada por motivos de venganza, etc., y que no tiene fundamento), **vexatious litigant** (PROC litigante perverso o miserable ◊ *In England somebody who has been declared a vexatious litigant cannot bring an action without the leave of the court*)].

vicarious *a*: GRAL vicario, sustituto, subsidiario ◊ *The employer of a lorry-driver is vicariously liable for any accident caused by his employee*; V. *substituted.* [Exp: **vicarious liability/responsibility** (CIVIL responsabilidad civil subsidiaria; V. *strict liability rule*), **vicarious performance** (CIVIL cumplimiento de contrato por persona interpuesta)].

vice *n*: GRAL vicio, inmoralidad, depravación, maldad, defecto, desviación; V. *corruption, imperfection, shortcoming.*

vicinity *n*: GRAL inmediaciones, alrededores ◊ *The suspect was seen in the vicinity of the crime*; V. *surroundings, neighbourhood.*

victim *n*: GRAL víctima; V. *prey, casualty*. [Exp: **victim impact statement** (PROC declaración de la parte damnificada, alocución de la víctima del agravio; se trata de un breve discurso pronunciado por la víctima de un delito violento o por sus familiares, a la conclusión de un juicio penal que ha terminado con la condena *–conviction–* del acusado; en él, la víctima o sus representantes evalúan el daño y los sufrimientos causados por la agresión y reflexionan sobre el equilibrio entre la pérdida sufrida y el castigo impuesto; V. *summing up*), **victimise [a person]** (GRAL/PENAL vejar, escoger una persona como víctima, hacerla objeto de persecución; estafar; V. *cheat, swindle, hunt*)].

view *n/v*: GRAL vista; mirar, examinar. [Exp: **view of the locus** (PENAL visita/examen oficial del lugar del delito *–examination of the scene of the crime–* [por el juez, las partes, el jurado, etc.])].

vigilante *n*: PENAL grupo parapolicial, defensor del barrio; guardián ◊ *Vigilantes have been taking local law-enforcement into their own hands.*

villain *col*: GRAL malo, malhechor, malvado, fascineroso ◊ *Some people have a very simplistic concept of the law as a battle between heroes and villains*; V. *criminal.*

vindicate *v*: GRAL vindicar; V. *acquit, absolve*. [Exp: **vindication** (GRAL vindicación, justificación), **vindicatory** (GRAL vindicatorio), **vindictive** (GRAL vengativo, vindicativo; V. *spiteful, vengeful*), **vindictive damages** (PROC daños punitivos o ejemplares. V. *exemplary damages*), **vindictiveness** (GRAL espíritu de venganza, rencor; V. *revengefulness*)].

violation *n*: PENAL infracción, violación; el término *violation* se emplea en expresiones tales como *parking violations, violations of health code,* etc.; en muchas ocasiones se aplica a faltas o delitos menores *–petty/minor offences, misdemeanors* US–; V. *regulatory offences*), **violation of** (GRAL infringiendo ◊ *He attemped to enter the United States in violation of Title 8 United States Code*), **violate** (PENAL infringir, violar, vulnerar, conculcar), **violator** (PENAL infractor, violador, transgresor)].

violence *n*: GRAL violencia; V. *actual violence, physical force*. [Exp: **violent death** (GRAL muerte violenta), **violent disorder** (PENAL disturbio, desorden violento, conducta violenta, altercado violento; V. *affray, riot*), **violent presumption** (PROC indicio violento o vehemente)].

visible injuries, no *fr*: GRAL sin lesiones apreciables.

visit *n/v*: GRAL visita; visitar. [Exp: **visitation** (GRAL/FAM inspección, [derecho de] visita, supervisión), **visitation of God, by** (GRAL por causas desconocidas; V. *standing mute, bereft of reason*), **Visiting Forces** (INTER fuerzas extranjeras estacionadas en Gran Bretaña), **visiting-room** (PENAL locutorio [de una cárcel]), **visitor** (GRAL autoridad que visita una institución periódicamente para inspeccionar y supervisar; V. *inspector*)].

visne *obs US n*: PROC vecindad, lugar [en el que se cometió un delito o en donde se convocaron miembros de un jurado]; equivale a *venue*[1].

vitiate *v*: GRAL viciar, invalidar, envilecer; menoscabar; V. *debauch, degrade*. [Exp: **vitiate a contract** (GRAL invalidar un contrato), **vitiation** (GRAL invalidación)].

vocation *n*: GRAL vocación, ocupación, empleo, oficio. [Exp: **vocational training** (GRAL formación profesional), **vocational retraining** (GRAL reconversión profesional)].

void *a/v*: GRAL nulo, sin valor ni efecto alguno, inválido, írrito, sin ningún efecto, valor o fuerza; anular, invalidar ◊ *A power of attorney is void on the death of the signer*; el término se aplica a *contract, indorsement, judgment, marriage*, etc.; V. *empty, bare, clear, devoid, ineffectual, unlawful, null; render null*. [Exp: **void for vagueness** (PROC nulo por imprecisión en la tipificación; es inconstitucional y, por tanto, nula de pleno derecho toda ley penal que no tipifique la conducta prohibida o la sanción que acarrea dicha conducta), **void trial** (PROC juicio nulo), **void of** (GRAL desprovisto de), **voidability** (GRAL anulabilidad), **voidable** (GRAL anulable, cancelable ◊ *Insurance contracts are voidable if the insured has concealed some material fact or circumstance from the insure*; V. *uberrimae fidei*)].

voir/voire dire *n*: PROC examen del juez en el que resuelve una cuestión preliminar en el curso de la vista sobre pruebas propuestas; se celebra en ausencia del jurado.

voluntary *a*: GRAL espontáneo, intencional, voluntario; aparece con el significado de «voluntario» en muchas unidades léxicas compuestas con *abandonment, appearance, arbitration. bankruptcy, trust*, etc. [Exp: **voluntary assignment** (CIVIL cesión contractual de bienes), **voluntary bill** (PENAL auto de procesamiento dictado por un juez del *High Court of Justice*), **voluntary homicide** (PENAL asesinato/homicidio intencional), **voluntary conveyance** (MERC cesión sin causa valiosa; V. *consideration*), **voluntary manslaughter** (PENAL homicidio, con circunstancias atenuantes como la provocación o la capacidad mental disminuida ◊ *In voluntary manslaughter there is always a mitigating circumstance, like provocation*; V. *accidental killing*), **voluntary nonsuit** (PROC sobreseimiento voluntario; V. *abandonment of action, etc., discharge from prosecution, abatement of proceedings*), **voluntary redundancy** (LABORAL retiro o jubilación anticipada o voluntaria), **vol-**

untary winding-up (MERC liquidación voluntaria; V. *compulsory winding-up*)].

vote *n/v*: GRAL voto, sufragio, votación; votar, pronunciarse; V. *ballot, plebiscite*. [Exp: **vote by ballot** (GRAL votación secreta), **vote by proxy** (GRAL voto por poder), **vote by roll call** (GRAL voto nominal), **vote by show of hands** (GRAL votación a mano alzada), **vote by acclamation** (GRAL voto por aclamación), **vote down** (GRAL rechazar una propuesta por mayoría de votos), **vote of lack of confidence** (GRAL moción de censura o de falta de confianza), **vote of thanks** (GRAL voto de gracias, agradecimiento expresado y aprobado para que conste en acta), **vote with the minority** (GRAL unir sus votos a los de la oposición), **voter** (CONST elector, votante; V. *qualified voter, electorate*), **voting** (GRAL/CONST votación, comicios), **voting right** (CONST derecho de sufragio o de voto), **voting list** (GRAL censo electoral), **voting-slip** (GRAL papeleta que contiene el voto; V. *ballot-paper*), **voting shares/stock** (MERC acciones políticas o con derecho a votar), **voting trust** (CIVIL fideicomiso para votación)].

vouch *v*: GRAL certificar, garantizar, atestiguar; V. *warrant, authenticate, certificate*. [Exp: **vouch for somebody** (GRAL/PROC responder de alguien, ser garante de alguien, constituirse en fiador), **voucher** (comprobante, justificante, recibo, resguardo; V. *receipt, warrant*), **voucher of indebtedness** (MERC comprobante de adeudo)].

vulnerability *n*: GRAL vulnerabilidad; V. *legal vulnerability* ◊ *Vulnerable and/or intimidated witnesses are under protection*. [Exp: **liable** (GRAL vulnerable; V. *exposed, indefensible*)].

W

W. A. *fr*: MERC V. *with average.*

wage *n*: LABORAL salario, paga, jornal; V. *salary, pay, package deal.* [Exp: **wage ceiling** (LABORAL tope salarial), **wage council** (LABORAL comisión de revisión de salarios), **wage dispute** (LABORAL disputa salarial), **wage garnishment** (PROC embargo de salario); **wage scale** (LABORAL escala salarial)].

wager *n/v*: GRAL apuesta, cantidad apostada; apostar; V. *bet, game; gamble.* [Exp: **wagering contract** (MERC contrato de juego)].

waif *obs a*: GRAL bien abandonado, bien mostrenco; V. *lands in abeyance, unclaimed goods.* [Exp: **waifs** (PENAL bienes robados y abandonados), **waifs and strays** (GRAL niños abandonados)].

wait *n/v*: GRAL espera; esperar. [Exp: **wait and see rule** (SUC norma de aplicación a los casos de herencias aplazadas, según la cual el tribunal puede «esperar a ver» si una disposición testamentaria surte efecto o no dentro del período de prescripción), **waiting list** (GRAL/PROC lista de causas pendientes), **waiting period** (GRAL término suspensivo)].

waive *v*: GRAL renunciar a, ceder, inhibirse, no hacer uso de, dispensar, pasar por alto, no tomar en consideración, suspender; V. *disclaim, relinquish, abandon.* [Exp: **waive a claim** (PROC renunciar a una pretensión, renunciar al derecho de presentar una demanda ◊ *The court ruled that as the plaintiff had waived the claim 2 years before he could not reasonably bring it now*), **waive an irregularity** (GRAL salvar una irregularidad o defecto de forma), **waive the breach** (PENAL condonar la infracción), **waive one's rights** (GRAL abdicar de su derecho; V. *yield one's rights, forbear, forfeit*), **waiver** (PROC renuncia, repudio; condonación; V. *disclaimer*), **waiver clause** (cláusula de no renuncia al derecho de abandono, por parte del asegurado, o del de aceptación del abandono por parte del asegurador; V. *antiwaiver clause, sue and labour, abandonment*), **waiver of exemption** (PROC renuncia de exención), **waiver of immunity** (PROC renuncia al fuero/inmunidad), **waiver of jury** (PROC renuncia al derecho de juicio con jurado), **waiver of notice** (PROC renuncia de citación o de aviso), **waiver of performance** (renuncia de cumplimiento específico), **waiver of protest** (PROC renuncia al protesto), **waiver of tort** (PROC renuncia de daños por agravio), **waive the right to institute any proceeding** (PROC renunciar a cualquier derecho; V. *abandonment of action, appeal, rights, claims, etc.*)].

walk *v*: GRAL caminar. [Exp: **walk out** (GRAL/LABORAL abandonar una reunión, lugar de trabajo, etc., en señal de protesta; abandono airado, huelga ◊ *The African delegates walked out of the Congress in protest over the resolution*), **walk-in possession** (custodia, depósito, depósito en administración de un bien embargado; se llama así porque, en caso necesario, el agente judicial depositario de la mercancía o valor está autorizado a entrar por su propio pie *–walk in–* en el lugar donde el objeto se encuentre para tomar posesión física del mismo; V. *bailee*)].

want of *fr*: GRAL falta de. [Exp: **want of interest** (PROC falta de interés o de acción; V. *exception of want of interest*), **want of issue** (FAM falta de descendencia), **want of standing** (PROC falta de legitimación procesal; V. *show standing, standing*)].

wanton *obs a*: GRAL insensible, imperdonable, injustificable; aparece junto a *negligence, misconduct*, etc.; V. *perverse, licentious*. [Exp: **wanton and reckless misconduct** (GRAL conducta descuidada y peligrosa), **wanton negligence** (GRAL imprudencia temeraria), **wantonly** (GRAL perversamente)].

war *n*: GRAL guerra; V. *fight, struggle*. [Exp: **war-crime tribunal** (PENAL tribunal de crímenes de guerra ◊ *At the war-crime tribunal he pleaded guilty of crimes against humanity*; V. *ethnic cleansing*), **war criminal** (PENAL criminal de guerra), **war risks clause** (SEGUR cláusula de guerra; en caso de guerra se autoriza al capitán mediante esta cláusula a descargar en donde considere mejor)].

ward[1] *n*: PROC menor, pupilo o huérfano acogidos a la tutela de los tribunales de menores ◊ *On their parents' death the children were made wards of court*; y también se le llama *ward of court* o *ward in chancery*. [Exp: **ward**[2] (PROC/GRAL circunscripción, barrio o división de una ciudad a efectos electorales; sala de un hospital; V. *electoral ward, venue*), **ward** (GRAL guardar, defender, proteger), **warden** (GRAL encargado, guardián, responsable del bienestar de los residentes de instituciones como colegios mayores, etc.), **warden of a port** (MERC capitán de un puerto; V. *harbour master*), **warder** (carcelero, guardián, funcionario de prisiones), **wardship** (CIVIL tutela, tutoría, pupilaje; V. *guardianship*)].

ware *n*: MERC mercadería, mercancía. [Exp: **warehouse** (MERC almacén, depósito), **warehouse acceptance** (MERC aceptación del almacén), **warehouse entry bond** (MERC fianza de entrada para almacén afianzado), **warehouse bond** (MERC fianza de almacén), **warehouse receipt** (MERC certificado, conocimiento o guía o resguardo de almacén, guía de depósito, vale de prenda, recibo de almacén), **warehouse warrant** (MERC duplicado del certificado de almacén; V. *warrant*)].

warn *v*: GRAL avisar, amonestar, alertar, advertir, prevenir, conminar ◊ *The jury was warned not to pay any heed to newspaper reports of the trial*; V. *notice, caution; advice, threat, admonish*. [Exp: **warned list** (PROC relación de causas que serán vistas próximamente; se avisan a las partes para que estén preparadas por si falla alguien; V. *cause list, fixture*), **warning** (GRAL aviso, amonestación, caución, notificación, advertencia ◊ *Cordless phones carry a no-privacy warning*), **warning of caveat** (PROC notificación o aviso al que ha presentado un *caveat* para que comparezca ante el tribunal a fin de dar cuenta de su título o derecho a la propiedad)].

warrant[1] *n/v*: GRAL garantía, certificado, justificación, justificante, comprobante, cédula, resguardo, duplicado; autorización; justificar, autorizar, avalar, certificar, garantizar, responder por, salir fiador. [Exp: **warrant**[2] (PROC decisión judicial, orden, auto, orden judicial, mandamiento judicial, autorización, mandato ◊ *The premises of the applicants were entered and searched on a warrant granted by local justices*; V. *interest warrant, order, bench warrant, death warrant, general warrant, search warrant, witness warrant; writ*), **warrant**[3] (MERC derecho, cédula o certificado de adquisición de acciones incorporados a títulos de renta fija, con independencia de que éstos sean convertibles o no ◊ *A warrant is an option to buy stock from an issuing company at a specified price*), **warrant in bankruptcy** (MERC/PROC auto de bancarrota, incautación de bienes y notificación a los acreedores), **warrant of arrest** (PENAL orden o auto de búsqueda y captura, mandamiento de detención; V. *bench warrant*), **warrant of attachment** (LABORAL autorización de intervención de salario, cuenta bancaria, etc.), **warrant of attorney** (PROC procuración, poder, mandato), **warrant of commitment** (PENAL orden de confinamiento), **warrant of execution** (PROC orden de ejecución, autorización para proceder por vía ejecutiva), **warrant for payment** (PROC orden de pago), **warrant sale** *der es* (CIVIL/PROC venta judicial; V. *distraint, execution, enforcement*), **warrant to search a suspect's home** (PENAL mandamiento/orden de registro domiciliario), **warranted** (GRAL garantizado; V. *unwarranted*), **warrantee** (GRAL garantizado, el que recibe una garantía), **warranter/warrantor** (GRAL garante, fiador), **warrantless arrest** (PENAL detención sin mandamiento judicial), **warranty** (SEGUR seguridad, garantía; la *warranty* es una promesa colateral, cuyo incumplimiento no basta para resolver un contrato; sin embargo, muchos tribunales interpretan que la *warranty* es la *condition* del contrato, con lo que su violación puede anularlo; V. *condition guarantee*), **warranty deed** (CIVIL escritura de propiedad con garantía de título; V. *guarantee, absolute warranty*), **warranty of fitness** (MERC garantía de aptitud), **warranty of title** (CIVIL garantía de título; V. *breach of warranty, express warranty*)].

washing *n*: MERC/FISCAL lavado; V. *bond washing*.

waste *n/v*: GRAL residuos, deterioro, pérdida, desperfecto; uso, desgaste; consumo por el uso; transformación; doctrina de los actos dañosos de transformación; estropear, deteriorar, echar a perder, gastar, desgastar ◊ *A tenant is liable for all waste to the property caused by his actions or neglect*; V. *disposal of radioactive waste, permissive waste*. [Exp: **wasting assets** (MERC activo o bienes agotables, consumibles o perecederos; cuando aparecen en un testamento, es deber del albacea venderlos o realizarlos cuanto antes para reducir las pérdidas; V. *perishable goods*)].

watch *v*: GRAL vigilar. [Exp: **watchdog** (MERC/GRAL comité/entidad de vigilancia, intervención o control interno; censor ◊ *The Court of Auditors is the financial watchdog of the European Community*; V. *ban, administrative agency; checkpoint*), **watchdog committee** (ADMIN comisión de vigilancia de un organismo oficial, un ente público, una entidad bancaria, etc.; comité de dirección ◊ *The advert has been banned by the TV watchdog committee*; V. *regulatory agency*)].

water[1] *n/v*: GRAL agua; aguar, egar; V. *territorial waters, water rate*. [Exp: **water**[2] (GRAL rebajar diluir; se emplea en expresiones como *watered assets* –activos diluidos–, *watered capital* –capital diluido, inflado o sobrevalorado–, *water stock* –acciones diluidas o sobrevaloradas; acciones infladas por exceso de capitalización; acciones cuyo valor nominal es superior al valor de los activos subyacentes–), **water rate** (ADM impuesto municipal/cuota por consumo de agua), **water rights** (CIVIL servidumbre de aguas; V. *servitude, easement*), **waterway** (GRAL/MERC río; canal, vía fluvial o canal navegable; V. *inland waterway*)].

wax seal *n*: GRAL sello de lacrar.

way *n*: GEN forma, camino ◊ *A bailee is a person to whom goods are entrusted by way of bailment.* [Exp: **way-mark** (CIVIL mojón, poste, término; V. *abuttals*), **way of, by** (GRAL en forma de, por vía de), **way of necessity** (paso necesario), **Ways and Means Committee** *US* (CONST Comisión Presupuestaria de Recursos Financieros)].

weak *a*: GRAL débil; V. *strong*. [Exp: **weak suit** *US* (PROC demanda con escaso fundamento)].

weapon *n*: GRAL arma; V. *arm, knife*.

wear and tear *n*: GRAL/CIVIL desgaste lógico y normal; uso ◊ *A manufacturer is not obliged to replace goods which have deteriorated through fair wear and tear*; esta frase, que se encuentra en las cláusulas de los contratos de arrendamiento, aparece como *fair wear and tear* y también como *ordinary wear and tear*; V. *emotional wear and tear; permissive waste*.

weather *n*: GRAL tiempo atmosférico. [Exp: **weatherbound** (MERC bloqueado por el mal tiempo), **weather working days** (MERC cuando el tiempo lo permite; mediante esta frase o la sinónima *weather permitting* se excluyen del cálculo de los días de plancha o *laydays*, los días que por mal tiempo no se pueden dedicar a la carga o descarga)].

weekly *a*: GRAL semanal; V. *daily, monthly, yearly*.

weigh *v*: GRAL pesar, sopesar, ponderar, valorar ◊ *The judge weighed the degree of prejudice to the defendant*; V. *consider, contemplate*. [Exp: **weigh evidence** (PROC ponderar pruebas), **weigh in favour of** (PROC inclinarse a favor de ◊ *The balance of inequities weighs heavily in favor of granting the injunction to the plaintiff*), **weight** (GRAL peso, preponderancia; V. *net weight*), **weight of evidence** (PROC preponderancia de la prueba, apreciación de la prueba), **weighting** (GRAL ponderación)].

welfare *n*: GRAL bien, bienestar. [Exp: **welfare fund** (GRAL fondo de previsión), **welfare payment** (LABORAL ayuda, asistencia social), **welfare state** (GRAL estado/sociedad de bienestar)].

well *n*: PROC espacio o zona de la sala donde se sientan los abogados, también llamada *court well* ◊ *The well is in front of the judge's bench.*

wet dock *n*: MERC dique flotante; V. *dry dock*.

whether ... or *conj*: o ... o. [Exp: **whether in berth or not** (MERC atracado o no)].

wharf *n*: MERC muelle.

wheeler-dealer *col n*: GRAL intrigante, vivo, pícaro, pirata ◊ *He is a real wheeler-dealer and brings in a lot of business for the firm.*

where *adv*: GRAL en aquellos casos en que, siempre que ◊ *This generally occurs in the following cases: (1) where magistrates decide ..., (2) where several persons have been committed ...* [Exp: **where appropriate** (GRAL en su caso, cuando proceda), **where necessary** (GRAL cuando fuere necesario, en caso necesario, en tanto fuere necesario; V. *as far as is necessary*), **whereabouts** (GRAL paradero; V. *unknown whereabouts, with no fixed abode*), **whereas** (GRAL por cuanto, visto que, considerando de un documento), **whereas clauses** (CIVIL considerandos [de un contrato o sentencia], resultandos; V. *facts, points of law*), **whereby** (GRAL por medio del cual ◊ *There are other other ways whereby a solution can be found*), **wherefore** (GRAL por lo que), **whereof** (GRAL del cual, de los cuales ◊ *Ancient pottery* *whereof many examples are lost*; V. *in witness where of*), **wherein** (GRAL en el cual ◊ *The state wherein they reside*)].

whip *n*: CONST jefe del grupo parlamentario, diputado responsable de velar por los intereses del grupo parlamentario; llamada a los diputados para que acudan a votar.

white *a*: GRAL blanco; V. *green*. [Exp: **White Book** (PROC Normas de derecho procesal civil; es el nombre coloquial con el que se conoce a *The Rules of the Supreme Court*; desde la reforma procesal civil de 1998 las normas procesales de enjuiciamiento civil se llaman *The Civil Procedure Rules*; V. *Green Book, Rules of the Supreme Court*), **white-collar offences** (PENAL delitos de guante blanco), **White Papers** (CONST proposiciones de ley; V. *Green Papers, Command papers*), **white slavery** (PENAL trata de blancas)].

wholesale *a/adv*: MERC mayorista, al por mayor, en masa ◊ *There were wholesale arrests*. [Exp: **wholesale house** (MERC almacén), **wholesale price** (MERC precio de mayorista), **wholesale trade** (MERC comercio al por mayor, mayorista), **wholesale trader** (MERC comerciante al por mayor), **wholesaler** (MERC mayorista)].

wide *a*: GRAL amplio; V. *broad, narrow* [Exp: **wide definition approach/sense** (definición o interpretación amplia o extensiva), **widen** (GRAL ampliar ◊ *The new legislation is expected to widen the powers of local authorities*. V. *extend, enlarge, narrow*), **widening** (GRAL ampliación; V. *extension, enlargement*), **widespread** (GRAL muy difundido, ampliamente extendido)].

widow *n*: GRAL viuda. [Exp: **widow's benefit** (LABORAL subsidio de viudedad, formado por una suma a tanto alzado), **widow's pension** (LABORAL pensión de viudedad), **widower** (GRAL viudo)].

wildcat strike *n*: LABORAL huelga no oficial, huelga salvaje.

wilful, willfull *US a*: GRAL premeditado, intencionado, voluntario, con premeditación, hecho con intención. [Exp: **wilful damage to property** (PENAL daño premeditado a la propiedad), **wilful misconduct** (PENAL dolo), **wilful murder** (PENAL asesinato con premeditación), **wilful neglect** (PENAL negligencia temeraria), **wilful tort** (CIVIL agravio intencionado), **wilfully** (GRAL/PENAL deliberadamente, con premeditación ◊ *The court has awarded aggravated damages against the defendant because he behaved wilfully*; V. *maliciously*), **willfulness, willfulness** *US* (PENAL premeditación, perversidad, malignidad),

will[1] *n*: GRAL voluntad; V. *strength of will*. [Exp: **will**[2] (SUC testamento; legar, disponer por testamento, desear, expresar su voluntad; V. *last will and testament, living will*),**will, at** (CIVIL/MERCANTIL denunciable sin preaviso denunciable o sin plazo fijo de duración; V. *partnership at will, estate at will, lease at will, tenant at will, at will employment*), **will contest** (SUC impugnación del testamento), **will employment, at** (LABORAL contrato laboral terminable en cualquier momento por parte del empleador sin previo aviso ◊ *In an at-will employment the employer can dismiss a worker for any cause at any time without any notice*)].

willingly *adv*: GRAL libremente, de buena voluntad; intencionadamente ◊ *The divorced woman claimed that her son had not willingly accompanied his father to the USA, but had been carried away by force*.

win *v*: GRAL ganar ◊ *Spanish fishermen have won back their right to register their shipping vessels under the British flag*. [Exp: **win a damages award** (PROC obtener un laudo o sentencia de indemnización por daños y perjuicios), **win an action** (PROC ganar un pleito), **win back a right** (CIVIL recuperar un derecho), **win-win solution** (PROC solución en la que ganan las dos partes; los mediadores *–mediators–* suelen ser expertos en *win-win solutions*)].

wind up *v*: MERC liquidar, disolver ◊ *The business went into receivership and was wound up shortly afterwards.* [Exp: **wind up** (MERC/GRAL acabar ◊ *He fiddled the Stock Market and wound up in the quod*; S. *end up*), **winding-up** (MERC disolución, liquidación; V. *bankruptcy*)].

window cheque *n*: MERC talón de ventanilla. [Exp: **window-dressing** (GRAL escaparatismo; manipulación contable, maquillaje de balance, manipulación; V. *massaging the numbers; window dressing; cook the books*)].

wipe out *v*: GRAL cancelar, borrar ◊ *The firm used the revenue to wipe out its outstanding debts*; V. *cancel.* [Exp: **wipe-out**[1] *col* (GRAL erradicación, destrucción, limpieza *col*, barrida *col*; V. *bust*[1]), **wipe-out**[2] (GRAL destrucción, aniquilación, ruina ◊ *Black Monday saw the wipe-out of dodgy securities on the Stock Market*)].

wire-tapping *n*: PENAL interceptación de mensajes telefónicos o telegráficos, escuchas electrónicas, colocación ilegal de escuchas telefónicas, «pinchar» teléfonos; V. *eavesdropping, covert surveillance, electronic surveillance, phone-tapping, bugging.*

withdraw *v*: GRAL retirar-se, dar-se de baja, reintegrar, anular, borrar, rescindir, abandonar; sacar; V. *retreat, revoke.* [Exp: **withdraw a bid** (GRAL retirar una oferta o propuesta), **withdraw a charge** (PENAL retirar una acusación), **withdraw a suit** (PROC desistir del pleito; V. *abandon*), **withdraw cash from the bank** (MERC sacar dinero del banco ◊ *If you haven't got your bank-book on you, you can use your credit card to withdraw cash*), **withdraw from a partnership** (MERC retirarse de una sociedad), **withdraw from membership** (GRAL darse de baja, desafiliarse), **withdraw from the agenda** (borrar del orden del día), **withdrawal** (GRAL retirada, retiro, reintegro, retracto, acto de retractarse, anulación, supresión; V. *retreat, reimbursement, abandonment*), **withdrawal of a power** (CIVIL revocación de un poder), **withdrawal of an issue from the jury** (PROC instrucción cursada por el juez al jurado de que declaren a favor de una de las partes por falta de pruebas), **withdrawal of an order** (anulación de un pedido; V. *abandonment*), **withdrawal of authority** (ADMIN desautorización), **withdrawal of benefits** (GRAL supresión de ventajas o beneficios), **withdrawal receipt** (MERC comprobante o recibo del reintegro), **withdrawal symptoms** (GRAL síndrome de abstinencia; V. *cold turkey*)].

withhold *v*: GRAL retener, denegar, impedir ◊ *If bail is withheld by a magistrate an accused may apply to the Crown Court*; V. *adjudication withheld.* [Exp: **withhold at source** (FISCAL retener en origen o en la fuente), **withhold bail** (PENAL denegar la libertad bajo fianza), **withholding** (FISCAL retención; V. *allowance, PAYE*)].

within *prep*: GRAL dentro de los límites de; V. *subject to.* [Exp: **within the meaning of the Act** (GRAL dentro de los términos de la ley, en el ámbito de la ley, que se ajusta a la ley, que está tipificado)].

withstand *v*: GRAL resistir, oponerse ◊ *The evidence withstood the examination of an expert*; V. *defy, oppose.*

witness *n/v*: GRAL/PROC testigo; atestar, atestiguar, testificar, autenticar ◊ *Witnesses are required to swear on oath before giving evidence*; V. *eye-witness, friendly witness, eye-witness, zealous witness; bear witness, give evidence, tampering with witnesses.* [Exp: **witness box/stand** (PROC banco o banquillo de testigos), **witness clause** (PROC/CIVIL cláusula de atestación), **witness for the Crown** (PROC testigo de cargo), **witness for the defence** (PROC testigo de descargo, de la defensa; V. *defence witness*), **witness for the plaintiff** (PROC testigo de la parte actora), **witness for the prisoner** (PROC testigo de descargo), **witness for the prosecution** (PROC testigo de cargo, testigo aportado por el fiscal), **witness order** (PROC orden de comparecencia como testigo), **witness proof** (PROC prueba testimonial), **witness whereof, in** (GRAL/CIVIL/PROC en testimonio/fe de lo cual; es la fórmula con la que comienza el otorgamiento de una escritura, llamado en inglés *authentication clause* o *testimonium*), **witnessing part** (CIVIL fórmula contenida en un documento notarial que contiene la expresión *this deed witnesseth as follows* –por el presente instrumento hago constar– u otra del mismo tenor, cuya función es introducir el cuerpo del escrito; V. *part, recitals*), **witness warrant** (PENAL orden de detención para llevar a la fuerza a una persona ante la sala donde ha de comparecer como testigo; se dicta contra la persona que con anterioridad ha hecho caso omiso de una orden de comparecencia)].

Woolsack *n*: GRAL «saca de lana», asiento del Lord Canciller en la Cámara de los Lores.

word *n/v*: GRAL palabra; redactar, expresar algo de una determinada manera ◊ *The new wording of the Act met with the MPs' approval and it was duly passed*; V. *give one's words*. [Exp: **word of honour/word as a gentleman** (GRAL palabra de honor), **wording** (GRAL redacción; V. *writing*), **words actionable [in themselves]** *US* (PENAL palabras calumniosas), **words of art** (GRAL términos técnicos, términos jurídicos de uso establecido y de alcance conocido), **words of limitation** (GRAL [fórmulas solemnes empleadas en la] delimitación de los derechos sobre lo que se traspasa), **words of procreation** (CIVIL palabras o texto de una escritura que crea una cadena de sucesión limitada a determinados descendientes lineales del beneficiario nombrado; V. *tail*), **words of purchase** (MERC palabras de una escritura que identifican al adquirente del objeto traspasado), **words of limitation** (CIVIL palabras de una escritura que limitan el derecho o la clase de dominio que se traspasa), **words of severance** (CIVIL texto de una escritura que señala el dominio exclusivo de cada uno de sus dueños sobre una determinada parte de la propiedad; V. *coowner, severance*), **words to like effect** (GRAL términos análogos, términos del mismo significado; V. *constructive*)].

world *n*: GRAL mundo ◊ *The formula used between spouses at marriage is «With all my worldly goods I thee endow»*. [Exp: **World Bank** (INTER Banco Mundial; V. *International Bank for Reconstruction and Development*), **worldly goods** (CIVIL bienes terrenales, bienes reales y personales)].

work *n/v*: GRAL/LABORAL trabajo; trabajar. [Exp: **work at piece rates** (LABORAL trabajo remunerado por unidad de obra), **work at times rates** (LABORAL salario por unidad de tiempo, trabajo remunerado por unidad de tiempo), **work in process/progress** (LABORAL obra en curso), **work out** (LABORAL elaborar, calcular, efectuar; V. *draw up*), **work to rule strike** (LABORAL huelga de celo; V. *sit down strike, slowdown strike, wildcat strike*), **workaholic** (GRAL adicto, enviciado u obsesionado por el trabajo), **worker** (LABORAL obrero, trabajador; V. *employee, labourer, servant, workman*), **workers' compensation acts** *US* (GRAL legislación referida a indemnizaciones de tipo laboral, sobre todo por accidentes de trabajo), **workers' compensation insurance** *US* (GRAL seguro de accidentes de trabajo), **workforce** (MERC mano de obra; V. *labour, man-*

power), **working** (GRAL funcional), **working assets** (MERC activo circulante, activo de explotación; V. *current assets, liquid assets, quick assets, circulating assets, floating assets*), **working capital** (GRAL capital circulante), **working credit** (MERC crédito de explotación), **working day** (LABORAL día laborable, día hábil; V. *legal day, dies juridicus, working day*), **working day of 24 hours** (GRAL se emplea, en el cálculo de los días de plancha, para indicar que sólo correrá un día por cada período de 24 horas), **working expenses** (MERC gastos de explotación), **working hours** (GRAL horas hábiles de trabajo, jornada laboral; V. *business day*), **working hypothesis** (GRAL hipótesis de trabajo), **working paper** (GRAL documento de trabajo), **working party** (GRAL grupo de trabajo), **working session** (GRAL sesión de trabajo), **workman** (LABORAL obrero; V. *worker*), **workshop** (LABORAL taller)].

worth *n*: GRAL valor; V. *value, credit worthiness.*

wound *n/v*: GRAL herida; herir, causar heridas; V. *hurt, impair, offend, damage, maim.* [Exp: **wounding with intent** (PENAL causar heridas con la intención de que sean graves), **woundless** (GRAL ileso; V. *unhurt, uninjured, unscathed, undamaged, unimpaired, safe, protected*)].

wreck *n/v*: GRAL náufrago; naufragar; V. *sink.*

wrench the pistol from sb *fr*: GRAL arrancar/arrebatar la pistola a alguien.

wring *v*: GRAL retorcer, estrujar, arrancar. [Exp: **wring a confession from sb** (GRAL/PENAL arrancar una confesión a alguien por la fuerzar ◊ *He was given the third degree in an effort to wring a confession from him*; V. *third degree, sweating*), **wring the neck** (GRAL retorcer el cuello; V. *twist*)].

writ *n*: PROC mandamiento judicial, auto judicial, orden judicial, resolución judicial, proveído, mandato, decreto, escrito ◊ *A suit is officially commenced when the plaintiff takes out a writ advising the defendant of his intention to proceed*; el *writ* es un auto o disposición *–order–* que dictan los tribunales superiores en nombre del monarca, o en el del Lord Canciller, ordenando el cumplimiento de algo o la abstención de hacer algo; por eso, también se le llama «escrito real»; de los varios tipos de *writ* que existen, el más utilizado es el *writ of summons*, ya que con él se incoaban las demandas en el *High Court*; hasta la Ley de Administración de Justicia de 1938 *–Administration of Justice Act, 1938–* había cuatro *prerogative writs*: el *certiorari*, el *mandamus*, el *prohibition* y el *habeas corpus*; desde entonces, sólo el último conserva el rango de «escrito real» o *writ of prerogative*, habiéndose convertido los otros en *prerogative orders*; V. *warrant.* [Exp: **writ of attachment** (PROC mandamiento de embargo, autorización para intervenir el salario de un deudor, providencia de secuestro; V. *attachment*), **writ of capias** (PROC orden judicial de embargo de bienes, orden judicial de detención o de prisión; con esta orden judicial se confieren poderes suplementarios al *sheriff* para el cumplimiento o ejecución de una sentencia), **writ of certiorari** *US* (PROC V. *certiorari*[2]), **writ of clare constat** *de es* (CIVIL escritura o instrumento en el que se confirma el título de propiedad del heredero nombrado en el mismo; V. *clare constat; precept of clare constat*), **writ of delivery** (PROC/CIVIL mandamiento para entrega de bienes muebles), **writ of entry** (PROC/CIVIL auto de posesión, acción para recobrar la posesión de un inmueble), **writ of error** (PROC auto de casación; V. *error*), **writ of execution** (PROC auto ejecutivo, auto de ejecución de una sentencia, mandamiento de ejecución, ejecutoria, providencia ejecutoria; V. *execution, enforcement*; el término *writ of execution* es genérico y comprende los siguientes: *writ of fieri facias, writ of possession, writ of delivery, writ of sequestration*; V. *execution, warrant of execution*), **writ of expropriation** (PROC auto de expropiación), **writ of fieri facias** (PROC orden de embargo ejecutivo, orden de ejecución relativa a bienes muebles o inmuebles), **writ of habeas corpus** (PROC/PENAL auto de *habeas corpus*, procedimiento de *habeas corpus*, auto firmado por un juez del *Queen's Bench Division* a instancia del letrado de un detenido, exigiendo la comparecencia inmediata ante él de un representante de la cárcel o institución penitenciaria en donde se halla detenido su representado, para que justifique dicha detención, que en principio parece dudosa, o bien ponga al detenido en libertad sin pérdida de tiempo; V. *habeas corpus*; *writ*), **writ of mandamus** (PROC V. *mandamus*), **writ of ne exeat** (PENAL prohibición judicial al acusado de abandonar el lugar de la jurisdicción del tribunal), **writ of possession** (PROC auto de posesión, interdicto de despojo; es uno de los *writs of execution*, mediante el que se da instrucciones al *sheriff* para que desaloje al ocupante de una finca y se la entregue al demandante), **writ of prohibition** (PROC auto inhibitorio; V. *prohibition*), **writ of protection** (GRAL salvoconducto), **writ of replevin** (CIVIL auto de reivindicación), **writ of restitution** (PROC auto de restitución), **writ of review** (PROC auto de revisión), **writ of summons** (CIVIL escrito de demanda dirigido al demandado comunicándole que se ha incoado un proceso contra él y formulando la pretensión procesal; notificación oficial que sirve para la incoación de un proceso civil en el *Queen's Bench*; emplazamiento, escrito oficial de citación, auto de comparecencia, citación judicial a un demandado, requerimiento; desde la reforma procesal civil de 1998 se utiliza en Inglaterra y Gales *claim form* en vez de este término; V. *request for a summons, originating summons*), **writ of supersedeas** (PROC auto de suspensión o de sobreseimiento, providencia ordenando la paralización de los procedimientos)].

write *v*: GRAL escribir ◊ *The car was so badly damaged in the accident that the insurance company's assessor wrote it off.* [Exp: **write-down** (MERC rebajar el valor contable de un activo; saneamiento), **write down of portfolio** (MERC devaluación de la cartera de valores), **write-off** [1] (MERC anular, eliminar fallidos de los libros; amortizar totalmente, dar por perdido; dar de baja en los libros; cancelar/anular partidas contables, cancelar con cargo a beneficios; V. *charge off; redeem; non-performing loans; bad debt-s; recoverable debts; coverage ratio*), **write-off** [2] (MERC saneamiento; quita; deuda o valor incobrable, pérdida total, cancelación en libros, eliminación de deudas incobrables ◊ *Write off a debt*; V. *be to the bad; bad debt write-off*), **write-off** [3] (SEGUR siniestro total; V. *damaged beyond repair, total loss, constructive total loss*), **write up** (GRAL poner al día, redactar), **writer** (MERC/SEGUR inversor, asegurador; V. *long investor, hedger*), **writing** (GRAL escrito, letra; V. *wording*), **written** (GRAL escrito), **written agreement** (GRAL acuerdo escrito), **written brief** *US* (PROC argumentos presentados en forma esquemática; alude al esquema que contiene los puntos que se abordarán oralmente ante el tribunal; equivale a *skeleton argument* y suele ir acompañado de muchas citas de autoridad *–authorities–*), **written contract** (MERC acuerdo por escrito), **written evidence** (PROC prueba escrita), **written law** (CONST derecho escrito, ley escrita),

written testimonial (GRAL certificado de buena conducta), **written warning** (LABORAL amonestación por escrito a un trabajador; V. *verbal warning*)].

wrong *a/n/v*: GRAL equivocado, malo, injusto; injuria, abuso, ilícito civil, injusticia, agravio, error; tratar injustamente ◊ *Evidence uncovered later proved that the police had arrested the wrong woman*; V. *tort, bad, evil, ineffectual, inoperative; redress a wrong*. [Exp: **wrongdoer** (PENAL malhechor, delincuente; V. *evildoer, offender*), **wrongdoing** (PENAL comisión de alguna falta o delito, injusticia, maldad o perversidad del proceder; V. *malfeasance, misbehaviour*), **wrongful** (GRAL injusto, abusivo; V. *unfair*), **wrongful arrest** (PENAL detención ilegal), **wrongful death** (PENAL muerte causada por homicidio culposo), **wrongful dismissal/discharge** (LABORAL despido improcedente; V. *unfair dismissal*), **wrongfully** (GRAL ilegalmente, ilícitamente, injustamente)].

xenophobe *n*: GRAL xenófobo; V. *racist, intolerant*. [Exp: **xenophobia** (GRAL xenofobia; V. *racism, intolerance*. [Exp: **xenophobic** (GRAL xenófobo; V. *racist, intolerant, prejudiced*)].

X/L *n*: SEGUR exceso de siniestralidad; V. *excess loss/losses*.

Y

yea *n*: GRAL voto afirmativo; V. *nay*.

year *n*: GRAL año, ejercicio ◊ *The lease is renewable on a year-to-year basis*; V. *accounting year, calendar year, financial year, fiscal year, legal year, tax year, annual*. [Exp: **yearbook** (GRAL anuario de jurisprudencia, etc.), **year-end** (GRAL fin de año), **year-end adjustments,** etc. (GRAL ajustes, etc., de cierre de ejercicio), **year-end closing** (GRAL cierre de ejercicio), **year-to-year basis** (ADMIN/CIVIL/GRAL régimen anual, régimen de renovación, cómputo, etc., anual), **yearly** (GRAL anual; V. *monthly, daily, yearly*)].

yellow-dog contract *US n*: LABORAL contrato laboral que prohíbe al empleado afiliarse a una central sindical.

yield[1] *n/v*: GRAL rendimiento, producto, renta; rentar, rendir, producir intereses, dividendos, etc. ◊ *High-yielding Government Bonds have been one of the most attractive investments*; V. *produce; capital yield, effective yield*. [Exp: **yield**[2] (GRAL ceder, abandonar, admitir, consentir, entregar, restituir; V. *surrender*), **yield one's right** (GRAL ceder en su derecho), **yield rate** (MERC tasa de rentimiento o productividad; V. *rate of return, output rate*), **yield to solicitation** (GRAL acceder/ceder a instancias), **yielding**[1] (GRAL rentable) **yielding**[2] (GRAL sumiso, dócil, obsequioso)].

young *a*: GRAL joven; V. *underage*, juvenile. [Exp: **young offender** (PENAL delincuente juvenil, entre 17 y 20 años), **young offender institution** (ADMIN hogar tutelar de menores, centro de internamiento o acogimiento de menores; V. *community home, day training centre, detention in a young offender institution*), **young person** (GRAL joven, más de 14 años y menos de 17)].

youth custody order/sentence *n*: PENAL V. *detention in a young offender institution*.

Z

zealous witness *n*: PROC testigo parcial o indebidamente afanoso.

zero-rated supply *n*: FISCAL producto de tasación cero, producto exento de IVA ◊ *Books in Great Britain are considered zero-rated supply and pay no VAT*; V. *VAT.*

zip code *US n*: GRAL código postal; V. *post code.*

zoning regulations/rules *US n*: ADMIN reglamentación urbanística de tipo municipal que determina el tipo de construcción de cada zona o distrito municipal; V. *planning authority.*

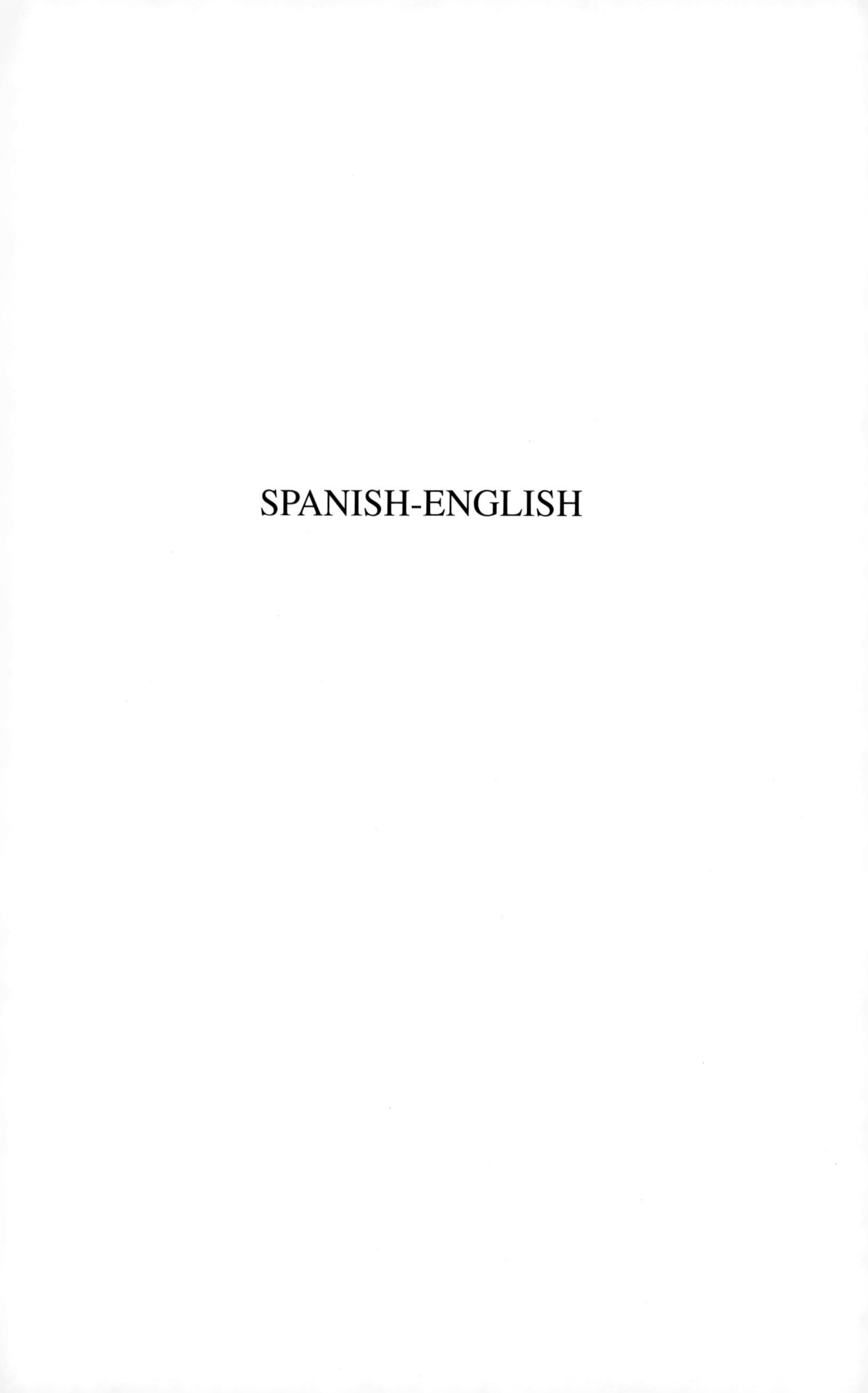

SPANISH-ENGLISH

@ *n/prep*: GEN at sign; S. *arroba.*

a *prep*: GEN Latin preposition, a variant of *ab*, meaning «from», «out of», «away from» or «as a result of», found in some legal or quasi-legal phrases which may generally be left untranslated, such as *a fortiori* [with greater reason] *–con mayor razón–*, *a posteriori*, *a priori*, *a mensa et thoro* –[divorced/separated] from bed and board–, *a cœlo usque ad centrum* –[real property the extent of ownership over which is] from the sky above to the centre of the earth]–, *a verbis legis non est recedendum* –there is no departing from the words of an enactment, i.e. statutes must be construed in accordance with their literal sense–, *a vinculo matrimonii* [released] from the bond of matrimony, etc.; S. *ab, ad, ex, in.*

ab *prep*: GEN Latin preposition meaning «from», «out of», «away from» or «as a result of», found in some legal or quasi-legal phrases which may generally be left untranslated; S. *a, ad, ex.* [Exp: **ab initio** (GEN *ab initio*, from the very beginning, from time immemorial), **ab intestato, abintestato** (SUC intestate, without leaving a will; intestacy; generally written as two words when used adverbially *–murió ab intestato–* and as one word when used as a noun to refer to intestacy, intestacy proceedings, intestate succession or an intestate estate *–las normas del abintestato–*; S. *causahabiente, causante, sucesión, herencia testada, intestado, testar*), **ab irato** (CRIM furiously, in a fit of anger/rage; pedantic Latinism occasionally found in defence pleadings in criminal law; S. *obcecación, emoción violenta, impulso incontenible o incontrolable*)].

abajo *adv*: GEN down, downward-s; S. *arriba.* [Exp: **abajo firmante, el** (GEN the undersigned; S. *infrascrito, suscrito*), **abajo, más** (GEN below, further on or down ◊ *Conforme se indica más abajo en el contrato*), **abajo, venirse** (GEN collapse, break down, go to pieces ◊ *El testigo de descargo se vino abajo al ser interrogado por el fiscal*; S. *hundirse, abatirse*)].

abanderamiento *n*: BSNSS registration [of a vessel/ship under a nation's flag]. [Exp: **abanderar** (BSNSS register a ship/vessel under the flag of the registering nation; S. *bandera, pabellón*)].

abandonamiento *a*: GEN S. *abandono.* [Exp: **abandonado**[1] (GEN careless, negligent, slack ◊ *Le abrieron un expediente disciplinario por mostrarse abandonado en el desempeño de sus funciones*; S. *negligente, descuidado*), **abandonado**[2] (GEN abandoned, relinquished, derelict; S. *abandonar*[2]), **abandonante/abandona-**

dor (CIVIL abandoner; S. *cesionista, abandonatario*), **abandonar**[1] (GEN/CIVIL/CRIM abandon, desert, leave ◊ *Abandonó el hogar familiar por diferencias con su esposa*; S. *dejar, desatender; desamparar*), **abandonar**[2] (GEN/PROC abandon, give up, relinquish, disclaim, renounce ◊ *Ha abandonado las pretensiones que tenía en la herencia de su tío*; S. *renunciar a, dejar, desistir de, ceder*), **abandonar familia, hijos,** etc. (CIVIL/CRIM abandon one's home, children, etc.; desert wife, children; S. *desamparar, descuidar, desertar, dejar, desatender*), **abandonar en señal de protesta** (EMPLOY walk out), **abandonar mercancías, géneros, fletes, etc., al asegurador** (BSNSS/INSUR abandon goods, freights, etc, to the insurer; S. *dejar, desatender*), **abandonar un cargo** (ADMIN resign from a position, leave office, give up a post or position; S. *dimitir*), **abandonar una demanda, un recurso, derechos, una pretensión** (PROC abandon an action, an appeal, rights, a claim; withdraw or discontinue an action, etc.; S. *caducidad, ceder, prescripción, renunciar, desistir*), **abandonatario** (INSUR/CIVIL abandonee, beneficiary; S. *cesionario, derechohabiente, beneficiario*)].

abandono[1] *n*: GEN/CIVIL abandonment, act of abandonment, desertion; S. *desamparo, dejación, derrelicción, defección, «res nullius»*. [Exp: **abandono**[2] (PROC abandonment, withdrawal, discontinuance [of an action]; S. *abandono de la acción, desistimiento de la acción, renuncia*), **abandono**[3] (GEN carelessness, neglect ◊ *En ese hogar la asistente social percibió un abandono total*; S. *desidia, descuido, dejadez*), **abandono culpable del cónyuge, de hogar** (CRIM desertion/abandonment of spouse, of family home or domicile; S. *abandono injustificado del hogar*), **abandono de la acción/de la instancia/de la demanda** (CIVIL abandonment, withdrawal or discontinuance of action/suit/claim; in Spanish law if a claim or defence is withdrawn or discontinued without notice after proceedings have begun, the other party is entitled to default judgment; but if both parties allow the action to lapse *–caducidad de la instancia–* the court may of its own motion *–de oficio–* order the proceedings to remain on the file *–dictar el archivo de lo actuado–*, and they may then be revived at a later date, with leave, at the request of either party *–a instancia de parte–* provided they are not statute-barred *–siempre que el derecho no haya prescrito–* on the principle that, as final judgment *–sentencia firme–* has not been given, the rules of *res judicata –cosa juzgada–* do not apply; S. *desistimiento, renuncia*), **abandono de bienes** (CIVIL abandonment of chattels or goods), **abandono de bienes muebles** (CIVIL dereliction; S. *derrelicción*), **abandono de destino** (ADMIN/CRIM dereliction of duty, breach of duty, failure to report for duty, negligence or gross negligence in the discharge of public duties or functions, absence without official leave –AWOL–; S. *delitos contra la Administración Pública, abandono de funciones públicas*), **abandono de empleo** (EMPLOY resignation, giving up one's job or post, walking out, walking away from one's job), **abandono de familia, menores o incapaces** (CIVIL desertion or abandonment of family, children or disabled dependants), **abandono de flete** (BSNSS/INSUR abandonment of freight), **abandono de funciones públicas** (ADMIN dereliction of duty, breach of public duty, negligence or gross negligence in the discharge of public duties, absence without official leave –AWOL–; S. *abandono del servicio*), **abandono de hogar** (CIVIL abandoment of domicile or of family home; S. *abandono injustificado del hogar*), **abandono de los derechos, las pretensiones,** etc. (PROC abandonment of rights, claims, etc.; allowing rights to lapse; discontinuance, withdrawal; S. *caducidad de la instancia, sobreseimiento*), **abandono de la instancia** (PROC abandonment or discontinuance of an action, implicit or constructive withdrawal of a claim or suit; S. *abandono de la acción*), **abandono de mercancías, fletes, bienes o valores asegurados**, etc. (INSUR/BSNSS abandonment of cargo, freight, goods, insured property, etc.; S. *acción de abandono*), **abandono de menores/niños** (CRIM abandonment of children or dependent minors; S. *niños incapacitados*), **abandono de pretensión procesal** (PROC abandonment/discontinuance of claim, waiver of claim or of the right to bring an action), **abandono de querella** (CRIM/PROC withdrawal/abandonment of prosecution, dropping of charges, decision not to proceed with the case for the prosecution; approx *nolle prosequi* to stay proceedings; S. *admisión de una querella*), **abandono del servicio** (ADMIN absence without official leave, dereliction of duty, negligence or gross negligence in the discharge of public duties; S. *abandono de funciones públicas*), **abandono de un derecho** (CIVIL waiver of a right; discontinuance of a claim; failure to exercise a right; allowing a right or claim to lapse; non user; remission [e.g. of a debt]; S. *caducidad, prescripción o pérdida de un derecho por falta de ejercicio*), **abandono del buque** (BSNSS/INSUR abandoning ship), **abandono en señal de protesta** (EMPLOY walk-out), **abandono injustificado del hogar** (FAM unjustified abandonment of family home ◊ *El abandono injustificado del hogar es causa de separación legal*; S. *infidelidad conyugal, conducta injuriosa o vejatoria*)].

abarcar[1] *v*: GEN include, comprise, embrace, encompass, contain, cover, extend [to], stretch [to/over], span, undertake, take in/on, cope with, deal with ◊ *El artículo 9 abarca todas las actividades económicas de las empresas públicas*; S. *incluir, comprender*. [Exp: **abarcar**[2] (BSNSS corner, monopolize; S. *abarrotar, monopolizar*)].

abarraganamiento *obs n*: GEN concubinage; S. *concubinato, amancebamiento, barragana*.

abarrotar *v*: BSNSS overstock, stow, stock up, hoard, monopolize; S. *abarcar*[2].

abastecedor *n*: BSNSS purveyor, victualler; S. *proveedor*. [Exp: **abastecimiento** (BSNSS provision, supply, supplying; S. *provisión*), **abastecer** (BSNSS supply, provide, furnish, stock; S. *proveer, suministrar; alimentar*), **abasto** (BSNSS supplying, supplies, supply of food)].

abatimiento de un buque *n*: BSNSS leeway; the drift of a ship or an aircraft to leeward of the course being steered. [Exp: **abatir**[1] (GEN shoot/gun down; bring down ◊ *Fue abatido a tiros por la policía*), **abatir**[2] (GEN depress, dismay ◊ *Quedó abatido cuando le leyeron la sentencia*; S. *venirse abajo, hundirse*)].

abdicación *n*: CONST abdication, voluntary renunciation; S. *renuncia de derechos*. [Exp: **abdicar** (CONST abdicate, renounce, relinquish, give up), **abdicar de sus derechos** (GEN/PROC waive one's rights)].

abducción *n*: CRIM abduction, kidnapping; use of the term is in all probability influenced by the English equivalent, «rapto» and «secuestro» being much more common, but the word has the sanction of the Spanish *Academia* in formal legal contexts; S. *rapto, secuestro*.

abierto *a*: GEN open; overt; open-ended; clear, evident; frank; aboveboard ◊ *El sumario sigue abierto porque aún continúan las indagaciones policiales*; S.

público, claro, notorio; no resuelto, pendiente; legítimo; abrir, en régimen abierto.

abigeato *obs n*: CRIM abaction *obs*, cattle stealing, theft of livestock, rustling; S. *cuatrería*. [Exp: **abigeo** (CRIM abactor *obs*, cattle thief, rustler; S. *cuatrero, ladrón de ganado*)].

abintestato *a/n*: S. *ab intestato*.

abjuración *n*: GEN abjuration, recantation. [Exp: **abjurar** (GEN repudiate, retract, disavow, abjure, recant, renounce, unswear *obs*, forswear *obs*; S. *jurar en falso, perjurar*)].

abogacía *n*: PROC the legal profession; the bar; S. *colegio de abogados*. [Exp: **abogado** (PROC lawyer, solicitor, barrister, trial lawyer, advocate; counsel; counsellor *US*, attorney *US*, attorney-at-law *US*, public attorney; legal practitioner, legal adviser; strictly speaking, the *abogado* is an advocate or counsel, i.e. the legal practitioner who represents his or her client before a court and is responsible for the conduct of pleading and legal argument –*actuaciones*–; in this sense, the *abogado* is the counterpart of the *procurador* –solicitor or legal representative–; however, in some ways the Spanish system is the reverse of the British, inasmuch as the client first retains the services of the *abogado*, who is charged with ensuring that the *procurador* makes all proper representations and correctly files the relevant documents before the case comes on; as a result, the average person tends to refer to the lawyer acting for him/her as his *abogado*, whatever the particular role he may serve at any given stage of proceedings, and the term *procurador* is not much used, or properly understood, outside the legal profession; S. *asesor jurídico, letrado, procurador, jurisconsulto, jurista, asistencia letrada*), **abogado acusador o fiscal** (PROC public prosecutor, prosecutor; counsel for the plaintiff [e.g. in libel cases]; prosecuting attorney *US*), **abogado de la acusación** (PROC counsel for the prosecution; S. *fiscal*), **abogado de la defensa** (PROC counsel for the defence, defence lawyer; S. *defender, defensa*), **abogado de la parte contraria** (PROC counsel for the opposite party, opposing counsel), **abogado de oficio** (PROC duty solicitor, legal-aid lawyer, assigned counsel, court-appointed counsel), **abogado de turno** (PROC legal-aid lawyer), **abogado del Estado** (PROC *approx* Treasury Counsel, legal representative of the state; lawyer acting as counsel for the state in civil or criminal cases, especially, though not exclusively, in administrative matters), **abogado defensor** (PROC counsel for the defence, defense attorney *US*), **abogado o letrado de guardia o de oficio** (PROC legal-aid lawyer, duty solicitor, counsel appointed by the court or by the legal aid board), **abogado en ejercicio** (practising lawyer, member of the Bar), **abogado en prácticas** (PROC articled clerk, trainee barrister; S. *pasante*), **abogado especializado en patentes** (PROC patent attorney), **abogado penalista** (PROC criminal lawyer), **abogado picapleitos o de secano** *col* (PROC ambulance-chaser; sharper, pettifogger, shyster *US*; S. *argucias jurídicas*), **abogado principal** (PROC leading/lead/senior counsel; S. *letrado colaborador*), **abogado y procurador** (PROC legal representation), **abogar** (PROC advocate, plead a case, defend; intercede; S. *defender, apoyar*)].

abolengo *n*: GEN/CIVIL descent, inheritance, ancestry; ancestral heritage, lineage; still current in the general sense, but rather old-fashioned in reference to property inherited by direct descent; S. *herencia, legado, manda, sucesión*.

abolición *n*: CONST/CIVIL abolition, abolishment, abrogation, repeal, extinction; S. *supresión, derogación, anulación, res-*

cisión, revocación. [Exp: **abolicionismo** (CONST/CIVIL abolitionism), **abolido** (CONST/CIVIL abolished, repealed), **abolir** (CONST/CIVIL abolish; repeal; suppress; annul, revoke; abrogate; abate; like its English counterpart, this word strongly connotes the suppression or repeal of laws or practices regarded as inhuman or repulsive, such as slavery or the death penalty; otherwise the term used tends to be *derogar*; grammatically, it is only found in forms in which the «l» is followed by an «i», so that, e.g., it is never used in the present indicative or subjunctive ◊ *La esclavitud quedó abolida hace mucho tiempo en los países civilizados*; S. *ley; abrogar, acatar, anular, aplicar, aprobar, atenerse a, burlar, contravenir, cumplir, derogar, dejar sin efecto, prohibir, dictar, evadir, infringir, interpretar, invalidar, observar, poner en vigor, promulgar, quebrantar, reformar, refrendar, respetar, revocar, sancionar, sujetarse a, transgredir, vulnerar*)].

abominable *a*: GEN/CRIM heinous, loathsome, hateful, abominable ◊ *La violación es un delito abominable*; S. *execrable, incalificable, indignante, monstruoso, nefando, odioso, ominoso, repugnante; delito*. [Exp: **abominación** (GEN abomination), **abominar** (GEN detest, abominate; S. *odiar*)].

abonado[1] *n*: GEN/BSNSS subscriber ◊ *Rebajarles el precio a los abonados*; S. *suscriptor*. [Exp: **abonado**[2] (GEN/BSNSS paid; S. *pagado, adeudado*), **abonado**[3] (GEN competent, qualified, suitable; used in some Latin American countries in expressions like *testigo abonado* –competent witness), **abonado en cuenta** (BSNSS credited/paid [to the account of]; S. *cargar, ingresar*), **abonar**[1] (BSNSS pay, settle ◊ *Abonar toda la cantidad pendiente*; S. *satisfacer, pagar, hacer efectivo*), **abonar**[2] (BSNSS credit, post a credit, make a credit entry, accredit ◊ *Abonar el sueldo en la cuenta del empleado*; S. *acreditar*), **abonar**[3] (GEN answer for, back, guarantee, recommend, endorse; term implying an essentially personal or moral trust, though not without legal consequences ◊ *El director de su empresa le abona*; S. *garantizar, responder de, respaldar*), **abonar**[4] (GEN ratify, back [up], confirm, sustantiate, corroborate, give/lend weight to, guarantee the truth or accuracy of ◊ *El testimonio de varios testigos abonó la versión ofrecida por el demandado*; S. *avalar, confirmar, corroborar, garantizar*), **abonar**[5] (GEN/PROC lend weight/credibility/credence to ◊ *El escrito abona la versión del testigo*), **abonar en cuenta** (BSNSS credit to someone's account; S. *haber*), **abonar al contado** (BSNSS pay cash for), **abonar de más** (BSNSS overcredit, overpay), **abonaré** (BSNSS promissory note, IOU, credit note, due bill; S. *pagaré*), **abono**[1] (BSNSS payment, subscription, credit entry ◊ *El examen de las cuentas bancarias de la imputada ha evidenciado que no se ha producido en ellas ningún abono de tipo delictivo*), **abono**[2] (GEN season ticket), **abono**[3] (PROC bond, guarantee, backing; S. *fianza, garantía, caución, aval*), **abono de prisión preventiva o de tiempo de prisión** (CRIM taking account of time spent in custody or on remand, crediting of time served in prison), **abono en efectivo** (BSNSS cash entry or payment, amount paid or credited in cash), **abonos pendientes** (BSNSS payments/credits pending, unadjusted credits)].

abordaje *n*: BSNSS/INSUR collision between ships, fouling of ships. [Exp: **abordaje culpable o negligente** (BSNSS/INSUR negligent/intentional fouling of ships), **abordaje culpable recíproco, bilateral o imputable a ambos buques** (BSNSS/INSUR both-to-blame collision), **abordaje du-**

doso (BSNSS/INSUR unattributable collision), **abordaje fortuito, casual o inevitable** (BSNSS/INSUR accidental collision, unavoidable collision, non-negligent collision), **abordar**[1] (GEN tackle, deal with ◊ *Ese asunto no se abordó en el juicio porque no estaba claro*; S. *tratar, examinar, analizar, afrontar*), **abordar**[2] (CRIM accost, solicit ◊ *La querellante afirma que el acusado utilizó palabras soeces al abordarla en la calle*; S. *acosar, asaltar, importunar, asediar*), **abordar**[3] (BSNSS/INSUR collide; run into; board [a ship] ◊ *El buque fue abordado por la popa*; the term applies to both culpable and accidental collision; S. *embestir*)].

abortar[1] *v*: GEN abort; fail, miscarry ◊ *La información ciudadana ayudó a abortar el plan de los atracadores*; S. *fallar, fracasar, frustrar*. [Exp: **abortar**[2] (GEN/CRIM have a miscarriage, miscarry; abort, have an abortion; S. *aborto*), **abortista** (GEN/CRIM abortionist; who carries out abortions or approves of them, pro-abortion; who has voluntarily undergone an abortion), **aborto clínico o provocado** (GEN/CRIM abortion; S. *gestación, malformación de feto, embarazo, ley de plazos para el aborto*), **aborto natural o espontáneo** (GEN miscarriage)].

abreviación *n*: GEN abridgement, abbreviation; S. *compendio*. [Exp: **abreviado** (GEN abridged; S. *procedimiento penal abreviado*), **abreviar** (GEN abridge, abbreviate, summarize, condense, reduce ◊ *El juez pidió a las partes que abreviaran su exposición lo más posible*; S. *compendiar, extractar, resumir; breve, conciso, escueto, sucinto*)].

abrigar[1] *v*: GEN harbour, shelter, protect; S. *albergar, dar cobijo, cobijar, proteger, esconder*. [Exp: **abrigar**[2] (GEN cherish, entertain ◊ *Tras los demoledores argumentos de la acusación no abrigaron ninguna esperanza de sentencia favorable*; S. *contemplar, apreciar*), **abrigo** (GEN shelter, protection; S. *amparo, protección, tutela*)].

abrir *v*: GEN open; S. *incoar, instruir*. [Exp: **abrir a prueba** (PROC more correctly *recibir a prueba*; proceed to the trial proper; order the matter to be tried; proceed to the hearing of witness testimony; S. *juicio, prueba, testigo, testimonio, vista oral*), **abrir el juicio** (PROC open the case; institute proceedings or the trial proper), **abrir la licitación** (GEN open the bidding; S. *sacar a licitación, abrir propuestas*), **abrir la sesión** (ADMIN/PROC call the meeting to order, open the meeting; open/start/commence proceedings; S. *declarar abierta la sesión*), **abrir propuestas** (BSNSS open bids; S. *abrir la licitación*), **abrir un crédito o una cuenta** (BSNSS open a credit/an account), **abrir un expediente** (GEN/ADMIN open an enquiry or investigation; take disciplinary action or measures, bring disciplinary proceedings, bring someone to book *col* ◊ *Le abrieron un expediente disciplinario por insubordinación*; S. *incoar, instruir*), **abrir un sumario a alguien** (CRIM bring criminal proceedings against sb, charge sb, treat sb as a suspect during the preliminary investigation; S. *sumario, instrucción de una causa criminal, procesar, dirigir el proceso contra alguien*), **abrir una carta de crédito** (BSNSS issue a letter of credit), **abrir una investigación** (PROC/GEN launch/open an inquiry or investigation; S. *instruir diligencias*)].

abrogable *a*: PROC annullable; repealable. [Exp: **abrogación** (PROC repeal, annulment, setting aside, abrogation; S. *anulación, abolición, casación, revocación, rescisión, derogación; cláusula abrogatoria*), **abrogar** (PROC repeal, abrogate; set aside, quash, annul; revoke; rescind; S. *ley; anular, casar, derogar, revocar; dejar sin efecto, desestimar, resolver, quebrantar, cancelar*)].

abrumar *v*: GEN oppress, crush, overwhelm ◊ *Actuó el defraudador abrumado por las deudas*; S. *afligir, presionar, apremiar*.

absentismo *n*: GEN/EMPLOY absenteeism; the form *ausentismo* is also frequently found in the same sense, especially in some Latin American countries. [Exp: **absentismo laboral** (EMPLOY absenteeism [from work]), **abstentista** (GEN absentee)].

absolución[1] *n*: PROC/CIVIL/CRIM judgment for the defendant, dismissal of the claim; acquittal, verdict of not guilty, discharge; an essential distinction between the Anglo-American and Spanish legal systems is the terminology used to describe the outcome of issues as between the parties involved; in the English-speaking countries, given that the claimant, or plaintiff, brings the case, the essential distinction is between *liability* and *non-liability* in civil cases, and judgment is «for the plaintiff» or «for the defendant», whereas in criminal matters, where the charge is brought by the Crown or, in the USA, by the state or the People, the outcome of the trial is a verdict of *guilty* or *not guilty*; the Spanish system, on the other hand, adjudicates between the parties in either type of case by «absolving» *absolver* or «condemning» *–condenar–* the defendant *–demandado–*, in a civil action, and the *acusado/procesado* in a criminal case; despite the literal meanings of *absolver* and *condenar*, therefore, it is important to bear in mind that they do not necessarily imply a criminal action or a moral judgement; however, the distinctions implied by the English terms are, of course, recognised in Spanish, where the essential distinction is betweeen *responsabilidad civil* –civil liability– and *responsabilidad penal* –criminal liability–; S. *absolver, absolutorio, cargo, condena, condenar, condenatorio, descargo, exoneración, fallo, fallo absolutorio, sentencia; fallar, resolución, resolver*. [Exp: **absolución**[2] (CIVIL reply, answer to interrogatories; now out of date in Spain according to the new *Ley de Procedimiento Civil*, though still widely used by lawyers; S. *absolución de posiciones*), **absolución con reserva** (CIVIL/CRIM dismissal without prejudice), **absolución condicional** (CRIM conditional discharge), **absolución de la demanda** (CIVIL/PROC judgment/finding for the defendant, dismissal of claim/complaint), **absolución de la instancia** (PROC dismissal of the prosecution case for want of evidence, finding of «no case to answer», judicial stopping of the case [«at half-time»], verdict of not proven *Scots*, ordering the case to lie on the file; the effect of this is that, as there has been no finding on the merits *–sentencia firme sobre el fondo–*, the case may be reopened later if fresh evidence becomes available; S. *caducidad de la instancia, cosa juzgada, fondo, sentencia*), **absolución de posiciones** (CIVIL/PROC reply to interrogatories; an old-fashioned, other-party-led and highly formal class of pleadings, now largely abandoned; the classic form of the so-called «questions» posed by the other side for answer by the party or witness examined was *Diga ser cierto que ...*, i.e. «Admit it is true that ...»; S. *posiciones, pliego de posiciones, confesión judicial, prueba confesional, contestación a interrogatorios*), **absolución libre** (PROC/CRIM verdict of not guilty, acquittal, absolute discharge; S. *exculpación, veredicto absolutorio o de no culpabilidad*), **absolutorio** (PROC/CIVIL/CRIM that acquits, dismisses, overturns, sets aside, etc; commonly applied to *sentencia* –judgment–, *fallo* –judgment, operative part of judgment–, *resolución* –decision, order, etc.–; S. *absolución, absolver, fallo absolutorio, resolución, sentencia*)].

absoluto *a*: GEN absolute, final, express, unrestricted, unconditional, unlimited, complete; S. *pleno, perfecto, incondicional, categórico, real, tajante, definitivo, firme, expreso, preciso, explícito*.

absolver[1] *v*: PROC/CIVIL/CRIM acquit, discharge, clear, release, assoilzie *Scots* ◊ *El tribunal absolvió al acusado de tráfico de drogas por falta de pruebas*; find for the defendant, give judgment for the defendant ◊ *Absolver a un demandado por deudas*; the dominant legal idea contained in this verb is often more spontaneously expressed by the adjective *absolutorio* and the noun *absolución*, e.g. in phrases such as *dictar fallo absolutorio* –give judgment for the defendant– or *como consecuencia de la absolución de su cliente* –as a result of his client's acquittal–; S. *absolución, delito, exonerar, liberar, exculpar, eximir; absuelto; condenar*. [Exp: **absolver**[2] **las posiciones** (CIVIL reply to interrogatories, be examined by counsel for the opposing party; S. *absolución de posiciones, posiciones*)].

absorber *v*: GEN absorb; offset. [Exp: **absorber pérdidas** (BSNSS offset liabilities; absorb the cost/loss), **absorber un excedente** (BSNSS absorb a surplus), **absorción** (BSNSS absorption; takeover, merger; S. *fusión por absorción*), **absorción de sociedades** (BSNSS corporate takeover), **absorción fiscal o de un impuesto** (TAX tax absorption, absorption of a tax)].

abstemio *a/n*: GEN, teetotal; teetotaller, abstainer; S. *bebedor empedernido*.

abstención *n*: GEN abstention ◊ *Hubo más abstenciones que votos a favor*; S. *voto en blanco*. [Exp: **abstención de ejercer un derecho** (PROC waiver), **abstencionismo electoral** (GEN abstentionism, non-participation in the political process, failure or refusal to vote), **abstencionista** (GEN abstentionist), **abstenerse** (GEN abstain, refrain, decline, stand down, disqualify oneself ◊ *El perito designado deberá abstenerse si concurre alguna de las causas legalmente previstas*; S. *inhibirse*) **abstinencia** (GEN abstinence; S. *síndrome de abstinencia*)].

absuelto *a/n*: PROC/CRIM/CIVIL acquitted, cleared, absolved, assoilzied *Scots*; successful defendant, party who has survived a claim or challenge, accused who has been acquitted ◊ *Al desestimarse la demanda, el demandado queda absuelto*; S. *salir absuelto, absolver.*

abuchear *v*: GEN heckle, boo, jeer, hoot ◊ *El público, mayoritariamente juvenil, abucheó al político por su arrogancia*; S. *reventar*.

abusar[1] *v*: GEN abuse, wrong, misuse, take unfair advantage of; encroach, impose on/upon ◊ *Abusó de nosotros cuando nos tuvo trabajando hasta las diez*; S. *atropellar, engañar, injuriar, aprovecharse; maltratar de palabra*. [Exp: **abusar**[2] (CRIM abuse, rape ◊ *Fue acusado de haber abusado de su hija*; S. *abusos deshonestos; seducir, embaucar, engañar, violar, ultrajar, profanar*), **abusar**[3] (GEN use to excess, make excessive use of, misuse ◊ *Ha tenido problemas con la policía por abusar del alcohol*; S. *propasarse*), **abusar de sus poderes** (ADMIN exceed one's powers, exceed one's duty, go too far, go beyond one's brief, act *ultra vires*; S. *extralimitarse, excederse en el uso de sus atribuciones*), **abusar sexualmente** (CRIM sexually abuse; S. *abusos deshonestos, abusos contra la libertad sexual*), **abusivo** (GEN/CRIM abusive, improper, unfair, wrongful, unconscionable ◊ *Una condición contractual a todas luces abusiva*)].

abuso *n*: GEN/CRIM abuse, wrong; misuse, unfairness; imposition ◊ *Una ley pensada para acabar con ciertos abusos financieros*; S. *engaño, corruptela, injuria, ofensa, afrenta, agravio, ultraje; atrope-*

llo; uso indebido; extralimitación. [Exp: **abuso contra la libertad sexual** (CRIM sexual abuse, gross indecency, indecent assault), **abuso de autoridad** (CRIM/ADMIN misuse or improper use of authority, usurpation of authority; S. *desviación de poder*), **abuso de cargo** (ADMIN misuse of office), **abuso de confianza** (CRIM/ADMIN breach of trust/faith/confidence, betrayal of confidence; S. *deslealtad, infidelidad; cohecho, prevaricación, delito de violación de secretos*), **abuso de derecho** (CRIM/ADMIN abuse of process, wasting the court's time; frivolous/vexatious litigation), **abuso de jurisdicción** (PROC abuse of process, vexatious litigation), **abuso de menores** (CRIM child abuse), **abuso de poder** (CRIM/ADMIN undue influence, abuse of power, misuse of power; S. *coacción, intimidación, influencia indebida, tráfico de influencias, excederse en el uso de sus atribuciones*), **abuso de posición dominante** (BSNSS abuse of dominant position; part of European Union legislation designed to combat unfair competition under the rules for free movement of goods in the Single European Market; S. *explotación abusiva, práctica abusiva*), **abuso en la comida o en la bebida** (GEN overindulgence, excess, immoderation, want of moderation), **abuso procesal** (PROC abuse of the process of the court), **abusos deshonestos/sexuales** (CRIM indecent assault, sexual abuse, gross indecency, sexual offences, criminal sexual contact, illicti/unwanted/sexual advances, overtures, harassment; S. *acoso sexual; abusar*[2])].

abyección *n*: CRIM heinousness, enormity, wickedness, outrageousness; S. *brutalidad, ensañamiento.*

acaparador *n*: BSNSS engrosser, monopolist, hoarder, profiteer; S. *monopolizador.* [Exp: **acaparamiento** (BSNSS hoarding, monopolizing, cornering, engrossing; S. *monopolio*), **acaparar** (BSNSS hoard, monopolise, engross, buy up, corner; S. *monopolizar*)].

acarrear[1] *v*: GEN entail, cause, involve, result in, give rise to, lead to ◊ *La imprevisión del abogado acarreó la pérdida del juicio*; S. *ocasionar, implicar, entrañar.* [Exp: **acarrear**[2] (BSNSS convey, carry, haul, transport, truck *US* ◊ *Acarrearon la droga en mulas*; S. *transportar, llevar*), **acarrear daños y/o perjuicios** (GEN cause damage), **acarreo** (BSNSS carriage, haulage, cartage, transport, transportation, carrying, trucking *US*; S. *transporte*)].

acatamiento *n*: GEN observance [of], compliance [with], acknowledgment [of], strict adherence [to]; S. *cumplimiento, observancia, obediencia; desacato.* [Exp: **acatar** (GEN obey, accept, respect, abide by, comply with ◊ *Acatar la resolución del tribunal*; S. *ley; respetar, cumplir, observar*)].

acceder[1] *v*: GEN accede, agree, accept, grant ◊ *Tras largas discusiones accedió a lo que le pedimos*; S. *consentir, aprobar, convenir, acordar, concordar, concertar, tener a bien, ponerse de acuerdo.* [Exp: **acceder**[2] (GEN accede, approach, enter, have/gain access to ◊ *Se accede fácilmente a mi finca por la carretera de Extremadura*; S. *llegar, entrar; acceso*), **acceder**[3] (GEN accede to, assume, succeed ◊ *Accedió al trono a la muerte de su padre*; S. *suceder*), **acceder a instancias** (GEN yield to solicitation, consent to a request), **acceder a la función pública** (CONST/ADMIN enter public service), **acceder a lo solicitado** (PROC grant an application ◊ *El tribunal accedió a lo solicitado por el demandante*; S. *aceptar/admitir a trámite*)].

accesibilidad *n*: GEN accessibility, availability, convenience, handiness; S. *asequible.* [Exp: **accesión**[1] (GEN accession; S. *llegada, advenimiento, acceder*[2]), **accesión**[2]

(CIVIL accession, accretion; a form of acquiring property or rights of ownership by addition, specifically by natural growth or artificial improvement, or by the natural washing away of land or soil which becomes joined to a neighbouring property ◊ *En la accesión el propietario de una finca también lo es de todo lo que ésta produce, por ejemplo frutos, y de todo lo que se le une o incorpora de forma natural o artificial*; S. *adquisición; aluvión, avulsión, acrecentamiento, asentamiento; tradición*)].

acceso[1] *n*: GEN accession, access, entry; approach, penetration; road, path ◊ *Tuvo acceso a la información contenida en la memoria del ordenador*; S. *acceder; entrada*. [Exp: **acceso**[2] (GEN/CRIM fit, attack ◊ *El acusado agredió a su mujer en un acceso de ira*; S. *arrebato, exaltación*), **acceso carnal** (CRIM/GEN carnal knowledge, sexual coupling, full penetration [as a factor in rape cases]; S. *cópula carnal*), **acceso violento** (CRIM forcible entry, breaking and entering; S. *allanamiento de morada, robo con escalo, robo con fuerza en las cosas*), **accesorio**[1] (GEN accessory, incidental, ancillary, secondary ◊ *Surgieron unos gastos accesorios en la compra del piso*; S. *complementario, suplementario, incidental, subsidiario, ancilar, auxiliar, secundario, subordinado; acción accesoria, pena accesoria*), **accesorio**[2] (GEN/CIVIL accessory, spare part; fixture, accessory, attachment, appurtenance, fitting ◊ *La cosa legada debe ser entregada con todos sus accesorios*; S. *complemento, recambio; enseres*)].

accidentado *n*: INSUR accident victim. [Exp: **accidental** (GEN accidental, fortuitous, contingent, temporary, incidental ◊ *El juez intentó averiguar si la desaparición de las pruebas fue accidental o intencionada*; S. *aleatorio, fortuito, casual, contingente; provocado*), **accidente** (INSUR accident; emergency, mishap; crash, collision; S. *urgencia, crisis, emergencia, siniestro, contingencia, percance, contratiempo; seguro de accidentes*), **accidente de carretera, tránsito/tráfico o circulación** (INSUR road or traffic accident), **accidente de navegación o del comercio marítimo** (INSUR accident of navigation or at sea, marine accident; S. *siniestro naval o marítimo*), **accidente de trabajo** (EMPLOY/INSUR S. *accidente laboral*), **accidente «in itinere»** (EMPLOY/INSUR accident on the way to and from work; S. *accidente laboral*), **accidente inevitable** (GEN unavoidable/genuine/mere/pure accident, accident without fault; S. *culpa*), **accidente laboral** (EMPLOY/INSUR industrial accident, accident at work, occupational accident; S. *accidente «in itinere»*), **accidente mortal** (INSUR fatal accident), **accidente no laboral** (INSUR non-industrial or non-occupational accident)].

acción[1] *n*: GEN act, deed, action, activity; agency; course; S. *acto, actividad, actuación, proceder, hecho*. [Exp: **acción**[2] (PROC action, legal action, proceedings, suit, lawsuit, case; right of action, remedy; the term applies both to the right to bring an action and to the proceedings in which the action is effectively brought ◊ *Ejercitar la acción en defensa de sus derechos*; S. *pleito, proceso, demanda, disputa, litigio*), **acción**[3] (BSNSS share, share or stock certificate ◊ *Es dueña de 500 acciones en la empresa*; the term *acción* refers to an individual share; collectively the group of shares representing an individual's or a consortium's stake in a company is called their *participación*; S. *efecto, participación, valor*), **acción a la par** (BSNSS share at par, par value share/stock), **acción a que hubiere lugar** (PROC action which may lie, proceedings which may be brought), **acción a que al-**

guien tuviese derecho (PROC remedy or [right of] action available to sb), **acción accesoria** (PROC subsidiary action, accessory action, collateral action, under-action; S. *acción secundaria*), **acción acumulativa** (BSNSS cumulative share or stock, cumulative capital stock), **acción adicional de bonificación** (BSNSS bonus share; stock dividend, boot share *US*), **acción admitida a cotización o que cotiza [en Bolsa]** (BSNSS listed share/stock/security; S. *acción cotizada en Bolsa*), **acción al portador** (BSNSS bearer share/stock/security), **acción cambiaria** (CIVIL action for the collection of a bill of exchange), **acción cautelar** (PROC proceedings/action for an interim, provisional or interlocutory remedy), **acción civil** (PROC civil action or proceedings), **acción civil subsidiaria** (PROC ancillary civil action; this is the civil action brought at the same time as criminal proceedings *–causa penal, querella–* and argued before the same court; it usually involves a civil action for damages or compensation brought by the victim, or family of the victim, in the main criminal proceedings; S. *proceso, querella; ejercitar la acción civil subsidiaria*), **acción comercial** (BSNSS commercial law action or case, proceedings in commercial or business law), **acción confesoria** (PROC action for the recognition and enforcement of an easement), **acción conjunta** (PROC joint action), **acción constitutiva de delito** (CRIM criminal act, conduct amounting to a crime; S. *hecho constitutivo de un delito*), **acción contra la cosa** (PROC action in rem; in this context, *cosa* means real estate or landed property, literally translated from the Latin *res-rei* which is retained in the English equivalent), **acción contra la persona** (PROC S. *acción personal*), **acción contractual o proveniente de contrato** (PROC action in/on contract, proceedings brought under the law of contract; S. *acción directa*), **acción cotizada en Bolsa** (BSNSS listed share/stock/security; S. *acción admitida a cotización o cotizada [en Bolsa]*), **acción cubierta** (BSNSS paid-up share/stock), **acción criminal** (CRIM criminal act), **acción de apremio** (PROC action for recovery of debt; action for the collection of taxes; S. *apremio, vía de apremio*), **acción de avería** (INSUR average action), **acción de desahucio** (PROC eviction proceedings, action for eviction, ejectment proceedings), **acción de deslinde** (CIVIL action brought to settle real property boundaries; S. *deslinde*), **acción de despojo** (CIVIL dispossession or repossession proceedings, ejectment action; S. *acción de desahucio*), **acción de difamación** (CIVIL/CRIM defamation proceedings or case, suit for libel or slander), **acción de divorcio** (PROC/SUC divorce petition, divorce proceedings), **acción de dominio** (CIVIL action to recover property or right to quiet title), **acción de indemnización** (PROC action for remedy/relief), **acción de jactancia** *obs* (PROC cause or suit of jactation/jactitation *obs*; type of proceedings, now obsolete, formerly brought by a plaintiff whose reputation had suffered as a result of the defendant's bragging or boasting in public of some right or claim against the plaintiff, e.g. in the suit known as «jactitation of marriage», a false claim to be married to the plaintiff; the action was brought to challenge the defendant's claims and the plaintiff's aim was to secure an injunction, i.e. a court order enjoining the defendant to perpetual silence on the offending subject if he or she could not substantiate the claims), **acción de nulidad** (CIVIL revocation proceedings, action or application for striking out or setting aside, reclaiming motion *Scots*, motion for recall *Scots*; in essence, an appeal to have a decision or judgment quashed, overturned or set aside on the ground that it is wrong in law, or that the procedure by which it was reached was vitiated by some incurable defect; S. *anular, nulidad, nulo, casación, recurso*), **acción de nulidad de matrimonio** (FAM annulment proceedings, action for annulment of marriage; S. *divorcio, separación*), **acción de protesta** (EMPLOY industrial action; S. *movilizaciones laborales*), **acción de reconocimiento de la paternidad** (FAM paternity suit), **acción de reivindicación de la propiedad** (CIVIL action for recovery, action of replevin; S. *acción de repetición*), **acción de repetición** (CIVIL action for the return of goods, payment, etc.; S. *repetir*), **acción delictiva** (CRIM criminal act, forbidden or unlawful act; S. *delito, hecho punible*), **acción retardada** (GEN delayed action [e.g. of a safe, an explosive device, etc]; S. *bomba de acción retardada*), **acción de reivindicación inmobiliaria** (CIVIL action for declaration of title to land; S. *expediente de dominio*), **acción de reparación o indemnización** (CIVIL action for remedy/relief), **acción de transgresión** (PROC action for/in trespass; S. *demanda por transgresión o violación del ordenamiento jurídico*), **acción declaratoria** (PROC action for a declaration or declaratory judgment, action of declarator *Scots*; as in the Scots law action, the claimant's aim is to have the litigants' legal rights in the particular matter declared judicially, but no other remedy is claimed and the legal consequences of the decision are left to the further actions of the parties), **acción declarativa de dominio** (CIVIL action to determine real rights or right to quiet title), **acción derivada del contrato** (CIVIL action in/on contract, action ex contractu), **acción extracontractual o derivada de culpa aquiliana, acción derivada de un ilícito civil** (PROC/CIVIL civil action outside of contract, action for breach of a duty of care, action for a breach of obligation or general duty; since the concept of tort –or delict in Scots law– is unknown outside of the British legal systems and those derived from them, it seems inadvisable, however tempting, to translate the Spanish expression as «action for tort», though the reverse is not true, since the Spanish phrase is descriptive rather than technically unique; it is therefore possible to translate «tort» as *ilícito civil extracontractual*, but misleading to translate *ilícito extracontractual* as «tort»; S. *contrato, culpa, delito, querella*), **acción directa**[1] (EMPLOY direct action; S. *movilizaciones laborales*), **acción directa**[2] (PROC/CIVIL action on contract; direct action; S. *acción contractual o proveniente de contrato*), **acción emanada de delito o por causa de agravio** (PROC/CIVIL action *ex delicto*, action arising out of a civil wrong; the Roman Law term has given rise to the Scots Law word «delict», meaning «tort»), **acción ejecutiva** (PROC enforcement proceedings, action for execution), **acción gratuita o liberada** (BSNSS bonus share, scrip issue, capitalization issue, stock dividend *US*; S. *acción cubierta*), **acción ha prescrito, la** (PROC the action is statute-barred; S. *prescribir*), **acción hipotecaria** (PROC/CIVIL action for foreclosure, repossession proceedings; S. *hipoteca*), **acción *in rem* o contra la cosa** (PROC action in rem; S. *acción real*), **acción incidental** (PROC preliminary issue, hearing of a preliminary point of law; interlocutory appeal; S. *cuestión de previo y especial pronunciamiento, excepción, incidente procesal*), **acción judicial** (PROC proceedings, application, suit, lawsuit, legal action ◊ *El banco amenazó con emprender acciones judiciales por impago del crédito*; in everyday use the phrase is often employed with the noun in the plural, as in the example, and is equivalent to «threaten to sue, threaten to take sb to court», etc; S. *emprender acciones judiciales, demanda, proceso*), **acción mancomunada** (GEN joint action, action of working together or jointly [for the common good]; S. *junto, conjunto, solidario*), **acción mobiliaria** (PROC action relating to personal property), **acción negatoria** (PROC S. *negatoria*), **acción pauliana** (PROC S. *acción revocatoria*), **acción penal** (PROC/CRIM criminal proceedings, prosecution; such proceedings may be brought privately *–acción privada–* by the alleged victim, or by a relative or the Public Prosecutor's Office *–Ministerio Fiscal–* on his or her behalf, or publicly *–acción pública–* by the state through the Public Prosecutor; private prosecution is by way of *querella*, and is most commonly brought in cases of rape or other sexual offences, defamation, plagiarism and other offences intimately related to an individual's privacy, honour or reputation; there is also an inherent right under the Spanish Constitution for any citizen to instigate and pursue the so-called *acción popular*, or prosecution in the name of the people; S. *acción popular, acción privada, acción pública*), **acción personal** (PROC action *in personam*; S. *acción real*), **acción popular** (PROC/CRIM prosecution brought in the name of the people, prosecution by any citizen of whatever standing; under the Spanish constitution, any citizen may exercise the right to prosecute an accused charged with an offence of sufficient gravity; in practice, this usually happens in the case of really serious offences such as murder, genocide, torture, terrorism or large-scale drug-trafficking, or offences regarded as particularly odious because of the vulnerability of the victims, e.g. cruelty to children, the elderly, women or handicapped persons, mass financial fraud, gross negligence in matters of public health and safety, etc; it is very common for the prosecution to be brought by citizens' groups or organizations and conducted by counsel paid out of funds raised for the purpose by subscription; the people's action runs parallel with the public prosecution in a single trial, and each prosecutor may cite his own witnesses, lead the same or different evidence and argue for whatever punishment seems most appropriate; as a result, the courts and juries, in delivering their verdicts, must deal with each prosecution separately, though of course, in the event of a verdict of guilty, it is for the court to determine the sentence in accordance with the usual guidelines and it is not bound by the will of the parties prosecuting, even if both are agreed on the point; thus, the sentence may exactly coincide with that sought by one or the other –or both if both are in agreement–, or be intermediate between them, or be lower than either; S. *acción penal, acción privada, acción pública, fiscal, querella, jurado, pena, sentencia, veredicto*), **acción por daños y perjuicios** (PROC/CIVIL action/suit/claim for damages; S. *daño, demanda*), **acción por ilícito civil** (PROC/CIVIL S. *acción extracontractual*), **acción por incumplimiento de contrato** (PROC/CIVIL action for breach of contract, action ex contractu, action arising out of contract; S. *contrato, cumplimiento, incumplimiento*), **acción por silencio administrativo** (ADMIN action against an administrative authority for failure to respond to an application or complaint; in practice, a form of appeal proceedings before the *Tribunales de lo contencioso-administrativo* in «contentious administrative matters», in which a member of the public applies to the administrative courts for a ruling or order following failure by a body exercising public functions to deal with a challenge made to one of its decisions; though analogous in some ways to the English concept of judicial review –the «administrative silence» could be regarded as a failure to exercise jurisdiction, and thus a failure to comply with the rules of natural justice– in the Spanish legal system such matters are routinely assigned to the appropriate administrative courts and there is no need, and no provision, for the invoking of prerogative orders; nor, however, is there a presumption in these matters that «silence means consent», though in appropriate cases the administrative courts may compel the body concerned to explain its decision or, failing that, to grant the request or uphold the complaint; S. *alzada, contencioso-administrativo, vía de hecho*), **acción posesoria** (PROC/CIVIL proceedings brought to determine rights of ownership; S. *acción declarativa, acción personal, acción real*), **acción prendaria** (PROC/BSNSS action to recover goods bailed, pawned or pledged; S. *prenda*), **acción real** (PROC action *in rem*), **acción real y personal** (PROC/CIVIL mixed action; S. *acción personal, acción real*), **acción redhibitoria** *obs* (PROC redhibitory action; S. *redhibición*), **acción subrogatoria** (PROC/CIVIL/BSNSS proceedings for novation or subrogation; S. *subrogación*), **acción u omisión** (GEN/CIVIL/CRIM act or default, act or failure to act, deed or omission; S. *acto*)].

accionar[1] *v*: PROC bring/raise/commence an action/proceedings/a suit, proceed, sue ◊ *Mi cliente tiene plena personalidad jurídica para accionar contra el demandado*; though not listed in some of the standard dictionaries, this term is common amongst modern lawyers and is sometimes used as a noun meaning «suit, act of suing, decision to sue or bring an action» ◊ *Con estas pruebas tiene justificación su accionar en este procedimiento*; S. *acción, demanda, demandar, presentar, entablar, incoar, querellarse*. [Exp: **accionar**[2] (GEN trigger, activate ◊ *La bomba fue accionada con un mando a distancia*)].

accionariado *n*: BSNSS [body of] shareholders.

acciones *n*: BSNSS shares, stock; equity; securities; in the latter sense, often used loosely in everyday speech to mean any form of investment ◊ *Invierte sus ahorros en toda clase de acciones*; S. *bono, obligación, valores, inversión, acción*[3]. [Exp: **acciones amortizables o redimibles** (BSNSS redeemable/callable shares), **acciones completamente liberadas** (BSNSS fully paid-up shares), **acciones con derecho a voto** (BSNSS voting shares/stock), **acciones con prima o primadas** (BSNSS premium stock, option stock), **acciones con valor a la par** (BSNSS full stock), **acciones convertibles** (BSNSS convertible shares/stock), **acciones cotizadas en Bolsa** (BSNSS listed shares), **acciones cubiertas** (BSNSS paid-up shares/stock), **acciones de capital** (BSNSS capital stock, preference shares/stock; S. *capital escriturado, masa de capital, capital social*), **acciones de dividendo diferido** (BSNSS deferred shares), **acciones de fundador** (BSNSS founder's shares), **acciones de sociedades** (BSNSS corporate stocks), **acciones diferidas** (BSNSS deferred stock), **acciones emitidas** (BSNSS issued shares, stock issued), **acciones en circulación** (BSNSS outstanding shares/stock), **acciones generadoras de dividendos** (BSNSS dividend-paying shares), **acciones gratuitas o liberadas** (BSNSS paid-up shares/stock, stock dividend, bonus stock/shares; S. *acciones cubiertas*), **acciones legales** (PROC legal proceedings;

S. *acción legal*), **acciones no gravables** (BSNSS non-assessable stocks), **acciones no libradas o por emitir** (BSNSS unissued stock), **acciones nominativas** (BSNSS registered shares), **acciones ordinarias** (BSNSS ordinary shares/stock, common stock, equities; S. *renta variable*), **acciones políticas o con derecho a voto** (BSNSS voting shares), **acciones preferentes o privilegiadas** (BSNSS preference shares/stock, prior preferred stock; S. *acciones de capital*), **acciones sin derecho a voto** (BSNSS non-voting shares/stock), **acciones sin valor nominal** (BSNSS no-par-value stock), **accionista** (BSNSS shareholder, stockholder *US*; S. *bonista, obligacionista*), **accionista mayoritario** (BSNSS majority shareholder/stockholder), **accionista minoritario** (BSNSS minority shareholder/stockholder), **accionista fantasma** *col* (BSNSS dummy shareholder/stockholder *col*), **accionista registrado** (BSNSS shareholder/stockholder of record)].

acechar v: GEN lie in wait for, lie in ambush; S. *tender una emboscada; acosar.*

aceptable *a*: GEN acceptable, adequate, reasonable; S. *admisible, adecuado.* [Exp: **aceptabilidad** (GEN acceptability, adequacy), **aceptación** (GEN/BSNSS/CIVIL acceptance, approbation, approval, endorsement ◊ *El librado significa su aceptación firmando la letra*; in any bilateral transaction *–negocio o acto jurídico bilateral–* such as a contract, there is *oferta y aceptación*, i.e. offer and acceptance; S. *admisión, acogida, conformidad, consentimiento, girar, letra de cambio, librar; contrato*), **aceptación a beneficio de inventario** (SUC [acceptance conditional on] benefit of inventory; translation of the Roman Law term *beneficium inventarii*, meaning conditional acceptance of an estate by the heir without liability beyond the assets descended; the inventory was carried out to ensure that at least a fourth of the total value of the estate remained after debts and expenses had been paid, failing which the heir was entitled to decline the inheritance; phrase sometimes used colloquially in Spanish with reference to behaviour regarded as lackadaisical, offhand, couldn't-care-less or idly speculative ◊ *Se lo toma todo a beneficio de inventario*; S. *repudiación de herencia, adir*), **aceptación absoluta o expresa** (GEN express acceptance, express admission), **aceptación bancaria** (BSNSS bank acceptance, banker's acceptance), **aceptación cambiaria** (GEN S. *aceptación de una letra de cambio*), **aceptación comercial** (BSNSS trade acceptance), **aceptación condicional, limitada o con reservas** (GEN/CIVIL/BSNSS qualified acceptance), **aceptación de efectos del comercio** (BSNSS acceptance of bills or drafts), **aceptación de favor, de complacencia o por acomodamiento** (BSNSS accommodation acceptance), **aceptación de la herencia** (SUC/CIVIL acceptance of an estate in full by the heir; contrast this with *adir, heredar, heredero, herencia, legítima, sucesión*) **aceptación de una letra de cambio** (BSNSS acceptance of a bill of exchange; refers to the drawee's *–librado–* agreement to pay to the bearer *–portador–* or payee *–beneficiario–* on the due date *–[fecha de] vencimiento–* the amount shown on the bill by the drawer *–librador, girador–*), **aceptación de una sucesión o legado** (SUC acceptance of an estate or legacy), **aceptación expresa y absoluta** (BSNSS absolute acceptance; S. *conformidad*), **aceptación libre o general** (BSNSS clean acceptance), **aceptación limitada o condicional** (BSNSS qualified acceptance), **aceptación por intervención** (BSNSS acceptance for honour or supra protest; S. *devolver, protesto*), **aceptación por menor cuantía** (BSNSS acceptance for less amount), **aceptada la**

protesta (PROC objection sustained; S. *protesta aceptada, protesta denegada*), **aceptante** (BSNSS/CIVIL acceptor; the drawee of a bill of exchange becomes the acceptor when he consents to pay it, and when one party to a contract *–parte contratante–* makes an offer to which the other party consents, the former is the *oferente* or *ofertante*, i.e. the offeror, and the latter is the *aceptante*), **aceptante por intervención** (BSNSS acceptor for honour or supra protest)].

aceptar *v*: GEN accept; admit; sustain; assume; accede to; endorse; take delivery of; S. *consentir, reconocer, admitir, asumir; aceptada la protesta, protesta aceptada.* [Exp: **aceptar a beneficio de inventario** (SUC accept subject to the benefit of inventory; S. *aceptar a beneficio de inventario*), **aceptar como prueba** (PROC admit as/in evidence ◊ *El tribunal no aceptó como prueba la carta sin fecha presentada por el demandado*; S. *proposición de la prueba, práctica de la prueba*), **aceptar con reserva** (GEN accept conditionally, accept subject to some condition; S. *reservar*), **aceptar la culpabilidad** (CRIM plead guilty), **aceptar la jurisdicción** (PROC recognise the jurisdiction/competency/authority), **aceptar sobornos** (CRIM take bribes), **aceptar una protesta** (PROC sustain an objection ◊ *El tribunal aceptó la protesta*; S. *denegar*), **aceptar una letra** (BSNSS accept a bill of exchange, a draft), **aceptar una petición, instancia o solicitud** (PROC grant an application; S. *admitir a trámite, acceder a lo solicitado*)].

acervo *n*: GEN fortune, wealth; collection, compilation; heritage; assets, common property/stock; S. *patrimonio.* [Exp: **acervo cultural de un país** (GEN cultural heritage of a country; S. *conjunto histórico-artístico*), **acervo familiar** (GEN the family wealth or fortune), **acervo hereditario** (SUC undivided estate, assets of an estate; S. *caudal hereditario*), **acervo social** (BSNSS corporate assets, assets of a company; S. *patrimonio social*)].

achacar *v*: GEN attribute, put down [to], blame [on], lay the blame [on], hold responsible [for] ◊ *El psicólogo achacó el historial delictivo del menor a su pésima situación familiar*; S. *culpar, imputar.*

aclaración *n*: GEN explanation, clarification, explanatory note or commentary; S. *explicación, interpretación.* [Exp: **aclaración de sentencia** (PROC explanatory note clarifying reasons for decision; at the request of either party, or on appeal, the trial judge or court may append a note to the original judgment to clear up an ambiguity or explain their reasoning more fully; S. *motivar, razonar*), **aclarar** (GEN clarify, explain, clear up, throw light on; unravel, disentangle; make [it] clear/plain ◊ *El testigo no pudo aclarar varios puntos oscuros*; S. *averiguar, precisar, esclarecer, clarificar, desenmarañar, desembrollar, poner en orden, descifrar*), **aclaratorio** (GEN explanatory, clarificatory, illustrative)].

acoger[1] *v*: GEN receive, accept ◊ *La nueva ley ha sido muy bien acogida en círculos jurídicos*; S. *recibir, aceptar.* [Exp: **acoger**[2] (GEN take in, shelter, harbour, protect, admit ◊ *Acogieron al huérfano hasta que llegaron sus parientes más próximos*; S. *albergar, amparar, cobijar; asilar; acogida de huérfanos*), **acogerse a** (GEN avail oneself of, turn to, opt for, take advantage of, accept, take refuge in, exercise one's right to ◊ *Se acogieron a las medidas de gracia dictadas por el Gobierno*; S. *invocar*), **acogerse a la ley** (GEN cite one's rights under a law, avail oneself of the law, exercise one's legal right, have recourse to the law, take refuge in a law, refer to a law ◊ *Para defenderse se acogió a la ley de extranjería*;

S. *citar*), **acogerse a medidas de reinserción social** (CRIM apply for or show oneself willing to comply with rehabilitation procedures; S. *reinserción social*), **acogida** (GEN reception, welcome, admission, admittance, acceptance; S. *admisión, recibimiento; internamiento, centro de acogida*), **acogida de un huérfano** (FAM the taking in of an orphan; S. *huérfano*), **acogida de un refugiado** (GEN/CIVIL acceptance/admission/admittance of a refugee), **acogiéndose a lo dispuesto en** (GEN pursuant to, under), **acogimiento [de menores]** (PROC fosterage, care, custody, care of minors, children in care, custody of children; care order; any order involving the removal of children from their family and their placing under the care of a suitable person; S. *adopción, centro de acogimiento de menores, guarda, tutela, curatela, defensor judicial, protección judicial de la juventud*)].

acometer[1] *v*: CRIM assault, attack, assail; more commonly found in military than in legal or journalistic contexts ◊ *Un grupo de policías especializados acometieron a los ladrones que se habían refugiado en un establo*; S. *atacar, embestir*. [Exp: **acometer**[2] (GEN undertake, tackle, set about, begin, attempt ◊ *La comisión ha acometido la reforma del texto de la ley*; S. *emprender*), **acometida** (CRIM assault, attack; S. *ataque, enfrentamiento*)].

acomodación *n*: GEN settlement, compromise, adjustment, composition; S. *adaptación* [Exp: **acomodamiento** (GEN accommodation, composition, agreement, conciliation, settlement, accord; S. *consentimiento, convenio, acuerdo, conformidad, pacto, estipulación, transacción, concierto, avenencia*), **acomodar** (GEN accommodate, adjust, accord, arrange, adapt, bring into line, reconcile; rehouse ◊ *El Ayuntamiento pudo acomodar a los refugiados en nuevas viviendas*; S. *adaptar, adecuar, ajustar, realojar*), **acomodarse a** (GEN adapt to, adjust to, fall into line with ◊ *La nueva ley se acomoda a las necesidades de una sociedad posindustrial*; S. *conciliar, adaptar, concertar, ajustar, adecuar*), **acomodado** (GEN of independent means, well-off), **acomodo** *col* (GEN job, perch *col*, berth *col* ◊ *¡A ver si le encuentras un acomodo a mi hijo!*; S. *puesto de trabajo*)].

acompañar[1] *v*: GEN accompany, escort; come along with, appear with ◊ *Conviene que el testigo acompañe al querellante el día del juicio*; S. *ir con*. [Exp: **acompañar**[2] (BSNSS/ADMIN enclose, attach, include ◊ *Acompáñese copia del certificado de nacimiento*; S. *adjuntar, anexar, incluir*), **acompañado de** (GEN together/along with, accompanied by; S. *adjunto, junto a*)].

aconsejable *a*: GEN advisable; S. *consejo, conveniente, oportuno, recomendable*. [Exp: **aconsejar** (GEN advise, suggest, recommend; S. *asesorar, recomendar*)].

acontecer *v*: GEN happen, come about ◊ *Todo aconteció cuando los invitados estaban durmiendo la siesta*; S. *suceder*. [Exp: **acontecimiento** (GEN event, occurrence, development; S. *suceso, evento*)].

acopiar *v*: BSNSS store, stock up, stow; S. *hacer acopio de, almacenar, abarrotar*.

acordar[1] *v*: GEN agree, consent ◊ *Ambas partes acordaron los términos del contrato*; S. *acuerdo; aprobar, concertar, convenir, fijar, pactar*. [Exp: **acordar**[2] (CIVIL/PROC grant, approve, decide, find, pronounce, pass, adopt ◊ *El tribunal acordó imponer al reo la pena de tres años de prisión*; S. *determinar, dictar, pronunciar, resolver*), **acordar un dividendo** (BSNSS declare a dividend), **acordar una moratoria** (CIVIL grant a respite or delay), **acordar una patente** (BSNSS grant/approve a patent; S. *conceder*), **acordar una resolución** (GEN/PROC pass/adopt a resolution, make an order; S. *dictar una resolución*), **acorde** (GEN agreed, in accordance/agreement; appropriate, in keeping with ◊ *Una nueva redacción de la Ley más acorde con los tiempos actuales*; S. *conforme*)].

acordonar *v:* GEN cordon off ◊ *Después del atentado la policía acordonó la zona*; S. *cordón policial; precintar.*

acorralar *v*: GEN corner, trap ◊ *Se entregó a la justicia cuando se vio acorralado*; S. *acosar, atrapar.*

acosar *v*: GEN/CRIM harass; pursue, hound, badger, importune; S. *hostigar, atormentar, acorralar.* [Exp: **acosar con preguntas** (GEN plague/bombard with questions ◊ *Los periodistas lo acosaron con preguntas impertinentes*; S. *importunar, bombardear con preguntas, acribillar a preguntas*), **acoso** (GEN harassment; S. *hostigamiento*), **acoso psicológico en el puesto de trabajo** (CIVIL/CRIM mobbing; S. *hostigamiento, maltrato verbal o modal en el puesto de trabajo*), **acoso sexual** (CRIM sexual harassment ◊ *Hasta un chiste verde puede constituir acoso sexual*; S. *insinuaciones sexuales, agresión sexual*)].

acotar[1] *v*: GEN set limits to, mark boundaries in/on, mark off, fence in/off, stake out, mark the contour lines on; S. *delimitar, cercar, deslindar.* [Exp: **acotar**[2] (GEN annotate, comment; S. *acotaciones, anotar, apostillar*), **acotar**[3] (GEN refer to, mention or quote authorities), **acotado**[1] (GEN fenced, bounded, fenced-off), **acotado**[2] (GEN annotated, with marginal notes), **acotación**[1] (GEN limit, boundary; S. *límite, frontera*), **acotación**[2] (GEN marginal note or annotation in an official document ◊ *El proyecto de ley estaba lleno de acotaciones*; S. *apuntamiento*)].

acracia *n*: GEN anarchy; S. *anarquía.* [Exp: **ácrata** (GEN anarchist; S. *anarquista, libertario*)].

acrecentar *v*: GEN increase, expand, enlarge, augment; S. *aumentar, incrementar, acumular.* [Exp: **acrecencia, acrecentamiento** (SUC accretion, growth, increase, augmentation), **acrecer** (GEN/SUC accrue, increase; increase the share of the estate of the remaining beneficiaries when one or more decline the inheritance or are prevented from accepting it; S. *legítima, mejorar*), **acrecimiento** (GEN accrual)].

acreditación *n*: GEN accreditation, pass, clearance, credentials ◊ *La acreditación se entrega a los periodistas en la secretaría del congreso*; S. *autorización, pase.* [Exp: **acreditación diplomática** (INTNL accreditation of diplomats), **acreditado** (GEN reputable, recognized, accredited, famous ◊ *Trabaja para un bufete de abogados muy acreditado*; S. *acreditarse*), **acreditar**[1] (GEN authorize, accredit; prove, provide/be evidence of, vouch for ◊ *El documento que le acredita como abogado del recurrente*; S. *autorizar, certificar, dar fe, comprobar, hacer constar, avalar*), **acreditar**[2] (BSNSS credit, make a credit entry; S. *abonar en cuenta, consignar en el haber; adeudar*), **acreditar de más/menos** (BSNSS overcredit/undercredit), **acreditarse** (GEN show/prove oneself [to be], earn/gain a good reputation ◊ *Ese juez se ha acreditado en la judicatura por la ecuanimidad de sus sentencias*)].

acreedor *n*: BSNSS/GEN in debt, showing a credit balance; entitled, worthy with a claim to, creditor, debtee, pledgee; lender; debenture-holder ◊ *Un testigo que se ha hecho acreedor a toda nuestra confianza*; S. *deudor; acuerdo con los acreedores; acción revocatoria, acción subrogatoria.* [Exp: **acreedor anticrético** (CIVIL creditor in antichresis; S. *anticresis*), **acreedor con caución** (BSNSS bond creditor, secured creditor), **acree-**

dor concursal (BSNSS creditor in bankruptcy [proceedings], creditor in insolvency proceedings), **acreedor ejecutante** (BSNSS execution creditor, creditor in enforcement proceedings, creditor executing a charge over debtor's goods; S. *ejecutar*), **acreedor del fallido o quebrado** (BSNSS creditor of a bankrupt), **acreedor embargante** (BSNSS lien creditor, attaching creditor, creditor in distress/distraint proceedings; S. *prendario*), **acreedor garantizado** (BSNSS secured creditor; S. *acreedor pignoraticio*), **acreedor hipotecario** (BSNSS mortgagee; S. *deudor hipotecario*), **acreedor judicial** (PROC judgment creditor, successful litigant/party; S. *acreedor por fallo judicial*), **acreedor mancomunado** (BSNSS joint creditor), **acreedor pignoraticio o asegurado** (BSNSS secured creditor), **acreedor por fallo judicial** (PROC judgment creditor), **acreedor prendario** (BSNSS pledgee, pawnee; holder of a chattel mortgage), **acreedor privilegiado o preferente** (BSNSS preferred creditor, preferential creditor, privileged/prior creditor), **acreedor secundario** (BSNSS junior creditor), **acreedor sin caución/garantía** (BSNSS unsecured creditor; S. *acreedor común*), **acreedor solidario** (BSNSS joint and several creditor)].

acribillar *v*: GEN riddle. [Exp: **acribillar a balazos** (CRIM riddle with bullets ◊ *Encontraron el cadáver de un traficante de drogas acribillado a balazos*; S. *acuchillar, asesinar, coser a balazos; chaleco antibalas*), **acribillar a preguntas** (GEN bombard with questions, ply with questions ◊ *A la salida del juzgado los periodistas lo acribillaron a preguntas*; S. *acosar con preguas*)].

acta[1] *n*: GEN/PROC minutes, [official] record, court record, certificate,deed, transcript; *acta* is the more general word, though *partida* is found more frequently in some set expressions ◊ *Le corresponde al secretario levantar acta de lo dicho en las sesiones*; S. *partida, certificado, libro de actas, informe, memorial, auto, protocolo, inscripción; constar en acta, levantar acta, aprobar el acta.* [Exp: **acta**[2] (GEN agreement, accord ◊ *Se firmó el acta después de arduas negociaciones*), **acta adicional** (GEN rider; S. *cláusula adicional, anexo*), **acta auténtica o autorizada** (GEN authentic text of the official record), **acta constitutiva de una sociedad colectiva** (BSNSS memorandum of association, deed of partnership), **acta constitutiva de una sociedad mercantil** (BSNSS articles of incorporation, memorandum of association, deed of incorporation), **acta de acusación** (CRIM [bill of] indictment, list of charges; S. *auto de procesamiento, acusación*), **acta de adhesión** (INTNL [text of a] treaty of adherence), **acta de adjudicación** (CIVIL/ADMIN official certificate or acknowledgement of award [of contract tendered for]), **acta de avería** (INSUR damage report; S. *atestado*), **acta de cesión o transmisión** (CIVIL deed of conveyance, transfer or assignment), **acta de interrogatorio** (CRIM record of interrogation, report recording questioning of suspect), **acta de la sesión** (GEN/PROC record of session, court record; minutes of a meeting), **acta de las deliberaciones** (GEN record of proceedings; S. *auto*), **acta de manifestaciones ante fedatario público** (PROC affidavit; S. *declaración jurada*), **acta de partición** (SUC deed of distribution; deed or certificate drawn up to show how the estate has been divided up amongst the beneficiaries entitled), **acta de presencia** (GEN notary's attestation certifying that a person was present at a stated place and time; S. *fe de vida*), **acta de protesta** (INSUR/BSNSS master's protest; S. *protesta del capitán*), **acta de protesto** (CIVIL certificate of protest of a note, draft or bill of exchange; a notarised document stating that the drawee has refused acceptance or payment of a bill or similar draft on presentment), **acta de protocolo** (CIVIL notary public's certificate of registration; it serves as proof that a particular document has been authenticated and witnessed by the certifying notary, and recorded in his register; S. *protocolizar*), **acta de recepción** (ADMIN certificate of reception; document certifying that a building or other public work commissioned by a public body has been completed by the contractor and that the body concerned has taken formal possession), **acta de reconocimiento** (ADMIN certificate of inspection or acknowledgment; S. *atestación*), **acta de últimas voluntades** (SUC [formally notarised original of] last will and testament; S. *testamento*), **acta de un juicio** (PROC record of trial), **acta de una junta o asamblea** (BSNSS minutes of a meeting; S. *levantar acta*), **acta de venta** (CIVIL/BSNSS deed of sale), **acta electoral** (CONST certificate of election returns; document signed by the returning officer and the other members of the committee supervising the election procedure at the polling station; S. *mesa electoral, elecciones generales*), **acta, en el** (GEN on the record; S. *constar en acta*), **acta literal** (GEN verbatim record, transcript), **acta notarial** (CIVIL notary's deed/certificate, affidavit; S. *testimonio notarial*), **acta pública** (GEN official record; S. *documento oficial*), **acta taquigráfica** (PROC official transcript of proceedings, stenographic record; S. *transcripción*), **Acta Única Europea** (EURO Single European Act, SEA; treaty signed in 1987 creating the single market in the European economic area; S. *Unión Europea*)].

activar[1] *v*: GEN/BSNSS stimulate ◊ *El gobierno ha adoptado una serie de medidas dirigidas a activar la economía*; S. *estimular*. [Exp: **activar**[2] (GEN activate, trigger, set off ◊ *La bomba fue activada con un mando a distancia*; S. *desactivar*)].

actividad *n*: GEN/BSNSS activity, business, affairs ◊ *Un día de mucha actividad en el parqué*; S. *empresa, asunto, negocio, parqué*. [Exp: **actividades privadas** (GEN private affairs ◊ *El Derecho Civil rige las actividades privadas*), **activista** (CRIM activist ◊ *En el auto de prisión el magistrado vinculó al presunto activista con el narcotráfico*; S. *radical, extremista, militante, encapuchado, joven violento*)].

activo[1] *a*: GEN active, brisk, dynamic, aggressive; ◊ *Un empresario muy activo*; S. *en activo, en servicio activo*. [Exp: **activo**[2] (BSNSS assets; refers collectively to all the property and effects of an individual or firm that may be offset against their debts or liabilities; all the items on the credit side of a firm's balance sheet, as opposed to the liabilities *–pasivo–* on the debit side ◊ *Consignar un concepto en el activo*; S. *pasivo, balance*), **activo acumulado** (BSNSS accrued assets), **activo agotable/consumible/perecedero** (BSNSS wasting assets), **activo amortizable** (BSNSS diminishing assets, depreciable assets), **activo aprobado o confirmado** (BSNSS admitted assets), **activo circulante** (BSNSS current assets, working assets, liquid assets; S. *flujo de caja, tesorería*), **activo computable** (BSNSS accountable assets, admitted assets), **activo de capital** (BSNSS capital assets; S. *activo fijo o inmovilizado*), **activo de explotación** (BSNSS operating assets, working assets), **activo de la quiebra** (BSNSS assets in bankruptcy, bankrupt's assets), **activo demorado** (BSNSS deferred assets), **activo disponible o en efectivo** (BSNSS disposable/available assets, cash assets, liquid assets, quick assets, funds available), **activo, en** (EMPLOY/ADMIN active, in [regular] active service; S. *jubilado*), **activo exigible** (BSNSS receivables, assets payable on demand), **activo fijo o inmovilizado** (BSNSS fixed assets, capital assets, permanent assets), **activos financieros** (BSNSS securities; S. *valores*), **activo flotante** (BSNSS current or liquid assets, quick assets), **activo intangible** (BSNSS intangible assets), **activo gravado** (BSNSS pledged assets, assets subject to a charge), **activo hipotecario** (BSNSS mortgaged assets), **activo líquido** (BSNSS liquid assets), **activo neto** (BSNSS net assets/worth), **activo neto realizable** (BSNSS net quick assets), **activo no acumulado** (BSNSS non-accrual assets), **activo no computable** (BSNSS inadmissible assets), **activo oculto** (BSNSS concealed/hidden assets), **activo realizable** (BSNSS available/disposable assets, current assets, quick assets), **activo social** (BSNSS corporate assets; assets of a partnership)].

acto[1] *n*: GEN act, action, the doing of an act, acting *Scots* ◊ *Lo que hizo es un acto constitutivo de delito*; S. *acción, hecho, gestión; abstención; unidad de acto*. [Exp: **acto**[2] (PROC/ADMIN ruling, decision, order, measure; administrative action; used especially of the decisions of public bodies and administrative bodies generally, or of the actions through which their decisions are accomplished; S. *auto, vía de hecho*), **acto**[3] (CIVIL transaction, proceeding[s], undertaking, business deal or arrangement; any lawfully enforceable bargain or agreement between two parties who intend their arrangements to be legally binding, or a similar unilateral undertaking such as the execution of a deed; all of these are regarded as *actos jurídicos*, or legally binding acts or undertakings), **acto a título gratuito** (CIVIL gift, gratuitous transaction ◊ *Una donación es un acto a título gratuito*; S. *a título gratuito*), **acto a título oneroso** (CIVIL transaction for valuable consideration ◊ *Una compraventa es un acto a título oneroso*; S. *a título oneroso*), **acto administrativo** (ADMIN administrative action, decision or ruling; administrative act or procedure giving rise to a right, act of an executive official *US* ◊ *Los actos administrativos producen efectos jurídicos*; the act or decision of a public body is understood to give rise or effect to rights or duties, or to extinguish them; an individual wishing to challenge them must apply or appeal to the administrative courts as such, i.e. the *tribunales de lo contencioso-administrativo*; S. *alzada, contencioso-administrativo, contrato administrativo, efectos jurídicos, acción administrativa, eficacia, silencio administrativo*), **acto antijurídico** (GEN unlawful act, wrongful act, wrong; S. *ilícito civil extracontractual*), **acto anulado** (GEN/ADMIN decision, transaction or undertaking declared void or set aside) **acto bélico o de guerra** (INTNL act of war), **acto constitutivo de delito** (CRIM S. *hecho constitutivo de delito*), **acto contrario a la ley** (CIVIL/CRIM unlawful act, wrongful act, wrong, wrongdoing), **acto criminal** (CRIM criminal act; S. *hecho punible, conducta delictiva*), **acto de comercio** (BSNSS commercial transaction, business arrangement; applies to any bargain or agreement entered into for commercial purposes, or any lawful arrangement agreed by parties under the rules of business law; S. *Código Comercial, negocio jurídico, tráfico jurídico*), **acto de conciliación** (PROC/CIVIL attempted settlement, pre-trial settlement hearing, judicial mediation; stage of proceedings following service of claim at which an attempt is made, in accordance with the rules of Spanish procedure, to effect a negotiated settlement and thus avoid the need for a trial; S. *acuerdo extrajudicial*), **acto de disposición** (GEN/BSNSS disposal, conveyance, disposition [of property]; in bankruptcy cases, the act of a debtor in conveying his property or otherwise disposing of it so that it is removed from his control and that of his creditors is fraudulent and punishable by imprisonment; S. *alzamiento de bienes*), **acto de dominio** (CIVIL act implying ownership; any act or transaction performed by a person purporting to be the owner of the property concerned, such as signing a deed of sale, gift or conveyance), **acto de gobierno** (CONST/INTNL offical act, act or decision of a sovereign body, such as the lawful government of a state), **acto de hostilidad** (INTNL hostile act, act of war), **acto de insolvencia** (BSNSS act of bankruptcy or insolvency; dealing with money or property that leads to insolvency proceedings being brought; S. *intervención, quiebra, suspensión de pagos*), **acto de otorgamiento** (CIVIL grant, granting, execution, formal delivery; S. *conceder, formalizar, otorgar*), **acto de presencia** (GEN formal appearance; S. *comparecencia*), **acto de rebeldía** (PROC default, failure to appear, failure to serve notice of intention to defend; absconding, failure to surrender to custody, contempt of court; in civil matters, a defaulting defendant usually faces a finding of liability being made against him and judgment being entered for the claimant *–sentencia condenatoria–*, which is final and immediately enforceable *–firme–*, but, as in English law, he commits no offence by simply failing to appear; however, in criminal cases, an absconding accused commits the offence of *sustracción a la acción de la justicia* –failure to surrender to custody or bail, interfering with the proper administration of justice, attempting to pervert the course or defeat the ends of justice– and the court may issue a warrant for the accused's arrest *–orden de busca y captura–*), **acto de servicio, en** (ADMIN in the line/course of duty, while engaged on official business or performing one's duty ◊ *Ha sido condecorado con carácter póstumo el policía muerto en acto de servicio*; S. *indemnización por muerte en acto de servicio*), **acto, en el** (GEN instantly, there and then, right away, forthwith, immediately, without further delay, on the spot ◊ *La víctima recibió dos impactos de bala en la cabeza y murió en el acto*), **acto expreso** (ADMIN positive/express act [asw opposed to an omission or failure to act]; administrative measure for which there is explicit statutory or judicial warrant; S. *acto implícito*), **acto graciable** (GEN act of goodwill or magnanimity, gracious act, grant of favour or privilege; S. *indulto, medida de gracia; absolución, clemencia*), **acto judicial** (PROC judicial act/decision, court order), **acto jurídico** (CIVIL act in law, legal agreement between parties, voluntary and legally binding act, transaction creating legal relations, legal agreement or arrangement; any manifestation of the will of one or more persons implying an intention to be legally bound; examples of unilateral acts of this kind are the making of a will *–testamento–* or the executing of a deed *–escritura–*; among bilateral transactions, the making of contracts or the execution of deeds of sale *–compraventa–* or conveyance *–transmisión–* of property are common instances; all such acts or dealings are intended to bring about legally enforceable effects ◊ *La nulidad de un acto jurídico se produce por un vicio de forma o de fondo*; S. *acto administrativo*), **acto jurídico documentado** (CIVIL a transaction or declaration of legal intent of which a record is extant; an act or transaction *–acto jurídico–* reflected in a deed, a document under seal, a notarised record, etc), **acto lesivo** (CIVIL unlawful act, wrong, infringement, breach, violation; S. *lesionar, ilícito*), **acto jurisdiccional** (PROC same as *acto judicial*; S. *jurisdicción, órgano jurisdiccional*), **acto ministerial** (ADMIN act, ruling or decision of a minister, ministerial act or order; S. *acto administrativo*), **acto político** (CONST political act), **acto prejudicial** (PROC preliminary hearing, directions hearing; case management/interview; pre-trial hearing or interview with the judge in chambers attended by either party, or both to deal with procedural matters; S. *audiencia previa, incidente procesal; cuestión de prejudicialidad*), **acto presunto** (ADMIN administrative measure adopted without express statutory or judicial warrant; S. *acto expreso*), **acto procesal** (PROC procedural step, proceeding, stage of the proceedings ◊ *El acto procesal de la audiencia previa*; S. *procesal, proceso*), **acto reflejo** (GEN reflex action; S. *automatismo*), **acto seguido** (GEN immediately afterwards, next, whereupon ◊ *El juez ponente dio lectura a la sentencia y acto seguido el presidente levantó la sesión*; S. *a raíz de eso*), **acto soberano** (CONST/INTNL act or decision of a Head of State, act of state, act not amenable to superior jurisdiction), **acto solemne de inauguración** (GEN formal opening), **acto unilateral** (GEN unilateral act or decision), **acto viciado** (ADMIN/PROC voidable deed or transaction, arrangement that is inherently defective), **actos jurídicos comunitarios** (EURO European legislation, EEC legislation, Community acts; S. *reglamento, directiva, decisión, recomendación, dictamen*), **actos propios** (CIVIL S. *doctrina de los actos propios*)].

actor *n*: CIVIL claimant, plaintiff, petitioner, applicant; in civil cases the *actor* [fem. *actora*] is the party who brings the action, and the term is synonymous with *demandante, peticionario, reclamante*, etc., whereas criminal proceedings are instituted by a *querellante* or *acusador*, normally the *fiscal*; in English legal usage, the term «actor» is occasionally found in the purely technical sense of the person who has performed some specific act referred to in the immediate context, but never means the claimant, plaintiff or complainant as such, except as an obsolete term of Roman Law; it is occasionally applied, in both English and Socts law, to the accused or perpetrator of a criminal act; S. *demandante, derechohabiente, litigante, peticionario, reclamante, recurrente, falta de personalidad del actor*.

actuación[1] *n*: GEN action, performance; behaviour, conduct, role played, intervention, activity ◊ *La rápida actuación de la policía y de los jueces resolvió todo el problema*; S. *intervención, proceder*. [Exp: **actuación**[2] (PROC procedural step or stage, stage of court proceedings; more usually found in the plural *–actuaciones–* but it makes perfectly good sense to say ◊ *La actuación ordenada por el juez*; S. *lo actuado, diligencia, ordenación, trámite; anulación de las actuaciones*), **actuación de piquetes informativos** (EMPLOY peaceful picketing; S. *piquete de huelga*), **actuación delictiva** (CRIM criminal conduct; S. *delito*), **actuación judicial** (PROC court procedure, procedural steps, court practice, judicial conduct of proceedings; S. *auto, diligencia, medida, providencia, tramitación,*), **actuación policial** (GEN police action/behaviour, role of the police), **actuación profesional** (GEN professional conduct), **actuaciones** (PROC proceedings, procedure, procedural steps or stages; repesentations; pleading, submissions, parties' conduct of the case, litigation ◊ *El papel de los abogados en las actuaciones*; S. *nulidad de las actuaciones, anulación de las actuaciones, sumario*), **actuaciones alegatorias de las partes**

(PROC pleadings; S. *alegato*), **actuaciones orales** (PROC oral proceedings), **actuaciones preliminares** (PROC preliminary proceedings, pre-trial [stage of] proceedings), **actuaciones procesales** (PROC procedure; proceedings; S. *trámites, diligencias*)].

actuado, lo *n*: PROC the proceedings, the court's conduct of proceedings/the case/the trial ◊ *El abogado defensor solicitó la nulidad de lo actuado*; S. *actuaciones, decretar la nulidad.*

actual *a*: GEN present, current, existing; S. *vigente*. [Exp: **actualidad** (GEN current situation, current affairs, the latest news/developments ◊ *La actualidad política es preocupante*), **actualidad informativa** (GEN the latest news, a news update ◊ *La actualidad informativa suele incluir noticas de los tribunales*), **actualizar** (GEN modernise, bring up to date, update ◊ *Gracias a la Unión Europea, se están actualizando muchas leyes en los Estados miembros*; S. *poner al día*), **actualización** (GEN modernisation, updating, readjustment ◊ *Todo necesita una actualización, incluida la administración de la justicia*; S. *puesta al día, curso de actualización*), **actualización salarial de acuerdo con el coste de la vida** (EMPLOY salary increases indexed to cost of living), **actualmente** (GEN at present, currently, at the moment, right now, at this stage/point)].

actuar[1] *v*: GEN act, behave, perform ◊ *Actuó con poca prudencia el juez al dictar la libertad condicional del procesado*; S. *obrar, operar, gestionar, ejecutar; actuación; en nombre propio*. [Exp: **actuar**[2] (PROC proceed, act, litigate ◊ *Comunicó al tribunal que actuaría defendido por abogado y representado por procurador*; S. *proceder judicialmente*), **actuar colectivamente** (GEN act jointly or in conjunction; S. *actuar por cuenta propia*), **actuar como/en calidad de** (GEN/ADMIN act as/in the capacity of ◊ *Actuar en calidad de presidente*), **actuar conforme a derecho/siguiendo los usos y costumbres mercantiles/según lo dispuesto en el artículo 4.º/ateniéndose a las instrucciones, etc.** (GEN/PROC act in accordance with the law/with standard business practice/with section 4/with instructions, etc.), **actuar de buena fe** (GEN act in good faith), **actuar de intermediario** (GEN act as mediator/intermediary/go-between), **actuar por cuenta propia** (GEN make one's own arrangements; act on one's own behalf or independently; go it alone *col*; S. *actuar colectivamente*), **actuar en representación de alguien** (GEN/PROC represent sb, act on sb's behalf or for sb ◊ *El abogado Sr. D. B. T. O. ha actuado en representación del demandado*; S. *defender, representar*), **actuar siguiendo instrucciones** (GEN act in accordance with/under instructions)].

actuario *n*: INSUR actuary; the sense «clerk, notary, secretary to a court» is virtually obsolete, and the term is now used in both English and Spanish to refer to an expert in the calculation of risk employed by an insurance company to prepare and update statistical tables on which the cost of premiums is based.

acuchillar *v*: GEN/CRIM slash, knife, stab ◊ *Según varios testigos, el acusado acuchilló a la víctima durante la reyerta*; S. *cuchillada; matar a cuchilladas, acribillar, apuñalar, degollar.*

acudir[1] *v*: GEN go, come, appear, turn up, attend ◊ *El testigo no acudió al juzgado el día para el que fue citado*; S. *asistir, personarse, presentarse, comparecer*. [Exp: **acudir**[2] **[a]** (GEN have recourse to, resort to ◊ *Si tienes un problema jurídico debes acudir al abogado*; S. *recurrir*), **acudir a la vía contencioso-administrativo** (GEN appeal to the administrative courts),

acudir a las urnas (CONST turn out to vote, go to the polls ◊ *Los ciudadanos acuden a las urnas para expresar sus preferencias políticas*; S. *convocar al pueblo a las urnas*), **acudir a los tribunales** (GEN/PROC go to law, go to court, take a matter to the courts, sue ◊ *Acudiré a los tribunales si no acepta la solución que le propongo*; S. *entablar un pleito, interponer un recurso, presentar una demanda, querellarse, hacer valer los derechos*)].

acuerdo *n*: GEN/CIVIL agreement, arrangement, settlement, understanding, deal, accord; resolution, decision; bargain, contract; compromise, consent; often found in phrases with verbs such as «adoptar», «establecer», «firmar», «llegar a», «tomar», etc., with the sense of «agree» or «adopt»; S. *acordar; conformidad, pacto, solución, conciliación, consentimiento, estipulación, contrato, transacción, convenio, concierto, acomodamiento; llegar a un acuerdo*. [Exp: **acuerdo amistoso** (GEN amicable agreement/settlement), **acuerdo arbitral** (PROC/EMPLOY arbitration award/settlement, arbitrational settlement *US*; S. *laudo arbitral*), **acuerdo colectivo** (EMPLOY collective agreement), **acuerdo con, de** (GEN according to, in accordance with, in compliance with, pursuant to, by virtue of, under, on the basis of, as per, in line with ◊ *De acuerdo con el artículo 294 del Código Civil*; S. *según, conforme a, a tenor de, al amparo de, en virtud de, de conformidad con*), **acuerdo con la ley, de** (GEN legally, lawfully, according to [the] law, in accordance with the law, in law, by law, under present law ◊ *Todos los actos procesales se deben practicar de acuerdo con la ley*), **acuerdo con lo dispuesto, de** (GEN in compliance with the provisions), **acuerdo con los acreedores** (BSNSS/CIVIL settlement/composition/accommodation with creditors; S. *concurso, quiebra*), **acuerdo con los usos o las costumbres, de** (GEN in accordance with custom or practice, in line with standard practice), **acuerdo con los registros contables, de** (BSNSS per books; S. *según libros*), **acuerdo de caballeros** (GEN gentlemen's agreement), **acuerdo de fijación de precios** (BSNSS price-fixing; S. *pacto colusorio, pactar en daño de tercero*), **acuerdo de intercambio** (GEN/BSNSS exchange agreement; trade agreement; S. *tratado o convenio comercial*), **acuerdo de prórroga** (GEN extension agreement, agreement to extend the time limit or deadline), **acuerdo de voluntades** (GEN/CIVIL meeting of minds ◊ *Un contrato es un acuerdo de voluntades*; S. *consentimiento contractual*), **acuerdo escrito/por escrito** (GEN written agreement), **acuerdo expreso** (GEN express agreement), **acuerdo extrajudicial** (PROC out-of-court settlement; S. *transacción, composición, conciliación; llegar a un acuerdo extrajudicial*), **acuerdo internacional** (INTNL international agreement, accord, treaty or convention; S. *convención, convenio, ius gentium, tratado internacional*), **acuerdo marco** (GEN/EMPLOY/ADMIN framework agreement), **acuerdo preferencial** (BSNSS preferential agreement), **acuerdo puente** (GEN bridging/bridge-building agreement), **acuerdo transaccional** (CIVIL negotiated agreement, bargain; composition; S. *contrato, pacto, transacción*), **acuerdo salarial** (EMPLOY pay/wage agreement/settlement), **acuerdo verbal o no escrito** (GEN oral agreement, verbal agreement, unwritten agreement)].

acumulación *n*: GEN/CIVIL accumulation, accrual; joinder/joining. [Exp: **acumulación contable** (BSNSS accretion), **acumulación de autos o acciones** (PROC joinder/joining of actions, causes of action or parties; means or rule by which parties not concerned in the initial proceedings may, by court order or strategic decision of one of the litigants, be compelled to appear as co-claimants or co-defendants; S. *comparecer, personarse; legitimación*), **acumulación de delitos** (CRIM joinder of offences or of counts in an indictment, trying together of charges against several accused), **acumulación de penas** (CRIM/PROC accumulation of sentences, sentences to be served concurrently; determining of total time to be served; under Spanish sentencing guidelines, no convicted person can ever serve more than the legal maximum of thirty years' imprisonment, since the modern law does not allow for life imprisonment *–cadena perpetua–*; however, a person found guilty on several counts *–cargos, acusaciones–* on an indictment *–[auto de] procesamiento–* must by law be sentenced for each individual offence, with the result that the theoretical total sentence to be served may run to several hundred years; in fact the time actually served cannot exceed the maximum imposed for the most serious of any group of offences tried together, but the fact that an accused is convicted on several counts will be regarded as an aggravating factor and will tend to push up the sentence imposed for the most serious offence to the upper half of the scale established for it; in practical terms, this means that, whilst «consecutive sentencing» is unknown to Spanish law, in appropriate contexts the phrase could be translated approximately as «sentences to be served concurrently»; S. *fallo, pena, sentencia*), **acumulación impropia de acciones** (CIVIL misjoinder [of actions or parties], non-joinder), **acumular**[1] (GEN accumulate, accrue ◊ *Ha acumulado una gran fortuna gracias a la Bolsa*; S. *apilar, reunir*), **acumular**[2] (PROC join; try jointly [two or more actions] ◊ *Acumuladas las demandas, se procedió al juicio*; S. *acumulación de autos o acciones*), **acumulativo** (GEN cumulative)].

acuñación *n*: GEN coining, minting; coinage, mintage; S. *derechos de acuñación*. [Exp: **acuñar** (GEN mint, strike, coin [money, coins] ◊ *Las monedas de euro las acuña cada uno de los Estados miembros de la Unión Europea*)].

acusación[1] *n*: CRIM accusation, indictment, arraignment, charge, prosecution; information, impeachment; S. *la acusación, imputación, cargo, denuncia, delación, lectura de la acusación, acta de acusación*. [Exp: **acusación**[2], **[la]** (CRIM counsel for the prosecution; S. *defensa*), **acusación falsa** (CRIM slander, false accusation, trumped-up charge[s]; S. *calumnia, difamación*), **acusación fundada** (CRIM well-founded charge, properly framed indictment), **acusación formal** (CRIM indictment; S. *procesamiento*), **acusación particular** (CRIM private prosecution, private prosecutor; the counts on the indictment prepared by the private prosecution or by the lawyers representing them ◊ *Los convecinos de la víctima se han personado como acusación particular*; under the Spanish constitution, any Spanish citizen of full legal age is entitled to bring a prosecution charging the accused with an offence; this prosecution runs parallel with that brought in the normal way by the public prosecutor, and the charges made and the punishment sought need not be identical with those contended for by the public prosecutor; the private prosecution may call its own witnesses and examine both them and any witnesses called by either of the other parties at the trial, which is held as a single continuous proceeding; it is thus an independent party to the proceedings; in practice, such private prosecutions

–which should not be confused with the proceedings known as *querellas*– are normally confined to cases of large-scale fraud, criminal negligence causing injury or loss to large numbers of victims, or particularly heinous killings; they are usually instituted by the families of victims or by groups or associations with a moral or personal interest in seeing that justice is done, and the costs are often covered by public subscription; S. *acusación pública, fiscal, Ministerio Fiscal; personarse como acusación particular, querella*), **acusación popular** (CRIM/PROC S. *acción popular*), **acusado** (CRIM/PROC defendant, accused, prisoner, prisoner at the bar; S. *reo, procesado, inculpado, encausado*), **acusado de** (CRIM/PROC accused of, indicted for/on a charge/on charges of ◊ *Fue acusado de tráfico de drogas*), **acusador** (CRIM accuser, complainant; prosecutor, procurator[-fiscal] *Scots*; S. *fiscal, denunciante, querellante, demandante*), **acusador particular/privado** (CRIM complainant, private prosecutor, party who brings a private prosecution; there is a theoretical difference between these otherwise virtually synonymous terms; the former refers to any person or body distinct from the state, i.e. the *fiscal*, who institutes a private prosecution, whereas the latter applies to complainants such as claimants in libel or defamation cases *–querellas por difamación–*, in which only the individual allegedly injured by the unlawful act has a cause of action; S. *acción popular, difamación, fiscal, ofender, querellante*), **acusador público** (CRIM/PROC public prosecutor, prosecution, the Crown, the State, the People; S. *fiscal*), **acusar** (CRIM/PROC accuse, charge, arraign, indict; bring a charge, prefer an indictment, prefer charges, prosecute; S. *procesar, presentar cargos, denunciar*), **acusar a uno de un delito** (CRIM/PROC charge somebody with a crime, prosecute sb for an offence; S. *delito, imputar, inculpar, procesar*), **acusar recibo** (GEN acknowledge receipt, sign for [a parcel, a registered letter, a recorded delivery, etc]), **acusar recibo de la notificación de una demanda** (PROC acknowledge service of a claim/writ/summons; S. *darse por notificado*), **acusar una pérdida** (BSNSS record/show a loss/losses/a drop/a fall; S. *registrar una ganancia*), **acusatorio** (PROC/CRIM accusatory; S. *procedimiento acusatorio*), **acuse de recibo** (GEN acknowledgment of receipt; recorded delivery slip, slip accompanying a registered letter; slip to be signed by addressee acknowledging receipt of a letter, parcel, etc ◊ *Firmar el acuse de recibo en el momento de la entrega*), **acuse de recibo, con** (GEN requesting acknowledgement of receipt, including a slip for acknowledgement of receipt, bearing a recorded delivery slip; *approx* by recorded delivery or registered letter; it is standard practice for the addressee to be required to sign for receipt of registered mail, recorded deliveries and any kind of official letter or other communication ◊ *Informar al particular con acuse de recibo de la resolución que le afecte*), **acuse de recibo de una demanda** (PROC acknowledgment of service of a claim)].

ad *prep*: GEN Latin preposition meaning «to», «towards» or «for the sake of» found in some common legal phrases; S. *a, ab, ex*. [Exp: **ad honorem** (GEN *ad honorem*; for honour, i.e to ensure or guarantee payment of a bill), **ad litem** (GEN *ad litem*, i.e. for the purpose or during the course of the suit), **ad quem** (PROC literally «to which»; found in phrases such as *tribunal «ad quem»* or *órgano «ad quem»*, and meaning «court above, higher court, superior court, appellate court, court of appeal», i.e. the court to which appeal is made; the opposite is the *tribunal «a quo»*, or trial court, lower court or court «from which» or «against whose sentence» appeal is made), **ad valorem** (BSNSS *ad valorem*; applied to taxes or fees to mean «according to the specific value they may have at the due date», i.e. a percentage rather than a predetermined sum)].

adaptación *n*: GEN adjustment, adaptation, accommodation; S. *convenio, arreglo, acomodación*. [Exp: **adaptar** (GEN adapt, fit, accommodate, adjust; S. *acomodar, ajustar, adecuar*)].

adecuado *a*: GEN right, suitable, proper, appropriate, fitting; the English word «adequate» will only very rarely match the Spanish term, the sense of which is far rather qualitative than quantitative; if, for example, a question is raised as to whether a sentence of six months' imprisonment is *adecuada*, the sense is, depending on the context, more likely to be whether it is «appropriate» in all the circumstances of the case rather than whether it is «sufficient», especially if the issue is raised by the defence rather than the prosecution, as in the example ◊ *El condenado recurrió la sentencia al considerar que la pena impuesta, de seis meses de cárcel, no era la más adecuada en Derecho*; S. *correcto, útil, pertinente; causación adecuada*. [Exp: **adecuar** (GEN adjust, adapt, accomodate, fit, tailor, bring into line; S. *ajustar, acomodar, adaptar*)].

adelantar[1] *v*: GEN bring/move forward, advance, make progress; accelerate, speed up; save time; disclose/release/inform/warn/tell in advance ◊ *La fiscalía nos adelantó que no pensaba formular acusación alguna contra nuestro defendido*; S. *atrasar, aplazar, suspender*. [Exp: **adelantar**[2] (GEN overtake, pass ◊ *El accidente tuvo lugar cuando intentó el conductor de un turismo adelantar a un camión*; S. *rebasar, superar*), **adelantar dinero** (GEN advance money, pay in advance, lend/loan, give an advance, pay up front ◊ *No te puedo adelantar dinero porque nos hemos quedado sin fondos*; S. *prestar dinero, dar un anticipo*), **adelantar el pago** (GEN pay in advance or ahead of time), **adelantar la fecha** (GEN bring/move forward the date ◊ *Han adelantado la fecha de la puesta en libertad de varios presos*; S. *atrasar, retrasar, aplazar, suspender*), **adelantar la fecha de un documento** (GEN date forward/antedate a document/an instrument), **adelanto**[1] (advance, step forward), **adelanto**[2] (BSNSS/GEN advance, advance payment, loan, imprest; deposit, down-payment; retaining fee, retainer; S. *anticipo; pago adelantado; cantidad a cuenta, señal*), **adelanto sin intereses** (BSNSS interest-free advance payment, interest-free loan)].

adeudado *a*: GEN indebted; S. *abonado*. [Exp: **adeudar** (BSNSS owe, be liable for; debit, charge ◊ *El banco adeudó el importe del préstamo en la cuenta*; S. *cobrar, cargar, consignar en el debe, deber, debitar; abonar, endeudarse, empeñarse*), **adeudo** (BSNSS debit, debt, sum debited; indebtedness; S. *cargo, débito*)].

adherir *v*: GEN stick, affix; annex; S. *pegar, anexar*. [Exp: **adherir el sello** (GEN affix the seal or stamp), **adherirse**[1] (GEN adhere, stick; give support, join [in], back◊ *Todos se adhirieron a la propuesta de la oposición*; S. *unirse, integrarse*), **adherirse**[2] (PROC appeal jointly with [another party], join with, ratify or be a party [to the appeal lodged by another party]), **adhesión** (GEN/PROC adherence, adhesion, support, joining of forces, assent; collaboration, cooperation; [action of] joining with or becoming a party to the appeal lodged by another party; S. *acta de adhesión, contrato de adhesión*), **adhesivo**[1] (GEN sticky, adhesive), **adhesivo**[2] (PROC relating to, concerning or involving *adhesión* in the sense of «joint appeal»)].

adicción[1] *n*: GEN addiction, dependence ◊ *Adicción a la heroína*; S. *dependencia, deshabituación*. [Exp: **adicción**[2] (CIVIL addiction; virtually obsolete term of Roman law meaning the consignment or surrender of a thing to the successful party in a suit, who formally declared it –Lat. *addicere*– to be his by right of judicial decree; now only found, if at all, in the following expression), **adicción a die/in diem** (BSNSS *approx* addiction to the highest bidder; old or obsolete type of conditional contract whereby the original sale is rescinded *–queda rescindida–* if, within a specified time limit as from an agreed date *–a die–* or up to an agreed date *–ad diem–*, a subsequent purchaser comes forward with a higher bid), **adicto**[1] (GEN addicted; addict, junkie *col*; S. *drogadicto, heroinómano, enviciado; alcohólico; pincharse, engancharse, chutarse, colocarse*), **adicto**[2] (GEN follower, devotee, committed supporter ◊ *Un magistrado adicto a las nuevas tendencias judiciales*; S. *partidario*)].

adición[1] *n*: GEN addition; S. *apéndice, suplemento*. [Exp: **adición**[2] **de la herencia** (SUC acceptance of an inheritance by the heir or beneficiary; S. *adir*), **adicional** (GEN additional, added, extra, supplementary; S. *colateral, complementario, incidental, secundario, subsidiario, suplementario*)].

adiestramiento *n*: GEN training; S. *formación, preparación, enseñanza, aprendizaje*. [Exp: **adiestrar** (GEN train ◊ *Perros policiales adiestrados en la detección de drogas*)].

adir [una herencia] *v*: SUC accept an inheritance or legacy; formal term applied to the express or tacit acceptance of an estate by the beneficiary entitled to succeed; acceptance may be made conditional on the outcome of an enquiry into the actual value of the estate and the taker's liability for any outstanding debts; S. *beneficio de inventario*.

adjudicación *n*: GEN adjudication, adjudgement; award, concession, allotment, assignment, allocation ◊ *La adjudicación de una propiedad a uno de los ex esposos tras la disolución del matrimonio*; S. *asignación, concesión, reparto*. [Exp: **adjudicación de acciones** (BSNSS allotment of shares, distribution of stock), **adjudicación de contrato** (BSNSS award of contract), **adjudicación de herencia** (SUC grant of probate; distribution of an estate; S. *albacea, legítima, testamento*), **adjudicación de obras por concurso** (ADMIN award of a building contract following competitive tender/bidding), **adjudicación de plazas fijas en la Administración Pública** (ADMIN awarding of permanent Civil Service appointments; S. *concurso, oposición*), **adjudicación por subasta** (BSNSS sale by auction, putting up to auction, disposal by auction), **¡adjudicado!** (BSNSS sold!), **adjudicante/adjudicador** (BSNSS awarder, awarding body, person or body inviting bids, tenderee), **adjudicar** (GEN adjudicate, adjudge; award, grant, allot, assign, distribute ◊ *Su abuelo le adjudicó a ella un valioso cuadro como legado*; S. *asignar, conceder, destinar, distribuir, entregar, repartir, subastar*), **adjudicar en subasta al mejor postor** (BSNSS auction off/sell in auction to the highest bidder; S. *subastar*), **adjudicarse la victoria** (GEN win, triumph, score ◊ *Tras una larga lucha se adjudicaron la victoria*), **adjudicatario** (BSNSS successful bidder or tenderer, allottee, grantee; winner, awardee ◊ *La empresa adjudicataria del contrato*)].

adjuntar *v*: GEN enclose, attach ◊ *No se olvide adjuntar una fotocopia de su DNI*; S. *incluir, acompañar, incorporar, anexar*. [Exp: **adjunto**[1] (GEN enclosed, herein, herewith, attached [hereto], in the present letter/document, accompanying ◊ *Adjunto nos complace enviar copia del contrato*; S. *presente*), **adjunto**[2] (GEN deputy, assistant; S. *director adjunto, juez adjunto*)].

administración[1] *n*: GEN administration, admin *col*, management, running; managership; custody; conduct ◊ *Encargado de la adminstración de la empresa*; S. *dirección, gestión, consejo de administración*. [Exp: **Administración,**[2] **la** (ADMIN the administration, the government, the authorities; the Civil Service; the Crown, Crown Officers; S. *los administrados, admón, función pública, funcionariado*), **administración central** (BSNSS/ADMIN central administration, central HQ, head office), **Administración Central de Correos** (ADMIN HQ of the General Post Office/GPO), **administración centralizada** (ADMIN centralized administration), **administración comercial** (BSNSS business/commercial management/administration), **administración de aduanas** (ADMIN customs, customs administration), **administración de bienes** (GEN/CIVIL administration of property, stewardship, trusteeship; S. *fideicomisario, fiduciario, fundación*), **administración de correos** (ADMIN postal authority, post office, GPO), **administración de empresas** (BSNSS business administration/management), **administración de personal** (GEN personnel management or administration), **administración de seguros** (INSUR insurance management), **administración de la quiebra** (CIVIL/BSNSS administration of a bankrupt's estate; S. *quiebra, suspensión de pagos*), **administración de una sucesión** (SUC administration of the estate of a deceased person; S. *albacea, causante, causahabiente, derechohabiente, patrimonio, sucesión*), **administración de valores** (BSNSS portfolio management; S. *gestión de carteras de valores*), **administración del Estado** (ADMIN public administrative service of the state, government administration, Civil Service; Crown officers), **administración desleal** (CRIM/CIVIL dishonest appropriation of the proceeds of a trust, misappropriation/theft of trust funds, fraudulent accounting by a trustee; breach of trust, breach of the terms of a trust ◊ *En su escrito el fiscal acusa a los dirigentes de administración desleal de los patrimonios a ellos confiados*), **administración judicial** (BSNSS receivership, administrative receivership, administration in bankruptcy or insolvency proceedings; S. *quiebra, suspensión de pagos; pasar a administración judicial*), **administración local** (ADMIN local authority, administration or government; S. *autonomía, ayuntamiento, corporación local, diputación*), **Administración pública** (ADMIN public administration, civil administration, Civil Service, public authorities, government; S. *delitos contra la Administración Pública*), **administración superior** (ADMIN senior branches of the Civil Service, upper/senior civil servants), **administración tributaria** (ADMIN tax authorities; tax/fiscal administration; the tax people *col*, *approx*. the Inland Revenue), **administrados, los** (ADMIN the governed, private individuals, citizens)].

administrador *n*: BSNSS/GEN manager, administrator, steward; officer; receiver, bursar, trustee; S. *gerente, director*. [Exp: **administrador concursal** (PROC trustee in bankruptcy), **administrador de aduanas** (ADMIN/BSNSS [chief] customs officer, collector of the customs; S. *vista de aduanas*), **administrador de correos** (ADMIN postmaster, head of a post office or administrative section of the Post Office),

administrador de fincas (BSNSS steward, manager, land agent, factor *Scots*), **administrador judicial** (PROC/SUC administrator; liquidator, receiver), **administrador judicial de la quiebra** (BSNSS receiver, official receiver, receiver in bankruptcy, referee, trustee in bankruptcy; S. *síndico de una quiebra*), **administrador único** (BSNSS sole agent), **administrar** (GEN administer; manage, run, direct; S. *dirigir, controlar, planificar, intervenir, gestionar*), **administrar justicia** (GEN administer justice), **administrar una cartera de valores** (BSNSS administer a portfolio), **administrar una sucesión** (SUC administer an estate; S. *albacea*), **administrativo**[1] (GEN administrative; managerial ◊ *Los trámites administrativos suelen ser lentos*; S. *Derecho administrativo, gerencia, dirección; concesión administrativa*), **administrativo**[2] (GEN/ADMIN [junior] civil servant, member of the managerial staff; clerk, secretary, office-worker; S. *escribano, funcionario, pasante*)].

admisibilidad [de pruebas, recurso, etc.] *n*: GEN/PROC admissibility [of evidence, an appeal, etc.] ◊ *La admisibilidad de un recurso depende del criterio de los jueces al interpretar las leyes*; S. *prueba, recurso*. [Exp: **admisible** (GEN/PROC admissible, allowable ◊ *Un auto que declaraba admisible la prueba propuesta*; S. *permitido, lícito, legítimo, conforme a Derecho*), **admisión** (GEN/PROC admission; confession, avowal ◊ *La inesperada admisión de los hechos por parte del acusado*; acceptance; S. *declaración, confesión, reconocimiento*; *plazo de admisión de instancias, derecho de admisión, comisión de admisiones; entrada*), **admisión a prueba** (PROC admission in/as evidence; S. *recibimiento a prueba, proposición de prueba*), **admisión a trámite** (PROC leave/permission to proceed, permission/leave of the court, administrative go-ahead, admission of writ; S. *admitir a trámite*), **admisión a trámite, no** (PROC refusal to consider an application), **admisión completa** (PROC full admission or confession), **admisión de culpabilidad** (PROC/CRIM plea of guilty, confession of guilt; S. *confesión*), **admisión de la prueba** (PROC admission of evidence), **admisión de una querella** (CRIM court order granting leave to proceed with a private prosecution; it implies that the judge is satisfied there is a *prima facie* case against the accused ◊ *La admisión de la querella fue notificada a las partes*; S. *admitir a trámite, querella, abandono de querella*), **admisión desfavorable o lesiva** (CIVIL/PROC admission against interest), **admisión, no** (GEN non-admission; refusal to admit; S. *indamisión, reservado el derecho de admisión*), **admitir** (GEN/PROC admit, allow, concede, sustain, accept, give/grant leave or permission ◊ *El tribunal admitió el testimonio del niño*; recognize; authorize; yield; S. *aceptar, autorizar, reconocer, ceder*), **admitir a trámite** (PROC allow, grant an application, give leave/permission to proceed; give leave for a case or application to go ahead or proceed; the expression *admitir a trámite* is widely used in administrative and bureaucratic contexts as well as in legal parlance, and is one of many instances of the highly developed and codified operations of the administrative law in countries influenced by the Napoleonic code; any transaction involving the public administration must go through a clearly defined procedure, each stage of which is a *trámite*; the first stage, of course, is to check that all documents have been properly drawn up, filled in, etc, and that the application is itself lawful; thus the sense of the expression is that of rubber-stamping a valid request, allowing the matter to proceed, giving it the administrative go-ahead or green light, granting leave to proceed, etc; however, it should be carefully distinguished from the sense of upholding an application i.e. adjudging it to be right in law; for example, *admitir a trámite un recurso* means to allow an appeal to be heard or to grant leave or permission for it to be heard, a different matter entirely from the expression *estimar un recurso*, which means to allow or uphold an appeal; S. *recurso; sustanciar, trámite*), **admitir a trámite, no** (PROC refuse/reject/throw out/turn down an application, refuse to consider an application), **admitir, no** (PROC rule out; S. *inadmitir*), **admitir o atestar un hecho, una deuda, una pretensión, una firma** (GEN/CIVIL/ADMIN/PROC acknowledge/attest/vouch for a fact, a debt, a claim, a signature; S. *reconocer*), **admitir una protesta** (PROC sustain an objection ◊ *«Se admite la protesta», dijo el juez*; S. *aceptar, denegar una protesta, ¡protesto!*)].

admón *n*: ADMIN abbreviation of *Administración*, used especially in reference to each of the individual licensed offices selling tickets for the Spanish state lottery ◊ *Admón n.º 23. El Gordo de Navidad vendido aquí.*

admonición *n*: GEN warning, admonition, reprimand, reminder ◊ *El juez le hizo una seria admonición al abogado por el lenguaje tan impropio que estaba utilizando*; S. *advertencia, amonestación, apercibimiento, reprensión, reprimenda.*

adolescencia *n*: GEN adolescence; S. *infancia, pubertad.* [Exp: **adolescente** (GEN adolescent, teenager; S. *joven*)].

adopción[1] *n*: CIVIL/FAM adoption; S. *guarda, tutela, acogimiento familiar o de menores.* [Exp: **adopción**[2] (GEN adoption, approval ◊ *Se podrá solicitar de los tribunales la adopción de medidas cautelares*; S. *aprobación*), **adoptado** (CIVIL/FAM adopted [child]; S. *adoptivo*), **adoptante** (CIVIL/FAM adopter ◊ *Entre el adoptante y el adoptado no existe vínculo directo de sangre*), **adoptar**[1] (GEN/CIVIL adopt, take, take up ◊ *Adoptó la nacionalidad española hace tres años*), **adoptar**[2] (FAM adopt, foster, affiliate; S. *legitimar, afiliar, ahijar, prohijar*), **adoptar**[3] (GEN follow [an opinion], take as one's own, accept, approve; enact; S. *adoptar una resolución; determinar, resolver, establecer, implantar*), **adoptar una enmienda** (GEN/ADMIN adopt/approve/confirm an amendment), **adoptar disposiciones especiales** (GEN/ADMIN approve/lay down special or emergency provisions), **adoptar un acuerdo** (GEN/ADMIN pass a resolution, take a decision), **adoptar medidas** (GEN/ADMIN approve or take measures), **adoptar una medida judicial/un acto administrativo** (PROC/ADMIN make a [court] order, rule; make an administrative decision or ruling, take/reach a decision), **adoptar una resolución** (GEN/ADMIN make/take a decision; pass/approve a resolution, vote in favour of a ruling/order/decision; S. *tomar una resolución*), **adoptivo** (GEN adopting, adopted; used in expression such as *hijo adoptivo* –adopted/adoptive child–, *padres adoptivos* –adoptive parents–, *patria adoptiva* –adopted country–)].

adquirente *n*: GEN/BSNSS buyer, purchaser, acquirer, taker, vendee; S. *comprador*), **adquirente a título gratuito** (CIVIL donee, recipient of a gift; S. *donación*), **adquirente a título oneroso** (CIVIL/BSNSS purchaser for value or valuable consideration), **adquirente de buena fe** (CIVIL/BSNSS purchaser in good faith; as in English law, this means a buyer who shows honesty of intention or sincerity in entering into an engagement to buy or do business, e.g. by not disputing the title of the person purporting to be the rightful vendor, and this good faith may provide protection in any later dispute as to ownership of the goods or property purchased), **adquirido** (GEN acquired, purchased, bought), **adquirir** (GEN/BSNSS acquire, purchase, buy, buy out; attain, obtain, gain; S. *comprar; propiedad adquirida*), **adquirir carta de naturaleza** (GEN/CIVIL become naturalized, take Spanish/British, etc, citizenship, take out naturalization papers; *fig* become accepted, pass into common usage or practice), **adquirir fuerza legal** (GEN attain legal status/force of law, come into force; become a legally enforceable right), **adquirir una sociedad mercantil** (BSNSS buy/purchase/take over a company), **adquisición** (GEN/BSNSS purchase, acquisition, takeover; buying, buy; S. *compra*), **adquisición a título gratuito** (CIVIL acquisition by gift), **adquisición a título oneroso** (CIVIL/BSNSS purchase for valuable consideration), **adquisición apalancada de una empresa** (BSNSS leveraged buyout, LBO), **adquisición hostil** (BSNSS hostile takeover; S. *OPA hostil*), **adquisición de buena fe** (BSNSS purchase or acquisition in good faith), **adquisición del derecho de propiedad** (CIVIL acquisition of ownership or title, accrual of a right of ownership; real property is acquired by *tradición* –conveyance or «livery of seisin» in the older texts–, *ocupación* –[uninterrupted] occupation–, *accesión* –accession, succession in title– and *usucapión* or *prescripción adquisitiva* –usucapion/usucaption or acquisitive prescription–; S. *pérdida, prescripción extintiva; res nullius*), **adquisición de la propiedad** (CIVIL acquisition of ownership; S. *pérdida de la propiedad*), **adquisición de una empresa** (BSNSS buyout), **adquisición derivativa** (CIVIL acquisition by transfer of title), **adquisitivo** (GEN buying/purchasing; S. *poder adquisitivo*)].

adscribir *v*: GEN ascribe, appoint, assign, attach; second, post ◊ *El nuevo juez ha sido adscrito a la sección de familia*; S. *anexar, destinar*. [Exp: **adscripción** (GEN assignment, ascription, attachment)].

aduana *n*: ADMIN customs; customs house; S. *pasar el control de aduana*. [Exp: ADMIN **aduana de destino** (ADMIN customs at point of destination, destination customs), **aduana de entrada** (ADMIN entry customs, customs at place of entry), **aduana de paso** (ADMIN transit customs), **aduana de salida** (ADMIN customs at point of departure, departure customs), **aduana de tránsito** (ADMIN transit customs), **aduana, en** (ADMIN in/under bond; held in bond; S. *en depósito, afianzado*), **aduanar** (ADMIN clear customs, put through customs, pay customs; S. *apasar el control de aduana*), **aduanero** (ADMIN customs; customs officer; S. *depósito aduanero, formalidades aduaneras, puesto aduanero*)].

aducción de pruebas *n*: PROC production/disclosure/presentation of evidence; S. *alegar, deducir, proposición de la prueba, práctica de la prueba*. [Exp: **aducir** (GEN adduce, provide, furnish, put forward, enter; allege, argue, claim ◊ *Los argumentos que adujo el letrado del demandado no convencieron al tribunal*; S. *alegar, aportar, declarar, manifestar, mantener, presentar, sostener*), **aducir pruebas** (PROC adduce/call/lead/bring/disclose evidence, put in evidence; S. *testimonio*)].

adueñarse *v*: GEN take possession [of], [unlawfully] seize, take over, take control [of]; S. *apropiarse, posesionarse, ocupar; dueño*)].

adulteración *n*: GEN adulteration, falsification, debasement. [Exp: **adulteración de documentos** (GEN/CRIM falsification of documents or instruments, making of false instruments; S. *falsificación*), **adulterar** (GEN adulterate; falsify; debase;

fake; fabricate ◊ *Las sustancias tóxicas adulteradas incrementan el daño a la salud*; S. *falsificar, falsear, manipular*), **adulterino** (CIVIL/CRIM adulterine), **adulterio** (CIVIL adultery; S. *bigamia*), **adúltero, adúltera** (CIVIL adulterer, adulteress), **adulterio notorio o flagrante** (CIVIL open and notorious adultery), **adulto** (CIVIL adult, [person] of full age; S. *menor*)].

advenimiento *n*: GEN/CONST accession [to power, to the throne], advent, arrival, coming ◊ *Con el advenimiento de la monarquía se suavizaron muchas posturas*; S. *llegada*.

adveración *n*: CIVIL attestation, certification, authentication; averment; applied particularly to the certificate of authenticity issued by a notary public and stating that a document such as a will or a deed is genuine; S. *fe, fedatario*. [Exp: **adveración de un testamento** (SUC attestation or authentication of a will), **adverar** (PROC/CIVIL attest, witness, certify, authenticate, swear to the authenticity of; S. *dar fe, atestar, testimoniar, legalizar, certificar, compulsar*)].

adversario *n*: GEN/PROC opponent, adversary, rival; opposing party or side, other party or side; S. *antagonista, contrario, rival, oponente, opositor*. [Exp: **adversidad** (GEN adversity, misfortune, hardship, ill luck; S. *desgracia, infortunio, catástrofe, contrariedad, contratiempo*), **adverso** (GEN adverse, unfavourable; hostile, difficult; S. *desfavorable, contrario, hostil, opuesto*)],

advertencia *n*: GEN caution, warning, caveat, notice, admonition, admonishment; S. *aviso, amonestación, instrucción*. [Exp: **advertir** (GEN warn, caution, admonish, reprimand, remind, put in mind of, acquaint, advise, give notice; S. *amonestar, llamar la atención*), **advertir al detenido de sus derechos** (CRIM/PROC caution the suspect/defendant, issue a Miranda warning *US*, read a suspect his rights *col*)].

adyacente *a*: GEN/CIVIL adjacent, adjoining, co[n]terminal, co[n]terminous; S. *limítrofe, colindante, contiguo, contérmino*.

AELC *n*: GEN S. *Asociación Europea de Libre Cambio*.

aéreo *a*: GEN air, aerial ◊ *El espacio aéreo de un país*; S. *aire*. [Exp: **aeronavegabilidad** (GEN airworthiness; S. *navegabilidad*), **aeropuerto** (GEN airport), **aeropuerto aduanero** (BSNSS airport of entry, airport at which customs clearance is effected or required), **Aeropuertos Españoles y Navegación Aérea, AENA** (ADMIN Spanish airport and air traffic authority)].

afección *n*: CIVIL/BSNSS charging or encumbering of property or goods; charge; applies to any kind of lien, attachment or order of seizure of goods or property; S. *anotación preventiva, embargo, gravamen*. [Exp: **afección de bienes** (CIVIL encumbering of goods, pledging of goods, mortgaging of goods; S. *embargo*), **afecta, en lo que** (GEN concerning, regarding, as regards, with regard or reference to; S. *concerniente*), **afectable** (CIVIL/BSNSS capable of being the subject of a charge or encumbrance; S. *afectar²*), **afectación¹** (GEN charge, encumbrance, restriction, lien, restrictive covenant; S. *afectar²; servidumbre, gravamen, carga, hipoteca, embargo, impedimento*), **afectación²** (GEN affectation ◊ *El abogado expuso sus tesis con una afectación innecesaria*; S. *afectar³; amaneramiento, artificio*), **afectación³** (ADMIN *approx* compulsory purchase order, confiscation order, expropriation order; procedure whereby a public authority rules that private property or land is to pass into the public domain or become public property; S. *dominio público, expropiación*), **afectación de**

bienes a un proceso (PROC/CIVIL freezing order, *approx* Mareva injunction; consists of the seizure, attachment or temporary confiscation of assets possibly required to satisfy a judgment; S. *auto de embargo preventivo; embargar, secuestrar*), **afectación de ingresos** (BSNSS/ADMIN allocation/apportionment of revenues; S. *afectar*[3]), **afectado**[1] (GEN affected, involved, concerned; S. *afectar*[1]), **afectado**[2] (BSNSS encumbered, charged; S. *afectar*[2]), **afectado**[3] (GEN affected, stiff, unnatural; S. *fingido*), **afectar**[1] (GEN affect, involve, concern; fall on ◊ *Los juicios civiles no afectan más que a las partes directamente interesadas*; S. *concernir, atañer; interesar, vincular, importar; influir*), **afectar**[2] (CIVIL/BSNSS encumber, charge, attach, place a lien or encumbrance on; applies to any kind of burden or charge, whether fixed or floating, affecting property or assets; S. *aval; gravar, hipotecar, dar como garantía; desafectar*), **afectar**[3] (BSNSS earmark, allocate, assign, reserve, set aside ◊ *El Gobierno ha afectado 100 millones de euros para mejoras de la salud pública*; applies particularly to budget arrangements involving public spending, and is often found with words such as *fondos* –funds–, *cuentas* –accounts–, *impuestos* –taxes–, *ingresos fiscales* –revenue from taxation–, etc; S. *asignar, destinar, consignar*)].

aferrarse a *v*: GEN stick to, hold [on] to, adhere to, cling to ◊ *En su defensa el acusado se aferró a la eximente de obediencia debida*; S. *obstinarse, insistir, perseverar*. [Exp: **aferrarse al poder** (GEN cling to power ◊ *Los dictadores se aferran al poder y no lo sueltan por nada*; S. *poder*)].

afianzado *n*: GEN/CIVIL/BSNSS bonded, secured, backed by a guarantee or pledge; S. *garantizado por obligación escrita*. [Exp: **afianzador** (GEN/CIVIL/BSNSS guarantor, surety, bondsman, person who provides security, accommodation maker/party; S. *favorecedor*), **afianzamiento** (GEN/CIVIL/BSNSS bond, security, bail, suretyship, guarantee, accomodation), **afianzamiento encubierto** (GEN/CIVIL/BSNSS accommodation; S. *favor*), **afianzar**[1] (GEN reinforce, strengthen, consolidate, lend weight, give support, bolster ◊ *La prueba del testamento afianza la titularidad que la demandante tiene sobre el cuadro*; S. *consolidar, reforzar*), **afianzar**[2] (BSNSS guarantee, endorse, support, back, back up, stand behind; clinch ◊ *Su préstamo está afianzado con el patrimonio de sus padres*; S. *fianza, dar fianza, avalar, caucionar, respaldar, apoyar; desafianzar*), **afianzarse** (GEN become consolidated ◊ *La economía de mercado se ha afianzado en los antiguos países comunistas*; S. *consolidarse*)].

afiliación *n*: GEN affiliation, membership. [Exp: **afiliación sindical** (EMPLOY union membership; S. *sindicato*), **afiliado** (GEN affiliated, enrolled; member, beneficiary [under a scheme], [person] entitled or covered ◊ *El número de afiliados a la Seguridad Social subió en junio*; S. *socio, miembro, vocal, adicto, afecto, partidario*), **afiliar** (GEN enrol[l], enlist, register ◊ *En España es obligatorio afiliar a los obreros a la Seguridad Social*; S. *inscribir, dar de alta*), **afiliarse** (GEN join, become a member, enrol[l] as a member, become affiliated, take out membership ◊ *Últimamente se han afiliado muchos obreros al sindicato*; S. *incorporarse, unirse, asociarse, inscribirse, ingresar*)].

afín *a/n*: GEN related, germane, akin, similar, close, common; in-law, relative by marriage; S. *consanguíneo, parentesco, relación*. [Exp: **afinidad**[1] (GEN affinity, likeness, shared features ◊ *Hay una clara afinidad entre este asesinato y el de la calle Trafalgar*; S. *semejanza, similitud,* *analogía*), **afinidad**[2] (FAM affinity, kinship; more specifically, relationship by marriage, as opposed to consanguinity; S. *consanguinidad, político*)].

afincarse *v*: GEN settle, set up, establish oneself ◊ *No pocos delincuentes extranjeros se han afincado en las costas del Mediterráneo*; S. *finca; asentarse, instalarse, acomodarse, establecerse, radicarse.*

afirmable *a*: PROC arguable; S. *sostenible, defendible*. [Exp: **afirmación** (GEN statement, affirmation, assertion, declaration, averment; testimony, evidence; S. *declaración, aserción, aseveración*), **afirmación adversa** (PROC tacit or unconscious admission, affirmative pregnant, statement detrimental to the maker), **afirmativo** (GEN affirmative, positive; S. *positivo*), **afirmar** (GEN affirm, assert, state, declare, aver, testify, give evidence ◊ *El testigo afirmó haber visto al acusado en compañía de la víctima minutos antes del homicidio*; set out, contend; ratify, certify, uphold, confirm; S. *sostener, asegurar, declarar, alegar, ratificar, exponer*)].

aflicción *n*: GEN affliction, grief, distress; bereavement; S. *daños psicológicos, sufrimiento mental, tribulación, angustia, dolor*. [Exp: **afligir** (GEN afflict, distress, grieve; S. *apesadumbrar, vejar, oprimir, dañar, consternar*)].

afluencia *n*: GEN inflow, influx; rush; attendance in great numbers, [congregation of] large crowds, flock, flocking, assembly, throng ◊ *La afluencia masiva de público a las sesiones de un juicio notorio*; S. *entrada*. [Exp: **afluencia de capitales/divisas** (BSNSS influx or inflow of capital/foreign currency, accrual of exchange; S. *inversión, divisas*)].

aforado *a*: CONST privileged ◊ *Los parlamentarios gozan de la condición de aforados*; S. *foral; fuero, privilegio, persona aforada, inmunidad parlamentaria.* [Exp: **aforador de aduana** (BSNSS customs appraiser), **aforamiento** (CONST granting of parliamentary immunity), **aforar**[1] (GEN/CONST protect by [parliamentary] privilege, grant immunity ◊ *Los ministros y diputados son personas aforadas*; grant a privilege or [royal] charter; S. *fuero, inmunidad, persona aforada*), **aforar**[2] (GEN/BSNSS appraise, gauge, value, assess, estimate, evaluate; said especially of the assessment of the value of goods for the purpose of levying duties and taxes; S. *valuar, tasar, justipreciar*), **aforar**[3] (GEN calculate the seating capacity of [a stadium, theatre, meeting-hall, etc]; S. *aforo*), **aforo**[1] (GEN seating capacity; S. *aforar*[3]), **aforo**[2] (BSNSS appraisal [for taxes and duties]; used in the expression *aforo de buques* –appraisal of ships for purposes of taxes or duties–)].

afrenta *n*: GEN/CRIM affront, outrage, insult; S. *ultraje, injuria, agravio, abuso, engaño, ofensa*. [Exp: **afrentar** (GEN/CRIM affront, insult, offend, outrage; S. *ofender, agraviar*), **afrentoso** (GEN offensive, insulting, outrageous; S. *vergonzo, atroz, indignante*)].

afrontar *v*: GEN tackle, face, confront, be confronted [with], defy; bring face to face ◊ *Las leyes modernas afrontan problemas que no existían en el pasado*; S. *abordar, encararse, arrostrar, enfrentarse; frente.*

agarrotar *v*: CRIM garrotte, execute by means of the garrotte; strangle, choke; S. *ahorcar, ajusticiar, ejecutar, decapitar; garrote, penal capital.*

agencia[1] *n*: BSNSS/ADMIN agency; agentship; intermediary; S. *agente*. [Exp: **agencia**[2] (BSNSS branch, office; S. *sucursal*), **agencia**[3] (ADMIN bureau; S. *negociado, sección, oficina*), **agencia de aduanas** (ADMIN customs agents), **agencia de calificación de riesgos o de solvencia financiera** (BSNSS rating agency/bureau),

agencia de colocación o empleo (EMPLOY employment agency; S. *agencia de trabajo temporal*), **agencia de importación** (BSNSS import agency/handlers), **agencia de la propiedad inmobiliaria** (CIVIL/BSNSS real estate agency; estate agent), **agencia de trabajo temporal** (EMPLOY temp agency; S. *agencia de colocación*), **agencia estatal** (ADMIN government/administrative agency, autho rity; S. *organismo público, ente público*), **agencia inmobiliaria** (BSNSS/CIVIL S. *agencia de la propiedad inmobiliaria*), **Agencia Tributaria** (TAX tax office, branch/office of the tax authorities of the Inland Revenue; fiscal agency; Internal Revenue Service, IRS *US*; S. *Hacienda*), **agenciar** (GEN facilitate, provide; S. *proporcionar*), **agenciarse** (GEN obtain, secure; S. *lograr, conseguir*)].

agenda *n*: GEN diary; schedule, [list of] commitments; appointment-book; agenda. [Exp: **agenda apretada** (GEN tight or full schedule, busy day or time ◊ *Los jueces suelen tener una agenda muy apretada*), **agenda profesional** (GEN organiser, i.e. type of diary)].

agente *n*: GEN/BSNSS agent, agt; correspondent; broker; dealer; S. *apoderado, comisionista, consignatario, corredor, gestor, intermediario, mandatario, representante, agencia*. [Exp: **agente comercial** (BSNSS travelling salesman, commercial[3]; S. *viajante*), **agente comisionista** (BSNSS broker, commission agent/merchant; S. *comisionista, intermediario*), **agente consular** (INTNL consular agent), **agente de aduanas** (ADMIN customs agent/broker; clearing/clearance agent), **agente de averías** (BSNSS average agent[2]), **agente/corredor de Bolsa** (BSNSS stockbroker; broker-dealer; market-maker; S. *agente auxiliar de Bolsa*), **agente de cambio y Bolsa** (BSNSS customer's broker; jobber; registered representa tive *US*), **agente de circulación** (ADMIN traffic policeman/policewoman), **agente de comercio** (BSNSS business agent, commerciale agent, factor), **agente de la autoridad** (ADMIN/PROC police officer, law-enforcement officer), **agente de la ley** (CONST/PROC law officer, law-enforcement officer *US*), **agente de la propiedad inmobiliaria** (CIVIL estate agent; real estate agent; house agent; realtor *US*), **agente de policía** (ADMIN policeman, policewoman, police officer, police constable, PC; S. *placa de policía*), **agente de seguros** (INSUR insurance agent/broker; application agent; underwriter; home service agent, producer *US*), **agente de tráfico** (ADMIN traffic policeman/policewoman; S. *agrupación de tráfico*), **agente del crédere** (BSNSS del credere/delcredere agent), **agente ejecutor de los embargos** (PROC bailiff, sequestrator, deputy to a sheriff *US*, sheriff's officer *Scots*), **agente exclusivo** (BSNSS agent sole, sole agent), **agente fiduciario** (CIVIL trustee, fiduciary agent), **agente fletador** (BSNSS chartering agent; S. *corredor de fletamentos*), **agente judicial** (PROC usher, bailiff's clerk; server; S. *funcionario judicial, secretario judicial; notificador*), **agentes sociales** (EMPLOY labour and management representatives, employers' and employee's leaders or spokesperson; euphemistic term applied to trade union leaders and management representatives when they meet to negotiate pay and conditions, discuss government economic policy and its impact on labour or attempt to defuse industrial unrest)].

agitación *n*: GEN agitation, turmoil, riot; riotous assembly, disturbance, unrest; disorder, disorderly behaviour ◊ *Algunas leyes recientes han generado agitación en las calles*; S. *convulsión, alarma, alboroto, escándalo, inquietud, revuelo*. [Exp: **agitador** (GEN agitator, troublemaker, revolutionary; S. *alborotador, provocador, revolucionario, perturbador, bullanguero, instigador*), **agitar** (GEN agitate, unsettle, disturb, cause unrest, stir up; S. *perturbar, alborotar, azuzar, intranquilizar*)].

agnación *n*: CIVIL/CRIM agnation, descent through a common male ancestor; S. *cognación, parentesco, afinidad*. [Exp: **agnado** (CIVIL agnate; S. *cognado, consanguíneo*), **agnaticio** (CIVIL agnatic, related [exclusively] on the father's side; S. *agnación*)].

agotar *v*: GEN/PROC exhaust, deplete, use up, run down, drain, burn out *col* ◊ *Tras agotar todas la demás vías, no le quedaba más que la de revisión judicial*; S. *terminar, consumir, gastar, mermar*. [Exp: **agotamiento** (GEN exhaustion, depletion, using up, burnout *col*)].

agravación/agravamiento *n*: PROC aggravation, [factor or decision] increasing the seriousness, gravity or guilt of an offence, or leading to an increase in the punishment; S. *mitigación, atenuación*. [Exp: **agravamiento de la pena** (PROC aggravation of the penalty, increase in the sentence/punishment), **agravante** (CRIM/PROC aggravating circumstance/factor; used as an adjective or a noun; in the latter case, usually feminine –short for *circunstancia agravante*– but sometimes masculine –short for *factor agravante*–; in either case, refers to circumstances in the commission of an offence, e.g. deliberate malice *–alevosía, ensañamiento–* or abuse or misuse of force *–abuso de fuerza–*, which may lead a court to increase the penalty following a guilty verdict; this is done by imposing *–fijar–* sentences on the upper half *–mitad superior–* of the scale established by law ◊ *La alevosía es una agravante del delito de homicidio*; S. *atenuante, eximente*), **agravar** (PROC aggravate, increase, step up; S. *atenuar, empeorar*)].

agraviado *a*: CIVIL/PROC injured party, the party that has suffered injury/loss; S. *parte perjudicada, lesionado*. [Exp: **agraviar** (CIVIL/PROC injure, wrong, harm, damage, hurt, do mischief to, cause loss to, hit *col* ◊ *El demandado ha agraviado a la comunidad de vecinos al abrir una discoteca en los bajos del edificio*; S. *afrentar, faltar, humillar, injuriar, insultar, ofender, perjudicar, ultrajar, menospreciar, desairar*), **agravio** (CIVIL/PROC injury, damage, harm, wrong, grievance, mischief; *approx* tort; S. *abuso, daño, injuria, ofensa, perjuicio, injusticia; comité de agravios*), **agravioso** (CIVIL wrongful, unlawful, unfair, unjust, tortious, prejudicial; S. *antijurídico, ilegal, injusto, perjudicial, torticero*)].

agredir *v*: CRIM attack, assail, assault, batter, mug; S. *apalear, golpear, atacar, acometer, arremeter*. [Exp: **agresión** (CRIM attack, aggression, assault, battery; mugging; S. *acometimiento, acometida, asalto, ataque, intimidación violenta*), **agresión a la intimidad** (CIVIL/CRIM trespass; S. *intromisión ilegítima, violación*), **agresión sexual** (CRIM sexual assault; S. *acoso sexual*), **agresivo** (CRIM violent, aggressive; S. *ofensivo, violento*), **agresor** (CRIM aggressor, assailant, attacker; S. *asaltante, atacante*)].

agregado *n*: INTNL attaché. [Exp: **agregado comercial** (INTNL commercial attaché)].

agrupación *n*: GEN association, society, group; division, team, pool, union; pooling, grouping; S. *asociación, grupo; sindicato, gremio*. [Exp: **agrupación de tráfico** (ADMIN traffic police, police division or team assigned to points duty; S. *agente de tráfico*), **agrupar** (GEN group together, put into groups].

agua *n*: GEN water. [Exp: **agua potable** (GEN drinking water ◊ *La finca tiene un pozo de agua potable*), **aguas jurisdiccionales/territoriales** (INTNL home waters; territorial waters; S. *espacio aéreo, mar territorial*), **aguas residuales** (GEN sewage ◊ *Esa urbanización no ha resuelto aún el problema de las aguas residuales*)].

ahorcar *v*: GEN/CRIM hang, execute by hanging, string up *col*; S. *colgar, agarrotar, ajusticiar, ejecutar, decapitar; horca, garrote vil, pena capital.*

aislamiento *n*: CRIM isolation, solitary confinement; S. *reclusión, confinamiento, retiro, reclusión.* [Exp: **aislar** (GEN/CRIM isolate, cut off, keep in isolation, confine; boycott ◊ *Aislar a un preso por conducta violenta*; S. *alejar, boicotear, encarcelar*)].

ajeno *a*: GEN alien, foreign, extraneous; somebody else's, other people's, belonging to others or to somebody else ◊ *Inmiscuirse en asuntos ajenos.* [Exp: **ajeno**[2] (GEN unaware, oblivious, uninvolved ◊ *Proceder ajeno a la resolución del tribunal*; S. *inconsciente*), **ajeno al caso** (GEN immaterial, irrelevant, unrelated to the matter/issue ◊ *Presentar una serie de pruebas completamente ajenas al caso*; S. *impertinente, inoportuno, inútil*), **ajeno, ser amigo de lo** *col* (GEN be a thief or *col* a tea-leaf, not distinguish between «meum» and «tuum» *col*, be given to pilfering *col*; S. *robar*)].

ajustado *a*: GEN in keeping [with], closely related [to] ◊ *Una resolución ajustada a los méritos de los litigantes*; S. *conforme; estrecho.* [Exp: **ajustado a Derecho** (PROC lawful, fair, according to law, in due process of law ◊ *La sentencia, aunque parece injusta, está ajustada a Derecho*; S. *con las debidas garantías procesales, justo, legal*), **ajustador** (INSUR adjustor, liquidator; S. *liquidador*), **ajustar** (GEN/BSNSS adjust, settle, agree, fix, accommodate; reconcile, regulate, bring into line, adapt; tailor; trim, tune up; S. *acomodar, adaptar, negociar, pactar, resolver*), **ajustar cuentas** (BSNSS square an account; GEN square someone *col*, get even *col*, settle scores *col*; S. *ajuste de cuentas*), **ajustarse a** (apply to; abide by; S. *atenerse a*), **ajuste** (BSNSS/GEN settlement, adjustment, composition, agreement, accommodation ◊ *Patronos y sindicatos llegaron a un ajuste*; S. *acomodo, acomodamiento, adaptación, arreglo, avenencia, composición, convenio*), **ajuste de cuentas** (GEN settlement of account, pay-off, adjustment of the difference; settling of a score *col*, pay- back [time] *col* ◊ *Resultó que la muerte del joven se debió a un ajuste de cuentas entre bandos de delincuentes*; S. *bando, delincuente*), **ajuste presupuestario** (ADMIN/BSBSS budget adjustment)].

ajusticiamiento *n*: CRIM execution; S. *ejecución de la pena de muerte.* [Exp: **ajusticiar** (CRIM execute, put to death; S. *ahorcar, agarrotar, ejecutar, decapitar; garrote vil, pena capital*)].

alargar *v*: GEN extend, prolong, expand, lengthen; S. *ampliar, extender, prorrogar.* [Exp: **alargar un plazo** (GEN/PROC extend a deadline/time limit, grant an extension on a deadline; S. *caducidad, plazo, prescripción, término*)].

alarma *n*: GEN alarm, unrest, outcry; S. *alerta.* [Exp: **alarma antirrobo** (GEN burglar alarm), **alarma social** (GEN public dismay or unrest, public outcry, widespread alarm among the population; sociological factor used to justify unusually severe measures adopted by police or judicial authorities in putting down outbreaks of violent or organised crime or drug-trafficking offences, etc. ◊ *Debido a la alarma social causada por la oleada de crimen organizado, el juez instructor ordenó el ingreso en prisión de todos los encausados*; S. *delito, juez instructor, prisión; encausar, imputar*)]

albacea *n*: SUC executor/executrix; testamentary executor, administrator of an estate, representative, personal representative; also known more formally as the *albacea testamentario*; person normally appointed by the testator, but where necessary by a judge, to oversee *–supervisar–* the distribution *–reparto–* of the estate *–patrimonio–* of the testator *–testador, causante–*; S. *administrador, adjudicación de herencia*. [Exp: **albacea adjunto o mancomunado** (SUC joint executor, co-executor), **albacea dativo** (SUC executor appointed by the court, executor dative *Scots*; in English law more correctly called an administrator when not appointed by the testator), **albacea en sustitución** (SUC executor by substitution; S. *albacea sucesivo*), **albacea *de bonis non administratis*** (SUC administrator *de bonis non administratis*), **albacea legítimo** (SUC executor or administrator appointed by operation of law; refers to the administrator who is entitled to deal with an estate by conventional legal rules rather than by express appointment either by the testator or by a court order), **albacea provisional** (SUC temporary executor), **albacea sucesivo** (SUC executor by substitution; S. *albacea en sustitución*), **albacea universal** (SUC general executor), **albaceazgo** (SUC executorship, office of an administrator, administration)].

albarán *n*: BSNSS receipt, delivery note, list of items delivered; S. *nota de entrega, factura*.

albergar *v*: GEN provide lodging for, house, accommodate; harbour; S. *cobijar, dar cobijo, esconder, abrigar, proteger, amparar, esconder*. [Exp: **albergar una duda/sospecha** (GEN entertain/harbour a doubt/suspicion)].

alborotador *n*: CRIM brawler, agitator, troublemaker, rioter, person who creates a disturbance or commits a breach of the peace ◊ *Los alborotadores rompieron los escaparates de algunas tiendas*; S. *amotinador, agitador, provocador, faccioso; gases lacrimógenos*. [Exp: **alborotar** (CRIM brawl, act in a disorderly fashion, cause a disturbance, commit a breach of the peace; S. *agitar, perturbar; desorden*), **alboroto** (CRIM brawl, commotion, riot, disturbance, affray, breach of the peace, disturbance of the peace; S. *algarada, alteración del orden público, pendencia, escándalo, agitación, alarma, revuelo, convulsión, violencia callejera, enfrentamiento, revuelta, tumulto, motín, refriega*)].

alcahueta *n*: CRIM bawd, procuress; S. *celestina; obsceno, deshonesto*. [Exp: **alcahuete** (CRIM pimp, procurer, pander; S. *chulo, proxeneta*), **alcahuetear** (CRIM procure, pimp; S. *chulo, proxeneta*), **alcahuetería** (CRIM pimping, procuring)].

alcaide *n*: CRIM governor of a prison; now dated, the usual term being *director de la prisión*.

alcaldada *col n*: GEN abuse of authority, officiousness, petty despotism; arbitrary or oppressive behaviour by someone in office, especially in local politics; S. *cacique*. [Exp: **alcalde** (ADMIN mayor), **alcalde de barrio** (ADMIN delegate in a district of the mayor of the town, district mayor), **alcalde pedáneo** (ADMIN mayor by delegation in a rural district; S. *pedanía*), **alcaldesa** (GEN mayoress), **alcaldía** (ADMIN mayoralty, mayorship, the office or dignity of a mayor; mayor's office, town hall, office of a city corporation; S. *ayuntamiento*)].

alcance *n*: GEN scope, range; implication, outcome, consequence, result ◊ *El alcance de las medidas del Gobierno es imprevisible*; S. *extensión, ámbito*. [Exp: **alcanzar** (GEN reach; attain, get, achieve, accede; manage to; affect, hit ◊ *La estafa alcanzó a un número importante de pequeñas y medianas empresas*; S. *conseguir, lograr, obtener; perjudicar*), **al-**

canzar el quórum (GEN be/constitute a quorum ◊ *Se suspendió la sesión porque no se alcanzó el quórum reglamentario*)].

alcoholismo *n*: GEN alcoholism; S. *toxicomanía*. [Exp: **alcohólico** (GEN alcoholic; S. *adicto, drogadicto, heroinómano, toxicómano, bebedor empedernido*), **alcoholímetro** (GEN breathalyser, drunkometer *US*)].

aleatorio *a*: GEN aleatory; random; at random; S. *fortuito, accidental, contingente*.

alegable *a*: PROC pleadable; S. *abogable*. [Exp: **alegación** (PROC pleading, plea, allegation, statement, defence, argument ◊ *Corresponde a los litigantes la carga de la alegación y de la prueba*; S. *cambio en las alegaciones de la defensa; justificación; aducir, ventilar*), **alegación de exención de jurisdicción** (PROC plea against/objection to the competency or jurisdiction), **alegación errónea** (PROC misallegation, mis-statement, erroneous or mistaken submission), **alegación ficticia** (CRIM/CIVIL false plea), **alegación improcedente** (PROC inadmissible statement, improper submission, departure from the rules of pleading; S. *desviación*), **alegaciones** (PROC pleadings), **alegaciones razonadas** (PROC closely argued submissions, reasoned or cogent arguments, itemized or detailed allegations), **alegaciones sobre el fondo de la cuestión** (PROC pleadings on the merits [of the case]), **alegando que** (GEN on the ground[s] that, on the basis that; S. *base, fundamento*), **alegar** (PROC/GEN plead, allege, maintain, submit, assert, state, argue, set out, aver, put it [to sb that], contend ◊ *En su declaración ha alegado que actuó por error*; S. *la defensa no tiene nada que alegar; aducir, afirmar, declarar, exponer, deducir*[3], *mantener, asegurar, sostener*), **alegar como fundamento** (PROC rely on, put forward as a ground; S. *basarse*), **alegar falsamente** (PROC misallege), **alegar ignorancia** (PROC plead ignorance), **alegar una excepción** (PROC raise a preliminary issue of law, put in a demurrer or a plea-in- law, enter a dilatory or peremptory plea, allege that the claimant has no cause of action; S. *excepción, excepcionar*), **alegato** (PROC plea, pleading, submission, allegation, reason, ground, argument, oral argument, contention, avernment of claim *US*, plea-in-law *Scots*; statement prepared by counsel for either party setting out the grounds of fact and law on which his or her client relies *–las razones que sirven de fundamento al derecho de su cliente–* in the claim or defence entered, and countering the arguments put forward by the other side *–impugna las del adversario–*; S. *razón, argumento, motivo, excusa, disculpa, aseveración, manifestación, defensa, postura, alegación, contestación, declaración; dar por concluidos los alegatos; desemejanza de alegatos*), **alegatos de hecho** (PROC pleadings/submissions on the facts, specification of particulars or of grounds relied on or cause of action, averments *Scots*, condescendence *Scots*), **alegato de nulidad** (PROC submission of no case to answer [in a criminal case]; call for a mistrial, submission that the proceedings are wrong in law, objection to proceedings on a point of law; refers to any defence submission that the proceedings are vitiated by some fundamental defect in law; in such cases the defence commonly alleges want of jurisdiction *–falta de competencia–*, want of standing *–falta de personalidad del actor–*, no cause of action *–falta de causa de pedir o de legitimación–* or that the cause of action is statute-barred *–prescripción de la acción, caducidad de la acción–*, etc; in criminal trials, the submission of «no case to answer» alleges that the prosecution *–fiscalía–* and the examining magistrate

–juez instructor–, in indicting the accused *–dictar auto de procesamiento–* and stating the facts and law on which they rely, have failed to make out a *prima facie* case *–indicios razonables de criminalidad–* fit to be tried; S. *auto de procesamiento, fiscal, incidente procesal, juez instructor*), **alegatos erróneos** (PROC mispleading, improperly framed pleadings), **alegatos finales** (PROC closing arguments), **alegatos nuevos** (PROC amended pleadings; fresh submission)].

alegal *a*: GEN on the fringes of the law, outside the scope of the law, beyond the reach of the law, of dubious legality, unregulated; S. *ilegal*. [Exp: **alegalidad** (GEN activity or condition of dubious legality, unregulated nature or activity ◊ *Algunas actividades indeseables, como la prostitución, se mueven en la más absoluta alegalidad*)].

alejamiento *n*: GEN absence, rift, removal, estrangement; staying/keeping away, keeping one's distance, making a clean break, alienation; S. *orden de alejamiento, enajenación*. [Exp: **alejar** (GEN move away, distance; S. *apartar, aislar*), **alejarse** (GEN walk/move away, drift out [of] or away [from] or apart, distance onseself [from] ◊ *Se ha alejado de la vida política después de su enfermedad*)].

alerta *a/adv/n*: GEN alert; alarm, on the alert/lookout *col* ◊ *El atentado terrorista puso en estado de alerta a toda la policía del país*; S. *alarma*. [Exp: **alerta roja** (GEN red alert), **alertar** (GEN alert, warn ◊ *La policía fue alertada de que iba a haber un atentado*; S. *advertir, prevenir, avisar*)].

alevosía *n*: CRIM treachery, perfidy; heinousness, malice coupled with calculation, stealth or cowardice; deliberate malice; *approx* malice aforethought; *alevosía* is one of the three aggravating circumstances, or *agravantes* –the others are *ensañamiento*, or extreme cruelty, and *por precio, promesa*, i.e. for a reward or promise of a reward–, that turn manslaughter or homicide *–homicidio–* into murder *–asesinato–*; since, in the absence of one of the complete defences *–eximentes completas–*, such as self-defence *–legítima defensa–*, necessity *–estado de necesidad–*, duress or coercion *–coacción–* or «unconquerable fear» [or duress of circumstances] *–miedo insuperable–*, a deliberate killing without justification or excuse is murder, the technical English term «malice aforethought» is an acceptable translation in this case; however, conceptually and semantically the English and Spanish expressions of the *mens rea –dolo–* for murder are quite distinct; it should be noted that *alevosía* does not necessarily imply premeditation, but rather any form of precaution taken by the assailant against the risk of being prevented or suffering mishap in carrying out the offence, or being detected afterwards; under English law, on the other hand, a deliberate intention to kill or to cause really serious injury founds a charge of murder if the victim dies as a result of the attack; the term is also used of other offences against the person *–delitos contra las personas–*; S. *premeditación, agravante, asesinato, atenuante, eximente, homicidio, perfidia, traición*. [Exp: **alevosía, con** (CRIM with malice aforethought, treacherously, maliciously, with calculated impunity; S. *dolosamente*), **alevoso** (CRIM treacherous, perfidious, acting with malice aforethought or calculated impunity)].

algarada *n*: CRIM riot, brawl, commotion; riotous assembly, unlawful assembly, violent disorder, public affray, street brawl ◊ *En la algarada del pasado fin de semana se ocasionaron daños valorados en cientos de miles de euros*; S. *alboroto, revuelta, tumulto, motín, refriega.*

alguacil *n*: PROC/ADMIN [minor] court officer, process-server; municipal clerk or officer who executes the process of a town council; *approx* bailiff, sheriff's officer; marshal *US*, deputy to a sheriff *US*.

alianza *n*: GEN/CONST alliance, agreement, league, pact; S. *confederación, unión, liga*. [Exp: **aliarse** (GEN/CONST form an alliance, ally oneself [with]; S. *asociarse; ligar, ligarse*)].

alienación[1] *n*: GEN alienation, mental derangement, insanity, unsoundness of mind, disturbance of the balance of the mind ◊ *El alcoholismo puede ser causa de alienación*; S. *enajenación, amnesia, anomalía psíquica*. [Exp: **alienación** (CIVIL alienation, transfer, conveyance, assignment, sale ◊ *La alienación de una propiedad por medio de un contrato de compraventa*; S. *transferencia, traspaso, venta*), **alienado**[1] (GEN of unsound mind, insane; S. *desequilibrado, perturbado, demente, enajenado*), **alienado**[2] (GEN alienated, conveyed [away], transferred, assigned, sold; S. *transferir, traspasar, vender, ceder*), **alienar**[1] (GEN alienate, estrange ◊ *El efecto alienante de un exceso de televisión en la mente de un adolescente*; S. *deshumanizar*), **alienar**[2] (GEN alienate, convey [away], assign, transfer, sell, gift; S. *enajenar, traspasar; inalienable*)].

alijar[1] *v*: GEN/BSNSS unload, offload, land [a ship's cargo]; jettison, lighten; S. *descargar*. [Exp: **alijar**[2] (CRIM smuggle ashore, land [contraband or prohibited or controlled goods or substances] ◊ *Toda la droga se alija en la playa a la luz del día sin que intervenga la policía*; S. *contrabando, tráfico*), **alijo** (CRIM cache, consignment of smuggled goods ◊ *La policía del mar apresó un barco con un importante alijo de heroína*; S. *capturar, incautarse*), **alijo de armas** (CRIM arms cache, consignment of smuggled arms), **alijo de drogas** (CRIM drugs cache), **alijo decomisado** (CRIM haul of smuggled/illegal goods confiscated by the police, etc.), **alijo forzoso** (GEN/BSNSS jettison [of cargo]; S. *echazón*)].

alimentación *n*: GEN food; feeding; supply; S. *comida, alimento*. [Exp: **alimentante** (FAM provider, person with the legal duty of maintaining or making provision for another, person liable to maintain; the opposite of an *alimentista*), **alimentar** (GEN/FAM feed, provide food, nourish; maintain, provide for, make provision for ◊ *Los padres tienen el deber de alimentar a sus hijos*; S. *asistir, ayudar, sostener, velar por*), **alimentario** (FAM involving maintenance or provision; as a noun, an alternative to *alimentista*, which is the usual term), **alimenticio** (GEN/CIVIL nutritious, nutritive, nutritional; concerning maintenance or provision ◊ *Tras el divorcio el esposo suele seguir teniendo el deber alimenticio para con su ex esposa y los hijos habidos del matrimonio*), **alimentista** (FAM beneficiary of a maintenance or financial provision order ◊ *La ex esposa, como alimentista, presentó una demanda por impago de la cantidad mensual convenida*; despite its active-looking form, the term refers to the person entitled to *receive* maintenance, i.e. it is the opposite of *alimentante*), **alimento[s]** (GEN/FAM/CIVIL food, foodstuffs; maintenance, [financial] provision, alimony *US*; generally plural in the legal sense ◊ *Los hijos tendrán derecho a recibir alimentos de su padre tras el divorcio*; like the word «alimony» –still in common use in the USA, though no longer current in Britain, where «financial provision» or «maintenance» are now preferred– the Spanish term is much wider in scope than just food, and includes the duty to provide clothing, shelter, care and education for entitled dependants; the duty ceases when the children come of age or become independent, and also if the dependent status of the former spouse is altered by remarriage or by significant improvement in his or her financial position; S. *pensión alimenticia, prestaciones, manutención*), **alimentos provisionales o a la espera del juicio** (FAM/PROC provisional maintenance order pending suit, alimony *pendente lite*)].

alistamiento *n*: GEN enlistment; conscription; S. *reclutamiento, servicio militar obligatorio*. [Exp: **alistar** (GEN conscript, enlist; S. *llamar a filas*)].

aliviar *v*: GEN relieve, mitigate, ease, soothe; S. *atenuar*. [Exp: **alivio** (GEN alleviation, relief; S. *paliativo*)].

allanamiento[1] *n*: CIVIL admission of liability, acquiescence, compliance, submission; S. *allanamiento a la demanda*), **allanamiento**[2] (CIVIL [police] search [of private premises by judicial warrant]; search warrant, search order, court order giving the police powers of search and seizure; usage confined to Latin America, the pensinsular Spanish term being *[orden de] registro [domiciliario]*), **allanamiento a la demanda** (CIVIL [defendant's] admission of liability, admission of/acceptance of/compliance with the claim; the term refers to express admission, but not to failure to enter a defence or to failure to notify intention to defend; S. *combatir, impugnar, resistir; rebeldía*), **allanamiento de morada** (CRIM housebreaking, breaking and entering, unlawful entry, forcible entry, unauthorized entry of dwelling; trespass to land; burglary; strictly speaking this offence is distinct from burglary –*robo con escalo, robo con fuerza en las cosas*– though, as in English, often related to it; in Spain, in the context of the criminal law, the term implies an unlawful act, but curiously –S. *allanamiento*[2]– in some Latin American jurisdictions it is applied to authorised entry into private premises by police officers for the purpose of conducting a search, i.e. a search order or what, until recently, was called an «Anton Piller order»; S. *asalto, robo con escalo, robo con fuerza en las cosas, violación de domicilio*), **allanar**[1] (CRIM break in, break and enter, trespass), **allanar**[2] (GEN settle, adjust, pacify, acquiesce; S. *allanar dificultades*), **allanar**[3] *Lat. Am.* (CRIM enter and search, enter premises for the purpose of search and seizure ◊ *La policía allanó el local y descubrió un gran alijo de drogas*), **allanar dificultades** (GEN overcome/remove difficulties), **allanar una morada** (CRIM break into a house, burgle, trespass; ◊ *Los ladrones allanaron la morada y se llevaron dos valiosos cuadros*; S. *robo con escalo, robo con fuerza en las cosas*), **allanarse** (CIVIL/PROC admit, admit liability, accept, comply with a claim, acquiesce ◊ *Si el demandado se allana a las pretensiones del actor, no es necesario que se celebre el juicio*; at the trial or hearing the defendant who accepts liability commonly uses the formula *Me allano* –«I admit it, I accept that that is true»– to each of the questions put to him or her by counsel for the claimant; counsel's «questions» are, in fact, not usually questions at all, but are framed in the form *Diga ser cierto que ...* –«Admit that it is true that ..., I put it to you that ...»–; S. *asentir, consentir, reconocer; demanda*)].

allegado *n*: GEN relative, close friend; S. *pariente*.

allegar recursos/fondos *v*: GEN raise cash/funds/money; S. *reunir recursos/fondos*.

almoneda *n*: PROC/CIVIL auction sale, public auction; S. *[venta en pública] subasta, remate*.

alocución *n*: GEN formal address or speech ◊ *En su alocución a la Cámara prometió* *profundas reformas legislativas*; S. *discurso, memorial, petición.*

alodial *a:* CIVIL al[l]odial; historically said of land held in absolute ownership, in contrast to «feudal». [Exp: **alodio** (GEN al[l]odium, estate in fee simple absolute, land that is the absolute property of the owner; now only historical)].

alojamiento *n*: GEN accomodation, lodging[s]; S. *acomodo*. [Exp: **alojar** (GEN put up, lodge, house ◊ *Los emigrantes ilegales son alojados en barracones*; S. *acomodar, albergar, hospedar; desalojar.*

alquilar *v*: GEN rent [out], lease, hire; S. *arrendar, contratar, inquilino, casero.* [Exp: **alquiler** (GEN rent, rental, lease [payment]; refers both to the action and to the cost ◊ *En el centro de la ciudad se pagan alquileres muy altos*; S. *arrendamiento, contratación*), **alquiler impagado** (GEN unpaid rent ◊ *Algunos litigios por alquileres impagados*), **alquiler-compra** (BSNSS lease)].

alta[1] *n*: GEN registration, membership, enrolment, admission to an organization; commonly used in the expressions *darse de alta, dar el alta* ◊ *Este trimestre se han dado de alta muchos socios nuevos*; S. *baja*. [Exp: **alta**[2] (EMPLOY certificate of fitness for work, [certificate of] discharge from hospital; certificate of good health given to a person who has been ill, off work, hospitalised, etc. ◊ *Cuando se curó del accidente le dieron el alta en el hospital*; S. *baja*), **alta en el inventario** (BSNSS in stock, recorded in the inventory, on the company's books; S. *baja*)].

alteración *n*: GEN alteration, change; S. *cambio, modificación*. [Exp: **alteración de lindes** (CIVIL redrawing of boundaries), **alteración del orden público** (CRIM breach of the peace, disturbance of the peace ◊ *Los dos hombres fueron detenidos por alterar el orden público*; S. *desorden, disturbio, alboroto, algarada, pendencia, escándalo, agitación, alarma, revuelo, convulsión, violencia callejera, desorden público, enfrentamiento, revuelta, tumulto, motín, refriega*), **alterar** (alter, change; falsify; distort; disturb, breach)].

altercado *n*: GEN altercation, affray, brawl ◊ *El detenido ya había protagonizado varios altercados con anterioridad*; S. *alteración, desorden, disputa, disturbio, riña.*

alternar[1] *v*: GEN alternate, rotate. [Exp: **alternar**[2] (GEN mix, move, associate ◊ *Al procesado le gustaba alternar con mujeres de vida alegre*; as the example shows, the word often carries implications of vice or association with disreputable circles; S. *alterne*), **alternativa** (GEN alternative, choice, option; S. *remedio, salida, solución de recambio, disyuntiva*), **alternativo** (GEN alternative ◊ *El testigo de descargo ofreció una versión alternativa de los hechos*), **alterne** (GEN [act of] mixing or associating, especially for purposes of vice; the word is often a euphemism for vice or prostitution, as in *chica de alterne* –vice-girl, callgirl, hostess–, *bar/local de alterne* –hostess bar, pick-up joint–, etc. ◊ *La policía detuvo a treinta mujeres sin papeles en un local de alterne*; S. *chica de alterne, local de alterne, club de alterne*)].

alto[1] *a/adv*: GEN high, tall; top, high-ranking, senior; loud, aloud; S. *elevado, superior*. [Exp: **alto**[2] (GEN stop, halt; commonly found in the phrase *dar el alto* –order [sb] to stop or stay where they are, flag down, pull over, etc. ◊ *Tras el atentado la policía dio el alto a un hombre que salía corriendo*; S. *dar el alto*), **alta mar** (GEN the high seas, the open sea, [out] at sea), **altamente confidencial** (GEN strictly confidential, «for your eyes only»), **altas esferas** (ADMIN/GEN high places, very senior posts or positions, on high *col*, above, the top *col* ◊ *La orden ha partido de las altas esferas*)**, altas instancias** (ADMIN/GEN senior ranks, upper reaches, highest échelons), **altas partes contratantes** (CONST high contracting parties ◊ *Las altas partes contratantes se comprometen a fomentar el intercambio de tecnología*), **alta traición** (CRIM high treason), **alto cargo** (GEN/ADMIN/BSNSS senior civil servant, executive, senior or high-ranking officer, senior post, holder of a senior post or appointment; S. *ejecutivo, directivo, cargo directivo o de responsabilidad*), **alto comisario** (INTNL high commissioner), **alto el fuego** (GENNTNL ceasefire; S. *cese de hostilidades*), **alto funcionario/alto cargo de la administración** (ADMIN top/senior official, senior civil servant, holder of a senior government post), **alto mando** (GEN high command; senior or high-ranking officer), **alto secreto** (CONST top secret; S. *alta traición*)].

aludir *v*: GEN allude, refer; mention, remark, comment ◊ *La sentencia alude varias veces a la redacción ambigua del artículo invocado*; S. *comentar; redacción; sentencia*. [Exp: **alusión** (GEN allusion, reference; comment, remark), **alusiones, por** (GEN formula used in requesting permission to speak at a meeting, debate, etc, by a person who wishes to reply to remarks made, or deemed to have been made, about his words or actions by another speaker; *approx* If I may be allowed to reply [to that], I stand on my right of reply; S. *derecho de réplica*)].

aluvión *n*: CIVIL alluvion, alluvial accretion; the English legal sense is defined in the *OED* as «the formation of new land by the slow and imperceptible action of flowing water»; one of the forms of acquiring property rights by *accesión*, or accretion, since such deposits are deemed to belong to the owner of the land on which they are left behind by the action of the water; S. *accesión, avulsión; adquisición*.

alumbramiento *n*: GEN/EMPLOY delivery, [giving] birth; S. *permiso, maternidad, parto, dar a luz*.

alunizaje *col n*: CRIM ram raid, «crash and grab» raid; raid on a shop, especially a jeweller's, carried out by crashing a car into the window or shop-front *–escaparate* or *luna–* and stealing the jewels; The Spanish term, which literally means «moon-landing», contains an untranslatable pun on the two senses of *luna* –moon and glass front–; the suggested English equivalent attempts to maintain the pun by other means.

alzada *n*: ADMIN appeal, objection; in administrative law, the term, more fully *recurso de alzada*, is applied specifically to the appeal or objection raised by an individual against a decision or order *–acto administrativo–* of the central, local or municipal government or by a public body, regarded as unfair or wrong in law; appeal is to the superior or section head of the official who has made the original decision, hence the name, which literally means «raising up», i.e. «going above the head of»; if the appeal fails, the ordinary route *–vía–* is exhausted *–agotada–* and any further proceedings must be taken before the administrative courts responsible for contentious administrative business *–lo contencioso administrativo–*; S. *recurso de alzada, alzar*[2]. [Exp: **alzado**[1] (CRIM rebel, insurgent; S. *sublevado, rebelde, insurgente; alzarse*), **alzado**[2] (CRIM fraudulent bankrupt; S. *alzamiento de bienes*), **alzado**[3] (GEN S. *cantidad a tanto alzado*), **alzamiento**[1] (PROC raising, lifting [of sanctions, etc.]), **alzamiento**[2] (GEN/CRIM uprising, [military] rebellion, insurrection; S. *insurrección, rebelde, sublevación*), **alzamiento de bienes** (CRIM/BSNSS fraudulent concealment or disposal of assets, fraud on creditors, fraudulent bankruptcy; fraudulent conveyance/conversion/bankruptcy; offence committed by the debtor or bankrupt who deliberately disposes of, transfers, conveys or assigns his assets in such a way that they are placed beyond his control and thus beyond the reach of his creditors; it is one of the limited number of offences which, under current Spanish law, are tried by a jury ◊ *El conocido financiero fue condenado a la pena de cuatro años de prisión por alzamiento de bienes tras la quiebra de sus empresas*; S. *estafa, fraudulento*), **alzamiento de embargo** (CIVIL lifting of an attachment or order of seizure or confiscation, order of replevin [of goods or chattels distrained]; S. *embargo, ejecución forozosa*), **alzar**[1] (GEN/PROC raise, lift, elevate), **alzar**[2] (PROC appeal, have recourse to a higher court ◊ *Alzar la sanción impuesta por un tribunal inferior*; S. *alzada*), **alzarse** (GEN/CRIM rebel, rise up; S. *levantarse en armas, rebelarse, sublevarse; insurrección, rebelde, sublevación*), **alzarse con sus bienes** (CRIM/BSNSS fraudulently conceal or dispose of one's assets, commit a fraud on creditors, commit an act of fraudulent bankruptcy ◊ *Cuando quisieron proceder al embargo, los acreedores descubrieron que el deudor se había alzado con sus bienes*; S. *alzamiento de bienes*)].

amancebado *a/n*: GEN concubine, person cohabiting with another without being married; the term is semi-obsolete but still in jocular use. [Exp: **amancebamiento** (GEN/CIVIL concubinage, cohabitation as a common-law couple; in modern use the preferred term is *pareja de hecho*, or *de facto* couple, whatever the sex of the two people involved ◊ *El amancebamiento ha sido despenalizado*; S. *concubinato, pareja de hecho*)].

amañar *col v*: GEN rig *col*, fix *col*, tamper with, doctor *col* ◊ *Amañaron la contabilidad para que nadie supiera que había pérdidas*; S. *manipular, adulterar*.

amarradero *n*: BSNSS berth; mooring-ring, bollard; S. *puerto de atraque, muelle, atracadero*. [Exp: **amarraje** (BSNSS dockage [charges, fees or dues], moorage, wharfage [charges, fees or dues]; S. *derechos de atraque*), **amarrar**[1] (GEN tie up, fasten; secure, make sure of, sew up *col*; S. *asegurar*), **amarrar**[2] (BSNSS lay up, berth, moor, dock; lash, make fast; S. *atracar, fondear*), **amarrar un contrato** *col* (BSNSS secure/sew up a contract/deal *col*)].

ambigüedad *n*: GEN ambiguity; S. *interpretación*. [Exp: **ambiguo** (GEN ambiguous)].

ambiental *a*: GEN environmental ◊ *El vertido de sustancias tóxicas o peligrosas es un delito ambiental*; S. *delito ambiental*. [Exp: **ambiente** (GEN environment; background ◊ *El ambiente familiar influye en la conducta de los individuos*; S. *educación, formación; antecedentes; medio ambiente*), **ambiente cultural o social** (GEN/FAM educational or social background), **ambiente de marginación social** (FAM deprived background)].

ámbito *n*: GEN scope, sphere; S. *alcance, extensión, sector*. [Exp: **ámbito de aplicación de una disposición** (CIVIL/CRIM/PROC scope of a provision), **ámbito de competencias** (GEN jurisdiction; [scope of a person's] remit, powers, authority; S. *atribuciones, competencia, exceder, extralimitarse, jurisdicción*), **ámbito de la ley, en el** (CIVIL/CRIM within the meaning/scope of the Act or law)].

ambos *a/pron*: GRAL both. [Exp: **ambos efectos, en** (PROC [appeals] that produce *un efecto suspensivo* in addition to the *efecto devolutivo*; S. *en un solo efecto*)].

amenaza-s *n*: CRIM threat, threatening behaviour, affray, violent disorder, menaces; verbal assault; S. *agresión, insulto, lesiones, provocación, intimidación*. [Exp: **amenazador, amenazante** (CRIM threatening ◊ *Ha recibido cartas anónimas muy amenazantes*), **amenazar** (CRIM threaten, utter threats, menace, assault verbally), **amenazas, robo con** (CRIM robbery with menaces, blackmail; S. *chantaje, robo*].

amigable *a*: GEN friendly, amicable; S. *amistoso*. [Exp: **amigable componedor** (GEN mediator, intermediary, go-between, arbitrator, referee, thirdsman; S. *árbitro, compromisario, hombre bueno*)].

amillaramiento *n*: TAX assessment for rates or local taxes, assessment of rateable value of property, calculation of rates; S. *evaluar, peritar, tasar*. [Exp: **amillarador** (TAX assessor of rates or taxes; S. *tasador*), **amillarar** (TAX assess [for rates, taxes, etc.)].

amistoso *a*: GEN friendly, amicable; S. *amigable*.

amnesia *n*: GEN amnesia; S. *alienación*.

amnistía *n*: CONST/CRIM amnesty; pardon, free pardon; usually refers to a free pardon granted by the government to those who admit to certain offences of a political nature; often invoked during periods of political transition, e.g. from an authoritarian regime or dictatorship to a more democratic form of government ◊ *El Gobierno elegido democráticamente ha dictado una amnistía para los responsables de delitos políticos durante el anterior régimen*; S. *indulto, perdón, medida de gracia*. [Exp: **amnistía fiscal** (TAX/CRIM amnesty for tax evasion), **amnistía total e incondicional** (CONST/CRIM unconditional pardon), **amnistiar** (CONST/CRIM pardon, grant an amnesty to; S. *indultar*)].

amojonamiento *n*: CIVIL land-surveying and marking of boundaries, demarcation, delimitation; S. *coto, linde, mojón, deslinde y amojonamiento; acotar, poner coto*. [Exp: **amojonar** (CIVIL mark boundaries, survey and delimit [land] with markers; S. *cercar, deslindar, delimitar*)].

amonestación *n*: GEN warning, admonishment; reprehension; S. *reprimenda, reprensión*. [Exp: **amonestación por escrito a un trabajador** (EMPLOY written warning sent to an employee; S. *advertencia, apercibimiento, expediente*), **amonestación verbal** (GEN verbal warning), **amonestaciones** (FAM marriage banns, banns of matrimony; S. *impedimento, obstáculo; edicto*), **amonestar**[1] (GEN warn, caution, admonish; reprimand ◊ *El jefe de la sección amonestó por escrito al empleado por impuntualidad reiterada*; S. *advertir, apercibir, avisar, expedientar, llamar la atención*), **amonestar**[2] (FAM publish/call marriage banns; S. *amonestaciones*)].

amordazar *v*: CRIM gag; S. *mordaza*.

amortizable *a*: COM repayable, redeemable, depreciable, amortizable; S. *redimible, rescatable, reembolsable*. [Exp: **amortizable anticipadamente** (GEN callable, redeemable before due date; said, e.g., of shares or bonds which may be paid up before the due date), **amortización**[1] (GEN refunding, repayment, reimbursement, return, redemption, paying off ◊ *Amortización de la deuda*; S. *rescate, desempeño, cancelación; amortizar*), **amortización**[2] (GEN elimination, suppression, loss, destruction [of jobs, etc.] ◊ *Amortización de puestos de trabajo*; S. *supresión, amortizar*[3]), **amortización**[3] (GEN recovery, recuperation ◊ *Amortización de la inversión*; S. *recuperación, amortizar*[4]), **amortización**[4] (BSNSS depreciation, amortization, write-off ◊ *Amortización de una máquina obsoleta*; S. *depreciación, amortizar*[5]), **amortización de fallidos** (BSNSS writing-off of bad debts or non-performing loans), **amortización de inmovilizado** (BSNSS depreciation of fixed assets), **amortización de puestos de tra-**

bajo (EMPLOY pruning of/cutting back on jobs, running down of staff, allowing jobs to wither on the vine; natural wastage; S. *reducción de la plantilla, regulación*), **amortizar**[1] (CIVIL/BSNSS refund, repay, pay back, return, sink; applied particularly to credit, debt, loans, etc. ◊ *Con la herencia que recibió pudo amortizar el préstamo*; S. *liquidar, cancelar*), **amortizar**[2] (CIVIL/BSNSS redeem, pay off; commonly applies to mortgages *–hipotecas–* ◊ *Con el pago de este mes hemos amortizado por completo la hipoteca*; S. *cancelar*), **amortizar**[3] (EMPLOY eliminate, suppress ◊ *Debido a las dificultades económicas se han amortizado varias de las vacantes existentes*; S. *suprimir*), **amortizar**[4] (BSNSS recover, recuperate, recoup ◊ *En dos meses hemos amortizado todo lo que nos gastamos en el nuevo equipo informático*; S. *recuperar*), **amortizar**[5] (BSNSS depreciate, amortize, write off ◊ *Hemos amortizado varias máquinas obsoletas*; S. *anular, dar de baja*)].

amotinado *n*: CRIM rioter, rebel, insurgent; S. *alzado, faccioso*. [Exp: **amotinar** (CRIM incite to mutiny or riot; S. *sedicioso, rebelde, motín*), **amotinarse** (CRIM riot, mutiny, rise [up], rebel; S. *alzarse, rebelarse; motín*)].

amparar *v*: GEN protect, shelter, give/provide refuge [to], defend, support; cover; abet; S. *tutelar, proteger*. [Exp: **amparo**[1] (GEN/PROC [legal] protection, shelter, refuge, guardianship ◊ *Acogerse al amparo de los tribunales*; S. *tutela, protección, recurso de amparo, recurrir en amparo*), **amparo**[2] (GEN/TAX shield, exemption; relief; equity; S. *amparo fiscal*), **amparo cautelar** (EURO/CONST interim protection; S. *otorgar amparo cautelar*), **amparo de, al** (GEN under the protection of, under the aegis of; under; S. *en virtud de, de conformidad con, a tenor de*), **amparo de los tribunales** (PROC the protection or guardianship of the courts), **amparo fiscal** (TAX tax shield), **amparo jurídico** (PROC legal protection or safeguard, equal protection of the law), **amparo procesal** (PROC procedural protection or safeguard)].

ampliación *n*: GEN extension, expansion, increase, widening, broadening; prolongation; development, enlargement, amplification; S. *incremento, desarrollo; escrito de ampliación*. [Exp: **ampliación de capital** (BSNSS capital increase, rights issue), **ampliación de la demanda** (PROC amendment of claim or pleadings, additional complaint; joining of fresh parties in a claim or complaint; S. *escrito de ampliación*), **ampliación de la hipoteca** (BSNSS/CIVIL extension of the mortgage), **ampliación de la prueba** (PROC introduction of fresh or further evidence, providing of further and better evidence; permission to seek or lead such evidence may be obtained *ex parte –a instancia de parte–*, or the court, on its own inititiative *–de oficio–*, may, at the pre-trial hearing *–audiencia previa–*, order either party to supplement any evidence which it regards as potentially insufficient or inconclusive; S. *admisión de la prueba, insuficiencia probatoria, proposición de la prueba*), **ampliación del plazo** (GEN/PROC extension of time limit, granting of an extension or more time, prorogation *Scots* ◊ *El tribunal denegó la solicitud de ampliación de plazo*; S. *prórroga de plazo*), **ampliamente extendido** (GEN widespread; S. *difundido*), **ampliar** (GEN extend, expand, increase, widen, broaden; prolong; develop, enlarge, amplify; S. *extender, renovar, prorrogar*), **ampliar los poderes** (PROC increase [the scope of sb's] powers, grant increased powers or authority), **ampliar un plazo** (PROC grant an extension, extend the time limit, prorogate *Scots*), **amplio** (GEN wide, broad, ample, wide-ranging, extensive; S. *extenso, extensivo*), **amplios poderes o facultades** (GEN extensive or wide-ranging powers, comprehensive powers, ample authority), **amplitud** (GEN width, breadth, amplitude)].

análisis *n*: GEN analysis, study, examination, research, investigation, scrutiny; debate, discussion; test; S. *investigación, escrutinio; debate, discusión.* [Exp: **análisis de sangre** (GEN blood test), **análisis forense** (PROC forensic analysis, examination by a forensic pathologist; pathologist's report)].

analogía *n*: GEN analogy; likeness, similarity, resemblance ◊ *Se consideran delitos conexos los que a juicio del tribunal tuvieran analogía o relación entre sí*; S. *afinidad, semejanza, similitud; delitos conexos.* [Exp: **analogía de ley** (PROC legal construction or interpretation by analogy, principle or method of legal construction, legal reasoning by analogy or inference; S. *interpretación judicial, interpretación por deducción*), **analógico** (PROC analogical, by analogy; constructive; tantamount [to]; S. *interpretativo, por deducción, presuntivo, a efectos legales*), **análogo** (GEN analogous, analogical, similar ◊ *Estará justificada la inasistencia al juicio cuando haya causa de fuerza mayor u otro motivo de análoga entidad*)].

anarquía *n*: GEN anarchy; chaos; S. *acracia, desgobierno.* [Exp: **anárquico** (GEN anarchic, chaotic), **anarquismo** (GEN anarchism), **anarquista** (GEN anarchist)].

anatocismo *n*: BSNSS/CIVIL anatocism, compound interest; old term for the practice –long since illegal– of compounding by adding interest accrued and unpaid to the capital outstanding: S. *interés.*

ancestral *a*: GEN ancestral, ancient, age-old, long-established, time-honoured, from time immemorial, time out of mind; S. *arraigado, tradicional.*

anciano *a/n*: GEN old, elderly; elderly person, senior citizen. [Exp: **ancianos, los** (GEN the elderly, senior citizens; S. *jubilado, pensionista*), **ancianidad** (GEN old age, [one's] declining years)].

ancla *n*: GEN anchor. [Exp: **anclaje** (BSNSS anchorage, anchorage fee), **anclar** (BSNSS anchor, drop anchor; S. *amarrar, arribar, fondear*)].

andar *v*: GEN walk, go. [Exp: **andar a la caza de alguien** (GEN be on the lookout for somebody ◊ *La policía anda a la caza de un peligroso asesino*), **andar suelto** (GEN be on the run, be on the loose ◊ *El asesino anda suelto*; S. *huido*)].

anejo *a*: GEN annexed, attached, adjoining ◊ *El calabozo está en un edificio anejo al Ayuntamiento*; S. *anexo, unido, pegado.* [Exp: **anejo, llevar** (GEN carry with it, involve, have...attached ◊ *El cargo lleva anejo el deber de representar a la nación en los foros internacionales*; S. *parejo*), **anejo con, ir** (GEN run with; be on al fours with, be involved with, be indissociable from, be intimately linked with)].

anexar, anexionar *v*: GEN attach, annex, append; S. *adjuntar, acompañar, pegar, adherir, incorporar.* [Exp: **anexión** (INTNL annexation ◊ *La anexión de tierras fronterizas ha sido la causa de muchas guerras*; S. *incorporación*), **anexo**[1] (GEN/CIVIL annexed, linked, associated; adjoining ◊ *La subrogación transfiere al subrogado el crédito con los derechos a él anexos*; S. *anejo, asociado*), **anexo**[2] (GEN attachment, enclosure; addendum, appendix, rider, schedule; endorsement slip, allonge; annexe, wing [of a building] S. *documento adjunto, cláusula adicional*), **anexo a una propiedad** (CIVIL fixture, appurtenance, appurtenant right or property; S. *incorporar*)].

anfeta *col n*: CRIM speed *col*, benny *col*, amphetamine pill; S. *pastilla, pastillero, empastillarse.*

angustia *n*: GEN anguish, distress, acute anxiety, stress, worry, mental anguish or suffering; S. *daños psicológicos, sufrimiento mental.*

animal *n*: GEN animal. [Exp: **animales fieros o peligrosos** (GEN dangerous animals)].

ánimo *n*: GEN intention, intent, aim, purpose; mood, mind; S. *intención, propósito*. [Exp: **ánimo de defraudar** (CRIM intent to deceive, fraudulent intention), **ánimo de delinquir** (CRIM *mens rea*, guilty mind; S. *dolo, hecho punible; antijuridicidad*), **ánimo de lucro** (BSNSS intention or aim of profiting/making a profit, *animus lucrandi*), **ánimo de lucro, sin** (GEN non-profit, for charitable purposes ◊ *Las organizaciones sin ánimo de lucro están exentas de pagar impuestos*), **ánimo de, tener** (GEN be inclined to, be minded to, have a mind to, feel like, be in the mood [for/to])].

anomalía *n*: GEN anomaly, abnormality, oddity, peculiarity; quirk ; S. *excepción*. [Exp: **anomalía física** (GEN physical anomaly or defect), **anomalía psíquica** (GEN mental anomaly or defect, abnormality of mind, unsound mind, derangement ◊ *Se exigirá un dictamen médico sobre la aptitud de los contrayentes que estuvieren afectados por anomalías psíquicas*; S. *deficiencia psíquica, enajenación, amnesia*), **anómalo** (GEN anomalous, abnormal, odd, peculiar, unusual, irregular, out of the ordinary; S. *irregular, anormal*)].

anonimato *n*: GEN anonymity ◊ *En caso necesario se garantiza el anonimato de los testigos*. [Exp: **anónimo** (GEN anonymous, unsigned; anonymous letter; anonymous work ◊ *Ha recibido una serie de anónimos muy amenazantes*; S. *sociedad anónima, documento anónimo*)].

anormal *a*: GEN abnormal, anomalous, irregular, peculiar, unusual, unexpected ◊ *La terminación anormal de un proceso*; S. *irregular, anómalo*. [Exp: **anormalidad** (GEN abnormality, peculiarity, strange or unusual feature, irregularity; S. *irregularidad*)].

anotación *n*: GEN note, notice, notification; notation; comment; registration, filing, inscription, entry; S. *apunte, salvedad*. [Exp: **anotación a registro** (CIVIL entry in a register, registration), **anotación al dorso de un documento** (GEN endorsement), **anotación contable** (BSNSS entry, accounting entry or item, entry in the books; S. *apunte contable, asiento*), **anotación de embargo** (PROC notice or writ of attachment, enforcement notice, notice of seizure or confiscation; the filing of such a notice in a public register), **anotación en registro público** (GEN filing of a notice, order or circumstance in a public register; often involving registration of a mortgage, easement or other charge on land at the land registry), **anotación preventiva** (CIVIL caveat, restraint order, provisional registration to protect legal interests; S. *afección*), **anotación registral** (CIVIL registration, filing of an entry in an official register), **anotar** (GEN annotate, note, record, register, enter; S. *hacer constar en acta; notificar; nota*), **anotar las infracciones en el permiso de conducir** (ADMIN endorse a driving licence)].

antagonismo *n*: GEN antagonism, hostility, rivalry, aversion; S. *hostilidad, aversión, odio, enemistad manifiesta*. [Exp: **antagonista** (GEN opponent, rival, adversary; the opposing party, the other side; S. *rival, oponente, opositor, adversario, contrario*)].

ante-[1] *prefix*: GEN prefix meaning «precedence in time or space» and used in the formation of many transparent words such as *antedatar, antefechar, antedicho, antefirma, antepasados, anteproyecto*. [Exp: **ante**[2] (GEN before; S. *antes*), **ante**

la sala (PROC in open court; S. *en sesión pública, en audiencia pública, en pleno*), **ante mí** (CIVIL before me, in my presence; formula commonly found at the beginning of the record of a transaction or agreement drawn up by a notary public and introducing the names of the parties appearing)].

antecedente[1] *a*: GEN prior, preceding, foregoing; S. *previo, anterior; anteceder*. [Exp: **antecedente**[2] (PROC circumstance, fact, particular, detail; S. *circunstancia, apunte*), **antecedentes** (PROC data, information, past record, history, background, record, antecedents, criminal record; background to the dispute ◊ *Al abogado nuevo que se haga cargo de un asunto antiguo se le entregarán los antecedentes que consten sobre el mismo*; S. *historial*), **antecedentes de hecho** (PROC facts in issue; S. *fundamentos de derecho precedentes, marco jurídico*), **antecedentes delictivos o policiales** (CRIM antecedents, police record, previous background; presentence report, social enquiry report *obs*), **antecedentes penales** (CRIM antecedents, criminal record, bad record, list/record of previous convctions, record of convictions held in the *registro central de penados y rebeldes* or central register of convicted offenders; S. *carecer de antecedentes penales*), **antecedentes penales, sin** (CRIM with no previous convictions, no criminal record), **anteceder** (GEN come/go before, precede ◊ *Este artículo limita en ciertos aspectos al que le antecede*; S. *preceder*), **antecesor** (GEN predecessor ◊ *Mi antecesor en el cargo dejó las cosas bien hechas*; S. *predecesor*)].

antedata *n*: GEN antedate. [Exp: **antedatar/antefechar** (GEN antedate, backdate, foredate; S. *retrotraer*)].

antedicho *a*: GEN aforementioned, aforesaid; S. *citado, susodicho*.

antefirma *n*: GEN style, formal or ceremonial title used before the signature.

antejuicio *obs n*: PROC special form of impeachment proceedings held before the trial proper, when criminal charges are brought against a judge or magistrate, alleging criminal offences arising out of their conduct of a previous case or cases.

antelación, con *phr*: GEN [well] in advance, in good time ◊ *Se le requerirá el pago con al menos cuatro meses de antelación*; S. *con anticipación*.

antepasados *n*: FAM ancestors.

anteponer *v*: GEN put before/in front [of]/ ahead [of]; give preference [to]; place above.

anteproyecto de ley *n*: CONST draft bill, bill; S. *borrador, proyecto de ley*.

anterior *a*: GEN previous, prior, former ◊ *La legislación anterior tenía un gran fallo en ciertos tipos de tutela*; S. *previo*. [Exp: **anterioridad, con** (GEN previously, before, earlier ◊ *Son posibles ciertas impugnaciones solicitadas con anterioridad al juicio*)].

antes de *prep*: GEN before, prior to. [Exp: **antes de ahora** (GEN heretofore, till now, so far), **antes de aquello** (GEN theretofore), **antes del vencimiento** (CIVIL/BSNSS prior to maturity, before the term or time limit elapses)].

anti-[1] *prefix*: GEN prefix meaning «opposed to» and used in the formation of many transparent words such as **anticonceptivo** (GEN contraceptive), **anticonstitucional** (CONST anti- constitutional; S. *inconstitucional*), **anticorrupción** (CRIM anti-graft), **antijuricidad** (CRIM illegality, unlawfulness; S. juridicidad), **antijurídico** (GEN unlawful, illegal, illicit; S. *ilegal, acto antijurídico, contrario a las leyes o al derecho*), **antisocial** (GEN antisocial)].

anticipación *n*: GEN anticipation, acceleration; bringing forward; S. *antelación*. [Exp: **anticipación, con** (GEN in advance;

S. *a corto plazo*), **anticipación, con mucha** (GEN well in advance, in good time), **anticipación, con poca** (GEN at short notice), **anticipación de funciones públicas** (ADMIN irregular or unlawful holding of an office, unlawful discharge of public office before the appointment has been officially ratified or the appointee installed), **anticipación de la prueba** (PROC pre-trial disclosure of evidence, taking of statements or gathering of evidence and testimony before the trial proper; S. *práctica anticipada de un acto de prueba*), **anticipadamente** (GEN in advance, ahead of time, early, prematurely), **anticipado** (GEN early, advanced; S. *precoz, prematuro*), **anticipado, por** (GEN in advance, ahead of time, beforehand, early; S. *de antemano, con antelación*), **anticipar**[1] (GEN advance, bring forward, push forward; give early notice or warning; S. *retrotraer*), **anticipar**[2] (GEN backdate; S. *antefechar*), **anticipar una cantidad** (GEN advance, pay in advance; S. *hacer un anticipo*), **anticipo** (GEN/COM advance,advance payment, cash advance; float; pre-payment; retainer; S. *adelanto, préstamo, provisión de fondos, pago anticipado*), **anticipo a cuenta** (BSNSS downpay ment, advance on account), **anticipo de caja o tesorería** (BSNSS cash advance), **anticipo de fondos** (BSNSS advance, cash advance), **anticipo de sueldo** (BSNSS advance on wages)].

anticresis *n*: CIVIL antichresis; type of mortgage contract in which the mortgagee has the right to the fruits and profits of the property in lieu of interest until the debt is cleared; S. *acreedor anticrético.*

antigüedad *n*: GEN seniority, standing; S. *premio de antigüedad, por orden de antigüedad.* [Exp: **antigüedad en el cuerpo** (GEN/ADMIN senior in the service/force/division ◊ *Le han dado la plaza porque tiene mayor antigüedad en el cuerpo*; S. *en activo*), **antiguo** (GEN former, previous, ex-; old, ancient; S. *anterior, previo*)].

antinomia legal *n*: PROC conflict of laws or authorities.

antro *n*: GEN [seedy] joint.

anual *a*: GEN annual, yearly; S. *año, mensual, semanal, diario*. [Exp: **anualidad** (GEN annuity, rent; annual charge, yearly payment), **anualidad de supervivencia** (INSUR survivorship annuity), **anualidad aplazada o diferida** (INSUR deferred annuity), **anualidad ordinaria** (INSUR ordinary annuity), **anualidad perpetua o continua** (INSUR perpetual annuity, perpetuity), **anualidad vitalicia** (INSUR life annuity), **anuario** (GEN yearbook), **anuario de jurisprudencia** (GEN law reports, yearbook of case-law; S. *jurisprudencia*)].

anuencia *n*: GEN consent, agreement, acquiescence, acceptance; S. *aprobación, permiso, aquiescencia, consentimiento, conformidad*. [Exp: **anuente** (GEN consenting, agreeing].

anulabilidad *n*: PROC voidability. [Exp: **anulable** (PROC/BSNSS avoidable, defeasible, voidable, cancellable, reversible, revocable, subject to striking out or setting aside; S. *revocable, cancelable, rescindible, abrogable*), **anulación** (GEN/PROC BSNSS voiding, avoidance, rescission; setting aside, reversal, overruling, overturning; annulment, nullification; cancellation, discharge, defeasance, extinction, extinguishment; abolition/abolishment, abrogation; it is important to distinguish *anulación* –the act of a rightholder or the effect of a judicial decision declaring a purported agreement void– from *nulidad* –nullity, the state or fact of being null and void–; in the first case the agreement or decision will stand unless it is voided or reversed, whereas in the latter case it was never valid in law; S. *nulidad; anular;*

rescisión, cancelación, revocación, resolución, condonación, prescripción, extinción), **anulación de la instancia** (PROC dismissal of the case, discontinuance, stay of proceedings), **anulación de la jurisdicción** (PROC upholding of a challenge to the jurisdiction; *approx* order of certiorari or prohibitrion), **anulación de las actuaciones** (PROC setting aside of [pretrial] proceedings), **anulación de un pedido** (BSNSS withdrawal/cancellation of an order), **anulación de un contrato** (BSNSS voiding, avoiding or discharge of a contract), **anulación de una sentencia** (PROC quashing/overturning/setting aside/ overruling of a judgment), **anulación total o parcial de una demanda** (PROC dismissal of proceedings/a suit/an action, stay of proceedings), **anular** (GEN/PROC/ BSNSS void, avoid, rescind; set aside, reverse, revoke, overrule, vary, overturn; annul, nullify, cancel, render void, remove from the statute book, repeal, abolish; defeat, extinguish; the verb is applied to the act of invalidating *–dejar sin efecto o validez–* a law, a rule of law, a judgment, a ruling, a court order, a contract, an agreement, an insurance policy, etc. ◊ *Han anulado unas oposiciones por defecto de forma en la convocatoria*; S. *abolir, cancelar, casar, derogar, desvirtuar, invalidar, dejar sin efecto, rescindir, revocar*), **anular impuestos, etc.** (TAX rebate taxes, etc.), **anular el testamento** (SUC void a will, declare a will null and void), **anular un auto o mandamiento judicial** (PROC discharge/set aside an order/a warrant/a writ), **anular un contrato** (BSNSS discharge a contract), **anular un fallo, una sentencia, una condena** (PROC reverse/set aside a judgment, ruling or sentence), **anular un juicio en la instancia de apelación** (PROC deem a trial a nullity on appeal, call a mistrial), **anular un legado de un testamento** (PROC adeem a legacy from a will), **anular un pedido** (PROC cancel an order), **anular un testamento** (SUC invalidate/annul a will; S. *revocar un testamento, impugnar un testamento, auntenticar un testamento, protocolizar un testamento*), **anular una demanda** (PROC dismiss an action, refuse leave to proceed, strike out a claim), **anular una partida contable** (PROC write off an asset), **anular un proyecto de ley** (PROC defeat a bill; S. *revocar*), **anular una proposición** (GEN defeat/overturn a motion), **anular una sentencia en rebeldía** (PROC revoke a decree or judgment entered for failure to appear, set aside a default judgment), **anulativo** (PROC annulling, revocatory)].

anunciar *v*: GEN announce, publish, proclaim, report, raise/make public ◊ *El demandado deberá personarse en las actuaciones para anunciar su oposición a la demanda*; S. *publicar. comunicar, notificar, declarar*. [Exp: **anuncio** (GEN notice, announcement, intimation, notification, edict, proclamation, advert, advertisement; S. *notificación, edicto, aviso*)].

anverso *n*: GEN obverse, face; S. *faz, cara; reverso*. [Exp: **anverso de una letra de cambio** (BSNSS face of a bill of exchange)].

añadido *n*: GEN appendix, allonge, annex, codicil; schedule; S. *apéndice, suplemento, adición*. [Exp: **añadidura** (GEN addition, rider ◊ *El documento va sin enmiendas ni añadiduras*; S. *añadido, enmienda, anexo, acta adicional, cláusula adicional*), **añadidura, por** (GEN in addition, moreover, as well), **añadir** (GEN add, incorporate; S. *incluir, incorporar*)].

añagaza *n*: GEN inducement, enticement; lure, decoy; trap. trick, ruse, scheme; S. *inducción dolosa a la comisión de un delito, autoría intelectual, trampa, argucia, ardid.*

año *n*: GEN year; S. *anual, ejercicio*. [Exp: **año civil** (CIVIL legal year, calendar year),

año fiscal (TAX fiscal year, tax year), **año judicial** (PROC judicial year), **año natural** (GEN calendar year; S. *año civil*)].

apalabrar un contrato *v*: BSNSS agree a contract orally, reach an oral agreement or arrangement ◊ *Apalabraron el contrato sin firmar papel alguno*; S. *formalizar un contrato*.

apalancamiento *n*: BSNSS gearing, leverage. [Exp: **apalancamiento de capital** (BSNSS capital gearing/leverage)].

apaleamiento *n*: CRIM battery; grievous bodily harm. [Exp: **apalear** (CRIM batter, beat ◊ *Antes de robarles, los ladrones los apalearon*; S. *maltratar, golpear, agredir, pegar, asestar*)].

apaño *col n*: CRIM/GEN set-up, fix, fast one, fiddle, dodge, scam, neat trick; temporary repair; a way round a difficulty; this colloquial term usually implies some dishonesty or at least an intention of getting round the law; S. *tinglado, arreglo, chanchullo, componenda*.

aparato *n*: GEN apparatus; machine, machinery; gadget; device, mechanism; S. *organización, maquinaria, mecanismos; artefacto*. [Exp: **aparato administrativo** (GEN/ADMIN administrative machinery; state machinery)].

aparcería *n*: BSNSS/EMPLOY sharecropping, tenant-farming, farm partnership, share-farming; arrangement whereby the tenant farmer receives food, seed, tools and other necessaries from the landlord, as well as a share of the crops and other fruits of his labour; S. *contrato de aparcería* [Exp: **aparcero** (BSNSS/EMPLOY sharecropper)].

aparecer *v*: GEN appear, turn up, show up; S. *apariencia, aparición, comparecer*. [Exp: **aparecer bajo el epígrafe de** (GEN/ADMIN come under, be listed under; S. *estar comprendido en, estar sujeto a*), **aparente** (GEN apparent, obvious, ostensible, visible; S. *probable, evidente, patente*), **apariencia** (GEN appearance, likelihood ◊ *Las apariencias engañan muchas veces*; S. *conjetura, suposición*), **apariencia de [legalidad del] título** (CIVIL colour of title/law, apparent title, **apariencia, en** (GEN apparently, to all appearance, on the surface), **apariencia engañosa, de** (GEN deceptive, spurious, specious, unsound, illusory; S. *falsificado, fraudulento, engañoso, especioso*)].

aparejador *n*: GEN quantity surveyor; S. *agrimensor, topógrafo*.

aparición *n*: GEN appearance ◊ *La aparición de la cartera ayudó a la policía a desentrañar el misterio*; S. *comparecencia, presencia; desaparición*.

apartado *n*: GEN paragraph, section, subsection; ◊ *El derecho de todos a una tutela judicial efectiva está contenido en el apartado primero del artículo 24 de la Constitución*; S. *párrafo, sección, articulado de una ley, inciso*. [Exp: **apartado de correos** (GEN post-office box), **apartar** (GEN separate; remove; depart, deviate, withdraw; S. *separar, aislar, alejar*), **apartar de un cargo** (GEN overthrow; remove/dismiss/suspend from a post or position of responsibility; S. *destituir, deponer, derrocar, destronar, degradar*)].

apátrida *n*: INTNL stateless person ◊ *Los apátridas carecen de nacionalidad*; S. *nacionalidad, ciudadanía, asilado*.

apelación *n*: PROC appeal; *apelación* and «appeal» are not fully synonymous; *apelación* –more fully *recurso de apelación*– is the common form of appeal against the trial court's interpretation of the evidence, or its decision to admit or reject evidence, or its final judgment or sentence; such appeals are heard by the next court in the hierarchy, whichever that happens to be; S. *recurso, recurso de apelación, interponer recurso de apelación; casación*. [Exp: **apelación con efecto devolutivo** (PROC devolution appeal, appeal which enjoins enforcement of judgment; S. *recurso de alzada, súplica*), **apelación con efecto suspensivo** (PROC appeal with suspension of execution), **apelado** (PROC appellee, respondent; S. *demandado*), **apelante** (PROC appellant; S. *recurrente*), **apelar** (PROC appeal against, lodge/make/file an appeal; S. *recurrir*), **apelar a la benevolencia de la Administración** (PROC/ADMIN (PROC appeal to the benevolence of the public body concerned, request the Administration to temper justice with mercy)].

apéndice *n*: GEN appendix; schedule; S. *suplemento, adición, añadido.*

apeo *n*: CIVIL survey, marking or measurement of abuttals or boundaries; S. *lindes, deslinde, demarcación de una propiedad.*

apercibimiento *n*: PROC/ADMIN summons, subpoena; reprimand, admonition, disciplinary measure, official warning to a civil servant as to duty or conduct; notice, notice of eviction; S. *aviso, advertencia, falta, reprensión, conminación*. [Exp: **apercibimiento, bajo** (PROC on pain [of], with a warning to the effect [that] ◊ *El tribunal determinará la cantidad que haya de satisfacerse, bajo apercibimiento de apremio si el pago no se efectuase dentro de los cinco días siguientes a la notificación*), **apercibimiento de cierre** (ADMIN threat of closure, official warning to owner that premises will be closed unless certain conditions are met), **apercibir** (PROC/ADMIN warn, sanction, take disciplinary action against; threaten with dismissal/closure, etc.)].

apersonamiento *n*: PROC appearance. [Exp: **apersonado** (PROC party to a suit), **apersonarse** (PROC appear in person, turn up, attend; be a party to proceedings/a suit; S. *acudir, asistir, personarse, presentarse, comparecer, personarse*)].

apertura *n*: GEN opening; S. *comienzo, principio, licencia de apertura*. [Exp: **apertura de crédito** (BSNSS opening of a line of credit), **apertura de cuentas** (BSNSS opening of accounts), **apertura de juicio oral** (PROC opening of trial, commencement of hearing or trial proper; judge's order for hearing to commence), **apertura de las licitaciones o propuestas** (GEN opening of bids), **apertura de nuevos mercados** (BSNSS opening of new markets)].

aplazable *a*: GEN deferrable, postponable. [Exp: **aplazamiento** (GEN/PROC postponement, continuance, adjournment, deferment, deferral; S. *prórroga, moratoria*), **aplazamiento de una sesión, etc**. (PROC adjournment of a sitting, etc.; S. *suspensión*), **aplazar** (GEN adjourn, defer, postpone, continue, put off, delay, grant an extension, extend; S. *retrasar, posponer, suspender, postergar, prorrogar*), **aplazar el vencimiento de la hipoteca** (BSNSS extend a mortgage), **aplazar una reunión** (GEN adjourn a meeting)].

aplicable *a*: GEN applicable, relevant, pertinent; S. *de aplicación a*. [Exp: **aplicabilidad** (GEN relevance/relevancy, applicability; S. *pertinencia*), **aplicabilidad directa** (EURO direct applicability; S. *efecto directo*), **aplicación** (GEN application; enforcement; implementation; S. *ámbito de aplicación, cuando sea de aplicación*), **aplicación a, de** (GEN applicable to, appropriate to ◊ *Estos preceptos serán de aplicación en todos los procesos civiles*; S. *aplicable*), **aplicación de, en** (GEN pursuant to; S. *de conformidad con, de acuerdo con, en virtud de*), **aplicación de la ley** (PROC application or enforcement of the law), **aplicación de rigor carcelario innecesario** (CRIM disproportionate severity in applying prison regulations), **aplicación, cuando sea de** (GEN when/where applicable), **aplicación, de** (GEN applicable; S. *pertinente*), **aplicación, ser de** (GEN apply, operate, run, extend [to]; S. *ajustarse a*), **aplicar** (GEN apply to, enforce, implement; impose; allocate; S. *ejecutar, hacer cumplir, imponer*), **aplicar la ley** (PROC enforce a law), **aplicar el trato de nacional** (INTNL accord [sb] the same treatment as [the country's] own nationals, treat [sb] as a nation), **aplicar un impuesto** (TAX impose a tax), **aplicar una política** (GEN pursue a policy)].

apócrifo *a*: GEN apocryphal, supposed; S. *supuesto, fingido.*

apoderado *n*: GEN attorney, representative, agent, sole agent, manager, assignee, donee, proxy, proxy-holder; S. *factor, gestor, representante, mandatario, poderhabiente, donatario.* [Exp: **apoderado general** (GEN universal agent, agent with full powers, representative with full power of attorney), **apoderamiento** (GEN empowerment, authorization, power, authority), **apoderado de alguien, ser** (GEN represent; S. *representar*), **apoderar** (GEN empower, authorize, grant a power of attorney; appoint as agent or manager; S. *autorizar, facultar, desapoderar; poder*), **apoderarse** (GEN/CRIM take possession of, misappropriate; take over, take control of; seize ◊ *Los ladrones se apoderaron de todo lo que encontraron*; this term often suggests the idea of seizing unlawfully; S. *adueñarse, apropiarse, arrebatar, robar, usurpar*)].

apógrafo *n*: GEN apograph, exact transcript, literal copy made from the original.

apología *n*: GEN defence, apology; S. *defensa, alegación, justificación.* [Exp: **apología de delito** (CRIM statutory offence of conniving at a criminal act by expressing approval of it), **apología del terrorismo** (CRIM statutory offence of conniving at terrorist acts by expressing approval of them or publicly supporting their perpetrators or publicly supporting proscribed organizations)].

aportación[1] *n*: GEN contribution; S. *aportar*[1], *donativo, contribución.* [Exp: **aportación**[2] (BSNSS contribution, investment; term applied to the individual investment made by each of the shareholders of a limited company; S. *acción, participación*), **aportación**[3] (PROC adducing [of proofs], presentation [of documents]; S. *aportar*[3]), **aportar**[1] (GEN contribute, put up, furnish ◊ *Ella aportó una gran dote a la sociedad matrimonial*; S. *contribuir*), **aportar**[2] (BSNSS invest; S. *invertir*), **aportar**[3] (PROC adduce, present, lead ◊ *La defensa aportó medios de prueba y de descargo muy concluyentes*; S. *aducir, ofrecer, dar, presentar*), **aportar capital/fondos** (BSNSS bring in capital/funds, furnish capital/funds, put up/in capital/funds; finance), **aportar pruebas** (PROC adduce/call/lead evidence; S. *presentar pruebas, aducir pruebas*), **aportar una pista** (GEN provide a clue, throw up a [new] lead ◊ *La declaración de un testigo ha aportado nuevas pistas*; S. *pista, seguir la pista*), **aporte** (GEN S. *aportación*), **aporte probatorio** (PROC [piece of] evidence, exhibit; S. *elemento de prueba*)].

apostar *v*: GEN bet, gamble, wager; S. *apuesta.*

apostilla *n*: GEN/INTNL apostille, marginal note, annotation, short explanatory note of explanation; S. *acotación, anotación, nota al margen.* [Exp: **apostillar** (GEN annotate; affix an apostille; add, remark, comment; S. *anotar, acotar*)].

apoyar *v*: GEN support, aid, back, back up, second, endorse, uphold; abet; S. *prestar apoyo, sostener, mantener, patrocinar, propugnar, avalar, afianzar, respaldar.* [Exp: **apoyar una moción** (GEN second a motion; S. *secundar*), **apoyatura** (GEN support; S. *apoyo*), **apoyatura legal** (PROC legal ground/support) **apoyo** (GEN support, backing; S. *base, fundamento, respaldo, solidaridad, sostén, solidaridad; prestar*), **apoyo de, en** (GEN in support of ◊ *Cada parte deberá proponer al juez las pruebas que deban practicarse en apoyo de su pretensión*; S. *en pro de*)].

apreciable *a*: GEN material, substantial, appreciable, significant, considerable; S. *significativo, notable, considerable, importante, esencial*. [Exp: **apreciación** (GEN interpretation, assessment, appraisal, evaluation, valuation; S. *margen de apreciación, interpretación, valoración, tasación*), **apreciación [del tribunal]** (PROC finding [of the court]), **apreciación de la prueba** (PROC weighing of evidence ◊ *En el escrito de recurso se expondrán las alegaciones sobre error en la apreciación de las pruebas*; S. *preponderancia de la prueba, en conciencia*), **apreciación de una moneda** (BSNSS appreciation of a currency; S. *devaluación*), **apreciar** (GEN assess; appraise, appreciate, estimate; find ◊ *El tribunal podrá apreciar de oficio en todo momento la falta de capacidad para ser parte*), **apreciar indicios** (PROC find sufficient evidence, determine there is enough [indirect] evidence), **apreciarse** (BSNSS appreciate; increase in value; S. *depreciarse*), **aprecio** (GEN esteem)].

aprehender *v*: GEN catch, seize, capture; S. *prender, apresar, coger*. [Exp: **aprehensión** (CRIM apprehension; seizure, capture; S. *captura, incautación, decomiso, confiscación*)].

apremiante *a*: GEN imperative; S. *ineludible, inexcusable*. [Exp: **apremiar**[1] (GEN put pressure on, press, oblige; S. *urgir, instar, presionar, obligar, compeler*), **apremiar**[2] (PROC/ADMIN/TAX bring or threaten enforcement proceedings, issue a final demand or enforcement notice, serve notice of a surcharge or penalty for non-payment [of rates, taxes, etc]; applies to procedures generally used by administrative authorities to announce the imposing of a penalty, the bringing –or threat of bringing– of legal proceedings, the serving of a distraint order, order of seizure or stop notice unless the party concerned complies immediately with an administrative order, enforcement notice or injunction or pays a sum outstanding), **apremiar a un deudor** (PROC distrain upon a debtor's goods), **apremiar el pago** (PROC compel payment), **apremio** (PROC compulsion, enforcement, distraint, coercion attachment order, order to seize assets; legal proceedings for debt collection ◊ *En caso de impago, se procederá a su exacción por la vía de apremio*; S. *acción de apremio, expediente de apremio, vía de apremio, compulsión, coacción*)].

aprendizaje *n*: GEN apprenticeship, training; S. *adiestramiento, formación, preparación, enseñanza*.

apresamiento *n*: CRIM/GEN capture, capturing, arrest, detention; S. *aprehensión, captura*. [Exp: **apresamiento de buque** (CRIM seizure of a ship and its cargo), **apresar** (GEN/CRIM capture, catch, arrest, detain; imprison, jail, gaol ◊ *Con las detenciones de ayer se eleva a 40 el número de personas apresadas por supuestos delitos de terrorismo*; S. *encarcelar, prender, capturar, aprehender*), **apresar a un delincuente** (CRIM arrest/capture/catch an offender), **apresar contrabando** (CRIM seize contraband), **apresar un buque** (CRIM seize/arrest a ship)].

aprobación *n*: GEN approval, sanction, assent, adoption; passage; commonly found with verbs such as *mostrar* –show–, *merecer* –deserve–, *recibir* –receive–, *tener* –have–, *contar con* –have, possess–, *solicitar* –seek, request, ask for, apply for–, etc.; S. *autorización, sanción, visto bueno, conformidad, conforme, enterado*. [Exp: **aprobación de una ley** (CONST passage of a law), **aprobación previa** (GEN prior approval), **aprobar** (GEN pass, approve, agree, carry, endorse, adopt ◊ *En* *los últimos tiempos las Cortes españolas han aprobado una nueva Ley de Enjuiciamiento Civil*; S. *admitir, sancionar*), **aprobar el acta** (GEN agree/adopt as a correct record), **aprobar el balance de situación** (BSNSS adopt the balance sheet), **aprobar el orden del día** (GEN adopt the agenda), **aprobar una moción** (GEN carry a motion)].

apropiación *n*: GEN appropriation, acquisition. [Exp: **apropiación ilícita/indebida** (CRIM fraudulent conversion, misappropriation, fraud, obtaining by deception, embezzlement; S. *alzamiento de bienes, estafa, malversación*), **apropiado** (GEN adequate, proper, appropriate, right; S. *propio, razonable, indicado, satisfactorio, pertinente*), **apropiarse** (GEN appropriate, misappropriate; embezzle; take possession, convert; S. *adueñarse, apoderarse, posesionarse, incautarse, adjudicarse*)].

aprovechamiento *n*: GEN use, exploitation, utilization, enjoyment; S. *provecho, uso*. [Exp: **aprovechamiento de aguas** (ADMIN the proper/best use of water supply), **aprovechar** (GEN make good use of, take advantage of, avail oneself of ◊ *Aprovechó todos los medios que le ofrecía la ley para plantear un recurso*; S. *explotar, usar, utilizar*), **aprovecharse** (GEN abuse, take [unfair] advantage [of] ◊ *Se aprovechó de los pobres niños haciéndoles trabajar hasta las diez*; S. *abusar, engañar*)].

aprovisionamiento *n*: GEN supply; supplying; provision; provisions, supplies; S. *pertrechos, suministros, provisiones*.

aproximación *n*: GEN approximation, approach, alignment; rapproachement, attempt to harmonize, harmonization. [Exp: **aproximaciones de precios** (BSNSS price alignment), **aproximación de las disposiciones legales** (EURO attempt to harmonize [harmonization of] legal provisions)].

aptitud *n*: GEN aptitude, ability, [intellectual] capacity ◊ *Se exigirá un dictamen médico sobre la aptitud de los contrayentes que estuvieren afectados por anomalías psíquicas*; S. *capacidad, competencia*. [Exp: **aptitud legal** (PROC legal capacity/competency; S. *capacidad jurídica*), **apto** (GEN capable, efficient, apt, fit; S. *idóneo, competente, capaz, eficiente, eficaz*), **apto para navegar** (BSNSS seaworthy)].

apuesta *n*: GEN bet, gamble, wager; S. *apostar*.

apuntamiento *n*: GEN brief; abstract of court record for use of the court and the parties, notation, entry; S. *acotación*. [Exp: **apuntar**[1] (GEN set down, enter, take a note of, note [down]; S. *hacer constar, poner por escrito, aludir*), **apuntar**[2] (CRIM point/aim [a gun] at, hold up [at gunpoint], threaten with [a gun] ◊ *El asaltante apuntó al joyero con una pistola*; S. *encañonar*), **apuntar**[3] (GEN point to, show, reveal ◊ *Los indicios apuntan a que fueron los ladrones los que mataron al guardia*; S. *indicar, señalar*), **apunte** (GEN note; S. *nota, anotación*), **apunte contable** (BSNSS entry; S. *asiento, anotación contable*)].

apuñalar *v*: CRIM stab, knife ◊ *Antes de robarle lo apuñalaron, aunque no llegó a morir*; S. *asestar una puñalada; puñal*.

apuro *n*: GEN emergency, predicament, difficult/awkward situation, tight spot *col*; S. *necesidad, urgencia, crisis, emergencia; peligro, daños psicológicos*.

aquiescencia *n*: GEN/CIVIL acquiescence, compliance, consent, conformity; S. *consentimiento, anuencia, conformidad, aceptación, beneplácito*. [Exp: **aquiescente** (S. *deudor aquiescente*), **aquiescer** (CIVIL acquiesce, admit, comply; S. *allanarse, consentir, asentir*)].

aquietarse *v*: PROC submit; withdraw or discontinue a claim or defence; bow to the contentions of the other side; a somewhat rhetorical term, literally meaning «calm down», sometimes used by the counsel wishing to convey the idea that the other party really has no case ◊ *El letrado sostuvo que la demandada debía aquietarse y pasar por las pretensiones de su defendido*; S. *allanarse, consentir*)].

aquiliano-a *a*: CIVIL S. *acción derivada de culpa aquiliana o extracontractual, daño aquiliano.*

arancel[1] *n*: BSNSS/TAX tariff, customs tariff, duty; S. *derecho, arbitrio*[2], *desarme arancelario, bonificación arancelaria.* [Exp: **arancel**[2] (BSNSS/TAX fee scale; schedule of charges/duties; S. *honorario*), **arancel aduanero o de aduanas** (BSNSS/TAX customs tariffs, customs fees; S. *derechos, tasas, derechos arancelarios*), **arancel aduanero común** (EURO common customs tariffs), **Arancel Aduanero Comunitario** (EURO Common Customs Tariffs, CCT; S. *tarifa exterior común, TEC*), **arancel compensatorio** (BSNSS/TAX countervailing duties, compensating tariff; S. *subvención*), **arancel diferencial** (BSNSS/TAX differential tariff), **arancel de importación** (BSNSS/TAX import tariff/duty), **arancel notarial** (GEN schedule of notary's fees), **aranceles sancionador o disuasorio** (BSNSS/TAXN retaliatory customs duties)].

aras de, en *phr*: GEN as a concession to; for the sake of, in the name of, in the interests of ◊ *El tribunal debe asumir ciertos riesgos en aras de la tutela judicial efectiva.*

arbitraje[1] *n*: PROC/CIVIL arbitration, arbitration hearing, arbitrament *frml*; under the rules of arbitration, in the event of a dispute arising between parties to a contract, or employer and employee, the parties submit their differences to an independent third party, or arbitrator, for determination rather than bringing proceedings before a court; the arbitrator's decision, called an award *–laudo–*, is binding *–vinculante–* in principle, though allowance is made for the possibility of appeal *–recurso–* against the award; S. *mediación, laudo arbitral.* [Exp: **arbitraje**[2] (BSNSS arbitrage/arbitraging, hedging; technical name given to the trading in bills of exchange *–efectos de comercio, letras de cambio–* or other securities *–valores–*, which are bought and sold with the aim of taking advantage of the difference in price of quotation *–cotización–* of the same stock in different markets at the same time; ultimately arbitrage aims to profit by the inefficiency of the market; S. *arbitrajista*), **arbitraje comercial** (BSNSS commercial arbitration), **arbitraje extrajudicial** (PROC out-of-court arbitration), **arbitraje voluntario** (BSNSS voluntary arbitration), **arbitraje judicial** (PROC arbitration that abides by the rules of court procedure), **arbitrajista** (dealer, trader, arbitrageur *US*), **arbitral** (GEN [of] arbitration, discretionary; S. *moderador, discrecional, prudencial, potestativo*), **arbitrar** (GEN arbitrate, umpire; contrive, collect; S. *decidir, juzgar*), **arbitrar recursos** (GEN raise cash/money; S. *recoger fondos*), **arbitrar soluciones** (GEN find/provide solutions, come up with answers), **arbitrariedad** (GEN arbitrariness ◊ *La Constitución española garantiza la interdicción de la arbitrariedad de los poderes públicos*; S. *discrecionalidad, margen de apreciación*), **arbitrario** (GEN arbitrary, high-handed, unreasonable; S. *inmotivado, tendencioso, sesgado, parcial, infundado, discriminatorio*), **arbitrio**[1] (BSNSS arbitration award; S. *laudo arbitral*), **arbitrio**[2] (TAX excise tax, tax, fee; S. *arancel, derecho, impuesto sobre consumos, contribución*), **arbitrio**[3] (GEN will, criterion ◊ *El tribunal resolverá conforme a su arbitrio*; S. *libre arbitrio, facultad, discreción, oportunidad*), **arbitrio**

de, al (GEN at the discretion of, to ◊ *Al final se sometió la decisión al arbitrio del presidente*), **arbitrio de plusvalía** (CIVIL/ADMIN tax on the increase in value of land), **arbitrio judicial** (PROC the adjudication/decision/discretion/arbitrament of the judges/court; S. *potestad judicial*), **árbitro** (CRIM arbitrator, arbiter,umpire, referee, compounder, neutral *US* ◊ *El árbitro resolverá conforme a las facultades que le hayan sido otorgadas*; S. *compromisario, tercero, hombre bueno, componedor amigable*)].

archivado *a*: GEN on file. [Exp: **archivador** (GEN filing cabinet), **archivar** (GEN/PRO file [away] shelve, place/leave on file; stay; dismiss; S. *sobreseer, dar carpetazo*), **archivar las actuaciones/diligencias** (PROC stay proceedings, order a complaint, etc., to lie on the file; discontinue proceedings without closing the file), **archivero** (ADMIN/GEN registrar, custodian), **archivo**[1] (GEN record, dossier, file; archives-s, record office), **archivo**[2] (PROC staying of proceedings, [ordering of] discontinuance, *approx* ruling that there is no case to answer; S. *auto de sobreseimiento, la causa queda sobreseída, sobreseimiento, dictar el archivo de lo actuado, solicitud de archivo de la causa*), **archivo policial** (CRIM police files/records), **archivo público** (ADMIN public record, public records office)].

ardid *n*: GEN trick, ruse, wile, stratagem, dodge *col*, frame-up, double-cross ◊ *El abogado recurrió a todo tipo de ardides para defender a su cliente*; S. *argucia, engaño, estratagema, trampa, maniobra.*

área *n*: GEN area, zone, district; S. *zona, terreno.*

argucia *n*: GEN legal technicality/subtlety, cunning argument, fancy footwork *col* ◊ *Gracias a las argucias de su abogado salió sin cargo alguno*; S. *ardid, añagaza, engaño, estratagema, trampa.* [Exp: **argucias jurídicas** (PROC legal subtleties/quibbles/sophistries, pettifoggery, caviling, hair-splitting; S. *abogado picapleitos, recurrir a argucias jurídicas*), **argüir/argumentar** (GEN argue, debate, contend, maintain ◊ *Unos argumentan a favor y otros en contra de las reformas procesales*; S. *razonar, exponer, alegar*), **argumento** (GEN argument, reason, contention, ground ◊ *Los argumentos que expuso la defensa no convencieron a los jueces*; S. *exponer, aducir*), **argumentos a favor y en contra** (PROC pros and cons)].

arma *n*: GEN weapon; S. *bala, pistola, porra, cuchillo, armamento, explosivo; a mano armada; portar armas, levantarse en armas.* [Exp: **arma blanca** (CRIM sharp instrument, bladed weapon; S. *objeto punzante*), **arma contundente** (CRIM blunt instrument, contusive weapon), **arma de fuego** (CRIM firearm; S. *balística*), **arma delatora** (CRIM incriminating weapon), **arma homicida** (CRIM murder weapon, the weapon used in the murder), **arma peligrosa** (CRIM dangerous/prohibited weapon), **armado** (GEN armed; S. *lucha armada, brazo armado*), **armador** (BSNSS shipowner; S. *naviero, astillero*), **armar**[1] (GEN arm, supply with arms ◊ *Los vecinos se armaron de porras y cuchillos para defenderse de los agresores*), **armar**[2] (GEN arm; equip, outfit, fit up; S. *aparejar*), **armar un buque** (BSNSS fit out/rig a ship; S. *equipar un buque*), **armas clásicas** (GEN conventional weapons), **armado** (GEN armed; S. *brazo armado*), **armador** (BSNSS shipowner; S. *fletador*), **armas de destrucción masiva** (GEN weapons of mass destruction)].

armisticio *n*: INTNL armistice; ceasefire; S. *alto el fuego, cese de hostilidades.*

arquear *v*: GEN calculate; gauge. [Exp: **arquear la caja** (BSNSS count the cash), **arqueo** (BSNSS cashing up, balance, appraisal of assets), **arqueo de buque**

(BSNSS tonnage, gauging, capacity; S. *aforo, tonelaje de registro*), **arqueo de caja** (BSNSS cash audit/proof/count, cash gauging, count of cash, checking of cash, cashing up)].

arraigado[1] *a*: GEN rooted, long-established; S. *tradicional, ancestral*. [Exp: **arraigado**[2] (PROC landed, owning real estate; S. *arraigo en juicio*), **arraigado**[3] (PROC on bail, released on bond), **arraigar**[1] (GEN take root, become rooted; S. *raigambre, raíz*), **arraigar**[2] (PROC put up bail or security for the defendant's costs), **arraigo** (GEN rootage, deep-rooted tradition; S. *raigambre*), **arraigo en juicio** (CIVIL security for [the defendant´s] costs; real estate, landed property or cash equivalent deposited as security for the defendant's cost; special bail, ne exeat regno; S. *excepción de arraigo, quebranto de arraigo; aseguramiento, caución de arraigo en el juicio, depósito de personas, fianza*)].

arrancar *v*: GEN tear out, pull up, pull out; S. *arrebatar; extirpar*. [Exp: **arrancar el bolso a alguien** (GEN grab the bag from sb, snatch sb the bag; S. *tironero*), **arrancar la pistola a alguien** (GEN wrench the pistol away from sb ◊ *Tras el forcejeo el policía le arrancó la pistola*), **arrancar una confesión a alguien** (GEN wring a confession from sb)].

arras *n*: CIVIL/GEN earnest money, pledge, security, deposit; symbolic dowry, normally of thirteen coins, offered as a marriage pledge by bridegroom to bride; S. *señal, prenda, dación de arras*.

arrebatar *v*: GEN snatch, seize, abduct, carry away by force; S. *arrancar, despojar, desposeer, quitar, robar*. [Exp: **arrebato** (GEN fury, uncontrollable impulse, rage; S. *acceso, ataque, ofuscación, obcecación, rapto*), **arrebato y obcecación** (GEN heat of passion; S. *emoción violenta, impulso incontenible o incontrolable, obcecación*)].

arreglador *n*: GEN adjuster, arranger, surveyor; S. *componedor*. [Exp: **arreglador de avería** (CIVIL/BSNSS average surveyor/adjustor; S. *arreglo de avería*),

arreglar *v*: GEN/BSNSS settle, adjust; repair, fix *col*; S. *resolver, solucionar, liquidar, saldar; ordenar*. [Exp: **arreglar a uno** *col* (GEN fix sb *col*, see to sb *col*, settle sb's hash *col*, stitch sb up *col*), **arreglar cuentas** (BSNSS settle up; S. *finiquitar, saldar*), **arreglar diferencias/disputas** (GEN/PROC settle differences/disputes), **arreglar extrajudicialmente** (PROC settle out of court; S. *conciliación, acuerdo extrajudicial*), **arreglo**[1] (GEN settlement, arrangement, understanding, accord, composition, adjustment [of the difference], accommodation; S. *acuerdo, liquidación, concierto, conciliación, transacción, composición*), **arreglo**[2] (GEN arrangement, grouping; S. *organización*), **arreglo**[3] *col* (CRIM/GEN set-up, fix, fast one, fiddle, dodge, neat trick; temporary repair; a way round a difficulty; S. *apaño, tinglado, chanchullo, componenda*), **arreglo a, con** (GEN in accordance with, pursuant to, under; S. *según, conforme a, a tenor de, al amparo de, en virtud de, de conformidad con, de acuerdo con*), **arreglo a las leyes, con** (PROC in due form of law, as prescribed by law ◊ *Todos los actos procesales se deben practicar con arreglo a la ley*), **arreglo arbitral** (CIVIL settlement by arbitration; S. *laudo arbitral*), **arreglo de avería** (BSNSS adjustment of average; S. *tasación/liquidación de avería*), **arreglo de una disputa** (PROC [satisfactory] settlement of a dispute/difference/issue; S. *conciliación, transacción*), **arreglo extrajudicial** (PROC out-of-court settlement)].

arremeter *v*: GEN rush/charge [at], attack, launch an attack on ◊ *El ministro arremetió contra los críticos de la nueva ley*; S. *atacar, agredir, apalear, golpear, cargar, embestir.*

arrendador *n*: CIVIL/BSNSS landlord, lessor; S. *casero, terrateniente; inquilino, arrendatario.* [Exp: **arrendamiento** (CIVIL/BSNSS rent, hiring, letting, lease, rental, tenancy; term of years; demise; S. *alquiler, arriendo; dar en arrendamiento*), **arrendamiento urbano** (CIVIL lease or rent of urban property; S. *desahucio, finca rústica, lanzamiento, recalificar*), **arrendar** (CIVIL/BSNSS lease out, rent out, hire out, let; S. *alquilar, arriendo*), **arrendatario** (CIVIL/BSNSS lessee, tenant, leaseholder)].

arrepentimiento *n*: GEN repentance, remorse, contrition, remorse ◊ *No mostró arrepentimiento por las atrocidades cometidas.* [Exp: **arrepentimiento espontáneo o activo** (CRIM spontaneous remorse [shown by an offender or accused], sincere admission of liability; *approx* plea of guilty; mitigating circumstance when the offender freely gives himself up to the police before a warrant for his arrest has been issued, or spontaneously undertakes to make amends, and before being required to do so offers to pay compensation or make any appropriate reparation), **arrepentirse** (GEN repent, show remorse; withdraw [from a contract])].

arrestado *a/n*: CRIM/PROC [person [under a probation or community service order, or under house arrest; S. *detenido.* [Exp: **arrestar** (CRIM/PROC sentence to a short term of imprisonment or restricted liberty; in practice this term is never served; instead the «prisoner» is placed on a species of probation, is confined to a given area and may not leave it without the permission of the police or the social worker responsible; there is no warrant whatsoever in peninsular Spanish for using the word *arrestar* as synonym for *detener*; the habit, which is journalist-led, is at odds with standard judicial and legal usage and s unsupported by legislation or procedural rules; only in military contexts does *arrestar* come to the English sense of «arrest», and in that case «detain» seems the better option, along with «confine to barracks», etc.; in current judicial use, the term *arrestar* and *arresto* seem to be increasingly rare as liaison between the courts and the social services in the form of community orders becomes more frequent; English translators are therefore advised to use «arrest» only as the translation of *detener/detención*, unless the loose and incorrect journalistic usage is clearly implied by the context; Spanish translators of English «arrest» may wish to exercise similar discretion and restrict themselves to *detener/detención* when, as is usually the case, it is the police who are involved in making the arrest), **arresto** (CRIM detention, arrest, imprisonment, restraint, confinement; the standard Spanish word for «arrest» is *detención* [verb, *detener*]; the word *arresto* is properly understood to mean military detention or some temporary or attenuated form of privation of liberty, such as a probation or community service order), **arresto domiciliario** (GEN/CONST home detention; *approx* curfew order; S. *prisión atenuada*), **arresto menor** (CRIM imprisonment for less than thirty days, minimum-term imprisonment), **arresto mayor** (CRIM imprisonment for more than one day and less than six months)].

arriba *adv*: GEN up, upwards; above, earlier, *supra* ◊ *Véase arriba en la página sesenta*; S. *abajo.* [Exp: **¡arriba las manos!** (GEN hands up, stick them up *col*), **arriba, los de** (GEN rich people, the wealthy, the haves *col* ◊ *Los de arriba nunca se acuerdan de los de abajo*), **arriba, más** (GEN further updown ◊ *Conforme se indica más arriba en el contrato*)].

arriendo *n*: CIVIL lease, hire, rent, rental; S. *arrendar, arrendamiento, locación, alquiler, inquilinato.*

arriesgado *a/n*: GEN risky, harzardous, insecure; risk-taker; S. *atrevido, peligroso, audaz*. [Exp: **arriesgar** (GEN risk, venture; jeopardize, put in jeopardize, hazard; S. *poner en peligro, corer el riesgo*), **arriesgarse** (GEN run/take a risk, take a chance, gamble)].

arroba *n*: GEN at sign; S. @.

arrogación *n*: GEN arrogation, unwarranted assumption. [Exp: **arrogación de funciones** (ADMIN undue or unwarranted assumption of office, authority, etc.; abuse of power), **arrogarse** (GEN arrogate, usurp; S. *usurpar*), **arrogarse funciones o un cargo** (ADMIN exceed one's powers; act outside of oneself's remit, act ultra vires; overstep the mark, step out of line *col*)].

arrojar *v*: GEN throw, fling ◊ *Arrojaron el cadáver al mar*; S. *lanzar, abandonar*. [Exp: **arrojar datos** (GEN uncover proof or evidence, bring facts or evidence to light ◊ *La investigación no ha arrojado datos de la existencia de un móvil económico*; S. *esclarecer, aclarar, descifrar*), **arrojar luz** (GEN shed light ◊ *Su testimonio arrojó luz sobre los mecanismos de la estafa*; S. *esclarecer, aclarar, determinar*), **arrojar mercancías por la borda al mar** (BSNSS jettison, jett; S. *echazón*), **arrojo** (GEN courage, heroism ◊ *El policía recibió la insignia de oro de la ciudad por el arrojo demostrado en el atraco de ayer*; S. *valor*)].

arruinado *a*: GEN ruined, bust *col*, bankrupt; S. *concursado, quebrado, fallido, insolvente*. [Exp: **arruinar** (GEN/BSNSS ruin, destroy, wreck, spoil; bust, break; bankrupt; S. *ruina, quiebra; llevar a la quiebra, quebrar*)].

arrumaje *n*: BSNSS stowage [of a cargo]. [Exp: **arrumar** (BSNSS stow; S. *estiba*)].

artefacto *a*: GEN device, artefact, mechanism, instrument; S. *instrumento, arma*. [Exp: **artefacto explosivo** (GEN explosive device, bomb ◊ *El artefacto explosivo estaba colocado en los bajos del coche*; S. *bomba lapa, coche bomba, bajos [de un coche], cóctel Molotov*)].

artimañana *n*: GEN trick, trap; stratagem, dodge *col*; evious means; S. *argucia, engaño, estratagema, trampa, maniobra*. [Exp: **artimañas jurídicas** (GEN legal stratagems ◊ *El abogado recurrió a todo tipo de artimañas jurídicas para librar de la cárcel a su cliente*; S. *argucias jurídicas*)].

articulado [de una ley] *n*: GEN/PROC [specific] provisions [of a law, statute, etc.]; the divisions, clauses, sections, articles, etc., comprising a law, code, or set of rules; also the layout of these; S. *apartado, artículo, inciso, letra, libro, parte*. [Exp: **artículo**[1] (BSNSS item, product, stock, line; S. *mercancía, producto*), **artículo**[2] (PROC section, rule, article, provision, clause; English usage is to call the numbered segments of statutes «sections», those of procedural or adjective law «rules» and those of international treaties or Community Law «articles»; however, in deference to the usage prevalent in other systems, «article» is commonly used in translation rather than «section»; S. *disposición, cláusula*), **artículo mortis, in** (CIVIL at/on the point of death, *in artículo mortis*; S. *confesión/declaración in artículo mortis*), **artículos de un convenio, tratado, etc.** (INTNL articles of agreement, treaty, etc.)].

artificiero *n*: GEN explosives expert ◊ *Artificieros de la Guardia Civil supervisaron la voladura del vehículo sospechoso*; S. *experto en desactivación de explosivos.*

artificio *n*: GEN artifice, trick, dodge *col*; S. *ardid, trampa, evasión; hacer trampas.*

asalariado *n*: EMPLOY employee, salaried worker; S. *empleado, obrero, dependiente, subalterno, oficinista, salario.*

asaltante *n*: CRIM assailant, robber, mugger, attacker, raider; S. *agresor, atracador, forcejeo*. [Exp: **asaltar** (CRIM assault, hold up, rob, raid; attack, mug ◊ *Asaltaron un banco pero no les dio tiempo a llevarse nada*; S. *atracar*), **asalto** (CRIM hold up, armed robbery, assault, attack, aggression; S. *atraco*), **asalto a mano armada** (CRIM armed robbery), **asalto con robo mediante tirón** (CRIM bag-snatching, mugging; S. *tironero*)].

asamblea *n*: GEN assembly, convention, meeting; S. *congreso, convención, sesión, reunión, consejo, junta general.* [Exp: **asamblea constituyente** (CONST constituent assembly), **asamblea consultiva** (GEN advisory body), **asamblea de acreedores** (CIVIL/BSNSS creditors' meeting; S. *junta de acreedores*), **asamblea legislativa** (CONST legislative assembly, legislature; S. *parlamento, congreso, senado*), **asamblea plenaria** (GEN/BSNSS/ADMIN full meeting; S. *pleno, plenario*)].

asediar *v*: GEN lay siege to, besiege, blockade, surround; S. *acosar, asaltar, importunar, abordar.* [Exp: **asedio** (GEN siege, harassment, pressure; S. *acoso, cerco, bloqueo*), **asedio psicológico [en el puesto de trabajo]** (GEN mobbing)].

ascendencia *n*: CIVIL descent, ancentry, origin, extraction; S. *descendencia.* [Exp: **ascendiente** (CIVIL lineal ancestor, relative in the ascending line ◊ *Es nulo el matrimonio celebrado entre ascendientes y entre descendientes*; S. *colateral, descendiente, consanguíneo*), **ascendiente en línea directa** (CIVIL lineal ancestor)].

asegurado[1] *a*: GEN secured, fastened, tightened; S. *fijado.* [Exp: **asegurado**[2] (INSUR insured, assured, policy-holder; S. *titular de una póliza de seguros*), **asegurador** (INSUR insurer, underwriter, assurer; S. *compañía aseguradora, reaseguradora*), **aseguramiento** (PROC surety, security, bond; securing), **aseguramiento de bienes litigiosos** (PROC freezing order, freezing of assets pending the outcome of a suit; *approx* garnishee order, attachment of disputed property assets or goods), **asegurar**[1] (PROC/GEN affirm, assert, declare; preserve, secure, make sure; S. *alegar, afirmar, aseverar, sostener, ratificar; amarrar* col), **asegurar**[2] (INSUR insure, assure, underwrite; S. *suscribir, firmar, reasegurar*), **asegurar mercancías** (INSUR insure goods), **asegurar, sin** (INSUR uninsured)].

asentamiento *n*: GEN settlement, settling. [Exp: **asentar** (BSNSS enter, record; S. *inscribir; libro mayor, asiento*), **asentar una partida** (BSNSS make an entry in a ledger, etc.; S. *inscribir en un libro; asiento*), **asentarse** (GEN settle, establish oneself ◊ *Fundó el negocio familiar, tras asentarse en la región*; S. *afincarse, instalarse, acomodarse, establecerse, radicarse*)].

asentimiento *n*: GEN assent, consent, agreement; S. *aprobación, refrendo, beneplácito, consentimiento, permiso.* [Exp: **asentir** (GEN assent, acquiesce, consent, agree; S. *sostener, asegurar, afirmar*)].

asequible *a*: GEN accessible, approachable; attainable, achievable, affordable, reasonable [in price] ◊ *Las nuevas leyes procuran utilizar un lenguaje asequible para cualquier ciudadano*)].

aserción/aserto *n*: GEN affirmation, assertion; S. *declaración, ratificación.* [Exp: **asertorio** (GEN S. *juramento asertorio*)].

asesinar *v*: CRIM murder, slay *US*; assassinate; S. *matar, acuchillar, acribillar, coser a balazos, masacrar.* [Exp: **asesinato** (CRIM murder, homicide, deliberate killing; S. *homicidio, derramamiento de sangre*), **asesinato colectivo** (GEN mass killing), **asesinato con premeditación** (CRIM premeditated/wilful murder), **asesinato en grado de tentativa** (CRIM attempted murder; S. *tentativa*), **asesinatos en cadena** (CRIM serial killing), **asesino** (CRIM murderer, slayer *US*; assassin; S. *homicida; a quemarropa; a mano armada*)].

asesor *a/n*: GEN advisory, consulting, consultant; adviser, advisor, consultant; adjuster/adjustor; S. *consejero, consejo asesor*. [Exp: **asesor fiscal** (TAX tax consultant), **asesor jurídico** (PROC legal adviser; S. *letrado, asistencia letrada*), **asesorado por** (GEN on the advice of), **asesoramiento** (GEN advice, counselling, consultancy; S. *consejo, pedir el asesoramiento de*), **asesoramiento jurídico** (PROC legal advice; S. *órgano consultivo*), **asesoramiento técnico** (GEN expert advice), **asesorar** (BSNSS/GEN advise), **asesores jurídicos** (PROC legal team; legal consultants), **asesoría** (BSNSS/GEN consultancy; S. *consultoría*)].

asestar *v*: GEN strike, deal ◊ *La policía ha asestado un duro golpe al terrorismo internacional con las detenciones de ayer*; S. *pegar, apalear, propinar*. [Exp: **asestar una patada/una puñalada/un puñetazo a** (GEN kick/stab/punch ◊ *Cayó muerto por la puñalada que el delincuente le asestó al corazón*; S. *apuñalar*)].

aseveración *n*: GEN assertion, asseveration, statement, averment, representation, allegation; S. *aserción, manifestación, alegato*. [Exp: **aseverar** (GEN assert, asseverate, aver, affirm, state, allege; S. *ratificar, asegurar, confirmar, manifestar, afirmar, declarar*)].

así, de ser *phr*: that being the case, if that is so; S. *en ese/tal caso*.

asiento *n*: BSNSS entry, register, record, item; S. *inscripción; asentar* [Exp: **asiento de apertura o de constitución** (BSNSS opening entry), **asiento de caja** (BSNSS cash entry), **asiento de cierre** (BSNSS closing entry), **asiento de inscripción** (ADMIN registration; S. *inscripción*), **asiento en el registro de la propiedad** (CIVIL registration of title, entry in the property register), **asiento registral** (GEN entry in a register, registration, record)].

asignación[1] *n*: GEN allowance, payment ◊ *Su asignación mensual se la ha gastado en tres días*; S. *subsidio*. [Exp: **asignación**[2] (GEN allocation, appropriation; S. *destino, cesión, asignación de fondos, asignación presupuestaria*), **asignación de fondos o recursos** (ADMIN/GEN allocation, budgeting, resource allocation; S. *provisión de fondos*), **asignar**[1] (GEN assign, give, confer, entrust ◊ *Le han asignado una pensión muy pequeña*; S. *dar, conceder*), **asignar**[2] (BSNSS assign, fix, determine ◊ *La ley asigna a los Secretarios judiciales unas funciones muy concretas*; S. *señalar, fijar, establecer*), **asignar**[3] (ADMIN assign, allot, allocate, appropriate; S. *destinar, reservar, consignar, asignar fondos, distribuir, afectar*)].

asilado *n*: INTNL refugee; S. *apátrida, refugiado*. [Exp: **asilar** (INTNL grant asylum/refuge; S. *acoger, refugiar*), **asilo** (INTNL sanctuary, refuge; S. *refugio*), **asilo político** (INTNL political asylum)].

asistencia[1] *n*: GEN/PROC attendance; appearance; S. *comparecencia, presencia*. [Exp: **asistencia**[2] (GEN assistance, attendance, aid, relief; S. *auxilio, subsidio, prestación; régimen de asistencia, deber de asistencia*), **asistencia en carretera** (GEN breakdown service), **asistencia jurídica** (PROC legal aid), **asistencia letrada** (PROC legal aid/assistance ◊ *Los pobres y necesitados tienen derecho a asistencia letrada gratuita*; S. *abogado, defensa letrada; contar con asistencia letrada*), **asistencia médica/sanitaria** (GEN medical/health care), **asistencia social** (GEN welfare, social welfare; welfare payment, relief; S. *ayuda social*), **asistente social** (GEN social worker, caseworker ◊ *En ese hogar la asistente social percibió un abandono total*), **asistir**[1] (GEN attend, appear; turn up, be present, be a witness to ◊ *La madre de la víctima no asistió al juicio*; S. *comparecer*), **asistir**[2] (GEN attend [to], aid ◊ *Los hijos tienen la obligación de asistir a* *sus padres*; S. *atender*), **asistir el derecho** (GEN have the right ◊ *Le asiste el derecho de interponer un recurso*)].

asociación *n*: GEN association, club, fellowship; partnership, co-partnership; union; combine, holding, conglomerate; S. *círculo, peña*. [Exp: **asociación de consumidores** (BSNSS consumers' association/council/organization), **asociación delictiva, ilícita o de malhechores** (CRIM unlawful assembly, conspiracy ◊ *Al detenido se le imputa pertenencia a banda armada y asociación ilícita*), **asociado** (GEN member, associate, partner; S. *socio*), **asociarse** (GEN join, become a member [of]; go into partnership [with]; combine, share [in])].

aspirante *a/n*: GEN eligible; applicant, candidate; S. *solicitante, candidato, con derecho a*.

astucia *n*: GEN cunning; astuteness, shrewdness; craftiness, wiliness, guile, deviousness; S. *malicia, picardía, ardid*. [Exp: **astuto** (GEN cunning; astute, shrewd; crafty, wily, knowing)].

asumir *v*: GEN assume, adopt; take on, take over; accept; S. *aceptar, sancionar, autorizar, aprobar*. [Exp: **asumir la autoría** (GEN claim responsibility ◊ *Un grupo anarquista ha asumido la autoría del atentado*; S. *atribuirse la autoría*), **asumir un cargo** (ADMIN come into office, take over a post; S. *entrar en funciones, llegar al poder*)].

asunto *n*: GEN case, subject, matter, subject-matter, issue, affair, concern; re ◊ *Es uno de los bufetes que lleva más asuntos*; rwem commonly used to refer to the whole of a case before the courts; the standard Spanish term for «case» in the European Community, law reports, and one which translators are strongly advised to adopt as a synonym for *proceso, causa, etc*., rather than the much misused and misunderstood *caso*; S. *caso, causa, juicio, procedimiento, proceso*.

atacar *v*: CRIM assault, attack; S. *provocar, hostigar, asaltar; defender; contraatacar*. [Exp: **atacar por sorpresa** (CRIM ambush; S. *emboscada, tender una emboscada*)].

atajar *v*: GEN stop, check, parry; suppress; curb, restrain, hamper; quell, keep in check, block ◊ *Con los juicios rápidos se piensa atajar la reincidencia*; S. *detener, contener, parar, impedir, suspender*.

atañer *v*: GEN affect, concern; be incumbent on, be the responsibility/job of, be up to ◊ *No me atañe a mí tomar una decisión tan difícil*; S. *afectar, incumbir, corresponder*.

ataque[1] *n*: CRIM assault, aggression, attack, battery; S. *atacar; agresión, intimidación violenta, asalto, violencia física*. [Exp: **ataque**[2] (GEN fit, attack ◊ *Murió en la cárcel de un ataque de apoplejía*; S. *acceso, arrebato*) **ataque de celos/ira** (GEN fit of jealousy/anger; S. *arrebato, ofuscación*)].

atasco *n*: ADMIN traffic jam; foul-up, administrative jam.

atemorizar *v*: GEN/CRIM terrify, terrorise, frighten, intimidate ◊ *La ola de atentados tiene atemorizada a media población*; S. *aterrar*.

atención *n*: GEN care, attention, caution, prudence; S. *cautela, prudencia, cuidado; desatención*. [Exp: **atención sanitaria** (GEN health care), **atender** (GEN attend to, pay attention to, serve, see to, deal with; help, meet, fulfil, honour, carry out; meet; honour ◊ *Demandaron al deudor por no atender a sus obligaciones de pago*; S. *cumplir con, hacer frente a, prestar apoyo, socorrer, coadyuvar, apoyar, sufragar, subvenir, ayudar, alimentar, colaborar, velar por; desatender*), **atender la demanda de pago** (GEN comply with the demand for payment), **atender una letra** (BSNSS meet/honour a draft), **atendiendo a** (GEN on the basis of, bearing in mind)].

atenerse a *v*: GEN abide by, comply with, conform to, follow, observe; rely on; know full well, be aware of, limit oneself to; S. *someterse a, ajustarse a, acatar, respetar.*

atentado *n*: CRIM criminal act, offence, crime, criminal assault, attack; outrage, affront ◊ *Después del atentado la policía acordonó la zona*; S. *asumir la autoría, atribuirse la autoría, reivindación de un atentado.* [Exp: **atentado a la intimidad** (CRIM infringement/invasion of privacy; S. *intimidad*), **atentado con bomba** (CRIM bomb attack), **atentado contra el honor** (CIVIL defamation, slander, libel; unwarranted attack on a person's good name, reputation or public image; S. *derecho a la imagen propia, difamar, intimidad, lavar el honor*), **atentado contra la honra o el pudor** (CRIM indecent assault, indecent exposure, outraging public decency, shamelessly indecent conduct *Scots*; S. *abusos deshonestos*), **atentado contra la moral** (CRIM offence against decency), **atentado contra la vida** (CRIM/GEN attempt/attack on sb's life, assassination attempt; attempted murder, assault with intent to kill; S. *frustrar, tentativa*), **atentado fallido** (CRIM/GEN failed assassination attempt, thwarted attack/attempt on sb's life ◊ *Fue condenado a diez años de cárcel por su intervención en dos atentados fallidos contra las fuerzas de orden público*; S. *agresión, asalto, tentativa*), **atentado suicida** (CRIM suicide attack, kamikaze attack, suicide bombing ◊ *Un atentado suicida causó anoche decenas de heridos*; S. *kamikaze, terrorista suicida*), **atentado terrorista** (CRIM terrorist attack/outrage ◊ *El atentado terrorista puso en estado de alerta a toda la policía del país*), **atentar** (CRIM attempt to commit a criminal act; attack; commit an outrage; make an attempt on [person's life, etc.])].

atenuación *n*: GEN/PROC mitigation, abatement; S. *mitigación.* [Exp: **atenuación de la pena** (PROC mitigation of sentence), **atenuación de un daño/perjuicio** (CIVIL abatement of a nuisance), **atenuante** (CRIM [plea for] mitigation, alleviating/mitigating/extenuating circumstance; S. *circunstancias atenuantes, agravante, eximente*), **atenuar** (GEN mitigate, alleviate, extenuate; S. *aliviar, mitigar, paliar*)].

aterrar, aterrorizar *v*: GEN/CRIM terrify, terroirise, scare, frighten ◊ *Un brutal asesinato ha aterrado a los habitantes del barrio antiguo de la ciudad*; S. *atemorizar.*

atestación *n*: GEN/PROC attestation, statement, affidavit. [Exp: **atestación por notario público** (CIVIL notarization; notarized statement/certificate), **atestado** (ADMIN/INSUR official report, certificate, [damage] report; S. *instruir un atestado; denuncia, parte, denuncia*), **atestado de avería** (BSNSS damage report), **atestado policial** (CRIM police report ◊ *El procedimiento penal se puede iniciar por medio de un atestado policial, una denuncia, una querella, o de oficio*), **atestar** (GEN attest, testify, bear witness to; report; S. *legalizar, compulsar, dar fe, adverar, testificar, certificar*)].

atestiguación/atestiguamiento *n*: PROC attestation, deposition, witness statement, affidavit; S. *testimonio, juramento, dación de fe, declaración.* [Exp: **atestiguar** (PROC testify, state, swear, make a [sworn] statement, make a deposition, bear witness; vouch, depone *Scots*; S. *testificar, deponer, declarar, dar testimonio, atestar, dar fe*)].

atipicidad *n*: GEN atypicality, uncharacteristic or unusual nature. [Exp: **atípico** (GEN atypical, untypical, uncharacteristic, unusual; S. *típico, tipificar*)].

atracar[1] *v*: CRIM hold up, rob; mug *col*; rip off *col*; S. *asaltar.* [Exp: **atracar**[2] (BSNSS dock, berth; S. *amarrar, anclar, arribar, fondear*), **atracador** (CRIM armed robber, assailant, atacker, bandit, gangster; S. *ladrón, bandido, malhechor, salteador de caminos, tironero*), **atracadero** (BSNSS berth, wharf), **atracado** (BSNSS in berth, alongside), **atraco** (CRIM hold-up, armed or highway robbery; daylight robbery; daylight rip off *col*; S. *asalto*), **atraco a mano armada** (CRIM armed/aggravated robbery; S. *robo a mano armada; a quemarropa*)].

atrapar *v*: GEN catch; trap ◊ *La policía atrapó a los asaltantes en un control de carretera*; S. *pillar, acorralar, sorprender*.

atrasar *v*: GEN defer, hold up, keep back, delay; S. *adelantar, retrasar, aplazar, demorar, suspender*. [Exp: **atrasado** (GEN late, behind schedule; in arrears; behind, outstanding, unsettled; S. *pendiente, vencido*), **atraso-s** (BSNSS arrears), **atraso en el pago de sueldo, intereses, alquiler, etc.** (BSNSS arrears of wages, interest, rent, etc.)].

atribución *n*: GEN attribution, assignation; [act of] conferring or vesting S. *asignación, calificación, clasificación*. [Exp: **atribuciones** (ADMIN/GEN powers, capacity in which someone acts, faculties, authority, competence, competency, prerogative; in this sense the word is generally found in the plural ◊ *No cae dentro de mis atribuciones adoptar decisiones de tal naturaleza*; S. *autoridad, competencia, incumbencia; facultades, poderes, funciones*), **atribuible** (GEN attributable), **atribuible, no** (GEN off the record; S. *sin que conste en acta*), **atribuir**[1] (GEN/CRIM attribute, ascribe, put down [to], impute [to]; blame [for], charge [with], accuse [of] ◊ *Le han atribuido un delito que nunca cometió*; S. *delito, achacar, imputar, inculpar*), **atribuir**[2] (GEN vest [in], confer [on] ◊ *Los poderes que ostenta le vienen atribuidos por las leyes y la costumbre*; S. *conferir*), **atribuirse la autoría** (GEN claim responsibility ◊ *Un grupo anarquista se ha atribuido la autoría del atentado*; S. *asumir*)].

atrocidad *n*: GEN atrocity, enormity ◊ *Durante el juicio no mostró arrepentimiento por las atrocidades cometidas*; S. *crueldad, ignominia*. [Exp: **atroz** (GEN atrocious, dreadful, appalling, cruel; S. *cruel*)].

atropellar[1] *v*: GEN/CRIM outrage, abuse, ride roughshod over, ignore; disregard or violate [rights, privileges, the law, etc.] ◊ *Muchos artículos del «Código Civil» impiden que un particular atropelle los derechos del resto de la sociedad*; S. *abusar*. [Exp: **atropellar**[2] (GEN knock down, run over; S. *accidente*), **atropello**[1] (GEN/CRIM abuse, outrage, violation; S. *ofensa, afrenta, ultraje, abuso; linchamiento*), **atropello**[2] (GEN accident, knocking down, running over; S. *accidente*)].

audiencia[1] *n*: PROC hearing, trial, sitting of a court, audience *obs* ◊ *El tribunal resolverá, previa audiencia de las partes interesadas, cualquier solicitud de terceras personas*. [Exp: **Audiencia**[2] (PROC superior court in a province, *approx* high[er] court of the province), **Audiencia Nacional** (PROC central/national criminal court and central/national administrative court; central court at Madrid; it comprises a central criminal court and a central administrative division; in both cases the jurisdiction is nation-wide, the basic rule being that matters referred to it for preliminary investigation *–instrucción–* and trial must be more than local in scope, i.e. beyond the jurisdiction of a single town, city, province or autonomous region *–autonomía–*; thus, cases, involving serious fraud, drug-trafficking or organized crime that are supra-provincial or national or international in scope are tried at the criminal court, and major disputes between individuals aor companies and the central administration or public bodies are tried by the administrative court; it should be noted that, in criminal proceedings, it is not only the seriousness of the offence charged that determines the *Audiencia's* jurisdiction, since serious crimes such as murder, rape or drug-trafficking are tried at the local *Audiencia Provincial* provided that there is no «extraterritorial» dimension to them; S. *Audiencia Provincial, Tribunal Superior de la Comunidad Autónoma, Tribunal Supremo*), **audiencia a puerta cerrada** (PROC private hearing, hearing in chambers), **audiencia previa [al juicio]** (PROC pre-trial hearing, preliminary hearing, directions hearing; S. *acto prejudicial, fase probatoria*), **Audiencia Provincial** (PROC principal court of a Spanish *provincia*; *approx* County Court; provincial criminal court; *approx* Crown Court), **audiencia pública** (PROC public hearing, open court), **Audiencia Territorial** (PROC territorial court of appeal; old name given to a high court with jurisdiction over a region, partly overlapping the autonomous regions; ranks immediately above the *Audiencia Provincial*); now they are called *Tribunal Superior de Justicia de una Comunidad Autónoma*)].

auditar *v*: BSNSS audit ◊ *Las cuentas han sido auditadas sin salvedades*; S. *inspeccionar, fiscalizar*. [Exp: **auditor** (GEN/PROC auditor; legal adviser to a military court; magistrates' clerk; S. *censor de cuentas, experto contable*), **auditor general** (GEN general judge-advocate), **auditor oficial o autorizado** (BSNSS approved auditor) **auditoría** (BSNSS auditing; auditor's office; S. *censura de cuentas*)].

aumentar *v*: GEN raise, increase. [Exp: **aumento** (GEN rise; S. *alza, escalada*), **aumento salarial lineal** (EMPLOY across-the-board increase)].

ausencia[1] *n*: GEN absence, non-appearance, non-attendance, failure to appear/attend ◊ *El fuego se produjo durante su ausencia*; S. *incomparecencia, absentismo; incomparecencia, rebeldía, contumacia; asistencia; personarse*. [Exp: **ausencia**[2] (GEN absence, lack, want, deficiency, defect, dearth ◊ *En nuestro grupo se nota una clara ausencia de liderazgo*; S. *falta, carencia, privación, defecto*), **ausencia de, de** (GEN in the absence of, for want of; S. *en defecto de*), **ausencia legal** (PROC S. *declaración de ausencia legal*), **ausencia no justificada** (EMPLOY absence without official leave, AWOL; unjustified absence), **ausente** (GEN absent), **ausentismo** (GEN/EMPLOY absenteeism; the form *absentismo* is also frequently found in the same sense especially in peninsular Spanish; S. *absentismo*)].

autenticación *n*: PROC/ADMIN/NOT authentication; S. *legalización de documentos*. [Exp: **autenticar** (PROC/ADMIN authenticate, witness; S. *autenticar, refrendar, legalizar*), **autenticar un testamento** (SUC obtain probate of, prove; S. *revocar un testamento, anular un testamento, impugnar un testamento, protocolizar un testamento*), **autenticidad** (GEN authenticity, genuineness), **auténtico** (GEN authentic, genuine, true, bona fide; S. *documento auténtico*)].

auto-[1] *prefix*: GEN Greek prefix meaning «self»; S. *propio, autoinculpación, autolesionarse, autoliquidación*. [Exp: **auto**[2] (PROC order, court order, interlocutory order, writ, decree [of a judge], order, decision, rule, ruling, warrant; this noun derives from the Latin «actus»; S. *providencia, resolución, decreto, orden, fallo*), **auto alternativo** (PROC alternative writ), **auto de archivo** (PROC order of stay of proceedings, order that there is no case), **auto de autorización del administrador** (PROC letters of administration; S. *auto ju-*

dicial de designación de albacea), **auto de comparecencia** (PROC summons, writ of summons), **auto de conclusión de sumario** (PROC examining magistrate's order bringing preliminary investigation to an end; it is accompanied either by an order for the suspect to be released without charge *–puesta en libertad sin cargos–* or by an order for a prosecution to be brought *–auto de procesamiento–*; S. *instrucción, procesamiento, imputar, inculpar*), **auto de declaración judicial de quiebra** (BSNSS bankruptcy order, adjudication order, receiving order), **auto de detención** (CRIM warrant of arrest), **auto de embargo** (PROC writ of attachment, distress order), **auto de embargo preventivo** (PROC freezing order/injunction, Mareva injunction; S. *afectación de bienes a un proceso*), **auto de ejecución de una sentencia** (PROC enforcement order, writ of execution; S. *ejecutoria, providencia ejecutoria*), **auto de expropiación** (PROC writ of expropriation, decision ordering expropriation), **auto de inadmisión** (PROC court order refusing leave to proceed), **auto de posesión** (PROC writ of entry), **auto de prisión** (CRIM order of committal to prison, order for incarceration ◊ *En el auto de prisión el magistrado ha vinculado al presunto extremista con el narcotráfico*), **auto de prisión provisional** (PROC remand/committal order; S. *dictar auto de prisión provisional contra el imputado*), **auto de proceder** (PROC order to proceed; S. *auto de sustanciación*), **auto de procesamiento** (CRIM indictment, order of committal for trial ◊ *A partir del auto de procesamiento, el imputado se convierte en procesado*; S. *acusación formal, auto de conclusión de sumario; dictar auto de procesamiento*), **auto de reivindicación** (CIVIL writ of replevin), **auto de restitución** (PROC writ of restitution), **auto de revisión** (PROC writ of review, for for [judicial]; *approx* order of *mandamus*, prohibition or certioriario), **auto de sobreseimiento** (PROC order that there is no case to answer, stay of proceedings, termination of proceedings for lack of evidence; order of dismissal; S. *sobreseimiento, archivo*), **auto de sustanciación** (PROC order to proceed), **auto ejecutivo** (PROC enforcement order, writ of execution), **auto inhibitorio** (writ of prohibition), **auto judicial** (PROC court order, writ, ruling; S. *orden judicial, proveído, mandato, decreto, escrito, mandamiento judicial*), **auto judicial declarativo de quiebra** (BSNSS bankruptcy order; adjudication order, receiving order), **auto preventivo** (PROC injunction; S. *medida cautelar*), **autos** (PROC court record, record of the proceedings, face of record; S. *actas del proceso y de las actuaciones, sumario, protocolo judicial*), **autos incidentales** (PROC orders or rulings on preliminary issues, orders following interlocutory proceedings), **autos procesales** (PROC court proceedings)].

autodeterminación *n*: GEN self-determination, full independence; S. *derecho de autodeterminación, autonomía, comunidad autónoma*.

autoincriminación, autoinculpación *n*: CRIM self-incrimination. [Exp: **autoinculparse** (CRIM incriminate oneself, plead guilty, confess; a somewhat loose term, as is often the case with reflexive verbs constructed with *auto-*, which appears redundant on the face of it; the word tends to be confined to confessions or admission made during interview or police interrogation; a plea of guilty in court is normally expressed by the phrase *declararse culpable*; S. *declararse culpable*)].

autolesión *n*: CRIM self-inflicted injury. [Exp: **autolesionarse** (CRIM cause self-inflicted wounds)].

autoliquidación *n*: TAX tax return, voluntary payment of tax.

automatismo *n*: GEN automatism, involuntary conduct; S. *acto reflejo*.

autonomía[1] *a*: GEN autonomy, independence ◊ *Los jueces gozan de plena autonomía e independencia en sus resoluciones*; S. *independencia*. [Exp: **autonomía**[2] (CONST devolution, home rule, self-government, autonomous region; Spain's autonomous regions consist of groups of provinces linked by geographical, traditional, commercial, cultural and linguistic ties which have led to their being perceived historically as distinct and identifiable regions; S. *provincia; comunidad autónoma, organismo autónomo, autodeterminación, fondo de compensación territorial*), **autónomo** (GEN/EMPLOY autonomous; freelance, self-employed [worker])].

autopsia *n*: GEN autopsy, post-mortem ◊ *Tras la realización de una autopsia exhaustiva no se encontró signo de violencia en su cuerpo*; S. *practicar la autopsia, informe del forense, Instituto Anatómico Forense*.

autor *n*: GEN author. [Exp: **autor de un delito** (CRIM perpetrator, principal in the first degree, causer, doer, offender, criminal, felon; S. *víctima*), **autor directo** (CRIM principal, offender; S. *víctima, cómplice, encubridor*), **autor intelectual** (CRIM/PROC inciter, aider and abetter, counseller or procurer; one who plans or prepares a crime actually committed or attempted by another; in older English law also called an «accessory before the fact», now known as «principal in the second degree»; in both Spanish and English law, accessories or accomplices are normally liable to the same punishment as the principal offender *–autor material–*; S. *inductor, cómplice, instigación o inducción dolosa a la comisión de un delito*), **autor material** (CRIM principal [in the first degree]), **autor por inducción** (CRIM inciter, accessory who counsels and procures, instigator), **autoría**[1] **[de una obra]** (GEN authorship), **autoría**[2] **[de un delito]** (CRIM/PROC perpetration, liability or responsibility for an offence as a principal, commission [of an offence]), **autoría intelectual** (CRIM/PROC incitement, counselling or procuring, libability as principal in the second degree), **autoría material** (CRIM/PROC actual commission/perpetration, liability as principal in the first degree)].

autoridad[1] *n*: GEN authority; S. *mando, poder, abuso de autoridad, agente de la autoridad, autoridad de cosa juzgada*; S. *competencia, facultad, poder, fuerza, atribución, función*. [Exp: **autoridad**[2] (GEN authority, dignitary, top official ◊ *El alcalde es la máxima autoridad de una ciudad*; S. *dignatario*), **autoridad**[3] (GEN/ADMIN body, institution; S. *entidad, ente, organismo, institución*), **autoridad competente** (ADMIN proper, appropriate or competent authority), **autoridad portuaria** (GEN port authority), **autoridad urbanística** (ADMIN planning authority; S. *gerencia de urbanismo*), **autoritario** (GEN authoritarian, dogmatic; S. *dogmático*)].

autorización[1] *n*: GEN authorization, approval, permit, permission, sanction, endorsement ◊ *Los menores de trece años necesitan la autorización de sus padres*; S. *permiso, licencia, venia; desautorización*. [Exp: **autorización**[2] (GEN authorization, accreditation; S. *pase, acreditación*), **autorización expresa** (GEN express permission), **autorización para edificar** (ADMIN planning permission; S. *licencia, permiso de obra nueva*), **autorizado** (GEN responsible, authorised; permit-holder, permittee; S. *responsable*), **autorizar**[1] (GEN authorize, empower, license, permit, approve, sanction; S. *habi-*

litar, sancionar, aprobar, facultar), **autorizar**[2] (GEN certify, authenticate; S. *refrendar, legalizar*)].

auxiliar[1] *v*: GEN aid, help; S. *prestar apoyo, socorrer, coadyuvar, apoyar, sufragar, subvenir, ayudar, asistir, alimentar, velar por*. [Exp: **auxiliar**[2] (GEN auxiliary; ancillary, accessory; S. *secundario, subordinado, dependiente, subsidiario, accesorio*), **auxiliar**[3] (GEN assistant, attendant), **auxiliar administrativo** (ADMIN/EMPLOY administrative assistant), **auxilio** (GEN help, aid, assistance; rescue; S. *ayuda, socorro*), **auxilio en carretera** (GEN breakdown service, recovery service)].

aval *n*: GEN guarantee, security, collateral [security], backing, [banker's] reference; endorsement; S. *caución, colateral, fianza, prenda, garantía, caución, endoso*. [Exp: **aval de una letra** (BSNSS security or pledge for a bill), **avalado** (GEN guaranteed; endorsee), **avalar** (GEN warrant, guarantee, uphold, back, back up, support, stand bail/ security/surety, give security for; S. *apoyar, endosar, garantizar, prestar fianza, respaldar, responder por, salir fiador*), **avalista** (GEN guarantor, surety, backer)].

avalúo *n*: GEN appraisal, valuation, evaluation ◊ *El valor de los inmuebles se determina deduciendo del avalúo el importe de las cargas*; S. *tasación, valoración, evaluación*. [Exp: **avalúo catastral** (ADMIN *approx* rateable value of property, appraisal of value of real estate for property tax and rates; S. *catastro*), **avalúo, por** (BSNSS ad valorem)].

avance *n*: GEN progress, development, advance; S. *progreso*. [Exp: **avanzar** (GEN/PROC advance, move on/foward; put forward, progress, make progress ◊ *Las negociaciones no han avanzado lo más mínimo*; S. *mejorar, progresar, prosperar*)].

avaricia *n*: GEN greed ◊ *La avaricia es la causa de no pocas demandas*; S. *codicia*.

avenencia *n*: GEN/CIVIL agreement; composition agreement/settlement, consent settlement, compromise; S. *acomodamiento, composición, transacción, ajuste*. [Exp: **avenencia jurídica entre el quebrado y los acreedores** (BSNSS composition in bankruptcy), **avenidor** (CIVIL/BSNSS mediator; S. *medianero, mediador, tercero*), **avenirse** (GEN reach a settlement or agreement or compromise; be reconciled; agree terms; agree, accept, accede [to a request], grant [an application] ◊ *El juez se avino a prorrogar el secreto*; S. *llegar a un compromiso, ponerse de acuerdo*)].

avería[1] *n*: BSNSS damage, breakdown; fault; failure; malfunction; S. *daño, fallo, defecto, desperfecto, quebranto, perjuicio*. [Exp: **avería**[2] (INSUR average; S. *siniestro, acta de avería, agente de avería, declaración de avería; echar al mar*), **avería, con** (INSUR with average), **avería distinta de la avería general o gruesa** (INSUR average unless general), **avería de ruta** (INSUR damage in transit; S. *daños durante el tránsito*), **avería gruesa o común** (INSUR general/gross average, G/A), **avería marítima** (INSUR sea damage), **avería menor** (GEN petty average), **avería simple o particular** (INSUR common/particular average), **averiar** (GEN damage, cause damage/deterioration; S. *dañar, estropear*), **averiarse** (GEN break down, pack up *col*, go on the blink *col*; S. *estropearse*), **averías-daños** (INSUR averages-damages), **averías-gastos** (INSUR average charges)].

averiguar *v*: GEN ascertain, verify; establish; inquire, find out, investigate, check, verify; S. *investigar, indagar, aclarar, comprobar*. [Exp: **averiguación** (GEN ascertainment, verification; inquiry, check/checking; S. *indagación, investigación, pesquisa*)].

aversión *n*: GEN aversion, enmity, hostility, antagonism; S. *antagonismo, aversión, hostilidad, enemistad manifiesta, odio*.

avisar *v*: GEN advise, notify, give notice, warn, acquaint, caution; S. *notificar, comunicar, advertir, informar.* [Exp: **aviso** (GEN notice, advice, warning, announcement; S. *advertencia, notificación, emplazamiento, advertencia, citación*), **aviso al público** (GEN public notice), **aviso de abandono** (CIVIL notice of abandonment), **aviso de abono** (BSNSS credit note; S. *aviso de cargo*), **aviso de bomba** (GEN bomb alert), **aviso de aceptación** (BSNSS advice of acceptance), **aviso de cargo** (BSNSS debit note; S. *aviso de abono*), **aviso de comparecencia** (PROC subpoena, order to appear), **aviso de desalojo, desahucio o lanzamiento** (CIVIL/PROC notice to quit), **aviso de huelga** (EMPLOY strike notice), **aviso de protesto** (BSNSS notice of protest), **aviso de vencimiento** (BSNSS reminder of due date, due notice), **aviso falso de bomba** (CRIM bomb hoax; S. *falsa alarma*), **aviso oportuno** (GEN fair warning, due notice)].

avulsión *n*: CIVIL avulsion, accretion, accession; a highly technical term referring to the growth or development of the land or property of one owner by accession and adherence of matter brought down to it from the land or property of another by the violent action of water, e.g. by flooding or by a river in spate; under Spanish law matter so adhering becomes the property of the new owner, but under English law it remains the property of the original owner, and only matter adhering to the second owner's land by natural growth, known as «alluvion» *–aluvión–*, is deemed to become the latter's property; S. *accesión, aluvión, adquisición de la propiedad.*

ayuda *n*: GEN aid, assistance, help; relief, welfare payment; S. *auxilio, socorro, colaboración, cooperación, asistencia social, subsidio.* [Exp: **ayuda social** (GEN benefit; income support, family allowance; S. *asistencia social, petición de ayuda social*), **ayudante** (GEN assistant, helper; S. *colaborador*), **ayudante técnico sanitario, ATS** (GEN nursing auxiliary, social health worker), **ayudar** (GEN aid, help, assist; S. *prestar apoyo, socorrer, coadyuvar, apoyar, sufragar, subvenir, asistir, alimentar, velar por*), **ayudar en la comisión de un delito** (GEN aid and abet; S. *ser cómplice necesario, coadyuvar*), **ayudas estatales u oficiales** (GEN grant-in-aid; S. *subvención*)].

ayuntamiento[1] *n*: ADMIN corporation, town/municipal/district council; Town Hall, City Hall; S. *casa consistorial, cabildo, diputación.* [Exp: **ayuntamiento**[2] **[carnal]** *frml* (GEN sexual intercourse; S. *acceso carnal, cópula carnal, conocimiento carnal, coito*)].

azotar[1] *v*: CRIM whip, flog, lash ◊ *En algunos países, ciertos delincuentes son azotados en público.* [Exp: **azotar**[2] (GEN hit, strike, afflict, rack, trouble, bedevil ◊ *Las estafas contables que han azotado últimamente los mercados financieros*), **azote** (CRIM [stroke with a] whip, lash ◊ *Recibió veinte azotes por cometer adulterio*; S. *latigazo*)].

B

babor *n*: BSNSS port, port-side [of ship]; S. *puerto.*

bache *n*: GEN/BSNSS pothole; depression, recession, pothole, slack period, slump, bad patch; S. *depresión.* [Exp: **bache económico** (BSNSS downturn; S. *recesión*)].

baja[1] *n*: GEN/BSNSS decline, fall, shortfall, drop, slide ◊ *La Bolsa ha sufrido bajas en algunos valores importantes*; S. *caída; subida; bajista, baja en los precios.* [Exp: **baja**[2] (EMPLOY/GEN discharge; withdrawal; medical certificate of unfitness for work, sick leave, sick line *col*; S. *alta; causar baja; dar de baja, darse de baja, dar la baja; de baja, parte de baja*), **baja**[3] (GEN casualty [at war] ◊ *En la pasada contienda hubo muy pocas bajas*), **baja, de** (EMPLOY off work, on the sick *col*), **baja de un socio** (GEN withdrawal of a partner/shareholder/member; S. *darse de baja*), **baja definitiva** (EMPLOY severance, termination of employment, leaving of sb's employ, separation *US*; S. *extinción de la relación laboral*), **baja en el inventario/almacén** (BSNSS written off, taken off the inventory; S. *alta en el inventario*), **baja en los precios** (BSNSS fall in prices; S. *caída, contracción*), **baja en los tipos de interés** (BSNSS slide in rates), **baja [laboral] por enfermedad** (EMPLOY statutory sick pay, sick line *col*; sick leave; on the sick list), **baja por maternidad** (EMPLOY maternity leave), **baja por motivos familiares** (EMPLOY compassionate leave/discharge, time off work on personal/compassionate grounds), **bajar** (GEN go/come down, drop, fall, decline, slide; bring/take/put down; be below; S. *descender; reducir; caer*)].

bajeza moral *n*: GEN indignity, unworthiness, turpitude, depravity; S. *infamia, indignidad.*

bajista *a/n*: BSNSS bearish; bear; S. *tendencia a la baja; alcista.*

bajo[1] *a*: GEN low, mean, contemptible, lower, lowly; S. *grosero, procaz, insultante, injurioso.* Exp: **bajo**[2] (GEN under ◊ *El mandatario hará todas las gestiones bajo la responsabilidad que las leyes le imponen*; S. *a tenor de lo dispuesto, en virtud de, de conformidad con, de acuerdo con, al amparo de, según, debajo de, so*), **bajo apercibimiento** (PROC under admonition/penalty/warning), **bajo coacción** (CRIM under duress; S. *coaccionado, confesión bajo coacción*), **bajo custodia** (GEN/CIVIL/CRIM in custody, under the care of; S. *encarcelado*), **bajo el reinado de** (CONST/GEN in the reign of, under), **bajo fianza** (CRIM on bail), **bajo juramento** (GEN under/on/upon oath), **bajo los efectos del alcohol** (GEN/CRIM under the influence of alcohol; S. *conducción en estado de embriaguez*), **bajo obligación** (GEN under obligation/duress; S. *obligado*), **bajo palabra** (GEN on parole; on his/her word of honour), **bajo par** (BSNSS below par), **bajo pena de** (CRIM under/on penalty of; S. *so pena*), **bajo protesta** (CIVIL/BSNSS under protest), **bajos** (GEN underside ◊ *La bomba lapa estaba colocada en los bajos del coche*; S. *artefacto explosivo, bomba lapa*), **bajos fondos** (CRIM underworld, criminal world; S. *hampa*)].

bala *n*: PENAL bullet; S. *arma de fuego, tiro, tiroteo, balística*. [Exp: **balazo** (CRIM shot, bullet wound; S. *coser a balazos, acribillar; tirotear*)].

balance[1] *n*: GEN summary, assessment; toll, figure, result, outcome ◊ *El balance de la operación policial ha sido muy positivo*; S. *valoración, resultado*. [Exp: **balance**[2] (BSNSS balance; S. *saldo*), **balance**[3] (BSNSS balance sheet, balance; S. *activo, pasivo*), **balance anual** (BSNSS yearly balance, yearly settlement of accounts), **balance comercial** (BSNSS trade balance, balance of trade), **balance comercial desfavorable o negativo** (BSNSS adverse trade balance; S. *balanza de pagos deficitaria*), **balance comercial favorable** (BSNSS advantageous trade balance), **balance de comprobación** (BSNSS trial balance), **balance de situación/balance general** (BSNSS balance sheet; S. *hoja de balance, estado de contabilidad, estado financiero; aprobar el balance de situación*), **balance regularizado** (BSNSS restated balance sheet)].

balanza *n*: GEN balance, scales; S. *poner en la balanza los pros y los contras*. [Exp: **balanza comercial** (BSNSS balance of trade, trade balance), **balanza de pagos** (BSNSS balance of payments), **balanza de pagos deficitaria/favorable** (BSNSS adverse/advantageous trade balance), **balanza por cuenta corriente** (BSNSS balance on current account)].

balística *n*: GEN ballistics ◊ *Con la pruebas periciales de balística se sabrá cuál fue el arma que utilizaron los asesinos*; S. *bala, arma de fuego*.

banca *n*: BSNSS banking; banks collectively; the banking world; S. *banco*. [Exp: **banca al menudeo o al por menor** (BSNSS retail banking), **banca al por mayor** (BSNSS S. *banca mayorista*), **banca estatal** (ADMIN/BSNSS state-owned bank), **banca industrial** (BSNSS merchant banking), **banca mayorista** (BSNSS wholesale banking; S. *banca al menudeo*), **banca oficial** (ADMIN/BSNNS state banking institutions; official banks), **banca privada** (BSNSS private banking/banks), **bancario**[1] (BSNSS bank employee), **bancario**[2] (BSNSS banking, financial; bank [in adjectival position, as in «bank account» –*cuenta bancaria*–)].

bancarrota *n*: BSNSS bankruptcy, insolvency; failure, collapse; chapter 11 *US*; S. *quiebra, insolvencia, quebrado*.

banco[1] *n*: BSNSS bank; S. *caja, caja de ahorros, entidad de crédito*. [Exp: **banco**[2] (GEN bench, seat; S. *banquillo*), **banco avisador** (BSNSS advising bank), **banco azul o banco del gobierno** (CONST front benches, ministerial benches), **banco central** (ADMIN/BSNSS central bank; federal bank), **Banco Central Europeo** (EURO European Central Bank), **banco de comercio** (BSNSS commercial bank), **banco emisor** (BSNSS issuing bank), **Banco de España** (ADMIN Central Bank of Spain), **banco de negocios o financiero** (BSNSS merchant bank), **Banco Europeo de Inversiones** (EURO European investment bank), **Banco Mundial** (INTNL World Bank)].

banda[1] *n*: GEN range, band; S. *hilera, fila, gama*. [Exp: **banda**[2] (CRIM ring, gang, mob *col*; S. *bandido; pandilla, camarilla, cuadrilla, red, facción; desarticular una banda de criminales*), **banda armada** (CRIM armed gang, armed terrorist group/

organization, proscribed organization; S. *pertenencia a banda armada*), **banda criminal** (CRIM gang of crooks, mob of gangsters, gang of robbers, syndicate *US* col; S. *camarilla*), **banda impositiva** (FISCAL tax bracket), **banda salarial** (EMPLOY salary scale)].

bandera *n*: GEN/BSNSS flag; S. *pabellón, divisa; abanderar*. [Exp: **bandera de conveniencia** (BSNSS flag of convenience)].

bandidaje *n*: CRIM banditry; S. *bandolerismo*. [Exp: **bandido** (CRIM bandit, robber, outlaw, highwayman, gangster; S. *banda, bandolerismo, caco, mafioso, pistolero*)].

bando[1] *n*: ADMIN/PROC edict, proclamation, public notice; ban; S. *auto, decreto, edicto*. [Exp: **bando**[2] (GEN faction, side, party; S. *facción, partido*)].

bandolerismo *n*: CRIM banditry, robbery, racketeerism *US*; S. *bandidaje*. [Exp: **bandolero** (CRIM gangster, bandit, racketeer; S. *pistolero, bandido*)].

banquero *n*: BSNSS banker; S. *banco, bancario*.

banquillo *n*: GEN bench, seat. [Exp: **banquillo de los acusados** (CRIM dock [for prisoners in court), efendants' seat in court, dock for prisoners; S. *estrado del jurado*), **banquillo de los acusados, sentarse en el** (CRIM/PROC stand trial, stand in the doc, be put on trial), **banquillo de testigos** (PROC witness box, witness stand)].

baratería *n*: CRIM fraud, barratry; S. *soborno*. [Exp: **baratería de capitán y marineros** (CRIM barratry of captain and crew *col*; deliberately scuttling the ship or embezzling the cargo *col* or bigwigs *col* of a political party)].

baremo *n*: GEN/ADMIN scale ◊ *En los concursos públicos, a todos los candidatos se les califica de acuerdo con un baremo previamente publicado*.

barones de un partido *n*: GEN grandees.

barra *n*: PROC bar of justice; in Spanish texts the expression is used only in the literal sense, referring to the rail or counter dividing the public benches from the area of a court or other public chamber reserved for debate and other sessions; the English technical senses of «bar» are thus not usually involved.

barracón *n*: GEN hut, cabin, makeshift refuge, Nissen hut ◊ *Los emigrantes ilegales pasaron la noche alojados en barracones del ejército*; S. *alojar*.

barragana *obs v*: GEN concubine; S. *abarragamiento, concubina, amancebamiento*. [Exp: **barraganería** (GEN concubinage; S. *amancebamiento*)].

barrera *n*: GEN bar, obstacle, barrier; S. *límite, borde*. [Exp: **barrera aduanera** (BSNSS customs barrier)].

barrida policial *n*: CRIM police swoop, raid; S. *redada, batida policial*.

barrio *n*: ADMIN district, area, neighbourhood, quarter; S. *alcalde de barrio*.

basado en *phr*: GEN on the basis of, on the ground-s of. [Exp: **basándose en** (GEN on the ground that, on the basis of; S. *alegando que*), **basar** (GEN found, ground, base; S. *fundar, fundamentar, establecer*), **basar una demanda** (PROC base a claim ◊ *La demanda se basa en el incumplimiento de contrato*), **basarse en** (GEN rely on, found/ground/base [one's case or argument or submission] on; rest/found one's judgment or opinion on ◊ *Para juzgar, el tribunal se basará en indicios y signos externos*; S. *alegar como fundamento*), **base** (GEN basis, ground; S. *cimientos, fundamento, argumento, alegato, causa, motivo*), **base acusatoria o incriminatoria** (CRIM basis of the prosecution [case]/indictment; ground-s of the charge or accusation; *prima facie* case against the accused), **base cultural** (GEN background; S. *formación cultural, ambiente cultural o social, educación*), **base de apoyo** (GEN ground of argument), **base**

de liquidación (TAX tax base, taxable income), **base de reciprocidad, sobre la** (GEN on a reciprocal basis ◊ *Las concesiones mutuas suelen fijarse sobre la base de reciprocidad*), **base imponible o impositiva** (TAX tax base, taxable income; S. *valoración fiscal, determinación del valor imponible*), **base indiciaria** (CRIM prima facie case, reasonable grounds ◊ *El fiscal estima que no hay base indiciaria suficiente para imputar al presidente del banco*; S. *indicios*), **base jurídica** (PROC case, cause of action, right of action; legal grounds), **base jurídica suficiente** (PROC right of action; S. *causa o motivo de la demanda*), **bases de licitación** (ADMIN/BSNSS conditions of tender, bidding conditions or specifications; S. *pliego de condiciones*), **bases de un partido** (CONST party rank and file; S. *militantes de base*), **básico** (basic, main, principal, fundamental; rudimentary; S. *principal, fundamental*)].

bastante *adv*: GEN enough, sufficient. [Exp: **bastantear** (PROC deem sufficient, accept, express oneself satisfied with; acknowledge or admit a barrister's instructions, an attorney's power, an agent's mandate, credentials, etc.), **bastanteo** (PROC acknowledgment, due admittance, acceptance of credentials, etc.; S. *poder bastante*)].

bastardo *a/n*: GEN bastard, illegitimate; S. *ilegítimo, hijo bastardo.*

batida policial *n*: CRIM police raid, swoop, search, combing of an area, etc.; S. *barrida, redada.* [Exp: **batir la zona** (CRIM comb/search the area ◊ *La policía ha batido la zona sin resultados positivos hasta ahora*; S. *rastrear, peinar*)].

bebedor empedernido *n*: GEN habitual/hardened/inveterate drinker, drunkard; S. *borracho, jugador empedernido, fumador empedernido; abstemio.*

beligerante *a*: GEN belligerent, contentious, polemic; S. *contencioso, combativo; pacifista.*

beneficencia *n*: GEN/CIVIL charity; S. *fondo de beneficencia.* [Exp: **beneficencia, de** (GEN charitable; S. *entidad de beneficencia*)].

beneficiar *v*: GEN benefit, meliorate; be to the advantage of; S. *mejorar.* [Exp: **beneficiarse** (GEN profit by, derive benefit or advantage from), **beneficiario** (GEN/CIVIL/INSUR beneficiary, person beneficially entitled; recipient; payee ◊ *Si el ejecutado es beneficiario de más de una percepción, se acumularán todas ellas para deducir una sola vez la parte inembargable*; S. *destinatario*), **beneficiario condicional** (CIVIL contingent beneficiary), **beneficiario de abandono** (CIVIL abandonee, beneficiary; S. *cesionario, abandonatario*), **beneficiario de un cheque, letra**, etc. (BSNSS payee of a cheque, bill, etc.; S. *tomador, tenedor o portador*), **beneficiario en expectativa** (CIVIL expectant beneficiary), **beneficiario de una herencia** (SUC beneficiary; S. *derechohabiente, heredero*), **beneficio** (GEN benefit, earnings, gain, profit; use; S. *ventaja, provecho, indemnización, producto, rendimiento, uso, disfrute; trabajos en beneficio de la comunidad*), **beneficio contable o según libros** (BSNSS book profit), **beneficio de deliberar/deliberación** (SUC option, right or time allowed to the beneficiary under a will to seek professional advice before accepting or declining the inheritance), **beneficio de excusión** (CIVIL right of a guarantor to force a creditor to make use of legal remedies of seizure and attachment against the principal debtor before enforcing), **beneficio de inventario** (SUC *beneficium inventarii* or benefit of inventory; right of beneficiary under a will to await the outcome of an inventory on the estate before deciding whether or not to accept the inheritance; rule of Roman law, formerly available under Scots law, which allowed an heir to limit his liability for his predecessor's debts to the value contained in the inventory; S. *aceptación a beneficio de inventario*), **beneficio de la duda** (CRIM benefit of the doubt), **beneficio fiscal** (TAX tax abate/abatement/allowance), **beneficios brutos** (BSNSS gross profit), **beneficios carcelarios o penitenciarios** (CRIM time off, prison benefits, parole; S. *reclusión, juez de vigilancia penitenciaria*), **beneficios de explotación** (BSNSS operating results, trading profits), **beneficios del capital** (BSNSS capital profits), **beneficios retenidos** (BSNSS retained profits, undistributed profits), **beneficioso** (GEN beneficial, advantageous, useful, helpful ◊ *Es beneficioso para todos el deslindamiento de los recursos posibles ante el Tribunal Supremo y el Constitucional*)].

benemérito *n*: GEN meritorious; S. *meritorio*. [Exp: **Benemérita, la** (CRIM Spanish Civil Guard; S. *guardia civil*)].

beneplácito *n*: GEN blessing, consent, approval, OK, go-ahead; S. *consentimiento, anuencia, aquiescencia, aceptación, consentimiento, visto bueno*.

benevolencia *n*: GEN benevolence, generosity; leniency, indulgence, forbearance, mercy ◊ *Se puede apelar a la benevolencia de la Administración*.

bestia *a/n*: GEN/CRIM dumb *col*, brutal, coarse; brute, animal *col*, thug *col*, lout *col*; S. *criminal, gamberro, perdonavidas, bruto*. [Exp: **bestialidad** (CRIM bestiality; S. *sodomía*)].

bien[1] *adv*: GEN well, properly, efficiently; S. *tener a bien*. [Exp: **bien**[2] (GEN/CIVIL asset, property, benefit, advantage, chose, chattel ◊ *Un bien es una cosa sobre la que se tiene derechos reales*; S. *bienes, haberes, pertenencias*), **bien construido** (cogent; S. *satisfactorio, convincente*), **bien jurídico** (CIVIL right recognised by law, established or constitutional right, legal/equitable right, right in action), **bien jurídico protegido** (CIVIL/CONST a protected legal right, right upheld by law or enshrined in the constitution), **bien mueble** (CIVIL moveable, moveable property, chattel, chose in possession), **bienes** (GEN/CIVIL property; S. *alzamiento de bienes, comunidad de bienes, bienes gananciales, separación de bienes, declaración de bienes*), **bienes accesorios a un inmueble** (CIVIL appurtenances, fixtures, fittings), **bienes adventicios** (CIVIL property which comes into one's possession otherwise than by inheritance from one's father; *literally*, «adventitious property»), **bienes agotables** (CIVIL wasting assets), **bienes alodiales** (CIVIL«allodial properties», i.e. lands or properties held in absolute ownership; historically opposed to the feudal sustem of holding in fee; ancient freehold, free from liens or charges), **bienes aportados al matrimonio** (FAM property brought upon marriage by either spouse and forming part of matrimonial assets), **bienes colacionables** (SUC property to be counted in dividing an estate amongst joint heirs, as part of the share of the heir who has received it from the testator during his lifetime), **bienes comunales** (CIVIL common/public property, community property), **bienes comunes** (CIVIL joint/common property), **bienes de capital/de equipo** (BSNSS capital assets, capital goods, capital equipment; S. *bienes de inversión, bienes de capital*), **bienes de consumo** (GEN consumer goods/items), **bienes de dominio privado** (CIVIL private property), **bienes de dominio público** (CIVIL/ADMIN public property), **bienes de equipo** (BSNSS capital goods/assets), **bienes de fideicomiso** (CIVIL trust estate), **bienes de inversión** (BSNSS investment goods or items, investments), **bienes dotales** (FAM dowry), **bienes dotales privativos** (FAM property received as a gift or dowry at marriage but which remains the sole possession of the recipient), **bienes efectivos o reales** (BSNSS actual assets), **bienes familiares** (CIVIL family property/assets), **bienes gananciales** (FAM property and money acquired by either or both spouses after marriage and which belongs to them jointly, joint assets or property acquired during marriage; S. *régimen de bienes gananciales*), **bienes heredados** (SUC inherited property), **bienes inmuebles** (CIVIL land and buildings, immovables, immovable property/items; S. *bienes raíces, bienes inmuebles, semovientes*), **bienes inmuebles inscritos o registrados** (CIVIL registered land or property), **bienes litigiosos** (CIVIL disputed property, property which is the subject of litigation), **bienes mancomunados** (CIVIL joint property), **bienes mostrencos** (CIVIL lands in abeyance, unclaimed goods/property, ownerless/abandoned/unclaimed property, *bona vacantia*), **bienes muebles** (CIVIL moveables, moveable estate/property, personal property, personalty, chattels personal; S. *abandono de bienes muebles; semovientes*), **bienes parafernales** (FAM separate property of a married woman, paraphernal property, paraphernalia), **bienes privativos o propios** (FAM property of a married person not belonging to the matrimonial assets, separate property [of a husband or wife] ◊ *Los bienes privativos son los adquiridos por los cónyuges antes del matrimonio o los recibidos en herencia después de contraído éste*; S. *comunidad de bienes, separación de bienes, bienes privativos*), **bienes públicos** (GEN public property), **bienes raíces** (CIVIL real assets, real property, immovables, land, landed property, realty, real estate), **bienes relictos** (CIVIL estate of a deceased person, inherited property), **bienes semovientes** (CIVIL property in livestock, livestock, cattle), **bienes sociales** (BSNSS partnership property; S. *fondo social*), **bienes troncales** (CIVIL property inalienable from the bloodline, property that may not pass out of the family), **bienes vacantes** (CIVIL *bona vacantia*), **bienes y servicios** (GEN goods and services)].

bienestar *n*: GEN welfare, wellbeing. [Exp: **bienestar público** (GEN/ADMIN public welfare)].

bigamia *n*: CRIM bigamy; S. *adulterio*. [Exp: **bígamo** (CRIM bigamist; S. *adúltero*)].

bilateral *a*: GEN bilateral, reciprocal; S. *mutuo, recíproco*.

billete *n*: GEN ticket; note. [Exp: **billetes de banco** (GEN banknotes, notes; bills *US*)].

birlar *slang v*: CRIM nick, lift, pinch, swipe, knock off *slang*; S. *trincar, robar, sisar*.

blanco *a*: GEN white; blank. [Exp: **blanco, en** (GEN blank; S. *dejar en blanco, firmar en blanco, votar en blanco*), **blanquear dinero** (CRIM launder money; S. *lavar dinero*), **blanqueo de dinero** (CRIM money-laundering; S. *lavado de dinero, dinero negro*)].

blando *a*: GEN lenient, soft; S. *indulgente*.

blindar *v*: GEN armour, armour-plate, steel-plate, make bombproof/bulletproof; reinforce; S. *furgón blindado, coche blindado, contrato blindado*.

bloquear *v*: GEN obstruct, deadlock; S. *impedir, obstruir, obstaculizar, poner trabas*. [Exp: **bloquear una cuenta, dinero, fondos, etc.** (PROC block/freeze an account, cash, funds, etc.; S. *congelar, embargar*), **bloqueo** (GEN/BSNNS blocking, freezing; S. *embargo, embargo preventivo, afectación de bienes a un proceso; acecho, cerco*), **bloqueo cautelar del patrimonio** (PROC freezing order, Mareva injunction, *approx* interim freezing of assets; S. *embargo preventivo*), **bloqueo de discusiones, negociaciones, etc.** (GEN breakdown of talks, negotiations, etc.; S. *punto muerto*), **bloqueo económico** (BSNSS boycott, embargo; S. *embargo*)].

boca de incendios *n*: GEN fire hydrant.

boda *n*: FAM marriage, wedding; S. *casamiento, matrimonio, enlace.*

bodega *n*: GEN warehouse, cellar. [Exp: **bodega de un barco** (BSNSS hold, cargo space), **bodega fiscal** (bonded warehouse; S. *depósito de aduana, almacén afianzado*)].

BOE *n*: CONST S. *Boletín Oficial del Estado, diario oficial.*

boicotear *v*: GEN boycott; S. *aislar.*

boletín *n*: GEN bulletin, list; report; register; S. *lista, relación* [Exp: **boletín de cambios** (BSNSS list of quotations, stock exchange list), **boletín oficial** (official journal, gazette; S. *gaceta oficial*), **Boletín Oficial del Estado, BOE** (CONST Official Gazette of the Spanish State, published daily; laws come into effect on the day following the date of their publication in this journal, unless otherwise stated)].

boleto *n*: GEN ticket; coupon, slip; S. *resguardo, recibo, comprobante.*

bolsa *n*: BSNSS stock exchange; S. *mercado, lonja.* [Exp: **bolsa de comercio** (BSNSS securities market, goods exchange), **bolsa de estudios o de viaje** (GEN grant; S. *beca*), **bolsa de valores** (BSNSS stock exchange, securities market; S. *mercado bursátil o de valores*), **bolsa de trabajo** (EMPLOY employment exchange/bureau/office/agency, list of vacancies, or waiting list for employment opportunities, updated and supervised by public bodies or professional associations *–colegios profesionales–*, often under scrutiny by trade union representatives *–representantes sindicales–*; S. *agencia de empleo, bolsa de trabajo*), **bolsista** (BSNSS stock-jobber, stock-broker, regular at the stock exchange)].

bomba[1] *n*: CRIM bomb; S. *poner bombas, lanzar bombas; carta bomba, paquete bomba, artefacto.* [Exp: **bomba**[2] (GEN pump), **bomba de relojería** (CRIM time-bomb), **bomba lapa** (CRIM car bomb, booby-trap bomb; bomb or explosive device fixed to the underside of a vehicle by means of a magnet; S. *coche bomba, kamikaze*), **bomba trampa** (CRIM booby-trap bomb), **bombardear** (GEN bombard, assail, assault), **bombardear con preguntas** (GEN ply with questions, bombard with questions; S. *acribillar a preguntas, acosar con preguntas*)].

bonificación *n*: GEN/BSNSS allowance, bonus, bounty, discount, rebate, backward action, tax allowance; S. *descuento comercial, deducción, rebaja. prima, gratificación.* [Exp: **bonificación arancelaria** (ADMIN customs duties allowance), **bonificación en la prima de seguro por no haber sufrido ningún siniestro** (INSUR no-claims bonus), **bonificación sobre fletes** (BSNSS freight allowance), **bonificación tributaria** (TAX tax rebate; S. *desgravación fiscal*), **bonificar** (GEN refund; allow, discount; S. *reembolsar*)].

bonista *n*: BSNSS bondholder, debenture-holder; S. *obligacionista, accionista.* [Exp: **bono**[1] (BSNSS bond, debenture; S. *obligación, título, pagaré, cédula*), **bono**[2] (GEN voucher; S. *vale; bono de viaje*), **bonos del Estado** (BSNSS gilt-edged securities; S. *valores de primera clase, valores de canto rodado, valores de toda confianza*), **bonos del Tesoro** (BSNSS Treasury bonds)].

borde *n*: GEN side, skirt, fringe; rim, brim; S. *límite, linde, barrera.* [Exp: **bordear**[1] (GEN skirt, hug, go around ◊ *Los delincuentes suelen bordear la costa para introducir la droga*), **bordear**[2] (GEN bypass, get round, circumvent, evade ◊ *Idear estratagemas contables para bordear las leyes fiscales*; S. *ardid, estafa, ingeniería contable, trampa, triquiñuela, truco; eludir, frustrar, engañar*)].

bordo, a *phr*: GEN on board. ◊ *Los narcotraficantes huyeron a bordo de una lancha*; S. *borda.*

borrachera *n*: GEN drunkenness, intoxication, inebriation; S. *embriaguez, curda* col. [Exp: **borracho** (GEN drunk, drunkard; S. *ebrio, bebedor*), **borracho empedernido** (GEN habitual/hardened/inveterate drunkard)].

borrador *n*: GEN draft, rough draft; draft bill. [Exp: **borrar** (GEN erase, wipe out, strike out/from/off; S. *suprimir, cancelar*), **borradura** (GEN deletion, erasure), **borrar del acta** (GEN strike from the record), **borrar del orden del día** (GEN remove/strike off/ withdraw from the agenda)].

botín *n*: CRIM loot, haul; plunder, booty ◊ *La policía pilló a los ladrones antes de que pudieran repartirse el botín*; S. *pillaje, despojo; presa*.

brazo *n*: GEN arm. [Exp: **brazo armado** (CRIM armed division/group/section [of an activist or terrorist organization]; S. *lucha armada*)].

breve *a*: GEN brief, short, concise; S. *conciso, escueto, sucinto; abreviar*.

brigada *n*: GEN brigade; division; squad, team of detectives; S. *división, equipo, cuadrilla* [Exp: **brigada anticorrupción** (CRIM Fraud Squad), **brigada antidisturbios** (CRIM riot squad), **brigada antidrogas o de estupefacientes** (CRIM drug squad), **brigada de delitos monetarios** (CRIM Fraud Squad), **brigada de homicidios** (CRIM homicide division), **brigada de investigación criminal** (CRIM criminal investigation division, crime squad)].

bronca *n*: GEN fight, quarrel, argument, row, dust-up *col*, bust-up *col*; ticking-off, dressing-down, telling-off, good talking-to ◊ *El jefe le echó una bronca por llegar tarde*; S. *enfrentamiento, pelea*.

brote *n*: GEN outbreak ◊ *La policía sofocó con contundencia un brote de violencia que se desató en los astilleros*.

brutal *a*: GEN brutal, ruthless, cruel, fierce; S. *cruel, vil*. [Exp: **brutalidad** (CRIM brutality, savagery; S. *abyección, ensañamiento, saña*), **brutalmente** (CRIM brutally, cruelly, mercilessly ◊ *Agredió a su compañera golpeándola brutalmente*; S. *cruelmente, despiadadamente*), **bruto**[1] (BSNSS gross; S. *íntegro; neto*), **bruto**[2] (GEN thug *col*; S. *bestia, criminal, gamberro, perdonavidas*)].

bueno *a*: GEN good, genuine, fair. [Exp: **buen padre de familia** (GEN/CIVIL *paterfamilias*, responsible father, reasonable man/person; the phrase is used in the Spanish Civil Code, and in the civil law generally, to mean «the reasonable man, the ordinary reasonable person»; like its English equivalents, it is intended to convey the standard *–criterio–* of reasonableness, foresight, care and prudence they law requires people to display in their everyday business dealings and in the conduct of their affairs; ◊ *El usufructuario deberá cuidar las cosas dadas en usufructo como un buen padre de familia*; S. *debida diligencia, deber, obligación*), **buen recaudo, a** (GEN in a safe place, in safekeeping), **buena conducta** (GEN good conduct, good background; S. *mala conducta, certificado de buena conducta*), **buena fama** (GEN good name, good reputation), **buena fe, de** (GEN in good faith, *bona fide*; S. *de mala fe, adquirente de buena fe; actuar de buena fe, poner en duda, dudar, cuestionar*), **buena voluntad, de** (GEN willingly, without objections, without demur), **buenas costumbres** (GEN decency, respectability, propriety), **buenos oficios** (GEN mediation, good offices), **buena y debida forma, en** (PROC duly, in in due form; S. *en tiempo y forma, debido*)].

bufete *n*: GEN lawyer's office, firm of lawyers, law firm ◊ *El bufete de Luis López es el que lleva más asuntos civiles*; S. *despacho colectivo, oficina*.

buque *n*: GEN ship, vessel; S. *abandono de buque, abatimiento de buque, aparejo de* *un buque*. [Exp: **buque de altura** (BSNNS seagoing vessel), **buque de carga** (BSNSS freighter, cargo ship; S. *carguero*), **buque de carga a granel** (BSNSS bulk carrier), **buque de peaje** (GEN passenger ship), **buque de propulsión mecánica** (GEN power-driven vessel), **buque de vapor** (GEN steamer), **buque en peligro** (GEN vessel in distress), **buque insignia** (GEN flagship), **buque mercante** (BSNSS merchant ship, trading ship), **buque mineralero** (BSNSS ore ship), **buque portacontenedores** (BSNSS full container ship, FC ships)].

burdel *n*: GEN brothel, disorderly house; S. *lupanar, mancebía, casa de prostitución.*

burlar *v*: GEN trick, deceive, circumvent, baffle ◊ *Los ladrones burlaron sin problemas la vigilancia policial*; S. *eludir, frustrar, embaucar, engañar, bordear*. [Exp: **burlar la acción policial** (GEN/CRIM outwit/baffle the police, defeat police vigilance), **burlar la fianza** (CRIM jump bail), **burlar la ley** (CRIM thwart the law, get round the law), **burlar una norma legal** (GEN find a loophole in a rule, find a way round a rule, get round a rule)].

burocracia[1] *n*: ADMIN bureaucracy, public administration, civil service; the Spanish term is used perhaps more frequently than its English counterpart in the neutral sense of public administrative bodies and those who work for them, but see sense 2; S. *administración pública, funcionariado.* [Exp: **burocracia**[2] (ADMIN paperwork, red tape, bureaucracy ◊ *Lo peor de este tipo de solicitudes es la cantidad de burocracia que generan*; S. *papeleo, trámite burocrático*), **burócrata** (ADMIN civil servant, bureaucrat)].

bursátil *a*: BSNSS [of or pertaining to the] stock exchange; S. *mercado bursátil.*

busca[1] *n*: GEN search; hunt; pursuit; S. *persecución, búsqueda*. [Exp: **busca**[2] (GEN pager. bleeper), **busca y captura** (CRIM S. *orden de busca y captura*) **buscar** (GEN search; seek, hunt; S. *rastrear, registrar*), **buscar empleo o colocación** (EMPLOY seek employment, hunt for a job, look for a job), **buscón** *col obs* (CRIM petty thief; S. *ratero, ladrón*), **buscona** *col* (GEN whore, pro *col*, hooker *US col*; S. *burdel, lupanar*), **búsqueda** (GEN/CRIM search; S. *busca, labores de búsqueda*)].

C

cabal *a*: GEN complete, whole, strict, accurate; exact, true, right, precise, proper; upright, upstanding, straightforward, honest; S. *justo*. [Exp: **cabales, estar en sus** *col* (GEN be in one's right mind ◊ *Su extraño comportamiento es un claro indicio de que no está en sus cabales*; S. *en su sano juicio*)].

caballo *col n*: CRIM junk, heroin; S. *heroína, canuto* col; *colocarse*. [Exp: **caballo de batalla** *col* (GEN most hotly disputed point, burning/central issue, major topi; [peson's] favourite topic, hobby- horse ◊ *El caballo de batalla de toda la discusión fue la prestación por desempleo*)].

caber *v*: GEN fit; be possible; be open [to sb]; be fitting/pertinent/appropriate, lie ◊ *Contra esta resolución no cabe recurso alguno*; S. *competente, proceder; recurrible*. [Exp: **cabe que, no cabe que** (GEN it is/is not right/proper, possible that; it is/it is not appropriate/competent ◊ *Cabe que el demandado conteste con una reconvención*), **cabe un recurso** (PROC an appeal lies, an appeal may be lodged ◊ *Siempre cabe un recurso contra la sentencia de un juez*)].

cabecilla *col n*: CRIM ringleader ◊ *El cabecilla se rindió cuando cayó herido*; S. *cerebro*. [Exp: **cabeza** (GEN head; front, lead, seat; poll), **cabeza de familia** (GEN head of the family), **cabeza de partido judicial** (ADMIN district court centre, main court centre of an administrative area; S. *partido*), **cabeza de turco** (GEN scapegoat; S. *chivo expiatorio, víctima propiciatoria*), **cabeza, por** (GEN each, a/per head, per capita), **cabeza rapada** (GEN skinhead)].

cabildear *col v*: GEN scheme, plot; pull strings *col*, bring pressure to bear, lobby; S. *presionar*. [Exp: **cabildeo** (GEN hugger-mugger *col*, scheming, clandestine pressure, wire-pulling *col*, lobbying), **cabildero** (GEN lobbyist), **cabildo** (CONST municipal council, town council, local authority council; chapter; S. *casa consistorial, concejo, corporación municipal, capítulo*), **cabildo insular** (ADMIN regional authorities in the Canary Islands, inter-island council), **cabildo abierto** (ADMIN open meeting of the council)].

cabina electoral *n*: CONST polling-booth, election booth; S. *elecciones generales*.

cabotaje *n*: BSNSS coasting, coastal trade; S. *comercio de cabotaje, navegación costera.*

cacheo *col n*: CRIM frisk[ing] *col*, body search; S. *registro*. [Exp: **cachear** *col* (CRIM frisk *col*, search; S. *registrar*)].

cacicada *n*: GEN undue influence in local affairs, dirty tricks, use of clout. [Exp:

cacique (GEN «cacique», local bigwig/bully/political boss; S. *pez gordo, mandamás, gerifalte*)].

caco *col n*: CRIM pickpocket, thief, tealeaf *col*, robber; S. *carterista, ratero, descuidero, ladrón.*

cadalso *n*: CRIM scaffold; S. *patíbulo, horca.*

cadáver *n*: GEN corpse, [dead] body; S. *depósito de cadáveres, levantamiento del cadáver, ingresar cadáver.* [Exp: **cadavérico** (GEN ghastly, pale as death; S. *rigidez cadavérica*)].

cadena *n*: GEN chain. [Exp: **cadena perpetua** (PROC/CRIM life imprisonment, custody for life, life sentence; in modern Spanish law there is no such sentence, since the maximum sentence that be imposed for offence is thirty years, which is also the maximum that can be imposed for any number of separate offences of which a single accused is convicted on the same indictment; S. *reclusión perpetua*)].

caducable *a*: GEN/CIVIL lapsable, forfeitable; S. *prescriptible.* [Exp: **caducado** (GEN/CIVIL lapsed, stale, out of date; S. *prescrito*), **caducar** (GEN/CIVIL lapse, prescribe, expire, be forfeited, become void; S. *prescribir; extinguirse*), **caducidad** (GEN/CIVIL lapse, lapsing, expiry, extinction, extinguishing; [fact of] becoming time-barred or statue-barred; limitation period; sell-by date; effluxion of time; forfeiture, determination; S. *prescripción, cláusula de caducidad*), **caducidad de la acción** (PROC barring or lapse of an action by the statute of limitation, satetute-barring, loss or extinction of a right of action; *prescripción*), **caducidad de la fianza** (CIVIL bond forfeiture, forfeiture of a bond), **caducidad de la instancia** (PROC lapsing of action; nonsuit, stay[ing] of proceedings, nonsuit, legal presumption of abandonment of action; lapsing of an action for want of prosecution; discontinuance; the rules concerning the time limited for proceedings with an action has has been commenced are procedural –*procesales*– rather than substantive –civiles–; *caducidad* in this sense is therefore distinguished from *prescripción*; when a right of action has lapsed, it is statute-barred and has thus gone forever, but a stay ordered for failure to prosecure or proceed with the action does not necessarily bar the parties from reviving it at a later time, provided the action itself has not lapsed and the court gives leave; thus the Spanish and English rules are similar; S. *extinguir, inadmitir, prescripción*), **caducidad de marcas/patentes** (BSNSS lapse of trademark/patent registration), **caducidad por tolerancia** (CIVIL extinction/prescription/loss of a right by acquiescence), **caduco** (GEN lapsed, expired, dead, void)].

caer *v*: GEN fall, drop, collapse. [Exp: **caer bajo la ley** (GEN come/lie/be within the purview of the law or within the meaning of an Act), **caer en decomiso** (GEN be forfeited), **caer en desuso** (GEN/CIVIL fall into abeyance), **caer en desgracia** (GEN fall into disgrace, be disgraced), **caer en la trampa** (GEN be caught in the trap ◊ *El ladrón cayó en la trampa que le tendió la policía*; S. *tender una trampa; emboscada*), **caer en mora** (CIVIL fall behind/into arrears, fall behind on/with a debt; S. *moroso*), **caer en suerte** (GEN fall to somebody's lot; S. *echar a suertes, suerte*), **caer fuera de la competencia** (ADMIN lie beyond sb's powers, be ultra vires), **caída** (GEN decline; fall, drop, shortfall, downturn, collapse; S. *baja, hundimiento, desplome*), **caída de la demanda** (BSNSS fall in demand), **caída repentina** (BSNSS sharp downturn, collapse, crumbling)].

caja *n*: GEN fund; safe, bank; cash register; S. *cámara.* [Exp: **caja de ahorros** (BSNSS savings bank; S. *banco*), **caja de amorti-**

zación (BSNSS sinking fund), **caja de caudales o caja fuerte** (BSNSS safe, bank vault; S. *caudal*), **caja de compensación** (BSNSS clearing bank or house), **caja de resistencia** (EMPLOY strike fund; S. *fondo de huelga*), **cajero** (GEN cashier, teller), **cajero automático** (BSNSS cash dispenser, cash-line, automatic teller)].

calabozo *n*: CRIM dark cell, dungeon, police station lockup; calaboose *US*, greenhouse *col*; S. *depósito policial, dependencias policiales; mazmorra, celda, cárcel.*

calada *col n*: GEN pull *col*, drag *slang*, puff ◊ *Le dio un par de caladas al porro*; S. *caballo, porro.*

caladero *n*: GEN fishing ground ◊ *Los caladeros del Atlántico han sido fuente de conflictos internacionales*; S. *pesca.*

calcular *v*: GEN calculate, assess, compute, work out, fix, evaluate; S. *determinar, precisar, tasar, calibrar.* [Exp: **cálculo** (GEN calculation, arithmetic, estimate, reckoning; S. *estimación, cuenta, ponderación*), **cálculo de costas** (BSNSS cost accounting; S. *tasación de costas*), **cálculo de probabilidades** (GEN balance of probabilities)].

calendario *n*: GEN calendar. [Exp: **calendario judicial** (PROC court calendar), **calendario de señalamientos** (PROC docket)].

calibrar *v*: GEN gauge, judge, measure; S. *tasar, calcular, calificar.* [Exp: **calibre**[1] (GEN calibre, gauge, bore [of a gun]; weight, importance, quality, type, kind), **calibre**[2] (GEN weight, importance, quality, type, kind)].

calidad *n*: GEN quality; capacity. [Exp: **calidad de asesor, en** (GEN in an advisory capacity; S. *a título consultivo*)].

calificación *n*: GEN assessment, judgment, evaluation; S. *valoración, tasación, evaluación.* [Exp: **calificación del delito** (CRIM submission-s on the nature of charges on the indictment, specification of charges, particulars of offence), **calificación de secreto o reservado** (GEN classification on the secret or reserved list), **calificaciones** (PROC submissions or written pleadings by both prosecution and defence; statement of prosecution and defence cases before the trial proper begins; these submission may be provisional *–provisionales–* or final *–definitivas–*, i.e. made before or after evidence has been led *–la práctica de la prueba–*, and may be amended), **calificar** (GEN rate, classify; finalise/amend pleadings ◊ *En los concursos públicos, a todos los candidatos se les califica de acuerdo con un baremo previamente publicado*; S. *tasar, evaluar*), **calificar los hechos delictivos** (CRIM specify the offences, bring specific charges, amend or finalise the indictment; in Spanish law this involves both prosecution and defence submissions on the facts alleged and the offences charged or chargeable, and includes pleadings on the appropriate outcome –conviction or acquittal– and the proper punishment, if any)].

caligrafía *n*: GEN handwriting; S. *perito calígrafo.*

callar *v*: GEN remain silent, say nothing, keep/remain/be quiet ◊ *El detenido tiene el derecho a permanecer callado y no declarar*; S. *silencio.* [Exp: **calla otorga, quien** (GEN silence gives consent)].

calumnia *n*: CRIM calumny, false or malicious accusation, aspersion; libel, slander, defamation ◊ *Los delitos de calumnia e injuria prescriben al año*; as a technical term of law the word refers specifically to the making of false accusations or the spreading of false rumours that the victim has committed an offence, knowing them to be false; it is thus distinguished from *difamación* –the general term for defamation– and from *injuria* –insulting or slanderous comments–; S. *difamación, im-*

postura, injuria, libelo; mancillar. [Exp: **calumnia encubierta** (CRIM innuendo, covert or indirect slander/libel), **calumnia escrita** (CRIM libel), **calumnia oral** (CRIM slander), **calumniador** (CRIM libeller, slanderer; S. *difamador*), **calumniar** (CRIM slander, libel, defame, asperse, malign, cast aspersions, spread slanderous rumours, calumniate, backbite *col*; S. *difamar, desacreditar*), **calumnioso** (CRIM defamatory, derogatory, slanderous; S. *injurioso, infamatorio*)].

cámara *n*: GEN room, bureau, office; chamber; legislative body; S. *oficina, entidad, agencia.* [Exp: **cámara acorazada de un banco** (BSNSS bank vault), **cámara alta** (CONST upper house, Senate), **cámara baja** (CONST lower house, House of Representatives, House of Commons), **cámara de arbitraje** (ADMIN/BSNSS arbitration board/council/panel; S. *tribunal, órgano o junta de arbitraje*), **cámara de comercio** (BSNSS chamber of commerce), **cámara de compensación** (BSNSS clearing bank/house), **cámara de diputados** (CONST lower house, chamber of deputies; S. *cámara baja),* **cámara letal/de gas** (CRIM death/gas chamber)].

camarada [de un partido político] *n*: GEN comrade. [Exp: **camarilla** (GEN/CRIM ring; lobby; S. *banda*), **camarilla política** (CONST pressure group, caucus *US*; S. *comité electoral, grupo de presión, cabildeo*)].

cambiar *v*: GEN/BSNSS change, exchange, swap; cash; S. *canjear.* [Exp: **cambiar de dueño o de propietario** (CIVIL change hands), **cambiar dinero** (BSNSS change currency/money), **cambiar de residencia** (CIVIL move house, flit *Scots col*), **cambiario** (BSNSS [concerning] foreign exchange, [of/concerning/pertaining to/relating to] bills; S. *acción cambiaria, juicio cambiario*), **cambio** (BSNSS change, foreign exchange; exchange rate; swap; S. *canje, trueque, permuta*), **cambio de, a** (GEN in exchange for, in return for ◊ *La opinión pública piensa que excarcelaron al procesado a cambio de dinero*), **cambio de domicilio** (CIVIL change of address; removal), **cambio de competencia jurisdiccional/territorial** (PROC change of venue), **cambio de moneda** (BSNSS foreign exchange, currency exchange), **cambio exterior** (BSNSS foreign exchange), **cambista** (BSNSS arbitrager, money-broker; S. *arbitrajista*)].

camello *n*: CRIM pusher, dealer; drug peddlar/peddler/trafficker; S. *caballo.*

camorra *col n*: GEN fight, brawl; fighting, mischief, trouble ◊ *No te acerques a él; siempre anda buscando camorra*; S. *pelea, reyerta, riña.* [Exp: **camorrista** (GEN thug, lout, heavy *col*; gangster; troublemaker; S. *mafioso, pendenciero*)].

campaña *n*: GEN campaign, programme. [Exp: **campaña de sensibilización** (GEN consciousness-raising campaign or exercise), **campaña electoral** (CONST election campaign, road show *col*)].

campo *n*: GEN field, area, subject-matter; S. *ámbito, especialidad.* [Exp: **campo de aplicación** (GEN scope, field of application), **campo de concentración o de internamiento** (CRIM concentration camp, internment camp, detention camp), **campo de trabajos forzados** (CRIM labour camp)].

cancelación[1] *n*: GEN cancellation, revocation, discharge, annulment; obliteration, redemption; abatement; S. *cancelar*[1]*, revocación, derogación, anulación, rescisión, amortización.* [Exp: **cancelación**[2] (BSNSS/CIVIL payment, settlement), **cancelación de antecedentes penales** (CRIM lapsing/cancellation of criminal record; marking or treating a conviction as spent), **cancelación de hipoteca** (BSNSS cancellation of mortgage, redemption or dicharge of a mortgage), **cancelación de**

un testamento (GEN revocation of will), **cancelar**[1] (GEN/CIVIL cancel, revoke, rescind, remove, discharge, strike out ◊ *Se ha cancelado la inscripción en el registro*; in this sense the term is virtually synonymous with *anular* and is used particularly with reference to the cancelling of contracts, the revoking of licences or the removal of entries such as charges and encumbrances from public records, land registers, etc.; S. *anular, invalidar, dejar sin efecto, levantar, rescindir*), **cancelar**[2] (GEN/CIVIL pay, pay off, settle, extinguish ◊ *La hipoteca está subsistente y sin cancelar*; S. *extinguir, finiquitar, levantar, satisfacer*), **cancelar una deuda** (BSNSS satisfy/pay/settle a debt; S. *liquidar*), **cancelar una escritura o documento** (GEN cancel a deed/document/instrument), **cancelar una hipoteca** (BSNSS redeem/discharge a mortgage), **cancelar una inscripción** (GEN cancel/strike out/remove an entry)].

canciller *n*: CONST Minister of Foreign Affairs, Chancellor, Secretary of State *US*. [Exp: **cancillería** (CONST Foreign Ministry, Department or Ministry of Foreign Affairs; chancery [in an embassy or legation])].

candidato *n*: GEN candidate; S. *aspirante*. [Exp: **candidato a un cargo público** (GEN candidate for office), **candidatura** (GEN nomination, candidature; list of candidates; S. *designación, nominación*)].

canguro *col n*: GEN babysitter; police van, Black Maria *col.*

canje *n*: BSNSS exchange, barter, conversion; S. *trueque, permuta, cambio, intercambio*. [Exp: **canjear** (BSNSS exchange, swap, convert; S. *cambiar, intercambiar*)].

canon[1] *n*: GEN rate, rent, charge, tax, royalty; S. *tasa, tarifa, derecho, exacción, rédito*. [Exp: **canon**[2] (GEN rule, canon, precept ◊ *Esta norma no se aparta de los cánones de nuestra tradición*; S. *regla, norma, precepto; derecho canónico*), **canon de arrendamiento** (CIVIL rate of rental, rent charge or payment), **canon enfitéutico** (CIVIL emphyteutic tax, vasselage, overlord's perpetual right to title), **canon sobre las transacciones** (CIVIL charge on transactions)].

cantar *slang v*: CRIM split, grass, shop *slang* ◊ *Tarde o temprano todos los criminales «cantan»*; S. *soplar, chivarse, denunciar*.

cantidad *n*: GEN amount, sum, figure, quantity; quantum. [Exp: **cantidad a cuenta** (BSNSS amount paid on account; deposit; down-payment; amount paid towards sth; S. *adelanto, señal, ingreso, entrada, mensualidad*), **cantidad a tanto alzado** (BSNSS total, total amount, lump sum, agreed sum; S. *contrato a tanto alzado*)].

canuto *col n*: CRIM joint *col*, spliff *col*; S. *porro, petardo, caballo*.

cañada *n*: CIVIL cattle track, right of way for livestock; S. *cordel, vías pecuarias*.

caos *n*: GEN chaos, disorder, confusion, disarray; S. *tumulto, desorden; paz*.

capacidad *n*: GEN capability, capacity, competence, faculty, power; S. *competencia, aptitud; incapacidad*. [Exp: **capacidad civil** (CIVIL civil rights, capacity to exercise civil rights), **capacidad competitiva** (BSNSS competitive strength/capacity), **capacidad contractual** (CIVIL capacity to contract, contractual capacity), **capacidad contributiva** (TAX tax/fiscal capacity), **capacidad de comparecer ante los tribunales** (GEN capacity to be a party in legal proceedings ◊ *Los que tienen capacidad de obrar tienen capacidad de comparecer ante los tribunales*), **capacidad de obrar o jurídica** (GEN capacity to act ◊ *Los que tienen capacidad de obrar pueden formalizar contratos, otorgar un testamento, etc.*; S. *disminuidos psíquicos*), **capacidad laboral** (BSNSS fitness for work), **capacidad legal** (BSNSS legal capacity, standing ◊ *Las cuestiones relacionadas con la capacidad legal de los litigantes dan pie a la interposición de excepción dilatoria*), **capacidad mental** (GEN mental capacity; S. *en pleno uso de mis facultades mentales*), **capacidad normativa** (CONST/ADMIN law-making power, regulatory power), **capacidad para ser parte** (PROC capacity to sue and be sued ◊ *El tribunal podrá apreciar de oficio en todo momento la falta de capacidad para ser parte*), **capacidad para suceder** (SUC capacity to inherit), **capacidad para testar** (SUC fitness or capacity to make a will, being *compos mentis* or of sound mind to make a will), **capacidad plena** (GEN full power/authority/capacity/authority), **capacidad procesal** (PROC capacity to act as a party or to sue and to be sued, legal capacity to plead), **capacidad sucesoria** (SUC capacity to inherit/succeed), **capacidad testifical** (PROC competence/suitability as a witness, fitness to give evidence, capacity to serve as a witness), **capacitación laboral/profesional** (GEN professional training ◊ *La capacitación laboral es una buena medida para la erradicación de la marginalidad*), **capacitado** (GEN competent, fit, suitable; S. *idóneo*), **capacitar** (GEN enable, commission, empower, qualify, allow; S. *facilitar*), **capaz** (GEN competent, efficient, capable, fit; S. *eficiente, competente*)].

capcioso *a*: GEN captious; S. *impertinente*. [Exp: **pregunta capciosa** (GEN leading question)].

capitación *n*: CIVIL/TAX capitation, community charge, poll tax; S. *impuesto por cabeza*.

capital[1] *n*: GEN city, capital. [Exp: **capital**[2] (BSNSS capital, principal; S. *patrimonio, activo*), **capital autorizado, escriturado o nominal** (BSNSS authorized/stated capital, nominal capital), **capital circulante** (BSNSS working capital), **capital de provincia** (CONST provincial capital, county town, principal town or city in an area), **capital declarado** (BSNSS stated capital), **capital disponible** (BSNSS spare capital), **capital inmovilizado** (BSNSS tied-up capital, capital invested in fixed assets), **capital invertido** (BSNSS invested capital), **capital neto** (BSNSS net worth), **capital riesgo** (BSNSS risk capital, venture capital; S. *empresa conjunta*), **capital social** (BSNSS capital stock, corporate capital, share capital, capital of a partnership, shareholder's capital; S. *capital escriturado, masa de capital*), **capital social y reservas** (BSNSS common equity), **capital suscrito** (BSNSS subscribed capital), **capitalización** (BSNSS capitalization, fundraising, capital increase), **capitalizar** (BSNSS capitalize, einvest, plough back)].

capitán *n*: GEN captain, master. [Exp: **capitán de barco** (BSNSS captain, master [of a ship]), **capitán de puerto** (BSNSS harbour master, warden of a port)].

capitulaciones matrimoniales *n*: FAM marriage articles, marriage settlement, antenuptial agreement, premarital agreement, deeds of settlement ◊ *El régimen económico del matrimonio será el que los cónyuges estipulen en las capitulaciones matrimoniales*), **capitular** (GEN surrender, capitulate; S. *renunciar, ceder, rendirse*), **capítulo** (GEN chapter; S. *cabildo; llamar a capítulo*)].

captura *v*: CRIM capture, arrest, apprehension, seizure; S. *detención, apresamiento, aprehensión*. [Exp: **captura [de pesca]** (BSNSS catch), **captura de un alijo de droga** (CRIM seizure of a consignment of drugs/ a drugs cache/ a drug haul), **capturar** (CRIM capture, apprehend, catch, arrest, bring to justice; S. *prender, apresar*)].

cara *n*: GEN face; S. *plantar cara; careo*.

carácter *n*: GEN disposition, character, demeanour; nature; S. *propensión, tempera-*

mento; incompatibilidad de caracteres. [Exp: **carácter de, con** (GEN in the capacity of; S. *a título de, en calidad de*), **carácter procesal, de** (PROC procedural), **carácter transitorio, con** (GEN on a temporary basis, as a temporary measure), **carácter vinculante, con** (GEN with binding force; obligatory, binding), **carácter vitalicio, con** (GEN for life)].

cárcel *n*: CRIM prison, jail, gaol, custody, clink *col*, cooler *slang*, jug *slang*; S. *penitenciaría, penal, presidio; chirona* slang, *trena* slang; S. *excarcelar.* [Exp: **carcelario** (CRIM/PROC proison, of or pertaining to a prison; S. *régimen carcelario, rigor carcelario, aplicación de rigor carcelario innecesario*), **carcelero** (CRIM gaoler, warder, jail-keeper)].

carear *v*: GEN confront, bring face to face. [Exp: **careo** (CRIM/PROC confrontation [of witnesses, suspects, etc. with one another], show up ◊ *El careo se lleva a cabo entre personas que han dado distintas versiones de los mismos hechos*; S. *llevar a cabo un careo, someter a alguien a careo; testimonio contradictorio*), **careo de testigos** (GEN face-to-face interview of witnesses, suspects, etc., ordered by a judge, confrontation of witnesses in the presence of a judge or examining magistrate; S. *comparar, cotejar, someter a careo*)].

carecer *v*: GEN lack; not to have; be free of; S. *faltar; precisar.* [Exp: **carecer de antecedentes penales** (CRIM have no previous convictions/criminal background; S. *sin antecedentes penales*), **carecer del *quórum* necesario** (GEN fall short of the required quorum), **carencia** (GEN lack, deficiency), **carente de las condiciones necesarias** (GEN wanting or deficient in the requisite conditions; bare, naked), **carestía** (GEN shortage, scarcity; high prices or cost; S. *ausencia, falta, escasez*), **carestía de vida** (GEN high cost of living; S. *asignación por carestía de vida*), **carestía de viviendas** (GEN housing shortage; high price of houses/housing)].

carga[1] *n*: BSNSS freight, load, shipment, cargo, freightage; S. *flete, cargamento.* [Exp: **carga**[2] (CIVIL encumbrance, charge, duty, burden; S. *gravamen, afectación, servidumbre*), **carga**[3] **[de la prueba o probatoria]** (PROC burden of proof, onus probandi/onus of proof ◊ *En general la carga de la prueba le corresponde a la parte que afirma*; S. *certeza jurídica, peso, responsabilidad*), **carga de retorno** (BSNSS return cargo), **carga en/sobre cubierta** (BSNSS deck cargo), **carga general** (BSNSS general cargo), **carga parcial** (BSNSS partial cargo), **carga policial, efectuar una** (GEN police baton-charge, charge made by riot police ◊ *Varios manifestantes sufrieron contusiones como consecuencia de la carga policial*), **carga tributaria o impositiva** (TAX tax burden; S. *presión fiscal*), **cargado** (GEN loaded), **cargado de deudas** (BSNSS/CIVIL encumbered with debts, overburdened with debts), **cargado de problemas jurídicos** (PROC hedged about with legal problems), **cargador** (BSNSS docker, dock-workker, stevedore), **cargamento** (BSNSS freight, shipment, cargo; S. *carga*[1]), **cargamento a granel** (BSNSS bulk cargo), **cargamento de ida** (BSNSS outward cargo), **cargar**[1] (BSNSS load, take on, ship), **cargar**[2] (BSNSS charge; burden; S. *adeudar, cobrar; gravar*), **cargar**[3] (GEN charge ◊ *La policía tuvo que cargar contra los que se habían encerrado en las casas abandonadas para poder desalojarlos*), **cargar con el muerto** *col* (GEN carry the can *col*; do the dirty work *col*), **cargar en cuenta** (BSNSS debit; S. *consignar en el debe*), **cargarse a uno** *col* (CRIM fix sb, do sb in, blow sb away, bump sb off *col*), **cargas** (CIVIL encumbrances, charges), **cargas sociales de una empresa** (EMPLOY welfare charges), **cargas sobre la propiedad** (CIVIL land charges), **cargas, sin** (GEN/CIVIL unencumbered, clear; S. *limpio, libre de gravamen*)].

cargo[1] *n*: ADMIN/EMPLOY post, office, [senior] position, position of responsibility; office-bearer, office-holder; officer, official; S. *puesto, empleo; abuso de cargo; desempeñar un cargo, desposeer a un funcionario público de su cargo, poner el cargo a disposición de un superior*. [Exp: **cargo**[2] (CRIM charge, accusation, count in an indictment; S. *denuncia, imputación; detalle de los cargos, retirar los cargos*), **cargo**[3] (BSNSS debit, charge; S. *adeudo, débito*), **cargo de, a** (GEN/ADM in charge of; S. *al mando de; girar a cargo de*), **cargo de confianza** (ADM/GEN post held on a discretionary basis), **cargo de gestión o administrativo** (BSNSS managerial position), **cargo directivo o de responsabilidad** (BSNSS senior post or position; officer; S. *alto cargo*), **cargo político** (CONST political office), **cargo público** (CONST public office/service; senior civil service post; S. *candidato a cargo público*), **cargo retribuido** (ADM/IND REL salaried post), **carguero** (BSNSS cargo ship, freighter; S. *buque de carga*)].

carnal *a*: GEN carnal; related by blood, as in *primo carnal* –first cousin–; S. *conocimiento carnal*.

carné, carnet *n*: GEN card; S. *cédula, documento*. [Exp: **carné de identidad** (GEN identity card, identification card, ID card; S. *cédula de identidad*), **carné de conducir** (GEN/ADMIN driving licence, driver's license *US*)].

carnicería *n*: CRIM carnage, mass killing, massacre, slaughter, butchery; S. *matanza, estrago, masacre*.

carpeta *n*: GEN folder, file; S. *legajo, expediente*. [Exp: **carpetazo, dar** (GEN shelve, close the file on; put on ice/back burner *col*, mothball *col*; S. *archivar*)].

carta *n*: GEN letter; document; chart, map. [Exp: **carta abierta** (GEN open letter), **carta amenazadora** (CRIM threatening letter), **carta blanca** (GEN carte blanche, full power, a free hand ◊ *Le dieron carta blanca para decidir como quisiera*), **carta bomba** (CRIM letter bomb; S. *desactivar; paquete bomba*), **carta certificada** (GEN registered letter), **carta constitutiva de una mercantil** (BSNSS memorandum of association), **carta de autorización** (GEN letter of authority/authorization), **carta de ciudadanía** (CONST naturalization papers), **carta de crédito [documentaria]** (BSNSS documentary letter of credit), **carta de derechos** (CONST bill of rights), **carta de despido** (EMPLOY letter of dismissal statement, dismissal letter), **carta de intenciones** (GEN letter of intent), **Carta de las Naciones Unidas** (INTNL Charter of the United Nations), **carta de naturaleza/naturalización** (GEN naturalization papers/documents), **carta de pago** (BSNSS discharge, acquittance, satisfaction piece, receipt; S. *recibo, finiquito*), **carta de porte** (BSNSS bill of freight, carriage, consignment note), **carta de presentación** (GEN letter of introduction), **carta de recomendación** (GEN testimonial, letter of recommendation), **carta de seguimiento** (BSNSS follow-up letter), **Carta Magna** (CONST constitution; Magna Carta), **carta-orden** (PROC prerogative order/writ, order issued by a higher court fo the supervision of a lower court; S. *comunicaciones procesales*), **carta poder** (GEN letter of attorney, proxy), **carta rogatoria** (PROC letter of request, letters rogatory; S. *comisión rogatoria*), **Carta Social Europea** (EURO European Social Charter), **carta testamentaria** (SUC letters testamentary), **cartas credenciales** (CONST/INTNL credentials, accreditation [of ambassador, etc.])].

cartel *n*: GEN bill, poster. [Exp: **cártel, cartel** (BSNSS trust, cartel; S. *grupo industrial, combinación, consorcio*)].

cartera[1] *n*: BSNSS holdings, list of assets; portfolio; S. *valores*. [Exp: **cartera**[2] (GEN wallet, briefcase, purse, billfold *US*; S. *carterista*), **cartera**[3] (CONST department, ministry, portfolio; S. *ministerio*), **cartera ministerial** (CONST office/portfolio of a minister), **carterista** (CRIM pickpocket; S. *caco* col, *descuidero, ladrón, ratero*)].

casa *n*: GEN house, home; S. *heredad, finca, vivienda*. [Exp: **casa central** (BSNSS headquarters, main/head office), **casa consistorial** (ADMIN corporation, town/municipal/district council; Town Hall, City Hall; S. *ayuntamiento, cabildo*), **casa cuartel** (GEN/CRIM Civil Guard barracks or station; so called because it includes living quarters for the guards and their families, as is the case in the barracks of the Civic Guard in Ireland; S. *comisaría, cuartelillo, Guardia Civil, policía*), **casa de cambio** (BSNSS exchange bureau), **casa de lenocinio** (GEN/CRIM brothel, bawdy house, disorderly houses; S. *prostíbulo, casa de prostitución*), **casa de préstamos** (BSNSS pawnbroker's shop; S. *monte de piedad*), **casa de prostitución** (GEN disorderly house, brothel; S. *burdel, lupanar, casa de lenocinio, prostíbulo*), **casa de vecindad o de pisos** (GEN tenement; S. *vivienda*), **casa matriz** (BSNSS parent company; head office), **casa solariega** (GEN family seat, country seat)].

casación *n*: PROC cassation, quashing or setting aside by a court of last resort; S. *recurso de casación*. [Exp: **casamiento** (GEN marriage, wedding [ceremony]; matrimony ◊ *Casamiento y mortaja del cielo bajan*; a somewhat formal but not strictly a legal term; the terms for «marriage» or «matrimony» that appear in the Spanish Civil Code are *matrimonio, nupcias* and *boda*; S. *boda, esponsales, matrimonio, nupcias*), **casar**[1] (FAM marry ◊ *Los casó un juez porque son agnósticos*; S. *casamiento*), **casar**[2] (GEN match, tally, fit, square [with]; go/fit together ◊ *Lo que dijo ante el juez no casa con lo que había declarado ante la policía*; S. *concordar*), **casar**[3] (PROC quash, set aside, reverse, overrule, overturn, vary ◊ *El abogado confía en que la Sala casará la resolución impugnada*; this verb is used specifically to describe the definitive quashing or setting aside by the *Tribunal Supremo* or by the *Tribunales Superiores de Justicia* of one of the autonomous regions *–comunidades autónomas–* of a judgment given by a lower court following the appeal known as *recurso de casación* –final-stage appeal, appeal to a court of last resort–; it is worth noting that the Spanish verb *casar* and the English verb «quash» come from the same etymological root; S. *anular, derogar, invalidar, dejar sin efecto, rescindir, revocar; casación*), **casar una sentencia** (PROC overturn a judgment, set aside a judgment), **casero** (CIVIL/BSNSS landlord; the formal name for *casero* is *arrendador*; S. *terrateniente*)].

cascotes *n*: GEN rubble, piece of rubble; S. *escombros*.

caso[1] *n*: GEN case; S. *situación, coyuntura*. [Exp: **caso**[2] (GEN/PROC case; strictly speaking the word *caso* does not refer to the entire proceedings *–causa, proceso–* or to the trial *–vista oral–* but only to the facts in issue; thus, when a Spanish judge speaks of *el caso de autos*, he means «the matter we are dealing with, the facts of the instant case»; however, in common speech *caso* is often used to mean an event that has caused a stir, a scandal, a notorious crime, etc. and this include major trials or proceedings in which well-known public figures are involved; as a result, that sense of the term has become merged in the minds of many people with the wider sense natural to English «case»; translators hould note that lawyers never use the term this way, professionally at least, and that *causa* or *asunto* are safer alternatives; the popularity of thrillers and courtroom dramas has led to a regrettable overextension of the meaning of *caso*, which is misused to mean «case» in phrases like «the case for the defence» or «you have no case», and so on; there is no justification or historical warrant for this usage in it; see the word *case* in the English-Spanish section of this dictionaruy for illustration; S. *causa, demanda, procedimiento, proceso, vista oral, actuación, tesis, versión, asunto*), **caso de, en** (GEN in the event of, in [the] case of, where, when, if; S. *tratándose de*), **caso de urgencia o de fuerza mayor** (GEN emergency; S. *necesidad, apuro*), **caso dudoso** (GEN borderline case), **caso de duda, en** (GEN when in doubt, should doubt arise), **caso fortuito** (GEN/INSUR act of nature, force majeure, act of God; S. *daño fortuito*), **caso de incumplimiento, en** (GEN failure to comply will lead to; the consequences of non-performance will be), **caso de que, en el** (GEN in the event that/of the), **caso necesario, en** (GEN where necessary, as far as is necessary), **caso, en tal** (GEN in that/such a case or eventuality; by doing so; if so; should the need, etc., arise), **caso, en su** (GEN where relevant/appropriate, when applicable, as the case may be, should the issue arise), **caso imprevisto** (GEN emergency), **caso omiso de, hacer** (GEN disregard, act in defiance of, ignore, overlook, neglect ◊ *Siempre ha hecho caso omiso de las normas tributarias*; S. *desobedecer*), **caso, venir al caso** (GEN be relevant), **casos, según los** (GEN as the case may be)].

castigable *a*: CRIM punishable; S. *multable, punible, sancionable*. [Exp: **castigar** (CRIM punish, penalize, sanction ◊ *Se le castigó a barrer la calle todos los fines de semana*; S. *sancionar, penalizar*), **castigo** (CRIM punishment, sanction; S. *pena, sanción*)].

casual *a*: GEN fortuitous, accidental, unpremeditated ◊ *El juez intentó averiguar si la desaparición de las pruebas fue casual o intencionada*; S. *fortuito, accidental*. [Exp: **casualidad** (GEN chance, luck; coincidence)].

catastral *a*: CIVIL pertaining to or derived from the cadastre or property register; most commonly found in the ohrase *valor catastral*, meaning the official estimate of the value of land or property in the register, used as the basis for land tax. [Exp: **catastro** (CIVIL cadastre, land survey, property register, land registry; S. *Registro de la Propiedad Inmobiliaria, valor catastral, avalúo catastral, oficina del catastro, padrón, censo*)].

catástrofe *n*: INSUR catastrophe, misfortune, calamity; S. *desgracia, adversidad, infortunio, contratiempo, contrariedad*.

categoría *n*: GEN category, class, status, rank, rating; S. *rango, dignidad, empleo, graduación, grado*. [Exp: **categoría financiera** (BSNSS financial rating), **categoría salarial** (EMPLOY salary bracket), **categórico** (GEN categorical, absolute, complete, final; S. *tajante, perentorio, ineludible, inaplazable, definitivo, firme, absoluto, pleno*)].

caución *n*: CIVIL caution, bail, pledge, security, gage, guarantee, surety; S. *aval, fianza, prenda, título, garantía; libertad condicional con/sin caución; prestar caución*. [Exp: **caución absoluta** (GEN bail absolute), **caución, con** (GEN secured), **caución de arraigo en juicio** (PROC security for the defendant's costs), **caución de indemnidad** (PROC indemnity bond), **caución de licitador** (ADMIN/BSNSS bid bond), **caución para costas** (PROC security for costs, bond for the payment of costs), **caución real** (CIVIL secured bail bond, security interest in property), **caución sin garantía real** (CIVIL unsecured bail bond), **caucionable** (PROC bailable), **caucionado** (PROC cautionary), **caucionar** (PROC bail, bond, secure, guarantee, pledge; S. *afianzar*)].

caudal *n*: GEN/SUC wealth, fortune; effects, means; [total value of] estate [of a deceased person] body of estate, effects; estate, means; S. *masa, contenido, bienes, volumen; caja de caudales.* [Exp: **caudal hereditario/relicto** (SUC body of an estate, estate of a deceased person; S. *acervo hereditario, sucesión*), **caudal social** (BSNSS assets/capital of a partnership), **caudales públicos** (ADMIN public funds/ assets; s. *malversación*)].

causa[1] *n*: GEN cause, reason, ground, circumstance; S. *motivo, fundamento, justificación, razón; por causas desconocidas; causar.* [Exp: **causa**[2] (PROC case, lawsuit, suit, proceedings; prosecution; S. *caso, asunto, proceso*), **causa**[3] **[contractual]** (CIVIL consideration; S. *prestación*), **causa actual** (PROC present case, case at bar, case under consideration; S. *causa en curso*), **causa adecuada** (BSNSS good/adequate consideration; S. *causa contractual*), **causa civil** (PROC civil case; S. *proceso civil*), **causa criminal** (PROC criminal case/prosecution), **causa de, a** (GEN because of, by reason of, on account of, owing to; S. *por motivo de*), **causa de anulación** (GEN ground for overruling or setting aside a decision, ground for calling a mistrial or ruling that the proceedings were a nullity/annulment), **causa de divorcio** (FAM grounds for divorce), **causa de pedir** (PROC cause of action; S. *falta de causa de pedir*), **causa de recusación** (GEN/PROC grounds for challenge), **causa eficiente** (GEN efficient/ moving cause), **causa en curso** (PROC case in hand, case under consideration, case at bar, case on trial; S. *causa actual*), **causa indirecta o remota** (GEN remote cause; S. *motivo indirecto*), **causa inmediata o próxima** (GEN proximate cause, *causa causans, causa próxima,* dominant cause, efficient cause, immediate cause, legal cause), **causa justificada** (GEN good reason, lawful grounds), **causa queda sobreseída, la** (PROC there is no case to answer; case dismissed; S. *sobreseimiento, auto de sobreseimiento*), **causa razonable** (PROC [probable] cause; S. *prueba*), **causa seguida contra alguien** (PROC proceedings brought against sb, prosecution of sb), **causa, sin** (GEN unjustified, unreasonable, groundless ◊ *El incumplimiento sin causa de la promesa de matrimonio obliga a resarcir a la otra parte de los gastos ocasionados*; S. *infundado*), **causación** (GEN causation, cause; chain of causation; S. *causa, causalidad*), **causación adecuada** (CIVIL sufficient causation ◊ *Para triunfar en la reclamación hay que probar la causación suficiente entre la producción del daño y el incumplimiento de la obligación*), **causahabiente** (SUC beneficiary, successor, assignee; trustee, executor ◊ *El sucesor o causahabiente es la persona a la que se le han transmitido los derechos*; S. *causante*[2]), **causalidad** (GEN causation, cause-s; grounds, antecedents; S. *nexo causal, relación de causalidad*), **causante**[1] (GEN agent, cause, causer, author, originator ◊ *La pornografía es la causante de algunos delitos*; S. *autor, responsable*), **causante**[2] (SUC deceased, testator, decedent ◊ *El heredero había recibido la finca ya en vida del causante*; S. *finado, difunto; patrimonio del causante*), **causas desconocidas, por** (GEN for reasons unknown, by visitation of God)].

causar *v*: GEN cause, occasion ◊ *Los daños causados en el atraco son irreparables*;

S. *producir, ocasionar, motivar*. [Exp: **causar daño** (CRIM/CIVIL cause harm/injury; S. *sufrir daños*), **causar desperfectos** (GEN damage, cause damage; S. *sufrir desperfectos*), **causar deterioros** (GEN damage, neglect; S. *deteriorar, echar a perder, desgastar, estropear*), **causar estragos** (GEN wreak havoc, take a heavy toll), **causar heridas** (CRIM wound), **causar inconvenientes** (GEN cause trouble; put sb to trouble, inconvenience sb)].

cautela *n*: GEN care, caution, precaution; S. *diligencia debida, prudencia; caución, prevención, aviso*. [Exp: **cautelar** (PROC cautionary, provisional, preventive, as a precaution, precautionary; S. *caucionado, medida cautelar, [otorgar] amparo cautelar*), **cauto** (GEN cautious, careful, prudent, circumspect; S. *prudente*)].

caza *n*: GEN/CRIM hunt, shooting, chase; S. *coto de caza; captura, permiso de caza, persecución; andar a la caza de alguien*. [Exp: **caza furtiva** (CRIM poaching; S. *pesca furtiva, veda*), **cazador furtivo** (CIVIL/CRIM poacher), **cazar** (GEN hunt, shoot)].

CECA *n*: EURO S. *Comunidad Europea del Carbón y del Acero*.

cedente *n*: GEN/CIVIL assigner, assignor, endorser, grantor, licenser, principal; S. *mandante, principal, jefe, poderdante*. [Exp: **cedente de todos sus bienes** (BSNSS cessionary bankrupt; S. *fallido*), **ceder** (GEN/CIVIL transfer, assign, license, make over, convey, alienate; grant, forsake, surrender, abandon, waive, yield ◊ *Ha cedido sus derechos de autor a la asociación de autores*; S. *cesión; consignar, traspasar, transferir, enajenar, abandonar, renunciar, desistir*), **ceder el uso** (GEN grant/assign the use of), **ceder el uso de la palabra** (GEN give [sb] the floor, give [sb] permission to speak, call upon [sb] to speak), **ceder en su derecho** (GEN yield/waive one's right), **ceder un negocio** (BSNSS trasnfer/assign/make over a business)].

cédula[1] *n*: GEN certificate, warrant; permit, authorisation, citation, summons; S. *título, resguardo, carné, póliza*. [Exp: **cédula**[2] (BSNSS debenture, debenture bond, bond, warrant, government bond; S. *bono, obligación, título*), **cédula de citación judicial** (PROC summons, subpoena; S. *emplazamiento, notificación*), **cédula de habitabilidad** (ADMIN certificate of fitness/fitness for habitation; [first] occupancy permit; certificate of occupancy *US*; certificate issued following an inspector's report that a new building conforms to safety standards and is in every respect habitable; S. *declaración de obra nueva*), **cédula de identidad** (GEN identity card; S. *carné de identidad*), **cédula de invención** (ADMIN S. *patente*), **cédula de notificación** (PROC summons, subpoena), **cédula de requerimiento** (PROC court order, warrant signed by a judge order), **cédula hipotecaria** (BSNSS debenture bond, mortgage bond/certificate/debenture), **cédula real** (GEN/BSNSS charter, royal charter/warrant)].

celda *n*: CRIM cell; S. *cárcel, prisión*. [Exp: **celda de aislamiento** (CRIM solitary confinement cell, bull pen)].

celebración *n*: GEN execution, completion, performance, holding, carrying out; signing; conduct; S. *perfeccionamiento, ejecución, consumación, conclusión*. [Exp: **celebración de un contrato** (CIVIL/BSNSS conclusion/finalization, formalization of a contract), **celebración del matrimonio** (FAM marriage ceremony), **celebrar** (GEN execute, formalize, hold, carry out; conduct; hear; S. *tener lugar, conocer*), **celebrar a puerta cerrada** (PROC hold/conduct behind closed doors, hold/hear/conduct in chambers), **celebrar consultas** (GEN hold consultations, consult), **celebrar elecciones** (CONST hold elections),

celebrar sesión (PROC hold court, be in session), **celebrar un contrato, etc.** (BSNSS enter into a contract, conclude/ make a contract; S. *formalizar*), **celebrar un juicio** (PROC hold a trial), **celebrar una entrevista** (GEN hold an interview), **celebrar una sesión** (GEN hold a session/meeting, sit), **celebrar una subasta** (BSNSS/ADMIN hold an auction), **celebrar una vista** (PROC hold/conduct a hearing/ trial)].

celestina *n*: GEN female pimp, procuress, bawd, madam; S. *obsceno, alcahueta.*

celibato *n*: GEN celibacy, bachelorhood, spinsterhood; singleness, unmarried/ single state; S. *matrimonio*. [Exp: **célibe** (GEN celibate, single, unmarried; bachelor, spinster; S. *soltero*)].

celo *n*: GEN zeal, enthusiasm, conscientiousness. [Exp: **celos** (GEN jealousy ◊ *El móvil del crimen pudo ser los celos*; S. *rivalidad, pasión*), **celoso**[1] (GEN zealous, overzealous, [over]enthusiastic), **celoso**[2] (GEN jealous), **celoso cumplidor de su deber** (GEN zealous, zealous in the performance of one's duty; S. *exceso de celo, cumplidor de la ley*)].

célula *n*: GEN cell; S. *grupo*. [Exp: **célula terrorista** (CRIM terrorist cell ◊ *La policía ha desmantelado una célula terrorista*; S. *comando terrorista tinerante*)].

censar *v*: ADMIN take a census. [Exp: **censario/censatario** (CIVIL payer of ground rent; S. *censualista, censo*[2]), **censo**[1] (ADMIN list, register, census; S. *empadronamiento*), **censo**[2] (CIVIL ground rent, annuity contract which runs with the land; S. *censualista, censuario*), **censo de contribuyentes** (TAX tax roll, list of taxpayers; S. *registro tributario*), **censo de población** (ADMIN population census), **censo electoral** (CONST voting list/register), **censo enfitéutico** (CIVIL emphyteusis, emphyteutic rent charge, long lease), **censo fructuario** (CIVIL *approx* beneficial ownership, use; land held to the use of another; relation between the legal and the beneficial owner), **censo pecuniario** (CIVIL valuable consideration given for the use of land, liferent *Scots*), **censo perpetuo/vitalicio** (INSUR perpetual annuity, liferent *Scots*), **censor de cuentas** (BSNSS auditor; comptroller), **censor público/jurado de cuentas** (BSNSS chartered accountant, certified public accountant, CPA; S. *auditor*), **censualista** (CIVIL lessor, annuitant; beneficiary of a long lease/liferent/annuity; S. *censo*[2]), **censuario** (CIVIL annuitant, payer of an annuity contract which runs with the land; S. *censo*[2]), **censura** (GEN criticism, disapprobation, disapproval, reflection; S. *reprobación*), **censura de cuentas** (BSNSS auditing; S. *auditoría*), **censura previa** (GEN self-imposed censorship), **censurar** (GEN criticize, disallow, reprove, object to; S. *desaprobar, denegar*), **censurable** (GEN objectionable, reprovable; S. *objetable*)].

centro *n*: GEN institution, centre, office. [Exp: **centro de acogida** (GEN/ADMIN community home reception centre), **centro de acogimiento/educación/internamiento para menores** (FAM care centre, approved centre charged with the care of the children of unfit or absent parents; young offender institution, detention centre; S. *hogar tutelar de menores, acogimiento de menores*), **centro de reeducación de jóvenes delincuentes en régimen abierto** (CRIM day training centre; S. *régimen abierto*), **centro de rehabilitación** (CRIM young offender institution, bail hostel), **centro de internamiento** (ADMIN internment centre, refugee camp/ hostel; approved accomodation where immigrants or deportees are housed pending a final decision on their right of abode ◊ *Antes de ser expulsados, los emigrantes indocumentados estuvieron varios días en* *un centro de internamiento*; S. *acogida*), **Centro de Investigación Sociológica** (GEN Spanish Institute for Social Research), **centro de selección de personal** (GEN recruitment office; S. *sección, agencia o departamento de selección de personal*), **centro penitenciario** (CRIM prison, penitentiary; S. *presidio, penal, penitenciaría*)].

cercenamiento *n*: GEN curtailment, reduction, cut, trimming, slashing; encroachment ◊ *Se nota el cercenamiento de libertades en algunos países*; S. *reducción, limitación*. [Exp: **cercenamiento del presupuesto** (ADMIN cuts/cutbacks in the budget, slashing of the budget), **cercenar** (GEN sever, reduce, cut [back on], trim; encroach [on]; S. *economizar, reducir*)].

cerciorarse *v*: GEN ascertain, make sure, verify, establish; S. *probar, comprobar*

cerco *n*: GEN ring, outer wall, fence, enclosure; siege; pressure; the word is often used metaphorically in expressions such as *poner cerco a* –surround, close in on, hem in– or *estrechar el cerco en torno a* –tighten the net around, close in on–, as in the example ◊ *La policía puso cerco a dos huidos tras un intenso tiroteo*; S. *acecho, bloqueo; acorralar, cordón*. [Exp: **cerco policial** (GEN police net [around suspect or escaped prisoner]; S. *cordón policial, eludir el cerco policial*)].

cerebro [de un proyecto, de un delito, etc.] *n*: GEN mastermind, kinpin; S. *cabecilla*.

ceremonia *n*: GEN ceremony, formalization; S. *protocolo*. [Exp: **ceremonial** (GEN ceremonial, protocol, etiquette), **ceremonias previas** (GEN preliminaries; S. *preparativos*), **ceremonioso** (GEN formal)].

cerrar *v*: GEN close, close down; conclude; S. *clausurar, formalizar; cierre*. [Exp: **cerrar una cuenta bancaria** (BSNSS close a bank account), **cerrar un trato** (BSNSS close/make/conclude a bargain, do/clinch a deal *col*, strike a bargain), **cerrar una operación** (BSNSS conclude a transaction)].

certeza *n*: GEN certainty; S. *convicción, seguridad, aplomo; duda*. [Exp: **certeza jurídica** (PROC legal certainty; *approx* standard of proof ◊ *El grado de certeza jurídica exigible al juzgador no es el mismo en el proceso civil y el penal*; S. *carga de la prueba*), **certeza moral** (PROC moral certainty)].

certificación *n*: GEN certificate, attestation, registration, warrant; S. *acta*. [Exp: **certificación de dominio** (CIVIL certificate of ownership/title), **certificación de firmas** (ADMIN certificate of acknowledgment, proof of acceptance or agreement, [routine] check that signatures have bbeen appended), **certificación del pago de derechos de aduanas** (ADMIN clearance; S. *despacho de aduanas*), **certificación de un testamento** (SUC attestation of a will), **certificado** (GEN/NOT certificate, testimonial, attestation, warrant; S. *acta, partida, fe*), **certificado de averías** (INSUR certificate of damage), **certificado de buena conducta** (GEN written testimonial, certificate of good conduct), **certificado de constitución de una sociedad mercantil** (BSNSS certificate of incorporation), **certificado de defunción** (CIVIL death certificate), **certificado de depósito** (BSNSS bond note, certificate of deposit, CD/cd), **certificado de inscripción inmobiliaria** (BSNSS certificate of registry, proof of registration, land certificate; charge certificate), **certificado de propiedad** (CIVIL certificate of ownership), **certificado de protesto** (BNSSS certificate of protest), **certificado de registro** (CIVIL certificate of registration; S. *patente de navegación*), **certificado del síndico** (BSNSS receiver's certificate), **certificar** (GEN certify, acknowledge, attest, warrant, register, vouch; S. *acreditar, dar fe, atestar, re-*

conocer), **certificar una firma** (GEN/ADMIN witness/certify a signature), **certifico** (ADMIN I hereby certify, this is to certify; this, or the third- person form *certifica*, is the usual opening formula found in official certificates drawn up by civil servants; as the following example shows, the opening formula also includes the identity of the person signing the certificate and the capacity in which he or she acts ◊ *Juan Pérez Ayala, Secretario del Ayuntamiento de Villagrande de los Patos, certifico* ...; S. *atestiguar, dar fe; fedatario*)].

cesación *n*: GEN discontinuance, termination, cessation; S. *supresión, interrupción*. [Exp: **cesación de hostilidades** (GEN/INTNL cessation of hostilities**), cesación de la vida conyugal** (FAM living apart of spouses, spouses' ceasing to cohabit, spouses' ceasing to liver together as husband and wife; S. *divorcio, separación*), **cesantía** (EMPLOY unemployment, dismissal indemnity, severance pay; S. *desempleo, paro, indemnización por despido o desahucio*), **cesar**[1] (GEN cease, end, dismiss, stop, come to an end), **cesar**[2] (EMPLOY dismiss, fire *col*; S. *destituir, despedir, relevar a alguien del cargo; echar*), **cese**[1] (GEN cessation, end, finish, break ◊ *Todos los partidos han pedido el cese inmediato de la violencia*; S. *fin, finalización*), **cese**[2] (EMPLOY compulsory retirement, dismissal, cessation, termination, severance; S. *despido, destitución, desahucio, remoción, indemnización por cese*), **cese de hostilidades** (INTNL cease-fire; S. *alto el fuego, armisticio*), **cese de la relación laboral** (EMPLOY termination of employment)].

cesión *n*: GEN transfer, cession, assignment, conveyance, grant, delivery, demise, remittal, surrender; S. *ceder; dación, entrega, asignación, título de cesión, traslación de dominio*. [Exp: **cesión-arrendamiento** (BSNSS lease-back), **cesión de bienes** (CIVIL general assignment in favour of creditors), **cesión de créditos** (BSNSS assignment of credits/debts, sell-down of loans, providing of credit, agreement to provide credit), **cesión de derechos** (CIVIL assignment of rights), **cesión de la posesión de un buque a los aseguradores** (INSUR abandonment of ship, cargo, insured property, etc.; S. *abandono de buque*), **cesión libre o sin condiciones** (CIVIL absolute assignment or conveyance), **cesionario** (GEN/CIVIL assignee, abandonee, beneficiary, grantee/licensee), **cesionario de bienes del fallido** (CIVIL assignee in bankruptcy), **cesionario de una patente** (BSNSS assignee of patent), **cesionista** (CIVIL grantor, assigner/assignor, abandoner, surrenderor, transferor)].

CGPJ *n*: PROC General Council of the [Spanish] Judiciary; S. *Consejo General del Poder Judicial*.

chaleco anti-balas *n*: GEN bullet-proof jacket; S. *blindar, acribillar a balazos*.

chanchullero *col n*: GEN/CRIM grafter; S. *granuja*. [Exp: **chanchullo** *col* (CRIM/GEN fiddle *col*, sharp practice, monkey/funny business, jiggery-pokery, rigging, graft *col*, carve-up *col*, set-up *col*, fix, fast one, fiddle, dodge, neat trick; temporary repair; a way round a difficulty; un chanchullo es un arreglo desaprensivo entre varias personas; S. *apaño, arreglo, chanchullo, componenda, corrupción, manipulación, fraude*)].

chantaje *n*: CRIM blackmail, bite; S. *amenaza, extorsión, estafa*. [Exp: **chantajear** (CRIM blackmail, put the bite on; S. *extorsionar*), **chantajista** (CRIM blackmailer; S. *extorsionista*)].

chapa *n*: GEN badge; S. *placa, distintivo, insignia*. [Exp: **chapa de policía** (CRIM policeman's badge)].

chapero *slang n*: GEN male prostitute specialising in homosexual trade, rentboy *slang*.

charta partita *n*: BSNSS S. *fletamento*.

cheque *n*: BSNSS cheque, check *US*; S. *talón*. [Exp: **cheque a la orden** (BSNSS order cheque, cheque to [the] order; negotiable cheque), **cheque abierto** (BSNSS open cheque, uncrossed cheque), **cheque aceptado, aprobado o visado** (BSNSS certified/marked cheque; S. *cheque conformado*), **cheque al/en descubierto** (BSNSS uncovered cheque, cheque not covered by funds, bounced cheque *col*), **cheque al portador** (BSNSS bearer cheque, cheque made payable to the bearer), **cheque bancario** (BSNSS official cheque, treasurer's cheque, cashier's cheque, bank cheque/draft; S. *cheque de ventanilla*), **cheque caducado** (BSNSS stale cheque, out-of-date cheque), **cheque confirmado, conformado, aceptado o visado** (BSNSS certified/marked check, officially authorised cheque), **cheque cruzado** (BSNSS crossed cheque), **cheque de caja** (BSNSS cash letter; cashier's cheque), **cheque de mostrador** (BSNSS counter check *US*), **cheque de ventanilla** (BSNSS cashier's cheque, official cheque, treasurer's cheque; S. *cheque bancario*), **cheque de viajero** (BSNSS traveller's cheque), **cheque devuelto o rechazado** (BSNSS dishonoured/returned cheque; bounced cheque, bouncer; stumer *col*, dud check, rubber check *US col*; S. *cheque sin fondos o provisión*), **cheque domiciliado** (BSNSS addressed cheque), **cheque en blanco** (BSNSS blank cheque; S. *firmar un cheque en blanco*), **cheque en descubierto** (BSNSS S. *cheque al descubierto*), **cheque falsificado** (CRIM forged/counterfeit cheque), **cheque nominativo** (BSNSS order cheque, cheque made payable to the peson named on it, personal cheque, cheque not transferable by endorsement), **cheque para abonar en cuenta** (BSNSS pay-in-only cheque; non-negotiable cheque), **cheque rechazado** (BSNSS returned cheque), **cheque sin fondos** (BSNSS bad cheque; kite cheque; dishonoured cheque; bounced cheque *col*; dud cheque *col*; S. *cheque devuelto*), **cheque vencido** (BSNSS overdue cheque), **chequera** (BSNSS cheque book; S. *talonario de cheques*)].

chica de alterne *n*: GEN vice girl, call girl, hostess; S. *alterne*.

chirona *slang n*: CRIM jail, jug *col*, clink *col*, cooler *col*, inside; S. *trena, cárcel*.

chivarse *col v*: GEN split, grass *slang*, shop *col*; S. *cantar, soplar, denunciar*. [Exp: **chivatazo** (CRIM tip-off), **chivato policial** *col* (CRIM snitch *col*, grass *col*, stool pigeon *col* ◊ *Cosieron a balazos al chivato policial*; S. *soplón*)].

chivo expiatorio *n*: GEN scapegoat; S. *cabeza de turco, víctima propiciatoria*.

chocar *v*: GEN crash, clash [with], fall out [with], be at odds; conflict with, come/run up [against], come head to head [with]; S. *tener un encontronazo con alguien*. [Exp: **choque** (GEN crash, collision, clash, conflict; S. *colisión*)].

choricear *v*: CRIM swindle; swipe *col*, pinch *col*, lift *col*, knock off *col*. [Exp: **chorizo** *slang* (CRIM crook, swindler; thief, sneak-thief; S. *caco*)].

chocolate *n*: *slang* GEN/CRIM hash, dope, gear; S. *caballo, camello, estupefaciente, viaje; chutarse, engancharse, fliparse*.

chutarse *slang v*: GEN/CRIM mainline *slang*, shoot up *slang*; S. *picarse, meterse una dosis, colocarse, engancharse, caballo, chocolate, fliparse*; *viaje*.

cicatriz *n*: GEN scar ◊ *Aunque se operó varias veces siempre le quedó la cicatriz de la cara*; S. *señal*.

cierre *n*: GEN close, closing; deadline; S. *término, conclusión, clausura; cerrar*. [Exp: **cierre de ejercicio** (BSNSS year-end closing), **cierre de la fase de alegaciones** (PROC close of pleadings), **cierre patronal** (BSNSS lockout; S. *paro*)].

cifrado[1] *a*: GEN in code, encoded. [Exp: **cifrado**[2] (GEN coding, codification, encryption; S. *codificación, clave*), **cifrar** (GEN encode, encrypt ◊ *La policía pudo descifrar los mensajes de los terroristas*; S. *codificar*), **cifrarse** (GEN amount to, be reckoned ◊ *Las pérdidas se han cifrado en 30.000 €*), **cifrar el valor de algo** (GEN put a figure/price on sth)].

cimientos *n*: GEN basis, foundations, footing; S. *fundamento, base.*

circulación[1] *n*: GEN circulation, movement; S. *poner en circulación.* [Exp: **circulación**[2] (GEN traffic), **circulación de capitales** (BSNSS movements of capital), **circulación del tráfico rodado** (GEN road traffic ◊ *Es una falta el incumplimiento de las normas que rigen la circulación del tráfico rodado*; S. *infracción*), **circulante** (GEN/BSNSS floating; S. *flotante*), **círculo** (GEN circle, association, club; S. *asociación*)].

circunscripción *n*: GEN district, court's area, jurisdiction; S. *distrito, demarcación.* [Exp: **circunscripción electoral** (GEN constituency, precinct, electoral ward; S. *distrito electoral*)].

circunstancia *n*: GEN circumstance. [Exp: **circunstancialmente** (GEN circumstantially), **circunstancia atenuante** (CRIM mitigating circumstance or factor, mitigation), **circunstancias causantes** (PROC causation; S. *causalidad*), **circunstancia eximente** (CRIM defence, exculpatory circumstance; excuse; justification [as a defence] ◊ *La ebriedad se considera a veces circunstancia eximente*; S. *eximentes, causas de inimputabilidad criminal*), **circunstancia incriminatoria** (CRIM incriminating circumstances), **circunstancias agravantes** (CRIM aggravating circumstances, aggravation), **circunstancias modificativas** (GEN circumstances altering a case)].

cita[1] *n*: GEN appointment, meeting; S. *reunión, concertar una cita.* [Exp: **cita**[2] (GEN citation, quotation, quote, reference ◊ *En su discurso jurídico nunca faltan sabrosas citas literarias*; S. *referencia*), **cita a/de leyes, normas**, etc. (PROC citation of authorities), **cita, previa** (GEN by appointment; S. *concertar una cita*), **citación**[1] (GEN/PROC summons, citation, subpoena; the term refers to a court order calling upon the individual named in it to appear in court as accused, as defendant or as witness ◊ *El juez sustanciará el incidente con citación y audiencia del procesado*; S. *emplazamiento, citar*[1]), **citación**[2] (GEN/PROC citation, reference, mention; S. *mención, referencia*), **citación a licitadores** (BSNSS call for bids, invitation to bidders), **citación de inculpado** (CRIM summons), **citación de remate** (ADMIN notice of public auction), **citación judicial** (PROC judicial notice, summons), **citación para sentencia** (PROC final judgment summons), **citación por edicto** (PROC summons by publication), **citación y emplazamiento** (PROC subpoena), **citado** (GEN aforesaid; S. *susodicho*), **citar**[1] (GEN/PROC summon[s], subpoena, give notice; S. *emplazar, notificar; citación*[1]), **citar**[2] (GEN/PROC cite, refer to, make reference to ◊ *En sus conclusiones finales el fiscal ha citado a Ortega y Gasset*; S. *mencionar, hacer referencia a*), **citar**[3] (GEN/PROC call, summon, make an appointment, invite/ask/request sb to attend ◊ *El abogado nos ha citado a las siete de la tarde en su bufete*; S. *convocar*), **citar para estrados** (PROC summon[s], subpoena, order to appear)].

ciudadanía *n*: GEN citizenship; S. *nacionalidad.* [Exp: **ciudadano** (GEN national, citizen; private person, individual; S. *persona*), **ciudadano nacionalizado o naturalizado** (GEN naturalized citizen), **ciudadano por nacimiento** (GEN natural-born citizen)].

civil *a/n*: GEN/CIVIL civil; civilian. [Exp: **civilista** (PROC Civil Law specialist, lawyer specialising in Civil Law; S. *administrativista, penalista, laboralista, procesalista.*

clandestinamente *adv*: GEN clandestinely, furtively, secretly, under cover; S. *de contrabando.* [Exp: **clandestinidad** (GEN clandestinity, secrecy; underground; S. *pasar a la clandestinidad*), **clandestino** (GEN clandestine, secret, surreptitious, stealthy, furtive, covert; S. *subrepticio, secreto*)].

clarificar *v*: GEN clarify, refine, clear [up]; S. *perfeccionar, pulir, mejorar.* [Exp: **claro** (GEN clear, open, unequivocal, flat, patent; blatant)].

clase *n*: GEN class, type, kind, grade, denomination; S. *categoría, calidad, rango, nivel, tipo.* [Exp: **clase alta** (GEN upper class ◊ *Algunos delincuentes de guante blanco proceden de la clase alta*), **clase baja** (GEN lower class, working class), **clase dirigente** (GEN ruling class), **clase media** (GEN middle class), **clase obrera** (GEN working class; S. *movimiento obrero*), **clases pasivas** (EMPLOY state pensioners; S. *jubilado, prejubilado*), **clasificación** (GEN ranking, rating, classification, marshalling; S. *tasación*), **clasificar** (GEN classify, sort, rank, rate, marshal; S. *ordenar*)].

claustro *n*: GEN cloister; [academic] staff, senate; staff or senate meeting. [Exp: **claustro materno** (GEN womb)].

cláusula *n*: CIVIL/CONST/BSNSS clause, article; S. *condición, artículo, estipulación.* [Exp: **cláusula accesoria** (CIVIL secondary clause), **cláusula adicional** (CIVIL rider; S. *acta adicional*), **cláusula antirenuncia** (CIVIL antiwaiver clause), **cláusula colateral** (CIVIL collateral clause), **cláusula compromisoria** (CIVIL arbitration clause), **cláusula de anticipación o de amortización anticipada** (CIVIL acceleration clause), **cláusula de atestación** (NOT witness clause), **cláusula de autoexclusión** (CONST opting-out clause), **cláusula de caducidad** (BSNSS expiration clause), **cláusula de conmoriencia** (SUC common disaster clause), **cláusula de coseguro** (INSUR coinsurance clause), **cláusula de culpabilidad bilateral en abordaje** (BSNSS/INSUR both-to-blame collision clause), **cláusula de estilo** (CIVIL standard clause), **cláusula de excepción** (CIVIL saving clause; S. *salvedad o reserva*), **cláusula de exención** (BSNSS exemption clause), **cláusula de franquicia de avería simple** (BSNSS average clause), **cláusula de gestión y trabajo** (BSNSS sue and labour clause), **cláusula de guerra** (CIVIL war risk clause), **cláusula de hielo** (BSNSS general ice clause), **cláusula de irresponsabilidad** (BSNSS clause excluding liability), **cláusula de nación más favorecida** (CONST most-favoured-nation clause), **cláusula de notificación** (CIVIL notice clause), **cláusula de penalización** (CIVIL penalty clause, indemnity clause), **cláusula de premoriencia** (SUC survivorship clause, pre-decease clause), **cláusula de prioridad** (CIVIL pre-emption clause), **cláusula de renuncia** (BSNSS/CIVIL waiver clause), **cláusula de rescisión** (CIVIL escape clause, cancellation clause; S. *cláusula resolutoria*), **cláusula de riesgos excluidos** (INSUR exclusion clause), **cláusula de salvaguardia de un contrato** (BSNSS escape/safeguard clause, protective clause; S. *salvaguardia*), **cláusula de supervivencia del testador** (SUC predecease clause, survivorship clause), **cláusula derogatoria** (BSNSS repealing/derogatory clause), **cláusula facultativa** (CIVIL optional clause), **cláusula penal** (BSNSS penalty clause), **cláusula resolutoria** (BSNSS cancellation/cancelling clause, defeasance clause, dissolving clause, default clause), **cláusula de reparación o indemnización por daños y perjuicios** (CIVIL damage provision clause), **cláusula descriptiva de un inmueble** (CIVIL parcel clause)].

clausura *n*: GEN closure, closing, closing-down; S. *cierre*. [Exp: **clausurar** (GEN close down, bring to an end/close; S. *concluir, cerrar*)].

clavar *v*: CRIM drive, plunge, stick, sink; rip off *col*, overcharge, charge a fancy price *col* ◊ *Le clavó la navaja dos veces en el cuello*.

clave *n*: GEN key; password; code; S. *código, cifrado*.

clemencia *n*: CRIM mercy, leniency, clemency; S. *indulto, lenidad, gracia, perdón*.

club *n*: GEN club; S. *local, sala*. [Exp: **club de alterne** (GEN pick-up joint; S. *local de alterne, chica de alterne*), **club nocturno** (GEN nightclub; S. *cabaret*)].

co- *prefijo*: GEN co-, joint, fellow.

coacción *n*: CRIM compulsion, coercion, duress, unlawful constraint, undue influence; S. *miedo insuperable, fuerza, compulsión, intimidación*. [Exp: **coacción con violencia** (CRIM duress), **coacción física** (CRIM actual coercion), **coacción, por** (CRIM under duress, under unlawful constraint ◊ *Es nulo el matrimonio celebrado por coacción*), **coaccionado** (CRIM under duress; S. *bajo coacción*), **coaccionar** (CRIM coerce, constrain, compel, urge, impel; pressurize, pressure; exert undue influence, menace), **coactivo** (CRIM coercive, compelling)].

coacreedor *n*: BSNSS joint creditor.

coacusado *n*: CRIM co-defendant. [Exp: **coacusador** (CRIM joint complainant; fellow accuser), **coacusar** (CRIM accuse jointly)].

coadjutor *n*: GEN coadjutant; coadjutor; assistant, fellow-helper.

coadyuvante *n*: GEN helper, asistant; accomplice; third party in an action; S. *cómplice*. [Exp: **coadyuvar** (GEN contribute, aid, assist; S. *cooperar, colaborar, socorrer, ayudar*)].

coagente *n*: BSNSS joint agent.

coalición *n*: GEN coalition, alliance, combination.

coarrendador *n*: CIVIL joint landlord, co-lessor, joint lessor. [Exp: **coarrendatario** (CIVIL joint tenant, co-lessee; S. *mediero*)].

coartada *n*: CRIM alibi ◊ *Los dos novios de la víctima adujeron coartadas imbatibles*. [Exp: **coartar** (GEN/CRIM coerce, limit, restrict, inhibit; S. *limitar, forzar, obligar*)].

coasegurador *n*: INSUR co-insurer. [Exp: **coaseguro** (INSUR co-insurance, double insurance)].

coautor *n*: GEN/CRIM co-author, accomplice; joint/fellow perpetrator or principal co-accused; joint guilt or responsibility, art and part guilt *Scots*; S. *copartícipe*. [Exp: **coautoría** (GEN/CRIM co-authorship)].

coavalista *n*: CIVIL co-guarantor; S. *cofiador*.

cobarde *a*: GEN coward. [Exp: **cobardía** (GEN cowardice)].

cobertura[1] *n*: GEN coverage, protection; hedging ◊ *Fue detenido por dar cobertura con documentación falsa a unos narcotraficantes*; S. *protección, resguardo; cobijar, esconder*. [Exp: **cobertura**[2] (INSUR cover; S. *documento acreditativo de cobertura*), **cobertura de cambio** (BSNSS exchange cover), **cobertura informativa** (GEN press coverage), **cobertura política** (GEN political protection)].

cobijar *v*: GEN shelter, protect, harbour; S. *acoger, amparar, proteger, abrigar, esconder*. [Exp: **cobijar a un delincuente** (CRIM shelter/harbour a criminal), **cobijo** (GEN shelter, protection)].

cobranza/cobro *n*: GEN collection, recovery; cashing, drawing; receipt of payment; S. *presentar al cobro*. [Exp: **cobrar** (GEN charge; cash; receive, collect; receive payment; S. *percibir, recibir*), **cobrador** (GEN collector), **cobrar de más** (GEN overcharge), **cobrar de menos** (GEN undercharge), **cobrar el sueldo** (EMPLOY draw one's salary)].

cocaína *n*: GEN cocaine, rock *col*; S. *calada, colocarse; heroína*.

coche *n*: GEN car, vehicle. [Exp: **coche blindado** (GEN bombproof/bulletproof car, steel- plated/armour-plated vehicle; S. *blindar, furgón blindado*), **coche bomba** (CRIM car bomb; S. *bomba lapa, artefacto explosivo, kamikaze*; *desactivar*), **coche celular** (CRIM prison van, police security van, Black Maria *col;* S. *canguro*), **coche patrulla** (CRIM patrol car; S. *furgón policial*)].

cóctel molotov *n*: CRIM petrol bomb; S. *artefacto explosivo*.

codemandado *n*: CIVIL co-defendant, co-respondent, joint defendant; S. *coencausado*.

codeudor *n*: CIVIL joint debtor, co-debtor, comaker; S. *cogirador, fiador*.

codicia *n*: GEN greed ◊ *La codicia humana es la causa de no pocas demandas*; S. *avaricia*.

codicilo *n*: SUC codicil; under Spanish rules of succession, a codicil supplements or alters the provisions *–disposiciones–* of an extant will but has no effect on the appointment of beneficiaries *–institución de los herederos–*; S. *testamento, testar*.

codificación *n*: GEN codification, coding, encoding. [Exp: **codificador** (GEN codifier), **codificar** (GEN codify), **código** (GEN/CONST code; system of law; statute), **código civil** (CIVIL civil code; S. *ley de enjuiciamiento civil*), **código de edificación** (ADMIN building code), **código de deontología/ética profesional** (GEN code of professional conduct or ethics; S. *código deontológico*), **código de la circulación o de tránsito** (ADMIN highway code), **código de policía** (ADMIN police regulations), **código de procedimiento** (PROC rules of procedure, procedural rules; S. *ley de enjuiciamiento*), **código deontológico** (GEN code of conduct/practice, model rules of professional conduct *US*), **código mercantil** (BSNSS commercial law, code or rules), **código penal** (CRIM criminal code), **código penal militar** (CRIM code for the use of military tribunals, courts martial rules for criminal law, *approx* articles of war), **código postal** (ADMIN post code, zip code of business law *US*)].

codirector *n*: GEN associate director, co-director; deputy director.

codueño *n*: CIVIL joint owner; S. *copropietario, cotitular*.

coeficiente *n*: GEN coefficient, rate, ratio; S. *tasa, tarifa, índice*. [Exp: **coeficiente bancario obligatorio** (BSNSS bank reserves ratio), **coeficiente de caja** (BSNSS cash ratio; required cash reserve)].

coencausado *n*: CRIM joint defendant, co-accused; S. *coacusado*.

coercer *v*: GEN restrain. [Exp: **coercible** (GEN coercible), **coerción** (GEN coercion, restraint), **coercitivo** (GEN coercive, restraining)].

coexistencia pacífica *n*: GEN peaceful coexistence.

cofiador *n*: CIVIL co-guarantor, co-surety; S. *coavalista*,

cofiduciario *n*: CIVIL co-trustee, joint trustee.

cofirmante *n*: CIVIL co-signer, co-maker.

coger *v*: GEN catch; S. *aprehender, prender, apresar, detener*.

cogestión *n*: GEN/BSNSS co-management, joint management.

cogirador *n*: BSNSS co-drawer, co-maker.

cognación *n*: CIVIL/FAM/SUC cognation; kinship, consanguinity; in Spanish law, as in Scots law, the term refers exclusively to blood relations who descend from a common female ancestor, as distinct from *agnación* –agnation–, which is common ancestry through the male line; S. *agnación, parentesco*. [Exp: **cognado** (FAM cognate; S. *agnado, consanguíneo*)].

cognición[1] *n*: GEN cognition. [Exp: **cognición**[2] (CIVIL judicial or authoritative cognizance or notice; the judicial right to hear and try a matter, jurisdiction; formerly the name *proceso* or *juicio de cognición –approx* small debt proceedings– was the name given to the mode of trial appropriate to civil matters at the lower end of the scale –less than 800,000 pesetas– determined by the amount involved; S. *juicio declarativo, juicio de menor cuantía, juicio ordinario*), **cognición judicial** (PROC judicial cognizance/notice/knowledge)].

cohabitación *n*: GEN cohabitation, common-law marriage; S. *amancebamiento, convivencia, contubernio, concubinato*. [Exp: **cohabitar** (GEN cohabit; live together as husband and wife though not married)].

cohechador *n*: CRIM briber, soboner; embracer; S. *sobornador*. [Exp: **cohechar** (CRIM bribe, suborn, corrupt, embrace; S. *sobornar*), **cohecho** (CRIM bribe, bribery, corrupt practices, especially when they involve a public servant or a judge, etc; embracery; breach of confidence, breach of faith; S. *soborno, corrupción, corruptela, dádivas a funcionarios públicos*)].

coheredero *n*: SUC joint beneficiary, fellow-heir, co-heir, co-inheritor, co-parcener.

coincidencia *n*: GEN coincidence, agreement ◊ *Aunque había ciertas discrepancias en las versiones de los dos testigos, también había coincidencias significativas*; S. *acuerdo, puntos de coincidencia*. [Exp: **coincidir** (GEN coincide; agree; S. *concordar*)].

coito *n*: GEN sexual intercourse, carnal knowledge, coitus; S. *conocimiento/ayuntamiento carnal*.

colaboración *n*: GEN collaboration, cooperation; S. *cooperación, ayuda*. [Exp: **colaborador** (GEN helper, assistant, co-worker, collaborator, contributor; S. *ayudante*), **colaborador en el delito** (CRIM aider and abettor; S. *cooperador, cómplice; cooperación delictiva, colaboración delictiva, participación delictiva*), **colaborar** (GEN collaborate, co-operate, aid, help, assist ◊ *Los hijos tienen la obligación de colaborar en las labores domésticas*; S. *prestar apoyo, socorrer, coadyuvar, apoyar, sufragar, subvenir, ayudar, alimentar, velar por*)].

colación[1] *n*: GEN collation; S. *comparación, cotejo*. [Exp: **colación**[2] (SUC S. *colación de bienes*), **colación**[3] (GEN light meal), **colación**[4] (GEN S. *sacar/traer a colación*), **colación de bienes** (SUC S. collation, hotchpot; S. *donación colacionable, bienes colacionables*), **colacionar** (GEN/SUC collate, bring together for close comparison, bring into hotchpot ◊ *Para establecer la masa de la herencia los herederos forzosos tienen la obligación de colacionar los bienes que hubieran recibido a título lucrativo en vida del causante*; S. *a título lucrativo, causante, heredero forzoso, masa de la herencia*)].

colateral[1] *a*: GEN collateral, secondary ◊ *Algunas resoluciones judiciales pueden suscitar cuestiones colaterales*; S. *adicional, secundario, subsidiario, incidental*. [Exp: **colateral**[2] (BSNSS collateral, security; S. *aval, caución, fianza, prenda*), **colateral**[3] (FAM collateral; collateral relationship may be by consanguinity *–consanguinidad–*, e.g. cousins, or by affinity *–afinidad–*, e.g. in-laws; S. *ascendientes, descendientes, parientes, línea colateral*), **colateral, sin** (BSNSS unsecured; S. *sin garantía*), **colaterales por afinidad** (FAM collaterals by affinity ◊ *Los cuñados son colaterales por afinidad*), **colaterales por consanguinidad** (FAM collaterals by consanguinity ◊ *Los hermanos son colaterales por consanguinidad*), **colateralmente** (GEN collaterally; S. *subsidiariamente*)].

colección *n*: GEN collection, gathering. [Exp: **colectiva e individualmente** (GEN/CIVIL jointly and severally), **colectivamente** (GEN collectively, together, jointly, as a body), **colectivo** (GEN collective, joint)].

colegiación *n*: GEN/EMPLOY enrolment in [or act of joining] a professional association. [Exp: **colegiación en el Colegio de Abogados** (PROC *approx* admission to the Rolls, call to the Bar), **colegiación profesional** (GEN enrolment in a professional body), **colegiado**[1] (PROC member of a professional association), **colegiado**[2] (ADMIN/PROC collegiate, collegial; of/related to/issued by a bench or tribunal rather than a single judge; in Spanish practice this usually means a court or bench of three judges; S. *órgano colegiado, órgano jurisdiccional, órgano unipersonal, tribunal*), **colegiarse** (GEN join/enrol in, or as a member of, a professional body or association; become a Fellow), **colegio** (GEN college, professional association), **colegio de abogados** (GEN Bar Association, Inns of Court; Law Society, American Bar Association, Faculty of Advocates *Scots*; S. *colegiación, abogacía*), **Colegio de Corredores** (BSNSS syndicate of brokers), **colegio electoral** (CONST polling station, polling place; electoral college)].

colgar *v*: GEN hang; when used to refer to the means of carrying out the death penalty, the word *colgar* is somwhat coarse and popular; *ahorcar* is the formal term; S. *ahorcar*. [Exp: **colgado de la droga, estar** *col* (CRIM be hooked on drugs *col*)].

colindante *a*: GEN/CIVIL adjacent/adjoining, conterminous, abutting ◊ *Una vecina de un edificio colindante asegura que vio a alguien saltando por la terraza*; S. *contiguo, adyacente, limítrofe*. [Exp: **colindar** (GEN adjoin, abut, border, touch; S. *lindar, dueño colindante*)].

colisión *n*: GEN crash, collision; conflict; S. *choque*. [Exp: **colisión de derechos** (CIVIL conflict of rights/laws; S. *conflicto de leyes*)].

colitigante *n*: PROC co-litigant.

colocación[1] *n*: GEN job, employment, position; S. *empleo, ocupación, puesto de trabajo*. [Exp: **colocación**[2] (GEN placing, playing, puttin; positioning; planting ◊ *El detenido asumió su participación en la colocación de artefactos en varias oficinas bancarias*), **colocar** (GEN put, lay, place, position; plant; help [sb] find a job), **colocar controles policiales** (CRIM set up police road-blocks or checkpoints), **colocarse**[1] (EMPLOY take a job; find oneself a job), **colocarse**[2] *slang* (GEN [on drink] get pissed *col*, get plastered *col*; [on drugs] get stoned *col*, get high *col* ◊ *Según la policía el acusado y sus compañeros solían colocarse con marihuana antes de ir a la discoteca*; S. *caballo, calada, chocolate, chutarse, costo, engancharse, fliparse, viaje*), **colocón** *col* (GEN found in phrase like *¡Qué colocón lleva!* –He's pissed/stoned out of his [tiny] mind–; S. *borrachera, curda*)].

colonizar *v*: GEN/CONST settle, colonize. [Exp: **colonizador/colono** (GEN/CONST settler, colonial; S. *poblador, colono*)].

colusión *n*: GEN/BSNSS/CRIM collusion, unfair competition; S. *confabulación, pacto en detrimento de terceros, competencia desleal*. [Exp: **colusor** (CRIM colluder, conspirator), **colusorio** (GEN/BSNSS/CRIM collusive, fraudulent)].

comandita *n*: BSNSS limited/silent/special partnership; S. *sociedad mercantil*. [Exp: **comandita, en** (GEN all together, as a team, in a bunch), **comanditario** (BSNSS silent/special partner)].

comando [terrorista] itinerante *n*: terrorist cell/commando/group/hit squad [operating at large or outside their area]; S. *itinerante, célula*.

comarca *n*: CONST [rural] district; it normally comprises several small towns or villages; S. *barrio, comunidad autónoma, distrito, municipio, pedanía, partido, provincia, región, nacionalidad.*

combate *n*: GEN combat, fight, battle, contest; S. *muerto en combate; fuera de combate; tumulto, refriega, reyerta, riña, pendencia.* [Exp: **combatir**[1] (CIVIL fight, combat; S. *luchar, disputar, discutir, contender*), **combatir**[2] (CIVIL contest, set up/raise a defence against, appeal against, dispute, challenge, deny, assail; oppose, impugn, take exception to; S. *impugnar*), **combativo** (GEN combative, contentious, belligerent, argumentative; S. *terco, contencioso, discutidor; pacifista*)].

combinación *n*: BSNSS combination, trust, cartel; combine; S. *consorcio, grupo industrial.* [Exp: **combinación de empresas** (BSNSS combination, combo *col*, cartel, pool; S. *concentración de empresas*), **combinar** (GEN merge, combine, join up; S. *fusionar*)].

comentario *n*: GEN comment, remark, observation.

comerciable *n*: BSNSS marketable. [Exp: **comercial** (BSNSS commercial, trade, business, trading, shopping, retail, mercantile; S. *mercantil, tratante*), **comercialización** (BSNSS marketing, merchandising; S. *mercadotecnia*), **comerciante** (BSNSS trader, middleman, merchant, handler), **comerciante al por mayor** (BSNSS wholesaler, wholesale trader), **comerciante al por menor** (BSNSS retail trader; S. *detallista, minorista*), **comerciante autorizado** (BSNSS licensed trader), **comerciar** (BSNSS trade, deal, have dealings, buy and sell, do business, be in business; S. *negociar*), **comercio** (BSNSS trade, commerce, business, dealing; shop, store, the shops; S. *trato, negocio, transacción, gestión*), **comercio al por mayor** (BSNSS wholesale trade; S. *mayorista*), **comercio al por menor** (BSNSS retail trade), **comercio de cabotaje** (BSNSS coastal trade), **comercio de exportación** (BSNSS export trade), **comercio de importación** (BSNSS import trade), **comercio exterior** (BSNSS foreign trade), **comercio interior** (BSNSS domestic/home commerce), **comercio sexual** (CRIM sexual inercourse)].

cometer *v*: commit, perpetrate, do; S. *perpetrar, provocar, incurrir.* [Exp: **cometer asesinato** (CRIM commit murder), **cometer fraude** (CRIM defraud, embezzle; fiddle, rig; S. *hacer chanchullos, manipular*), **cometer el fraude de imitación** (BSNSS/CRIM pass off), **cometer suicidio** (CRIM commit suicide), **cometer un delito** (CRIM commit a crime, fall foul of the law; S. *delinquir*), **cometer un desliz** (GEN slip up), **cometer una imprudencia** (GEN act without due care, fail in one's duty of care, act rashly or imprudently, be reckless; S. *diligencia*), **cometido** (GEN task, job, commission, duty, assignment)].

comicios *n*: CONST election-s, voting; S. *elecciones, acudir a las urnas*)].

comisar *obs v*: CRIM/ADMIN S. *decomisar.*

comisaría *n*: CRIM police station; office of a commissioner; S. *cuartelillo de la guardia civil.* [Exp: **comisaría general de información** (CRIM intelligence service), **comisario** (CRIM/GEN commissioner, police inspector/superintendent; deputy, delegate), **comisario de averías** (BSNSS/INSUR average surveyor), **comisario de la quiebra** (BSNSS bankruptcy commissioner, receiver), **comisario de patentes** (BSNSS commissioner of patents), **comisario de policía** (CRIM police inspector, superintendent, police commissioner), **comisario jefe de policía** (CRIM chief of police, *approx* Chief Constable), **comisario parlamentario** (CONST ombudsman; S. *defensor del pueblo*)].

comisión[1] *n*: GEN committee, commission, board, panel; S. *comité, junta.* [Exp:

comisión[2] (GEN commission, delegation, deputation, mandate; S. *mandato, delegación*), **comisión**[3] (BSNSS commission, fee, factorage; S. *corretaje*), **comisión**[4] (GEN/CRIM perpetration, commission; S. *ejecución*), **comisión asesora** (GEN advisory commission/board), **comisión central de arbitraje** (EMPLOY central arbitration committee), **comisión conjunta** (GEN joint committee), **comisión de admisiones** (GEN membership committee), **comisión de cobro** (BSNSS collection fee, exchange), **Comisión de Codificación** (CONST *approx* Council of Law Reporting), **comisión de encuesta** (GEN fact-finding commission), **comisión de gestión** (BSNSS management fee), **comisión de seguimiento** (GEN review committee), **comisión de servicios** (ADMIN secondment; S. *destinar en comisión de servicios*), **comisión de vigilancia** (GEN committee of control), **comisión de un delito** (CRIM perpetration/commission of a crime), **comisión directiva, gestora o ejecutiva** (GEN executive committee), **Comisión Europea, Comisión de las Comunidades Europeas** (EURO European Commission; S. *Unión Europea*), **comisión fija** (BSNSS fixed percentage or commission, flat fee), **comisión mixta** (GEN joint committee), **Comisión Nacional del Mercado de Valores, CNMV** (BSNSS Securities and Exchange Commission, SEC), **comisión parlamentaria, fase de** (CONST commission stage), **comisión permanente** (GEN standing committee), **comisión rogatoria** (PROC letter of request, rogatory commission, rogatory letter-s, letters rogatory, *commission rogatoire*; S. *requisitoria*), **comisión técnica o de expertos** (GEN committee/panel of experts, technical committee), **comisionado** (GEN deputy, delegate, commissioner; commissioned; S. *lugarteniente, diputado, delegado*), **comisionar** (GEN commission, delegate; S. *delegar*), **comisiones, en** (PROC in panels; S. *en pleno*), **comisionista** (BSNSS agent who works for commission)].

comiso *obs n*: CRIM/ADMIN S. *decomiso*.

comitas gentium *n*: CONST comity of nations; S. *cortesía internacional*.

comité *n*: GEN committee, panel, board; S. *comisión*. [Exp: **comité conjunto** (GEN joint committee), **comité consultivo** (GEN advisory committee), **comité de agravios** (GEN/EMPLOY complaints committee/board, board that hers industrial disputes or workers' grievances), **comité de dirección** (GEN management/steering committee), **comité de redacción** (GEN drafting committee), **Comité Económico y Social** (GEN Economic and Social Committee), **comité ejecutivo** (GEN executive committee)].

comitente *n*: BSNSS principal, shipper; S. *poderdante* [Exp: **comitente encubierto** (GEN undisclosed principal; S. *mandante encubierto*)].

comodante *n*: CIVIL bailer, bailor, lender; S. *depositante, fiador, garante*. [Exp: **comodatario** (CIVIL bailee, borrower; S. *depositario de bienes, locatario, depositante de fianza, prestatario*), **comodato** (CIVIL commodatum, gratuitous bailment, free loan for purposes of bailment; S. *contrato de comodato*)].

compañero *n*: GEN fellow, peer, colleague. [Exp: **compañero de trabajo** (EMPLOY co-worker, fellow-worker, workmate, colleague), **compañero sentimental** (GEN lover, partner, girlfriend, boyfriend; mistress *pejorative*; it is a nice question whether the term «mistress», itself originally a euphemism, is now to be regarded as essentially pejorative, or whether terms such as «partner» and *compañera/o sentimental* are bland contemporary euphemisms reflecting the preferences or prejudices of our times; in any event, to many people the word «mistress» now often sounds demeaning; however, in a context such as *El conocido jefe mafioso fue detenido junto a su compañera sentimental*, a translator might well opt for the familiar register prevalent in the popular press, and provide a version along the lines of «The well-known gangland boss was arrested along with his mistress»; S. *pareja de hecho, relación sentimental*), **compañía** (BSNSS company, firm; S. *empresa, sociedad mercantil*)].

comparación *n*: GEN comparison, collation; S. *cotejo, colación*. [Exp: **comparar** (GEN compare, collate; S. *cotejar, compulsar, llevar a cabo un careo, confrontar*.

comparecencia *n*: PROC appearance, attendance; S. *presencia, acto de presencia, asistencia*. [Exp: **comparecencia ante el tribunal** (PROC court appearance; S. *incomparecencia, personarse*), **comparecencia de testigos** (PROC attendance of witnesses), **comparecer** (PROC appear in court, answer, come up before; S. *acudir, asistir, presentarse, personarse*), **comparecer ante el tribunal** (PROC appear in/before the court, be brought before a court of law; S. *capacidad de comparecer ante los tribunales*), **comparecer, no** (PROC fail to appear, default; S. *incomparecencia*), **compareciente** (PROC [persons] appearing [in court])].

compatriota *n*: GEN fellow-citizen; S. *conciudadano, patria*.

compeler *v*: GEN compel, force, oblige, put pressure on, press ◊ *El acusado que no comparezca ante el tribunal podrá ser compelido por la fuerza*; S. *apremiar, urgir, instar, presionar, obligar*.

compendiar *v*: GEN abridge, summarize; S. *extractar, resumir, abreviar*. [Exp: **compendio** (GEN abridgement, abstract; S. *abreviación*)].

compensación *n*: GEN compensation, redress, relief, indemnity, offset, amends; S. *satisfacción, reparación, retribución, remuneración, desagravio*. [Exp: **compensación bancaria** (BSNSS clearing, set-off of debits and credits; clearings of cheques; S. *convenio bilateral de pagos*), **compensación entre cónyuges separados o divorciados** (FAM maintenance, financial provisions, alimony), **compensación por gastos de viaje** (BSNSS travelling allowance; S. *viático, gastos de viaje*), **compensado** (GEN balanced, even, cleared; S. *equilibrado*), **compensar** (GEN compensate, clear; redress, repair, indemnify, provide, relief, make reparation, offset; S. *equilibrar, contrarrestar*), **compensar pérdidas** (BSNSS offset losses)].

competencia[1] *n*: COM competition, competitiveness, rivalry ◊ *La sana competencia es imprescindible en las economías de mercado*; S. *competir; concurrencia, concurso, rivalidad*. [Exp: **competencia**[2] (PROC jurisdiction, jurisdictional capacity, power, duty, competence, capacity, faculty, authority, cognisance/cognizance; venue ◊ *En España la investigación de un delito es de la exclusiva competencia del juez instructor*; S. *incumbencia, jurisdicción, capacidad jurídica; facultades, poderes, funciones, atribuciones, falta de competencia; ejercer las competencias, caer fuera de las competencias, tener competencia*), **competencia**[3] (GEN ability, competence, proficiency, mastery, standing; S. *eficiencia, habilidad, eficacia, prestigio*), **competencia consultiva** (GEN advisory powers), **competencia de control** (GEN supervisory powers), **competencia decisoria** (PROC decision-making powers), **competencia desleal** (BSNSS unfair competition), **competencia jurisdiccional** (PROC competence, jurisdictional authority), **competencia leal o justa** (BSNSS fair competition), **competencia legislativa** (CONST law-making power), **competente**[1] (GEN competent, proper, authorized, able, capable, efficient, trained; S. *apto, capaz, idóneo, capacitado, preparado; incompetente, autoridad competente, funcionario competente, juez competente, jurisdicción competente*), **competente**[2] (PROC authorized, competent, legally qualified, appropriate, proper ◊ *Las pretensiones de las partes se formularán ante el tribunal que sea competente*; S. *autoridad competente*), **competente para litigar** (PROC capable of pleading/acting/sueing and being sued), **competer** (GEN concern, pertain to, be incumbent on, be responsible, have jurisdiction over ◊ *En su escrito ha formulado las pretensiones que cree que le competen*), **competidor** (GEN competing; competitor, rival; S. *contrincante*), **competir** (GEN compete, enter into competition), **competitivo** (GEN competitive)].

compilación *n*: GEN compilation, codification, collection. [Exp: **compilación de leyes** (CONST code, law reports, codified set of laws or statutes), **compilador** (GEN compiler, codifier, reporter; S. *recopilador*), **compilar** (GEN compile, codify)].

completar *v*: GEN complete; accomplish; supplement; S. *concluir, cumplir, consumar, practicar, efectuar, realizar, formalizar, llevar a cabo.*

complicación *n*: GEN complication, difficulty, hindrance; S. *simplificación*. [Exp: **complicar** (GEN complicate, entangle, obscure; S. *simplificar*)].

cómplice *n*: CRIM accomplice, aider and abetter/abettor, counsellor or procurer, accessory, party to a crime, principal in the second degree; an accomplice in Spanish law is usually either an *instigador* –one who counsels or procures the offence, or in the now obsolete but still well- known English phrase «an accessory before the fact»– or an *encubridor* –one who aids or abets the commission of the offence, or harbours the offender, or handles or conceals stolen goods or evidence of the offence, i.e. what used to be called an «accessort after the fact»; S. *autor material, encubridor, colaborador*. [Exp: **cómplice necesario** (CRIM principal accomplice, accessory, principal in the second degree), **complicidad** (CRIM complicity; aid, aiding and abetting), **complicidad indirecta** (CRIM counselling or procuring [an offence], facilitation)].

complot *n*: CRIM conspiracy, plot, scheme; frame-up; S. *conspiración, confabulación, conjura.*

componedor *n*: GEN adjuster/adjustor, referee, mediator, arbitrator; S. *asesor, tasador, ajustador*. [Exp: **componenda** (GEN questionable/irregular arrangement, shady deal, [piece of] sharp practice, dige, doggy deal; S. *tinglado, arreglo, chanchullo, componenda*), **componer** (GEN compose; compound; fix, repair; settle, compromise; S. *llegar a compromiso, transigir; composición*)].

comportamiento *n*: GEN behaviour, conduct; S. *conducta*. [Exp: **comportar** (GEN carry; entail, involve; S. *acarrear, entrañar*), **comportarse** (GEN behave, conduct oneself)].

composición *n*: GEN composition, agreement, settlement; S. *convenio, avenencia, conciliación, arreglo; componer*. [Exp: **composición de los puntos en litigio** (PROC out-of-court settlement of the issue, adjustment/settlement of the difference; S. *transacción*)].

compra *n*: GEN purchase, acquisition, emption; S. *adquisición*. [Exp: **compra de una empresa** (BSNSS acquisition of a company), **compraventa** (CIVIL/BSNSS sale; buying and selling; dealing; though the Spanish habit is to mention both sides of the bargain, in English it is more usual to refer to the agreement as a «sale»), **compraventa a plazos** (BSNSS hire-purchase), **comprador de buena/mala fe**

(BSNSS buyer in good/bad faith), **comprar** (BSNSS buy, purchase; S. *adquirir*)].

comprendido en *prep*: GEN under, included under; S. *contemplado en, considerado en.*

comprobación *n*: GEN check, proof, test, trial, verification ◊ *En las actuaciones de comprobación de la Agencia Tributaria se han descubierto algunos fraudes fiscales*; S. *prueba, práctica de la prueba, demostración.* [Exp: **comprobante** (BSNSS receipt, voucher, slip, warrant, voucher [of payment], ticket; S. *resguardo, vale*), **comprobante de adeudo** (BSNSS voucher of indebtedness, proof of debt), **comprobante de venta** (BSNSS receipt, bill), **comprobantes** (GEN supporting documents), **comprobar** (GEN verify, prove, check, test; S. *verificar, cerciorarse*)].

comprometer[1] *v*: GEN place/put beyond one's control, put at risk, compromise ◊ *Si firmas ese documento, comprometes a la empresa.* [Exp: **comprometer**[2] (GEN endanger, jeopardise, threaten; place under an obligation, bind, commit ◊ *El pacto firmado por el padre compromete a la familia a vender el negocio*; S. *vincularse, obligarse*), **comprometerse** (GEN agree, undertake, promise, arrange, bind oneself ◊ *El demandado se comprometió a aportar pruebas fehacientes de la veracidad de su versión*), **comprometerse solemnemente** (GEN give a solemn undertaking; S. *vincularse, obligarse*), **compromisario**[1] (GEN arbitrator, umpire S. *hombre bueno, amigable componedor, árbitro, tercero*), **compromisario**[2] (CONST elector, delegate, representative; S. *delegado*), **compromiso** (GEN undertaking, commitment, engagement, agreement, bond; compromise, obligation, award, assumpsit; pollicitation; embarrassing position, jam *col*, quandary *col*; S. *acuerdo, componenda, promesa, pacto; excepción de compromiso previo, asumir un compromiso, llegar a un compromiso, hacer frente a un compromiso*), **compromiso colateral** (GEN collateral undertaking/agreement), **compromiso de avería** (BSNSS average bond; S. *garantía o fianza de avería, obligación de avería*), **compromiso de los puntos en litigio** (GEN adjustment of the difference; S. *ajuste, acomodo*), **compromiso formal** (GEN formal commitment)].

compulsa *n*: CIVIL attested/authenticated copy, certified true copy; certification; S. *certificación, certificado.* [Exp: **compulsar** (CIVIL attest, collate, compare; make a certified copy; S. *atestar, legalizar, compulsar, dar fe, adverar, certificar; cotejar*)].

compulsión *n*: GEN compulsion, coercion, constraint; S. *coacción, apremio.* [Exp: **compulsivo**[1] (GEN compulsive, compulsory, mandatory, obligatory ◊ *Ejecución compulsiva*; S. *obligatorio*), **compulsivo**[2] (GEN compulsive, obsessive ◊ *Es un comprador compulsivo*; S. *obsesivo, obcecado*)].

computar *v*: GEN compute, estimate, tally; S. *calcular, estimar, tasar.* [Exp: **cómputo** (GEN calculation, tally, computation; S. *cuenta*), **cómputo anual** (GEN year-to-year basis; S. *régimen anual, régimen de renovación anual*)].

común *a*: GEN common, ordinary, prevailing; S. *bienes comunes; corriente, habitual, ordinario.* [Exp: **común acuerdo, de** (GEN by common consent, by mutual consent; S. *separación matrimonial no litigiosa*), **comunal** (GEN communal, community; S. *bienes comunales*), **comunero** (GEN joint tenant, co-owner, communal property owner; S. *comunidad, copartícipe*)].

comunicación *n*: GEN communication; notification, link; telephone call or line; contact; message; S. *aviso, anuncio, notifi-*

cación. [Exp: **comunicación de confianza o privilegiada** (PROC privileged communication), **comunicación escrita** (GEN written communication), **comunicaciones procesales** (PROC procedural writs/orders/notification/motions/petitions; process served by the courts in parties, or sent from one court to another; S. *exhorto, carta-orden, suplicatorio, mandamiento, oficio; resoluciones judiciales*), **comunicado** (GEN communiqué, [official] announcement, release of information, communication; S. *publicación, anuncio, aviso; hacer público, publicar*), **comunicado oficial** (GEN official communiqué/statement), **comunicado/nota [oficial] de prensa** (GEN press release), **comunicar** (GEN communicate, give notice of, acquaint; advise, convey, tell, inform of/about, transmit; put through [by phone]; connect, link; S. *dar parte, informar, avisar, anunciar, dar a conocer, hacer público, advertir; incomunicar*), **comunicar por correo electrónico** (GEN e-mail; S. *correo electrónico*), **comunicarse** (GEN communicate), **comuníquese** (GEN for transmittal; know all men; let it be known; copies of this order to be sent to ...)].

comunidad *n*: GEN community; joint ownership, commonwealth; S. *comunero*. [Exp: **comunidad autónoma** (CONST autonomous or self-governing community; S. *ente autonómico, parlamento autonómico, autonomía; trabajos en beneficio de la comunidad*), **comunidad de bienes** (CIVIL partnership, community of assets, joint ownership, joint tenancy), **comunidad de pastos** (CIVIL common of pasture, common pasture), **comunidad de regantes** (CIVIL authorised users of an irrigation network, association of farmers sharing irrigation rights, group of persons jointly entitled to use a private or restricted water supply; S. *finca de regadío*), **Comunidad Económica Europea, CEE** (EURO European Economic Community, EEC; S. *Unión Europea*), **Comunidad Europea, CE** (EURO European Community, EC), **Comunidad Europea del Carbón y del Acero** (EURO European Coal and Steel Community, ECSC)].

concausa *n*: GEN subsequent cause.

concebir *v*: GEN conceive; develop; think up, dream up, work out ◊ *El plan del robo lo concibió la madre del muerto en el asalto al banco*; S. *autor intelectual*. [Exp: **concebido** (GEN/CRIM foetus, unborn child ◊ *Los juicios por aborto clínico suelen versar sobre los derechos de los concebidos y no nacidos*; S. *aborto*)].

concedente *n*: GEN grantor, licensor. [Exp: **conceder**[1] (GEN give, award, grant, accord ◊ *La ley concede al tribunal la facultad de adelantar la práctica de las pruebas*; S. *dar, otorgar, conferir, adjudicar*), **conceder**[2] (GEN admit, concede, recognise ◊ *El demandado concede que recibió el aviso de cobro, pero sostiene que la fecha que llevaba no era la que alega el actor*; S. *admitir, reconocer*), **conceder un descuento/una rebaja** (BSNSS allow/grant a discount/an allowance; S. *hacer un descuento*), **conceder la suspensión de la instancia** (PROC grant a stay; S. *decretar la suspensión de la instancia*), **conceder libertad condicional a un preso** (CRIM release a prisoner on licence or on parole), **conceder plazos** (PROC extend terms, allow terms for payment), **conceder un plazo** (PROC allow/lay down/provide/specify/stipulate a time limit, deadline or closing date ◊ *La ley concede un plazo de diez días para completar la documentación entregada*), **conceder un plazo para el pago** (BSNSS grant/give time to pay), **conceder un préstamo** (BSNSS grant/make a loan, provide credit), **conceder una amnistía** (CONST grant amnesty; S. *amnistiar*), **conceder una li-**

cencia (ADMIN grant a licence), **conceder una prórroga** (GEN allow time, grant a delay), **conceder una subvención** (ADMIN grant a subsidy)].

concejal *n*: ADMIN [town] councillor; alderman; S. *edil, teniente de alcalde*. [Exp: **concejalía** (ADMIN aldermanship), **concejo [municipal]** (ADMIN city council, town council, municipal council, corporation; S. *casa consistorial, corporación municipal, cabildo*)].

concepto de, en *phr*: GEN as [a], by way of. [Exp: **concepto de garantía, en** (CIVIL as a security)].

concentración *n*: GEN concentration. [Exp: **concentración de empresas** (BSNSS combination, consolidation, merger), **concentración parcelaria** (BSNSS concentration of small farming plots)].

concertar *v*: GEN agree, arrange, adjust, concert, settle, set up; S. *reglar, regularizar, regular, adaptar, adecuar, ajustar, conciliar, acomodar*. [Exp: **concertar un contrato** (GEN agree/enter into/make a contract), **concertar una cita** (GEN arrange an appointment)].

concesión *n*: GEN grant, concession, privilege; allowance, franchise; S. *donación, privilegio, subvención, bonificación*. [Exp: **concesión administrativa** (ADMIN government franchise), **concesión de licencias** (ADMIN granting of licences), **concesión de patente** (BSNSS assignment of patent), **concesión de servicios públicos** (GEN award/concession of [a contract for] public services), **concesionario** (BSNSS/ADMIN dealer, grantee, licensee, concessionaire, concessionary; S. *distribuidor*), **concesionario de patente** (BSNSS patentee), **concesionario único** (BSNSS sole licensee)].

conchabado *col a*: CRIM in league/cahoots [with] *col*; S. *confabulado*. [Exp: **conchabarse** *col* (GEN conspire, plot; be in league/cahoots *col*)].

conciencia[1] *n*: GEN conscience, ethics; S. *moral*. [Exp: **conciencia**[2] (GEN consciousness, awareness; S. *conocimiento*), **conciencia, a** (GEN scrupulously, conscientioulsy, thoroughly, painstakingly

conciencia, en (GEN/PROC honestly, fairly, justfly, sincerely; to the best of one's knowledge or belief, scrupulously in accordance with the law or one's sense of ritght or fairness ◊ *Una vez se han presentado todas las pruebas, el juez resolverá en conciencia*; the phrase is a somewhat terse formulation of the standard of proof *–criterio judicial al evaluar las pruebas–* required by Spanish law; the common rules laid down for the weight to be given to the evidence are much more matter-of-fact than the notoriously difficult English tests, and there is no systematic way of formulating the distinction between the civil standard *–proof on a balance of probabilities–* and the criminal standard *–proof beyond a reasonable doubt–*, though the principle is recognised by Spanish courts; instead, one encounters practical or everyday phrases emphasizing that the decision must be in accordance with reason *–acorde con los principios del raciocinio humano–*, common sense *–sentido común–* and ordinary experience, and that the judge or jury must be convinced or sure on the evidence *–deben convencerse o estar seguros de acuerdo con las pruebas, o deben considerar que existen pruebas suficientes–*; S. *apreciación de la prueba, evaluación de las pruebas, suficiencia probatoria; contradictorio, publicidad, inmediación; a sabiendas*), **conciencia sin culpa** (CRIM blameless knowledge, clean hands; S. *conducta intachable*)].

concierto *n*: GEN arrangement, accord, covenant, bargain; S. *acuerdo, arreglo, acto de conciliación*. [Exp: **concierto de voluntades** (CIVIL/BSNSS meeting of minds),

concierto económico o financiero (ADMIN/BSNSS financial arrangement)].

conciliación *n*: CIVIL settlement, compromise, accord and satisfaction, ajustment, conciliation, reconciliation; S. *ajuste, acuerdo, transacción, acto de conciliación*. [Exp: **conciliación y arbitraje** (S. *servicio asesor para la conciliación y el arbitraje*), **conciliación obligatoria** (EMPLOY statutory), **conciliar** (GEN mediate, conciliate, reconcile, find a balance, reach a settlement; S. *concertar*)].

conciso *n*: GEN concise, succinct, brief; abridged; S. *escueto, breve, sucinto; abreviar*.

conciudadano *n*: GEN fellow-citizen; S. *patria, nación*.

concluir *v*: GEN conclude, accomplish, close; reach; S. *cerrar, completar, formalizar, clausurar, rematar, dar por concluido*. [Exp: **conclusión** (GEN conclusion, outcome, completion, close; results, findings; S. *escrito de conclusiones definitivas, escrito de conclusiones provisionales; cierre, término*), **conclusión de la sociedad de gananciales** (S. *orden judicial disponiendo la conclusión de la sociedad de gananciales*), **conclusiones de una investigación** (GEN outcome/findings/results of an investigation or enquiry; S. *resultados*), **conclusiones finales de la acusación** (CRIM closing/final speech by counsel for the prosecution, closing arguments), **conclusiones finales de la defensa** (CRIM closing/final speech by counsel for the defence, closing arguments), **conclusiones de derecho/hecho** (PROC findings of law/fact), **conclusiones provisionales de la acusación** (CRIM prosecution case, submissions of fact and law, opening statement), **conclusiones provisionales de la defensa** (CRIM defence case, defence, prosecution, submissions of facts and law, opening statement), **concluyente** (GEN conclusive, convincing, categorical, determining, compelling ◊ *La defensa aportó medios de prueba y de descargo muy concluyentes*; S. *decisivo, determinante*)].

concomitancia *n*: GEN concomitance, co-existence. [Exp: **concomitante** (GEN accompanying, attendant, concomitant, incidental; S. *adjunto, concurrente, de acompañamiento*)].

concordancia *n*: GEN conformity, concordance; good agreement, harmony. [Exp: **concordante** (GEN consistent, concomitant), **concordar** (GEN agree; be/run/stand on all fours; S. *concertar, convenir, acordar, coincidir*), **concordato** (GEN concordat; S. *pacto, convenio*), **concordia** (GEN concord), **concorde** (GEN agreed; in agreement; S. *conforme a, acorde con*)].

concubina *n*: GEN/CRIM concubine; S. *barragana; cohabitar*. [Exp: **concubinato** (GEN/CRIM concubinage, cohabitation without legal marriage; S. *amancebamiento*)].

conculcación *n*: GEN breach, violation, infringement; S. *infracción*. [Exp: **conculcar** (CRIM/CIVIL infringe, breach, violate; ride roughshod over ◊ *Cuando se conculca un derecho no hay más solución que acudir a los tribunales*; S. *vulnerar*)].

concurrencia *n*: GEN audience, attendance; S. *concurrir*[1]. [Exp: **concurrencia**[2] (GEN concurrence; competition; S. *concurso, competencia*), **concurrencia de acciones** (PROC [partial] overlapping of actions), **concurrencia de culpa civil** (CIVIL contributory negligence), **concurrencia desleal** (BSNSS/CRIM unfair competition; S. *competencia injusta o desleal*), **concurrente** (GEN concurrent, attendant, simultaneous, conjoint, arising or existing together; S. *concomitante*), **concurrir**[1] (GEN attend ◊ *Concurrió mucha gente a la manifestación contra la guerra*; S. *acudir, concurrencia*), **concurrir**[2] (GEN come together, combine, arise together, coincide, occur simultaneously ◊ *El perito designado deberá abstenerse si concurre alguna de las causas legalmente previstas*; this highly formal verb is often best translated by phrases such as «in the event of/that..., should [such-and such a circumstance] arise», etc; S. *en caso de, en su caso*), **concurrir a una licitación** (ADMIN/BSNSS submit a bid/tender, compete for a contract [of public work])].

concursado *n*: BSNSS bankrupt; S. *fallido, quebrado, quiebra, insolvente*. [Exp: **concursal** (GEN pertaining to bankruptcy procedings; S. *acreedor concursal, administrador concursal, proceso concursal*), **concursante** (GEN competitor, bidder, offerer/offeror), **concursar** (GEN compete, stand as candidate, apply for; sit [exam]; declare bankrupt/insolvent), **concurso**[1] (ADMIN competition, open contest, competitive exam, civil service exam; precedures governing entry to, or promotion within the public services; all suitably qualified candidates are entitled to stand, and all examinations and interviews are held in public, candidates being marked in accordance with a previously announced scale *–baremo–*, which includes both performance on the day and additional relevant qualifications and attainments; S. *oposición, adjudicación de plazas fijas en la Administración Pública, impugnar el resultado de un concurso u oposición*), **concurso**[2] (CRIM simultaneity, concurrence; overlapping of offences; act or fact of occurring together or being treated or considered as one or as intimately connected; Spanish law distinguishes two types of *concurso*, which courts must consider when imposing sentence *—al imponer la pena—* in the event of an accused party's being found guilty of two or more charges, or of an accused found guilty of one charge asking the court to take another charge or charges into account in passing sentence *–dictar sentencia–*; the issue in both cases is whether the sentences should be cumulative or not, a matter which depends in its turn on whether the offences committed by the accused were the result of a single criminal act or successive and independent criminal acts), **concurso**[3] (BSNSS bankrupty proceedings), **concurso a licitadores/concurso público** (ADMIN/BSNSS tender, call for bids; S. *convocatoria de propuestas, licitación, adjudicación de obras por concurso*), **concurso de acreedores** (CIVIL bankruptcy proceedings, proceedings against an insolvent debtor, proceedings following a bankruptcy petition or an application for an administration order; the term applies only to insolvent debtors who are not traders; insolvency proceedings involving the administration and winding-up of bankrupt companies come under the general term *quiebra*; S. *insolvencia, quiebra, tercería de mejor derecho*), **concurso de delitos** (CRIM overlapping of offences, offences treated jointly, offences considered together), **concurso ideal** (CRIM constructive/technical overlapping of offences; overlapping of two or more offences arising out of a single criminal act, committed by the same individual and judged simultaneously or taken together for sentencing; for example, in a case of transferred malice *–dolo desviado–,* where an individual fires a shot at A with the intention of killing him, but misses and kills B instead, this single criminal act produces two punishable consequences, viz. manslaughter in the case of B and attempted murder in that of A; the force of the term *ideal* is not actual, technical, constructive, arising by operation of legal principle, and the word contrasts with *real* in the entry *concurso real*; in imposing sentence, the court, within its discretion, will discount the possibility of cumulative terms of imprisonment, since the same act cannot be punished twice, and will base the sentence on the scale prescribed for the more serious offence; however, the other offence will be regarded as an aggravating circumstance, forcing the judge to impose a penalty on the upper half of the scale prescribed for the more serious offence), **concurso-oposición** (ADMIN competitive exam, Civil Service exam), **concurso real** (CRIM actual overlapping of offences; overlapping of two or more offences committed by the same individual and arising out of an equal number of criminal acts judged simultaneously or taken together for sentencing; for legal purposes it makes no difference whether the acts occurred in quick succession or even if they are of the same kind, except insofar as they were all committed by the same accused; in accordance with the rules for sentencing, the court will treat the offences together and assess *–tasar–* a total cumulative punishment within the legally permitted maximum for any of the offences considered separately), **concurso voluntario** (BSNSS voluntary bankruptcy)].

concusión *n*: CRIM extortion, illegal exaction; graft *col*; S. *chantaje, extorsión* [Exp: **concusionario** (extortioner, extortionist, extortionate, extortionary; S. *prevaricar, extorsionador*)].

condena *n*: CRIM conviction of an offence, criminal conviction, sentence, penalty ◊ *La condena es causa de separación legal.* [Exp: **condena accesoria** (CRIM accessory punishment; S. *penas accesorias*), **condena condicional** (CRIM suspended sentence), **condena en costas** (PROC order to pay court costs), **condenas acumulables** (CRIM accumulative sentences, cumulative sentences), **condenado** (CRIM convicted offender/prisoner; S. *celdas de condenados, reo, interno, recluso, penado*), **condenar**[1] (PROC/CIVIL convict, find guilty, find the case proved; sentence; S. *declarar culpable, culpable*), **condenar**[2] (PROC/CIVIL give/enter judgment against, make/find liable ◊ *El tribunal condenó al demandado, que tuvo que compensar al demandante*; as the example shows, in Spanish civil cases it is only the defendant who can be *condenado*, since there is no claim against the plaintiff; if the claimant loses, the verb *absolver* is used of the defendant, meaning theat the claimant's action for liability has has failed; the only aooarent exception to this is if a counterclaim *–reconvención–* succeeds, but this in fact confirms normal usage, since the effect of a counterclaim is to reverse the roles of claimant and defendant in the main action; S. *absolver, reconvención*), **condenar**[3] (GEN condemn, criticize ◊ *Sus palabras fueron condenadas por toda la sala*), **condenar a alguien en rebeldía** (CIVIL/CRIM enter judgment against sb for non-appearance or failure to appear or in default; give/enter summary judgment for sb; give decree in absence against sb *Scots*), **condenar a muerte** (CRIM sentence/condemn to death), **condenar a prisión** (CRIM imprison, send to prison, jail, send down *col*; S. *pena de muerte*), **condenar al demandado** (PROC enter a judgment for the plaintiff), **condenar en costas** (PROC order to pay costs, award costs against)].

condición *n*: GEN/BSNSS condition, term; proviso; prerequisite; S. *cláusula, requisito, estipulación*. [Exp: **condición afirmativa** (GEN affirmative condition [to do something]), **condición de que, a** (GEN provided that; S. *siempre que, con tal de que*), **condición extintiva** (CIVIL extinguishing condition), **condición incierta** (GEN uncertain condition), **condición in-**

compatible (GEN repugnant condition), **condición limitativa, restrictiva o negativa** (GEN restrictive condition), **condición mixta** (GEN mixed condition), **condición mutua** (GEN mutual condition), **condición potestativa** (CIVIL optional condition), **condición resolutoria** (CIVIL defeasance clause, condition subsequent, clause discharging the contract upon non-payment or other condition subsequent; here the sense of resolutorio is «dissolving, extinguishing, putting an end to»; this tuype of condition or defeasance clause is most commonly encountered in mortages *–hipotecas–*, and gives the mortgagee *–acreedor hipotecario–* the right of repossession if the mortgagor *–deudor hipotecario–* defaults on repayment; S. *resolver*[2]), **condición suspensiva** (GEN precedent condition, condition precedent), **condición única** (GEN single condition), **condiciones de pago** (BSNSS terms of payment), **condiciones de paz** (INTNL peace terms), **condiciones de venta** (BSNSS terms of sale), **condicional** (GEN conditional, contingent; S. *contingente, aleatorio, accidental*), **condicionalmente** (GEN conditionally), **condicionar** (GEN limit, qualify, restrict, make conditional [on]), **condicionar una sucesión** (SUC entail an inheritance, set conditions on inheritance)].

condominio *n*: CIVIL condominium; common ownership, tenancy/ownership in common; S. *comunidad de propietarios, copropiedad, propiedad horizontal, tenencia en común*. [Exp: **condómino** (CIVIL co-owner, joint owner)].

condonación *n*: GEN/CIVIL/CRIM waiver, release, cancellation or writing-off of a debt, etc.; remission, pardon, lifting [os sentence, etc.], acceptilation *Scots*; S. *anulación, exoneración, cancelación*. [Exp: **condonar** (GEN/CRIM remit, release, cancel, write off; pardon, lift ◊ *Algunos bancos suelen condonar las deudas de las campañas publicitarias de los partidos políticos*)].

conducción *n*: GEN driving; S. *permiso de conducción, tráfico rodado*. [Exp: **conducción en estado de embriaguez** (CRIM drunk driving, driving while intoxicated or under the influence of drink or drugs; S. *embriaguez, bajo la influencia del alcohol*), **conducción temeraria o peligrosa** (CRIM dangerous driving, reckless driving), **conducir** (GEN drive; lead, run, operate; S. *dirigir, explotar, operar*)].

conducta *n*: GEN behaviour, conduct; S. *comportamiento; certificado de buena conducta; buena/mala conducta*. [Exp: **conducta contra la moral pública** (CRIM indecency, indecent or lewd behaviour, outraging public decency), **conducta criminal o delictiva** (CRIM criminal conduct, felony, offence; S. *hecho punible*), **conducta impropia o indebida** (GEN misconduct; S. *mala conducta*), **conducta imprudente** (CIVIL failure to show/take due care), **conducta intachable** (GEN/ADMIN impeccable behaviour; irreproachable conduct; clean hands ◊ *De los jueces se espera una conducta intachable*), **conducta injuriosa o vejatoria** (FAM/CRIM insulting or vexatious treatment, cruelty ◊ *La conducta injuriosa o vejatoria es causa de separación legal*; S. *infidelidad conyugal*), **conducta justa y equitativa** (GEN fair dealing), **conducta pervertida, anormal o antisocial** (CRIM antisocial behaviour, unreasonable behaviour), **conducta temeraria** (CRIM reckless conduct), **conducta violenta** (CRIM violence, violent behaviour, threatening behaviour, affray, violent disorder; S. *altercado violento, disturbio, desorden violento*)].

conducto *n*: GEN tube, pipe; channel. [Exp: **conducto de, por** (GEN through, by means of ◊ *La información llegó a la policía por conducto de un periodis-*

ta), **conducto reglamentario, por** (GEN through/by the usual/proper channels)].

condueño *n*: CIVIL joint/part-owner, co-owner; S. *copropietario.*

conectar *v*: GEN connect, relate, join [up]; S. *relacionar, vincular.* [Exp: **conexión** (GEN connection, link, relation, bearing ◊ *La policía no ha encontrado conexión alguna entre ambos casos*; S. *relación, enlace*), **conexo** (GEN connected, related, indissociably linked, forming part of a series ◊ *Se consideran delitos conexos los que a juicio del Tribunal tuvieran analogía o relación entre sí*; S. *delito conexo, relacionado, vinculado*)].

confabulación *n*: CRIM collusion; conspiracy ◊ *No se ha podido establecer ningún tipo de confabulación entre el inspector y la empresa inspeccionada*; S. *connivencia, colusión, disimulo, tolerancia.* [Exp: **confabulación para restringir el libre comercio** (CRIM contract/conspiracy in restraint of trade), **confabulado** (CRIM [fellow] conspirator; engaged/involved in a plot/conspiracy, in cahoots with; S. *conchabado*), **confabularse** (CRIM collude, conspire, plot; S. *pactar en perjuicio de tercero*)].

confederación *n*: GEN confederation, league, association. [Exp: **confederarse** (GEN league, confederate, form an alliance or confederation; S. *aliarse, unirse*)].

conferir *v*: GEN award, confer; vest, grant, allow, lend, bestow; S. *facultar, autorizar, otorgar, conceder.* [Exp: **conferir poderes** (ADMIN empower, confer powers [upon]; S. *facultar*)].

confesar *v*: GEN confess, admit, acknowledge, concede, recognize; S. *admitir, allanarse.* [Exp: **confesión** (GEN/PROC confession, admission, admission against interest; avowal, acknowledgement, concession; S. *reconocimiento, admisión; arrancar una confesión a alguien*), **confesión bajo coacción** (CRIM admission under duress), **confesión de culpabilidad/responsabilidad** (CRIM admission of guilt/liability), **confesión de la deuda** (BSNSS admission of indebtedness), **confesión en juicio** (PROC admission under oath/examination/in the course of the trial), **confesión espontánea** (GEN voluntary confession), **confesión *in articulo mortis*** (SUC death-bed confession, dying confession; S. *declaración*), **confesión judicial** (PROC deposition, reply to interrogatories, admission/concession made in the course of pleadings; S. *absolución de posiciones, declaración jurada por escrito, deposición*), **confesión sincera** (GEN honest/sincere admission or confession), **confeso** (CRIM self-confessed; S. *asesino convicto y confeso*)].

confianza *n*: GEN confidence, trust, reliance; intimacy, freedom from formality, familiarity ◊ *Ha surgido una crisis de confianza en los mercados financieros por la conducta de algunos ejecutivos desaprensivos*; S. *fiabilidad, formalidad, seriedad; cargo de confianza, voto de confianza.* [Exp: **confianza, de** (GEN reliable, trustworthy, responsible), **confianza, en** (GEN in confidence); **confianza legítima** (GEN legitimate expectations), **confiar** (GEN trust, rely; entrust, commit ◊ *A la Administración se le confía el funcionamiento de los servicios públicos*; S. *encomendar*), **confiar la patria potestad** (CIVIL grant custody ◊ *Excepcionalmente el juez puede confiar la patria potestad a uno solo de los padres*; S. *emancipación; patria potestad*)].

confidencia *n*: GEN secret; S. *secreto.* [Exp: **confidencial** (GEN secret, confidential; S. *secreto*)].

confinamiento *n*: CRIM confinement, exile, banishment; special probation order or restriction order; the convicted offender under such an order must live in a designated area and is subject to police or other approved supervision; S. *internamiento; aislamiento, reclusión, libertad condicional libertad vigilada*. [Exp: **confinar** (CRIM confine, imprison; exile; restrcti; impose a restriction order on), **confinar con** (GEN abut/border on)].

confirmación *n*: GEN confirmation, ratification, acknowledgement; S. *ratificación, afirmación*. [Exp: **confirmación de la sentencia** (PROC confirmation/affirmance of judgment or verdict; dismissal of an appeal), **confirmar** (GEN ratify, confirm, sustain, affirm, uphold, clinch ◊ *El tribunal desestimó el recurso y confirmó la condena contenida en el fallo*; S. *ratificar, apoyar, sostener*), **confirmar una condena** (CRIM uphold/sustain a conviction)].

confiscación *n*: PROC confiscation, seizure, expropriation; S. *expropiación, decomiso, secuestro, incautación, embargo*. [Exp: **confiscar** (CIVIL/ADMIN confiscate, seize, sequester, sequestrate, impound, declare forfeit, appropriate, expropriate, take forcible possession of; the etymological sense of this verb is retained in usage, since it applies only to acts of seizure ordered by the administrative or executive power, and goods or property so seized are appropriated to the public treasury –*fisco*–; when the seizure, attachment or distraint is ordered for the settlement of a private debt, the term *embargar* is preferred; S. *embargar, decomisar*), **confiscatorio** (ADMIN/PROC confiscatory), **confiscado** (ADMIN/PROC forfeit)].

conflictividad laboral *n*: EMPLOY labour/employment/industrial disputes, labor disputes *US*. [Exp: **conflictivo** (GEN quarrelsome, controversial; troubled, difficult, contentious, petulant; fruaght with difficulties, rpone to conflict), **conflicto** (PROC dispute, conflict, litigation; S. *disputa, desacuerdo, controversial*), **conflicto de atribuciones** (PROC conflict/dispute between constitutional organs of the state as to the extent of their powers), **conflicto de competencia o de jurisdicción** (PROC conflict concerning jurisdiction or competence; S. *cuestión de competencias*), **conflicto de derechos y deberes** (GEN conflict between rights and duties), **conflicto de leyes** (CONST conflict of laws; S. *antinomia legal*), **conflicto de intereses** (CIVIL conflict of interests ◊ *Los tribunales civiles resuelven los conflictos de intereses de los ciudadanos*), **conflicto laboral** (EMPLOY labour dispute), **conflicto salarial** (EMPLOY pay dispute)].

conforme[1] *a*: GEN agreed; in agreement, satisfied; S. *satisfecho* [Exp: **conforme**[2] (GEN approval, acceptance ◊ *El conforme lo dio el director general*; S. *aprobación, conformidad, aceptación*), **conforme a** (GEN in accordance with; in compliance with, pursuant to, as per, in line with; S. *según, de acuerdo con, a tenor de, al amparo de, en virtud de, de conformidad con, concorde a, acorde con*), **conforme a derecho** (PROC lawful, allowable; according to law; S. *lícito, legítimo, admisible; de acuerdo con, según, en el marco de*), **conforme absoluto o sin condiciones** (GEN absolute acceptance; S. *aceptación expresa y absoluta*), **conformidad** (GEN confirmation, consent, agreement, approval, compliance, acquiescence; clearance [to cash a cheque]; accordance; often used with verbs like *dar* –give–, *manifestar* –show, signify, betoken–, *mostrar* –show, express–, *prestar* –lend, give–, *contar con* –count on, have–; in such cases it may be translated as approve –*aprobar*–, assent –*asentir*–, etc. ◊ *Dio su conformidad para que se practicara la prueba*; S. *anuencia, aquiescencia, aceptación, beneplácito, consentimiento, visto bueno; juicio de conformidad, sentencia de conformidad*), **conformidad a derecho** (GEN lawfulness; S. *legitimidad*), **conformidad con, de/en**

(GEN in accordance with, under, in accordance with the provisions/terms of ◊ *De conformidad con el artículo 124 del Código Civil*; S. *según, de acuerdo con lo dispuesto, al amparo de, a tenor de [lo dispuesto], en virtud de*)].

confrontación *n*: GEN comparison, collation; S. *cotejo*. [Exp: **confrontar** (GEN compare, collate ◊ *Al confrontar los textos vieron que las letras eran algo distintas*; S. *comparar, cotejar, compulsar, carear*), **confrontar testigos** (PROC bring witnesses face to face; S. *careo*)].

confutación *n*: GEN confutation, disaffirmation, disproof, refutation; S. *refutación, impugnación*. [Exp: **confutar** (GEN confute, refute, disprove; S. *refutar*)].

confundir *v*: GEN confuse, mix [up], commingle; S. *mezclar, equivocar*. [Exp: **confusión** (GEN confusion, fusion, mixing, intermingling, commingling, merger), **confusión de bienes** (CIVIL confusion or intermingling of goods), **confusión de cuentas** (CIVIL merger/intermingling/confusion of debts)].

congelación *n*: GEN freezing, blocking; S. *bloquear*. [Exp: **congelar [una cuenta, dinero, fondos,** etc.] (PROC/BSNSS freeze/block an account, currency, funds, etc.; S. *embargar, paralizar*)].

conglomerado *n*: BSNSS conglomerate; S. *grupo industrial, asociación.*

congreso *n*: GEN/CONST convention, congress, conference; S. *parlamento, convención, asamblea, senado*. [Exp: **congresista** (CONST Member of Congress; S. *diputado*)].

conjetura *n*: GEN conjecture, surmise, assumption, guesswork, speculation, circumstancial evidence; S. *apariencia, probabilidad, suposición, supuesto, sospecha*. [Exp: **conjeturar** (GEN surmise, conjecture, speculate, assume, guess; S. *suponer, sospechar*)].

conjunción de voluntades *n*: GEN meeting of minds.

conjuntamente *adv*: GEN jointly, together ◊ *La acción civil se puede ejercitar conjuntamente con la acción penal a opción de las víctimas*; S. *por separado*. [Exp: **conjunto** (GEN array, aggregate; whole; set, group; joint, united, concerted; S. *solidario; comité conjunto*)].

conjura/conjuración *n*: CRIM conspiracy, plot, plotting; combination; S. *intriga, trama, conspiración, confabulación*. [Exp: **conjurador** (CRIM conspirator; S. *confabulado, intrigante*), **conjurar** (CRIM plot, conspire; S. *urdir, tramar*)].

conminación *n*: GEN admonition, commination, stern, warning, threat. [Exp: **conminar** (GEN warn, give a stern warning, threaten, order under threat of penalty; S. *emplazar, intimar, requerir*)].

conmutación *n*: GEN commutation, commuting. [Exp: **conmutación de la pena de cárcel** (CRIM commutation of imprisonment/sentence), **conmutar** (GEN commute, exchange), **conmutar una pena** (CRIM commute a sentence)].

conmoriencia *n*: CIVIL simultaneous death; S. *cláusula de conmoriencia, premoriencia.*

connivencia *n*: CRIM winking at/overlooking/turning a blind eye to [the faults of a subordinate by a superior], connivance, collusion ◊ *No se ha podido establecer ningún tipo de relación de connivencia entre el inspector y la empresa inspeccionada*; S. *confabulación, tolerancia, disimulo.*

conocedor *n*: GEN expert, connoisseur, authority; S. *experto*. [Exp: **conocer** (GEN/PROC know; hear, try, take cognizance of ◊ *El tribunal que conozca del pleito fijará la fecha de la celebración del juicio*; S. *entender en*), **conocer de nuevo** (PROC retry, rehear; S. *celebrar un nuevo juicio*), **conocimiento**[1] (GEN knowledge, cognizance, notice; S. *saber; poner en conocimiento*), **conocimiento**[2] (GEN consciousness; S. *conciencia; perder el conocimiento, recobrar el conocimiento*), **conocimiento**[3] (BSNSS shipping document; bill, draft; S. *letra*), **conocimiento carnal** (GEN carnal knowledge, sexual intercourse; S. *relación sexual, coito, ayuntamiento carnal, acoso sexual, insinuaciones sexuales*), **conocimiento de causa** (GEN S. *obrar/hablar con/sin conocimiento de causa*), **conocimiento a la orden** (BSNSS order bill of lading; S. *carta al portador o a la orden*), **conocimiento de embarque** (BSNSS bill of lading), **conocimiento de embarque combinado** (BSNSS combined transport bill of lading, through bill of lading), **conocimiento de embarque con reservas** (BSNSS claused bill of lading), **conocimiento de embarque corrido** (BSNSS combined transport bill of lading), **conocimiento de embarque de favor** (BSNSS accommodation bill of lading), **conocimiento de embarque limpio** (BSNSS clean bill of lading), **conocimiento de embarque no negociable** (BSNSS straight bill of lading *US*), **conocimiento derivado** (PROC/GEN constructive knowledge), **conocimiento sucio, tachado, con defectos**, etc. (BSNSS foul/dirty/claused bill of lading, unclean bill of lading), **conocimiento de embarque sin trasbordos** (BSNSS direct bill of lading), **conocimiento judicial** (PROC judicial notice)].

consanguíneo *a*: FAM cognate, related by blood, consanguineous, having a common ancestor; S. *cognado; afín; pariente; colateral*. [Exp: **consanguinidad** (FAM blood relationship, consanguinity, cognation, half-blood; S. *afinidad, parentesco*), **consanguinidad colateral** (FAM collateral consanguinity; S. *colaterales por consanguinidad*), **consanguinidad lineal** (FAM lineal consanguinity)].

consecución *n*: GEN achievement, attainment, success; securing; S. *conseguir; realización, logro*.

consecuencia *n*: GEN consequence, result, outcome, effect; S. *repercusión, resultado, efecto*. [Exp: **consecuencia de, a/como** (GEN following, as a result of, due to, owing to; S. *a resultas de, a raíz de*), **consecuencia natural o próxima** (CIVIL proximate consequence, natural or foreseeable result/consequence/outcome), **consecuente** (GEN consequential, consistent; S. *consiguiente; coherente, congruente*), **consecuentemente** (GEN accordingly; as a result, consequently, hence, thus, in the event)].

conseguir *v*: GEN obtain, attain, get, manage, do, come up with, secure; S. *alcanzar, lograr*.

consejería *n*: CONST office, department or portfolio of a *consejero*; department of a regional Assembly. [Exp: **consejero**[1] (GEN consultant, adviser, counsellor, director, board-member), **consejero**[2] (CONST counsellor, member of a counsel or of Spain's *Consejo del Reino –approx.* Privy Council–; minister in one of Spain's regional Assemblies, Parliaments or governments *–autonomías–*; S. *Cortes, gobierno, ministro*), **consejero delegado** (BSNSS managing director; S. *administrador*), **consejo**[1] (GEN board; council, counsel; S. *junta, asamblea, comité, comisión*), **consejo**[2] (GEN advice, guidance, counsel, opinion; S. *asesoramiento*), **consejo de administración** (BSNSS/ADMIN governing board, board of directors/governors; S. *junta directiva, órganos rectores*), **consejo consultivo** (GEN advisory board), **consejo de, con el** (GEN on the advice of; S. *asesorado por*), **Consejo de Estado** (CONST Council of State, Council of the Realm; *approx* Privy Council; S. *dictamen jurídico del Consejo de Estado*), **Consejo de Europa** (EURO Council of Europe), **consejo de familia** (FAM family council, guardianship court), **consejo de gestión** (BSNSS board of management),

consejo de guerra (CONST court martial), **consejo de ministros** (CONST cabinet, council of ministers), **Consejo de Seguridad de las Naciones Unidas** (INTNL Security Council), **consejo de síndicos** (CIVIL board of trustees; S. *patronato*), **consejo ejecutivo** (GEN executive council), **Consejo General de la Abogacía Española** (GEN General Council of Spanish Advocates; *approx* National Bar Council), **Consejo General del Poder Judicial, CGPJ** (CONST General Council of the Spanish Judiciary, General Judicial Council ◊ *El Consejo General del Poder Judicial es el órgano máximo de gobierno del Poder Judicial*)].

consenso *n*: GEN consensus, agreement, [general] consent/assent/agreement; S. *acuerdo, pacto.*

consentido[1] *a*: GEN allowed, agreed upon; S. *separación matrimonial consentida.* [Exp: **consentido**[2] (GEN spoilt ◊ *No pocos delincuentes fueron hijos consentidos*), **consentimiento** (GEN agreement, consent, acquiescence; sufferance ◊ *Es nulo el matrimonio celebrado sin el consentimiento de las partes*; S. *convenio, acuerdo, conformidad, pacto*), **consentimiento contractual** (BSNSS meeting of minds; S. *acuerdo de voluntades*), **consentimiento mutuo** (GEN mutual consent), **consentimiento de, sin el** (GEN against the will of; S. *voluntad*), **consentir** (GEN agree, accept, yield, acquiesce; S. *asentir, acceder*), **consentir tácitamente** (GEN give one's tacit consent [to], connive [at]; S. *tolerar*)].

conservación *n*: GEN maintenance, preservation, conservation; S. *entretenimiento, mantenimiento.* [Exp: **conservar** (GEN maintain, retain, preserve, conserve; keep, hold; S. *preservar, mantener, sustentar*)].

considerable *a*: GEN substantial, considerable; S. *importante, sustancial, apreciable.* [Exp: **consideración** (GEN consideration; deliberation; respect; importance; S. *categoría, rango, estado, posición*), **considerado** (GEN considerate), **considerandos y resultandos de una resolución judicial** (PROC whereas clauses, narrative recitals; S. *fundamentos jurídicos, resultandos, relación de hechos*), **considerar** (GEN consider, esteem), **considerar procedente** (GEN think proper, see fit, deem it right/«, etc.), **considerar responsable** (GEN find/hold [sb] liable, bring [sth] home to [sb], lay to [sb's] charge)].

consignación *n*: GEN deposit, appropriation, consignment, remittance; S. *doctrina de la consignación, cuenta de aplicación.* [Exp: **consignación en pago** (GEN deposit for the payment of debt), **consignación judicial** (GEN sum paid into court, judicial deposit), **consignador** (BSNSS shipper, exporter), **consignar** (GEN consign, earmark, appropriate, transfer, pay, register, convey [property]; register, record; state; put/set/write down; S. *remitir, depositar*), **consignar [una fianza] en el juzgado** (PROC pay into court as security; S. *prestar fianza ante el juzgado*), **consignar en el debe/haber** (BSNSS debit/credit; S. *cargar en cuenta, debitar*), **consignar, sin** (ADMIN unappropriated; S. *sin asignar, disponible*), **consignatario** (BSNSS consignee, trustee; S. *destinatario*), **consignatario de buques** (BSNSS agent, shipping agent, ship's agent; S. *gestor, representante, agente*)].

consiguiente *a*: GEN resulting, consequent ◊ *El secretario judicial dará cuenta de los plazos procesales y del consiguiente estado de los autos*; S. *consecuente.* [Exp: **consiguiente, por** (GEN therefore, conseuqnetly, as a result)].

consocio *n*: GEN fellow-partner, associate, co-partner.

consolidación *n*: consolidation. [Exp: **consolidación de empresas** (BSNSS merger;

S. *fusión, incorporación, unión*), **consolidación o refundición de leyes** (CONST consolidation), **consolidado** (GEN consolidated, bonded), **consolidar**[1] (GEN consolidate, strengthen, reinforce; S. *reforzar, asegurar*), **consolidar**[2] (COM consolidate, fund, combine, merge; S. *refundir*), **consolidarse** (GEN consolidate itself, become consolidated ◊ *La economía de mercado se ha consolidado en los antiguos países comunistas*; S. *afianzarse*), **consolidar una deuda** (BSNSS fund a debt)].

consorcio *n*: BSNSS/INSUR consortium, syndicate, pool, trust. [Exp: **consorcio bancario** (BSNSS banking syndicate), **consorcio de reaseguro** (INSUR reinsurance pool)].

consorte *n*: FAM spouse; S. *cónyuge, derecho de consorte*.

conspiración *n*: CRIM conspiracy, plot ◊ *Existe conspiración cuando dos o más personas se conciertan para la ejecución de un delito y resuelven ejecutarlo*; S. *trama, confabulación, conjura, complot*. [Exp: **conspiración para robar** (CRIM conspiracy to commit a robbery/to steal), **conspirar** (CRIM conspire, plot, combine; S. *urdir, tramar, intrigar*)].

constancia[1] *n*: PROC record, evidence, proof; S. *dejar constancia, hacer constar*. [Exp: **constancia**[2] (GEN constancy, perseverance), **constancia de deuda** (CIVIL/BSNSS evidence of indebtness), **constancia escrita** (GEN written record or evidence), **constancia, no tener** (GEN have no record)].

constar[1] *v*: GEN consist, contain ◊ *El proceso civil consta de tres partes*), **constar**[2] (GEN be entered, be recorded, be or stand on record, appear ◊ *Expido este certificado para que conste en donde convenga al interesado*; the example is a formula often used in official certificates, and indicates that the facts stated in them are matters of public record which may be invoked by the holder at his or her request; S. *certificar, hacer constar*), **constar**[3] **[a alguien algo]** (GEN be satisfied that, be aware of, have knowledge of ◊ *Al tribunal le consta que el testigo citado puede aportar información sustancial para el desarrollo del proceso*), **constar, por la presente se hace** (GEN to whom it may concern, it is hereby recorded/certified; notice is hereby given; know all men by these presents; S. *hacer constar*), **consta en acta, no** (GEN there is no record of it, it does not appear in the minutes, it has not been minuted), **consta, no** (GEN there is no evidence/record/mention [of this]◊ *No consta la existencia de descendencia en su matrimonio*; S. *constar*[2]), **consta, según** (GEN as is recorded, according to the record, as in the record ◊ *Según consta en el aviso, el contrato/la factura/el convenio/el pedido*, etc.), **conste en acta, sin que** (GEN off the record; S. *no atribuible*), **conste, que** (GEN for the record; let it be placed on the record), **conste y surta efectos donde convenga/los efectos oportunos, y para que** (GEN formula used at the end of certificates, etc. roughly equivalent to the English formula «to whom it may concern» at the beginning)].

constatación *n*: GEN verification, confirmation, substantiation, corroboration; S. *verificación, comprobación*. [Exp: **constatar** (GEN confirm, check; verify; establish, substantiate, corroborate; S. *comprobar, verificar*)].

constitución[1] *n*: constitution; creation; S. *establecimiento*. [Exp: **constitución**[2] (CONST constitution ◊ *La Constitución Española fue aprobada por referéndum el 6 de diciembre de 1978*), **constitucionalidad de las leyes** (CONST constitutionality of laws/Acts of Parliament ◊ *El Tribunal Constitucional es el órgano encargado de velar por la constitucionalidad de las leyes*), **constituir** (GEN constitute, found, establish, form, set up, organize; S. *fundar, instituir*), **constituir el jurado** (PROC empanel a jury), **constituir o reunir *quorum*** (GEN constitute a quorum), **constituir un tribunal** (PROC sit on a board/ panel/ tribunal; bring together a board, convene a board), **constituir una hipoteca** (BSNSS grant a mortgage), **constituir una servidumbre** (CIVIL grant an easement**), constituir una sociedad mercantil** (BSNSS incorporate/found/form/establish a company), **constituir una sociedad colectiva** (BSNSS enter into a partnership), **constituirse** (GEN/ADMIN convene, meet ◊ *El tribunal se constituyó el 18 de noviembre*), **constituirse como parte en un proceso** (PROC place oneself on the court record), **constituirse en rebeldía** (PROC default; abscond, fail to appear, be in contempt of court), **constituirse en fiador** (CIVIL stand guarantor, vouch for, make oneself liable; S. *afianzar, avalar, garantizar*), **constitutivo** (GEN essential; constituent, amounting to, establishing; S. *tratado constitutivo de la Unión Europea, hecho constitutivo de delito*), **constituyente** (GEN/CONST constituent)].

consternación *n*: GEN consternation, shock, dismay; S. *aflicción, pesar*. [Exp: **consternar** (GEN shock, dismay, afflict, distress, grieve; S. *afligir, vejar, oprimir, dañar*)].

construcción *n*: GEN building, construction. [Exp: **construcción naval** (BSNSS shipbuilding), **construcción por contrata** (BSNSS building contract by tender), **constructor** (BSNSS [building] contractor; S. *contratista, promotor*), **construir** (GEN build, construct; S. *edificar*)].

consuetudinario *a*: GEN customary, usual, habitual, common; S. *a fuero, habitual; derecho consuetudinario.*

consulta *n*: GEN consultation, inquiry/enquiry, advice; S. *dictamen; celebrar consultas, evacuar consultas*. [Exp: **consulta de título** (GEN search; S. *gastos de consulta en el registro*), **consultar** (GEN consult, check, look up; S. *celebrar consultas*), **consultar a las urnas** (CONST go to the polls, go to the country; hold a ballot), **consultivo** (GEN advisory; S. *comité consultivo*), **consultor** (GEN consultant, advisor), **consultoría** (GEN consultancy, law firm, firm of consultants, firm of auditors; S. *asesoría*)].

consumación *n*: GEN completion, consummation; performance; perpetration; S. *perfeccionamiento, ejecución, celebración, conclusión, cumplimiento, comisión*. [Exp: **consumación del matrimonio** (FAM consummation of a marriage), **consumación/consunción procesal** (PROC principle that once issue has been joined, no part of the proceedings can ever after be repeated; *approx* issue estoppel), **consumar** (GEN accomplish, complete, achieve, carry out; S. *completar, concluir, cumplir, rematar*), **consumar un delito** (CRIM commit a crime, carry out a crime, be guilty of a completed offence ◊ *Son punibles el delito consumado y la tentativa de delito*; as is clear from the example, Spanish law, unlike English law, distinguishes between *tentativa* –attempt– and *delito consumado* –completed offence–; S. *delito consumado, perpetrar un delito, incurrir en un delito*)].

consumición *n*: GEN consumption, use; S. *gasto, consumo*. [Exp: **consumidor** (GEN consumer, user ◊ *Los consumidores que hayan sido perjudicados por un hecho dañoso podrán ser defendidos por sus asociaciones*; S. *usuario*), **consumir** (GEN expend, use, consume, eat, drink, get through, take; S. *agotar, gastar*), **consumo** (GEN consumption, use, expenditure, consumption; S. *uso, gasto*; *impuesto sobre el consumo, conflictos relacionados con el consumo*), **consumo de drogas** (CRIM drug use, substance abuse

US), **consumos** *obs* (ADMIN municipal excise tax)].

contabilidad *n*: BSNSS accounting, accountancy, book-keeping; S. *cuentas*. [Exp: **contabilidad o teneduría de libros por partida simple/doble** (BSNSS single/double entry book-keeping), **contabilizar** (BSNSS enter, record; count; S. *registrar, inscribir*), **contable**[1] (BSNSS accountant), **contable**[2] (BSNSS accounting, pertaining to accountancy; S. *fraude contable*), **contador** (BSNSS auditor, cashier, expert accountant; tally clerk), **contador público** (BSNSS public accountant, certified public accountant CPA *US*, chartered accountant CA; S. *censor público/jurado de cuentas, auditor*), **contaduría** (BSNSS accounting, accountant's office)].

contaminación *n*: GEN pollution, contamination; S. *medio ambiente, residuos, agencia de protección del medio ambiente*. [Exp: **contaminar** (GEN pollute)].

contar *v*: GEN count, tally; S. *computar*. [Exp: **contar con** (GEN count on, have, havea right to, be entitled to; have available, have at one's disposal or command ◊ *Cuenta con la conformidad del juez para practicar la prueba*), **contar con asistencia letrada** (PROC be entitled to [the service of] a solicitor, have legal aid, take legal advice; S. *abogado, defensa letrada; asistencia letrada*), **contarse entre** (GEN rank; S. *figurar*), **contar con, sin** (GEN apart from, in addition to, not counting, exclusive of, excluding; S. *descontado, excluido, con exclusión de*)].

contemplar *v*: GEN contemplate, envisage, have in view/in mind ◊ *La nueva versión de la Ley no contempla esa posibilidad*; this usage has long since become standard in administrative and journalistic contexts; the problem seems to be that in native Spanish usage the idea of «intend, aim at» implicit in the example is felt to be alien; purists, whether translators or otherwise, may take refuge in the verb *prever*, which appears to be historically unassaiblable, as well as semantically equivalent.

contención *n*: GEN dispute, lawsuit; S. *contienda, contender*. [Exp: **contencioso**[1] (GEN contentious belligerent, argumentative; S. *beligerante; pacifista*), **contencioso**[2] (PROC litigious; defended action; S. *divorcio contencioso, litigioso*), **contencioso-administrativo** (PROC contentious-administrative; involving action taken against, or challenging the rights of, the central administration; judicial review; S. *acudir a la vía contencioso-administrativa, jurisdicción contencioso-administrativa, silencio administrativo*), **contender** (GEN contend, litigate, contest, argue, dispute, oppose; S. *debatir, argüir, discutir, disputar; parte contendiente*)].

contener[1] *v*: GEN contain, hold ◊ *La policía detectó que algunos sobres contenían veneno*. [Exp: **contener**[2] (GEN contain, restrain, hold back, control ◊ *No fue fácil contener los ataques de los manifestantes*; S. *refrenar, reprimir, restringir, frenar, poner coto a*), **contenido** (GEN body, subject-matter, contents), **contenido de los alegatos** (PROC contents of the pleadings), **contenido de una escritura** (NOT/CIVIL body of a deed)].

contérmino *a*: GEN adjacent, adjoining, conterminal, conterminous; S. *adyacente, limítrofe, colindante, contiguo*.

contestación *n*: GEN reply, answer, response; plea; S. *respuesta, réplica*. [Exp: **contestación a interrogatorios** (PROC answer, reply, defence; S. *absolución de posiciones, confesión judicial*), **contestación a la demanda** (PROC answer, defence, pleading, plea/answer to a complaint; S. *réplica*), **contestar** (GEN reply, answer, contest), **contestar a la demanda o a la acusación** (PROC answer the complaint, tender a plea; S. *presentar un* *alegato*), **contestar con evasivas** (GEN prevaricate; S. *ocultar la verdad*), **contestar con un exabrupto** (GEN snap back at sb *col*, jump down sb's throat *col*, fly off the handle *col*, have a go at sb *col*, lash out at sb ◊ *El testigo, molesto por la pregunta, contestó con un exabrupto*)].

contienda *n*: GEN/PROC contest, fight; argument, wrangle, debate, difference of opinion; S. *debate, impugnación, oposición.*

contiguo *a*: GEN adjacent/adjoining, conterminous, abutting; S. *adyacente, limítrofe, colindante, lindante.*

continencia de la causa *n*: PROC principle whereby an action can only be tried as between clearly defined parties who are at issue over a specific matter in the presence of a single competent judge or bench of judges; *approx* litiscontestation, joinder of issue, unity of the proceedings.

contingencia *n*: GEN contingency, accident, risk; S. *siniestro, accidente, baja, muerto.* [Exp: **contingente** (BSNSS/ADMIN quota, share, contingent; S. *cuota, cupo*)].

continuación *n*: GEN continuation. [Exp: **continuado** (GEN continued, continuous, continual, continuing; S. *delito continuado*), **continuados** (GEN in a row; S. *seguidos*), **continuidad en el empleo** (EMPLOY continuity of employment), **continuar** (GEN continue, pursue; remain; keep)].

contra[1] *prep*: GEN against, counter, versus, vs, v. [Exp: **contra**[2] (GEN disadvantage, inconvenience, difficulty, obstacle; S. *pro, poner en la balanza los pros y los contras*), **contra derecho** (GEN wrong, unlawful; S. *ilegal, ilícito*), **contra el orden público** (CRIM against the peace, against public order), **contra entrega de documentos** (BSNSS against documents), **contra la preponderancia de la prueba** (PROC against the weight of evidence), **contra la voluntad** (GEN against the will), **contra las normas, etc.** (GEN contrary to law/usual norms/regulations/the rules; S. *contravenir*)].

contraatacar *v*: GEN counter-attack, answer back, riposte, retaliate, take retaliatory measures ◊ *En la legítima defensa el que contraataca no hace más que responder a un atentado injustificado*; S. *responder.*

contrabandear *v*: CRIM smuggle. [Exp: **contrabandista** (CRIM smuggler, runner *col*; S. *ratero*), **contrabando** (CRIM smuggling; S. *apresar contrabando*), **contrabando, de** (GEN clandestinely, secretly, furtively, under cover ◊ *Introdujeron el tabaco de contrabando*; S. *clandestinamente*)].

contractual *a*: BSNSS contractual; S. *contrato, causa contractual, culpa contractual.*

contradecir *v*: GEN contradict, deny, traverse, rebut, gainsay; S. *desmentir, refutar; contradicción; contradictorio.*

contrademanda *n*: CIVIL counterclaim, cross-action, cross-claim, plea in reconvention, reconvention, set-off; S. *reconvención* [Exp: **contrademandante** (CIVIL counter-claimant), **contrademandar** (CIVIL counter-claim)].

contradenuncia *n*: CRIM counter-accusation, counter-charge.

contradicción *n*: GEN contradiction; repugnancy, contradiction, traverse; S. *contradecir; incoherencia.* [Exp: **contradictoriamente** (PROC by examination and cross-examination; with each party being entitled to question/counter the other party's evidence; *approx* in accordance with the principle of equality of arms; the sense of the Spanish term has little to do with «contradiction» and much to do with the right of legal adversaries to question and object to each others' submissions ◊ *Las pruebas se practican contradictoriamente en vista pública*; S. *contienda, debate, preponderancia de la prueba*), **contradictorio** (PROC [of evidence, etc.], led by each party in turn, contrary, intended to answer/counter submissions by the other side; in technical usage the implication is not that the allegation is «contradictory», but that is submitted ot led –*aducido*– by the opposing side and intended to traverse, answer or overcome –*combatir, oponerse a*– their [or its] assertion; S. *procedimiento contradictorio*)].

contraer *v*: GEN contract, incur ◊ *El incumplimiento sin causa de la promesa de matrimonio obliga a resarcir a la otra parte de las obligaciones contraídas*; S. *contrato*. [Exp: **contraer gastos/una deuda/una responsabilidad** (GEN incur expenses/a debt/a liability), **contraer matrimonio** (FAM marry), **contraer un compromiso** (GEN make a commitment)].

contraespionaje *n*: GEN counterespionage.

contraprestación *n*: BSNSS consideration; return for service rendered.

contraproducente *a*: GEN counterproductive.

contrariar *v*: GEN contradict, upset, annoy, oppose; S. *objetar, oponer*. [Exp: **contrariedad** (GEN/INSUR setback, hitch, mishap; S. *complicación, pega, contratiempo, desgracia*), **contrario** (GEN adverse, opposing; opponent, opposing party, adversary; S. *refractario, opuesto, acto contrario a la ley*), **contrario a derecho** (PROC unlawful), **contrario a la ley** (CONST unlawful, disorderly ◊ *Es nulo todo acto contrario a la ley*; S. *licencioso, inmoral, ilícito, ilegal*), **contrario a la moral y las buenas costumbres** (GEN destructive of the moral fabric of society, against or destructive of public decency or morals, liable to deprave or corrupt), **contrario, en** (GEN/PROC to the contrary; in favour of the opposing party/other side ◊ *Salvo prueba en contrario*; S. *impugnar, oposición*)].

contrarreclamación *n*: PROC cross-claim, set-off, offset; S. *reconvención*.

contrarréplica *n*: PROC rejoinder.

contrarrestar *v*: GEN GEN offset, counterbalance, counteract; S. *equilibrar, absorber, compensar*.

contrasentido *n*: GEN incoherence, absurdity, nonsense, contradiction in terms.

contrastar *v*: GEN contrast, set against, verify, check; diverge, be dissimilar/distinct, very, conflict, be at odds/variance, disagree ◊ *La versión del testigo contrasta notablemente con la del acusado*. [Exp: **contraste** (GEN contrast; check; verification, collation; hallmark ◊ *Por el contraste del orfebrer se descubrió que el collar era robado*), **contraste con, en** (GEN as distinguished/distinct from; in contrast to, unlike; S. *a diferencia de*)].

contratiempo *n*: GEN setback, hitch, mishap; S. *complicación, pega, contrariedad*.

contrata *n*: ADMIN contract of service, contract between a public institution and a private firm; S. *construcción por contrata, contrato de obras*. [Exp: **contratación** (BSNSS undertaking, contract, agreement, hiring), **contratación de valores [en Bolsa]** (BSNSS trading, dealing), **contratante** (CIVIL contracting party; contractor, hirer; S. *altas partes contratantes*), **contratar** (BSNSS contract, sign/make a contract, trade, engage), **contratista** (BSNSS contractor; S. *constructor, promotor*), **contrato** (CIVIL/BSNSS contract, covenant, agreement; S. *oferta, aceptación, pacto, acuerdo, convenio, precontrato, contractual; contraer*), **contrato a la gruesa** (BSNSS bottomry bond), **contrato a tanto alzado** (BSNSS lump-sum contract), **contrato a título gratuito/oneroso** (BSNSS gratuitous/onerous contract), **contrato abierto** (BSNSS open contract, non-exclusive contract), **contrato administrativo** (ADMIN administrative contract, contract between a public body and an individual or juristic person, contract under tender with a public body; the rules governing these contracts and their construction are different from those governing ordinary contracts under civil law rules, like employment contracts, sales contracts, contracts for services, etc; S. *acto administrativo*), **contrato bilateral** (CIVIL bilateral/synallagmatic contract), **contrato blindado** *col* (BSNSS watertight contract, cast-iron contract *col*; contract with very strict terms or stringent clauses designed to reinforce *–blindar–* the guarantees protecting the rights of one of the parties), **contrato, con** (GEN under contract), **contrato conjunto** (CIVIL/BSNSS joint contract), **contrato consensual** (BSNSS gentlemen's agreement, oral contract, parol contract), **contrato de adhesión** (BSNSS standard-form contract ◊ *En el contrato de adhesión una de las partes impone las condiciones a las demás, como ocurre al comprar un billete de un medio de transporte*), **contrato de alquiler** (CIVIL leasehold contract, contract of hire), **contrato de aparcería** (CIVIL sharecropping contract), **contrato de aprendizaje o de prácticas** (BSNSS contract of apprenticeship), **contrato de arrendamiento** (GEN lease, rental contract), **contrato de arrendamiento de un buque** (BSNSS charter-party; S. *póliza de fletamento*), **contrato de comodato** (CIVIL gratuitous bailment contract), **contrato de compraventa** (CIVIL sales contract, contract of sale, purchase agreement), **contrato de empleo** (EMPLOY contract of employment), **contrato de empréstito** (BSNSS bond indenture; S. *escritura de emisión de bonos*), **contrato de fletamento** (BSNSS contract of affreightment, freightment contract, charter-party; S. *póliza de fletamento*), **contrato de fletamento de ida y vuelta** (BSNSS round-trip charter), **contrato de hipoteca** (CIVIL/BSNSS mortgage contract), **contrato de inquilinato de vivienda amueblada** (CIVIL lease on furnished property), **contrato de locación** (CIVIL leasehold; S. *contrato de alquiler*), **contrato de mandato** (BSNSS agency [agreeement/contract]; in this relationship, by contract or agreement, one person called the «agent» acts on behalf of the «principal» and binds the latter by words or actions; S. *mandato*[2]), **contrato de mutuo** (BSNSS mutuum), **contrato de obras** (ADMIN public works contract), **contrato de palabra** (CIVIL oral/parol contract), **contrato de prenda** (CIVIL pledge), **contrato de préstamo** (BSNSS loan contract, credit agreement), **contrato de representación** (CIVIL/BSNSS agency contract; S. *gestión, mediación*), **contrato de retroventa** (CIVIL repurchase agreement), **contrato de salvamento** (BSNSS salvage agreement), **contrato de servicios** (CIVIL/GEN contract of service or for services), **contrato de sociedad** (BSNSS partnership agreement/contract), **contrato de trabajo** (EMPLOY employment contract; S. *contrato de empleo*), **contrato de transporte** (BSNSS bill of freight; S. *carta de porte*), **contrato gratuito** (GEN gratuitous contract, contract without consideration ◊ *Para muchos juristas la donación es un contrato gratuito*), **contrato lucrativo** (BSNSS same as «contrato gratuito», i.e. a one-sided bargain or contract without valuable consideration; the adjective *lucrativo* –lucrative– is somewhat misleading; it does not mean «profitable», but rather converys the idea that the agreement is intended as an act of liberality or generosity to enrich or reward the beneficiary, who gives nothing in exchange; S. *a título lucrativo*), **contrato matrimonial** (FAM marriage settlement; S. *régimen de bienes*), **contrato oneroso** (BSNSS contract for valuable consideration), **contrato prendario** (CIVIL pledge agreement/contract),

contrato sinalagmático (CIVIL bilateral/ synallagmatic contract), **contrato transmisorio** (CIVIL contract/deed of conveyance), **contrato unilateral** (CIVIL unilateral contract), **contrato verbal** (BSNSS oral contract, parol contract; strictly an incorrect term, since *verbal* can apply to words written or spoken, but commonly used in the sense indicated: more careful speakers prefer *contrato oral*)].

contravalor *n*: BSNSS exchange value, exchange rate [of currency]; S. *cambio, valor*.

contravención *n*: CRIM/CIVIL breach, infringement, violation; minor offence, misdemeanour; S. *falta, transgresión*. [Exp: **contravención de contrato** (BSNSS/ EMPLOY breach of contract; S. *incumplimiento de contrato*), **contravenir** (CRIM/ CIVIL violate, be in violation of, infringe, conflict with, breach, act contrary to, trespass, contravene; S. *transgredir, infringir, violar, vulnerar, incumplir*), **contraviniendo las normas** (CIVIL/CRIM [acting] contrary to sections so and so of such-and-such an Act, in breach of the rules); S. *contra las normas*)].

contribución[1] *n*: GEN contribution, support, participation, portion; S. *aportación*. [Exp: **contribución**[2] (TAX/ADMIN, levy, charge, assessment, rates; S. *impuesto, arbitrio*), **contribución a las cargas del matrimonio** (FAM [contribution to the] upkeep of the matrimonial home ◊ *Los cónyuges tienen el deber de contribución a las cargas del matrimonio*; S. *cargas del matrimonio*), **contribución rústica o territorial** (TAX/ADMIN land tax; tax on rural property), **contribuciones directas** (TAX assessed taxes), **contribuciones especiales** (TAX special levies), **contribuir** (GEN contribute, cooperate, subscribe, donate, pool, pay taxes; S. *aportar*), **contribuyente**[1] (GEN contributory; S. *partícipe, colaborador*), **contribuyente**[2] (TAX taxpayer), **contribuyente municipal** (ADMIN rate-payer)].

contrincante *n*: GEN/PROC rival, competitor, adversary; opponent, opposing/other party, other side; S. *contrario; competir*.

control *v*: GEN control, supervision; surveillance; check; S. *fiscalización, supervisión*. [Exp: **control de cambios** (ADMIN [foreign] exchange control), **control parlamentario** (CIVIL parliamentary control), **control policial en carretera** (ADMIN road-block, checkpoint), **controlado** (GEN under surveillance; S. *vigilado*), **controlar** (GEN control, inspect, examine; watch [over], check, supervise, monitor; S. *intervenir, supervisar*)].

controversia *n*: GEN/PROC dispute, controversy, debate; issue, matter/question in dispute; S. *conflicto, litigio, disputa, desacuerdo*. [Exp: **controvertible** (GEN arguable, debatable, questionable, dubious; S. *discutible, dudoso*), **controvertido** (GEN in issue, in question, debated)].

contumacia *n*: CRIM/GEN contempt, criminal contempt, defiance, non-appearance [in court], contumacy *frml*; S. *desacato, desprecio*. [Exp: **contumaz** (CIVIL/CRIM guilty of contempt of court, non-appearance, etc; absconder, defaulter, contumacious; S. *rebelde, declarado en rebeldía, prófugo, fugitivo*)].

contundencia *n*: GEN cogency, force, forcefulness, weight; severity ◊ *La policía sofocó con contundencia un brote de violencia que se desató en la cárcel*; S. *fuerza*. [Exp: **contundente** (GEN blunt; forceful, cogent, convincing, crushing, overwhelming; S. *objeto contundente*)].

contusión *n*: GEN bruise, contusion; S. *lesión, herida, laceración, llaga*.

convalidación *n*: GEN validation; convalidation, ratification, recognition; S. *autorización*. [Exp: **convalidar** (GEN validate, convalidate, ratify ◊ *Los decretos-ley, dictados por el Gobierno, deben ser convali-*

dados por el Parlamento en el plazo de treinta días; S. *legalizar, validar*)].

convencer *v*: GEN persuade, convince, satisfy; S. *incitar, persuadir; demostrar; convicción, convincente.* [Exp: **convencimiento/convicción** (GEN conviction, satisfaction, [moral/intellectual] certainty ◊ *Prueba concluyente es la que aporta a la mente del juzgador una convicción íntima de la veracidad de un hecho*; the two terms are virtually interchangeable; both relate to the verb *convencer*, which means «convince», but not «convict»; when the English word «conviction» means a finding of guilty in criminal proceedings, the Spanish equivalent is *condena* or *fallo condenatorio*; S. *certeza, seguridad*)].

convención *n*: GEN convention; covenant; assembly; S. *pacto, contrato, concierto; asamblea, congreso.* [Exp: **Convención de la Haya** (INTNL The Hague Convention), **Convención Europea de Derechos Humanos** (EURO European Convention of Human Rights), **convencional** (GEN conventional, contractual, customary)].

conveniencia *n*: GEN suitability, advisability; S. *oportunidad, convención.* [Exp: **conveniente** (GEN advisable, expedient, due; S. *oportuno, aconsejable*; S. *convenir, proceder*), **conveniencias, las** (GEN the social conventions, the done or decent thing)].

convenio *n*: GEN accord, settlement, treaty, agreement, pact, arrangement, convention; S. *concierto, trato, pacto, acuerdo; convenir, pactar.* [Exp: **convenio colectivo** (EMPLOY collective bargaining agreement; S. *plataforma reivindicativa, huelga*), **convenio de acreedores** (BSNSS composition/settlement with creditors; S. *quiebra*), **convenio mutuo** (BSNSS mutual agreement), **convenio recíproco** (GEN mutual understanding), **convenio regulador de divorcio o separación** (CIVIL divorce/separation settlement; S. *propuesta de convenio regulador*), **convenir** (GEN agree, conclude; be best/right/suitable/advisable/better/a good idea, be worth one's while or in one's [best] interest; suit; S. *acordar, pactar, aprobar, proceder*)].

convicción *n*: GEN conviction, certainty; S. *convencimiento, certeza, seguridad; convencer.* [Exp: **convicción plena, a** (GEN beyond a reasonable doubt), **convicción moral** (GEN moral conviction, virtual certainty ◊ *No es siempre fácil convertir en prueba irrefutable lo que es convicción moral*), **convicto** (CRIM convicted; though many dictionaries of the two languages list the sense «convict» for this term, it seems never to be used as a noun except in lazy or careless translations from English; the usual words for «convict» –which itself appears to be dropping out of usage, except in historical contexts, with «inmate» or «[convicted] prisoner» tending to replace it– are *preso, condenado* or *reo*, depending on context; the Spanish term is rarely found except in the phrase *convicto y confeso*, as in *asesino convicto y confeso* –a person who has confessed and been convicted of murder–; the comment in the *María Moliner* that the phrase *convicto y confeso «equivale a confeso sólo»* is unsupported by either usage or logic and is at odds with the definition of *convicto* in the *DRAE*: «*Dícese del reo a quien legalmente se ha probado su delito, aunque no lo haya confesado*»; S. *asesino, condenado, reo, preso, asesino convicto y confeso*)].

convincente *a*: GEN cogent, convincing, conclusive, effective, categorical, determining, compelling ◊ *La defensa aportó medios de prueba y de descargo muy convincentes*; S. *satisfactorio, eficaz, determinante, concluyente, claro; convencer.*

convivencia *n*: GEN living together, coexistence, cohabitation ◊ *La separación matrimonial extingue algunos efectos del* *matrimonio como el deber de convivencia*; S. *cohabitación*. [Exp: **convivencia conyugal** (FAM living together as husband and wife; S. *infidelidad conyugal*)].

convocante *a/n*: GEN convening; convener; S. *secretario de una reunión*. [Exp: **convocar** (ADMIN call, summon; convene, organize, announce ◊ *El Secretario convocó a los delegados a la reunión*; S. *citar*), **convocar a concurso o licitación** (ADMIN call for bids), **convocar al pueblo a las urnas** (GEN call an election), **convocar de nuevo** (GEN reconvene), **convocar las Cámaras/el Parlamento** (CONST summon Parliament), **convocar un concurso** (GEN announce a competitive examination, advertise/announce a vacancy in the public service or civil service ◊ *Han convocado un concurso para cubrir las plazas vacantes*; S. *concurso, oposición*), **convocar una junta general, una huelga, elecciones,** etc. (GEN call a meeting, strike, elections, etc. ◊ *Han convocado elecciones dos veces en un año*), **convocar una manifestación** (GEN organize a demonstration), **convocatoria** (GEN call, citation, official announcement, notice convening/convention of a meeting; S. *llamamiento, citación*), **convocatoria de acreedores** (BSNSS creditors' meeting; S. *concurso de acreedores*), **convocatoria de huelga** (EMPLOY strike call ◊ *La convocatoria de huelga fue un gran fracaso*), **convocatoria de licitaciones** (ADMIN/BSNSS call for bids; S. *concurso a licitadores, licitación*), **convocatoria para la adjudicación de obras, servicios y suministros** (ADMIN invitation to submit tenders for public works and services; tenders and supplies; S. *licitación*), **convocatoria de una junta** (GEN notice of a meeting)].

conyugal *a*: FAM marital, matrimonial, conjugal; S. *convivencia conyugal, infidelidad conyugal*. [Exp: **cónyuge** (FAM spouse; S. *consorte, convivencia conyugal, compensación entre cónyuges, infidelidad conyugal, esposo*), **cónyuge supérstite** (SUC surviving spouse), **cónyuges** (FAM husband and wife, married couple, spouses)].

cooficialidad *n*: GEN equal legal status. [Exp: **cooficial** (GEN having the same legal status, co-official ◊ *En las instituciones de la Comunidad Gallega el castellano y el gallego son lenguas cooficiales*)].

cooperación *n*: GEN cooperation, participation, assistance; S. *participación, ayuda, colaboración, solidaridad*. [Exp: **cooperación delictiva** (CRIM aiding and abetting, counselling or procuring), **cooperador de un delito** (CRIM accessory, accomplice, aider and abettor, counsellor or procurer; S. *cómplice*), **cooperativa** (BSNSS cooperative, association; S. *sociedad, asociación*), **cooperativa de crédito** (BSNSS credit union; S. *asociación de crédito, unión crediticia*)].

coparticipación *n*: joint participation, privity. [Exp: **copartícipe**[1] (CIVIL joint owner, joint tenant, co-partner; S. *comunero*. [Exp: **copartícipe**[2] (CRIM partner in a crime, accomplice; S. *coautor*)].

copropiedad *n*: *n*: CIVIL co-ownership, tenancy in common, joint ownership; property held jointly or in common; S. *condominio*. [Exp: **copropietario** (CIVIL co-owner, joint owner, joint proprietor; S. *condueño*)].

copia *n*: GEN transcript, copy; often used loosely, especially in modern texts, for *ejemplar*, almost certainly under the influence of the English term «copy», e.g. in the phrase *Se han vendido 500.000 copias del disco*; strictly speaking if one has a *copia* of a record or publication, it is an irregularly made or pirate copy; to be lawful it should be an *ejemplar*, i.e., a [genuine or original] copy; S. *ejemplar, reproducción*; S. *transcripción*. [Exp:

copia auténtica o certificada (GEN certified copy), **copia fiel** (GEN true copy), **copia heliográfica** (GEN blueprint; S. *ianotipo*), **copia íntegra y exacta** (CIVIL complete and true copy), **copia limpia o en limpio** (GEN fair copy), **copia maestra** (GEN master copy [of a file]), **copiar** (GEN copy, imitate; make/take a copy)].

cópula *n*: GEN copulation. [Exp: **cópula carnal** (GEN sexual penetration, sexual intercourse, coitus, copulation; S. *acceso carnal, coito, ayuntamiento carnal, acceso carnal*)].

cordón policial *n*: GEN police cordon ◊ *Un cordón policial impidió el paso a la zona del atentado*; S. *puesto de la Guardia Civil.*

corporación *n*: BSNSS company, corporation, guild. body; S. *cuerpo, gremio*. [Exp: **corporación local** (ADMIN local authority), **corporación privada** (BSNSS private company/corporation; S. *entidad de derecho privado*), **corporación municipal** (ADMIN town-council; S. *consejo municipal, entidad de derecho público*), **corporal** (GEN bodily, corporal, corporeal, physical; S. *castigo corporal, cuerpo*), **corporativismo** (GEN corporatism, corporativism; [excessive] leaning towards an esprit de corps or «job-for-the boys' policy»; S. *cuerpo*), **corporativo** (BSNSS corporate, pertaining to a corporation)].

corrección[1] *n*: GEN correction, modification, rectification, amendment; S. *rectificación, modificación, tachadura; corregir*. [Exp: **corrección**[2] (GEN correction, reprimand, reprehension; S. *reprimenda, amonestación; corregir*), **corrección disciplinaria** (ADMIN/CRIM sanction, disciplinary measure/punishment; S. *régimen disciplinario*), **correccional** (CRIM reformatory, detention centre, S. *reformatorio*), **correctivo** (CRIM punishment, sanction, penalty; S. *castigo*)].

corredor *n*: GEN operator, dealer, broker, factor, actor, representative; S. *agente, mensajero, intermediario*. [Exp: **corredor de comercio** (BSNSS broker), **corredor de fletamentos** (BSNSS chartering agent; S. *agente fletador*), **correduría** (GEN brokerage; broker's office or profession; S. *corretaje*)].

corregir *v*: GEN correct, revise, amend, emend, right; S. *corrección; modificar, enmendar*. [Exp: **corregir un abuso** (GEN right a wrong)].

correligionario *n*: GEN associate, fellow, fellow-member.

correo *n*: GEN post, mail. [Exp: **correo certificado** (GEN registered mail), **correo electrónico** (GEN e-mail), **correo ordinario** (GEN ordinary mail)].

correr *v*: GEN run, circulate; S. *corredor*. [Exp: **correr a cargo de** (GEN be chargeable to), **correr con los gastos** (GEN bear/meet the expenses; foot the bill *col*), **correr por cuenta de alguien** (GEN be paid/met by sb; be sb's responsibility, be on sb ◊ *Conforme se indica en el contrato, todos los gastos corren por cuenta del comprador*; S. *por cuenta de*), **correr un peligro o riesgo** (GEN run/assume/incur a risk)].

correspondencia *n*: GEN correspondence; S. *correo*. [Exp: **correspondencia comercial** (BSNSS business correspondence), **corresponder**[1] (GEN fall [to the lot or share of], go [to], be the share [of] ◊ *Según la sentencia, me corresponde a mí la tercera parte de la herencia*), **corresponder**[2] (GEN be the responsibility/taks/ job [of], be incumbent on, lie/rest on ◊ *Me corresponde a mí tomar una decisión tan difícil*; S. *incumbir, atañer*), **corresponsal** (GEN correspondent)].

corretaje *n*: BSNSS brokerage, broker's commission, factorage; S. *comisión, honorarios, correduría.*

corriente[1] *a*: GEN common, current, prevailing, ordinary, regular, conventional; S.

preponderante, dominante, imperante, reinante. [Exp: **corriente**[2] (GEN current, flow)].

corroborar *v*: GEN corroborate, confirm, sustain ◊ *Los documentos corroboran la versión del demandado*; S. *respaldar, confirmar, ratificar, dar fuerza, reforzar.*

corromper *v*: CRIM corrupt, bribe, debauch, deprave; S. *sobornar, depravar.* [Exp: **corrupción** (CRIM corruption, corrupt practices, malfeasance, graft *col* ◊ *La corrupción ha puesto en entredicho el principio de autoridad dentro de la policía*), **corruptela** (CRIM corruption, abuse [of power], malpractice, illegal practice; S. *prácticas abusivas, prácticas delictivas*), **corrupto** (CRIM corrupt, grafter; S. *perverso; prevaricar*)].

corte *n*: PROC court; never found in peninsular Spanish, though common in some Latin-American jurisdictions; S. *tribunal.* [Exp: **Corte Penal Internacional** (INTNL International Criminal Court), **Cortes Generales** (CONST Spanish Parliament; it consists of the *Congreso de Diputados* –Congress of Deputies– and the *Senado* –Senate–].

cortesía internacional *n*: INTNL comity of nations.

cosa *n*: GEN matter, thing; chose; S. *bien, posesión.* [Exp: **cosa de nadie** (CIVIL res nullius), **cosa juzgada** (CIVIL *res judicata; autrefois convict, autrefois convict* ◊ *El concepto de cosa juzgada va dirigido a impedir la repetición indebida de litigios*; S. *pasar en autoridad de cosa juzgada, valor de cosa juzgada*), **cosa litigiosa** (PROC matter at issue, disputed property or right; S. *litigio*)].

coser *v*: GEN sew, stitch ◊ *Cosieron la herida que le habían hecho en la cabeza.* [Exp: **coser a balazos** (CRIM riddle with bullets ◊ *Cosieron a balazos al chivato*; S. *acribillar, asesinar, matar*)].

costa[1] *n*: GEN coast, shore, strand; S. *costear*[1]. [Exp: **costas**[2] (GEN/PROC [legal] costs ◊ *El recurrente perdió y fue condenado en costas*; in this sense the Spanish term, like its English equivalent, is always used in the plural; S. *condenar en costas; imposición de costas, costas procesales, coste, litis expensas, precio; costear*[2]), **costa de, a** (GEN at the expense of), **costa, a toda** (GEN at all costs), **costas procesales o judiciales** (PROC [court] costs; S. *condenar en costas*), **costas y honorarios del letrado** (PROC solicitor's bill of costs), **costear**[1] (GEN finance, pay the costs of, support; S. *sufragar, financiar, costa*[2]), **costear**[2] (GEN/BSNSS coast, sail along the coast)].

coste *n*: GEN/BSNSS cost, expense, charge; S. *precio.* [Exp: **coste de la vida** (BSNSS cost of living; S. *actualización salarial*), **coste de rescate** (BSNSS surrender charge), **coste y flete** (INSUR cost and freight, CAF), **coste, seguro y flete** (INSUR/MERC cost, insurance and freight, CIF), **costo**[1] (GEN/BSNSS S. *coste*), **costo**[2] *slang* (GEN/CRIM hash *col*, dope *col*, wacky baccy *slang*, gear *slang*; S. *caballo, chocolate, viaje; chutarse, engancharse, fliparse*)].

costumbre *n*: GEN use, custom, practice, usage; S. *práctica, uso.* [Exp: **costumbre comercial** (BSNSS business practice), **costumbres nacionales** (GEN traditions of a country, general practice)].

cotejar *v*: GEN collate, compare; S. *compulsar, comparar.* [Exp: **cotejo** (GEN collation, comparison; S. *colación, comparación*), **cotejo de letra** (GEN comparison of handwriting, handwriting test, test of authenticity of documents)].

cotización *n*: BSNSS rate, quotation. [Exp: **cotización de divisas** (BSNSS rate of exchange), **cotización oficial en Bolsa** (BSNSS official quotation rate), **cotizar** (BSNSS quote, trade; S. *efectos cotizables*)].

coto[1] *n*: GEN boundary marker, limit; S. *mojón, amojonamiento, acotar; poner coto a, veda*. [Exp: **coto**[2] (GEN reserve, preserve; S. *terreno acotado*), **coto de caza** (GEN game preserve, hunting grounds; S. *caza furtiva*), **coto de pesca** (GEN fishing preserve; S. *pesca furtiva*)].

coyuntura *n*: BSNSS trade cycle, phase, juncture; S. *ciclo económico, situación, caso*. [Exp: **coyuntural** (GEN passing, momentary, circumstantial; present, current; S. *fortuito, casual*)].

crear *v*: GEN establish, set up, create; S. *fundar, instituir.*

credencial *n*: GEN document, credential; S. *documento*.

credibilidad *n*: GEN credit, credibility; reliability, reputation ◊ *La credibilidad de los dirigentes empresariales se ha hundido con los recientes escándalos que han surgido en la auditoría de sus cuentas*; S. *confianza, reputación*. [Exp: **crediticio** (BSNSS [of or pertaining to] credit), **crédito**[1] (BSNSS credit, accommodation, loan; S. *entidad de crédito, préstamo, hipoteca*), **crédito**[2] (GEN reliability, reputation, standing, solvency; S. *confianza, credibilidad, fiabilidad, reputación; digno de crédito*), **crédito**[3] (BSNSS credit; S. *abono*), **crédito, a** (BSNSS on credit/trust), **crédito a interés fijo/variable** (BSNSS fixed-rate/variable or floating rate credit), **crédito a la construcción** (ADMIN building loan), **crédito [al] descubierto** (GEN overdraft credit), **crédito bancario** (BSNSS bank loan), **crédito con caución** (BSNSS secured credit), **crédito documentario** (BSNSS documentary credit), **crédito documentario revocable** (BSNSS revocable documentary credit), **crédito hipotecario** (BSNSS mortgage loan), **crédito pignoraticio** (BSNSS pledge, secured credit)].

crimen *n*: CRIM murder; crime, offence, felony; in strict legal usage, offences in Spain are distinguished as *faltas* –minor offences, misdememeanours– or *delitos* –serious or very serious offences, felonies–; the term *crimen* is not, therefore, properly a term of art, though it is sometimes misused as such in journalism; more specifically the word is applied to the most serious offences, such as murder, assassination, deliberate or selective killing, etc.; thus, organized crime, including killing, is usually calle *crimen organizado* and «crimes against humanity» are called *crímenes contra la humanidad*; the adjective *criminal* is used somewhat more liberally, when *delictivo* might be more accurate, and is found exclusively in terms such as *brigada de investigación criminal* –crime squad–, *Ley de Enjuiciamiento Criminal* –Rules of Criminal Procedure–, etc.; S. *delito*. [Exp: **crimen de guerra** (CRIM war crime; S. *tribunal de crímenes de guerra*), **crimen de sangre** (CRIM violent crime), **crimen organizado** (GEN organized crime), **crimen pasional** (CRIM crime of passion), **crímenes contra la humanidad** (CRIM crimes against humanity; S. *genocidio, limpieza étnica*), **criminal** (CRIM criminal, felonious; felon, malefactor, thug, *col*; S. *delincuente, reo, malhechor*), **criminal de guerra** (CRIM war criminal), **criminalidad** (CRIM criminality), **criminalista** (PROC criminal lawyer)].

crisis *n*: GEN crisis; emergency; S. *urgencia, estado de necesidad*. [Exp: **crisis económica** (BSNSS/GEN depression), **crisis de gobierno** (CONST cabinet reshuffle)].

criterio *n*: GEN standard, criterion, judgement, view ◊ *El juez que no comparte el criterio de la mayoría del tribunal suele emitir un voto disidente*; S. *norma, medida, rasero, opinión, parecer, sentir*. [Exp: **criterio judicial al evaluar las pruebas** (PROC standard of proof)].

cruel *a*: GEN/CRIM merciless, cruel; S. *vil, brutal, perverso*. [Exp: **crueldad** (GEN/

crim cruelty; S. *ensañamiento, tortura*), **crueldad mental** (CRIM mental cruelty)].

cuaderno *n*: GEN notebook, pad. [Exp: **cuaderno de bitácora** (BSNSS ship's book/journal; S. *diario de navegación*)].

cuadrilla[1] *n*: GEN/EMPLOY group of workers, group of friends; S. *pandilla*. [Exp: **cuadrilla**[2] (CRIM gang of criminals; S. *pandilla, banda*), **cuadrilla de ladrones** (CRIM gang of robbers, etc.)].

cuando *adv/prep* GEN when. [Exp: **cuando fuere necesario o cuando proceda** (GEN where necessary appropriate, as far as is necessary; S. *en caso necesario, en tanto fuere necesario*), **cuando sea de aplicación** (GEN when/where applicable)].

cuantía *n*: GEN value of the action, amount involved [in a suit]; a factor determining jurisdiction *–competencia–* and nature of the procedure *–procedimiento–*; S. *demanda de mayor/menor cuantía, competencia, procedimiento*.

cuarentena *n*: GEN quarantine.

cuartel *n*: GEN barracks. [Exp: **cuartel general** (GEN headquarters; S. *sede principal*), **cuartelazo,** *col* (CRIM military coup, putsch), **cuartelillo** (GEN/CRIM barracks, station; most often applied to the stations or barracks of the Civil Guard, but sometimes used of those of other police forces, except the *Policía Nacional*, which is always called *comisaría*; S. *casa cuartel, comisaría, Guardia Civil*)].

cuasi *a*: GEN quasi; constructive. [Exp: **cuasicontrato** (CIVIL quasi-contract)].

cuatrería *n*: CRIM cattle-stealing, livestock rustling, abaction; S. *abigeato, hurto de cabezas de ganado*. [Exp: **cuatrero** (CRIM rustler, abactor; S. *abigeo, ladrón de ganado*)].

cubrir *v*: GEN cover, provide cover. [Exp: **cubrir una vacante** (ADMIN fill a position/vacancy/seat; S. *ocupar una vacante*)].

cuchillo *n*: GEN knife ◊ *Los ladrones amenazaron a sus víctimas con un cuchillo*; S. *arma, navaja, porra*. [Exp: **cuchillada** (CRIM stab wound ◊ *Un matrimonio de ancianos fue hallado muerto a cuchilladas dentro de su casa*; S. *acuchillar, matar a cuchilladas*)].

cuenta[1] *n*: BSNSS account, bill; statement, tally, reckoning; S. *relación, estado, informe*. [Exp: **cuenta**[2] (GEN account, explanation; S. *dar cuenta de, rendir cuentas*), **cuenta, a** (BSNSS on account), **cuenta a plazo fijo** (BSNSS time deposit; S. *imposición a plazo*), **cuenta abierta** (BSNSS charge account, open account), **cuenta al descubierto** (BSNSS overdrawn account), **cuenta corriente** (BSNSS current account, c/a), **cuenta de, por** (GEN at the expense of; S. *correr por cuenta de alguien*), **cuenta de ahorro** (BSNSS savings account), **cuenta de aplicación, dotación o consignación** (ADMIN appropriation account), **cuenta de crédito** (BSNSS credit account, charge account, loan account), **cuenta de pérdidas y ganancias** (BSNSS profit and loss account), **cuenta de préstamo** (BSNSS loan account), **cuenta inactiva** (BSNSS dormant account), **cuenta solidaria** (BSNSS joint account), **cuenta propia, por** (GEN for own account, on one's own account, without involving anybody else, on a frolic of one's own; S. *actuar por cuenta propia*), **cuenta y riesgo, por** (GEN for/on account and risk of), **cuenta y riesgo del vendedor, por** (BSNSS at the seller's risk, caveat venditor), **cuenta y riesgo del comprador, por** (BSNSS at the buyer's risk, caveat emptor), **cuentas** *col* (GEN the final account/reckoning, the actual situation ◊ *Las cuentas no están claras*; S. *contabilidad, censor de cuentas*)].

cuerdo *n*: GEN sane, of sound mind, in full control/use of one's mental faculties, *compos mentis*; S. *demente, en pleno uso de mis facultales mentales, con las facultades mentales perturbadas*.

cuerpo *n*: GEN/CRIM/ADMIN body; dead body; guild, corps; S. *organismo, órgano, corporación; de mayor antigüedad en el cuerpo; corporal, corporativismo*. [Exp: **cuerpo de la demanda** (CIVIL statement of claim), **cuerpo de policía** (ADMIN police force; constabulary), **cuerpo del delito** (CRIM body of the crime, *corpus delicti*), **cuerpo diplomático** (CONST diplomatic corps), **cuerpo legislativo** (CONST legislative body), **cuerpo presente, de** (GEN *corpore in sepulto*, lying in estate; S. *muerto*)].

cuestión *n*: GEN matter, point, issue, question; S. *materia, proposición, asunto, punto*. [Exp: **cuestión accesoria** (GEN collateral issue), **cuestión central del proceso o pleito** (PROC merits of the case, central/main issue; S. *mérito procesal, fondo del asunto*), **cuestión colateral** (GEN collateral/secondary issue/matter), **cuestión de competencia** (PROC conflict of jursidiction; S. *conflicto de competencia*), **cuestión de derecho** (PROC matter of law, point of law, question/issue of law), **cuestión de hecho** (PROC matter or question of fact), **cuestión de prejudicialidad o prejudicial** (PROC first ruling procedure, preliminary issue [of law], preliminary point of law for a higher court; S. *acto prejudicial; elevar una cuestión de prejudicialidad*), **cuestión de previo pronunciamiento** (PROC preliminary issue/ matter; special defence, plea in bar; S. *incidente procesal, excepción; entrar en el fondo de la cuestión*), **cuestión de procedimiento** (PROC question/issue of procedure, point of order), **cuestión decisiva** (GEN decisive/ultimate/crucial issue), **cuestión en litigio** (PROC matter/fact at/in issue, matter/facts in controversy/dispute), **cuestión jurídica** (PROC legal question, matter/point of law), **cuestión palpitante** (GEN question at issue), **cuestión pendiente** (PROC open question; S. *punto sin resolver*), **cuestión prejudicial** (PROC preliminary point of law, issue for a preliminary ruling; S. *plantear una cuestión prejudicial*), **cuestión previa** (PROC prior issue, preliminary point; S. *artículo de previo pronunciamiento*), **cuestión sustancial** (GEN matter of substance), **cuestionar** (GEN question, call in question, dispute, contest ◊ *Nadie ha cuestionado su buena fe*; S. *poner en duda, poner en entredicho, dudar*), **cuestionario** (GEN form, questionnaire; S. *formulario*), **cuestiones de derecho de interés público** (CONST matters of law of general public interest), **cuestiones/incidentes de previo pronunciamiento** (PROC pleas in bar; issues to be decided beforehand, issues of an interlocutory nature), **cuestiones litigiosas** (PROC questions at issue)]

cuidado *n*: GEN care, prudence; health care; upkeep, maintenance; S. *diligencia, prudencia*. [Exp: **cuidado debido** (CIVIL due care; S. *deber de diligencia*), **cuidadoso** (GEN careful; S. *diligente*), **cuidar** (GEN care [for], attend to, look after, see to; S. *atender, estar al frente de*)].

culpa *n*: GEN/PROC guilt, fault, blame, negligence, error; *culpa*; generally speaking, Spanish law, in common with other continental systems derived from Roman law, distinguishes between *culpa* –blame, fault, *culpa*– in civil cases, and *dolo* –criminal intention, *mens rea*– in criminal matters; the former covers negligence, ordinary carelessness, imprudence and failure to observe the standard of due care –*diligencia debida*–, whilst the latter involves deliberate criminal intent, malice and wicked or criminal recklessness –*imprudencia temeraria*–; the mere fact that the term *culpa* is canvassed does not imply that the claimant is alleging the the defendant's act or failure to act –*acto u omisión*– is of a criminal nature; S. *inculpar, culpabilidad, negligencia*. [Exp: **cul-**

pa concurrente [de la víctima] (CIVIL contributory fault, joint fault, comparative negligence), **culpa contractual** (CIVIL [fault leading to] breach of contract, tortious negligence), **culpa de, por** (GEN owing to, through the fault of, because of, due to; S. *a causa de*), **culpa lata** (CRIM gross negligence), **culpa leve** (CRIM imprudence; ordinary negligence), **culpa profesional** (GEN professional fault/negligence; S. *responsabilidad profesional*), **culpabilidad** (GEN culpability, liability; S. *negligencia, confesión de culpabilidad, alegación de culpabilidad*), **culpable** (CRIM/CIVIL guilty, to blame; tortious, blameworthy, guilty [party]; S. *declarar culpable*), **culpar** (CRIM accuse, blame, find guilty; S. *censurar, echar la culpa a alguien, echar el muerto a uno, aceptar la culpabilidad, declararse culpable*), **culposo** (CRIM fault-based, culpable, negligent; S. *negligente; doloso, inexcusable*)].

cúmplase *n*: PROC fiat; «so ordered», «the law must take its course», «this is [hereby] ordered to be done»; S. *orden judicial, decreto, hágase.*

cumplidor *a*: GEN law-abiding, trustworthy, reliable; S. *responsable.* [Exp: **cumplidor de la ley** (GEN law-abiding ◊ *La justicia penal ofrece la posiblidad de convertir a los delincuentes en ciudadanos cumplidores de la ley*)].

cumplimentar *v*: GEN fill in [forms, etc.]; carry out, perform [duty], comply with [regulation, etc.], legalize, draw up, formalize ◊ *El demandado dejó pasar el plazo de diez días sin cumplimentar el traslado del escrito de contestación*; S. *tramitar, evacuar, formalizar.* [Exp: **cumplimiento** (GEN compliance, fulfilment, achievement, enforcement, observance, performance, satisfaction, completion, execution, pursuance, carrying out; S. *observancia, desempeño, ejecución, práctica, consumación, conclusión, perfección; fianza de cumplimiento*), **cumplimiento de contrato** (BSNSS performance/fulfilment/discharge of a contract; S. *incumplimiento de contrato*), **cumplimiento de la ley** (GEN obedience to/compliance with the law), **cumplimiento de la obligación** (GEN performance of the duty or obligation), **cumplimiento de la pena** (CRIM execution/carrying out of sentence; serving of sentence), **cumplimiento del deber** (ADMIN/CRIM performance/fulfilment of a duty; S. *ejercicio de un oficio o cargo*), **cumplir** (GEN accomplish, achieve, carry out, complete, comply with, satisfy, conform, follow, observe; discharge; S. *completar, concluir, dejar de cumplir*), **cumplir con un deber/una promesa, etc.** (GEN fulfil/perform a duty, a promise, etc.), **cumplir las formalidades** (GEN comply with the formalities ◊ *Para que un acto administrativo sea válido deben cumplirse las formalidades previstas por la ley*; S. *atender*), **cumplir los plazos de vencimiento** (GEN meet a deadline), **cumplir los requisitos** (GEN meet the requirements, qualify for; S. *tener derecho*), **cumplir todos los trámites legales** (PROC observe all the legal formalities, satisfy all the forms of law), **cumplir un contrato** (BSNSS perform/discharge a contract), **cumplir una condena/sentencia** (CRIM serve a sentence), **cumplir una obligación o un compromiso** (GEN/CIVIL discharge an obligation, be as good as one's word), **cumplirse el plazo** (GEN mature, fall due; [of a time limit] end, expire; S. *vencer un efecto de comercio*)].

cuño *n*: GEN rubber-stamp; S. *sello, timbre.*

cuota[1] *n*: GEN allotment, share; S. *cupo, porción.* [Exp: **cuota**[2] (BSNSS dues, membership dues), **cuota**[3] (TAX income tax, National Insurance Contribution, NIC), **cuota a la seguridad social** (EMPLOY National Insurance Contribution, NIC), **cuota**

de mercado (BSNSS market share), **cuota hereditaria** (SUC portion), **cuota íntegra** (TAX total tax liability), **cuota líquida** (TAX net tax payable, tax liability net of all credits and allowances), ***cuota litis*** (PROC *quota litis*, arrangement whereby the litigant and his advocate or attorney agree on a split or percentage of any settlement or damages paid as the outcome of litigation, in lieu of or in addition to agreed fees for representation), **cuota sindical** (EMPLOY union dues), **cuota tributaria** (TAX tax liability, taxable income; S. *líquido imponible, renta imponible o gravable*), **cuotas arancelarias** (BSNSS/ADMIN tariff quotas), **cuotas de asociaciones** (GEN membership dues)].

cupo *n*: GEN quota, allowance, share; S. *cuota*. [Exp: **cupos arancelarios** (BSNSS tariff quotas; S. *cuota*)].

cupón *n*: BSNSS coupon, dividend; S. *dividendo*.

cura *n*: GEN cure; S. *remedio*. [Exp: **curador *ad litem*** (PROC guardian *ad litem*, guardian for the suit), **curaduría testamentaria** (SUC tutorship by will), **curar** (GEN cure, treat; S. *subsanar*), **curarse** (GEN heal, recover, get better), **curativo** (GEN remedial; S. *reparador, corrector*), **curatela** (FAM curatel, curatorship, guardianship; formal Roman law term for the relationship between a person who is legally unfit to conduct his own affairs –e.g. a minor or a person of unsound mind– and his guardian or curator appointed or confirmed by the court; the duties of the curator include care provisions *–régimen de asistencia–*; S. *acogimiento, defensor judicial, guarda, régimen de asistencia, tutela*)].

cursar *v*: PROC/GEN lodge, put in, file, deal with, issue; S. *presentar, formular; dar curso a, residenciar.* [Exp: **cursar una pretensión/una queja/una demanda/una petición/una protesta** (PROC make/file a claim/a complaint/a suit/a petition/a protest), **cursar una moción** (CONST file a motion; S. *elevar un recurso*), **cursar una orden** (ADMIN issue an order/instruction), **cursar una invitación** (GEN extend an invitation ◊ *Se le cursó una invitación a colaborar en la investigación pero se negó*), **cursar una solicitud** (GEN/PROC make/file an application), **curso** (GEN course; S. *moneda de curso legal; dar curso a una solicitud*), **curso de actualización** (GEN refresher course ◊ *Muchos jueces están siguiendo cursos de actualización de cuestiones procesales*), **curso, en** (GEN current, present, in process, in operation, in progress), **curso legal** (GEN legal tender; S. *moneda de curso legal*)].

custodia *n*: FAM custody [of children], hold, custodianship, guardianship, safekeeping; S. *patria potestad, quedar bajo custodia policial, tutela*. [Exp: **custodia de un tribunal tutelar de menores, estar bajo la** (FAM be under custodial care), **custodia efectiva** (FAM actual custody), **custodia judicial** (PROC legal custody), **custodiar** (GEN guard, have custody of, protect), **custodio** (GEN custodian, guardian)].

D

dación *n*: CIVIL dation, payment, surrender, act of giving, delivery; S. *cesión, donación, paga, entrega; dar*. [Exp: **dación de arras** (CIVIL/GEN payment of earnest money), **dación de cuentas** (CIVIL/BSNSS account, accounting, action for account; S. *rendir cuentas, dar cuenta*), **dación de fe** (GEN attestation ◊ *La función esencial de los secretarios judiciales es la dación de fe*; S. *dar fe; atestiguamiento*), **dación en especie** (GEN payment in kind), **dación en pago** (GEN dation in payment, the giving of a chose or thing in lieu of payment; a means of settling *–modo de extinguir–* a debt whereby the debtor gives the creditor an object or item of property distinct from what was agreed between them and the creditor, by accepting the chose proffered, regards the debt as paid in full)].

dactilar *n*: GEN digital, [of/concerning] finger-print-s; S. *huellas dactilares, digital, dedo*. [Exp: **dactilograma** (CRIM fingerprint, dactylogram. S. *huellas dactilares*), **dactiloscopia** (GEN dactyloscopy; S. *ficha dactiloscópica, experto en dactiloscopia*)].

dádiva *n*: GEN donation; gift, grant; charitable donation; handout *col*; S. *regalo, donativo; dar*. [Exp: **dádivas a funcionarios públicos** (CRIM bribery of public servants/officials, gifts to public officials; S. *cohecho*)].

dado *a*: GEN given; S. *dar, donar*. [Exp: **dadas las circunstancias** (GEN given/ considering the circumstances, under the circumstances), **dado a** (GEN fond of ◊ *Dado a la bebida*), **dado como fianza** (PROC cautionary; S. *cautelar, caucionado*), **dador** (GEN giver, drawer, grantor, donor, issuer, contributor; S. *mandante, donante; librador, emisor*), **dador de la notificación** (PROC process server)].

damnificado *a*: CRIM/ADMIN injured party, victim, person affected; S. *lesionado, perjudicado*. [Exp: **damnificar** (CIVIL/INSUR/GEN damage, injure, harm, cause loss to, harm/damage the interest of, affect adversely; S. *dañar, lesionar, perjudicar, averiar*)].

dañar *v*: GEN/CIVIL/INSUR/CRIM damage, aggrieve, injure, harm, impair, spoil, hurt, damnify; burden; S. *afligir, vejar, lacerar, perjudicar, damnificar, causar daño, menoscabar*. [Exp: **dañino** (GEN damaging, noxious, tortious, prejudicial, injurious, bad, ill; S. *dañoso, perjudicial, lesivo, torticero, culpable*), **daño** (GEN/CIVIL/CRIM damage, loss, harm, nuisance, detriment, prejudice, mischief, tort; S. *menoscabo, mal, perjuicio, pérdida, merma; causar daño, sufrir daño*), **daño aquiliano** (CIVIL quasi-delictual damage; *acción derivada de culpa aquiliana o ex-*

tracontractual), **daño corporal** (CRIM bodily harm, personal injury; S. *lesiones*), **daño fortuito** (GEN damage due to uncontrollable circumstances; S. *caso fortuito, daños eventuales*), **daños** (CIVIL damages; S. *derecho de daños, causar daños, sufrir daños*), **daños anticipados** (CIVIL foreseeable damages, prospective damages), **daños compensatorios** (CIVIL compensatory damages), **daños consecuentes** (CIVIL consequential damages; S. *perjuicios, daños emergentes*), **daños directos o generales** (CIVIL actual damage, direct damages, general damages; S. *daños efectivos*), **daños dolosos** (CRIM criminal damage), **daños efectivos** (CIVIL actual damages, general damages, compensatory damages; S. *daños directos*), **daños ejemplares** (CIVIL exemplary damages, punitive damages), **daños ilíquidos o no determinados** (CIVIL unliquidated damages), **daños emergentes** (CIVIL consequential damages; S. *daños consecuentes*), **daños eventuales** (GEN contingent damages; S. *daño fortuito*), **daños inmediatos** (CIVIL proximate damages), **daños irreparables** (PROC irreparable harm), **daños materiales** (CIVIL damage to property ◊ *No ha habido víctimas, sólo daños materiales*), **daños morales/psicológicos** (CIVIL pain and suffering, psychological damage, bereavement damages, [mental] distress; S. *indemnización por daños morales; daños psicológicos*), **daños no determinados y no liquidados** (CIVIL unliquidated damages), **daños nominales** (CIVIL nominal damages), **daños personales** (CIVIL personal injury), **daños por incumplimiento de contrato** (CIVIL damages for breach of contract), **daños punitivos o ejemplares** (CIVIL punitive/vindictive damages, exemplary damages), **daños sobrevenidos** (CIVIL subsequent losses, losses incurred), **daños y perjuicios** (CIVIL the full legal term, for which *daños* is the standard short form, is *daños y perjuicios* –literally, «damage and prejudicial consequences»–; this habit of viewing the dual effect of torts, etc., as injury suffered plus loss incurred is carried over into the classic Spanish formula for the measure of damages, viz. *daños emergentes* and *lucro cesante*, i.e. the calculation of personal, moral or financial injury suffered together with the profit of which the victim has thereby been deprived; S. *indemnización; acción civil; compensación*), **dañosamente** (GEN injuriously), **dañoso** (GEN damaging, injurious, prejudicial, harmful; S. *dañino, hecho dañoso*)].

dar *v*: GEN give, present, grant, confer, bestow; S. *dación, dádiva, dador*. [Exp: **dar a conocer** (GEN make known), **dar a luz** (GEN give birth, be delivered of a child; S. *gestación, embarazo, alumbramiento, parto, malformación del feto*), **dar audiencia a** (PROC hear ◊ *El tribunal antes de resolver dará audiencia a las partes*; S. *oír*), **dar carpetazo** (GEN close the file [on], shelve, decide not to proceed with ◊ *Tras escuchar las explicaciones del Secretario, la comisión decidió dar carpetazo al asunto*; a somewhat informal expression, the literal sense of which is that the file or folder –*carpeta*– is closed, in other words the enquiry, investigation or matter under review is terminated without going through the usual procedure), **dar carta blanca** (GEN give carte blanche; S. *dar poderes ilimitados*), **dar cobijo a criminales** (CRIM harbour or aid and abet offenders), **dar como garantía** (CIVIL/BSNSS provide as collateral; S. *afectar, gravar*), **dar credenciales** (INTNL accredit; S. *acreditar*), **dar cuenta** (GEN report, account; S. *dación, rendir cuentas*), **dar curso a una solicitud** (GEN deal with an application, process/forward an application; S. *dar carpetazo*), **dar de alta**[1] (GEN

S. *afiliar, inscribir*), **dar de baja** (GEN cancel, charge off; strike off the list/rolls; remove from membership, suscription, etc; dismiss, give notice, pay off; S. *desafiliar*), **dar de baja provisional** (GEN suspend [from practice]), **dar derecho** (GEN entitle), **dar el alta** (EMPLOY pass fit, sign a certificate of fitness for work or duty; admit), **dar el alto** (GEN challenge, order to stop for questioning or identification), **dar el consentimiento o visto bueno** (GEN approve, ratify, O.K., give the go ahead), **dar el veredicto** (PROC return a verdict; bring in a vereddict; S. *pronunciar el veredicto, dictar el veredicto*), **dar el soplo** (GEN squeal, split; S. *soplo*), **dar en arrendamiento** (CIVIL rent, lease [out]), **dar en prenda** (CIVIL pledge; S. *pignorar*), **dar entrada** (GEN admit), **dar fe** (PROC attest, witness, swear to, bear witness, certify, prove, vouch; S. *dación de fe, doy fe; atestiguar, legalizar, compulsar, adverar*), **dar fianza** (PROC bail; caution; S. *afianzar, salir/ser fiador de otro, caucionar*), **dar fuerza** (GEN ratify, confirm, sanction, endorse, back, back up, uphold, bear out ◊ *Los documentos dan más fuerza a la versión del demandado*; S. *corroborar, confirmar, ratificar, sancionar*), **dar instrucciones** (GEN direct, charge, instruct), **dar la libertad condicional o vigilada** (CRIM release on parole), **dar la palabra** (CONST/ADMIN give the floor, allow to speak; S. *dar su palabra, hacer uso de la palabra*), **dar lugar a** (GEN give rise to, cause, bring on/about, occasion), **dar marcha atrás** (reverse, back down, change one's mind, take cold feet, pull out), **dar muestras de** (GEN evince; S. *patentizar, testimoniar*), **dar palabra de honor** (GEN promise, give one's word of honour), **dar palabra de matrimonio** (GEN promise marriage, plight one's troth, *col*), **dar parte** (GEN acquaint, report; S. *informar, avisar, advertir, comunicar*), **dar permiso** (GEN authorize, license; S. *autorizar*), **dar pie** (GEN give rise to, cause, bring ◊ *Las palabras del senador han dado pie a muchas especulaciones*), **dar plantón** *col* (GEN fail to show up, stand [sb] up *col*), **dar poder** (GEN empower; S. *autorizar, facultar*), **dar poderes ilimitados** (GEN give carte blanche), **dar por concluido** (GEN consider closed, rest; bring to an end/close; used in expressions like *la defensa da por concluidos sus alegatos* –the defence rests its case–; S. *concluir*), **dar por hecho** (GEN take for granted, presume; S. *presumir*), **dar por muerto** (GEN presume/consider dead), **dar por perdido** (INSUR write off; S. *amortizar*), **dar por recibido** (GEN acknowledge receipt), **dar posesión** (ADMIN S. *acto de toma de posesión*), **dar positivo** (GEN test positive, fail a drug[s] test, fail the breathalyser/breath test; prove positive ◊ *El conductor dio positivo en la prueba de alcoholemia*; S. *alcoholemia*), **dar preferencia o prioridad** (GEN give priority), **dar prórroga** (GEN extend the time limit, grant an extension, give further time), **dar publicidad a** (GEN publicise; expose; S. *denunciar, poner al descubierto, revelar*), **dar razones o explicaciones** (GEN show cause; S. *justificar*), **dar salida a** (GEN dispose of; deal with; process; S. *despachar, resolver*), **dar satisfacción** (GEN answer), **dar su palabra** (GEN give one's word; S. *dar la palabra, dar palabra de honor*), **dar testimonio** (PROC/GEN testify, bear witness; S. *atestiguar, dar fe*), **dar traslado a** (GEN/PROC give notice, serve notice, pass on a notification, exhibit, display, show, discover, disclose ◊ *Los litigantes tienen la obligación de dar traslado a la parte contraria copias de las pruebas que van a aportar en el juicio*; S. *exhibir, notificar, informar al interesado*), **dar/dictar una orden** (PROC/GEN order, make [out] an order, sign a warrant, etc.; S. *ordenar*), **dar una paliza a alguien** *col* (CRIM beat sb up *col*), **darse a la fuga** (CRIM escape, run away, abscond, be on the run ◊ *El presunto narcotraficante se dio a la fuga*), **darse de alta** (GEN/EMPLOY discharge oneself from hospital; return to work after illness; join, become a member; S. *alta*[1]), **darse de baja** (GEN/EMPLOY go on the sick, be off work through illness; resign; give up; pull out; give up membership, withdraw, withdraw from membership; S. *desafiliarse, retirarse*), **darse por notificado** (PROC accept/acknowledge service of a writ; S. *acusar recibo de la notificación de una demanda*)].

dativo *a*: GEN dative, given or appointed by the court, judicially appointed; S. *tutela dativa.*

datos *n*: GEN facts, information, data, details; S. *arrojar datos; notas, documentación, información.* [Exp: **datos personales** (GEN [personal] particulars)].

debate *n*: GEN/PROC debate, exchange [opinion, points of view], discussion, argument; legal argument, alternate submissions, debate *Scots*; S. *alegación.*

debe *n*: BSNSS debit side, liabilities; unpaid loan; S. *adeudo, débito, cargo, saldo deudor; debitar; haber.* [Exp: **deber**[1] (GEN/CIVIL duty, obligation, commitment; S. *responsabilidad, incumbencia, obligación, cumplimiento del deber; debida diligencia, deontología; faltar al deber*), **deber**[2] (GEN owe, be in debt; S. *adeudar*), **deber**[3] (GEN have to, be bound to; must), **deber de asistencia** (CIVIL duty of mutual support, duty of assistance, legal duty of making adequate provision), **deber de convivencia de los cónyuges** (FAM spouses' duty of cohabitation ◊ *La separación matrimonial extingue algunos efectos del matrimonio como el deber de convivencia*), **deber de diligencia** (CIVIL duty of care; S. *deber de cuidado*), **deber de fidelidad** (CIVIL duty of fidelity/good faith), **deber de socorro** (CIVIL duty of care, duty of support. duty to render emergency assistance; S. *omisión del deber de socorro*), **deber de impedir el delito** (CRIM duty to prevent the commission of an offence; S. *omisión del deber de impedir el delito*), **deber natural** (CIVIL natural obligation), **deberes** (GEN requirements, duties, tasks), **debida diligencia** (CIVIL due care and attention, duty of care, due diligence; S. *deber de diligencia, buen padre de familia*), **debida notificación** (CIVIL due notice), **debidamente** (GEN duly, at the proper/right time; in the appropriate circumstances), **debidamente juramentado** (PROC duly sworn; S. *juramentar*), **debidas garantías procesales, con las** (CIVIL in due process of law; S. *ajustado a derecho*), **debido**[1] (GEN/BSNSS owed, due, indebted; S. *adeudar*), **debido**[2] (GEN corresponding, proper, due ◊ *Con el debido respeto*; S. *obligado, en su momento debido*), **debido a** (GEN on account of, due to, because of, owing to; S. *a causa de, por motivo de*), **debido, como es** (GEN in the proper manner), **debido, como es** (GEN properly, in the proper manner), **debido respeto, con el** (GEN respectfully), **debido tiempo, a su** (GEN in due course), **debido y no pagado** (BSNSS overdue, outstanding; S. *moroso, vencido*)].

debitar *v*: GEN/BSNSS debit; S. *debe, adeudar, cargar en cuenta, consignar en el debe.* [Exp: **debitar de más** (BSNSS overdebit), **débito** (BSNSS debit; S. *cargo, saldo deudor, debe, adeudo*), **débito conyugal** (FAM conjugal duties, duty of cohabitation; S. *obligaciones conyugales*)].

decaer *v*: ADMIN lose, be deprived of, be deemed to have relinquished [one's rights] ◊ *El que no comparezca cuando sea convocado por el tribunal decaerá en sus derechos*; S. *extinguir.*

decano *n*: GEN dean, senior or oldest member, senior/chief judge, judge who presides over a division. [Exp: **decanato** (GEN dean's office)].

decapitación *n*: CRIM beheading, decapitation; S. *ejecución*. [Exp: **decapitar** (CRIM behead, decapitate; S. *ejecutar, ajusticiar, ahorcar, agarrotar*)].

decencia *n*: GEN honesty, integrity, respectability, dignity ◊ *El fiscal en su escrito de acusación puso de relieve la falta de decencia de los dirigentes de la empresa*; S. *probidad, honestidad, dignidad*. [Exp: **decente** (GEN decent, honest, law-abiding, respectable; S. *honrado, justo*)].

deceso *n*: GEN death, decease, demise; S. *difunto; muerte, fallecimiento, óbito, defunción; causante*.

decidir *v*: GEN/PROC decide, resolve, settle, determine, adjudge, adjudicate; decern *Scots*; deal with, umpire; S. *determinar, resolver, fallar, juzgar, arbitrar, sentenciar, adjudicar*. [Exp: **decisión** (GEN/PROC decision, opinion, determination, award, finding, judgment, ruling; S. *resolución*), **decisión arbitral** (PROC award; S. *fallo arbitral, laudo arbitral*), **decisión judicial** (PROC judgment of a court or tribunal, court order, judicial determination, finding, ruling ◊ *El incapacitado es la persona privada por la ley o por decisión judicial del ejercicio de ciertos derechos*; S. *fallo, resolución*), **decisión sobre costas** (PROC order as to costs), **decisivo** (GEN decisive, final, ultimate, conclusive, convincing, telling, categorical, determining ◊ *La defensa aportó medios de prueba decisivos*; S. *concluyente, determinante, esencial, fundamental*), **decisorio** (GEN decisive; S. *juramento/órgano decisorio*)].

decir *v*: GEN say, tell, declare, state, allege, testify; S. *manifestar, alegar, declarar, aseverar, sostener, hacer constar; según se dice*. [Exp: **diga ser cierto que...** (PROC I put it to you that..., Would it be true to say that ...? It is not the case that ...?)].

declaración *n*: GEN declaration, statement, plea, allegation; report; affirmation, admission, assent, avowal, account; deposition, testimony; S. *manifestación, deposición*. [Exp: **declaración a Hacienda** (TAX tax return; S. *autoliquidación*)], **declaración conjunta** (TAX joint tax return; S. *declaración por separado*), **declaración de aduana** (ADMIN customs declaration, bill of entry), **declaración de ausencia legal** (PROC declaration for legal purposes that somebody's whereabouts are unknown; S. *declaración de muerte del ausente*), **declaración de avería** (INSUR average statement), **declaración de bienes** (CIVIL declaration of the value of an estate or of property, declaration of property owned), **declaración de concurso** (BSNSS S. *declaración de quiebra*), **declaración de culpabilidad** (CRIM plea of guilty, confession, simple confession; S. *declaración inculpatoria*), **declaración de datos** (CIVIL disclosure; S. *revelación, exhibición*), **declaración de derechos** (CONST bill of rights), **declaración de entrada** (S. *declaración de aduana*), **declaración de exportación/importación** (ADMIN export/import declaration), **declaración de fallecimiento** (CIVIL presumption of death, judicial certification of presumed death), **declaración de hechos** (CIVIL statement of facts), **declaración de herederos** (SUC [in the absence of a will] decree pronouncing the persons entitled to succeed), **declaración de impuestos** (TAX tax return), **declaración de incapacidad** (CIVIL declaration of incapacity; certification of unfitness), **declaración de inocencia** (CRIM plea of not guilty), **declaración de insolvencia** (BSNSS decree of insolvency), **declaración de intenciones** (GEN letter of intent, declaration of intention, statement of principles), **declaración de interés histórico-artístico de un edificio** (ADMIN placing of a property in the listed building category, building preservation notice), **declaración de la renta** (TAX income tax return; S. *declaración del impuesto sobre la renta; presentar la declaración de la renta*), **declaración de la renta abreviada** (TAX abridged tax return), **declaración de la renta conjunta** (TAX joint tax return), **declaración de la renta por separado** (TAX separate tax return, separate filing; S. *declaración conjunta*), **declaración de los testigos** (CRIM/CIVIL witness testimony), **declaración de los recursos económicos** (CIVIL statement of means, means test), **declaración de muerte del ausente** (PROC judicial certification of presumed death; S. *declaración de ausencia legal*), **declaración de nulidad** (PROC decree of nullity, annulment, judgement quashing/setting aside a decision/verdict; this usually follows a ruling that there was some irregularity or defect in the judgment or order appelaed from, or that it was wrong in law), **declaración de no ha lugar** (PROC dismissal), **declaración de obra nueva** (ADMIN architect's certificate of completion of building work; it is required for the formal registration of new buildings, and also for the building of extensions and for refurbishment work; the certificate is drawn up and signed in the presence of a notary public; planning permission, authorisation for a building or development project; S. *cédula de habitabilidad, licencia*), **declaración de quiebra o de concurso** (CIVIL declaration of bankruptcy, decree of insolvency), **declaración de rebeldía** (PROC formal record of non-appearance, court notice that the defendant has failed to appear [to answer the charges or dispute the issue]; this usually entitles the claimant in a civil case to move for a default judgment; in a criminal case it leads to the issue of a warrant for the arrest *–orden de búsqueda y captura–* of the absconding defendant; S. *incomparecencia, personarse, rebeldía*), **declaración de testigo** (PROC witness statement/testimony), **declaración de utilidad pública** (ADMIN listing [of a property, land, etc.] as a public amenity), **declaración de veracidad** (GEN statement of truth; S. *declaración jurada*), **declaración del impuesto sobre la renta** (TAX income tax return), **declaración in artículo mortis** (CIVIL deathbed statement/confession, dying declaration), **declaración inculpatoria** (CRIM plea of guilty; inculpatory statement), **declaración indagatoria** (CRIM statement in answer to charges; declaration *Scots*), **declaración judicial** (PROC court order, decree), **declaración judicial de quiebra** (BSNSS adjudication of bankruptcy, decree of bankruptcy, receiving order; S. *sentencia declarativa de quiebra*), **declaración jurada** (PROC affidavit, statement of truth, sworn declaration, deposition, statement made on oath; S. *declaración de veracidad*), **declaración jurada por escrito** (PROC affidavit, deposition; S. *confesión judicial, testimonio*), **declaración testimonial** (PROC testimony, witness's statement; S. *testimonio, prueba testifical*), **declaración, tomar** (PROC take a statement [on oath], take evidence), **declarado en quiebra por los tribunales, ser** (CIVIL be adjudged a bankrupt), **declarado en rebeldía** (PROC placed on the record as having defaulted/failed to appear, declared in contempt of court, declared to have absconded; S. *prófugo, fugitivo, contumaz, rebelde*), **declarante** (GEN/PROC witness, declarant, maker [of a statement], deponent, affirmant, affiant *US*; S. *deponente*)].

declarar[1] *v*: GEN state, testify, declare, pronounce, allege, affirm, aver, avow ◊ *El* *ministro declaró que se habían tomado todas las medidas necesarias para el cese de la violencia callejera*; S. *anunciar, manifestar, hacer constar*. [Exp: **declarar**[2] (PROC find, pronounce, adjudge ◊ *El tribunal lo declaró culpable*; S. *hallar, sentenciar*), **declarar**[3] (PROC give evidence, testify ◊ *Declaró como testigo a petición de la acusación*; S. *prestar declaración, tomar declaración, deponer; derecho a no declarar, callar*), **declarar abierta la sesión** (GEN/PROC declare/pronounce a court in session, declare/pronounce a session open; S. *abrir la sesión*), **declarar ante un juez** (PROC give evidence/make a statement before a judge), **declarar bajo juramento** (PROC be sworn in, testify, make an affidavit, declare/state under oath, depone *Scots*; S. *deponer*), **declarar culpable** (CRIM find guilty, convict ◊ *Fue declarado culpable de los siete delitos*; S. *hallar culpable, condenar, declararse culpable*), **declarar el cese de hostilidades** (GEN declare a ceasefire), **declarar en quiebra** (PROC declare someone bankrupt), **declarar en suspensión de pagos** (PROC put into receivership or court administration), **declarar improcedente** (PROC dismiss, refuse leave, turn down; S. *declarar que no ha lugar*), **declarar inocente** (PROC/CRIM acquit, find not guilty, be cleared), **declarar la guerra** (INTNL declare war), **declarar nulo** (PROC quash, set aside, revoke, annul; S. *decretar la nulidad de un fallo*), **declarar que ha lugar** (PROC allow, admit, uphold), **declarar que no ha lugar** (PROC dismiss, overrule; hold there is no case to answer), **declararse** (GEN declare oneself, plead, enter a plea; S. *manifestarse*), **declararse culpable** (PROC plead guilty; admit the charge ◊ *Se declaró culpable*; S. *inculparse, declarar culpable; delito*), **declararse en huelga** (EMPLOY go on strike, come out on strike; S. *convocar una huelga*), **declararse en quiebra** (CIVIL declare oneself bankrupt, file a bill/petition in bankruptcy, file for chapter 11 *US*; S. *instar la declaración judicial de quiebra*), **declararse en suspensión de pagos** (BSNSS go into [temporary] receivership, file for administration or receivership; file for chapter 11 *US*;), **declararse inocente** (CRIM plead not guilty, enter a plea of not guilty), **declararse insolvente** (CIVIL declare oneself insolvent), **declararse insumiso** (CRIM refuse on principle to perform national service or to accept status of conscientious objector; S. *insumiso, objetor de conciencia*), **declarativo/declaratorio** (GEN declaratory; S. *demostrativo, proceso declarativo*), **declaratoria** (GEN declaration, statement)].

declinar *v*: GEN decline, refuse ◊ *Declinó cualquier comentario tras oír la condena*; S. *renunciar, negarse a, rehusar*. [Exp: **declinatoria** (PROC declinatory plea, objection to the jurisdiction or the competence of a judge or court, motion for recusation [esp *US*]; form of pleading in which the defendant raises an objection to the court or judge to which or to whom the issue has been referred; what the defendant actually requests is an order signed by the judge in which he stands down or recuses himself or declares himself not competent *–se inhibe–* and refers the matter to the competent court or jurisdiction ◊ *La declinatoria surte el efecto de suspender el cómputo para el día de la vista*; S. *excepción declinatoria, inhibitoria*)].

decomisar *v*: CIVIL/CRIM confiscate, order forfeiture, seize, decommission; S. *perder el derecho a una cosa, comisar, embargar, incautar*. [Exp: **decomiso** (CIVIL/CRIM confiscation, decommissioning, attachment, forfeit, forfeiture, seizure, capture; S. *aprehensión, embargo, incautación, confiscación, secuestro, comiso*)].

decretar *v*: GEN pronounce, decree, resolve, decide; S. *declarar*. [Exp: **decretar la libertad del detenido** (CRIM order the accused to be released; acquit, discharge the accused; S. *poner en libertad*), **decretar la nulidad** (PROC set aside, overturn, quash ◊ *A veces cuando los jueces decretan la nulidad de lo actuado dejan a salvo el derecho de las partes a ejercitar sus acciones en donde corresponda*; S. *actuar*), **decretar la prisión preventiva** (CRIM remand the prisoner in custody), **decretar la suspensión de la instancia** (PROC grant a stay), **decretar una pena** (CRIM pronounce sentence), **decrétese** (PROC be it enacted; S. *queda promulgado*), **decreto** (CONST/PROC decree, order, court order, writ, edict, grant; S. *orden, auto, providencia, resolución, mandamiento, mandato*), **decreto legislativo** (CONST order in Council ◊ *Los decretos-legislativos son leyes redactadas por el gobierno, a petición del Parlamento*), **decreto-ley** (CONST decree-law, order in Council, executive decree having the force of parliamentary Act ◊ *Los decretos ley, dictados por el Gobierno, deben ser convalidados por el Parlamento en el plazo de treinta días*)].

dedo *n*: GEN finger; S. *adjudicación a dedo, nombrar a dedo; huellas dactilares, digital*. [Exp: **dactilograma** (CRIM fingerprint, dactylogram)].

deducción[1] *n*: GEN deduction, construction, inference, implication; S. *inferencia, interpretación; deducir*[1]. [Exp: **deducción**[2] (TAX allowance, deduction, rebate; S. *desgravación, reducción, rebaja, bonificación; deducir*[2]), **deducción de impuestos o tributaria** (TAX tax deduction/allowance), **deducción en la fuente de ingresos o salario** (TAX deductions at source), **deducción por** (PROC constructive, constructively; S. *por interpretación*), **deducción por gastos personales** (TAX personal allowance), **deducción por matrimonio** (TAX personal allowance, married couple's allowance), **deducciones de capital** (TAX capital allowances), **deducciones por renta de trabajo** (TAX earned income allowance), **deducible** (TAX allowable, deductible), **deducir una demanda** (PROC bring an action/file a complaint), **deducir-se impuestos, etc**. (TAX deduct/take off taxes, etc.), **deducir**[1] (GEN infer, deduce, conclude, construe, assume, derive, draw a conclusion; S. *inferir, colegir, concluir, desprender*), **deducir**[2] (GEN deduct, discount, subtract, take away/off, set off ◊ *El valor de los inmuebles se determina deduciendo del avalúo el importe de las cargas*; S. *descontar, rebajar*), **deducir**[3] (PROC claim, plead, allege, bring, maintain, submit, assert, set out, state lead/adduce [evidence] ◊ *Las pretensiones se deducirán en el tribunal que conozca del asunto*; S. *alegar, entablar, interponer, presentar*), **deducir oposición** (PROC answer a claim, file/set up a defence to a claim), **deducir testimonio** (PROC take/lead/adduce evidence; present one's case; lead/hear witness testimony, take/elicit witness statements; put a witness in the stand ◊ *Las partes habrán de citar a sus testigos para que se pueda proceder a deducir testimonio*; S. *declarar, testigo*), **deducir un derecho** (PROC claim/assert/plead a right)].

defalcar *v*: CRIM S. *desfalcar*.

defección *n*: GEN/FAM desertion, abandonment, act of abandoning, defection; S. *abandono de cónyuge o familia, deserción*.

defecto *n*: GEN defect, fault; vice; physical imperfection; S. *vicio, falta, negligencia, deficiencia*. [Exp: **defecto constitutivo** (GEN inherent defect/vice), **defecto de forma** (GEN formal defect, defect of form; technicality ◊ *Han anulado unas oposi-*

ciones por defecto de forma en la convocatoria; S. *sanear, vicio de forma*), **defecto de interpretación** (GEN/PROC wrong interpretation, misinterpretation, misconstruction, constructional defect), **defecto de ley, en** (GEN in default of an applicable law, where no [other] rule applies ◊ *La costumbre regirá en defecto de ley aplicable*), **defecto de los demás, en** (GEN by default; in the absence of the others), **defecto de pago** (BSNSS non-payment, default; S. *impago*), **defecto manifiesto** (GEN patent defect), **defecto material** (GEN defect of substance), **defecto oculto** (GEN hidden/latent defect), **defecto patente** (GEN patent defect), **defecto subsanable** (PROC curable defect, rectifiable error, non-fatal error; S. *insubsanable*), **defectuoso** (GEN faulty, defective, imperfect; unsound, bad, substandard, foul; S. *deficiente, imperfecto, inadecuado, título defectuoso*)].

defender *v*: GEN/PROC defend, protect, shelter, advocate, maintain, hold, argue, contend; act for/represent the plaintiff ◊ *El demandante, defendido por D. J. V. M. ...*; as the example shows, the Spanish verb, unlike its English counterpart, «defend» is applied without distinction to both counsel for the claimant and counsel for the defence; S. *amparar, tutelar, proteger, guardar, probar con argumentos, argumentar, argüir, sostener; atacar*. [Exp: **defender ante los tribunales** (PROC contend), **defenderse** (GEN defend oneself), **defendible** (GEN defensible, justifiable, reasonable, legitimate ◊ *La posición del Gobierno apenas es defendible*; S. *justificable*), **defensa** (GEN/CIVIL/CRIM defence, plea, answer; argument, ground, reason; protection; S. *alegación, argumento, legítima defensa*), **defensa, la** (CRIM counsel for the defence, the defence team; S. *la acusación*), **defensa falsa, frívola o ficticia** (PROC sham defence/plea), **defensa letrada** (PROC legal assistance, counsel for the defence; S. *abogado, letrado*), **defensa nacional** (CONST/GEN national security), **defensa propia** (CRIM self-defence; S. *legítima defensa*), **defensión** (GEN defence; S. *indefensión*), **defensivo** (GEN defensive), **defensor** (PROC advocate, counsel for the defence; S. *abogado*), **defensor de oficio** (PROC counsel appointed by the court or by the Legal Aid Board, duty solicitor, *pro bono* lawyer *US*), **Defensor del Pueblo** (CONST Parliamentary Commissioner for the Administration, ombudsman), **defensor de oficio** (PROC public defender), **defensor de una causa** (GEN supporter, champion *col*), **defensor judicial** (PROC guardian appointed by the court; person appointed by order of the court to assume responsibility for the guardianship *–curatela–* of a minor or person who is legally unfit to look after his own affairs, in the event of a conflict of interests arising between the ward and the previously appointed guardian; S. *acogimiento familiar, curatela, guarda, tutela*)].

deficiencia *n*: GEN deficiency; S. *falta, carencia, insuficiencia, déficit, defecto*. [Exp: **deficiencia psíquica** (GEN unsoundness of mind, mental impairment, mental disorder or illness, derangement ◊ *Se exigirá un dictamen médico sobre la aptitud de los contrayentes que estuvieren afectados por deficiencias psíquicas*; S. *anomalía psíquica, enajenación, amnesia; estar en sus cabales*), **deficiente** (GEN deficient; insufficient; bad, short; S. *sin valor, defectuoso*), **deficiente mental o psíquico** (GEN mentally deficient/handicapped; mental defective), **déficit** (GEN/BSNSS deficit, shortfall; S. *carencia*)].

definitivo *a*: GEN definitive, absolute, complete, conclusive, final, firm, permanent; liquidated; S. *firme, absoluto, perfecto; sentencia definitiva, sentencia firme*.

deformación *n*: GEN distortion, defacement. [Exp: **deformar** (GEN distort, deface, deform; S. *desfigurar*)].

defraudación *n*: CRIM cheating, fraud, defrauding; S. *desfalco, malversación, apropiación indebida, distracción de fondos*. [Exp: **defraudación fiscal** (CRIM tax evasion, tax fiddle *col*), **defraudar** (GEN/CRIM disappoint, let down, deceive, defraud, cheat, bilk *col*; S. *estafar, timar, engañar*), **defraudador** (CRIM cheat, defrauder, tax-evader; S. *malversador*)].

defunción *n*: GEN decease, death, demise; S. *óbito, muerte, fallecimiento, deceso; partida de defunción*.

degollar *v*: CRIM cut/slit [sb's] throat ◊ *Un matrimonio de jubilados fue hallado degollado dentro de su casa*; S. *degüello; acuchillar, acribillar*.

degradación *n*: GEN degradation, humiliation, downgrading, demotion. [Exp: **degradar**[1] (GEN demote, downgrade, strip of one' rank, disendow ◊ *El jefe de policía fue degradado por su mala coordinación de la investigación*; S. *ascender, promocionar, apartar de un cargo, destituir, deponer, derrocar, destronar*), **degradar**[2] (GEN degrade, lower, discredit ◊ *El acoso sexual degrada a quien lo practica*), **degradante** (GEN degrading, humiliating; S. *perverso*)].

degüello *n*: CRIM throat-cutting, cutting of a throat or throats; [wholesale] slaughter, massacre, mass killing; S. *degollar*.

dejación *n*: GEN abandonment, dereliction, withdrawal, renunciation, relinquishment; abdication, neglect; S. *abandono*. [Exp: **dejadez** (GEN neglect, abandonment; S. *descuido, negligencia, desidia, abandono*), **dejar** (GEN leave, abandon, desert, give up, relinquish, surrender; stop, cease; S. *abandonar, desatender, desamparar, renunciar*), **dejar a salvo** (GEN except, exclude, spare, save, [expressly] safeguard ◊ *La orden de embargo dejó a salvo ciertos muebles básicos*; S. *quedar a salvo*), **dejar constancia** (GEN put on record, report, declare, testify; S. *hacer constar*), **dejar de cumplir** (GEN fail to comply/perform/carry out/meet, disregard, ignore ◊ *El dejar de cumplir con las obligaciones familiares puede constituir un delito*), **dejar en prenda** (CIVIL pledge, pawn; S. *pignorar, empeñar*), **dejar en suspenso** (GEN suspend, defer, adjourn, hold over, postpone, delay, put off; S. *suspender, aplazar, postergar*), **dejar en testamento** (SUC bequeath, leave, demise; S. *legar*), **dejar probado** (PROC establish, determine; S. *demostrar*), **dejar sin efecto** (GEN declare [null and] void, invalidate, nullify, annul, set aside, revoke, recall, withdraw, repeal, quash ◊ *El tribunal dejó sin efecto el señalamiento de la vista*; the object of this verb is often a document *–documento–*, a decision *–resolución–*, an order *–auto–*, a judgment *–sentencia–*, etc; S. *abolir, anular, cancelar, casar, derogar, desestimar, rescindir*)].

delación *n*: GEN denunciation, [secret] accusation, information; S. *acusación, denuncia*. [Exp: **delatar** (GEN accuse, inform on, denounce, betray, give away, report; turn King's/Queen's evidence; spill the beans *col*; S. *chivarse; prueba delatora*), **delator**[1] (GEN informer, accuser; grass *slang*; S. *denunciante, chivato; prueba delatora*), **delator**[2] (GEN incriminating, implicating, accusing, revealing, telltale; S. *prueba/arma delatora*)].

delegación *n*: GEN delegation, committee; proxy, proxy vote; agency; authorization; novation; S. *comisión*. [Exp: **delegación de atribuciones, competencias o poderes** (GEN delegation of authority/powers), **delegado** (GEN deputy, delegate, representative, agent; S. *diputado, compromisario*), **delegar** (GEN delegate, depute, authorize, assign; S. *comisionar*), delegar el voto (GEN vote by proxy; empower somebody to vote for/instead of one)].

deliberación *n*: GEN deliberation, discussion/consideration/conferring [with a view to decision]; S. *examen, consulta, consideración, beneficio de deliberación.* [Exp: **deliberación, en** (GEN under advisement/deliberation; S. *en consideración*), **deliberar** (GEN deliberate, consider, confer, consult), **deliberadamente** (GEN/CRIM deliberately, on purpose, wilfully, maliciously, wickedly, with wicked recklessness, with malice aforethought; S. *a propósito; con premeditación; a sabiendas*), **deliberado** (GEN/CRIM deliberate, intentional; wilful, wanton, malicious, wickewd; premeditated; S. *doloso, intencionado, malévolo, premeditado*)].

delimitación *n*: GEN delimitation, demarcation; definition, specification. [Exp: **delimitar** (GEN limit, confine, define, specify; demarcate; S. *acotar, deslindar, mojonar, acotar; topógrafo*)].

delictivo *a*: GEN criminal; S. *punible; hecho delictivo, dolo, delito.*

delincuencia *n*: CRIM crime, criminal behaviour/conduct, delinquency, criminality; S. *delito.* [Exp: **delincuencia callejera** (CRIM street crime), **delincuencia juvenil** (CRIM juvenile delinquency), **delincuente** (CRIM offender, criminal, delinquent; S. *criminal, presunto delincuente, marginado social*), **delicuente común** (CRIM ordinary prisoner, «ordinary decent criminal» *col*, non-political prisoner, *ordinary decent criminal, ODC* col), **delicuente de guante blanco** CRIM (CRIM white-collar offender ◊ *Muchos delincuentes de guante blanco proceden de clases sociales altas*), **delincuente habitual** (CRIM habitual offender, persistent offender, recidivist), **delincuente juvenil** (CRIM young offender, juvenile delinquent), **delincuente violento** (CRIM violent criminal), **delinquir** (CRIM offend, commit an offence; S. *cometer un delito*)].

delito *n*: CRIM offence, offense *US*, crime, felony, misdeed, transgression; under Spanish criminal law, offences are divided into *faltas* –minor or relatively minor offences, misdemeanours– and *delitos* –all other type of offence–; neither the old English nor the contemporary US distinction between «misdemeanor» and «felony» exactly matches the *falta/delito* opposition; there is perhaps a closer parallelism with the current English distinction between «summary offences» and «indictable offences»; translators should also be aware of the careless or journalistic mistranslation of *crimen* for «crime»; *delito* is always the safe option, where *crimen* may mean «murder» or «killing»; apart from a handful of set expressions sanctified by use, such as *crimen organizado* –organized crime, racketeering–; *crimen pasional* –crime of passion–, *crímenes contra la humanidad* –crimes against humanity–, etc., most of which involve killing anyway, the standard term, and the only one used by jurists, is *delito*; S. *crimen, fechoría, delincuencia; falta, juicio de faltas, hecho punible, infracción penal, hecho constitutivo de delito, actuación delictiva, violación, transgresión; absolver, achacar, atribuir, consumar, denunciar, expiar, encubrir, tramar, urdir; execrable, abominable, indignante, incalificable, monstruoso, nefando, ominoso, repugnante.* [Exp: **delito ambiental** (CRIM environmental offence, statutory offence against the environment/the control of pollution, statutory nuisance ◊ *El vertido de sustancias tóxicas o peligrosas es un delito ambiental*), **delito caucionable** (CRIM bailable offence), **delito común** (CRIM conventional crime, nonpolitical offence, ordinary offence), **deli-**

to conexo (CRIM related offence, offence necessarily or indissociably linked with another or others; one of a series of interconnected offences; such offences must be charged on the same indictment and tried together; S. *conexo*), **delito consumado** (CRIM actual offence, completed offense ◊ *Son punibles el delito consumado y la tentativa de delito*; S. *delito frustrado*), **delito continuado** (CRIM continuing offence, continuous act offence, offence committed by a continuing or ongoing course of conduct ◊ *El contable de la empresa fue condenado por un delito continuado de estafa*; this type of offence is not committed in an instant of time, but cumulatively and deliberately over a period of time; in the example, the fraud cannot have consisted of a single act of theft or misappropriation, but must have been made up of a linked series of acts of deception resulting, for instance, in the gradual embezzlement of a large sum by means of a planned series of fraudulent appropriations of smaller amounts; where there is evidence that the accused has planned the embezzlement in a series of stages, then rather than charge him with, say, twenty counts of appropriation of €1,000, the prosecution will often prefer to charge him with a single count of continuous act appropriation of €20,000), **delito contra la tranquilidad, el orden público, la seguridad o la salud pública** (CRIM public nuisance, breach of the peace, public order offence), **delito culposo** (CRIM crime committed through negligence), **delito de encubrimiento** (CRIM aiding and abetting, compounding an offence, impeding apprehension or prosecution; handling stolen goods), **delito de estafa** (CRIM fraud, counterfeiting), **delito de falsificación de documento** (CRIM making false instruments), **delito de lesa majestad** (CRIM offence of lese-majesty or treason), **delito de peligro** (CRIM affray, brawling, street-fighting; under Spanish law this type of officence is committed only if there are several offenders acting together, all of them are bearing offensive weapons *–objetos peligrosos–* and together they spread alarm *–alarma social–*; otherwise, an individual offender will be liable *–responsable–* at the outside for *desorden público* –breach of the peace–), **delito de quebrantamiento de condena** (CRIM escaping from lawful custody, prison-breaking, jail-breaking), **delito de revelación de secretos oficiales** (CRIM offence against the Official Secret Acts; breach of trust by a public official), **delito de violencia doméstica** (CRIM offence involving domestic violence, assault against spouse or children; wife-beating *col*, spousal abuse *US*, domestic *US col* ◊ *Los delitos de violencia doméstica podrán ser juzgados mediante juicios rápidos*; S. *violencia de género*), **delito del iniciado** (CRIM insider trading; S. *información privilegiada*), **delito fiscal** (CRIM fraud, tax evasion), **delito electoral** (CRIM electoral fraud, offence against the Representation of the People Act), **delito flagrante o in franganti** (CRIM crime committed «flagrante delicto» or in flagrant delict, crime in whcih the offender in caught red-handed), **delito frustrado** (GEN attempt, attempted offence), **delito grave o muy grave** (CRIM indictable offence, notifiable offence, serious offence, arrestable offence, felony *US*), **delito menor o menos grave** (CRIM summary offence/crime, minor offence/crime, misdemeanor *US*; S. *falta, infracción, contravención*), **delito perseguible de oficio** (PROC offence prosecutable as of right, offence which may be investigated and prosecuted without a complaint being made or an information being laid; *approx* arrestable offence), **delito político**

(CRIM political offence; S. *delito común*), **delito reincidente** (CRIM second/persistent offence; S. *reincidencia*), **delitos contra el honor** (CRIM offences against a person's honour and/or reputation, defamation, libel, slander), **delitos contra la Administración Pública** (CRIM offences against public bodies; S. *prevaricación, cohecho*), **delitos contra la honestidad** (CRIM sexual/sex offences), **delitos contra la propiedad** (CRIM offences against the laws of property, crimes against property), **delitos contra las personas** (CRIM offences against the person, offences against human life), **delitos culposos o por negligencia** (CRIM offences arising out of, or involving, negligence, recklessness or imprudence; S. *dolo*), **delitos de comisión** (CRIM offences of commission; S. *delitos de omisión*), **delitos de flagrancia** (CRIM offences detected *flagrante delicto*), **delitos de guante blanco** *col* (CRIM «gentlemanly»/white-collar crimes *col*; S. *delitos monetarios*), **delitos de lesiones al feto** (CRIM offences causing grievous bodily harm to the foetus; illegal abortion), **delitos de omisión** (CRIM offences of omission; S. *delitos de comisión*), **delitos de soborno de testigo** (CRIM suborning of witnesses, compounding an offence), **delitos de violación de secretos** (CRIM breaches of trust/the official Secrets Act), **delitos dolosos** (CRIM deliberate/intentional crimes, offences involving *mens rea*; S. *dolo*), **delitos graves** (CRIM serious crimes, indictable offences), **delitos menos graves** (CRIM minor or intermediate offences, *approx* offences triable either way; S. *faltas*), **delitos por infracción del código de circulación o del tráfico rodado** (CRIM motoring offences, road traffic offences), **delitos monetarios** (CRIM offences involving financial dishonesty, *approx* fraud, deception, false accounting, making false instruments; S. *estafa, alzamiento de bienes*), **delitos políticos** (GEN political offences), **delitos relativos al medio ambiente, los recursos naturales o la vida silvestre** (CRIM offence against the environment)].

demanda[1] *n*: CIVIL action, action-at-law, suit, civil action, lawsuit, proceedings, petition, complaint; statement of claim, particulars of claim; claim, request, application; the *demanda* is the most common way of bringing proceedings in civil matters; S. *ampliación de la demanda, allanarse, procesamiento, querella*. [Exp: **demanda**[2] (BSNSS demand ◊ *La ley de la oferta y la demanda*; S. *oferta, caída de la demanda*), **demanda**[3] (GEN claim, peremptory request, demand ◊ *El Gobierno no ha accedido a la demanda de los sindicatos*; S. *exigencia, reivindicación*), **demanda colectiva** (GEN mass/class action), **demanda condicionada** (CIVIL action conditioned on the result of another case), **demanda de desahucio** (CIVIL action for eviction), **demanda de divorcio** (CIVIL action for divorce, petition for divorce), **demanda de mala fe** (CIVIL vexatious action/litigation), **demanda de mayor/menor cuantía** (PROC former name for two actions, more commonly called *juicio de mayor/menor cuantía*, for the recovery of land, debt, personal property, etc. and/or damages *–daños y perjuicios–*; they were distinguished in that the *mayor cuantía* –large[r] value, greater[r] amount– was for an unliquidated sum or for a sum greater than the minimum fixed by law, whilst the *menor cuantía* proceedings were brought for the recovery of smaller sums; the former was also marked by greater solemnity and legal complexity; in a sense, therefore, the distinction approached that between a High Court action and one brought in the County Court; both have now been subsumed into the standard procedure set out in the *Ley de Enjuiciamiento Civil* –rules of civil procedure–; where found they could be translated approximately as, respectively, «proceedings involving very valuable claims» and «proceedings involving standard value claims» [or small debt cases/proceedings»]; S. *cuantía, juicio, Ley de Enjuicimiento Civil, mayor/menor cuantía*), **demanda de nulidad** (PROC appeal against judgment, action to have judgment set aside, motion to vacate a judgment, action for annulment; S. *recurso de casación*), **demanda de pago** (GEN demand for payment); S. *atender la demanda de pago*), **demanda de reivindicación** (PROC action of recovery, action of replevin), **demanda de testamentaría** (SUC probate action), **demanda derivada** (CIVIL derivative action), **demanda en juicio hipotecario** (CIVIL action for repossession, bill for foreclosure), **demanda judicial** (PROC lawsuit, action, proceeedings, case), **demanda para la rescisión de un contrato** (BSNSS/PROC action for rescission or discharge of contract), **demanda para la separación de cuerpos y bienes** (FAM action for separation of bed and board), **demanda por daños y perjuicios** (CIVIL action for/in damages, claim for damages), **demanda por incumplimiento de contrato** (BSNSS breach of contract suit), **demanda por violación de propiedad industrial** (PROC action for infringement of industrial rights), **demandado** (PROC defendant, respondent, defender *Scots*; S. *parte demandada*), **demandado rebelde** (PROC defendant in default ◊ *El demandado rebelde es el que no comparece al proceso*; S. *rebelde*), **demandante** (PROC claimant, plaintiff, applicant, complainant, petitioner, pursuer *Scots*; S. *actor, litigante*), **demandar**[1] (PROC sue, file a suit/lawsuit, bring/serve proceedings, get to law, bring a claim, take to court, pursue ◊ *Demandó a la empresa por incumplimiento de contrato*; S. *emprender acciones judiciales, entablar un pleito, llevar a los tribunales, proceder contra alguien*), **demandar**[2] (GEN ask, seek, request, petition, beg ◊ *La ley protege a quienes demandan tutela para sus derechos e intereses legítimos*; S. *pedir, rogar, solicitar, suplicar*), **demandar a alguien** (PROC sue somebody, proceed against somebody; bring an action, a case, proceedings, a suit against somebody), **demandar por daños y perjuicios** (PROC sue for damages)].

demarcación *n*: GEN/CIVIL demarcation, bounds, abuttals; S. *apeo, lindes, delimitación, deslinde, circunscripción.*

demencia *n*: CRIM/GEN insanity, dementia, psychosis; [mental] derangement ◊ *La demencia es una eximente*; S. *trastorno mental transitorio, enajenación mental transitoria, miedo insuperable, paranoia.* [Exp: **demente** (GEN insane, non compos mentis; [person] of unsound mind; S. *paranoico, demente, neurótico, histérico, con las facultades mentales perturbadas, en pleno uso de mis facultades mentales*)].

demoledor *a*: GEN devastating ◊ *El testigo se hundió ante el interrogatorio demoledor del fiscal.*

demora *n*: GEN delay, lateness; demurrage; S. *retraso, dilación; gastos de demora, estadía, sobrestadía.* [Exp: **demorar** (GEN delay, defer, put off; take too long; S. *retardar, aplazar, atrasar, diferir*)].

demostración *n*: GEN proof, demonstration; S. *comprobación, prueba, práctica de la prueba.* [Exp: **demostrar** (GEN establish, prove, demonstrate; S. *probar, verificar, dejar probado*), **demostrar al tribunal** (PROC satisfy the court; S. *convencer*), **demostrar por medio de pruebas** (PROC prove by evidence)].

denegación *n*: GEN refusal, denial; S. *rechazo, negativa, repulsa.* [Exp: **denegación de auxilio a la justicia** (CRIM failure to give all reasonable assistance to a court or court officer, conduct obstructing the proper administration of justice, refusal to cooperate with the court, *approx* contempt of court), **denegación de justicia** (GEN denial of justice), **denegar** (GEN refuse, disallow, withhold, turn down, throw out, reject, overrule ◊ *El tribunal denegó la solicitud de ampliación de plazo*; S. *desestimar, rechazar*), **denegar la libertad bajo fianza** (PROC refuse bail), **denegar una petición/instancia/solicitud** (PROC refuse/dismiss/strike out an application; S. *inadmitir, no admitir a trámite*), **denegar una protesta** (PROC overrule an objection; before juries retire to consider their verdict, they are instructed not to give any weight to objections which have been overruled; S. *aceptar una protesta*)].

denigrar *v*: CRIM calumniate, libel, slander; S. *calumniar.* [Exp: **denigrante** (GEN/CRIM offensive, injurious; degrading, humiliating; slanderous, libellous; S. *difamador, calumniador*)].

denominación *n*: GEN designation, name, denomination, title. [Exp: **denominación comercial o social** (BSNSS trade/firm/company name; S. *razón social*), **denominación de origen** (BSNSS official certificate or guarantee of origin; official label authorised by a statutory body guaranteeing that a product originates in a specific protected region, exhibits the characteristics associated with it and meets the approved standards; *approx* «appellation contrôlée»), **denominar** (GEN designate, name, call, term)].

dentro de *prep*: GEN in, inside, within; subject to; S. *en el ámbito de, con sujeción a, sujeto a, en el marco de.* [Exp: **dentro de lo que marca la ley** (CONST within the law; subject to legal regulations), **dentro de los límites legales** (CONST subject to the limits prescribed by the law, within the meaning of the Act)].

denuncia[1] *n*: CRIM criminal complaint *US*, report, information, accusation, allegation, denunciation ◊ *El procedimiento penal se puede iniciar por medio de un atestado policial, una denuncia, una querella, o de oficio*; S. *acusación; parte; presentar una denuncia.* [Exp: **denuncia**[2] (GEN denunciation, public condemnation, disapproval; S. *crítica, desaprobación, censura*), **denuncia**[3] (CIVIL/INTNL notice, notice of termination of a treaty/contract), **denuncia de accidente** (INSUR/GEN accident report; S. *parte de accidente*), **denuncia calumniosa o falsa** (CRIM malicious accusation, false prosecution, false accusation, wilful laying of an information in the knowledge that it is false; malicious prosecution; perjury; perverting the course of justice; frame-up *col*; S. *simulación de delito*), **denuncia de la mora** (ADMIN notice of complaint for undue delay/for failure to preceed; complaint to administrative authority for its failure to deal in due time with a matter referred to it; this *denuncia* is compulsory in order to institute *contencioso-administrativos* proceedings against public bodies; S. *mora*), **denunciable** (PROC terminable/redeemable at will; S. *sin plazo fijo de duración*), **denunciado** (CRIM accused; the subject of a complaint/report/information; S. *acusado, procesado, imputado*), **denunciante** (CRIM accuser, complainant; S. *acusador, querellante*), **denunciar**[1] (CRIM report, lay an information, complain about ◊ *Denunció a la policía que había sido objeto de acoso sexual*; S. *acusación; presentar una denuncia*), **denunciar**[2] (GEN denounce, condemn, decry ◊ *Son varias organizaciones las que han denunciado la insensibilidad del Gobierno en cuestiones* *ambientales*), **denunciar**[3] (GEN give notice of termination, repudiate [a contract or treaty]), **denunciar a la policía** (CRIM lodge a complaint against somebody with the police), **denunciar en el juzgado** (CRIM lay an information before a magistrates' court), **denunciar un contrato** (GEN give notice of termination of a contract), **denunciar un convenio** (CIVIL/BSNSS denounce an agreement, repudiate a contract), **denunciar un delito** (CRIM report a crime; S. *delito, presentar una denuncia*), **denunciar un préstamo** (BSNSS call in a loan; S. *redimir*)].

deontología *n*: GEN deontology, code of ethics, [professional] code of practice; S. *ética, deber*[1]. [Exp: **deontología empresarial** (BSNSS code of business/practice, business ethics), **deontológico** (GEN deontological, concerning [professional] rules or standards of ethics, conduct or practices; S. *código de deontología/ética profesional*)].

departamento *n*: GEN/CONST department; ministry; administrative office, section, branch; [territorial] division, county district; S. *dependencia, negociado, sección, división, ministerio, centro, servicio; provincia*. [Exp: **Departamento del Tesoro** (CONST Department of the Treasury, Treasury; S. *Hacienda Pública*)].

dependencia[1] *n*: GEN section, branch; room, outbuilding; premises; S. *departmento, sección*. [Exp: **dependencia**[2] (GEN dependence, dependency ◊ *No es fácil librarse de la dependencia de las drogas*; S. *adicción, deshabituación, desengancharse* col), **dependencias policiales** (CRIM police station lockup ◊ *El detenido sigue en dependencias policiales a la espera de declarar ante el juez*; S. *calabozo policial, depósito policial*), **dependiente**[1] (GEN dependent, ancillary, subordinate; S. *auxiliar, subsidiario, subordinado*), **dependiente**[2] (GEN dependant; employee, shop-assistant; S. *subalterno, oficinista, asalariado, empleado*), **dependiente legal** (FAM legal dependant)].

deponente *n*: GEN/PROC deponent, declarant, witness, affirmant, maker [of a statement]; S. *declarante; deponer*. [Exp: **deponer**[1] (PROC depose, give evidence, swear/state/declare upon oath; depone *Scots*; S. *deposición; declarar, prometer, atestiguar, testificar, jurar*), **deponer**[2] (GEN remove from office, overthrow, depose, unseat ◊ *Lo depusieron de su cargo de director por sus polémicas declaraciones*; S. *destituir, derrocar, destronar, apartar de un cargo*), **deponer las armas** (GEN lay down one's arms ◊ *Cuando se vieron perdidos depusieron las armas*; S. *rendirse*), **deponer su actitud** (GEN rectify one's position, come round, drop an attitude; climb down, change one's tune *col*, simmer down *col*, calm down, grow more subdued ◊ *Depuso su actitud cuando vio que nadie aprobaba sus tesis*)].

deportación *n*: GEN/CRIM expulsion, deportation; S. *destierro, expulsión*. [Exp: **deportar** (CRIM deport; expel; S. *expulsar, repatriar*)].

deposición *n*: PROC affidavit, testimony, deposition, evidence; S. *deponer, testimonio, confesión judicial, prueba testifical, declaración testimonial*.

depositante *n*: CIVIL depositor, bailer, bailor; S. *fiador, garante, comodante*. [Exp: **depositar** (GEN deposit, place in store; S. *consignar, ingresar*), **depositar judicialmente** (PROC pay [money] bring money into court), **depositar la confianza en** (GEN put/place one's trust in), **depositaría** (GEN depository), **depositario** (GEN/BSNSS depositary; bailee, guardian; bonder, pledgee, receiver/receiver in bankruptcy), **depositario de plica** (CIVIL escrow agent), **depositario judicial** (PROC receiver, sequestrator; court bailiff/agent), **depósito** (GEN deposit, bailment;

depot, pound, warehouse, yard, shed; tank; reservoir; S. *consignación*), **depósito afianzado** (BSNSS/TAX bonded warehouse), **depósito caucional** (bailment; S. *fianza*), **depósito de aduana** (COMP LAW bonded/customs warehouse), **depósito de cadáveres** (GEN/CRIM mortuary, morgue), **depósito de detenidos** (CRIM lockup, cell, jail, remand/detention centre), **depósito de garantía** (CIVIL security deposit), **depósito de plica** (CIVIL escrow deposit), **depósito franco** (TAX/BSNSS free depot), **depósito judicial** (PROC payment into court), **depósito legal** (GEN national book catalogue number), **depósito policial** (CRIM police station lockup; S. *calabozo policial*)].

depravación *n*: CRIM depravity, corruption, vice, perversion, wickedness, turpitude, evil; S. *vicio, corrupción, promiscuidad.* [Exp: **depravado** (CRIM evil, depraved, corrupt; S. *dañoso, pernicioso; vicioso, indecente, libertino; maldad*), **depravar** (CRIM deprave, corrupt; S. *corromper*)].

depreciación *n*: BSNSS depreciation, devaluation; S. *amortización, devaluación.* [Exp: **depreciar- se** (BSNSS depreciate; S. *apreciar-se*)].

depredación *n*: GEN/CRIM depredation, looting, plundering; S. *saqueo, pillaje, expoliación, rapiña, robo*. [Exp: **depredar** (GEN/CRIM loot, plunder, despoil, ransack; S. *saquear, expoliar, destrozar*)].

depresión *n*: GEN/BSNSS depression, slump; S. *bache*. [Exp: **depresión del mercado** (BSNSS depression or sluggishness of the market), **depresivo** (GEN depressive; depressant), **deprimir** (GEN depress)].

depurar responsabilidades *v:* GEN get to the bottom of a matter, determine where responsibility lies, bring those responsible to book; S. *exigir responsabilidades.*

derecho[1] *n*: GEN/CIVIL right, real right, interest ◊ *Cada uno es responsable de velar por sus derechos*; S. *derechos y obligaciones, derechos adquiridos, asistir el derecho, ejercitar el derecho, hacer valer sus derechos, renunciar a sus derechos, reclamar sus derechos, dejación de sus derechos.* [Exp: **derecho**[2] (GEN/CIVIL/ADMIN/PROC fee, tax, duty; dues ◊ *Los derechos de aduana corren a cuenta del importador*; S. *arancel, canon, honorarios, minuta, tasa*), **derecho**[3] (GEN law ◊ *El Derecho es el conjunto de principios, preceptos y reglas a que están sometidas las relaciones humanas*; as the example shows, this sense of the term includes the science of law and the rules and principles on which it is based; it is also the name for law as a professional pursuit and as an academic discipline; when it is used in this way, it is most often spelt with a capital letter, but readers and translators should expect to encounter a great deal of inconsistency in the use of capital and small letters, and not only in this particular word; Spanish rules for the use of capitals are particularly hazy, and usage varies enormously, sometimes within the same text; capitals abound in the language of administration in particular, and often not for very obvious reasons; S. *jurisprudencia, ley, norma, precepto*), **derecho a acudir a la vía judicial** (PROC right of action; S. *derecho a demandar*), **derecho a asistencia letrada** (PROC right to be legally represented; right to legal aid), **derecho a, con** (GEN elegible, entitled to, qualified for; S. *aspirante, tener derecho a*), **derecho a demandar** (PROC right of action; S. *derecho a acudir a la vía judicial*), **derecho a desempeñar cargos públicos** (PROC right to hold office), **derecho a interponer una demanda** (PROC right of action; S. *derecho a proceder judicialmente*), **derecho a la intimidad** (CIVIL right to privacy), **derecho a la posesión pacífica** (CIVIL right of quiet enjoyment), **derecho a la propia imagen**

(CIVIL right to freedom from injury to reputation, honour or feeling; right to privacy), **derecho a las prestaciones sociales** (EMPLOY right to [social security] benefit-s), **derecho a no declarar** (PROC right to remain silent), **derecho a proceder judicialmente** (PROC right of action; S. *derecho a demandar, derecho a acudir a la vía judicial*), **derecho a redimir** (PROC right of redemption; S. *derecho de tracto, retracto, derecho de retracto*), **derecho a, tener** (GEN be qualified for, have the right to be eligible for), **derecho administrativo** (PROC administrative law), **derecho adquirido** (CIVIL acquired right, assigned right, vested right; S. *interés creado*), **derecho aplicable** (PROC applicable law), **derecho cambiario** (GEN rules/law of exchange), **derecho canónico** (PROC canon law; S. *canon*), **derecho civil** (GEN civil law), **derecho codificado** (CONST codified law; Act, statute; S. *derecho jurisprudencial*), **derecho común** (GEN common law, law of the land), **derecho comunitario** (EURO community law; S. *actos jurídicos comunitarios; directiva*), **derecho consuetudinario** (CONST common law, customary law, law of custom or usage; S. *derecho jurisprudencial*), **derecho, de** (GEN at law, [as] of right, *de jure*, fair, just, right; S. *de forma legal, de acuerdo con las leyes*), **derecho de acrecer de los herederos** (SUC beneficiaries' right of accretion; S. *acrecencia, acrecentamiento*), **derecho de amparo** (GEN petition for redress of grievances, equity), **derecho de admisión** (GEN right of admission; *reservado el derecho de admisión*), **derecho de asilo** (INTNL right of sanctuary), **derecho de audiencia** (GEN locus standi), **derecho de autodeterminación** (CONST right of self-determination of peoples), **derecho de consorte** (ADMIN right of one spouse, where both are civil servants, to be given a post in the same area as the other when he/she is transferred), **derecho de daños** (CIVIL law of [third-party] duties and obligations; right of action outside of contract; *approx* law of tort), **derecho de disfrute** (CIVIL right of enjoyment, homestead right), **derecho de dominio privado** (CIVIL property/ownership right), **derecho de gentes** (INTNL *jus gentium*, law of nations or peoples, international law), **derecho de huelga** (EMPLOY right to strike), **derecho de marcas** (BSNSS trade-mark law), **derecho de palabra** (GEN right to speak), **derecho de paso** (CIVIL right of way; S. *servidumbre*), **derecho de pastoreo** (CIVIL commonage, common), **derecho de patentes** (ADMIN/BNSS patent law), **derecho de pedir** (PROC cause of action; S. *causa de pedir*), **derecho de petición** (CONST right of petition; S. *recurso de súplica*), **derecho de primogenitura** (CIVIL right of primogeniture), **derecho de prioridad** (CIVIL right of pre-emption; priority; S. *opción de compra prioritaria*), **derecho de propiedad** (CIVIL right of ownership/proprietorship, title, property right, freehold, right of [absolute] ownership), **derecho de redención o rescate** (CIVIL right of redemption, equity of redemption; S. *derecho de tracto*), **derecho de retención** (CIVIL lien, right of retention, right of retainer, mechanic's lien, possessory lien; S. *embargo preventivo, derecho prendario*), **derecho de retracto** (CIVIL right of redemption; preferential right of repurchase; *approx* right of first refusal; S. *retracto*), **derecho de retracto y tanteo** (CIVIL right of redemption and pre-emption), **derecho de reunión o asamblea** (CONST right of assembly), **derecho de reversión** (CIVIL reversion/reverter, reversionary interest, right ofentry), **derecho de reversión al Estado** (ADMIN escheat; caduciary right *Scots*, right of the Crown as *ultimus haeres* Scots), **derecho de sociedades**

(BSNSS company law, corporate law *US*), **derecho de sucesión** (SUC right of inheritance, beneficial ownership), **derecho de sufragio** (CONST right to vote; voting right), **derecho de tracto** (CIVIL right of redemption; S. *derecho de retracto*), **derecho de uso** (CIVIL right of/to use), **derecho de usufructo** (CIVIL usufruct; quasi-entail), **derecho de visita de los padres a los hijos menores de edad** (FAM access to the children), **derecho del trabajo** (EMPLOY employment law, labour law), **derecho del medio ambiente** (ADMIN environmental law), **derecho escrito** (GEN written law, statute law), **derecho fiscal** (TAX tax law), **derecho hipotecario** (CIVIL mortgage law, law of mortgages), **derecho inmobiliario** (CIVIL land law, law of real property), **derecho internacional privado** (INTNL private international law), **derecho internacional público** (INTNL public international law), **derecho jurisprudencial** (CONST common law, case-law, judge-made law, law of precedents; S. *jurisprudencia*), **derecho legal** (GEN legal right or claim), **derecho legislado** (CONST statute law; S. *derecho consuetudinario, derecho jurisprudencial*), **derecho marítimo** (ADMIN Admiralty law, maritime law), **derecho mercantil** (BSNSS commercial law, law merchant, business law, mercantile law), **derecho natural** (GEN natural justice, natural law), **derecho no escrito** (GEN unwritten law, unenacted law), **derecho o título precario** (CIVIL precarious right), **derecho orgánico** (CONST fundamental law; S. *legislación*), **derecho penal** (GEN/CRIM criminal law), **derecho positivo** (GEN positive law; the body of law imposed by a nation), **derecho prendario** (CIVIL prior right; right of lien, general lien *US*; S. *derecho de retención*), **derecho prioritario** (GEN option, right of first refusal), **derecho procesal** (PROC procedural law, rules of the court, law of procedure, adjective law; S. *procesalista; ley de procedimiento, leyes de enjuiciamiento*), **derecho procesal civil** (PROC rules of civil procedure, rules of the court, court rules; S. *Ley de Enjuiciamiento Civil*), **derecho público/privado** (GEN public/private law), **derecho real** (CIVIL legal interest, real right or interest, property right, realty, real estate ◊ *Los derechos reales son transmisibles*), **derecho romano** (GEN Roman law), **derecho sucesorio** (SUC law of succession/inheritance; S. *sucesiones*), **derecho sobre la finca** (CIVIL title to land), **derecho vitalicio** (CIVIL life interest, liferent *Scots*; S. *usufructo*), **derechohabiente** (CIVIL beneficiary, assign, successor in title, person who derives his/her right from another; S. *beneficiario, causante*)].

derechos *n*: ADMIN/GEN rights, duties, taxes, dues; feess, charge-s, franchise; rights; in its plural form, *derechos* commonly refers to the amount paid for a service. S. *gravamen, exacción, canon, honorarios, estipendio, franquicia; tributos.* [Exp: **derechos aduaneros** (ADMIN customs duties, excise duties; S. *arbitrio, arancel, arancel aduanero*), **derechos adquiridos** (GEN vested rights, acquired rights; S. *derechos inalienables*), **derechos civiles** (CONST civil rights), **derechos conyugales** (FAM marital rights; S. *deberes coyugales*), **derechos de amarre** (ADMIN moorage [fees/charges]), **derechos de aterrizaje** (ADMIN landing fees), **derechos de atraque** (BSNSS dockage; S. *amarraje*), **derechos de autor** (BSNSS copyright, author's royalties ◊ *Ha cedido sus derechos de autor a la asociación de autores*; S. *regalía, propiedad intelectual, piratería, de derecho público*), **derechos de depósito** (BSNSS storage charges), **derechos de entrada** (ADMIN fees for customs inwards), **derechos de inscripción** (GEN/ADMIN registration fee), **derechos de muelle** (BSNSS pier dues), **derechos de navegación** (BSNSS shipping duties), **derechos de patente** (BSNSS patent royalties), **derechos de propiedad** (CIVIL property rights, proprietary rights), **derechos de puerto** (ADMIN harbour dues), **derechos de remolque** (BSNSS towing charges), **derechos de salvamento** (BSNSS salvage agreement/charges/prize/reward, etc.; S. *premio o indemnización por el servicio de salvamento*), **derechos de tonelaje** (BSNSS tonnage dues; S. *tonelaje de registro*), **derechos especiales de giro** (BSNSS special drawing rights), **derechos exclusivos** (GEN exclusive rights), **derechos fundamentales** (CONST human rights, fundamental rights ◊ *La Constitución ampara los derechos fundamentales y las libertades cívicas*), **derechos humanos** (CONST human rights), **derechos individuales** (CONST civil liberties; S. *garantías constitucionales*), **derechos reales** (CIVIL property tax, tax on the conveyance of land or property; S. *transmisión*), **derechos subjetivos** (CONST civil rights)].

derivado *a*: GEN derived, deriving; derivative, constructive; S. *acción derivada de culpa, conocimiento derivado, demanda derivada*. [Exp: **derivar** (GEN derive, take trace; S. *surgir, nacer*)].

derogar *v*: GEN repeal, abrogate ◊ *Esta ley deroga algunos preceptos del Código Civil de 1889*; the term most commonly applied to laws or legal rules that have been removed from the statute- book; S. *abolir, anular, cancelar, casar, dejar sin efecto, invalidar, rescindir*; S. *revocar*. [Exp: **derogación** (CONST repeal, abrogation, derogation; S. *anulación, revocación, abolición*), **derogación implícita** (CONST the implied repeal of laws), **derogatorio** (GEN repealing, annulling, derogatory, derogative; S. *revocatorio*)].

derrama *n*: GEN/INSUR call for contributions; apportionment [of taxes, costs, price of repairs, etc.]; S. *prorrateo*. [Exp: **derramar** (GEN/INSUR leak; shed; apportion, distribute; S. *hacer una derrama*), **derramamiento de sangre** (CRIM bloodshed; S. *homicidio, asesinato*), **derrame** (GEN spillage; S. *fuga, escape*)].

derrelicción *n*: CIVIL dereliction, abandonment; S. *abandono de bienes muebles*. [Exp: **derrelicto** (BSNSS derelict, abandoned; abandoned ship, flotsam and jetsam, wreck, wreckage)].

derribar *v*: GEN overthrow, bring down; demolish, pull down. [Exp: **derribo** (GEN overthrow; demolition)].

derrocamiento *n*: CONST overthrow, deposition. [Exp: **derrocar** (CONST overthrow, topple, depose; S. *destituir, deponer, destronar, apartar de un cargo, degradar*)].

derrochar *v*: GEN lavish, waste, squander; S. *dilapidar*. [Exp: **derrochador** (GEN spendthrift; S. *pródigo, disipador*), **derroche** (GEN waste, wastefulness, extravagance, overspending; superabundance, bags *col*; S. *despilfarro, dispendio*)].

derrota[1] *n*: GEN defeat, setback; S. *victoria, triunfo*. [Exp: **derrota**[2], **derrotero** (GEN/BSNSS course; S. *curso, rumbo*), **derrotar** (GEN defeat; S. *vencer*), **derrotar una moción** (CONST/GEN defeat a motion)].

derrumbamiento *n*: GEN collapse. [Exp: **derrumbarse** (GEN break down, collapse ◊ *El testigo se hundió ante el interrogatorio demoledor del fiscal*; S. *hundirse, caerse*)].

desacatar *v*: GEN disobey, defy, set at nought, show contempt for. [Exp: **desacato** (PROC/GEN contempt of court; disobedience, defiance; a traditional term, well known in contexts, legal or otherwise, in which public authority is invoked, but which has been expunged from the extant [1995] version of the Spanish Criminal Code –*Código Penal*–; S. *acatar, desobe-*

diencia, desoír, rebeldía), **desacato a la autoridad** (PROC/GEN disrespect for duly constituted authority; a statutory offence in Spanish law), **desacato al tribunal** (PROC contempt of court), **desacato indirecto** (PROC constructive contempt, civil contempt)].

desaconsejar *v*: GEN discourage, deter, advise against; S. *disuadir, escarmentar.*

desacreditar *v*: GEN discredit, disparage; bring into disrepute; S. *calumniar, difamar, desprestigiar.*

desactivar *v*: GEN defuse, deactivate ◊ *La policía desactivó un coche bomba que contenía unos 25 kilos de explosivos*; S. *coche bomba, carta bomba; experto en desactivación de explosivos.*

desacuerdo *n*: GEN disagreement, dispute, controversy, discordance; S. *desavenencia, disensión, discordia; acuerdo* [Exp: **desacuerdo, en** (GEN in dispute, in contention, at variance, at odds)].

desafectar *v*: CIVIL/ADMIN change the use class of, reclassify, earmark for a different use; remove from a use class or category or restore to an earlier one ◊ *Zonas verdes desafectadas y declaradas urbanizables*; S. *afectar, recalificar.* [Exp: **desafectación** (ADMIN change in use class or category, alteration of status for planning purposes; removal from a category)].

desafianzar *v*: BSNSS release the bond; S. *afianzar.*

desafiar *v*: GEN defy, challenge; S. *retar, provocar.* [Exp: **desafío** (GEN challenge, defiance; S. *reto, provocación; retar*)].

desafiliarse *v*: GEN withdraw from membership, give up one's membership, leave [a political party/a trade union/a medical insurance company, etc.]; S. *darse de baja.*

desaforar *v*: GEN/PROC deprive of a privilege; disbar, strip of parliamentary privilege or similar immunity; S. *fuero, inhabilitar.* [Exp: **desaforado** (GEN lawless, disorderly, violent, stripped/deprived of [parliamentary] privilege ◊ *Una vez desaforado, el diputado pasó a disposición judicial*; S. *licencioso, desordenado, ilegal*), **desafuero** (GEN disorderly conduct; violent or outrageous behaviour; deprivation of rights/immunity/privilege)].

desagravio *n*: CIVIL compensation, redress, redress of grievances, satisfaction, relief; S. *compensación, indemnización, reparación, satisfacción.* [Exp: **desagraviar** (CIVIL compensate, indemnify, redress, grant relief)].

desahuciar[1] *v*: GEN [of sick person] deem beyond recovery, deem past hope of saving, despair of the life of ◊ *A pesar de que los médicos lo habían desahuciado se recuperó milagrosamente.* [Exp: **desahuciar**[2] (CIVIL evict, dispossess, give notice to quit, give notice to vacate *US*, call in the bailiffs *col*; S. *lanzar, desposeer, desalojar, despojar*), **desahucio** (CIVIL eviction, dispossession, ejectment; dismissal; S. *desalojo*)].

desairar *v*: GEN slight, snub; S. *menospreciar, ofender, agraviar.* [Exp: **desaire** (GEN slight, snub, rudeness; S. *menosprecio*)].

desalojamiento *n*: CIVIL eviction, dispossession. [Exp: **desalojar**[1] (GEN eject, expel, oust; clear, clear the public out, vacate; evict, order out/to leave ◊ *La policía desalojó a los vociferantes*; S. *expulsar; alojar*), **desalojar**[2] (GEN abandon, move out ◊ *Los okupas desalojaron la vivienda obligados por la policía*; S. *evacuar, abandonar*), **desalojar la sala** (PROC clear the court ◊ *El juez mandó desalojar la sala por los gritos de algunos exaltados*; S. *despejar*), **desalojo** (GEN/CIVIL ejection; eviction, abandonment, dispossession)].

desamortizar *v*: CIVIL expropriate, dispossess; disentail, disendow; S. *desvincular, expropiar.*

desamparado *a*: GEN destitute, unprotected, defenceless; S. *desvalido.* [Exp: **desam-**

parar (GEN walk out on, abandon, desert, forsake, cast off; S. *abandonar, descuidar, desertar, desatender*), **desamparo** (CIVIL/ GEN abandonment, destitution ◊ *Recoger a menores que se encuentran en situación de desamparo*; S. *abandono, dejación; tutela*)].

desaparecer *v*: GEN disappear, vanish, go missing; die [off/out]; be extinguished; S. *prescribir, extinguirse.* [Exp: **desparecidos** (GEN missing persons, people whose whereabouts are unknown; «people the police are anxious to trace»; S. *paradero*), **desaparición** (GEN disappearance ◊ *El juez intentó averiguar si la desaparición de las pruebas fue casual o intencionado*; S. *aparición*)].

desaprensivo *a*: GEN unscrupulous, fraudulent, crooked, dishonest ◊ *Miles de modestos accionistas han sido engañados por ejecutivos desaprensivos*; S. *inmoral, deshonesto, malvado, sinvergüenza.*

desaprobación *n*: GEN disapproval, censure, criticism; rejection; S. *censura, reprobación.* [Exp: **desaprobar** (GEN disapprove [of], criticize, frown on; censure, reprove; ◊ *Todos han desaprobado su conducta aunque no sea constitutiva de delito*; S. *denegar, censurar, culpar, prohibir*)].

desarme *n*: GEN disarmament. [Exp: **desarme arancelario** (BSNSS dismantling of customss barriers/tariffs)].

desarraigado social *n*: GEN [social] misfit, dropout. [Exp: **desarraigar** (GEN uproot), **desarraigo** (GEN uprootedness, exclusion, marginalisation ◊ *Algunas conductas delictivas son atribuidas al desarraigo social y cultural*; S. *marginación social*)].

desarticular *v*: GEN break, break up, dismantle, smash ◊ *La policía ha desarticulado una célula terrorista*; S. *desmantelar*)].

desatención *n*: GEN inattention, discourtesy, negligence, neglect, disregard ◊ *El juez cometió una falta de desatención en el ejercicio de la competencia judicial*; S. *abandono; atención.* [Exp: **desatender** (GEN disregard, ignore, neglect, abandon, disnour, default; S. *descuidar, abandonar, dejar*), **desatender a los hijos** (FAM abandon children, fail to look after children; S. *desamparar*), **desatender el pago** (CIVIL dishonour a payment, default on payment)].

desastre *n*: GEN/INSUR disaster, tragedy, calamity; S. *pérdida, catástrofe, fuerza mayor.* [Exp: **desastre natural** (INSUR act of God; S. *fuerza mayor*)].

desautorización *n*: GEN refusalof permission, countermand, countermanding; revoking of a previous order of authorisation; calling in question of sb's authority. [Exp: **desautorizar**[1] (GEN countermand/ contradict the order of; deny/issue a denial of the statement of ◊ *El alcalde desautorizó la orden dictada por su teniente*; S. *revocar*), **desautorizar** [2] (GEN undermine the authority of, discredit ◊ *Ha quedado desautorizada con la publicación del informe*; S. *desacreditar, repudiar*)].

desavenencia *n*: GEN discord, disagreement, quarrel ◊ *Algunas demandas surgen por desavenencias entre el propietario de un local y su inquilino*; S. *desacuerdo, disensión, discordia, disputa.* [Exp: **desavenirse** (GEN disagree, quarrel, squabble *col*, fall out *col*; S. *discutir, disentir, pelear*)].

desbloquear *v*: GEN clear, lift, release; unfreeze. [Exp: **desbloquear una cuenta** (BSNSS unfreeze an account), **desbloquear negociaciones** (GEN break the deadlock in negociations), **desbloqueo** (GEN clearing, lifting, freeing [up]), **desbloqueo de una cuenta** (GEN unfreezing of an account; S. *embargo*), **desbloqueo de las negociaciones** (GEN breaking of the deadlock in the negotiations)].

descalificación *n*: GEN disgrace, censure, disrepute, dishonour, abusive language, insult, moral condemnation, insult, *op-*

probium; S. *descrédito, injuria, insulto*. [Exp: **descalificar** (GEN blame, reproach, censure, disparage, discredit ◊ *La actuación del abogado descalifica al bufete al que pertenece*; careful speakers and translators may wish to avoid the tendency to blur the distinction between the Spanish term and its English paronym «disqualify»; the basic difference appears to be that between the subjective and personal sense of the Spanish –insult, direct attack or criticism– and the objective sense of the English term –failure to reach a standard or satisfy an established condition–; whereas in sporting contexts the Spanish word seems to have drifted in the English direction, there is no reason in more formal contexts to assume their equivalence; a comment like *La actuación del diplomático lo descalifica para seguir repesentando a nuestro país* does not imply that the diplomat is «disqualified from» representing the country, but that he is, in the speaker or writer's opinion, «not fit» to represent it; truer Spanish equivalents of «disqualify» are *inhabilitar, declarar no apto, separar, relevar* and so on)].

descanso semanal *n*: EMPLOY weekly rest period, day off.

descarga *n*: GEN discharge. [Exp: **descargar**[1] (GEN discharge, release, exonerate, acquit; S. *liberar*), **descargar**[2] (BSNSS unload, discharge, land ◊ *Se descargarán las mercancías en el muelle n.º 2*; S. *cargar*), **descargar un arma** (GEN shoot, fire [a weapon]), **descargar de una promesa/obligación** (GEN release from a promise/obligation; S. *eximir*), **descargar la responsabilidad** (GEN transfer responsibility), **descargo** (CRIM defence; acquittal, release; answer to a charge, exoneration; S. *sentencia absolutoria, absolución, pliego de descargo, testigo de descargo*), **descargo de una deuda** (BSNSS credit side, balancing credit entry, settlement of debt; S. *finiquito*), **descargo de X, en** (BSNSS to X's credit, in defence of X, on X's behalf; S. *defensa*)].

descartar *v*: GEN rule out, discard; pass over, reject; dismiss ◊ *El Supremo descartó que los jueces hubieran cometido el delito de cohecho*; S. *desechar, inadmitir, no admitir, excluir.*

descendencia *n*: GEN/FAM offspring, issue, descendants, descent ◊ *Murió sin descendencia*; S. *ascendencia, prole*. [Exp: **descendencia colateral** (FAM collateral descent), **descendencia legítima** (FAM legal descent, lawful issue), **descendencia en línea directa** (FAM lineal descent), **descendencia mediata** (FAM mediate descent), **descendiente** (CIVIL issue, descendant ◊ *Es nulo el matrimonio celebrado entre ascendiente y descendiente*; S. *colateral, ascendiente*), **descendientes directos por la línea masculina/femenina** (FAM male/female issue), **descender**[1] (FAM descend ◊ *Mi familia desciende de emigrantes irlandeses*; S. *proceder*), **descender**[2] (GEN decline, fall off, drop, come down; descend; S. *bajar*)].

descifrar *v*: GEN decode, decipher, work out, figure out ◊ *La investigación no ha podido descifrar el móvil del delito*; S. *esclarecer, aclarar, arrojar datos.*

desconfianza *n*: GEN distrust, lack of confidence, reluctance, suspicion; S. *sospecha, recelo*. [Exp: **desconfiar** (GEN distrust, mistruct, suspect; S. *sospechar*)].

desconocer *v*: GEN not to know, not to recognize, be unaware of ◊ *Desconozco los motivos de la demanda*; S. *ignorar*. [Exp: **desconocido** (GEN unknown, unfamiliar, changed, different; [person] unknown, person or persons unknown), **desconocimiento** (GEN ignorance; S. *ignorancia*), **desconocimiento de la ley no exime de su cumplimiento, el** (GEN ignorance of the law is no excuse/defence)].

descontar *v*: GEN discount, deduct; S. *descuento*. [Exp: **descontar una letra de cambio** (BSNSS discount a bill), **descontado** (GEN excluding; S. *con exclusión de, sin contar con*)].

desconvocar *v*: EMPLOY call off ◊ *La huelga ha sido desconvocada*; S. *convocar*.

descorrer el velo corporativo o societario *v*: BSNSS pierce the corporate veil.

descrédito *n*: GEN/CRIM discredit, loss of credit, defamation; S. *injuria, menosprecio, ruptura; desacreditar, descalificar*.

descuartizar *v*: CRIM dismember [a body, etc.]; S. *desmembrar*.

descubierto *a*: GEN patent, obvious; uncovered, unsecured; S. *cuenta al descubierto*. [Exp: **descubierto, al** (GEN exposed, out in the open), **descubierto bancario** (BSNSS overdraft), **descubierto, en** (BSNSS in arrears, overdrawn, unpaid; S. *en mora, atrasado, impagado*), **descubrimiento** (GEN discovery, disclosure; S. *revelación, exhibición*), **descubrir** (GEN detect, disclose, discover, ascertain; S. *detectar*)].

descuento *n*: BSNSS discount, rebate, deduction, allowance; price allowance, reduction in price; S. *descontar, rebaja*. [Exp: **descuento comercial** (BSNSS trade allowance, commercial discount), **descuento de efecto** (BSNSS bill discount, discounting of bills)].

descuidado *a*: GEN negligent, careless; perfunctory; S. *negligente*. [Exp: **descuidar** (GEN neglect, abandon, disregard, overlook; S. *desatender, abandonar*), **descuidero** *col* (CRIM pickpocket, petty thief, sneak thief, dip *col*; S. *carterista, ratero, caco*), **descuido** (GEN lack of care, want of proper care, carelessness, negligence, neglect, perfunctoriness, oversight ◊ *En un descuido del guardia el detenido se dio a la fuga*; S. *imprudencia, negligencia, desidia, abandono, dejadez*)].

desdecirse *v*: GEN go back on one's word, change one's statement, retract ◊ *Ante el tribunal se desdijo de todo lo que había declarado a la policía*; S. *echarse atrás*.

desechar *v*: GEN reject, rule out, discard, dismiss, scrap, throw out; S. *denegar, desestimar, rechazar*.

desembargar *v*: CIVIL/BSNSS release/lift an attachment/lien/garnishment; more commonly *alzar/levantar el embargo*; S. *desafectar, alzar/levantar un embargo*. [Exp: **desembargo** (CIVIL/BSNSS abatement of an attachment, raising/lifting an embargo or attachment)].

desembolsar *v*: BSNSS pay out, disburse; S. *pagar*. [Exp: **desembolso** (BSNSS payment, disbursement, expenditure, S. *pago*)].

desempatar *v*: GEN break the deadlock/tie; S. *empatar*. [Exp: **desempate** (GEN runoff; S. *empate, voto de desempate*)].

desempeñar[1] *v*: GEN perform, carry out, discharge; S. *ejecutar, cumplir, ejercer, practicar*. [Exp: **desempeñar**[2] (CIVIL redeem), **desempeñar un cargo** (ADMIN serve; hold an office, fill/occupy a post), **desempeñar una función** (ADMIN perform a task/a function), **desempeño**[1] (GEN performance, discharge, fulfilment, exercise), **desempeño**[2] (CIVIL redemption; S. *cancelación, amortización*), **desempeño de funciones** (GEN performance, discharge or carrying out of duties ◊ *En el desempeño de sus funciones, el Secretario judicial evitará retrasos o dilaciones indebidas*; S. *ejercicio, cumplimiento, práctica*), **desempeño de las funciones, en el** (GEN in the exercise of one's duties), **desempeño de una prenda** (CIVIL redeeming of a pledge)].

desempleado *a*: EMPLOY jobless, unemployed, out of work; S. *en paro forzoso, parado, desocupado*. [Exp: **desempleo** (EMPLOY unemployment; S. *paro, cesantía*), **desempleo estacional** (EMPLOY seasonal unemployment)].

desengancharse *col v*: GEN detox, kick the drug habit, come off drugs, quit, clean up [one's act] ◊ *Existen técnicas muy buenas que ayudan a los heroinómanos a desengancharse de su adicción*; S. *caballo, camello; chutarse, colocarse, esnifar, pincharse, empastillarse; habituarse, deshabituarse; línea, porra, raya.*

desenmarañar *v*: GEN disentangle, unravel. [Exp: **desenmarañar una trama negra/ delictiva** (CRIM lay bare/unveil a plot, track down/unravel a conspiracy; S. *desarticular*)].

desentrañar *v*: GEN unravel, clarify, decipher ◊ *La aparición de la cartera ayudó a la policía a desentrañar el misterio.*

desestimación *n*: GEN/PROC dismissal, refusal, setting aside, overruling; S. *inadmisión, sobreseimiento.* [Exp: **desestimar** (PROC reject, dismiss, set aside, strike out, overrule ◊ *El tribunal desestimó las pretensiones del demandante*; S. *dejar sin efecto; estimar*), **desestimar un recurso de apelación, una causa, una solicitud,** etc. (PROC dismiss an appeal, a case, an application, etc.), **desestimatorio** (GEN denying, rejecting, dismissing)].

desfalcador *n*: CRIM embezzler, defalcator, swindler, cheat, con man *col*, fraud, shark *col*, impostor; S. *malversador.* [Exp: **desfalcar** (GEN embezzle, defalcate, deceive, defraud, do *col*, cheat; S. *malversar, sustraer dinero, hurtar*), **desfalco** (CRIM embezzlement, defalcation, peculation; S. *estafa, fraude, malversación, defraudación, distracción de fondos*)].

desfavorecido *a*: GEN disadvantaged, at a disadvantage, underprivileged; handicapped, impaired, maimed; S. *discapacitado, disminuido.*

desfigurar *v*: GEN deface, disfigure, distort ◊ *Llevaba el rostro desfigurado por la paliza brutal que había recibido*; S. *deformar.*

desgastar *v*: GEN wear out, wear away; S. *deteriorar.* [Exp: **desgaste** (GEN wear and tear; S. *uso, deterioro*), **desgaste emocional** (GEN emotional wear and tear ◊ *Los procedimientos largos suelen producir un gran desgaste emocional*), **desgaste político** (GEN loss of political support)].

desglosar *v*: GEN break down, itemise. [Exp: **desglose** (GEN breakdown, itemisation)].

desgobierno *n*: GEN misgovernment, anarchy; S. *anarquía.*

desgracia *n*: GEN misfortune, ill luck, mishap; S. *contratiempo, catástrofe, adversidad.*

desgravable *a*: TAX tax deductible. [Exp: **desgravación** (TAX relief, tax relief, tax reduction, allowance; S. *deducción*), **desgravación a la exportación** (TAX tax relief to export), **desgravación fiscal** (TAX tax relief/abatement, allowance or rebate; S. *bonificación tributaria*), **desgravación por doble imposición** (TAX double taxation relief), **desgravación por hijos** (TAX child allowance; S. *subsidio familiar por hijos*), **desgravaciones sobre bienes de capital** (TAX capital allowances), **desgravar** (GEN rebate, reduce o remove tax, disencumber, remove a lien; S. *reducir, descontar*)].

deshabituación *n*: GEN detoxification, detox *col*, drying out, dry-out *col* ◊ *Es delito grave facilitar drogas a las personas sometidas a tratamiento de deshabituación o rehabilitación*; S. *dependencia, adicción, reinserción; engancharse, desengancharse.*

deshacer *v*: GEN undo, unmake; take apart; destroy. [Exp: **deshacerse de** (GEN get rid of, dump; unload; bump [sb] off *col*; part with; fob off *col*; S. *liquidar, cargarse*)].

desheredar *v*: SUC disinherit, cast off, cut off; dispossess; in fact it is not always possible to disinherit an intended beneficiary if the person concerned is a direct descendant of the testator; S. *legítima.*

deshipotecar *v*: BSNSS pay off/clear off/cancel a mortgage.

deshonesto *a*: GEN dishonest, indecent, obscene, bawdy, improper; fraudulent, crooked; until quite recently, the term *deshonesto* in Spanish was found only in the sense of «lewd, sexually indecent», and this is still the only meaning of the word in legal contexts; however, the gradual encroachment of the French and English senses of *honnête/«honest»* on the positive adjective *honesto* has led to a fudging of the semantic position; careful speakers and writers still prefer the group of words derived from *honra –honrado, honroso, deshonra, etc.–* to *honesto* and its derivatives in the general moral sense of «honest, honourable»; in any event, translators should be aware that the peculiar English sense of «dishonesty» as part of the definition of theft and fraud –i.e., the intention of permanent depriving the owner of goods removed from his/her possession or control –is no part of the sense of the Spanish word; in consequence a person described as *deshoneto-a* may very well be guilty of sexual treachery or lewdness –the true sense– or dishonourable conduct, usually in the public sphere –the questionable modern sense–, but not of criminal conduct; the questionable modern sense–, but not of criminal conduct; S. *impúdico, obsceno, inmoral, malvado, sinvergüenza; abusos deshonestos, proposiciones deshonestas.* [Exp: **deshonra/deshonor** (GEN dishonesty, dishonour, disgrace, ignominy, shame), **deshonrar** (GEN dishonour, disgrace; ruin, seduce; S. *mácula, vergüenza, tacha, mancha*), **deshonroso** (GEN dishonest, dishonourable; shameful, desgraceful)].

desidia *n*: GEN apathy, inertia, sluggishness, slackness, laxity, laziness, sloth, carelessness, negligence, neglect; S. *descuido, abandono.*

designación *n*: GEN appointment, designation, nomination; S. *nombramiento, mandato.* [Exp: **designado** (GEN designate; S. *nombrado, electo*), **designar** (GEN appoint, designate, nominate; S. *nombrar, destinar, diputar*)].

designio *n*: GEN design, plan, aim, goal; S. *intención, proyecto, plan.*

desistimiento *n*: PROC abandonment, withdrawal, failure to prosecute an action, allowing a case/action to lapse; S. *abandono, renuncia, suspensión de la ejecución de la sentencia.* [Exp: **desistir** (GEN desist, drop; forsake; abandon, withdraw, relinquish, waive; S. *abandonar, ceder, renunciar, retirar*), **desistir de una demanda, recurso, etc**. (PROC abandon/drop an action, an appeal, etc., withdraw prosecution ◊ *Se entiende que los litigantes desisten cuando no se presentan a juicio*), **desistir de un juicio o pleito** (PROC abandon a case ◊ *Los litigantes podrán renunciar, desistir del juicio, allanarse, someterse a arbitraje y transigir sobre lo que sea objeto del mismo*; S. *pleito*)].

desleal *a*: GEN disloyal, unfaithful, false; unfair; S. *traidor, infiel, administración desleal, práctica desleal.* [Exp: **deslealtad** (GEN disloyalty, breach of trust; S. *infidelidad, abuso de confianza*)].

deslegitimación *v*: GEN discrediting, bringing into disrepute; S. *legítimo.* [Exp: **deslegitimar** (GEN discredit, bring into disrepute, destroy or tarnish the authority or reputation of, lay open to criticism, expose to ridicule ◊ *Algunos jueces con sus sentencias aberrantes amenazan con deslegitimar la autoridad judicial*; as the example suggests, the word tends to be used in the moral rather than the legal sense, i.e. it does not mean «illegalize» or «make illegitimate»; S. *legitimación*)].

desligar *v*: GEN free, release, absolve [from a duty, promise, etc.]; S. *eximir, dispensar, liberar.*

deslindamiento/deslinde *n*: CIVIL abuttals; settling of real property boundaries, demarcation; S. *apeo, lindes.* [Exp: **deslindar** (CIVIL define, delimit, demarcate; define the boundaries of [a property]; S. *acotar, delimitar, mojonar; topógrafo*), **deslinde y amojonamiento** (CIVIL survey and marking of boundaries)].

desliz *n*: GEN slip, slip-up; indiscretion; S. *patinazo, lapso, error.*

desmán *n*: GEN/CRIM abuse, outrage, excess, unseemly/disorderly conduct, hooliganism ◊ *La policía ha puesto coto a los desmanes nocturnos de algunos jóvenes*; S. *atropello, vituperación; poner coto a.*

desmandarse *v*: GEN go/get out of control/hand; be cheeky/insolent; talk back.

desmantelamiento *n*: GEN dismantling. [Exp: **desmantelar** (GEN dismantle ◊ *La policía ha desmantelado una célula terrorista*; S. *desarticular*)].

desmedido *n*: GEN undue, unconscionable; excessive; S. *excesivo.*

desmembrar *v*: CRIM dismember; S. *descuartizar.*

desmentido *a*: GEN denial, official denial ◊ *Pese a los continuos desmentidos, todo el mundo cree que la salud del presidente no es buena*; S. *mentís.* [Exp: **desmentir** (GEN deny, issue an official denial, quash [a rumour] ◊ *Un portavoz gubernamental ha desmentido el rumor de la dimisión del ministro de justicia*)].

desmontar *v*: GEN dismount, take apart, dismantle, demolish ◊ *Las presunciones de derecho se pueden desmontar.*

desnaturalizar *v:* GEN denature, degrade; vitiate ◊ *Existe una grave irregularidad que desnaturaliza todo el proceso.*

desobedecer *v*: GEN disobey, act in defiance of, overlook, neglect, ignore; S. *hacer caso omiso de.* [Exp: **desobediencia** (GEN disobedience, defiance, non-compliance, contempt of court; S. *reto, provocación, insolencia, desacato; obediencia*)].

desocupado *a/n*: GEN/EMPLOY idle, unemployed; free, empty, vacant; S. *desempleado, parado, en paro.* [Exp: **desocupar** (GEN vacate, evict, leave, get out; S. *evacuar, vaciar*), **desocupar el local** (GEN vacate the premises ◊ *El inquilino desocupó el local minutos antes de que llegaran los agentes judiciales*; S. *evacuar*)].

desorden *n*: GEN disturbance, lawlessness, disorder, unrest, breach of the peace; S. *tumulto, caos, orden, paz.* [Exp: **desorden público** (GEN disorderly conduct; S. *alteración del orden público*), **desorden violento** (GEN violent disorder; S. *altercado violento, disturbio*), **desordenado** (GEN disorderly, lawless, riotous; S. *licencioso*), **desordenar** (GEN disorder, disturb, mix/mess up, confuse, disorganize, muddle)].

despachar *v*: BSNSS/GEN ship, issue, send; deal with, fix, see to; S. *expedir.* [Exp: **despacharse a gusto** (GEN not to mince one's words, tell somebody a few home truths, tell somebody where they get off, *col*), **despacho**[1] (GEN office; S. *bufete. oficina, cámara*), **despacho**[2] (BSNSS/GEN dispatch, shipment; clearance; commission; message), **despacho colectivo** (GEN partnership of [a maximum of twenty] lawyers; S. *bufete*), **despacho de aduana** (ADMIN customs clearance; clearance by customs; S. *formalidades aduaneras*), **despacho de entrada/salida de un buque** (ADMIN clearance inwards, clearance outwards)].

despectivo *a*: GEN derogatory, slighting, pejorative, scornful ◊ *El pronunciar términos despectivos contra alguien en público puede constituir un delito o falta*; S. *despreciativo.*

despedir *v*: GEN/EMPLOY dismiss, give notice, lay off; sack *col*, give the sack *col*, fire *col*; S. *despido; notificar la resolución del contrato, echar.* [Exp: **despe-**

dirse voluntariamente (BSNSS leave voluntarily, give notice; S. *dar aviso de despido*)].

despejar *v*: GEN clear, clear up; S. *desalojar*. [Exp: **despejar la sala** (PROC clear the court/room), **¡despejen!** (GEN move on!/ along!, keep moving!)].

despenalizar *v*: CRIM decriminalize, legalize ◊ *El aborto ha sido despenalizado*; S. *penalizar*.

desperfecto *n*: GEN damage; flaw ◊ *Los ladrones ocasionaron graves desperfectos en las oficinas*; S. *uso, desgaste, deterioro; ocasionar/causar desperfectos, sufrir desperfectos*.

despiadadamente *adv*: CRIM mercilessly, brutally ◊ *Golpeó despiadadamente a su compañera*; S. *brutalmente*.

despido *n*: EMPLOY dismissal, layoff, discharge; redundancy payment, severance pay; S. *cese; despedir*. [Exp: **despido indirecto** (EMPLOY constructive dismissal), **despido colectivo** (EMPLOY collective dismissal, mass redundancy), **despido forzoso** (EMPLOY compulsory redundancy), **despido improcedente o injusto** (BSNSS unfair dismissal, wrongful dismissal, unjustied dismissal, dismissal without grounds; S. *reintegro*), **despido nulo** (EMPLOY unreasonable dismissal), **despido procedente** (RMPLOY fair dismissal, dismissal on reasonable grounds), **despido libre** (EMPLOY employer's right of automatic dismissal, arbitrary dismissal)].

despignorar *v*: BSNSS release a pledge.

despilfarrar *v*: GEN waste, overspend, squander; S. *derrochar*. [Exp: **despilfarro** (GEN waste, extravagance, squandering; S. *derroche, dispendio*)].

desplazar *n*: GEN displace, move.

desplomarse *v*: GEN collapse, topple, tumble. ◊ *El techo se desplomó tras la explosión*. [Exp: **desplome** (GEN collapse, downfall ◊ *Tras el desplome del techo varias personas quedaron sepultadas bajo los escombros*; S. *hundimiento, caída*), **desplome de la Bolsa, las cotizaciones, etc**. (BSNSS collapse/slide of Stock Market, prices, etc.)].

despojar *v*: GEN strip, despoil, divest, deprive, dispossess ◊ *Las Cortes despojaron de la impunidad parlamentaria al ministro sobre el que recaían claras sospechas*; S. *desposeer, quitar, robar*. [Exp: **despojo-s** (GEN spoils, plunder)].

desposeer *v*: GEN/CIVIL divest, dispossess; strip [of property/possessions/land]; S. *despojar, enajenar, quitar, arrebatar, robar*. [Exp: **desposeer del dominio de** (CIVIL dispossess, disendow), **desposeído** (bereft; S. *despojado*), **desposeimiento** (CIVIL dispossesion)].

déspota *n*: GEN tyrant, despot; S. *tirano*.

despreciable *a*: GEN contemptible, worthless; negligible; S. *vil, infame, indigno, odioso*. [Exp: **despreciar** (GEN reject, despise, slight; S. *ofender*), **despreciativo** (GEN slighting; S. *despectivo*), **desprecio** (GEN disdain, contempt, scorn, snub)].

desprestigiar *v*: GEN bring into disrepute; S. *desacreditar, difamar, calumniar*. [Exp: **desprestigio** (GEN discredit, loss of prestige)].

desproporcionado *a*: GEN out of proportion, disproportionate; S. *proporcionado, proporcional*.

desprovisto de *a*: GEN devoid of, wanting, lacking in, without.

desquitarse *v*: GEN retaliate, get one's own back; recoup one's losses, recover debt/ property; s. *tomar represalias, vengarse*. [Exp: **desquite** (GEN retaliation, recovery, compensation, satisfaction; S. *represalia, venganza*)].

desregulación *n*: BSNSS/ADMIN/EMPLOY deregulation ◊ *La legislación española ha introducido recientemente medidas de desregulación en las relaciones laborales*; S. *regulación, liberalización*; *aunque se dice «desregular», siguiendo la* *tradición española («rogar» + «de» = «derrogar», el término debería ser «derregulación», pero se ha consolidado, en cambio, «desregulación».* [Exp: **desregular** (BSNSS/ADMIN/EMPLOY deregulate, remove control from; S. *liberalizar*)].

destajo *n*: EMPLOY piecework, job and knock *col*. [Exp: **destajo, a** (EMPLOY piecework, by contract; S. *salario a destajo*)].

desterrar *v*: CRIM banish, outcast, S. *deportar*. [Exp: **destierro** (CRIM banishment; S. *deportación*)].

destinar *v*: GEN destine, allot, designate, consign, earmark; appoint. [Exp: **destinar en comisión de servicio** (ADMIN second ◊ *Lo destinaron a la Casa de la Cultura en comisión de servicios*), **destinar fondos a fines específicos** (ADMIN earmark funds; S. *asignar, afectar*), **destinatario** (GEN addressee, consignee, remittee, recipient; S. *consignatario, beneficiario*), **destino** (GEN destiny; designation, appropriation, post, appointment; S. *abandono de destino*)].

destitución *n*: GEN deprivation, destitution, dismissal; impeachment; S. *cese, deposición, privación, pérdida*. [Exp: **destituir** (GEN remove, depose, recall; S. *derrocar, deponer, destronar, apartar de un cargo, degradar*), **destituir [a un empleado]** (EMPLOY dismiss; S. *despedir, cesar*)].

destronar *v*: CONST dethrone, overthrow; S. *destituir, deponer, derrocar, apartar de un cargo, degradar.*

destrozar *v*: GEN destroy, deface, S. *depredar*. [Exp: **destrozo** (GEN damage, destruction)].

destrucción *n*: GEN destruction, defacement; S. *sabotaje, ruina*. [Exp: **destrucción masiva** (GEN mass destruction; S. *armas de destrucción masiva*), **destruir** (GEN destroy, ruin, damage), **destruir pruebas** (CRIM destroy evidence)].

desuso *n*: GEN disuse, desuetude. [Exp: **desuso, en** (GEN disused, in abeyance)].

desvalido *a*: GEN destitute, helpless, defenceless; underprivileged; S. *indigente, desamparado.*

desvalijar *v*: CRIM rob, burgle, swindle, clean out *col* ransack, rifle; S. *robo*. [Exp: **desvalijamiento** (CRIM robbery, burglary, swindling; ransacking; S. *robo*)].

desviación *n*: GEN departure, deviation; abuse; S. *divergencia*. [Exp: **desviación/desvío de poder** (CRIM misuse of power, abuse of power, misapplication of administrative norms; S. *abuso de poder; extralimitarse, excederse en el uso de las atribuciones*), **desviar-se** (GEN depart, deviate, divert, re-route; S. *apartarse*), **desvío** (GEN deviation, diversion, re-routing)].

desvirtuar *v*: GEN distort; destroy; weaken, undermine, take away [from], detract [from]; disprove, belie, show to be baseless or unfounded ◊ *Las alegaciones vertidas por los recurrentes no han desvirtuado en absoluto las conclusiones del juez instructor*; S. *anular, invalidar*. [Exp: **desvirtuar la presunción de inocencia** (CRIM/PROC overcome/upset/prevail over/nullify the presumption of innocence ◊ *Las pruebas practicadas por el fiscal tienen carga incriminatoria suficiente para desvirtuar la presunción de inocencia*; S. *incriminar, presunción de inocencia, prueba de cargo, prueba de descargo*)].

detallar *v*: GEN break down, itemize, list, specify; S. *desglosar*. [Exp: **detalle** (GEN detail, particular; S. *desglose*), **detalle de los cargos** (CRIM counts, particulars of offence, statement of offence), **detalle técnico** (GEN technicality, technicism, formal question/issue), **detallista** (BSNSS retail trader; S. *minorista, comerciante al por menor*)].

detectar *v*: GEN detect, spot; establish; observe; S. *descubrir*. [Exp: **detective** (GEN detective), **detector de mentiras** (GEN lie detector)].

detención *n*: CRIM arrest, detention, apprehension, confinement; seizure, distraint, distress; S. *captura, retención, arresto*. [Exp: **detención ilegal o maliciosa** (CRIM false imprisonment, illegal detention, duress of imprisonment, malicious arrest; S. *secuestro, prisión o encarcelamiento ilegal*), **detención o retención administrativa** (ADMIN administrative detention), **detención preventiva** (CRIM preventive detention, pre-trial arrest, remanding in custody), **detener** (CRIM arrest, effect an arrest, apprehend, hold in legal custody, take/bring into custody, detain, bring in; distrain, seize, stop; S. *prender*), **detenido** (CRIM detainee, arrested person, person under arrest or in custody, prisoner ◊ *El detenido pasó a disposición judicial*; S. *retenido; encarcelado; retener*)].

detentación *n*: CRIM unlawful or forcible detainer, deforcement, unlawful withholding of goods, *approx* conversion. [Exp: **detentador** (CRIM deforcer, detainer), **detentar** (GEN deforce, keep illegally, unlawfully withhold or retain, *approx* convert, detain; S. *usurpar; detener, retener; ostentar*)].

deteriorado *a*: GEN impaired, damaged, dilapidated; S. *en ruinas*. [Exp: **deteriorar** (GEN [cause to] deteriorate, worsen, waste, wear; S. *echar a perder, desgastar, estropear, causar deterioro*), **deterioro** (GEN deterioration, waste, damage, degradation, decline, waste, wear; S. *uso, desgaste*), **deterioro ecológico** (GEN damage to the environment)].

determinable *a*: GEN determinable, ascertainable; S. *evaluable, averiguable*. [Exp: **determinación**[1] (GEN determination, resolve, resoluteness, decision; S. *resolución, fuerza de voluntad; autodeterminación, derecho de autodeterminación*), **determinación**[2] (GEN assessment, determination, ascertainment, appraisal, estimation ◊ *La Administración ha practicado la determinación del impuesto eludido*; S. *fijación, señalamiento*), **determinación de los hechos** (PROC finding of fact, decision on facts, settling or establishing of the facts in issue), **determinación del daño, etc**. (GEN ascertainment of the damage, etc.; S. *valoración, fijación*), **determinación del valor imponible** (GEN assessment of the rate to be charged), **determinación judicial** (PROC judge's/court's decision or finding, adjudication, ruling; S. *fallo, laudo, decisión, dictamen, resolución*), **determinado** (GEN particular, given, set; certain), **determinar**[1] (GEN determine, resolve, decide, establish, settle, apportion; S. *resolver, acordar*), **determinar**[2] (GEN ascertain, determine, evaluate, appraise; S. *fijar, establecer*), **determinar judicialmente** (PROC rule, find, adjudicate, determine, pronounce)].

detonación *n*: GEN detonation, explosion; S. *explosión, estallido*. [Exp: **detonar** (GEN detonate, explode, fire; S. *estallar, explotar*)].

detrimento *n*: GEN damage, prejudice, loss, detriment, harm, disadvantage; S. *perjuicio, daño, menoscabo*. [Exp: **detrimento de, en** (GEN to the detriment/prejudice of, at the expense of), **detrimento, sin** (GEN without detriment/prejudice)].

deuda *n*: CIVIL/BSNSS debt, indebtedness, liability; S. *endeudarse, adeudar*. [Exp: **deuda a corto/largo plazo** (BSNSS short-term/long-term debt), **deuda consolidada** (CIVIL/BSNSS/ADMIN fixed/funded debt; S. *deuda perpetua*), **deuda flotante** (CIVIL unfunded debt), **deuda ilíquida** (CIVIL/BSNSS unliquidated debt), **deuda incobrable** (BSNSS write-off, un collectible debt, bad debt; S. *impagados, cuentas dudosas, fallidos*), **deuda líquida** (CIVIL/BSNSS liquidated debt), **deuda perpetua** (BSNSS perpetual debt, fixed debt; S. *deuda consolidada*), **deuda por juicio** (PROC judgment debt, debt of record), **deuda privilegiada** (CIVIL/BSNSS preferential debt, preferred debt, privileged debt, priority of debt; S. *prioridad de la deuda*), **deuda pública** (ADMIN national debt, public debt), **deuda quirografaria** (BSNSS/CIVIL unsecured debt), **deuda tributaria** (TAX arrears of tax, outstanding tax liability, outstanding sum owed to the tax authorities ◊ *Tras el recurso que presentó, se le dio la oportunidad de liquidar la deuda tributaria*; S. *elusión de la deuda tributaria, Hacienda*), **deuda vencida** (BSNSS/CIVIL matured debt), **deudas** (BSNSS liabilities, arrears, accounts payable; S. *atrasos*), **deudor** (BSNSS debtor, obligor; S. *acreedor*), **deudor concordatario** (BSNSS/CIVIL bankrupt who signs an agreement with his creditors: S. *quebrado*), **deudor hipotecario** (BSNSS/CIVIL mortgagor; S. *acreedor hipotecario*), **deudor mancomunado** (BSNSS/CIVIL joint debtor), **deudor en mora o moroso** (CIVIL debtor in default, delinquent debtor, defaulter; S. *fallido*), **deudor solidario** (BSNSS/CIVIL joint and several debtor)].

deudo *n*: FAM relative; kinsman/kinswoman; a highly formal term, usually found in the plural and rarely or never in the feminine, where it could be confused with the word «debt».

devaluación *n*: BSNSS devaluation; S. *apreciación, depreciación*.

devengado *a*: BSNSS earned, accrued, due. [Exp: **devengado y no pagado** (BSNSS due and payable, unsettled, back; S. *pendiente, en mora, vencido, sobrevencido, sin pagar*), **devengar** (GEN/BSNSS earn, carry, yield, pay; accrue; S. *producir*), **devengar o producir intereses** (BSNSS bear/yield/pay interest), **devengo** (BSNSS amount due, accrual; S. *aparición, acumulación*)].

devolución *n*: GEN return, drawback, repayment, refund; remittal, remitting [of a case, etc., from one court to another]; S. *reembolso, reintegro, restitución*. [Exp: **devolución de impuestos pagados** (TAX tax refund), **devolver** (GEN repay, return, give back refund, devolve, redeliver, pay back; remit, send back ◊ *Para obtener el perdón es preciso devolver lo sustraído*; S. *restituir, reembolsar, reintegrar*), **devolver un cheque por falta de fondos** (return a bounced cheque; **devolutivo** (GEN/PROC concerning or relating to returning or remitting, involving remittal, remittable; S. *efecto devolutivo, prejudicial*)].

día *n*: GEN day; S. *mes, año*. [Exp: **día cierto** (GEN fixed/settled day or date), **día civil** (GEN civil day), **día de fiesta oficial** (GEN public holiday, official holiday, *approx* bank holiday), **día de paga** (BSNSS pay-day), **día del vencimiento** (BSNSS accounting day, date of maturity), **día feriado o festivo** (GEN holiday, bank holiday), **día hábil** (GEN working day, business day; S. *día laborable, horas de oficina*), **día hábil a efectos bancarios** (GEN banking day), **día hábil a efectos jurídicos** (PROC *dies juridicus*), **día inhábil** (GEN legal holiday, non-working day), **día inhábil a efectos jurídicos** (PROC non judicial day, dies *non juridicus*), **día laborable** (BSNSS working day, business day; S. *día hábil*), **día-multa** (CRIM tariff fine, fine per day, fine imposed and levied in accordance with the standard scale; the scale is calculated on a *per diem* basis and is updated in accordance with the changing value of money; the current scale [from 1 January 2002] ranges from €1.21 to €300 depending on the gravity of the offence and the convicted person's means; in the Spanish Criminal Code it is common for the fine attracted by specific offences to be expressed in months ◊ *La multa de cinco días a dos meses es una* *pena leve*; S. *mes de multa*), **día no laborable** (BSNSS working day), **días naturales** (GEN calendar days, running days), **días seguidos** (GEN running days, calendar days)].

diario *n*: GEN daybook, journal; daily newspaper. [Exp: **diario de navegación** (BSNSS log-book, ship's book/ journal), **diario oficial** (ADMIN official gazette; S. *BOE, Boletín Oficial del Estado*), **diario de sesiones** (CONST official record, published daily, of the sessions of the Spanish Parliament, *approx* equivalent to Hansard)].

dibujo *n*: BSNSS drawing, design; S. *marcas, patentes y dibujos*.

dictamen *n*: PROC/GEN opinion, judgment, decision, award; report; S. *resolución, opinión, parecer*. [Exp: **dictamen con reparos/salvedades** (GEN qualified opinion), **dictamen consultivo** (GEN/BSNSS advisory opinion), **dictamen jurídico** (PROC legal opinion, opinion of counsel), **dictamen motivado** (PROC reasoned opinion), **dictamen pericial** (PROC expert opinion, expert testimony, opinion or report given by experts or expert witnesses; S. *peritaje, prueba pericial*), **dictaminar** (PROC adjudicate, pass judgment, rule, issue an opinion, decide; award; S. *fallar, resolver, dictaminar sentencia*)].

dictar *v*: GEN dictate, pronounce, order; issue, enter; S. *pronunciar*. [Exp: **dictar auto de prisión** (CRIM remand, order [the suspect] to be remanded in prison), **dictar auto de prisión preventiva** (CRIM remand in custody), **dictar el archivo de lo actuado** (PROC stay proceedings, order a stay; order the proceedings to remain on the file; S. *sobreseer*), **dictar el veredicto** (CRIM return a verdict; S. *dictar/pronunciar el veredicto*), **dictar libertad bajo fianza** (CRIM remand on bail), **dictar normas** (GEN issue rules); S. *facultad normativa*), **dictar orden de lanzamiento** (CIVIL oust; S. *desalojar, desposeer, despedir*), **dictar sentencia**[1] (CIVIL announce a decision, give judgment; grant a decree, find; decern, *Scots*; S. *fallar, emitir un fallo*), **dictar sentencia**[2] (CRIM pronounce/ pass sentence, deliver a verdict; S. *sentenciar*), **dictar sentencia condenatoria**[1] (PROC/CRIM deliver/return/pronounce a verdict of guilty; S. *condenar, pronunciar una sentencia*), **dictar sentencia condenatoria**[2] (PROC/CIVIL enter/give judgment for the claimant/plaintiff ◊ *Se dictó sentencia condenatoria contra el demandado en rebeldía*; S. *sentencia, fallo, incomparecencia*), **dictar sentencia condicional** (CRIM give a suspended sentence), **dictar un auto, providencia o mandamiento judicial** (PROC make an order, make out/sign a warrant, adjudicate), **dictar una medida cautelar** (PROC grant an injunction), **dictar una resolución judicial** (PROC order, make a court order, adjudicate; S. *impugnar una resolución, acordar una resolución*)].

dieta *n*: GEN allowance, *per diem* allowance, [travelling] expenses; more commonly found in the plural; S. *subsidio, gasto deducible*. [Exp: **dietas por asistencia** (GEN attendance fees), **dietas y viáticos** (GEN subsistence allowance; S. *gastos de manutención*)].

difamación *n*: CRIM defamation, libel, slander, calumny, detraction; S. *calumnia, injuria*. [Exp: **difamar** (CRIM defame, libel, slander, asperse, malign, backbite *col*, cast aspersion; S. *desacreditar, murmurar, calumniar, injuriar, vilipendiar*), **difamador** (CRIM defamer, libeller, slanderer; libellous; S. *calumniador, libelista*), **difamatorio/difamante** (CRIM defamatory, slanderous, libellous)].

diferencia *n*: GEN difference, dispute; S. *solución de diferencias, discrepancia*. [Exp: **diferencia de, a** (GEN as distinguished from, as opposed to, unlike; S. *en contraste con*), **diferir**[1] (GEN differ, be different ◊ *Los juicios actuales difieren mucho de los de hace 20 años*), **diferir**[2] (GEN postpone, put off, defer, adjourn, put back, hold over ◊ *Los tribunales no podrán diferir el pronunciamiento de sus decisiones salvo en casos excepcionales*; S. *prorrogar, aplazar, posponer, dilatar*), **diferir el plazo** (PROC grant an extension; give more time, extend the time limit; S. *prorrogar, ampliar*)].

difundir *v*: GEN disclose, discover, reveal, disseminate, circulate, spread, popularise; S. *revelar, divulgar, diseminar*)].

difunto *a/n*: GEN/SUC deceased, late; decedent; S. *deceso; causante, finado.*

digesto *n*: GEN digest, compilation of laws; S. *recopilación, sumario, repertorio.*

digital *a*: GEN digital; S. *dactilar, huellas digitales.*

dignatario *n*: GEN dignatary, notability, public figure; S. *autoridad.* [Exp: **dignidad** (GEN dignity, rank ◊ *Los trabajos en beneficio de la comunidad no atentarán nunca a la dignidad del penado*; S. *rango, categoría, reputación, honor*), **digno** (GEN dignified, worthy, honourable; S. *acreedor*)].

dilación *n*: GEN delay, lateness ◊ *Las resoluciones judiciales deben ser acatadas y cumplidas sin dilaciones*; S. *retraso, demora.* [Exp: **dilación indebida** (undue delay), **dilatar** (GEN delay, defer, postpone, extend; S. *prorrogar, aplazar, posponer, diferir*), **dilatorio** (GEN dilatory)].

diligencia[1] *n:* GEN/CIVIL diligence, care; a basic legal sense of the term is the standard of care or prudence used as a judicial test of the acts of a party to an action; under Spanish law, as in Roman law, this is deemed to be, *in abstracto*, that of the *buen padre de familia —bonus paterfamilias—* or «prudent paterfamilias», which is equivalent to the English standard represented by the «reasonable man»; the practical test, or standard *in concreto*, is somewhat less than this, and is defined as *diligencia debida*, i.e. «due or proper care/prudence», assessed as the care such a person might be assumed to give ordinarily to his own affairs, equivalent to English «general duty of care incumbent on the reasonable person»; S. *precaución, prudencia, cuidado, deber de diligencia.* [Exp: **diligencia**[2] (GEN/PROC legal measure, procedural step, proceedings, formalities, step/stage in an enquiry/investigation; police enquiry; judicial enquiry; S. *actuación judicial, trámite, gestión, actuación; practicar diligencias*), **diligencia debida** (CIVIL reasonable care, civil standard of care, due or proper care; S. *prudencia, cuidado, precaución, atención*), **diligencia del buen padre de familia** (CIVIL care or foresight expected of the average reasonable person), **diligencia extraordinaria** (CIVIL special care, unusual circumspection, great diligence), **diligencias de embargo** (CIVIL attachment proceedings; S. *proceso para secuestro, precaución*), **diligencias de emplazamiento** (PROC service of summons), **diligencias de instrucción** (CRIM preparatory enquiries, steps in the investigation ordered by the examining magistrate), **diligencias de lanzamiento** (CIVIL ejectment, dispossession proceedings), **diligencias de procesamiento** (CRIM committal proceedings; S. *instrucción de una causa criminal*), **diligencias de protesto** (NOT protest procedure, noting of dishonoured drafts), **diligencias de prueba** (PROC gathering or taking of evidence), **diligencias judiciales** (PROC S. *instruir diligencias judiciales*), **diligencias para mejor proveer** (PROC ruling postponing final judgment until further or better evidence is produced, deferment, reservation of judgment pending the production of more particular evidence;

court's order of its own motion for a procedural step to be taken; judge's order to counsel for either side to provide further and better particulars; court order extending the time allowed for evidence-gathering; *approx* proof before answer *Scots*), **diligencias policiales** (CRIM police investigation/enquiry), **diligencias previas** (CRIM preliminary investigation, preliminary enquiries or proceedings, preliminary report, committal/pre-trial proceedings, precognition *Scots*), **diligencias procesales** (CRIM criminal proceedings), **diligenciar** (PROC conduct, carry through), **diligenciar pruebas** (PROC gather/collect evidence), **diligente** (GEN careful, attentive, heedful; S. *cuidadoso, prudente*)].

dimisión *n*: ADMIN/GEN resignation, retirement; S. *renuncia; presentar la dimisión*. [Exp: **dimitir** (ADMIN/GEN resign, stand down, give up, leave office; S. *renunciar, poner el cargo a disposición*)].

dinamitar *v*: GEN blow up, dynamite; torpedo *fig*.

dinero *n*: GEN money. [Exp: **dinero de plástico** (BSNSS plastic money), **dinero electrónico** (BSNSS electronic money), **dinero negro** (CRIM black money; S. *blanquear dinero*)].

diploma *n*: GEN degree, diploma, certificate; S. *título, certificado*. [Exp: **diplomacia** (INTNL/CONST diplomacy), **diplomado** (GEN certified, qualified; holder of a diploma, degree, certificate, etc.), **diplomático** (CONST diplomatic; diplomat; S. *relaciones diplomáticas*)].

diputación *n*: GEN delegation; S. *comisión, delegación*. [Exp: **diputación provincial** (ADMIN provincial council), **diputado** (CONST representative, deputy, delegate, back-bencher, *approx* Member of Congress, MC, Member of Parliament, MP; S. *congresista, representante; delegado, comisionado*), **diputar** (GEN commission, empower, delegate, deputize, designate; S. *comisionar, delegar, designar, nombrar*)].

dirección[1] *n*: GEN address; S. *señas, domicilio*. [Exp: **dirección**[2] (GEN/BSNSS direction; directorate; bureau; management; board of directors; S. *administración, director*), **dirección oficial a efectos judiciales** (PROC address for service)].

directiva[1] *n*: ADMIN/BSNSS board of governors/directors, directorate; S. *junta directiva*. [Exp: **directiva**[2] (EURO directive; S. *actos jurídicos comunitarios, Derecho comunitario*), **directivo** (BSNSS executive, managerial; director, manager; S. *alto cargo, poder ejecutivo, ejecutivo*)].

directo *a*: GEN direct; lineal; straight.

director-a *n*: BSNSS manager, chief, managing director; S. *gerente, administrador, dirigente*. [Exp: **director adjunto** (GEN deputy director), **director general** (ADMIN/BSNSS director general; junior minister; secretary/undersecretary of State), **Director General de la Competencia** (ADMIN Director General of Fair Trading), **Director General de la Seguridad del Estado** (CONST Director General of State Security; the title of a senior official of the Ministry of the Interior –*Ministerio del Interior*–, appointed by, or with the approval of, the Minister and answerable to him; S. *Guardia Civil, Ministro del Interior, Policía Local, Policía Nacional*), **directora** (BSNSS manageress), **directorio** (BSNSS directorate), **directriz** (BSNSS directive, precept; guideline, circular), **directrices** (GEN policy, guidelines), **directrices ministeriales** (ADMIN ministerial directives, government circulars)].

dirigente *n*: GEN leader; S. *clase dirigente*. [Exp: **dirigente empresarial** (corporate leader), **dirigir** (GEN/BSNSS manage, direct, operate, run, order; S. *gestionar, administrar, controlar*), **dirigir el proceso contra alguien** (CRIM prosecute, bring criminal proceedings against sb, charge sb, treat sb as a suspect during the preliminary investigation; S. *sumario, instrucción de una causa criminal; procesar, abrir un sumario a alguien*), **dirigir una petición** (GEN petition, file a petition, address a request, crave *Scots*; S. *suplicar, rogar*), **dirigirse a** (GEN address; write to), **dirigirse al tribunal** (PROC address the court)].

dirimente *n*: GEN impediment to marriage. [Exp: **dirimir**[1] (GEN settle, resolve ◊ *La justicia intenta dirimir las diferencias entre los ciudadanos*; S. *resolver, ventilar, zanjar*), **dirimir**[2] (GEN annul, cancel, dissolve, declare void; S. *anular*)].

discapacidad *n*: GEN handicap, disability, incapacity, impairment; S. *desfavorecido, disminuido*. [Exp: **discapacitado** (GEN handicapped, disabled [person]; S. *desfavorecido, disminuido*)].

disciplina *n*: GEN discipline; S. *mantener la disciplina, romper la disciplina*. [Exp: **disciplina de voto** (CONST/GEN party discipline), **disciplinario** (GEN disciplinary; S. *expediente disciplinario, régimen disciplinario, corrección disciplinaria*)].

disconforme *a*: GEN dissenting, objecting, not in agreement; S. *discordante*. [Exp: **disconformidad** (GEN disagreeement, dissent, disapproval, difference, non-conformity, non-conformance; S. *desaprobación, censura, reprobación*)].

discordancia *n*: GEN discord, disagreement; S. *disconformidad, desavenencia, disensión, desacuerdo*. [Exp: **discordante** (GEN dissenting, conflicting, opposing; S. *disidente*), **discordia** (GEN discord, disharmony, disagreement, conflict; S. *desavenencia, disputa*)].

discreción *n*: GEN discretion, prudence; S. *discreto; arbitrariedad*. [Exp: **discreción de, a** (GEN at the discretion of), **discreción gubernamental, a** (ADMIN at the government's discretion, *approx* at the pleasure of the Crown), **discrecional** (GEN discretional, discretionary, arbitrary, optional; S. *facultad discrecional, prudencial, potestativo, arbitral, moderador*), **discrecionalidad** (GEN discretion; S. *margen de apreciación*)].

discrepancia *n*: GEN discrepancy; disagreement, dissent, variance ◊ *Aunque todo parecían discrepancias también hubo algunas coincidencias*; S. *diferencia*. [Exp: **discrepante** (GEN dissenting; S. *voto particular*), **discrepar** (GEN disagree, differ; S. *divergir*)].

discreto *n*: GEN discreet, cautious, tactful; sober, modest; average, middling, fair-to-middling, reasonable; discrete; S. *prudente, juicioso*.

discriminación *n*: GEN discrimination, distinction; S. *prejuicio, intolerancia, racismo*. [Exp: **discriminación positiva** (GEN positive discrimination, affirmative action), **discriminación directa** (GEN direct discrimination), **discriminación laboral** (EMPLOY discrimination against employees), **discriminación sexual** (GEN sex discrimination), **discriminar** (GEN discriminate against; distinguish, differentiate), **discriminatorio** (GEN discriminatory, discriminating; S. *arbitrario, infundado*)].

disculpa *n*: GEN excuse, apology; S. *excusa, razón*), **disculpan su inasistencia a la junta** (GEN X, Y and Z convey their apologies for absence from a meeting), **disculpar** (GEN exculpate, excuse)].

discurso *n*: GEN address, speech; S. *dar un discurso, alocución*. [Exp: **discurso inaugural** (GEN opening speech/address; S. *alocución*)].

discusión *n*: GEN argument, quarrel; [*loosely*] debate, discussion; S. *litigio, disputa, debate*. [Exp: **discutible** (GEN arguable, debatable, dubious, moot; S. *dudoso, incierto, hipotético, sospechoso*), **discutidor** (GEN argumentative, quarrelsome, contentious; S. *contencioso, combativo*),

discutir (GEN argue, quarrel; [loosely] discuss; contend, debate; negotiate; canvass; S. *razonar, argumentar*)].

disensión/disenso *n*: GEN disagreement, dissent, discord; S. *consenso; desacuerdo, desavenencia, inconformidad, discordancia.* [Exp: **disentir** (GEN dissent, disagree, differ ◊ *Los jueces que disientan del fallo de la sentencia podrán emitir un voto particular*; S. *emitir un voto particular*)].

diseños y modelos *n*: BSNSS designs; S. *dibujo, marcas, diseños y modelos.*

disfrutar *v*: GEN enjoy, possess, have the benefit of; S. *tener, poseer, gozar.* [Exp: **disfrutar de franquicia aduanera** (ADMIN enjoy exemption from duty), **disfrute** (GEN/CIVIL possession, use, enjoyment; satisfaction; profits, amenity ◊ *El Código Civil trata del disfrute de los derechos civiles*; S. *tenencia, uso y disfrute, goce, beneficio, derecho de disfrute, perjuicios de disfrute y placer*), **disfrute de un derecho** (CIVIL enjoyment of a right)].

disidencia *n*: GEN dissidence, dissent, variance; S. *discrepancia, oposición.* [Exp: **disidente** (GEN dissenting; dissident; S. *disconforme, voto disidente*)].

disimulación/disimulo *n*: GEN dissimulation, concealment, dissembling, pretecen; S. *ocultamiento; connivencia.* [Exp: **disimulo, con** (GEN surreptitiously ◊ *Con disimulo el ladrón se metió la sortija en su bolsillo*), **disimular** (GEN dissimulate, dissemble, hide, conceal, disguise; overlook, ignore, pass over, forgive; S. *ocultar*)].

disminución *n*: GEN diminution, decrease, drop, fall, lessening; lowering, abatement, abatement; S. *merma, reducción, deducción, rebaja.* [Exp: **disminución de legado/donaciones/deudas/impuestos, rentas, etc.** (SUC abatement of legacies, gifts, debts, tax, declared income, etc.), **disminución de valor** (GEN decrease/drop in value), **disminución física** (GEN handicap, disability; S. *incapacidad física*), **disminuido** (GEN handicapped; S. *desfavorecido, discapacitado*), **disminuidos psíquicos** (GEN mentally disordered persons, people of unsound mind, persons under disability ◊ *Los disminuidos psíquicos no tienen capacidad de obrar*), **disminuir** (GEN decrease, diminish, reduce, abate; S. *reducir*), **disminuir-se impuestos, legados, donaciones, deudas, etc.** (TAX abate taxes, legacies, gifts, debts, etc.; S. *desgravar*)].

disolución *n*: GEN dissolution, liquidation, winding-up, annulment, termination; S. *anulación, liquidación; quiebra.* [Exp: **disolución del matrimonio o de la sociedad marital** (FAM dissolution/annulment of a marriage; S. *divorcio*), **disolución de una manifestación** (GEN breaking up of a demonstration), **disolución voluntaria de una mercantil** (BSNSS voluntary wind ing-up), **disolver** (GEN dissolve, annul, liquidate, wind up, break up ◊ *La separación matrimonial no disuelve el matrimonio aunque extingue algunos de sus efectos, como el deber de convivencia de los cónyuges*; S. *anular, liquidar*)].

disparar *v*: GEN shoot, discharge; S. *fusilar.* [Exp: **dispararse** (GEN shoot up,m rocket ◊ *Los precios se han disparado*), **disparo** (GEN shot, gunshot, discharge; bullet wound, gunshot wound ◊ *Su cuerpo apareció con varios disparos de escopeta de postas*)].

dispendio *n*: GEN waste, extravagance; overspending; S. *derroche, despilfarro.*

dispensa *n*: GEN dispensation, exemption, privilege; S. *privilegio, exención, franquicia, inmunidad.* [Exp: **dispensar**[1] (GEN dispense, excuse, absolve, discharge, exempt, waive, forgive, pardon; acquit ◊ *Las presunciones que la ley establece dispensan de la prueba ordinaria*; S. *absolver,* *exonerar, liberar, exculpar, eximir, descargar; indispensable*), **dispensar**[2] (GEN offer, give, afford, accord ◊ *El tratamiento que se le ha dispensado no es el que se merecen*; S. *otorgar, conceder*)].

disponer *v*: GEN provide, dispose, prescribe, direct, order, lay down, determine ◊ *La ley dispone que nadie puede tomarse la justicia por su cuenta*; S. *establecer, prescribir, mandar, fijar, preceptuar, ordenar; excepto en donde se disponga lo contrario.* [Exp: **disponer de** (GEN have, have available, have the use of, be provided with, have at one's disposal), **disponer libremente** (GEN make free use of), **disponer por testamento** (SUC dispose of by will; S. *legar*), **disponibilidad** (GEN availability), **disponible** (GEN available, unappropriated, uncommitted; liquid; disposable; S. *realizable, líquido; sin consignar, sin asignar*), **disposición**[1] (GEN/PROC regulation, provision, disposition, order, disposal; step, arrangement; S. *precepto, norma*), **disposición**[2] (CIVIL disposal, transfer of ownership of title, conveyance of property to another, the act of transferring property or title to it to another, alienation; the words *disposición, transmisión voluntaria* and *enajenación* are often interchangeable in the context of the law of property; S. *poder de disposición*), **disposición**[3] (GEN disposal ◊ *Estoy a su disposición para lo que quiera saber*; S. *poner a disposición, poner el cargo a disposición, pasar a disposición judicial*), **disposición en contrario** (GEN provision/stipulation/order to the contrary), **disposición judicial** (CRIM S. *pasar a disposición judicial*), **disposición legal, por** (PROC by the provisions of the [relevant] law, by law, within the meaning of the Act, by operation of the law; S. *por ministerio de la ley, de oficio*), **disposición policial o de los tribunales, a** (CRIM in custody), **disposición sucesoria** (SUC settlement of an estate), **disposición testamentaria** (SUC testamentary disposition, devise), **disposiciones** (GEN provisions, laws, bye-laws), **disposiciones de procedimiento** (PROC procedural rules, rules of procedure), **disposiciones legales** (CONST legal provisions, provisions of an Act or law, legal requirements), **disposiciones legislativas** (CONST statutory instruments, provisions of law), **disposiciones procesales** (PROC rules of procedure), **disposiciones reglamentarias** (CONST/GEN rules provided or laid down, regulations; S. *norma, normativa, regla, reglamento, reglamentación*), **disposiciones transitorias** (CONST temporary provisions), **disposiciones tributarias** (TAX tax laws, fiscal rules or provisions)].

dispositivo *n*: GEN gadget, device, mechanism, appliance. [Exp: **dispositivo de seguridad** (GEN safety device/catch; security measure), **dispositivo policial** (CRIM police contingent, police presence, police body or force deployed), **dispositivo policial de vigilancia** (CRIM police security operation, police parole; S. *control policial*)].

disputa *n*: GEN dispute, disagreement, debate, controversy, altercation, argument, brawl; S. *desacuerdo, conflicto, controversia, riña, reyerta, conflicto, altercado.* [Exp: **disputa familiar** (FAM family disagreements), **disputa laboral** (EMPLOY industrial dispute), **disputa salarial** (EMPLOY wage dispute), **disputar** (GEN dispute, debate, argue a point, take issue; question; bicker; S. *argumentar, contender, debatir, argüir, discutir, lidiar, razonar*)].

distancia *n*: GEN distancia; S. *alejamiento.* [Exp: **distancia reglamentaria entre vehículos** (ADMIN regulation distance between vehicles, assured clear distance ahead)].

distintivo *n*: GEN badge; S. *insignia, placa.*

distorsión *n*: GEN distortion, twisting, perversion, misinterpretation, misrepresentation; S. *falseamiento, manipulación.*

distracción *n*: GEN carelessness, negligence, lack of concentration; S. *descuido, desatención; distraerse.* [Exp: **distracción de fondos** (CRIM misappropriation [of funds], embezzlement, peculation; S. *desfalco, malversación de fondos*), **distraer**[1] (GEN distract ◊ *Te ruego que no me distraigas cuando examino los expedientes*; S. *estorbar*), **distraer**[2] **[fondos]** (CRIM misappropriate, divert, embezzle; S. *malversar; malversación, defraudación, apropiación indebida, desfalco*), **distraerse** (GEN get distracted ◊ *En un momento que me distraje me robaron la cartera*; S. *despistarse, descuidarse*), **distraído** (GEN heedless, unthinking ◊ *Alegó en el juicio que, distraída, se había llevado el collar de la abuela*; S. *darse cuenta*)].

distrito *n*: GEN/CONST district, precinct, borough, constituency; S. *comarca, región, provincia.* [Exp: **distrito electoral** (CONST constituency, ward; S. *circunscripción electoral*), **distrito judicial** (GEN circuit jurisdiction of a court; petty sessions area; S. *partido judicial*), **distrito postal** (GEN postal district)].

disturbio *n*: GEN/CRIM riot, civil disorder, violent disorder; breach/disturbance of the peace, unrest; moe commonly found in the plural, as in *disturbios callejeros* –rioting in the streets, riot–; S. *alteración del orden público, desmán.*

disuadir *v*: GEN dissuade, overpersuade; discourage; deter, restrain; S. *inducir, desaconsejar, escarmentar.* [Exp: **disuasión** (GEN deterrence; S. *escarmiento*), **disuasivo** (GEN dissuasive, discouraging, deterrent; S. *freno, medida disuasoria o represiva*)].

disyuntiva *n*: GEN alternative; dilemma, tricky/difficult choice or decision ◊ *El acusado se encontró en la disyuntiva de prestar declaración o acogerse al derechor de no responder*; S. *alternativa, salida.*

divergencia *n*: GEN deviation; divergence, digression; clash; S. *desvío, desviación.* [Exp: **divergencias de caracteres** (FAM incompatibility of temperaments ◊ *Presentaron la demanda de divorcio por divergencias de caracteres*), **divergente** (GEN differing, diverging), **divergir** (GEN diverge; clash, conflict, differ; S. *discrepar*)].

dividir *v*: GEN divide [up], split. [Exp: **dividir una herencia** (FAM divide an inheritance, break up an estate), **divisible** (GEN severable, divisible), **división**[1] (GEN partition, division, split, distribution; S. *partición*), **división**[2] (GEN section, branch, department, district; S. *sección, dependencia, negociado, centro, servicio; provincia*)].

divisa[1] *n*: BSNSS national currency, foreign currency, exchange; S. *moneda.* [Exp: **divisa**[2] (BSNSS emblem, insignia; S. *bandera*), **divisa convertible** (BSNSS convertible foreign currency), **divisas** (BSNSS foreign currency, foreign exchange; S. *moneda extranjera*)].

divorciado-a *a*: FAM divorcee; S. *viudo, casado, célibe, soltero.* [Exp: **divorcio** (FAM divorce; S. *demanda de divorcio, separación; convenio regulador, nulidad de matrimonio, disolución*), **divorcio contencioso/litigioso** (FAM defended/contested divorce), **divorcio de mutuo acuerdo o no contencioso** (FAM divorce by mutual consent)].

divulgación *n*: GEN publication, publicity, disclosure, discovery; popularisation; S. *exhibición.* [Exp: **divulgar** (GEN disclose, discover, reveal, disseminate, circulate, spread, popularise; S. *revelar, difundir, diseminar*)].

DNI *n*: ADMIN S. *documento nacional de identidad.*

doble *a*: GEN double, twice as many. [Exp: **doble imposición** (TAX double taxation/ assessment), **doble nacionalidad** (CONST dual nationality), **doble vínculo** (GEN dual relationship; S. *hermano de un solo vínculo*), **dobleces, con** (GEN deceitful, crooked), **doblez** (GEN/CRIM duplicity, deceit, decitfulness, fraud, double-dealing; S. *simulación, duplicidad, estafa, fraude, falsedad, fingimiento*)].

doblegar *v*: GEN overcome, defeat, overpower, overwhelm, overbear, break, crush, humble; S. *someter, subyugar*. [Exp: **doblegar la voluntad de alguien** (CRIM break/overbear somebody's will; S. *prevalimiento*), **doblegarse** (GEN give in, surrender, yield; S. *someterse*)].

doctrina *n*: PROC doctrine, authoritative or persuasive decisions, precedent, case-law; the principles or opinions expounded in the works of the standeard legal writers or authorities; S. *jurisprudencia*. [Exp: **doctrina de los actos propios** (CIVIL estoppel; principle whereby a litigant or potential litigant is prevented by law from withdrawing from his own previous promise, act or deed; to all intents and purposes this is what is called «estoppel» in English, though some Spanish jurists, perhaps out of excessive respect for the ambiguity of the English concept, or made anxious by its origins in common law and equity, insist that «estoppel» has no translation in Spanish law and frown at the equivalence; no doubt there are contexts in which on-to-one equivalence may be dubious, but the pairing seems workable in principle; translators will often find that avoiding «estoppel» as a usable English version of the Spanish term will force them into wordy alternatives, such as «rule that one is prevented by previous words or deeds from making a contrary assertion in a later case», which will, in the end, prove to be roundabout ways of expressing the idea of «estoppel»; see this word in the other part of the dictionary; S. *vinculación de los actos propios*), **doctrina jurisprudencial** (PROC legal principles underlying case-law, principles on which decided cases rest, legal reasons for previous decisions in similar cases; *approx* doctrine of precedent, principle of *stare decisis* ◊ *Podrán interponerse recursos en interés de la ley, para la unidad de la doctrina jurisprudencial*; in theory, the principle of *stare decisis* [i.e. the duty of courts to «stand by» or abide by previously decided cases involving similar facts and identical legal rules] on which the common law partly rests does not operate in the continental systems, but in fact under Spanish law the authoritative decisions of the *Tribunal Supremo* –Spain's Supreme Court– are a source of law *–fuente de Derecho–*, may be cited and must be borne in mind by courts when reference to them is made in argument, provided always that they can be shown to represent the Supreme Court's «consistent doctrine» *–doctrina reiterada–*; as in the common-law system, complex argument is possible about the special facts of an earlier case and as to whether the so-called principle invoked forms part of the *ratio decidendi* or the *obiter dicta*; S. *fuente, jurisprudencia*)].

documentación *n*: GEN papers, records, documents, documentation, material; S. *actas, expediente, notas, información*. [Exp: **documentación en regla** (GEN documents/papers in order), **documental** (GEN documentary, based on documents; S. *prueba documental*), **documentar** (GEN document, furnish documents), **documentar una deuda** (BSNSS provide evidence of indebtedness), **documento** (GEN document, instrument; S. *instrumento, acta*), **documento acreditativo de cobertura** (INSUR cover note; agreement for insurance; S. *resguardo provisional*), **documento auténtico** (GEN authenticated/notarized document, genuine document), **documento autógrafo** (GEN signed document), **documento justificativo** (GEN supporting document), **documento nacional de identidad, DNI** (ADMIN national identity card, ID card; S. *pasaporte, cédula de identidad*), **documento negociable** (BSNSS negotiable instrument), **documento notarial** (GEN notarial document), **documento oficial** (GEN official document; S. *acta pública*), **documento privado** (GEN private document; S. *elevar a público*), **documento probatorio** (PROC documentary proof/evidence, document which serves as evidence), **documento público** (ADMIN public record; S. *falsedad en documento público*), **documentos** (GEN papers; S. *documentación*), **documentos comerciales** (BSNSS commercial instruments/papers; S. *documentos negociables*), **documentos de embarque** (BSNSS shipping documents), **documentos negociables** (BSNSS commercial instruments/papers, negotiable instruments; S. *tráfico jurídico*)].

dolo *n*: CRIM mens rea, criminal intent/intention, wicked or evil motive, deliberate/wilful/malicious design, dole *Scots*; apart from some regulatory offences *–infracciones [administrativas]–*, Spanish criminal law, like all developed systems of criminal law, recognises that the proof and punishment of an offence *–delito–* requires the coexistence of a criminal or unlawful act, or *actus reus –hecho delictivo/punible, conducta prohibida–*, and the deliberate, wilful, malicious or wicked intention to commit it, or *mens rea –dolo, intención dolosa–*; where appropriate, criminal recklessness or disregard *–temeridad–* may supply the *mens rea*; Spanish law also habitually distinguishes between *dolo* and *culpa –culpa*, guilty arising from negligence, fault–, which operates in cases where English rules lie somewhere between tort and offences of strict liability ◊ *No hay pena sin dolo o imprudencia*; S. *alevosía, daño doloso, delito doloso, prevaricación dolosa, intencionalidad*; *engaño, maldad, mala fe, impostura; culpable*. [Exp: **dolo civil** (CIVIL fraud, tortious fraud, tortious intent), **dolo desviado** (CRIM transferred malice; S. *concurso ideal*), **dolo eventual** (CRIM constructive malice or recklessness; S. *imprudencia temeraria*), **doloso** (CRIM evil, wicked, deliberate, criminal, malicious, wilful, reckless, wickedly, reckless; knowingly; S. *culposo; descuido doloso, falsedad dolosa*), **dolosamente** (CRIM knowingly, maliciously; S. *con alevosía o mala fe*)].

dolor *n*: GEN suffering, distress, pain; S. *aflicción, sufrimiento, lesiones; duelo; luto.*

doméstico *a*: GEN domestic, home ◊ *Los delitos de violencia doméstica podrán ser juzgados mediante juicios rápidos*; S. *delito de violencia doméstica.*

domiciliación *n*: BSNSS standing order, payment by banker's or standing order. [Exp: **domiciliación bancaria** (BSNSS standing order at a bank, bank mandate, banker's order), **domiciliación de efectos** (BSNSS domiciliation of bills), **domiciliar** (GEN domicile), **domiciliar cuentas en un banco** (BSNSS pay by banker's orders), **domiciliarse** (GEN domicile oneself, take up residence), **domicilio** (GEN address, residence, dwelling-house, abode; S. *dirección, señas, residencia; arresto domiciliario, último domicilio conocido*), **domicilio constituido o a efectos legales** (PROC legal address, address for service), **domicilio convencional o convenido** (PROC elected domicile, domicile of choice), **domicilio conyugal** (FAM matrimonial home), **domicilio de origen** (GEN natural domicile), **domicilio fiscal** (TAX address for tax purposes, fiscal/tax residence/domicile), **domicilio habitual** (GEN usual adress, usual place of abode), **domicilio habitual del matrimonio** (FAM matrimonial home), **domicilio legal** (PROC legal residence), **domicilio para notificaciones oficiales o judiciales** (address for service; S. *fijar domicilio para notificaciones*), **domicilio social** (BSNSS registered office, business address, domicile of a corporation; S. *sede*)].

dominante *a:* GEN/CIVIL dominant, domineering; prevailing, dominant, predominant; S. *abuso de posición dominante, predio dominante, predominante, común, generalizado, reinante, corriente, extendido, preponderante.* [Exp: **dominar** (GEN control, rule over, bring/have/keep under control, dominate, govern; S. *controlar, fiscalizar*), **dominical** (CIVIL [of] ownership, owners's ◊ *Título dominical sobre la finca*; S. *pleno dominio*), **dominio**[1] (GEN control, rule, authority, power, dominance; S. *poder, control*), **dominio**[2] (CIVIL lordship, [outright] ownership, title ◊ *La cosa sobre la que se tiene dominio se llama propiedad*; S. *título traslativo de dominio, título de propiedad; tener en dominio pleno, nombre de dominio*), **dominio**[3] (CONST dominion; S. *soberanía*), **dominio**[4] (GEN domain, territory), **dominio absoluto o pleno** (CIVIL full legal ownership, fee absolute, fee simple, freehold), **dominio compartido** (CIVIL co-ownership; S. *copropiedad*), **dominio directo** (CIVIL legal ownership, fee simple), **dominio eminente** (CIVIL eminent domain), **dominio expectante** (CIVIL fee expectant), **dominio fiduciario** (CIVIL possession in trust), **dominio imperfecto** (CIVIL qualified ownership), **dominio perfecto** (CIVIL perfect ownership), **dominio público** (ADMIN in the public domain, no longer covered by copyright; S. *afectación*), **dominio público, de** (BSNSS/ADMIN out of copyright; S. *derechos de autor*), **dominio público, ser de** (GEN be wellknown or common knowledge, be a matter of common or public knowledge), **dominio vitalicio** (CIVIL life estate; beneficial ownership; S. *usufructo*)].

donación *n*: GEN/CIVIL gift, donation, grant, contribution; S. *adquirente a título gratuito, manda.* [Exp: **donación absoluta o incondicional** (CIVIL absolute gift; S. *donación onerosa*), **donación colacionable** (TAX advancement; S. *colación de bienes*), **donación de capital** (BSNSS capital grant), **donación *inter vivos*** (SUC gift *inter vivos*, distribution of [part] of an estate during the life of the testator; S. *absolute gift*), **donación onerosa** (CIVIL conditional gift), **donación por causa de muerte** (SUC gift *mortis causa*), **donación de la herencia en vida** (SUC inter vivos gift, advancement; S. *donación colacionable*), **donador/donante** (GEN donator, donor, feoffor; S. *donatario*), **donar** (GEN give, make a gift of, donate, bestow, contribute), **donatario** (GEN beneficiary, donee, appointee, donatory, recipient; S. *donante*), **donativo** (GEN gift, contribution, donation, S. *dación, regalo; contribución, aportación*)].

dorso *n*: GEN back of a document, reverse side; S. *véase al dorso; endosar.*

dosis *n*: CRIM dose, dosage, fix *slang*; S. *meterse una dosis.*

dossier *n*: GEN dossier, file; brief; S. *expediente.*

dotación[1] *n*: endowment, supply, provision; funding; S. *dote.* [Exp: **dotación**[2] (GEN complement, manpower, employees, staff, personnel; crew [of a ship]; S. *dotar de personal; tripulación*), **dotal** (GEN dotal, pertaining to a dowry), **dotar** (GEN endow, supply, grant, provide, give; fund;

S. *fondos*), **dotar de personal** (GEN staff, man), **dotar de los medios necesarios** (GEN provide with the necessary means or implements; S. *pertrechar*), **dote** (GEN/FAM dowry, endowment, marriage portion; settlement)].

doy fe *phr*: CIVIL I attest; in witness whereof I append my signature; witnessed, attested ◊ *De todo lo cual como Secretario doy fe*; closing formula or attestation found in notarised documents and in the minutes of meetings, whereby the officer responsible certifies the truth and accuracy of all the matters contained in them; S. *dar fe, atestiguar, certifico.*

droga *n*: GEN/CRIM drug, narcotics; dope; Mickey Finn *col*; S. *alcohol, estupefaciente, narcótico, alijo de droga.* [Exp: **drogadicto** (CRIM drug addict; S. *alcohólico, heroinómano, toxicómano, adicto*), **drogarse** (GEN take drugs, consume/inject a drug, do drugs *slang*), **drogas blandas/duras** (CRIM soft/hard drugs), **drogas nocivas** (GEN dangerous drugs), **drogas sintéticas o de diseño** (GEN designer drugs, synthetic drugs), **drogata** *col* (CRIM junkie *slang*), **drogodelincuencia** (CRIM drug-related offences/crimes), **drogodependencia** (GEN/CRIM drug abuse; drug addiction; S. *toxiconomía, alcoholismo*), **drogodependiente** (GEN/CRIM drug-dependent; drug addict)].

duda *n*: doubt, uncertainty; S. *poner en duda; certeza.* [Exp: **dudar** (GEN doubt, question ◊ *Nadie ha dudado de su buena fe*; S. *cuestionar*), **dudoso** (GEN doubtful, dubious, uncertain, questionable, debatable; S. *discutible, incierto, sospechoso, hipotético*)].

duelo[1] *n*: GEN duel, combat fought to settle a point of honour; sword-play, skirmish, exchange ◊ *Fue fascinante el duelo entre los dos abogados*; S. *contienda; esgrimir.* [Exp: **duelo**[2] (GEN mourning, grief, pain; S. *luto, dolor*), **duelo, en señal de** (GEN as a sign of mourning, as mark of respect; S. *a media asta*)].

dueño *n*: GEN/CIVIL owner, proprietor, landlord, master, freeholder; S. *adueñarse.* [Exp: **dueño aparente** (CIVIL reputed owner), **dueño colindante** (CIVIL owner of an abutting estate/property; S. *colindar*), **dueño de pleno derecho** (CIVIL absolute owner), **dueño de predio dominante** (CIVIL dominant owner), **dueño de una finca** (CIVIL landowner; S. *terrateniente*)].

dúplica *n*: PROC rejoinder, defendant's second answer; S. *réplica.*

duplicado *a/n*: GEN duplicate; duplicate copy/dispatch; copy. [Exp: **duplicar** (GEN duplicate),

duplicidad (GEN duplicity, imposture, cheating, disloyalty; S. *doblez, falsedad*)].

duración *n*: GEN duration, life, term, length, period; S. *vigencia, período, plazo; alcance.* [Exp: **duración de la patente** (BSNSS term of a patent), **duración de las penas** (CRIM length of sentences ◊ *En función de su duración las penas se clasifican en graves, menos graves y leves*), **duración del mandato** (GEN/CONST length/duration of mandate, time in office, tenure ◊ *La duración del mandato de un senador es de cuatro años*), **durante la ausencia de** (GEN during X's absence), **durar** (GEN last)].

duro *a*: GEN hard, adamant, tough; S. *severo, inflexible; violento.*

E

€ *n*: BSNSS/EURO euro.

ebriedad *n*: GEN inebriation, drunkenness; S. *embriaguez, borrachera; bajo efectos etíticos*. [Exp: **ebrio** (GEN drunk, intoxicated; under the influence of drink or drugs; drunkard; S. *bebedor empedernido, borracho, alcohólico; abstemio*)].

echar *v*: GEN throw, throw out/away, expel. [Exp: **echar a perder** (GEN waste; S. *estropear, deteriorar*), **echar [a] suertes** (GEN draw lots [for]; S. *suerte, caer en suerte*), **echar al mar** (BSNSS jettison; S. *avería, echazón de mercancías*), **echar el guante a** *col* (CRIM bust[2]; S. *trincar* col), **echar el muerto a uno** *col* (GEN put/lay the blame on sb, finger sb *col*; S. *culpar*), **echar la culpa a** (GEN blame, put/lay the blame on; S. *culpar*), **echar del trabajo** (EMPLOY give the sack *col*, sack *col*, fire, *col*; S. *despedir*), **echarse atrás** (GEN go back on one's words, back down, *col*, back out *col*; S. *desdecirse*), **echazón de mercancías al mar** (BSNSS jetsam, jettison; S. *alijar*)].

ecología *n:* GEN ecology; S. *medio ambiente, ecosistema*. [Exp: **ecológico** (GEN ecological, environment-friendly, green ◊ *Es un delito ecológico la construcción no autorizada en lugares protegidos*; S. *medioambiental, deterioro ecológico*), **ecologista** (GEN ecological; ecologist, environmentalist; green)].

economía[1] *n*: GEN economics; [political] economy; S. *economía política*. [Exp: **economía**[2] (GEN economy, economies, saving; thrift; S. *ahorro*), **economía abierta** (BSNSS open economy), **economía de medios, con** (GEN efficiently), **economía de mercado** (BSNSS market economy), **economía dirigida o planificada** (BSNSS planned economy), **economía libre de mercado** (BSNSS free market economy), **economía sumergida** (BSNSS black economy/market; S. *mercado negro, taller de economía sumergida*), **economizar** (GEN economise, save, cut back on spending; retrench; S. *reducir, cercenar*)].

ecosistema *n*: GEN ecosystem; S. *ecología*.

ECU *n*: EURO/BSNSS ECU, European currency unit; S. *euro, unidad de cambio europea*.

edad *n*: GEN/CIVIL age, life span. [Exp: **edad de jubilación** (EMPLOY retirement age), **edad legal** (CIVIL lawful age, full age; S. *mayor de edad*), **edad núbil** (CIVIL marriageable age; age of consent), **edad penal** (CRIM age of criminal responsibility)].

edicto *n*: PROC public notice; summons; edict, ban[ns], decree; this term is used of any kind of proclamation published by a public authority –a court, a town council, a department of a ministry, etc.– bringing some matter of fact, order or duty to public notice; commonly used in small towns and rural areas to remind people to pay their road tax or other local rates and often published in newspapers, following a court order, as a summons to a witness or defendant to appear when his or her address is unknown, or to inform intnlested parties of the impending decision of the court in matters concerning wills, the registration of property, and the like; it is also deemed to have been published when it is affixed to a notice-board in the court centre itself, and in this case it is called *citación para estrados* –summons to appear in court–; S. *bando, citación por edicto, decreto, estrado, notificación, rebeldía*. [Exp: **edicto emplazatorio** (PROC summons), **edictos matrimoniales** (CIVIL banns of marriage; S. *amonestaciones, proclamas matrimoniales*)].

edificación *n:* GEN building, construction; S. *declaración de obra nueva, suelo urbanizable, suelo urbano, código de edificación*. [Exp: **edificar** (GEN build, construct; S. *construir; terreno edificado*), **edificio** (GEN building), **edificios declarados de interés histórico** (ADMIN listed buildings), **edificios peligrosos o en estado de ruina** (ADMIN/CIVIL dangerous sites or premises)].

edil *n*: ADMIN alderman, councillor, councilman *US*, councilwoman *US*; S. *teniente de alcalde, concejal*.

efectividad[1] *n*: GEN effectiveness, efficiency ◊ *Todos los ciudadanos anhelan una jusiticia caracterizada por la efectividad*; S. *eficacia*. [Exp: **efectividad**[2] (GEN effect, force, validity; S. *vigencia, vigor*), **efectivo**[1] (GEN actual, effective, real; liquidated), **efectivo**[2] (GEN cash, ready money ◊ *Me pagó en efectivo porque no aceptamos cheques*), **efectivo, en** (BSNSS cash, cash down; S. *dinero contante, numerario*), **efectivos [militares, etc.]** (GEN troops, men), **efectivos policiales** (CRIM policemen, police officers, a police contingent; S. *policía*)].

efecto[1] *n*: GEN effect, consequence, result, implication, purpose, objetive ◊ *El abogado, con su obcecación, ha conseguido el efecto contrario al deseado*; S. *consecuencia, resultado; dejar sin efecto; en ambos efectos, en un solo efecto*. [Exp: **efecto**[2] (GEN/BSNSS/CIVIL [personal] effects, belongings, goods, chattels, contents, stock ◊ *Antes de la venta, entregó al comprador una relación de todos los efectos existentes en la tienda*; in this sense always found in the plural; S. *artículo, bienes, caudal, enseres*), **efecto**[3] (BSNSS [commercial] instrument, negotiable instrument, draft, bill, commercial document ◊ *Los ladrones no se llevaron dinero, sino sólo efectos, que ya han sido anulados*; S. *documento de crédito, nota de crédito, letra, pagaré, título, tráfico jurídico, valor*), **efecto**[4] (PROC effect, [date of] coming into effect, commencement, inception ◊ *El efecto de este seguro es de 1 de febrero de 2002*; often found in the phrase *con efecto de* –with effect from, as from, starting from– and frequent in statute law, contracts, insurance policies, official appointments, and so on; S. *[entrada en] vigor*), **efecto a partir de, con** (GEN with effect from; S. *a partir de una fecha*), **efecto cambiario** (BSNSS bill of exchange), **efecto de comercio** (BSNSS bill, draft, instrument, commercial/mercantile paper; S. *letra, papel comercial*), **efecto de la ley, por** (PROC by operation of [the] law; S. *de oficio, por ministerio de la ley*), **efecto declarativo** (PROC declaratory effect), **efecto descontable** (BSNSS discountable bill), **efecto desde, con** (GEN with effect from; S. *a partir de*), **efecto devolutivo** (PROC effect of halting proceedings or delaying enforcement of judgment pending the outcome of the appeal; procedure whereby the trial court's decision is not automatically prevented from taking effect by appeal or review; *approx* without stay of execution; S. *efecto suspensivo, en ambos efectos, en un solo efecto*), **efecto equivalente, de** (GEN of equivalent effect, producing a similar result), **efecto financiero** (BSNSS financial instrument), **efecto directo** (GEN/EURO direct applicability/effect/result), **efecto impagado** (BSNSS overdue bill), **efecto retroactivo** (GEN retroactive effect ◊ *Las leyes penales no tienen efecto retroactivo a no ser que favorezcan al reo*), **efecto retroactivo, con** (GEN *nunc pro tunc*, backdated), **efecto resolutorio** (BSNSS the effect of discharging or repudiating a contract; defeasance), **efecto suspensivo** (PROC procedure whereby the effect of appeal or application for review is to hold the trial court's decision in abeyance; *approx* stay of execution pending appeal; S. *efecto devolutivo, en ambos efectos, en un solo efecto*), **efectos** (BSNSS paper; S. *instrumento de crédito, papel*), **efectos de, a** (GEN with a view to, for the purposes of, within the meaning of; S. *a tenor de, según lo dispuesto en*), **efectos de comercio** (BSNSS negotiable instruments, commercial/ business paper; S. *títulos de pago*), **efectos de lo dispuesto en el inciso 3, a** (GEN for the purposes of paragraph 3), **efectos documentarios** (BSNSS documentary bills/drafts; S. *letra*), **efectos jurídicos** (PROC/ADMIN legally enforceable effects ◊ ◊ *Los actos administrativos producen efectos jurídicos*; S. *producir efectos jurídicos*), **efectos legales, a** (PROC for legal purposes/effects; constructively), **efectos personales** (CIVIL personal effects/belongings, chattels personal)].

efectuar *v*: GEN carry out, effect, conduct, accomplish, fulfil, make, work out; file; S. *realizar, llevar a cabo, poner en ejecución, practicar, elaborar.* [Exp: **efectuar cobros** (BSNSS collect; S. *cobrar*), **efectuar un parte de lesiones** (GEN file a medical report), **efectuar una encuesta** (GEN conduct a poll), **efectuar una redada la policía** (CRIM swoop, carry out a raid), **efectuar una venta** (BSNSS make a sale)].

eficacia *n*: GEN effectiveness, efficacy, efficiency, effectiveness ◊ *La notificación es una condición imprescindible para la eficacia de los actos administrativos*; S. *validez, eficiencia; efectividad.* [Exp: **eficacia del acto** (PROC enforceability), **eficacia probatoria** (PROC value as evidence, probative value), **eficaz** (GEN effective, effectual; operative, efficient, instrumental; S. *convincente, práctico, efectivo, útil*), **eficazmente** (GEN efficiently; S. *eficiente*), **eficiencia** (GEN efficiency; effectiveness; S. *rendimiento, productividad, eficacia*), **eficiente** (GEN efficient; streamlined; workmanlike; S. *racionalizado*)].

ejecución[1] *n*: PROC/GEN enforcement, performance, fulfilment, carrying out, carrying into effect, application, implementation, discharge, execution, completion ◊ *La ley de Enjuiciamiento Criminal contiene las normas jurídicas que ordenan el inicio, la sustanciación y la ejecución de un proceso penal*; S. *celebración, perfeccionamiento, conclusión, celebración, cumplimiento, desempeño, práctica.* [Exp: **ejecución**[2] (CRIM execution; S. *decapitación*), **ejecución concursal** (BSNSS bankruptcy proceedings), **ejecución de autos o sentencias** (PROC enforcement of orders/judgments; diligence *Scots* ◊ *Solicitó la suspensión de la ejecución de la sentencia por razones de salud*; S. *suspensión [de la ejecución de la sentencia]*), **ejecución de embargo** (CIVIL attachment execution; S. *embargo ejecuti-*

vo), **ejecución de hipoteca** (CIVIL repossession order, calling in of mortgage, mortgage foreclosure), **ejecución de la sentencia** (PROC/CRIM/CIVIL/ADMIN enforcement, execution of judgment), **ejecución de un contrato** (GEN performance of a contract ◊ *Algunas demandas surgen por desacuerdos sobre la ejecución de un contrato*)].

ejecutable *a*: GEN workable, enforceable. [Exp: **ejecutado** (CIVIL judgment debtor ◊ *Si el ejecutado es beneficiario de más de una percepción, se acumularán todas ellas para deducir una sola vez la parte inembargable*; S. *embargo ejecutivo*), **ejecutante** (CIVIL judgment creditor; S. *embargo ejecutivo*), **ejecutar**[1] (GEN/PROC enforce, act, put into effect, complete, carry out, perform, discharge, implement ◊ *Los órganos jurisdiccionales tienen la función de juzgar y ejecutar los juzgado*; S. *hacer cumplir, desempeñar; ajusticiar*), **ejecutar**[2] (GEN execute, put to death; S. *ahorcar, ajusticiar, agarrotar, decapitar; garrote vil, pena capital*), **ejecutar a un reo** (CRIM execute, put a criminal to death; S. *ajusticiar*), **ejecutar el embargo de bienes** (CIVIL attach property, distress; S. *embargar*), **ejecutar un acuerdo** (GEN carry out/fulfill an agreement), **ejecutar un contrato** (BSNSS perform a contract), **ejecutar una sentencia** (CIVIL enforce a judgment; carry out an order), **ejecutar una hipoteca** (BSNSS/CIVIL foreclose a mortgage), **ejecutiva** (GEN steering committee), **ejecutivo**[1] (BSNSS executive, managing director, officer ◊ *Ejecutivo de ventas*; S. *directivo, alto cargo*), **ejecutivo**[2] (GEN executory; S. *embargo ejecutivo*), **ejecutivo, el** (CONST the executive, the government; S. *el legislativo, el judicial*), **ejecutoria** (CIVIL final judgment; enforceable judgment, enforcement action, writ of execution; S. *auto/mandamiento de ejecución de una sentencia*), **ejecutorio** (GEN executory, final, irrevocable, enforceable; S. *final, firme, resolución ejecutoria*)].

ejercer[1] *v*: GEN perform, exercise, conduct ◊ *Las comunidades autónomas ejercen las competencias a ellas atribuidas*; S. *practicar, desempeñar, ejecutar, cumplir, ejercitar.* [Exp: **ejercer**[2] **[la abogacía]** (GEN practise [law] ◊ *Ese abogado ejerce desde hace 20 años*), **ejercer una acción** (PROC take/bring an action, take a matter to the courts), **ejercer una profesión** (GEN practise a profession), **ejercer la patria potestad** (FAM exercise parental authority ◊ *Con la emancipación se pone fin a la patria potestad que los padres ejercen sobre el hijo menor*; S. *emancipación, filiación*), **ejercer un derecho** (PROC exercise a right, make use of a right), **ejercer un negocio** (BSNSS ply a trade, carry out a trade), **ejercer una función** (GEN perform a task/mission/function)].

ejercicio[1] *n*: GEN exercise, performance, carrying out ◊ *Sólo podrán comparecer en juicio los que estén en el pleno ejercicio de sus derechos civiles*; S. *ejecución, desempeño* [Exp: **ejercicio**[2] (GEN year, accounting/business year, fiscal/tax year), **ejercicio abusivo de funciones** (ADMIN misuse of public office), **ejercicio, en** (GEN practising, acting; S. *suplente, interino, provisional, de servicio, en funciones*), **ejercicio de sus funciones, en el** (CONST/ADMIN in the exercise of her/his powers, in the performance of her/his duties), **ejercicio de la acción** (PROC prosecution of an action), **ejercicio económico, social o fiscal** (GEN financial year, accounting year, corporate year, fiscal year, business year), **ejercicio legítimo de un derecho** (PROC lawful exercise of a right)].

ejercitar *v*: GEN exercise, practise, put into practice ◊ *La acción civil se puede ejercitar conjuntamente con la acción penal a* *opción de las víctimas*; S. *ejercer*. [Exp: **ejercitar la acción civil subsidiaria** (PROC bring an ancillary civil action), **ejercitar una acción** (PROC bring an action, exercise a right of action, sue), **ejercitarse** (GEN train, practise; drill)].

elaboración *n*: GEN processing; production, preparation, manufacture; S. *transformación, trámite*. [Exp: **elaborar** (GEN draw up, process, work out, draft; develop; produce, manufacture, make, prepare; S. *establecer, redactar, efectuar, calcular*)].

elección *n*: GEN election; choice; S. *elecciones*. [Exp: **elecciones** (CONST poll, elections; S. *comicios; amañar las elecciones, celebrar elecciones*), **elecciones generales** (CONST general election; S. *mesa electoral, acta electoral, cabina electoral, censo electoral*), **elecciones municipales** (CONST local election), **elecciones parciales** (CONST by-elections, local elections), **electo** (CONST designate, elect; S. *designado, nombrado*), **elector** (CONST voter, elector; S. *votante*), **electorado** (CONST electorate), **electoral** (CONST electoral; S. *circunscripción electoral, proceso electoral, pucherazo electoral*; S. *colegio electoral*)].

elegir *v*: GEN choose; elect, vote; select; prefer.

elemento *n*: GEN element, component, ingredient, factor; S. *componente*. [Exp: **elemento de juicio** (GEN item of evidence, facts, piece of information ◊ *Me faltan elementos de juicio para emitir un dictamen*), **elemento incriminatorio** (CRIM incriminating evidence), **elemento de prueba o probatorio** (PROC exhibit, item of proof/evidence; S. *medios de prueba; presentar como prueba*)].

elevar[1] *v*: GEN raise, lift; increase; S. *levantar; aumentar*. [Exp: **elevar**[2] (PROC/GEN file; forward, present, submit, refer; S. *presentar, instar, formular, cursar*), **elevar a ley** (GEN enact, raise to the status of law), **elevar a público [a escritura pública] un documento privado** (CIVIL convert a private contract or agreement into a public document or deed, put on record), **elevar a un tribunal superior** (PROC refer to a higher court), **elevar la condena** (CRIM increase the sentence, impose a more severe penalty; S. *rebajar la condena*), **elevar la tarifa** (GEN raise the tariff), **elevar un informe/memoria** (GEN hand in/submit/present a report), **elevar un recurso** (PROC file/lodge an appeal), **elevar una cuestión de prejudicialidad** (EURO make a reference for a preliminary ruling, apply for a preliminary ruling, raise a preliminary issue; S. *cuestión de prejudicialidad, acto prejudicial*), **elevar una protesta** (GEN file a protest), **elevar una queja/una reclamación, etc.** (GEN file/make a claim, a complaint, etc.)].

eliminación *n*: GEN elimination, destruction, liquidation, disposal; S. *destrucción, erradicación*. [Exp: **eliminación de residuos** (GEN disposal of waste products), **eliminar** (GEN eliminate, render ineffectual, defeat, enervate ◊ *Las excepciones perentorias, si prosperan, eliminan el derecho del actor*; S. *enervar, erradicar*)].

eludible *a*: GEN avoidable; S. *ineludible; salvable; prisión eludible bajo fianza*. [Exp: **eludir** (GEN evade, avoid, escape, dodge ◊ *Intentó eludir su responsabilidad ante sus empleados*; S. *evitar, sustraerse*), **eludir el cerco policial** (CRIM elude/get/slip through the police cordon; S. *poner cerco*), **eludir el servicio militar** (GEN dodge the draft *col*), **eludir impuestos** (TAX avoid/dodge taxes ◊ *La Administración ha practicado la determinación del impuesto eludido*), **eludir la acción de la justicia** (PROC abscond; slip through the police dragnet *col*, hop it *col*, get away [with] *col*; S. *alzarse, fugarse*), **elusión** (GEN avoidance; S. *evasión*),

elusión de la deuda tributaria (TAX tax avoidance)].

emancipación *n*: FAM emancipation ◊ *La emancipación de un hijo menor es el adelanto de muchos de los efectos o beneficios de su mayoría de edad*; S. *patria potestad, filiación, liberación*. [Exp: **emancipar** (GEN/FAM emancipate; S. *manumitir*)].

embajada *n*: CONST embassy; S. *legación*. [Exp: **embajador** (CONST ambassador; S. *emisario*), **embajador especial** (CONST ambassador-at-large)].

embarazada *a*: GEN pregnant; pregnant woman, expectant mother; S. *encinta*. [Exp: **embarazar** (GEN make/get pregnant), **embarazo** (GEN pregnancy; S. *gestación, alumbramiento, maternidad, parto, aborto*)].

embargable *a*: CIVIL attachable; S. *secuestrable*), **embargado** (CIVIL garnishee, factor, lienee), **embargante** (CIVIL garnisher/garnishor, distrainer, lienor), **embargar** (CIVIL freeze, seize, distrain, confiscate, attach, distress, garnish, garnishee, factorize *US* ◊ *El juez instructor embargó las cuentas corrientes de los acusados*; S. *secuestrar, incautar; decomisar, confiscar*), **embargo**[1] (CIVIL freezing order, [writ of] seizure, distress warrant, attachment, garnishment, sequestration, distraint ◊ *El deudor no pagó y el acreedor ejecutó el embargo*; S. *auto de embargo, anotación de embargo, ejecución de embargo, desembargar, secuestro, confiscar, confiscación, aprehensión, incautación, decomiso*), **embargo**[2] (INTNL embargo; S. *bloqueo*), **embargo de armas** (INTNL arms embargo), **embargo de bienes** (CIVIL seizure/attachment of goods), **embargo de buques** (BSNSS sequestration/embargo of vessels), **embargo de haberes o sueldo** (EMPLOY freezing/garnishment of salary), **embargo ejecutivo** (CIVIL levy of execution, attachment execution; S. *ejecución de embargo, ejecutante, ejecutado*), **embargo preventivo** (CIVIL provisional attachment, freezing order, prejudgment attachment/garnishment *US*, general lien, general lien *US*; S. *derecho prendario, bloqueo cautelar, auto de embargo preventivo*), **embargo provisional** (PROC temporary attachment)].

embaucador *n*: GEN swindler, crook, cheat, trickster; S. *tramposo, embustero*. [Exp: **embaucamiento** (GEN swindling, swindle; S. *engaño*), **embaucar** (GEN deceive, dupe, swindle; S. *engañar, timar*)].

embestida *n*: GEN charge, onslaught, attack, assault ◊ *Más que una declaración, el testimonio de la ex mujer del acusado fue una embestida*. [Exp: **embestir** (GEN/PENAL charge at ◊ *La policía embistió contra los alborotadores*; S. *cargar, arremeter, atacar; abordar*)].

emboscada *n*: GEN ambush, trap; S. *trampa; atacar por sorpresa; trampa.*

embriaguez *n*: GEN drunkenness, intoxication ◊ *La embriaguez puede alegarse como atenuante o eximente parcial*; S. *borrachera, ebriedad; conducción en estado de embriaguez, etítico.*

embrollo *n*: GEN embroilment, muddle, confusion, tangle; fraud; S. *engaño, impostura, trampa, enredo* [Exp: **embrollar** (GEN embroil, confuse, entangle; defraud; diddle *col*; S. *enredar*)].

embuste *n*: GEN deception, [pack of] lies, fabrication, concoction; S. *estafa, fraude, mentira*. [Exp: **embustero** (GEN cheat, liar, crook; lying, twisted, false ◊ *No te fíes de los embusteros ni de los mal pagadores*; S. *tramposo*)].

emergencia *n*: GEN emergency, crisis, urgency; S. *urgencia, crisis, necesidad, apuro*. [Exp: **emergente** (GEN emerging; consequential, resultant; S. *daño emergente*)].

emigración *n*: GEN emigration; S. *inmigración*. [Exp: **emigrado** (GEN emigré, exile, political exile; emigrant), **emigrante** (GEN emigrant; S. *inmigrante, refugiado, asilado, deportado, apátrida, desplazado*), **emigrar** (GEN emigrate; S. *inmigrar*)].

emisario *n*: GEN emissary; S. *embajador*.

emisión[1] *n*: GEN issue; delivery. [Exp: **emisión**[2] (GEN broadcast), **emisor** (BSNSS issuer; issuing), **emitir**[1] (BSNSS/GEN issue, draw, float; utter, put forth, deliver; S. *expedir, librar*), **emitir**[2] (GEN broadcast), **emitir un cheque** (GEN draw/write a cheque), **emitir un dictamen** (GEN deliver/give an opinion), **emitir un fallo** (PROC give/pronounce/deliver judgment), **emitir un programa** (GEN broadcast a programme, put a programme out), **emitir un voto** (CONST cast a vote), **emitir un voto particular** (GEN dissent from the leading opinion)].

emoción *n*: GEN emotion, excitement; S. *desgaste emocional*. [Exp: **emoción violenta** (GEN uncontrollable impulse, hot blood, fir of rage; S. *impulso incontenible o incontrolable, obcecación, arrebato, ab irato*)].

emolumento *n*: GEN perquisite, perk *col*; S. *gaje, plus, extra*.

empadronamiento *n*: ADMIN registration, placing on the voting register/list, census-taking; S. *censo*. [Exp: **empadronar** (ADMIN register, place on the voting list; S. *inscribir, registrar*)].

empapar *v*: GEN soak, drench ◊ *Cuando la policía lo encontró llevaba la ropa empapada de sangre*; S. *ensangrentado*.

emparentar *v*: FAM marry into [a family], be/become related by marriage.

empastillarse *v*: *col* GEN do/drop/pop some pills *col*; be on pills *col*, be a pill-popper *col*; S. *colocarse, pincharse, chutarse*.

empate *n*: GEN tie ◊ *El Presidente del Tribunal tiene voto dirimente de calidad en caso de empate*; S. *desempate, voto de desempate*. [Exp: **empatar** (GEN tie, draw; S. *desempatar*)].

empecinamiento *n*: GEN stubbornness, obstinacy; obstruction, refusal to cooperate; sticking stubbornly to one's story/guns *col*.

empedernido *a*: GEN habitual, hardened, heavy, inveterate; S. *bebedor empedernido, jugador empedernido, fumador empedernido*.

empeñar *v*: BSNSS pawn, pledge, impawn, pledge ◊ *Empeñó las joyas de la abuela para pagar sus estudios*; S. *dejar en prenda*. [Exp: **empeñarse**[1] (GEN go/get into debt, become indebted; S. *endeudarse*), **empeñarse**[2] (GEN strive, make a great effort, be determined, hold out [for]; insist; S. *esforzarse*), **empeñarse en hacer algo** (GEN be set doing sth, be determined to do sth, insist on/persist in doing), **empeño**[1] (BSNSS pawn, pledge, pawning, pledging; S. *pignoración; monte de piedad*), **empeño**[2] (GEN strong desire, determination, resolution)].

empezar *v*: GEN begin, start. [Exp: **empezar a regir** (GEN take effect, come into effect, be effective; S. *tener efecto, producir efectos, surtir efecto, entrar en vigor*.

emplazamiento[1] *n*: PROC [writ of] summons, claim [form], notice, citation, originating process; one of a number of terms indicating the act of one party in bringing proceedings against another, and also the fact or means of doing so; the word is derived from *plazo* –time limit, deadline– and specifically refers to the challenge thrown down by the claimant to the defendant to answer the claim within the legally appointed period, or take the consequences; S. *citación*[1], *demanda, querella; plazo*. [Exp: **emplazamiento**[2] (GEN site, location; S. *localización, situación*), **emplazar**[1] (PROC summon/summons, subpoena, give notice, cite to appear, call upon, order; S. *conminar, intimar, requerir, citar*), **emplazar**[2] (GEN site, locate, place, situate; S. *ubicar*), **emplazar a los**

interesados (PROC give notice to the parties concerned, serve notice on the parties concerned)].

empleado *n*: EMPLOY employee, servant, office-holder, clerk, clerical worker; S. *asalariado*. [Exp: **empleador** (EMPLOY employer; S. *empresario, patrono*), **emplear** (EMPLOY employ, take on, give a job to; find a place/job/post/position for), **empleo** (EMPLOY employment, occupation, situation, position, job, post; rank; S. *ocupación, colocación, profesión, puesto, abandono de empleo; contratar, dar trabajo*), **empleo discontinuo** (EMPLOY irregular or discontinuous employment), **empleo fijo** (EMPLOY steady job, permanent employment, full-time work), **empleo fijo discontinuo** (EMPLOY regular work on short-term contracts, permanent non continuous employment; the term is applied to the situation of workers who are permanently on the books of a company but are not guaranteed work all the year round; instead, they work for agreed annual periods on guaranteed short-term contracts, e.g. for six months per year renewable annually), **empleo ininterrumpido o continuo** (EMPLOY continuous employment), **empleo precario** (EMPLOY short term/seasonal employment, casual work)].

emprender *v*: GEN undertake, launch, start out, embark on; tackle; S. *iniciar*. [Exp: **emprendedor** (GEN resourceful; S. *ingenioso*), **emprender acciones judiciales** (PROC bring an action against, institute proceedings against, take action, take legal action), **emprenderla con alguien** *col* (GEN have a go/bash at somebody; pick, start a fight, etc., with somebody), **emprenderla a tiros con alguien** (CRIM have a shooting at sb, open fire on sb, take a pot-shot at somebody *col*)].

empresa *n*: BSNSS business, firm, company, corporation, concern; undertaking, enterprise; management; S. *negocio, compañía, sociedad mercantil*. [Exp: **empresa aseguradora** (INSUR insurance company, underwriter), **empresa colectiva** (BSNSS joint partnership), **empresa conjunta** (BSNSS joint venture; S. *capital riesgo*), **empresa constructora** (BSNSS building firm of builders), **empresa cotizada en Bolsa** (BSNSS listed/ quoted company), **empresa de seguridad** (GEN security firm, safe-deposit company; S. *compañía de seguridad*), **empresa de servicio público** (ADMIN public service corporation), **empresa de transportes** (BSNSS carrier), **empresa de transportes marítimos** (BSNSS shipping company, haulage firm, firm of hauliers), **empresa fantasma o simulada** (BSNSS dummy corporation), **empresa filial** (BSNSS affiliate, subsidiary company), **empresa matriz** (BSNSS parent company), **empresa mediana** (BSNSS medium-sized firm), **empresa mercantil** (BSNSS commercial company/ enterprise, trading company), **empresa mixta** (BSNSS mixed company), **empresa naviera o marítima** (BSNSS shipping company; S. *compañía armadora*), **empresa privada** (BSNSS private company/ corporation; private enterprise), **empresa pública** (ADMIN public corporation, state-owned company), **empresa u organización sin ánimo de lucro** (BSNSS non-profit organization), **empresario** (BSNSS businessman, entrepreneur, employer, manager, undertaker, contractor; S. *dueño, patrono, empleador*), **empresario individual** (BSNSS sole proprietor, sole trader)].

empréstito *n*: BSNSS loan, borrowing; S. *préstamo*. [Exp: **empréstito a la gruesa** (BSNSS bottomry loan), **empréstito con garantía** (BSNSS collateral loan; S. *préstamo pignoraticio*), **empréstito de amortización** (BSNSS sinking fund loan, bond loan), **empréstito de renta perpetua**

(BSNSS perpetual loan), **empréstito forzoso** (BSNSS forced loan)].

enajenación[1] *n*: GEN alienation, disposal, transfer of ownership or title, conveyance of property to another, the act of transferring property or title to it to another; the words *disposición, transmisión voluntaria* and *enajenación* are nearly synonymous in property law. [Exp: **enajenación**[2], **enajenamiento** (GEN alienation, estrangement, insanity ◊ *El alcoholismo puede producir enajenación mental*), **enajenación de bienes** (CIVIL alienation/disposal of property), **enajenación en vida de bienes testados** (transfer of property during the life of the testator; ademption), **enajenación forzosa** (ADMIN expropriation, forced transfer; S. *confiscación, expropiación, indemnización por expropiación forzosa*), **enajenación mental** (GEN mental derangement/alienation, insanity; S. *demencia*), **enajenación mental transitoria** (GEN temporary mental derangement/alienation, mental subnormality; [defence of] acting while the balance of one's mind was disturbed; [insane] automatism), **enajenar** (GEN/CIVIL convey/alienate [property], transfer [property], sell, devest, transfer, dispose of [property], estrange, dispone *Scots* ◊ *No está permitido enajenar los bienes embargados*; S. *alienar*), **enajenado** (GEN insane person, mentally disturbed/subnormal unbalanced person, [defence] of diminished responsibility, involuntary conduct or irresistible impulse), **enajenador** (BSNSS transferor, alienator), **enajenamiento** (GEN S. *enajenación*)].

enaltecer *v*: GEN praise, extol, acclaim, applaud ◊ *Enaltecer la xenofobia o el terrorismo es delito*; S. *exaltación*.

encabezamiento *n*: GEN heading, caption, rubric. [Exp: **encabezar** (GEN head, lead, be at the top; entitle, head, caption)].

encalladura *n*: GEN/BSNSS running aground, foundering, being stranded. [Exp: **encallado** (GEN/BSNSS aground, stranded; S. *embarrancado, varado*), **encallar** (GEN run aground, founder, be/become stranded; S. *envarar*)].

encañonar *v*: CRIM point a gun at, hold up at gunpoint, threaten with a gun ◊ *El agresor encañonó al transeúnte mientras le robaba la cartera*; S. *apuntar*.

encapuchado *a/n*: GEN masked, hooded [person], person wearing a hood or mask ◊ *Un grupo de encapuchados destruyeron un cajero automático anoche*; S. *joven radical, enmascarado*.

encarcelado *a*: CRIM imprisoned, jailed; in custody, behind bars *col*; S. *detenido; entre rejas, bajo custodia, preso, prisión, a la sombra*. [Exp: **encarcelamiento** (CRIM imprisonment, confinement, incarceration; S. *encierro, reclusión*), **encarcelamiento ilegal** (CRIM false imprisonment; S. *detención ilegal*), **encarcelar** (CRIM imprison, commit/take to prison, jail/gaol, lock up *col*; S. *recluir, apresar*)].

encargado *a/n*: GEN in charge, responsbile; [section] head, supervisor, manager, person in charge, person with the responsibility. [Exp: **encargar** (GEN commission, order; wntrust [with], put in charge [of], make/hol responsible [for]; S. *encomendar, confiar*), **encargar la formación del gobierno** (CONST invite to form/set up a government, entrust with the forming of a government), **encargarse de** (GEN take charge of, deal with, undertake; S. *tomar en depósito*), **encargo** (GEN commission, order, request; S. *despacho, mandato, nombramiento; pedido*)].

encartar *v*: GEN register, summon/summons; accuse, indict. [Exp: **encartado** (CRIM accused, prisoner at the bar)].

encausado *n*: CRIM defendant, accused; S. *acusado, inculpado, procesado*. [Exp: **encausar** (CRIM/PROC charge, accuse, bring/

prefer charges against; prosecute, indict; virtually synonymous with *imputar, acusar* and *procesar*, depending on whether charges are being considered by an examining magistrate *–juez instructor–* or have actually been brought and a case has been set down *–señalado–* for trial; in the latter case it is probably somewhat less frequently found in technical usage than *procesar*, but the participial form *encausado* –accused, defendant– is extremely common in all cases ◊ *El juez tomó declaración a los cinco encausados*; S. *acusar, imputar, inculpar, procesar*)].

encerrar *v*: GEN/CRIM lock up, imprison, put away *col*, put behind bars *col*; enclose; S. *encarcelar, entre rejas*. [Exp: **encierro**[1] (GEN imprisonment, reclusion; solitary confinement; time spent inside *col*; S. *prisión, cárcel, encarcelamiento, reclusión*). **encierro**[2] (GEN sit-in; S. *sentada*)].

enchufar *col v*: GEN wangle [sb] into a job *col*, fix [sb] up by string-pulling *col*, use one's clout/connections to get [sb] a position *col* ◊ *Suspendió las oposiciones pero su hermana lo enchufó en el bufete*; S. *influencia, tráfico de influencias*. [Exp: **enchufe** *col* (GEN the old school tie network *col*; string-pulling *col*, the back door *col*, wangling *col*), **enchufismo** *col* (GEN behind- the scenes manoeuvring, string-pulling *col*, wangling *col*, clout *col*, cronyism *col*, favourtism; S. *prevaricación, corrupción*)].

encinta *a:* GEN pregnant; S. *embarazada*.

enclave *n*: CONST/GEN enclave.

encomendar *v*: GEN entrust, commission; commend [to the trust/charge of] ◊ *La gestión administrativa está encomendada en los Estados Unidos a las agencias administrativos*; S. *confiar, encargar*.

encontronazo *n*: GEN collision; clash, conflict. [Exp: **encontronazo con, tener un** (GEN clash with, fall out with, have an argument with, exchange heated words with)].

encubierto *a*: GEN disguised, latent, hidden, undisclosed; S. *subyacente, oculto*. [Exp: **encubridor de un delito** (CRIM aider and abettor, accomplice who covers up for or harbours a criminal; what used to be called «an accessory after the fact»), **encubrimiento** (CRIM hiding, concealment, complicity, harbouring; cover-up; S. *delito de encubrimiento*), **encubrir** (GEN/CRIM conceal, hide, disguise, cover up, abet), **encubrir un delito** (CRIM cover up a crime; S. *delito*),

encuesta *n*: GEN poll, opinion poll, enquiry/inquiry; S. *sondeo, estudio; efectuar una encuesta, comisión de encuesta*.

endeudado *a*: GEN indebted; S. *deuda*. [Exp: **endeudamiento** (GEN indebtedness; debts, borrowing S. *empréstito*), **endeudamiento excesivo** (GEN excess indebtedness, over-indebtedness ◊ *El Tribunal de Cuentas ha detectado endeudamiento excesivo en la contabilidad de algunos organismos públicos*), **endeudarse** (GEN get into debt, incur debts; S. *empeñarse; adeudar*)].

endosable *a*: GEN/BSNSS endorsable. [Exp: **endosador, endosante** (GEN/BSNSS endorser; S. *endosante, cedente*), **endosar** (GEN endorse, back, back up; S. *apoyar, garantizar, respaldar; dorso*), **endosatario** (GEN/BSNSS endorsee, acceptor; S. *tenedor o portador por endoso*), **endoso** (GEN/BSNSS endorsement; a note and signature on the back of –hence the name– or attached to a bill or draft *–efecto de comercio–* by the present holder or endorser *–titular o endosante–*, ordering the sum stated on its face to be paid to a named person, who may be the acceptor or endorsee *–endosatario–* or a third party; S. *garantía, aval; dorso*)].

enemistad *n*: GEN enmity, hostility. [Exp: **enemistad manifiesta** (GEN patent/proven/

transparent enmity/hostility/ill-will; S. *odio, hostilidad, antagonismo, aversión*), **enemigo** (GEN enemy, adversary, antagonist)].

enervar *v*: PROC enervate, render ineffectual, defeat, destroy, be/provide a bar to ◊ *Las excepciones perentorias, si prosperan, enervan el derecho del actor*; S. *eliminar*.

enfermedad *n*: GEN illness, sickness, disease, ailment ◊ *No serán objeto del contrato de venta los ganados y animales que padezcan enfermedades contagiosas*. [Exp: **enfermedad laboral** (EMPLOY industrial disease), **enfermedad mental** (GEN mental illness; S. *enajenación mental*), **enfermedad profesional** (EMPLOY occupational disease), **enfermo** (GEN sick, ill, unwell; unfir for work)].

enfiteusis *n*: CIVIL emphyteusis. [Exp: **enfiteuta** (CIVIL emphyteuticary)].

enfrentamiento *n*: GEN confrontation, quarrel, clash, bust-up *col*; showdown *col*; S. *bronca, pelea, lucha; pendencia, alboroto, acometida*. [Exp: **enfrentamiento dialéctico** (GEN heated exchange [of words/views], difference of opinion), **enfrentarse** (GEN face, face up to, confront; S. *afrontar, hacer frente a, responder*)].

engancharse *col v*: GEN get hooked *col* ◊ *En la cárcel se enganchó a la heroína*; S. *caballo, camello; chutarse, colocarse, esnifar, pincharse, empastillarse; habituarse, desengancharse; línea, porra, raya,*

engañadizo *a*: GEN easily deceived, gullible. [Exp: **engañador** (GEN deceiver, cheat, impostor; S. *impostor*), **engañar** (GEN dupe, mislead, cheat deceive, abuse, double-cross, baffle ◊ *Algunos desaprensivos dirigentes empresariales han engañado a accionistas modestos*; S. *embaucar, timar, defraudar, burlar, mentir, falsificar*), **engaño** (CRIM/GEN fraud, deceit, falsehood, deception, abuse, cheating, deliberate misrepresentation, double-cross, circumvention ◊ *El abogado tuvo que recurrir a todo tipo de argucias y engaños para librar a su cliente de la cárcel*; S. *ardid, argucia, estratagema, trampa, falacia; por medio de engaño*), **engaño, sin** (GEN frankly, openly, in a straightforward way, in good faith, bona fide; S. *sin mala intención*), **engañoso** (GEN deceitful, misleading, colourable, fallacious, deceptive, untrue; S. *falso, doloso, ficticio, especioso*)].

enjuague *col n*: GEN dirty business, dodge *col*, wheeze *col*, wangling; S. *trampa, engaño, estratagema, enchufe, amaño*.

enjuiciable *a/n*: PROC triable; S. *procesable, conocible*. [Exp: **enjuiciado** (PROC defendant, accused), **enjuiciamiento** (PROC proceedings, procedure; judging, trying, mode of trial; S. *procesamiento, ley de enjuiciamiento civil, ley de enjuiciamiento criminal*), **enjuiciamiento civil** (CIVIL civil proceedings or precoedure; S. *ley de enjuiciamiento civil*), **enjuiciamiento criminal** (CRIM criminal proceedings or procedure, prosecution, indictment; S. *ley de enjuiciamiento criminal*), **enjuiciamiento malicioso** (PROC malicious prosecution; S. *demanda de mala fe*), **enjuiciar** (PROC judge, adjudge, adjudicate; try, bring to trial, put on trial; S. *adjudicar, determinar, juzgar, procesar*)].

enlazar *v*: GEN link, connect, relate; rendezvous; S. *unir*. [Exp: **enlace**[1] (GEN liaison, link, connection, nexus; S. *conexión, relación*), **enlace**[2] (GEN marriage, wedding; S. *matrimonio, casamiento, boda*), **enlace sindical** (EMPLOY shop steward)].

enmascarado *a/n*: GEN masked man, wearing a mask ◊ *Dos enmascarados asaltaron una sucursal bancaria la pasada noche*; S. *máscara, encapuchado*.

enmendar *v*: GEN amend, correct, rectify, modify, revise; S. *reformar, corregir, rec-*

tificar. [Exp: **enmienda** (GEN amendment, revision, correction, modification, alteration; redress ◊ *El documento va sin enmiendas ni añadiduras*; S. *modificación, reforma, rectificación; añadido*)].

enredar *v*: GEN trap, trick; involve; circumvent; S. *burlar*. [Exp: **enredo** (GEN circumvention, deception, entanglement, trickery, fiddle *col*, set-up *col*, fix, fast one, fiddle, dodge, neat trick; temporary repair; a way round a difficulty; S. *apaño, arreglo, tinglado, embrollo, chanchullo, componenda*)].

enriquecer *v*: GEN enrich, make wealthy; [materially] benefit. [Exp: **enriquecimiento** (GEN enrichment, [material] benefit), **enriquecimiento ilícito** (GEN unlawful source of income, failure to account honestly for income)].

ensañamiento *n*: CRIM extreme cruelty, wanton cruelty, ferocity; vicious or frenzied attack; frenzy of rage; S. *brutalidad, abyección, crueldad, saña*. [Exp: **ensañarse** (CRIM vent one's rage on, attack ferociously, assault murderously or with extreme cruelty)].

ensangrentado *a*: GEN bloodstained ◊ *Cuando la policía lo encontró tenía las manos ensangrentadas y aún portaba la navaja*; S. *empapado de sangre*.

enseres *n*: CIVIL objects, effects; chattels, personal property, personalty, fixtures, household goods.

entablar *v*: PROC file, bring, lodge, commence, begin, initiate; S. *cursar, elevar, instar, iniciar*. [Exp: **entablar conversaciones/negociaciones** (GEN open negotiations ◊ *Los partidos políticos han entablado negociaciones para simplificar las formalidades procesales*), **entablar demanda/pleito contra** (PROC sue, go to law, take legal action, serve proceedings, bring an action, institute proceedings; S. *pedir en juicio, demandar, meterse en pleitos*), **entablar demanda de divorcio** (FAM file/petition for divorce), **entablar ejecución** (GEN start an executive proceeding), **entablar juicio hipotecario** (PROC bring an action for repossession or foreclosure), **entablar querella** (BSNSS sue, file a complaint)].

ente *n*: GEN/ADMIN institution, entity; authority; agency; S. *organismo, institución, entidad*. [Exp: **ente autónomo** (CONST authority, public body, agency or organism; S. *agencia estatal, organismo público/autónomo*), **ente autonómico** (CONST autonomous or self-governing community, regional parliament or assembly; S. *comunidad autónoma*), **ente jurídico/moral** (GEN legal authority, legal entity), **ente público** (GEN official/public body), **ente territorial** (CONST formal name –literally «territorial entity»– given to each of the self-governing regions *–autonomías–* into which Spain is divided; for most purposes it may be treated as equivalent to *ente autonómico*)].

entender *v*: GEN understand. [Exp: **entender en** (PROC have jurisdiction over; hear, try, take [a case]; S. *conocer*), **entender en un litigio** (PROC hear a case ◊ *Los cónyuges separados que se reconcilien deben comunicárselo al juez que entienda del litigio*), **entender mal** (GEN misunderstand; S. *interpretar mal*), **entendido** (GEN expert; S. *técnico, especialista, experto, perito*)].

enterado[1] *a*: GEN aware, well-informed, knowledgeable; officially informed, deemed to know or to be aware; notified. [Exp: **enterado**[2] (GEN government approval; S. *aprobación*), **enterado**[3] (PROC acceptance of service, acknowledgement, acknowledgement of receipt/report/information), **enterar** (GEN inform, acquaint, notify; S. *informar, comunicar, notificar*), **enterarse** (GEN learn/hear of/about, be told of, find out about, get/come to know of/about)].

entidad *n*: GEN authority, bureau, body, institution, organization; bank; S. *ente, organismo, institución, sociedad mercantil*. [Exp: **entidad aseguradora** (INSUR insurer, underwriter), **entidad benéfica o de beneficencia** (GEN charitable institution), **entidad comercial** (BSNSS business concern/enterprise), **entidad de crédito** (BSNSS lending institution), **entidad de derecho privado** (BSNSS private company/corporation), **entidad de derecho público** (GEN public corporation), **entidad fantasma** (BSNSS dummy corporation), **entidad financiera** (BSNSS finance company; S. *compañía de crédito comercial*), **entidad jurídica** (GEN legal entity), **entidad pública** (GEN public authority, official body), **entidad sin fines lucrativos** (GEN non-profit- [making] organization), **entidad social** (BSNSS corporation, company, partnership)].

entorpercer *v*: GEN obstruct, slow down/up, delay, hinder, hamper; S. *obstruir, obstaculizar, trabar, bloquear*.

entrada[1] *n*: GEN entrance; entry; door, gate; hallway, threshold; admittance; S. *admisión, acceso; salida*. [Exp: **entrada**[2] **[inicial]** (BSNSS down-payment, deposit; bargain money; S. *pago inicial, entrega a cuenta, señal, cantidad a cuenta*), **entrada**[3] (TAX income, incoming amounts or cash; receipts, revenue, takings, inflow/influx; S. *ganancias, ingreso*), **entrada**[4] (GEN pass; ticket; S. *pase, autorización, tarjeta*), **entrada en funciones** (GEN assumption of/taking up of/coming into office; enforcement), **entrada en vigor** (CONST [date of] coming into effect, entry into force), **entradas** (GEN income; earnings, takings, receipts; revenue; S. *ingresos*), **entradas y salidas** (BSNSS revenue/income and expenditure, receipts and disbursements, incomings and outgoings, receipts and payments; S. *debe, haber*), **entrar** (GEN go/come in, enter, get in; look/enquire into; open, start ◊ *No quisieron entrar en detalles*), **entrar en el fondo del asunto/de la cuestión** (PROC examine/consider/adjudicate on the merits of the case ◊ *Estimada la excepción, no procede entrar en el fondo del asunto*; S. *fondo, excepción, cuestión de previo pronunciamiento, cuestión prejudicial, incidente procesal*), **entrar en funciones** (GEN accede to office, come into office, take up one's post/functions; S. *tomar posesión*), **entrar en licitación** (GEN bid, put in a bid; S. *pujar, ofrecer*), **entrar en vigor** (GEN take effect, be/become effective, come into operation/effect/force ◊ *Esta ley entrará en vigor el mismo día de su publicación en el Boletín Oficial del Estado*), **entrar por la fuerza** (CRIM break into [a house]; burgle, commit a burglary; break and enter; S. *allanar una morada*)].

entramado[1] *n*: GEN framework, network. [Exp: **entramado**[2] (CRIM scheme, frame-up ◊ *El gobierno se ha visto implicado en el entramado de las comisiones ilegales*; S. *trama*)].

entrañar *v*: GEN entail, involve, carry ◊ *La tutela judicial efectiva entraña ciertos errores que el tribunal debe asumir*; S. *implicar, acarrear*.

entre rejas *col phr*: behind bars *col*; S. *encarcelado*.

entredicho, estar en *v*: GEN be questionable, dubious or open to question; remain unclear, be in doubt, be challenged; S. *poner en entredicho, dudar*.

entrega *n*: GEN/PROC/BNSS delivery, handing over, service, shipment, consignment; surrender, service; S. *tradición, traspaso, envío, cesión, remesa, libramiento de fondos, otorgamiento, distribución*. [Exp: **entrega a cuenta** (BSNSS down-payment; S. *pago inicial, entrada*), **entrega a domicilio** (PROC service to [recipient's] home address), **entrega controlada** (GEN/

CRIM controlled delivery), **entrega efectiva o real** (GEN effective/actual delivery/service), **entrega de llaves inmediata** (GEN immediate occupancy on completion of sale vacant possession), **entrega en mano de la notificación** (CIVIL personal service), **entrega simbólica** (CIVIL symbolic delivery), **entregar** (GEN deliver, hand over, surrender; lodge; give, hand, hand in, submit, turn in ◊ *Fue entregado a la policía en el puesto fronterizo*; S. *traspasar, enviar*), **entregarse** (GEN give oneself up, surrender, turn oneself in; give in, succumb ◊ *Tras cometer el asesinato se entregó a la policía*; S. *rendirse*), **entregarse a la autoridad** (GEN surrender to custody)].

entrelinear *v*: GEN interline, interlineate, make interlinear insertions, insert between written lines ◊ *En los documentos notariales se permite interlinear alguna palabra u oración*; S. *interlineado*)].

entrometerse/entremeterse *v*: GEN intrude, meddle, interfere, trespass; S. *importunar*. [Exp: **entrometido/entremetido** (GEN intruder; trespasser; obtrusive; S. *intruso*), **entrometimiento/entremetimiento** (GRAL interference, intrusion, meddling)].

envenenar *v*: GEN poison; S. *veneno*.

envergadura *n*: GEN wingspan; extent, breadth, magnitude; scope, reach, importance. [Exp: **envergadura, de gran** (GEN major, of considerable magnitude/importance, far-reaching)].

enviar *v*: GEN deliver, forward, send, dispatch, ship, consign, remit; S. *consignar, entregar*. [Exp: **enviado extraordinario** (INTNL envoy), **enviar en comisión de servicio** (ADMIN second; S. *trasladar*), **enviar por correo** (GEN post, mail), **envío** (GEN consignment, delivery, shipment, remittance, transmission; S. *expedición, entrega, consignación*)].

enviciar *v*: GEN deprave, corrupt. [Exp: **enviciarse** (GEN become corrupt, become addicted, get hooked on *col*), **enviciado** (GEN addict; addicted, hooked *col*].

enviudar *v*: FAM be widowned, become a widower/a widow, lose one's husband/wife; S. *viuda-o*.

enzarzarse en una pelea *phr*: CRIM get involved in a brawl/fight, come to blows [with sb] ◊ *Se enzarzaron en una pelea por una cuestión de celos*.

epígrafe *n*:GEN head, heading, subheading, caption; S. *título; aparecer bajo el epígrafe de*.

equidad *n*: GEN equity, fairness, natural law; the Spanish term means little more than «fairness, what is just or right», and has none of the unique technical flavour of the English word «equity», since there is, of course, no «common law» to contrast it with; translators should therefore bear in mind that in many cases *equidad* and the adjective *equitativo* –equitable, fair– will not answer to their apparent English counterparts; some Spanish jurists advocate leaving the English terms untranslated when they are used in the their technical sense; an alternative for the conscientious translator is to explore the possibilities of words such as *discrecional* –discretionary–, *discrecionalidad* –discretion, discretionary capacity– or cautelar *–provisional,* precautionary–, and so on; S. *imparcialidad, justicia natural; equitativo*. [Exp: **equidad y justicia, en** (PROC *ex aequo et bono*; S. *ex aequo et bono*), **equitativo** (GEN equitable, fair; S. *justo, razonable, equidad*)].

equivocación *n*: GEN error, mistake, misinterpretation, misrepresentation, misstatement; S. *error, yerro*. [Exp: **equivocado** (GEN wrong, mistaken, erroneous; S. *erróneo, defectuoso*), **equivocar** (GEN mistake, misdirect, cause to make a mistake, put/set wrong), **equivocarse** (GEN make a mistake, be mistaken/wrong, misdirect oneself), **equívoco** (GEN equivocal, ambiguous; equivocation, ambiguity)].

erario público *n*: CONST exchequer, public treasury, public funds; S. *hacienda.*

erradicación *n*: GEN eradication, elimination; S. *eliminación.* [Exp: **erradicar** (GEN eradicate, eliminate; S. *eliminar*)].

erróneo *a*: GEN erroneous, wrong, mistaken, unsound; S. *viciado, defectuoso.* [Exp: **error** (GEN error, mistake, misinterpretation, mis representation, misstatement ◊ *En el escrito de recurso se expondrán las alegaciones sobre error en la apreciación de las pruebas*; S. *yerro, equivocación, tergiversación, desliz, lapso*), **error de anotación o de pluma** (GEN clerical error, slip of the pen; S. *lapsus calami*), **error de buena fe** (GEN bona fide error), **error de cálculo** (GEN miscalculation, inaccuracy, misinterpretation), **error de Derecho** (GEN error in law, mistake of law ◊ *Un error de Derecho puede invalidar una resolución*), **error de hecho** (GEN mistake/error of fact), **error esencial** (GEN fundamental error), **error inexcusable** (GEN unforgivable error), **error invencible** (PROC unavoidable error, unsurmoutable error, mistake not attributable to sb's fault or want of proper care ◊ *El error invencible sobre un hecho constitutivo de la infracción penal excluye la responsabilidad criminal*), **error judicial** (PROC judicial error, miscarriage of justice), **error, por** (GEN by mistake, mistakenly ◊ *En su defensa alegó que actuó por error*), **error sin perjuicio** (GEN harmless error, error in vacua), **error material** (GEN mistake; S. *resolver*[2]), **error perjudicial** (GEN harmful/damaging/prejudicial mistake/error)].

escala *n*: GEN scale, ranking; call; S. *balanza, baremo, grado, jerarquía.* [Exp: **escala móvil** (EMPLOY sliding scale), **escala salarial** (EMPLOY scale of wages, wage scale), **escalada** (GEN rise, escalation, upward trend; S. *aumento*), **escalada de violencia** (GEN escalation of violence ◊ *La población ha notado una escalada de violencia en los últimos meses*), **escalar**[1] (GEN scale, climb), **escalar**[2] (CRIM break in, break and enter, burgle; S. *forzar, robo con escalo, robo con fuerza en las cosas*), **escalo** (CRIM breaking and entering, housebreaking, burglary; S. *robo con escalo*)].

escalafón *n*: GEN/EMPLOY hierarchy, promotion ladder, packing order *col*, ranking by seniority; S. *jerarquía.*

escandalizar *v*: GEN scandalize, outrage, shock; S. *ultrajar, atropellar.* [Exp: **escándalo** (GEN scandal, outrage; S. *alboroto, agitación, pendencia, alarma, revuelo, convulsión*), **escándalo público** (CRIM disorderly conduct, breach of the peace; outraging public decency), **escandaloso** (GEN scandalous, flagrant; indecent, obscene; S. *indecente, tumultuoso*)].

escaño *n*: CONST seat in Parliament.

escapada *n*: GEN escape; jailbreak; S. *huida, fuga, evasión.* [Exp: **escapar** (GEN escape, flee, break out, run away, be on the run; S. *huir, fugarse*), **escaparse de la cárcel** (CRIM escape from prison, break [out of] jail), **escapatoria** (GEN loophole; S. *laguna jurídica, salida*), **escape**[1] (CRIM escape, flight; S. *huida, escapada*), **escape**[2] (GEN leak; S. *derrame*)].

escarmentar *v*: GEN teach a lesson, make an example of, deal severely with; learn one's lesson; S. *disuadir.* [Exp: **escarmiento** (GEN lesson; exemplary punishment, example, deterrence, deterrent; S. *disuasión*)].

escasez *n*: GEN shortage, scarcity; S. *carestía, falta.* [Exp: **escaso** (GEN bare, short, scarce; S. *insuficiente, deficiente*)].

esclarecer *v*: GEN clarify, elucidate, enlighten, shed light on ◊ *Tras arduas investigaciones no se ha llegado a esclarecer el móvil del delito*; S. *arrojar datos, aclarar, descifrar.* [Exp: **esclarecimiento** (GEN clearing up, clarification, explanation)].

escolta *n*: GEN escort, guard; S. *guardaespaldas, protección policial.* [Exp: **escolta policial, con** (PENAL under police escort or guard), **escoltar** (GEN escort, accompany, protect; S. *acompañar; proteger, amparar*)].

escombros *n*: GEN rubble, debris ◊ *Tras el desplome del techo varias personas quedaron sepultadas bajo los escombros*; S. *cascotes.*

esconder *v*: GEN hide, conceal; harbour; S. *cobijar, ocultar; cobertura.* [Exp: **esconderse** (GEN hide, hole up *col*; S. *ocultarse*), **escondite/escondrijo** (GEN hiding-place, hide-out)].

escopeta *n*: GEN shotgun; S. *arma de fuego, pistola.* [Exp: **escopeta de cañones recortados** (GEN sawn-off shotgun, sawed-off shot gun *US*), **escopeta de postas** (GEN shotgun, fowling-piece ◊ *La hirieron con varios disparos de escopeta de postas*)].

escorar *v*: BSNSS [ship] heel, list, lean to one side. [Exp: **escora** (BSNSS list [of a ship])].

escribano *n*: clerk; scrivener, scribe; notary public; now obsolete except in some parts of Latin America; S. *secretario, notario, oficial del juzgado, pasante.* [Exp: **escribiente** (GEN clerk, copying clerk, copyist)].

escrito *n*: GEN writing, text, document, writ, written statement/account; S. *oficio, poner por escrito.* [Exp: **escrito de acusación** (CRIM indictment, bill of indictment; S. *acta de acusación, procesamiento*), **escrito de ampliación** (PROC amended pleading/complaint/claim; S. *ampliación de la demanda*), **escrito de calificación provisional** (PROC submission of a report to the judge by the prosecution, requesting the presentation of evidence and provisional conclusions), **escrito de conclusiones definitivas** (PROC closing statement, final/closing argument, submissions, final pleadings, final brief; S. *escrito de conclusiones provisionales*), **escrito de conclusiones provisionales** (PROC/CRIM *approx* statement of case, preliminary submissions, pre-trial disclosure, prosecution case summary; defence statement; in Spanish practice these summaries, prepared and filed by both prosecution and defence prior to the trial, are detailed submissions of both fact and law akin to pleadings; another difference between Spanish and English practice is that, since the Spanish Criminal Code sets out the minimum and maximum punishment available for every offence, counsel for each side must include a reasoned submission of what, in their view, the outcome should be and what punishment, if any, should be inflicted on the accussed; this explains why newspaper reports of ongoing proceedings often carry headlines like *El fiscal pide sesenta años para el acusado del «crimen de Barcelona»*, which would be impossible in the Anglo-American systems; these preliminary conclusions can, of course, be modified in the course of the trial in view of the evidence actually led, testimony given by witnesses and counsel's view of how his case has been affected by such developments; the final submissions are presented orally at the end of the trial in the *escrito de conclusiones definitivas*), **escrito de conclusiones al jurado [dado por el juez]** (PROC judge's charge tot he jury, judge's summing yp; as the term implies, this is reduced to [schematic] writing and handed by the judge to each member of the jury, together with oral instructions as to how to proceed, jury summation *US*), **escrito de demanda** (GEN claim form, statement of claims ◊ *El demandado puede oponer resistencia a lo alegado en el escrito de demanda*), **escrito de demanda inicial** (GEN original [divorce] petition ◊ *El escrito de demanda inicial de separación legal puede ir acompañado de una propuesta de convenio regulador*), **escrito de oposición** (CIVIL notice of intention to defend), **escrito de pretensiones** (PROC defence, reply; statement of claim), **escrito de recurso** (PROC appeal application, application setting out grounds of appeal ◊ *En el escrito de recurso se expondrán las alegaciones sobre error en la apreciación de las pruebas*), **escrito de su puño y letra** (GEN in his/her own handwriting ◊ *Reconoció en una carta escrita de su puño y letra todas las actividades delictivas que se le imputaron*), **escrito de súplica** (PROC petition, application, motion), **escrito oficial de citación** (PROC writ of summons, subpoena; S. *auto de comparecencia*), **escrito u oficio de remisión** (PROC letter of transmittal), **escrito, por** (GEN in writing, written)].

escritura *n*: GEN document, deed, indenture; S. *otorgar una escritura; parte expositiva de una escritura*. [Exp: **escritura constitutiva** (BSNSS articles of association or incorporation), **escritura de arrendamiento o locación** (CIVIL lease), **escritura de cancelación** (CIVIL document cancelling a debt, deed of release), **escritura de cesión** (CIVIL assignment, deed of assignment), **escritura de compraventa** (CIVIL deed of sale), **escritura de constitución de hipoteca** (CIVIL mortgage deed, memorandum of association), **escritura de constitución de una sociedad mercantil** (CIVIL memorandum of association, deed of incorporation, corporation charter), **escritura de emisión de bonos** (NOT/CIVIL bond indenture), **escritura de enajenación** (CIVIL deed of conveyance), **escritura de fundación** (CIVIL incorporation papers, articles of association or incorporation), **escritura de garantía** (CIVIL guarantee, deed of covenant), **escritura de propiedad o de pleno dominio** (CIVIL title deed; S. *título traslativo de dominio*), **escritura de traspaso** (CIVIL deed of conveyance/assignment; S. *transferencia, escritura de cesión*), **escritura fiduciaria** (CIVIL trust instrument, trust deed), **escritura hipotecaria** (NOT/CIVIL mortgage deed), **escritura matriz** (CIVIL root of title), **escritura notarial** (CIVIL notarized deed or document), **escritura pública** (CIVIL public document/deed, registered deed, deed filed at the public registry ◊ *El testamento abierto se protocoliza como escritura pública ante notario*), **escritura social** (CIVIL deed of incorporation, partnership agreement), **escritura traslativa de dominio** (CIVIL deed of conveyance), **escriturado** (CIVIL under articles, under seal; S. *protocolizado*), **escriturar** (CIVIL execute by deed, formalize a deed, register; S. *otorgar ante notario*)].

escrutar *v*: GEN count, tally; scrutinize. [Exp: **escrutinio** (GEN counting [of votes]; scrutiny; S. *análisis*)].

escucha electrónica *n*: GEN electronic surveillance; wire-tapping, phone-tapping; listening device, bug *col*; S. *interceptación de mensajes telefónicos o telegráficos, pinchar un teléfono*.

escuela *n*: GEN school, training centre. [Exp: **escuela de práctica jurídica** (GEN legal training centre; law school)].

escueto *a*: GEN succint, concise brief, short ◊ *En una escueta resolución el juez comunicó su decisión a las partes*; S. *breve, conciso, sucinto, tajante*.

esencial *a*: GEN essential, fundamental, chief, principal, main, ultimate; S. *constitutivo, fundamental*.

esgrimir *v*: GEN wield, flourish. [Exp: **esgrimir argumentos** (GEN deploy/marshal arguments, advance/put forward arguments or submissions; S. *duelo*), **esgrimir un arma** (GEN brandish/wield/flourish a weapon, have a weapon in one's hand)].

esnifar *v*: GEN/CRIM sniff [glue], snort [coke] *col.*

espacio *n*: GEN space, place, room. [Exp: **espacio aéreo** (INTNL airspace; S. *aguas territoriales*)].

espantoso *a*: GEN gruesome, ghastly; S. *horrendo, repulsivo, macabro.*

especial *a*: GEN special, unusual; peculiar; particular; S. *singular, excepcional, específico, extraordinario.* [Exp: **especialidad** (GEN speciality, specialty, specialism; particular field, expertise; peculiarity, special feature), **especialista** (GEN specialist, expert; market maker)].

especie *n*: GEN species; type, sort, kind; rumour, remark; S. *salario en especie; especioso.* [Exp: **especie, en** (GEN/TAX in kind; non-monetary, non-pecuniary; S. *salario en especie*), **especie en peligro de extinción** (GEN endangered species), **especie protegida** (GEN protected species)].

especificaciones *n*: GEN specifications, specs; S. *pliego de condiciones.* [Exp: **especificar** (GEN specify, schedule, stipulate; S. *precisar, mencionar*), **específico** (GEN specific, special; S. *especial, singular, concreto*)].

especioso *n*: GEN specious, colourable, plausible; S. *engañoso, espurio.*

especulación *n*: GEN speculation. [Exp: **especulador** (GEN speculator; speculative, speculating), **especular** (GEN speculate; S. *comerciar*), **especulativo** (GEN speculative, with a profit motive; profit.making; S. *non-profit*)].

espera *n*: GEN wait. [Exp: **espera de juicio, a la** (GEN pending trial; S. *libertad provisional*), **esperanza** (GEN hope, expectation; expectancy), **esperanza de que, con la** (GEN in anticipation of, in the hope that; S. *previendo, en previsión de, adelantándose a, confiando en que*), **esperanza de vida al nacer** (CIVIL life expectancy)].

espía *n*: GEN spy. [Exp: **espiar** (GEN spy), **espionaje** (GEN espionage)].

esponsales *n*: FAM betrothal, formal engagement; S. *noviazgo, matrimonio.*

esposa *n*: FAM wife, spouse. [Exp: **esposa abandonada** (FAM deserted wife), **esposas** (CRIM handcuffs, manacles), **esposo** (FAM husband, spouse), **esposos** (FAM spouses, husband and wife, married couple; S. *cónyuge, matrimonio*)].

espúreo *a*: GEN erroneous form of *espurio*; unfortunately very common even in the writings of jurists. [Exp: **espurio** (GEN spurious, bogus, counterfeit; S. *imitado, falso*)].

esquirol *col n*: EMPLOY. blackleg *col*, scab *col*, strike-breaker; S. *huelguista.*

esquivar *v*: avoid, evade; dodge, elude, get round, side-step; S. *eludir, evadir, evitar.*

estabilidad *n*: GEN stability. [Exp: **estabilidad en el empleo** (EMPLOY job security), **estable** (GEN stable, balanced, steady; settled)].

establecer *v*: GEN establish, provide, dispose, state, prescribe, set up, found; direct, order, lay down, determine, show, demonstrate ◊ *La ley establece que nadie puede tomarse la justicia por su cuenta*; S. *disponer, prescribir, mandar, fijar.* [Exp: **establecer impuestos** (TAX impose taxes; S. *fijar*), **establecer la veracidad** (GEN establoish/prove the truth), **establecerse** (GEN establish oneself, settle, become established, set [oneself] up; S. *afincarse, radicarse*), **establecimiento** (GEN establishment, institution, premises; laying down, determinatation; proof; S. *local, institución*), **establecimiento penitenciario** (CRIM penitentiary, penal institution, prison)].

estacionamiento *v*: GEN parking; S. *aparcamiento.* [Exp: **estacionamiento en doble fila** (GEN/ADMIN double-parking), **estacionar** (GEN position, place, station, settle, set up; park), **estacionar piquetes**

de huelguistas (EMPLOY position pickets)].

estadía *n*: BSNSS laytime, lay days; S. *sobreestadía*.

estadio *n*: GEN stadium, stage, phase; S. *fase, etapa*.

estado *n*: CONST state; statement; status; account; condition; government; the state as an institution; the Crown; the People; in recent usage a distinct preference is given to the spelling to this word with a capital «€» when it means «state» as a sovereign political entity, but many good grammarians regard this usage as dubious or actually mistaken; the fact is that there is a great deal of confusion and inconsistency on the use capital or small letters in contemporary written Spanish, and so it would seem that individual users are entitled to make up their own minds about what is appropriate in a given case; S. *abogado del Estado*. [Exp: **estado actual, en su** (GEN in its present form or condition), **estado civil** (CIVIL marital/civil status), **estado de ánimo** (GEN state of mind), **estado de contabilidad** (BSNSS balance sheet), **estado de derecho** (CONST rule of law; spelling varies enormously as to the use of capital or small letters in both nouns in this phrase; the suggested translation is merely approximate, since it is by no means clear whether the word *estado* in this recent coinage –now enshrined in the Spanish Constitution of 1978– is to be understood as «state» as in «condition, situation» or as in «nation, sovereign political entity»; in the opinion of the authors of this dictionary, the logic of taking it in the sense of «nation» is less than compelling, since this would lead to the invidious suggestion that there are sovereign states which do not possess or do not respect any law; however, the description of Spain in art. 1 of the Constitution as *un Estado de Derecho* suggests a leaning to the apposite view; perhaps this notoriously ambiguous phrase is to be taken as combining both senses and should be understood to mean that Spain «is a state that recognises the rule of law»; S. *estado social y democrático, imperio de la ley*), **estado de emergencia** (GEN state of emergency), **estado de necesidad** (CRIM necessity; emergency; duress, coercion ◊ *El estado de necesidad es una eximente*; S. *causa de inimputabilidad criminal, legítima defensa*), **estado de ruina** (CIVIL/ADMIN/GEN dilapidated condition), **estado financiero** (BSNSS balance sheet, financial statement; S. *balance de situación, hoja de balance*), **estado miembro** (GEN/INTNL member state ◊ *Los estados miembros de la Unión Europea*), **estado pantalla** (INTNL buffer state), **estado policial** (CONST police state), **estado social y democrático** (CONST social and democratic state; the translation is literal and possibly unsatisfactory; the expression is found in art. 1 of the Spanish Constitution of 1978, where Spain is described as *un Estado social y democrático de Derecho*; for the ambiguity of *Estado* and *Derecho* see comments on *estado de derecho*; the difficulty for the translator –and perhaps for the constitutional lawyer– is compounded by the extreme vagueness of the word *social*; it is difficult to see what can be meant by describing a state as «social», since any society must be that to deserve the name, as a «law» must be «legal» or a «politician» «political»; some lawyers consulted by the authors suggest that the implications of the word *social* include the notion that the state is to be regarded as making itself responsible for the health and welfare of its citizens by establishing public services to provide health care, education, security, supervision of the elderly and the destitute, together with freedom of the press, a system of parliamentary representation, democratic elections, etc.; it is questionable whether this is adequately conveyed by the word *social* in either Spanish or English, but translators dare go no further than the literal rendering), **Estados Unidos de América, EE.UU.** (INTNL United States of America, USA), **estatal** (ADMIN state-owned)].

estafa *n*: CRIM [charge of] fraud, dishonesty, embezzlement; swindle *col*, cheating; rip-off *col*; S. *fraude, malversación, defraudación, distracción de fondos, desfalco; alevosía*. [Exp: **estafador** (CRIM fraudster, embezzler, cheat, swindler, impostor, rogue; con man *col, sharper* col, trickster *col*, rip-off merchant/artist *col*; S. *timador*), **estafar** (CRIM defraud, cheat, embezzle, rob, steal, swindle, trick; con *col*, rook *col*, rip off *col*; gouge *col*; S. *engañar, timar, defraudar*)].

estallar *v*: GEN explode, blow up, go off; erupt; burst; break out; S. *explotar, detonar*. [Exp: **estallido** (GEN outbreak, blast; bursting, shattering; S. *explosión, detonación, onda expansiva*)].

estatuir *v*: CONST lay down, provide, establish, regulate, enact; S. *adoptar una medida, promulgar, sancionar*.

estatuto *n*: CONST/BSNSS regulation-s, [set of] rules; articles of association; statutory provisions of one of Spain's autonomous regional Parliaments; by-law; *approx* enactment; the Spanish term is not as wide as the English term «statute», which is closer to *legislación* or *ley*; the word is also sometimes misused to mean «status», which is more correctly *condición, situación* or, in common usage *estatus*; S. *normativa, reglamento, statu quo*. [Exp: **estatuto municipal** (ADMIN municipal bye-law or ordinance; S. *ordenanza municipal*), **estatutos de una sociedad mercantil** (BSNSS articles of association, memorandum of association, articles of incorporation *US*; articles of partnership, partnership articles)].

estiba *n*: BSNSS stowage; S. *arrumaje*. [Exp: **estibador** (BSNSS docker, stevedore, longshoreman *US*), **estibar** (BSNSS stow; S. *arrumar*)].

estima[1] *n*: GEN respect. [Exp: **estima**[2] (BSNSS dead reckoning; S. *navegación de estima*), **estimación** (GEN appraisal, ascertainment, estimate, estimation, appreciation, reckoning; S. *tasación, valoración, ponderación, cálculo*), **estimación de la base impositiva** (TAX tax assessment), **estimación objetiva** (objective evaluation), **estimar** (GEN respect, hold in high esteem, have a good opinion of; value; deem, consider, hold; estimate, evaluate, reckon, ascertain; calculate; figure, expect; S. *computar, valuar, determinar*), **estimar probado** (PROC find, hold, hold to be proved/proven), **estimar un recurso** (PROC allow/uphold an appeal, find for the appellant ◊ *El recurso ha sido estimado por el tribunal superior*)].

estipendio *n*: GEN fee, stipend; salary; S. *derechos, honorarios*.

estipulación *n*: GEN stipulation, agreement, clause, proviso, requirement; S. *término, cláusula*. [Exp: **estipular** (GEN provide, agree, stipulate, state, set down; S. *disponer, fijar, determinar*)].

estirpe *n*: FAM line, ancestry, genealogy; S. *linaje, genealogía, parentesco, afinidad, consanguinidad, agnación, cognación*.

estrado *n*: GEN stand, platform, bar, dais; bench; S. *foro*. [Exp: **estrado de testigos** (PROC witness box/stand), **estrado del jurado** (PROC jury box; S. *banquillo de los acusados*), **estrados** (PROC law court, court of law, law court-s; courthouse, building in which a court is housed or sits; [by extension] that part of the courthouse in which notice-boards are situated for the publication of warned lists, cause lists and decisions, orders and other notifications addressed to parties whose address for service is unknown ◊ *Se publicó el edicto en estrados*; S. *citar para estrados*)].

estragos *n*: CRIM havoc, ruin, destruction; S. *carnicería, matanza; causar estragos.*

estrangulación/estrangulamiento *n*: CRIM strangling. [Exp: **estrangulador** (CRIM strangler; S. *asesino, envenenamiento*), **estrangular** (GEN strangle; S. *degollar, acuchillar, acribillar*)].

estratagema *n*: GEN stratagem, tactic; trick, frame-up, ploy, blind ◊ *El abogado tuvo que recurrir a todo tipo de estratagemas y engaños para librar a su cliente de la cárcel*; S. *ardid, engaño, estratagema, trampa, treta.*

estratega *n*: GEN strategist. [Exp: **estrategia** (GEN strategy)].

estrechar *v*: GEN narrow, tighten, squeeze. [Exp: **estrecha vigilancia** (GEN close surveillance), **estrecho** (GEN narrow, close, tight; S. *restrictivo, restringido, minucioso*), **estrechez** (GEN narrowness, shortage, want, straitened circumstances; rigidity)].

estudiar *v*: GEN study, survey, analyse, review, consider, examine, enquire; S. *examinar.* [Exp: **estudio** (GEN study; enquiry/inquiry, examination, review, considerationanalysis; S. *examen, indagación, investigación*), **estudio, en** (GEN under review, under consideration)].

estupefacientes *n*: CRIM controlled drugs, narcotics; S. *drogas, narcóticos, éxtasis.*

estupro *n*: CRIM rape of a minor; full sexual intercourse with a minor who does not consent, compounded by deceiption or misuse of authority; S. *violación.*

etapa *n*: GEN stage, phase; S. *estadio, fase, lapso, período.*

ética *n*: GEN ethics; S. *código de ética profesional, deontología.*

etílico *a*: GEN ethylic; S. *conducción bajo efectos etílicos; embriaguez.*

etnia *n*: GEN ethnic group, race; S. *raza.*

euro[1] *a*: Euro-. [Exp: **euro**[2] (EURO euro; official currency of the European Union; S. *acuñación*), **euroorden** (CRIM Euro-order; European Union arrest warrant), **europeo** (GEN European)].

eutanasia *n*: GEN euthanasia, mercy killing.

evacuación *n*: GEN evacuation; waste, exhaust; waste disposal. [Exp: **evacuar**[1] (GEN evacuate, vacate, empty ◊ *Evacuaron a toda la población por temor al desbordamiento del río*; S. *desalojar*), **evacuar**[2] (ADMIN carry out, fulfil, perform, conduct ◊ *El demandado dejó pasar el plazo de diez días sin evacuar el traslado del escrito de contestación*; S. *cumplimentar, tramitar*), **evacuar pruebas** (PROC adduce evidence, furnish proof; S. *aducir pruebas*), **evacuar un informe** (GEN issue a statement, prepare/deliver a report), **evacuar consultas** (ADMIN hold consultations, deliberate, discuss formally)].

evadir *v*: GEN evade, avoid, get round; sidestep *col*, shirk *col*, dodge *col*; S. *evasión.* [Exp: **evadir la justicia** (CRIM abscond, evade justice, evade the jurisdiction of a court), **evadirse** (GEN esape, flee, abscond; S. *escapar*)].

evaluable *a*: GEN assessable, appraisable, ascertainable; S. *tasable.* [Exp: **evaluación** (GEN assessment, evaluation, valuation), **evaluación de la prueba** (PROC assessment/sifting/weighing up of evidence, approach to the evidence; S. *valoración de la prueba, en conciencia*), **evaluador** (GEN assessor, valuer; S. *tasador, amillarador*), **evaluar** (GEN assess, appraise, evaluate, value, rate, ascertain the value of; S. *calificar, baremar, tasar*)].

evasión *n*: GEN escape, break-out, breakaway, getaway; S. *evadir; escape, huida.* [Exp: **evasión de capitales/divisas** (BSNSS flight of capital), **evasión fiscal** (TAX tax evasion, tax dodging; S. *elusión*)].

eventual *a/n*: GEN hypothetical, possible, contingent; casual/temporary/seasonal [workers]; S. *interino, temporero, trabajador fijo discontinuo*. [Exp: **eventualidad** (GEN eventuality, contingency; S. *emergencia*)].

evidencia *n*: GEN/PROC obviousness; incontrovertible or self-evident fact; a rather tricky term, since the English sense of «evidence» –i.e. that which tends to show, suggest or prove– has gradually begun to colour Spanish usage over the past few decades, especially in scientific discourse, and even in certain cases to displace the historical meaning of the word; classic usage may be illustrated by the set phrase *rendirse ante la evidencia* –bow to the obvious– or, in the completely different sense of «ridicule, embarrassment», by phrases like *poner/dejar a alguien en evidencia* –leave sb looking a fool, give sb a red face–; however, years of mistranslation of English originals in both scientific and popular legal contexts such as detective fiction, films involving courtroom dramas, etc., have undoubtedly had their effect on many Spanish-speakers' perception of the term, as has happened with other words like *caso* –«case»– and *arrestar* –«arrest»–; all one can safely say is that none of these words tends to be used in the English sense as a term of art by legally qualified experts when they are consciously speaking or writing as professional practitioners; in such cases the correct terms for «evidence» are *pruebas, indicios, pruebas indiciarias, testimonio*, etc. ◊ *El acusado se negó a reconocer la evidencia del vídeo en el que se veía claramente cómo robaba el dinero, pero el jurado lo condenó*; S. *arrestar, caso, certeza, convicción, seguridad.* [Exp: **evidenciar** (GEN/PROC prove, show, bear witness to ◊ *La carta evidenció la verdadera intención del testador*; S. *poner de manifiesto, poner en evidencia, demostrar, patentizar*), **evidente** (GEN evident, obvious, patent, clear, plain [for all to see], apparent; S. *patente, manifiesto, claro, aparente*)].

evitar *v*: GEN avoid, get round, avert, prevent; save, spare; S. *eludir, evadir*

ex *a* : GEN ex-; this Latin preposition is used as an adjective meaning «former» as in English; it also coccurs, again as in Englihs, as a prefix meaning «from, out of, away», etc.; when it is used as prefix, it forms part of a single word, without hyphen, e.g. *exacción* –exaction, collection–; when it is used as an adjective, it must be separated from the following noun, as in *ex presidente* –former chairman–; translators must expect to find constant misuses in the latter case, which is not confined to journalism and other popular writing, with the *ex* sometimes being run together with the following noun, by confusion with the prefix, and sometimes being linked to it by means of a hyphen, probably in unconscious and unhistorical imitation of English usage. [Exp: **ex delito** (CRIM ex delicto, in tort; S. *por delito*), **ex penado** (CRIM ex-convict; ex-con *col*, old lag *col*)].

exabrupto *n*: GEN rude/offensive/angry retort, ill-tempered reply, ill-judged/unfortunate/abusive remark; S. *invectiva, injuria, insulto; contestar con un exabrupto*.

exacción *n*: TAX levying, exaction, collection ◊ *En caso de impago, se procederá a la exacción de los derechos por la vía de apremio*; S. *exigir; cobro, canon, gravamen.*

exaltación *n*: GEN extolling, glorification, [high] praise ◊ *La exaltación de la xenofobia o del terrorismo son delitos*; S. *apología*. [Exp: **exaltar** (GEN extol, glorify, sing the praises of, crack up)].

examen *n*: GEN examination, review, study, analysis, inspection, inquiry; S. *análisis,* *estudio*. [Exp: **examinar** (GEN examine, survey, explore, audit; S. *inspeccionar*)].

excarcelación *n*: CRIM release [from prison]; S. *puesta en libertad, liberación, cárcel*. [Exp: **excarcelar** (CRIM release, set free, free from prison ◊ *Los jueces excarcelaron al procesado debido a su mala salud*; S. *poner en libertad*)].

excedencia *n*: EMPLOY extended leave of absence [granted to a civil servant]. [Exp: **excedente** (GEN excess, surplus, surplus to requirement; on extended leave of absence), **exceder** (GEN exceed, be in excess/above/over/greater than, overrun; S. *superar, sobrepasar*), **excederse en el uso de sus atribuciones** (PROC exceed one's power/duty, go too far, go beyond one's brief, act ultra vires; S. *extralimitarse, sobrepasar sus atribuciones, propasarse; abuso de poder, desvío de poder*)].

excepción[1] *n*: GEN exception anomaly ◊ *Cualquier norma jurídica tiene sus excepciones*; S. *anomalía; ley de excepción; entrar en el fondo de la cuestión, cuestión de previo pronunciamiento, cuestión prejudicial, incidente procesal*. [Exp: **excepción**[2] (PROC defence [not on the merits], preliminary issue of law, incidental plea of law, plea in bar of trial, plea-in-law *Scots*, objection to the relevancy *Scots*, peremptory/dilatory challenge or exception *obs*, demurrer; this refers to some preliminary issue of law *–incidente procesal–* raised by the defence and which has to be dealt with before trial of the main action can proceed; there are two main classes of *excepción*, viz. *excepción dilatoria* and *excepción perentoria*; there is no precise equivalent in modern English law, though the terms «peremptory challenge/exception/plea» were formerly used as literal translations of the original Latin, and Scots law has retained the phrases, using respectively «dilatory plea» and «peremptory plea»; the first type delays –hence «dilatory»– or postpones consideration of the main issue until the question of law has been decided; the second, if decided in favour of the defendant, is fatal to the claimant's action, since it effectively bars it and prevents consideration of the merits of the case *–fondo de la cuestión–*, so that the case is stayed or dismissed; in the latter case the term *perentoria* does not have its usual sense of «peremptory, dogmatic» but retains the Latin sense of «deadly, mortal, fatal, destructive, final, putting an end to» derived from the verb *perimere*; there are many circumstances that give rise to these pleas, e.g. that the action is out of time or statute-barred *–prescripción–*, that there is no cause or right of action *–falta de legitimación–*, that the same issue has already been adjudicated on *–cosa juzgada, res judicata–*, that there is some fundamental error concerning the identy of claimant or defendant, that a party has been improperly joined or has not been joined, and so on; S. *caducidad, impugnación, incidente procesal, oposición, prescripción*), **excepción de arraigo en juicio** (PROC security for [the defendant´s] costs; motion for the plaintiff to make a payment into court if he has no property or is not a resident in the jurisdiction; S. *arraigo en juicio*), **excepción de compromiso previo** (PROC exception of compact, defence of previous accord or settlement), **excepción de cosa juzgada** (PROC defence of *res judicata*; S. *cosa juzgada*), **excepción de derecho** (PROC demurrer), **excepción de falta de base legal suficiente** (PROC plea/defence/challenge of no cause of action), **excepción de demanda insuficiente** (PROC plea of insufficiency of complaint), **excepción de incapacidad de la parte o de falta de personalidad** (PROC plea of lack of capacity), **excepción de incompetencia** (PROC challenge to the jurisdiction), **excepción de nulidad o perentoria** (PROC peremptory plea, defence of no cause/right of action; S. *artículos de previo pronunciamiento*), **excepción de obscuridad** (PROC defence based on the vagueness of the pleadings, **excepción declinatoria** (PROC plea or challenge to the jurisdiction, declinatory plea), **excepción dilatoria** (PROC bar to proceedings, dilatory defence, dilatory exception, dilatory plea ◊ *Las cuestiones relacionadas con la identidad de los litigantes dan pie a la interposición de excepción dilatoria*; S. *capacidad*), **excepción especial** (PROC *approx* confession and avoidance, special demurrer; S. *defensa de descargo*), **excepción general** (PROC plea-in-bar), **excepción perentoria** (PROC peremptory defence/plea/challenge, plea-in-bar; S. *base legal suficiente*), **excepción personal** (PROC personal defence, *exceptio in personam*), **excepción previa** (PROC pre-trial issue [raised by the defences], dilatory plea; S. *incidentes de previo pronunciamiento*), **excepción real** (PROC exceptio in rem), **excepcionable** (PROC demurrable, to which exception may be taken), **excepcional** (GEN extraordinary, exceptional, special; S. *a título excepcional, extraordinario*), **excepcionar** (PROC demur, bring a plea-in-bar, raises a prior issue, enter a special plea or defence; S. *objetar; traba, reparo*)].

excepto *prep*: GEN except, save, barring, but for; S. *salvo*. [Exp: **excepto en donde se disponga lo contrario** (PROC except as otherwise provided; S. *salvo que se disponga expresamente lo contrario*), **exceptuar** (GEN exept; exempt; S. *eximir, franquear, dispensar*)].

excesivo *a*: GEN excessive, extortionate, unconscionable, undue; S. *inmoderado, gravoso*. [Exp: **exceso** (GEN excess, surplus, glut; S. *excedente*), **exceso de celo** (GEN overzealouness, overenthusiam, finickiness *col*, overfussiness, overfastidiousness; S. *celoso cumplidor de su deber*), **exceso de contratación** (GEN overbooking), **exceso de población** (GEN overpopulation), **exceso de seguro** (INSUR overinsurance), **exceso de siniestralidad** (INSUR excess loss), **exceso de velocidad en carretera** (ADMIN/CRIM speeding)].

excitación *n*: GEN incitement, provocation; S. *inducción, provocación, instigación*. [Exp: **excitación a la rebelión** (CRIM incitement to rebellion), **excitar** (GEN incite, provoke, instigate; S. *incitar, inducir*)].

excluido *a/n*: GEN excluding, barring; S. *con exclusión de, salvo, excepto, sin contar, descontado*. [Exp: **excluir** (GEN exclude, preclude, rule out, sever; except, exempt; S. *suprimir, descartar, marginar, desechar*. [Exp: **excluir a alguien del testamento** (SUC exclude somebody from/cut somebody out of a will, disinherit somebody; S. *desheredar*), **excluir del ejercicio de la abogacía** (PROC disbar; S. *expulsar del colegio de abogados*), **exclusión** (GEN exclusion, prohibition, estoppel; S. *actos propios*), **exclusión de, con** (GEN excluding, exclusive of; S. *sin contar con, descontado*), **exclusiva** (BSNSS/GEN exclusive rights, sole rights, monopoly; scoop, exclusive), **exclusivo** (GEN sole, exclusive; S. *único*), **excluyente** (GEN exclusive)].

exculpación *n*: GEN/CRIM exoneration, acquittal; verdict of not guilty; S. *fallo absolutorio*. [Exp: **exculpar** (GEN/CRIM exculpate, excuse, free from blame/fault, acquit, discharge, exonerate ◊ *Los cómplices han exculpado el uso de la violencia*; S. *exonerar, absolver, eximir, justificar*), **exculpatorio** (GEN/CRIM exculpatory; S. *eximente*)].

excusa *n*: GEN excuse, apology, exception, immunity from prosecution; S. *disculpa, alegato, razón, justificación*. [Exp: **excusa absolutoria** (CRIM special immunity from prosecution), **excusa para conocer** (PROC disqualification to hear a case), **excusable** (GEN excusable), **excusar** (GEN excuse, pardon, forgive, justify; ignore, overlook, justify; exempt, let off)].

excusión *n*: CIVIL/PROC excussion, seizure/attachment of a debtor's goods; specifically used of the right of a surety or guarantor *–fiador, avalista–* to direct the creditor first to seize the principal debtor's assets before enforcing the security; S. *beneficio de excusión, embargo de bienes*.

exención *n*: GEN exemption, privilege, immunity, franchise, dispensation; S. *exoneración, dispensa; eximir*. [Exp: **exención arancelaria** (ADMIN exemption from customs duties), **exención contributiva/fiscal/tributaria** (TAX tax exemption, tax concession; S. *exoneración de impuestos*), **exención por personas a su cargo** (TAX exemption for dependants), **exento** (GEN exempt), **exento de** (GEN free of/from; S. *franco de*), **exento de derechos** (ADMIN duty-free), **exento de impuestos** (TAX tax-exempt, tax-free, non-taxable; S. *no gravable, libre de contribución*)].

exequátur *n*: PROC exequatur; S. *juicio de exequátur*.

exhaustivo *a*: GEN exhaustive, thorough, long-drawn-out.

exhibición *n*: GEN/CIVIL exhibition, disclosure, discovery, production, display; S. *revelación, divulgación, manifestación, ostentación; probatoria*. [Exp: **exhibición de documentos** (GEN production or disclosure of documents), **exhibición impúdica** (CRIM indecent exposure, exposure of the person, flashing *col*), **exhibicionismo [sexual]** (CRIM indecent exposure, public lewdness, public sexual indecency), **exhibicionista** (CRIM exhibitionist, flasher *slang*), **exhibir** (GEN/PROC exhibit, display, show, discover, disclose, produce ◊ *Los litigantes tienen la obligación de exhibir a la parte contraria copias de las pruebas que van a aportar en el juicio*; S. *dar traslado a*), **exhibir un documento** (GEN produce a document; S. *mostrar, ostentar*)].

exhortar *v*: GEN/PROC exhort, urge; request, issue a letter of request, issue letters rogatory; S. *pedir, solicitar, suplicar, rogar, demandar, instar*. [Exp: **exhorto** (PROC letter of request, rogatory letters, letters rogatory; formal application or request for cooperation made by one judge to another judge or court of equivalent status, national or foreign; S. *comunicaciones procesales*)].

exhumación *n*: GEN exhumation, disinterment. [Exp: **exhumar** (GEN exhume, disinter)].

exigencia *n*: GEN demand, need, requirement, exigency; S. *petición, requerimiento*. [Exp: **exigible** (GEN claimable, leviable, callable, demandable; due, accrued; S. *retirable, redimible, amortizable, vencido, debido; reclamable*), **exigible en cualquier momento** (BSNSS at call; S. *reclamable*), **exigir** (GEN/PROC demand, call for, enforce, exact, require, seek ◊ *En las sentencias se fijan los requisitos necesarios para poder exigir el pago*; S. *pedir, solicitar, suplicar, rogar, exhortar, demandar, instar, imponer, forzar el cumplimiento*; *exacción*), **exigir garantía** (GEN require a guarantee, demand security), **exigir responsabilidades** (GEN demand an explanation, call for action to be taken, hold accountable), **exigir sin derecho** (CRIM claim without warrant/foundation, have no basis for one's demands, attempt to extort; S. *extorsionar*)].

exiliarse *v*: GEN go into exile; S. *expatriarse, deportar*. [Exp: **exilio** (GEN exile, banishment; S. *destierro, deportación*)].

eximente *n/a*: defence, plea; exculpatory/exonerating circumstances; reason for exemption, grounds for acquittal; exculpatory, justificator ◊ *La legítima defensa es una eximente*; S. *circunstancias exi-*

mentes, causas de inimputabilidad criminal, estado de necesidad, minoría de edad, demencia, miedo insuperable. [Exp: **eximente completa** (PROC complete defence), **eximente de conflicto de deberes** (CRIM defence of conflicting duties, obligations, etc.), **eximente de [estado de] necesidad** (CRIM defence of necessity or duress of circumstances; unlike English and American law, Spanish law specifically recognises that necessity, in appropriate circumstances, affords a complete defence to a charge of homicide; S. *legítima defensa*), **eximente especial** (CRIM special defence), **eximente parcial o incompleta** (PROC partial defence, mitigating circumstance; S. *atenuante*), **eximentes generales** (CRIM general defences), **eximir** (GEN/CRIM exempt, absolve, excuse, justify, release, acquit, remit ◊ *Las circunstancias eximentes eximen total o parcialmente al acusado de su responsabilidad criminal*; S. *dispensar, liberar, excusar, exonerar*), **eximir de alguna obligación** (GEN discharge from a duty/obligation), **eximir de impuestos** (TAX exempt from taxes/duties), **eximir de responsabilidad** (GEN release/exonerate from responsibility)].

existencias *n*: BSNSS stock, stock on hand. [Exp: **existencias, sin** (BSNSS out of stock; S. *agotado*)].

exoneración *n*: GEN/CRIM exoneration, exculpation, release, discharge, exemption, remission, acquittal; S. *exención, absolución, remisión, condonación.* [Exp: **exoneración de impuestos** (TAX tax exemption; S. *exención tributaria*), **exonerar** (GEN/CRIM exonerate, discharge, acquit, absolve, remit, free ◊ *Las pruebas presentadas por la defensa no bastaron para exonerar a su cliente*; S. *dispensar, eximir, absolver, exculpar*), **exonerar de responsabilidad** (CIVIL release from responsibility)].

expatriación *n*: GEN expatriation; S. *exilio.* [Exp: **expatriarse** (GEN go into exile, leave one's country; S. *deportar, exilar*)].

expectante *a*: GEN expectant, in expectation; hopeful; S. *en suspensión.* [Exp: **expectativa** (GEN expectancy, expectation), **expectativa, en** (GEN in expectation or anticipation, in prospect)].

expedición *n*: BSNSS shipping, shipment, remittance, delivery, consignment; issue; S. *consignación, envío.* [Exp: **expedidor** (BSNSS consignor, forwarding agency/agent), **expedir**[1] (GEN issue, make out, provide, deliver [documents, certificates, etc.] ◊ *El certificado de buena conducta lo expiden en el Ayuntamiento*; S. *librar, emitir, transmitir*), **expedir**[2] (BSNSS ship, dispatch, send, forward; S. *enviar, remitir, despachar*)].

expedientar *v*: GEN/ADMIN/EMPLOY take disciplinary action against, bring disciplinary proceedings against, bring to book ◊ *Han sido expedientados los empleados que hicieron huelga de celo*; S. *expediente, abrir un expediente.* [Exp: **expediente**[1] (GEN/ADMIN file, dossier, record, transcript; trial brief, docket, roll ◊ *El secretario fue uniendo los documentos al expediente*; S. *acta, autos; archivar*), **expediente**[2] (GEN/ADMIN/PROC enquiry, investigation, disciplinary proceedings/measures/hearing/action examination), **expediente administrativo** (ADMIN administrative enquiry), **expediente de adopción** (FAM adoption proceedings), **expediente de apremio** (ADMIN proceeding for collection), **expediente de despido** (EMPLOY notice of discharge), **expediente de liberación de cargas** (CIVIL action to remove lien, charge, encumbrance or cloud on title), **expediente de modificación presupuestaria** (ADMIN *approx* ad hoc budget adjustment), **expediente de regulación de empleo** (BSNSS/ADMIN redundancy scheme/agreement, labour force reduction scheme; this is a detailed plan of action which must, under Spanish employment law, be negotiated with the representatives of the work-force of a company intending to lay off some of its employees in times of economic difficulties or as a result of a management decision to streamline the business; S. *excedente de plantilla, desempleo*), **expediente disciplinario** (ADMIN disciplinary measures/hearing/action ◊ *Se le ha abierto un expediente disciplinario por falta muy grave*; S. *régimen disciplinario, corrección disciplinaria; despido, falta*), **expediente judicial** (PROC record/dossier [of a case]), **expediente profesional** (GEN track record, professional record; S. *expediente académico*), **expediente sancionador** (CRIM/ADMIN disciplinary measures/proceedings)].

expensas *n*: PROC costs; S. *litis expensas.*

experimentar *v*: GEN experience; undergo, endure, sustain; suffer; S. *ser objeto de, sufrir, padecer*. [Exp: **experimentar una pérdida/daño** (BSNSS sustain a loss/a wrong/damage/injury)].

experto *n*: GEN expert; S. *perito, entendido, técnico*. [Exp: **experto contable** (BSNSS auditor, chartered accountant; S. *censor jurado de cuentas*), **experto en dactiloscopia** (PROC fingerprint expert), **experto en desactivación de explosivos** (GEN bomb disposal expert; S. *artificiero*), **experto tributario** (TAX tax expert)].

expiación *n*: GEN atonement; S. *pena*. [Exp: **expiar un delito** (GEN atone for crime)].

expiración *n*: GEN expiration, conclusion, termination, determination; S. *conclusión, finalización*. [Exp: **expiración de un plazo** (PROC term; closing date; S. *vencimiento*), **expiración de un tratado** (termination of a treaty), **expirar** (GEN/ADMIN expire, come to and end; pass away, die; cease, decease; S. *caducar, plazo, prescribir* ◊ *El plazo de presentación de solicitudes expira a las 24 horas del día 1 de marzo*; S. *caducar, finalizar, terminar*)]

explícito *a*: GEN explicit, express; S. *manifiesto, expreso, preciso; tácito, implícito.*

exploración *n*: GEN exploration; examination, probe; S. *interrogatorio, examen, registro, indagación, reconocimiento*. [Exp: **explorar** (GEN explore, probe; S. *estudiar, examinar, sondear*)].

explosión *n*: GEN explosion; S. *detonación, estallido; explotar*. [Exp: **explosión, hacer** (GEN go off, explode), **explosivo** (GEN explosive; S. *munición, explosivo, arma*)].

explotación *n*: GEN exploitation, use; running, working, operation. [Exp: **explotación abusiva** (CRIM abuse; S. *prácticas abusivas, corruptela, abuso de posición dominante*), **explotar**[1] (GEN exploit, run, operate, work; S. *utilizar*), **explotar**[2] (GEN explode, blow up; S. *explosionar*)].

expoliación/expolio *n*: CRIM looting, spoliation; pillage, plunder; S. *pillaje, depredación, expoliación, rapiña, robo*. [Exp: **expoliar** (CRIM loot, pillage, plunder, despoil, ransack; S. *depredar*)].

exponer *v*: GEN put forward, exhibit, show, display, discover, declare, set out, propound, expound ◊ *En el escrito de recurso se expondrán las alegaciones sobre error en la apreciación de las pruebas*; S. *exposición, expuesto, presentar, plantear, sugerir*. [Exp: **exponer argumentos** (GEN put forward reasons/argument ◊ *Los argumentos que expuso no convencieron a nadie*), **exponer una pretensión, una queja, una demanda, una petición, una protesta** (PROC make a claim, a complaint, a demand, a petition, a protest), **exponerse a** (GEN be exposed to, be liable to, lay oneself open to ◊ *Los padres descuidados se exponen a ser multados por las conductas de sus hijos*; S. *susceptible*)].

exportación *n*: BSNSS export; exportation. [Exp: **exportar** (BSNSS export)].

exposición *n*: GEN exposition, declaration, statement; S. *explicación, declaración; exponer*. [Exp: **exposición de motivos de una ley o documento** (CONST preamble/preface/foreword to an Act or document), **exposición, en** (GEN on display)].

expresar *v*: GEN express, put in words; word; state expressly; S. *manifestar*. [Exp: **expresión difamatoria** (CRIM defamatory statement), **expresión** (GEN expression; phrase, term, form of words, wording), **expreso** (GEN express, specific, distinct, definite, explicit, outright, plain; in so many words; S. *preciso, explícito; táctico implícito*)].

expropiación *n*: ADMIN expropriation, compulsory purchase; S. *confiscación, enajenación, decomiso requisa*. [Exp: **expropiación forzosa** (ADMIN compulsory purchase order, condemnation *US*, expropriation, appropriation of property for public use ◊ *En la expropiación forzosa al propietario se le priva del dominio de una cosa mediante la indemnización o justiprecio*; S. *indemnización por expropiación forzosa*), **expropiador/expropiante** (ADMIN expropriator), **expropiar** (ADMIN expropriate, acquire by compulsory purchase; S. *requisar*)].

expuesto *a*: GEN exposed, open, liable; on display; S. *exponer*. [Exp: **expuesto anteriormente, según lo** (GEN in accordance with the reasons given/arguments advanced/provisions set out, etc. above)].

expulsar *v*: GEN expel, deport, eject; turn out; throw/kick out *col* ◊ *Los emigrantes ilegales fueron expulsados y puestos en la frontera*; S. *desalojar, deportar, repatriar*. [Exp: **expulsar del colegio de abogados** (PROC disbar; S. *inhabilitar para el ejercicio de la abogacía*), **expulsión** (GEN expulsion, deportation, disfranchisement; S. *orden de expulsión*)].

éxtasis *n*: CRIM Ecstasy; S. *estupefacientes*.

extender[1] *v*: GEN/PROC issue, dradt, draw up, make out; S. *librar, expedir, girar, emitir*. [Exp: **extender**[2] (GEN broaden, extend, enlarge, renew; S. *ampliar, renovar*), **extender el plazo** (GEN extend the time limit), **extender un cheque** (BSNSS draw/make out/write a cheque), **extendido** (GEN prevailing, prevalent, widespread, rife; S. *imperante*), **extensible** (GEN extendible; which also goes [for] or applies [to] or includes ◊ *La misma norma es extensible al caso de un préstamo personal*; S. *aplicable, prorrogable*), **extensión** (GEN scope, extent; S. *ámbito, alcance; duración*), **extenso** (GEN extensive)].

exterior/externo *a*: GEN external, exterior, outer, outward; foreign; extraneous.

extinción *n*: GEN extinction, termination, discharging, discharge; liquidation; paying off, cancellation, annulment, obliteration, abatement; S. *extinguir, anulación, prescripción*. [Exp: **extinción de la relación laboral** (EMPLOY termination of employment; S. *baja*), **extinción de un contrato** (BSNSS termination of a contract), **extinción de un derecho** (GEN extinction/lapse of a right; S. *caducidad*), **extinguir** (GEN extinguish, end, put an end to, annul, terminate, discharge, pay off ◊ *La separación matrimonial extingue algunos efectos del matrimonio con el deber de convivencia*), **extinguir una hipoteca** (CIVIL pay off/clear a mortgage), **extinguir una obligación** (CIVIL extinguish/discharge a duty or obligation; S. *dación*), **extinguir una relación** (GEN/CIVIL sever a link, allow a relationship to lapse), **extinguirse** (GEN be/become extinguished, lapse, terminate; S. *prescribir, caducar*)].

extirpar *v*: GEN remove, eradicate, eliminate; S. *arrancar*.

extorsión *n*: CRIM extortion, blackmail; S. *chantaje, concusión, estafa*. [Exp: **extorsión de chantaje e intimidación** (CRIM racketeering), **extorsionador** (CRIM extortioner, extortionist, racketeer; S. *concusionario*), **extorsionar** (CRIM blackmail, extort; S. *chantajear*), **extorsionista** (CRIM extortioner, extortionist, blackmailer, racketeer; S. *chantajista, pandillista*)].

extra-[1] *pref*: GEN extra-, super-. [Exp: **extra**[2] (EMPLOY extra, perquisite, perk *col*; S. *emolumento, plus, gaje*), **extracontractual** (BSNSS non-contractual, outrside [of] contract, foreign/unrelated/extraneous to contract), **extractar** (GEN abridge, summarize; S. *abreviar, resumir*), **extracto** (GEN abstract, summary; financial statement; S. *resumen, síntesis*), **extracto de cuenta** (BSNSS bank statement, extract of account), **extradición** (CRIM extradition; S. *solicitud de extradición*), **extraditar** (CRIM extradite; S. *deportar, expatriar*), **extrajudicial** (PROC extrajudicial, out-of-court ◊ *Llegaron a un acuerdo extrajudicial para resolver sus diferencias*), **extraoficial** (GEN unofficial, off-the-record), **extraordinario** (GEN extraordinary, special; unusual; exceptional; S. *excepcional, singular*), **extralimitarse** (GEN exceed one's authority, act ultra vires, act in excess of one's powers, go beyond one's remit; S. *excederse en el uso de sus atribuciones; abusar, translimitar*), **extraterritorial** (INTNL extraterritorial), **extraterritorialidad** (INTNL extraterritoriality),].

extranjero *a/n*: GEN alien, foreign; foreigner, foreign national. [Exp: **extranjero con permiso de residencia** (ADMIN resident alien; S. *foráneo, exterior*), **extranjero, en el** (GEN abroad, overseas; S. *ilocalizable, fuera del país*)].

extremar *v*: GEN step up, intensify, maximise, increase, strengthen, magnify ◊ *Las autoridades han extremado los controles de entrada en el país ante la avalancha de emigrantes ilegales*. [Exp: **extremar la vigilancia** (GEN put on maximum alert), **extremar las precauciones** (GEN take every precaution; S. *precuación*), **extremismo** (GEN extremism, radicalism, fanaticism; S. *radicalismo*), **extremista** (GEN extremist, militant, radical; S. *activista, militante, radical*), **extremo** (GEN extreme, detail, particular, point, matter, issue, question)].

F

facción *n*: GEN faction, splinter group, rebel group, gang; S. *banda*. [Exp: **faccioso** (GEN rebellious, seditious, factious, rebel; S. *rebelde, amotinado, alborotador*)].

factor[1] *n*: GEN factor, element. [Exp: **factor**[2] (BSNSS agent, factor, manager; S. *agente, gerente*), **factoraje/factoría** (BSNSS agency, agentship; S. *agencia, contrato de representación, intermediación*), **factura** (BSNSS bill, invoice; S. *albarán*), **factura proforma** (BSNSS pro-forma invoice), **facturación** (BSNSS invoicing, billing, turnover; S. *volumen de negocios*), **facturar** (BSNSS invoice, bill, charge, charge)].

facultad *n*: GEN power, authority; faculty ◊ *El árbitro resolverá conforme a las facultades que le hayan sido otorgadas*; S. *potestad, autoridad, poder, incumbencia, jurisdicción, capacidad jurídica, arbitrio, discreción, oportunidad*. [Exp: **Facultad de Derecho** (GEN Faculty of Law, Law School), **facultad de testar** (SUC testamentary capacity), **facultad discrecional** (GEN discretionary power), **facultad legislativa** (CONST power to legislate, legislative capacity ◊ *Las comunidades autónomas en España tienen facultad legislativa*), **facultad moderadora** (PROC judicial discretion; S. *discreción, facultad discrecional, potestad judicial o administrativa*), **facultad normativa** (CONST/ADMIN rule-making power ◊ *Algunos órganos de la administración tienen facultad normativa*; S. *norma, reglamento*), **facultad procesal** (PROC procedural right, right to sue, legal capacity to sue), **facultades** (GEN authority, discretionary power ◊ *En uso de sus facultades ha adoptado unas medidas muy excepcionales*; S. *poderes discrecionales, funciones, atribuciones*), **facultades mentales** (GEN mental faculties; S. *salud mental, en su sano juicio*), **facultado, estar** (GEN have the authority, be authorized), **facultar** (GEN empower, enable, authorize; S. *autorizar, conferir poderes*), **facultativo** (GEN optional; medical, professional, practitioner [especially doctor]; S. *potestativo, opcional, discrecional*)].

falacia *n*: GEN fallacy, deceit, falsehood; S. *engaño, treta, ardid, argucia, estratagema, trampa*. [Exp: **falaz** (GEN fallacious, deceptive, lying; liar; S. *engañoso, falso especioso*)].

fallar[1] *v*: PROC find, adjudicate, rule, decide, give judgment, adjudge, award, decern *Scots*; S. *fallo; dictaminar, dictar sentencia, dirimir, laudar, resolver, sentenciar; estimar un recurso*. [Exp: **fallar**[2] (GEN fail, go wrong, break down; miss ◊ *Perdieron el pleito porque fallaron los planes* *del abogado*; S. *salir mal*), **fallar**[3] (GEN let down ◊ *Les fallaron dos testigos que no acudieron a la vista*; S. *defraudar*), **fallar a favor** (PROC give judgment in favour of, find for, rule for), **fallar en contra** (PROC give judgment against, find against, rule against)].

fallecer v: GEN die, pass away; S. *expirar, morir, palmar* col*; muerto; de cuerpo presente*. [Exp: **fallecimiento** (GEN decease, death; S. *defunción, óbito, muerte*), **fallecimiento repentino** (GEN sudden death)].

fallido[1] *a*: GEN missed, failed; that has missed its target or gone wide of the mark; S. *atentado fallido; fallar*[2]. [Exp: **fallido**[2] (BSNSS bankrupt; bad loan, non-performing loan, bad debt; S. *rehabilitación del fallido; arruinado, quebrado, concursado, insolvente*), **fallido fraudulento** (CRIM fraudulent bankrupt), **fallido rehabilitado** (BSNSS/PROC discharged bankrupt; S. *quebrado rehabilidado, rehabilitación del fallido*)].

fallo[1] *n*: PROC ruling, adjudication, disposition; award, judgment, finding; S. *laudo, auto judicial, adjudicación, decisión, resolución; fallar*[1]. [Exp: **fallo**[2] (GEN defect, flaw, failure, shortcoming, pitfall ◊ *No se pudo condenar al procesado por los muchos fallos encontrados en la instrucción*; S. *incumplimiento, falta, fracaso*), **fallo absolutorio** (PROC verdict of not guilty, acquittal, judgment finding for the defendant), **fallo administrativo** (ADMIN administrative order), **fallo arbitral** (PROC/EMPLOY award of an arbitrator; S. *laudo arbitral*), **fallo condenatorio** (CRIM conviction, verdict/finding of guilty; judgment/finding for the claimant; S. *sentencia, condena*), **fallo definitivo** (PROC final judgment; S. *sentencia firme*), **fallo del jurado** (PROC jury's verdict), **fallo judicial** (PROC judicial decision, court order, judge's finding)].

falsario *n*: CRIM falsifier, liar, forger, perjurer; S. *falsificador*.

fascineroso *n*: GEN villain.

falseamiento *n*: GEN/CRIM distortion, misrepresentation. [Exp: **falsedad** (GEN/CRIM falsehood, untruth, misrepresentation; forgery; trick; S. *doblez, duplicidad, engaño*), **falsedad culposa o negligente** (CRIM negligent misrepresentation/misstatement), **falsedad dolosa** (CRIM malicious falsehood), **falsedad en documento público** (CRIM misrepresentation of facts in a public record; forgery, uttering a forgery, false instrument, making a false insttrument), **falsedad fraudulenta** (CRIM fraudulent misrepresentation), **falsear** (GEN/CRIM falsify, forge, counterfeit, distort; juggle with, fiddle *col*; S. *adulterar, falsificar*)].

falsificación *n*: CRIM forgery, counterfeit; false instrument; S. *defraudación*. [Exp: **falsificación de documento público** (CRIM misrepresentation of facts in a public record, forging of public record, uttering a forgery, making a false instrument), **falsificación de pruebas** (CRIM fabrication of evidence), **falsificado** (CRIM counterfeit, false, fraudulent; S. *espurio, falso, fraudulento*), **falsificador** (CRIM forger, counterfeiter; S. *falsario*), **falsificar** (CRIM falsify, forge, misrepresent, tamper [with], counterfeit, adulterate, trump up *col*; S. *engañar, defraudar, burlar, falsear, mentir*)].

falso *a:* GEN false, counterfeit, deceitful, bogus, unsound, untrue, bad, dud *col*; S. *espurio, fraudulento*. [Exp: **falsa alarma** (CRIM false alarm, bomb hoax; S. *aviso falso de bomba*), **falsa interpretación** (GEN misinterpretation), **falsas apariencias** (GEN false pretences), **falso aviso de bomba** (CRIM bomb hoax ◊ *Han sido detenidos dos menores por falso aviso de bomba*; S. *aviso de bomba, falsa alarma*), **falso testimonio** (CRIM perjury, false testimony; S. *perjurio*), **falsos pretextos** (GEN false pretences)].

falta[1] *n*: GEN lack, fault, shortage, want; S. *carencia, ausencia*. [Exp: **falta**[2] (GEN error, mistake, flaw, defect, failure; S. *error, yerro, equivocación, fracaso, fallo*), **falta**[3] (CRIML misdemeanour, breach, summary offence/crime, petty offence, fault, infringement, infraction, minor offence, malfeasance ◊ *Son faltas las infracciones que la Ley castiga con pena leve*; S. *contravención, infracción penal, delito, hecho punible*), **falta administrativa** (ADMIN negligence or misconduct by a public servant, dereliction of duty, minor administrative misdemeanour), **falta de, a** (GEN in the absence of, failing, for want of), **falta de competencia** (PROC want of jurisdiction), **falta de disciplina** (GEN lack of discipline), **falta de ética profesional** (EMPLOY/ADMIN professional misconduct), **falta de legitimación** (PROC want of standing, want of right/cause of action ◊ *Se desestimó la demanda por falta de legitimación del actor*), **falta de lesiones** (CRIM minor/petty assault/batery, affray; causing minor injuries by recklessness), **falta de manutención** (CIVIL failure to support, non-support), **falta de pago** (CIVIL/BSNSS default, non-payment, failure to pay), **falta de personalidad del actor** (PROC claimant's want of standing; S. *alegato de nulidad*), **falta de previsión** (GEN carelessness, want of due care, negligence, unwariness; S. *imprudencia, negligencia*), **falta de prueba** (PROC lack of evidence, insufficiency of evidence ◊ *El auto de sobreseimiento se basó en falta de pruebas*; S. *insuficiencia de pruebas*), **falta de puntualidad** (EMPLOY impunctuality, late-coming ◊ *Las reiteradas faltas de puntualidad en el trabajo pueden ser causa de despido*), **falta, sin** (without fail), **falta de uso** (GEN non-use, lack of use), **falta grave** (CRIM serious misconduct, major offence, serious offence, felony *US*; malpractice), **falta leve** (CRIM minor/petty offence, non-indictable offence, misdemeanor *US*), **falta subsanable** (GEN curable defect), **faltar**[1] (GEN be short, be lacking, be missing; S. *carecer*), **faltar**[2] (GEN be missing, default, fail to turn up; S. *incomparecencia, no comparecer*), **faltar**[3] (CRIM breach, break, infringe, violate, act contrary to; S. *incumplir*), **faltar a alguien** (GEN offend somebody, be disrespectful to somebody; S. *agraviar*), **faltar al deber** (GEN/ADMIN/CRIM fail in one's duty, act in breach of trust), **faltar a la palabra** (GEN break one's word/promise; S. *dar palabra de honor*), **faltar al juramento** (GEN break one's oath), **falto** (GEN lacking, without)].

fama *n*: GEN fame, reputation, name, position, repute, character; S. *reputación; mala fama*.

familia *n*: GEN family, household; S. *abandono de familia*. [Exp: **familiar a [su] cargo** (FAM/TAX dependant, dependent relative), **familiares** (FAM dependents; S. *personas a cargo del cabeza de familia*)].

fanático *a*: GEN fanatic, bigot; S. *intolerante, racista, xenófobo*. [Exp: **fanatismo** (GEN fanaticism, bigotry; S. *intolerancia, xenofobia, radicalismo*)].

fármaco *n*: GEN drug; S. *estupefaciente, medicamento, psicofármaco*.

fatal *a*: GEN fatal, deadly, mortal, lethal; S. *mortal, letal*.

fase *n*: GEN phase, stage; S. *etapa, estadio*. [Exp: **fase de alegaciones** (PROC pleading stage), **fase de instrucción** (CRIM preliminary enquiry, pre-trial stage of criminal proceedings; S. *juez instructor, instrucción*), **fase de ponencia parlamentaria** (CONST report stage), **fase de comisión parlamentaria** (CONST commission stage), **fase probatoria** (PROC stage of proceedings where evidence is taken; production, disclosure/discovery/production of evidence, pre-trial or preliminary stage of proceedings; interlocutory stage at which matters concerning evidence are dealt with; at this state –a kind of protracted directions hearings– issues of disclosure and admissibility of evidence are dealt with; S. *audiencia previa*), **fase procesal** (PROC stage of proceedings, procedural stage; S. *proceso, procesal*)].

favor *n*: GEN favour, accommodation, aid; S. *servicio, ayuda*. [Exp: **favor de, a** (GEN pro, in favour of, on behalf of, to the order of; S. *fallar a favor de*), **favor de, en** (GEN in favour of; S. *en apoyo de, en pro de*), **favorable** (GEN favourable, advantageous, friendly, in favour), **favorecedor** (BSNSS accommodation maker/party; S. *afianzador*), **favorecer** (GEN favour, incline or lean towards; be partial to; be minded to; S. *patrocinar, proteger*), **favorecido** (GEN favoured; S. *cláusula de nación más favorecida*)].

faz *n*: GEN face, front; S. *cara, anverso, importe o valor nominal.*

fe[1] *n*: GEN faith; S. *mala fe, buena fe*. [Exp: **fe**[2] (GEN/CIVIL certificate, attestation, accreditation, testimonial, testimony, proof; S. *partida, certificado, testimonio; dación de fe; fehaciente; fedatario público; dar fe*), **fe de lo cual, en** (CIVIL in witness whereof), **fe de óbito** (CIVIL death certificate; S. *acta de defunción*), **fe de vida** (CIVIL document certifying that somebody is alive, proof of identity, certificate issued by public records office testifying for official purposes that an individual is alive and is who he says he is ◊ *Necesitó sacar la fe de vida para poder cobrar la pensión*), **fe notarial** (CIVIL affidavit, attestation; in Spain issued by a notary public; S. *certificado, partida*), **fe pública** (CIVIL notarization, attestation, affidavit; authority to attest documents; S. *adveración, dar fe, atestar, testimoniar, legalizar, certificar, compulsar*)].

fecha *n*: GEN date; S. *plazo*. [Exp: **fecha cierta** (PROC known day, specific date; date attested, day certain), **fecha de, con** (GEN dated, as of; S. *a partir de*), **fecha de caducidad** (GEN expiry date, sell-by date), **fecha de entrada en vigor de una ley** (CONST date of coming into force of a law, date of commencement, effective date), **fecha de la vista** (PROC trial date, date set/fixed/set down for trial or public hearing, date of public hearing; S. *fijar, señalar*), **fecha de presentación** (GEN date of filing), **fecha de registro** (GEN date of record), **fecha de valor o de vigencia** (GEN effective date), **fecha de vencimiento** (GEN due date, maturity date, expiry date; S. *plazo de prescripción*), **fecha límite** (GEN deadline, latest date, qualifying date; S. *plazo, término, cierre, tiempo límite*), **fecha según registro** (GEN record date, date as per record), **fechar** (GEN date; S. *datar*)].

fechoría *n*: GEN/CRIM crime, misdeed, lawlessness, banditry, robbery, dirty trick; S. *perversión, corrupción.*

fedatario público *n*: CIVIL notary public, commissioner for oaths; S. *notario.*

federal *a*: CONST federal.

fehaciente *a*: GEN/CIVIL certifying, evidencing, probative, convincing, carrying weight, true, authentic; reliable, satisfactory; S. *fe, fedatario público, prueba fehaciente.*

felón *n*: CRIM felon. [Exp: **felonía** (CRIM felony, serious crime, disloyalty, treachery; S. *delito grave*)].

feria judicial *n*: GEN judicial vacation, legal holiday; S. *día hábil, plazo término.*

feto *n*: GEN fetus ◊ *El aborto está autorizado en el caso de malformación del feto*; S. *malformación de feto.*

fiabilidad *n*: GEN reliability, trustworthiness, responsibility, credibility, truthfulness ◊ *Las pruebas en Derecho no tienen el grado de fiabilidad de las demostraciones* *científicas*; S. *verosimilitud, probabilidad, crédito, confianza*. [Exp: **fiable** (GEN reliable, trustworthy, responsible; credible, believable, truthful ◊ *Su testimonio es poco fiable*; S. *fidedigno, probable, verosímil, solvente, responsable*)].

fiador *n*: CIVIL guarantor, surety, warrantor, bondsman, bailsman; S. *garante, depositante, comodante; prestamista; salir fiador de otro*. [Exp: **fiador judicial** (CIVIL surety, guarantor, person who stands bail), **fiador mancomunado** (CIVIL co-surety), **fiador solidario** (CIVIL joint and several surety)].

fianza *n*: CIVIL guarantee, security, deposit, personal security, paymnet into court, suretyship, surety bond; S. *garantía, caución; afianzar, dado como fianza*. [Exp: **fianza, bajo** (CRIM on bail; S. *libertad condicional*), **fianza carcelaria** (CRIM bail), **fianza de arraigo** (CIVIL security for costs, solvency bond, bail above, bail to the action; S. *arraigo en juicio*), **fianza de caución o seguridad** (CIVIL security, surety bond), **fianza de cumplimiento** (CIVIL performance bond), **fianza de embargo** (CIVIL attachment bond), **fianza de levantamiento de embargo** (civil discharge-of-attachment bond), **fianza de licitador [o de participación en un concurso]** (CIVIL/ADMIN bidder's bid bond, bidder's backing; S. *aval de oferta*), **fianza de subastador** (CIVIL auctioneer's bond), **fianza para costas** (PROC security for costs, *cautio pro expensis*), **fianza pignoraticia o prendaria** (CIVIL collateral security, pledge), **fianza solidaria** (CIVIL joint and several bond), **fianza, sin** (GEN unsecured), **fiar**[1] (GEN bail, go surety for; S. *salir fiador de otro*), **fiar**[2] (GEN sell on credit ◊ *En este establecimiento no se fía*), **fiarse de** (GEN trust, rely on; S. *confiar*)].

fiat *n*: GEN fiat; S. *decreto, hágase, cúmplase*.

ficción *n*: GEN fiction; invention; falsehood; S. *fingimiento, mentira, simulacro*. [Exp: **ficción jurídica** (PROC legal fiction), **ficticio** (GEN fictitious; feigned; S. *falso, engañoso, especioso*)].

ficha *n*: GEN token, index card; dossier, record, file. [Exp: **ficha a la entrada/salida del trabajo** (EMPLOY clock-in/-out card; check -in/-out card *US*), **ficha dactiloscópica** (GEN/CRIM record of fingerprints; S. *huella dactilar*), **ficha de antecedentes penales** (CRIM criminal record), **ficha delictiva o policial** (CRIM file showing criminal record, police file/report, custody record, police record, list of previous convictions), **fichado por la policía** (CRIM with a police record, known to the police), **fichar a alguien** (GEN/CRIM open a file on sb)].

fidedigno *a*: GEN reliable, trustworthy; S. *veraz, fiable, serio, seguro, solvente*.

fideicomisario *n*: CIVIL trustee, trustee of a settlement, cestui que trust. [Exp: **fideicomisario judicial** (CIVIL judicial trustee), **fideicomiso** (CIVIL trust, trusteeship, testamentary trustee), **fideicomiso activo** (CIVIL living trust), **fideicomiso benéfico** (CIVIL charitable trust), **fideicomiso comercial** (CIVIL business trust), **fideicomiso condicional** (CIVIL contingent or conditional trust), **fideicomiso de fondos depositados** (CIVIL funded trust), **fideicomiso de pensiones** (CIVIL pension trust), **fideicomiso directo o expreso** (CIVIL express trust), **fideicomiso, en** (CIVIL in trust), **fideicomiso formalizado o perfecto** (CIVIL executed trust, perfect trust), **fideicomiso pasivo** (CIVIL naked trust, passive trust, dry trust), **fideicomiso perpetuo** (CIVIL perpetual trust), **fideicomiso público o de beneficencia** (CIVIL public trust), **fideicomiso resultante** (CIVIL resulting trust), **fideicomiso secreto** (CIVIL secret trust), **fideicomiso sin depósito de fondos** (CIVIL unfunded trust), **fideico-**

miso testamentario (SUC testamentary trust), **fideicomitente** (CIVIL trustor, founder of a trust, settlor)].

fiducia *n*: CIVIL trust, confidence. [Exp: **fiduciario** (CIVIL trustee, fiduciary; in trust, held or given in trust, trust), **fiduciario pasivo o nominal** (CIVIL bare trustee), **fiduciario por testamento** (CIVIL testamentary trustee)].

fiel *a*: GEN faithful, trustworthy, loyal; true, exact, accurate; S. *verdadero, legítimo*. [Exp: **fiel copia** (GEN true copy; S. *copia exacta*), **fiel cumplimiento** (GEN faithful observance/ performance), **fiel reflejo del original** (GEN faithful version of the original)].

figurar *v*: GEN figure, appear, be among, rank; S. *contarse entre, encuadrarse, colocarse, clasificar*. [Exp: **figurar en el orden del día** (GEN appear on the agenda; S. *orden del día*)].

fijación *n*: fixing, joining, setting, setting down, listing, settling, ascertainment; S. *averiguación, estimación, determinación, señalamiento, valoración*. [Exp: **fijación de impuestos** (TAX assessing of/for tax, taxation), **fijación de [los] precios** (GEN pricing, price-fixing, fixing of prices, imposition of prices; costing; S. *acuerdo de fijación de precios*), **fijación de posiciones** (CIVIL joinder of issue), **fijación del daño** (INSUR assessment/estimation/ ascertainment of the damage), **fijar** (GEN establish, set, lay down, specify, ascertain, assess, clinch, provide, set up; S. *aclarar, averiguar, determinar, evaluar, descubrir, estimar*), **fijar domicilio [para notificaciones]** (PROC give/provide an address for service ◊ *En el escrito de recurso se fijará el domicilio para notificaciones*), **fijar la fecha de la vista** (PROC set a trial date, list/set down for trial; S. *señalar*), **fijar la hora y el orden del día** (GEN lay down the time and the agenda; S. *figurar en el orden del día*), **fijar la fianza** (PROC/CRIM set bail), **fijar los daños y perjuicios** (PROC assess damages), **fijar posiciones** (PROC join issue, be at issue, determine/define/clarify the matters in issue, serve final statement of case), **fijo** (GEN fixed; S. *contrato fijo, trabajador fijo*)].

fila *n*: GEN rank, file, row; S. *llamar a filas, apretar las filas, ponerse en fila*.

filiación *n*: GEN filiation, affiliation, relationship; parents' names ◊ *La filiación es el vínculo jurídico que une a los padres con sus hijos*; S. *emancipación, patria potestad*. [Exp: **filiación matrimonial** (FAM relation of a legitimate child, or child born within wedlock, to its parents), **filiación no matrimonial** (FAM relation of a legitimate child born outside wedlock to its parents), **filiación política** (CONST political allegiance), **filial** (GEN subsidiary; S. *subsidiario*)].

filtración [de información] *n*: GEN leak to the press; S. *secreto del sumario*. [Exp: **filtrar** (GEN filter, screen; seep, leak), **filtrar información** (GEN leak information), **filtrar llamadas telefónicas** (GEN screen telephone calls)].

fin *n*: GEN objective, goal, aim; end, close, termination; S. *finalizar, poner fin; conclusión, cierre*. [Exp: **fin, a este** (GEN to this end), **fin de año** (GEN year-end), **fin de plazo** (GEN deadline, closing date; S. *fuera de plazo, fecha límite/tope, plazo límite*), **fines de lucro, sin** (GEN non-profit [- making]; S. *lucrativo*), **fines previstos en, a los** (GEN for the purposes set out/provided for in)].

finado *a/n*: GEN/SUC deceased; decedent *US* ◊ *Los herederos del finado pusieron una demanda por negligencia médica*; S. *difunto, causante*.

final *n*: GEN end, conclusion; S. *conclusión, término*. [Exp: **finalizada la vista** (GEN at the end of the hearing), **finalizar** (GEN finish, come to an end; S. *concluir, terminar*)].

financiación *n*: BSNSS financing, funding), **financiación de partidos** (CONST party funding), **financiar** (GEN finance), **financiera** (BSNSS finance company), **financiero** (BSNSS/GEN financial; S. *económico*), **finanzas** (BSNSS finance/s)].

finca *n*: GEN/CIVIL country estate, farmhouse, property; piece of land; farm; tenement; S. *afincarse; fundo, predio, hacienda, propiedad rústica, vivienda*. [Exp: **finca de regadío** (CIVIL irrigated land; S. *comunidad de regantes*), **finca rústica** (CIVIL agricultural land, country property/estate; S. *contribución rústica*), **finca urbana** (CIVIL urban property, town home, urban real estate *US*; S. *impuesto sobre bienes inmuebles*)].

fingimiento *n*: GEN simulation, pretence; S. *doblez, engaño, simulación*. [Exp: **fingir** (GEN feign, pretend, simulate, fabricate; S. *simular; ficción*)].

finiquitar *v*: GEN/BSNSS/EMPLOY satisfy, settle; close, bring to an end; pay off; S. *cumplir, liquidar, cancelar*. [Exp: **finiquito** (GEN/BSNSS/EMPLOY discharge, release [document], quittance, quitclaim, acquittance, satisfaction; final receipt, receipt in full, full and final settlement ◊ *Antes de dejar su trabajo, la empresa la obligó a firmar el finiquito*; S. *liquidación, pago, carta de pago*. [Exp: **finiquito gratuito** (GEN acquittance without payment, free remission; acceptilation *Scots*), **finiquito por consenso** (GEN discharge by agreement)].

firma[1] *n*: GEN signature; S. *crédito a la sola firma*. [Exp: **firma**[2] (GEN signing, closing ◊ *La firma del tratado se retrasó por problemas internos*; S. *otorgamiento, formalización*), **firma**[3] (BSNSS firm, company; S. *empresa*), **firma autorizada** (BSNSS authorized signature), **firma en blanco** (GEN signature in blank), **firma y sello** (NOT hand and seal), **firmado y sellado por mí** (CIVIL under my hand and seal, signed and sealed by me; S. *de mi puño y letra*), **firmante** (GEN signatory, maker; S. *signatario, librador*), **firmar** (GEN sign, subscribe; underwrite; S. *suscribir, rubricar*), **firmar un cheque en blanco** (BSNSS sign a blank cheque), **firmar por poder** (CIVIL sign by procuration/proxy), **firmar y rubricar** (GEN sign and seal), **firmó y selló el presente** (CIVIL hereunto set his hand and seal)].

firme *a*: GEN firm, steady, solid; determined; final, irrevocable, firm, absolute; enforceable, executable; beyond appeal; S. *definitivo; inapelable, sólido; sentencia firme, venta en firme; recaer sentencia firme*. [Exp: **firme, en** (GEN definitive; S. *oferta en firme*)].

fiscal[1] *a*: TAX fiscal, tax; S. *ejercicio fiscal*. [Exp: **fiscal**[2] (CRIM prosecutor, Crown prosecutor, public prosecutor, counsel for the prosecution, district attorney *US*, public attorney, procurator fiscal *Scots*, advocate-depute *Scots*; S. *acusador público*), **fiscal de distrito** (CRIM district attorney *US*; county prosecutor *US*; procurator-fiscal for the area *Scots*), **fiscal especial/independiente** (CRIM independent counsel), **Fiscal General del Estado** (CRIM/CONST chief state prosecutor, head of the prosecution service; *approx* Attorneygeneral), **fiscal jefe** (CRIM chief prosecutor [of a court, division or section, *approx* Director of Public Prosecution, DPP), **fiscal jefe de zona** (CRIM chief prosecutor for an area or jurisdiction), **fiscalía** (CRIM Crown Prosecution Service, prosecutor's office; prosecuting authorities, District Attorney *US*), **fiscalía especial de delitos monetarios** (CRIM office of the special prosecutor for fraud cases; *approx* Serious Fraud Office; S. *juez de delitos monetarios*), **Fiscalía General del Estado** (CRIM Chief state prosecutor's office; *approx* Office of the Director of Public Prosecutions, DPP, Crown Prosecution Service, CPS), **fiscalidad** (TAX tax regulation/treatment), **fis-**

calización (GEN control, supervision, inspection; S. *control, intervención, supervisión*), **fiscalizar** (GEN oversee, supervise, control, review; S. *controlar, tutelar*), **fisco** (TAX tax authorities, public Treasury; *approx* Exchequer; Inland Revenue, Internal Revenue Service *US*)].

flagrancia *n*: CRIM S. *delito de flagrancia*. [Exp: **flagrante** (CRIM flagrant; in the very act, red-handed; S. *notorio, escandaloso*), **flagrante injusticia** (GEN flagrant injustice ◊ *La resolución del tribunal constituye una flagrante injusticia*), **flagrante mentira** (GEN blatant lie ◊ *En su declaración lo sorprendieron con una flagrante mentira*), **flagrante, en** (CRIM red-handed, *flagrante delicto*; in popular use the variant *in fraganti* is common dog Latin for the –equally erroneous– *in flagranti crimine/delicto*; the correct form is that given in the English translation)].

fletador *n*: BSNSS charterer, freighter, affreighter; S. *armador*. [Exp: **fletamento** (BSNSS charter, affreightment). **fletamento con operación por cuenta del fletante** (BSNSS gross charter, contract of affreightment), **fletamento por tiempo y precio determinado** (BSNSS time charter), **fletante** (BSNSS affreighter, charterer; S. *fletador*), **fletar** (BSNSS charter, hire, freight, affreight), **flete** (BSNSS freight, rate, freightage; S. *cargamento, carga, mercancías*), **flete a cobrar** (BSNSS collect freight), **flete bruto** (BSNSS cost of gross charter), **flete de ida y vuelta** (BSNSS outward and home freight), **flete de retorno** (BSNSS return freight), **flete falso** (BSNSS dead freight)].

fliparse *col v*: GEN get stoned, get/be high, trip out; S. *chutarse, colocarse, engancharse; viaje, caballo, chocolate*.

flotación *n*: GEN flotation, floating; float. [Exp: **flotar** (BSNSS float; S. *poner en circulación, emitir*), **flotar un empréstito** (BSNSS float a loan)].

forcejear *v*: GEN/CRIM grapple, wrestle, struggle, fight, scuffle, tussle, come to grips. [Exp: **forcejeo** (GEN/CRIM struggle, fight, tussle, scuffle ◊ *Hubo un forcejeo entre el joyero y el asaltante*)].

fondeadero *n*: GEN/COM anchorage; S. *atracadero*. [Exp: **fondear** (GEN/BSNSS anchor; S. *anclar, atracar, arribar, amarrar*)].

fondo[1] *n*: GEN bottom; background; merits, depth; heart; S. *llegar al fondo de la cuestión; bajos fondos*. [Exp: **fondo**[2] (BSNSS fund, pool), **fondo, a** (GEN thorough; thoroughly), **fondo acumulativo** (BSNSS sinking fund), **fondo benéfico-social** (GEN charitable and civic funds), **fondo común** (GEN common fund), **fondo de la cuestión** (PROC merits of the case, heart of the matter ◊ *Al prosperar la excepción, el tribunal no se pronunció sobre el fondo de la cuestión*; S. *fundamento de derecho, excepción, cuestión de previo pronunciamiento, cuestión prejudicial, incidente procesal*), **fondo de amortización** (BSNSS depreciation fund, sinking fund, redemption fund), **fondo de comercio** (BSNSS goodwill), **fondo de compensación territorial** (CONST regional compensation fund; used to correct distortions due to the greater wealth or poverty of Spain's autonomous regions; S. *autonomía*), **fondo de garantía de depósito** (BSNSS deposit guarantee fund), **fondo de huelga** (EMPLOY strike fund; S. *caja de resistencia*), **fondo de inversión inmobiliaria** (BSNSS securities investment fund; mutual fund; S. *mutualidad*), **fondo de maniobra** (BSNSS management fund), **fondo de pensiones** (CRIM pension fund, superannuation), **fondo de previsión** (EMPLOY pension fund, welfare fund, reserve fund), **fondo de regulación** (BSNSS buffer fund), **Fondo Europeo de Desarrollo** (EURO European Development Fund), **fondo perdido, a** (GEN à fonds perdu, non-returnable; S. *subvención a fondo perdido*), **fondo social** (BSNSS equity, shareholders' funds/equity, capital of corporation, partnership property, assets of a partnership; S. *bienes sociales*), **Fondo Social Europeo** (EURO European Social Fund), **fondos** (GEN funds, monies; S. *recursos, medios, dotación; dotar*), **fondos afectados** (ADMIN earmarked funds), **fondos fiduciarios o de fideicomiso** (CIVIL trust funds), **fondos públicos** (public funds), **fondos, sin** (GEN unfunded; without funding; without credit, with no available funds, empty [account]; dishonoured, bad, bounced)].

forajido *n*: CRIM outlaw, bandit, brigand; fugitive; S. *fugitivo, tránsfuga*.

foral *a*: CONST pertaining or belonging to or of the nature of a *fuero* –charter, privilege–; *approx* local or regional [right, law, rule, custom]; commonly applied to the regional Parliament or the provincial Council *–diputación–* of Navarre, and to the rights, rules and privileges of the institutions of Navarre; S. *fuero, aforado*.

foráneo *a/n*: GEN alien, foreign, outside; outsider, stranger, foreigner; S. *extranjero*.

forcejear *v*: GEN struggle, tussle; S. *forzar; fuerza*. [Exp: **forcejeo** (GEN struggle, tussle ◊ *Tras el forcejeo, el policía le arrancó la pistola*; S. *forzar*), **forcejeo dialéctico** (GEN heated exchange of views)].

forense *a/n*: GEN forensic, legal, of or relating to the law or lawayers, forensic scientist or pathologist ◊ *Tras ocho horas de autopsia los forenses no encontraron signo de violencia en su cuerpo*; S. *practicar la autopsia, informe del forense*.

forma *n*: GEN form, shape; way, means, manner, method; S. *formar*. [Exp: **forma abusiva, de** (CRIM/GEN improperly, irregularly; unduly; in violation of the rules, unlawfully, unfairly, [by] taking unfair advantage), **forma apropiada/debida, en la** (GEN in due form, duly), **forma de, en** (GEN in the shape of; by way of; S. *por vía de*), **forma equitativa, de** (GEN on an equitable basis), **forma implícita, de** (PROC implicitly, impliedly; by implication, constructively), **forma legal, de** (PROC legally; in due legal form)].

formación *n*: GEN training, teaching, education; background, cultural background; S. *preparación, enseñanza, aprendizaje*. [Exp: **formación profesional** (GEN career training, vocational training)].

formal[1] *a*: GEN formal; reliable; polite, refined; S. *fiable*. [Exp: **formal**[2] (PROC procedural, formal; S. *solemne, ceremonioso*), **formalidad**[1] (GEN reliability, credibility; S. *seriedad, veracidad, crédito, confianza, fiabilidad*), **formalidad**[2] (GEN formality, formal requirement, technicality; S. *trámite, diligencia, requisito; cumplir las formalidades*), **formalidades aduaneras** (ADMIN clearance, customs formalities; S. *despacho de aduanas*), **formalidades procesales debidas, con las** (PROC in due process of law), **formalización** (GEN execution, performance; concluding, signing, sealing; S. *celebración, firma, otorgamiento*), **formalizar** (GEN legalize, formalize, give proper form to; formulate, draw up; close, enter [into a contract, an agreement, an insurance policy, etc.] ◊ *Los que tienen capacidad de obrar pueden formalizar contratos*; S. *apalabrar un contrato, celebrar*), **formalizar un tratado** (CONST/INTNL conclude/sign a treaty)].

formar *v*: GEN form, draw up; train, teach; S. *formación*. [Exp: **formar parte de** (GEN participate in; be part of), **formar parte de un tribunal** (PROC sit on a board, tribunal, etc.), **formar proceso** (PROC bring proceeding/an action/a suti; indict, accuse, bring/prefer/draft charges)].

fórmula *n*: GEN formula; form [of words], phrasing, way a text is framed; wording;

arrangement; S. *formulario*. [Exp: **fórmula de conciliación** (GEN compromise formula/arrangement), **fórmula, por pura** (GEN for form's sake, as a matter of form), **fórmula promulgatoria** (CONST enacting words), **formular** (GEN formulate, frame, draw up, draft; file, lodge, submit ◊ *Las pretensiones de las partes se formularán ante el tribunal que sea competente*; S. *cursar, elevar, instar, presentar*), **formular cargos** (CRIM bring charges), **formular reparos, pretensiones, una petición, protesta, oposición, etc**. (PROC lodge/ file/raise/make objections, claims, a petition, a protest, on applications, a defence, etc.), **formular una acusación** (CRIM prefer a charge), **formular una reclamación** (GEN file a claim), **formulario** (GEN form, printed form, questionnaire, application form; S. *impreso, solicitud*), **formulario de solicitud** (GEN application form)].

foro *n*: PROC the bar, the legal profession, law court; S. *estrado*.

fortuito *a*: GEN accidental, fortuitous; S. *casual, accidental; caso fortuito, daño fortuito*.

forzado *a:* forced, coerced; conscripted; S. *trabajos forzados*. [Exp: **forzar** (GEN force, compel, make, oblige, coerce, press; break into, enter by force ◊ *Varios desconocidos forzaron las rejas de las ventanas y entraron sin mayor dificultad*; S. *obligar, coartar, violentar, forcejear, hacer cumplir; fuerza*), **forzar [a una mujer]** (CRIM rape, assault sexually; S. *violar, deshonrar; acoso sexual*), **forzoso** (GEN unavoidable, compulsory, mandatory; S. *obligatorio, preceptivo; en paro forzoso, despido forzoso, empréstito forzoso*)].

fracasar *v*: GEN fail, break down; come to nothing, fall through, be unsuccessful ◊ *Las negociaciones salariales fracasaron estrepitosamente*; S. *fallar, abortar; triunfar, prosperar*. [Exp: **fracaso** (GEN failure, fiasco, ruin; breakdown, collapse; S. *fallo, falta*)].

fractura *n*: GEN fracture, breach; S. *quebrantamiento*. [Exp: **fracturar** (GEN fracture, break, breach; S. *quebrar, romper, quebrantar*)].

franco[1] *a*: GEN frank, honest, sincere; S. *sincero, honrado; piso franco; depósito franco*. [Exp: **franco**[2] (GEN free, duty-free, exempt; S. *libre, exento*), **franco a bordo** (BSNSS free on board, FOB; S. *libre a bordo*), **franco de servicio** (GEN off-duty), **franco de** (GEN free of/from; S. *exento de*), **franco de derechos** (ADMIN non-dutiable), **franco en barcaza** (BSNSS free into barge, FIB), **franco en el muelle** (BSNSS ex dock, ex quay, free on dock), **franco en estación** (BSNSS free on rail), **francotirador** (CRIM sniper)].

franquear *v*: GEN/ADMIN free, exempt, enfranchise; allow, grant; open, clear; get round/over, negotiate; S. *dispensar, exceptuar*. [Exp: **franqueo** (GEN/ADMIN postage, franking, clearance), **franquicia** (BSNSS/INSUR franchise, grant, privilege, exemption, freedom from duty; excess [insurance], immunity)].

fraude *n*: CRIM fraud, deceit, deception, dishonesty, rigging, swindling; S. *engaño, estafa*. [Exp: **fraude contable** (CRIM fraudulent accounting, falsification of company books, making false or fraudulent entries in books of account, [making] false and misleading statements in company records; fiddling the accounts *col*, cooking the books *col* ◊ *La imagen del mundo financiero se ha deteriorado mucho debido a la serie reciente de importantes fraudes contables*), **fraude de ley** (PROC abuse of the process of the court; frivolous or vexations pleading or statement of claim in excess of what law or the nature of the case require; such actions or pleadings are liable to be struck out and, where appropriate, the action stayed or dismissed. S. *abuso de derecho*), **fraude electoral** (CONST electoral fraud, ballot-rigging *col*; S. *pucherazo electoral*), **fraude procesal** (PROC abuse of the process of the court, deliberately wasting the court's time), **fraudulencia** (CRIM fraudulence, fraudulency), **fraudulento** (CRIM fraudulent, false, dishonest; S. *falaz, engañoso*)].

frente *n*: GEN front; forehead; S. *afrontar*. [Exp: **frente a, hacer** (GEN face up to [sb/sth] ◊ *El que comete un delito tiene que hacer frente a la justicia*; S. *enfrentarse*), **frente a las deudas contraídas, hacer** (GEN meet the debts incurred ◊ *No pudo hacer frente a las deudas contraídas, a su vencimiento*)].

frontera *n*: GEN border, frontier; bounds, boundary; S. *puesto fronterizo, límite; acotar, delimitar*.

frustración *n*: GEN/CRIM frustration; criminal attempt. [Exp: **frustrado** (GEN/CRIM attempted, failed ◊ *Un delito en grado frustrado*; S. *tentativa*), **frustrar** (GEN frustrate, baffle, thwart, foil, disappoint ◊ *Su intento de suicidio se frustró cuando fue sorprendido en el último minuto*; S. *engañar, burlar*), **frustrarse** (GEN miscarry, fail, collapse)].

fuente *n*: GEN source; S. *origen*. [Exp: **fuente de ingresos** (TAX source of income), **fuente, en la** (TAX at [the] source) **fuentes [jurídicas] solventes** (GEN reliable [legal] sources [of information])].

fuera *adv/prep*: GEN out, outside; beyond. [Exp: **fuera de plazo** (GEN/PROC out of time, beyond the time limit), **fuera de peligro** (GEN out of danger, safe; S. *franco, ileso, seguro*), **fuera del buque** (ex ship; S. *franco*), **fuera del país** (GEN beyond the seas; S. *en el extranjero, ilocalizable*), **fuera del período de sesiones** (GEN out of term)].

fuero[1] *n*: CONST [absolute] privilege; charter; immunity against prosecution or claim; exemption; S. *inmunidad parlamentaria, persona aforada, privilegio; foral; aforar, desaforar*. [Exp: **fuero**[2] (PROC jurisdiction ◊ *Fuero del contrato*), **fuero**[3] (PROC code or compilation of old laws ◊ *El fuero Juzgo*), **fuero competente** (PROC proper law/juridisdiction), **fuero concurrente** (PROC concurrent jurisdiction), **fuero parlamentario** (CONST parliamentary privilege ◊ *La cámara despojó del fuero parlamentario a un congresista sobre el que recaían claras sospechas*), **fuero de sucesiones** (SUC probate jurisdiction)].

fuerza *n*: GEN force, strength, power; S. *dar fuerza, forcejear; vigor, autoridad, poder*. [Exp: **fuerza de cosa juzgada** (PROC force and effect of a decision), **fuerza de ley** (CONST force of law, S. *dar fuerza de ley, norma con fuerza de ley*), **fuerza de voluntad** (GEN will-power, strength of will; S. *determinación*), **fuerza ejecutiva** (PROC enforceability; S. *tener fuerza ejecutiva*), **fuerza ejecutiva, con** (PROC enforceable), **fuerza laboral** (EMPLOY labour force, workforce), **fuerza legal** (CONST validity, force of law), **fuerza mayor** (INSUR/PROC act of God, force majeure, irresistible force ◊ *Estará justificada la inasistencia cuando haya causa de fuerza mayor*; S. *caso fortuito, desastre natural*), **fuerza pública** (CONST police force/power), **fuerzas armadas** (CONST armed forces), **fuerzas de seguridad** (GEN security forces), **fuerzas desestabilizadoras** (CRIM destabilizing forces), **fuerzas sociales** (GEN social forces)].

fuga[1] *n*: GEN/CRIM escape, flight; S. *darse a la fuga; huida, escapada, ley de fugas, tentativa de fuga*. [Exp: **fuga**[2] (GEN leak, drain; S. *derrame, escape*[2]), **fuga de capitales** (BSNSS flight of capitla), **fuga de cerebros** (brain drain), **fuga de información secreta** (GEN security leak; S. *pasar* *información*), **fuga de la cárcel** (CRIM jailbreak, escape from prison; S. *esconderse, evadir la justicia*), **fugarse** (CRIM run away, escape, flee, jump bail *col*, abscond; S. *escaparse*), **fugarse de la cárcel** (CRIM escape from jail, break out of prison), **fugitivo** (CRIM fugitive, runaway, absconder; escaped, on the run; S. *forajido, prófugo*)].

fullero, fulero *n*: GEN/CRIM cheat, twister, swindler, rogue, impostor, con man ◊ *Los garitos están llenos de tahúres y fulleros.*

función *n*: GEN function, duty, task, job, occupation, mission, purpose, performance; S. *misión, cargo, papel*. [Exp: **función pública** (ADMIN civil service, public service; S. *acceder/acceso a la función pública, Administración Civil del Estado*), **funciones, en** (GEN acting, outgoing; deputy; said of the person who acts or stands in for the absent or outgoing office-holder or of the office-holder who continues to act temporarily after resigning from or being relieved of his/her post ◊ *Tras su dimisión, el ministro continuó en funciones unos días*; S. *interino, suplente*), **funcionamiento** (GEN/ADMIN running, operation ◊ *La Administración es responsable del normal funcionamiento de los servicios públicos*; S. *gestión*), **funcionar** (GEN act, operate, be in operation, work, be in working order; S. *obrar, actuar, operar*), **funcionariado del Estado** (ADMIN civil service; S. *Administración Civil del Estado*), **funcionario** (ADMIN civil servant, public official, functionary, clerk, officer; S. *oficial*), **funcionario competente** (ADMIN the officer responsible, the person whose job/task it is, the right/proper person, the person in charge authorized official), **funcionario de carrera** (ADMIN career/tenured civil servant; S. *oposición*), **funcionario de prisiones** (ADMIN prison warder), **funcionario eventual o interino** (ADMIN non-tenured civil servant, part-time civil servant; *approx* trainee or intern [*US*] employed by the state or by a public body, or working on a short-term contract; what this usually means is that the person has not yet passed the exams *–oposiciones–* that qualify successful candidates for full-time posts in the public service; S. *concurso, oposición, opositar*), **funcionario judicial** (PROC court officer/clerk; S. *agente judicial, secretario judicial*), **funcionario público** (ADMIN civil/public servant, Crown officer, public officer *US*)].

fundamentación *n*: GEN reasoning, basis, ground; S. *razonamiento, motivación*. [Exp: **fundamental** (GEN fundamental, main, major, principal, ultimate; S. *esencial, básico, decisivo*), **fundamentación de una sentencia** (PROC legal reasons for a judgment/decision, principles of law underlying or given in a judgment, ratio decidendi; S. *fundamentos de derecho*), **fundamentar** (GEN base, found, ground. lay the foundations of; S. *basar, fundar, establecer*), **fundamento** (GEN basis, reason, foundation, ground, merit; S. *base, cimientos*), **fundamento, sin** (GEN groundless, baseless), **fundamentos de derecho o jurídicos** (PROC fundamental points of law; legal grounds, legal reasons for decision, precedents, relevant case-law; S. *considerandos, marco jurídico, hechos, antecedentes de hecho, sentencia*),

fundación *n*: GEN endowment, foundation; institution, establishment; S. *dotación, dote*. [Exp: **fundado** (GEN well founded, reasonable, admissible; correctly reasoned/argued), **fundar** (GEN found, establish, base, ground; endow, form; raise; S. *instituir, crear, fundamentar, basar*)].

fundir *v*: GEN/BSNSS merge, coalesce, unite; S. *fusión; fusionar*.

fundo *n*: CIVIL country estate; farmhouse, rural property; S. *predio, propiedad*[2]*; finca, hacienda, propiedad rústica*. [Exp:

fundo/predio dominante (CIVIL dominant tenement ◊ *El fundo dominante recibe el beneficio de la carga que soporta el fundo sirviente*), **fundo/predio sirviente** (CIVIL servient tenement ◊ *La servidumbre es la carga sobre el predio sirviente*)].

fungibles *n*: CIVIL fungibles/fungible articles.

furgón *n*: GEN van; the term has long been used in this sense in Madrid and the centre of Spain, though oddly it has not been registered in a number of standard dictionaries except as meaning a goods van or the guard's van of a train; it most often refers to the larger kind of closed van used, e.g., for deliveries or by tradesmen for transport, and is found alongside its close synonym *furgoneta* in the following expressions. [Exp: **furgón blindado** (GEN security van, armoured van ◊ *La banda robó el furgón blindado y se dio a la fuga*), **furgón policial** (CRIM prison van, Black Maria *col*; S. *coche patrulla*)].

furtivo *a*: GEN furtive, covert, stealthy, surreptitious, underhand; S. *cazador furtivo, pescador furtivo; clandestino.* [Exp: **furtivamente** (GEN furtively, by stealth, surreptitiously, in a sneaking/mean/underhand way)].

fusilamiento *v*: CRIM execution by firing squad; S. *horca, cámara de gas, inyección letal.* [Exp: **fusilar** (CRIM shoot, execute by firing squad; S. *disparar; tiro, tiroteo*)].

fusión *n*: BSNSS [corporate] merger, amalgamation, union; S. *fundir.* [Exp: **fusión de derechos/contratos/delitos** (GEN/CIVIL/CRIM merger of rights/contracts; joinder of actions; charging offences together; joinder of defendants; taking other offences into consideration), **fusión de intereses** (BSNSS pooling of interest), **fusión de procedimientos/demandas** (PROC joinder of actions), **fusión de sociedades** (BSNSS [corporate] merger; S. *consolidación*), **fusión por absorción** (BSNSS take-over merger), **fusionar** (BSNSS combine, merge, consolidate, unite; S. *mancomunar, fundir*)].

G

gabela *obs n*: GEN/TAX tax, charge, encumbrance; S. *carga, gravamen, impuesto, tributo.*

gabinete *n*: GEN office, bureau, cabinet; S. *bufete, consejo de ministros*. [Exp: **gabinete de prensa** (GEN press office), **gabinete fiscal** (TAX consultancy)].

gaceta oficial *n*: GEN official gazette or journal; trade paper, news sheet, newsletter; S. *boletín oficial.*

gajes *n*: GEN/EMPLOY perquisites, perks *col*; S. *plus, extra, emolumento*. [Exp: **gajes del oficio** *col* (BSNSS occupational hazards, drawbacks of the trade)].

gamberrada *n*: GEN/CRIM [act of] hooliganism, vandalism, thuggery. [Exp: **gamberrismo** (GEN/CRIM hooliganism, thuggery, vandalism), **gamberro** (GEN/CRIM hooligan, thug, vandal, lout; S. *perdonavidas, bruto*)].

ganancia-s *n*: GEN/BSNSS profit, gain; earnings, proceeds, takings; S. *ingresos, rendimiento, lucro, beneficio, entrada*[3]. [Exp: **ganan los síes** (CONST the ayes have it), **ganancial** (GEN S. *bienes gananciales, régimen de gananciales*), **ganancias brutas/netas** (GEN gross/net earnings/profit), **ganancias de capital** (BSNSS capital gains; S. *plusvalías de capital*), **ganar** (GEN earn, gain, win; S. *perder*), **ganar un pleito** (PROC win a lawsuit/case; S. *prosperar*)].

garante *n*: CIVIL guarantor, warranter/warrantor, sponsor, assurer, surety; S. *avalista, comodante, depositante, fiador.* [Exp: **garantía**[1] (GEN/BSNSS guarantee, warranty ◊ *Todos los ordenadores tienen dos años de garantía*; S. *en garantía*), **garantía**[2] (CIVIL surety, guarantee, warranty, backing, bond, safeguard, pledge, covenant, security, suretyship; S. *aval, caución, colateral, fianza, prenda; garantías constitucionales, tutela, indefensión*), **garantía bloqueada** (CIVIL escrow; S. *plica*), **garantía de licitación** (ADMIN bid bond; S. *aval de oferta, fianza de licitador*), **garantía, en/bajo** (GEN under warranty/guarantee) **garantía hipotecaria** (CIVIL mortgage security, real security), **garantía personal** (CIVIL personal security, suretyship; S. *fianza*), **garantía prendaria** (CIVIL collateral, pledge) **garantía procesal** (PROC bond for court costs; S. *garantías procesales, arraigo en juicio*), **garantía solidaria** (PROC/BSNSS joint and several security or guaranty), **garantías constitucionales** (CONST constitutional rights, civil liberties; S. *derechos individuales, tutela, indefensión*), **garantías escritas o expresas** (GEN express warranties), **garantías procesales** (PROC procedural safeguards, due process of law, due form, principles of procedural fairness and impartiality, *approx* right to a fair trial ◊ *En el escrito de recurso se expondrán las alegaciones sobre quebrantamiento de las formas y las garantías procesales*), **garantías procesales, con las debidas** (PROC in due process of law; S. *ajustado a derecho*), **garantías, sin** (BSNSS unsecured, without collateral; S. *sin caución o colateral*), **garantismo** (PROC [excessively] strict adherence to the principles of due process of law; applied to a school of judicial thinking which places great –some would say overscrupulous– emphasis on the right of every person to the protection *–amparo, tutela–* of the courts and especially on the right of accused persons to a fair trial; S. *amparo, indefensión, tutela*), **garantizar** (GEN warrant, guarantee, ensure, secure, preserve, vouch, back; S. *responder, avalar, afianzar*), **garantizado** (GEN secured, guaranteed, warrantee; S. *con caución, asegurado*)].

garito *n*: GEN/CRIM gambling house or den ◊ *Los garitos están llenos de tahúres y fulleros.*

garrote [vil] *n*: CRIM garrotte, mechanism formerly used in Spain for executing criminals by strangulation; S. *ahorcar, ajusticiar, agarrotar, ejecutar, pena capital.*

gas *n*: GEN gas. [Exp: **gases lacrimógenos** (GEN tear gas ◊ *La policía utilizó gases lacrimógenos para dispersar a los alborotadores*)].

gastar *v*: GEN spend, disburse, lay out; use, use up; S. *desembolsar, consumir, ahorrar.* [Exp: **gasto** (GEN spending, expenditure, outlay, disbursement; consumption; cost; S. *ahorro, consumo*), **gasto público** (ADMIN public spending), **gastos** (GEN costs expenses, expenditures, outflow, disbursements; S. *desembolso*), **gastos accesorios** (GEN incidental expenses), **gastos corrientes** (BSNSS running/operating costs), **gastos de conservación** (BSNSS maintenance charges), **gastos de consulta en el registro** (GEN title examination fee), **gastos de demora** (BSNSS demurrage; S. *estadía*), **gastos de descarga** (BSNSS landing charges), **gastos de funcionamiento o de explotación** (BSNSS operating expenses), **gastos de manutención** (BSNSS subsistence allowance; S. *dietas y viáticos*), **gastos de registro** (GEN registration fee-s, recording charges), **gastos de representación** (GEN entertainment expenses or allowance, representation expenses *US*), **gastos generales** (BSNSS overheads)].

genealogía *n*: FAM genealogy, pedigree, family tree; S. *linaje.*

general *a/n*: GEN general. [Exp: **generales de la ley** (CONST relevant particulars, particulars of witnesses; the expression refers to the standard question put to witnesses in order to establish their identity, age, profession, relation –if any– to the parties to the suit, legal standing, etc.; S. *deducir testimonio, testificar, declarar*), **generalizado** (GEN prevailing; S. *imperante, corriente, extendido, predominante*), **género**[1] (GEN/BSNSS merchandise, commodity, produce, product, goods; S. *bienes, mercancía, mercaderías*), **género**[2] (GEN type, kind, genre; sex, gender; S. *violencia de género*)].

Generalitat *n*: CONST Assembly, Parliament or government of the Autonomous Region *–autonomía–* of Catalonia or Valencia; in both cases the official language, like the name itself, is Catalan; S. *autonomía, consejero, Junta, Xunta.*

genocidio *n*: CRIM genocide ◊ *El delito de genocidio no prescribe nunca*; S. *homicidio, crímenes contra la humanidad, limpieza étnica.*

gerencia *n*: management [of business]; managership; manager's office; S. *gestión, administración.* [Exp: **gerencia de urbanismo** (ADMIN planning authority; S.

oficina de planificación urbanística), **gerente** (ADMIN/BSNSS managing director, manager; S. *consejero delegado*)].

gestación *n*: GEN pregnancy ◊ *Sufrió un aborto cuando se encontraba en avanzado estado de gestación*; S. *embarazo, alumbramiento, parto, dar a luz; malformación del feto*.

gestión *n*: GEN/BSNSS management; running, conduct; operation; transaction, step; S. *funcionamiento, gerencia, administración, trámite, diligencia*. [Exp: **gestión de carteras de valores** (BSNSS portfolio management), **gestión financiera** (BSNSS financial management), **gestión procesal** (PROC case management; S. *ordenación del proceso*), **gestionar** (GEN administer, manage, negotiate, handle, deal with; S. *administrar, actuar, dirigir*), **gestionar una patente** (BSNSS apply for a patent), **gestionar una causa** (PROC conduct a case; S. *tramitar*), **gestor** (BSNSS/GEN agent, fixer *col*; manager, supervisor; applied especially to an independent agent who specialises in obtaining official documents and handling the administrative side of private or business transactions for people too busy to conduct their own affairs or firms without local officie; also used as an adjective meaning «administrative, managing, management», etc., *el banco gestor* –the bank which handled the transactions–; S. *gerente*), **gestoría** (GEN/BSNSS agency; agent's office; S. *gestor*)].

girado [de una letra de cambio] *n*: BSNSS drawee [of a bill of exchange]; S. *tomador, aceptante, librado*. [Exp: **girador [de una letra de cambio]** (BSNSS drawer/maker [of a bill of exchange]; S. *librador*), **girar** (BSNSS draw, send, remit, transfer; S. *librar, extender*), **girar a cargo de** (BSNSS draw against), **girar en descubierto** (BSNSS overdraw; S. *sobregiro*), **girar una letra de cambio**] (BSNSS present s bill of exchange; S. *aceptar/descontar una letra*), **giro** (BSNSS remittance, draft, transfer of money), **giro a la vista** (BSNSS sight draft), **giro bancario** (BSNSS bank transfer, money order), **giro postal** (BSNSS money order, postal order, post office giro)].

gobernación *n*: GEN government, governance; political management. [Exp: **gobernante**[1] (CONST governor), **gobernante**[2] (GEN ruling, governing, in power ◊ *El partido gobernante tiene muchas posibilidades de ser reelegido*; S. *poder*), **gobernador** (CONST governor; S. *gobernador*), **gobernador del Banco de España** (CONST governor of the Bank of Spain), **gobernador civil** (CONST governor of a Spanish province; a civilian with powers akin to those of a Chief Constable, now called *subdelegado del gobierno*), **gobernador militar** (CONST military governor, highest ranking officer in a Spanish province or region), **gobernar** (CONST govern, order, rule over, run; S. *regir, reinar, dirigir, dominar, ordenar*), **gobierno** (CONST government, rule; supervision, administration, conduct; S. *gubernamental; encargar la formación de un gobierno*), **gobierno municipal** (ADMIN local government)].

goce *n*: GEN/CIVIL enjoyment, possession, enjoyment; S. *gozar; disfrute, posesión, tenencia*.

golpe[1] *n*: *n*: GEN blow, punch; knock; collision, stroke, stroke of wit ◊ *La policía ha asestado un duro golpe al terrorismo internacional con las detenciones de ayer*; S. *puñetazo, asestar*. [Exp: **golpe**[2] (CRIM raid, job *col*, robbery, hold-up, hit *col*; sting *col*, scam *col*, fiddle *col*; S. *asalto, atraco, robo, timo*), **golpe, de** (GEN suddenly; violently), **golpe de efecto** (GEN smart move, coup de théâtre), **golpe [de estado]** (CRIM coup [d'état]; S. *intentona golpista*), **golpe [de estado], dar un**

(CRIM stage/mount a coup [d'état]), **golpear** (GEN strike, hit, punch; knock ◊ *Agredió a su compañera golpeándola brutalmente*; S. *asestar, pegar, apalear*), **golpismo** (CRIM pro-coup tendencies; prevalence of coups; aim/attempt to seize power by means of a coup; prevalence of the coup mentality ◊ *El deseo de acabar con el golpismo en ciertos países latinoamericanos*), **golpista** (CRIM leader of a coup; pro-coup, in favour of a coup; [officer/person] involved in a coup or behind a coup; S. *intentona golpista*)].

gozar *v*: GEN enjoy, possess, hold; S. *goce; disfrutar, tener, poseer*. [Exp: **gozar de un derecho, privilegio o monopolio** (GEN enjoy a right, a privilege, a monopoly)].

gracia[1] *n*: GEN grace, dignity; privilege, favour; S. *dignidad, privilegio*. [Exp: **gracia**[2] (GEN/CRIM mercy, clemency; S. *perdón, remisión, indulto, clemencia; período de gracia*), **gracioso** (GEN gracious; gratuitous, liberal; S. *a título gratuito, gratuito*)].

gradación *n*: GEN gradation, classification. [Exp: **grado** (GEN degree, rate, level; S. *escala, jerarquía, dignidad, categoría*), **grado de afinidad** (FAM degree of relationship by affinity), **grado de consanguinidad** (FAM degree of relationship by consanguinity), **grado de culpabilidad** (CRIM degree of guilt), **grado de parentesco** (FAM degree of kinship), **grado de tentativa, en** (CRIM attempting to; S. *asesinato en grado de tentativa*), **graduación** (GEN graduation, ranking; adjustment, measurement), **graduar** (GEN graduate, adjust, measure, marshal), **graduar la masa de la quiebra** (BSNSS marshal/adjust the assets in bankruptcy; S. *masa de la quiebra*)].

grande *a/n*: GEN big, large, great, considerable, major; grandee. [Exp: **grande de España** (GEN Spanish grandee, senior Spanish nobleman)].

granuja *n*: GEN crook, swindler, rogue, rascal, no-good. [Exp: **granujería** (GEN graft, swindle, crookery)].

gratificación *n*: EMPLOY fee, reward; tip, gratuity; sweetener *col*; S. *premio, recompensa, gratificación*. [Exp: **gratificar** (GEN reward; gratify, pay a bonus; S. *remunerar*), **gratificará, se** (GEN a reward is offered to the finder, etc.)].

gratuito *a*: GEN free, gratis; gratuitous, ungrounded, groundless, baseless, unwarranted, uncalled for; S. a *título gratuito, gracioso; sin fundamento, infundado*.

gravable *a*: TAX taxable, subject to tax; S. *imponible, tributable*. [Exp: **gravamen** (TAX/ADMIN charge, levy, encumbrance, lien; S. *carga, afectación, servidumbre, gabela, embargo, libre de cargas y gravámenes, sanear*), **gravar** (GEN/CIVIL/TAX tax, impose [a tax], levy, assess; charge, encumber, levy; S. *cargar, imponer, exacción, imposición, gravamen*), **gravar con hipoteca** (CIVIL [encumber with] a mortgage ◊ *Esta finca está gravada con una fuerte hipoteca*; S. *cargado de deudas, obligaciones*, etc.), **gravar con tributos** (TAX impose taxes)].

grave *a*: GEN grave, serious; S. *leve; serio*. [Exp: **gravedad** (GEN gravity, seriousness; solemnity ◊ *Los medios utilizados en la defensa deben ser proporcionados a la gravedad del atentado*), **gravoso** (GEN burdensome, onerous, costly, heavy; S. *excesivo, inmoderado*)].

gremial *a*: BSNSS pertaining to a guild, organised on a guild basis. [Exp: **gremio** (BSNSS guild, trade union; trade association; S. *corporación, cuerpo; sindicato*)].

grilletes *n*: GEN/CRIM fetters, shackles.

grosero *a*: GEN vulgar, coarse, obscene, indecent, rude, crude; S. *soez, vulgar, ordinario, indecente, procaz*.

gruesa *n*: BSNSS S. *préstamo a la gruesa, contrato a la gruesa, empréstito a la gruesa*.

grupo *n*: GEN group, association, combine. [Exp: **grupo industrial** (BSNSS combine, conglomerate, holding, trust; S. *asociación, conglomerado, consorcio, cártel*), **grupo de presión** (GEN pressure group, lobby), **grupo parlamentario** (CONST parliamentary/congressional group; S. *jefe del grupo parlamentario*)].

guante *n*: GEN glove; S. *echar el guante a*. [Exp: **guante blanco, de** (GEN white-collar ◊ *Muchos delincuentes de guante blanco proceden de la clase profesional*; S. *delincuente de guante blanco, delitos de guante blanco*)].

guarda[1] *n*: GEN keeper, guard, watchman; safekeeping. [Exp: **guarda**[2] (CIVIL custody, protection, care; as a term of civil law this includes the duties of parents or guardians to look after their children; S. *acogimiento, adopción, curatela, defensor judicial, tutela*), **guarda de menores** (FAM custody of children ◊ *La guarda de menores que se encuentran en situación de desamparo*), **guarda jurado** (GEN security guard), **guardaespaldas** (CRIM bodyguard; S. *escolta, protección policial*), **guardar**[1] (GEN keep, hold, retain; S. *almacenar, hacer acopio; ocupar, poseer, tener*), **guardar**[2] (GEN guard, ward, keep watch over, have custody of), **guardar relación con** (GEN bear some relation to, be related to, concern, be connected with ◊ *Las medidas cautelares han de guardar relación con lo que se pretende en el proceso*), **guardería infantil** (EMPLOY crèche, nursery school; S. *servicio de guardería*), **guardia**[1] (CIVIL custody, protection, care; duty), **guardia**[2] (CRIM police officer, uniformed policeman), **guardia, de** (GEN on duty, on call; S. *turno, servicio*), **Guardia Civil** (CRIM Spanish Civil Guard; S. *Benemérita, policía, patrulla de la Guardia Civil, puesto de la guardia civil; Director General de la Seguridad del Estado*), **guardia urbano** (ADMIN municipal police officer), **guardián** (GEN warder; guardian, custodian; depositary)].

gubernamental *a*: GEN government, governmental; S. *gobierno, organización no gubernamental*.

guerra *n*: GEN war; S. *hecho de guerra, declarar la guerra*. [Exp: **guerra preventiva** (GEN pre-emptive war)].

guía *n*: GEN guidance; guide, courier; S. *orientación, consejo*. [Exp: **guía de depósito** (GEN warehouse receipt; S. *recibo de almacén*)].

H

ha *v*: PROC S. *haber lugar*.

habeas corpus *n*: PROC habeas corpus.

haber[1] *v*: GEN have; S. *haber lugar*. [Exp: **haber**[2] (GEN/BSNSS credit, assets, wealth, fortune; effects; S. *masa, caudal, bienes*), **haber lugar a** (GEN/PROC be proper/appropriate/right/fitting; in legal contexts found only in negative expressions, most commonly the phrase *no ha lugar* –motion/application refused/dismissed, objection overruled, etc.– where the archaiç *ha* is retained in preference to the modern *hay*; in non-legal usage, however, the modern form is found exclusively, as in *No hay lugar a tanta discusión –«There's no need for all this arguing»–*; in ordinary speech the phrase has its natural meaning of «there is no call for/need of» or «there is [was, will be, etc.] no occasion for/opportunity to», etc.; thus, even in general usage, the positive from is obsolete or extremely rare cetc.0nlie, be admissible), **haberes** (EMPLOY/BSNSS salary, wages; property, resources; S. *sueldo, bienes*), **habiendo prestado juramento** (PROC being duly sworn; S. *prestar juramento*)].

hábil *a*: GEN/PROC proper, due, lawful, qualified, capable, competent; working [day]; S. *legal, lícito, legítimo; día hábil, tiempo hábil*. [Exp: **habilitación** (ADMIN authorisation; qualification; S. *autorización*), **habilitado**[1] (GEN paymaster, repesentative), **habilitado**[2] (GEN authorized, qualified, apt), **habilitar** (GEN authorize, enable, qualify; S. *autorizar*), **habilitarse** (GEN qualify as; S. *prepararse, capacitarse*)].

habitable *a*: GEN habitable. [Exp: **habitabilidad** (ADMIN habitability, suitability ofr habitation; S. *cédula de habitabilidad*), **habitante** (GEN inhabitant, resident; S. *vecino, residente*), **habitar** (GEN inhabit, reside, live in)].

hacendístico *a*: GEN fiscal, tax; of or pertaining to *Hacienda*.

hacer *v*: GEN make, do, conduct, perform, carry out; manufacture; render. [Exp: **hacer concesiones** (GEN make concessions, make allowances for; S. *tener en cuenta, ser comprensivo o poco severo, ser considerado*), **hacer constar** (GEN place on the record, record, have [it] recorded; state, say, allege, set down, establish; S. *constar, manifestar, alegar, declarar, aseverar, sostener, decir, dejar constancia, poner por escrito*), **hacer constar en acta** (GEN place on the record, record), **hacer contrabando** (CRIM smuggle), **hacer cumplir** (GEN/PROC enforce), **hacer chanchullos** (GEN/CRIM rig; cheat; indulge/engage in fiddles *col*, be into graft *col*, be on the make/take *col*; S. *ma-*

nipular; estafa, fraude), **hacer efectivo** (GEN cash, pay; S. *cobrar; pagar, desembolsar*), **hacer justicia** (GEN/PROC do justice, see/ensure that justice is done, gring [sb] to justice ◊ *Aunque tarde, se ha hecho justicia con los culpables*), **hacer las veces de** (GEN act as, stand in for; S. *actuar, representar*), **hacer saber** (GEN advise, notify, make known; S. *saber, por la presente se hace saber*), **hacer salvedades** (GEN draw distinctions, distinguish; qualify; make exceptions; S. *dictamen con salvedades*), **hacer un pedido** (BSNSS order, place an order), **hacer uso de la palabra** (GEN take the floor, speak [in public], intervene [in a debate], have one's say; S. *dar la palabra*), **hacer valer** (GEN assert, claim, defend/vindicate/maintain [one's rights] ◊ *Los particulares acuden a los tribunales para hacer valer sus derechos*; S. *reivindicar*), **hacerse pasar por** (GEN pass oneself off as, impersonate, personate; S. *usurpar*), **hacerse socio de un club** (GEN join a club, take out membership in a club)].

hacienda[1] *n*: CIVIL rural real estate, country estate, landed property, property, farm; S. *fundo, finca, predio, propiedad rústica*. [Exp: **Hacienda**[2] **Pública** (CONST [Public] Treasury Department of the Treasury, Exchequer; S. *hacendístico; Departamento del Tesoro, Agencia Tributaria, erario público*)].

hacinamiento *n*: GEN overcrowding ◊ *El motín se debió al hacinamiento de los presos*. [Exp: **hacinar** (GEN crowd together, pack in, cram, overcrowd)].

hágase *n*: PROC fiat, peremptory order, official authorisation, go-ahead, green light; S. *cúmplase, orden judicial, providencia, mandato absoluto, fiat, decreto*.

hallar *v*: GEN find; S. *declarar, fallar; fallo*.

hampa *n*: CRIM underworld, gangland; criminal element, criminals, gangsters, world of organized crime; S. *bajos fondos*.

hecho *n*: GEN fact, act, occurrence; S. *acto, acción, gestión*. [Exp: **hecho, de** (GEN de facto, in fact; in deed; as a matter of fact; S. *en realidad, el caso es que, antecedentes de hecho, pareja de hecho, matrimonio de hecho*), **hecho/acto constitutivo de delito** (CRIM criminal act; act constituting or tantamount to an offence, act that might amount to a crime, act in the nature of an offence; S. *acción constitutiva de un delito*), **hecho contencioso** (PROC fact in issue, disputed/contested matter/issue), **hecho dañoso** (PROC damaging/prejudicial/harmful event/fact ◊ *Los consumidores que hayan sido perjudicados por un hecho dañoso podrán ser defendidos por sus asociaciones*), **hecho de guerra** (GEN act of war; S. *acto bélico o de guerra*), **hecho delictivo** (CRIM *actus reus*; S. *hecho punible, dolo*), **hecho imponible** (TAX taxable item, circumstance giving rise to a tax liability or the payment of rates or duties; S. *contribución, impuesto*), **hecho probatorio** (PROC evidentiary fact), **hecho punible** (CRIM unlawful act, actus reusoffence; S. *delito, falta, conducta delictiva*), **hecho tangible** (GEN tangible/physical fact), **hechos** (GEN facts, facts in issue, findings; S. *antecedentes de hecho, fundamentos de derecho, reconocimiento de los hechos*), **hechos decisivos** (GEN decisive issues, ultimate facts), **hechos probados** (CRIM facts as found), **hechos sobrevenidos** (GEN new/fresh circumstances, matters that have lately come to light, events occurring after the litigation began)].

heredad *n*: CIVIL country estate, farm, land, property, homestead; S. *predio, fundo, vivienda*.

heredar *v*: SUC inherit, succeed; S. *suceder, pasar a, transmitirse*. [Exp: **heredero-a** (SUC heir, heiress; beneficiary, successor, devisee; as a result of the very different rules governing succession under Spanish and English law, the words «heir» and *heredero*, though they derive from the same Latin root, do not have the same technical meaning and are at best loose translations of one another; the recommended English equivalent is «beneficiary», since it covers all contingencies; S. *causante, derechohabiente, herencia, sucesión, testador, testamento*), **heredero abintestato** (SUC successor or beneficiary on intestacy), **heredero absoluto o libre** (SUC heir unconditional), **heredero adoptivo** (SUC heir by adoption), **heredero colateral** (SUC collateral heir), **heredero del remanente** (SUC residual legatee), **heredero en expectativa** (SUC expectant heir, heir expectant), **heredero en línea directa** (SUC lineal/bodily heir), **heredero fideicomisario** (SUC heir in trust, beneficiary of a trust, fiduciary heir), **heredero forzoso** (SUC successor in title by operation of law, legal beneficiary; the term applies to the person or persons entitled to succeed to the part of the estate of the deceased fixed by law as one third of the total value; this is the *pars legitima* known to Roman law and called *la legítima* –the «legitime» in Scots law–; it is systematically distinguished from the remainder which the testator may dispose of freely, or *tercio de libre disposición* ◊ *La legítima estricta ha de dividirse por igual entre los herederos forzosos*; S. *tercio de mejora, tercio de libre disposición*; S. *legítima, mejora, tercio de libre disposición*), **heredero legítimo** (SUC heir-at-law, rightful heir), **heredero natural** (SUC natural heir), **heredero presunto** (SUC heir presumptive, presumptive heir), **heredero testamentario** (SUC heir under a will, heir testamentary), **heredero único** (SUC sole heir), **heredero universal** (SUC sole heir or beneficiary, beneficiary or devisee of the whole estate), **hereditario** (SUC hereditary)].

herencia *n*: SUC inheritance, legacy, estate, hereditament, succession, disposition, descent ◊ *De una forma simple se puede decir que la herencia se divide en tres partes, a saber, la legítima estricta, el tercio de mejora y el tercio de libre disposición*; S. *adjudicación de herencia, legado, manda, transmisión hereditaria*. [Exp: **herencia adida** (SUC accepted inheritance), **herencia compartida o conjunta** (SUC co-inheritance), **herencia residual** (SUC residuary estate), **herencia testada** (SUC testacy, estate left under a valid will; S. *abintestato, intestado*), **herencia vacante** (SUC unclaimed inheritance, intestacy)].

herida *n*: GEN wound, injury; S. *causar heridas; contusión, lesión*. [Exp: **herido** (GEN wounded, injured; person injured or wounded ◊ *El atentado suicida causó decenas de heridos*), **herido de muerte** (GEN mortally wounded, fatally injured), **herir** (GEN wound, injure, strike; S. *lastimar*)].

hermanastro-a *n*: FAM stepbrother, stepsister;as in English, the Spanish term is distinguished from *hermanos de un solo vínculo* –half-brother/sister– in that *hermanastros* are not related by blood; however, every usage, again as in English, is to simplify by speaking of *hermanos-as* unless the issue of blood relationship arises. [Exp: **hermano-a de un solo vínculo** (FAM half-brother/sister, brother/sister of the half-blood)].

heroína *n*: PENAL heroin, junk *col*; S. *caballo*. [Exp: **heroinómano** (PENAL heroin addict; S. *drogadicto*)].

higiene *n*: GEN hygiene, clealiness, health; S. *salud, seguridad e higiene en el trabajo*.

hijo-a *n*: FAM/GEN child; son, daughter; S. *patria potestad, emancipación, filiación, primogénito*. [Exp: **hijo-a adoptivo** (FAM adopted child/son/daughter; S. *padres* *adoptivos*), **hijo bastardo o ilegítimo** (FAM illegitimate child), **hijo legítimo** (FAM legitimate child, lawful issue), **hijo-a natural** (FAM natural son/daughter), **hijo putativo** (FAM putative/supposed child), **hijo póstumo** (FAM posthumous child)].

hipoteca *n*: CIVIL mortgage; S. *acreedor hipotecario, deudor hipotecario; gravar con hipoteca, levantar la hipoteca*. [Exp: **hipoteca a la gruesa** (CIVIL bottomry bond; S. *garantía del préstamo a gruesa*), **hipoteca abierta** (CIVIL open-end mortgage), **hipoteca cerrada** (CIVIL closed-end mortgage), **hipoteca de segundo grado** (CIVIL second mortgage; S. *segunda hipoteca*), **hipoteca judicial** (PROC/CIVIL mortgage ordered by the court), **hipoteca prendaria** (CIVIL chattel mortgage; S. *crédito mobiliario*), **hipotecable** (CIVIL mortgageable), **hipotecado** (CIVIL mortgaged, encumbered; S. *afectado, gravado*), **hipotecante** (CIVIL mortgagor; S. *deudor hipotecario, acreedor hipotecario*), **hipotecar** (CIVIL mortgage, hypothecate; S. *afectar, pignorar*)].

histérico *a/n*: GEN hysterical; hysteric; S. *neurótico*.

historial *n*: GEN record, case history; background; S. *currículum*. [Exp: **historial delictivo** (CRIM criminal background/record; S. *antecedentes penales*)].

hogar *n*: FAM home. [Exp: **hogar conyugal** (FAM family home; S. *abandono de hogar conyugal*), **hogar paterno** (FAM parental home), **hogar tutelar de menores** (FAM community home, remand home, care centre/institution, young offender institution; S. *centro de acogida*)].

hoja *n*: GEN paper, sheet. [Exp: **hoja de balance** (BSNSS balance sheet; S. *balance de situación*), **hoja de servicios** (ADMIN record; record of service), **hoja registral** (CIVIL page of a property register; S. *folio, registro*)].

hológrafo, ológrafo *a*: GEN holograph, handwritten.

hombre *n*: GEN man. [Exp: **hombre bueno** (CIVIL arbitrator, referee, intermediary; S. *amigable componedor, árbitro, compromisario*), **hombre de confianza** (CIVIL right-hand man), **hombre de paja** (GEN/CRIM dummy, front man, straw man, nominee; S. *tapadera, testaferro, persona interpuesta*)].

homicida *n/a*: CRIM murderer, murderess, slayer, killer; murderous, homicidal, murder, used in a killing; in Spanish the term *homicidio* is the *nomen iuris* of the offence of unlawful killing; hence, it cannot be combined with adjectives such as *excusable* or *justificable*, which suggest an innocent act or want of *mens read*; on the other hand, aggravated forms of homicide, such as killing for gain, or with wanton cruelty *–ensañamiento–* or premeditation *–premeditación, alevosía–*, rank as murder *–asesinato–*, for which the punishment is more severe; translators should therefore take care not to use the word *homicidio* for *killing* except in the context of a charge of or conviction for murder or manslaughter; S *asesino, arma homicida, negligencia homicida.* [Exp: **homicidio** (CRIM homicide; S. *asesinato*), **homicidio frustrado** (CRIM attempted murder), **homicidio imprudente** (CRIM reckles homicide, manslaughter resulting from recklessness or criminal negligence ◊ *El homicidio imprudente es el cometido por imprudencia, negligencia o descuido*), **homicidio involuntario** (CRIM manslaughter, culpable homicide; S. *imprudencia temeraria con resultado de muerte*), **homicidio necesario** (CRIM homicide by necessity), **homicido por precio** (CRIM contract killing ◊ *El homicidio «por precio» constituye el delito de asesinato*; as the example shows, «contract killing», or killing for a reward or recompense, is one of the aggravating circumstances *–agravantes–* that turn unlawful killing *–homicidio–* into murder *–asesinato–*), **homicidio premeditado** (CRIM premeditated murder, first degree murder, murder in the first degree *US*; S. *asesinato en primer grado*), **homicidio preterintencional** (CRIM manslaughter, unlawful homicide), **homicidio sin premeditación** (CRIM manslaughter)].

homologación *n*: GEN homologation, ratification, affirmation, confirmation, endorsement, corroboration. [Exp: **homologar** (GEN bring into line; ratify, affirm, confirm, assent, endorse, corroborate, homologate), **homologar un testamento** (SUC prove a will, render a will valid, accept the validity of will; the implication, as in Scots law, is that certain defects are overlooked)].

honestidad *n*: GEN chastity, honesty, decency; integrity ◊ *El fiscal en su escrito de acusación puso de relieve la falta de honestidad de los dirigentes de la empresa*; though this and the related term *honesto* are now often used to mean «honesty/honest» in general, for many speakers the leading sense is still that of sexual decency, i.e. chastity, modesty or fidelity, and *honra* and *honradez* are the more general words; this is even clearer in the opposite, *deshonesto*, which in legal use invariably means «unchaste, lewd, indecent», and has no implication of «dishonest» in the English sense of «fraudulent, deceptive», etc., i.e. it is unconnected in Spanish with the offences of theft, fraud, embezzlement, etc.; the example should therefore be taken as an instance of perhaps suspect contemporary usage; S. *probidad, decencia, honradez, dignidad*. [Exp: **honesto** (GEN honest, fair, just; decent; chaste; S. *honrado*)].

honor *n*: GEN honour ◊ *Antiguamente se lavaba el honor mancillado con el duelo a muerte*; S. *honra, reputación, dignidad, palabra de honor, atentado contra el honor*.

honorarios *n*: GEN fee, fees, charge-s, costs, honorarium; S. *arancel*. [Exp: **honorarios del letrado** (GEN counsel's fee, legal fees)].

honra *n*: GEN honour; S. *honestidad, honor, fama, reputación; calumnia*. [Exp: **honradez** (GEN honesty, integrity, probity, uprightness; fairness, frankness, openness; S. *rectitud*), **honrado** (GEN honest, honourable, reliable, upright, fair, frank, open; S. *honesto, justo, decente*), **honras fúnebres** (GEN funeral rites, funeral [ceremony])].

hora *n*: GEN hour, time. [Exp: **horas de oficina** (GEN business hours; S. *día hábil*), **horas extraordinarias** (EMPLOY overtime)].

horca *n*: CRIM gallows; S. *cadalso, garrote, inyección letal, patíbulo, pena de muerte; ahorcar*.

horrendo *a*: GEN abhorrent, repulsive, repugnant ◊ *Rechazó de plano sus horrendas insinuaciones sexuales*; S. *detestable, aborrecible, abominable*.

hostigamiento *n*: GEN/CRIM harassment; S. *acoso*. [Exp: **hostigamiento psicológico en el trabajo** (EMPLOY mobbing, bullying at work; S. *acoso psicológico [en el puesto de trabajo]*), **hostigar** (GEN/CRIM plague, assault, harass; S. *provocar, meterse con*)].

hostil *a*: GEN hostile, adverse; S. *adverso*. [Exp: **hostilidad** (GEN enmity, hostility, antagonism; S. *odio, antagonismo, aversión, cese de las hostilidades, enemistad manifiesta*)].

huelga *n*: EMPLOY strike, walk-out; stoppage; S. *paro; plante, declararse en huelga, ir a la huelga, ponerse en huelga, desconvocar una huelga, fondo de huelga, piquete de huelga, servicios mínimos; esquirol*. [Exp: **huelga autorizada** (EMPLOY official strike), **huelga, de/en** (EMPLOY on strike), **huelga de advertencia** (EMPLOY warning strike; S. *sentada*), **huelga de brazos cruzados o caídos** (EMPLOY stoppage, sit-down strike, downing tools), **huelga de celo** (EMPLOY work-to-rule, go-slow ◊ *Han sido expedientados los empleados que hicieron huelga de celo*), **huelga de hambre** (EMPLOY hunger strike), **huelga de presión** (doomsday strike), **huelga de solidaridad o apoyo** (EMPLOY sympathy strike), **huelga escalonada** (EMPLOY staggered/rotating strike), **huelga general** (EMPLOY general strike), **huelga intermitente** (EMPLOY on-off strike), **huelga no autorizada/oficial** (illegal/unofficial strike; wildcat strike; S. *huelga salvaje*), **huelga patronal** (EMPLOY lock-out), **huelga relámpago** (EMPLOY lightning strike), **huelga salvaje** (EMPLOY wildcat strike), **huelga simbólica** (EMPLOY token strike), **huelga sin previo aviso** (EMPLOY walkout lightning strike), **huelga total** (EMPLOY all-out strike), **huelguista** (EMPLOY striker; striking; S. *esquirol*)].

huella *n*: GEN trace, track, mark, sign, evidence; S. *vestigio, señal, indicio, pista, rastro*. [Exp: **huella de pisada** (GEN footprint, footstep), **huellas dactilares** (CRIM fingerprints; dabs *col*; S. *ficha dactiloscópica, dactilograma*)].

huérfano *a/n*: GEN/FAM orphaned; orphan; the Spanish term can also refer to a child who has lost either parent; though strictly speaking this gives rise to the expressions *huérfano de padre* –fatherless– and *huérfano de madre* –motherless–, if the preceding context makes it clear which of the parents has recently died then *huérfano* may be used alone in the appropriate sense, even if the other parent is still living ◊ *–¿Sabes que se ha muerto la madre de Maite? –¡Pobrecita! ¡Quedarse huérfana tan pequeña!*; S. *orfandad*.

huida *n*: CRIM/GEN escape, getaway, breakout, jail-break; S. *evasión, escape, ley de fugas*. [Exp: **huido** (CRIM runaway, on the run; suspect on the run; escaped prisoner ◊ *La policía puso cerco a dos huidos tras un intenso tiroteo*; S. *cerco, fugarse*), **huir** (CRIM flee, run away, escape, be on the run; S. *escaparse, fugarse*)].

humanitario *a*: GEN humane, humanitarian; compassionate; S. *por razones humanitarias*.

humillación *n*: GEN humiliation, affront, insult, outrage; S. *maltrato, vejación, ultraje*. [Exp: **humillar** (GEN humiliate, demean, offend; S. *vejar, ofender*)].

hundimiento *n*: GEN sinking; collapse, heavy fall, sharp drop; downfall; S. *derrumbamiento, colapso, caída, desplome*. [Exp: **hundirse** (GEN sink; collapse; become deeply depressed; S. *irse a pique, derrumbarse*)].

hurtar *v*: CRIM steal, pilfer, commit larceny, purloin, make away with, plagiarize, lift *col*; abstract; S. *robar, sustraer, ratear*. [Exp: **hurto** (CRIM larceny, petty theft, shoplifting; under Spanish law, theft of goods valued at less than €300 is classified as a misdemeanour *–falta–*, whereas theft of goods valued at €300 or more is regarded as a more serious offence *–delito–*; the distinction is reflected in the range of penalties *–castigo–* available in each case; S. *ladrón, robo, sustracción*), **hurto de cabezas de ganado** (CRIM abaction; rustling; S. *cuatrería, abigeato*)].

I

IAE *n*: TAX S. *impuesto sobre actividades económicas.*

ianotipo *n*: GEN blueprint; S. *copia heliográfica.*

IBI *n*: TAX S. *impuesto sobre bienes inmuebles.*

identidad *n*: GEN identity, particulars, personal information ◊ *Las cuestiones relacionadas con la identidad de los litigantes dan pie a la interposición de excepción dilatoria*; S. *DNI.* [Exp: **identidad de litigios, de las partes, etc.** (PROC identity of suits/causes of action, of parties, etc.), **identificación** (GEN identification), **identificar** (GEN identify)].

idoneidad *n*: GEN suitability, fitness. [Exp: **idóneo** (GEN suitable, fit, competent; S. *apto, capacitado*)].

ignominia *n*: GEN ignominy, disgrace, dishonour; S. *deshonra, deshonor.*

ignorancia *n*: GEN ignorance; S. *desconocimiento; alegar ignorancia.* [Exp: **ignorancia de la ley no exime de su cumplimiento, la** (GEN/CRIM ignorance of the law is no excuse/defence), **ignorante** (GEN ignorant, unaware; S. *lego*), **ignorar** (GEN not to know, be unaware [of], be ignorant [of]; ignore)].

igual *a*: GEN equal, similar, [the] same. [Exp: **iguala** (GEN retainer, down-payment on fee, contract for services), **igualdad** (GEN equality; identity), **igualdad de condiciones, en** (GEN on an equal footing/basis, in the same circumstances), **igualdad ante la ley** (CONST equality of rights in the eyes of the law, [right to] equal protection of the law; S. *tutela judicial efectiva*), **igualitario** (GEN egalitarian, equitable; S. *justo, imparcial, equitativo*)].

il- *prf*: GEN negative prefix meaning «un-», «in-,», « im-,», «dis-,», etc. [Exp: **ilegal** (GEN illegal, unlawful, lawless, disorderly; undue; S. *legal*), **ilegalidad** (GEN illegality, lawlessness, unlawfulness; S. *ilicitud, desorden, desobediencia*), **ilegalización** (GEN outlawing, banning, making [it] illegal; ban; S. *deslegalización*), **ilegalizar** (GEN outlaw, ban, make illegal ◊ *La decisión de ilegalizar el partido político provocó reacciones violentas*; S. *deslegitimar*), **ilegalmente** (GEN illegally, unlawfully, wrongfully, unfairly, unjustly, unduly), **ilegítimo** (GEN illegitimate, illegal; born out of wedlock; S. *legítimo*), **ileso** (GEN unhurt, without injury, unharmed, undamaged; S. *indemne, intacto; leso*), **ilícitamente** (GEN unduly, illegally; S. *indebidamente*), **ilícito** (GEN unlawful, illicit, tortious; criminal; inadmissible; S. *ilegal, contrario a la ley*), **ilícito civil contractual** (BSNSS/CIVIL breach of contract),

ilícito civil extracontractual (CIVIL civil wrong/damage/injury outside the scope of contract; *approx* tort; Spanish law has no concept of tort as such, but the Civil Code recognises general rights and duties of care, and hence causes of action akin to tort, under the head of *obligaciones –general duties–* and the concept of *debida diligencia* –general duty of care–; S. *acto antijurídico*), **ilicitud** (GEN unlawfulness, illegality), **ilimitado** (GEN unlimited, unrestricted), **ilíquido** (GEN unadjusted, unliquidated, illiquid), **ilocalizable** (GEN whose whereabouts are unknown, who cannot be traced/found; S. *fuga, huido*)].

im- *prf*: GEN negative prefix meaning «un-», «in-», « im-,», «dis-,», etc.; it appears in the context of words beginning with a *b* or *p*: *imbatible, imparcial, etc.*

imagen *n*: GEN image, picture, photograph; reputation, S. *derecho a la propia imagen.*

imbatible *a*: GEN invincible, unbeatable, unassailable; S. *inatacable, incontestable, irrefutable, inimpugnable.*

imitación *n*: GEN imitation; passing off, counterfeiting; S. *copia, simulación.* [Exp: **imitación fraudulenta [de marca/nombre comercial]** (GEN passing off [of trademark or trade-name]; S. *probabilidad de confusión*), **imitado** (GEN bogus, false, spurious; S. *falso, espurio*), **imitar** (GEN imitate, copy, counterfeit)].

impacto *n*: GEN impact; effect; stir, shock, commotion. [Exp: **impacto de bala** (CRIM shot, gunshot wound, bullet wound; hole/mark/orifice made by bullet), **impacto medioambiental** (GEN environmental impact)].

impagado *a*: BSNSS unpaid; S. *en descubierto.* [Exp: **impagados** (BSNSS bad debts; S. *fallidos, deudas incobrables*), **impago** (BSNSS non-payment, failure to pay ◊ *En caso de impago, se procederá a la exacción por la vía de apremio*; S. *falta de pago, morosidad*), **impago de deuda** (GEN failure to repay debt ◊ *Presentó una demanda contra su prima por impago de deuda*), **impago de la contribución** (ADMIN non-payment of rates, failure to pay local taxes), **impago de pensión** (FAM non-payment of pension)].

imparcial *a*: GEN impartial, fair, unprejudiced, evenhanded, impartial; equitable; S. *justo, equitativo, neutral.* [Exp: **imparcialidad** (GEN impartiality, evenness; S. *equidad, neutralidad*), **imparcialidad, con** (GEN impartially, fairly, without fear or favour ◊ *Los jueces deben actuar siempre con imparcialidad*)].

impedido *a/n*: GEN disabled [person], handicapped [person]; disqualified [person]; S. *discapacitado, persona impedida.* [Exp: **impedimento** (GEN impediment, hindrance, encumbrance, obstacle, handicap, disability; estoppel, bar ◊ *No existe impedimento alguno para aligerar todos los trámites procesales*; S. *traba, cortapisa, obstáculo; afectación, servidumbre, gravamen, carga*), **impedimento absoluto** (GEN absolute impediment), **impedimento dirimente** (FAM canonical disability, diriment impediment), **impedimento impediente** (FAM prohibitive impediment), **impedimento legal** (PROC estoppel, bar; disablement, legal impediment; S. *doctrina de los actos propios*), **impedimento personal** (PROC estoppel, personal bar *Scot*), **impedimentos matrimoniales por razón de parentesco, consanguinidad, adopción, afinidad,** etc. (FAM prohibited degrees of relationship/kinship), **impedir** (GEN impede, prevent, obstruct, bar, withhold, stop, preclude, hinder; estop; disable, handicap; S. *prohibir, obstaculizar, obstar; omisión del deber de impedir el delito*)].

impensas *n*: GEN/FAM costs, expenses; cost of repairs, upkeep, etc.; maintenance expenses.

imperante *a*: GEN prevailing, predominant, prevalent, ruling, in force; S. *reinante,* *corriente, extendido, preponderante, común, generalizado.* [Exp: **imperativo** (GEN imperative, mandatory, compulsory; authoritative, commanding, that brooks no denial; urgent; pressing; S. *vinculante*), **imperativo legal** (CONST legal requirement/compulsion/constraint)].

imperfección *n*: CIVIL imperfection, deficiency, defect, blemish, faultiness; S. *título insuficiente.* [Exp: **imperfecto** (GEN defective, faulty; S. *defectuoso, con defecto de forma*)].

imperio *n*: GEN empire; S. *nación.* [Exp: **imperio de la ley** (CONST rule of law ◊ *Los jueces sólo están sometidos al imperio de la ley*)].

impignorable *a*: CIVIL non-pledgeable.

impecable *a*: GEN impeccable, flawless, irreproachable, unblemished; S. *sin tacha, intachable.*

implantación *n*: GEN establishment, introduction, setting up ◊ *La implantación del euro ha supuesto un reajuste de los precios*; S. *instauración.* [Exp: **implantar** (GEN establish, introduce, set up; S. adoptar, establecer)].

implicación *a*: GEN implication, entailment, connection, involvement ◊ *Fue detenido por su implicación en delitos de narcotráfico, extorsión y secuestro.* [Exp: **implicar** (GEN imply, involve, entail, implicate; S. *entrañar, traer consigo; incriminar*)].

implícito *a*: implicit, implied; constructive, tacit; S. *tácito, sobreentendido, virtual; derogación implícita.*

implorar *v*: GEN beg, implore, crave, beseeech ◊ *El procesado se reconoció culpable e imploró perdón*; S. *rogar, suplicar, pedir.*

imponer *v*: GEN impose, charge; levy, impose, lay [down], enforce ◊ *El mandatario hará todas las gestiones que las leyes le imponen*; S. *aplicar, ejecutar, hacer cumplir, forzar.* [Exp: **imponer el toque de queda** (GEN impose a curfew; S. *levantar el toque de queda*), **imponer una multa** (ADMIN/PROC impose a fine ◊ *Cuando el tribunal aprecie ánimo dilatorio en la presentación de documentos podrá imponer multas*), **imponer tributos** (TAX impose/levy taxes; S. *gravar*), **imponer una pena** (CRIM sentence; give/pass/impose a sentence), **imponibilidad** (TAX taxability), **imponible** (TAX assessable, excisable, dutiable, leviable, taxable, subject to tax/duty; S. *gravable, tributable, sujeto a contribución o exacción*)].

importancia *n*: GEN importance, import, significance; magnititude, weight. [Exp: **importante** (GEN important, significant; large; weighty, serious, considerable; S. *grave, significativo*), **importar**[1] (GEN matter, be important or meaningful), **importar**[2] (BSNSS import; S. *exportar*), **importe** (GEN amount, sum, price, value; S. *monto*)].

importunar *v*: GEN harass, importune, pester, molest, hound; S. *entrometerse, acosar, abusar sexualmente.* [Exp: **importunar con preguntas** (GEN ply with questiones, bombard with questions; S. *acribillar a preguntas, bombardear con preguntas*)].

imposibilidad *n*: GEN impossibility, frustration. [Exp: **imposibilitar** (GEN prevent, preclude, rule out, make [sth] impossible, disable, handicap), **imposibilitado** (GEN disabled, handicapped)].

imposición[1] *n*: GEN imposition, [unreasonable] demand; S. *imponer.* [Exp: **imposición**[2] (BSNSS/TAX taxation, levy; S. *tributación, tasación*), **imposición**[3] (BSNSS deposit; S. *ingreso, reintegro*), **imposición a plazo** (BSNSS time deposit, fixed-term deposit; S. *cuenta a plazo fijo*), **imposición de costas** (PROC order [imposed on a party] to pay costs, order for costs; S. *condenar en costas*), **impositivo** (TAX tax, fiscal, pertaining to taxes; S. *tipo impositivo, tarifa impositiva*), **impositor** (BSNSS depositor; S. *depositante*)].

impostor *n*: CRIM impostor, crook, fraud, swindler, cheat, rogue; S. *estafador, engañador*. [Exp: **impostura** (CRIM imposture, deception, deceit; false imputation, calumny; circumvention; S. *trampa, embrollo, engaño, fraude, dolo*)].

impremeditación *n*: GEN/CRIM want/absence of premeditation, thoughtlessness, heedlessness. [Exp: **impremeditado** (GEN/CRIM unpremeditated, thoughtless, heedless, unthinking; lacking in forethought)].

impresión digital *n*: GEN fingerprint; S. *huellas dactilares*.

impreso *n*: GEN form, style; printed matter. [Exp: **impreso de solicitud** (GEN application form; S. *formulario de solicitud*)].

imprevisible *a*: GEN unforeseeable; unpredictable. [Exp: **imprevisión** (GEN/PROC lack of foresight, unwariness; improvidence, thoughtlessness; negligence; S. *falta de previsión, imprudencia*), **imprevisto** (GEN unforeseen, unexpected; S. *accesorio, inesperado*), **imprevistos** (GEN unforeseen circumstances or expenses, incidental expenses)].

improbabilidad *n*: GEN improbability, unlikelihood, unlikeliness. [Exp: **improbable** (GEN improbable, unlikely, far-fetched, debatable, highly questionable, suspect; S. *dudoso, sospechoso*,

ímprobo[1] *a*: GEN dishonest, unprincipled, disreputable, unscrupulous, corrupt, shady *col*, crooked; S. *corrupto, engañoso, fraudulento, sin escrúpulos*. [Exp: **ímprobo**[2] (GEN colossal, huge, tremendous, enormous ◊ *El transeúnte hizo un esfuerzo ímprobo por salvar al niño que se ahogaba*)].

improcedencia *n*: GEN inapropriateness, inoportuneness; irrelevancy; inadmissibility, unlawfulness, illegality; S. *procedencia*. [Exp: **improcedente** (GEN inapplicable, inappropriate; wrong, unfair, unlawful, illegal, baseless, inadmissible, contrary to correct procedure, irrelevant *Scots*, incompetent *Scots*; S. *procedente; declarar improcedente*)].

impropio *a*: GEN inappropriate,, unsuitable, unfitting, unbecoming; wrong, incorrect; S. *indecoroso, inmoral.*

improrrogabilidad *n*: GEN unextendibility, unpostponability. [Exp: **improrrogable** (GEN non- renewable, not extendible, unpostponable, not admitting adjournment or extension; absolutelyfixed and final ◊ *En el plazo improrrogable de 5 días*)].

imprudencia *n*: CIVIL/CRIM want/lack of due care, imprudence, recklessness, negligence; unwariness, carelessness ◊ *No hay pena sin dolo o imprudencia*; S. *omisión de diligencia debida, culpa, negligencia*; S. *cometer una imprudencia*. [Exp: **imprudencia simple** (CIVIL/CRIM simple/slight negligence), **imprudencia temeraria** (CRIM recklessness, gross negligence; reckless conduct; S. *prevaricación culposa, negligencia inexcusalbe*), **imprudencia temeraria con resultado de muerte** (CRIM causing death by recklessness; *approx* culpable homicide; manslaughter), **imprudente** (CIVIL/CRIM careless, negligent, imprudent, indiscreet, rash, unwise, reckless; S. *temerario*)].

impúber *n*: FAM minor, child, below the age of puberty.

impudicia *n*: GEN gross indecency, lewdness; S. *indecencia*. [Exp: **impúdico** (GEN indecent, obscene, bawdy; S. *escandaloso, indecente, procaz, grosero*)].

impuesto *n*: TAX tax, levy; rate, duty, assessment; S. *contribución*. [Exp: **impuesto al consumo** (TAX consumption tax, excise tax), **impuesto arancelario** (TAX customs duties), **impuesto de circulación** (ADMIN vehicle tax; S. *sacar el impuesto de circulación*), **impuesto de patrimonio** (TAX capital gains tax, property increment tax), **impuesto de plusvalía** (TAX local tax on increased value of real estate), **impuesto de sociedades** (BSNSS/TAX corporation tax, company tax, corporate income tax), **impuesto de vehículos rodados** (ADMIN road tax), **impuesto local o municipal** (ADMIN/TAX rates, community charge, poll tax, local rate), **impuesto progresivo** (TAX progressive tax), **impuesto repercutido** (TAX rebound tax), **impuesto retenido** (TAX tax retained, tax withheld), **impuesto sobre actividades económicas, IAE** (TAX tax on commercial and professional activities; trading licence), **impuesto sobre bienes inmuebles, IBI** (TAX rates, real estate tax *US*), **impuesto sobre bienes raíces** (TAX real estate tax; S. *contribución inmobiliaria*), **impuesto sobre el consumo** (TAX consumption tax), **impuesto sobre el patrimonio** (TAX capital gains tax), **impuesto sobre el valor añadido, IVA** (TAX value added tax, VAT), **impuesto sobre la renta de las personas físicas, IRPF** (TAX income tax), **impuesto sobre sucesiones** (SUC/TAX inheritance tax, estate duty, capital transfer tax, CTT), **impuesto sobre transmisiones** (SUC/TAX death duties, transfer tax), **impuesto sobre transmisiones patrimoniales y actos jurídicos documentados** (TAX transfer tax and stamp duty), **impuestos especiales** (TAX excise duties), **impuestos retenidos** (TAX tax withheld, withholding taxes)].

impugnable *a*: GEN/PROC challengeable, appealable, debatable, legally vulnerable; S. *atacable, rebatible, refutable*. [Exp: **impugnación** (GEN/PROC appeal, objection, challenge, attack ◊ *El tribunal tramitará las impugnaciones con arreglo a lo prevenido en los artículos anteriores*; S. *oposición, resistencia, recurso*), **impugnar** (GEN/PROC appeal against, oppose, impugn, challenge, object to, attack; S. *combatir, contradecir*), **impugnar un testamento** (SUC challenge a will)].

impulsar *v*: GEN impel, propel, activate, promote, boost, motivate, drive [along/on/ahead], push [along/forward]. [Exp: **impulsar el proceso** (PROC drive procedure along; S. *providencia, impulso procesal*), **impulso** (GEN impulse, impetus, driving force, momentum; boost, boosting), **impulso procesal** (GEN impetus/momentum/impulse or driving force in proceedings ◊ *En el procedimiento penal el impulso procesal corresponde al acusador público o privado*; the initiative in proceedings or in the prosecution of matters before the court; the onus in pressing on with matters or driving a case ahead; the term is a wide one and applies both to the onus on one or other –or both– of the parties to keep matters moving by sustaining their respective positions, showing initiative, joining issue, complying with orders, meeting deadlines, etc. and to the court's inherent duty, on its own initiative, to ensure that this is done or, if it is not done, to stop the case for want of prosecution; as the example shows it is for the prosecution, in criminal proceedings to show cause, by means of *prima facie* evidence, why the case against the accused should be pursued, and to pursue it; when the court itself assumes the initiative, the sense of case management, which is effected by pre-trial and directions hearings and the issuing of orders –*comunicaciones procesales*– or instructions to provide further and better particulars, etc.)].

impune *a*: CRIM unpunished, scot-free ◊ *Ningún crimen debe quedar impune*; S. *salir impune*. [Exp: **impunemente** (GEN with impunity), **impunidad** (CRIM impunity)].

imputabilidad *n*: CRIM imputability, attributability. [Exp: **imputable**[1] (GEN imputable, attributable, chargeable; S. *imputar*[1]), **imputable**[2] (CRIM liable to prosecution; person facing prosecution; S. *imputar*[2]), **imputación**[1](GEN allocation, earmarking or setting aside [of funds], appropriation, allotment; the assignment or apportionment of funds or moneys for a specific purpose; S. *asignación, imputar*[1]), **imputación**[2] (CRIM accusation, charge, imputation; committal for examination, judicial examination of a suspect; the term for the initial charge made against a suspect at the investigative stage –*instrucción*– by the examining magistrate –*juez instructor*–; following arrest and, where appropriate, police questioning –*interrogatorio policial*–, the suspect is taken before a judge for examination –*pasa a disposición judicial*–; if in the opinion of the magistrate there is sufficient *prima facie* evidence –*indicios razonables de criminalidad*–, the suspect is formally indicted and sent for trial to the appropriate court by the order known as *auto de procesamiento* –committal order, committal for trial–; pending the trial the accused is either released on bail –*es puesto en libertad bajo fianza*– or remanded in custody –*ingresa en prisión*–; S. *acusación, imputar*[2], *inculpar, procesar*), **imputación de costes** (BSNSS cost allocation), **imputación de pagos** (BSNSS allocation of payments, appropriation of payments), **imputado** (CRIM suspect, accused [person], [person] charged, person whom it is contemplated to charge or accuse formally; suspect who is taken before an examining magistrate to answer preliminary charges in a criminal matter; anyone appearing before an examining magistrate –*juez instructor*– must be told in advance whether he or she is being questioned as a suspect –*en calidad de imputado*– or as a witness –*en calidad de testigo*–; the term is grammatically anomalous, since it is not the person who is «imputed», but the offence which is imputed or attributed to him or her; however, it has long been current in the usage of lawyers and is regarded as a formal term of art; S. *procesado, imputar*[2]), **imputar**[1] (GEN impute, assign, attribute, assess; S. *atribuir; renta imputada*), **imputar**[2] (CRIM charge [with], accuse [of], impute/attribute [to], prefer formal charges [against] ◊ *El juez instructor le ha imputado dos delitos de robo a mano armada*; this is the term used at the investigative stage –*instrucción*– to indicate that the examining magistrate is conducting the preliminary enquiry on the assumption that there is sufficient *prima facie* evidence linking the suspect with the commission of an offence, either as the perpetrator –*autor*– or as an accessory –*cómplice*–; the example illustrates correct usage –impute an offence to a suspect–; translators should avoid the common misusage, especially prevalent in journalism, which consists in treating the verb *imputar* as in all respects equivalent to *acusar*, and results in constructions such as *imputar a alguien de algo, ha sido imputado por robo*, etc; S. *acusar, denunciar, inculpar, procesar*)].

in[1] *prep*: GEN Latin preposition meaning «in», «with» found in some legal or quasi-legal phrases which may generally be left untranslated, such as *in extremis, in itinere, in promptu, in situ, etc*; S. *a, ab, de, ex*. [Exp: **in-**[2] (GEN negative prefix meaning «un-», «in-», «im-», «dis-», etc.)].

inabrogable *a*: GEN/PROC not annullable, indefeasible, irrevocable.

inacción *n*: GEN inaction, omission, failure to act. [Exp: **inactivo** (GEN inactive, in abeyance, dead, dormant, sleeping; S. *latente, sin movimiento, sin valor*)].

inadmisibilidad *a*: GEN/PROC inadmissibility. [Exp: **inadmisible** (GEN inadmissible, not allowed; S. *inaceptable*), **inadmisión** (PROC refusal to admit, non-admission, disallowing, striking out; stay, rejection; S. *rechazo, auto de inadmisión*), **inadmitir** (PROC refuse permission/leave to proceed [with], rule out, disallow, strike out; stay ◊ *El tribunal inadmitió la demanda por falta de legitimación*)].

inalienable *a*: GEN inalienable, non-forfeitable; S. *irrenunciable, inconfiscable, indecomisable.*

inamovible *a*: GEN irremovable from office ◊ *Los jueces son inamovibles*; S. *suspender, trasladar, separar.*

inaplazable *a*: GEN unpostponable, that cannot be delayed/postponed/put off; S. *improrrogable, perentorio, ineludible.*

inapelable *a*: PROC unappealable, that cannot be appealed against/from, from which ther is no appeal/ right of appeal, not open to appeal, conclusive; S. *firme.*

inasistencia *n*: GEN non-attendance, absence; failure to attend, show or appear ◊ *Estará justificada la inasistencia cuando haya causa de fuerza mayor u otro motivo de análoga entidad.*

inatacable *a*: GEN incontestable, unassailable, irrefutable; S. *inexpugnable, irrefutable, imbatible.*

incaducable *a*: GEN non-forfeitable; not voidable, that cannot expire, perpetual; S. *caducidad.*

incalificable *a:* GEN beyond words, too horrible for words, beyond description, unspeakable, heinous, monstrous, odious, abominable; this word is almost always negative in its import and connotes strong moral condemnation ◊ *La violación es un delito incalificable*; S. *execrable, abominable, indignante, insólito, monstruoso, nefando, ominoso, repugnante; delito.*

incapacidad *n*: GEN/PROC disability, incapacity, incompetence; nullity; S. *inhabilitación, incapacidad, declaración de incapacidad, excepción de incapacidad.* [Exp: **incapacidad absoluta** (GEN total disability; S. *invalidez absoluta, inhabilitación total, inutilidad física total*), **incapacidad absoluta permanente** (EMPLOY permanent total disability), **incapacidad absoluta temporal** (EMPLOY temporary total disability), **incapacidad física** (GEN physical disability, handicap; S. *invalidez*), **incapacidad jurídica, legal o procesal** (PROC legal disability/incapacity, civil disability, lack of legal capacity, incapacity to sue; S. *inhabilitación*), **incapacidad laboral transitoria** (CRIM temporary unfitness for work, disability; S. *prestaciones por incapacidad laboral transitoria*), **incapacidad mental** (GEN mental incapacity/disability), **incapacitado** (GEN disqualified, under a disability; disabled, legally incompetent ◊ *El incapacitado es la persona privada por la ley o por decisión judicial del ejercicio de ciertos derechos*; S. *inhabilitado, incompetente*), **incapacitar** (GEN disable, disqualify, incapacitate), **incapaz** (GEN unable, unfit, incompetent, not qualified; person under disability; S. *impotente, incapacidad*)].

incautación *n*: PROC attachment, seizure; sequestration, confiscation, impoundment; S. *decomiso, embargo, secuestro, confiscación; registro e incautación.* [Exp: **incautarse** (PROC seize, sequestrate, attach, confiscate, appropriate, impound ◊ *La policía se incautó de 300 pastillas de droga que descubrió en una discoteca*; S. *decomisar*)].

incendiar *v*: GEN set fire to, set on fire, set alight; S. *prender fuego.* [Exp: **incendiario** (GEN/CRIM incendiary; inflammatory; arsonist), **incendio** (GEN fire), **incendio provocado** (CRIM arson, fire-raising; S. *aleatorio, fortuito, casual, contingente, provocado*)].

incesto *n*: CRIM incest. [Exp: **incestuoso** (CRIM incestuous)].

incidencia *n*: GEN incidence; occurrence, event ◊ *Las leyes que aspiran a prever todas las incidencias posibles son muy problemáticas.* [Exp: **incidental** (GEN incidental, accidental, accessory, ancillary, collateral; S. *colateral, secundario*), **incidente**[1] (GEN incident, occurrence, happening), **incidente**[2] (PROC preliminary issue; matter to be determined before trial of the main issue; thus, any special plea or plea-in-bar which, if decided in favour of the defendant, may put an end toproceedings or lead to the striking out of part of the claim or, in criminal cases, to amendment of the indictment; more fully called *incidente procesal* ◊ *Los incidentes procesales se resuelven mediante auto*; S. *excepción, acto prejudicial, cuestión de previo pronunciamiento; entrar en el fondo de la cuestión*), **incidente de nulidad** (PROC application/motion for dismissal), **incidente de oposición** (PROC preliminary issue raised by the defence), **incidente de pobreza** (GEN plea of poverty, request for legal aid; S. *pobreza*), **incidente procesal** (PROC same as *incidente*[2]), **incidentes/cuestiones de previo pronunciamiento** (PROC preliminary issues, issues to be decided beforehand, issues of an interlocutory nature; plea/motion/request for declaratory judgment, peremptory plea, questions to be settled before trial can proceed; S. *artículos de previo pronunciamiento*; *excepción previa, prejudicial, de previo pronunciamiento*), **incidir** (GEN have a bearing, influence, affect)].

incierto *a*: GEN uncertain, false; unsure, unwarranted; the use of this word in the sense of «untrue, false», prevalent among lawyers, leads to ambiguity, since the usual meanings are those listed; it is therefore best not to use it in the sense of «untrue», since the context will not always clarify whether the speaker is saying that a statement is false or merely that it is dubious; S. *dudoso, sospechoso, discutible.*

inciso[1] *n*: GEN paragraph, subsection, subparagraph, clause; S. *articulado de una ley, a efecto de lo dispuesto en el inciso 3.* [Exp: **inciso**[2] (GEN/CRIM made/caused by a knife or sharp instrument, as in *herida incisa* –knife wound, stab wound–), **inciso, a modo de** (GEN by the way, in passing)].

incitación *n*: GEN/CRIM incitement; S. *inducción, excitación, provocación, instigación, tentación.* [Exp: **incitador** (GEN/CRIM agitator, trouble-maker; S. *instigador*), **incitar** (GEN incite, provoke, encourage, move, entice, persuade, set on; S. *instigar, impulsar, promover*), **incitar a la sedición** (CRIM move to sedition)].

incluir *v*: GEN include, enclose; S. *adjuntar.* [Exp: **incluir en el orden del día** (GEN put down on the agenda, place on the agenda)].

inclusa *obs n*: CIVIL/FAM orphanage; home for foundlings.

incoación *n*: GEN commencement, opening, initiation; S. *iniciación.* [Exp: **incoar** (GEN commence, bring, file, enter, open; S. *abrir, instruir*), **incoar un expediente** (ADMIN/PROC institute proceedings, bring disciplinary proceedings, open a file; S. *instruir/abrir un expediente*), **incoar una causa criminal** (CRIM bring charges, bring a prosecution, indict, prosecute; S. *instruir un proceso*), **incoar una demanda** (CIVIL bring an action/a case/proceedings/a suit/an action/proceedings, commence a suit/an action/proceedings; S. *entablar, interponer*)].

incobrable *a*: GEN uncollectible, irrecoverable, non-collectible; bad debt.

incomparecencia *n*: PROCL failure to appear, absence, non-appearance, default, failure to notify intention to defend; S. *comparecencia, asistencia, inasistencia;*

personarse; ausencia, rebeldía, contumacia. [Exp: **incomparecencia no justificada** (PROC failure to appear; S. *ausencia no justificada*), **incompareciente** (PROC defaulting, failing to appear; defaulter, party who fails to appear)].

incompatibilidad *n*: GEN incompatibility. [Exp: **incompatibilidad de caracteres** (CIVIL incompatibility or irreconcilable differences of temperament/outlook, inevitable clash of personalities, inability to get on together; *approx.* irretrievable breakdown [of marriage] ◊ *Solicitaron la separación matrimonial de mutuo acuerdo por incompatibilidad de caracteres*; S. *divorcio, separación matrimonial*)].

incompetencia *n*: GEN incompetence,incompetency, lack of legal competence, want/lack of jurisdiction; S. *competencia*[3]. [Exp: **incompetente** (GEN incompetent, unfit, unqualified, not qualified, unauthorized; S. *incapaz, competente*)].

incomunicación *n*: GEN isolation, solitary confinement, lack/want of communication. [Exp: **incomunicado** (GEN held incommunicado, in isolation, in solitary confinement, cut off), **incomunicar** (GEN cut off, isolate; hold incommunicado, keep/place/put in solitary confinement)].

inconcluso *a*: GEN unfisnished, unexpired, unfinished; S. *no cumplido, no vencido.*

incondicional *a*: GEN unconditional, absolute, complete, final; S. *categórico, tajante, definitivo, firme.*

inconfeso *a*: GEN unacknowledged; accused/suspect who makes no plea or declaration, or denies the charges.

inconforme *a*: GEN dissenting, opposed, in disagreement, hostile. [Exp: **inconformidad** (GEN dissent, disagreement, disapprobation, disapproval; S. *desaprobación, censura, reprobación, disconformidad*)].

inconstitucional *a*: CONST unconstitutional; S. *anticonstitucional.* [Exp: **inconstitucionalidad** (CONST unconstitutionality)].

incontestable *a*: GEN incontestable, unanswerable, incontrovertible, indisputable, undeniable, irrefutable; S. *incuestionable, indisputable.*

incontrovertible *a*: GEN incontrovertible, unanswerable, incontrovertible, indisputable; S. *irrefutable, incontestable.*

incorporación *n*: GEN incorporation; S. *anexión, adición, unión, fusión.* [Exp: **incorporar** (GEN incorporate, merge, absorb, join; bring in, annex; S. *agregar, añadir, adjuntar*), **incorporarse a** (GEN join; S. *afiliarse*)].

incorpóreo *a*: GEN incorporeal; S. *intangible.*

incriminar *v*: CRIM incriminate, accuse [of], charge [with] ◊ *El juez ha incriminado a algunos concejales en el cobro de comisiones ilegales*; S. *inculpar.*

incruento *a*: GEN bloodless, without bloodshed, without a shot being fired.

inculpabilidad *n*: PROC [verdict of] not guilty, innocence. [Exp: **inculpación** (CRIM accusation, charge; denunciation; S. *imputación; exculpación, exoneración*), **inculpado** (CRIM accused, defendant; S. *citación, imputado, acusado, procesado*), **inculpar** (CRIM accuse, charge, incriminate; S. *incriminar; culpa*), **inculparse** (CRIM plead guilty, confess; S. *autoinculparse, declararse culpable*)].

incumbencia *n*: GEN responsibility, duty, concern, obligation; liability; field, province ◊ *Ese asunto no es de mi incumbencia*; S. *competencia, responsabilidad, obligación, deber; facultades, poderes, funciones, atribuciones.* [Exp: **incumbe a él, le** (GEN/CRIM the onus is upon him, it is for/uo to him [to], he is charged with the duty [of], the responsibility lies on him ◊ *Le incumbe a la acusación probar la culpabilidad del reo*), **incumbir** (GEN affect, concern, have the responsibility for, be the concern of ◊ *No me incumbe a mí tomar una decisión de tal naturaleza*; S. *atañer, corresponder*)].

incumplimiento *n*: GEN breach, failure, failure to complete/perform, non-compliance, nonfeasance, non-fulfilment; non-observance, non-performance; S. *omisión, negligencia, inobservancia*. [Exp: **incumplimiento de contrato** (BSNSS breach of contract ◊ *Interpusieron una demanda por incumplimiento de contrato*; S. *responsabilidad contractual*), **incumplir** (GEN fail to perform/carry out/fulfil, default, be in default; breach, break; S. *infringir, vulnerar*), **incumplir un pago** (BSNSS fail to pay, default on payment)].

incuria *n*: GEN negligence, carelessness; S. *negligencia*.

incurrir *v*: CRIM incur; commit, be/become liable [for], face ◊ *El condenado por este delito incurre en una pena de prisión de dos a cuatro años*; as the example shows, the Spanish verb is intransitive, unlike its English counterpart, and can refer both to the infringement or offence committed and to the penalty which it attracts; the term *incurso*, here listed as a separate word is in fact an irregular past participle derived from the same Latin root, which explains the similarities of sense; S. *perpetrar, cometer, consumar*. [Exp: **incurrir en multa** (PROC incur a penalty, become liable for a fine), **incurrir en responsabilidad** (CIVIL incur responsibility, become liable), **incurrir en un delito** (CRIM commit a crime ◊ *Los jueces no incurrieron en delito cuando excarcelaron al procesado*), **incurrir en una pena grave** (PROC face or be liable to receive a stiff sentence or a long term of imprisonment)].

incurso *a*: CRIM/PROC liable/subject [to], guilty [of], lialbe [for], facing ◊ *Por su actuación se encuentra incurso en el delito de estafa*; S. *inculpar, imputar, incurrir*.

indagación *n*: GEN examination, enquiry/inquiry, investigation ◊ *El sumario sigue abierto porque aún siguen las indagaciones policiales*; S. *investigación, exploración*. [Exp: **indagar** (GEN investigate, enquire/inquire, examine, ascertain ◊ *La fiscalía indagará si los controladores cometieron negligencia homicida*; S. *investigar, explorar*), **indagatoria** (GEN/PROC inquest, preliminary investigation or inquiry; magistrate's first examination of the accused; *approx* police interview [with suspect], suspect's statement at interview; S. *declaración indagatoria*)].

indebidamente *adv*: GEN improperly, wrongfully, illegally, unlawfully; S. *ilícitamente*. [Exp: **indebido** (GEN undue, wrongful, improper, unlawful, illegal; S. *retención indebida*)].

indecencia *n*: GEN indecency, lewdness, rudeness, coarseness; S. *obscenidad, promiscuidad, vicio*. [Exp: **indecente** (GEN indecent; rude, coarse, shameless, obscene; brazen, barefaced, unprincipled; S. *procaz, grosero, pornográfico*)].

indeclinable *a*: GEN mandatory, obligatory, unwaivable, unavoidable; that cannot be refused; applies principally to duty or jurisdiction; S. *competente*.

indecoroso a: GEN indecorous, unseemly, indelicate; S. *inmoral, impropio*.

indefensión *n*: GEN/PROC defencelessness, lack of proper defence; unfairness, injustice; unfair or oppressive conduct ◊ *Los actos que, por no practicarse con arreglo a la ley, produjeran indefensión serán nulos*; as a term of art, the closest English equivalent is «unfairness», since the word is used when the defence claims that an accused person has been deprived of his her constitutional, legal or human rights, i.e. essentially the right to a fair trial; thus, any allegation of oppressive conduct by the police, examining magistrate *–juez instructor–* or trial court concerning arrest, holding of a suspect without charge, beyond the legal maximum or without proper representation, unwarranted refusal of bail, decision to arraign or press charges without solid *prima facie* evidence, etc., will lead to a defence pleading of *indefensión*; S. *tutela, garantía.* [Exp: **indefenso** (GEN/PROC defenceless, without a defence, with no proper legal representation)].

indemne *a*: GEN undamaged; safe, unharmed; S. *ileso*. [Exp: **indemnidad** (GEN indemnity), **indemnizable** (INSUR/CIVIL indemnifiable, recoverable; S. *recobrable, recuperable*), **indemnización** (CIVIL indemnification; indemnity, compensation, damages; S. *reparación, compensación, desagravio, retribución*), **indemnización a tanto alzado** (CIVIL lump sum settlement), **indemnización por accidente** (INSUR/EMPLOY accident benefit/compensation), **indemnización por baja laboral o enfermedad** (EMPLOY statutory sick pay), **indemnización por cese** (EMPLOY severance pay; S. *cese*), **indemnización por daños morales** (GEN compensation for suffering, distress, bereavement, etc.; S. *daños morales*), **indemnización por daños y perjuicios** (CIVIL damages), **indemnización por despido** (EMPLOY dismissal indemnity, redundancy payment, severance pay), **indemnización por fallecimiento del asegurado** (INSUR compensation for death of the insured), **indemnización por muerte en acto de servicio** (ADMIN compensation for death in the line of duty), **indemnización por expropiación** (ADMIN compensation for compulsory acquisition; purchase), **indemnización por traslado** (EMPLOY resettlement allowance), **indemnizar** (GEN indemnify, compensate [for damages]; S. *reparar, compensar, satisfacer*)].

independencia *n*: GEN independence. [Exp: **independiente** (GEN independent; neutral, unbiased)].

índice *n*: GEN index; ratio, rate; S. *coeficiente, tasa, grado, tabla.* [Exp: **índice de cotización** (BSNSS exchange rate; S. *tipo de cambio*), **índice de criminalidad** (CRIM crime rate), **índice de precios al consumo, IPC** (GEN retail price index), **índice de mortalidad** (GEN death rate/toll; S. *tasa de mortalidad*), **índice de natalidad** (GEN birth rate), **indiciario** (PROC/CIVIL/CRIM evidentiary; of the nature of or based on circumstantial evidence ◊ *No se ha podido establecer ningún tipo de relación de connivencia ni siquiera a título indiciario*; commonly found in the phrase *pruebas indiciarias*, meaning indirect or circumstantial evidence, hearsay evidence, the unsupported testimony of a single witness, etc; S. *prueba, base indiciaria*), **indicio** (GEN/CRIM piece/item of circumstantial evidence, indication, clue, token, sign, indication ◊ *Para juzgar, los tribunales se basan en indicios y signos externos*; S. *apreciar indicios; señal, huella, pista, rastro, vestigio*), **indicio claro o indudable** (CRIM clear/conclusive/irrebuttable evidence; S. *sospecha fundada o indudable, presunción absoluta*), **indicio dudoso** (CRIM rebuttable/disputable/inconclusive evidence), **indicio inculpatorio** (CRIM prosecution evidence, evidence, evidence against somebody, evidence pointing to somebody's guilt; S. *testigo de cargo*), **indicio leve** (CRIM slight evidence, weak evidence, unsubstantiated/uncorroborated evidence or testimony), **indicio vehemente** (CRIM strong [circumstantial] evidence), **indicios de fraude** (CRIM evidence of fraud), **indicios racionales de criminalidad** (CRIM prima facie evidence that a crime has been committed, *prima facie* case, case, reasonable grounds for suspicion, case fit for trial, reasonable evidence, legally sufficient evidence; S. *sospechas fundadas*)].

indigencia *n*: GEN indigence, poverty; S. *pobreza*. [Exp: **indigente** (GEN destitute, poor, needy, indigent; S. *desvalido*)].

indignación *n:* GEN indignation, anger, outrage ◊ *Hay indignación general por la escalada de violencia de los últimos meses*; S. *desprecio*. [Exp: **indignante** (GEN shocking, outrageous, revolting ◊ *La violación es un delito indignante*; S. *execrable, abominable, incalificable, insólito, monstruoso, nefando, ominoso, repugnante; delito*), **indignar** (GEN shock, offend, scandalize, affront, infuriate), **indignidad** (GEN indignity, infamy, turpitude, unworthiness; S. *bajeza moral*), **indigno** (GEN unworthy, undeserving; S. *despreciable, vil, infame*)].

indiscutible *a*: GEN indisputable, unquestionable, incontrovertible, irrebuttable; S. *incontestable, imbatible, irrefutable, inatacable, incontrovertible*.

individuo[1] *a:* GEN individual, single; isolated. [Exp: **individuo**[2] (GEN individual, character *col*, bloke *col*, guy *col*; despite a recent and anglicising tendency to use this word as equivalent to «individual person or citizen», it is commonly perceived to be pejorative, and in everyday use carries unavoidable association of suspicioin, distrust or contempt, as in *No me fío de ese individuo* o *Dos individuos malcarados entraron en la joyería*; some speakers resort to *ciudadano* –citizen– to get round this difficulty, but this term in its turn has on occasion an unwanted Napoleonic ring to it; in the neutral sense, *particular* often comes closest to the English word, though in legal use the word *sujeto* has a long history, despite the negative connotations which attach to it in everyday speech; *individuos* is therefore a word translators from English may wish to avoid, depending on context.

indocumentado *a/n*: GEN without identity papers, with no ID [on one]; [immigrant/refugee] without proper documents/evidence of identity ◊ *Los indocumentados forman largas colas ante la oficina pública para ser legalizados*; S. *extranjero, refugiado, sin papeles*.

inducción[1] *n*: CRIM inducement, enticement, abetment, aiding and abetting; S. *estímulo, incitación, instigación*. [Exp: **inducción**[2] (GEN induction,inference; S. *inferencia*), **inducción al asesinato** (CRIM persuading to murder), **inducción al suicidio** (CRIM inducing another to commit suicide ◊ *La inducción al suicidio es un delito grave*), **inducir**[1] (CRIM induce, instigate, provoke, encourage, counsel, abet; aid and abet; S. *instigar*), **inducir**[2] (CRIM induce, infer; S. *inferir*), **inductor** (CRIM accessory, person who incites another to commit a crime or who «counsels and procures» its commission; S. *autoría intelectual, cómplice*)].

indulgencia *n*: GEN indulgence, leniency; premissiveness, tolerance. [Exp: **indulgente** (GEN indulgent, tolerant, lenient, permissive; S. *permisivo, tolerante*)].

indultar *v*: CRIM pardon; reprieve; S. *amnistiar, perdonar*. [Exp: **indulto** (CRIM pardon, free pardon, clemency; reprieve; S. *medida de gracia; remisión, absolución, clemencia, acto graciable, principio de legalidad*)].

ineficacia *n*: GEN inefficacy, inefficiency, ineffectiveness, mismanagement ◊ *El negocio se vino abajo por la ineficacia de los administradores*; S. *mala gestión; quebrar*. [Exp: **ineficacia contractual** (GEN inefficacy of a contract), **ineficacia jurídica** (GEN lack of efficacy or legal effect), **ineficaz** (GEN ineffective, invalid, inoperative; S. *incompetente, incapaz*), **ineficiencia** (GEN inefficiency; S. *ineficacia*)].

inejecutable *a*: PROC unenforceable.

ineludible *a*: GEN unescapable, imperative, unavoidable; S. *inaplazable, necesario; eludible*.

ineptitud *n*: GEN ineptitude, incompetence, ineptitude; S. *ineficacia*. [Exp: **inepto** (GEN inept, incompetent, unfit, incapable; S. *ineficaz*)].

inexcusable *a*: GEN obligatory, necessary, essential; unforgivable, inexcusable; S. *error inexcusable; ineludible, apremiante*.

inexistencia *n*: GEN non-existence, absence, lack, want; dearth. [Exp: **inexistente** (GEN non-existent, absent, totally wanting/ lacking)].

inexpugnable *a*: GEN unassailable, invulnerable, invincible; incontrovertible, indisputable, irrefutable; S. *irrefutable, incontestable, inatacable*.

infamante *a*: GEN disgraceful, infamous, degrading, shameful, contemptible ◊ *El abogado subrayó la conducta infamante del procesado al corromper a sus subordinados*; as the example shows, this term and those related to it describe moral infamy and degradation rather than «defamatory» statements in the legal sense; the latter are found under *difamar* and its derivatives. [Exp: **infamatorio** (GEN vituperative, scurrilous, insulting, ribald), **infame** (GEN despicable, disgraceful, appalling), **infamia** (GEN disgrace, infamy; shocking behaviour)].

infanticida *n*: CRIM child-killer, child-slayer, infanticide. [Exp: **infanticidio** (CRIM infanticide, child destruction, child-murder)].

infidelidad *n*: GEN infidelity, breach of trust, disloyalty; S. *deslealtad*. [Exp: **infidelidad conyugal** (CIVIL marital infidelity ◊ *La infidelidad conyugal es causa de separación legal*; S. *abandono injustificado del hogar, conducta injuriosa o vejatoria*), **infidelidad en la custodia de documentos** (CRIM/ADMIN breach of trust in the custody of public records), **infidencia** (GEN disloyalty), **infidente** (GEN disloyal), **infiel** (GEN unfaithful,disloyal; S. *pérfido, desleal, traidor*)].

infligir *v*: GEN inflict, impose. [Exp: **infligir un castigo** (CRIM inflict/impose a penalty/ punishment), **infligir daño** (CRIM cause harm; S. *torturar*), **infligir vejaciones** (CRIM inflict indignities)].

influencia *n*: GEN influence; effect; S. *enchufismo, tráfico de influencias, prevaricación, presión, intromisión*. [Exp: **influencia indebida** (CRIM undue influence; S. *intimidación, tráfico de influencias*), **influir** (GEN influence, exercise authority or power)].

información *n*: GEN information, report, account; S. *datos*. [Exp: **información privilegiada** (GEN privileged information; S. *delito del iniciado*), **informante** (GEN reporter, informer, informant; S. *delator*), **informar** (GEN inform, advise, report, state, acquaint; S. *avisar, notificar*), **informe** (GEN report; statement; record; notice; account; return), **informe de auditoría** (BSNSS audit report), **informe del forense** (GEN pathologist's report; S. *autopsia*), **informe toxicológico** (GEN toxicologist's report)].

infortunio *n*: GEN misfortune, adversity, hardship, ill luck; S. *desgracia, adversidad, catástrofe*.

infracción *n*: CRIM/ADMIN crime, offence; breach, contravention, infringement, violation; petty/minor offence, breach of regulations; infringement of bye-laws, statute, duty, etc.; S. *infringir, delito, falta, contravención, transgresión, violación, quebrantamiento*. [Exp: **infracción administrativa** (ADMIN regulatory offence or innfringement, infringement of a bye- law, infringement or violation of a ruel, order or decision of a public authority or statutory body), **infracción de ley** (CONST/CRIM infringement/breach of [procedural] rules; S. *recurso por infracción de ley*), **infracción de una norma** (CRIM/ ADMIN infringement of a law/rule/regulation), **infracción simple/grave** (CRIM minor/serious violation), **infracción penal** (CRIM offence, violation of the criminal law ◊ *En España hay dos tipos de infracción penal, que son las faltas y los delitos*), **infractor** (CRIM infractor, infringer, offender, law-breaker, transgressor, violator)].

infrascrito *a/n*: GEN undersigned; S. *suscrito, abajo firmante.*

infravalorar *v*: GEN undervalue, underrate, underestimate; S. *subestimar*

infringir *v*: CIVIL/CRIM infringe, breach, break, violate, contravene; S. *infracción; violar, vulnerar, incumplir, transgredir.* [Exp: **infringir la ley, las normas, etc.** (CIVIL/CRIM break the law/rules, etc., act contrary to the law/rules, infringe the rules/regulations)].

infundado *a*: GEN baseless, groundless, unfounded, ungrounded, unsubstantiated, causeless, false.

ingenio *n*: GEN wit, cleverness, ready skill ◊ *Un abogado con ingenio puede hacer que el jurado perciba los hechos de distinta manera.* [Exp: **ingenioso** (GEN resourceful, ingenious, creative; S. *ocurrente*)].

ingresar[1] *v*: BSNSS deposit, pay in; S. *depositar.* [Exp: **ingresar**[2] (GEN be taken/admitted to [hospital, jail] ◊ *Un joven permanece ingresado en el hospital con heridas en la cabeza que no revisten gravedad*), **ingresar**[3] (GEN become a member, join ◊ *Ingresó en el Colegio de Abogados*), **ingresar cadáver** (GEN be dead on arrival; the Spanish term implies that the dead patient is actually admitted to the hospital concerned; in some jurisdictions, e.g. in Scotland, this does not happen; persons certified dead on arrival at the hospital are examined aboard the ambulance they arrive in, and the corpse is then ordered to be taken to a police mortuary for identification, pathologist's report *–informe del forense–* and, where appropriate, post-mortem *–autopsia–*; in the *USA* the patient's report is stamped «DOA» –«Dead on Arrival»–; S. *autopsia, forense*), **ingresar en cuenta** (BSNSS bank, deposit), **ingresar en prisión** (CRIM be imprisoned, be sent to prison, be remanded in custody ◊ *Uno de los condenados por apropiación indebida ingresó ayer en prisión*), **ingreso**[1] (GEN entrance, admission, accession, admittance; S. *entrada, admisión*), **ingreso**[2] (BSNSS deposit, income, takings; revenue ◊ *El examen de las cuentas bancarias de la imputada ha evidenciado que no se ha producido en ellas ningún ingreso sospechoso*; S. *abono*), **ingreso en el colegio de abogados** (GEN admission/call to the Bar), **ingreso en prisión** (CRIM imprisonment; remand [in custody]), **ingresos** (BSNSS/TAX earned income, earnings, revenue; takings; S. *fuente de ingresos*), **ingresos de explotación** (BSNSS operating income), **ingresos devengados** (EMPLOY/TAX earned income; S. *renta salarial*), **ingresos y gastos** (BSNSS revenue and expenditure)].

inhábil *a*: GEN unqualified, incompetent, ineligible; S. *día inhábil.* [Exp: **inhabilidad** (GEN legal incapacity, incompetence, disability, incompetence), **inhabilitación** (ADMIN disability, disablement; disqualification; S. *incapacidad legal o procesal*), **inhabilitación absoluta** (ADMIN absolute disability or disqualification, disqualification from holding any public office ◊ *La inhabilitación absoluta incapacita para el ejercicio de cualquier cargo público*; S. *inhabilitaciones especiales*), **inhabilitaciones especiales** (ADMIN specific/particular disability or disqualification), **inhabilitado** (GEN disqualified, under a disability), **inhabilitado para cargos públicos** (CRIM/ADMIN barred from public office), **inhabilitar** (ADMIN/CRIM disqualify)].

inhibición *n*: GEN inhibition, abstention, prohibition. [Exp: **inhibir** (GEN restrain, stay; inhibit), **inhibirse** (GEN abstain, waive, stand down, remit a case to another court; S. *abstenerse, recusar*), **inhibitoria** (PROC writ of prohibition, restraining order; writ of waiver whereby a judge stands down, passes a case on or acknowledges the prior or superior jurisdiction of another judge or court; motion to dismiss for lack of jurisdiction; S. *declinatoria*)].

inhumanidad *n*: GEN inhumanity, inhuman treatment, inhuman cruelty. [Exp: **inhumano** (GEN inhumane, cruel, cold-blooded; S. *a sangre fría*)].

iniciación *n*: GEN initiation; S. *inicio*. [Exp: **iniciado** (GEN insider; S. *delito del iniciado*), **iniciar** (GEN/PROC initiate; begin, start, originate; file), **iniciar acciones judiciales** (PROC serve proceedings, bring an action; S. *emprender acciones judiciales, entablar un pleito, presentar una demanda, querellarse*), **iniciar la sesión** (PROC begin/open the session), **iniciar un procedimiento** (PROC bring/commence/start proceedings ◊ *Con el «emplazamiento», el demandante informa a su oponente de que ha iniciado un procedimiento y le insta a comparecer ante un tribunal*), **inicio** (GEN start, beginning, opening, introduction, commencement, initiation ◊ *La ley de enjuiciamiento criminal contiene las normas jurídicas que ordenan el inicio, la sustanciación y la ejecución de un proceso penal*), **inicio de un procedimiento judicial** (PROC commencement of proceedings)].

iniciativa *n*: GEN initiative; lead, motion, move; S. *propuesta, petición, ponencia, moción; tomar la iniciativa*. [Exp: **iniciativa de, por** (GEN at the motion of, at the initiative of), **iniciativa propia, por** (GEN on one's own initiative, of one's own motion)].

inimputabilidad *n*: CRIM immunity from prosecution, special privilege; S. *causa de inimputabilidad; imputabilidad*. [Exp: **inimputable** (CRIM immune from prosecution, unarraignable; privileged; S. *eximente; imputable*)].

inintencionada, de forma *phr*: GEN unintentionally ◊ *El homicidio imprudente es el cometido de forma inintencionada*; the stylistically undesirable clash between the two sense of *in-* in the double prefix is an instance of the insouciance with which many modern Spanish jurists resort to automaatism in the formation of neologisms; the same semantic effect is achieved more naturally and elegantly by saying *sin querer, sin [esa] intención, involuntariamente* or *de forma involuntaria*, etc.

injerencia *n*: GEN interference, meddling; trespass.

injuria *n*: CRIM insult, slander, libel, defamatory remark or comment, offensive remark or comment, affront, abuse ◊ *Los delitos de injuria prescriben al año*; S. *agravio, calumnia, descrédito, difamación, exabrupto, insulto, invectiva, menosprecio, ofensa, ultraje, vituperación*. [Exp: **injuriar** (CRIM insult, slander, libel, defame, abuse, wrong; S. *maltratar de palabra*), **injurias a la autoridad** (CRIM contempt for authority; insulting a state official), **injurioso** (CRIM slanderous, offensive, libellous, abusive, contemptuous)].

injusticia *n*: GEN injustice, miscarriage of justice, grievance, wrong, unfairness; S. *agravio, injuria, ofensa, daño, abuso, atropello, linchamiento*. [Exp: **injusticia notoria** (GEN manifest injustice or unfairness; form of appeal against administrative decisions on the ground of their manifest injustice or unfairness), **injusto** (GEN unjust, undue, wrong, unfair, wrongful; S. *excesivo, desmedido*)].

injustificable *a*: GEN unjustifiable, inadmissible, wanton; S. *imperdonable, inadmisible*.

inmediato *a*: GEN immediate, right away, close to; S. *juicio inmediato.*

inmigración *n*: GEN immigration; S. *emigración.* [Exp: **inmigrante** (GEN immigrant; S. *emigrante, refugiado, asilado, deportado, apátrida, desplazado*), **inmigrar** (GEN immigrate; S. *emigrar*)].

inmisericorde *a*: GEN merciless; S. *cruel.*

inmobiliario *a*: CIVIL pertaining to estate, property or land; S. *inmueble.* [Exp: **agencia inmobiliaria** (CIVIL estate agency, real estate office), **agente inmobiliario** (CIVIL estate agent, property dealer)].

inmoral *a*: GEN immoral, indecent, unscrupulous, fraudulent, crooked, dishonest; S. *licencioso, impropio, depravado, libertino, indecoroso, desaprensivo, deshonesto, malvado, sinvergüenza.*

inmueble *a/n*: CIVIL immovable, fixed; immovable, fixture; land, building, property, real estate; S. *bienes inmuebles, bienes, pertenencias.*

inmunidad *n*: CONST privilege, immunity, exemption, franchise; S. *privilegio, prerrogativa, fuero.* [Exp: **inmunidad absoluta** (CRIM absolute privilege, immunity from prosecution), **inmunidad de detención** (CRIM privilege from arrest; S. *fuero*), **inmunidad diplomática** (INTNL diplomatic immunity), **inmunidad fiscal** (TAX tax exemption), **inmunidad parlamentaria** (CONST parliamentary privilege/immunity; S. *aforado*)].

inobservancia *n*: GEN non-observance, non-compliance; failure, neglect; S. *incumplimiento, negligencia, omisión.* [Exp: **inobservancia de un deber oficial** (ADMIN neglect of official duty)].

inocencia *n*: CRIM innocence; S. *presunción de inocencia; robar su inocencia.* [Exp: **inocente** (CRIM/GEN not guilty [*legal term*], innocent, harmless, inoffensive; S. *culpable, inocuo; declarar inocente, salir absuelto*)].

inocuo *a*: GEN innocuous, harmless, inoffensive, unoffending; S. *inofensivo, inocente.*

inoficioso *a*: GEN ineffective; S. *testamento inoficioso.*

inquietar *v*: GEN perturb, disturb, trouble, worry; S. *perturbar.* [Exp: **inquieto** (GEN anxious, troubled; restless, fidgety), **inquietud** (GEN worry, anxiety, uneasiness, unrest; S. *zozobra, angustia, aflicción, preocupación*)].

inquilinato *n*: CIVIL leasehold, lease, tenancy; S. *arrendamiento.* [Exp: **inquilino** (CIVIL tenant, occupant, lessee, occupier; S. *alquilar, arendar; arrendatario, arrendador*)].

inquisitorio *a*: PROC inquisitorial; S. *procedimiento inquisitorio; contradictorio.*

insacular *v*: GEN ballot, draw lots.

INSALUD *n*: ADMIN S. *Instituto Nacional de la Salud.*

insalubre *a*: GEN unhealthy, unhygienic, insanitary, unsanitary. [Exp: **insalubridad** (GEN unhealthiness)].

inserción social *n*: GEN social integration ◊ *La marginalidad se puede reducir con medidas de inserción social.*

inscribible *a*: GEN registrable, recordable. [Exp: **inscribir** (GEN inscribe; enter, make an entry, place on record, register, record; S. *registrar, dar de alta, afiliar, empadronar, asentar*), **inscribirse** (GEN enrol, register, put down one's name; S. *matricularse*), **inscripción** (GEN entry, inscription, recording, enrolment, matriculation, registration, title; S. *expediente, asiento*), **inscripción constitutiva** (CIVIL real estate filing, registration of a new mortgage), **inscripción de la propiedad inmobiliaria** (CIVIL land registration; S. *certificado de inscripción inmobiliaria*), **inscripción de título** (CIVIL registration of title), **inscripción en el Registro Mercantil** (BSNSS entry in the Trade Register or Company Register), **inscripción en el Registro Civil** (CIVIL recording of birth, marriage or death; entry in the Registry Office)].

inseguridad *n*: GEN insecurity, lack/want of security; uncertainty; unsteadiness; lack of safety [precautions]. [Exp: **inseguridad ciudadana** (GEN general sense of insecurity, general loss/lack of confidence in the forces of law and order, widespread feeling that our streets are unsafe), **inseguro** (GEN unsafe; uncertain; unsteady)].

insidia *n*: GEN guile; trap, snare; S. *astucia*. [Exp: **insidioso** (GEN insidious, underhand, treacherous)].

insignia *n*: GEN badge, emblem, meadl, flag, pennant; S. *placa*.

insinuación *n*: GEN insinuation, hint, suggestion; S. *indirecta, sugerencia*. [Exp: **insinuaciones sexuales** (GEN sexual advances, [sexual] overtures; S. *acoso sexual, proposiciones deshonestas*), **insinuar** (GEN insinuate, hint at; S. *sugerir*)].

insobornable *a*: CRIM incorruptible; unbribable.

insolencia *n*: GEN insolence, impudence, defiance; S. *desobediencia, reto, provocación*. [Exp: **insolente** (GEN insolent, impudent)].

insolidaridad *n*: GEN lack of solidarity/support. [Exp: **insolidario** (GEN unsupportive)].

insolvencia *n*: BSNSS insolvency, bankruptcy, failure; S. *quiebra*. [Exp: **insolvencia culpable/fraudulenta** (CRIM fraudulent bankruptcy), **insolvencia notoria** (BSNSS manifest insolvency), **insolvencia punible** (CRIM bankruptcy involving criminal negligence or malpractice), **insolvente** (BSNSS insolvent bankrupt; impecunious; S. *concursado, fallido, quebrado, cliente fallido*)].

inspección *n*: GEN inspection, examination, check-up; S. *supervisión, investigación*. [Exp: **inspección judicial/ocular** (PROC view; judicial examination of evidence, scene of the crime, etc.; examination of relevant objects, places, etc., conducted by or on behalf of the judge or examining magistrate; the equivalent in civil cases is *reconocimiento judicial*), **inspeccionar** (GEN inspect, examine, survey; S. *examinar, estudiar*), **inspector** (GEN inspector, examiner, surveyor), **inspector de guardia** (GEN duty officer), **inspector de Hacienda** (TAX tax inspector), **inspector de policía** (CRIM police inspector, detective inspector)].

instalaciones *n*: GEN facilities; fittings, plant, equipment. [Exp: **instalar** (GEN install, establish ◊ *El crimen organizado se ha instalado en las costas*; S. *afincarse, establecerse, radicarse*)].

instancia[1] *n*: ADMIN application, formal request or petition, letter of application; application form; the term for any formal request or appeal addressed by a private individual to a court, administrative department or government body ◊ *Presentamos una instancia a Hacienda para pedir la devolución de los impuestos que habíamos pagado de más*; in format, it is usually written in the third person, beginning with the applicant's personal details, followed by a section headed *expone* –«sets out, states»– containing a succinct description of the facts on which the applicant relies and a section headed *solicita* –«requests»– in which the application as such, or the request for the remedy sought, is made; it concludes with the applicant's signature and the place and date; in this administrative sense, the word *instancia* is often found with such verbs as *presentar, hacer, dirigir, cursar, cubrir, cumplimentar, estimar, desestimar*, etc.; S. *petición, recurso, solicitud, súplica*. [Exp: **instancia**[2] (PROC instance, jurisdiction, stage of proceedings ◊ *Recurrió la resolución del tribunal de primera instancia*; in this technical legal sense, the word is often used with an ordinal, as in the example, indicating the stage of proceedings reached through the various avenues of appeal from lowest to highest instance, the highest being the court of last resort or *tribunal de última instancia*; when no adjective is used, as in the phrase *el tribunal de instancia*, the sense is the court of first instance, the court which originally heard the case, i.e. the trial court; in earlier use the word meant the action, cause or process itself from the start of proceedings until final judgment, and traces of this sense remain in phrases like *abandono de la instancia* –discontinuance, abandonment or withdrawal of claim or action–, *caducidad de la instancia* –lapse of action for want of prosecution, stay of proceedings–, this older sense seems close to the Scots law usage in which the Lord Advocate is said to be «master of the instance» in criminal matters; S. *resolver en primera instancia*), **instancias de, a** (GEN at the motion of, at the request of, on/upon the application of), **instancia de parte, a** (PROC ex parte, at the request of one of the parties, at the petition of the plaintiff; S. *de oficio*), **instancia de arbitraje** (PROC arbitration proceedings; S. *juicio arbitral o de tercería*), **instar** (PROC seek, urge, request, petition, press, beseech, plead, commence ◊ *Cualquier particular puede intervenir en los procesos instados por entidades de consumidores*; S. *suplicar, rogar, pedir, formular, recabar*), **instar a comparecer** (PROC serve notice on, serve with a writ, serve with an originating write or summons to appear, intimate the commencement of an action ◊ *Con el emplazamiento, el actor informa a su oponente de que ha iniciado un procedimiento y le insta a comparecer ante un tribunal*)].

instigación *n*: GEN/CRIM instigation, enticement, counselling and procuring; S. *incitación, inducción, provocación*. [Exp: **instigador** (CRIM instigator, counsellor and procurer; S. *incitador*), **instigar** (CRIM instigate, counsel and procure, entice, procure, set on; S. *incitar*)].

institución *n*: GEN institution, establishment, body, foundation; S. *entidad, organismo, institución*. [Exp: **instituto**[1] (GEN institute, institution, body, board; S. *organismo, órgano, establecimiento*), **instituto**[2] (GEN legal concept or principle, *nomen juris* ◊ *El desarrollo del instituto del alzamiento de bienes*; though this sense of the word is not found in the standard dictionaries of the Spanish language, it is common in the writings of lawyers), **Instituto Anatómico Forense** (CRIM police mortuary [where post-mortems and related forensic tests are conducted on the bodies of victims of suspected homicides or suicides] ◊ *Se le practicó la autopsia al cadáver en el Instituto Anatómico Forense*; S. *autopsia, cadáver, depósito de cadáveres, forense*), **Instituto de Mediación, Arbitraje y Conciliación** (EMPLOY Advisory, Conciliation and Arbitration Service), **Instituto de Reforma y Desarrollo Agrario, IRYDA** (ADMIN Official Body for Reform and Development of Agriculture), **Instituto Nacional de Empleo** (EMPLOY National Institute for Employment), **Instituto Nacional de la Salud, INSALUD** (ADMIN Spanish Health Service), **instituir** (GEN found, establish, set up; create; S. *establecer, crear, fundar*)].

instrucción[1] *n*: GEN background, education, training; S. *cultura, educación*. [Exp: **instrucción**[2] (GEN direction, guideline, directive, instruction [especially in plural]; S. *advertencia, aviso*), **instrucción**[3] (CRIM pre-trial proceedings, investigative stage of criminal proceedings, preliminary enquiry, pre-trial period of examination of accused, witnesses, etc. ◊ *La instrucción la realiza el juez instructor bajo* *la supervisión directa del fiscal*; S. *fase de instrucción, diligencias e instrucción*), **instrucción de una causa criminal** (CRIM committal proceedings, pre-trial proceedings, pre-trial investigation or hearing; precognition *Scots*; the *instrucción* is peculiar to the systems deriving from Roman Law, and has no equivalent in English or American legal practice, where the judge's role is rather that of umpire than of prosecutor, pursuer, investigator, accuser or inquisitor; the judge of first instance or, in more serious matters, the judge of the senior court with jurisdiction has absolute power and discretion to interview, examine, detain and indict persons whom there are reasonable grounds for proceeding against, as well as to examine witnesses and make other relevant orders; the evidence thus collected, the writs issued and the record of all the proceedings are collectively known as the *sumario –approx* «process»– which is sent on to the trial court if and when the case comes up; all such procedure, except the formal matters of bringing charges –which is the English «committal proceedings»– is handled in the common-law tradition by the prosecution services of the DPP –in England– or the D.A's office –in the US–; S. *diligencias de procesamiento, sumario, investigación preliminar; abrir una causa contra alguien, abrir un sumario a alguien, dirigir el proceso contra alguien*), **instructor** (S. *juez instructor*), **instruir** (PROC instruct, prepare criminal cases, conduct preliminary examination of suspects, etc.; S. *abrir, incoar; enjuiciar*), **instruir diligencias judiciales** (PROC open an enquiry; take/order procedural steps; give orders or directions, make the relevant order-s; take the appropriate/requisite/proper procedural steps or course; act in accordance with standard procedural rules or instructions; S. *diligencia, abrir una investigación*), **instruir un atestado** (CRIM draw up a report), **instruir un expediente** (ADMIN open a disciplinary file, bring disciplinary proceedings), **instruir un sumario** (PROC prepare the groundwork of criminal prosecution; collect evidence and specify charges; S. *instrucción de una causa criminal*)].

instrumento *n*: GEN instrument, deed, document; S. *acta, documento, escrito; artefacto*. [Exp: **instrumento público** (GEN public deed/instrument), **instrumentos o valores negociables** (BSNSS commercial paper, negotiable instruments)].

insubsanable *a*: PROC incurable, that cannot be amended or remedied; S. *falta subsanable; subsanar*.

insuficiencia *n*: GEN inadequacy, insufficiency; S. *deficiencia, carencia*. [Exp: **insuficiencia de la prueba** (CRIM insufficient evidence ◊ *El auto de sobreseimiento se basó en la insuficiencia de la prueba*; S. *falta de pruebas*), **insuficiente** (GEN insufficient, inadequate; short, bare; S. *deficiente, corto, reducido, escaso*)].

insultar *v*: GEN/CRIM insult, hurl abuse; S. *provocar*. [Exp: **insultante** (GEN/CRIM insulting, offensive, defamatory, contemptuous), **insulto** (GEN/CRIM insult, abuse, affront; S. *ofensa, vituperación*)].

insumisión *n*: GEN rebellion, disobedience, insubordination. [Exp: **insumiso** (GEN rebellious, insubordinate, draft-dodger *col*; insubmissive; conscript who refuses to comply with call-up order and declines the status of conscientious objector; draft rebel; S. *declararse insumiso; prófugo, objetor de conciencia*)].

insurgente *a/n*: GEN/CRIM rebel, insurgent ◊ *Los insurgentes pretendían derrocar al presidente del país*; S. *rebelde*.

intachable *a*: GEN clean, flawless, unimpeachable, unblemished; S. *sin tacha, impecable*.

integrante *n*: GEN member, participant ◊ *Fue condenado por ser integrante de un comando terrorista*; S. *socio, miembro, vocal, afiliado.* [Exp: **integración** (GEN integration; S. *inserción*), **integrar** (GEN integrate; make up, be part of, form ◊ *La organización está integrada por gente muy joven*; S. *reintegrar*), **integrarse** (GEN join, adhere; S. *adherirse, unirse*), **íntegramente** (GEN entirely, in full), **íntegro**[1] (GEN full, complete, unabridged; S. *copia íntegra y exacta; fiel*), **íntegro**[2] (GEN upright, honourable ◊ *Aquel testimonio minó la imagen de persona íntegra que quiso proyectar el acusado*), **íntegro**[3] (GEN gross ◊ *Renta íntegra*; S. *bruto; neto*)].

intención *n*: GEN intent, intention, purpose; design; premeditation; willingness; S. *propósito, objeto, voluntad.* [Exp: **intención dolosa** (CRIM *mens rea*, guilty knowledge, malice aforethought, criminal intent), **intencionadamente** (GEN on purpose, deliberately, intentionally ◊ *Se sospecha que el contable no se equivocó, sino que desvió los fondos intencionadamente a la cuenta del imputado*), **intencionado/intencional** (GEN intentional, deliberate, wilful; S. *premeditado, voluntario, casual, homicidio intencionado/voluntario*), **intencionalidad** (GEN intention, intent, intentional nature; this word is very often loosely used when no more than *intención* –i.e. «intention»– is really meant; the adjective *intencional* from which it is derived is rarely found in the writings of careful speakers, who normally prefer *intencionado* or *voluntario* when the sense is «deliberate, intentional»)].

intentar *v*: GEN try, attempt, seek; S. *pretender.* [Exp: **intento** (GEN attempt; intent; S. *tentativa*), **intento de homicidio** (CRIM attempted murder), **intento de robo** (CRIM attempted robbery), **intentona golpista** (CRIM coup attempt, attempted coup)].

interceptar *v*: GEN/CRIM intercept; tap, eavesdrop. [Exp: **interceptación de mensajes telefónicos o telegráficos** (GEN/CRIM wire-tapping; electronic eavesdropping; S. *escuchas electrónicas ilegales*)].

interdicción *n*: CONST interdiction, ban, prohibition ◊ *La Constitución española garantiza la interdicción de la arbitrariedad de los poderes públicos.* [Exp: **interdicción civil** (CRIM convicted prisoner's loss of civil rights), **interdicto** (PROC provisional order granting possession or retention of disputed property), **interdicto de obra nueva** (PROC interlocutory injunction against further construction; S. *obra nueva*), **interdicto de obra ruinosa** (PROC order for repair or demolition of a dangerous building, etc.)].

interés *n*: interest, concern; S. *derecho, bien.* [Exp: **interés común** (GEN common concern, joint interest), **interés creado** (CIVIL vested interest; S. *derecho adquirido*), **interés dominante** (GEN controlling interest), **interés histórico-artístico de un edificio** (GEN ; S. *declaración de interés histórico-artístico de un edificio*), **interés lucrativo** (BSNSS interest charged on a loan), **intereses atrasados** (BSNSS arrears of interest), **intereses concurrentes** (GEN concurrent interests), **intereses de mora, punitivos o de demora** (BSNSS interest accrued on overdue payments, interest on arrears, penal interest, financial penalty incurred for late payment), **interés público, de** (CONST of general public interest, in the public interest), **intereses devengados** (BSNSS earned/accrued interest), **intereses generales** (CONST/ADMIN public interest ◊ *Los poderes públicos tutelan los intereses generales*), **intereses vencidos** (BSNSS due interest), **interesarse** (GEN be interested; take an interest; ask after), **interesado** (GEN the interested party, the person concerned; S. *informar al interesado, notificar*)].

interino *a*: GEN acting, temporary, provisional, pro tempore; S. *provisional, de servicio, en funciones, en ejercicio, suplente, temporero, eventual.*

interlocución *n*: GEN interlocution. [Exp: **interlocutores sociales** (EMPLOY representatives of both sides of industry, representatives of management and workers; spokesmen or representatives of specific social sectors), **interlocutorio** (PROC interlocutory, interim, preliminary, not final; S. *resolución interlocutoria*)].

internamiento *n*: CRIM internment, confinement, committal; S. *centro de internamiento*. [Exp: **interno** (CRIM/GEN inmate, [serving] prisoner; internee; S. *preso, presidiario*)].

interpelación *n*: CONST question raised in the House; formal request for an explanation. [Exp: **interpelar** (CONST formally raise a question in Parliament, request an official explanation)].

interponer *v*: GEN/PROC interpose; present, file, bring, commence, lodge, prefer; S. *presentar, recurrir*. [Exp: **interponer un recurso** (PROC file/bring/lodge an appeal ◊ *Podrá interponerse recurso en interés de la ley, para la unidad de doctrina jurisprudencial*), **interponer una demanda** (PROC bring an action, file a suit, institute proceedings S. *recurso*), **interponer una moción de censura** (CONST present a motion of no confidence), **interponer una querella** (CRIM bring a charge, make a complaint, sue; S. *querella*), **interposición** (PROC/GEN lodging, bringing, filing, mediation; S. *mediación, tercería*)].

interpretación *n*: GEN interpretation, construction; S. *ambigüedad*. [Exp: **interpretación doctrinal** (PROC authoritative interpretation of doctrine or law), **interpretación judicial** (PROC judicial construction or interpretation), **interpretación restrictiva** (PROC limited interpretation, narrow definition/approach/sense), **interpretar** (GEN/PROC construe, interpret, expound), **interpretativo** (PROC constructive; S. *analógico*), **intérprete jurado** (PROC official/legal interpreter or translator)].

interrogador *n*: GEN questioner, interrogator, interviewer. [Exp: **interrogar** (GEN examine, interview, question, interrogate, quizz *col*; S. *examinar, preguntar*), **interrogatorio** (GEN interview, questioning, examination, interrogation, interrogatory; S. *acta de interrogatorio, someter a interrogatorio*), **interrogatorio de las partes** (PROC examination), **interrogatorio de un testigo** (PROC examination of a witness; S. *deducir testimonio*), **interrogatorio policial** (CRIM police interview, police examination/questioning, custodial interrogation *US*)].

interrupción *n*: GEN interruption; S. *cesación*. [Exp: **interrupción de la ejecución** (PROC stay of execution), **interrupción de la prescripción** (CIVIL interruption of the period of prescription; circumstance causing time to stop running for the acquisition or extinguishment of a prescriptive right; S. *caducidad, prescripción*), **interrupción del proceso** (PROC adjournment/postponement/halting of proceedings; stay of proceedings; discontinuance; premature termination or proceedings; S. *aplazar, suspender*), **interrumpir** (GEN discontinue, stop, suspend; S. *aplazar, suspender, detener*)].

intervención *n*: GEN intervention, participation; agency, control; S. *mediación, participación, agencia, intermediación*. [Exp: **intervención policial** (CRIM police action), **intervenir**[1] (GEN take part, get/become involved ◊ *No quiso intervenir en la discusión*; S. *participar*), **intervenir**[2] (GEN inspect, examine, control, audit, supervise; seize, freeze, confiscate, sequestrate ◊ *Por la documentación intervenida, la policía pudo saber que las mujeres* *eran explotadas por ser inmigrantes ilegales*; S. *examinar, embargar, explorar, incautar, secuestrar, investigar, controlar*), **intervenir cuentas corrientes** (DRIM/ADMIN/PROC freeze bank accounts ◊ *El juez instructor tiene la potestad de intervenir cuentas corrientes*; S. *embargar*), **interventor** (GEN auditor, inspector; S. *auditor, experto contable*)].

intestado *a/n*: SUC intestate; intestacy; S. *abintestado, herencia testada; testar*.

intimación *n*: GEN notification, demand, inimation; S. *exigencia, requerimiento*. [Exp: **intimación a la persona** (GEN personal demand), **intimación de pago** (PROC demand for payment; S. *requerimiento de pago*), **intimar** (PROC call on, intimate, notify, require, demand ◊ *Se podrá intimar a una de las partes con la imposición de multas por cada mes que transcurra sin haber cumplido lo exigido*; S. *pedir, solicitar, suplicar, rogar, exhortar, demandar, instar*), **intimar el pago** (BSNSS demand payment), **intimatorio** (PROC threatening, cautioning, notifying, demanding)

intimidación *n*: GEN/CRIM intimidation, threats, threatening behaviour, menaces, bullying, undue influence; this is an aggravating circumstance *–agravante–* in many offences against property and against the person; S. *abuso de poder, coacción, amenaza, provocación, tráfico de influencias*. [Exp: **intimidación violenta** (CRIM threatening behaviour, violent conduct, battery; S. *ataque físico*), **intimidador** (CRIM intimidating; bully), **intimidar** (CRIM intimidate, threaten, inspire fear, bully)].

intimidad *n*: GEN privacy, intimacy; S. *atentado a la intimidad, intromisión en la intimidad*. [Exp: **íntimo** (GEN private, intimate)].

intolerancia *n*: GEN intolerance, prejudice; S. *racismo, prejuicio, discriminación*. [Exp: **intolerante** (GEN intolerant, prejudiced; S. *fanático*)].

intransferible *a*: GEN inalienable, non-transferable, untransferable, unassignable.

intriga *n*: GEN intrigue, machination, plot; S. *trama, conjura, complot, confabulación*. [Exp: **intrigante** (CRIM wheeler-dealer *col*), **intrigar** (CRIM plot, scheme, conspire, collude; S. *conspirar, urdir, tramar*)].

intromisión *n*: GEN trespass, interference, meddling, invasion; S. *presión, influencia*. [Exp: **intromisión en la intimidad** (CIVIL invasion of privacy)].

intrusión *n*: GEN intrusion, invasion, trespass; encroachment; S. *invasión, usurpación*. [Exp: **intrusismo profesional** (CIVIL/ADMIN encroachment [upon a professional field] by an unqualified outsider, uncertified/unregistered practice), **intruso** (GEN intruder, trespasser; S. *invadir, piratería*)].

inútil *a*: GEN useless, pointless, fruitless; irrelevant, inefficacious; vain; S. *ineficaz; útil*. [Exp: **inutilidad** (GEN/EMPLOY uselessness, pointlessness; incapacity, handicap; S. *incapacidad*), **inutilidad física total** (EMPLOY total disability, complete physical incapacity; S. *incapacidad o invalidez absoluta*)].

invadir *v*: GEN invade, trespass, encroach [upon], interfere [with]; S. *conculcar, infringir, irrumpir, violar; invasión*. [Exp: **invadir la intimidad de alguien** (CIVIL encroach upon/intrude on/invade sb's privacy), **invadir las competencias de otro órgano** (GEN/PROC encroach upon/interfere with the jurisdiction of another court; S. *excederse en el uso de sus atribuciones*), **invadir las aguas jurisdiccionales** (INTNL encroach upon territorial waters)].

invalidación *n*: GEN invalidation, annulment. [Exp: **invalidar** (GEN invalidate, cancel, nullify, void, avoid, set aside, overturn, reverse ◊ *El banco invalidó el cheque al descubrir que era falso*; S.

abolir, anular, cancelar, casar, dejar sin efecto, derogar, rescindir), **invalidar una resolución** (PROC invalidate/set aside/revoke/overturn/reverse a decision ◊ *Un error de hecho o de derecho puede invalidar una resolución*)].

invalidez *n*: GEN disablement, disability, informity, handicap; invalidity, nullity, state/fact of being void; S. *incapacidad, prestación por invalidez*. [Exp: **invalidez absoluta** (EMPLOY total disability; S. *incapacidad absoluta, inhabilitación total*), **invalidez o incapacidad física** (EMPLOY physical disability), **invalidez laboral** (EMPLOY work disability), **invalidez transitoria** (EMPLOY temporary disability), **inválido** (GEN invalid, void; null; disabled; S. *nulo; incapacitado, persona incapacitada*)].

invasión *n*: GEN invasion, incursion, infringement; S. *irrupción, ocupación; invadir.*

invectiva *n*: GEN/CRIM invective, abuse; S. *ofensa, vituperación, ultraje, maltrato, malos tratos, desmanes, injuria, insulto, exabrupto.*

invencible *a*: GEN invincible, unconquerable, unbeatable, insuperable; S. *error invencible, miedo invencible.*

inventariar *v*: GEN/BSNSS inventory, make an inventory of. [Exp: **inventario** (GEN/BNSS inventory, stock; S. *lista, relación*)].

inversión[1] *n*: BSNSS investment, outlay. [Exp: **inversión**[2] (GEN change, reversal, about-turn, transposition), **inversión de la carga de la prueba** (PROC transfer/reversal of the burden of proof; S. *carga de la prueba, principio de legalidad, sana crítica*), **inverso** (GEN reverse, opposite), **inversor** (BSNSS investor), **invertir**[1] (BSNSS invest, place, lay out), **invertir**[2] (GEN reverse, invert, transfer ◊ *Las presunciones pueden producir el efecto de invertir la carga de la prueba*; S. *inversión de la carga de la prueba*)].

investigación *n*: GEN investigation, enquiry, examination, probe, scrutiny, search; research ◊ *El sumario sigue abierto porque aún sigue la investigación policial*; S. *indagación, exploración, pesquisa, encuesta*. [Exp: **investigación anticorrupción** (CRIM investigation into allegations of corruption, anti-graft probe *col*), **investigación judicial** (PROC enquiries ordered by the court, investigation led by the examining magistrate; S. *instrucción*), **investigación preliminar** (PROC preliminary inquiry/investigation; S. *instrucción*), **investigador** (GEN investigator, searcher, examiner; researcher), **investigar** (GEN investigate, enquire/inquire, probe; research; S. *explorar, examinar*)].

investir *v*: GEN vest, invest, confer [upon] ◊ *Fue investido con el grado de doctor*; S. *conferir, atribuir; dignidad*. [Exp: **investidura** (GEN investiture)].

inviolable *a*: GEN inviolable, unassailable; immune ◊ *La figura del Rey es inviolable*. [Exp: **inviolabilidad** (CONST inviolability, immunity), **inviolabilidad de domicilio** (CONST right to domestic privacy; principle that the home is inviolable)].

invocar *v*: GEN cite, refer to, invoke ◊ *Para acogerse a los beneficios invocó la Ley de extranjería*; S. *acogerse.*

involuntario *a*: GEN involuntary; unintentional, undesigned, unmeant; this word is now usually best understood in its ordinary sense of «unintentional», since strictly speaking the absence of criminal intention or *mens rea –dolo–* is a complete defence to a charge of murder, for instance, so that the once common phrase *homicidio involuntario* –literally «involuntary homicide»– is a contradiction in terms; as matter of law the preferred expression is now *homicidio imprudente* –«reckless homicide», i.e. manslaughter, or what Scots law calls «culpable homicide»–, which implies that the accused's conduct, while not guiltless, did not amount to an intention to kill; S. *asesinato, dolo, eximente, homicidio; trastorno mental*)].

inyección letal *v*: CRIM lethal injection; S. *horca, cámara de gas, fusilamiento.*

ira *n*: GEN anger, rage; S. *ofuscación, cólera; rapto.*

irrebatible *a*: GEN irrefutable, unrebuttable; S. *irrefutable.*

irrecuperable *a*: GEN irreversible, irretrievable; S. *irreversible.*

irrecurrible *a*: PROC unappealable, non-appealable, not appeallable, from which no appeal is admissible; S. *recurrir.*

irrecusable *a*: PROC unchallengeable, unexceptionable, unimpeachable; irrecusable; S. *incontestable, irreprochable.*

irredimible *a*: GEN irredeemable.

irrefutable *a*: GEN irrefutable, unanswerable, unrebuttable, unassailable, conclusive ◊ *Las presunciones de hecho son irrefutables*; S. *incontestable, terminante, incontrovertible, inatacable.*

irregular *a*: GEN irregular; abnormal, unusual; uneven; S. *anormal, anómalo.* [Exp: **irregularidad** (GEN irregularity), **irregularidad administrativa** (ADMIN administrative irregularity; *ultra vires* act by a public body)].

irremediable *a*: GEN irremediable, incurable, without remedy.

irrenunciable *a*: GEN compulsory, obligatory, that cannot be waived.

irreparable *a*: GEN irreparable, irretrievable ◊ *Los daños ocasionados en el atraco son irreparables*; S. *daños irreparables.*

irreprochable *a*: GEN irreproachable, unimpeachable; S. *irrecusable, incontestable.*

irresponsabilidad *n*: CIVIL irresponsibility; absence of liability/responsibility. [Exp: **irresponsable** (GEN irresponsible; not liable, unimpeachable, not judicially answerable; the usual sense of both noun and adjective is the negative one of «irresponsibility», i.e. blameworthy want of a proper sense of responsibility; the other sense of «blamelessness», though etymologically plausible and found in some legal writings, is often considered pedantic and confusing and is avoided by careful speakers)].

irretroactividad *n*: GEN non-retroactive nature ◊ *La irrectroactividad de las leyes penales.* [Exp: **irretroactivo** (GEN not retroactive)].

irreversible *a*: GEN irreversible, irretrievable; S. *irrecuperable.*

irrevocabilidad *n*: GEN irrevocability. [Exp: **irrevocable** (GEN irrevocable, indefeasible)].

irritable[1] *a*: GEN irritable. [Exp: **irritable**[2] (CIVIL voidable), **irritar**[1] (GEN irritate), **irritar**[2] (PROC void, annul), **írrito** (GEN/PROC null and void, invalid; S. *nulo y sin efecto, sin valor*)].

irrogar daños o perjuicios *v*: CIVIL cause/occasion harm or damage.

irrumpir *v*: GEN burst in, break in, irrupt; S. *invadir.* [Exp: **irrumpir en un local** (GEN/CRIM raid, burst/break/rush into a place/establishment; S. *hacer una redada*), **irrupción** (GEN breaking-in, break-in, violent entry, inrush)].

itinerante *a*: GEN/CRIM itinerant, roaming, travelling, wandering; street; free-ranging, free-moving, autonomous, self-reliant, independently-operating ◊ *El atentado ha sido atribuido a un comando itinerante de la organización terrorista*; in the example the reference is to a terrorist unit with the means and authority to move around almost at will and perpetrate outrages as opportunity arises; translators might consider the option «flying squad» for this type of group; S. *comando, célula.*

iuris tantum *n*: PROC S. *presunción iuris tantum.*

IVA *n*: TAX S. *impuesto sobre el valor añadido.*

J

jefatura *n*: GEN headquarters, HQ; central office. [Exp: **jefatura de policía** (ADMIN police headquarters), **jefatura superior de policía** (ADMIN regional/provincial police headquarters), **jefe** (GEN chief, head, leader, boss, manager, principal; S. *fiscal jefe; director, gerente, dirigente, ejecutivo*), **Jefe de Estado** (CONST head of state), **Jefe de las Fuerzas Armadas** (CONST commander-in-chief, head of the armed forces ◊ *El Jefe del Estado es el Jefe de las Fuerzas Armadas*), **jefe de servicio** (ADMIN section head, head of department/service), **jefe de una banda de narcotraficantes** (CRIM drug lord), **jefe del grupo parlamentario** (CONST parliamentary whip; S. *grupo parlamentario*)].

jerarquía *n*: GEN hierarchy, level, rank; S. *grado, escala, dignidad, posición, categoría.*

jeringuilla *n*: GEN [hypodermic] syringe/needle; S. *pincharse.* [Exp: **jeringazo** *col* (CRIM shot *col*)].

jerga *n*: GEN jargon, slang, parlance, lingo *col.* [Exp: **jerga jurídica** (GEN legal parlance, lawyers' slang/lingo *col*)].

jornada laboral *n*: EMPLOY working hours, working day; S. *día hábil.*

jornal *n*: EMPLOY wage, day's wages/pay; S. *salario, paga, sueldo.* [Exp: **jornal a destajo** (EMPLOY piece-work wage), **jornalero** (EMPLOY day labourer; S. *obrero*)].

joven *a/n*: GEN young; youngster, youth; S. *adolescente.* [Exp: **joven radical** (GEN young radical, radical youth/youngster ◊ *Un grupo de jóvenes radicales destruyeron un cajero automático anoche*; S. *encapuchado, violento*)].

jubilación *n*: EMPLOY retirement; pension, old-age pension; S. *pensión, retiro, edad de jubilación.* [Exp: **jubilación anticipada** (EMPLOY early retirement; S. *prejubilación*), **jubilación por invalidez** (EMPLOY retirement on the grounds of diability/ill-health, forced retirement due to disablement, illness, etc.), **jubilado** (CRIM pensioner; retired person, retiree *US*; S. *pensionista, en activo, en servicio activo*), **jubilarse** (EMPLOY retire [on a pension])].

judicatura *n*: CONST judicature, judiciary, judgeship.

judicial *a*: CONST judicial; of/by a judge; S. *poder judicial.* [Exp: **judicialización de la vida ciudadana** (GEN tendency to overuse court procedure in solving everyday problems; excessive resort to the court, the «I'll-sue-you fashion»; failure to settle problems out of court; S. *sociedad judicializada*)].

juego, en *phr*: GEN at stake ◊ *En algunos procedimientos lo que está en juego son cuestiones muy técnicas.*

juez *n*: PROC judge, magistrate; justice, beak *col*; despite the similarity of appearance between «*juez*/judge and «*magistrado*/magistrate», Spanish and English usage are quite different in that *juez* is the generic word, whilst *magistrado* means a senior judge, i.e. an experienced career professional, unlike an English magistrate, who may be a layman and always sits in the lower court; S. *magistrado, letrado, toda.* [Exp: **juez administrativo** (PROC administrative judge), **juez adjunto** (PROC associate judge), **juez asesor** (GEN assistant judge, master), **juez asesor en el Tribunal Europeo de Justicia** (EURO Advocate-General), **juez auxiliar** (PROC recorder, registrar, master), **juez competente** (PROC judge with jurisdiction over a case, judge entertaining jurisdiction), **juez de delitos monetarios** (PROC judge specialising in serious fraud cases; S. *fiscalía especial de delitos monetarios*), **juez de guardia** (PROC duty judge or magistrate), **juez de instrucción** (CRIM examining magistrate, committing magistrate; S. *juzgado de instrucción, juez de sala*), **juez de lo civil** (PROC civil court judge), **juez de lo penal** (PROC criminal court judge), **juez de lo social** (PROC employment tribunal judge, labour court judge *US*), **juez de las libertades y de la detención** (PROC judge who rules on parole and detention), **juez de paz** (PROC justice of the peace, JP; magistrate; S. *juez lego*), **juez de primera instancia** (PROC first-instance judge, trial judge), **juez de sala** (PROC trial judge), **juez de vigilancia penitenciaria** (CRIM judge who supervises condtions of imprisonment and applications for parole; *approx* Parole Board judge; S. *libertad condicional, beneficio penitenciario, junta de tratamiento, ordenamiento penitenciario*), **juez interino** (PROC part-time judge, temporary judge, judge pro tempore), **juez lego** (PROC lay judge, magistrate), **juez mixto** (PROC judge who hears both civil and criminal cases; S. *juez promiscuo*), **juez ponente** (PROC judge who acts as rapporteur; judge who prepares and delivers the leading opinion, judge giving the judgment of the court), **juez presidente** (PROC presiding judge, chief judge/justice), **juez promiscuo** (PROC [in some Latin-American countries] judge with a mixed jurisdiction, judge hearing both civil and criminal cases), **juez sentenciador** (PROC trial judge), **juez suplente** (PROC judge appointed as reserve or substitute for an absent member of the bench, temporary judge, judge pro tempore), **juez sustituto** (PROC recorder, judge pro tempore *US*), **juez titular** (PROC judge assigned to a particular court)].

juicio[1] *n*: PROC trial; hearing, case; proceedings, action, court case, suit; S. *pleito, vista, audiencia, audiencia previa al juicio, acta de un juicio, llevar a juicio.* [Exp: **juicio**[2] (GEN judgement, common sense, prudence; S. *criterio, prudencia, sensatez; en su sano juicio, perder el juicio, estar en sus cabales*), **juicio, a mi** (GEN in my mind, in my opinion, to the best of my knowledge), **juicio a puerta cerrada** (PROC closed trial), **juicio arbitral** (PROC arbitration proceedings), **juicio cambiario** (PROC small debts proceedings involving negotiable instruments; S. *proceso monitorio*), **juicio cautelar** (PROC suit for provisional remedy), **juicio con jurado** (PROC trial by jury), **juicio contencioso-administrativo** (PROC administrative proceedings, judicial review), **juicio de alimentos** (PROC hearing of an application for financial provision, suit for alimony), **juicio de apremio** (PROC attachment proceedings, enforcement proceedings, distress/distraint proceedings; this includes proceedings by public and local authorities for seizure and sale of a debtor's goods for unpaid tax, rates, etc.), **juicio de cognición** (PROC declaratory proceedings; S. *juicio declarativo*), **juicio de conformidad** (PROC sentencing hearing following a plea of guilty ◊ *En los juicios de conformidad el detenido confiesa el delito o la falta y acepta una solución pactada*; plea bargaining as such is prohibited by Spanish law under the *principio de legalidad* –principle of legality–, i.e. the cardinal rule that judges are bound to act strictly in accordance with the law, and little or no discretion outside it–; however, in practice a certain amount of informed negotiation between counsel for the defence and the prosecution is tolerated, and this kind of negotiated pleas is often the result, though judges are deemed to know nothing about the circumstance in which the plea is tendered; S. *conformidad, culpable*), **juicio de desahucio** (PROC eviction proceedings, dispossession proceedings *US*), **juicio de exequátur** (PROC exequatur procedure, proceedings to determine enforceability of a foreign judgment; S. *procedimiento del juicio de exequátur*), **juicio de faltas** (CRIM/PROC trial of a summary or minor offence; type of hearing systematically distinguished from the so-called *juicio de sumario* or *procedimiento ordinario* –i.e. non-summary trial or trial of a serious offence–, just as a *falta* –misdemeanour, summary/minor offence– is distinguished from a *delito* –serious or non-summary offence–; the main difference between this and the more solemn form of criminal trial, apart from its more informal nature, is that the is no formal *sumario* –record of process drawn up by an examining magistrate–, so that the basis of the prosecution is usually a police report –*atestado policial*–; each party is therefore responsible for producing its own witnesses and evidence; S. *delito, falta, instrucción, sumario*), **juicio de mayor/menor cuantía** (PROC civil proceedings in which the value of the claim is above/below a set amount; beofre the changes introduced in 2000 by the new *Ley de Enjuiciamiento Civil*, this involved procedural differences roughly comparable to those between County Court and High Court actions; this is not longer the case, just as the introduction of various «tracks» has altered the procedure in England under the Civil Procedural Rules; translators might consider rendering the actions as, respectively, «major claims procedure» and «standard claims procedure»; S. *mayor/menor cuantía*), **juicio de quiebra, de concurso o concursal** (PROC bankruptcy proceedings; S. *procedimiento de quiebra*), **juicio de valor** (GEN value judgement), **juicio declarativo** (PROC declaratory action, action for a declaratory judgment; S. *juicio verbal, cognición, menor cuantía, mayor cuantía, sentencia declarativa*), **juicio ejecutivo** (PROC executory process, action for enforcement of judgment; S. *ejecutivo*), **juicio en rebeldía** (PROC default judgment, undefended action, proceedings in which the defendant fails to appear), **juicio hipotecario** (PROC foreclosure suit), **juicio inmediato** (PROC same-day trial; S. *juicio rápido*), **juicio laboral** (EMPLOY action under employment/labour laws), **juicio oral** (PROC oral proceedings, hearing of evidence, stage of trial during which testimony is given; S. *apertura de juicio oral, vista*), **juicio plenario** (PROC plenary action), **juicio posesorio** (PROC possessoriy action), **juicio rápido** (PROC summary trial, fast-track trial ◊ *Con los juicios rápidos se piensa atajar la reincidencia*; S. *juicio inmediato*), **juicio sucesorio** (SUC/PROC probate proceedings,

proceedings for settlement of an estate), **juicio verbal** (CIVIL S. *juicio declarativo*), **juicios acumulados** (PROC combined actions, joined actions, consolidated actions), **juicioso** (GEN sensible, reasonable, prudent, conscious, cautious; S. *discreto, prudente, cabal*)].

junta[1] *n*: GEN/ADMIN board, committee; meeting; committee/board meeting; authority; junta; S. *órganos rectores, consejo*. [Exp: **junta**[2] (CONST Assembly, Parliament or government of one of Spain's Autonomous Regions *–autonomías–*; specifically one of those, such as Madrid, Andalusia or Castilla La Mancha, whose official language is Castilian Spanish; S. *autonomía, consejero, Generalitat, Xunta*), **junta de acreedores, de accionistas,** etc. (BSNSS meeting of creditors/shareholders, etc.), **junta de arbitraje** (PROC arbitration board/council/panel; S. *tribunal, órgano o cámara de arbitraje*), **junta de gobierno** (GEN/BSNSS steering committee, board [of directors]; S. *sala de gobierno*), **junta de revisión** (GEN board of review), **junta de revisión de avalúos** (TAX board of equalization), **junta de síndicos** (board of trustees; S. *consejo de gerencia, consejo de fideicomisarios, patronato*), **junta de tratamiento** (CRIM parole board; S. *juez de vigilancia penitenciaria*), **junta directiva o de gobierno** (GEN ruling body, steering committee. board of governors/directors, directorate; S. *consejo de administración, directiva*[1]), **junta electoral** (CONST election committee), **junta general** (GEN/BSNSS general/ordinary meeting), **junta general anual** (BSNSS annual general meeting, AGM), **junta general de accionistas** (BSNSS general meeting of shareholders) **junta nacional de aeropuertos** (GEN/ADMIN airport authority)].

jura *n*: GEN oath, promise, [act of] swearing; S. *promesa, testimonio; declaración jurada, prestación de juramento*. [Exp: **jurado** (GEN/PROC sworn; person who has been sworn [in]; member of a jury, juror; jury; S. *escrito de conclusiones al jurado; amañar un jurado, comprar a un jurado*), **jurado de juicio** (PROC jury, petty jury), **jurado suplente** (PROC alternate juror), **juramentar** (PROC swear in, administer the oath to, put [sb] to oath; S. *debidamente juramentado*), **juramento** (GEN oath, swearing, swearing in; S. *jura, toma de posesión*), **juramento, bajo** (GEN on oath), **juramento afirmativo/asertorio** (GEN affirmative oath), **juramento condicional** (GEN limited/qualified oath), **juramento de fidelidad** (GEN oath/pledge of allegiance), **juramento decisorio** (GEN determinative oath, oath in answer to interrogatories on which the outcome of proceedings depends), **juramento promisorio** (GEN promissory oath), **juramento solemne** (GEN solemn/formal oath), **juramento supletorio** (PROC oath or affirmation in lieu of proof; it sometimes happens that a party wishes to allege a state of affairs that in its nature is impossible, or at least extremely difficult, to prove; this is especially true when the state of affairs concerned is couched in negative terms, as when someone says «I am not married»; it is a simple matter to furnish proof that one is married by producing the relevant certificate, but virtually impossible to furnish proof of the contrary; in such cases an oath or affirmation is allowed to be enough, though of course if evidence later comes to light that shows the party lied under oath, they will be liable in the usual way for perjury; S. *falso testimonio, jurar en falso*), **jurar** (PROC swear, take an oath, give testimony under oath; S. *declarar, atestiguar, testificar, deponer*), **jurar el cargo** (ADMIN be sworn in), **jurar en falso** (CRIM commit perjury, give false evidence, make a false statement on oath; S. *declarar; falso testimo-*

nio), **jurar fidelidad/lealtad** (GEN swear/ pledge allegiance, take an oath of allegiance; S. *prestar juramento*)].

juridicidad *n*: GEN lawfulness, legal permissibility; right, rightfulness; S. *antijuricidad*. [Exp: **jurídico** (GEN legal, juristic, juridical; of [the] law; S. *legal, en derecho, de acuerdo con la ley, antijurídico*)].

jurisconsulto *n*: GEN legal consultant; jurisconsult, master of/expert in jurisprudence; S. *procurador, jurista, abogado.*

jurisdicción *n*: PROC jurisdiction, power, competence, authority, venue; both the Spanish term and its obvious English counterpart, «jurisdiction», can refer to either the power of a court to hear and decide a case or to the territorial limits in which that power may be exercised; by and large it is the first sense that predominates in Spanish usage, whilst the word *competencia* is preferred in the latter sense, as in *Hay que resolver un incidente previo sobre competencia*; besides this, it is common to find the Spanish work linked with adjectives like *civil, administrativa, laboral, militar, etc.*; here the sense of «jurisdiction» is close to «branch of law», i.e. those matters that come within the scope, or purview, of the civil courts, the criminal courts, the administrative courts, etc.; S. *poder, autoridad, competencia; salto de jurisdicciones.* [Exp: **jurisdicción administrativa** (ADMIN jurisdiction in cases involving administrative law; administrative law), **jurisdicción civil/criminal** (PROC civil/criminal jurisdiction), **jurisdicción competente** (PROC competent jurisdiction/court/ venue; S. *autoridad competente, competencia*), **jurisdicción concurrente** (PROC concurrent jurisdiction), **jurisdicción contencioso-administrativa** (PROC [jurisdiction of] the courts competent to hear appeals from and complaints against decisions made by administtarive authorities, public bodies, central and local government, and the like; S. *contencioso-administrativa, recurso contencioso-administrativo*), **jurisdicción delegada** (PROC jurisdiction assigned from one judge to another), **jurisdicción en apelación** (appellate jurisdiction), **jurisdicción en primer grado o en primera instancia** (PROC first instance jurisdiction, original jurisdiction), **jurisdicción exclusiva/limitada** (PROC exclusive/limited jurisdiction), **jurisdicción laboral** (PROC/EMPLOY jurisdiction over employment matters, employment law, labor law *US*), **jurisdiccional** (PROC jurisdictional)].

jurisprudencia *n*: CONST case law, judgemade law, [law of] precedent; earlier decision-s; decided cases, authorities; jurisprudence, science of law; S. *derecho, repertorios de jurisprudencia, doctrina, doctrina jurisprudencial; See* jurisprudence *in the English-Spanish section.*

jurista *n*: GEN lawyer, attorney, jurist; S. *abogado, jurisconsulto, procurador.*

justicia *n*: GEN justice, fairness, law, equity, justice system, soundness; redress ◊ *Nadie puede tomarse la justicia por su cuenta*; S. *derecho, equidad; hacer justicia.* [Exp: **justicia conmutativa** (GEN commutative justice), **justicia distributiva** (GEN distributive justice), **justicia militar** (GEN military law, martial law), **justicia natural** (GEN equity, natural justice), **justicia ordinaria** (GEN the ordinary courts, the civil courts), **justicia social** (GEN social justice), **justiciable**[1] (GEN justiciable, susceptible of, or appropriate for judicial resolution), **justiciable**[2] (GEN party to court proceedings), **justiciero** (GEN righteous, self-righteous, aggressively assertive about rights and wrongs, [person] given to taking the law into his own hands; barrack-room lawyer *col*)].

justificable *a*: GEN justifiable, defensible, legitimate, reasonable. [Exp: **justificar**

(GEN justify, excuse ◊ *En aras de una simplificación del procedimiento se justifica la supresión de algunos de los antiguos recursos*; S. *excusar, dar razones*), **justificación** (GEN justification, good cause, excuse, apology, defence, vindication; warrant; S. *excusas, apología*), **justificante** (GEN voucher, receipt; warrant, acknowledgment; proof of payment, etc.; supporting evidence), **justificante de caja** (GEN/BSNSS cash voucher), **justificativo** (GEN justifying, justificative, justificatory, defensory; supporting; S. *defensivo, documento justificativo*)].

justipreciar *v*: BSNSS/INSUR appraise, evaluate, assess, value, estimate; S. *aforar, valuar, tasar*. [Exp: **justipreciador** (GEN appraiser, estimator), **justiprecio** (BSNSS/INSUR appraisal, estimate/estimation; fair price, true value; payment of fair and reasonable compensation ◊ *En la expropiación forzosa al propietario se le priva del dominio de una cosa mediante la indemnización o justiprecio*; S. *estimación, valoración, tasación, aprecio, precio justo*)].

justo *a*: GEN just, fair, right, warranted; reasonable; sound, evenhanded, equitable; S. *honrado, imparcial; equitativo, razonable, conveniente, oportuno*. [Exp: **justo y adecuado** (GEN right and proper), **justo y equitativo** (GEN fair and just)].

juzgado *n*: GEN court of law, court; court in which a judge sits alone; court of first instance; court building, court centre; in large towns and cities ranking as «provincial capitals», the court centre is likely to house senior courts and is therefore usually known as the *palacio de justicia*; otherwise, in smaller towns, the building is known as the *juzgado*, which implies that it houses only first-instance courts of the various jurisdictions; S. *tribunal, órgano jurisdiccional, tribunal de justicia, sala, audiencia*. [Exp: **juzgado de guardia** (GEN duty court, night court, police court; these are first-instance courts, equivalent *approx* to magistrates' courts or district courts, sharing round-the-clock duties), **juzgado de distrito** (GEN district court), **juzgado de instrucción** (GEN/CRIM examining magistrates' courts, first-instance criminal court; S. *instrucción, juez de instrucción*), **juzgado de lo civil** (GEN/CIVIL civil court), **juzgado de lo penal** (GEN/CRIM first-instance criminal court, *approx* magistrates' court), **juzgado de lo social** (GEN/EMPLOY employment/industrial tribunal, labor court *US* ◊ *Los litigios que surgen entre los empleadores y los empleados se zanjan ante los juzgados de lo social*; S. *Magistratura de Trabajo*), **juzgado de paz** (PROC *approx* justices' court; magistrates' court), **juzgar** (PROC judge, sit upon; adjudge, adjudicate; award, evaluate, umpire; think, consider, deem, decide ◊ *Los órganos jurisdiccionales tienen la función de juzgar y ejecutar lo juzgado*; S. *enjuiciar; árbitro*)].

K

kamikaze *col n*: CRIM kamikaze; suicide bomber; S. *terrorista suicida, atentado suicida.*

L

LAB *n*: BSNSS S. *libre[franco] a bordo.*

labor *n*: GEN/EMPLOY work, task, labour; S. *operación, misión, tarea, función.* [Exp: **laborable** (EMPLOY working; S. *día laborable*), **laboral** (EMPLOY occupational, work-related, pertaining to labour or work; S. *profesional*), **labores de búsqueda** (CRIM search, hunt, attempt to trace ◊ *Han intervenido más de 50 vecinos en las labores de búsqueda de la niña perdida*), **laboralista** (PROC lawyer specialising in employment/labour law; S. *administrativista, civilista, penalista, procesalista*)].

laceración *n*: GEN laceration, injury, bruise; S. *contusión, lesión, herida, llaga.* [Exp: **lacerar** (GEN lacerate, wound, cut, torment; S. *herir, dañar, perjudicar, llagar*)].

lacra *n*: GEN blight, curse, disease; S. *vicio.* [Exp: **lacra social** (GEN scourge, curse, bane of society), **lacrar** (GEN seal, seal with wax), **lacre** (GEN sealing wax)].

ladrón *n*: CRIM thief, burglar, robber, housebreaker, shoplifter, crook *col*, larcenist; S. *atracador, bandido, ratero* col, *carterista* col, *caco* col*; malhechor; latrocinio.* [Exp: **ladrocinio** *obs* (GEN robbery, theft, larceny; S. *latrocinio*)].

laguna *n*: GEN vacuum, gap, blank hole, loophole, hiatus, lacuna; omission. [Exp: **laguna fiscal** (TAX tax loophole), **laguna jurídica o legal** (PROC/CONST legal vacuum/loophole; S. *escapatoria, salida, vacío legal*)].

lancha *n*: GEN boat, motorboat. [Exp: **lancha patrullera** (CRIM police launch), **lancha salvavidas** (GEN lifeboat)].

lanzamiento[1] *n*: PROC/CIVIL eviction order; eviction or dispossession under court order, ouster ◊ *La petición de lanzamiento que se haga al juez deberá ser notificada a los ocupantes del inmueble*; S. *desahucio, arrendamiento urbano.* [Exp: **lanzamiento**[2] (BSNSS float, flotation; S. *lanzamiento de una sociedad mercantil*), **lanzamiento de mercancías al mar** (INSUR jettisoning of cargo; S. *avería*), **lanzamiento de una emisión de títulos** (BSNSS flotation of an issue), **lanzamiento de una empresa o de una sociedad mercantil** (BSNSS flotation, going public; S. *flotación*), **lanzar**[1] (GEN throw, cast, fling, launch), **lanzar**[2] (CIVIL evict, dispossess; S. *desposeer, desalojar, despojar, desahuciar*), **lanzar nuevas emisiones** (BSNSS float/bring out new issues), **lanzar una OPA** (BSNSS launch a takeover bid, make a tender offer; S. *OPA*)].

lapso *n*: GEN lapse, time, interval, period of time, stage, phase; S. *período, etapa, fase, plazo.*

lapsus *n*: GEN lapse, error, slip, blunder; S. *error, desliz, patinazo*. [Exp: **lapsus calami** (GEN slip of the pen), **lapsus linguae** (GEN slip of the tongue)].

largo *a/n*: GEN long; length. [Exp: **largo alcance, de** (GEN long-range), **largo de, a lo** (GEN along, during, over, throughout), **largo plazo, a** (GEN long-range; long-dated; long-term, in the long term)].

lascivia *n*: GEN lasciviousness, lechery, lewdness, lust, lustfulness; S. *lujuria*. [Exp: **lascivo** (GEN lascivious, lecherous, lewd ; S. *libidinoso*)].

lástima *n*: GEN shame, pity; S. *pena, pesar*. [Exp: **lastimar** (GEN hurt, harm, injure; damage, impair; wound; S. *herir, dañar, lacerar*)].

lastre *n*: BSNSS ballast.

latente *a*: GEN dormant, latent, hidden; S. *inactivo, oculto*.

latifundio *n*: CIVIL large privately owned rural estate; S. *minfundio*. [Exp: **latifundismo** (CIVIL land-ownership system based on *latifundio*), **latifundista** (CIVIL/GEN major owner, proprietor of extensive [rural] estates)].

latrocinio *n*: CRIM robbery, theft, larceny; S. *robo, fraude; ladrón*.

laudar *v*: EMPLOY/GEN/CIVIL award, find, render a decision; S. *fallar*. [Exp: **laudo** (EMPLOY/CIVIL/GEN award, arbitration finding, adjudication; S. *determinación judicial, fallo*), **laudo arbitral** (EMPLOY arbitrator's award, decision of an arbitrator; S. *arbitraje*), **laudo de obligado cumplimiento** (GEN binding award/decision), **laudo de indemnización por despido improcedente** (EMPLOY compensatory award for unfair dismissal)].

laudemio *n*: CIVIL laudemium.

lavado *n*: GEN/CRIM washing, laundering; S. *blanqueo, blanquear*. [Exp: **lavar dinero** *col* (CRIM launder money *col*), **lavar el honor** (GEN remove the stain from one's good name ◊ *Antiguamente se lavaba el honor mancillado con el duelo a muerte*; S. *honra*)].

lazo *n*: GEN bond, link; S. *vínculo, compromiso, pacto*.

leal *a*: GEN loyal, fair. [Exp: **leal saber y entender, según mi** (GEN to the best of my knowledge and belief), **lealtad** (GEN allegiance, loyalty, fidelity, fealty)].

leer *v*: GEN/PROC read ◊ *El policia le leyó los derechos*; in fact there is no provision under Spanish law for suspects to be cautioned, which is what the example amounts to; the phrase has been coined by translators of books and films produced in the English speaking countries; legally it is the examingin magistrate *–juez instructor–* who in actual fact issues any caution by informing the person interviewed whether he/she is being questioned as a witness *–en calidad de testigo– or as a suspect –en calidad de imputado/sospechoso–*; thus the arresting officers have no duty to «read the arrested person his rights» or otherwise caution him, asd so the phrase is, strictly speaking, meaningless as far as Spanish law is concerned.[Exp: **lectura de [la] acusación** (CRIM arraignment), **leer la acusación** (CRIM arraign), **leer los derechos al detenido** (CRIM caution a suspect, issue a Miranda warning)].

legación *n*: INTNL legation, embassy; S. *embajada*.

legado *n*: SUC legacy, legate, devise, bequest, disposition ◊ *Su abuelo le adjudicó un cuadro valioso como legado*; S. *testamento, manda; legar*. [Exp: **legado a título singular** (SUC specific legacy/devise), **legado a título universal** (SUC general legacy), **legado absoluto o incondicional** (SUC absolute bequest, absolute legacy, vested devise), **legado acumulado o adicional** (SUC accumulative/cumulative legacy), **legado caducado/caduco** (SUC lapsed devise or legacy), **legado**

condicional (SUC contingent remainder, conditional bequest), **legado de bienes raíces** (SUC devise), **legado de cantidad** (SUC pecuniary legacy), **legado de cosa cierta** (SUC specific devise), **legado demostrativo** (SUC demonstrative legacy), **legado general** (SUC general legacy/ devise), **legado remanente** (SUC residuary bequest/devise/legacy), **legado sustitutorio** (SUC substituted/alternate legacy)].

legajo *n*: GEN [court] file, dossier, roll, docket, bundle [of papers]; S. *carpeta, expediente.*

legal *a*: GEN legal, lawful, valid, statutory; legitimate, licit; S. *laguna legal, límite legal, marco legal, medicina legal, medidas legales; lícito.* [Exp: **legalidad** (GEN legality, lawfulness, legitimacy, licitness; S. *principio de legalidad*), **legalista** (GEN legalistic, legalist), **legalización** (CIVIL legalization, authentication), **legalización de documentos** (CIVIL authentication of documents; S. *autenticación*), **legalizado** (GEN duly authenticated, authentic; under seal; S. *certificado, auténtico*), **legalizar** (GEN/CIVIL attest, legalize, authenticate, certify, validate, legitimate, execute; S. *legitimar, compulsar, dar fe, atestar*), **legalizar una firma** (CIVIL attest a signature), **legalmente** (GEN lawfully, legally; in law; duly; S. *de acuerdo con la ley*)].

legar *v*: SUC will, bequeath, devise; S. *dejar en testamento; legado.* [Exp: **legatario** (SUC legatee, devisee, beneficiary ◊ *El legatario es el beneficiario de un legado, y el heredero, de una herencia*), **legatario de bienes raíces** (SUC beneficiary, heir to an estate, devisee), **legatario de bienes muebles** (SUC beneficiary of a legacy, legatee), **legatario general o universal** (SUC general/universal devisee/legatee), **legatario residual** (SUC residuary legatee)].

legislación *n*: CONST legislation; law, laws, body of statutes; law-making; S. *ley, disposiciones legislativas.* [Exp: **legislación delegada** (CONST delegated legislation), **legislación fiscal** (TAX tax law/legislation), **legislación laboral** (EMPLOY employment law, labor law *US*), **legislación retroactiva** (CONST retrospective/retroactive legislation), **legislador** (CONST lawmaker, law-giver, draftsman; Parliament), **legislar** (CONST legislate; make/lay down laws; rule), **legislativo** (CONST legislative), **legislativo, el [poder]** (CONST the legislative power, the legislature; S. *el ejecutivo, el judicial*), **legislatura** (CONST term [of office], session), **legislatura parlamentaria** (CONST life of a Parliament)].

legitimación[1] *n*: GEN authentication, legitimisation, recognition; S. *autenticación.* [Exp: **legitimación**[2] (GEN standing ◊ *El tribunal inadmitió la demanda por falta de legitimación*), **legitimación [de un documento]** (GEN authentication of a document), **legítimo**[1] (GEN legitimate, lawful, rightful; S. *heredero legítimo, título legítimo*), **legítima**[2] (SUC the legitimate or natural portion, the third part of the deceased's estate that descends to natural heirs as of right; the legitime *Scots*; share of an estate which passes by law to the family and dependants; inalienable succession of two thirds of the value of deceased's estate; Spanish law does not recognise testamentary freedom; the *legítima* or *legítima larga* is divided into the *legítima estricta* and the *tercio de mejora*; the remaining third is called *tercio de libre disposición*; S. *tercio de libre disposición, tercio de mejora, adjudicación de herencia; desheredar*), **legítima defensa** (CRIM self-defence ◊ *La legítima defensa es una eximente*; S. *defensa propia*), **legítima del cónyuge viudo** (SUC the «third for betterment» to which the surviving spouse is entitled as a life interest or usufruct; liferent *Scots*), **legítima estricta** (SUC one third of total value, divided equally among lawful heirs; the legitime/legitimate or natural portion; the third part of the estate as of right ◊ *La legítima estricta ha de dividirse por igual entre los herederos forzosos*; S. *tercio de mejora*), **legítima larga** (SUC the sum formed by the *legítima estricta* and the *tercio de mejora*), **legítimo ejercicio de un derecho** (GEN legitimate exercise of a right; S. *cumplimiento del deber*), **legitimación** (PROC legal standing, right of action,capacity; S. *falta de legitimación*), **legitimación procesal** (GEN legal standing, locus standing, legal capacity to sue), **legítimamente** (GEN lawfully), **legitimar** (GEN legitimate, legitimize *US*, entitle, legalize; make [it] right/lawful/legal; grant a right ◊ *Las asociaciones de consumidores están legitimadas para defender en juicio los derechos e intereses de sus asociados*), **legitimidad** (GEN/CONST legitimacy, lawfulness, legality), **legítimo** (GEN lawful, legitimate, genuine, right, true; true-born)].

lego *a/n*: GEN lay; layman, lay person; non-specialist, uninformed; S. *ignorante, juez lego.*

leguleyo *n*: GEN pettifogging lawyer. shyster *US*, ambulance-chaser *US*.

lenidad *n*: GEN leniency; S. *clemencia.* [Exp: **lenitivo** (GEN lenient, merciful, soothing)].

lesa-o *a*: GEN lèse, lese; in English, found only in a few combinations where the word has been derived from the Latin *læsus* –hurt, injured, wounded–; examples include *crimen de lesa majestad* –lèse-majesté, lese majesty–, *crimen de lesa humanidad* –crime against humanity–, *leso derecho natural* –[offence] against natural law–, etc.

lesión *n*: GEN/CRIM injury, infringement, violation, wound, loss; S. *herida, contusión, lesiones.* [Exp: **lesión corporal** (CRIM physical/personal injury, bodily injury/harm; S. *daño corporal*), **lesión jurídica** (PROC damage, harm injury, tort; S. *perjuicio*), **lesión mortal** (GEN fatal injury), **lesión no mortal** (GEN non-fatal injury), **lesionar** (GEN/CRIM injure, wound, damage, maim; wrong; interfere with; impair, prejudice; S. *herir*), **lesionar derechos** (CIVIL/CRIM infringe/encroach on right, interfere with rights; violate/break rules/laws ◊ *Con su comportamiento ha lesionado los derechos de su prima*; S. *dañar, vulnerar*), **lesiones** (CRIM injuries; grievous bodily harm, GBH; S. *amenazas, daño corporal*), **lesiones apreciables, sin** (GEN with no visible injuries), **lesiones [corporales] graves** (CRIM common assault, wounding, grievous bodily harm), **lesiones leves** (CRIM minor/slight injuries), **lesiones y daños psíquicos y morales** (CRIM pain and suffering), **lesivo** (GEN harmful, detrimental, injurious; S. *perjudicial, dañino*), **leso** (GEN injured, damaged; S. *ileso, lesa-o*)].

letal *a*: GEN/CRIM lethal, deadly, fatal; S. *fatal, mortal, nocivo, tóxico, perjudicial, inyección letal.*

letra[1] *n*: GEN handwriting; letter; literal meaning/sense; words; subparagraph. [Exp: **letra**[2] **[de cambio]** (BSNSS bill of exchange, bank/demand draft, instalment ◊ *Me quedan sólo cinco letras para terminar de pagar el piso*; S. *efecto [documentario], giro comercial; aval de una letra, aceptar/avalar/descontar/endosar/girar/protestar una letra*), **letra, a la** (GEN to the letter, literarally), **letra a la vista** (BSNSS sight draft/ bill of exchange, demand draft), **letra aceptada** (BSNSS acceptance bill, due bill, accommodation bill of exchange), **letra a cobrar o al cobro** (BSNSS draft to be collected, bill to collect, bill/draft for collection, bill receivable; S. *efecto al cobro*), **letra de fa-**

vor, de complacencia o de «pelota» (BSNSS «kite», accommodation note/draft/paper/bill of exchange), **letra de imprenta** (GEN print, block capitals), **letra de la ley** (CONST letter of the law), **letra del Tesoro** (BSNSS BSNSS Treasury bill, public bond), **letra devuelta o no atendida** (BSNSS dishonoured bill of exchange, returned bill of exchange), **letra documentaria** (BSNSS documentary draft, bill with documents attached), **letra domiciliada** (BSNSS domiciled bill of exchange), **letra, en** (GEN in full, in words, longhand), **letra girada** (BSNSS draft), **letra girada en el interior** (BSNSS domestic bill), **letra limpia, sin documentos o no documentaria** (BSNSS clean bill of exchange), **letra no documentaria** (BSNSS clean draft), **letra o giro a la vista** (BSNSS demand bill/draft), **letra manuscrita** (GEN handwriting; longhand), **letra protestada** (BSNSS protested/noted bill), **letra rechazada** (BSNSS dishonoured bill), **letra simple** (BSNSS straight bill), **letras a pagar** (BSNSS bills payable), **letras/efectos impagados** (BSNSS outstanding drafts), **letras vencidas** (BSNSS due drafts)].

letrado *n*: PROC lawyer, counsel, advocate, barrister, attorney/counsellor *US*; counsellor, member of the Bar, legal practitioner; S. *abogado, procurador, honorarios de letrado, toga*. [Exp: **letrado asesor o consultor** (PROC consulting solicitor. legal advisor), **letrado de las Cortes** (CONST parliamentary advisor/counsel/lawyer)].

levanta la sesión, se *phr*: GEN the meeting stands adjourned. [Exp: **levantamiento**[1] (GEN lifting, raising, removal; S. *elevar*), **levantamiento**[2] (GEN rebellion, uprising; S. *agitación, amotinamiento, revolución, revuelta, sublevación*), **levantamiento de embargo** (PROC raising/abatement of an attachment; S. *desembargo*), **levantamiento del cadáver** (CRIM removal by the police of a dead body after judicial inspection; judge's warrant for this), **levantamiento del velo [societario]** (BSNSS piercing the corporate veil), **levantamiento del secreto del sumario** (PROC lifting of *sub judice* rule; lifting of reporting and disclosure restrictions in a case that is *sub judice*; raising of ban on comment following completion of preliminary investigations, committal proceedings, etc.), **levantar** (GEN raise, build; lift, remove, take off; S. *alzar*), **levantar acta** (GEN take the minutes, keep a record, enter up a record), **levantar el embargo** (PROC lift/raise an attachment), **levantar el secreto del sumario** (PROC/CRIM lift reporting restrictions; S. *sumario*), **levantar el toque de queda** (GEN lift a curfew; S. *imponer el toque de queda*), **levantar la garantía** (GEN release a guarantee), **levantar la hipoteca** (CIVIL clear [off] a mortgage), **levantar la prohibición** (PROC remove a ban), **levantar la sesión** (ADMIN adjourn a meeting, close a meeting), **levantar sospechas** (GEN arouse suspicion ◊ *Su extraña ausencia durante dos meses levantó sospechas*), **levantar un embargo, un secuestro, un interdicto** (PROC remove/lift an embargo, a sequestration order, an injunction, etc.; S. *alzar*), **levantar un plano** (GEN conduct a survey), **levantar una sesión, una vista oral,** etc. (GEN adjourn a meeting, a hearing, etc.; S. *suspender, diferir*), **levantarse en armas** (CRIM rebel, rise up; S. *sublevarse, alzarse, rebelarse*)].

leve *a*: GEN minor, slight, lenient; trivial, unimportant; S. *lesiones leves, negligencia leve; ligero; grave*. [Exp: **leve sospecha** (CRIM slight suspicion ◊ *No había pruebas, sólo la leve sospecha de que él lo había hecho*; *S. sospecha*), **levedad** (GEN lightness, slightness, leniency ◊ *La levedad de las penas no produce ningún efecto disuasorio*)].

ley *n*: CONST law; Act, statute, enactment, rule, norm; S. *derecho; decreto, legislación, reglamento; abolir, abrogar, acatar, anular, aplicar, aprobar, atenerse a, burlar, contravenir, cumplir, derogar, dejar sin efecto, dictar, evadir, infringir, interpretar, invalidar, observar, poner en vigor, observar, promulgar, quebrantar, reformar, refrendar, respetar, revocar, sancionar, sujetarse a, transgredir, vulnerar*. [Exp: **ley adjetiva** (CONST adjective law, procedural law/rule; S. *derecho procesal o adjetivo*), **ley administrativa** (CONST/ADMIN administrative law), **ley básica o fundamental** (CONST organic/ fundamental law; S. *ley orgánica*), **ley cambiaria** (BSNSS law of negotiable instruments), **ley de autorización** (CONST enabling Act/statute, parent Act), **ley de bases** (CONST fundamental provisions of an Act or law), **ley de créditos suplementarios** (CONST/ADMIN deficiency bill), **ley de enjuiciamiento** (PROC rules of procedure), **ley de enjuiciamiento civil** (PROC civil procedure rules, rules of civil procedure), **ley de enjuiciamiento criminal** (CRIM code/rules of criminal procedure ◊ *La ley de enjuiciamiento criminal contiene las normas jurídicas que ordenan el inicio, la sustanciación y la ejecución de un proceso penal*), **ley de excepción** (CONST emergency legislation), **ley de extranjería** (CONST law governing aliens, immigrations laws; S. *invocar, acogerse*), **ley de fugas** *col* (GEN «rule» that prisoners attempting to escape may be shot out of hand; *approx* if he tries to get away, shoot first and ask questions later ◊ *El detenido intentó zafarse de sus captores y le aplicaron la ley de fugas*; there is, of course, no such law, and never has been, but the popularity of the phrase suggests that some police and army officers have not always been too particular when dealing with fugitives from justice; S. *abandono, en rebeldía, fugarse, fugitivo, huida, incomparecencia, preso, reo*), **ley de la oferta y la demanda** (BSNSS law of supply and demand), **ley de plazos para el aborto** (CIVIL abortion law; law setting out time limits for termination of pregnancy), **ley de plenos poderes** (GEN act providing for emergency powers), **ley de prescripción** (CIVIL rules governing prescription; *approx* statute of limitations), **ley de presupuestos** (CONST legislation governing spending on budgets), **ley de procedimiento** (PROC procedural law; S. *ley adjetiva*), **ley de propiedad horizontal** (CIVIL Spanish law or Act governing units of ownership in apartment blocks, law applicable to condominium *US*; S. *bienes raíces, finca, dominio, propiedad real, titularidad*), **ley de secretos oficiales** (CIVIL Official Secrets Act), **ley de seguridad ciudadana** (CONST public safety law; emergency provisions, anti-terrorist provisions or legislation; provisions or legislation for the suppression of terrorism; *approx* Special Powers Act/Emergency Provisions Act; S. *terrorismo*), **ley de seguridad e higiene en el trabajo** (EMPLOY Health and Safety at Work Act), **ley de sociedades anónimas** (BSNSS legislation governing corporations), **ley de vagos y maleantes** (CRIML vagrancy Act), **ley de validación o de convalidación** (CONST validating statute), **ley de videovigilancia** (ADMIN/ CRIM police video-camera surveillance; law authorising police surveillance of terrorist activity by means of video and closed-circuit cameras set up in public places; the introduction of this legislation has met with strong resistance from civil rights groups), **ley declarativa** (CONST declaratory statute/Act), **ley marcial** (CRIM martial law), **ley marco** (BSNSS public bill, skeleton law, outline law), **ley orgánica** (CONST organic law; S. *leyes* *orgánicas*), **ley parlamentaria** (CONST act, statute, statutory law, Parliamentary act, Congress Act *US*), **ley penal** (CONST criminal law), **ley refundida** (CONST consolidating statute/Act), **ley retroactiva** (CONST retroactive law), **ley sustantiva** (CONST substantive law), **ley vigente** (CONST existing law, law in force at the present time), **leyes fiscales** (TAX tax revenue laws), **leyes orgánicas** (CONST basic laws and statutes affecting individual rights and duties, approved by Parliament, giving legal effect to the Constitution; *approx* public general Acts of Parliament)].

liberación *n*: GEN release, liberation, exemption, exoneration, setting free, freeing; S. *puesta en libertad, emancipación*. [Exp: **liberación de la mujer** (GEN women's lib, women's liberation), **liberado**[1] (GEN released, set free; exempt, exonerated; S. *libre*), **liberado**[2] (GEN/CRIM pro *col*, full-time member [of a political organization]; the implication of the word is that the person referred to works professionally for the organization and so is «freed» *–liberado–* from the need to earn a living by other means; the term is used in an innocent sense of trade unionist leaders and party workers, and with a sinister connotation when applied to members of terrorist organizations ◊ *En la redada la policía detuvo a cuatro liberados de ETA*; S. *terrorismo*), **liberal** (GEN liberal, broad-minded, open-minded), **liberalizar** (GEN liberalise, deregulate), **liberar**[1] (CRIM set free, discharge, release ◊ *Los secuestradores liberaron a los rehenes en cuanto se vieron acorralados*; S. *poner en libertar; raptar, secuestrar*), **liberar**[2] (GEN exempt, excuse, free, absolve, release ◊ *Las circunstancias eximentes liberan total o parcialmente al acusado de la responsabilidad criminal*; S. *eximir, dispensar, exculpar*), **liberatorio** (GEN releasing, discharging; S. *pago liberatorio*)].

libertad *n*: GEN liberty, freedom; S. *libre; poner en libertad, decretar la libertad del detenido*. [Exp: **libertad condicional** (CRIM parole, conditional release, licence, community rehabilitation order), **libertad con/sin caución** (CRIM bail with security or uncondional bail; bail without security), **libertad de afiliación sindical** (EMPLOY freedom to join a union), **libertad de cátedra** (CONST academic freedom), **libertad de circulación** (CONST freedom of movement), **libertad de conciencia** (GEN freedom of thought), **libertad de expresión/palabra** (CONST freedom of speech), **libertad de prensa** (CONST freedom of the press), **libertad de reunión** (CONST freedom of assembly), **libertad provisional** (PROC/CRIM bail, remand on bail, release on bail ◊ *El juez instructor dictó auto de procesamiento contra el detenido y le concedió la libertad provisional bajo fianza de 1.000 €*; this term should not be confused with with *libertad condicional* –parole, licence–; it refers to the release on remand pending trial *–a la espera del juicio–* of a person who has been formally charged *–acusado, procesado–* with an offence; there is no power of police bail in Spain and only a judge may make the order; as in Britain and the USA, it is usual to require a money security *–fianza–* or an undertaking from a surety *–fiador–* before releasing the person charged, though it is possible for bail to be granted on the prisoner's own recognisances or undertaking *–bajo palabra–* to surrender to bail or appear *–comparecer–* when called on; failure to do so leads to the issuing of a warrant for the accused's arrest *–orden de búsqueda y captura–*; S. *prórroga de libertad provisional*), **libertad provisional con fianza** (CRIM release/remand on bail), **libertad**

provisional sin fianza (CRIM bail without a security, unconditional bail, release on one's own recognizances), **libertad sexual** (GEN sexual freedom/autonomy/self-determination; S. *abuso contra la libertad sexual*), **libertad sin cargos** (CRIM release without charges), **libertad vigilada** (CRIM parole, early release), **libertades cívicas** (CONST civil/constitutional liberties ◊ *La Constitución ampara los derechos fundamentales y las libertades cívicas*), **libertador** (GEN liberator, rescuer), **libertario** (GEN libertarian, anarchist; S. *ácrata*)].

libertinaje *n*: GEN debauchery, licentiousness, dissoluteness, dissolute behaviour; S. *desorden, exceso*. [Exp: **liberto** (GEN freed, emancipated, **libertino** (GEN licentious, abandoned, dissipated; libertine; S. *vicioso, indecente, depravado, inmoral, licencioso*)].

libidinoso *n*: GEN lecherous, lewd, lascivious; S. *lascivo, lujurioso*.

librado *n*: BSNSS drawee [of a bill of exchange]; S. *banco librado; tomador, aceptante, girado; acta de protesto*. [Exp: **librador** (BSNSS drawer [of a bill of exchange]; S. *dador, mandante*), **libramiento** (BSNSS/ADMIN order of payment, draft), **libramiento de fondos** (ADMIN payment/release of funds), **libranza** (GEN money order, order of payment), **librar**[1] (GEN release, free, relieve, remit, absolve, acquit, exonerate; S. *eximir, librarse*), **librar**[2] (BSNSS issue, deliver, draw ◊ *El cheque que se ha librado contra el banco Westminster es falso*; S. *girar, expedir*), **librar de responsabilidad** (GEN exonerate from responsibility), **librar fondos** (ADMIN deliver), **librar una orden** (GEN issue an order), **librarse** (GEN escape from, get out [of], dodge *col*, avoid ◊ *Se libró de una severa sentencia por la sagacidad de su abogado*; S. *escaparse*)].

libre *a*: GEN free; S. *liberado; libertad*. [Exp: **libre a bordo, LAB** (BSNSS free on board, FOB), **libre al costado [del vapor/buque]** (BSNSS free alongside vessel), **libre albedrío/arbitrio** (GEN free will; S. *facultad, discreción, oportunidad*), **libre cambio** (BSNSS free trade), **libre circulación de capitales** (BSNSS/INTER/EURO free movement of capital), **libre de gastos** (GEN free of charge), **libre circulación de obreros** (BSNSS/EURO free movement of workers), **libre comercio** (BSNSS free trade), **libre competencia** (BSNSS free market, freedom of competition), **libre de cargas** (CIVIL without charges, unencumbered), **libre de derechos** (BSNSS duty-free), **libre de deudas** (GEN debt-free, free of debt), **libre de gravámenes** (BSNSS free of encumbrances, unemcumbered), **libre de impuestos** (TAX tax-free, tax exempt), **libre disposición** (SUC S. *tercio de libre disposición, legítima*), **librecambista** (BSNSS free trader), **libremente** (GEN willingly)].

libro *n*: GEN book; S. *articulado de una ley, inciso, apartado, artículo*. [Exp: **libro de actas** (ADMIN/GEN book of proceedings, minute book), **libro de entradas y salidas** (GEN/BSNSS receiving book, day-book), **libro de familia** (FAM family register; a record held by the head of a family in which stamped copies of the marriage, birth of children, etc, are entered for official purposes), **libro de navegación** (BSNSS navigation book, logbook), **libro de pedidos** (BSNSS order book), **libro de quejas** (GEN complain book), **libro de registro** (GEN register), **libro diario** (BSNSS cash book, account book, journal), **libro mayor** (BSNSS ledger; S. *asentar, inscribir*), **libros de comercio** (BSNSS company's book), **libros del registro civil** (FAM records of births, marriages and deaths; records of the public registry office)].

licencia *n*: ADMIN/GEN permit, licence; leave; permission, consent; S. *permiso,* *autorización, venia; solicitud de licencias; obra, planificación urbanística, autorización para edificar*. [Exp: **licencia, con** (ADMIN under licence), **licencia con/sin sueldo** (EMPLOY paid/unpaid leave/leave of absence), **licencia de apertura** (ADMIN [opening] licence), **licencia de armas** (ADMIN gun permit/license, licence to carry firearms), **licencia de construcción** (ADMIN building permission or licence), **licencia de importación** (ADMIN import licence), **licencia de obras** (ADMIN building/planning permission), **licencia de patente** (BSNSS patent licence), **licencia matrimonial** (FAM marriage licence), **licencia paterna** (FAM parents' permission/consent), **licenciado** (GEN university graduate; youth who has performed military service; S. *licenciatura*), **licenciar** (GEN license; discharge from service; grant leave of absence; S. *autorizar*), **licenciatario** (ADMIN/BSNSS licensee), **licenciatura** (GEN university degree; S. *licenciado, diplomatura, doctorado*), **licencioso** (GEN licentious, disorderly, lawless; debauchee; S. *libertino, vicioso, indecente, depravado, inmoral*)].

licitación *n*: BSNSS/ADMIN bid, bidding; tender; tendering; S. *puja, oferta; sacar a licitación, abrir la licitación*. [Exp: **licitación abusiva** (CRIM collusive tendering; S. *connivencia*), **licitación pública o abierta** (BSNSS/ADMIN public tender, open tender, open bid, competitive bid/bidding; S. *oferta pública, pública subasta*; S. *sacar a licitación pública, en venta*), **licitador/licitante** (BSNSS/ADMIN tenderer, bidder; S. *postor, licitante*), **licitar** (BSNSS/ADMIN bid, make a bid; invite tender [for], put in a bid, tender, submit a tender; S. *pujar, presentar una oferta*), **licitar para un contrato** (BSNSS/ADMIN tender for a contract)].

lícito *a*: GEN lawful, legal, licit, legitimate, allowable, according to the law; S. *legítimo, legal*. [Exp: **licitud** (GEN legality, lawfulness, legitimacy)].

lid *n*: GEN quarrel, dispute, fight, contest; S. *lance, riña*. [Exp: **lidiar** (GEN contest, battle, litigate; S. *disputar, combatir, debatir, contender*)].

liga *n*: GEN league; S. *alianza, unión*. [Exp: **Liga de Naciones** (INTNL League of Nations), **ligamen** (GEN link, bond), **ligar** (GEN bind, link, bond, commit ◊ *Los parientes se hallan ligados entre sí por vínculos de consanguinidad o afinidad*; S. *vincular*), **ligarse** (GEN league together; S. *aliarse, unirse*)].

ligero *a*: GEN slight, faint, minor; S. *leve*. [Exp: **ligera sospecha** (CRIM slight suspicion ◊ *No había pruebas, sólo la ligera sospecha de que él lo había hecho*)].

limitación *n*: GEN limitation, limit, constraint, restraint, restriction; qualification ◊ *Las limitaciones del derecho a la propiedad pueden variar ligeramente de unos países a otros*; S. *restricción*. [Exp: **limitado** (GEN limited, restricted; S. *parcial, restringido*), **limitar**[1] (GEN limit, restrain, restrict, check; S. *reprimir, restringir, controlar, refrenar, atajar*), **limitar**[2] (GEN abut, border; S. *confinar*), **límite** (GEN limit, end, bound, boundary; S. *mojón, linde, frontera, limítrofe; acotar, delimitar*), **límite legal** (CONST legal/statutory limit or ceiling), **límite máximo de alcohol en sangre permitido a los conductores** (CRIM prescribed alcohol limit), **limítrofe** (GEN adjacent/adjoining, bordering, conterminous, abutting; S. *colindante, contiguo, adyacente*)].

limpieza étnica *n*: GEN ethnic cleansing; S. *crímenes contra la humanidad, genocidio*.

linaje *n*: FAM lineage, ancestry, genealogy, pedigree, descent; S. *estirpe, genealogía, parentesco, afinidad, consanguinidad, agnación, cognación*.

linchamiento *n*: GEN/CRIM lynching ◊ *Tras oír la sentencia, declaró que era víctima* *de un linchamiento político*; S. *atropello, injusticia*. [Exp: **linchar** (CRIM lynch; S. *tomarse la justicia por su mano, ejecutar sumariamente*)].

lindar *v*: GEN border on, adjoin, abut, touch [on], lie adjacent [to] ◊ *Mi chalé linda por el norte con la finca de «Los Molinos»*; S. *colindante; limitar, confinar* [Exp: **lindante** (GEN abutting, adjoining; S. *contiguo, terreno lindante*), **linde/lindero** (GEN boundary, separating line, abuttal-s ◊ *Algunas demandas surgen por desacuerdos sobre los lindes de una propiedad*; S. *límite, apeo, alteración de lindes*)].

línea[1] *n*: GEN line. [Exp: **línea**[2] *col* (GEN [of cocaine] line *col*, snort *col*; S. *raya, porra, chutarse, picarse, engancharse*), **línea ascendente** (FAM/GEN ascending line, ancestor; upward trend), **línea colateral** (FAM collateral line), **línea de crédito** (BSNSS credit line), **línea de puntos** (GEN dotted line ◊ *Rasgar por la línea de puntos*), **línea descendente** (FAM descending line, descendant; downward trend), **línea dura** (GEN hard line), **línea materna/paterna** (FAM mother's side, mother's line; father's side, father's line), **línea de conducta** (GEN course of conduct, policy), **líneas directrices** (GEN guidelines), **líneas generales** (GEN outline)].

liquidación *n*: GEN liquidation; payout, payment; settlement; adjustment of the difference, satisfaction; winding-up; S. *pago, finiquito*. [Exp: **liquidación de avería** (BSNSS adjustment of average), **liquidación de la sociedad conyugal** (FAM judicial terms of settlement in a divorce; *approx* divorce settlement), **liquidación forzosa de una mercantil** (BSNSS compulsory winding-up by the court), **liquidación voluntaria de una mercantil** (BSNSS voluntary winding-up), **liquidación del impuesto de la renta** (TAX payment/settlement of tax, discharge of tax liabilities), **liquidado**[1] (GEN paid, liquidated, settled), **liquidado**[2] *col* (CRIM killed, murder, destroyed), **liquidador**[1] (BSNSS administrator in bankruptcy, trustee in bankruptcy, average adjuster, liquidator), **liquidador**[2] (PROC/MERC liquidator, administrator in bankruptcy, receiver; adjuster ◊ *Los liquidadores venderán el patrimonio de la organización*), **liquidador de reclamaciones** (INSCE claims adjuster/assessor/representative; S. *tasador*), **liquidador judicial** (BSNSS/CIVIL official receiver, receiver, court-appointed liquidator), **liquidar**[1] (BSNSS settle, clear, pay up/off/out, satisfy, discharge, liquidate, sell off/out, realise, wind up; S. *saldar, arreglar*), **liquidar**[2] *col* (CRIM kill, do away with *col*; S. *matar*), **liquidar judicialmente** (BSNSS wind up by order of the court), **liquidar una deuda** (BSNSS/CIVIL settle/pay off a debt), **liquidar una mercantil** (BSNSS wind up/liquidate a company; S. *disolver una sociedad mercantil*), **liquidez** (BSNSS liquidity, cash ready money, liquid assets), **líquido**[1] (GEN liquid; S. *sólido*), **líquido**[2] (GEN net, liquidated S. *ilíquido, neto disponible*), **líquido imponible** (TAX net taxable income)].

lisiado *a/n*: GEN crippled, injured, maimed, disabled; invalid, cripple, disabled person; S. *lesiones*. [Exp: **lisiar** (GEN maim, injure, disable; S. *lesionar, herir*)].

lista *n*: GEN list, array, roll, roster, schedule, return; register; S. *relación, inventario*. [Exp: **lista de causas o litigios** (PROC docket, court calendar, trial list, cause list), **lista de causas abandonadas** (PROC dropped calendar), **lista de causas alzadas o recurridas** (PROC calendar of appeals), **lista de precios** (BSNSS price list), **lista de señalamientos** (PROC court's case list, list of causes, daily list), **lista electoral** (CONST electoral roll/list, ticket), **lista oficial de abogados colegiados**

(PROC roll of solicitors, law list), **listado** (GEN listing)].

lite *n*: PROC S. *litis*.

litigación *n*: PROC litigation; S. *pleito, litigio*. [Exp: **litigante** (PROC litigant, litigator, claimant, party to a suit ◊ *Los litigantes podrán renunciar, desistir del juicio, allanarse, someterse a arbitraje y transigir sobre lo que sea objeto del mismo*; S. *demandante, parte*), **litigante vencedor/vencido** (PROC winning/losing side/party, successful/unsuccessful party to a suit), **litigar** (PROC litigate, file suit, contest an action, argue a case; S. *pleitear*), **litigio** (PROC case, litigation; suit, proceedings, lawsuit, contentious issue ◊ *La misión de los órganos jurisdiccionales es zanjar los litigios entre las partes*; S. *entender en un litigio, proceso judicial, pleito*), **litigio, en** (PROC in dispute, at/in issue), **litigio vejatorio** (PROC vexatious litigation/action), **litigioso** (PROC litigious, contentious, disputed; S. *separación matrimonial litigiosa, cuestiones litigiosas*)].

litis/lite *n*: PROC case, action, lawsuit, suit; S. *pleito, causa*. [Exp: **litis denuntiatio** (PROC service of process to the defendant), **litisconsorcio** (PROC joinder of parties, joint litigation), **litisconsorte** (PROC partner in joinder of parties, joint litigant), **litiscontestación** (PROC litiscontestation, joinder of issue), **litis-expensas** (PROC costs; S. *costas*), **litispendencia** (PROC lis pendens, litispendency, duration of the issue, period between joinder of issue and judgment)].

llamada *a*: GEN call, convocation; summons; S. *convocatoria, licitación, llamamiento*. [Exp: **llamada a licitación** (GEN call for bids), **llamada al orden** (GEN call to order), **llamada de atención** (GEN reprimand, complaint), **llamada de socorro** (GEN distress call), **llamada maliciosa** (GEN hoax call, false alarm: bomb hoax), **llamamiento** (GEN S. *llamada*), **llamamiento a juicio** (PROC summons, citation), **llamamiento a licitadores** (GEN call/invitation for bids; S. *licitación*), **llamamiento a juicio** (PROC summons, citation), **llamar** (GEN call; S. *citar, convocar*), **llamar a capítulo** (GEN call to account), **llamar a filas** (GEN conscript, call up, call to the ranks, call for military service; S. *alistar, reclutar*), **llamar a la huelga** (GEN/EMPLOY call out on strike), **llamar al orden** (GEN call to order), **llamar la atención** (GEN reprimand, scold, admonish; S. *amonestar, advertir*)].

llegada *n*: GEN arrival; accession; S. *advenimiento, acceso*. [Exp: **llegar** (GEN arrive, come), **llegar a la mayoría de edad** (CIVIL reach the age of majority, come of full age), **llegar a un acuerdo** (GEN reach an agreement/settlement, come to an understanding ◊ *Llegaron a un acuerdo para ocultar la verdad al tribunal*), **llegar a un acuerdo extrajudicial** (PROC settle out of court, reach an extra-judicial settlement), **llegar al fondo de la cuestión** (GEN/PROC get to the bottom/heart of the matter; enter into/decide upon the merits [of the case] ◊ *En la resolución de las cuestiones previas no se llega al fondo de la cuestión*), **llegar al poder** (CONST come to power)].

llevar[1] *v*: GEN bear, carry, take; S. *transportar, acarrear*. [Exp: **llevar**[2] (GEN conduct, handle, run, deal with ◊ *Lleva el negocio muy bien desde la muerte de su padre*; S. *tramitar, gestionar, llevar un negocio*), **llevar**[3] (GEN take away, steal ◊ *Los ladrones se llevaron todos los objetos de valor que encontraron*; S. *robar*), **llevar a cabo** (GEN carry out, execute, effect, perform, discharge; S. *efectuar, practicar, poner en ejecución*), **llevar a cabo un careo** (PROC arrange a confrontation; S. *careo*), **llevar a efecto** (GEN put into effect), **llevar a los tribunales** (PROC sue, take to court; S. *demandar*), **llevar a término** (GEN complete), **llevar apareja-**

do o consigo (GEN carry with it; entail, involve; lead necessarily to; S. *traer aparejado*), **llevar un negocio** (BSNSS run a business, ply one's trade), **llevar un registro** (GEN keep a record), **llevar una causa, un expediente, un pleito,** etc. (GEN/PROC conduct a case, have charge of a matter, suit, etc.; S. *tramitar, gestionar*)].

locación *n*: CIVIL lease, rental, bailment; S. *arrendamiento*. [Exp: **locación de servicios** (CIVIL hiring of services, employment), **locador** (CIVIL lessor, bailor), **locatario** (CIVIL bailee, lessee; S. *depositante de fianza*), **locativo** (GEN/CIVIL locative; pertaining to leasing)].

local *n*: GEN premises; S. *establecimiento*. [Exp: **local**[2] (ADMIN local ◊ *Las autoridades locales están preocupadas por la delincuencia juvenil*; S. *municipal*), **local de alterne** (GEN hostess bar, pick-up joint *col* ◊ *La policía detuvo a treinta mujeres sin papeles en un local de alterne*; S. *alterne, club de alterne*), **locales comerciales** (BSNSS business premises ◊ *El juez ordenó el registro de los locales comerciales de la empresa*), **localización**[1] (GEN discovery, finding, location ◊ *La localización del lugar del crimen ha sido imposible*; S. *descubrimiento*), **localización**[2] (GEN site, location, position; S. *emplazamiento, situación*), **localizar** (GEN locate, discover, track down, find ◊ *No se ha podido localizar la caja negra del avión*; S. *descubrir*)].

loco-a *a/n*: GEN mad, insane, lunatic, unhinged, crazy; madman/madwoman; S. *demente, maníaco, vesánico*. [Exp: **locura** (GEN madness, insanity; S. *facultades mentales, vesanía*)].

locutorio de una cárcel *n*: CRIM booth, visiting room at a jail.

lucha *n*: GEN fight, struggle, quarrel; S. *pelea, altercado*. [Exp: **lucha armada** (GEN/CRIM armed struggle; S. *brazo armado*), **lucha de clases** (GEN class struggle), **luchar** (GEN fight, struggle, contend; S. *combatir, pelear, refutar*)].

lucrarse *v*: GEN profit, make a profit, feather one's nest *col*. [Exp: **lucrativo**[1] (BSNSS lucrative, profit-making, money-making ◊ *La venta de las minas de cobre ha sido una operación muy lucrativa*; S. *beneficioso; producir beneficios; sin fines de lucro*), **lucrativo**[2] (BSNSS without valuable consideration; S. *a título lucrativo*), **lucro** (GEN gain, profit; S. *ganancia, beneficio, utilidad*), **lucro cesante** (CIVIL/PROC/INSUR loss of earnings, lost profit, claim for damages for loss of profit; most often found together with and as an addition or alternative to, a personal injuries claim; the claim is thus structured into compensation *–indemnización–* for personal injuries *–daños emergentes–* and loss of earnings; S. *daños emergentes*)].

lugar *n*: GEN place, spot. [Exp: **lugar del delito o del crimen** (CRIM scene of the crime), **lugar, ha** (PROC upheld), **lugar, no ha** (PROC case dismissed, objection overruled; leave is refused, request out of order; S. *recurso para la declaración de no ha lugar, solicitud de declaración de no ha lugar*), **lugar, sí ha** (PROC where applicable)].

lujuria *n*: GEN lechery, lewdness; S. *lascivia*. [Exp: **lujurioso** (GEN lecherous, lewd; S. *lascivo, libidinoso*)].

lupanar *n*: GEN brothel; an old-fashioned word that stills finds favour with some lawyers and reproters; S. *burdel, mancebía; prostitución*.

luto *n*: GEN mourning, grief; S. *duelo*. [Exp: **luto, en señal de** (GEN as a sign of mourning; to mark the death of; S. *a media asta, en señal de duelo*.

luz *n*: GEN light; S. *sombra*. [Exp: **luz de, a la** (GEN in the light of ◊ *El abogado expuso sus posiciones a la luz de las pruebas ofrecidas*), **luz del día, a plena** (GEN in broad daylight ◊ *El ministro fue acribillado por sus enemigos a plena luz del día*)].

M

mácula *n*: GEN blot, blemish, stain; discredit, aspersion; S. *tacha, deshonra, difamación, calumnia, mancha.* [Exp: **macular** (GEN blemish, defame; S. *difamar*)].

madrastra *n*: FAM step-mother; S. *padrastro.*

madre *n*: FAM mother; S. *materno.* [Exp: **madre adoptiva** (FAM adoptive mother), **madre sustituta o de alquiler** (FAM surrogate mother)].

mafia *n*: CRIM mafia, gang, gangsters; gangland; hoods or thugs collectively. [Exp: **mafia de la droga** (CRIM drug barons, dope peddlers), **mafioso** (GEN racketeer, gangster, thug, heavy *col*; S. *camorrista, pendenciero*)].

magistrado *n*: PROC senior judge, *approx* puisne judge; justice; S. *juez.* [Exp: **magistrado de Sala** (PROC trial judge), **magistrado ponente** (PROC judge appointed as rapporteur, judge giving judgment for the court), **magistrado suplente o sustituto** (PROC acting judge, judge who stands in for another, judge pro tempore, part-time judge), **magistratura** (PROC magistracy, judgeship, the judges, *approx* the Bench), **Magistratura de Trabajo** (EMPLOY Employment/industrial tribunal, labor court *US*; S. *Juzgado de lo Social*)].

magnicidio *n*: CRIM assassination [of a public figure]; S. *masacre, matanza, homicidio, matricidio, patricidio.*

mal[1] *n*: GEN evil, harm, wrong; wrongdoing; ill, damage; S. *daño, perjuicio.* [Exp: **mal**[2] (GEN bad, foul, awful ◊ *Es un mal juez*; S. *malo*), **mal**[3] (GEN badly, poorly, improperly ◊ *Se trata de una sentencia mal explicada*; S. *malamente*), **mal menor** (GEN lesser harm, lesser of two evils), **maldad** (GEN malice, evil, maliciousness, evil deed; vice; S. *ruindad, dolo, malicia, perversidad,*), **maleante** (GEN vagrant, drifter, bad lot *col*; S. *vago y maleante*), **malear** (GEN lead astray, corrupt, pervert), **malearse** (GEN go to the bad, become corrupted), **maledicencia** (CRIM slander, slandering, back-biting; S. *difamación*), **maléfico** (GEN malicious, evil, harmful), **malentendido** (GEN misunderstanding), **malestar** (GEN unrest; discomfort, uneasiness; S. *inquietud, desorden, disturbios*), **malevolencia** (GEN malevolence; S. *adversión*), **malévolo** (GEN malevolent, malicious), **malformación del feto** *n*: GEN malformation of the fœtus ◊ *El aborto está autorizado en el caso de malformación del feto*; S. *aborto, embarazo, gestación, alumbramiento*), **malhablado** (GEN foul-mouthed, obscene), **malhechor** (CRIM malefactor, offender, wrongdoer, villain *col*; S. *malvado, criminal*), **malicia** (GEN/CRIM malice, maliciousness; natiness, craftiness, cunning, mean streak ◊ *Las dilaciones de los funcionarios, por malicia o negligencia, serán castigadas severamente*; S. *perversidad, maldad*), **malicioso** (GEN malicious, ill-intentioned; nasty; crafty, cunning, mean; S. *engañoso, astuto; malvado, llamada maliciosa*), **maligno** (GEN malicious; evil, pernicious), **malignidad** (GEN perversity, viciousness, malice)].

malo *a*: GEN bad, evil, wicked, wrong, wrongful, ill-intentioned; unjust, unfair; S. *injusto, malvado, corrupto*. [Exp: **mala administración/gestión** (BSNSS mismanagement ◊ *El negocio se vino abajo por la mala gestión de los administradores*; S. *ineficacia; quebrar*), **mala conducta** (GEN misbehaviour, misconduct, bad conduct, mischievousness; S. *buena conducta*), **mala fama/reputación** (GEN bad reputation, evil repute, ill fame), **mala fe** (GEN bad faith, want of good faith, deliberate unfairness ◊ *Cuando el tribunal aprecie mala fe en la presentación de documentos podrá imponer multas*; S. *buena fe*), **mala fe, de** (GEN in bad faith, unfair, unfairly; S. *buena fe, demanda de mala fe*), **mala intención** (CRIM deliberate ill will, ill-intentioned conduct, wilful intention to deceive), **mala interpretación** (PROC/GEN misconstruction, misinterpretation), **malamente** (GEN badly; wrongly, scarcely; S. *mal*[3]), **malos tratos** (CRIM ill-treatment, mistreatment, violence, physical violence; abuse; S. *desmanes, insulto, exabrupto, invectiva, ofensa, vituperación; pegar una paliza, marido maltratador*), **malos tratos a menores** (CRIM child abuse)].

maltratador *a*: GEN abuser; S. *marido maltratador*. [Exp: **maltratar** (GEN/CRIM maltreat, illtreat; knock about, beat up; abuse; S. *ultrajar, injuriar*), **maltratar de palabra** (CRIM abuse, insult), **maltrato** (CRIM ill-treatment, abuse, mistreatment; S. *malos tratos*), **maltrato de menores** (CRIM child abuse/battering), **maltrato verbal o modal en el puesto de trabajo** (EMPLOY mobbing ◊ *Por maltrato verbal o modal en el puesto de trabajo se puede solicitar de los tribunales una indemnización de resarcimiento*; S. *acoso psicológico*)].

malvado *a*: GEN wicked, depraved, unscrupulous; S. *perverso, corrupto, depravado, libertino, indecoroso, desaprensivo, deshonesto, sinvergüenza*.

malversación *n*: CRIM misappropriation, fraud, fraudulent acounting, embezzlement, defalcation; S. *distracción de fondos, desfalco*. [Exp: **malversación de caudales públicos** (CRIM embezzlement or misappropriation of public funds, peculation), **malversador** (CRIM fraudster, embezzler, defalcator; S. *defraudador*), **malversar** (CRIM misappropriate, embezzle; S. *distraer fondos*)].

mancebía *n*: GEN brothel; S. *burdel, lupanar*.

mancha [en la reputación, en el expediente, etc.] *n*: GEN blot, blemish, stain; dishonour, discredit, aspersion; black mark; S. *tacha, deshonra, difamación, calumnia; mancillar*.

mancillar *v*: GEN sully, besmich ◊ *Su reputación quedó mancillada por una vil calumnia*; S. *mancha, deshonra; honor*.

mancomunadamente *adv*: GEN jointly, together, by common consent; S. *solidariamente*. [Exp: **mancomunada y solidariamente** (BSNSS jointly and severally), **mancomunado** (BSNSS joint; S. *bienes mancomunados, deuda mancomunada; solidario*), **mancomunado y solidario** (BSNSS/CIVIL joint and several; S. *deuda mancomunada y solidaria*), **mancomunar** (BSNSS club together, pool, combine; S. *fusionar*), **mancomunar firmas** (GEN/BSNSS sign jointly; collect signatures), **mancomunidad** (GEN commonwealth, joint association), **mancomunarse** (GEN join together, join forces, form a partnership or common enterprise, become associated)].

manda *n*: SUC legacy, bequest, bequeathal ◊ *La manda es una donación a alguien hecha en el testamento*; S. *legado, testamento*. [Exp: **mandamás** *col* (GEN boss, top brass, bigwig *col*; baron *col*; S. *pez gordo, cacique*), **mandamiento [judicial]** (PROC order, warrant, mandate, writ, warrant; S. *orden, comunicaciones procesales, auto, providencia*); **mandamiento de detención** (CRIM arrest warrant; S. *orden o auto de detención*), **mandamiento de embargo** (GEN writ of attachment, freezing order), **mandamiento de prisión** (CRIM arrest warrant; committal order), **mandamiento de registro** (PROC search warrant; S. *orden de registro*), **mandamiento judicial** (GEN writ, judicial warrant or order), **mandante** (CIVIL/GEN principal, donor; S. *mandato[2], mandatario, poder notarial*), **mandar**[1] (GEN/CONST order, command, provide, lay down, prescribe, state, order, enjoin, direct, dispose, determine ◊ *La ley manda que nadie se tome la justicia por su cuenta*; S. *disponer, prescribir, establecer, ordenar*), **mandar**[2] (CONST rule, govern, have [the] power or authority ◊ *En algunos países los militares mandan más que los civiles*; S. *regir, gobernar*), **mandar**[3] (SUC bequeath, devise; S. *legar; manda*), **mandar**[4] (GEN send; S. *remitir, enviar*), **mandatario** (CIVIL agent, attorney, proxy ◊ *El mandatario hará todas las gestiones que las leyes le imponen*; S. *apoderado, representante, agente, procurador, mandante*), **mandato**[1] (PROC order, writ, warrant, injunction ; S. *orden, auto, mandamiento*), **mandato**[2] (CIVIL mandate, power of attorney, agency, letter of attorney ◊ *El mandato es un contrato en el que el mandatario se compromete a hacer algo en representación del mandante*; S. *procuración, poder, contrato de mandato*), **mandato**[3] (CONST term of office, holding of office, incumbency *US*, commission ◊ *El mandato del presidente del Gobierno es de cuatro años*), **mandato imperativo** (GEN external allegiance ◊ *Los congresistas no están ligados por mandato imperativo*), **mando** (GEN command, authority; S. *autoridad, poder*)].

manga[1] *n*: GEN sleeve; hose. [Exp: **manga**[2] *col* (GEN group ◊ *¡Sois todos una manga de estafadores!*; S. *pandilla, cuadrilla*)].

mangante *col n*: GEN thief. [Exp: **mangar** *col* (GEN swipe *col*, steal, nick *col*; S. *robar, sisar* col, *birlar* col, *trincar* col), **mangonear** *col* (GEN graft), **mangoneo** *col* (GEN graft)].

manía *n*: GEN mania, insanity, lunacy; S. *locura*. [Exp: **maníaco** (GEN maniac, lunatic, crazy; S. *loco*), **maníaco sexual** (GEN sex maniac), **maníaco depresivo** (GEN manic-depressive)].

maniatar *v*: GEN/CRIM handcuff, tie sb's hands; S. *esposar*.

manifestación[1] *n*: GEN statement, declaration, allegation; S. *exposición*. [Exp: **manifestación**[2] (GEN demonstration; S. *movilizaciones laborales, disolución de una manifestación, convocar una manifestación*), **manifestante** (GEN demonstrator), **manifestar** (GEN declare, state, say, allege; show; S. *alegar, decir, declarar, aseverar, pretender, sostener, hacer constar*), **manifiesto** (GEN manifest, express, patent, apparent; blatant), **manifiesto de embarque** (BSNSS ship's manifest)].

maniobra *n*: GEN manoeuvre; move; trick, stratagem, frame-up, ploy; S. *treta, ardid, trampa*. [Exp: **maniobrar** (GEN manoeuvre, handle, scheme, jockey for position; manipulate), **maniobrero** (GEN/CRIM schemer, wheeler-dealer *col*; S. *manipulador, chanchullero*)].

manipulación *n*: GEN handling; manipulation, rigging; S. *fraude, chanchullo*. [Exp: **manipulación bursátil o de precios** (CRIM/BSNSS stock market manipulation; market/price rigging), **manipulación contable** (CRIM/BSNSS window-dressing), **manipulación de la justicia** (CRIM perverting the course of justice), **manipulación del mercado** (CRIM/BSNSS market manipulation), **manipulación fraudulenta de una votación** (CRIM ballot-rigging; S. *«pucherazo electoral»*), **manipulador** (CRIM manipulator, wheeler-dealer *col*; S. *maniobrero*), **manipular**[1] (GEN manipulate; handle ◊ *Las sustancias tóxicas manipuladas incrementan el daño a la salud*; S. *adulterar, amañar*), **manipular**[2] (BSNSS/CRIM massage the numbers, cook the books *col*; fudge *col*; S. *amañar, maquillar*), **manipular el mercado** (BSNSS/CRIM rig the market, paint the tape *US col*), **manipular las cuentas** (CRIM manipulate the accounts, doctor the accounts *col*), **manipular los libros oficiales de contabilidad** (BSNSS/CRIM cook the books *col*; massage the numbers *col*; doctor/fiddle *col* the books), **manipular los resultados** (GEN fix/rig the results)].

mano *n*: GEN hand. [Exp: **mano, a** (GEN to hand; by hand; S. *hológrafo*), **mano alzada, a** (GEN by show of hands; S. *votación a mano alzada*), **mano armada, a** (CRIM armed, carrying an offensive or lethal weapon; S. *robo/atraco/ataque a mano armada; a quemarropa*), **manos de, en** (GEN in the hands of, in pawn to, at the mercy of; S. *a merced de*), **mano de obra** (EMPLOY labour, manpower, workforce), **mano de obra cualificada o especializada** (EMPLOY skilled wor kers/ labour; crafsmen), **mano de obra desocupada** (EMPLOY unemployed labourers/workers, idle labour), **mano de obra disponible** (EMPLOY available workforce/ labour), **mano de obra no cualificada/ especializada** (EMPLOY unskilled labour/ manpower), **manos en la masa, con las** (CRIM red-handed, in the act, in flagrante delicto; S. *in fraganti*), **manos limpias** (GEN clean hands, integrity; S. *conducta intachable*)].

mantener *v*: GEN maintain, sustain, assert, hold; keep up, support, preserve; S. *sustentar*. [Exp: **mantener a raya** (GEN/CRIM hold at bay, keep/hold back; keep within bounds; S. *pasar de la raya*), **mantener la disciplina** (GEN/CONST maintain/keep discipline; S. *romper la disciplina*), **mantener una entrevista** (GEN hold an interview), **mantener vigilado a alguien** (GEN place somebody under surveillance), **mantenimiento** (GEN maintenance, upkeep, preservation; S. *cuidado, sustento, alimentación, conservación, entretenimiento*), **mantenimiento de la paz** (GEN peace-keeping, maintaining peace, preservation of peace), **mantenimiento del orden público** (GEN keeping/safeguarding public order; law enforcement)].

manutención *n*: GEN sustenance, maintenance, support ◊ *Los cónyuges tienen el deber de contribuir a la manutención de los hijos*; S. *contribución a las cargas del matrimonio*; *alimentos*)].

maquinación *n*: CRIM machination, scheme, plot; conspiracy, scheming; S. *conjura, trama, intriga*. [Exp: **maquinación para alterar el precio de las cosas** (CRIM conspiracy to rig prices, price-fixing), **maquinar** (GEN/CRIM conspire, combine, plot, scheme, collude; S. *conjurar, conspirar, intrigar, tramar*)].

mar *n*: GEN sea. [Exp: **mar jurisdiccional** (INTNL jurisdictional waters), **mar territorial** (INTNL territorial waters; S. *aguas jurisdiccionales o territoriales; gente del mar*)].

marca *n*: GEN mark; make, trade-mark; S. *seña, indicio, nota; patente*. [Exp: **marca comunitaria** (EURO Community trademark), **marca de fábrica, industrial o registrada** (trade-mark, TM), **marca de lindes** (CIVIL landmark; S. *señal, límite, mojón de lindero*), **marcar** (GEN mark; S. *dentro de lo que marca la ley*), **marcas, patentes y diseños** (BSNSS trade-marks, patents and designs)].

marcha *n*: GEN running, operation, movement; progress; working order ◊ *El secretario judicial supervisa la marcha diaria de todos los asuntos*; S. *organización, curso; poner en marcha*. [Exp: **marcha o curso normal de los negocios** (BSNSS regular course of business)].

marco *n*: GEN framework, setting, context; S. *ámbito, acuerdo-marco, ley marco*. [Exp: **marco de, en el** (GEN within the framework of, under), **marco jurídico, estatutario o legal** (CONST legal framework, relevant legislation, regulatory scheme; S. *antecedentes del litigio*)].

margen *n*: GEN margin. [Exp: **margen comercial bruto** (BSNSS gross margin), **margen de apreciación o de maniobra** (GEN discretion; room for manoeuvre; S. *discrecionalidad, arbitrariedad*)].

marginación *n*: GEN marginalization. [Exp: **marginación social** (GEN social marginalization, isolation or alienation; failure to integrate or become integrated into society ◊ *La marginación social y el desarraigo son causantes de muchas conductas delictivas*; S. *ambiente de marginación social, desarraigo, inserción social*), **marginado social** (GEN marginalized individual, person living on the fringes of society; drop-out, social misfit; S. *inadaptado, indocumentado*), **marginalidad** (GEN marginalized/isolated/alienated situation or condition, marginalization ◊ *La marginalidad puede generar delincuencia*), **marginar** (GEN marginalize, alienate, exclude, isolate, keep out, keep at arm's length; S. *excluir*)].

marido *n*: GEN/CIVIL/FAM husband, spouse; S. *matrimonio, esposa, mujer*. [Exp: **marido maltratador** (CRIM wife-beater, husband who abuses or ill-treats his wife ◊ *El juez dictó una orden de alejamiento al marido maltratador*; S. *pegar una paliza, malos tratos*), **marido y mujer** (FAM husband and wife, married couple; S. *cónyuges*), **marital** (FAM marital, matrimonial, conjugal)].

masa *n*: GEN mass; bulk; body; crowd of people. [Exp: **masa**[2] (CIVIL assets, wealth, fortune, estate; S. *caudal, haber, bienes*), **masa**[3] *col* (GEN S. *con las manos en la masa*), **masa de acreedores** (BSNSS body of creditors), **masa de la quiebra** (BSNSS assets of a bankruptcy, bankrupt's estate; S. *graduar la masa de la quiebra*), **masa, en** (GEN mass ◊ *Producción en masa*), **masa hereditaria** (SUC gross estate ◊ *Para establecer la masa de la herencia los herederos forzosos tienen la obligación de colacionar los bienes que hubieran recibido a título lucrativo en vida del causante*; S. *graduar la masa de la quiebra*), **masa salarial** (EMPLOY total wages bill, payroll), **masivo** (GEN massive, enormous, huge; mass; large-scale; S. *armas de destrucción masiva*)].

masacrar *v*: CRIM massacre ◊ *Masacraron sin piedad a todos los civiles que encontraron a su paso*; S. *matar, asesinar, acuchillar, acribillar, coser a balazos*. [Exp: **masacre** (CRIM massacre, carnage, butchery, mass killing; S. *matanza, carnicería*)].

máscara *n*: GEN mask; S. *enmascarado*.

matanza *n*: CRIM slaughter, mass killing, massacre; S. *carnicería, masacre, asesinato*. [Exp: **matar** (GEN kill; murder, slay *US*; S. *asesinar; matón*), **matar a cuchilladas** (CRIM stab to death; S. *cuchillada, acuchillar*), **matar a tiros** (CRIM shoot to death, shoot and kill; S. *tirotear; balazo*)].

materia *n*: GEN matter, field; S. *cuestión*. [Exp: **materia civil/penal, en** (GEN in civil/criminal proceedings/actions/suits, under civil-law/criminal-law rules), **materia de, en** (GEN with regard to, concerning, involving), **material** (GEN material), **material procesal** (PROC subject-matter of proceedings/a case)].

maternidad *n*: GEN maternity, motherhood; S. *parto, embarazo, gestación, alumbramiento, aborto*. [Exp: **materno** (GEN maternal; S. *madre*)].

matización *n*: GEN qualification, nuance; clarification, refinement; S. *precisión, aclaración*. [Exp: **matizar** (GEN qualify, clarify, specify, go into greater detail, refine on, tone down, be/make more precise; S. *precisar, aclarar*)].

matón *n*: CRIM roughneck, thug, bully; S. *matar*. [Exp: **matón a sueldo** (PENAL contract killer)].

matriarcado *n*: FAM matriarchy; S. *patriarcado*.

matricida *n*: CRIM matricide; S. *patricida, magnicida, homicida*. [Exp: **matricidio** (CRIM matricide; S. *patricidio, homicidio, magnicidio*)].

matrícula *n*: GEN register, registration, enrolment; registration number, licence plate, number plate; S. *registro*), **matriculación** (GEN registration, enrolment, filing; record; entry), **matricular** (GEN register, enrol, matriculate; S. *darse de alta*)].

matrimonio *n*: FAM marriage, matrimony; married couple ◊ *Es nulo el matrimonio celebrado sin el consentimiento de las partes*; S. *casamiento, boda; promesa de matrimonio; comunidad de bienes, separación de bienes*. [Exp: **matrimonial** (FAM matrimonial, consistorial *Scots*; S. *marital*), **matrimonio canónico** (FAM canonical/church marriage), **matrimonio civil** (FAM civil marriage, registry-office marriage), **matrimonio con régimen de [bienes] gananciales** (FAM marriage based on joint ownership by the spouses of property acquired after the marriage; joint ownership/assets arrangement between spouses; S. *régimen económico del matrimonio*), **matrimonio con régimen de separación de bienes** (FAM marriage based onijdivudal/separate ownership by the spouses of property owned or acquired by either,separate ownership arrangement betw een spouses ◊ *El régimen de separación de bienes es el menos frecuente en los matrimonios españoles*; S. *régimen económico del matrimonio*), **matrimonio de conveniencia** (FAM marriage of convenience), **matrimonio de hecho** (FAM common-law marriage, marraige deemd to exist between a *de facto couple*; S. *pareja de hecho*), **matrimonio mixto** (FAM mixed marriage), **matrimonio morganático** (FAM morganatic marriage), **matrimonio no consumado/rato** (FAM unconsummated marriage), **matrimonio nulo** (FAM null marriage), **matrimonio por poder** (FAM marriage by proxy)].

matriz *n*: GEN womb, matrix; stub of a cheque; voucher; coupon; slip, original document, master copy; S. *papel, resguardo, recibo; casa matriz.*

mayor *a/n*: GEN main, major, principal; head, high; older, greater; adult, person of full age; S. *menor*. [Exp: **mayor, al por** (GEN wholesale), **mayor antigüedad, de** (EMPLOY senior, longer- serving; S. *en activo*), **mayor de edad** (GEN of full age; of legal age; adult; S. *menor*), **mayor/ menor cuantía** (CIVIL [former name for] proceedings involving very valuable subject- matter or a considerable sum of money –up to 160,000,000 pesetas–; also the name of the type of proceedings and the nature of the procedure *–procedimiento de mayor cuantía–*; the difference between it and *procedimiento de menor cuantía –approx.* small-debt proceedings– has now been largely superseded by the unified proceedings and new procedural rules contained in the *Ley de Enjuiciamiento Civil*, or rules of civil procedure; S. *demanda de mayor/menor cuantía, juicio declarativo, procedimiento ordinario*), **mayorazgo** (FAM right of primogeniture; entailed estate, entailment), **mayoría** (GEN majority), **mayoría absoluta** (GEN absolute majority), **mayoría de edad** (FAM age of majority, majority, legal age, full age, full legal age, age of consent, lawful age ◊ *La emancipación de un hijo menor es el adelanto de muchos de los efectos o beneficios de su mayoría de edad*; S. *llegar a la mayoría de edad, minoría de edad*), **mayoría de votos** (GEN majority of votes), **mayoría del capital** (GEN majority shareholding), **mayoría escasa** (GEN bare majority), **mayoría, por** (GEN by a majority), **mayoría simple** (GEN simple majority), **mayoritario** (GEN majority), **mayorista** (BSNSS wholesale trader, wholesaler; S. *comercio al por mayor*)].

mazmorra *n*: CRIM dark cell, dungeon, police station lockup; greenhouse *col*; S. *depósito policial, dependencias policiales; calabozo.*

media asta, a *phr*: at half-mast; S. *en señal de duelo o luto.*

mediación *n*: PROC/EMPLOY mediation, intervention, arbitration, agency; troubleshooting *col*; form of dispute resolution or negotiated settlement arranged by an arbitrator or third party *–árbitro, mediador, tercero–* who intervenes by using his good offices *–buenos oficios–* to help the parties in dispute to open or reopen negotiations and seek for themselves the basis for an acceptable and lasting agreement; S. *agencia, agentes sociales, arbitraje, conciliación, intermediación.* [Exp: **medianera/medianería** (CIVIL party wall; S. *lindero*), **medianero** (GEN mediator; S. *mediador, tercero*), **mediante** (GEN by, through, by means of), **mediador** (GEN broker, mediator, middleman; S. *agente, corredor, intermediario, tercero*), **mediar** (GEN mediate, intervene, intercede, act as mediator/go-between/troubleshooter; S. *intervenir*)].

medicamento *n*: GEN drug, medicine; S. *fármaco, narcótico, estupefaciente, medicina.*

medición *n*: GEN measurement; survey; S. *medida; medir.*

medicina *n*: GEN medicine; S. *medicamento.* [Exp: **medicina legal** (PROC forensic medicine), **médico** (GEN physician, doctor; medical), **médico forense** (PROC forensic pathologist, specialist in forensic medicine, *approx* pathologist, experts in forensic medicine or medical jurisprudence)].

medida *n*: GEN measure, step, action, procedure, means; standard; S. *medición, paquete de medidas; medir.* [Exp: **medida cautelar** (PROC precautionary measure; interim relief; precaution; injunction; protective measure; S. *fianza, garantía, caución, auto preventivo*), **medida de control** (GEN safety measure, safeguard; S. *protección, garantía*), **medida de expulsión** (GEN expulsión order), **medida de gracia** (CRIM pardon; S. *amnistía, indulto, perdón, clemencia; acogerse*), **medida disuasoria o represiva** (GEN deterrent), **medida en que, en la** (GEN to the extent that, inasmuch as, insofar as), **medida en que fuere necesario, en la** (GEN as far as may be necessary), **medidas de orden interno** (ADMIN internal administrative arrangements), **medidas de reinserción social de un preso** (CRIM measures or initiatives for the rehabilitation of an offender; S. *rehabilitación, acogerse a medidas de reinserción social*), **medidas de represalia** (GEN reprisals, retaliatory measures), **medidas de seguridad** (GEN safety measures ◊ *Las medidas de seguridad se fundamentan en la peligrosidad* *criminal del sujeto al que se impongan*), **medidas disciplinarias** (ADMIN/GEN disciplinary measures), **medidas generales** (GEN general measures), **medidas legales o judiciales** (PROC action, procedure, legal measures/steps, procedural steps; S. *trámites, diligencias*), **medidas preferenciales** (GEN preferential treatment; S. *trato preferencial*), **medidas preventivas** (GEN preventive measures), **medidas protectoras o de salvaguardia** (GEN protective measures, safeguards), **medidas provisionales** (GEN provisional/temporary measures/arrangements ◊ *Cuando la separación o el divorcio se pactan de mutuo acuerdo, los cónyuges pueden regular por sí mismos las medidas provisionales*), **medidas represivas** (GEN repressive measures), **medidas restrictivas** (GEN restrictive measures, clampdown *col*)].

medio[1] *a/n*: GEN half; mean; S. *tercio; término medio*. [Exp: **medio**[2] (GEN step, means, resource; medium; S. *medios; gestión, trámite, diligencia*), **medio ambiente** (GEN environment; S. *entorno, contaminación, protección medioambiental, impacto medioambiental, delitos relativos al medio ambiente, los recursos naturales o la vida silvestre*), **medio de engaño, por** (GEN by deception; S. *engaño*), **medios** (GEN means, resources; S. *recursos, prestaciones, fondos, servicios, instalaciones*), **medios [de comunicación social]** (GEN mass media), **medios de defensa** (GEN [means of] defence), **medios de prueba** (PROC evidence, means of proof, proofs ◊ *La defensa aportó medios de prueba muy concluyentes*), **medios económicos** (BSNSS financial resources, means), **medios fraudulentos, con** (CRIM fraundulently, by fraudulent means, under false pretences; S. *bajo falsas apariencias, con dolo*), **medios legales** (PROC legal remedies; S. *soluciones, recursos, remedios*)].

medioambiental *a*: GEN environmental; S. *medio ambiente, impacto medioambiental.*

medir *v*: GEN measure, gauge, test, assess; examine, survey; S. *estudiar, examinar*. [Exp: **medir las palabras** (GEN weigh one's words; word a statement carefully, be careful with what one says)].

mejor *a*: GEN better, best. [Exp: **mejor derecho/título, tener** (PROC have a better right ◊ *El tribunal adjudicará el bien disputado a la parte que demuestre tener mejor derecho*), **mejor postor** (GEN highest bidder), **mejora** (GEN/FAM improvement, betterment, melioration, amelioration; S. *tercio de mejora, mejora hereditaria*), **mejora de apelación** (PROC [formerly] the pleas-in-law and other particulars submitted by the appellant to the court following the lodging of a skeleton appeal), **mejora de embargo** (PROC second or further distraint or attachment levied on the goods of a debtor when the proceeds of the earlier distraint are insufficient to satisfy the rights of creditors), **mejora hereditaria** (SUC part of an inheritance that may be used to benefit any or all of the rightful heirs more than anyone else; S. *legítima*), **mejora patrimonial** (SUC beneficial improvement), **mejoras en propiedad arrendada** (CIVIL leasehold improvements), **mejoramiento** (GEN amelioration, improvement), **mejorar** (GEN/SUC improve, meliorate; increase an inheritance above the minimum legal share), **mejoras** (CIVIL improvements)].

membrete *n*: GEN letterhead, heading.

memorándum *n*: GEN memorandum, memo book; S. *nota, memoria*. [Exp: **memoria**[1] (GEN memory; S. *mente*), **memoria**[2] (GEN memorandum, report; S. *informe*), **memoria de una mercantil** (BSNSS company's annual report), **memorial** (GEN petition; record, statement; brief), **memorial de agravios** (GEN/EMPLOY list of grievances)].

mención *n*: GEN reference, citation; S. *referencia, citación*[2]. [Exp: **mencionar** (GEN mention, specify; S. *especificar, precisar*)].

menor *a/n*: GEN/CIVIL minor, lesser; smaller, younger; junior; under age; minor, infant, child, juvenile; ward; younger; S. *mayor, minoría, abuso de menores, maltrato de menores*), **menor cuantía** (CIVIL *approx* small-debt case/proceedings/procedure; [former name for] proceedings involving subject-matter of relatively minor value or a relatively small sum of money; also the name of the type of proceedings and the nature of the procedure *–procedimiento de menor cuantía–*; S. *juicio declarativo, mayor cuantía*), **menor de edad** (FAM juvenile, minor, person under age or below legal age; S. *mayor de edad*)].

menos *a/adv*: GEN less; least. [Exp: **menos que, a** (GEN unless, except, save; S. *salvo*), **menos que se estipule lo contrario, a** (GEN except as otherwise provided)].

menoscabar *v*: GEN damage, harm, discredit, impair, reduce, diminish; S. *dañar, perjudicar*. [Exp: **menoscabo** (GEN/CIVIL damage, impairment, detriment, detrimental effect, loss, disadvantage ◊ *El administrador está obligado, bajo su responsabilidad, a conservar sin menoscabo los bienes de la herencia*; S. *daño, pérdida, perjuicio, detrimento, merma*), **menoscabo de, en** (GEN to the detriment of)].

menospreciar *v*: GEN scorn, disparage, slight, undervalue, underestimate; S. *desacreditar*. [Exp: **menosprecio** (GEN scorn, contempt; S. *descrédito, injuria*)].

mensualidad *n*: GEN monthly instalment/payment/allowance; S. *cantidad a cuenta, mes*.

mental a: GEN mental, psychological. [Exp: **mentalmente inestable o incapacitado** (GEN unsound; of unsound mind; non compos mentis; S. *perturbado*), **mente** (GEN mind; S. *razón, memoria; juicio cabal*)].

mentir *v*: GEN lie, tell lies; S. *engañar, falsificar*. [Exp: **mentira** (GEN lie, false statement, pretences; S. *falso testimonio*), **mentís** (GEN flat denial; S. *desmentido*)].

menudeo *n*: BSNSS retail, retail trade; S. *minorista, detallista*.

mercader *n*: BSNSS trader, merchant; S. *comerciante, negociante*. [Exp: **mercaderías** (BSNSS goods, commodities, wares, merchandise; S. *primeras materias, géneros, mercancía*), **mercado** (BSNSS market; S. *negocio, bolsa, plaza*), **Mercado Común Europeo** (EURO European Common Market; S. *Unión Europea*), **mercado de materias primas** (BSNSS commodity exchange), **mercado libre** (BSNSS free market), **mercado negro** (GEN black market), **mercadotecnia** (BSNSS marketing), **mercancía** (BSNSS merchandise, trade, ware; S. *mercaderías, primeras materias, género*), **mercante** (BSNSS merchant, mercantile; S. *mercantil, comercial*), **mercantil** (GEN mercantile; company, firm; S. *comercial, sociedad mercantil*)].

mercenario *n*: GEN mercenary, hireling.

mérito *n*: GEN merit, qualifications and achivements ◊ *En los concursos públicos, a los candidatos se les califica de acuerdo con sus méritos*. [Exp: **méritos del proceso** (PROC admissible evidence and relevant facts and law; a somewhat academic term, not now in frequent use, which is not exactly equivalent to the English term «merits», as in «the merits of the case»; the latter is most often rendered as *el fondo de la cuestión*; the Spanish term is generally understood to refer to the whole of the evidence in a case, together with the reasoned conclusions deriving from it which lead to the judgment entered; S. *fondo*), **meritorio** (GEN meritorious)].

merma *n*: GEN/BSNSS loss, diminution, decrease, wastage, leakage, shrinkage, harm impairment, short delivery; S. *daño, menoscabo, pérdida, derrama*. [Exp: **merma de, sin** (GEN without loss/harm/damage/detriment), **mermar** (GEN deplete, reduce, diminish, impair, cut; S. *agotar*)].

merodear *v*: CRIM loiter with intent. [Exp: **merodeo** (CRIM marauding)].

mes *n*: GEN month; S. *día, mensualidad*. [Exp: **mes de multa** (GEN fine per month ◊ *Fueron condenados al pago de 24 meses de multa*; under Spanish law, fining is based on a tariff system calculated at a standard amount per day, periodically updated; for convenience the rate is normally specified per month, and, where appropriate, the Spanish Criminal Code *–Código Penal–* lays down the maximum fine imposable for each individual offence, expressed as *multa de 4 meses, etc.*; S. *día multa*)].

mesa *n*: GEN table; management, board, commission. [Exp: **mesa electoral** (CONST polling-place, polling station, electoral board or committee; S. *acta lectoral, colegio electoral*), **mesa directiva/ejecutiva** (BSNSS board of governors/directors), **mesa presidencial** (GEN general committee), **mesa redonda** (GEN round-table·meeting/conference)].

meterse *col v*: GEN interfere, meddle. [Exp: **meterse una dosis** *col* (GEN/CRIM shoot up, mainline *col*; S. *chutarse, picarse*), **meterse con** (GEN provoke, insult, accost, pick a fight with), **meterse en pleitos** *col* (PROC go to law, have the law [on sb] *col*, get involved in legal battles *col*; S. *entablar juicio*)].

miedo *n*: GEN fear, dread, terror; S. *terror, pánico*. [Exp: **miedo invencible/insuperable** (CRIM unconquerable fear ◊ *El miedo invencible puede constituir una eximente*; a defence *–eximente–* to a charge of homicide under Spanish law, which appears to be conceptually close to constructive duress or duress of circumstances; given that English law has long applied the test of «ordinary fortitude» in deciding cases in which the defence is that the killing occurred when the accused was in fear of his life, the Spanish formula may be regarded as being available where the person of ordinary fortitude could not reasonably be expected to overcome that fear; the defence is thus associated with self-defense *–legítima defensa–* and duress or necessity *–estado de necesidad–*)].

miembro *n*: GEN member; S. *vocal, socio, afiliado, componente, efectivo*. [Exp: **miembro fundador** (GEN founder member), **miembro liberado de una organización** (GEN/CRIM S. *liberado*), **miembro nato** (GEN ex officio member ◊ *El Secretario es miembro nato de la comisión de contratación*)].

migración *n*: INTNL migration; S. *movimientos migratorios, éxodo rural*.

militante *a/n*: GEN militant, radical; member, card-carrying member ◊ *Es militante de la organización desde su fundación*; S. *radical, activista, extremista*.

minar *v*: GEN undermine, damage ◊ *Aquel testimonio minó la imagen de persona íntegra que quiso proyectar el acusado*; S. *socavar.*

minifundio *n*: CIVIL small estate, small holding; small farmstead; the term is used in opposition to *latifundio* –large estate– in historical and sociological descriptions of the land distribution and the average size of plots, estates and holdings prevalent in an area; S. *latifundista*.

mínimo *a/n*: GEN minimum; minimal; marginal; S. *nimio, insignificante, marginal.*

ministerio *n*: CONST ministry, government department, office. [Exp: **Ministerio de Asuntos Exteriores** (CONST Foreign Office, Ministry of Foreign Affairs, State Department *US*), **Ministerio de Comercio e Industria** (CONST Department of Trade and Industry, DTT), **Ministerio de Hacienda** (CONST Ministry of Finance; Ministry of the Treasury; Exchequer), **Ministerio de Industria** (CONST Ministry of Industry), **ministerio de la ley, por** (CONST by operation of the law; S. *de oficio, por disposición judicial, tácita reconducción*), **Ministerio de Marina** (CONST Admiralty, Department of Navy), **Ministerio de Trabajo** (CONST Ministry of Labour), **Ministerio del Interior** (CONST Ministry of the Interior; Home Office), **ministerio fiscal/público** (PROC public prosecutor's office, central office of the public prosecutor, Crown Prosecution Service, CPS; District Attorney's office *US*; department of public prosecutions, DPP; The Crown Office, the Lords Advocate's *office Scots*), **ministro** (CONST minister, cabinet minister, secretary, minister of state), **Ministro de Asuntos o de Relaciones Exteriores** (CONST Secretary of State for the Foreign Office, Minister of Foreign Affairs), **Ministro de Finanzas** (CONST Minister of Finance), **Ministro de Hacienda** (CONST Chancellor of the Exchequer, Secretary of the Treasury), **Ministro de Justicia** (CONST Minister of Justice; Attorney-General), **Ministro del Interior** (CONST Minister of the Interior, Secretary of State for the Home Office, Home Secretary; Minister of the Interior; S. *Director General de la Seguridad del Estado*), **ministro sin cartera** (CONST minister without portfolio)].

minoría *n*: GEN minority; S. *menor*. [Exp: **minoría de edad** (GEN minority; S. *mayoría de edad*), **minoritario** (GEN minority), **minorista** (BSNSS retail trader, retailer; S. *comerciante al por menor, detallista*),

minusvalía[1] *n*: GEN/EMPLOY handicap, disability. [Exp: **minusvalía**[2] (TAX capital loss; S. *pérdidas de capital; plusvalía*), **minusválido** (GEN/EMPLOY disabled, handicapped, handicapped/disabled person)].

minuta[1] *n*: GEN bill, fee-s ◊ *Las minutas de muchos abogados son razonables*; S. *tasa, derecho*. [Exp: **minuta**[2] (CIVIL [draft] copy, note, memorandum)].

misión *n*: mission, task; S. *tarea*. [Exp: **misión de investigación** (GEN fact-finding mission), **misión diplomática** (CONST diplomatic mission)].

mitigación *n*: GEN/PROC mitigation, attenuation; S. *atenuación; agravamiento*. [Exp: **mitigar** (GEN/PROC mitigate, alleviate, moderate; S. *paliar, atenuar, agravar*)].

mixto *a*: GEN mixed; S. *matrimonio mixto, proceso mixto; promiscuo*.

moción *n*: CONST motion, proposition; S. *iniciativa, propuesta, petición, ponencia; aprobar una moción*. [Exp: **moción de censura o confianza** (CONST motion of censure, vote of lack of confidence)].

modelo *n*: GEN model, design; S. *marcas, patentes y dibujos*.

modificar *v*: GEN modify, revise, amend, rectify, alter; S. *enmendar, corregir, revisar, reconsiderar*. [Exp: **modificar una resolución** (PROC/ADMIN alter/reverse/go back on/revoke/reconsider a decision ◊ *En el recurso de reposición se pide a la Administración que modifique su resolución*), **modificable** (GEN amendable, revisable), **modificación** (GEN modification, amendment, revision; S. *enmienda, reforma; expediente de modificación presupuestaria*)].

mojón *n*: GEN/CIVIL landmark; boundary marker, milestone; S. *amojonamiento, término, coto, marca de lindes*. [Exp: **mojonar** (GE/CIVIL delimit, set landmarks; S. *acotar, deslindar, delimitar, acotar; topógrafo*)].

molestar *v*: GEN trouble, annoy, pester, badger; S. *importunar*. [Exp: **molestia** (GEN annoyance, nuisance, inconvenience)].

momento *n*: GEN moment, time, stage, period, phase; S. *tiempo*. [Exp: **momento debido, en su** (GEN in due course, duly ◊ *Todo esto se hablará en su momento debido*), **momento oportuno** (GEN right time, suitable/convenient time or point), **momento procesal** (PROC stage of proceedings or trial)].

monarca *n*: CONST monarch; S. *regente*. [Exp: **monarquía** (CONST monarchy; S. *república*)].

moneda *n*: GEN coin, currency; S. *casa de la moneda, divisas*. [Exp: **moneda de curso legal** (GEN legal currency, legal tender; S. *curso legal*), **moneda falsa** (CRIM counterfeit coin), **moneda nacional** (GEN local currency), **monetario** (GEN monetary, financial; S. *delitos monetarios; bancario, financiero*)].

monitorio *a*: PROC S. *proceso monitorio.*

monopolio *n*: GEN monopoly; trust, cartel. [Exp: **monopolio fiscal** (TAX government monopoly), **monopolizador** (GEN monopolist; S. *acaparador*), **monopolizar** (GEN monopolize, corner; S. *acaparar, abarcar, acopiar*)].

monstruoso *a*: GEN atrocious, monstrous, henous ◊ *La violación es un delito monstruoso*; S. *execrable, abominable, indignante, insólito, incalificable, nefando, ominoso, repugnante; delito.*

montar *v*: GEN set up, establish, mount ◊ *Montaron una impresionante operación de seguridad*; S. *constituir, fijar, marcar, crear, establecer*. [Exp: **montaje** *col* (GEN setup *col*, façade, fiddle *col*, graft *col*)].

montante/monto *n*: GEN sum, amount, total; S. *importe.*

monte de piedad *n*: BSNSS pawnshop, pawnbroker's shop; S. *casa de préstamos, empeño.*

mora *n*: GEN default; delay, arrears, delinquency; S. *falta de pago, incumplimiento, morosidad, moroso, denuncia de la mora; incurrir en mora*. [Exp: **mora, en** (GEN in default, overdue, in arrears, back; S. *moroso; caer en mora*), **mora procesal** (PROC procedural delay), **moratoria** (GEN moratorium, deferral; S. *aplazamiento; acordar una moratoria*)].

morada *n*: GEN home, abode, dwelling; S. *domicilio, residencia, allanamiento de morada.*

moral *n*: GEN moral, decency; S. *atentado contra la moral.*

mordaza *n*: GEN gag; S. *amordazar.*

mordida *col n*: CRIM kickback *col*, bribe; this term is mainly used in some Latin American countries; S. *soborno.*

morir *v*: GEN die, decease; S. *fallecer, expirar, palmar* col*; matar; muerte*. [Exp: **morir de sobredosis** (GENL die of an overdose, overdose, OD *col*), **mortal** (GEN fatal, deadly, lethal; S. *fatal, letal*), **mortalidad** (GEN death toll, toll of victims; mortality rate), **mortandad** (GEN mortality, rate; carnage), **mortífero** (GEN deadly, lethal; S. *letal, mortal*)].

morosidad *n*: BSNSS delinquency, arrears, delay/slowness in paying back debts ◊ *El Tribunal de Cuentas ha detectado excesiva morosidad en la contabilidad de algunos organismos públicos*; S. *mora; impago*. [Exp: **moroso** (GEN defaulter, in default, in arrears; tardy, delinquent; S. *en mora*)].

mostrenco *a*: CIVIL abandoned; in abeyance; with no known owner, ownerless; S. *bienes mostrencos.*

motín *n*: CRIM riot, mutiny, uprising ◊ *El motín se debió al hacinamiento de los presos*; S. *tumulto, revuelta, rebelión; amotinar.*

motivación *n*: GEN motive, motivation, incentive; S. *razonamiento*. [Exp: **motivación de las resoluciones** (PROC statement of reasons on which decisions are based ◊ *En la motivación de una resolución se deben explicar las razones de la misma; S. resolución*), **motivado** (GEN reasoned; S. *resolución motivada*), **motivar**[1] (GEN justify, reason, give reasons; ◊ *Los autos y las sentencias deben estar motivadas*; S. *justificar, razonar*), **motivar**[2] (GEN provide with an incentive, motivate ◊ *Los cambios introducidos han motivado a los empleados*), **motivar**[3] (GEN cause, produce, bring about, motivate; S. *causar, producir, ocasionar*), **motivar una resolución** (PROC state the reasons on which a decision is based ◊ *Las resoluciones no motivadas pueden recurrirse*), **motivo** (GEN cause, motive, reason, call, ground, occasion; S. *causa, razón, base, móvil, argumento*), **motivo de apelación** (PROC ground of/for appeal), **motivo fundado** (GEN probable cause, sound reason, reasonable ground-s), **motivo indirecto** (PROC remote cause), **motivo suficiente** (PROC adequate/ good cause, sufficient reason), **motivo, sin** (GEN without motive, causeless, groundless, unfounded; S. *infundado*), **motivos expuestos** (PROC statement of claim, grounds of an application, reasons given/set out)].

mover *v*: GEN move, shift; induce, cause, prompt. [Exp: **mover pleito a** (PROC sue, take to court, take action/proceedings against)].

móvil[1] *n*: GEN/CRIM motive, inducement ◊ *Tras arduas investigaciones no se ha llegado a esclarecer el móvil del crimen, aunque para algunos fueron los celos*; S. *motivo, razón*. [Exp: **móvil**[2] (GEN mobile), **movilidad** (GEN mobility), **movilidad laboral** (GEN mobility of workforce), **movilización** (GEN mobilization.), **movilizaciones laborales** (EMPLOY industrial action; S. *acciones de protesta, manifestación*)].

movimiento *n*: GEN movement. [Exp: **movimiento obrero** (EMPLOY workers' movement; S. *clase obrera, obrerismo*), **movimientos migratorios** (GEN/INTNL/EMPLOY patterns/routes of migration; S. *migración*)].

mudar *v*: GEN change, alter; move; move house; remove; S. *trasladar, suprimir, deponer, destituir, quitar.* [Exp: **mudar de manos** (CIVIL change hands), **mudanza** (GEN removal, move; change)].

mueble *a/n*: GEN/CIVIL movable; personalty; furniture; S. *bienes muebles, inmueble.* [Exp: **muebles y enseres** (GEN/CIVIL furniture and fixtures, fittings)].

muelle *n*: BSNSS berth, dock, pier, wharf; S. *atracadero, amarradero.* [Exp: **muelle de atraque** (BSNSS quay)].

muerte *n*: GEN death, decease, demise; S. *morir; mortal; fallecimiento, defunción, óbito, declaración de muerte del ausente; nacimiento.* [Exp: **muerte accidental** (GEN accidental death, death by misadventure), **muerte aparente** (GEN apparent death), **muerte civil** (CIVIL civil death, loss of civil rights; S. *inhabilitación perpetua*), **muerte natural** (GEN natural death), **muerte presunta** (GEN presumptive death), **muerte repentina** (GEN sudden death), **muerte violenta** (GEN violent death), **muerto** (GEN dead, deceased; dead man/woman, dead body; victim, casualty; S. *cargar con el muerto, dejar por muerto, dar por muerto, echar el muerto a uno; de cuerpo presente*), **muerto en combate** (GEN killed in action), **muerto sin testar** (SUC [person] having died intestate; S. *abintestato*)].

muestra *n*: GEN sample, show, exhibition, exhibit. [Exp: **muestra de sangre** (GEN blood sample, specimen of blood), **muestreo** (GEN sampling)].

mujer *n*: GEN/FAM woman, wife; S. *marido; matrimonio.*

multa *n*: ADMIN/CRIM fine, penalty, forfeiture. [Exp: **multa administrativa** (ADMIN fine imposed by a government department or municipal authority; for example, parking fines and certain fiscal penalties under Spanish law are of this type; the police are therefore not involved and no offence is committed; S. *administrativo*, **multa-día** (PROC fine per day, daily tariff of fines, fine calculated at so much per day for a stated number of days; system of imposing fines at a given rate per day on the standard scale, periodically updated to keep pace with the cost of living), **multable** (GEN fineable, punishable with a fine; S. *sancionable, castigable*), **multar** (GEN fine, penalize, impose a fine ◊ *Fue multado por exceso de velocidad*; S. *sancionar, castigar*)].

múltiple *a*: GEN multiple, various, numerous. [Exp: **multiplicidad de acciones judiciales** (PROC multiplicity of actions or suits)].

multipropiedad *n*: CIVIL time sharing.

munición *n*: GEN ammunition; S. *explosivo, bala, arma*.

municipal *a*: ADMIN municipal, local; S. *local*. [Exp: **municipalidad** (ADMIN town hall, municipality; S. *ayuntamiento*), **municipio** (ADMIN town, town/city council, municipality, borough, burgh; S. *urbanístico*)].

murmuración *n*: GEN malicious gossip; grumbling, slander, backbiting *col*; S. *maledicencia, detracción*. [Exp: **murmurador** (GEN backbiter *col*, slanderer; S. *detractor*), **murmurar** (GEN gossip, grumble, slander; backbite *col*; S. *calumniar, difamar, desacreditar*)].

mutilación *n*: GEN mutilation, maiming, disfiguring; defacement, destruction. [Exp: **mutilación criminal** (CRIM mayhem), **mutilación de un documento,** etc. (CRIM defacement of a document), **mutilar** (CRIM maim, mutilate, deface, disfigure, destroy; S. *destrozar*)].

mutua *n*: GEN mutual society. [Exp: **mutua constructora** (GEN building society), **mutua de seguros** (INSUR mutual insurance company, insurance mutual), **mutualidad** (BSNSS/INSUR mutual fund, mutuality), **mutuo** (GEN mutual, reciprocal; mutuum, mutual arrangement or contract; S. *recíproco, solidario, bilateral*), **mutuo acuerdo/consentimiento, de** (GEN by mutual consent; S. *divorcio de mutuo acuerdo*)].

N

nacer[1] *v*: GEN/FAM be born; S. *concebido*. [Exp: **nacer**[2] (GEN grow, appear, arise, develop, spring up, originate [from], flow; S. *surgir*), **nacido** (CIVIL born; S. *concebido*), **nacido fuera de matrimonio** (CIVIL born out of wedlock; natural; S. *ilegítimo*), **nacido muerto** (CIVIL stillborn), **nacido vivo** (CIVIL born alive, live birth), **nacimiento**[1] (CIVIL origin; S. *muerte, natalidad*), **nacimiento**[2] (CIVIL birth, start, beginning, origin; accrual, accruing; S. *principio*), **nacimiento de un derecho** (CIVIL accrual of a right)].

nación *n*: GEN/CONST nation, country, land; S. *imperio, país, Naciones Unidas*. [Exp: **nacional** (GEN national, domestic, local; S. *interior; súbdito, ciudadano*), **nación más favorecida** (INTNL most favoured nation; S. *cláusula*), **nacionalidad**[1] (GEN nationality, citizenship ◊ *La nacionalidad confiere derechos y obligaciones a los ciudadanos*; S. *doble nacionalidad, ciudadanía, apátrida*), **nacionalidad**[2] (CONST nationhood; Spanish autonomous region with its own historical claims to nationhood; these regions are usually, though not invariably, understood to be those which, like the Basque Country *–País Vasco, Euskadi–*, Catalonia *–Cataluña–* and Galicia, have a local language distinct from Castilian Spanish, a history of cultural individuality and the remnants of a distinct set of laws, usually concerning property and succession; the term *nacionalidad* is used in this sense in the Spanish Constitution, but the borderline between it and *región* is left, perhaps deliberately, hazy; S. *autonomía, autodeterminación, comunidad autónoma, región*), **nacionalidad de origen** (GEN nationality by birth or descent ◊ *Nadie puede ser privado de su nacionalidad española de origen*), **nacionalismo** (GEN nationalism), **nacionalista** (GEN nationalist), **nacionalización** (GEN naturalization, nationalization; S. *carta de naturalización*), **nacionalizar-se** (CONST nationalise, naturalize; become naturalized), **Naciones Unidas** (INTNL United Nations, UN)].

narco *col n*: CRIM drug trafficker; S. *narcotraficante*. [Exp: **narcótico** (GEN drug; S. *estupefaciente, droga*), **narcóticos** (CRIM narcotics; S. *estupefacientes, drogas*), **narcotizar** (GEN drug with narcotics), **narcotraficante** (CRIM drug trafficker/pedlar), **narcotráfico** (CRIM drug racket/traffic/trafficking)].

nasciturus *n*: CIVIL nasciturus, conceived but not born, foetus, viable foetus; S. *nacido, concebido*.

natalidad *n*: CIVIL birth rate; S. *nacimiento*. [Exp: **natalista** (GEN that encourages an increased birth rate ◊ *Todos los gobiernos europeos están fraguando políticas natalistas ante la espectacular bajada en los índices de natalidad*)].

nato[1] *a*: GEN born ◊ *Se puede decir de él que es un criminal nato*. [Exp: **nato**[2] (GEN ex officio [member, etc.] ◊ *El pariente más próximo es el representante nato del hijo huérfano*; S. *miembro, de oficio*)].

natural *a*: GEN natural; physical. [Exp: **naturaleza** (GEN nature; S. *carta de naturaleza*), **naturalización** (ADMIN/CIVIL naturalization ◊ *Las naturalizaciones no tienen efecto alguno mientras no aparezcan inscritas en el Registro*), **naturalizarse** (ADMIN/CIVIL become naturalized, take out citizenship)].

naufragar *v*: GEN wreck, capsize, be shipwrecked. [Exp: **naufragio** (GEN shipwreck), **naufragio casual/culpable** (GEN accidental/negligent shipwreck), **náufrago** (GEN wreck, castaway)].

navaja *n*: GEN/CRIM knife; razor; blade *col*; S. *arma blanca, arma de fuego, cuchillo, pistola, revólver; clavar, apuñalar, acuchillar*. [Exp: **navajazo** (GEN/CRIM knife wound, slash), **navajero** *col* (CRIM thug carrying a knife/packing a blade *col*, member of an armed gang; hard man *col*, hoodlum *col*, heavy *col*)].

navegación *n*: BSNSS navigation, shipping. [Exp: **navegabilidad** (BSNSS navegability, seaworthiness; S. *aeronavegabilidad*), **navegación aérea** (BSNSS air transport; S. *aeronavegabilidad*), **navegación costera** (BSNSS coasting; S. *cabotaje*), **navegación de estima** (BSNSS dead reckoning; S. *estima*), **navegar** (BSNSS sail, navigate), **naviero** (BSNSS shipowner; shipbuilder; shipbuilding [industry, etc.]; S. *armador*)].

necesario *a*: GEN necessary, neeful, needed, required, essential; S. *ineludible, obligatorio*. [Exp: **necesario, en tanto fuere** (GEN where necessary), **necesidad** (GEN necessity, need, want, emergency; call; S. *estado de necesidad*), **necesidad extrema** (GEN extreme need), **necesidad natural o física** (GEN/CRIM physical necessity), **necesidad racional del medio** (CRIM reasonable force required by the circumstances –part of the doctrine of self-defence–), **necesitado** (GEN poverty-stricken, needy, destitute, poor, pauper ◊ *Los pobres y necesitados tienen derecho a asistencia letrada gratuita*; S. *pobre, indigente*), **necesitar** (GEN need, require)].

necropsia/necroscopia *n*: CIVIL/CRIM autopsy, post-mortem examination; S. *forense*.

nefando *a*: GEN abominable, heinous, loathsome ◊ *La violación es un delito nefando*; S. *execrable, abominable, indignante, insólito, incalificable, monstruoso, ominoso, repugnante*.

negación *n*: GEN denial, refusal, negation, this refers to the « fact» of denying or refusing; the «act» is *negativa*; disclaimer; S. *renuncia*. [Exp: **negar** (GEN deny, gainsay, disaffirm, reject, refuse, withhold; disclaim, disown ◊ *El acusado no negó los hechos*; S. *contradecir, desmentir, no aceptar*), **negar la evidencia** (GEN deny the obvious), **negarse a** (GEN refuse, decline), **negativa** (GEN denial, refusal, negative averment), **negativo** (GEN negative), **negatorio** (GEN/PROC/ADMIN denying, refusing, turning down, dismissing; most commonly found in the decisions *–actos–* of courts of administrative law; S. *contencioso-administrativo*), **negatoria** (CIVIL defence to a claim for a right of way; substantivized use of the adjective, standing for *acción negatoria*)].

negligencia *n*: CIVIL negligence, neglect, carelessness; breach of duty of care; misfeasance, nonfeasance, fault; perfunctoriness. [Exp: **negligencia concurrente** (CIVIL concurrent negligence), **negligencia conjunta** (CIVIL joint negligence), **negligencia criminal** (CRIM criminal negligence), **negligencia culposa, contribuyente o de la parte actora** (CIVIL contributory negligence, culpable negligence, active fault or negligence; S. *culpa flagrante*), **negligencia grave** (CIVIL gross negligence), **negligencia homicida** (CRIM reckless manslaughter, gross negligence manslaughter, culpable homicide by [wicked] recklessness/criminal negligence *Scots* ◊ *La fiscalía indagará si los controladores incurrieron en negligencia homicida*), **negligencia incidental** (CIVIL collateral negligence), **negligencia inexcusable** (CIVIL culpable negligence), **negligencia leve** (CIVIL minor negligence), **negligencia procesable** (PROC actionable negligence), **negligencia temeraria** (CRIM recklessness, gross negligence), **negligente** (CIVIL negligent, careless, perfunctory, remiss; S. *descuidado, culpable*)].

negociación *n*: GEN/BSNSS negotiation, bargaining, commercial deal/transaction. [Exp: **negociación colectiva** (EMPLOY collective bargaining), **negociación de efectos** (BSNSS draft discounting), **negociaciones de paz** (INTNL peace negotiations or talks), **negociado** (ADMIN section, bureau, office, department; S. *oficina, entidad, agencia*), **negociar** (BSNSS/GEN trade, treat, deal, bargain, negotiate, transact, do business; S. *comerciar, traficar, contratar*), **negociador** (GEN negotiator; S. *gestor*), **negociante** (BSNSS merchant, trader, dealer; S. *mercader, comerciante*), **negocio** (BSNSS business, dealing; deal, transaction; store, shop, business premises; S. *empresa, transacción*), **negocio jurídico** (GEN/CIVIL/BSNSS transaction, agreement, dealing, bargain; an extremely general term meaning any kind of dealing or agreement between two or more parties which the law recognises as valid and binding and to which a court will give effect; thus, a sale, a contract, a notarised transaction, a promise, the sending of a letter, are are all examples of this type of «legally valid or enforceable dealings»; for a similarly broad approach to the «documents» which provide evidence of such an intention to be bound by one's acts, see *tráfico jurídico*)].

neto *a*: BSNSS net, clear; S. *líquido, neto; íntegro, bruto*. [Exp: **neto patrimonial** (BSNSS net worth)].

neurótico *a/n*: GEN neurotic; S. *histérico*.

neutral *a*: GEN neutral; S. *imparcial*. [Exp: **neutralidad** (GEN neutrality ◊ *El Consejo General del Poder Judicial garantiza la neutralidad e independencia de los jueces*; S. *imparcialidad*)].

nexo *a*: GEN nexus, tie, link; S. *vínculo, relación*. [Exp: **nexo causal** (GEN causal connection/link, chain of causation, causation; S. *relación de causalidad*)].

nicho o cuota de mercado *n*: BSNSS market niche.

niño *n*: GEN/CIVIL child, minor; S. *menor*. [Exp: **niño expósito** (CIVIL orphan, foundling), **niño tutelado** (CIVIL ward of court), **niño incapacitado** (CIVIL disabled child, child under disability; S. *abandono de niño*)].

nivel *n*: GEN level, standard, position. [Exp: **nivel de vida** (GEN standard of living), **nivelación** (GEN levelling, smoothing down; S. *allanamiento*), **nivelar** (GEN balance, level [out], flatten, smooth, equalize, standardize; S. *saldar, cuadrar, equilibrar*)].

no *adv*: GEN no; non-, un-, dis-. [Exp: **no caucionable** (GEN non-bailable), **no comprometido** (GEN uncommitted), **no disponible** (GEN unavailable; S. *agotado*), **no fungibles** (CIVIL non-fungibles, non fungible articles; S. *fungibles*), **no embargado** (GEN unattached), **no endosado** (GEN unindorsed), **no gubernamental** (GEN non-governmental; S. *organización no gubernamental*), **no lucrativo** (GEN non-profit; S. *especulativo*), **no negocia-**

ble (BSNSS non-assignable, non-negotiable; S. *intransferible*), **no residente** (GEN non resident)].

nocivo *a*: GEN harmful, noxious; S. *perjudicial, peligroso, letal, tóxico.*

noche *n*: GEN night. [Exp: **nocturnidad** (GEN/CRIM the fact that a criminal act was perpetrated under cover of darkness –an aggravating circumstance in Spanish criminal law–; S. *alevosía, agravante*)].

nombrado *a/n:* GEN named, appointed; appointee, designate; S. *electo, designado.* [Exp: **nombramiento** (GEN appointment, designation; commission, nomination, naming; S. *designación, mandato*), **nombrar** (GEN appoint, nominate, name, designate; S. *designar, nominar*), **nombrar a dedo** (GEN/EMPLOY run a policy of «jobs for the boys», handpick people for promotion/to fill vacancies, show favouritism in making appointments ◊ *La oposición se queja de que el alcalde nombre a los funcionarios a dedo*), **nombrar representante** (GEN nominate [someone] as proxy), **nombrar sustituto** (GEN appoint [sb] substitute, name [sb] as replacement), **nombre** (GEN name, reputation; S. *crédito, reputación*), **nombre colectivo** (BSNSS trade name, firm name, partnership name), **nombre comercial, de marca o de fábrica** (BSNSS business name, trade name; S. *razón social*), **nombre de, en** (GEN in the name of, on behalf of), **nombre de dominio** (BSNSS domain name ◊ *No son infrecuentes los litigios por nombre de dominio en Internet*), **nombre propio, en** (GEN on one's own behalf ◊ *Cada una de las partes actuó en nombre propio*), **nombre supuesto** (GEN alias, assumed name, fictitious name; S. *suplantar, usurpar*)].

nómina *n*: GEN/BSNSS payroll; payslip, list, rroll, return; S. *lista.* [Exp: **nominación** (GEN nomination; S. *candidatura, propuesta, nombramiento, designación*), **nominal** (GEN nominal, face; S. *valor nominal*), **nominar** (GEN nonimnate, name, appoint, designate; S. *nombrar*), **nominativo** (GEN nominative; registered; by name, by roll call, name by name; to the order of or payable to the person named or nominee; S. *cheque nominativo*)].

norma *n*: GEN/PROC law, regulation, rule, order, precept, norm, standard, code; canons; S. *facultad normativa, normativa, regla, ley, jurisprudencia, precepto, reglamento, reglamentación, disposiciones reglamentarias.* [Exp: **norma con fuerza/rango de ley** (GEN/CONST rule having the force of law), **norma fundamental** (GEN basic rule or principle), **norma jurídica** (CONST law, principle or rule of law, legal rules or regulations, the rules and principles of law), **norma procesal** (PROC procedural rule), **norma rígida** (GEN hard and fast rule), **normas de aplicación** (PROC/GEN rules applicable to a case), **normas de actuación** (GEN policy; S. *directrices*), **normas de conducta profesional** (GEN professional code of conduct or practice, professional etiquette; S. *código deontológico*), **normas de procedimiento** (PROC procedure, procedural rules), **normas de régimen interno** (GEN internal rules; S. *ordenamiento interno*), **normas reguladoras [del tráfico]** (ADMIN rules regulating [traffic]), **normas de seguridad** (GEN safety regulations), **normas de sucesión** (SUC rules of succession), **normas legales** (PROC/GEN statutory requirements, laws, regulations in force; S. *requisitos marcados por la ley*), **normas procesales** (PROC rules of court, procedural rules, practice directions), **normas urbanísticas** (ADMIN building regulations, town-planning policy, rules governing development and use class orders; S. *recalificar, urbanizar*)].

normal *a*: GEN ordinary, conventional, normal, habitual, common; S. *corriente, or-*

dinario, común. [Exp: **normalidad** (GEN normality, normalcy, the ordinary run of things or course of events ◊ *Se celebraron las elecciones con toda normalidad*), **normalización** (GEN standardization), **normalizar** (GEN standardize; regularize; bring into line; S. *regularizar, reglamentar*)].

normativa *n*: CONST/ADM [set] of regulations, rules, regulatory scheme, byelaw; S. *capacidad/facultad normativa, reglamento, reglamentación, marco legal.*

nota *n*: GEN note, notation, annotation, memo, memorandum, report; S. *informe, apunte, parte, aviso, resguardo; anotar, notificar*. [Exp: **nota al margen, nota marginal** (GEN marginal note; S. *apostilla*), **nota de abono** (BSNSS credit note), **nota de adeudo** (BSNSS debit note), **nota de aviso** (GEN advice note), **nota de crédito** (BSNSS credit note), **nota diplomática** (INTNL diplomatic note), **nota registral** (CIVIL record, note/annotation in a register or registry)].

notario *n*: CIVIL notary public, commissioner for oaths; in Spain as in many other non-Common-Law countries, the notary public is an entirely differentt figure from the solicitor, specialising exclusively in the recording of public and private deeds, wills, contract, bids, conveyance of land, etc.; notarised records furnish the highest form of written eveidence ◊ *El notario es el funcionario público autorizado para dar fe de los contratos y demás actos extrajudiciales*; S. *fedatario público, atestación por notario*. [Exp: **notaría** (CIVIL notary's office), **notarial** (CIVIL notarial; S. *arancel notarial, requerimiento notarial*)].

notificación *n*: PROC/GEN [official] notification, notice, announcement, intimation; service [of process], process, citation, summons, edict, proclamation; warning ◊ *La notificación es una condición imprescindible para la eficacia de los actos administrativos*; S. *cédula de notificación; comunicaciones procesales, eficacia, actos administrativos, dador de la notificación; fijar domicilio para notificaciones*. [Exp: **notificación de desistimiento o abandono de la demanda** (PROC notice of discontinuance), **notificación de la demanda** (PROC service of process/summons, notice/service, notification of claim, writ of summons, originating summons ◊ *En la notificación de la demanda se pone en conocimiento del interesado la demanda que contra él se ha interpuesto*; S. *poner en conocimiento de*), **notificación del protesto** (BSNSS note of protest), **notificación judicial** (PROC process, writ, court order; S. *actos procesales, proceso*), **notificación personal** (PROC personal notice or notification), **notificación por cédula** (PROC summons, subpoena; S. *cédula de citación*), **notificación por edicto en estrados** (PROC notice by publication at court, publication of orders or decisions on the court notice board or on the walls of the court), **notificaciones** (PROC notice to parties, process served on parties, subpoenas, writs or court orders directed to the parties to a suit; S. *comunicaciones procesales*), **notificador** (process-server, court bailiff), **notificar** (GEN/PROC notify, serve, give notice, advise, summon-s), **notificar la resolución del contrato laboral** (EMPLOY give notice; S. *despedir*)].

notorio *a*: GEN well-known, undeniable, indisputable, incontrovertible; blatant, flagrant, glaring; patently obvious, self-evident; the Spanish word *notorio* does not necessarily have the pejorative sense of the English word «notorious», so that a person may be said to have acted *con notoria generosidad*, for example; S. *público, sabido.*

novación *n*: BSNSS novation, substitution; varying of a contract; S. *sustitución.* [Exp: **novar** (BSNSS substitute by novation)].

núbil *a*: CIVIL nubile, of marriageable age or condition; S. *edad núbil.*

nudo[1] *a*: GEN naked, bare, nude [only in the legal sense]. [Exp: **nudo**[2] (GEN/BSNSS knot; S. *nudo ferroviario*), **nuda posesión** (CIVIL naked possession), **nuda propiedad** (CIVIL bare legal title, bare/naked/ nude ownership, legal but not beneficial ownership; S. *usufructo*), **nuda propiedad efectiva** (CIVIL legal but not beneficial ownership vested in possession), **nudo ferroviario** (GEN railway junction), **nudo fideicomiso** (GEN bare trust), **nudo pacto** (GEN nude contract)].

nuevo *a*: GEN new. [Exp: **nueva audiencia** (PROC rehearing), **nuevo albacea en una sucesión** (SUC administrator or executor *de bonis non administratis*; S. *albacea secundario*), **nuevo aplazamiento** (GEN readjournment), **nuevo juicio** (PROC rehearing, fresh hearing, new trial), **nuevo señalamiento** (PROC setting of a fresh date for trial)].

nulidad *n*: PROC nullity, invalidity, groundlessness, baselessness, defeasance; act, order, proceeding or decision deemed void, legally non-existent or wrong in law ◊ *La nulidad de un acto jurídico se produce por un vicio de forma o de fondo*; the abstract formulation favoured by Spanish usage would probably be avoided in natural English, where it is the consequence that would be stressed, rather than the theoretical basis on which that consequence depends: the decision, order, etc. is wrong in law, or the wrong law has been applied in making it, or the right law has been wrongly applied, or there is a mistake, misstatement or omission in the finding of facts, or the proceedings have been irregularly conducted, and so in any event the lower court's proceedings are invalid and must be set aside; it is therefore the setting aside that matters, since no correct decision could ever be subject to this treatment; thus, in the example, an English translator might well prefer to say «a court's decision [etc.] may be set aside/ overruled [etc.] if it is wrong in law or contains an error of fact», or something to that effect; in general, the common term *nulidad* is often translatable by a more active phrase if accompanied by a verb, e.g. *declarar la nulidad de una actuación* –void/set aside/overturn/overrule a proceeding, ruling, etc–; S. *anular, declaración de nulidad, demanda de nulidad, nulo, revocar*. [Exp: **nulidad absoluta, manifiesta o de pleno derecho** (PROC absolute nullity; S. *nulidad radical*), **nulidad de actuaciones** (PROC annulment of proceedings), **nulidad de matrimonio** (CIVIL nullity of marriage; S. *divorcio*), **nulidad derivada** (PROC derivative nullity), **nulidad procesal** (PROC procedural nullity), **nulidad radical** (PROC complete nullity; order/decision/ruling that has no basis in law ◊ *La ley reserva la nulidad radical para las infracciones legales sobre jurisdicción*), **nulidad relativa** (PROC relative, conditional or alleged nullity), **nulificar** (GEN annul, nullify), **nulificar un testamento** (SUC declare a will void, nullify a will; S. *quebrantar un testamento*), **nulo** (GEN void, null, null and void, invalid; empty, bad ◊ *Es nulo el matrimonio celebrado sin el consentimiento de las partes*; S. *válido; inválido, írrito, vacío, defectuoso*), **nulo a todos los efectos** (PROC null and void, of no effect), **nulo de pleno derecho** (GEN null and void, entirely void), **nulo por imprecisión en la tipificación** (CRIM void for vagueness), **nulo y sin efecto** (GEN null and void)].

nuncupativo *a*: GEN/SUC nuncupative; made orally; said only of a «will» based on an oral statement; S. *testamento abierto o nuncupativo*.

nupcial *a*: FAM nuptial, bridal, matrimonial. [Exp: **nupcias** (FAM wedding, marriage)].

O

obcecación *n*: GEN obstinacy, obsession, stubbornness, blind fury, uncontrollable impulse, loss of self-control; S. *arrebato, ofuscación*. [Exp: **obcecación, en un momento de** (GEN when he/she was not thinking rationally; *approx* when the balance of his/her mind was disturbed), **obcecadamente** (GEN blindly, stubbornly, blinded by rage), **obcecar** (GEN blind; S. *ofuscar*), **obcecado** (GEN obstinate, stubborn, obsessed; S. *obstinado*)].

obedecer *v*: GEN obey. [Exp: **obediencia** (GEN obedience, compliance, submission; S. *acatamiento, subordinación, sumisión, respeto; desacato*), **obediencia debida** (GEN due obedience; obedience to the orders of one's superiors; superior orders, allegiance)].

óbiter dictum *n*: PROC obiter dictum; S. *sentencia*.

óbito *n*: GEN death, decease, demise; S. *difunto; muerte, fallecimiento, deceso; causante*.

objeción *n*: GEN objection, exception, challenge; S. *oposición, reparo, impugnación; ¡protesto!* [Exp: **objetable** (GEN objectionable, debatable, dubious; S. *discutible*), **objetante** (GEN objecting, who objects), **objetar** (GEN object, oppose, challenge, contest, demur, contradict, take exception to; S. *refutar, rebatir, oponerse a; traba, reparo; contrariar*), **objetivo** (GEN objective), **objeto** (GEN purpose, object, aim, subject-matter; thing, chose; S. *intención, propósito*), **objeto abandonado** (CIVIL ownerless property), **objeto contundente** (CRIM blunt instrument ◊ *El cadáver presentaba signos evidentes de haber sido golpeado repetidamente con un objeto contundente*), **objeto de la demanda** (PROC object of an action, subject-matter of an action), **objeto de, ser** (GEN be the target, the object or the victim of ◊ *Fue objeto de muchas persecuciones por sus ideas políticas*; S. *sufrir, padecer, experimentar*), **objeto del contrato** (BSNSS subject-matter of the contract), **objeto punzante** (CRIM sharp instrument ◊ *Le clavó un objeto punzante dos veces en el cuello*; S. *arma blanca, cuchillo, objeto contundente*), **objeto social** (BSNSS corporate purpose), **objetor** (GEN objector; S. *impugnador, recusante*), **objetor de conciencia** (GEN conscientious objector; S. *insumiso, declararse insumiso; prestación sustitutoria*)].

obligación[1] *n*: GEN duty, obligation, engagement, liability, responsibility; debt; S. *debida diligencia*. [Exp: **obligación**[2] (BSNSS debenture; S. *acciones, bono, valores*), **obligación concurrente** (GEN concurrent obligation), **obligación contractual** (CI-

VIL/BSNSS contractual obligation, duty or obligation uner contract), **obligación de probar** (PROC onus probandi, onus/burden of proof; S. *carga de la prueba*), **obligación hipotecaria** (BSNSS mortgage bond; S. *cédula hipotecaria, bono hipotecario*), **obligación legal** (GEN legal duty/obligation), **obligación, por** (GEN as a duty, whether one likes it or not, with no choice in the matter), **obligación solidaria** (GEN joint and several liability), **obligación tributaria** (TAX tax liability), **obligaciones** (BSNSS capital debentures), **obligaciones conyugales** (FAM conjugal duties ◊ *Cuando sus relaciones se enfriaron comenzaron a incumplir sus obligaciones conyugales*; S. *débito matrimonial*), **obligaciones impuestas por la ley** (CONST statutory duties), **obligaciones y contratos** (CIVIL contract law and general law of duties), **obligacionista** (BSNSS debenture-holder, bond-holder, holder of bonds/debentures/debt instruments; S. *tenedor de obligaciones, bonista, accionista*)].

obligar *v*: GEN oblige, force, coerce, press, bind, compel ◊ *Las sentencias del Tribunal Constitucional obligan a todos los poderes públicos*; S. *coartar, violentar, forzar*. [Exp: **obligado**[1] (GEN liable, under obligation; obligor; S. *deudor*), **obligado**[2] (GEN due, corresponding; S. *debido*), **obligado cumplimiento, de** (GEN compulsory, obligatory, legally binding), **obligado solidario** (GEN joint and several obligor; person under a joint and several liability), **obligante** (CIVIL obligee), **obligarse** (GEN undertake, bind oneself, commit oneself; S. *comprometerse*), **obligarse recíprocamente** (GEN/BSNSS enter into a mutual engagement), **obligatorio** (GEN obligatory, binding, statutoty, prescribed, compulsory, mandatory; S. *vinculante, preceptivo, imperativo; conciliación obligatoria*)].

obra[1] *n*: GEN work [building or artistic]. [Exp: **obra**[2] (GEN building site ◊ *Se escondió en la obra varios días*; S. *planificación urbanística, licencia*), **obra**[3] (GEN act, deed [as opposed to omission]; S. *omisión*), **obra en curso** (GEN work in process /progress), **obra nueva** (ADMIN new building/development, extensively refurbished building; S. *declaración de obra nueva, interdicto de obra nueva*), **obra ruinosa** (GEN building in a state of ruin), **obrante en autos** (entered into the record, placed upon the record), **obras públicas** (CIVIL public works ◊ *Las obras públicas causan a veces daños a particulares*), **obrar** (GEN act, operate; behave, perform; S. *actuar, proceder, capacidad de obrar*), **obrar/hablar con conocimiento de causa** (GEN be aware of the meaning of one's acts/words, know what one is doing/saying), **obrar conforme a** (GEN act according to), **obrar de acuerdo con una resolución, las condiciones de un acuerdo**, etc. (GEN abide by a decision, the terms of an agreement, etc.; S. *observar, atenerse a, ajustarse a, acatar*), **obrar sin conocimiento de causa** (GEN be unaware of the meaning of one's acts/words, not to be aware of the meaning of one's acts, not be responsible for what one does/says), **obras, en** (GEN being built, under construction; men at work), **obrero** (GEN workman, labourer; S. *trabajador, jornalero, asalariado, empleado, clase obrera, movimiento obrero; autónomo*), **obrerismo** (EMPLOY labour movement)].

obscenidad *n*: GEN obscenity; S. *indecencia*. [Exp: **obsceno** (GEN obscene, pornographic, lewd, lascivious; S. *deshonesto, indecente, procaz, pornográfico*)].

observación *n*: GEN remark; observation; observance; S. *reparo, objeción; comentario; formular/hacer observaciones*. [Exp: **observaciones, con** (GEN unclean, qualified; S. *con reparos, no limpio*), **observar** (GEN observe, notice, spot; abide by [a decision, the terms of an agreement, etc.]; S. *respetar, cumplir, atenerse a*), **observancia** (GEN observance; S. *cumplimiento*), **observante de la ley** (GEN law-abiding; S. *cumplidor*)].

obsesión *n*: GEN obsession, concern. worry, preoccupation; S. *inquietud, ofuscación.* [Exp: **obsesionarse** (GEN become obsessed; S. *ofuscarse, obcecarse*), **obseso** (GEN obsessive; obsessed person), **obseso por el trabajo** (GEN workaholic), **obseso sexual** (GEN sex maniac)].

obstaculizar *v*: GEN obstruct, impede, hinder, hold back/up; S. *bloquear, trabar, impedir, obstruir, entorpecer, poner trabas.* [Exp: **obstáculo** (GEN obstacle, barrier, impediment, hindrance, let, problem; S. *estorbo, problema*), **obstáculos comerciales** (BSNSS barriers to trade)].

obstar *v*: GEN be an obstacle, prevent, exclude ◊ *Lo dicho no obsta para que todo siga su cauce normal*; S. *oponerse, impedir.*

obstinado *a*: GEN obstinate, stubborn; S. *obcecado* [Exp: **obstinarse** (GEN persist in, insist on, be mulishly set on; S. *aferrarse, obcecarse*)].

obstrucción *n*: GEN obstruction, impediment, obstacle; S. *obstáculo, traba.* [Exp: **obstrucción a la autoridad/justicia** (GEN/PROC obstructing a court/police officer, hindering a court/police officer in the course of his duty), **obstruccionismo** (GEN obstructionism, filibusterism), **obstruccionismo parlamentario** (GEN filibustering; S. *filibusterismo*), **obstruccionista** (GEN obstructionist ◊ *El tribunal estuvo convencido de que era una coartada obstruccionista*), **obstruir** (GEN obstruct, hinder, block; S. *impedir, poner trabas, obstaculizar, bloquear, impedir*)].

obviar *v*: GEN obviate, dispense with, remove; [*loosely*] clear, absolve; save, spare. [Exp: **obvio** (GEN obvious, manifest, apparent; S. *aparente, evidente, manifiesto*)].

ocasión *n*: GEN opportunity, occasion; S. *posibilidad, motivo, oportunidad; aprovechar la ocasión.* [Exp: **ocasión de, con** (GEN on the occasion of; in the course of), **ocasionar** (GEN cause, bring about; S. *causar, producir, motivar*), **ocasionar/causar desperfectos** (GEN damage, cause damage ◊ *Los desperfectos ocasionados en el atraco son muy considerables*; S. *sufrir desperfectos*)].

ocultación *n*: GEN concealment, hiding; suppression, cover-up; S. *engaño, falsedad.* [Exp: **ocultación de un delito** (CRIM concealing evidence of the commission of an offence, compounding an offence; conspiring to pervert the course/defeat the ends of justice; aiding and abetting; harbouring an offender; handling stolen goods; [*formerly*] being an accessory after the fact; S. *cómplice, encubridor, receptación*), **ocultación o destrucción de documentos** (CRIM suppression of documents), **ocultar** (GEN conceal, hide, suppress), **oculto** (GEN hidden, concealed, latent, dormant; S. *secreto*)].

ocupación[1] *n*: GEN/CIVIL occupation; occupancy, possession; seizure, confiscation; S. *propiedad, tenencia, titularidad.* [Exp: **ocupación**[2] (GEN/IND REL job, occupation, profession, vocation, trade, filling of a post; S. *función, propiedad, profesión, cargo*), **ocupación ilegal** (CIVIL illegal occupancy, adverse possession; squatting; ouster; S. *okupa*), **ocupación militar** (GEN military occupation), **ocupante** (CIVIL occupant, occupier), **ocupante legal de una vivienda** (CIVIL owner-occupier, residential occupier), **ocupar**[1] (GEN/CIVIL hold, occupy, take possession of; S. *tener, poseer, gozar, guardar*), **ocupar**[2] (EMPLOY employ, occupy), **ocupar una vacante** (GEN fill a seat/vacancy; S. *va-*

cante, cubrir una vacante; trono vacante), **ocuparse de** (GEN take care of, deal with)].

ocurrencia[1] *n*: GEN occurrence, happening, incident, event; S. *incidente, suceso*. [Exp: **ocurrencia**[2] (GEN witty remark; S. *genio*), **ocurrente** (GEN clever, witty; S. *ingenioso*), **ocurrir** (GEN occur, happen, take place; S. *suceder*)].

odio *n*: GEN hatred; S. *hostilidad, antagonismo, aversión, rencor, enemistad manifiesta*. [Exp: **odioso** (GEN hateful, despicable, contemptible, repulsive; S. *despreciable, vil, infame, indigno*)].

ofender *v*: GEN/CRIM offend, insult, wrong, mistreat, slight, attack, injure, assault, wound; the Spanish term, in criminal law, is not as wide as the English word «offend», i.e. it does not mean «commit a crime or offence», which is *delinquir* in Spanish; however, it is regularly used of assault, homicide and other offences against the person, and in that context, *ofendido*, as listed, means the victim of an assault, etc.; S. *ultrajar, agraviar, desairar*. [Exp: **ofensa** (GEN offence, insult, defamation, abuse, abusiveness, affront; S. *ultraje, agravio*), **ofendido** (GEN/CRIM offended, hurt, person who has taken offence, victim of an assault; S. *ofender*), **ofensivo** (GEN prejudicial, offending, offensive, grievous; S. *ultrajante, injurioso*), **ofensor** (GEN offender)].

oferta *n*: GEN/BSNSS offer, proposal, tender, bid, proposal, supply ◊ *La ley de la oferta y la demanda*; S. *demanda, contrato, licitación, puja, aceptación; propuesta*. [Exp: **oferta con reservas** (BSNSS conditional offer; S. *oferta en firme*), **oferta de reparación, compensación, etc.** (CIVIL tender of amends), **oferta en firme** (CIVIL/BSNSS firm offer; S. *oferta con reservas*), **oferta pública de adquisición, OPA** (BSNSS takeover bid, tender, offer), **oferta y aceptación** (BSNSS offer and acceptance; accord and satisfaction), **oferta y demanda** (BSNSS supply and demand), **ofertar** (GEN offer; S. *ofrecer*), **ofertas de trabajo** (EMPLOY jobs vacancies)].

oficial[1] *a/n*: GEN official ◊ *La lengua oficial de España es el español*; S. *público; concesionario oficial*. [Exp: **oficial**[2] (GEN officer, official; clerk; S. *funcionario público*), **oficial de aduanas** (ADMIN customs officer, revenue officer), **oficial de la justicia** (PROC court officer/official; police officer; bailiff), **oficial del juzgado** (PROC court clerk, bailiff *US* ◊ *El oficial del juzgado informa a los interesados de las diligencias y de las resoluciones judiciales*; S. *comunicaciones procesales, resoluciones judiciales*), **oficial mayor** (PROC chief clerk, senior clerk or officer), **oficialidad**[1] (GEN officer *collectively*), **oficialidad**[2] (GEN official nature), **oficialista** (GEN pro-government ◊ *La candidatura oficialista tiene pocas posibilidades de triunfar*)].

oficiar[1] *v*: ADMIN/PROC act in an official capacity, officiate; S. *actuar, ejercer*. [Exp: **oficiar**[2] (ADMIN/PROC notify officially, send *oficios*[2]; S. *comunicaciones procesales*), **oficio**[1] (EMPLOY profession, work, trade, job, vocation; S. *vocación, ocupación, empleo*), **oficio**[2] (PROC official letter or communiqué: formal written request, requirement or order; order or instruction directed by a court to a non-judicial body, institution, etc.; S. *comunicaciones procesales; buenos oficios*), **oficio, de** (PROC of one's [etc.] own motion, on one's [etc.] own initiative, by virtue of one's office, by the powers in one invested, by operation of law ◊ *La notificación de la demanda la puede hacer de oficio el secretario del juzgado*; this phrasw, when used of a court or judge, is correlative to *a instancia de parte* –ex parte, at the request of either party–; it does not mean «ex officio»; S. *nato, por ministerio de la* *ley; por disposición judicial, a instancia de parte, abogado de oficio*), **oficioso** (GEN unofficial, unconfirmed, semiofficial), **oficiosamente** (GEN unofficially, in a semiofficial or informal way or capacity; S. *a título personal, sin carácter oficial*)].

oficina *n*: GEN office, agency, bureau; S. *bufete, despacho, agencia*. [Exp: **Oficina de Armonización del Mercado Interior, OAMI** (EURO Office for harmonization in the internal market; the European Union trade-mark and patents office based in Alicante), **oficina de marcas y patentes** (BSNSS patent and trademark office, patent office), **oficina de planificación urbanística** (ADMIN planning authority; S. *gerencia de urbanismo*), **oficina del catastro** (CIVIL land office, land registry; S. *catastro*), **oficina principal o central** (GEN head office; S. *casa matriz, sede*), **Oficina del Registro Civil** (CIVIL Registry Office)].

ofrecer *v*: GEN offer, provide, bid, tender; S. *dar, entregar, proveer, suministrar, facilitar*. [Exp: **ofrecer excusas** (GEN apologize; S. *dar cumplida satisfacción*), **ofrecer compensación** (GEN offer to pay compensation/make amends; S. *reparar*), **ofrecer una coartada** (CRIM produce an alibi), **ofrecimiento** (GEN offer; tender)].

ofuscación/ofuscamiento *n*: GEN confusion, obfuscation, blind rage; S. *obcecación, obsesión, arrebato*. [Exp: **ofuscar** (GEN blind, confuse; S. *obcecar, obsesionar, preocupar*)]

oír *v*: GEN/PROC hear, give/grant a hearing to ◊ *El tribunal oirá al demandante en el plazo de diez días y resolverá lo que proceda*; S. *audiencia*.

okupa *col n*: GEN squatter; the colloquial nature of this now common term is emphasised by the spelling with the «k», which has anarchist associations; it is almost never spelt with a «c»; S. *ocupar*.

ominoso *v:* GEN despicable, ominous; translators should note that this a a highly formal and somewhat rare word, and that it is seldom used in the etymological sense of «ominous»; it is therefore more likely to mean «abominable, disgraceful, shocking», etc.; «ominous» is most often trasnlated as *amenzante* or de mal agüero, que no augura/presagia nada bueno ◊ *La violación es un delito ominoso*; S. *abominable, execrable, incalificable, indignante, insólito, monstruoso, nefando, repugnante; delito*.

omisión *n*: GEN omission, failure to act, omittance, default, nonfeasance; negligent act ◊ *El que causare daños, por acción u omisión, está obligado a compensar a quien los ha sufrido*; S. *acción u omisión*. [Exp: **omisión del deber de impedir el delito** (CRIM failure to prevent the commission of an offence or to cooperate with the police in preventing it; obstructing a police officer; impeding apprehension or prosecution; refusing to aid a police officer; the three latter definitions only apply to cases of actual obstruction, aiding or abetting; merely standing by while a crime is being committed or failing to warn the police that an offence is being planned or committed may be offences, unless the person concerned has reason to fear for his safety if he intervenes), **omisión del deber de perseguir el delito** (CRIM breach or wilful neglect of the duty to prosecute an offender; failure to prosecute; gross misconduct/negligence in a police officer, judge or prosecutor), **omisión del deber de socorro** (CRIM failure to render assistance, breach of the statutory duty of care, abandoning another to his fate; S. *deber de socorro*), **omiso** (GEN S. *hacer caso omiso*), **omitir** (GEN omit, leave out, fail to mention, suppress; S. *suprimir, olvidar*)].

onda *n*: GEN wave. [Exp: **onda expansiva** (GEN blast, shock wave; S. *estallido, explosión*)].

oneroso *a*: GEN onerous, troublesome, burdensome ◊ *Algunos impuestos locales resultan muy onerosos para los jubilados*; S. *gravoso, molesto; a título oneroso.*

ONG *n*: GEN S. *organización no gubernamental.*

ONU *n*: S. *Organización de las Naciones Unidas.*

onus probandi *n*: CRIM burden of proof; S. *carga de la prueba.*

OPA *n*: BSNSS takeover bid; bid, tender, offer; S. *oferta pública de adquisición.* [Exp: **opa hostil** (BSNSS hostile bid; S. *adquisición hostil*)].

opción *n*: BSNSS option; privilege, right; choice; S. *alternativa.* [Exp: **opción de compra** (BSNSS option to purchase), **opción de compra a precio prefijado** (BSNSS net option), **opción de compra de bonos** (BSNSS debt warrant), **opción de compra de valores** (BSNSS call, call option), **opción de compra prioritaria** (BSNSS pre-emption; S. *prioridad, derecho de prioridad, retracto y tanteo*), **opción de venta de acciones** (BSNSS put, put option), **opción de venta y compra** (BSNSS call and put option), **opcional** (GEN optional; S. *discrecional, facultativo*)].

operación *n*: GEN/BSNSS operation, action; S. *transacción.* [Exp: **operación a plazo** (BSNSS forward transaction), **operación mercantil** (BSNSS commercial transaction; S. *transacción*), **operación policial** (GEN/CRIM police operation), **operador** (BSNSS trader; S. *corredor*), **operar** (GEN/BSNSS act, work, operate; S. *funcionar, actuar, ejecutar*), **operativo** (GEN effective, operative, operating)].

opinión *n*: GEN opinion; S. *sentir, parecer, juicio, criterio, apreciación; dictamen; resolución; reservarse la opinión.* [Exp: **opinión contraria** (GEN different opinion, dissenting voice, contrary opinion), **opinión disidente** (GEN dissenting opinion; S. *voto particular*), **opinión generalizada** (GEN prevailing opinion), **opinión incidental** (PROC obiter dictum), **opinión pública** (GEN public opinion)].

oponente *n*: CIVIL opponent, adversary, the opposing party, the other side ◊ *Según alega el letrado en su escrito, su oponente ha vulnerado algunos preceptos legales*; S. *opositor, adversario, contrario, antagonista, rival.* [Exp: **oponer** (GEN oppose, resist; S. *objetar, impugnar, formular reparos, hacer cargos; contrariar; oposición*), **oponer preclusión** (PROC object that a motion, application, etc., is out of time; S. *plazo, preclusión*), **oponer resistencia a** (CIVIL file a defence against, deny, traverse, raise a defence to, withstand ◊ *El demandado puede oponer resistencia a lo alegado en el escrito de demanda*), **oponer resistencia a la autoridad** (CRIM obstruct a police officer/justice; S. *obstrucción a la justicia*), **oponer resistencia a la demanda** (PROC raise/file a defence), **oponer un alegato** (PROC put in a defence or plea), **oponerse** (GEN/PROC object to, oppose, resist, withstand, defy, take exception to, preclude; S. *obstar*), **oponerse a la libertad condicional de alguien** (CRIM stand out against/object to somebody being released on licence), **opongo, me** (PROC I object; S. *protesto*), **oponible** (PROC exceptionable; S. *recusable, impugnable*)].

oportunidad *n*: GEN opportunity, chance, occasion; opportuneness, appropriateness, timeliness; bargain; S. *conveniencia, discreción.* [Exp: **oportuno** (GEN opportune, advisable, appropriate, right, suitable, expedient ◊ *Cursar las oportunas instrucciones*; S. *aconsejable, prudente, conveniente*)].

oposición[1] *n*: GEN opposition, objection, variance; S. *impugnación, objeción, reparo.* [Exp: **oposición**[2] (CIVIL defence case, defence, basis of defence ◊ *El demandado* *basó su oposición a la pretensión del actor en el artículo 23 de la Ley de Enjuiciamiento Civil*; S. *resistencia, escrito de oposición*), **oposición**[3] (ADMIN competitive examination; public examination, examination procedure for promotion among career civil servants ◊ *Han anulado unas oposiciones por defecto de forma en la convocatoria*; S. *concurso, adversario, contrario, antagonista, rival, oponente; impugnar, plazas fijas en la Administración pública*), **oposición cautelar a una inscripción** (CIVIL caution), **oposición, sin** (PROC uncontested, undefended), **oposición impugnatoria** (CIVIL defence, defendant's or responent's plea or answer, objection, contest, challenge, exception, refutation; S. *impugnación, objeción, recusación, excepción*), **opositor**[1] (GEN opponent, adversary, rival), **opositor**[2] (ADMIN person/candidate competingwith others for a civil post)].

opuesto *a*: GEN opposite, contrary; adverse, opposing; S. *contrario, hostil.*

oral *a*: GEN oral ◊ *Las objeciones se podrán formular de forma oral o por escrito*; S. *vista oral*. [Exp: **oralidad** (PROC orality, oral nature, fact of being uttered or delivered orally, use of the spoken word; in legal contexts the term refers to the general principle that all evidence and statements given in the course of a trial or public hearing must delivered orally in open court; this is part of the procedural doctrine governing the right to a fair trial *–juicio justo–*; to ensure that justice is done and is seen to be done, evidence must be given orally *–con oralidad–*, publicly *–con publicidad–* and in open court in the presence of the judge *–a presencia del juez o tribunal–*; S. *declarar, indefensión, testigo, testimonio; publicidad, práctica de la prueba*)].

orden[1] *n*: GEN/PROC order, mandate, command, warrant, writ, fiat, injunction; S. *mandato, euro-orden*. [Exp: **orden**[2] (GEN order; S. *paz, desorden, caos, tumulto*), **orden**[3] (GEN order, arrangement; S. *organización*), **orden de, a la** (BSNSS to the order of), **orden de alejamiento** (PROC/CRIM non- molestation order, injunction against molestation ◊ *El juez dictó una orden de alejamiento dirigida al marido maltratador*), **orden de busca y captura** (CRIM arrest warrant; it is most often made out by a judge on the application of the police or prosecutor, against suspect who has disappeared or fled ◊ *Pesa sobre él una orden de busca y captura*; S. *acto de rebeldía*), **orden de citación o comparecencia** (CRIM summons, writ of summons; subpoena), **orden de clausura de un inmueble** (ADMIN withdrawal of licence; closing-down order; order to evacuate and seal off a building that is unsafe), **orden de comparecencia** (PROC citation, summons, subpoena), **orden de comparecencia como testigo** (PROC witness order/ subpoena), **orden de desahucio** (CIVIL certificate of eviction), **orden de detención** (CRIM warrant for arrest, arrest warrant), **orden de ejecución** (CIVIL order for enforcement), **orden de ejecución de la pena de muerte** (CRIM death warrant), **orden de ejecución de una hipoteca** (CIVIL foreclosure order absolute), **orden de embargo** (CIVIL writ of execution, seizure order, sequestration order), **orden de expulsión** (GEN deportation order, expulsion order ◊ *El tribunal dictó orden de expulsión contra un dirigente radical extranjero*; S. *deportar, indocumentado, inmigración*), **orden de ingreso en prisión** (CRIM committal order, order committing an arrested person in custody; S. *fianza*), **orden de lanzamiento** (CIVIL eviction order), **orden de pago** (BSNSS warrant for payment), **orden de, por, p/o** (GEN by authority, by proxy/deputy, per procurationem, per pro; p.p.), **orden de priori-

dad (GEN order of precedence/priority/seating), **orden de prisión** (CRIM committal order), **orden de puesta en libertad [sin cargos]** (CRIM release order, discharge order; S. *auto de conclusión del sumario, excarcelación, liberación*), **orden de registro** (PROC search warrant), **orden del día** (GEN agenda, order of business; S. *aprobar el orden del día, incluir en el orden del día*), **orden del día, estar a la** (GEN be the order of the day, be [too] prevalent, be the way things are/are done [nowadays]), **orden ejecutiva** (CIVIL order for enforcement), **orden ministerial** (CONST ministerial order/directive/instruction), **orden público** (CIVIL the [King's/Queen's] peace, public order, law and order; S. *contra el orden público, paz*), **orden sucesorio** (SUC order of succession or descent), **orden y por cuenta de, de** (GEN by order and on account of the authority), **órdenes de la superioridad** (GEN superior orders, orders from above), **orden de, por** (GEN by order of, under instructions from, at the command of), **orden de antigüedad, por** (GEN in order of seniority)].

ordenación *n*: GEN management; order; arrangement; S. *organización, gestión*. [Exp: **ordenación del proceso o procesal** (PROC case management, proper or smooth running of proceedings, proper conduct of a case ◊ *El secretario judicial se encarga de la adecuada ordenación del proceso*; S. *juez de procedimiento*), **ordenamiento** (GEN rule, set of rules, system; S. *regulación, acción²; desregulación*) **ordenamiento interno** (GEN internal rules; S. *normas de régimen interno*), **ordenamiento jurídico** (PROC set of laws, a country's laws, the legal system ◊ *La Constitución es la norma suprema del ordenamiento jurídico*; S. *régimen jurídico*), **ordenamiento penitenciario** (CRIM prison rules; [judicial supervision of] the prison régime; S. *juez de vigilancia penitenciaria, tercer grado*), **ordenanza¹** (GEN regulation, ordinance; S. *normativa, reglamento, disposiciones*), **ordenanza²** (GEN clerk, usher), **ordenanzas laborales** (EMPLOY labour regulations [setting out rights and duties within trades, professions, etc.]), **ordenanzas municipales** (ADMIN byelaw, municipal ordinance, local regulation), **ordenar** (GEN order, direct, command, lay down, prescribe, marshal; put into order, arrange ◊ *La Ley de Enjuiciamiento Criminal contiene las normas jurídicas que ordenan el inicio, la sustanciación y la ejecución de un proceso penal*; S. *dar instrucciones, administrar, clasificar*), **ordenar el ingreso en prisión** (CRIM commit to prison), **ordenar prisión preventiva** (CRIM remand in custody; S. *abono de prisión preventiva*), **ordenar la suspensión de la ejecución de un acto** (ADMIN suspend the enforcement/implementation of a decision, revoke an order to proceed), **ordenar recursos** (ADMIN make provision, [provide the means to] meet an end)].

ordinario¹ *a*: GEN ordinary, common, regular, usual, normal; S. *común, corriente, habitual*. [Exp: **ordinario²** (GEN coarse, common, vulgar, uncouth, bad-mannered; S. *grosero, soez, vulgar*)].

orfanato *n*: FAM orphanage; S. *huérfano* [Exp: **orfandad** (FAM orphanhood, state or condition of being an orphan, orphanage; motherlessness, fatherlessness; S. *huérfano*)].

orgánico *a*: GEN organic, organizational; S. *órgano, ley orgánica*.

organigrama *n*: GEN flow chart; organisational chart [showing the structure of a company's staff and hierarchy].

organismo *n*: ADMIN/GEN authority, body; institution, organ; agency; S. *institución, cuerpo*. [Exp: **organismo administrativo** (ADMIN administrative body, public body), **organismo autónomo** (ADMIN autonomous institution; S. *auntonomía, ente público, agencia estatal, junta*), **organismo consultivo o asesor** (ADMIN advisory body), **organismo de control o fiscalización** (ADMIN regulatory agency), **organismo de derecho privado** (CIVIL private company; private institution), **organismo paraestatal** (ADMIN quasi-official agency, quango, quasi-autonomous non-governmental organization), **organismo público** (ADMIN authority, public body, government body or agency; S. *agencia estatal, servicio público*)].

organización[1] *n*: GEN organization, association; S. *entidad, corporación*. [Exp: **organización**[2] (GEN organization, arrangement, planning, machinery, disposition, running; S. *arreglo*), **organización criminal** (CRIM criminal association/gang), **Organización de las Naciones Unidas, ONU** (United Nations Organization, UNO), **organización no gubernamental, ONG** (GEN non-governmental organisation, NGO), **organizar** (GEN organise, arrange, run, plan; S. *dirigir*)].

órgano *n*: GEN/ADMIN body, organ, agency; authority, council, board; S. *institución, cuerpo, organismo*. [Exp: **órgano administrativo** (ADMIN administrative body or authority), **órgano consultivo** (CONST consultative/advisory body ◊ *El Consejo de Estado es un órgano consultivo*; S. *asesoramiento jurídico*), **órgano de gestión** (ADMIN/GEN managerial department, body/department/section responsible for running/overseeing sth, supervisory body), **órgano decisorio** (GEN decision-making body), **órgano directivo o rector** (GEN board, executive committee/council, board of governors; steering committee), **órgano jurisdiccional** (PROC court, tribunal ◊ *Los órganos jurisdiccionales tienen la función de juzgar y ejecutar lo juzgado*; courts may be *unipersonales* –those in which a single judge sits– or *colegiados* –those in which a bench of judges sits–; in practice, the single-judge court is the first-instance court, known as a *juzgado*, all the others being three-judge courts, or *tribunales*; though both the Spanish Civil Code and the Penal Code carefully refer throughout to *el Juez o Tribunal*, it is common practice to use the term *tribunal* to mean any court of first, second or third instance, however composed; the term *órgano jurisdiccional* itself is highly formal, though it is habitually used in legislation concerning both Spanish domestic law and international law; S. *juez, magistrado, Sala, tribunal*), **órgano jurisdiccional colegiado** (PROC bench of judges; S. *tribunal colegiado*), **órgano jurisdiccional unipersonal** (PROC single-judge court, court in which a judge sits alone; S. *tribunal unipersonal*)].

orientación *n*: GEN orientation; steering; guidance, guideline; tip *col*, hint *col*; S. *dirigir, guiar; consejo*. [Exp: **orientar** (GEN orient, guide, direct, instruct, provide guidance)].

origen *n*: GEN origin, cause, source; ground; S. *nacionalidad de origen, fuente, nacimiento*. [Exp: **original** (GEN original; authentic; first copy [of a document]), **originar** (GEN originate; produce, cause, occasion; S. *surgir, causar, ocasionar*), **originario** (GEN coming from, originating in ◊ *Muchas de las actuales innovaciones jurídicas son originarias del derecho anglosajón*; S. *procedente*)].

oriundo *a/n*: GEN native ◊ *El detenido es de una familia oriunda de Rumania*; when the context provides no specific information, the implication is that the person referred to is of Spanish origin or ancestry as in *Algunos equipos de fútbol burlan el reglamente fichando a jugadores oriendos*; S. *originario, procedente*.

osadía *n*: GEN temerity, audacity, imprudence; S. *temeridad.*

ostentación *n*: GEN ostentation, display; S. *exhibición, manifestación.* [Exp: **ostentar** (GEN hold [e.g. *office*]; display, flaunt; S. *detentar; exhibir*), **ostentar la representación** (GEN represent, be the representative of ◊ *El Presidente del Consejo General del Poder Judicial ostenta la representación del Poder Judicial*), **ostentar un cargo** (CONST hold office ◊ *Ostenta el cargo de vicepresidente*; S. *desempeñar una función o un cargo*)].

otorgamiento *n*: GEN delivery; grant, licence, authorization, permission, consent, solemn execution and signing before a notary; conferring; deed; testimonium; document. [Exp: **otorgamiento de una escritura/testamento/documento** (CIVIL execution of a deed/ a will/ an instrument), **otorgante de una licencia** (GEN licensor, maker), **otorgar**[1] (CIVIL/GEN award, grant, accord, confer, bestow, give; S. *adjudicar, conceder, conferir, donar*), **otorgar**[2] **[ante notario]** (CIVIL execute, notarize, authorize, sign, make ◊ *El testamento se otorga ante notario*), **otorgar amparo cautelar** (EURO/CONST grant interim protection), **otorgar testamento** (SUC make a will; S. *testar*), **otorgar una garantía** (GEN furnish a guarantee), **otorgar una escritura** (CIVIL execute a deed), **otorgar una fianza** (PROC provide security, put up bail), **otorgar una licencia o concesión** (GEN grant a licence), **otorgar una patente** (CIVIL grant a patent), **otorgar tutela** (GEN give legal protection)].

otrosí *adv*: PROC moreover, furthermore; «we further contend that...», «and I further aver...», «my client also claims...», «and you/he did also...»; this word is repeated mechanically at the start of each new allegation or statement of claim listed in pleadings; the suggested translations indicate how the monotony of this may be neutralized or adapted to the slightly brisker tones habitual in British advocacy; though it is somewhat old-fashioned, the term can also be used as a plural noun *–otrosíes–* meaning list of claims, particulars of claim, successive allegations, allegations/statements of claim set out in pleadings, each or all of the allegations or claims following the first or principal one.

P

pabellón[1] *n*: GEN/BSNSS national flag; S. *bandera; abanderar*. [Exp: **pabellón**[2] (GEN building, block, pavilion), **pabellón de conveniencia** (INTNL flag of convenience), **pabellón de preventivos** (GEN remand prison)].

pacificar *v*: GEN pacify; S. *paz*. [Exp: **pacífico**[1] (GEN peaceful, pacific), **pacífico**[2], **ser** (GEN be common ground, be accepted by both parties, not to be a controversial point, be well settled, be a settled matter of law ◊ *Es pacífico que disfruta de una excedencia especial por razón de su cargo*), **pacifista** (GEN pacifist; S. *beligerante, contencioso*)].

pactar *v*: GEN agree, covenant, bargain, contract; S. *concertar, convenir, acordar*. [Exp: **pactar en perjuicio de tercero** (BSNSS collude; S. *confabularse contra alguien*), **pactar un convenio con los acreedores** (BSNSS make a composition with creditors), **pacto** (GEN pact, covenant, agreement, deal, treaty, bargain; bond; the word *pacto* is used systematicaaly as a complete synonym for *contrato*, much as «agreement» or «bargain» are in English for «contract»; S. *acuerdo, compromiso, estipulación, contrato, concierto, convenio*), **pacto comisorio** (CIVIL pledge, loan pledge; bailment, agreement that may be terminated under certain conditions), **pacto condicionado** (CIVIL conditional covenant), **pacto de caballeros** (BSNSS gentlemen's agreement), **pacto de *quota litis*** (PROC contingent fee agreement), **pacto de recompra o retroventa** (BSNSS repurchase agreement), **pacto social** (EMPLOY industrial agreement/pact, agreement on labour relations; framework agreement between government, employers' and workers' representatives to combat unemployment and avoid industrial strife; S. *agentes sociales, convenio colectivo, huelga, patronal, sindicato*)].

padecer *v*: GEN suffer, endure ◊ *Padeció persecuciones por sus ideas políticas*; S. *sufrir, experimentar, soportar; ser objeto de*. [Exp: **padecimiento** (GEN suffering; S. *daños morales, desgracia, dolencia*)].

padrastro *n*: FAM step-father; S. *madrastra*.

padre *n*: FAM father; parent. [Exp: **padre adoptivo** (FAM adoptive father), **padre de familia** (FAM head of the family, paterfamilias ◊ *El usufructuario deberá cuidar las cosas dadas en usufructo como un buen padre de familia*; S. *diligencia del buen padre de familia*), **padre putativo** (FAM reputed father), **padres adoptivos** (FAM adoptive parents, foster parents; S. *hijo adoptivo*)].

padrón *n*: GEN/CIVIL register, roll of members; list, survey, census; S. *censo, catastro*.

paga *n*: GEN pay, wage, payment; S. *dación, jornal, salario, sueldo, pago*. [Exp: **paga extraordinaria** (EMPLOY bonus pay, bonus; all Spanish employees are entitled to two bonus payments per year, at Christmas and in June; S. *gratificación*), **pagadero** (GEN payable, owing, due; S. *debido, por pagar*), **pagadero a la entrega o presentación** (BSNSS payable on delivery/presentation), **pagadero a la orden** (BSNSS payable to order), **pagadero a la vista** (BSNSS due on demand, payable at sight), **pagadero por anticipado** (BSNSS prepayable, to be paid in advance; S. *a pagar*), **pagado** (BSNSS paid, received), **pagado en origen o por anticipado** (BSNSS prepaid), **pagado íntegramente** (BSNSS paid in full), **pagador** (BSNSS paymaster, payer, disburser), **pagar** (GEN/BSNSS pay, pay up/off, satisfy; settle; disburse, discharge; S. *paga, desembolsar, abonar, satisfacer, liquidar*), **pagar, a** (BSNSS payable, prepayable; S. *pagadero por anticipado, sin pagar*), **pagar a cuenta** (BSNSS pay on account), **pagar a plazos** (GEN pay [for] in instalments, buy on hire purchase; S. *plazo*), **pagar a prorrateo** (GEN club together, pay so much per head; S. *contribuir a gastos comunes, escotar*), **pagar al contado** (BSNSS cash [down], pay cash on the nail *col*), **pagar como consignación** (GEN pay into court as security; S. *prestar fianza ante el juzgado, consignar en el juzgado*), **pagar deudas** (BSNSS pay one's debts, settle up; S. *arreglar cuentas*), **pagar en efectivo o en metálico** (BSNSS pay cash), **pagar la fianza** (BSNSS put up/post bail, lodge a caution), **pagar los plazos de las acciones** (BSNSS pay calls on shares), **pagar o levantar una hipoteca** (BSNSS/CIVIL clear a mortgage), **pagar, por/sin** (CIVIL/BSNSS payable, due, unsettled; S. *pagadero, pendiente de pago, en mora, atrasado*)].

pagaré *n*: BSNSS promissory bill/note, note, IOU, note of hand, bill of debt, bond; S. *vale*. [Exp: **pagaré a la vista** (BSNSS demand note), **pagaré a la orden** (BSNSS negotiable note), **pagaré al portador** (BSNSS bearer note), **pagaré con garantía prendaria** (BSNSS collateral note; S. *prenda*), **pagaré del Tesoro** (ADMIN/BSNSS Treasury bill), **pagaré hipotecario** (BSNSS mortgage note), **pagaré solidario** (BSNSS joint and several note)]

pago *n*: GEN payment, satisfaction, settlement, discharge; disbursement; S. *dación, desembolso en pago, demanda de pago*. [Exp: **pago a cuenta** (GEN down-payment, advance, instalment, deposit), **pago a plazos** (GEN instalment payment), **pago al contado** (GEN cash payment), **pago a la entrega** (BSNSS payment on delivery, cash on delivery COD), **pago anticipado/previo** (GEN pre-payment; S. *anticipo*), **pago completo o íntegro** (BSNSS full settlement), **pago contra entrega de documentos** (BSNSS payment/cash against documents), **pago de señal, simbólico o nominal** (BSNSS token payment), **pago fraccionado** (BSNSS payment in instalments, settlement of a debt by instalments; S. *pago a plazos*), **pago liberatorio** (GEN full and final settlement, payment which extinguishes the debt), **pago por consignación al Tribunal** (PROC payment into court), **páguese a la orden de** (BSNSS pay to the order of)].

país *n*: GEN country, nation; domicile; S. *imperio, nación, patria, domicilio*. [Exp: **país de adopción** (GEN domicile of choice), **país de nacimiento o de origen** (GEN country of birth or origin), **paisano, de** (GEN in civilian clothes, in plain clothes)].

palabra[1] *n*: GEN word, promise; S. *promesa; contrato de palabra, maltrato de palabra; libertad de palabra; faltar a su palabra; dar su palabra, medir las palabras.* [Exp: **palabra**[2] (GEN right to speak, turn; S. *uso de la palabra, pedir el uso de la palabra, dar la palabra, tener la palabra*), **palabra de honor** (GEN word of honour, word as a gentleman; S. *dar palabra de honor, faltar a su palabra*), **palabra de matrimonio** (GEN/FAM promise of marriage), **palabras mayores** (GEN offensive words, high words)].

palacio de justicia *n*: GEN lawcourt, courthouse, court building; S. *juzgado.*

paliar *v*: GEN palliate, alleviate; afford relief, mitigate; S. *atenuar, mitigar.* [Exp: **paliar los daños** (CIVIL mitigate loss or damage), **paliativo** (GEN palliative, affording relief; alleviation; S. *atenuante*)].

paliza *n*: CRIM beating. ◊ *Tenía el rostro desfigurado por la brutal paliza que había recibido*; S. *malos tratos, marido maltratador; dar una paliza a alguien, pegar una paliza.*

palmar *col v*: GEN die, croak *col*, snuff [it] *col*, die; S. *morir, fallecer, expirar.*

pandilla de ladrones *n*: GEN/CRIM gang of thieves or robbers, etc.; S. *banda, manga, cuadrilla, grupo.* [Exp: **pandillero** (CRIM thug, member of a gang, gangster, racketeer; S. *extorsionista, chantajista*)].

pánico *n*: GEN panic, fear, dread, terror; S. *terror, miedo.*

papel[1] *n*: GEN/ADMIN paper, document; S. *documento, escritura.* [Exp: **papel**[2] (GEN role, part, function; S. *función,* misión), **papel bancario** (BSNSS bank paper), **papel comercial** (BSNSS mercantile paper; negotiable instruments, promissory note, trade bill; S. *efectos de comercio*), **papel mojado** (GEN dead letter, worthless paper/document), **papel moneda** (BSNSS paper money; S. *dinero de plástico, dinero electrónico*), **papel timbrado** (ADMIN stamped paper), **papeleo** (ADMIN paperwork; red tape, bueaucracy; S. *burocracia*), **papeleta de voto** (CONST voting slip, ballot paper; S. *votación a mano alzada*), **papeles, los sin** *col* (GEN [people] without work permits, [immigrants/refugees] whose documents are not in order; illegal immigrants ◊ *Los sin papeles se encerraron en una iglesia para evitar la orden de expulsión*; S. *indocumentado, orden de expulsión*), **papelina** *col* (CRIM deal *col*, hit *col* of heroin or coke; single dose of heroin or cocaine in a screw or fold of paper; S. *caballo, chocolate, costo*)].

paquete *n*: GEN/BSNSS pack, package, packet. [Exp: **paquete bomba** (CRIM parcel bomb; S. *carta bomba*), **paquete de acciones** (BSNSS block of shares), **paquete de medidas** (CONST government package, set of measures)].

paradero *n*: GEN whereabouts; S. *señas, residencia, domicilio, residencia habitual.* [Exp: **paradero desconocido, en** (GEN whereabouts unknown, whose whereabouts are unknown ◊ *El interno a quien se le dio la libertad provisional se encuentra ahora en paradero desconocido*; S. *desaparecidos*)].

paranoia *n*: GEN paranoia; S. *salud mental.* [Exp: **paranoico** (GEN paranoid [person]; S. *demente, histérico, neurótico*)].

parar[1] *v*: GEN stop, halt; check, bring to a halt/standstill. [Exp: **parar**[2] (PROC/ADMIN ensue, befall, supervene ◊ *Al procesado rebelde le parará el perjuicio a que hubiera lugar con arreglo a la Ley*; an archaic and probably elliptical usage –possibly for *le irá a parar*–, found exclusively in subpoenas, summonses and other legal and administrative contexts like the one illustrated in the example; S. *recaer*), **parar, ir a** (GEN end up going to, fall to the lot of ◊ *La herencia ha ido a parar a manos de parientes lejanos*), **parado** (EMPLOY unemployed, out of work, jobless, laid off, idle; S. *desocupado, desempleado; paro*), **parados, los** (EMPLOY the unemployed, the jobless; S. *paro*)].

paraíso fiscal *n*: TAX tax haven.

paralización *n*: GEN stalemate, standstill, deadlock; S. *punto muerto*. [Exp: **paralizar** (GEN paralyse; bring to a halt/standstill; deadlock; S. *suspender*)].

parcela *n*: GEN/CIVIL parcel, plot; building land/plot; S. *solar*. [Exp: **parcelación** (GEN/CIVIL division into plots, parcelling out; S. *reparcelación*), **parcelar** (GEN/CIVIL parcel up, divide into plots, divide into lots *US*)].

parcial *a*: GEN partial, limited; prejudiced, biased; S. *arbitrario, sesgado, tendencioso*. [Exp: **parcialidad** (GEN bias, partiality, prejudice; S. *sesgo*)].

parecer[1] *n*: GEN opinion, view; S. *dictamen; cambiar de parecer*. [Exp: **parecer**[2] (GEN seem, appear), **parecer, a mi/su** (GEN in my/his, etc. opinion), **parecer, al** (GEN apparently, to all appearances; S. *según parece*), **parece, según** (GEN apparently, to all appearances; S. *al parecer*)].

pared *n*: GEN wall; S. *tabique*. [Exp: **pared divisoria/medianera/común** (GEN/CIVIL partition/dividing wall, party wall), **pared maestra** (GEN/CIVIL main wall)].

pareja de hecho *n*: CIVIL common-law couple; *de facto* couple; in the latter sense, the term includes homosexual couples of long standing and there has been pressure on the Spanish Parliament to recognise the lawfulness of such relationships by granting parties to them legal rights akin to those enjoyed by married couples, including the rearing of children, testamentary freedom, family allowance and related entitlements; S. *compañero sentimental*.

parentesco *n*: FAM kinship, relationship; S. *afinidad, consanguinidad, agnación, cognación, linaje; ramas de parentesco*. [Exp: **parentesco cognaticio** (FAM cognateness, consanguinity; S. *consanguinidad*), **parentesco colateral/oblicuo** (FAM collateral relationship; S. *parientes colaterales*), **parentesco consanguíneo** (FAM blood relationship), **parentesco de afinidad** (FAM in-law relationship), **parentesco de doble vínculo** (FAM whole-blood relationship), **parentesco de simple [o de un solo] vínculo** (FAM half-blood relationship), **parentesco íntimo** (FAM close family ties or relationship), **pariente** (FAM relative, relation, kinsman/kinswoman; S. *allegado*), **pariente en línea directa** (FAM related in the direct line), **pariente más próximo** (FAM next of kin), **parientes colaterales** (FAM collateral kinsmen), **parientes consanguíneos** (FAM blood relations)].

paridad *n*: GEN parity. [Exp: **paridad cambiaria** (BSNSS par of exchange), **paritario** (GEN equal, even, showing parity, having an equal number of representatives of both sides)].

parlamentario *a*: CONST parliamentary; member of parliament or congress. [Exp: **parlamento** (CONST parliament, congress, legislature, legislative body; S. *congreso, asamblea legislativa, fase de comisión/ponencia parlamentaria, filibusterismo parlamentario, obstruccionismo parlamentario, fuero parlamentario, grupo parlamentario, inmunidad parlamentaria*), **parlamento autonómico** (CONST devolved parliament, autonomous parliament; S. *comunidad autónoma*), **Parlamento Europeo** (EURO European Parliament)].

paro[1] *n*: EMPLOY unemployment; S. *desempleo, subsidio de paro, cola del paro, cierre patronal; engrosar las listas del paro*. [Exp: **paro**[2] (EMPLOY unemployment benefit, unemployment compensation *US*, the dole *col* ◊ *Desde hace seis meses esa familia vive del paro*; S. *desempleo, subsidio de desempleo, parado*),

paro[3] (EMPLOY strike, stoppage ◊ *Han hecho un paro de media jornada*; S. *huelga*), **paro cardíaco** (GEN heart failure ◊ *Murió de un paro cardíaco tras la paliza que recibió de los ladrones*; S. *infarto*), **paro estacional** (EMPLOY seasonal unemployment), **paro, estar en el** (EMPLOY be unemployed), **paro, estar en** (EMPLOY be on strike, stage a strike; S. *paro*[2]), **paro forzoso** (GEN redundancy, [situation of being] laid off, lay off), **paro generalizado** (EMPLOY mass unemployment)].

parqué de la Bolsa *n*: BSNSS floor of the Stock Exchange; S. *corro*.

párrafo *n*: GEN paragraph, subparagraph. S. *sección, apartado*.

parricidio *n*: CRIM parricide ◊ *Un hombre con sus facultades mentales perturbadas cometió ayer un doble parricidio*; S. *homicidio*. [Exp: **parricida** (CRIM parricide; S. *homicida*)].

parte[1] *n*: GEN part, share, portion, allotment; S. *pieza, cuota, porción, sección*. [Exp: **parte**[2] (PROC party, party to a suit ◊ *Las personas físicas podrán ser parte en los procesos ante los tribunales civiles*; S. *a instancia de parte; personarse*), **parte**[3] (GEN report, communication, dispatch; S. *atestado; denuncia; dar parte*), **parte actora** (PROC claimant, complainant, plaintiff), **parte contraria** (PROC opposing party, other party, other side), **parte civil** (PROC claimant, plaintiff), **parte contendiente o contraria** (PROC opposing party), **parte contratante** (GEN contracting party, party to a contract; S. *altas partes contratantes*), **parte culpable** (CRIM guilty party), **parte, de** (PROC S. *a instancia de parte*), **parte de lesiones** (GEN doctor's report on the injuries sustained by the victim of an accident or an attack; medical report), **parte del accidente** (INSUR accident report), **parte policial de incidencias** (CRIM police report; S. *atestado policial, denuncia*), **parte demandante** (PROC S. *parte actora*), **parte demandada o querellada** (PROC defendant; S. *parte contendiente*), **parte expositiva de una escritura** (PROC recitals; S. *escritura*), **parte interesada** (GEN interested party ◊ *El tribunal resolverá, previa audiencia de las partes interesadas, cualquier solicitud de terceras personas*; S. *apersonarse, personarse, parte personada*), **parte interviniente** (PROC applicant, interested party, party entitled to appear), **parte perjudicada** (CIVIL aggrieved party, injured party; innocent party, victim), **parte personada** (PROC party represented in an action, especially if there is a *querella* or some form of public or private prosecution annexed to the main action; S. *personarse*), **parte querellada** (PROC defendant), **parte recurrida** (PROC respondent, appellee; S. *recurrente*), **parte solicitante** (RPOC requesting party), **partes de la demanda o litigantes** (PROC parties to the suit, parties in litigation; S. *litigantes*)].

partición *n*: GEN division, distribution, partition; S. *partir; división*. [Exp: **partición de la herencia** (GEN cdistribution of an estate, partition of a succession)].

particular[1] *a/n*: GEN private; individual, individual person; S. *persona, acusación particular, presentarse como acusación particular, voto particular*. [Exp: **particular**[2] (GEN point, issue, question ◊ *Evitó hablar sobre ese particular*; S. *cuestión, asunto*)].

participación[1] *n*: GEN participation, involvement, role, part, presence ◊ *Lo condenaron aunque su participación en el delito fue de escasa importancia*; S. *intervención, actuación, parte*. [Exp: **participación**[2] (GEN/BSNSS share; interest, economic participation, capital share, investment, stake ◊ *Tiene una buena participación en esa empresa*; S. *acción*), **participación**[3] (GEN announcement; S. *notifi-*

cación, aviso), **participación**[4] **[en un fondo de pensiones]** (BSNSS unit), **participación**[5] **[de lotería]** (GEN share), **participación de beneficios o ganancias** (BSNSS profit sharing), **participación de control o dominante** (BSNSS controlling interest; S. *interés dominante*), **participación de la minoría** (BSNSS minority interest; S. *intereses de minoría*), **participación en una sociedad** (BSNSS stake), **participación mayoritaria** (BSNSS majority holding interest), **participar**[1] (GEN participate, share; S. *intervenir, compartir*), **participar**[2] (GEN inform, advise, announce, notify; S. *comunicar*), **participante** (GEN participant), **partícipe** (BSNSS participator, partner; unit-holder), **partícipe de una herencia** (SUC beneficiary, co-beneficiary, joint beneficiary, co-heir; joint heir; S. *coheredero*)].

partida[1] *n*: GEN/BSNSS departure; shipment, consignment; S. *salida; envío; partir.* [Exp: **partida**[2] (CIVIL certificate; entry, item; S. *acta, título, certificado*), **partida**[3] (CONST each of the outlying or rural divisions of a municipality), **partida de defunción** (CIVIL death certificate), **partida de nacimiento** (CIVIL birth certificate), **partida doble/simple** (BSNSS double/single entry), **partida presupuestaria** (BSNSS budget item), **partidas a cobrar** (BSNSS receivables)].

partido[1] *n*: CONST political party. [Exp: **partido**[2] (CONST judicial district; S. *cabeza de partido*), **partido**[3] (GEN advantage, profit ◊ *La oposición no ha sabido sacar partido de los errores del Gobierno*), **partido de la oposición** (GEN opposition party), **partido judicial** (CONST judicial district; area, district or circuit within the jurisdiction of a court, district served by a court; S. *cabeza de partido, provincia*), **partido político** (CONST political party; S. *financiación de partidos políticos*)].

partidor *n*: SUC partitioner, auditor; S. *contable.* [Exp: **partir**[1] (GEN divide, cut, split; S. *partición, división*), **partir**[2] (GEN depart, leave; S. *partida*), **partir de, a** (GEN as from, starting from, dating from; on the basis of ◊ *A partir de los restos de la sangre, la policía reconstruyó los detalles de la agresión*), **partir de la notificación, a** (PROC upon being notified, following service of notice; S. *notificación*), **partir de una fecha, a** (GEN as of a given date, starting from a given date, with effect from a given date; S. *con efecto a partir de*)].

parto *n*: FAM/EMPLOY delivery, childbirth; S. *alumbramiento, permiso por alumbramiento, gestación, aborto; dar a luz.*

pasante *n*: GEN clerk, articled clerk, law clerk; S. *escribano, administrativo; trabajar de pasante.* [Exp: **pasantía** (GEN apprenticeship, law clerkship, [in] articles])].

pasar *v*: GEN/CIVIL pass; transfer, convey. [Exp: **pasar a** (SUC descend to, vest in; S. *transmitirse, transferir el título*), **pasar a administración judicial** (PROC go into receivership or administration), **pasar a disposición judicial** (PROC be brought before a court, appear before a judge or magistrate ◊ *Tras ser detenido e interrogado por la policía, el sospechoso pasó a disposición policial*), **pasar a la clandestinidad** (CRIM go into hiding, go underground), **pasar el control de aduanas** (ADMIN clear customs), **pasar en autoridad de cosa juzgada** (PROC acquire the authority of a final decision; S. *cosa juzgada*), **pasar de la raya** (GEN overstep the mark/limit; S. *mantener/poner a raya*), **pasar factura** (BSNSS send the bill, bill; S. *rendir cuenta*), **pasar/introducir de contrabando** (CRIM smuggle in), **pasar por alto** (GEN omit, ignore, pass over, overlook, disregard, waive; S. *no tomar en consideración, dispensar*), **pase** (GEN pass, permit; S. *acreditación, autorización, entrada*)].

pasivo[1] *a*: GEN passive, inactive; S. *activo*. [Exp: **pasivo**[2] (BSNSS liabilities ◊ *Hay quiebra cuando el pasivo es superior al activo*; S. *activo, deudas, obligaciones, balance*), **pasivo a largo plazo** (BSNSS long-term liabilities), **pasivo acumulado** (BSNSS accrued liabilities), **pasivo circulante** (BSNSS current liabilities), **pasivo consolidado** (BSNSS funded debt), **pasivo diferido** (BSNSS deferred liabilities), **pasivo fijo** (BSNSS funded liabilities, fixed/capital liabilities), **pasivo fijo no exigible** (BSNSS fixed liabilities; S. *deuda consolidada*), **pasivo patrimonial** (BSNSS capital liabilities), **pasivo real** (BSNSS net liabilities)].

paso *n*: GEN way, passage, crossing, transition, step. [Exp: **paso en falso** (GEN false step/move, slip-up, unwise move, error ◊ *Al final todos los criminales dan una paso en falso*; slip-up)].

pastos *n*: CIVIL pasture. [Exp: **pastos comunales** (CIVIL common, pasture; S. *derecho de pastoreo*)].

patentar [un invento] *v*: ADMIN patent [an invention]. [Exp: **patente**[1] (GEN clear, obvious, self-evident; S. *evidente, claro, manifiesto*), **patente**[2] (BSNSS/ADMIN patent; grant, permit, franchise, privilege, licence [to practise a profession]; S. *licencia, permiso, cesionario de una patente; marca, propiedad intelectual*), **patente de navegación** (BSNSS ship's registration papers), **patente de sanidad** (BSNSS bill of health), **patente en tramitación** (ADMIN patent pending), **patente registrada** (ADMIN registered patent), **patentes, modelos y dibujos** (BSNSS patents and designs), **patentes y marcas** (BSNSS/ADMIN patents and trademarks; S. *intendente general de la oficina de patentes*), **patentizar** (GEN evince, make evident, display, demonstrate, show; S. *testimoniar, evidenciar, dar muestras de*)].

paternidad *n*: FAM/GEN paternity; S. *maternidad, acción de reconocimiento de la paternidad*. [Exp: **paterno** (FAM/GEN paternal, fatherly; on the father's side; S. *materno*)].

pastilla *n*: GEN pill, tab *col*, goofball *col*. [Exp: **pastillero** *col* (GEN pill-popping *col*, on the pills *col*; pill-popper *col*, ecstasy freak *col*; S. *empastillarse*)].

patria *n*: GEN homeland, mother country; S. *país, nación*; *repatriar; civismo*. [Exp: **patria potestad** (CIVIL parental authority, *patria potestas*, custody/care and control [of children], custody rights ◊ *El condenado quedó inhabilitado para el ejercicio de la patria potestad*; S. *emancipación; ejercer la patria potestad, confiar la patria potestad*)].

patriarcado *n*: FAM patriarchy; S. *matriarcado*.

patrimonial *a*: GEN patrimonial, hereditary; S. *transmisión patrimonial*. [Exp: **patrimonio** (GEN/BSNSS/SUC/TAX patrimony; assets, estate; capital gains, capital, net worth, the value of a company's property, real estate and unearned income together; S. *impuesto sobre el patrimonio, acervo*), **patrimonio artístico/cultural** (GEN artístic/cultural heritage; S. *acervo cultural*), **patrimonio de bienes raíces** (CIVIL estate), **patrimonio de dominio pleno o absoluto** (CIVIL legal estate; estate in fee simple absolute in possession), **patrimonio del causante** (SUC state of the deceased), **patrimonio del Estado** (ADMIN government property, Crown lands or property), **patrimonio familiar** (SUC the family wealth or fortune; S. *acervo familiar*), **patrimonio líquido** (SUC/CIVIL net worth, total value of estate/assets), **patrimonio nacional** (ADMIN national heritage, national treasures, national wealth), **patrimonio neto** (BSNSS/CIVIL net worth), **patrimonio personal** (CIVIL personal assets), **patrimonio social** (BSNSS capital of a company, corporate assets, shareholders'/stockholders' equity; S. *acervo social*)].

patrocinar *v*: GEN sponsor; S. *apoyar, avalar*. [Exp: **patrocinio** (GEN sponsorship; S. *ayuda, apoyo*)].

patrón *n*: EMPLOY employer, owner, boss; S. *patrono*. [Exp: **patrón de buque** (BSNSS ship's captain), **patronazgo** (CIVIL trust, trusteeship; S. *patrocinio*), **patronal** (EMPLOY management, the bosses *col*; related to management; S. *cierre patronal, empresa, dirección empresarial*), **patronato** (BSNSS/ADMIN trust, foundation, board of trustees; trusteeship), **patrono** (EMPLOY employer, master, landlord; S. *empleador, empresario, dueño*)].

patrulla *n*: GEN patrol, squad; S. *lancha patrullera*. [Exp: **patrulla de la Guardia Civil** (CRIM Civil Guard patrol, group or contingent of Civil Guards on patrol; S. *ronda policial*), **patrullar** (GEN patrol, go on patrol)].

paz *n*: GEN peace; S. *orden público, mantenimiento de la paz, condiciones de paz; pacificar*.

pauliana *a*: CIVIL S. *acción pauliana*.

peculio *n*: GEN private wealth or property, an individual's fortune or stock.

pecuniario *a*: GEN pecuniary, financial, money ◊ *Las penas previstas para las faltas son en muchos casos de carácter pecuniario*; S. *pena pecuniaria*

pedanía *n*: ADMIN rural municipal district; S. *distrito*. [Exp: **pedáneo** (ADMIN applied to the judge or mayor *–juez pedáneo, alcalde pedáneo–* of a municipality with jurisdiction over outlying hamlets and country areas)].

pederasta *n*: CRIM pederast; S. *pedófilo*. [Exp: **pederastía** (CRIM pederasty, child-molesting; S. *pedofilia*)].

pedido *n*: GEN order, request. [Exp: **pedimento** (PROC pleading; remedy; claim, remedy claimed, petition, request, application, crave *Scots*; S. *súplica, petítum*), **pedir** (GEN ask for, seek, apply for, pray, petition, request, beseech *frml*, crave *Scots* ◊ *En su demanda pide el reconocimiento de un derecho*; S. *solicitar, suplicar, rogar, exigir, demandar, instar; derecho de pedir*), **pedir el asesoramiento de** (GEN call in/seek the advice of), **pedir [el uso de] la palabra** (GEN request permission to speak), **pedir en juicio** (PROC sue; S. *demandar*)].

pederasta *n*: CRIM pederast ◊ *La policía sigue la pista de unos 50 pederastas convictos*. [Exp: **pederastia** (CRIM pederasty),

pedofilia *n*: CRIM pœdophilia. [Exp: **pedófilo** (CRIM pœdophile)].

pega *col n*: GEN snag *col*, problem, drawback, difficulty, obstacle; S. *traba; poner pegas*.

pegado *a*: GEN annexed, attached; S. *adherido, unido, anexo*. [Exp: **pegar**[1] (GEN/CRIM hit, strike/give/deliver a blow, smack, beat, beat upgive a beating ◊ *Antes de robarles, los ladrones les pegaron con gran violencia*; S. *maltratar, golpear, agredir, propinar, apalear; paliza*), **pegar**[2] (GEN stick, glue; S. *adherir*), **pegar un tiro** (CRIM shoot, fire a shot), **pegar una paliza** (GEN give a beating, beat, beat up ◊ *El policía quedó medio muerto por la paliza que le pegaron los delincuentes*; S. *apalear, agredir*)].

peinar *v*: GEN comb, search ◊ *La policía ha peinado la zona sin resultados positivos hasta el momento*; S. *batir, rastrear*.

pelea *n*: GEN fight, brawl; quarrel, bust-up *col*; S. *enfrentamiento, lucha, pendencia, riña, reyerta, alboroto, bronca*. [Exp: **pelear** (GEN fight, brawl; struggle, quarrel; S. *luchar*)].

peligro *n*: GEN peril, danger, risk, jeopardy, hazard; S. *fuera de peligro, riesgo, producto peligroso y tóxico, delicto de peligro*. [Exp: **peligros de la navegación** (BSNSS perils of the sea; S. *riesgo*), **peli-**

grosidad (GEN/CRIM danger, risk, degree of danger, dangerousness ◊ *Las medidas de seguridad se fundamentan en la peligrosidad criminal del sujeto al que se impongan*; S. *prima de peligrosidad*), **peligroso** (GEN dangerous, hazardous; S. *arriesgado*)].

pena[1] *n*: CRIM sentence; penalty, punishment; prison term; S. *castigo, sanción; penoso*. [Exp: **pena**[2] (GEN sorrow, grief, shame, pity; S. *pesar, lástima*), **pena accesoria** (CRIM additional/further penalty, penalty attaching to or following inevitably from the main penalty ◊ *La pena de reclusión mayor acarrea la accesoria de inhabilitación absoluta*), **pena capital o de muerte** (CRIM death penalty, capital punishment; S. *agarrotar, ahorcar; garrote vil*), **pena de prisión** (CRIM prison, penalty of imprisonment; term of imprisonment), **pena de, so** (CRIM under pain/penalty of, upon pain/penalty of), **pena leve** (CRIM lesser punishment, lighter punishment, more lenient punishment), **pena grave** (CRIM heavy sentence/penalty, severe penalty), **pena máxima** (CRIM maximum sentence/punishment), **pena menos grave** (CRIM lighter/less serious sentence), **pena no privativa de libertad** (CRIM non-custodial sentence), **pena pecuniaria** (CRIM fine, financial penalty), **pena privativa de libertad** (CRIML custodial sentence; S. *prisión*), **penado** (CRIM convict, convicted prisoner; S. *reo, interno, recluso*), **penas de trabajo comunitario** (CRIM community service orders), **penas privativas de otros derechos** (CRIM punishments restrictive of rights other than freedom)].

penal[1] *a*: CRIM penal, criminal. [Exp: **penal**[2] (CRIM prison, penitentiary; S. *cárcel, presidio, penitenciaría, centro penitenciario, presidio*), **penalidad** (GEN penalty; hardship), **penalista** (PROC criminal lawyer, lawyer specialising in criminal law; S. *administrativista, civilista, laboralista, procesalista*), **penalización** (GEN penalty, penalization, punishment; S. *cláusula de penalización*), **penalizar** (CRIM penalize, punish, sanction; S. *sancionar, multar, despenalizar*)].

pendencia[1] *n*: GEN/CRIM brawl, fight, street fight, quarrel, dispute; S. *alboroto, disputa, riña*. [Exp: **pendencia**[2] (PROC pendency; S. *pendiente*), **pendenciero** (GEN/CRIM troublemaker, drunk and disorderly, brawler, quarrelsome, disorderly; S. *camorrista*)].

pendiente *a*: GEN awaiting, pending, open, back, outstanding, unadjusted, unfinished, unsettled, in abeyance; S. *atrasado, en mora, en trámite, pendencia*. [Exp: **pendiente de** (GEN subject to, pending; S. *a reserva de, sin perjuicio de*), **pendiente de aprobación** (GEN subject to approval), **pendiente de pago** (BSNSS unpaid, unsettled, outstanding; S. *sin pagar, en mora, atrasado*), **pendiente de resolver** (PROC pending a decision, awaiting judgment or decision, still be resolved or decided)].

penitenciaría *n*: CRIM penitentiary, prison, penal institution; S. *penal, presidio, cárcel, centro penitenciario*. [Exp: **penitenciario** (CRIM penitentciary, pertaining to prisons or jails; S. *régimen carcelario/penitenciario*)].

pensión[1] *n*: EMPLOY/CIVIL/GEN pension, annuity, provision, allowance; alimony; S. *jubilación, retiro, compensación*. [Exp: **pensión**[2] (GEN boarding house) **pensión alimenticia o de alimentos** (FAM maintenance allowance, alimony, financial provision, allowance for necessaries, separate maintenance *US* ◊ *Algunas demandas surgen por desacuerdos sobre el pago de la pensión de alimentos*; S. *solicitud de pensión alimenticia, alimentos*), **pensión de invalidez** (EMPLOY disability benefits/pension), **pensión de jubilación** (EMPLOY retirement pension, old-age pension; S. *fondo de pensiones*), **pensión de viudedad** (EMPLOY widow's pension), **pensión no contributiva** (GEN non-contributory pension), **pensionar** (EMPLOY/ADMIN pension, pension off), **pensionista** (EMPLOY retired; pensioner, old-age pensioner, OAP; S. *jubilado*)].

percance *n*: GEN/INSUR mishap, accident, emergency; S. *accidente, contrariedad, contratiempo, daño, menoscabo, pérdida*.

perder *v*: GEN lose; forfeit; waste; miss; S. *ganar*. [Exp: **perder el conocimiento** (GEN lose consciousness ◊ *La paliza que le dieron fue tan brutal que perdió el conocimiento*; S. *recobrar el conocimiento*), **perder el juicio**[1] (GEN go out of one's mind), **perder el juicio**[2] (PROC lose a/the case; S. *perder un pleito*), **perder un pleito** (PROC lose a case; S. *ganar un pleito*), **pérdida** (GEN loss, damage, waste, deprivation, detriment; forfeiture; S. *daño, perjuicio, quebranto, desperfecto, menoscabo, siniestro, percance*), **pérdida de un familiar** (GEN bereavement; S. *desgracia, aflicción*), **pérdida por siniestro** (INSUR casualty loss), **pérdida total** (INSCE write-off, total loss), **pérdida total efectiva** (INSUR actual total loss; S. *siniestro total*), **pérdidas de capital** (BSNSS capital loss; S. *minusvalías*), **pérdidas y ganancias** (BSNSS profit and loss)].

perdón *n*: GEN/CRIM pardon, remission; discharge; forgiveness; S. *indulto, remisión, gracia*. [Exp: **perdonavidas** *col* (GEN/CRIM thug, bully, tough *col*; S. *gamberro*), **perdonar** (CRIM pardon, remit; forgive, grant amnesty; S. *absolver, eximir, exonerar, condonar*)].

perentoriedad *n*: GEN peremptoriness. [Exp: **perentorio** (GEN peremptory, absolute; S. *excepción; ineludible, inaplazable*)].

perfeccionamiento *n*: GEN perfecting, improvement; conclusion, completion, termination; S. *consumación, conclusión*. [Exp: **perfeccionamiento del contrato** (CIVIL conclusion/concluding of a contract, finalising a contract, i.e. signing it or agreeing it), **perfeccionar** (GEN perfect; complete, achieve; S. *mejorar; completar, consumar*)].

perfidia *n*: CRIM/GEN falsehood, perfidy, treachery. [Exp: **pérfido** (CRIM/GEN perfidious, false, treacherous; S. *desleal*)].

pericia *n*: GEN expertise, expertness, knowhow, skill; S. *peritación, perito*. [Exp: **pericial** (GEN/PROC S. *dictamen pericial, prueba pericial*)].

período *n*: GEN period, term; S. *lapso, etapa, tiempo*. [Exp: **período contable** (BSNSS accounting period), **período de carencia** (INSUR/BSNSS qualifying periodo [insurance]; grace period [credit terms]), **período de gracia** (BSNSS day/days of grace, grace period, period of grace), **período de prueba**[1] (PROC time allotted for producing evidence), **período de prueba**[2] (EMPLOY trial period), **período de prueba en** (EMPLOY on probation), **período de sesiones** (CONST term of court, session; S. *fuera del período de sesiones*), **período de veda** (ADMIN close season; S. *veda, caza*), **período de vigencia** (GEN period of validity, time during which a law, etc. is in force), **período fiscal** (TAX accounting period), **período impositivo** (TAX period to which a tax return applies), **período parlamentario** (CONST session of a parliament)].

perista *col n*: CRIM fence *col*, resetter *Scots*, receiver of stolen goods; S. *receptador*.

peritación/peritaje *n*: GEN/INSUR/PRO appraisal; assessment, expert opinion, opinion of an expert witness; S. *dictamen pericial*. [Exp: **peritar** (GEN appraise, assess, evaluate, survey; S. *inspeccionar, valorar, tasar, evaluar, calcular*), **perito** (GEN expert; appraiser, expert witness; S. *entendido, técnico, especialista, experto*), **perito caligráfico** (GEN handwriting expert)].

perjudicado *a/n*: GEN/CIVIL/INSUR damaged, aggrieved, injured, prejudiced; injured party, innocent party, wronged party. [Exp: **perjudicar** (GEN harm, damage, impair, injure, prejudice, wrong; be to someone's disadvantage, be detrimental ◊ *Los consumidores que hayan sido perjudicados por un hecho dañoso podrán ser defendidos por sus asociaciones*; S. *parte perjudicada; menoscabar*), **perjudicial** (GEN prejudicial, detrimental, harmful, damaging; S. *dañino, lesivo; prejudicial*), **perjuicio** (GEN/CIVIL/INSUR damage, injury, detriment, harm, mischief, nuisance; prejudice; tort; S. *daño, agravio, quebranto, pérdida, mal, menoscabo*), **perjuicio de, en** (GEN to the prejudice/detriment of; S. *pactar en perjuicio de terceros*), **perjuicio de, sin** (GEN subject to, without prejudice to; S. *dentro de, sujeto a, sometido a, pendiente de, a reserva de*), **perjuicio económico** (BSNSS financial or monetary loss)].

perjurar *v*: GEN commit perjury; forswear; S. *abjurar, jurar en falso*. [Exp: **perjurio** (CRIM perjury, false oath/swearing, oath-breaking; in Spanish criminal law the technical term is *falso testimonio* or *juramento en falso*, *perjurio* being a formal but merely descriptive word; S. *falso testimonio, juramento*), **perjuro** (CRIM perjured; perjurer)].

permisible *a*: GEN permissible, allowable. [Exp: **permisivo** (GEN permissive; S. *tolerante, indulgente*), **permiso** (GEN permit, pass, permission, licence, authority, grant; leave of absence; S. *autorización, licencia*), **permiso, de** (GEN off, on leave), **permiso de armas** (ADMIN gun licence, licence to posses a firearm), **permiso de caza** (ADMIN game licence), **permiso de conducción/conducir** (ADMIN driving/driver's licence; S. *tráfico rodado*), **permiso de exportación** (BSNSS/ADMIN export licence), **permiso de obra nueva, de construcción o de edificación** (ADMIN building permit, planning permission), **permiso de residencia** (ADMIN residence permit), **permiso por alumbramiento** (EMPLOY maternity leave; S. *alumbramiento, gestación*), **permiso por fallecimiento o por asistencia a funerales** (EMPLOY leave of absence due to a bereavement or to attend a funeral, compassionate leave), **permiso por matrimonio** (EMPLOY leave of absence for purposes of marriage), **permiso sin sueldo** (EMPLOY unpaid leave of absence), **permitido** (GEN allowable, permitted, licit; S. *lícito, legítimo, conforme a derecho, admisible*), **permitir** (GEN permit, allow, let; S. *autorizar*)].

permuta *n*: GEN/ADMIN exchange, swap; barter, permutation; exchange of posts between two civil servants; S. *trueque, compensación*. [Exp: **permutar** (GEN exchange, swap ◊ *He permutado una finca pequeña al lado del mar por otra mucho más grande en la montaña*)].

pernicioso *a*: GEN pernicious, damaging, harmful; evil; S. *depravado, dañoso*.

perpetración [de un delito] *n*: CRIM perpetration/commission [of a crime]; S. *comisión, consumación*. [Exp: **perpetrador** (CRIM perpetrator; S. *autor material de un delito*), **perpetrar** (CRIM perpetrate, commit carry out; S. *cometer, consumar*), **perpetrar un delito** (CRIM commit a crime)].

perro policía *n*: CRIM police dog. [Exp: **perro antidroga/antiexplosivos** (CRIM sniffer dog)].

persecución[1] *n*: GEN pursuit, chase, hunt ◊ *Cinco policías corrieron en persecución del ladrón*; S. *búsqueda, busca, caza, captura, perseguimiento*. [Exp: **persecución**[2] (GEN persecution, harassment ◊ *Padeció persecuciones por sus ideas políticas*; S. *hostigamiento, ser objeto de*), **persecución**[3] (CRIM prosecution, institution of legal proceedings ◊ *El juez ha iniciado las diligencias destinadas a la persecución de los presuntos delitos de cohecho y falso testimonio; S. enjuiciamiento*), **persecución extraterritorial** (GEN following of a suspect abroad, pursuing of a suspect outside the jurisdiction), **perseguible** (PROC requiring the action of the law; prosecutable, indictable), **perseguible de oficio** (PROC S. *delito perseguible de oficio*), **perseguir**[1] (CRIM hunt, pursue, chase; S. *seguir la pista, pisar los talones*), **perseguir**[2] (PROC prosecute, curb, put down, bring the weight of the law to bear on ◊ *Los ciudadanos desean que se persigan y se repriman los comportamientos lesivos del orden constituido*), **perseguir**[3] (GEN persecute, repress, oppress, hound, pester, harass ◊ *Los dictadores persiguen a los disidentes*; S. *molestar, acosar, hostigar*)].

persona *n*: GEN person, individual, human being; S. *ciudadano, individuo, particular*. [Exp: **persona a [su] cargo** (TAX/FAM dependant), **persona aforada** (CONST privileged person, person protected by parliamentary privilege or immunity; S. *fuero*), **persona con las facultades perturbadas** (GEN mentally disordered person, person with the balance of his/her mind disturbed; S. *salud mental*), **persona física** (GEN/CIVIL natural person, individual, natural person *US* ◊ *Las personas físicas podrán ser parte en los procesos ante los tribunales civiles*; S. *persona jurídica*), **persona impedida** (GEN disabled person; S. *inválido, incapacitado*), **persona interpuesta** (GEN third party, proxy, agent; go-between; dummy, straw man, front man, street name *US*; S. *tapadera, testaferro, sociedad interpuesta*), **persona interpuesta, por** (GEN by proxy; through the agency of a third party), **persona jurídica** (CIVIL body corporate, corporate person, corporation, artificial person, juristic person; S. *persona física*), **personación** (PROC appearing/appearance as a party, representation/being represented as a party; S. *personarse*)].

personal *a/n*: GEN personal; staff, personnel; S. *plantilla*. [Exp: **personal jurisdiccional** (GEN court personnel, court officials, the officers and staff of a court; the personnel comprises judicial and non-judicial staff *–personal juzgador y no juzgador–*; chief among the latter are the court clerk *–Secretario Judicial–*, the bailiffs and court officers *–alguaciles y oficiales–*, the clerical staff *–auxiliares–* and the police officers attached to the court *–agentes judiciales–*; S. *jurisdicción, órgano jurisdiccional*), **personalidad** (GEN personality, faculty), **personalidad del actor** (PROC standing; S. *falta de personalidad del actor*), **personalidad jurídica** (CIVIL legal personality; juristic person ◊ *Se entiende por personalidad jurídica la aptitud para ser titular de derechos y obligaciones*; S. *capacidad, competencia*), **personalidad procesal** (PROC capacity to sue or to be sued, capacity to be a party to suit; legal capacity; fitness to stand trial; S. *capacidad para ser parte, capacidad procesal*), **personarse**[1] (PROC/GEN go, come, appear, turn up, attend ◊ *No se personó el día para el que fue citado*; S. *acudir, asistir, apersonarse, presentarse, comparecer, parte personada*), **personarse**[2] (PROC appear in court as an interested party, be a party to an action/proceedings ◊ *El demandado deberá personarse en las actuaciones para anunciar su oposición a la demanda*; S. *parte personada; incomparecencia*), **personarse como acusación particular** (CRIM bring a private prosecution; under Spanish criminal law, a private prosecution may be brought in addition to proceedings instituted by the public prosecutor *–fiscalía, ministerio fiscal–* and this is the usual context in which the phrase is used, since otherwise the preferred term is *querellarse*; when there is a private as well as a public prosecution, each party is entitled to cite its own witnesses, lead its own evidence, and come to its own conclusions on the basis of all the evidence heard at the trial; as a result, counsel for the public and private prosecution may petition the court in their final speeches to impose different penalties on the accused, since it is the prosecutor's right to recommend a sentence in accordance with the Criminal Code; S. *acción popular, fiscalía, ministerio fiscal, querella*), **personarse en un pleito** (PROC be a party to proceedings/an action)].

pertenecer *v*: GEN belong. [Exp: **pertenencia** (GEN belonging, property; membership; S. *propiedad*), **pertenencia a banda armada** (CRIM membership of an armed organization/a proscribed organization ◊ *Al detenido se le imputa pertenencia a banda armada y asociación ilícita*; S. *banda armada*), **pertenencias** (GEN belongings, appurtenances, effects, personal, personalty; estate; S. *efectos, bienes, caudal*)].

pertinencia *n*: GEN pertinence, relevance/relevancy, appropriateness; S. *aplicabilidad*. [Exp: **pertinente** (GEN pertinent, relevant, applicable, appropriate)].

pertrechar *v*: GEN equip, provide with equipment, implements, gear, etc. [Exp: **pertrechos** (GEN gear, equipment, implements; supplies; S. *suministros, aprovisionamiento*)].

perturbación *n*: GEN perturbation; disturbance; anxiety; S. *agitación, alboroto, revuelo, convulsión*. [Exp: **perturbación mental o de las facultades mentales** (GEN mental disturbance, unsoundness of mind, mental imbalance, insanity ◊ *La perturbación mental es causa de separación legal*), **perturbación del orden público** (CRIM/CIVIL disturbance, breach of the peace; S. *desorden en la vía pública, escándalo público*), **perturbado** (GEN of unsound mind; S. *mentalmente inestable o incapacitado*), **perturbador** (GEN disturbing; disturber, agitator, pendenciero, brawler, troublemaker, rioter; S. *agitador, provocador, alborotador*), **perturbador del orden público** (CRIM person guilty of a breach of the peace), **perturbar** (GEN/CRIM disturb, perturb, cause unrest, stir up; S. *alborotar, agitar, intranquilizar; facultades mentales perturbadas*)].

perversidad *n*: GEN perversity, wilfulness, evil; depravity; S. *maldad*. [Exp: **perversión** (CRIM perversion, malfeasance, corruption; S. *corrupción*), **perversión de la justicia** (CRIM perverting the course of justice), **perverso** (GEN perverse, wicked, corrupt, depraved; S. *malvado, corrupto, malo, degradante*), **pervertido** (GEN perverted, twisted, evil, corrupt; pervert), **pervertir** (GEN pervert, corrupt, twist; S. *viciar*)].

pesar[1] *v*: GEN weigh; fall [on], point [to] ◊ *Pesan algunas sospechas sobre los peritos de haber emitido dictámenes falsos*; S. *recaer*. [Exp: **pesar**[2] (GEN grief, sorrow; S. *pena*), **pesa sobre él una orden de busca y captura** (CRIM there is a warrant out for his arrest; he is a wanted man), **pesar de, a** (GEN despite, in spite of, notwithstanding), **pese a** (GEN despite, in spite of, notwithstanding), **peso** (GEN weight, burden; S. *preponderancia, carga*), **peso de la ley** (GEN weight of the law; S. *rigor de la ley*), **peso de la prueba** (PROC burden/onus of proof; S. *carga de la prueba*)].

pesca *n*: GEN fishing; S. *caladeros*. [Exp: **pesca furtiva** (CRIM poaching; S. *caza furtiva*)].

pesquisa *n*: GEN enquiry/inquiry, investigation, detective work, probe; S. *investi-*

gación, indagación. [Exp: **pesquisar** (GEN inquire [into]), **pesquisidor** (GEN investigator, inquirer/enquirer)].

petardo *col n*: GEN squib, firework, banger; joint *col*, spliff *col*; S. *porro, canuto.*

petición *n*: GEN petition, application, request, motion; prayer, crave *Scots*; S. though related to the common verb *pedir* –apply [for], seek, claim–, this noun is much less frequent in legal and administrative use than its close synonym *solicitud*; S. *demanda, petítum, reclamación, solicitud, súplica.* [Exp: **petición de, a** (GEN on/upon the application of, at the request of, at the behest of ◊ *La separación consensual tiene lugar a petición de ambos cónyuges*; S. *a instancias de*), **petición de anulación** (PROC application/petition for annulment/setting aside), **petición de parte** (PROC ex parte application, application by one party, S. *a instancia de parte, de oficio*), **petición de parte interesada, a** (PROC ex parte, at the suit/request of the interested party), **petición propia, a** (CONST on one's own initiative, at one's own request ◊ *La ministra compareció en el Congreso a petición propia*), **peticionario** (PROC claimant, petitioner; S. *recurrente, solicitante*), **petítum** (GEN claim, amount claimed, remedy sought; S. *pretensión*)].

pez gordo *col n*: GEN big shot *col*, top brass *col*, high heid yin *Scots col*; S. *cacique, mandamás, gerifalte.*

picapleitos *n*: GEN pettifogger, troublemaker, ambulance chaser *US*, shyster *US*; vexatious litigant; S. *argucias jurídicas, temerario.*

picarse *col v*: GEN/CRIM mainline, shoot up, give oneself a fix; S. meterse una dosis, chutarse *col*, pincharse.

pie *n*: GEN foot; S. *dar pie.* [Exp: **pie de la letra, al** (GEN verbatim, literally, in a literal sense, word for word), **pie [de un escrito]** (GEN bottom [of a document]), **¡todos en pie!** (GEN all rise!, be upstanding!)].

pieza *n*: PROC exhibit; bundle, record, file, roll, document; piece, part. [Exp: **pieza acusatoria** (PROC evidence produced by the prosecutor, prosecution exhibit, incriminating evidence; S. *prueba delatora*), **pieza de autos** (PROC bundle, file, set of records constituting documentary evidence), **pieza de convicción** (PROC exhibit, piece of evidence, item entered in evidence; conclusive evidence, *pièce de conviction*), **pieza separada** (PROC bundle; separate document; distinct or separate stage of proceedings)].

pignorable *a*: CIVIL pledgeable. [Exp: **pignoración** (CIVIL pledge, pignoration, [act of] pledging or pawning, collateral loan, hypothecation, chattel mortgage; S. *prenda, seguridad colateral, empeño*), **pignoración de efectos, sobre** (CIVIL against pledged securities), **pignorar** (CIVIL pledge, pawn, hypothecate; S. *dar en prenda, afectar, asegurar, avalar, despignorar, garantizar, hipotecar, dejar en prenda*), **pignoraticio** (GEN S. *acción pignoraticia*)].

pillaje *n*: CRIM loot, plunder, theft, pillaging; S. *saqueo, rapiña.* [Exp: **pillar** *col* (GEN catch, nick *col* ◊ *La policía pilló a los ladrones antes de que pudieran repartirse el botín*; S. *atrapar, sorprender*)].

pinchar *v*: GEN puncture, prick, jab; needle *col*, wind up *col*; give [sb] a shot/jab *col*; S. *inyección.* [Exp: **pinchar un teléfono** *col* (CRIM bug/tap a phone *col*, nab *col*, trap, grab, trap, pick up; S. *teléfono pinchado*), **pincharse** (GEN mainline, shoot up, give oneself a fix; S. *picarse, engancharse, chutarse, colocarse; adicto*), **pinchazo** (GEN jab, jag, shot, injection; needle mark)].

piquete de huelga *n*: EMPLOY picket, picket-line; S. *actuación de piquetes informativos.*

pirata *n*: CRIM pirate; bandit *col*, wheeler-dealer *col*, crook. [Exp: **pirata de la informática** (CRIM hacker), **piratería** (CRIM piracy, robbery; infringement of copyright; hacking; S. *propiedad intelectual, plagio, protección de datos*), **piratería aérea** (CRIM hijacking)].

piso *n*: GEN flat, apartment. [Exp: **piso franco** (CRIM safe house)].

pista *n*: GEN track, trail; lead, clue; S. *huella, aportar pistas, seguir la pista, perseguir, pisar los talones*. [Exp: **pista de aterrizaje** (GEN runway, landing strip), **pista falsa** (GEN red herring)].

pistola *n*: GEN pistol, gun, handgun; S. *arma, a punta de pistola; arrancar la pistola a alguien*. [Exp: **pistolero** (CRIM gunman; S. *bandido*)].

placa *n*: GEN badge; S. *chapa, insignia*. [Exp: **placa de policía** (CRIM policeman's badge)].

placer *n*: GEN pleasure, amenity, leisure; S. *perjuicios de disfrute y placer*.

plaga *n*: GEN plague; S. *epidemia*. [Exp: **plagado de errores** (GEN full of errors, riddled with mistakes ◊ *El sumario está plagado de errores*)].

plagiar *v*: CRIM plagiarize; S. *pirata, propiedad intelectual*. [Exp: **plagiario** (CRIM plagiarist), **plagio** (CRIM plagiarism, breach or infringement of copyright, piracy)].

plan *n*: GEN plan, chart, design, schedule, scheme; S. *proyecto*. [Exp: **plan de pensiones o de jubilación** (EMPLOY retirement plan, pension scheme; S. *pensión*), **planear/planificar** (GEN plan, draw up a plan), **planificación** (GEN planning; S. *programación*), **planificación familiar** (FAM family planning), **planificación urbanística** (ADMIN town planning; S. *oficina/gerencia de planificación urbanística, licencia, obra*)].

plancha *n*: BSNSS lay-days, lay-time; S. *estadía, sobreestadía*.

plantar cara *phr*: GEN stand/face up [to], turn [on], stage a stand-off [with] ◊ *Los manifestantes plantaron cara a la policía antes de disolverse*. [Exp: **plante** (GEN stand on an issue, organised opposition, rebellion; S. *huelga*)].

plantear *v*: GEN set up, put forward, propose, move, propound, raise, pose; create, establish; put to; S. *programar, planear, promover*. [Exp: **plantear excepción** (PROC file a special plea/defence; S. *excepcionar*), **plantear una cuestión** (GEN raise a point, propound a question, raise an issue), **plantear una cuestión prejudicial** (PROC raise a preliminary issue/point of law, refer a question for a preliminary ruling; S. *cuestión previa, cuestión de previo pronunciamiento; pronunciarse con carácter prejudicial o sobre una cuestión preliminar*)].

plataforma *n*: GEN platform, stage. [Exp: **plataforma reivindicativa** (EMPLOY common platform for wage demands, etc.; S. *convenio colectivo*)].

plazo *n*: GEN time, time limit, term, life, period, due date, respite, deadline; instalment, payment of an instalment; S. *conceder un plazo, pagar a plazos; duración; fecha límite, pórroga, término, período, ley de plazos para el aborto; prescripción, caducidad*. [Exp: **plazo, a** (BSNSS forward), **plazo convencional** (BSNSS standard/trade/usual/agreed time limit), **plazo de interposición de un recurso** (PROC time for bringing an appeal, time within which an appeal must be brought), **plazo de prescripción** (CIVIL expiry period, time limit for legal action, limitation period, time of prescription ◊ *El tribunal resolvió que se había interpuesto la demanda transcurrido el plazo de prescripción*), **plazo de vencimiento o límite** (GEN expiry date; S. *fecha límite, plazo preclusivo*), **plazo fijo** (GEN fixed term), **plazo legal o marcado por la ley** (PROC time limit fixed by law, time allowed by law for proceedings to be brought, limitation period), **plazo perentorio** (GEN deadline), **plazo preclusivo** (PROC closing date, time limit, legal deadline; this is distinct from the limitation period as such; each stage of proceedings must be conducted strictly within the time allowed by the rules, and no further representations *–actuaciones–* are allowed once that time has elapsed ◊ *Cada fase del proceso tiene un plazo preclusivo para su realización*), **plazo prorrogable** (PROC extendible deadline; S. *término improrrogable*), **plazos** (BSNSS instalments, terms of payment, time to pay), **plazos, a** (BSNSS by instalments, hire purchase), **plazos y condiciones** (BSNSS terms and conditions)].

plebiscito *n*: CONST plebiscite.

pleitesía *n*: GEN allegiance, homage; S. *rendir pleitesía.*

pleitear *v*: PROC litigate, go to law; S. *recurrir a los tribunales, litigar*. [Exp: **pleitista** *col* (PROC vexatious litigant, barrator), **pleito** (PROC action, proceedings, case, suit, lawsuit, litigation; S. *litigio, proceso civil, conocer de un pleito, desistir de un pleito, entablar un pleito, ganar un pleito, perder un pleito, personarse en un pleito, poner un pleito a alguien, promover un pleito, sobreseer un pleito*), **pleito posesorio** (PROC possessory action, possessory action)].

plenario *a/n*: GEN plenary; plenary/full session or meeting; [criminal] trial, trial proper; S. *juicio plenario, sesión plenaria, asamblea plenaria, pleno.*

plenipotenciario *a/n*: CONST plenipotentiary.

pleno[1] *a/n*: GEN full, complete, absolute, unlimited; S. *perfecto, firme, absoluto*. [Exp: **pleno**[2] (GEN plenary meeting or session, full assembly, plenum; committee of the whole House; S. *comisión, reunión/sesión plenaria*), **plena competencia** (PROC/CIVIL full jurisdiction), **pleno dominio** (CIVIL absolute property/estate, legal ownership, fee simple; S. *propiedad absoluta; tener en pleno dominio; dominio; dominical*), **plena vigencia, en** (GEN in full force), **pleno, ante el** (PROC before the court, in open court, at bar), **pleno derecho, de** GEN (with full rights, with unrestricted title, full, fully entitled ◊ *Es miembro de pleno derecho de la asociación*; S. *dueño de pleno derecho*), **pleno de la comisión** (GEN full assembly/meeting/session of the committee), **pleno del tribunal** (PROC full session, full court, full bench; S. *sesión plenaria*), **pleno empleo** (EMPLOY full employment), **pleno uso de mis facultades mentales, en** (GEN being of sound mind, being in possession/command of my faculties; S. *salud mental, cuerdo*), **plenos poderes** (GEN full powers), **plenos poderes, con** (GEN fully empowered)].

plica *n*: CIVIL sealed envelope containing a reserved document; sealed bid; escrow; this kind of document is commonly held by a third party, e.g a solicitor or notary public *–notario–* or a bank, until a given date or the happening of a specific circumstance; it is common practice to use this system for safeguarding sealed bids in a competitive tender *–licitación–*.

pliego *n*: GEN sheet of paper, file of papers, folder; bill, document; pleadings; condescendence *Scots*. [Exp: **pliego de cargos** (CRIM indictment, list of charges, charge sheet), **pliego de condiciones** (CIVIL specifications, schedule of conditions, bidding conditions, articles and conditions, list of conditions; S. *bases de licitación*), **pliego de defensa** (CRIM pleadings of the defence, plea, statement of defence; S. *declaración de la defensa*), **pliego de descargo** (CRIM defence plea or allegation, written reply to charges, defence submissions), **pliego de excepciones** (CIVIL bill of exceptions), **pliego de licitación o de propuestas** (CIVIL bidding form), **pliego de posiciones** (CIVIL question sheet, interrogatories; S. *posiciones, absolución de posiciones*)].

pluriempleo *n*: EMPLOY [fact of] having more than one job, moonlighting *col*. [Exp: **pluriempleado** (EMPLOY person having more than one job, moonlighter *col*)].

plus *n*: GEN/EMPLOY bonus, extra pay, perquisite, perk *col*; S. *emolumento*. [Exp: **plus por peligrosidad o trabajo peligroso** (EMPLOY danger money), **plusvalía** (BSNSS/ADMIN/CIVIL capital gain, added value; S. *apreciación; arbitrio de plusvalía, ganancias de capital*)].

p/o *n*: GEN S. *por orden de*.

población *n*: GEN population. [Exp: **población civil** (GEN civilian population), **población reclusa** (CRIM prison population, total number of inmates in the country's prisons)].

pobre *a/n*: GEN poor, poverty-stricken, needy, destitute, pauper; [plur.] the poor ◊ *Los pobres y necesitados tienen derecho a asistencia letrada gratuita*; S. *pobre, indigente*. [Exp: **pobreza** (GEN poverty, indigence; S. *indigencia; incidente de pobreza*)].

poder *n*:GEN/PROC power, authority, empowerment, authorisation; power of attorney, letter of delegation, procuration, notarial warrant/letter, proxy; efficacy; S. *fuerza, autoridad, mando, potestad, autorización, plenos poderes; apoderar, desapoderar; abusar de sus poderes*. [Exp: **poder adquisitivo** (GEN purchasing power), **poder de representación** (CIVIL power of attorney; S. *mandato de procuraduría, poder notarial*), **poder discrecional** (PROC/ADMIN discretion, discretionary power), **poder de disposición** (CIVIL power of alienation), **poder ejecutivo** (CONST the executive, executive branch of the government), **poder, el** (GEN power), **poder, en el** (GEN in power, ruling, governing; S. *gobernante*), **poder establecido** (CONST established institutions, establishment), **poder judicial** (CONST the judiciary; S. *Consejo General del Poder Judicial*), **poder legislativo** (CONST legislative branch/power), **poder notarial** (CIVIL power of attorney), **poder para otorgar testamento** (SUC capacity to make a will), **poder, por** (GEN/CIVIL/ADMIN by proxy), **poderdante** (CIVIL principal, donor, person who empowers another to act on his/her behalf, grantor of power; S. *cedente, mandante, principal, comitente, apoderado*), **poderes públicos** (CONST/ADMIN public authorities ◊ *Los poderes públicos tutelan los intereses generales*; S. *entidad, organismo, institución, autoridad*), **poderhabiente** (CIVIL person empowered to act for another; legal representative, agent; attorney, proxy, proxyholder)].

policía *n*: CRIM police, police force; policeman, policewoman, constable, detective constable, DC; S. *guardia, perro policía, redada policial, cordón policial, ronda policial, efectivos policiales*. [Exp: **policía antidisturbios** (CRIM riot police), **policía de barrio** (CRIM local police on the beat; police appointed to keep peace in a local area, precinct police), **policía de investigación criminal** (CRIM criminal investigation department; detective division, crime squad), **policía de paisano** (CRIM detective, plain-clothes police/security/personnel/policemen), **policía de tráfico o tránsito** (ADMIN traffic police, highway police, highway patrol *US*; also an officer of this force, traffic officer, highway patrol officer *US*), **policía judicial** (PROC criminal investigation department, police officers and detectives acting directly under the orders of the courts or the prosecutor; this is not,in fact, a special branch of any police force, since the courts have an inherent power to call the police to their aid at need), **policía local** (ADMIN local police; the local police forece in small twons and city districts, who are under the control of the town council or coproration *–ayuntamiento–*; also, an officer of this force), **policía montada** (GEN mounted police), **policía municipal** (ADMIN local police; local policeman/policewoman), **policía nacional** (CRIM state police; the national police forec, who are under the control of the Ministry of the Interior *–ministerio del Interior–*; also an officer of this force; S. *Guardia Civil; Director General de la Seguridad del Estado*), **policía secreta** (GEN secret police), **policial** (CRIM police, of or pertaining to the police; S. *escolta policial, redada policial, parte policial operación policial*)].

policitación *n*: CIVIL pollicitation; a document conveying a promise; promise or offer that has not yet been formally accepted, offer not yet accepted.

poligamia *n*: CIVIL/CRIM polygamy. [Exp: **polígamo** (CIVIL/CRIM polygamous; polygamist)].

política *n*: GEN policy; politics; S. *programa*. [Exp: **política aduanera o arancelaria** (ADMIN tariff policy), **política de bienestar** (ADMIN welfare policy), **política exterior** (GEN foreign policy), **política impositiva** (TAX tax policy), **político** (GEN political; politician; S. *parentesco político, partido político*)].

póliza *n*: GEN/BSNSS policy, contract, warrant; permit, scrip, ticket, voucher, receipt; S. *certificado, contrato, documento*. [Exp: **póliza de fletamento** (BSNSS charter party, freight policy/contract), **póliza de fletamento limpia** (BSNSS clean charter), **póliza de seguro** (INSUR insurance policy)].

ponderación *n*: GEN weighing [up]. appraisal, assessment, consideration, wighting; S. *cálculo, estimación, tasación, valoración*. [Exp: **ponderar** (GEN evaluate, weigh [up], consider, ponder, assess, examine; S. *evaluar, valorar, estimar, juzgar*), **ponderar pruebas** (PROC weigh up/sift/evaluate/assess the evidence)].

ponencia *n*: GEN discussion document; report, paper; written account; delivery of the opinion of a bench of judges; leading opinion; S. *fase de ponencia*. [Exp: **ponente** (GEN rapporteur, referee, speaker; person presenting a report, paper or opinion; judge responsible for drafting the leading opinion for the consideration of his fellow judges), **ponente de la mayoría** (PROC responsible for drafting the opinion approved by the mayority; S. *voto particular*)].

poner *v*: GEN lay, put, place; S. *colocar*. [Exp: **poner a alguien en evidencia** (GEN show somebody up; S. *poner en evidencia*), **poner a disposición de** (GEN make available to ◊ *Puso a disposición del juez todas las grabaciones que tenía*), **poner a prueba** (GEN put to the test, test the strength/mettle of), **poner al descubierto** (GEN expose; S. *revelar, poner de manifiesto, dar publicidad, denunciar*), **poner al día** (GEN bring up to date, update; S. *puesto al día*), **poner bombas** (CRIM plant bombs ◊ *Hay comandos terroristas que asesinan y ponen bombas*), **poner cerco** (CRIM surround, close in on, tighten the net on, corner ◊ *La policía pone cerco a dos huidos tras un intenso tiroteo*; S. *eludir el cerco policial*), **poner coto a** (GEN put an end, stop or limit to something, bring/get under control ◊ *La policía ha puesto coto a muchos desmanes nocturnos*; S. *frenar, contener*), **poner de manifiesto** (GEN reveal ◊ *La investigación ha puesto de manifiesto que el delincuente mintió sobre su nacionalidad*; S. *revelar*), **poner el cargo a disposición**

del superior (CONST/GEN tender one's resignation, offer to resign; S. *dimitir*), **poner el matasellos** (GEN postmark), **poner el sello** (GEN affix the seal; S. *adherir el sello*), **poner el veto** (GEN veto; S. *vetar*), **poner en circulación** (GEN issue, put into circulation, utter, float; S. *emitir*), **poner en conocimiento del interesado** (GEN inform/notify/give notice to the interested party ◊ *En la notificación de la demanda se pone en conocimiento del interesado la demanda que contra él se ha interpuesto*; S. *notificar*), **poner en duda** (GEN question, doubt, challenge ◊ *Nadie ha puesto en duda su buena fe*; S. *dudar, cuestionar, poner en entredicho*), **poner en ejecución** (GEN put into execution, carry into effect, effect; S. *efectuar, realizar, llevar a cabo*), **poner en entredicho** (GEN challenge, call in question, look askance at ◊ *La corrupción ha puesto en entredicho el principio de autoridad dentro de la policía*; S. *cuestionar*), **poner en evidencia** (GEN demonstrate, show, be proof of, provide evidence of; S. *evidenciar, poner a alguien en evidencia*), **poner en la balanza los pros y los contras** (GEN weigh the pros and cons), **poner en libertad** (CRIM free, set free/at liberty, discharge; S. *excarcelar, decretar la libertad del detenido*), **poner en libertad bajo fianza** (CRIM/PROC bail, release on bail, admit to bail, grant bail; S. *caucionar*), **poner en libertad sin cargos** (CRIM/PROC release without charge), **poner en marcha** (GEN start, set on foot, bring into operation), **poner en orden** (GEN order, clear up; S. *ordenar, desembrollar*), **poner en peligro** (GEN endanger), **poner en tela de juicio** (GEN question, challenge; S. *poner en entredicho*), **poner en venta** (GEN put up for sale; S. *sacar a la venta*), **poner en vía de ejecución** (deal with, see that something goes through the proper channels), **poner en vigor** (GEN apply, put into effect/operation, enforce; S. *aplicar, ejecutar*), **poner fin/término a** (PROC bring to an end, put an end to, conclude, terminate ◊ *La reconciliación de los cónyuges pone fin a la separación matrimonial*), **poner fin al procedimiento** (GEN dispose of the case, bring proceedings to an end ◊ *Tras dictar sentencia, el juez pone fin al procedimiento*), **poner pegas** *col* (GEN make difficulties, be fussy, make a fuss *col*, raise objections; S. *poner trabas*), **poner por escrito** (GEN set down, put in writing; S. *hacer constar*), **poner sobre el tapete** (GEN table; S. *someter a aprobación*), **poner por testigo** (PROC call to witness), **poner trabas** (GEN obstruct; S. *poner pegas, obstaculizar, bloquear*), **poner un pleito a alguien** (PROC bring an action against sb, start proceedings against sb, sue sb; S. *entablar un pleito*), **ponerse de acuerdo** (GEN agree, reach agreement; S. *acceder, consentir*), **ponerse en contacto** (GEN contact), **ponerse en huelga** (EMPLOY strike, go on strike, come out on strike; S. *ir a la huelga*)].

porción *n*: GEN part, portion, share, lot, allotment; S. *parte, cuota, sección*.

pornografía *n*: GEN/CRIM pornography, obscenity, obscene material; S. *obscenidad*. [Exp: **pornográfico** (GEN/CRIM pornographic, obscene; S. *indecente, impúdico, libidinoso*)].

porra *n*: GEN club, stick, truncheon, baton ◊ *Varios manifestantes resultaron heridos por las porras de los policías*; S. *cuchillo, navaja, objeto contundente*. [Exp: **porro** *col* (GEN [of hash] joint *col*, spliff *col*; S. *canuto, papelina, petardo, pastilla; línea; chutarse, picarse, engancharse*)].

portador *n*: GEN bearer, holder; S. *tenedor, titular*. [Exp: **portador, al** (BSNSS payable to the bearer), **portador de una letra** (BSNSS payee of a bill; S. *tomador*), **portar** (GEN carry, transport, bear, bring ◊ *Es* *legal portar armas en los Estados Unidos*; S. *porte, portear*].

portavoz *n*: GEN spokesman/spokeswoman/spokesperson. [Exp: **portavoz del jurado** (PROC foreman/forewoman of a jury)].

porte[1] *n*: GEN/BSNSS carriage, conveyance; carriage/haulage charges; S. *transporte*. [Exp: **porte**[2] (GEN bearing, demeanour, air ◊ *Nadie podía sospechar que un joven de porte tan distinguido fuera el asesino de la anciana*; S. *aspecto*), **portes debidos** (BSNSS freight forward, freight collect *US*), **portes pagados** (BSNSS freight prepaid), **porteador** (BSNSS carrier; S. *transportista*)].

posdata *n*: GEN postscript. [Exp: **posdatar** (GEN postdate)].

poseedor *n*: GEN/CIVIL possessor, holder, occupier, tenant; S. *titular, portador, tenedor*. [Exp: **poseedor de buena/mala fe** (CIVIL possessor in good/bad faith), **poseedor de acciones** (BSNSS shareholder, stockholder), **poseedor de obligaciones** (BSNSS bondholder), **poseer** (GEN possess, hold, occuoy; loosely] own; S. *tener, gozar*), **poseer de acuerdo con la ley** (CIVIL be the legal owner of/hold as of right), **posesión** (CIVIL possession, holding, tenure, seisin; chose, belonging, property, thing possessed; S. *tenencia, goce, disfrute, propiedad, toma de posesión*), **posesión a título precario** (CIVIL precarious tenure, tenure by sufferance; S. *posesión por tolerancia*), **posesión conjunta** (CIVIL joint ownership), **posesión de bienes raíces** (CIVIL ownership of an estate), **posesión en común** (CIVIL joint possession), **posesión en precario** (CIVIL possession at sufferance, precarious possession), **posesión exclusiva** (CIVIL exclusive possession), **posesión legal o de jure** (CIVIL legal possession, possession in law), **posesión ilegítima** (CIVIL unlawful possession; S. *tenencia ilícita*), **posesión de buena/mala fe** (CIVIL bona/mala fide possession), **posesión por tolerancia** (CIVIL estate by sufferance, tenancy/tenure by sufferance), **posesión precaria** (CIVIL precarious possession), **posesión sobreentendida** (CIVIL constructive possession), **posesión viciosa** (CIVIL possession without proper title), **posesiones** (GEN possessions, property, wealth), **posesionarse** (CIVIL appropriate, make over to one's use, take/seize possession of), **posesorio** (GEN possessory; S. *juicio posesorio*)].

posición *n*: GEN position, status, standing; opinion, point of view; S. *consideración, reputación categoría, rango, estado; opinión, postura*. [Exp: **posición defendida** (GEN contention, theory of the case, position, pleading), **posición dominante** (CIVIL dominant position; S. *abuso de posición dominante*), **posiciones** (CIVIL pleadings; submissions, representations Bin Spanish law these take the form of a series of written questions formulated by each side to the other, together with the latter's written answers, which are drawn up in a single document called the *pliego de posiciones*; this is close to the Scots law system of «open record» and «closed record»; the final form of the pleadings, by which issue is joined, is called the *absolución de posiciones*, for which Scots law provides «adjusted record»; the term «close of pleadings» seems a satisfactory English equivalent, or, as an alternative, «joinder of issue» itself; S. *pliego de posiciones, absolución de posiciones; fijar posiciones*)].

positivo *a/n*: GEN positive; positive result [of blood test, etc.]; S. *dar positivo; saldo positivo*.

posponer *v*: GEN postpone, put off; S. *aplazar*.

postergar *v*: GEN postpone; pass over, especially in favour of a junior; S. *dejar en suspenso, posponer, aplazar*.

postulación *n*: PROC legal representation; S. *procurador*.

póstumo *a*: GEN posthumous; S. *hijo póstumo*.

potestad *n*: GEN authority, jurisdiction, discretionary powers; S. *poder, autoridad, patria potestad*. [Exp: **potestad discrecional, judicial o administrativa** (GEN discretion, discretionary power; S. *facultad decisoria de los jueces o de la administración*), **potestad reglamentaria** (CONST power of making regulations, rule-making power), **potestativo** (GEN discretionary, optional, facultative; S. *facultativo, arbitral, moderador, discrecional, prudencial*)].

p/p, por poder *phr*: by authority, by proxy/deputy, per procurationem, per pro./p.p.

práctica[1] *n*: GEN practice, exercise, performance; experience. [Exp: **práctica**[2] (GEN custom, usage, practice; S. *uso, tradición*), **práctica abusiva** (CRIM malpractice; S. abuso de posición dominante), **práctica anticipada de la prueba** (PROC leading of evidence on a preliminary issue, trial of a preliminary issue), **práctica de la prueba** (PROC adducing/leading of evidence, examination/sifting of evidence, trial of an issue ◊ *La práctica de la prueba es una parte básica de la fase del juicio oral*; S. *proposición de la prueba, aceptar como prueba*), **práctica desleal** (BSNSS unfair competition), **prácticas abusivas** (CRIM abuse; S. *abuso de posición dominante, explotación abusiva*), **prácticas comerciales** (BSNSS trading practices, trade usage; S. *usos comerciales*), **prácticas comerciales restrictivas** (BSNSS restrictive practices, collusive tendering), **prácticas delictivas** (CRIM criminal conduct; corrupt practices; S. *corruptela*)].

practicable *a*: GEN practicable, viable, feasible, workable; S. *viable, hacedero*. [Exp: **practicar** (GEN practise; accomplish, carry out, perform; exercise; S. *realizar, efectuar, desempeñar, ejecutar*), **practicar diligencias** (PROC carry out/take procedural steps, conduct enquiries/investigations, instigate investigative proceedings, put investigative/police enquiries in train; S. *diligencia*), **practicar la autopsia** (CRIM/GEN perform/hold conduct a post-mortem; S. *Instituto Anatómico Forense*), **practicar un aborto** (GEN carry out an abortion), **practicar una prueba** (PROC hear/sift/examine evidence, submit evidence, hold a trial on the issue, try an issue, hear or elicit evidence from witnesses ◊ *Cada parte deberá proponer al juez las pruebas que deban practicarse en apoyo de su pretensión*), **práctico**[1] (GEN practical, effective; S. *efectivo, eficaz, operativo*), **práctico**[2] (BSNSS [nautical] pilot), **práctico de puerto** (BSNSS dock pilot)].

preámbulo *n*: GEN preamble; recitals ◊ *La Constitución española consta de un preámbulo seguido de diez títulos*.

preaviso *n*: EMPLOY/GEN notice, advance notice, [fore]warning. [Exp: **preaviso, con** (GEN subject to notice; S. *depósito con preaviso*)].

prebenda *col n*: GEN sinecure, easy number *col*, soft job *col*, cushy number *slang*.

precario *a*: GEN precarious. [Exp: **precariedad en el empleo** (EMPLOY threat of unemployment, lack of job security), **precario, en** (GEN/CIVIL by/on/at sufferance, without security of tenure; in a precarious position; up in the air *col*; S. *posesión en precario*)].

precaución *n*: GEN/PROC precaution, caution, cautioness; diligence, duty of care; S. *extremar las precauciones; diligencia razonable*. [Exp: **precaución debida, sin la** (CIVIL without due care and attention), **precautorio** (GEN preventive, precautionary, interim, interlocutory; S. *cautelar*)].

precedencia *n*: GEN precedence, priority, preference; S. *prioridad*. [Exp: **precedente**[1] (GEN previous, preceding; aforegoing, foregoing; S. *antecedente, anterior*), **precedente**[2] (PROC precedent, previously decided case, authority ◊ *En el sistema jurídico español el precedente carece de fuerza vinculante*; S. *sentar precedente; jurisprudencia, doctrina*), **preceder** (GEN precede, go before, be prior to, be preferred to)].

precepto *n*: CONST/GEN rule, principle, doctrine, order, dictate, precept, provision ◊ *El Derecho es el conjunto de principios, preceptos y reglas a que están sometidas las relaciones humanas*; S. *principio, regla, ley, derecho, norma*. [Exp: **preceptivo** (GEN mandatory, binding; S. *forzoso, mandatorio, obligatorio*), **precepto constitucional** (CONST constitutional provision), **precepto legal** (GEN legal doctrine or principle, rule of law), **preceptuar** (GEN lay down, provide, set out, establish; S. *disponer*)].

precinto *n*: GEN seal, tape. [Exp: **precintar** (GEN seal, seal off; place out of bounds [e.g. a condemned building; condemned building, premises under investigation]; impound ◊ *Por orden judicial la sede de la empresa fue precintada*; S. *acordonar*), **precinto de aduanas** (BSNSS customs seal)].

precio *n*: GEN/CRIM price, cost, charge, rate, financial reward, payoff *col*, payout *col*; S. *tasa, tarifa, flete; homicidio por precio*. [Exp: **precio de salida de una subasta** (ADMIN reserve price, put-up price), **precio de venta** (BSNSS selling price), **precio global** (BSNSS all-in price, total cost; S. *tanto alzado*), **precio justo** (BSNSS fair price; S. *justiprecio*), **precio mínimo en subasta a la baja** (ADMIN stop-out price)].

precisión *n*: GEN precision, accuracy, exactness; specification. [Exp: **precisar**[1] (GEN specify, detail; S. *matizar, aclarar, esclarecer*), **precisar**[2] (GEN need ◊ *Los ayuntamientos precisan muchos recursos para llevar a cabo sus planes urbanísticos*; S. *requerir, necesitar; carecer*), **preciso**[1] (GEN precise, accurate, exact; S. *exacto*), **preciso**[2] (GEN necessary, reuired, needed, needful; S. *necesario*)].

preclusión *n*: PROC bar, prevention, hindrance; barring, preventing; foreclosure; final deadline, closing date; rule that each stage of proceedings has a fixed and final deadline which cannot be extended *–es improrrogable–* and beyond which no further applications, motions, submissions and so on are admissible; decisions and orders based on each completed stage are therefore irrevocable; S. *plazo, término*. [Exp: **preclusivo** (PROC final [deadline], closing [date]; admitting no extension ◊ *Cada fase de un proceso se entiende preclusiva*; S. *improrrogable, preclusión, plazo preclusivo*)].

precontrato *n*: BSNSS letter of intent, precontract, binding agreeement for a future contract; S. *promesa de contrato*. [Exp: **precontrato inmobiliario** (CIVIL pre-contractual agreement to buy or sell property; S. *escritura de compraventa*)].

predial *a*: GEN predial, landed, pertaining to a rural estate or property. [Exp: **predio** (CIVIL rural real estate, tenement, landed property, property, manor, farm; country estate; farmhouse S. *fundo, propiedad*[2]*; finca, hacienda, propiedad rústica, heredad*), **predio o fundo dominante** (CIVIL dominant tenement ◊ *El fundo dominante recibe el beneficio de la carga que soporta el fundo sirviente*), **predio enclavado** (CIVIL landlocked estate), **predio/fundo sirviente** (CIVIL servient tenement ◊ *La servidumbre es la carga sobre el predio o fundo sirviente*)].

predisponer *v*: GEN predispose, bias, prejudice; S. *sesgar, inclinar*. [Exp: **predis-**

posición GEN (GEN predisposition, bias, prejudice, partiality; S. *parcialidad, prejuicio, propensión*)].

predominante *a*: GEN predominant, prevailing; prevalent; S. *extendido, imperante, reinante, preponderante, dominante*. [Exp: **predominar** (GEN predominate, prevail; S. *prevalecer, tener prioridad*), **predominio** (GEN predominance, prevalence; S. *poder*)].

pregón *n*: GEN publication, announcement, street cry, hawker's cry. [Exp: **pregonar** (GEN announce, proclaim, disclose, boast, spread [around/about], vaunt, extol, praise publicly, cry, hawk), **pregonero** (GEN announcer, town crier)].

pregunta *n*: GEN question; S. *repregunta*. [Exp: **pregunta legítima** (GEN fair question), **pregunta tendenciosa, capciosa o insidiosa** (GEN leading question, catch question), **preguntar** (GEN ask/enquie questions)].

prejubilación *n:* EMPLOY early retirement; distinguished from *jubilación anticipada* because it is the employer who imposes early retirement on the employee, or induces him to accept it; S. *compensación, jubilación, pensión*. [Exp: **prejubilado** (EMPLOY employee who has taken/accepted/been forced into early retirement), **prejubilar** (EMPLOY retire early, force into early retirement)].

prejudicial *a*: PROC pre-trial, preliminary; that must be decided before trial of the main action or the criminal proceedings; care should be taken to distinguish this term from its near neighbour *perjudicial*, which means «prejudicial»; under Spanish criminal law, cases turning on disputed issues of civil or administrative law follow the principle that the civil issues must be decided first since the nature of any criminal charges will depend on the outcome; such preliminary issue may be *devolutivos/excluyentes* – i.e. they fall to be decided by the competent civil court to which they are referred –or *no devolutivos*–, i.e. they fall to be determined by the criminal court itself under the doctrine of *incidentes de previo pronunciamiento* or «issues to be decided beforehand», preliminary issues, issues of an interlocutory nature; S. *actos prejudiciales, cuestión prejudicial, plantear una cuestión prejudicial, pronunciarse con carácter prejuidicial o sobre una cuestión preliminar; incidente*. [Exp: **prejudicialidad** (EURO S. *cuestión de prejudicialidad*), **prejuicio** (GEN prejudice, bias, prejudgment, forejudgment; S. *intolerancia, racismo, discriminación*), **prejuicio, con** (GEN prejudiced; S. *parcial*), **prejuzgar** (GEN prejudge, prejudice; determine beforehand, decide first)].

prelación *n*: GEN preference, priority; marshalling, order of priority. [Exp: **prelación de créditos** (GEN/BSNSS marshalling of credits, order of priority of creditors insolvency proceedings, priority of debts), **prelación de bienes en el embargo** (CIVIL order of priority of attachment; first against one item belonging to the debtor, then another, and so on, until the debt is satisfied)].

premeditación *n*: CRIM premeditation; as in English, the sense of this term in Spanish law is confined to criminal conduct which has been coldly carried out in accordance with a deliberate and preconceived charge of fraud *–estafa–*, for instance, but is not an essential finding for a verdict of murder *–asesinato–* as under either Spanish or English law; this is because both systems recognise a distinction between a deliberate or conscious act done on the spot or on the spur of the moment, and one carefully thought out or planned in advance; it is therefore a distinct form of *mens rea –dolo–* and should not be confused with *alevosía*, or malice aforethought; however, in both systems of law it would make an unlawful killing *–homicidio–* murder, under Spanish law because it acts as an *agravante* –aggravating factor or circumstance– and under English law because it satisfies the requirement of a deliberate intention to kill; S. *asesinato, alevosía, ensañamiento, precio, recompensa, homicidio.* [Exp: **premeditación, con** (CRIM premeditated; S. *deliberadamente*), **premeditación, sin** (GEN unpremeditated, involuntary, undesigned; S. *involuntariamente*), **premeditadamente** (CRIM with premeditation), **premeditado** (CRIM premeditated, deliberate, planned; S. *voluntario, intencional*), **premeditar** (GEN premeditate)].

premiar *v*: GEN reward; award a prize. [Exp: **premio** (GEN prize; remuneration, reward; S. *retribución, remuneración, recompensa, gratificación*)].

premoriencia *n*: CIVIL predecease, act of predeceasing; S. *conmoriencia.* [Exp: **premorir** (CIVIL predecease)].

prenda *n*: CIVIL pledge, token, pawn, security, deposit, surety, gage, collateral; S. *acción prendaria, dejar en prenda; garantía prendaria, caución, seguridad colateral, pagaré con garantía prendaria.* [Exp: **prendador** (CIVIL pledger), **prendar** (CIVIL pledge, pawn), **prendario** (CIVIL of/relating to/of the nature of a pledge/guarantee/security)].

prender *v*: GEN capture, detain, apprehend, catch; S. *detener, apresar, capturar.* [Exp: **prender fuego** (GEN set fire to, set on fire; S. *incendiar*)].

preponderancia *n*: GEN weight, preponderance, balance. [Exp: **preponderancia de la prueba** (PROC weight of evidence; *approx* balance of probabilities), **preponderancia de la prueba, contra la** (PROC against the weight of the evidence, balance of probabilities), **preponderancia evidente** (PROC clear/reasonable balance of the evidence), **preponderante** (GEN prevailing, preponderating; S. *dominante, predominante, generalizado, imperante, reinante, corriente, extendido*)].

prerrogativa *n*: GEN prerogative, privilege; S. *privilegio, fuero, inmunidad.*

prescribir[1] *v*: GEN prescribe, lay down, order, direct, enjoin, determine, dispose, specify ◊ *La ley prescribe las condiciones en las que los pactos tienen validez*; S. *disponer, establecer, mandar.* [Exp: **prescribir**[2] (CIVIL/CRIM/PROC be extinguished by prescription, be/become statute-barred, be barred by the statute of limitations ◊ *Según el Derecho español, el asesinato prescribe a los veinte años*; S. *caducar, extinguir*), **prescripción**[1] (GEN prescription, order, direction, instruction, precept, command ◊ *Las prescripciones de este artículo serán de aplicación al siguiente*; S. *disposición, orden, mandato*), **prescripción**[2] (GEN prescription; acquisition or extinguishment [of a right] by lapse of time; the [lapse of the] period of time beyond which a real right, a right of action, or a crime is no longer valid or enforceable, or after which a new enforceable right accrues ◊ *En la ley inglesa no hay prescripción alguna para el delito de homicidio*; S. *caducidad, extinción, interrupción de la prescripción, plazo de prescripción*), **prescripción adquisitiva** (CIVIL acquisitive prescription, acquisition by lapse of time; adverse possession, squatter's title; the process of acquiring title to real property or some other real right by reason of uninterrupted possession during a period specified by law), **prescripción extintiva** (CIVIL negative prescription, laches, non-use; the opposite of acquisitive prescription, i.e. the loss or extinction of a real right by failure of the owner to exercise it during a period of time fixed by law), **prescripción del delito** (CRIM/PROC lapsing of the offence by operation of the statute of limitations, lapse of the period during which prosecution may be brought; lapsing of the offence or stay of criminal proceedings for want of prosecution), **prescripción de la pena** (CRIM/PROC lapsing of sentence [by failure of the prosecution to move for execution within the prescribed time limit]), **prescripción fiscal** (TAX lapsing of tax liability; under Spanish law liability for unpaid tax lapses after six years unless a fresh demand for payment is made within this period by the tax authorities; S. *declaración paralela, fraude fiscal, IRPF*), **prescripción positiva** (CIVIL S. *prescripción adquisitiva*), **prescriptible** (CIVIL/CRIM lapsable, prescriptible; S. *caducable*) **prescrito** (CIVIL/CRIM lapsed, out of time, time-barred, statute-barred, barred by the statute of limitations; S. *caducar, caducidad*)].

presencia *n*: GEN presence, attendance, appearance; S. *comparecencia, acta de presencia, acto de presencia, asistencia.* [Exp: **presencia de testigos** (PROC presence or attendance of witnesses), **presencia del juez, a** (PROC in the judge's presence, before the court, in open court; one of the basic principles of a fair trial or hearing is that, berring exceptional circumstances, all witness testimony and oral applications must be given or made in open court with the judge physically present; S. *oralidad, contradictoriamente, publicidad*), **presenciar** (GEN be present at, witness ◊ *Presenció la violación de la niña*)].

presentación *n*: GEN/PROC presentation, production, filing, submission. [Exp: **presentación, a la/su** (GEN on presentation, on production), **presentación de las pruebas** (PROC production of evidence), **presentación de una demanda** (PROC bringing of proceedings, lodging of a statement of claim, filing of a claim or suit), **presentar** (GEN bring, submit, file, enter, produce, lodge, announce, present, put forward, tender, put in; S. *proponer, solicitar, formular*), **presentar a debate** (GEN submit for discussion), **presentar a la firma** (GEN present for signature), **presentar al cobro/pago** (BSNSS present for collection/payment), **presentar cargos** (CRIM bring or prefer charges; S. *acusar*), **presentar como prueba** (PROC offer in evidence, introduce in evidence), **presentar la declaración de la renta** (TAX file/make an income tax return), **presentar la dimisión** (ADMIN/BSNSS tender one's resignation), **presentar pruebas** (PROC call/adduce/lead/produce/furnish evidence; S. *aducir, aportar, deducir, rendir*), **presentar un recurso** (GEN lodge/bring/file an appeal), **presentar una coartada** (CRIM produce an alibi), **presentar una demanda** (CIVIL put in/file a claim, serve proceedings, bring an action/case/proceedings/a suit ◊ *Ha presentado una demanda contra su antigua empresa*), **presentar una demanda de divorcio** (FAM file for divorce), **presentar una denuncia en un juzgado** (CRIM lay an information before a magistrate, bring/make a formal complaint, report an [alleged] offence; S. *denunciar*), **presentar una instancia/solicitud** (GEN apply, make/file an application), **presentar una moción de censura** (CONST table a motion of censure), **presentar una propuesta de reforma o rectificación** (ADMIN/CONST move an amendment; S. *proponer una enmienda*)].

presidencia *n*: GEN chairmanship, presidency; chair, chairman, chairwoman, chairperson. [Exp: **presidente** (GEN chairman, chairwoman, chairperson, president), **presidente de la empresa** (BSNSS chairman/president of the company; chief executive officer, CEO), **presidente de la Sala** (PROC presiding judge), **presidente**

del consejo (GEN chairman of the board), **presidente electo** (GEN president elect), **presidente en funciones** (GEN acting president, caretaker president/chairman), **presidente o portavoz del jurado** (PROC foreman of the jury), **presidente saliente** (GEN retiring/outgoing president), **Presidente del Tribunal Supremo** (CONST President of the Supreme Court, Chief Judge/Justice), **Presidente de la Cámara** (CONST President of Congress/Senate, *approx* Speaker of the House), **presidir** (GEN chair, preside over)].

presidiario *n*: CRIM inmate, convict, prisoner; S. *recluso, preso, interno*. [Exp: **presidio** (CRIM jail, prison, penitentiary; imprisonment; S. *penal, penitenciaría, centro penitenciario, cárcel*), **presidio mayor** (CRIM long-term imprisonment), **presidio menor** (CRIM short-term imprisonment)].

presión *n*: GEN pressure, duress, bite *slang*; S. *coacción, compulsión, intromisión*. [Exp: **presión fiscal** (TAX S. *carga tributaria*), **presionado** (GEN under pressure), **presionar** (GEN press, press for, put pressure on, bring pressure to bear on; S. *apremiar, instar, obligar*)].

preso *n*: CRIM inmate, convict, prisoner; S. *recluso, presidiario, interno*. [Exp: **preso común** (CRIM ordinary prisoner or inmate; by implication, distinguished from a political prisoner *–preso político–*; in Spain the habit persists, especially among journalists, of distinguishing between those imprisoned for «ordinary» crimes and those convicted of offences with a political colouring, such as terrorism; in Northern Ireland the police sometimes jocularly refer to non-political prisoners as «ODCs» or «ordinary decent criminals»; though strictly speaking no such distinction is officially made, the prison régime –housing, visits and so on– is often different in fact depending on the category to which inmates belong; S. *juez de vigilancia penitenciaria, régimen carcelario*; S. *delincuente común*), **preso de conciencia** (CRIM prisoner of conscience), **preso político** (CRIM political prisoner), **preso preventivo** (CRIM remand prisoner, prisoner in preventive detention, prisoner awaiting trial; S. *preventivo*)].

prestación *n*: GEN/CIVIL benefit, aid, assistance; facility; service; consideration ◊ *Todo contrato depende de la existencia de una prestación y de una contraprestación*; the example illustrates the mutual nature of consideration in contract law; S. *acuerdo, contrato, causa contractual, pacto, asistencia, servicio, auxilio, subsidio, indemnización*. [Exp: **prestación asistencial** (ADMIN social service), **prestación de servicios** (GEN rendering of services), **prestación de juramento** (GEN swearing, taking of an oath), **prestación social** (ADMIN social security benefit, social service; S. *servicio social*), **prestación por desempleo** (EMPLOY unemployment benefit, social security benefit, welfare payment, dole *col* ◊ *El caballo de batalla de toda la discusión entre los sindicatos y la patronal fue la prestación por desempleo*; S. *subsidio de desempleo*), **prestación por hijo a su cargo** (CIVIL/EMPLOY family allowance; allowance or benefit for a dependent child), **prestación por invalidez** (EMPLOY invalidity benefit), **prestación social sustitutoria** (GEN social service in lieu of military service, conscientious objectors *–objetores de conciencia–* and others unwilling to do national service are entitled to apply to devote an equivalent period, normally of one year, to some charitable or social work instead; more radical objectors, who refuse to do either are liable to imprisonment; S. *objector de conciencia, insumiso*), **prestaciones** (EMPLOY benefits; facilities; S. *indemnización*)].

prestamista *n:* BSNSS lender, moneylender, moneybroker, pawnbroker; S. *fiador; prestatario.* [Exp: **préstamo** (BSNSS loan, advance, accommodation; S. *hipoteca, crédito*), **préstamo a la gruesa** (BSNSS bottomry, bottomry loan, loan on bottomry, respondentia), **préstamo con caución/garantía** (BSNSS secured loan; S. *pignoración*), **préstamo sin caución, quirografario o en descubierto** (BSNSS unsecured loan), **prestar** (BSNSS lend, loan; render, give, provide, furnish), **prestar apoyo para la comisión de un delito** (CRIM aid and abet in the commission of an offence; S. *encubridor, cómplice*), **prestar auxilio** (GEN render assistance), **prestar caución** (PROC give/provide/put up/furnish bail; S. *constituir fianza*), **prestar declaración** (GEN/PROC give evidence, make a statement; S. *declarar*), **prestar fianza** (PROC/CRIM go/put up/stand bail/security/surety; S. *avalar, respaldar, apoyar, sostener, endosar, salir fiador*), **prestar fianza ante el juzgado** (PROC pay into court as security; S. *pagar como consignación*), **prestar juramento** (PROC swear, take an oath; S. *protestar juramento*), **prestatario** (BSNSS borrower, debtor, pawner; S. *deudor; prestamista*)].

prestigio *a:* GEN prestige, standing ◊ *No se puede ser juez en el Reino Unido si antes no se ha sido un abogado de reconocido prestigio*; S. *reconocida competencia.*

presumir *v:* GEN presume; S. *suponer, sospechar.* [Exp: **presunción** (GEN/PROC presumption ◊ *Las presunciones pueden producir el efecto de invertir la carga de la prueba*; S. *sospecha, conjetura; suposición*), **presunción de hecho** (PROC presumption of fact, *praesuntio hominis vel facti*; presumption or inference drawn by a court at its own discretion from the facts alleged), **presunción de hecho y de derecho/*iuris et de iure*** (PROC irrebuttable/conclusive presumption, *praesumptio juris et de jure*; absolute inference established by law, against which no evidence is admissible; S. *prueba en contrario*), **presunción de ley o de solo derecho o *iuris tantum*** (PROC rebuttable presumption, *praesumptio juris*; inference or presumption drawn from given facts, conclusive unless disproved by evidence to the contrary; judicial notice, judicial cognisance/cognizance; S. *prueba en contrario*), **presunción *iuris tantum*** (PROC rebuttable presumption; presumption or inference allowed by law in the absence of evidence to the contrary; examples are the presumption of innocence of an accused person, and the legal inference in copyright and related cases that the person purporting to be the author of a book, mark or design is so unless this assertion is disproved by evidence to the contrary; S. *presunción de ley/de solo derecho*), **presunción de inocencia** (PROC presumption of innocence, benefit of the doubt ◊ *La presunción de inocencia dispensa al acusado de la carga de la prueba*), **presunción de muerte** (CIVIL presumption of death/survivorship), **presunción dudosa** (PROC disputable or debatable presumption), **presunción rebatible o refutable** (PROC rebuttable presumption), **presuntivo** (GEN presumptive, presumed), **presunto** (GEN presumed, presumptive, constructive, implied, purported, suspected, alleged; S. *implícito, sobreentendido, acto presunto*), **presunto culpable** (GEN chief suspect, the accused, culprit, person assumed to be responsbile; this is not, of course, a legal term, though it s found fairly often in newspapers reports; it completely ignores the presumption of innocence, and is therefore inaccurate and tendencious; probably what is meant is *supuesto* –supposed, alleged– rather than *presunto*), **presunto delincuente** (GEN alleged offender), **presunta**

entrega (PROC constructive delivery), **presuntamente** (GEN purportedly, allegedly, supposedly), **presunto heredero** (SUC heir apparent/presumptive)].

presuponer *v*: GEN presuppose, presume, imply; S. *implicar*. [Exp: **presuposición** (GEN presupposition; S. *sospecha*), **presupuesto**[1] (ADMIN/BSNSS budget; presupposition), **presupuesto**[2] (GEN presupposed, estimated; presupposition, supposition), **presupuestario** (ADMIN/BSNSS budgetary), **presupuestos procesales** (PROC prerequisites or rules of procedure)].

pretender[1] *v*: GEN intend, aim, seek ◊ *No es realista pretender convencer al jurado si no se aportan pruebas fehacientes*; S. *intentar, buscar*. [Exp: **pretender**[2] (GEN claim, allege, state; S. *aseverar, sostener, alegar*), **pretendiente** (GEN candidate; applicant, claimant, suitor; S. *derechohabiente*), **pretendiente a un trono** (CONST claimant), **pretensión** (PROC/GEN claim, cause of action, sum/award/ruling sought by the claimant ◊ *Las pretensiones de las partes se formularán ante el tribunal que sea competente*; S. *escrito de pretensiones*), **pretensión legítima** (GEN legitimate claim)]

preterición *n*: SUC preterition, pretermission, wrongful omission or passing over in a will of an heir-at-law or heir whatsoever.

preterintencionalidad *n*: CRIM preterintentionality, plea or defence that the harm done was greater than that intended.

pretexto *n*: GEN pretext, excuse, pretence, colour. [Exp: **pretexto de, so** (GEN under the pretence of, under colour of, on the pretext of, under pretext of, with the excuse that)].

prevalecer *v*: GEN prevail, succeed ◊ *En caso de disconformidad entre distintas expresiones de cantidad, prevalecerá la que conste con letras*; S. *predominar*.

prevalerse de *v*: GEN/CRIM avail oneself of; take advantage of, use one's influence ◊ *Se prevalió de su situación de superioridad jerárquica para abusar de sus subordinados*. [Exp: **prevalimiento** (CRIM undue influence, [the taking of an] unfair advantage; S. *doblegar la voluntad de alguien*)].

prevaricación *n*: CRIM corruption, graft *col*; breach of official duty, breach of trust by a public official or civil servant; wilful or negligent making of an unfair decision or issuing of an unfair judgment; the unfairness may be intentional *–dolosa–* or negligent *–culposa–*; S. *delitos contra la Administración pública, cohecho; enchufismo, tráfico de influencias*. [Exp: **prevaricar** (CRIM act corruptly in discharging public duties/office; wilfully or negligently deliver an unfair judgement or reach an unfair decision in a matter of public interest or in the discharge of public duties; unlawfully disclose information in breach of professional confidence; deliberately or negligently suppress the truth in any of these situations; only civil servants or public officials *–funcionarios–* can commit this offence, which ranges from cases of minor graft or favouritism *–enchufismo–* to serious fraud *–estafa–* or judicial corruption; the English term «prevarication», meaning everyday equivocation or minor shuffling, is therefore very far from being equivalent to the Spanish term, which always involves criminal unfairness), **prevaricador** (CRIM corrupt, deliberately unfair ◊ *El Consejo General del Poder Judicial resolvió suspender al juez prevaricador*)].

prevención *n*: GEN prevention, precaution, fair warning; S. *aviso, cautela*. [Exp: **prevenido** (GEN warned, forewarned, admonished, advised ◊ *El tribunal tramitará las impugnaciones con arreglo a lo prevenido en los artículos anteriores*), **prevenido de sus derechos** (CRIM under caution, having been advised of or cautioned regarding his/her, etc. rights), **prevenir** (GEN warn, forewarn, advise, caution, inform; S. *alertar, advertir*), **prevenir al detenido de sus derechos** (CRIM caution the suspect), **preventivo** (CRIM preventive, cautionary; remand prisoner; S. *preso preventivo, prisión preventiva, pulsera telemática, pabellón de preventivos*)].

prever *v*: GEN foresee; envisage, expect, anticipate; contemplate. [Exp: **previsión de, en** (GEN as a precaution against; in contemplation that, in anticipation of; S. *confiando en que, con la esperanza de que*), **previsión** (GEN foresight, caution; estimate; planning), **previsión social** (EMPLOY/ADMIN social security; S. *seguridad social*), **previsto** (GEN envisaged, expected; covered)].

previo *a*: GEN former, previous, prior, foregoing; S. *antiguo, anterior, antecedente, precedente*. [Exp: **previa cita** (GEN by appointment), **previa petición** (GEN on request), **previo aviso, sin** (GEN without [prior] notice), **previo acuerdo** (GEN subject to agreement), **previo contrato** (BSNSS subject to contract), **previo informe** (GEN after receipt of a report), **previo pago** (BSNSS against payment), **previo [y especial] pronunciamiento, de** (PROC preliminary, pre-trial; that must be decided beforehand; S. *incidentes/cuestiones de previo pronunciamiento*)].

previsión social *n*: EMPLOY social welfare; S. *sociedad de previsión social*.

prima *n*: BSNSS bonus, bounty, premium; S. *prima de seguro; gratificación, bono, bonificación, sobresueldo, paga extraordinaria*. [Exp: **prima a la exportación** (BSNSS bounty on exportation), **prima de peligrosidad** (EMPLOY danger money; S. *trabajo peligroso*), **prima de productividad** (EMPLOY productivity bonus), **prima de seguro** (INSUR insurance premium; S. *actuario*)].

primario *a*: GEN primary, principal, original; S. *básico, principal, fundamental*.

primero *a*: GEN first. [Exp: **primer interrogatorio de testigo** (PROC examination-in-chief, direct examination *US*; S. *repregunta*), **primer plazo** (BSNSS deposit, down-payment; S. *entrega a cuenta, pago inicial*), **Primer Ministro** (CONST Prime Minister, PM), **primera de cambio, a la** *col* (GEN withont warning, at any time; before you know where you are, the next thing you know; from the word go), **primera vista, a** (GEN prima facie, at first sight/blush), **primera infracción** (CRIM first offence; S. *reincidente*), **primera instancia** (PROC first instance; *approx* trial court; S. *recurso*)].

primogénito *a*: FAM first-born, eldest. [Exp: **primogenitura** (FAM primogeniture)].

príncipe heredero *n*: CONST crown prince, heir to the throne.

principio *n*: GEN principle, rule, theory, tenet ◊ *El Derecho es el conjunto de principios, preceptos y reglas a que están sometidas las relaciones humanas*; S. *precepto, regla; origen, antecedentes*. [Exp: **principio acusatorio** (CRIM accusatory principle; es un principio en el que las partes dirigen el proceso penal mientras que el juez se mantiene imparcial examinando las peticiones contrapuestas de la acusación y de la defensa), **principio de adquisición procesal** (PROC principle whereby the evidence produced or the requested steps by one side may be used for its own purposes by the other), **principio de impulso procesal** (PROC S. *impulso procesal*), **principio de derecho** (GEN rule of law, legal principle or doctrine; S. *doctrina dogmática*), **principio de legalidad** (PROC principle of legality or strict observance of the law; it is invoked principally in connection with the role of the judge, who is bound strictly by the law and its rules and must apply them inflexibly whether or not he personally believes the outcome to be fair; Spanish judge appear to have fewer discretionary powers than their common-law colleagues ◊ *De acuerdo con el principio de legalidad los jueces deben aplicar la ley con la más estricta imparcialidad*; S. *indulto*), **principios fundamentales** (GEN basic principles), **principios jurídicos** (GEN legal principles), **principios tributarios** (TAX fiscal policy or principles, canons of taxation)].

prioridad *n*: GEN priority, preference, preemption; seniority; S. *derecho de prioridad*. [Exp: **prioridad de la deuda** (BSNSS priority of debt; S. *deuda privilegiada*), **prioridad por antigüedad** (EMPLOY prior right, occupational/professional seniority), **prioritario** (GEN having priority, prior, priority, top priority)].

prisión *n*: CRIM prison; custody, imprisonment, confinement, seizure; caption *obs*; S. *auto de prisión, pena privativa de libertad, pena de prisión, presidio, cárcel, penal, cadena perpetua*. [Exp: **prisión atenuada** (CRIM restriction or curtailment of freedom, any form of restriction of freedom short of outright or permanent confinement in prison; the term is very general and perhaps somewhat old-fashioned, and is now largely subsumed under *libertad condicional*, which covers parole, release on licence, conditional remission of sentence, etc.; electronic tagging would thus be a form of *prisión atenuada*, as would the duty to report regularly to a probation officer, to live in a specified area, or to spend the night in prison for the durationof the sentence; house arrest would also qualify, but in practice would never be imposed in modern Spain; S. *libertad condicional*. S. *arresto domiciliario*), **prisión de alta seguridad** (CRIM top security prison), **prisión eludible bajo fianza** (CRIM committal order/remand on bail; not so much a technical expression as a comment; what is meant is that the court, following arraignment *–comparecencia del inculpado tras el auto de procesamiento–*, has ordered the accused to be remanded in custody unless he meets the bail conditions; in other words, it is equivalent to a remand on bail *–auto de procesamiento y puesta en libertad bajo fianza–*; S. *auto de procesamiento, fianza, imputado, inculpado, procesado, procesamiento*), **prisión ilegal** (CRIM false/wrongful imprisonment), **prisión incomunicada** (CRIM solitary confinement; holding/detaining [suspects] incommunicado; suspected terrorists or members of gangs of drug-traffickers or bank robbers are often held incommunicado while the investigation *–instruction–* is being conducted in order to prevent them from passing on information to one another or concocting versions which would prejudice police and judicial enquiries; the same tactic of isolation is commonly used by the examining magistrate before a decision is made to detain suspects in custody; S. *instrucción, careo*), **prisión menor** (CRIM term of imprisonment below the minimum which is served in practice), **prisión preventiva** (CRIM custody while awaiting trial, pre-trial custody, preventive detention; S. *abono de prisión preventiva, decretar la prisión preventiva*), **prisionero** (CRIM prisoner, inmate; S. *reo*), **prisionero de guerra** (CRIM prisoner of war, POW)].

privación *n*: GEN deprivation; destitution; privation; S. *pérdida, desamparo*. [Exp: **privación de libertad** (GEN/CRIM loss of liberty, custody, imprisonment), **privación de los derechos** (CIVIL loss/forfeiting of one's [civil] rights, civil death; abridgement of rights; S. *inhabilitación perpetua*), **privación del permiso de**

conducir (ADMIN/CRIM loss/revocation of driving licence, ban from driving), **privado** (GEN private, personal, privy; S. *documento privado, público*), **privar** (GEN deprive, abridge, strip of ◊ *Nadie puede ser privado de su nacionalidad española de origen*; S. *despojar, quitar*), **privativo** (GEN exclusive, restricted, special), **privatización** (GEN privatization), **privatizar** (GEN privatise; S. *expropiación forzosa*)].

privilegiado *a*: GEN privileged, preferential, favourable, exceptional; S. *aforadado, preferente; información privilegiada, uso ventajista de información privilegiada.* [Exp: **privilegiar** (GEN privilege, grant a privilege, favour), **privilegio** (GEN prerogative, privilege, immunity, exemption, franchise; grant, patent; royal charter; concession; S. *inmunidad, exención, gracia, franquicia*), **privilegio contra la autoincriminación** (CRIM immunity from self-incrimination, right not to say or do anything that might incriminate one; fifth amendment *US*; S. *fuero, privilegio absoluto, inmunidad*), **privilegios e inmunidades** (PROC/CONST privileges and immunities)].

pro *n*: GEN pro [advantage]; S. *contra, poner en la balanza los pros y los contras*. [Exp: **pro de, en** (GEN pro, for, in favour of; S. *en apoyo de*), **proforma** (BSNSS pro-forma; S. *factura proforma*), **pro indiviso** (CIVIL *pro indiviso*, undivided [property], in common, accumulatively; S. *en común, propiedad pro indiviso*), **pro tempore** (GEN pro tem., for the time being)].

probable *a*: GEN probable, likely. [Exp: **probabilidad** (GEN probability, likelihood), **probabilidad de confusión** (BSNSS likelihood of confusion; S. *imitación fraudulenta de marca*)].

probado *a*: GEN/PROC proved, established, determined, ascertained; S. *quedar/dejar probado*. [Exp: **probanza** *frml* (PROC proof, evidence), **probanza en juicio** (PROC evidence given in court), **probanza procesal** (PROC evidence given in court), **probar** (PROC prove, establish, demonstrate, evince; try, test; S. *dejar probado, quedar probado, demostrar; prueba*), **probar con argumentos** (PROC [attempt to] prove by argument, argue, sustain/submit in argument, advance an argument to prove; S. *sostener*), **probar la existencia de un hecho** (PROC establish a fact, show sth to be true), **probar judicialmente un testamento** (PROC probate a will), **probar una coartada** (CRIM establish an alibi), **probatoria** (PROC discovery period, pleadings; period allowed for the gathering, submission and consideration of evidence; period of the trial between joinder of issue and delivery of judgement; trial proper; S. *exhibición*), **probatorio** (PROC evidential, evidentiary, probative; S. *documento probatorio, fase probatoria*)].

problema *n*: GEN problem, obstacle, barrier, let, hindrance, drawback, snag *col*; S. *estorbo, obstáculo; cargado de problemas.*

probidad *n*: GEN honesty, integrity ◊ *El fiscal en su escrito de acusación puso de relieve la falta de probidad de los dirigentes de la empresa*; S. *decencia, dignidad.* [Exp: **probo** (GEN honest, upright; S. *íntegro, intachable*)].

procedencia[1] *n*: GEN origin ◊ *La policía está investigando la procedencia de la droga*; S. *origen, causa, proceder*[2]. [Exp: **procedencia**[2] (GEN legitimacy; fairness, propriety, appropriateness, admissibility, reasonableness; S. *conveniencia; improcedencia*), **procedente**[1] (GEN coming from, arising/orginating in, native of/to ◊ *El concepto se debe a las actuales innovaciones jurídicas procedentes del derecho anglosajón*; S. *originario, oriundo, proceder*), **procedente**[2] (GEN appropriate, correct, fit, fitting ◊ *Las partes deben conocer los recursos procedentes que* *pueden interponer en el curso del proceso*; S. *improcedente; adecuado, correcto; considerar procedente*), **proceder**[1] (GEN conduct, behaviour, action, procedure ◊ *El proceder de la policía fue correcto en todo momento*; S. *comportamiento, actuación, recto proceder*), **proceder**[2] (GEN/PROC proceed, begin, go ahead; be right, be proper, be appropriate, be incumbent [on], be fitting, be wise, be lawful; in the latter senses, this verb is used impersonally in the third person singular, and it is often translatable by an English modal, such as «should» or «must»; examples as *cuando proceda* –where appropriate–, *lo que proceda* –whatever seems appropriate, as they [he, she, it, the court, etc.] sees fit what[ever] is deemed most proper/reasonable/fairest, etc.–, *procede dictar sentencia absolutoria* –there must be judgment for the defendant, the defendant is entitled to an acquittal, we/you must find the defendant not guitly–; the negative phrase *no procede* may be translated, depending on the context, as «it is/would be wrong/unfair/unlawful/inappropriate to», or «no further action is to be taken», or «this/that is wrong/unfair/unlawful/inappropriate/improper», etc. [Exp: **proceder contra alguien** (PROC proceed/bring an action against somebody)].

procedimental *a*: PROC procedural, concerning proceedings or a step in proceedings; S. *procesal*. [Exp: **procedimiento** (PROC process, procedure, method, proceeding, type of proceedings; S. *disposiciones de procedimiento; actuaciones, trámites, diligencias, actos, proceso*), **procedimiento acusatorio o contradictorio** (CRIM accusatorial/accusatory/adversary procedure; S. *contradictorio; procedimiento inquisitivo*), **procedimiento administrativo** (ADMIN administrative procedure or proceedings), **procedimiento civil/criminal** (CIVIL/CRIM civil/criminal procedure), **procedimiento contencioso-administrativo** (GEN proceedings involving action taken against, or challenging the decisions of a public body; judicial review; S. *acudir a la vía de lo contencioso-administrativo, jurisdicción de lo contencioso-administrativo, silencio administrativo*), **procedimiento de cobro coercitivo** (ADMIN debt recovery enforcement procedure, procedure for enforcement of debt collection), **procedimiento de embargo** (PROC seizure of assets, attachment proceedings), **procedimiento de oficio** (PROC steps taken by the court of its own motion, ex proprio motu/on its own initiative), **procedimiento de quiebra** (BSNSS bankruptcy proceedings, proceedings in bankruptcy; S. *juicio concursal*), **procedimiento de revisión** (PROC review procedure), **procedimiento de solución** (GEN method/means of settlement), **procedimiento de urgencia** (PROC emergency procedure), **procedimiento del juicio de exequátur** (PROC exequatur procedure; S. *juicio de exequátur, exequátur*), **procedimiento ejecutivo hipotecario** (CIVIL foreclosure, executive process), **procedimiento inquisitivo** (PROC inquisitorial procedure), **procedimiento judicial** (GEN/PROC judicial process, proceedings ordered by the court; S. *acto jurídico*), **procedimiento ordinario** (PROC ordinary procedure, standard form civil procedure or proceedings; form of civil proceedings appropriate to actions above a conventional value), **procedimiento penal abreviado** (PROC/CRIM summary criminal proceedings, fast-track criminal proceedings or trial; despite their name, such proceedings are neither particularly speedy nor notably simplified; the quickest and most straightforward criminal proceedings in Spain are those known as *juicio de faltas*, held to deal expeditiously with minor or relatively minor offences *–motoring offences, brawling, minor assault, breach of the peace, etc.*)]

procesable *a*: CRIM indictable, triable, liable to stand trial. [Exp: **procesado** (CRIM person indicted, accused, defendant, prisoner, indictee *US* ◊ *A partir del auto de procesamiento, el imputado se convierte en procesado*; S. *inculpado, acusado, encausado*), **procesal** (PROC procedural, pertaining to legal process or procedure; of/concerning proceedings or the judicial process; practice relating to judges' rules, practice directions, or rules of procedure generally, etc. ◊ *Cada etapa del proceso o cause es una fase procesal*; S. *derecho procesal*), **procesalista** (PROC lawyer specialising in rules of prcedure, an expert in or authority on adjective law; S. *administrativista, civilista, laboralista, penalista*), **procesamiento** (CRIM accusation, indictment, prosecution; arraignment; the word refers to the decision to prosecute a suspect, and to the formal arraignment proceedings, following the investigation *–instrucción–* led by the examining judge or magistrate *–juez instructor–*; once this judge has decided that there is a case to answer or enough *prima facie* evidence to go on *–indicios delictivos, indicios racionales de criminalidad–*, he brings the preliminary investigative proceedings to an end by making an order for prosecution *–auto de procesamiento–*, which includes an order for the accused to be brought before the competent court for arraignment *–puesta a disposición judicial–*; it is then up to that court to decide whether the accused should be remanded on bail *–bajo fianza–* or in prison *–auto de ingreso en prisión–*; at the arraignment a date is set for trial *–señalamiento del juicio–*; S. *auto de procesamiento, instrucción, juez instructor, señalamiento; procesar; dirigir el proceso contra*), **procesar** (CRIM indict, commit, commit for trial, arraign, prosecute, proceed against somebody, bring a charge or charges [against], prosecute, try; process ◊ *Fue procesado por tenencia ilícita de armas*; S. *abrir/dirigir el proceso contra alguien; sumario, instrucción de una causa criminal*)].

proceso *n*: PROC action, process, case, suit, proceedings, act at law, prosecution, cause; the documents in a case; record of process or procedure, court record; S. *causa, demanda, litigio, pleito*. [Exp: **proceso acumulativo** (PROC joint action, joinder, joinder of two or more accused in the same indictment, consolidated actions; S. *concurrencia de acciones*), **proceso administrativo** (ADMIN administrative case or proceedings, action under administrative law), **proceso cautelar** (PROC provisional remedy, preventive action), **proceso civil** (CIVIL civil case, civil action, civil matter, civil proceedings), **proceso concursal** (BSNSS bankruptcy proceedings), **proceso de cognición** (PROC action aimed at establishing a right or legal principle; test case –used in opposition to *proceso de ejecución*–, **proceso criminal** (CRIM criminal case/proceedings, criminal prosecution), **proceso de ejecución** (PROC action for enforcement; S. *proceso de cognición*), **proceso declarativo ordinario** (PROC declaratory action; S. *efecto declarativo*), **proceso disciplinario** (ADMIN disciplinary proceedings), **proceso electoral** (CONST electoral process; S. *pucherazo electoral*), **proceso judicial** (PROC action, judicial proceedings), **proceso laboral** (EMPLOY action under labour law), **proceso mixto** (PROC mixed action; S. *acción real y personal*), **proceso monitorio** (PROC [application for] enforcement of judgment for payment of debts, small debts proceedings; S. *juicio cambiario*), **proceso penal**

(CRIM criminal case, criminal action, criminal matter, criminal proceedings ◊ *La presunción de inocencia es una garantía del proceso penal*), **proceso penal abreviado** (CRIM fast-track proceedings on indictment)].

proclamar *v*: GEN declare, establish, proclaim, promulgate; acclaim; S. *promulgar, pregonar, declarar*. [Exp: **proclama** (FAM banns; public notice), **proclamas matrimoniales de matrimonio** (FAM banns of matrimony; S. *amonestaciones matrimoniales, edictos matrimoniales*)].

procuración *n*: GEN/CIVIL procuration, proxy, letter of attorney, warrant of attorney, mandate; S. *poder, agencia*. [Exp: **procurador** (PROC legal representative; *approx* solicitor; attorney, lawyer, proctor; the nearest equivalent is «solicitor», or in Scotland «agent»; given that the leading sense of the word is «representative», it was also formerly used to refer to an MP *–diputado, congresista–* in the lower Chamber of the Spanish Parliament *–Cortes–*; S. *abogado, letrado, notario, poder notarial, postulación*)].

producción *n*: GEN production. [Exp: **producir** (GEN produce, yield, carry, earn; S. *devengar*), **producir beneficio** (BSNSS produce/yield a profit, pay ◊ *La actividad internacional de la empresa le produce enormes beneficios*), **producir efectos** (GEN take effect, be effective; S. *surtir efecto*), **producir efectos jurídicos** (ADMIN bring about legally enforceable effects ◊ *Los actos administrativos producen efectos jurídicos*), **producir intereses** (BSNSS bear/yield interest; S. *rentar, rendir*), **productividad** (BSNSS productivity), **productivo** (GEN productive), **producto** (GEN/BSNSS product; produce), **producto nacional bruto** (GEN gross national product, GNP), **producto peligroso y tóxico** (GEN hazardous and noxious substance, HNS; S. *nocivo, letal, sustancia tóxica*)].

profanación *v*: CRIM desecration, profanation, defilement. [Exp: **profanación de sepulturas** (CRIM profanationion of graves), **profanar** (CRIM desecrate, defile, profane)].

prófugo *n/a*: CRIM absconder, fugitive; deserter; on the run; S. *fugitivo*.

progresar *v*: PROC progress, make progress ◊ *Las negociaciones no han progresado lo más mínimo*; S. *mejorar, avanzar, prosperar*. [Exp: **progreso** (GEN progress, development, advance; S. *avance, promoción; desarrollo*)].

prohibición *n*: GEN prohibition, prohibitory interdict *Scot*; S. *interdicto prohibitivo*. [Exp: **prohibida la entrada a las personas ajenas a este centro** (GEN no admittance except on business), **prohibir** (GEN forbid, prohibit, proscribe, ban, bar)].

prohijar *v*: FAM adopt; S. *adoptar*.

prole *n*: FAM offspring, issue; S. *descendencia*.

promesa *n*: GEN promise, pledge, promise; covenant; S *compromiso, obligación*. [Exp: **promesa solemne** (PROC affirmation ◊ *La promesa solemne es equivalente al juramento*), **promesa de contrato** (BSNSS binding promise, promise to enter a contract that is tantamount to a contract; S. *precontrato*), **promesa de matrimonio** (FAM promise to marry ◊ *El incumplimiento sin causa de la promesa de matrimonio obliga a resarcir a la otra parte de los gastos hechos*), **prometer** (GEN promise, affirm, pledge; S. *jurar; deponer*), **promisorio** (GEN promissory)].

promiscuidad *n*: GEN promiscuity; S. *indecencia, vicio*. [Exp: **promiscuo**[1] (GEN promiscuous, licentious, abandoned, dissolute; S. *vicioso, licencioso*), **promiscuo**[2] (GEN mixed; S. *mixto, juez promiscuo*)].

promoción[1] *n*: GEN promotion, advancement, progress ◊ *La antigüedad es muy* *importante para la promoción en la judicatura*; S. *ascenso, fomento*. [Exp: **promoción**[2] (GEN class, year, group who went through school/university together or qualified at the same time, crop *col*, batch *col* ◊ *No todos los jueces de la misma promoción piensan de la misma manera*; S. *hornada, reemplazo*), **promotor** (BSNSS promoter, developer; S. *contratista, constructor*), **promotor de una mercantil** (BSNSS promoter), **promotor de viviendas** (BSNSS property developer)].

promover[1] *v*: GEN promote, raise, move, advance, furtherance, fosterage; development ◊ *Ha sido promovido al empleo de magistrado*; S. *ascender*. [Exp: **promover**[2] (GEN promote, set in motion, further, boost, foster, encourage, foment ◊ *Esta ley intenta promover la integración social de los extranjeros*; S. *fomentar, proporcionar*), **promover un pleito** (PROC bring an action, bring a case, file a suit, commence a civil action ◊ *El administrador representará a la herencia en todos los pleitos que se promuevan*)].

promulgación *n*: GEN promulgation, enactment. [Exp: **promulgación, a la** (GEN on enactment), **promulgar** (GEN promulgate, publish, enact, proclaim; S. *dictar, expedir*)].

pronunciamiento[1] *n*: GEN pronouncement; announcement [of a decision, etc.] decision, adjudication, judgement, order ◊ *Los tribunales no podrán diferir el pronunciamiento de sus decisiones salvo en casos excepcionales*; S. *de previo y especial pronunciamiento*. [Exp: **pronunciamiento**[2] (CRIM pronunciamiento, coup, rising, putsch, insurrection), **pronunciar** (GEN pronounce), **pronunciar el veredicto** (PROC return a verdict), **pronunciar sentencia** (PROC pronounce/give/deliver/issue a judgment; S. *fallar, resolver, dictaminar*), **pronunciar un discurso** (GEN make/give/deliver a speech), **pronunciarse** (GRAL pronounce on, take a position, deliver judgement, announce a decision ◊ *El juez aún no se ha pronunciado sobre la admisión de la querella*; S. *abstenerse de pronunciarse*), **pronunciarse con carácter prejudicial o sobre una cuestión preliminar** (PROC give preliminary rulings; S. *preliminar; plantear un cuestión prejudicial, pronunciarse con carácter prejudicial sobre una cuestión preliminar*)].

propiedad[1] *n*: CIVIL ownership, ownership rights, title ◊ *La propiedad de la finca pasó a su hermano y él se quedó con el usufructo*; S. *dominio; adquisición de la propiedad, copropiedad, multipropiedad, nuda propiedad, plena propiedad, prescripción adquisitiva, propiedad industrial, recuperar la propiedad, registro de la propiedad, título de propiedad, transmisión de propiedad, usucapión, usufructo; delito contra la propiedad*. [Exp: **propiedad**[2] (CIVIL property, land, premises ◊ *La finca de Guardamar es la joya de sus propiedades*; in this second sense, «propiedad» may be equivalent to «fundo», «predio», «finca», «hacienda» or «propiedad rústica»), **propiedad absoluta** (CIVIL freehold estate/property, absolute property/estate; legal ownership), **propiedad actual con derecho de posesión futura** (CIVIL executed remainder), **propiedad arrendada** (CIVIL leased property), **propiedad común** (CIVIL joint ownership; jointly owned property), **propiedad comunal** (CIVIL joint estate; common land), **propiedad, en** (CIVIL in fee; by right of ownership), **propiedad en común** (CIVIL co-ownership), **propiedad en fideicomiso** (CIVIL land held in trust), **propiedad horizontal** (CIVIL condominium *US*, condo *col*, [unit of] property or ownership in an apartment block, [rights of] ownership of an individual flat in a block; S. *ley de propiedad horizontal*), **propiedad individual** (CIVIL individual ownership or proprietorship), **propiedad indivisa** (CIVIL tenancy in common, estate by entirety), **propiedad industrial** (BSNSS industrial property), **propiedad inmobiliaria** (CIVIL real estate, realty; S. *agencia de la propiedad inmobiliaria*), **propiedad intelectual** (CIVIL/BSNSS intellectual property, *approx* copyright; S. *plagio, piratería, protección de datos, derechos de autor, marca, patente*), **propiedad libre de hipotecas, gravámenes,** etc. (CIVIL clear estate, unencumbered estate or ownership), **propiedad limítrofe** (CIVIL property abutting on another, abuttals), **propiedad mancomunada** (CIVIL joint ownership; jointly-owned property), **propiedad particular** (CIVIL private property), **propiedad plena** (CIVIL full or outright ownership, freehold, fee simple absolute in possession), **propiedad privada** (CIVIL private property or ownership), **propiedad pro indiviso** (CIVIL jointly owned property, property held *pro indiviso*; S. *comunidad de propietarios*), **propiedad pública** (ADMIN public ownership; public property), **propiedad real** (CIVIL real estate), **propiedad rústica** (CIVIL rural estate or property, country estate; property held under the rules of rural as opposed to urban development), **propiedad urbana** (CIVIL urban real estate, urban property, land or buildings subject to the rules of the town-planning authority), **propiedades** (CIVIL estate, holdings, hereditaments ◊ *Una de sus propiedades más queridas es la casa que tienen en el campo*; S. *bienes*), **propietario** (CIVIL proprietary/proprietory, owner, proprietor; S. *dueño, titular*), **propietario absoluto** (CIVIL freeholder, sole and unconditional owner; S. *dueño, titular*), **propietario legal** (CIVIL statutory owner), **propietario legítimo** (CIVIL rightful owner)]

propinar *v*: GEN strike, deal, give ◊ *Uno de los agresores le propinó a la víctima un golpe que la dejó inconsciente*; S. *asestar, pegar, apalear, agredir, golpear*. [Exp: **propinar una paliza, un puñetazo, una patada** (CRIM beat, punch, kick; S. *pegar, apalear, agredir, golpear*; *puñetazo*)].

propio *a*: GEN own, one's own; self, same, very; special, peculiar, characteristic; fitting, proper, suitable; self-; S. *razonable, satisfactorio*.

proponente *n*: GEN proponent, person proposing or making a proposal, bidder. [Exp: **proponer** (GEN propose, propound, move, put forward, nominate; plan; outline ◊ *Cada parte podrá proponer al juez las pruebas que deban practicarse*; S. *propugnar, exponer, plantear*), **proponer a debate** (GEN put forward, propose [a motion], raise, suggest), **proponer pruebas** (PROC seek to put in evidence; produce, disclose or submit evidence; request that something be admitted or put in evidence ◊ *Corresponde a las partes proponer pruebas*; S. *práctica de las pruebas*), **proponer una candidatura** (GEN nominate a candidate), **proponer una enmienda** (GEN/CONST move or propose an amendment)].

proporcionado *a*: GEN in proportion, well-proportioned, proportional, proportionate; S. *desproporcionado*. [Exp: **proporcional** (GEN proportional ◊ *El juez determinará la parte proporcional de las costas que corresponda a cada uno de los litigantes*; S. *prorrata*), **proporcionar** (GEN provide, furnish, supply; S. *facilitar, proveer, suministrar*)].

proposición[1] *n*: GEN proposition, proposal, point, bid; S. *propuesta; punto, cuestión*. [Exp: **proposición**[2] (GEN proposition, utterance; S. *enunciado, declaración*), **proposición de ley** (CONST draft bill, government policy proposal, *approx* White paper), **proposición de la prueba** (PROC production, discovery or disclosure of evidence; items or issues sought to be put in evidence; hearing or stage of proceedings at which this is done; S. *admisibilidad, admisión a prueba, recibimiento a prueba, práctica de la prueba, aducción de pruebas; proponer pruebas*), **proposición delictiva** (CRIM criminal solicitation), **proposición no de ley** (CONST government or parliamentary discussion document, *approx* Green papers), **proposiciones deshonestas** (CRIM [sexual] proposition, sexual advances or overtures, sexual harassment; S. *acoso sexual, insinuaciones sexuales*)].

propósito *n*: GEN purpose, object, aim, intent; S. *objeto, intención*. [Exp: **propósito, a** (GEN on purpose; S. *deliberadamente*)].

propuesta *n*: GEN proposal, nomination, motion, recommendation, bid, overtures, submission, tender; S. *iniciativa, proposición; abrir propuestas; proponer; proposición*. [Exp: **propuesta de, a** (GEN on a proposal from, at the suggestion of), **propuesta de convenio regulador** (FAM proposed separation settlement/agreement ◊ *El escrito de demanda inicial de separación legal puede ir acompañado de una propuesta de convenio regulador*)].

propugnar *v*: GEN/PROC defend, support, maintain, hold, advocate; S. *apoyar, proponer, plantear*.

prorrata *n*: GEN pro rata sum or share, quota, proportional amount; S. *proporcional*. [Exp: **prorrata, a** (GEN pro rata, in proportion, on a pro rata basis), **prorratear** (GEN apportion, share out, divide proportionally), **prorrateo** (GEN call, apportionment, proportional division, pro rata division)].

prórroga *n*: GEN extension, deferral, deferment, postponement; expansion, prorogation *Scots*; S. *ampliación del plazo, acuerdo de prórroga; dar prórroga*. [Exp: **prórroga de libertad provisional** (CRIM extension of [terms of] bail or parole), **prórroga del contrato de alquiler** (CIVIL extension of lease term, renewal), **prórroga de plazo** (GEN extension of time, further time; S. *ampliación del plazo*), **prórroga especial** (GEN day/days of grace; S. *período de gracia*), **prórroga forzosa** (GEN compulsory extension/deferment), **prórroga tácita del contrato de alquiler** (CIVIL tacit extension of lease term by operation of law), **prorrogable** (GEN extendible, postponable; S. *improrrogable*), **prorrogar** (GEN renew, prolong, extend the deadline, allow more/extra time, hold over, continue, put back, put off, defer; S. *aplazar*), **prorrogar el plazo de vencimiento** (BSNSS extend the time limit; S. *diferir el plazo*)].

proscribir *v*: GEN forbid, prohibit, outlaw, proscribe, ban ◊ *Todas la conductas proscritas son hechos punibles*; S. *prohibir*. [Exp: **proscripción** (GEN proscription, prohibition, ban), **proscrito** (CRIM prohibited, forbidden, unlawful; outlaw, banished person)].

prosecución *n*: GEN pursuit, continuance; continuation. [Exp: **proseguir** (GEN pursue; continue, go on [with], carry on; S. *seguir, continuar*)].

prosperar[1] *v*: GEN/PROC prosper, succeed ◊ *Las excepciones perentorias, si prosperan, enervan el derecho del actor*; S. *triunfar, progresar*. [Exp: **prosperar**[2] (CIVIL be upheld, be allowed, be successful; here the sense is that the claim succeeded, the plaintiff won, the court found for the claimant, judgment was entered for the plaintiff, etc. ◊ *Presentaron una demanda, que prosperó*; S. *fracasar*)].

prostíbulo *n*: GEN brothel; S. *lupanar, mancebía, burdel*. [Exp: **prostituta** (GEN prostitute, call girl, whore, street-walker; S. *ramera*), **prostitución** (GEN prostitution), **prostituirse** (GEN prostitute oneself; act/work as a prostitute)].

protagonismo *n*: GEN leadership, major or leading role; initiative, prominence, prominent part, direct involvement ◊ *Se criticó el protagonismo del juez en la vista oral*. [Exp: **protagonista** (GEN major player, leading figure, principal, person in the limelight; main feature or centre of interest), **protagonizar** (GEN be involved in, be responsible for, be behind, do, carry out, conduct, perform ◊ *El detenido ya había protagonizado varios altercados con anterioridad*; translators will often find that verbs or verbal phrases associated with the object of this verb will supply the best translation; here, *altercados* provides «go on the rampage, behave riotously, commit breaches of the peace», and so on, thus avoiding the awkwardness of style or word order brought about by more literal renderings of the verb *protagonizar* itself)].

protección *n*: GEN protection, charge, refuge, care, custody, safeguard; S. *tutela, amparo, seguridad, precaución, garantía; viviendas de protección oficial*. [Exp: **protección a/de la infancia** (FAM protection of minors), **protección civil** (GEN civil defence, emergency services), **protección de datos** (CIVIL data protection; S. *infracción, propiedad intelectual*), **protección judicial, bajo** (PROC in the custody/under the protection of the court), **protección medio ambiental** (ADMIN environmental protection), **protección policial** (CRIM police/protective custody; police protection; S. *escolta, guardaespaldas*), **protector** (GEN protective; protector, supporter), **proteger** (GEN protect, guard, safeguard, afford/provide protection or refuge or asylum, harbour, foster, ward, watch over, oversee, superintend, supervise ◊ *Los poderes públicos protegen los intereses generales*; S. *tutelar, amparar, defender, vigilar; atacar*)].

protesta[1] *n*: GEN protest, legal notice of protest, protestation; S. *aceptada la protesta, admitir una protesta, elevar una protesta, denegar una protesta; queja*. [Exp: **protesta**[2] (PROC solemn promise, protestation, sworn statement [in some Latin American countries]), **protesta aceptada** (PROC objection sustained; S. *protesta denegada, ¡protesto!*), **protesta, bajo** (GEN under protest), **protesta de avería o del capitán** (BSNSS captain's protest, master's protest, protest in common form), **protesta denegada** (PROC objection overruled ◊ *Las protestas denegadas no serán tenidas en cuenta por el jurado en sus deliberaciones*; S. *protesta aceptada, ¡protesto!*), **protestado** (GEN under protest, protested), **protestar** (GEN/BSNSS protest, complain; dishonour, refer to the drawer; S. *quejarse, reclamar*), **protestar juramento** (PROC/CONST swear, take an oath; used in some Latin American countries instead of «prestar juramento»), **protestar una letra** (BSNSS note/protest a bill of exchange or draft; S. *levantar acta*), **protestas** (GEN representations, strong representations; S. *declaraciones*), **protesto**[1] (GEN protest, noting of a dishonoured bill of exchange, etc.), **¡protesto!**[2] (PROC objection!; S. *aceptada/denegada la protesta, admitir una protesta*), **protesto de una letra** (BSNSS protest/noting of a bill), **protesto por falta de aceptación** (BSNSS protest for non-acceptance), **protesto por falta de pago** (BSNSS protest for non-payment)].

protocolización *n*: CIVIL protocolization, formal registration of a document in a notary's office. [Exp: **protocolizar** (CIVIL protocol, protoolize, attach to the record, file, register ◊ *El testamento abierto se protocoliza como escritura pública ante notario*; S. *impugnar un testamento*), **protocolo**[1] (INTNL protocol; etiquette; the code for state or diplomatic ceremonies; S. *ceremonial*), **protocolo**[2] (CIVIL protocol, minute of record; the original record of a document or transaction kept kept by a notary), **protocolo judicial** (PROC court's record; S. *acta judicial*), **protocolizar un documento** (CIVIL protocol a document, enter a document into record; S. *acta de protocolo*), **protocolizado** (CIVIL protocolised, under seal; officialised before a notary; S. *escriturado*)].

provecho *n*: GEN/BSNSS benefit, advantage, profit; S. *beneficio, ganancia*. [Exp: **provechoso** (GEN/BSNSS beneficial, profitable; S. *ventajoso, rentable, lucrativo*)].

proveedor *n*: GEN supplier, dealer. [Exp: **proveer**[1] (GEN/PROC/EMPLOY/ADMIN provide, supply, furnish, purvey; order, rule, decide, direct ◊ *Proveer lo que corresponda en Derecho*; S. *diligencias para mejor proveer; provisión; facilitar, suministrar, proporcionar*), **proveer**[2] (ADMIN fill [a vacancy] ◊ *Convocar concurso para proveer una plaza*; S. *vacante*), **proveer**[3] (PROC give an interim order on), **proveído** (PROC interim order or ruling, interlocutory judgment; writ expressing or giving effect to this; S. *auto/orden judicial, providencia para mejor proveer*)].

providencia *n*: PROC court order, writ, notification, minute, intimation *Scots*; ruling; direction or order on a procedural matter; the decisions of Spanish courts may be divided into three classes, viz. *providencias, autos* and *sentencias*; the first or lowest-ranking, unlike the other two, do not normally require legal reasoning, explanation or justification *–motivación–* and are little more than formal commands or directions notified to the parties concerned, such as summons, subpoenas, service of documents, notification of dates of hearings, requirement to lodge statements, and so on; *autos*, which are the intermediate orders, give the court's rulings on preliminary matters *–cuestiones prejudiciales–* and are issued *–se dictan–* at the end of each stage of proceedings, settling the question one way or the other; they may therefore drive procedure along *–impulsar el proceso–* or act as a bar to further proceedings; *sentencias* are final judgments on the merits *–que juzgan sobre el fondo–*; it may therefore be said that *providencias* are orders or instructions of a purely formal or procedural kind *–de mera tramitación u ordenación–* which do not have a direct bearing on the outcome of the case *–las resultas del juicio–*; S. *auto, dictar, medida, orden, ordenación, resolución, sentencia; trámite, tramitar*. [Exp: **providencia para mejor proveer** (PROC order/direction for futher and better particulars), **providencias** (PROC practice directions), **providencias ordinarias** (PROC automatic directions)].

provincia *n*: CONST province; the provincia is the basic administrative division in Spain, like the British county or the French *départment*; in each province there are a number of *partidos judiciales* or court districts, and in the chief town or provincial capital there is a provincial court or *audiencia provincial*; S. *autonomía, región*.

provisión *n*: GEN provision, furnishing, supplying; S. *proveer*. [Exp: **provisión de fondos** (GEN provision/allocation of funds, advance; retaineradvance on [lawyer's] fees, deposit; S. *anticipo*), **provisiones** (GEN victuals; S. *víveres*)].

provisional *a*: GEN provisional, interim, temporary, makeshift, tentative; acting; nisi; S. *eventual, interino; libertad provisional, embargo provisional*.

provocación *n*: GEN provocation; incitement, instigation; S. *amenaza, intimidación, reto, desafío, insolencia*. [Exp: **provocado** (GEN [deliberately] started or caused ◊ *La policía intentó averiguar si el incendio fue casual o provocado*; S. *in-*

cendio provocado; aleatorio, fortuito, casual, contingente), **provocador** (GEN provocative), **provocar** (GEN provoke, cause, raise, start, spark off, stir up, rouse, arouse, incite; S. *desafiar, retar*), **provocar un incendio de forma voluntaria** (CRIM start a fire deliberately, commit an act of fire-raising), **provocativo** (GEN provocative, arousing)].

proxeneta *n*: CRIM procurer, pimp, pander, bawd. [Exp: **proxenetismo** (CRIM pimping, procuring, pandering)].

proyecto *n*: GEN project, design, plan, proposal, scheme, blueprint *col*; S. *plan, designio*. [Exp: **proyecto de ley** (CONST bill, draft bill, private/public bill, omnibus bill, private member's bill), **proyecto de ley de asignación presupuestaria** (CONST appropriation bill)].

prudencia *n*: GEN/CIVIL care, carefulness, diligence, prudence, sound judgement, reasonable care, ordinary care, common duty of care, caution; S. *diligencia, cuidado*. [Exp: **prudencia debida, con/sin la** (CIVIL with/without reasonable care), **prudencia extraordinaria** (CIVIL special care, special duty of care), **prudencia normal** (CIVIL ordinary care), **prudencia razonable** (CIVIL proper care, due and reasonable care; S. *diligencia debida*), **prudencial** (GEN prudential; discretional/discretionary; S. *moderador, discrecional*), **prudente** (GEN cautious, prudent, careful, wise, cautious; S. *discreto, juicioso*), **prudentemente** (GEN advisedly, wisely, with good judgement, carefully)].

prueba[1] *n*: GEN/PROC evidence, piece of evidence, means/method of proof ◊ *Las cartas, los recibos y las declaraciones de los testigos son pruebas o medios de prueba*; S. *medios de prueba, elemento de prueba; presentar como prueba, rebatir*. [Exp: **prueba**[2] (GEN/PROC the calling/leading/adducing, taking of evidence, a proof *Scots*; S. *práctica de la prueba, toma de declaración*), **prueba**[3] (GEN/PROC proof, test; S. *peso de la prueba, práctica de la prueba, practicar una prueba, preponderancia de la prueba; ponderar pruebas, proponer pruebas, presentar como prueba, probar; poner a prueba; proposición de la prueba, comprobación*), **prueba, a** (GEN on probation; on approval, on trial; S. *período de prueba, prueba de balas*), **prueba absoluta** (PROC irrefutable or irrebuttable proof or evidence, conclusive proof or evidence, full proof; S. *prueba irrefutable*), **prueba acumulativa o concordante** (PROC cumulative evidence), **prueba admisible** (PROC legally admissible evidence, proper evidence ◊ *Son pruebas admisibles las que son pertinentes y útiles*), **prueba admisible y suficiente** (PROC legally sufficient evidence, clear and convincing proof), **prueba anticipada** (PROC evidence gathered before the trial; witness statements, precognitions *Scots*; evidence distinct from oral testimony), **prueba caligráfica** (PROC proof of handwriting), **prueba circunstancial o indiciaria** (PROC circumstantial evidence, indirect evidence, hearsay), **prueba clara y convincente/contundente/definitiva** (PROC clear and convincing proof, conclusive proof/evidence, evidence sufficient to satisfy [the judge or jury]), **prueba concluyente** (PROC conclusive evidence, clear and convincing proof), **prueba concurrente** (PROC corroborating evidence), **prueba confesional** (PROC reply to interrogatories; S. *absolución de posiciones, confesión judicial*), **prueba conjetural** (PROC indirect evidence, evidence based on [mere] conjecture), **prueba corroborativa** (PROC corroborating evidence), **prueba, de** (GEN on trial, on probation; S. *en período de prueba*), **prueba de alcoholemia** (GEN breathaliser test; S. *someter a la prueba de alcoholemia*), **prueba de**

balas, a (GEN bullet-proof), **prueba de cargo** (PROC evidence for the prosecution, State's evidence), **prueba de descargo** (PROC evidence for the defence), **prueba delatora** (PROC incriminating evidence; S. *pieza de acusación*), **prueba de la identidad** (PROC evidence of identity), **prueba de solvencia moral** (PROC character evidence), **prueba de validez de un testamento** (PROC probate of a will), **prueba derivada** (PROC mediate testimony, secondary/constructive evidence), **prueba directa** (PROC best evidence, judicial evidence), **prueba documental** (PROC documentary evidence), **prueba eficiente** (PROC probative evidence), **prueba en contrario** (PROC evidence to the contrary, evidence in rebuttal), **prueba escrita** (PROC written evidence), **prueba exculpatoria** (PROC exculpatory evidence), **prueba falsificada** (PROC fabricated/false evidence; S. *testimonio fraudulento*), **prueba fehaciente** (PROC convincing evidence, satisfactory evidence ◊ *Los documentos públicos constituyen pruebas más fehacientes que los privados*; S. *fedatario público*), **prueba ilegal** (PROC illegally obtained evidence; evidence obtained unlawfully, improperly or unfairly; in general such evidence is inadmissible *–inadmisible–* under Spanish law), **prueba indiciaria** (PROC circumstantial evidence, indirect evidence), **prueba indirecta** (PROC indirect evidence, circumstantial evidence, hearsay evidence), **prueba irrefutable** (PROC irrefutable proof/evidence; preponderance of evidence ◊ *No es siempre fácil convertir en prueba irrefutable lo que es convicción moral*; S. *prueba absoluta*), **prueba material** (PROC real evidence; S. *prueba real*), **prueba negativa** (PROC negative evidence), **prueba pericial** (PROC expert evidence, evidence of opinion; S. *pericia*), **prueba pericial de balística** (PROC ballistic evidence, evidence/testimony by ballistics experts; S. *pericial, perito*), **prueba pertinente** (PROC relevant evidence, material evidence; S. *prueba útil y pertinente*), **prueba plena** (PROC conclusive evidence, full proof, proof beyond a reasonable doubt), **prueba positiva** (PROC positive proof, proof positive), **prueba primaria** (PROC primary evidence), **prueba real** (PROC tangible/real evidence), **prueba secundaria** (PROC secondary/constructive evidence), **prueba suficiente** (PROC satisfactory evidence), **prueba tasada** (PROC evidence), **prueba testifical** (PROC testimony, oral testimony, evidence/testimony of witnesses ◊ *La prueba testifical es la primera que se practica en el juicio oral*), **prueba testifical *in articulo mortis*** (PROC dying declaration), **prueba útil y pertinente** (PROC [useful and] relevant evidence; the general rule under Spanish law is that evidence is admissible if it is *útil y pertinente*, i.e. if it appears capable of helping the trier of fact to determine the disputed issue *–cuestión litigiosa, controversia–*; since it is difficult to see how something could be described as «relevant» in English without implying that is helpful or useful, translators may very well feel that the literal translation involves a logical redundancy and that «relevant» by itself is an adequate equivalent; S. *indicio, prueba, indiciario; admisible*), **prueba verbal o testimonial** (PROC oral evidence, parol evidence, evidence given by witnesses), **pruebas aportadas por la policía** (PROC police evidence)].

psico *prefix*: GEN psycho-. [Exp: **psicofármaco** (GEN psychoactive drug)].

psicotrópico a: GEN psychotropic, psychoactive. [Exp: **psicotrópicos** (GEN controlled drugs; S. *estupefacientes*)].

pubertad *n*: GEN puberty, adolescence; S. *infancia*.

publicación *n*: GEN publication ◊ *Las leyes normalmente entran en vigor a los veinte días de su publicación en el Boletín Oficial del Estado*; S. *edición*. [Exp: **publicar** (GEN publish, make public, reveal, issue; S. *promulgar*), **publicar un desmentido** (GEN issue an official denial), **pública subasta** (GEN public bid/auction ◊ *A instancias del acreedor podrán sacarse los bienes del deudor a pública subasta*; S. *sacar a pública subasta, licitación*), **público** (GEN public, official, open, overt; notorious; S. *entidad pública; elevar a público un documento privado*), **publíquese** (ADMIN/PROC be it known, let [this] be published, cause [this] to be published, «imprimatur»; judicial instruction or official order for a decision or bye-law to be published or a judgment handed down)].

publicidad *n*: PROC publicity; making [sth] public or publicly known; *approx* open court; open justice; one of the cardinal rules of the judicial process is that, save in exceptional circumstances, trials and hearings *–audiencias–* must be held publicly and in open court *–en sesión pública–* in order to ensure fairness; the Spanish principle of *publicidad* is therefore equivalente to the English notion that justice «must be done and seen to be done»; S. *valoración de la prueba, oralidad, presencia del juez, contradictoriamente*)].

pucherazo electoral *col n*: CRIM ballot-rigging *col*; S. *proceso electoral, manipulación fraudulenta de una votación.*

puerta *n*: GEN door, entry, gateway; S. *política de puertas abiertas*. [Exp: **puerta cerrada, a** (PROC in camera, in chambers, in closed session; S. *en sesión secreta; celebrar a puerta cerrada*)].

puerto *n*: GEN/BSNSS port, harbour; haven. [Exp: **puerto aduanero** (ADMIN customs port), **puerto comercial** (BSNSS trading/commercial port), **puerto de amparo/refugio/arribada forzosa** (GEN port of refuge/distress), **puerto de carga** (BSNSS lading port), **puerto de descarga** (BSNSS discharge port), **puerto de embarque** (BSNSS shipping port, port of shipment), **puerto de entrada** (BSNSS port of entry), **puerto de origen** (BSNSS home port, port of origin), **puerto de salida** (BSNSS port of departure), **puerto de tránsito** (BSNSS port of transit), **puerto franco** (TAX free port, free economic zone, free trade zone, duty-free port/zone, export processing zone, foreign trade zone, special economic zone, entrepôt; S. *zona franca, zona de libre cambio, área aduanera exenta, zona franca industrial*)].

puesta *n*: GEN putting, setting; placing. [Exp: **puesta a punto** (GEN restatement, fine-tuning), **puesta en vigor** (GEN/CONST coming/bringing into force or effect), **puesta en común** (GEN ironing out of differences; compromise agreement; scheme of joint action), **puesta en libertad** (PROC/CRIM release), **puesta en libertad con fianza** (PROC/CRIM release on bail), **puesta en servicio** (GEN putting into service)].

puesto[1] *n*: GEN position, post, job; S. *empleo, cargo; poner*. [Exp: **puesto**[2] (GEN place; S. *lugar, sitio*), **puesto**[3] (BSNSS stall; booth; S. *puesto en mercado*), **puesto aduanero** (ADMIN customs [entry] point), **puesto al día** (GEN updated, brought up to date; S. *poner al día, actualizar*), **puesto de caja** (BSNSS cash desk, checkout; checkout point/counter), **puesto de confianza** (ADMIN position of trust), **puesto de la Administración civil del Estado** (ADMIN civil service job; S. *funcionario*), **puesto de la Guardia Civil** (CRIM civil guard post/barracks; S. *cordón policial*), **puesto de observación** (GEN observation post), **puesto de policía** (CRIM police post; S. *comisaría, retén*),

puesto de socorro (GEN first-aid post/station), **puesto de trabajo** (EMPLOY job, position; workplace; niche, berth *col*; S. *acoso psicológico en el puesto de trabajo, reintegro en el puesto de trabajo*), **puesto directivo** (EMPLOY senior position, managerial post), **puesto fronterizo** (GEN border post ◊ *Fue entregado a la policía en el puesto fronterizo*; S. *frontera*), **puesto retribuido** (EMPLOY salaried post), **puesto vacante** (EMPLOY vacant post, vacancy; S. *vacante*)].

puja *n*: BSNSS/ADMIN bid at an auction; S. *licitación*. [Exp: **pujar** (BSNSS bid, put in a bid, bid, outbid; S. *ofrecer, entrar en licitación*)].

pulsera *n*: GEN bracelet. [Exp: **pulsera telemática [de control penados o preventivos]** (CRIM electronic tag; S. *telecontrol*)].

punible *n*: CRIM punishable, sanctionable, unlawful, proscribed ◊ *Los delitos son infracciones penales punibles con una multa, la prisión u otras penas*; S. *sancionable, castigable, hecho punible*. [Exp: **punción** (CRIM punishment, chastisement, penalty, saction; S. *castigo*), **punir** (CRIM punish, sanction, sentence; a more formal word than the ordinary term *castigar*, found in the writings of criminal theorists)].

punta *n*: GEN point, end. [Exp: **punta de pistola, a** (CRIM at gun-point; S. *arma blanca*)].

punto *n*: GEN point; stage; item; place. [Exp: **punto de venta** (BSNSS point of sale), **punto de vista** (GEN viewpoint, point of view; view, opinion), **punto en cuestión** (GEN point at issue), **punto en el orden del día** (ADMIN/BSNSS item on the agenda), **punto muerto** (GEN deadlock, stalemate, breakdown of talks, negotiations, etc.; S. *bloqueo*), **puntos de coincidencia** (GEN common ground ◊ *Corresponde al mediador determinar los puntos de coincidencia de las partes*), **puntos en litigio** (GEN facts in issue, disputed issues; S. *controversia*)].

puñal *n*: GEN dagger, knife; S. *apuñalar; navaja, cuchillo*. [Exp: **puñalada** (GEN stab wound ◊ *Fue hallada semidesnuda con 39 puñaladas en el cuerpo*; S. *navajazo; coser a alguien a puñaladas*), **puño** (GEN fist), **puño y letra, de su** (GEN in his/her own writing ◊ *Reconoció en una carta escrita de su puño y letra todas las actividades delictivas que se le imputaban*), **puño y letra y con mi sello, de mi** (ADMIN/CIVIL under my hand and seal), **puño y letra de X, de** (GEN in X's handwriting, in X's own hand)].

pupilo *n*: FAM ward; S. *menor*. [Exp: **pupilaje** (FAM wardship; S. *tutela, tutoría*)].

putativo *a*: GEN putative, reputed; S. *hijo putativo*.

Q

quebrado *a/n*: BSNSS bankrupt, insolvent, bust *col*; S. *arruinado, concursado, fallido, insolvente; deudor concordatario; quiebra*. [Exp: **quebrado fraudulento** (CRIM fraudulent bankrupt), **quebrado rehabilitado** (BSNSS discharged bankrupt; S. *fallido rehabilitado*), **quebrantamiento** (GEN breach, violation, infringement, infraction, non-compliance, breaking ◊ *En el escrito de recurso se expondrán las alegaciones sobre quebrantamiento de las formas y las garantías procesales*; S. *violación, infracción, incumplimiento; fractura*), **quebrantamiento de condena** (CRIM breaking jail, failure to comply with a judgment order or with the terms of a sentence; S. *delito de quebrantamiento de condena*), **quebrantamiento de forma** (PROC procedural defects, violation of procedural rules; S. *recurso por quebrantamiento de forma*), **quebrantar** (GEN breach, fail to comply with, break, violate, infringe; S. *infringir, violar, transgredir*), **quebrantar la ley** (CONST break/breach/infringe the law; S. *ley; anular, casar, derogar, revocar; dejar sin efecto, desestimar, resolver, cancelar*), **quebrantar un juramento** (CRIM/GEN break an oath; S. *falso testimonio, juramento*), **quebrantar un testamento** (SUC revoke/ annul a will; S. *nulificar un testamento*), **quebranto** (GEN/CIVIL damage, loss, detriment, mental suffering, pain and suffering; S. *perjuicio, agravio, menoscabo*), **quebranto de la disciplina** (GEN breach of discipline; failure to toe the party line, etc.), **quebranto del arraigo** (PROC jumping bail, breaking the terms of bail, absconding, failure to surrender to bail; S. *arraigo en juicio, violación de la libertad condicional*), **quebrar**[1] (GEN break; S. *romper, fracturar, quebrantar*), **quebrar**[2] (BSNSS go bankrupt, collapse, fail, go bust *col*, go into liquidation, go belly up *col*, go broke *col*; S. *arruinar; venirse abajo; mala gestión*), **quebrar la confianza legítima** (GEN breach a trust, commit a breach of trust)].

queda *n*: GEN curfew; S. *toque de queda*. [Exp: **queda promulgado** (CONST it is hereby enacted), **quedar** (GEN remain; stay; be; stand), **quedar a salvo** (GEN/ PROC remain intact or unaffected ◊ *A pesar de todo, queda a salvo el derecho de las partes a ejercitar las pretensiones ante quien conviniere*; S. *dejar a salvo, salvo*), **quedar probado** (PROC be established, stand proved, be proved [to the court's satisfaction]; S. *proclamar, establecer*)].

queja *n*: GEN complaint, claim, protest; appeal; S. *acusación, recurso de queja*.

[Exp: **quejarse** (GEN protest, complain, dissent; S. *protestar, reclamar*)].

quemarropa, a *n*: CRIM point blank, at point-blank range, at at close range ◊ *Los asesinos le dispararon a quemarropa*; S. *atraco a mano armada.*

quem *n*: PROC S. *tribunal a quem.*

querella *n*: CRIM private criminal prosecution, action, suit; complaint ◊ *El procedimiento penal se puede iniciar por medio de un atestado policial, una denuncia, una querella, o de oficio*; there is no true equivalent to the Spanish *querella* in English law; it is an action arising out of a private wrong which is also an offence, like defamation, and may have consequences under both civil and criminal law; because it involves a criminal element, proceedings may theoretically be instituted by any citizen, though in practice it is usually the victim or his/her representative who brings the complaint, together, in serious cases, such as rape, with the public prosecutor; the adjectives *privada* and *pública* make this distinction clear; S. *abandono de querella, retirada de la querella, admisión de una querella.* [Exp: **querella de antejuicio** (CRIM S. *antejuicio*), **querella por difamación** (CRIM action for defamation, libel action), **querella por fraude electoral** (CRIM action for electoral fraud), **querella privada** (CRIM private criminal action for damages), **querella pública** (PROC action brought at the suit of the public prosecutor), **querellado** (CRIM defendant in a private prosecution [e.g. in a defamation case]; S. *parte querallada*), **querellante** (CRIM plaintiff; accuser, private complainant; S. *contencioso, litigioso*), **querellarse contra alguien** (CRIM bring criminal proceedings against somebody, lodge a complaint against somebody, sue somebody, bring an action, a case, a prosecution, proceedings, suit, etc. against somebody)].

quiebra[1] *n*: GEN breakdown, collapse, disintegration, deisruption ◊ *Para algunos la quiebra de los valores tradicionales es la causa del aumento de la delincuencia juvenil*; S. *descrédito, ruptura.* [Exp: **quiebra**[2] (BSNSS bankruptcy, insolvency, failure; winding-up, chapter 11 *US*, insolvency proceedings, administration; S. *quebrar, pasar a administración judicial; suspensión de pagos, auto judicial declarativo de quiebra, bancarrota, activo de la quiebra, retroacción en la quiebra*), **quiebra bancaria** (BSNSS bank failure, bank crash), **quiebra comercial** (BSNSS bankruptcy/failure of a firm/business), **quiebra culpable** (BSNSS(CRIM negligent bankruptcy), **quiebra, estar en** (BSNSS be/go bankrupt, go into liquidation; be/go bust *col*), **quiebra forzosa o fortuita** (BSNSS involuntary bankruptcy; S. *concurso necesario*), **quiebra fraudulenta** (CRIM fraudulent bankruptcy; conspiracy to deceive creditors), **quiebra judicial** (PROC receivership; compulsory winding-up by the courts; adjudication of bankruptcy), **quiebra voluntaria** (BSNSS voluntary winding-up; S. *concurso voluntario*)].

quirografario *a*: BSNSS/CIVIL S. *deuda quirografaria.*

quita *n*: BSNSS acquittance, release, discharge of debt; S. *descargo, finiquito.* [Exp: **quita y espera** (BSNSS arrangement with creditors, composition with creditors), **quitar** (GEN remove, take/carry away; take off; snatch, seize, abduct, carry away by force; steal; S. *despojar, desposeer, arrebatar*)].

quo *n*: PROC S. *tribunal a quo.*

quórum *n*: GEN quorum.

quota litis *n*: PROC S. *pacto de quota litis.*

R

racial *a*: GEN racial; S. *segregación racial, raza*. [Exp: **racismo** (GEN racism; S. *intolerancia, prejuicio, xenofobia; tolerancia*), **racista** (GEN racist, racialist; S. *raza, xenófobo, intolerante, fanático*)].

radical *a/n*: GEN/CRIM militant, radical, extremist, activist; S. *extremista, activista, encapuchado, nulidad radical*. [Exp: **radicalismo** (GEN radicalism, extremism, fanaticism; S. *extremismo, fanatismo*)].

radicar[1] *v*: GEN live, be domiciled; stand, lie, be situated ◊ *Las minas radican en un lugar de la montaña*; S. *residir*. [Exp: **radicar**[2] (PROC lodge [with the court], file; present; S. *radicar una causa*), **radicar**[3] (GRAL lie in, stem from ◊ *El problema radica en su falta de flexibilidad*), **radicado** (GEN located, based; S. *radicarse*), **radicar una causa** (PROC bring suit/a charge, file suit/a complaint, lay a complaint, etc. before a court), **radicarse** (GEN be/become established; S. *afincarse, asentarse, acomodarse, establecerse*)].

raigambre *n*: GEN roots, rootage, tradition ◊ *Las costumbres de fuerte raigambre en una zona pasan a formar parte del Derecho*; S. *[de rancia] tradición*. [Exp: **raíz** (GEN root; S. *raigambre, arraigo; rama; viciado de raíz*), **raíz de, a** (GEN following, after; as a result of; S. *a consecuencia de, a resultas de*), **raíz de eso, a** (GEN whereupon, hereupon, thereupon; S. *acto seguido*)].

rama *n*: GEN branch, sector, area; S. *raíz; sucursal*. [Exp: **ramas de parentesco** (GEN family branches/relations; S. *afinidad, consanguinidad, agnación, cognación, linaje*), **ramo** (GEN class, type, section, department; field; ministry), **ramo de seguro** (INSUR class of insurance)].

ramera *n*: GEN whore, prostitute; S. *prostituta; burdel, mancebía, lupanar.*

rancia tradición, de *phr*: GEN long-standing; S. *histórico, raigambre.*

rango *n*: GEN rank, status, rating; ranking, position in a hierarchy; position in the list of priorities; S. *categoría, dignidad, jerarquía, grado, posición.*

rápido *a*: fast, quick, rapid, S. *juicio rápido.*

rapiña *n*: CRIM robbery, looting, pillage; S. *robo, expoliación, saqueo.*

raptar *v*: CRIM abduct, kidnap, take hostage; S. *secuestrar; rehén*. [Exp: **rapto**[1] (CRIM abduction, kidnapping; S. *secuestro, abducción, sustracción de menores*), **rapto**[2] (GEN fit, attack, outburst, paroxym ◊ *En un rapto de ira le lanzó el candelabro a la cabeza*; S. *arrebato, ataque*), **rapto de menor** (CRIM child kidnapping/abduction), **raptor** (CRIM abductor, kidnapper)].

rasero *n*: GEN yardstick, standard, criterion; S. *norma, criterio, medida, pauta, estándar.*

rastrear *v*: GEN follow a trail, track [down]; search, comb, drag, dredge; S. *registrar, investigar, buscar; seguir la pista.* [Exp: **rastrear una zona** (GEN search/comb an area ◊ *La policía ha rastreado la zona sin resultados positivos hasta ahora*; S. *batir la zona*), **rastro** (GEN trace, track, trail; lead, scent; S. *huella, indicio, pista, señal*)].

ratear *col v*: CRIM/GEN pilfer, swipe, pinch, knock *slang*; S. *hurtar, robar, sisar.* [Exp: **ratería** *col* (CRIM petty theft, larceny, pilferage, shoplifting; S. *hurto, robo, sustracción, sisa*), **ratero** (CRIM pickpocket, pilferer, sneak-thief, petty thief; S. *caco, carterista, ladrón, buscón*)].

ratificación *n*: GEN ratification, confirmation, adoption, sanction, affirmation; S. *aprobación, sanción, confirmación.* [Exp: **ratificación de la sentencia** (PROC confirmation/affirmation/ affirmance/upholding of judgment or sentence), **ratificar** (GEN ratify, confirm, affirm, sanction, endorse, back, back up, uphold, bear out ◊ *Los documentos ratifican la versión del demandado*; S. *aprobar, revalidar, corroborar, confirmar, dar fuerza, sancionar*), **ratificar un tratado** (INTNL ratify a treaty ◊ *El tratado necesitaba la firma del congreso para ser ratificado*), **ratificar una sentencia** (GEN affirm/confirm a judgment or sentence)].

rato *a*: FAM unconsummated; S. *matrimonio rato.*

raya[1] *n*: GEN line, mark, boundary, limit; S. *límite; pasar de la raya, mantener a raya.* [Exp: **raya**[2] (CRIM/GEN line of coke, line *col*), **raya, a** (GEN at bay)].

raza *n*: GEN race; S. *etnia, racismo, racista.*

razón *n*: GEN reason, motive; cause; rate, ratio; information, further information; details; S. *excusa, disculpa, alegato, motivo, móvil, causa; proporción, índice.* [Exp: **razón de, en** (GEN as a result of, in view of), **razón, sin** (GEN unmotivated, baseless, groundless; S. *sin causa, infundado*), **razón social/comercial** (BSNSS business name, firm name, company/corporate name, trade name; S. *nombre comercial, empresa*), **razones de, por** (GEN on grounds of), **razones fundadas** (GEN supporting reasons, arguments in support), **razones humanitarias, por** (GEN on compassionate grounds)].

razonable *a*: GEN reasonable, fitting, fair, proper; S. *adecuado, equitativo, satisfactorio, apropiado, justo, lógico.* [Exp: **razonado** (GEN reasoned, well-grounded, justified, well-founded, correctly/properly/cogently argued or explained ◊ *Los autos y las sentencias deben estar suficientemente razonadas*), **razonamiento** (GEN reasoning ◊ *A tenor del razonamiento jurídico del auto queda claro que no se puede procesar al imputado*; S. *motivación, fundamentación*), **razonar** (GEN reason, debate, argue; contend; reason out, found, explain, justify, conclude; S. *justificar, motivar, argumentar*)].

re- *prefix*: GEN re-, again; back.

reabrir la causa *v*: GEN reopen the case.

reactivación *n*: GEN reactivation, revival; S. *restablecimiento, renovación.* [Exp: **reactivar** (GEN reactivate, revive; waken [a cause that has fallen asleep] *Scots*)].

readmisión *n*: GEN/EMPLOY readmission, readmittance, reinstatement; S. *reposición.* [Exp: **readmitir** (EMPLOY readmit, reinstate ◊ *Si el despido es improcedente el trabajador es readmitido*)].

real *a*: GEN real, actual, effective; physical, material; S. *derechos reales; efectivo, real, material, bien raíz, res.*

realización *n*: GEN realization, attainment, fulfilment, carrying out, conduct, performance; S. *ejecución, terminación.* [Exp: **realizar** (GEN accomplish, effect, complete; make, do, conduct, carry out; attain, fulfil; S. *llevar a cabo, efectuar, poner en ejecución, completar, concluir, cumplir, consumar, practicar, ejecutar*), **realizar gestiones** (GEN negotiate, take steps/action; conduct business/affairs; go through the [requisite] procedure; S. *tramitar*), **realizar una encuesta** (GEN take a poll, poll; conduct a survey; S. *sondear*), **realizable** (BSNSS convertible, liquid, marketable; liquid assets; S. *activo circulante; líquido, disponible, comerciable*)].

reaparecer *v*: GEN reapper, resurface, turn up again; S. *desaparecer*. [Exp: **reaparición** (GEN reappearance, recurrence; S. *reincidencia*)].

reapertura de la causa *n*: PROC reopening of the case; S. *reactivar*.

reasegurar *v*: INSUR reinsure. [Exp: **reaseguro** (SEGUR reinsurance, reassurance)].

rebaja *n*: GEN discount, reduction, drop in sale price; deduction, cut, rebate; fall, drawback; S. *descuento, deducción, bonificación*. [Exp: **rebaja arancelaria** (ADMIN/BSNSS duty drawback; S. *régimen de perfeccionamiento activo*), **rebaja fiscal** (TAX tax reduction or break), **rebajar** (GEN reduce, deduct, cut, rebate), **rebajar la pena** (CRIM reduce, lower or cut the sentence)].

rebatible *a*: GEN rebuttable, refutable; S. *presunción, refutable*. [Exp: **rebatir** (GEN refute, rebut, disprove, impugn ◊ *El abogado dice que cuenta con una prueba muy difícil de rebatir*; S. *refutar, contradecir, objetar, desmentir*)].

rebelarse *v*: CRIM/GEN rebel; rise up, disobey; S. *sublevarse, alzarse*. [Exp: **rebelde**[1] (GEN/CRIM rebellious, escaped; rebel, absconder, absentee conscript, deserter; S. *prófugo, fugitivo, contumaz, insurgente*), **rebelde**[2] (PROC defaulter, person in contempt of court; defendant in default; defendant who fails to appear or to contest a civil action; defendant tried in *absentia*, defendant who fails to appear to answer a charge ◊ *El rebelde se arriesga a que recaiga contra él sentencia condenatoria*; S. *demandado rebelde*), **rebeldía**[1] (CRIM rebellion, rebelliousness, defiance, insubordination; S. *rebelión*), **rebeldía**[2] (PROC default, non-appearance, failure to appear or to answer a charge or contest an action, contempt of court, absence; S. *incomparecencia, juicio en rebeldía, desacato, condenar a alguien en rebeldía, declaración de rebeldía*), **rebeldía, en** (PROC in contempt of court, in/by default, failure to appear, in one's absence, *in absentia*; S. *en contumacia*), **rebelión** (CRIM rebellion, mutiny; S. *excitación a la rebelión, sedición, subversión, rebeldía*[1])].

recabar *v*: GEN obtain, seek, gather, request; S. *solicitar, pedir, instar*. [Exp: **recabar información** (GEN gather/seek/obtain information)].

recaer[1] *v*: GEN fall to [the lot of], go to, pass to, be awarded to; fall on, devolve on, recoil on, come down to, descend to, fall on the shoulders of, be the responsibility of; vest in ◊ *El nombramiento deberá recaer en algún funcionario del servicio*; S. *incumbir; tocar*. [Exp: **recaer**[2] (GEN relapse, fall back ◊ *Ha recaído, a su salida de la cárcel, en los mismos errores del pasado*; S. *reincidir*), **recaer**[3] (PROC be given, issued, pronounced or handed down; applied especially to judgments or decisions ◊ *No se puede proceder a la ejecución hasta que recaiga sentencia firme*), **recaer**[4] (PROC rest [on], be borne [by] ◊ *La carga de la prueba recae sobre la acusación*), **recaer**[5] (GEN weigh; fall [on], point [to] ◊ *Recaen algunas sospechas sobre los peritos de haber emitido dictámenes falsos*; S. *pesar*), **recaída** (GEN relapse, recidivism; S. *reincidencia*)].

recalificar (CONST/ADMIN authorise a change of land use or class [land law]; this often means granting planning permission on land formerly reserved for some other purpose, e.g. agricultural or industrialuse, railway property, etc.; permission is granted by the local planning authority *–concejalía de urbanismo–*; S. *calificar, cédula de habitabilidad, urbanizar*).

recargar *v*: GEN/BSNSS recharge, reload, refill; charge extra, add a surcharge or penalty charge. [Exp: **recargo** (GEN surcharge, extra charge, surtax; S. *sobretasa*), **recargo impositivo** (TAX surtax, surcharge for late tax payment), **recargo por demora** (GEN penalty for late or delayed payment)].

recaudación *n*: GEN collection; takings, revenue, amount collected; S. *ingresos*. [Exp: **recaudación de impuestos** (TAX tax collection), **recaudación en origen** (TAX deduction at source), **recaudador de impuestos** (TAX collector of taxes, tax collector), **recaudar impuestos/derechos** (TAX collect/levy duties/taxes), **recaudo** (GEN collection; surety, bond; S. *a buen recaudo*)].

recelar *v*: GEN suspect, doubt, distrust, mistrust; eye warily, look askance at; S. *desconfiar, sospechar*. [Exp: **recelo** (GEN suspicion, doubt, distrust ◊ *Han acogido con recelo la autorización dada por el gobierno*; S. *desconfianza, sospecha*)].

receptación *v*: CRIM receiving or handling stolen goods, reset *Scots*. [Exp: **receptador** (CRIM receiver of stolen goods, fence *col*, resetter *Scots*), **receptar** (CRIM receive/handle stolen goods; reset *Scots*)].

rechazar *v*: GEN/PROC reject; repel, repudiate; dismiss, set aside, overrule ◊ *El auto rechaza todas nuestras pretensiones*; S. *inadmitir, rehusar, desechar, denegar, desestimar*. [Exp: **rechazar una propuesta** (GEN reject a proposal/motion), **rechazo** (GEN rejection, repudiation, dismissal, non-acceptance; S. *repulsa, inadmisión*), **rechazo de un efecto comercial** (BSNSS non-acceptance of a commercial instrument)].

recibí *n*: BSNSS/GEN receipt, payment received; S. *recibo*. [Exp: **recibimiento** (GEN reception, acceptance, approval, admission; welcome; S. *aceptación*), **recibimiento a prueba** (PROC interlocutory stage of proceedings in civil actions, it follows filing of defence ans answers, and is mainly taken up with the gathering, disclosures and lodging of evidence *–pruebas–*, hence the name; S. *admisión a prueba, fase procesal, contestación a la demanda, proposición de la prueba*), **recibir** (GEN receive), **recibir a prueba** (PROC oass on to/open the interlocutory stage of proceedings; said of the court's directions to parties in supervising this stage of an action; S. *juicio, prueba, testigo, testimonio, vista oral*), **recibir la notificación, al** (PROC on/upon notice of; S. *al serle notificado*), **recibo** (BSNSS/GEN receipt, slip; acknowledgement of receipt; S. *resguardo; acusar recibo, acuse de recibo*)].

reciprocidad *n*: GEN reciprocity; mutuality. [Exp: **reciprocar** (GEN reciprocate), **recíproco** (GEN reciprocal, mutual; S. *bilateral, mutuo, solidario*)].

reclamable *a*: GEN claimable, reclaimable; S. *exigible en derecho*. [Exp: **reclamación** (GEN claim, demand, complaint, appeal, objection, petition, protest; S. *demanda, petición, pretensión*), **reclamación de cantidad** (PROC action for debt, action for payment), **reclamante** (PROC claimant; S. *pretendiente, demandante*), **reclamar** (GEN/PROC claim, sue, protest, appeal, object; petititon demand, require ◊ *Entabló la demanda para reclamar el pago de la deuda*; S. *pedir, exigir, pretender, reivindicar*), **reclamar indem-**

nización por daños y perjuicios (PROC claim damages, seek damages, sue for damages), **reclamar una deuda** (GEN/PROC claim/sue/demand payment of a debt)].

recluir *v*: GEN/CRIM confine, imprison, jail; S. *encarcelar*. [Exp: **reclusión** (CRIM imprisonment, confinement; technicaly this term is disntiguished from its close synonym *prisión* when the words are combined withe adjective *mayor –long term–* and menor *–short term–*; *reclusión* is reserved for the longest terms of imprisonment, and the purpose of adding one extra day to the term imposed –e.g. *doce años y un día–* is to carry the punishment into the next highest category; this, of course has an effect on the prison in which the sentence will be served and the rate at which time off *–remisión, beneficio penitenciario–* is calculated; the extra day is therefore extremely important in the long run; S. *pena privativa de libertad, prisión, cárcel, juez de vigilancia penitenciaria, internamiento, encarcelamiento, confinamiento, aislamiento*), **reclusión mayor** (CRIM imprisonment for a period between twenty years and a day and thirty years, with loss of civil rights for the duration of the sentence), **reclusión perpetua** (CRIM life imprisonment; there is no such sentence under Spanish law, thirty years being the maximum that can be served; S. *cadena perpetua*), **reclusión menor** (CRIM imprisonment for a period between twelve years and a day and twenty years, with loss of civil rights for the duration of the sentence), **recluso** (CRIM inmate, prisoner; S. *preso, presidiario, interno*)].

recluta *n*: GEN conscript, recruit. [Exp: **reclutamiento** (GEN conscription, recruitment, enlistment, draft; S. *alistamiento*), **reclutar** (GEN draft, conscript, enlist; S. *alistar*)].

recobrar *v*: GEN recover, repossess, recuperate, reacquire, retrieve; S. *recuperar, resarcirse*. [Exp: **recobrar el conocimiento** (GEN recover/regain consciousness, recover, come to, come round ◊ *Cuando recobró el conocimiento se encontró en el hospital con dos costillas rotas*; S. *perder el conocimiento, volver en sí*), **recobro** (GEN recovery, retrieval, repossession; S. *recuperación*)].

recoger *v*: GEN collect; gather, pick up; assemble, bring together, compile; S. *recaudar, colectar*. [Exp: **recoger fondos** (GEN raise cash/money; S. *arbitrar recursos*), **recogida** (GEN collection; gathering)].

recomendación *n*: GEN/EURO recommendation; S. *actos jurídicos comunitarios*. [Exp: **recomendar** (GEN recommend)].

recompensa *n*: GEN reward, recompense, compensation, recompense; S. *gratificación, premio, remuneración*. [Exp: **recompensar** (GEN reward, remunerate, recompense; S. *remunerar, gratificar*)].

reconciliación *n*: FAM reconciliation, reconcilement ◊ *La reconciliación de los cónyuges pone fin a la separación matrimonial*. [Exp: **reconciliar** (GEN reconcile)].

reconducir[1] *v*: GEN change tack, start afresh/anew/again, set/place on a new footing; rearrange, rethink; renew. [Exp: **reconducir**[2] (CIVIL tacitly renew or extend by implication a lease), **reconducción**[1] (GEN fresh start; new footing), **reconducción** (CIVIL tacit renewal of a lease)].

reconocer[1] *v*: GEN recognize, acknowledge; accept, admit, avow ◊ *El demandado reconoció la existencia de la deuda*; S. *admitir, confesar*. [Exp: **reconocer**[2] (GEN identify, inspect, examine, verify, reconnoitre; conduct a view ◊ *El juez se desplazó al lugar donde ocurrieron los hechos para reconocerlo personalmente*; S. *examinar, inspeccionar, verificar*), **reco-**

nocer a un hijo ilegítimo (FAM recognise an illegitimate child), **reconocer el terreno [antes de cometer un delito]** (PENAL case the joint *slang*), **reconocer un derecho** (CIVIL recognize/acknowledge a right), **reconocer una firma** (CIVIL acknowledge/verify/identify a signature), **reconocer una obligación** (CIVIL acknowledge an obligation), **reconocida competencia** (GEN/CONST recognised standing ◊ *Los miembros del Consejo del Poder Judicial son juristas de reconocida competencia*; S. *prestigio*), **reconocimiento**[1] (GEN recognition, acknowledgement; avowal, confession, assent, admission; S. *confesión, admisión*), **reconocimiento**[2] (GEN examination, survey, identification; reconnaissance; S. *inspección*), **reconocimiento de deuda** (CIVIL acknowledgment of debt), **reconocimiento de firma** (CIVIL recognition of signature, authentication of signature), **reconocimiento de los hechos** (PROC admission of facts), **reconocimiento de un derecho** (PROC recognition/acknowledgement of a right ◊ *En su demanda pide el reconocimiento a la titularidad de la finca*), **reconocimiento en rueda** (CRIM recognition [of a suspect] on an identification parade), **reconocimiento judicial** (PROC view; judicial inspection of a place or examination of evidence, relevant objects, etc., conducted by or on behalf of the judge; the equivalent in criminal cases is *inspección judicial/ocular* ◊ *El reconocimiento judicial se admite como medio de prueba*), **reconocimiento tácito** (GEN tacit/implied acknowledgment, admission by silence)].

reconsiderar *v*: GEN reconsiderar, review, revise; S. *modificar, enmendar, corregir, revisar.*

reconstituir *v*: GEN reorganize, reconstitute, reconstruct; S. *reorganizar, reparar, restaurar.*

reconstrucción *n*: GEN reconstruction. [Exp: **reconstrucción de los hechos** (CRIM reconstruction of a crime, reconstruction of the vents leading up to a crime), **reconstruir** (GEN reconstruct, rebuild, restore; S. *reparar, restaurar*)].

reconvención[1] *n*: GEN reprimand, scolding, admonishment; S. *amonestación, reprimenda, reprensión, corrección.* [Exp: **reconvención**[2] (PROC counterclaim, cross-claim, cross-action; name for the claim or action brought against the claimant by the defendant in the main action; thus, the defence becomes an attack, and the court treats both claims in the same proceedings; a common situation is where X sues Y for debt of £p, and Y counters by alleging that the reason for non-payment is that X has failed to repay him a separate sum of £q; Y is really asking the court to offset the debts against one another and to settle the two transactions by awarding X £p-q, or awarding Y £q-p, depending on which sum is the larger; S. *actor, contestación a la demanda, demanda*), **reconvenir**[1] (GEN reprimand, scold, reproach, admonish; S. *amonestar, reprender*), **reconvenir**[2] (PROC counterclaim, file a counterclaim or cross-action; S. *demanda*)].

recopilación *n*: GEN digest, summary; codification; code; S. *colección, sumario, repertorio.* [Exp: **recopilación de leyes** (GEN law digest, codifying of laws), **recopilador** (GEN reporter, compiler), **recopilar** (GEN compile; gather, collect; digest, codify; summarize)].

recortar *v*: GEN reduce, cut, decrease, cut [back] on, remove, suppress ◊ *Al aumentar los poderes policiales se recortan las libertades constitucionales*; S. *rebajar, reducir, abreviar*)].

recriminación *n*: GEN recrimination; counter-charge, retort; S. *censura, acusación.* [Exp: **recriminar** (GEN recriminate, reproach)].

rectificación *n*: GEN rectification, amendment, correction; S. *enmienda, modificación, reforma, corrección*. [Exp: **rectificación registral** (CIVIL rectification of an entry/a record), **rectificar** (GEN rectify, change, correct, amend; S. *reformar, reparar, modificar, enmendar*), **rectificar una ley, un alegato,** etc. (GEN amend an Act, a pleading, etc.), **rectificar un error** (GEN correct/rectify/rcmedy an error or mistake, cure a defect; S. *salvar o subsanar un error*)].

rectitud *n*: GEN rectitude, honesty, uprightness; S. *honradez*. [Exp: **recto** (GEN honest, straight, upright, sound), **recto proceder** (GEN honest/fair dealing, uprightness)].

recuperación *n*: recuperation, recovery, recapture; return, repossession; S. *resarcimiento*. [Exp: **recuperación económica** (BSNSS economic recovery), **recuperar** (GEN recuperate, recover, repossess), **recuperar un derecho** (GEN win back a right), **recuperarse de daños y perjuicios** (CIVIL recoup one's losses, receive compensation for damages; S. *resarcirse*)].

recurrente[1] *a*: GEN recurrent, repeated, intermittent, periodical; S. *reincidente, repetitivo*. [Exp: **recurrente**[2] (PROC appellant, applicant, petitioner; S. *parte recurrida, solicitante, demandante, peticionario*), **recurrible** (PROC appealable; S. *caber*), **recurrido** (PROC respondent, appellee), **recurrir** (PROC appeal [from, against], lodge/file/bring an appeal, reclaim *Scots*; S. *apelar, interponer recurso; motivar una resolución*), **recurrir a** (PROC resort to, employ, avail oneself to ◊ *La policía no tuvo más remedio que recurrir a la fuerza*; S. *aplicar, invocar*), **recurrir a los tribunales** (PROC go to law, sue, have recourse to the courts; S. *pleitear*), **recurrir en amparo** (PROC make an application for judicial review on for the protection of the court; make an application for the defence of basic constitutional rights), **recurrir en queja** (PROC appeal against a decision object to a finding; S. *recurso de queja*), **recurrir una condena/una resolución judicial/un interdicto provisional** (PROC appeal against/from a conviction/a decision/an order)].

recurso[1] *n*: PROC appeal, application for a rehearing; application/petititon to a higher court, application for review; objection taken to a judgment, court order or decision of an official body; this word, rather, than *apelación* –which means only «appeal against final judgment»– is the natural equivalent of English «appeal», since all forms of appeal are types of *recurso*; S. *interponer un recurso; impugnación; vía de recurso*. [Exp: **recurso-s**[2] (GEN means, facilities, resources, resort; S. *medios, fondos; arbitrar recursos, ordenar recursos*), **recurso administrativo** (ADMIN appeal against an administrative decision, appeal against the decision of an official boy; strictly speaking, this is an appeal rather than an application for review or judicial review, since under Spanish law there is a separate administrative jurisdiction; this is the generic term; for more specific terms see *recurso de alzada* and *recurso de reposición*), **recurso contencioso-administrativo** (PROC judicial review, appeal to the higher court against the decision of the Administration; appeal to the ordinary courts against decisions of the government or administration; note that *contencioso-administrativo* removes the matter from the administrative courts into the jurisdiction of the ordinary courts; S. *jurisdicción contencioso-administrativa*), **recurso de aclaración** (PROC petition for clarification, appeal by way of case stated), **recurso de alzada** (ADMIN appeal for review of the decision of a public body; essentially this consists in applying for a review of the decision by the head *–superior jerárquico–* of the department or section responsible for making it, so that the matter remains in the original domain; however, if the final decision goes against the applicant *–recurrente–* he or she has no option, if dissatisfied, but to appeal to the court of the competent jurisdiction, which takes the matter into the domain of the ordinary administrative jurisdiction *–lo contencioso-administrativo–*), **recurso de amparo** (CONST application for a declaration of fundamental rights, appeal for legal protection; appeal brought on grounds of violation of rights and liberties ◊ *El Tribunal Constitucional también es competente para conocer de los recursos de amparo por violación de los derechos y las libertades*; S. *recurrir en amparo*), **recurso de amparo por violación de los derechos y las libertades** (CONST appeals brought on grounds of violation of rights and liberties), **recurso de apelación** (PROC appeal, remedy of appeal; this is to be understood as appeal against judgment or sentence, i.e. as appeal against final decision on the merits, or veredict in a criminal matter; S. *instancia*), **recurso de casación** (PROC appeal to the Supreme Court; this is a final appeal or appeal regarded as a third-tier or third-instance appeal against the decision of the previous court of appeal from the first-instance judgment; the term *casación* is cognate with «quash», though the decision on appeal may, of course, affirm the earlier judgment; the word «cassation» is listed in English dictionaries as equivalent to the [French] term, but it may be doubted whether it is really usable; «appeal to the [Spanish] Supreme Court» will, it is submitted, satisfy most translators' need; S. *Tribunal Supremo*), **recurso de casación en interes de la ley** (PROC application for a declaration or clarification of the law lodged by the public prosecutor; such appeals do not affect the judgment of the trial court or the rights of the parties and are lodged when the losing side has not appealed; their purpose is to settle disputed issues of law for the future; this should not be confused with the English provision of the Attorney's-General's reference since there is no Spanish rule presenting the prosecution *–fiscalía–* from appealing against sentence or verdict in a given case), **recurso de casación por infracción de ley** (PROC appeal to the Supreme Court on the ground of breach of a law or binding principle; the only ground for such an appeal is that the decision of the court below *–tribunal a quo–* contains an error of law in that it breaches a rule or principle of law, has been reached by applying the wrong law or by the judge or the court having misdirected himself or itself, is inconsistent *–incongruente–* with the evidence or pleadings, has resulted in an award in excess of the claim, has failed to adjudicate on a disputed issue, contains contradictory findings, is in excess of the jurisdiction, etc.; *casación*, which literally means «quashing, setting aside, overruling», is one of the so-called *recursos extraordinarios* –extraordinary appeals, limited in their subject-matter and reserved for the Supreme Court–; it is the third and final instance in the hierarchy of ordinary jurisdiction, following judgment at first instance by the trial court and appeal *–recurso de apelación–* to the relevant second-instance court; in other words, aside from constitutional issues, which are dealt with by the *Tribunal Constitucional*, or Constitutional Court, the *Tribunal Supremo* is the court of last resort; S. *anular, apreciación de la prueba, casación, nulidad, recurso de casación por quebrantamiento de las formas esen-*

ciales del juicio, recurso de revisión, tribunal), **recurso de casación por quebrantamiento de las formas esenciales del juicio** (PROC appeal to the Supreme Court on the ground of a fundamental breach of procedural rules; distinguished from the foregoing in that the appellant alleges that the court below has departed without justification from correct practice or procedure, and that this has led to a miscarriage of justice *–injusticia–*; S. *recurso de casación por infracción de ley, recurso de revisión*), **recurso de inconstitucionalidad** (PROC/CONST application for judicial review of proposed legislation; the ground of this application or appeal, which can only be brought by MPs *–diputados–*, elected members of the Senate or upper chamber *–senadores–* or members of the Cabinet *–Gobierno–*, is always that the proposed Act *–ley–* or bill *–proyecto de ley–* violates some constitutional principle; it is heard by the Constitutional Court *–Tribunal Constitucional–*), **recurso de indemnización** (PROC proceedings for damages), **recurso de injusticia notoria** (PROC application to the Supreme Court on the ground of manifest injustice of a previous decision), **recurso de nulidad** (PROC action to have decisions declared void), **recurso de queja** (PROC appeal against refusal of leave to appeal; S. *recurrir en queja*), **recurso de reforma** (PROC appeal/application for amendment, action to amend, motion to quash an interlocutory order in a criminal case; S. *recurso de reposición, recurso de súplica*), **recurso de reposición** (ADMIN/PROC appeal for reversal, request for review, motion to set aside; application/appeal for the quashing or amendment of an interlocutory order made in the course of a civil action, request to have the decision reconsidered; S. *recurso de súplica*), **recurso de revisión** (PROC appeal for judicial review, revision or rehearing), **recurso de súplica** (PROC same as *recurso de reposición*, when application is made to a court higher than the trial court; *recurso de reposición* and *recurso de súplica* are the civil law equivalents of *recurso de reforma* used in criminal cases), **recurso extraordinario** (PROC [any of the] appeal-s reserved tot eh Supreme Court), **recurso por infracción de ley** (PROC appeal for review on the grounds of error of law), **recurso por quebrantamiento de forma** (PROC appeal on ground of procedural defects; S. *quebrantamiento de forma*), **recurso por vicios sustanciales de forma** (PROC appeal on ground of infringement of an essential procedure requirement)].

recusable *a*: PROC recusable, challengeable; S. *impugnable, oponible*. [Exp: **recusación** (PROC recusation, objection, challenge; S. *tacha, objeción, impugnación*), **recusación de un juez** (PROC challenging of a judge, objection to a judge), **recusación del jurado** (PROC challenge to the [whole] array), **recusación sin causa** (PROC peremptory challenge), **recusante** (PROC objector), **recusar** (PROC challenge, demur, question; requse; S. *tachar*)].

red *n*: GEN net, network; ring; web; S. *pandilla, camarilla*. [Exp: **red de narcotráfico** (CRIM drug ring; S. *desarticular una red de narcotráfico*), **red de prostitución** (CRIM prostitution ring)].

redada *n*: CRIM raid, swoop. [Exp: **redada policial** (CRIM round-up, bust *col*, police raid/swoop; S. *detención policial, ronda policial*)].

redacción *n*: GEN wording, phrasing, language; S. *técnica jurídica*. [Exp: **redacción definitiva de un documento** (NOT/CIVIL/BSNSS engrossment, final form/wording of a document), **redactar** (GEN write, draft, word, frame, draw up; S. *elaborar*), **redactar en forma legal** (CIVIL/BSNSS draft, write up, express formally, engross), **redactor de una ley** (CONST draftsman; S. *legislador*)].

redención *n*: GEN redemption, settlement, repayment, remission; S. *redimir; rescate, cancelación*. [Exp: **redención de censos** (CIVIL redemption of emphyteusis, redemption by the perpetual tenant of the life-rent payable to the grantor), **redención de deudas/bonos/obligaciones** (BSNSS settlement of debt, cancellation of debentures/obligations, payment in full of bonds, etc.)].

redhibición *obs n*: CIVIL/BSNSS redhibition, cancellation of sale on ground of defective goods. [Exp: **redhibitorio** (CIVIL/BSNSS redhibitory)].

redimible *a*: BSNSS/CIVIL redeemable, callable; S. *rescatable, reembolsable, amortizable*. [Exp: **redimir** (BSNSS/CIVIL redeem, pay off, free, extinguish [an obligation]; S. *redención; amortizar, rescatar, cancelar*)].

reducción *n*: GEN reduction, cut, diminution; abridgment; S. *disminución, rebaja*. [Exp: **reducción de capital** (BSNSS capital reduction/decrease; diminution of capital, impairment), **reducción de penas** (CRIM remission of punishment, time off [for good behaviour, etc.]; S. *remisión*), **reducción de legado, donaciones, deudas, impuestos, rentas, etc., entre legatarios, acreedores, etc.** (SUC abatement of legacy, gifts, debts, tax, declared income, etc., amongst legatees, creditors, etc.), **reducción del tipo bancario** (BSNSS cut in the bank rate, fall in the discount rate), **reducción del tipo impositivo** (TAX reduction/drop in tax rate), **reducir** (GEN reduce, cut, decrease, rebate, lower, narrow, retrench; S. *rebajar, recortar*)].

reembolsable *a:* GEN refundable, reimbursable, redeemable; S. *reintegrable, amortizable, redimible*. [Exp: **reembolsar** (GEN pay back, reimburse, refund, indemnify; S. *reintegrar, devolver*), **reembolsar acciones** (BSNSS redeem shares), **reembolsar el capital** (BSNSS refund capital), **reembolso** (GEN reimbursement, refund, drawback, recoupment, indemnification, payment; S. *reintegro, devolución*)].

reemplazar *v*: GEN replace, substitute, supersede; S. *sustituir* [Exp: **reemplazo** (GEN replacement, substitution, replacement cost; S. *sustitución, renovación, reposición*)].

refacción *n*: GEN repair, renovation, financing, backing; loan.

referencia *n*: GEN reference, referral; S. *citación, mención*. [Exp: **referencia a la factura, el aviso, el contrato, el convenio, con** (GEN as per invoice, advice, contract, agreement, etc.; S. *según consta en*), **referencia técnica** (GEN identification code)].

referéndum *n*: CONST referendum.

reforma *n*: GEN reform, amendment, change, innovation, correction; S. *recurso de reforma, enmienda, modificación, enmienda*. [Exp: **reformar** (GEN reform, amend, revise), **reformar una ley, un alegato,** etc. (GEN amend an act, a pleading, etc.; S. *reparar, rectificar, enmendar*), **reformatorio** (CRIM [criminal/juvenile] reformatory, home, care, borstal; S. *correccional, establecimiento penitenciario*)].

reforzar *v*: GEN strengthen, reinforce, secure, enhance ◊ *El fin principal del Registro de la Propiedad es reforzar la seguridad jurídica inmobiliaria*; S. *robustecer, respaldar, confirmar, corroborar, ratificar*.

refractario *a*: GEN against, opposed, contrary, resistant ◊ *Algunos estamentos sociales son refractarios a la menor reforma progresista*; S. *contrario, opuesto*.

refrendar *v*: GEN endorse, countersign, authorize, authenticate ◊ *Los actos del Jefe de Estado han de ser refrendados*; S. *le-*

galizar, autenticar, autorizar. [Exp: **refrendo** (GEN endorsement, authentication, assent, countersigning, legalization; S. *beneplácito, reconocimiento, aprobación*)].

refriega *n*: GEN brawl, fight, scuffle; skirmish, affray; S. *riña, pendencia, combate, tumulto, delicto de peligro.*

refugiarse *v*: GEN flee; take refuge; S. *asilar, acoger*. [Exp: **refugiado** (GEN refugee, displaced person; S. *asilado, deportado, apátrida, desplazado, emigrante*), **refugio** (GEN refuge, asylum, sanctuary; protection; S. *asilo, santuario*)].

refundición *n*: GEN revision, consolidation, new version; consolidation of statutes. [Exp: **refundir** (GEN rewrite, redraft; refund, consolidate; S. *consolidar*)].

refutable *a*: GEN refutable, rebuttable; S. *disputable, rebatible, impugnable*. [Exp: **refutación** (GEN refutation; disproof, denial, rebuttal, counter-argument, counter-evidence; S. *impugnación, oposición*), **refutar** (GEN rebut, disprove, contest, refute; S. *confutar, rebatir, objetar, combatir*)].

regalía *n*: GEN privilege, royalty [payment for a licence]; S. *dádiva, donación*. [Exp: **regalía del autor** (GEN royalty of an author; S. *derechos de autor*), **regalo** (GEN gift; S. *donación*)].

regatear *v*: GEN bargain, haggle, barter; S. *negociar, pactar, ajustar*. [Exp: **regateo** (GEN bargaining)].

regencia *n*: CONST regency; S. *gobierno*. [Exp: **regentar** (GEN govern, rule, manage, administrate, act as regent; S. *mandar, gobernar, regir*), **regente** (CONST/ BSNSS regent; manager; S. *monarca*)].

régimen *n*: GEN system; method, basis, scheme, status, regime; S. *plan, proyecto, sistema, marco estatutario*. [Exp: **régimen abierto, en** (CRIM on probation; on licence or early release; S. *abierto, centro de reeducación de jóvenes delincuentes en régimen abierto*), **régimen carcelario/penitenciario** (CRIM prison régime; this includes a variety of special conditions, such as solitary confinement for dangerous or threatened prisoners, arrangements for day or weekend release, conjugal visits, etc.; S. *tercer grado penitenciario, preso común*), **régimen conyugal de bienes** (FAM *approx* marriage settlement; married couple's financial arrangements; spouses' arrangements as to property, income and family assets; Spanish law permits only two types of arrangement, known respectively as *régimen de gananciales* –joint property arrangement– and *régimen de separación de bienes* –individual/separate property arrangement–; the general rule is that where spouses fail to specify the financial régime at the time of marriage, the default arrangement is the joint one, but in some regions, e.g. Catalonia, the opposite is presumed; S. *divorcio, matrimonio, régimen de gananciales, régimen de separación de bienes, separación*), **régimen de asistencia** (GEN/FAM care provisions; S. *acogimiento, curatela, guarda, defensor judicial; régimen de asistencia*), **régimen de, en** (GEN on the basis of; S. *a título de*), **régimen de reciprocidad, en** (GEN on a reciprocal basis), **régimen de gananciales** (FAM marriage arrangement/ settlement involving joint ownership of matrimonial assets; under this financial régime, all property and income that accrues to the marriage partnership following marriage, except by way of inheritance, is jointly owned by both spouses; S. *régimen conyugal de bienes*), **régimen de perfeccionamiento** (BSNSS temporary imports), **régimen de perfeccionamiento activo** (BSNSS duty drawback; S. *rebaja arancelaria*), **régimen [de renovación] anual** (GEN year-to-year basis; S. *cómputo anual*), **régimen de separación de**

bienes (FAM marriage arrangement/settlement involving individual/separate ownership of matrimonial assets; under this financial régime, property owned and income earned both before and after marriage belongs to each spouse individually; S. *régimen conyugal de bienes*), **régimen de transparencia** (TAX entities subject to flow-through taxation), **régimen disciplinario** (GEN/ADMIN/PROC disciplinary system ◊ *El régimen disciplinario de los jueces está a cargo del Consejo General del Poder Judicial*; S. *expediente disciplinario*), **régimen económico del matrimonio** (GEN couple's agreement as to matrimonial assets ◊ *El régimen económico del matrimonio puede ser de bienes gananciales o de separación de bienes*), **régimen jurídico** (CONST legal system; S. *ordenamiento jurídico*), **régimen parlamentario** (CONST parliamentary system), **régimen penitenciario** (CRIM prison system)].

región *n*: GEN region, area, territory; S. *territorio, comunidad autónoma, nacionalidad; barrio, distrito, municipio, pedanía, partido, provincia.*

regir[1] *v*: CONST govern, rule, control, manage; S. *mandar, gobernar, regentar; régimen.* [Exp: **regir**[2] (GEN be in effect/force, be valid; S. *tener vigencia, estar vigente o en vigor*)].

registrador *n*: GEN registrar; S. *secretario general.* [Exp: **registrador de la propiedad** (CIVIL registrar of deeds, official registrar of property, charges, etc. at the Land Registry), **registral** (GEN pertaining to register, record; S. *anotación registral, asiento registral, hoja registral, rectificación registral*), **registrar**[1] (CRIM/GEN search, inspect; survey; examine closely ◊ *La policía registró la casa pero no encontró prueba alguna*; S. *reconocer, examinar, inspeccionar, buscar, rastrear*), **registrar**[2] (GEN register, enter or note in a register, record, set down; S. *inscribir, anotar, empadronar; hacer constar en acta*), **registrar una hipoteca** (CIVIL record a mortgage, enter a mortgage as a charge on a register), **registrarse**[1] (GEN sign in; check in [at a hotel]; S. *matricularse, inscribirse*), **registrarse**[2] (GEN take place ◊ *Un nuevo episodio de violencia se registró anoche a la salida de una sala de fiestas*), **regístrese de salida y comuníquese a los interesados** (PROC registration and transmittal order), **registro**[1] (GEN/CRIM search, inspection, examination; S. *indagación, busca, cacheo*), **registro**[2] (GEN register, roster, roll, list; registrarship; registration, record, transcript, entry; S. *anotación, inscripción, lista; llevar un registro*), **registro central de penados y rebeldes** (ADMIN central register of convicted offenders), **registro civil** (CIVIL registry office, record office; register/registry of birth, marriages and deaths ◊ *La celebración del matrimonio se inscribe en el registro civil*; S. *oficina del registro civil*), **registro de actos de últimas voluntades** (SUC probate register), **registro de buques** (BSNSS shipping register), **registro de cargas inmobiliarias o sobre bienes raíces** (CIVIL registry/register/registration of encumbrances/charges), **registro de escrituras inmobiliarias** (CIVIL register/registry/registration of deeds, Land registry), **registro de la propiedad** (CIVIL land registry, property register, registry of property deeds and Land charges ◊ *El fin principal del registro de la propiedad es robustecer la seguridad jurídica inmobiliaria*; S. *catastro*), **registro de la propiedad industrial** (BSNSS patent and trade mark office), **registro de la propiedad intelectual** (BSNSS industrial property register, *approx* registry of intellectual property, copyright office), **registro de patentes** (BSNSS patents office), **registro de sociedades mercantiles** (BSNSS companies register), **registro domiciliario** (CRIM search of a house or private dwelling), **registro e incautación** (CRIM search and seizure), **registro mercantil** (BSNSS Companies Registry), **registro público** (ADMIN/CIVIL public records office; S. *anotación en registro público*), **registro tributario** (TAX tax roll)].

regla *n*: GEN rule, norm, precept, principle ◊ *El Derecho es el conjunto de principios, preceptos y reglas a que están sometidas las relaciones humanas*; S. *precepto, principio, norma, reglamento*. [Exp: **regla de exclusión** (PROC exclusionary rule), **regla, en** (GEN in order; S. *documentación en regla*), **regla rígida** (GEN hard and fast rule), **reglas de interpretación judicial de leyes** (PROC rules/principles/canons of interpretation or construction of statutes), **reglas procesales** (PROC rules of procedure, rules of [the] court, *approx* practice directions)].

reglamentación *n*: GEN regulation; S. *disposiciones reglamentarias, normativa, reglamento*. [Exp: **reglamentación laboral** (EMPLOY regulation of employment/labour relations), **reglamentación urbanística municipal** (ADMIN town planning regulations; development plan, planning control, zoning regulations/rules), **reglamentar** (GEN/ADMIN regulate, make/issue rules/guidelines/regulations; S. *normalizar, regularizar, estatuir*), **reglamentario** (GEN regulatory; S. *regulador, potestad reglamentaria*), **reglamento** (GEN regulations, rules, bye-laws, bye-laws), **reglamento de una sociedad mercantil** (BSNSS articles of association, articles of incorporation; S. *estatutos de una sociedad mercantil*), **reglamento interno** (GEN internal rules, association's code of conduct), **reglamento procesal** (PROC rules of court/practice/procedure; S. *Ley de Enjuiciamiento Civil, Ley de Enjuiciamiento Criminal, normas procesales*), **reglamento sindical** (EMPLOY union rules), **reglar** (GEN regulate, adjust; S. *regular*)].

regulable *a*: GEN regulable, that may be regulated, adjustable; S. *ajustable, graduable, variable, revisable*. [Exp: **regulación** (GEN regulation, guidelines, control, system; adjustment; S. *reglamentación, ordenamiento; desregulación*), **regulador** (GEN regulatory, regulating; S. *normas reguladoras, reglamentario, organismo regulador*), **regulación de empleo** (EMPLOY redundancy measures, labour force adjustment plan, shorter working hours, etc.; S. *excedente de plantilla, expediente de regulación de empleo*), **regular**[1] (GEN regular, constant, even, average; middling, fair, so-so *col*; S. *mediano, medio*), **regular**[2] (GEN regulate, adjust, control, make arrangements ◊ *Cuando la separación o el divorcio se pactan de mutuo acuerdo, los cónyuges pueden regular por sí mismos las medidas provisionales*; S. *organismo regulador, ajustar, reglar*), **regularidad** (GEN regularity), **regularizar** (GEN normalize, regularize, organize; S. *normalizar, reglamentar*)].

rehabilitación *n*: GEN rehabilitation, rehab *col*, discharge, restoration; S. *centro de rehabilitación, reinserción; deshabituación*. [Exp: **rehabilitación de un preso** (CRIM rehabilitation of an offender; S. *reinserción social de un preso*), **rehabilitación del fallido/quebrado** (BSNSS discharge in bankruptcy, discharge of a bankrupt; S. *fallido rehabilitado*), **rehabilitar** (GEN rehabilitate, discharge, reinstate ◊ *Lo han rehabilitado después de la sanción disciplinaria a la que fue sometido*; S. *depurar; reinsertar, reintegrar*)].

rehén *n*: CRIM hostage; S. *secuestrar, raptar; liberar; rapto, secuestro, abducción, rescate*.

rehusar *v*: GEN refuse, reject, decline; S. *declinar, negarse.*

reinar *v*: CONST/GEN reign, rule; prevail; S. *gobernar, regir.* [Exp: **reina** (CONST queen), **reinado** (GEN reign; S. *bajo el reinado de*), **reinante** (GEN prevailing, current, accepted, popular; S. *corriente, preponderante*), **reino** (CONST kingdom), **rey** (CONST king)].

reincidencia *n*: GEN repetition/recurrence of infringement, backsliding, recidivism, second offence, relapse ◊ *Con los juicios rápidos se piensa atajar la reincidencia*; S. *recaída, reiteración.* [Exp: **reincidente** (GEN/CRIM persistent offender, person who offends, habitual criminal, repeater, repeat offender, backslider; S. *recurrente; delincuente habitual*), **reincidir** (GEN re-offend, relapse, backslide; S. *recaer*)].

Reino Unido *n*: GEN United Kingdom, UK.

reinserción *a*: CRIM rehabilitation; S. *rehabilitación.* [Exp: **reinserción social de un preso** (CRIM rehabilitation of an offender; S. *rehabilitación, acogerse a medidas de reinserción social*), **reinsertar** (GEN/CRIM rehabilitate, reinstate, reintegrate; S. *acogerse a medidas de reinserción social, reintegrar, reincorporar*)].

reintegrable *a*: GEN refundable, returnable, reimbursable. [Exp: **reintegración**[1] (GEN refund, return, reimbursement, restitution; S. *reembolso, devolución, restitución*), **reintegración**[2] (GEN reintegration ◊ *Su reintegración a la vida social le ha beneficiado*; S. *reincorporación*), **reintegración**[3] (EMPLOY reinstatement ◊ *La reintegración a su cargo no ha sido traumática*), **reintegrar**[1] (GEN refund, return, repay; S. *reembolsar, reintegro de gastos*), **reintegrar**[2] (GEN reintegrate; S. *reincorporar, reinsertar*), **reintegrar**[3] (EMPLOY reinstate ◊ *Fue reintegrado a su categoría profesional*; S. *restituir, rehabilitar, reponer*), **reintegro**[1] (COM withdrawal ◊ *He hecho un reintegro en el banco para pagar una deuda*; S. *hacer una disposición de fondos*), **reintegro**[2] (ADMIN fiscal stamp ◊ *En el pasado algunos escritos oficiales se devolvían a los interesados porque no tenían el reintegro correcto*; S. *timbre, póliza*), **reintegro de un depósito** (GEN refund/refund of a deposit; S. *devolución*), **reintegro de gastos** (GEN reimbursement of expenses ◊ *Le haremos un reintegro de los gastos en cuanto nos traiga los recibos y las facturas*; S. *compensación*), **reintegro de un préstamo** (BSNSS repayment of a loan; S. *devolución*), **reintegro en el puesto de trabajo** (EMPLOY reinstatement in one's post; S. *despido improcedente*)].

reiteración *n*: GEN reiteration, repetition; S. *reincidencia, repetición.* [Exp: **reiterar** (GEN reiterate, repeat)].

reivindicación *n*: GEN claim, demand. [Exp: **reivindicación de un atentado** (CRIM claiming responsibility for an outrage/assassination attempt; S. *asumir la autoría, atribuirse la autoría*), **reivindicación salarial** (EMPLOY pay/wage claim/demand), **reivindicación territorial** (INTNL territorial claim, border dispute, claim to ownership of a disputed area or region ◊ *Algunos países centroeuropeos mantienen reivindicaciones territoriales con sus vecinos*), **reivindicar** (GEN claim, assert, make/assert a claim, demand ◊ *El sindicato reivindica una serie de mejoras salariales*; S. *reclamar, hacer valer*)].

relación[1] *n*: GEN relation, relationship, connection, link, association; S. *vínculo, nexo, conexión; guardar relación.* [Exp: **relación**[2] (GEN list, inventory, account ◊ *Se entregará al tribunal una relación de los testigos que han de declarar en la vista*; S. *lista, inventario, informe*), **relación de causalidad** (GEN causation), **relación de hechos de un documento público** (PROC recitals, narrative recitals; S. *considerandos*), **relación jurídica**

(PROC legal relation[ship]), **relación sentimental** (GEN love affair, affair; often euphemistic, especially in the plural, for a sexual relationship of any kind, whether extramarital or otherwise ◊ *Dicen sus compañeros de trabajo que ascendió a directora tras mantener relaciones sentimentales con el jefe*; S. *compañero sentimental*), **relacionar** (GEN relate, connect, link, take together; list; S. *conectar*), **relaciones diplomáticas** (INTNL diplomatic relations ◊ *Han roto las relaciones diplomáticas por desavenencias en cuanto al trazado de la frontera*), **relaciones humanas** (GEN human relations), **relaciones laborales** (EMPLOY industrial relations), **relaciones mutuas** (GEN mutual dealings), **relaciones sexuales** (GEN sexual relations; sexual intercourse; S. *conocimiento carnal, acoso sexual, insinuaciones sexuales*)].

relatar *v*: GEN report, relate, give an account, narrate, tell; S. *comunicar, denunciar, informar*. [Exp: **relato** (GEN relation, narration, account, report, story, version of events), **relator** (GEN reporter, court reporter)].

relativo *a*: GEN relative; relating [to], appertaining [to].

relevar *v*: GEN relieve; exempt, exonerate. [Exp: **relevar a uno del cargo** (EMPLOY relieve sb of his/her post, dismiss/remove sb from his/her post; S. *cesar, despedir*), **relevar a uno de una obligación** (GEN relieve sb of/exempt sb from a duty/obligation; S. *eximir, exonerar*), **relevo** (GEN change [of guard/shift], [act of] relieving [sb]; replacement, taking over)].

rellenar *v*: GEN fill in, complete; S. *completer, cubrir*. [Exp: **rellenar un impreso** (GEN fill in/out a form), **relleno** (GEN padding)].

remanente *a/n*: BSNSS residual, leftover, re mainder, surplus; residue, carry-over; residuary, residual.

rematador *n*: CIVIL auctioneer; S. *subastador*. [Exp: **rematar**[1] *v*: GEN finish off; round off, conclude ◊ *Remataron el negocio con un fuerte apretón de manos*; S. *concluir, consumar, cerrar, completar, formalizar, clausurar, dar por concluido*), **rematar**[2] (GEN/CIVIL sell off, include in a clearance sale, auction off, knock down at auction; S. *subastar, adjudicar en pública subasta, almoneda*), **rematar**[3] (CRIM finish off, deal/give the fatal blow ◊ *Remató a su víctima cuando cayó al suelo*), **remate** (CIVIL auction, competitive bidding, sale by auction, closing bid ◊ *El tribunal aprobará el remate en favor del mejor postor*; S. *venta en subasta, venta de remate, almoneda*), **remate al martillo** (CIVIL auction sale)].

remediar *v*: GEN/PRO remedy, cure, rectify, redress, provide relief ◊ *Puso la finca en venta en un intento de remediar su situación económica*; the Spanish verb and the associated noun *remedio* are not anything like as frequent in legal use as their English cognate «remedy», for which Spanish habitually uses *compensación, indemnización, reparación*, etc.; in judicial texts *remedio* is sometimes used in the sense of «appeal» *–recurso–*, i.e. it refers to a procedural remedy *–remedio procesal–* provided by law to rectify deficiencies or anomalies of the usual rules applied at first instance; translators should therefore use it sparingly, and certainly not as the automatic equivalent of English «remedy»; S. *compensar, indemnizar, rectificar, reparar, solucionar, satisfacer*. [Exp: **remedio** (GEN/PROC remedy, cure, rectification, redress, relief; appeal, recourse; S. *compensación, indemnización, rectificación, recurso, reparación, satisfacción, solución*)].

remesa *n*: BSNSS remittance; shipment, consignment; S. *envío, expedición*. [Exp: **remesa de fondos** (BSNSS remittance or transfer of funds; S. *libramiento de fondos*), **remesa de mercancías** (BSNSS consignment of goods, shipment of goods), **remesar** (BSNSS remit, send, ship, consign; S. *remitir, enviar*)].

remisión[1] *n*: GEN reference, cross-reference; S. *alusión, referencia, nota*. [Exp: **remisión**[2] (BSNSS/GEN remittance, shipment, consignment; S. *envío, remesa*), **remisión**[3] (CRIM remission; S. *absolución, exoneración, perdón, indulto, condonación, gracia*), **remisión condicional de la pena** (CRIM/PROC conditional suspension/ suspending of sentence, conditional discharge of a convicted offender; strictly speaking, Spanish courts have no power of discharge of convicted defendants, since all punishments are fixed by law and, by the *principio de legalidad* –principle of legality–, binding on the trial judge; however, in appropriate cases the judges, or the jury, has a discretion to suspend the sentence conditionally and the Spanish concept of *remisión*, unlike its English counterpart, can refer to the entire sentence; thus the English sense of «remission» is more precisely *remisión partial de la pena* in Spanish), **remisión de deuda** (BSNSS remission of a debt, freeing/release from a debt, cancellation of a debt; S. *condonación de deuda, finiquito gratuito*), **remisión de la pena** (CRIM remission of sentence [for good behaviour, etc.]), **remite** (GEN return address ◊ *El remite no se puede leer bien en el sobre*), **remitente** (GEN sender, addresser, shipper), **remitir**[1] (GEN refer; defer, postpone; lodge, send, forward, consign; S. *enviar*), **remitir**[2] (GEN remit; S. *perdonar, condonar*), **remitir a la justicia** (PROC send/remit to the court office, lodge with the court; S. *radicar*), **remitirse a las legislaciones nacionales** (EURO leave [a matter/a decision] up to national law, refer [a matter] to national law)].

remoción *n*: ADMIN/EMPLOY removal, dismissal; a highly formal term; *cese* and *destitución* are much moe frequent in the same sense; S. *despido*. [Exp: **remover** (ADMIN/EMPLOY remove, dismiss; S. *cese, despido; cesar, despedir, destituir*)].

remodelación ministerial *n*: CONST reshuffle of the Cabinet; S. *reajuste del consejo de ministros*.

remuneración *v*: GEN remuneration, salary, pay, compensation, reward. [Exp: **remunerar** (GEN pay, remunerate, compensate; S. *recompensar, pagar*)].

rencor *n*: GEN rancour, resentment, grudge; S. *hostilidad, odio, aversión, enemistad*. [Exp: **rencoroso** (GEN rancourous, spiteful, resentful, bitter, embittered)].

rendición *n*: GEN surrender; abandonment, resignation; S. *rendirse*. [Exp: **rendición de cuentas** (BSNSS rendering of accounts), **rendimiento** (BSNSS earnings, return, yield, revenue; efficiency, performance; S. *rendir*; *beneficio, resultado, ganancia, producto*), **rendir**[1] (GEN produce, yield, render; S. *producir; rendimiento*), **rendir**[2] (GEN submit, present, render; S. *presentar*), **rendir cuentas** (GEN account, render an account, present and justify accounts), **rendir interés** (BSNSS yield/ bear/carry interest ◊ *Las cuentas corrientes rinden muy poco interés*; S. *devengar*), **rendir pruebas** (PROC call/provide/furnish /adduce/lead evidence; S. *presentar, evacuar, alegar, aducir, aportar*), **rendir un informe** (GEN submit/present a report; S. *presentar, formular*), **rendir pleitesía** (GEN pay tribute/homage; show respect/courtesy), **rendirse** (GEN surrender; S. *rendición; renunciar, ceder, abandonar, capitular*), **rendirse a la evidencia** (GEN face the facts, bow to/accept the inevitable or the obvious)].

renombre *n*: GEN renown, fame, prestige; S. *fama*. [Exp: **renombre, de** (GEN renowned, recognised, leading, prestigious; S. *famoso*)].

renovación *n*: GEN renewal, renovation, revival; S. *reemplazo, sustitución, reactivación*. [Exp: **renovar** (GEN renew, renovate, extend ◊ *Las agencias administrativas tienen facultades para renovar licencias y para revocarlas*; S. *prorrogar, ampliar*)].

renta[1] *v*: BSNSS/CIVIL rent, rental, ground rent ◊ *Ese piso no lo alquila nadie porque tiene una renta muy alta*; S. *alquiler*. [Exp: **renta**[2] (BSNSS/CIVIL income, earnings, revenue, yield; S. *ingresos, beneficio, ganancia, rendimiento, producto, declaración de la renta*), **renta**[3] (BSNSS interest; S. *interés*), **renta**[4] (BSNSS government bonds, public debt; S. *deuda pública*), **renta fija** (BSNSS fixed-income securities, fixed-interest securities; fixed yield; S. *valores de renta fija*), **renta imponible o gravable** (TAX assessed income, taxable income), **renta imputada** (TAX imputed/assessed rent), **renta íntegra/bruta** (GEN gross revenue), **renta líquida** (TAX net income), **renta nacional** (BSNSS national income), **renta salarial o del trabajo** (TAX earned income), **renta variable** (BSNSS return on equities/shares/stock), **renta vitalicia** (CIVIL/INSUR life annuity; liferent *Scots*), **rentabilidad** (BSNSS profitability, earning power, earning capacity; S. *rendimiento, beneficio*), **rentable** (BSNSS profitable, productive, income-producing; S. *fructífero*), **rentar** (BSNSS yield, produce, return; S. *producir intereses, dividendos*, etc.), **rentas** (GEN revenue; S. *ingresos, recaudación*), **rentas censales** (CIVIL rent-charges), **rentero** (CIVIL lessee, farm lessee), **rentista** (CIVIL rentier, fund-holder, annuitant, person who lives on investments, etc.)].

renuencia *n*: GEN reluctance, unwillingness, hesitancy; S. *reticencia*. [Exp: **renuente** (GEN reluctant, unwilling)].

renuncia *n*: GEN renunciation, resignation, surrender, abandonment, waiver, disclaimer, relinquishment, repudiation; forfeiture; S. *abandono, cesión*. [Exp: **renuncia a inmunidad/fuero** (CONST waiver of immunity), **renuncia a un cargo o puesto** (ADMIN/EMPLOY resignation from a post; S. *dimisión, cese*), **renuncia a la demanda, la instancia, el recurso, los derechos, la pretensión, etc.** (PROC abandonment of action, suit, appeal, rights, claim, etc.; S. *desistimiento, abandono*), **renuncia abdicativa** (CIVIL withdrawal from proceedings in favour of a named successor, transfer of right of action; S. *renuncia traslativa*), **renuncia traslativa** (CIVIL conveyance; cession of a property or right of action; S. *traslado de dominio, renuncia abdicativa*), **renunciar** (GEN give up, renounce, discontinue, withdraw, resign, forgo, disclaim, waive, forsake, relinquish, decline ◊ *Los litigantes podrán renunciar, desistir del juicio, allanarse, someterse a arbitraje y transigir sobre lo que sea objeto del mismo*; S. *abandonar, desistir*), **renunciar a mercancías, fletes,** etc. (BSNSS/INSUR abandon goods, freights, etc.), **renunciar a un cargo o puesto** (GEN/ADMIN resign from a post), **renunciar a un derecho** (GEN renounce/waive a right, pass up a claim), **renunciar a una pretensión** (PROC waive a claim, abandon/discontinue a claim)].

reñir *v*: GEN quarrel, differ, fight; S. *riña*. [Exp: **reñido con** (GEN at variance with ◊ *Esa sentencia está reñida con el sentido común*; S. *en desacuerdo con*)].

reo *n*: CRIM defendant, convicted prisoner, person guilty of an offence, prisoner at the bar, accused; traditionally this term has been used in the senses listed, which derive from the same Latin term *–reus–*, meaning criminal, as the English phrases *actus reus* y *mens rea*; modern and, of course, constitutional practice is to reserve the word for convicted offenders rather than those merely on trial; S. *acusado, encausado, inculpado, procesado, imputado, recluso.* [Exp: **reo de asesinato** (PENAL [defendant] guilty of murder), **reo de Estado** (CRIM traitor; person accused of a crime against the state), **reo de muerte** (CRIM prisoner under sentence of death, prisoner found guilty of a capital offence)].

reorganización *n*: GEN reorganization. [Exp: **reorganizar** (GEN reorganize; S. *reconstituir*)].

reparación *n*: GEN repair, reparation, compensation, indemnity, redress, relief, amends; S. *remedio, compensación, desagravio, satisfacción; solicitar la reparación del daño sufrido.* [Exp: **reparación de agravios** (PROC redress of grievances; S. *desagravio*), **reparación de los daños** (PROC reparation for damage or injury; S. *resarcimiento de daños*), **reparar**[1] (GEN repair, fix, reorganize, reconstruct; S. *reorganizar, reconstituir, restaurar; subsanar, salvar*), **reparar**[2] (PROC compensate, make amends or reparation, redress, give redress amend; observe, heed, notice, pay attention to; S. *satisfacer, indemnizar*), **reparar una injusticia, daño o perjuicio** (CIVIL redress a wrong/ grievance), **reparo** (GEN doubt, misgiving, qualm, reservation objection; qualification, warning; S. *objeción, salvedad, excepción, impugnación, dictamen con reparos/salvedades*), **reparos, con** (GEN qualified; S. *dictamen con reparos/salvedades; con observaciones, con salvedades*)].

reparcelación *n*: GEN/CIVIL subdivision or redistribution of plots of [building] land, redrawing of the bounderies between plots of building land; S. *parcela, calificación, parcelación.*

repartición *n*: GEN division, partition, distribution. [Exp: **repartidor** (GEN/SUC delivery man, distributor, partitioner; clerk or official who allots cases to the judges attached to a court; S. *reparto*), **repartimiento** (GEN/PROC distitrution, partition; sharing/division/distribution of the cause list), **repartir**[1] (GEN apportion, allocate, share out, distribute, allot, portion, divide; S. *distribuir, adjudicar, atribuir, asignar, destinar*), **repartir**[2] (GEN deliver, dispatch, S. *entregar*), **reparto**[1] (GEN partition, distribution, allocation; allocation or allotment of the cause list, [system of] distribution of cases among the judges of a court; S. *distribución*), **reparto**[2] (GEN delivery, dispatch; S. *entrega*), **reparto de avería** (BSNSS adjustment of average; S. *tasación/liquidación de avería*), **reparto de beneficios a accionistas** (BSNSS distribution of profits/dividends among shareholders)].

repatriación *n*: GEN repatriation; S. *deportación.* [Exp: **repatriar** (GEN repatriate; S. *deportar*)].

repeler *v*: GEN repel, reject; disgust; be repellent/repugnant/repulsive; S. *rechazar, repulsar.*

repercusión *n*: GEN repercussion, effect, implication; S. *resultado, efecto, consecuencias.* [Exp: **repercutir** (GEN have repercussions/an effect/an imact; pass on [a charge or cost])].

repertorio *n*: GEN digest, list, index; repertoire; S. *digesto, recopilación, sumario.* [Exp: **repertorios de jurisprudencia** (PROC [collections of] law reports)].

repetición[1] *n*: GEN repetition, reiteration; S. *reiteración, reincidencia.* [Exp: **repetición**[2] (PROC action for recovery; S. *acción de repetición*), **repetido** (GEN continuous), **repetir un juicio o vista oral** (PROC rehear a case), **repetir**[1] (GEN repeat; restate; rehear; S. *reiterar, reincidir, recurrir*), **repetir**[2] (PROC bring an action for recovery), **repetir**[3] (PROC bring a claim for restitution or repayment, repat *Scots*;

form of proceedings brought to claim the recovery of a sum awarded to another creditor in previous proceedings; the claimant thus «repeats» the action previously brought against the original debtor; S. *restitution*)].

réplica *n*: CIVIL/PROC reply, replication; pleading in which the claimant answers the defence *–contestación a la demanda–* or takes issue with *–impugna–* points raised in a counterclaim *–reconvención–*; S. *dúplica*. [Exp: **replicar** (CIVIL/PROC reply, file a reply, challenge the issues raised in a counterclaim)].

reponer *v*: GEN place back; put back; repay; S. *reintegrar*. [Exp: **reponer en el cargo** (ADMIN/EMPLOY reinstate ◊ *Lo han repuesto en el cargo del que fue destituido injustamente*; S. *restituir, rehabilitar*. [Exp: **reposición** (GEN replacement, reinstatement, ploughing back; S. *rehabilitación, readmisión; recurso de reposición*)].

repregunta *n*: PROC cross-examination; S. *primer interrogatorio de testigos*. [Exp: **repreguntar** (PROC cross-examine)].

reprender *v*: GEN reprimand, scold, reproach, admonish, reprehend, reprove, take to task, tick off *col*; S. *reconvenir, amonestar, censurar, desaprobar*. [Exp: **reprensible** (GEN reprehensible, blameworthy, discreditable, unworthy; S. *censurable*), **reprensión** (GEN reprimand, admonition, reprehension; S. *reprimenda, apercibimiento, admonición, advertencia, amonestación, corrección verbal*)].

represalia *n*: GEN reprisal, retaliation, retaliatory measures, revenge; S. *desquite, venganza; tomar represalias*.

representación *n*: GEN representation, symbol ◊ *El Presidente del Consejo ostenta la representación del Poder Judicial*; S. *ostentar la representación*. [Exp: **representación de, en** (PROC on behalf of/for; *actuar en representación de alguien*), **representación legal** (PROC legal representation, counsel), **representación procesal** (PROC representation before the court), **representación procesal, sin** (PROC *in propria persona, per se*, [litigant] in person, party litigant *Scots*), **representado por** (GEN represented by, by and through *US*), **representante** (GEN agent, representative; S. *agente, mandatario, apoderado, factor, gestor*), **representante de comercio** (BSNSS commercial agent), **representante exclusivo** (BSNSS sole agent), **representante legal** (GEN legal representative, solicitor, counsel, attorney *US*), **representante procesal** (PROC representative in court, counsel, attorney *US*), **representante sindical** (EMPLOY union repesentative), **representar** (GEN act for, represent; S. *representado por, ser apoderado de alguien*), **representar con plenos poderes** (GEN act with full powers on behalf of, be fully empowered to act for), **representarse [procesalmente] a sí mismo** (PROC proceed as one's own counsel, act for oneself, act as a litigant in person, appear as a party litigant *Scots*)].

represión *n*: GEN repression, suppression, constraint, restraint ◊ *Todos creen que el ejército fue el culpable de la represión indiscriminada que costó la vida a muchos inocentes*; S. *reprimir, restricción, sujeción, limitación, reprimir*. [Exp: **represivo** (GEN repressive, restrictive)].

reprimir *v*: GEN repress, suppress, restrain, curb, punish ◊ *El Derecho sirve para reprimir los comportamiento lesivos del orden constituido*; S. *restringir, limitar*.

reprobable *a*: GEN GEN reprovable, reprehensible, discreditable, blameworthy; S. *reprensible*. [Exp: **reprobación** (GEN reproval, reprobation, disapproval; S. *disconformidad, desaprobación, censura*), **reprobar** (GEN disapprove, censure, object to, reproach, condemn, take exception to; S. *condenar, censurar, desaprobar*), **réprobo** (GEN reprobate)].

reprochar *v*: GEN reproach; S. *reprender, achacar*. [Exp: **reproche** (GEN reproach; S. *reprobación, culpa, tacha*)].

república *n*: CONST republic; S. *monarquía*.

repudiación *n*: GEN repudiation; S. *rechazo, renuncia, repudio*. [Exp: **repudiación de herencia** (SUC repudiation of an inheritance or estate; S. *beneficio de inventario*), **repudio** (GEN repudiation; condemnation), **repudiar** (GEN/PROC repudiate, disown, renounce, disavow; S. *negar, invalidar, anular, rechazar, denegar la conformidad*), **repudiar un contrato** (CIVIL repudiate a contract [by anticipatory breach]; treat a contract as disregarded; rescind a contract; S. *rescindir, resolver*), **repudiar una herencia** (SUC repudiate an inheritance or estate)].

repugnante *a*: GEN abhorrent, repulsive, repugnant ◊ *La violación es un delito repugnante*; S. *execrable, abominable, indignante, insólito, incalificable, monstruoso, nefando, ominoso*)].

repulsa *n*: GEN rejection, refusal; condemnation; S. *rechazo, censura*. [Exp: **repulsar** (GEN repulse, oppose, disapprove; S. *rechazar, censurar*), **repulsión** (GEN repulsion, repugnance, loathing, aversion, disgust)].

reputación *n*: GEN reputation, credit, good name, character, fame, standing; S. *honor, honra, fama, crédito, renombre*. [Exp: **reputación financiera o crediticia** (BSNSS credit standing, credit rating, creditworthiness; S. *solvencia*), **reputar** (GEN repute; regard, consider, deem, judge, adjudge ◊ *Se aceptarán las pruebas que se reputen útiles y pertinentes*; S. *considerar, juzgar; prueba útil y pertinente*)].

requerimiento *n*: PROC [writ of] summons, order, warrant, subpoena, [official] request, notification. [Exp: **requerimiento con apercibimiento** (PROC subpoena), **requerimiento de pago** (BSNSS demand for payment), **requerimiento judicial** (GEN court order, citation, summons), **requerimiento notarial** (CIVIL duly attested summons), **requerir**[1] (GEN summon, order, cite, subpoena, request and require ◊ *El juez requirió su presencia como testigo*; S. *requerimiento*), **requerir**[2] (GEN require, demand, call for ◊ *La preparación de un recurso de apelación requiere paciencia y amplios conocimientos jurídicos*; S. *solicitar, exigir; requisito*)].

requisa *n*: ADMIN requisition, commandeering, seizure; S. *expropiación* [Exp: **requisar** (ADMIN commandeer, requisition, seize, confiscate), **requisición** (ADMIN requisition, seizure, confiscation; S. *confiscación; incautarse*)].

requisito *n*: GEN requisite, requirement, necessary condition; S. *trámite, exigencia; requerir*[2]. [Exp: **requisito formal** (GEN formal requirement), **requisitos** (GEN formalities, requirements; S. *formalidades*), **requisitos legales o marcados por la ley** (GEN legal or statutory requirements; S. *normas legales*), **requisitoria** (GEN summons, request [by on judge or court to another]; S. *exhorto, comisión rogatoria*)].

res *n*: CIVL res, thing, real property. [Exp: **res judicata** (PROC res judicata; S. *cosa juzgada*), **res nullius** (CIVIL *res nullius*; S. *abandono*)].

resarcible *a*: GEN compensable, indemnifiable, for which compensation may be claimed; recoverable. [Exp: **resarcimiento** (GEN compensation, indemnity, damages, recovery of losses, redress, satisfaction; S. *recuperación, reembolso*), **resarcimiento de daños** (CIVIL reparationor compensation for damages or injury, recovery of damages; S. *reparación de los daños*), **resarcir** (GEN indemnify, compensate ◊ *El incumplimiento sin causa de la promesa de matrimonio obliga a resarcir a la parte perjudicada de los gastos* *hechos*; S. *indemnizar, reparar, compensar*), **resarcirse** (GEN recover, retrieve, receive/obtain compensation, be compensated; S. *recuperar*), **resarcirse de las pérdidas** (GEN recoup one's losses)].

rescatable *a*: GEN redeemable; S. *reembolsable, amortizable, redimible*. [Exp: **rescatar** (GEN rescue, free, save, recover, salvage; the Spanish term is used both for the rescuing of survivors *–Los equipos de salvamento rescataron a ocho supervivientes del naufragio–* and for the recovery of dead bodies *–Fueron rescatados tres cadáveres–*), **rescatar un barco naufragado, etc**. (BSNSS salvage a shipwrecked vessel), **rescate**[1] (GEN rescue, redemption; S. *equipo de socorro*), **rescate**[2] (CRIM ransom, payment; S. *rehén, prisionero*)].

rescindible *a*: BSNSS/CIVIL/PROC rescindible, cancellable. [Exp: **rescindir** (CIVIL/PROC rescind; set aside; cancel, sever; invalidate, nullify, revoke ◊ *La pretensión del demandado rebelde de que se rescinda una sentencia firme se sustanciará por los trámites previstos*; as the example shows, the Spanish verb, unlike its English counterpart, may be applied to a default judgment; this follows the special appeal procedure known as *recurso [extraordinario] de rescisión* if the defendant in default *–demandado rebelde–* can prove that he was not properly notified of proceedings against him, or was prevented from attending by physical restraint or circumstances beyond his control; the more usual sense of the verb relates to the setting aside of a voidable contract *–contrato anulable–* in circumstances in which, once again, the party purporting to rescind claims that the agreement must be regarded as discharged because it has been vitiated by external circumstances; this is more fully explained under *rescisión*; S. *abolir, anular, cancelar, casar, dejar sin efecto, derogar, invalidar, resolutorio, resolver*), **rescindir un contrato** (BSNSS/CIVIL rescind a contract), **rescisión** (CIVIL/PROC rescission; setting aside; cancellation/cancelling, severance ◊ *El tribunal acordó la rescisión del contrato a la vista de las circunstancias sobrevenidas*; Spanish and English law agree in regarding rescission as a remedy that is only possible if the contract was originally valid but has become voidable *–anulable–* because of some circumstance of which the claimant has become aware since the agreement was made, e.g. fraud, frustration, misrepresentation, mistake, impossibility, etc; the two systems also agree in ruling that rescission will only be allowed if *restitutio in integrum* is possible, i.e. if goods, sums of money and other benefits under the contract can be returned in full, so that that both parties are restored to their initial positions; otherwise, the claimant cannot rescind but must sue the other party for breach of contract *–incumplimiento de contrato–*; however, in both Spanish and English the term tends to be used popularly to mean any unilateral attempt to sever or cancel *–resolver–* a contract, or even to claim that it is void *–nulo–*, which in law is quite a different matter; S. *anulación, derogación, nulo, rescindir, revocación; repudiar un contrato*)].

reserva[1] *a*: GEN reserve, reservation, doubt, reluctance; secret, confidence, caution, prudence, exception; S. *sigilo, secreto, discreción*. [Exp: **reserva**[2] (GEN reservation, reserve ◊ *Hay reservas naturales para la vida silvestre*), **reserva**[3] (SUC reservation, reserve; the term is used in the Spanish laws governing inheritance to mean that portion of an estate that may not be alienated from the bloodline of the original testator; hence, portion or remainder of an estate of a person dying without issue, which passes first to his lineal ancestors and may not then be alienated from the direct degree of kinship where a better claim subsists), **reserva**[4] (CIVIL declaratory judgment reserving or excluding a specified right; S. *declaración*), **reserva, con** (GEN under protest, conditional, qualified, claused), **reserva de, a** (GEN unless.save [that], except [that] subject to; S. *sin perjuicio de, previa condición de, dentro de, sujeto a, sometido a, pendiente de*), **reserva legal o estatutaria** (BSNSS legal reserve, reserve fund provided by law), **reserva lineal/troncal** (SUC same as *reserva*[3]), **reserva mental o tácita** (GEN mental reservation), **reserva para impuestos** (TAX reserve for taxes), **reserva, sin** (GEN openly; frankly, freely, unqualified, unconditional), **reserva viudal** (SUC widow or widower's life interest in the estate of deceased spouse which may not be alienated from the original line of descent to a natural heir born later nor to the legitimate issue of a subsequent marriage, but reverts to the issue of the original marriage and their heirs), **reservado** (GEN reserved, confidential, close; S. *íntimo, cauto, reservado, confidencial*), **reservado el derecho de admisión** (GEN right of admission reserved, the management reserves the right to refuse admission; S. *derecho de admisión*), **reservado para uso oficial** (ADMIN for official use only), **reservados todos los derechos** (GEN all rights reserved), **reservar** (GEN reserve, book; exempt; retain, except, keep back, set aside, put by), **reservar fondos, cuentas, impuestos, etc., a fines específicos** (ADMIN earmark funds, accounts, taxes, etc.; S. *consignar, afectar, destinar*), **reservarse el derecho** (GEN reserve the right), **reservarse la opinión** (GEN reserve one's opinion), **reservista** (SUC beneficiary under the rules of *reserva*, heir of the blood with a prior right), **reservas bancarias** (BSNSS bank reserves), **reservas, sin** (unreserved, unqualified, uberrimae fidei; S. *de la máxima confianza*)].

resguardo[1] *n*: GEN receipt, stub, slip, voucher [of payment], ticket; S. *comprobante, boleto, recibo*. [Exp: **resguardo**[2] (GEN protection, guarantee, safeguard; S. *protección*), **resguardo de depósito** (GEN deposit receipt/slip), **resguardo provisional [de seguro mientras se tramita el nuevo]** (INSUR cover note, agreement for insurance; S. *documento acreditativo de cobertura*)].

residencia *n*: GEN abode, residence, home, [private] dwelling, legal domicile, seat; S. *cambio de residencia, domicilio, morada, paradero*. [Exp: **residencia habitual** (GEN usual place of abode, principal residence; S. *en paradero desconocido*), **residencial** (GEN suburban), **residenciar**[1] (PROC investigate, bring disciplinary proceedings against, probe *col*; the formal term for the opening of an enquiry by a judge into the conduct of another judge or senior public servant or official; S. *investigar, prevaricar, separar*), **residenciar**[2] (GEN/PROC/INTNL lodge, file, send, issue; this verb, like *radicar*, is sometimes found in the senses listed, but strikes many as being affected and grammatically dubious; the root meaning, again quasi-technical and suspect, is «to cause [sth/sb] to reside», whence presumably it has been taken probably erroneously, to mean «send», «remit» or even «enshrine»; since it appears to be more frequently used by international lawyers, it may be that it originated in the speech of diplomats when referring to documents, letters, etc., which were sent to or filed at the embassy, or the ambassador's «residence»; there are some grounds for believing the term is a Latin Americanism, but it not listed in the sense of filing documents in any of the standard dictionaries; S. *cursar, elevar, interposer, presentar, remitir*), **residente** (GEN resident; S. *habitante, inquilino*), **residir** (GEN reside, live; be vested; rest, be inherent ◊ *La jurisdicción suprema en todos los órdenes reside en el Tribunal Supremo*; S. *radicar*)].

residuo *n*: GEN residue, waste, waste product/material. [Exp: **residuos nucleares/radioactivos/toxicos** (GEN nuclear/radioactive/toxic waste), **residuos sólidos** (GEN solid waste; S. *contaminación*)].

resistencia[1] *n*: GEN resistance; endurance; opposition. [Exp: **resistencia**[2] (PROC defence, defence pleading, notice of intention to defend, ◊ *La base de nuestra resistencia a la demanda es muy sencilla: mi defendido pagó la deuda hace seis meses*; S. *oposición, pretensión*), **resistencia a la autoridad** (ADMIN/CRIM resisting authority, resisting an officer, resisting arrest), **resistencia pasiva** (GEN passive resistance) **resistir** (GEN resist, oppose, withstand, fight against; S. *oponerse*)].

resolución[1] *n*: GEN resolution, solution; settlement, ruling, decree, order, judgment ◊ *La indebida tardanza en la resolución de los litigios es causa de desconfianza en la justicia*; S. *dictar una resolución, impugnar una resolución*. [Exp: **resolución**[2] (GRAL strength, courage, determination, firmness ◊ *Ha afrontado la defensa de este caso con una gran resolución*), **resolución**[3] (BSNSS/CIVIL [unilateral] repudiation [of a contract]; treating [of a contract] as discharged; termination, defeasance; S. *resolución de un contrato*), **resolución ejecutoria** (GEN enforceable/executory decisions or orders), **resolución interlocutoria o no definitiva** (PROC interlocutory decision ◊ *Contra las resoluciones interlocutorias son de aplicación todos los recursos ordinarios*), **resolución judicial** (PROC court's decision, order, judgment, disposal, determination; S. *sentencia, auto, providencia; fallo, decisión, acuerdo; comunicaciones procesales*), **resolución ministerial** (CONST ministerial order or directive), **resolución motivada** (PROC properly reasoned decision/order/judgment, well-founded ruling)].

resolver[1] *v*: GEN resolve, decide, determine, give/pass a judgement, adjudge, dispose of, settle, decern *Scots*; S. *resolución; decidir, determinar; zanjar, dirimir; resuélvase*. [Exp: **resolver**[2] (BSNSS discharge, terminate, avoid, cancel, repudiate, treat as discharged/defeated/frustrated ◊ *El banco declaró resuelto el contrato al no recibir el pago acordado*; applied to a contract which is unilaterally treated as void or discharged, or from which a party withdraws on the grounds of mistake *–error material–*, frustration *–imposibilidad–*, etc., whether the termination of the agreement is or is not in itself a breach is a matter for the parties or for the court to decide; as in English law, this premature termination is distinct from rescission, though the two are often confused, even by lawyers, again as in English; the contract may also be defeated, or «dissolved», as the Spanish verb implies, by the failure of the offending party *–parte responsible–* to meet a specified condition; e.g. failure to repay a mortgage loan within the period agreed; this condition subsequent *–condición resolutoria–* is normally written into the mortgage agreement or contained in a separate deed; S. *condición resolutoria, condición suspensiva, rescisión; anular, cancelar, casar, dejar sin efecto, derogar, invalidar; cumplir, incumplir*), **resolver disputas** (GEN settle disputes), **resolver en primera instancia** (PROC adjudicate or give judgment at first instance), **resolver un contrato** (BSNSS discharge/terminate a contract),

resolver un litigio (PROC determine a dispute), **resolver, sin** (GEN pending, pending, unsettled, awaiting decision/settlement, to be determined; S. *pendiente, en trámite*)].

respaldar *v*: GEN back, back up, give one's backing, support, uphold, endorse, bear out, sustain, confirm ◊ *Los documentos respaldan la versión del demandado*; S. *corroborar, confirmar, ratificar, dar fuerza, secundar, apoyar, avalar*. [Exp: **respaldar una moción** (GEN second a motion), **respaldo** (GEN endorsement, backing; S. *endoso, garantía*)].

respecto *n*: GEN respect, relation, regard, connection; S. *relación*. [Exp: **respecto a, [con]** (GEN with regard to, respecting, regarding ◊ *Estoy de acuerdo [con] respecto a todo lo hablado*; S. *con relación a*), **respecto, a este** (GEN in this regard/respect), **respecto, al** (GEN on the matter/subject, in this respect, ◊ *El acusado tuvo que oír palabras muy comprometidas al respecto*), **respecto de** (GEN regarding, concerning with regard/respect to)].

respetar *v*: GEN respect, obey, comply with, honour; S. *acatar, obedecer, observar*. [Exp: **respetar una decisión, un acuerdo,** etc. (GEN abide by a decision, the terms of an agreement, etc.), **respeto** (GEN respect)].

respiro *n*: GEN breathing space, respite, reprieve; grace period, extension of [the] time, deadline; S. *suspensión de una ejecución, aplazamiento, plazo*.

responder[1] *v*: GEN/CIVIL answer, reply, respond; be responsible/answerable; answer for; S. *hacer frente a*. [Exp: **responder**[2] (GEN counter-attack, answer back ◊ *En la legítima defensa el que contraataca no hace más que responder a un atentado injustificado*; S. *repeler*), **responder solidariamente** (CIVIL be jointly and severally responsible/liable)].

responsable[1] *a*: GEN/CIVIL liable, responsible, etc.; person in charge, head, manager, boss, *senior officer/official/spokesman/* representative), **reponsable**[2] (GEN person responsible/liable, etc. rson who is liable; S. *administrador, director, gerente, gestor, ejecutivo, jefe*), **responsable ante la ley, ser** (GEN be accountable or liable for one's actions, be answerable in law or legally subject ◊ *Los que irrumpen sin permiso en la propiedad privada son responsables ante la ley*), **responsable solidario** (CIVIL jointly and severally liable), **responsabilidad** (CIVIL accountability, answerability, liability; responsibility; obligation, duty; S. *depurar responsabilidades, exigir responsabilidades*), **responsabilidad atenuada** (GEN diminished responsibility), **responsabilidad civil** (CIVIL civil liability), **responsabilidad civil subsidiaria** (CIVIL vicarious liability/responsibility), **responsabilidad contractual** (BSNSS contractual responsibility, liability under a contract; S. *incumplimiento de contrato*), **responsabilidad criminal/penal** (CRIM criminal liability ◊ *Las circunstancias eximentes eximen total o parcialmente al acusado de su responsabilidad criminal*), **responsabilidad extracontractual** (CIVIL civil liability outside of contract, and non-contract civil liability; sometimes used as an approximate Spanish translation of liability in tort, «tort» as such not being a category of civil wrong known to Spanish law; the basis of this liability, well-known to the Spanish Civil Code *–Código Civil–*, is the general «duty of care» *–debida diligencia–*, summarised in the Roman law principle *alterum non laedere*, i.e., the duty not to harm another; S. *ilícito civil, deber, diligencia, obligación*), **responsabilidad ilimitada** (GEN unlimited liability), **responsabilidad jurídica** (GEN legal liability), **responsabilidad objetiva** (CIVIL strict, liability without fault; applied, as in

English law, to liability imposed by law without the need to prove fault or *culpa*; S. *culposo*), **responsabilidad pecuniaria o económica** (BSNSS financial liability), **responsabilidad penal** (CRIM criminal liability), **responsabilidad profesional** (GEN/EMPLOY profesionnal responsibility, liability for professional fault/negligence; S. *culpa profesional*), **responsabilidad sin culpa** (CIVIL strict liability), **responsabilidad solidaria** (CIVIL joint and several liability), **responsabilidad subsidiaria** (CIVIL/EMPLOY vicarious liability; name for the liability of an employer for the fault or negligence of his employee, of a parent for those of a child, an education authority for those of pupils under its care, etc.)].

respuesta *n*: CIVIL/GEN answer, reply, response; rejoinder; S. *responder, réplica; contestación a la demanda*. [Exp: **respuesta a la dúplica** (CIVIL surrejoinder)].

restablecimiento *n*: GEN re-establisment, restoration, recovery, revival, reinstatement; S. *restauración, rehabilitación*. [Exp: **restablecer** (GEN restore; revive; re-establish, reinstate; S. *restituir, restaurar*), **restablecer el orden** (GEN restore order)].

restauración[1] *n*: GEN restoration, reinstatement; S. *restablecimiento, rehabilitación, reparación*. [Exp: **restauración**[2] (GEN catering), **restaurar** (GEN restore [monarchy, work of art, etc.]; S. *restablecer, rehabilitar, reparar*)].

restitución *n*: GEN restitution, restoration, refund[ing], redelivery; return; S. *devolución, reintegración*. [Exp: **restituible** (GEN returnable, restorable, refundable), **restituir** (GEN restore, return, refund, pay back, reinstate, redemise; S. *restaurar, restablecer*)].

restricción *n*: GEN restriction, constraint, restraint, restriction; S. *limitación; restringir*. [Exp: **restricción de comercio** (BSNSS restraint of trade, trade restriction), **restricción de libertad** (CONST restraint of/on liberty, restriction of/on freedom), **restricción mental** (GEN mental reservation), **restrictivo** (GEN restrictive, narrow, limited; S. *restringido*)].

restringir *v*: GEN restrain, restrict; qualify; derogate; S. *restricción; limitar*.

resuelto *a*: GEN S. *resolver*. [Exp: **resuélvase** (PROC/ADMIN [lit «let it be resolved/ordered»], it is hereby ordered; order accordingly; the matter is remitted to your decision)].

resulta *n*: GEN result, effect; S. *efecto, consecuencia*. [Exp: **resultado** (GEN result, effect, outcome, return, event; S. *efecto, consecuencias, repercusión, conclusión, producto; amañar resultados*), **resultados de investigación** (GEN/PROC findings of an inquiry/investigation; S. *conclusiones*), **resultandos** (PROC/GEN whereas clauses; S. *antecedentes de hecho, considerandos, fundamentos jurídicos*), **resultar** (GEN result; turn out/prove to be; work out; result in; stem from; follow/be evident from; S. *recaer*), **resultas de, a** (GEN as a result of, following; S. *a raíz de, como consecuencia de, a consecuencia de*), **resultas del juicio** (PROC outcome of the case ◊ *Las costas dependen de las resultas del juicio*; S. *costas, juicio*)].

resumir *v*: GEN sum up, abridge; summarize; S. *recapitular, abreviar, compendiar, extractar*. [Exp: **resumen** (GEN summary, abstract, digest, summary; S. *síntesis, compendio, extracto*), **resumen de título** (GEN/CIVIL abstract of title)].

retar *v*: GEN challenge; S. *desafiar*. [Exp: **reto** (GEN challenge; S. *desafío*)].

retardar *v*: GEN delay, slow down; fit with a time-delay lock ◊ *Nuestras instalaciones están dotadas de mecanismos de apertura retardada*. [Exp: **retardo** (GEN lateness, delay), **retardo malicioso en la administración de la justicia** (PROC wilful delay in the administration of justice, deliberate obstruction of justice by a court officer)].

retén *n*: CRIM small police stationor office in a town, village or outlying place; also the officers staffing this; backup officers or patrols; S. *comisaría, policía, Guardia Civil*. [Exp: **retén, estar de/tener** (GEN be on duty)].

retención[1] *n*: GEN retention, act of retaining, detention, holding, detainment; S. *detención*. [Exp: **retención**[2] (GEN withholding, deduction, discount; S. *derecho de retención; deducción, descuento*), **retención de impuestos en origen** (TAX deduction or withholding of tax at source, withholding/collection at source, pay-as-you-earn, PAYE; S. *impuesto a cuenta*), **retención prendaria** (CIVIL lien, bailee's lien), **retener** (GEN/CRIM withhold, detain, retain, distrain, hold/detain in legal custody; S. *detener*), **retener en origen o en la fuente** (TAX withhold/deduct at source), **retenido** (GEN detainee; S. *detenido*)].

retirada *n*: PROC/GEN withdrawal, abandonment; S. *retiro, anulación, transacción*. [Exp: **retirada de la demanda [por acuerdo entre las partes]** (PROC withdrawal/settlement of action, out-of- court settlement; S. *extrajudicial*), **retirada de la querella** (CRIM withdrawal of the complaint, notification of no intention to pursue), **retirar** (GEN call in, retire, withdraw, revoke, retract; S. *abandonar, anular, renunciar*), **retirar los cargos o la acusación** (CRIM drop/withdraw the charges ◊ *Ante la falta de pruebas, el fiscal decidió retirar los cargos*), **retirarse** (GEN retire, withdraw, disband, back out, *col*; S. *darse de baja, echarse atrás*), **retiro**[1] (GEN withdrawal, retreat; S. *aislamiento, reclusión, confinamiento*), **retiro**[2] (EMPLOY retirement, retirement pension; S. *jubilación*)].

reticencia *n*: GEN reluctance, unwillingness, hesitancy; S. *renuencia*.

retractación *n*: GEN retractations, withdrawal [of a promise, from an engagment]. [Exp: **retractar** (GEN retract, withdraw), **retractarse** (GEN withdraw, go back on/take back one's word or pledge; S. *volverse atrás*), **retracto** (CIVIL right, in pursuance of a right of pre-emption or first refusal, to have a sale of property to a third party set aside or retracted; the property is then purchasable by the holder of the right at the original price; right of redemption; S. *derecho de retracto, tanteo*), **retracto arrendaticio rústico** (CIVIL sitting tenant's right of pre-emption or first refusal or preferential option to purchase the property he/she is leasing; leaseholder's option), **retracto convencional** (CIVIL/BSNSS vendor's option to repurchase from buyer on agreed terms and bearing any costs), **retracto de coherederos o del derecho hereditario** (SUC repurchase option of all or any of the co-heirs over share of joint estate sold by one or more of the fellow heirs), **retracto de colindantes** (CIVIL preferential option of owners of farmland to purchase land adjoining their own), **retracto de comuneros** (CIVIL preferential option or right of pre-emption held by joint users of common land or property over against a stranger wishing to purchase any part of the common property, which is then divided proportionally among all those who exercise the right), **retracto legal** (CIVIL statutory right of pre-emption, etc.), **retracto y tanteo** (S. *derecho de retracto y tanteo*)].

retranqueo [en una obra] *n*: CIVIL/ADMIN offset, setting back [of wall, facade, etc.]; this is a building or architectural term rather than a legal one, but it is often met with in order made by town councils *–ayuntamientos–* or town-planning authorities *–organismos urbanísticos o de planificación urbanística–* as a result of planning decisions or compulsory purchase orders requiring householders to move their house fronts back a given distance from the street or pavement.

retrasado *a*: GEN behind [schedule], late. [Exp: **retrasado mental** (GEN mentally retarded/handicapped [person]), **retrasar-se** (GEN delay, hold up, slow down, hold back, set back; postpone, fall into arrears; S. *aplazar, suspender, adelantar*), **retrasarse en los pagos** (CIVIL/BSNSS default on/fall into arrears of payment), **retraso** (GEN delay, lateness, backwardness, tardiness; S. *dilación, tardanza*), **retraso intelectual** (GEN mental deficiency, abnormality of mind; intellectual backwardness; feebleness of mind)].

retrato-robot *n*: GEN/CRIM identikit picture, photofit; composite photo.

retribución *n*: GEN earned income; remuneration; fee; compensation; S. *remuneración, ingresos*. [Exp: **retribuir** (GEN pay, reward, remunerate; S. *abonar, hacer efectivo*)].

retroacción *n*: GEN retroactive or retrospective nature. [Exp: **retroacción en la quiebra** (BSNSS retrospective annulment of a bankrupt's dealings in property, etc. from a date specified in the judgment; decision declaring null and void any disposal of assets by a presumed bankrupt), **retroactividad** (GEN retroactivity, retrospective effect/nature), **retroactivo** (GEN retroactive, retrospective ◊ *Los asuntos se sustanciarán ante los tribunales con arreglo a normas que nunca serán retroactivas*)].

retrocesión *n*: GEN retrocession, transfer back to transferor.

retrospectivo *a*: GEN retrospective.

retrovender *v*: CIVIL sell or resell back. [Exp: **retroventa** (CIVIL sale back; S. *retracto convencional*)].

reunión *n*: GEN meeting, sitting, assembly; S. *sesión, cita, pleno*. [Exp: **reunión de la junta** (BSNSS board meeting; S. *junta general*), **reunión plenaria** (GEN plenary session; S. *pleno*), **reunir** (GEN join, assemble, bring/put together; gather, collect; raise), **reunir fondos/dinero** (GEN raise funds, club together; S. *allegar fondos, pagar a prorrateo*), **reunir quórum** (GEN constitute a quorum), **reunirse** (GEN meet, hold a meeting), **reunirse un tribunal** (PROC sit, hold a session [a court]; S. *celebrar una sesión*)].

revalidar *v*: GEN ratify, reaffirm, endorse, confirm, validate retroactively ◊ *El acuerdo de la comisión no ha sido revalidado por el pleno*; S. *confirmar, aprobar, afirmarse, ratificar*.

revelación *n*: GEN revelation, discovery, disclosure; exposure; S. *manifestación, exhibición, descubrimiento*. [Exp: **revelación de datos/secreto** (GEN disclosure of information, revealing/unveiling/revelation of a secret; S. *delito de revelación de secreto; levantamiento del velo societario*), **revelar** (reveal, disclose, divulge; S. *divulgar, poner al descubierto, poner de manifiesto*)].

revender *v*: BSNSS resell. [Exp: **reventa** (BSNSS resale; S. *venta de segunda mano*)].

reventar *v*: GEN irritate, pester, upset, annoy. [Exp: **reventar un mitin** (GEN heckle, drown out the speaker at a meeting, ruin a meeting; S. *abuchear*), **reventador de mítines** (GEN heckler)].

reversible *a*: GEN reversible, reversionary, revertible; S. *recuperable*. [Exp: **reversión** (GEN/CIVIL reversion, reverter, reversal; S. *anulación, revocación, derecho de reversión, acto de reversión*), **reverso** (GEN back, other or reverse side [of a document, etc.]; S. *anverso*), **revertir** (GEN/CIVIL revert, escheat ◊ *Al final las tierras revirtieron al Estado*)].

revestir[1] *v*: GEN invest; adorn. [Exp: **revestir**[2] (GEN present, offer, show ◊ *Aunque permanece ingresado en el hospital, sus heridas no revisten gravedad*), **revestir**

importancia (GEN be important; be a matter of some moment)].

revisar *v*: GEN inspect, examine, revise, audit, review, check; S. *reconsiderar, fiscalizar, corregir*. [Exp: **revisión** (GEN review, revision, inspection; S. *inspección, examen, control*), **revisión contable** (BSNSS auditing), **revisión judicial** (PROC judicial review)].

revocabilidad *n*: revocability. [Exp: **revocable** (GEN revocable, reversible, defeasible), **revocación** (GEN revocation; recall, reversal; setting aside; repeal, annulment, abolishment; S. *derogación, anulación, rescisión, cancelación, sentencia revocatoria*), **revocación de donaciones** (CIVIL revocation/ademption of gifts, reversion of gifts to donors), **revocación de un legado** (SUC ademption, revocation of legacy), **revocación de testamento** (suc revocation of will), **revocación de un fallo, una sentencia, una condena** (PROC reversal of a judgment/conviction), **revocación de un poder** (CIVIL withdrawal of a power of aattorney), **revocar** (GEN revoke, quash, overrule, overturn ◊ *El Supremo ha revocado el fallo de la Audiencia*; S. *abolir, anular, cancelar, casar, dejar sin efecto, derogar, invalidar*), **revocar un contrato** (CIVIL cancel/avoid/discharge/set aside a contract), **revocar un testamento** (SUC revoke a will; S. *anular un testamento, impugnar un testamento, auntenticar un testamento, protocolizar un testamento*), **revocar una orden** (GEN cancel an order)].

revolución *n*: GEN revolution; S. *revuelta, sublevación*.

revólver *n*: GEN revolver; S. *pistola, arma de fuego; navaja*.

revolver *v*: GEN stir; rummage, ransack. [Exp: **revuelta** (GEN riot, rebellion; S. *motín, tumulto, sublevación*)].

reyerta *n*: GEN/CRIM fight, street fight, brawl, punch-up *col*, affray ◊ *La reyerta acabó con la vida de un hombre de 30 años*; S. *pelea, lucha, riña; delicto de peligro*.

riesgo *v*: GEN risk, danger, peril; gamble; S. *peligro, contingencia, por cuenta y riesgo*. [Exp: **riesgo, a todo** (INSUR fully comprehensive, against all risks, a.a.r.), **riesgo de, sin** (GEN without risk of), **riesgo profesional** (EMPLOY occupational hazard/risk), **riesgo de insolvencia** (BSNSS bad debt risk), **riesgo del actor, a** (CIVIL at the doer's risk; caveat actor), **riesgo del comprador, a** (CIVIL at the buyer's risk; caveat emptor), **riesgo del porteador, a** (BSNSS at the carrier's risk), **riesgo del vendedor, a** (BSNSS at the risk seller's risk), **riesgos del mar** (INSUR marine risk, perils of the sea; S. *accidente, eventualidad, peligros de la navegación*)].

rigidez *n*: GEN rigidity, inflexibility, stiffness ◊ *La rigidez de las normas carcelarias ha bajado en los últimos años*; S. *severidad, rigor*. [Exp: **rígido** (GEN rigid, stiff, inflexible, hard and fast; S. *norma rígida*), **rigor** (GEN rigour, harshness, severity; S. *dureza, rigidez*), **rigor carcelario** (CRIM harshness of prison conditions; S. *aplicación de rigor carcelario innecesario*), **rigor de la ley** (GEN full weight/severity of the law; S. *peso de la ley*)].

riña *n*: GEN/CRIM fight, affray, row, altercation, dispute, punch-up *col*, brawl, quarrel, fight; S. *reñir; pendencia, combate, tumulto, refriega, algarada*. [Exp: **riña tumultuaria** (CIVIL/CRIM affray, violent disorder; brawl, free-for-all *col*, commotion)].

rival *n*: GEN/PROC rival, opponent, adversary, other side; S. *oponente, opositor, adversario, contrario, antagonista*.

robar *v*: CRIM steal, rob, purloin, carry off; nick *col*, pinch *col*, relieve *col*, lift *col*, rifle *col*; S. *quitar, hurtar, arrebatar, atracar, despojar, sisar* col, *birlar* col, *trincar* col, *ratear* col, *echar el guante* col, *desposeer, ser amigo de lo ajeno.* [Exp: **robar ganado** (CRIM rustle), **robar por el procedimiento del tirón** (CRIM snatch, mug *col*; S. *tironero; atracar*), **robo** (CRIM theft, thievery, robbery, burglary, break-in; the simple term in Spanish basically refers to theft, i.e. the dishonest taking of property belonging to another; in carries none of the association of violence or break-in that distinguishes «robbery» from «theft» in English law; these are covered by explanatory additions, such as *robo a mano armada, robo con escalo*, as illustrated by a number of expressions in this section; S. *hurto, rapiña, expoliación, saqueo; desfalco, malversación; atracar*), **robo a mano armada** (CRIM armed/aggravated robbery, hold-up; S. *atraco a mano armada*), **robo con escalo** (CRIM breaking and entering, burglary; S. *allanamiento de morada*), **robo con fuerza en las cosas o violencia en las personas** (CRIM burglary, robbery [with violence]), **robo con intimidación de arma de fuego/arma blanca** (CRIM aggravated robbery/hold-up at gunpoint/knife-point), **robo de ganado** (CRIM rustling, abaction)].

robustecer *v*: GEN strengthen, bolster ◊ *El fin principal del Registro de la propiedad es robustecer la seguridad jurídica inmobiliaria*; S. *reforzar*.

rogar *v*: GEN pray, beg, petition, seek, request, seek, ask, beseech *frml*, crave *Scots*; this word is found also in the formal expression *principio de justicia rogada*, meaning approximately «adversarial principle», i.e. the legal doctrine that the initiative for bringing and conducting litigation lies with the parties and not with the courts; this is equally true of civil and of criminal proceedings; in the latter case this *impulso procesal* lies with the prosecution, who have the duty of providing enough prima facie evidence *–indicios racionales de criminalidad–* at the outset to show that there is a case to be answered *–indicios suficientes como para justificar el procesamiento del inculpado–*; as the Spanish word implies, the court is then asked to intervene with a view to trying and settling the issue, but does not summon the parties on its own initiative; ◊ *Ruego al tribunal tenga a bien concederme un aplazamiento de la vista para preparar mejor mi defensa*; S. *ruego; incoar, interposer, procesar, inquisitorial, instruction.* [Exp: **rogatorio** (GEN rogatory, precatory*; S. comisión rogatoria, requerir*)].

romper *v*: GEN break; breach. [Exp: **romper el trato** (BSNSS break/sever an agreement, break off negotiations, back out/welsh on a deal *col*; S. *cerrar un trato*), **romper la disciplina** (GEN/CONST to defy the whip, to go against the party line; S. *mantener la disciplina*), **romper una huelga** (EMPLOY break a strike; S. *esquirol col*)].

ronda *n*: GEN round, patrol, beat. [Exp: **ronda policial** (CRIM police officer's beat, patrol by the police; S. *redada policial, patrulla de la Guardia Civil*)].

rotación *n*: GEN rotation, turnover, shift. [Exp: **rotación de personal** (EMPLOY labour turnover), **rotación en el cargo** (ADMIN rotation in office), **rotación, por** (GEN in turns, by turns; by a rota system, by rota), **rotar** (GEN rotate), **rotativo** (GEN rotary, rotating; S. *en turno rotativo*)].

rótulo *n*: GEN title, rubric, heading; label, sign, name.

rotura *n*: GEN break, tear; rupture, split; breach; S. *ruptura*.

rúbrica *n*: GEN flourish [added to a signature], paraph; endorsement; S. *firma*. [Exp: rubricar (GEN sign [with a flourish]; subscribe, sanction, approve, endorse; sign and seal, endorse, initial *US*; S. *firmar, suscribir*)].

rueda *n*: GEN wheel, ring, circle. [Exp: **rueda de prensa** (GEN press conference), **rueda de presos o [de reconocimiento/ identificación] de sospechosos** (CRIM line-up, identification parade; S. *careo*)].

ruego *n*: GEN request, prayer, petition, crave *Scots*; S. *instancia, petición; rogar*. [Exp: **ruegos y preguntas** (CONST/GEN other business/any other business)].

ruina[1] *n*: GEN ruin, destruction; S. *destrucción, desgracia, sabotaje, estado de ruina; arruinar*. [Exp: **ruina**[2] (GEN bankruptcy; S. *quiebra; arruinar*)].

ruin *a*: GEN evil, vicious, callous, vase, vile, contemptible, despicable. [Exp: **ruindad** (CRIM viciousness; callous or vile behaviour; S. *dolo, maldad*)].

rumor *n*: GEN rumour, gossip. [Exp: **rumores maliciosos** (GEN malicious gossip), **rumorearse** (GEN be rumoured)].

ruptura *n*: GEN severance, breach; rupture; S. *quiebra, rotura*. [Exp: **ruptura de contrato** (BSNSS breach of contract; S. *incumplimiento de contrato*)]

rutina *n*: GEN routine; habit; S. *costumbre*. [Exp: **rutina, por** (GEN in a routine way, out of habit, as a matter of course), **rutinario** (GEN routine, day-to-day)].

S

S. A. *n*: BSNSS limited, ltd., plc. abbreviated form of *Sociedad Anónima.*

saber *n/v*: GEN knowledge, learning; know; S. *hacer saber*. [Exp: **saber, a** (GEN namely), **saber, por la presente se hace** (GEN it is hereby brought to public attention, know all men by these presents; S. *hacer saber*), **saber y entender** (GEN knowledge and belief/understanding), **saber y entender, según mi leal** (CIVIL to the best of my knowledge and belief), **sabiendas, a** (GEN/CRIM knowingly, deliberately, consciously; wilfully; *scienter*; S. *con pleno conocimiento; con dolo, con conocimiento doloso*), **sabido, de todos** (GEN well-known, notorious)].

sabotaje *n*: CRIM sabotage, undermining, subversion; S. *subversión, destrucción, ruina*. [Exp: **saboteador** (CRIM saboteur), **sabotear** (CRIM sabotage, destroy, ruin; S. *destruir, arruinar*)].

saca[1] *n*: CIVIL authorized/certified copy of a [notarial)] document. [Exp: **saca**[2] (GEN removal, export), **saca**[3] **de correos** (GEN mailbag), **sacar** (GEN obtain, get, take out, withdraw, extract; S. *adquirir, obtener, lograr*), **sacar a la venta** (BSNSS put up for sale, offer for sale; S. *poner en venta*), **sacar a licitación pública** (BSNSS/ADMIN call for bids; S. *licitación*), **sacar a pública subasta** (BSNSS/ADMIN call for bids, put up something for auction; S. *subastar, rematar*), **sacar dinero del banco** (GEN withdraw cash from the bank; S. *retirar dinero*), **sacar el impuesto de circulación** (ADMIN take out a vehicle licence), **sacar la conclusión** (GEN draw a conclusion; S. *llegar a la conclusión, deducir*), **sacar provecho de** (GEN profit by, make a profit from/out of)].

sala *n*: GEN/PROC courtroom, room, hall, chamber; bench, court, tribunal, division of a court; board; S. *ante la sala*. [Exp: **sala de apelación** (PROC court of appeal, appeal court, appellate court, appellate division), **sala de audiencia** (PROC courtroom), **sala de gobierno** (PROC/GEN governing body of a collegiate court; administrative and disciplinary division of a court; steering committee; S. *junta de gobierno*), **sala de juntas o de sesiones** (GEN/BSNSS/ADMIN boardroom, meeting-room, assembly room), **sala de justicia** (GEN court, chamber), **sala de lo civil** (PROC civil court, civil division of a court), **sala de lo contencioso-administrativo** (PROC court that hears appeals against administrative decisions), **sala de lo penal** (PROC criminal court), **sala de vacaciones** (PROC court that sits for urgent hearings during the judicial vacation), **sala de vistas** (PROC courtroom)].

salario *n*: EMPLOY salary, wage-s; S. *asalariado; paga, jornal, sueldo; actualización salarial de acuerdo con el coste de la vida.* [Exp: **salario a destajo** (EMPLOY piecework pay or rate, rate or salary paid per item; S. *destajo*), **salario acumulado** (EMPLOY/TAX accrued earnings), **salario diferido** (EMPLOY deferred compensation), **salario en especie** (EMPLOY salary paid in kind), **salario mínimo** (EMPLOY minimum wage), **salario por unidad de tiempo** (EMPLOY pay at time/hourly rates, wage per unit of time)].

saldar *v*: GEN/BSNSS settle, pay off, clear, balance; S. *liquidar.* [Exp: **saldarse** (GEN show a final balance, end up with a total ◊ *La operación policial se ha saldado con veinte detenciones*), **saldar una cuenta** (BSNSS settle/balance an account; S. *liquidar, ajustar, cuadrar una cuenta*), **saldar una deuda** (BSNSS cancel/discharge/ pay off a debt; S. *liquidar*), **saldo** (BSNSS/ GEN balance; remainder, rest; sales; S. *balance*), **saldo a cuenta nueva** (BSNSS balance carried forward; S. *suma y sigue*), **saldo a favor o acreedor** (BSNSS credit balance), **saldo anterior** (BSNSS carryover), **saldo comercial** (BSNSS trade balance), **saldo de apertura** (BSNSS opening balance), **saldo de caja/en efectivo** (BSNSS cash balance), **saldo de cierre** (BSNSS closing balance), **saldo deudor o negativo** (BSNSS debit balance), **saldo no comprometido** (BSNSS uncommitted balance), **saldo negativo** (BSNSS debit/negative balance), **saldo pendiente** (BSNSS outstanding balance), **saldo positivo** (BSNSS credit balance)].

salida[1] *n*: GEN exit; leaving, departure; outgoing; vent; way out; opening; outlet, outflow; S. *entrada, acceso.* [Exp: **salida**[2] (GEN alternative, option, loophole; solution, opportunity, prospect ◊ *Ese abogado a todo le encuentra salidas*; S. *solución, escapatoria, laguna*), **salida comercial** (BSNSS outlet; S. *punto de venta, establecimiento*), **salida de capital** (BSNSS outflow of capital), **salida de efectivo** (BSNSS outgoingsdisbursements; S. *desembolso*), **salida profesional** (BSNSS professional opening, job opportunity), **salir** (GEN go/come out, leave, depart; prove, turn out [to be]; thsi verb may combine with a following gerund, the whole describing the first outcome, as in *salir ganando* –win in the end, come out on top–, *salir perdiendo* –lose in the end, end up losing–, etc.), **salir absuelto** (CRIM be cleared/acquitted, get off [with it] *col*, beat the rap *US col* ◊ *Pese a las numerosas pruebas en su contra, el acusado salió absuelto*; S. *absolver*), **salir fiador/garante de otro** (CIVIL go/stand bail for somebody, act as security for somebody, go/stand bail/security/surety; S. *avalar, prestar fianza, responder por*), **salir mal** (GEN go wrong, break down, fail; S. *fallar*)].

saltar/saltarse *v*: GEN jump, jump over, leap over; skip. [Exp: **saltarse las normas** (GEN break the rules, flout the rules), **salteador de caminos** (CRIM highwayman, hold-up man, armed robber, bandit, gangster; S. *atracador, ladrón, bandido, malhechor*), **salto de jurisdicciones** (PROC leap-frog procedure; said of a matter or appeal *per saltum*, i.e.. where an intermediate court is missed out or passed over)].

salubre *a*: GEN healthful, healthy; S. *sano.* [Exp: **salubridad** (GEN health, healthiness, salubriousness), **salud** (GEN health; S. *sanidad, enfermedad*), **salud mental** (GEN mental health; S. *facultades mentales disminuidas, paranoia, persona con las facultades perturbadas, demente, neurótico, histérico, en pleno uso de mis facultades mentales, perturbaciones mentales*)].

salvable *a*: GEN avoidable, rescuable; S. *eludible*), **salvaguarda** (GEN S. *salva-*

guardia), **salvaguardar** (GEN safeguard, preserve), **salvaguardia** (GEN safeguard; S. *cláusula de salvaguardia*), **salvamento** (GEN/BSNSS salvage/capture of ships, etc.), **salvar** (GEN save; rescue; salvage; cure; except; get round; overcome; negotiate; S. *recuperar, recobrar, subsanar*), **salvar errores** (GEN rectify, cure defects, waive an irregularity, enter a correction in the margin; S. *rectificar/subsanar un error*), **salvar obstáculos** (GEN circumvent or get round obstacles), **salvedad** (BSNSS/GEN qualification, exception, reservation; S. *reparo, anotación; hacer salvedades*), **salvedades, con** (GEN qualified; S. *con observaciones, con reparos, dictamen con salvedades*), **salvedades, sin** (BSNSS without qualifications ◊ *Aunque las cuentas han sido auditadas sin salvedades hay varias sombras de duda*), **salvo** (GEN saving, save, excepting, except, barring; unless; S. *excepto, a menos; dejar a salvo, quedar a salvo*), **salvo contraorden** (GEN unless countermanded), **salvo disposición contraria en la presente ley,** etc. (GEN except as otherwise provided herein), **salvo error u omisión, s.e.u.o** (GEN errors and omissions excepted, e. and o.e.), **salvo estipulación/pacto en contra** (GEN unless otherwise agreed or stated), **salvo prueba en contra** (PROC unless there is evidence to the contrary), **salvo que se aprecie intención contraria** (GEN unless a/the contrary intention appears), **salvo que se disponga expresamente lo contrario** (GEN except as otherwise provided, unless otherwise stated; S. *salvo estipulación en contra*), **salvoconducto** (GEN [letter] of safe-conduct)].

sana crítica *n*: PROC due circumspection, proper degree of prudence or canniness or cautiousness or wariness; healthy scepticism; healthy critical awareness; the phrase is used to describe the standard of proof a fair-minded judge should require in approaching the evidence before him; the Spanish formula implies the need to strike a balance between fairness or impartiality *–sana* means «healthy»– and circumspection or wise doubt *–critical* here means a critical attitude or approach–; in any case the formula is little more than a commonsense reminder of the need to exercise prudence in assessing *–evaluar, apreciar–* the weight that should properly be given to each item of evidence or testimony; allowance must be made for human fallibility, while at the same time clearly partial or self-serving testimony should be discounted; judges are also required to reach their conclusions *en conciencia* –according to their *conscience–* a phrase close to the French requirement of a *conviction intime*, which my be regarded as a degree of inner satisfaction beyond reasonable doubt; finally, evidence is only admissible if it is *útil y pertinente*, i.e. helpful and relevant; S. *apreciar, evaluar, conciencia, pertinente, útil; prueba*. [Exp: **saneado** (GEN free from defects, unencumbered, guaranteed; S. *sano*), **saneamiento** (GEN/BSNSS disencumberment or disencumbrance; reorganization, rescuing, turning round; restructuring; S. *desgravamen*), **saneamiento de título** (CIVIL clearing of title, removal of a bar or obstacle to title or a cloud on title), **sanear** (GEN free from encumbrance, clean up; clear off debt; overhaul, turn round), **sanidad** (GEN health, public health; soundness; Ministry/Department of Public Health, Health and Welfare Department; S. *salud*), **sano** (GEN healthy, firm, sound; wholesome, sincere; S. *sanear*), **sano juicio, en su** (GEN/SUC of sound mind; in his/her/their right mind; S. *en pleno uso de mis facultades mentales; cabal; demente, persona con las facultades perturbadas*), **sano y salvo** (GEN safe and sound)].

sanción[1] *n*: GEN sanction, approval, authorization; ratification, passing of law, enactment; S. *ratificación, aprobación, autorización*. [Exp: **sanción**[2] (CRIM sanction, punishment; S. *castigo, pena*), **sanción administrativa** (ADMIN disciplinary penalty, sanction imposed by a public body or under a bye-law), **sancionable** (CRIM punishable ◊ *Los delitos son infracciones penales sancionables con una multa, la prisión u otras penas*; S. *punible, castigable*), **sancionar**[1] (GEN sanction, approve ◊ *El pleno sancionó la propuesta de la comisión y aprobó el informe por unanimidad*; S. *aprobar*), **sancionar**[2] (CRIM sanction, penalize, fine ◊ *Fue sancionado con una multa por uso excesivo de velocidad*; S. *multar, castigar*)].

sangre *n*: GEN blood; bloodline; S. *vínculo directo de sangre*; S. *ensangrentado, empapado de sangre*. [Exp: **sangre fría, a** (GEN in cold blood, cold-blooded), **sangre, de su; de la sangre de uno** (GEN/FAM of the [full] blood, bodily), **sanguinario** (GEN bloodthirsty, ferocious, cruel, fierce ◊ *Ayer fue detenido por la policía uno de los terroristas más temidos y sanguinarios*; S. *cruel*)].

santuario *n*: GEN/CRIM sanctuary; S. *asilo, refugio*.

saña *n*: CRIM brutality, cruelty, extreme cruelty, violence, assault, rage; force; S. *violencia, fuerza, brutalidad, ensañamiento*.

saquear *v*: CRIM loot, pillage, plunder, sack, ransack; S. *depredar, expoliar*. [Exp: **saqueo** (CRIM pillage, sacking, looting; S. *pillaje, expoliación, rapiña, depredación, robo*)].

satisfacción *n*: GEN satisfaction, settlement, amends, reparation, redress, relief; S. *liquidación, pago, finiquito, cumplimiento; compensación, desagravio*. [Exp: **satisfacer** (GEN satisfy, pay, complete, discharge; meet, fulfil, make amends ◊ *Lo demandó porque no satisfizo las condiciones pactadas en el contrato*; S. *abonar, pagar; cumplir, reparar*), **satisfacer a los acreedores** (BSNSS satisfy the creditors), **satisfacer las exigencias** (GEN meet the needs), **satisfacer las necesidades** (GEN meet the requirements; S. *cumplir requisitos*), **satisfacer una deuda** (BSNSS discharge/settle/pay off a debt), **satisfacer una demanda o reclamación** (CIVIL settle a claim, discharge a claim), **satisfactorio** (GEN satisfactory, adequate, sufficient, enough, acceptable, convincing, cogent; S. *pertinente, suficiente, apropiado, razonable*)].

sección *n*: GEN section, department, office; part; S. *división, departamento, parte*. [Exp: **sección de un tribunal** (PROC house, division or section or a court; S. *sala, tribunal, juzgado*)].

secretaría *n*: GEN secretary's office, secretariat, registrar's office, office of the court clerk; S. *funcionario, oficial, ejecutivo, administrador*. [Exp: **Secretaría de Estado** (CONST State Department, Ministry o fForeign Affairs), **secretaría judicial** (PROC court office ◊ *Se han detectado ciertas anomalías en el funcionamiento de la secretaría judicial*; S. *dación de fe*), **secretariado** (GEN secretariat), **secretario** (GEN secretary, officer, registrar, convener), **secretario de sala** (PROC court clerk, bailiff), **secretario general** (GEN secretary-general), **secretario interino** (GEN acting secretary), **Secretario de Estado** (CONST Secretary of State; Under-Secretary, junior Minister), **secretario judicial** (PROC court secretary, clerk of the court; registrar; his principal functions are to maintain court records *–custodiar las actas del tribunal–*, liaise with *–coordinarse con–* the judge or judges, supervise the day-to-day running of the court office, ensure that writs *–autos–*, summonses *–citaciones, emplazamientos–*, subpoenas

–órdenes de comparecencia– and other citations *–notificaciones–* are served in good time and properly filed, and generally to ensure effective case management *–la adecuada ordenación del proceso–*; S. *diligencia*)].

secreto[1] *a*: GEN secret, confidential, reserved, covert; S. *oculto, clandestino, confidencial, reservado*. [Exp: **secreto**[2] (GEN secret, secrecy, stealth ◊ *Un secreto de Estado*; S. *confidencia, reserva, sigilo, discreción*), **secreto del sumario o sumarial** (PROC sub judice rule, rule against prejudicing cases that are sub judice, order prohibiting the identification or publication of the whole proceedings; *approx* reporting restrictions ◊ *La juez ha decretado el secreto sumarial*; S. *filtraciones a la prensa, levantar el secreto del sumario*), **secreto industrial** (BSNSS trade secret), **secreto profesional** (GEN trade/professional secret, professional privilege or confidentiality, attorney-client privilege)].

secuaz *n*: GEN/CRIM henchman, underling; heavy *col*; thug *col*, hireling; follower; S. *gorila, seguidor político*.

secuela *n*: GEN consequence, after-effect, secondary consequence, implication; scar; S. *trauma*. [Exp: **secuelas psicológicas** (GEN psychological damage/scars)].

secuestrador *n*: CRIM kidnapper, highjacker, abductor; S. *raptor*. [Exp: **secuestrar**[1] (CRIM kidnap, abduct; S. *raptar*), **secuestrar**[2] (CIVIL/PROC seize, attach, sequestrate; S. *embargar, confiscar, decomisar*), **secuestro**[1] (CRIM kidnapping, abduction; S. *rapto, abducción*), **secuestro**[2] (GEN seizure, attachment; S. *embargo, confiscación, incautación, decomiso*), **secuestro aéreo** (CRIM skyjacking), **secuestro de una persona** (CRIM kidnapping, abduction; false imprisonment; S. *prisión, detención o encarcelamiento ilegal o injustificado*), **secuestro judicial** (CIVIL/PROC seizure or attachment of goods by court order; the property attached may be ordered to be physically removed and stored elswhere, or simply placed under the control of a court officer, pending the outcome of proceedings), **secuestro o rapto de menores** (CRIM child stealing)].

sede *n*: GEN seat, headquarters, central office; venue; see; this wordis not infrequently used by legal or quasi-legal writers in a diffuse sense vaguely approximating to «source» or «origin» or «location»; thus one comes across *en sede normativa* –supposed to mean ADMIN in the [text of a/the] law–, *en sede judicial* –in court, before the court–, etc.; translators should beware of this dubious usage, which has been roundly criticized as being pompous, affected and unwarranted by grammarians and scholars; S. *Santa Sede, residencia*. [Exp: **sede en, con** (GEN based in), **sede del gobierno** (CONST seat of government), **sede social** (BSNSS main/principal office, central office, head office ◊ *La empresa tiene su sede central en Madrid*)].

sedición *n*: CRIM sedition; S. *rebelión, subversión, asonada*. [Exp: **sedicioso** (CRIM mutinous, seditious; rebel, mutineer; S. *rebelde, amotinador*)].

seducción *n*: GEN seduction, entrapment, decoying; S. *engaño*. [Exp: **seducir** (GEN seduce, debauch, corrupt; S. *engañar, corromper*)].

segregación *n*: GEN segregation; S. *separación*. [Exp: **segregación racial** (GEN racial segregation), **segregar** (GRAL segregate; S. *separar*)].

seguimiento *n*: GEN follow-up, monitoring; S. *comisión de seguimiento*. [Exp: **seguimiento de una causa criminal** (CRIM prosecution; S. *enjuiciamiento, acusación, procesamiento*), **seguir** (GEN follow; continue; ensue; proceed; conduct, prosecute ◊ *Actuó de letrado en la causa segui-*

da contra su primo), **seguir la pista** (GEN/CRIM track, trail, tail, be on/follow the track/trail ◊ *La policía siguió la pista de la droga hasta su destino final*; S. *aportar pistas, rastrear, vigilar*), **seguir los trámites** (PROC proceed, follow the procedure; S. *proceeder*), **siguiendo los usos y costumbres mercantiles** (GEN/BSNSS according to trade practice; S. *seguir*)].

según *prep*: GEN under, in accordance with, as, as per, pursuant to; depending on; S. *a tenor de lo dispuesto, en virtud de, de conformidad con, de acuerdo con, al amparo de, en el marco de, conforme a.* [Exp: **según [consta en] el aviso, el contrato, la factura, el convenio, el pedido**, etc. (GEN as per advice, contract, invoice, agreement, order, etc.), **según el caso/los casos** (GEN as the case may be), **según él mismo reconoce** (GEN on his own admission), **según lo dispuesto en el artículo 4.º** (GEN under section 4, within the meaning of section 4), **según se convenga** (GEN as may be agreed upon, as agreed), **según se dice** (GEN allegedly; S. *supuestamente*)].

seguridad[1] *n*: GEN safety, security, precaution, custody ◊ *Adoptó todas las medidas destinadas a la seguridad de los bienes del finado*; S. *protección, medidas de seguridad, normas de seguridad.* [Exp: **seguridad**[2] (GEN certainty, self-confidence ◊ *Lo afirmó con la máxima seguridad*; S. *certeza, convicción, aplomo*), **seguridad ciudadana** (ADMIN public safety; public sense of security; S. *ley de seguridad ciudadana*), **seguridad colateral** (BSNSS collateral; S. *garantía prendaria*), **Seguridad del Estado** (GEN nacional security), **seguridad e higiene en el trabajo** (GEN/EMPLOY health and safety at work), **seguridad jurídica** (PROC legal certainty, certainty of law), **seguridad jurídica inmobiliaria** (CIVIL legal safeguards for property ◊ *El fin principal del Registro de la propiedad es robustecer la seguridad jurídica inmobiliaria*; S. *catastro*), **seguridad nacional** (GEN national security), **seguridad social** (EMPLOY national insurance, social security; S. *previsión social, cuota a/de la seguridad social*)].

seguro[1] *a*: GEN safe, reliable; sure, certain; S. *fuera de peligro, fiable, veraz, fidedigno, sólido.* [Exp: **seguro**[2] (INSUR insurance; underwriting; insurance policy), **seguro a/contra todo riesgo** (INSUR fully comprehensive insurance; all-in policy *US*), **seguro contra incendios** (INSUR fire insurance), **seguro de accidentes** (INSUR accident insurance), **seguro de cambio** (INSUR exchange insurance), **seguro o subsidio de desempleo** (EMPLOY unemployment benefit/insurance, dole; S. *subsidio*), **seguro de enfermedad** (INSUR health insurance), **seguro de paro o desempleo** (EMPLOY unemployment insurance), **seguro de responsabilidad civil** (INSUR liability insurance), **seguro de responsabilidad contra terceros, incendios y robo** (INSUR third-party, fire and theft insurance/policy), **seguro de responsabilidad patronal** (EMPLOY employer's liability insurance), **seguro de vejez** (INSUR old-age insurance), **seguro de vida** (INSUR life assurance, life insurance), **seguro marítimo** (INSUR marine insurance), **seguro provisional** (INSUR covering note)].

sellado *a*: GEN stamped, sealed; stamp, stamping. [Exp: **sellado y firmado por mí** (GEN under my hand and seal), **sellado y timbrado** (GEN sealed and stamped), **sellar** (GEN stamp, affix stamps; seal; S. *lacrar*), **sello**[1] (GEN stamp, postage stamp; S. *timbre, cuño*), **sello**[2] (GEN rubber stamp; seal, signet; S. *cuño*), **sello de caucho** (GEN rubber stamp), **sello de lacrar** (GEN wax seal), **sello fiscal** (TAX revenue stamp), **sello social** (BSNSS corporate seal)].

sembrar *v*: GEN sow, plant. [Exp: **sembrar dudas** (GEN cast doubts, plant the seed of doubt ◊ *La función del abogado defensor es sembrar dudas en cuanto a la culpabilidad de su cliente*), **sembrar el pánico** (GEN/CRIM spread panic ◊ *La oleada de atentados terroristas ha sembrado el pánico entre la población*)].

semestral *a*: GEN biannual, half-yearly, six-monthly; S. *anual*. [Exp: **semestre** (GEN half-year, semestre; S. *trimestre*)].

semovientes *n*: CIVIL livestock, cattle; S. *bienes muebles, bienes inmuebles.*

Senado *n*: CONST Senate, upper chamber; S. *Congreso, cámara*. [Exp: **senador** (CONST senator, member of the Senate; S. *congresista*)].

sentar *v*: GEN sit, seat; settle, place, put in place; establish, lay down. [Exp: **sentada** (EMPLOY sit-down strike; S. *huelga de brazos caídos, encierro*), **sentar a alguien en el banquillo** *col* (CRIM put somebody in the dock; haul somebody up in front of the beak *col*; S. *enjuiciar, juzgar, llevar ante los tribunales, querellarse*), **sentar las bases o los principios** (PROC lay the foundations or principles), **sentar precedente** (PROC establish a precedent, be a leading/landmark case), **sentarse en el banquillo de los acusados** (CRIM/PROC stand trial, stand in the dock, be put on trial)].

sentencia *n*: PROC judgment, decision, opinion, decree *esp Scots*, ruling, finding, order, adjudication, disposition, disposal of a case by the judge, etc.; verdict or decision of a jury; sentence ◊ *La sentencia del tribunal la redacta el juez ponente*; great care should be taken in translating the Spanish term; as the range of the definitions shows, it is much wider than its English cognate «sentence», which means only the punishment *–pena, condena–* imposed following a verdict of guilty in a criminal case; the Spanish term is used in both civil and criminal law and covers, both the final outcome or decision *–resolución, decisión–* and the legal consequences of proven liability; S. *antecedentes de hecho, fundamentos de derecho, fallo, resolución, veredicto*. [Exp: **sentencia absolutoria**[1] (CRIM acquittal, verdict of not guilty; S. *absolución*), **sentencia absolutoria**[2] **o desestimatoria** (CIVIL judgment against the claimant or plaintiff, judgment for the defendant, absolvitor *Scots*), **sentencia acordada** (PROC consent judgment, agreed judgement; plea bargaining; S. *sentencia de conformidad*), **sentencia arbitral o de arbitraje** (EMPLOY arbitration award, arbitrator's award), **sentencia condenatoria**[1] (CRIM conviction, verdict of guilty), **sentencia condenatoria**[2] (CIVIL judgment for the plaintiff, judgment against the defendant, condemnatory *Scots* ◊ *El demandado rebelde se arriesga a que recaiga contra él sentencia condenatoria*), **sentencia condicional** (PROC suspended sentence), **sentencia confirmatoria** (PROC *approx* dismissal or refusal of appeal, decision of an appeal or appellate court upholding or confirming the judgment given by the trial court), **sentencia de adopción** (GEN adoption order), **sentencia de conformidad** (PROC sentence [or verdict] following a plea of guilty; agreed pleas of guilty; for obvious reasons, this will normally be a matter of sentencing rather than verdict; it follows a process which is as close as Spanish criminal law comes to «plea-bargaining»; provided that the parties and the judge [or court] are satisfied that the charge-s brought and the sentencing range agreed or «negotiated» are in accordance with the facts of the case and the applicable sections *–artículos–* of the criminal law *–Código Penal–*, sentence may be passed accordingly; the convicted person will be entitled to the benefits

–benefícios penitenciarios– of having pled guilty and cooperated, and any associated grounds of leniency may be allowed in his or her favour; it should be noted that «plea-bargaining» as such is not allowed in Spanish law, in strict accordance with the *principio de legalidad*; however, the same would perhaps be said of English and American law, since «plea-bargaining» is a colloquialism rather than a legal concept as such; modern practice bends rather than breaks the ancient rule of *fiat justitia, ruat caelum*, justice being tempered by mercy and common sense), **sentencia de divorcio firme** (FAM decree absolute), **sentencia de divorcio provisional** (FAM decree nisi), **sentencia de muerte** (CRIM death sentence), **sentencia de última instancia** (PROC judgment by the court of last resort), **sentencia declaratoria** (PROC declaratory judgment, declarator *Scots*), **sentencia declarativa de quiebra** (PROC adjudication in/of bankruptcy), **sentencia definitiva** (PROC final judgment; S. *sentencia firme*), **sentencia desestimatoria** (PROC judgment for the defendant; S. *sentencia absolutoria*[2]), **sentencia en rebeldía** (PROC default judgment, judgment in default, decree in absence), **sentencia ejecutoria** (PROC enforcement order), **sentencia firme** (PROC final judgment beyond appeal, enforceable/executable judgment ◊ *Se resiste a devolver el cuadro de su abuelo hasta que recaiga sentencia firme*; S. *sentencia firme, recaer sentencia firme*; S. Spanish law distinguishes between a judgment that is *definitiva* and one that is *firme*; the former is final in that it represents the court's last word on the issues raised, which have now been determined in its opinion; a *sentencia firme*, on the other hand, is final and unassailable in that it is not subject to appeal and so is immediately enforceable *–ejecutable–*; it also puts and end to the matters litigated, which acquires the status of *res judicata –cosa juzgada–* what this means in practice is that any *sentencia definitiva* that is not appealed from within the legal time limit automatically becomes firm), **sentencia irrevocable** (GEN irrevocable judgment), **sentencia nula** (PROC void judgment, judgment that has been reversed/overturned), **sentenciado** (PROC condemned, sentenced), **sentenciar**[1] (CIVIL give/issue/deliver judgment, adjudge; S. *dictar sentencia, fallar*), **sentenciar**[2] (CRIM sentence, pass sentence, condemn; this verb, though correct and common, is roughly encountered in technical legal usage, where *condenar* or *imponer la pena [de]* are far more frequent, e.g. ◊ *Le condenaron [Fue condenado] a cinco años de prisión*, rather than *Fue sentenciado a ...*; S. *condenar*)].

sentimental *a*: GEN sentimental; S. *compañero sentimental, relaciones sentimentales*.

seña *n*: GEN sign, signal; gesture; mark, indication; S. *nota, indicio, marca, señal*. [Exp: **señas** (GEN address; S. *domicilio, dirección, paradero*), **señas del remitente** (GEN return address), **señas personales** (GEN physical description ◊ *Con las señas que nos dieron no fue difícil descubrir al ladrón*)].

señal[1] *n*: GEN sign, signal, token, trace, tick, mark, landmark; S. *marca, seña, vestigio, huella, vestigio, rastro, pista, indicio, cicatriz*. [Exp: **señal**[2] (BSNSS/GEN pledge; token, token payment, down-payment, deposit, earnest money, good faith deposit; S. *garantía, prenda, depósito, anticipio*), **señal de, en** (GEN in token of), **señal de socorro** (GEN flag of distress, distress signal), **señalamiento** (PROC fixing or setting of a date for trial; proceeding at which this is done; S. *lista de señalamiento, nuevo señalamiento*), **señalado por ley** (GEN provided/laid down by law), **señalar** (GEN mark, set, fix, appoint, arrange; S. *fijar*), **señalar el día de la vista** (PROC assign/fix a day/set a date for trial), **señalar la fecha** (GEN arrange/settle/appoint the date)].

señoría *n*: GEN/PROC/CONST title or form of address used in speaking of or to a judge in court, or to an MP *–diputado–* on the floor of the House; translations therefore include «your honour», «his honour», «the honourable member», etc.; though natural English distinguishes between «his Honour» –Crown Court and County Court–, Mr/Mrs Justice Smith *–High Court–* and «his Lordship –Court of Appeal, House of Lords–, it would be very peculiar to use these latter terms in translating from Spanish merely because the judge concerned is sitting in one of the higher courts; the English titles would not suit the Spanish names, and in any case all Spanish judges of whatever rank are addressed as *[su] señoría*; in referring to a judge rather than addressing him, translators, may well decide that it is sufficient to render, say, «*Su señoría [García Rodríguez] manifestó que ...» by «The judge [or Judge García Rodríguez] was of the opinion that ...* »; S. *Consejo General del Poder Judicial, juez, magistrado.*

separación *n*: GEN separation, division, severance; S. *segregación, division; divorcio, ruptura*. [Exp: **separación de bienes** (FAM own-assets agreement; S. *matrimonio con régimen de separación de bienes*), **separación de poderes** (CONST separation of powers), **separación canónica/legal** (FAM/CIVIL canonical/legal separation), **separación de bienes** (FAM separation of estates/property; S. *régimen de separación de bienes*), **separación de cuerpos** (FAM judicial separation or divorce *a mensa et thoro*), **separación de un cargo** (ADMIN dismissal, discharge, removal, severance; S. *cese*), **separación matrimonial** (FAM judicial separation ◊ *La separación matrimonial extingue algunos efectos del matrimonio como el deber de convivencia*; S. *convivencia*), **separación conyugal o matrimonial no litigiosa o consensual** (FAM separation by mutual consent ◊ *La separación consensual tiene lugar a petición de ambos cónyuges*; S. *de común acuerdo*), **separación conyugal litigiosa** (FAM judicial separation), **separar** (GEN/FAM/ADMIN separate, divide, split [up]; dismiss, remove, discharge, relieve [sb] of their duties; S. *segregar*)].

seriedad *n*: GEN reliability, dependability; seriousness; S. *crédito, fiabilidad, formalidad.* [Exp: **serio** (GEN serious; businesslike, reliable; trustworthy; S. *profesional, fidedigno, fiable*)].

servicio *n*: GEN service, duty; business, work, help; use; department, authority; S. *turno, guardia*. [Exp: **servicio activo, en** (EMPLOY/ADMIN in active service; S. *en activo*), **servicio, de** (GEN on duty), **servicio de asistencia social** (ADMIN/EMPLOY social service, social work department), **servicio de guardería** (EMPLOY childcare facilities), **Servicio de Mediación, Arbitraje y Conciliación, SMAC** (EMPLOY advisory, conciliation and arbitration service), **servicio nocturno** (GEN night duty), **servicio técnico** (GEN technical assistance), **servicio social** (GEN social service), **servicios e instalaciones** (GEN facilities; S. *medios, prestaciones*), **servicio militar** (CONST military service, national service), **servicio social sustitutorio** (CONST community service in lieu of military service or conscription), **servicios mínimos** (EMPLOY skeleton staff, minimum service [during a strike]; S. *huelga*), **servicio público** (ADMIN public service ◊ *La Administración es responsable del normal funcionamiento de los servicios públicos*; S. *funcionamiento*)].

servidumbre *n*: CIVIL easement, servitude, encumbrance; right of way/light/air, etc.; bondage ◊ *La servidumbre es la carga sobre el predio o fundo sirviente*; S. *predio, derecho de paso; constituir una servidumbre*. [Exp: **servidumbre continua** (CIVIL continuous easement), **servidumbre de acceso** (CIVIL right of access, right of way; S. *servidumbre de paso*), **servidumbre de aguas** (CIVIL water rights), **servidumbre de conveniencia** (CIVIL easement of convenience), **servidumbre de desagüe** (CIVIL servitude of drainage), **servidumbre de luces** (CIVIL easement of light), **servidumbre de luces y vistas** (CIVIL servitude/easement of light and view), **servidumbre de medianería** (CIVIL party wall/hedge/fence, etc.), **servidumbre de paso, vía o acceso** (CIVIL right of way, easement of access), **servidumbre de pastos** (CIVIL common, common of pasture; S. *derecho de pastoreo*), **servidumbre de vistas** (CIVIL easement of view), **servidumbre legal, necesaria o imprescindible** (CIVIL easement of necessity), **servidumbre negativa o pasiva** (CIVIL negative easement), **servidumbre particular o personal** (CIVIL easement in gross, common in gross), **servidumbre por prescripción** (CIVIL easement by prescription), **servidumbre positiva** (CIVIL affirmative/ positive easement/servitude), **servidumbre pública** (ADMIN public easement), **servidumbre real, predial o sobre finca colindante** (CIVIL easement appendant/ appurtenant, appurtenant easement), **servidumbre recíproca** (CIVIL reciprocal easement), **servidumbre tácita o sobreentendida** (CIVIL easement by implication, implied covenant, constructive easement), **servidumbre voluntaria** (CIVIL easement by agreement)].

servir *v*: GEN serve, be used/useful, be suitable, be good, work. [Exp: **servir de prueba** (PROC serve as a proof or evidence, constitute evidence, be evidence)].

sesgado *a*: GEN biased, partial; S. *parcial, arbitrario*. [Exp: **sesgar** (GEN bias; S. *predisponer, inclinarse*), **sesgo** (GEN bias; S. *parcialidad*)].

sesión *n*: GEN session, meeting, sitting; S. *junta, reunión, asamblea*. [Exp: **sesión a puerta cerrada** (PROC session, session behind closed doors; hearing or sitting in chambers), **sesión aplazada** (PROC adjourned session), **sesión bursátil** (stock exchange session), **sesión conjunta** (PROC joint session sitting in bank, meeting of the full bench, at bar; in/en banc), **sesión de trabajo** (GEN working session), **sesión extraordinaria** (GEN special session), **sesión ordinaria** (GEN/ADMIN regular session), **sesión parlamentaria** (CONST parliamentary session), **sesión plenaria** (GEN plenary meeting; S. *pleno, reunión*), **sesión secreta, en** (PROC in camera)].

sexo *n*: GEN sex; S. *género*. [Exp: **sexual** (GEN sexual; S. *acoso sexual, insinuaciones sexuales, relaciones sexuales*)].

sí *adv*: GEN yes; S. *ganan los síes*.

sida *n*: GEN AIDS, acquired immune deficiency syndrome; S. *síndrome de inmunodeficiencia adquirida*.

siempre *adv*: GEN always, ever. [Exp: **siempre que** (GEN provided that, always assuming, so long as; S. *caso*)].

siendo así *phr*: GEN that being the case; S. *de ser así*. [Exp: **siendo así que** (GEN since, given that; when the truth of the matter is that)].

signar *v*: GEN sign, seal, stamp. subscribe, be a signatory to; S. *firmar*. [Exp: **signatario** (GEN signatory; S. *firmante*), **signo** (GEN sign, symbol), **signos externos** (GEN/PROC outward signs, appearances; real or physical evidence; demeanour [of witnesses, etc.] ◊ *Para juzgar, el tribunal se basará en indicios y signos externos*; S. *indicio*)].

sigilo *n*: GEN stealth, secrecy ◊ *Las actuaciones policiales se realizaron con gran sigilo*; S. *secreto, discreción*. [Exp: **sigiloso** (GEN stealthy, furtivo, secret, sneaky *col*; S. *furtivo*)].

silenciar *n*: GEN silence, hush [up], suppress, silence; S. *callar*. [Exp: **silencio** (GEN silencio), **silencio administrativo** (ADMIN failure by a public administrative body to reply within the stipulated time limit to a complaint lodged against its procedure or a challenge to its decisions; it is frequently used as the basis of an appeal through the *contencioso administrativo* procedure; in modern law, silence may mean consent; though there is a long-established presumption that «administrative silence» is decisive against the applicant; S. *acción por silencio administrativo*)].

simple *a*: GEN simple, clean, bare. [Exp: **simplificación** (GEN simplification ◊ *La simplificación de las formalidades judiciales es uno de los anhelos de todos los programas políticos*; S. *complicación*), **simplificar** (GEN simplify; oversimplify; S. *complicar*)].

simulación *n*: GEN simulation, pretence, double-dealing, mere suspicion or conjecture; S. *imitación*. [Exp: **simulación de delito** (CRIM fraudulent or unlawful simulation of an offence; deception; deliberate withholding of information from the police; perverting the course of justice; making false statements; malicious prosecution; S. *denuncia falsa*), **simulación de enfermedad** (CRIM malingering), **simuladamente** (GEN fraudently, by misrepresentation), **simulado** (GEN false, dummy, sham, simulated; S. *ficticio*), **simular** (GEN pretend, fake, sham, feign, simulate; S. *fingir*)].

simulacro *n*: GEN simulacrum; sham, pretence; mere semblance; S. *ficción*.

simultáneo *a*: GEN simultaneous, concurrent; S. *concurrente*. [Exp: **simultanear** (GEN conduct two pieces of business simultaneously, do two things at once, fit two things in with one another)].

sindicación *n*: EMPLOY joining a union; union membership; unionization. [Exp: **sindical** (EMPLOY union, trade-union), **sindicalista** (EMPLOY trade-unionist), **sindicar** (BSNSS admit into a [trade union] syndicate, pool, unionize), **sindicato** (EMPLOY trade union, syndicate), **sindicatura** (BSNSS/PROC receivership; S. *administración judicial*), **sindicatura amigable** (BSNSS/PROC friendly receivership), **síndico** (PROC trustee, receiver, syndic), **síndico de la Bolsa** (BSNSS senior officer or syndic of the Stock Exchange; *approx* Chairman of the Council of the Stock Exchange), **síndico de la quiebra** (BSNSS administrator in bankruptcy, trustee in bankruptcy, referee, receiver in bankruptcy, liquidator; S. *liquidador, administrador judicial, intendente de liquidación*)].

síndrome *n*: GEN syndrome. [Exp: **síndrome de abstinencia** (GEN withdrawal symptoms; cold turkey *col*), **síndrome de inmunodeficiencia adquirida, sida** (GEN acquired immune deficiency syndrome, AIDS), **síndrome tóxico** (GEN poisoning)].

siniestralidad *n*: INSUR loss, accident; accident rate, road-death toll, toll of accident victims; claims [index], experience; S. *mortalidad, exceso de siniestralidad*. [Exp: **siniestro** (INSUR casualty, loss, damage, accident, shipwreck; insurance claim; S. *pérdida, quebranto, perjuicio, daño, menoscabo, desperfecto*), **siniestro nuclear** (GEN nuclear accident/disaster), **siniestros marítimos o navales** (BSNSS accidents at sea, accidents of navigation), **siniestro total** (INSUR total loss or write-off; S. *pérdida total efectiva*), **siniestro total analógico** (INSUR constructive total loss)].

sirviente *a/n*: GEN servient; servant; S. *subordinado, servidumbre, dominante, predio sirviente.*

sisa *n*: CRIM pilferage, cheating on accounts, dipping the till *col*, filching small amounts from the housekeeping money, petty theft; S. *hurto, robo, sustracción, ratería.* [Exp: **sisar** (CRIM pilfer, pinch, cheat in small ways, dip the till *col*; S. *hurtar, ratear*)].

sistema *n*: GEN system, scheme, arrangement. [Exp: **sistema acusatorio** (PROC accusatory system), **sistema inquisitivo** (PROC inquisitorial system; S. *impulso procesal, carga de la prueba*)].

situación *n*: GEN situation, position; S. *emplazamiento, localización.* [Exp: **situado, estar** (GEN lie, be situated, stand ◊ *La finca está situada cerca de la carretera, en la provincia de Cuenca*), **situar** (GEN situate, locate, place, put)].

SMAC *n*: EMPLOY S. *Servicio de Mediación, Arbitraje y Conciliación.*

so *prep*: GEN under. [Exp: **so pena de** (CRIM under/upon pain/penalty of; S. *bajo pena de*)].

soberanía *n*: CONST sovereignty; S. *dominio.* [Exp: **soberanía popular** (CONST sovereign will of the people)].

sobornador *n*: CRIM corrupeter, briber, suborner, embracer; S. *cohechador.* [Exp: **sobornar** (GEN suborn, bribe, corrupt, fix *col*; S. *cohechar*), **sobornar testigos** (CRIM tamper with witnesses), **soborno** (CRIM bribe, bribery, corruption, bribery and corruption; kickback *col*, hush-money *col*; sweetener *col*, corruption), **soborno de testigos** (CRIM suborning of witnesses, compounding an offence, interfering with witnesses, perverting the course of justice)].

sobre- *prf* GEN over-, in excess of some quantity or limit. [Exp: **sobrecarga** (GEN overload, overcharge, surcharge), **sobrecargar** (GEN overburden, overload), **sobredosis** (GEN overdose ◊ *Según el informe forense la muerte le sobrevino por una sobredosis de droga*), **sobreentender** (GEN understand implicitly, construe, deduce, infer, construe; understand, gather), **sobreentendido** (GEN understood, constructive, implicit; S. *implícito*), **sobreestadía** (BSNSS demurrage; S. *estadía, tiempo de plancha, demora*), **sobrepasar** (GEN exceed, surpass; overreach, overshoot), **sobrepujar** (BSNSS outbid), **sobreseer**[1] (PROC stay, nonsuit, dismiss, supersede, annul, suspend; strike out; S. *desistimiento, renuncia a la instancia; dictar el archivo de lo actuado*), **sobreseer**[2] (MERC fail to meet one's liabilities or obligations, fail to satisfy one's creditors), **sobreseimiento**[1] (PROC stay of proceedings, discontinuance, dismissal of action, withdrawal of action, non-suit, supersedeas *Scots* ◊ *El tribunal decretó el sobreseimiento del pleito cuando no pudo determinar las pretensiones del actor*), **sobreseimiento**[2] (COM failure to meet one's liabilities or obligations, failure to meet one's debts as they fall due ◊ *El sobreseimiento en el pago de las obligaciones conduce inexorablemente a la declaración judicial de quiebra*; S. *insolvencia, quiebra*), **sobreseimiento, en caso de** (PROC where a case does not proceed to judgment), **sobreseimiento provisional** (CRIM temporary stay of proceedings), **sobresueldo** (EMPLOY bonus, extra pay; S. *paga extraordinaria, prima, gratificación, bono, bonificación*), **sobretasa** (GEN surcharge, surtax; S. *recargo*), **sobrevenido** (GEN ex post facto; unforeseeable; spontaneous; S. *objeción sobrevenida, daños sobrevenidos*), **sobrevenir** (GEN surpervene, occur suddenly; S. *hechos sobrevenidos*)].

social *a*: GEN social, [concerning the/a] business/company, corporate, company's, firm's; S. *lacra social, seguridad social,* *sociedad, mercantil societario*. [Exp: **socialista** (GEN socialist), **socialismo** (GEN socialism), **socialización** (GEN socialization)].

sociedad *n*: GEN/BSNSS society, association, fellowship; company, partnership, firm; S. *asociación, cooperativa*. [Exp: **sociedad anónima, S. A.** (BSNSS corporation; public limited company, plc; aggregate company; joint-stock company *US*), **sociedad civil** (CIVIL partnership regulated by the civil code, non-profit entity; non-profitmaking organisation), **sociedad colectiva** (BSNSS [type of] general partnership; S. *sociedad regular colectiva*), **sociedad comanditaria** (BSNSS general and limited partnership), **sociedad de beneficencia o de previsión social** (BSNSS charitable organization, benefit society), **sociedad de bienestar** (CONST/GEN welfare state ◊ *Con la sociedad del bienestar se ha alcanzado la asistencia sanitaria para todos*), **sociedad de cartera** (BSNSS port-folio company), **sociedad de control** (BSNSS holding company; S. *sociedad matriz o principal, sociedad subsidiaria*), **sociedad de gananciales** (FAM S. *matrimonio con régimen de gananciales*), **sociedad de garantía recíproca** (BSNSS mutual/reciprocal guarantee company), **sociedad de inversión mobiliaria, SIM** (BSNSS security investment company), **sociedad de responsabilidad limitada** (BSNSS limited liability company), **sociedad financiera** (BSNSS credit company), **sociedad gestora** (BSNSS management company), **sociedad inscrita en el registro mercantil** (BSNSS registered company/corporation), **sociedad interpuesta** (BSNSS nominee, nominee company; conduit company, dummy corporation; parking deal; S. *persona interpuesta*), **sociedad inversionista** (combination fund, open-end trust, management trust), **sociedad limitada** (BSNSS limited company, company limited by shares; S. *sociedad de responsabilidad limitada*), **sociedad matriz o principal** (BSNSS parent company; S. *sociedad de control, sociedad subsidiaria*), **sociedad mercantil** (BSNSS company, corporation, firm, trading corporation; S. *empresa*), **sociedad regular colectiva** (BSNSS general partnership), **sociedad tenedora** (BSNSS holding company; S. *sociedad matriz*), **sociedad subsidiaria** (BSNSS daughter company, affiliated company, subsidiary *US*; S. *sociedad matriz/tenedora; sociedad subsidiaria*)].

socio *n*: GEN/CIVIL/BSNSS partner, member, associate; participator; S. *miembro, vocal, afiliado*. [Exp: **socio capitalista** (BSNSS partner), **socio colectivo** (BSNSS general/full partner), **socio comanditado** (BSNSS active partner, liable only to the extent of his investment), **socio fundador** (BSNSS founding partner, founder-member), **socio gerente o administrador o gestor** (BSNSS managing partner), **socio industrial** (BSNSS industrial partner), **socio nominal** (BSNSS nominal partner, nominee), **socio vitalicio** (GEN life member), **socio principal** (BSNSS senior partner), **socio secreto** (BSNSS secret partner)].

socorrer *v*: GEN help, aid, assist; S. *ayudar, auxiliar, prestar apoyo*. [Exp: **socorro** (GEN help, aid, assistance, relief; S. *deber de socorro, omisión del deber de socorro*)].

sodomía *n*: CRIM sodomy, buggery; S. *bestialidad*. [Exp: **sodomizar** (CRIM bugger)].

soez *a*: GEN coarse, rude, crude,vulgar; S. *vulgar, grosero, indecente, procaz, ordinario*.

solar *n*: GEN plot, building site, [piece of] land, lot *US*; family/country seat, ancestral home, lineage, noble descent; S. *terreno, parcela de terreno, suelo*. [Exp: **solariego** (GEN ancestral; noble)].

solicitar *v*: GEN/PROC/ADMIN seek, solicit, petition, request, crave *Scots*, conclude for *Scots*; apply for, make an application for, urge; S. *pedir, formular, exigir, instar, recabar, requerir*. [Exp: **solicitar la reparación del daño sufrido** (PROC seek relief for the injury suffered), **solicitar la suspensión de pagos** (BSNSS file for [court] administration, file for protection under chapter 11 *US*; S. *declararse en suspensión de pagos; quiebra*), **solicitante** (GEN/ADMIN/PROC applicant, petitioner, requester; S. *demandante, peticionario, recurrente, suplicante*), **solicitud** (GEN/ADMIN/PROC application form, form; application, request, petition, claim, submission, application form ◊ *Fue denegada la solicitud de readmisión presentada por la ex empleada*; S. *instancia, formulario, impreso*), **solicitud de archivo [de la causa o de lo actuado]** (PROC submission of no case to answer, motion of dismissal), **solicitud de extradición** (INTNL requisition), **solicitud de licencia** (ADMIN application for a licence), **solicitud de pensión alimenticia** (CIVIL application for financial provision, alimony claim), **solicitud de revisión judicial** (PROC application for judicial review)].

solidaridad *n*: GEN solidarity, support, sympathy, cooperation; S. *apoyo, cooperación*. [Exp: **solidariamente** (GEN jointly and severally; S. *conjunto*), **solidario** (GEN/CIVIL supportive, sympathetic, helpful, cooperative; joint and several, jointly and severally liable ◊ *Las dos hermanas son deudoras solidarias*; *S. mutuo, recíproco*), **sólido** (GEN solid, cogen, firm, secure, sound, string ◊ *La revolución se basa en fundamentos muy sólidos*; S. *motivación, razón; firme, seguro*)].

solo *a*: GEN only, alone. [Exp: **solo efecto, en un** (PROC [appeals] which do not operate as a stay of execution; S. *en ambos efectos, efecto devolutivo, efecto suspensivo*)].

soltero *a/n*: GEN/FAM single, unmarried; bachelor/spinster; single or unmarried man, single or unmarried woman; S. *casado, célibe, divorciado, separado, viudo*.

solución *n*: GEN solution, remedy; settlement; S. *transacción, composición, conciliación, convenio, arreglo; en vías de solución*. [Exp: **solución amistosa** (GEN friendly settlement), **solución de diferencias** (GEN dispute settlement), **solución extrajudicial** (PROC out-of-court settlement; S. *transacción, arreglo, sobreseimiento*), **solución jurídica** (PROC remedy, redress, relief, dispute resolution; S. *remedio, recurso*), **solucionar** (GEN settle, solve, arrange; S. *arreglar, resolver*)].

solvencia *n*: GEN solvency, credit-standing/-worthiness, ability to pay; S. *crédito, reputación financiera*. [Exp: **solvencia moral** (GEN trustworthiness, good character, reliability), **solvencia crediticia** (BSNSS credit-standing; S. *reputación financiera*), **solvente** (GEN solvent, reliable, responsible; S. *responsable, fiable*)].

sombra *n*: GEN shadow, shade; S. *luz, oscuridad*. [Exp: **sombra de duda, sin** (GEN beyond the shadow of a doubt), **sombra de sospecha/de mala reputación** (GEN/CRIM taint of suspicion), **sombra, estar a la** *col* (PENAL be in the can *col*; be in the nick *col*; be in the clink *col*; be behind bars *col*; S. *encarcelado, entre rejas, trullo*)].

someter *v*: GEN refer, subject, submit; S. *remitir, referir*. [Exp **someter a juicio** (PROC put on trial, try, bring to trial; S. *sentar en el banquillo*), **someter a careo** (CRIM confront [two suspects]), **someter a aprobación** (GEN refer, table; submit to the approval of; S. *poner sobre el tapete*), **someter a arbitraje** (PROC submit to arbitration), **someter a debate o discusión** (GEN submit to discussion; S. *proponer a debate*), **someter a interrogatorio** (CRIM interview, question, quiz *col*), **someter a la prueba de alcoholemia** (CRIM breathalise), **someter a votación** (GEN put to a/the vote, put a motion to the vote), **someter al tribunal** (PROC bring to the court's attention, raise as an issue before the court, request the court's judgment on), **someterse** (GEN submit, yield, surrender; S. *doblegarse*), **someterse a** (GRAL abide by; S. *observar, acatar, respetar*), **someterse a juicio** (PROC stand trial), **someterse a lo pactado o dispuesto** (GEN comply with/yield/acquiesce to the terms of the agreement; S. *atenerse a*), **sometido a** (GEN subject to, amenable to ◊ *Todo ciudadano, cualquiera que sea su rango, está sometido a la Ley*), **sometimiento** (GEN submission, acquiescence; S. *aquiescencia, consentimiento, conformidad, sumisión*)].

sondear *v*: GEN probe, poll; take soundings, sound out; S. *explorar, examinar, tantear, estudiar*. [Exp: **sondear la intención de voto** (GEN conduct an opinion poll; S. *realizar una encuesta*), **sondeo** (GEN poll, polling), **sondeo de opinión** (GEN opinion poll), **sondeo preelectoral** (GEN pre-election poll)].

sopesar *v*: GRAL weigh, weigh up, weigh in the balance; weigh [one thing against another]; S. *ponderar, valorar, pesar*.

soplar *col v*: GEN/CRIM tip off, grass *col*, squeal *col*; S. *cantar, chivarse, denunciar*. [Exp: **soplo** *col* (GEN/CRIM tip-off), **dar el soplo** *col* (GEN/CRIM grass *col*, squeal *col*, snitch *col* ◊ *Los componentes de la banda cayeron cuando un confidente dio el soplo*), **soplón** *col* (GEN/CRIM grass *col*, snitch *col*, squealer *col*)].

soportar *v:* GEN bear, stand, sustain, suffer, endure, put up with ◊ *Soportó con estoicismo muchas persecuciones por sus ideas políticas*; S. *sufrir, padecer, experimentar; ser objeto de*. [Exp: **soporte** (GEN support; medium; S. *apoyo, sostén, fundamento, sostén*), **soporte electrónico** (GEN electronic medium or retrieval system, electronic formatlegal foundations/basis/support ◊ *La Administración acepta cada vez más los formularios rellenados en soporte electrónico*), **soporte papel** (GEN hard copy, paper copy, hand-prepared copy; traditionally prepared copy [of a document] presented as a printout or type-written version), **soporte jurídico/legal** (PROC legal foundations/basis/support ◊ *Negó todas las imputaciones sin el menor soporte jurídico*)].

sorprender *v*: GEN surprise, catch unawares, catch by surprise, trap; cut off ◊ *Sorprendieron al ladrón en una trampa que le tendió la policía*; S. *pillar, acorralar, atrapar*. [Exp: **sorprendente** (PROC surprising, unusual, odd, out-of-the-ordinary, extraordinary; amazing; S. *corriente, lógico, habitual; asombroso*), **sorpresa** (PROC surprise, oddity), **sorpresivo** (GEN surprising, unexpected)].

sospecha *n*: GEN suspicion, mistrust, sus *col*; surmise ◊ *Sobre el vecino pesan serias sospechas de haber colaborado en la trama delictiva*; S. *suposición, presunción, conjetura, apariencia, probabilidad, sombra de sospecha, pesar sospechas, recaer sospechas, recelo, desconfianza; levantar sospechas*. [Exp: **sospechas fundadas** (CRIM probable cause, well-founded/well grounded suspicion; strong prima facie evidence; S. *indicios racionales de criminalidad*), **sospechas fundadas de estafa** (CRIM good grounds for suspecting fraud), **sospechar** (GEN suspect, distrust, mistrust, entertain suspicions, surmise; S. *conjeturar*), **sospechoso** (GEN suspicious, distrustful, mistrustful; suspect; translators should be aware of the linguistic trap awaiting the unwary; the Spanish adjective refers to the person or circumstance that «excites suspicion», not to the person «who entertains suspicions or feels suspicious»; thus, María will be *sospechosa* is she excites suspicion, and *suspicaz* if she feels suspicious, i.e. if someone else excites her suspicion or makes her feel suspicious; S. *incierto, dudoso, suspicaz*)].

sostener[1] *v*: GEN assert, allege, claim, contend, maintain, sustain ◊ *La defensa sostiene que su defendido se encontraba en el extranjero en el momento del crimen*; S. *defender, asegurar, afirmar, argumentar, debatir*. [Exp: **sostener**[2] (GEN/FAM sustain, support, uphold, back, back up ◊ *Los padres tienen el deber de sostener a sus hijos*; S. *asistir, ayudar, alimentar, velar por*), **sostenible** (GEN/PROC arguable, debatable ◊ *Presentó una tesis apenas sostenible*; S. *defendible*)].

subalterno *a/n*: subordinate, auxiliary, secondary; minor official, junior member of staff; S. *subordinado*.

subarrendar *v*: CIVIL sublet, sublease. [Exp: **subarrendador** (CIVIL sublessor), **subarrentario** (CIVIL sublessee, subtenant; S. *subinquilino*), **subarriendo** (CIVIL sublease)].

subasta *n*: ADMIN/BSNSS public auction/sale, public bid/licitation. [Exp: **subasta a la baja** (BSNSS Dutch auction), **subastador** (BSNSS auctioneer; S. *rematador*), **subastar** (BSNSS auction, put up for auction; take bids; S. *licitar, rematar*)].

subcontratar *v*: BSNSS subcontract.

Subdelegado del Gobierno *n*: ADMIN government representative of a Spanish province; a civilian with powers akin to those of a Chief Constable; in the past these officers were called *gobernadores civiles*.

subinquilino *n*: CIVIL sub-tenant; S. *subarrendatario*.

sublevación *n*: CRIM uprising, rising, insurrection; S. *revuelta, evolución*. [Exp: **sublevarse** (CRIM rebel, rise; S. *alzarse, rebelarse, levantarse en armas*)].

subordinado *a/n*: GEN subordinate, ancillary, servient, secondary; S. *subalterno, auxiliar, dependiente, sirviente*. [Exp: **subordinado a** (GEN subject to)].

subrepticio *a*: GEN surreptitious; S. *clandestino*.

subrogación *n*: GEN subrogations, novation ◊ *La subrogación transfiere al subrogado el crédito con los derechos a él anexos*; S. *acción subrogatoria, novación*. [Exp: **subrogar** (GEN subrogate), **subrogado** (GEN subrogated)].

subsanar *v*: GEN correct, modify, cure, repair; S. *corregir, reparar, rectificar, salvar, curar; falta subsanable; insubsanable*.

subsecretario *n*: GEN undersecretary. [Exp: **subsecretario de Estado** (CONST undersecretary of state)].

subsidiario *a:* GEN subsidiary, accessory, collateral, vicarious, ancillary, appurtenant; S. *auxiliar, secundario, colateral*. [Exp: **subsidiariamente** (GEN subsidiarily, secondarily, collaterally, susequently; S. *colateralmente*), **subsidiariedad** (GEN/EURO subsidiarity)].

subsidio *n*: GEN allowance, aid, assistance, subsidy; S. *ayuda, auxilio*. [Exp: **subsidio de carestía de vida** (GEN cost of living allowance), **subsidio de enfermedad** (GEN sickness benefit/pay), **subsidio de viudedad** (FAM/ADMIN widow's benefit), **subsidio familiar por hijos** (FAM child/family allowance), **subsidio de desempleo/paro** (EMPLOY unemployment benefit; social security allowance; dole *col*), **subsidio de invalidez** (EMPLOY/INSUR handicapped person's allowance; accident benefit)].

subsiguiente *a*: GEN subsequent, consequent; the usual sense of English «subsequent» is that given by Spanish *posterior*, i.e. immediately afterwards]; despite frequent mistranslation, the Spanish term still remains closer to «consequent» than to «subsequent», but must be regarded as transient between them; S. *posterior*.

subsistencia *n*: GEN survival, subsistence. [Exp: **subsistente** (GEN live, in effect, in force, operative, existing ◊ *La escritura estaba subsistente y sin cancelar*; S. *en vigor*)].

subvención *n*: GEN/ADMIN grant, subsidy, grant-in-aid; S. *subsidio, prima, arancel compensatorio*. [Exp: **subvención a fondo perdido** (ADMIN non-recoverable grant), **subvencionar** (ADMIN subsidize)].

subversión *n*: CRIM subversion, sabotage, undermining; S. *rebelión, sedición*. [Exp: **subversivo** (CRIM subversive), **subvertir** (CRIM subvert)].

suceder[1] *v*: GEN occur, happen; take place; S. *ocurrir*. [Exp: **suceder**[2] (SUC inherit, succeed; follow, ◊ *A su muerte, el hijo mayor le sucedió en el mando de la empresa*; S. *heredar*), **sucesión** (SUC descent; succession; estate of a deceased person; S. *administración de una sucesión; sin sucesión*), **sucesión hereditaria** (SUC hereditary succession), **sucesión intestada/abintestada** (SUC intestacy), **sucesión natural** (SUC natural succession), **sucesión, sin** (SUC without issue), **sucesión testamentaria** (SUC testamentary succession), **sucesivo** (GEN successive, consecutive; following), **sucesivo, en lo** (GEN henceforth, thenceforth, from now/then on), **suceso** (GEN happening, event, occurrence; S. *incidente, acontecimiento*), **suceso fortuito** (GEN/INSUR chance event, accident, unforeseen occurrence), **sucesor** (SUC successor, beneficiary under a will, heir, assignee, assign ◊ *El sucesor o causahabiente es la persona a la que se le han transmitido los derechos*; S. *causante*)].

sucinto *a*: GEN succint, concise brief, short ◊ *El fiscal hizo una sucinta exposición de los hechos*; S. *breve, conciso, tajante*.

sucursal *n*: BSNSS branch, branch office, office; S. *oficina, dependencia, sección, negociado*.

suelo *n*: GEN/ADMIN land, ground, soil; S. *solar*. [Exp: **suelo industrial** (ADMIN industrial development land, land earmarked for industrial use; S. *recalificación, urbanizable*), **suelo urbanizable** (ADMIN building land, land for which planning permission has been given; S. *edificación*), **suelo urbano** (ADMIN urban land)].

sueldo *n*: GEN salary; S. *salario, sobresueldo; matón a sueldo; suspender de empleo y sueldo*.

suelto *a*: GEN loose, on the loose ◊ *Anda suelto un peligroso ladrón*; S. *andar suelto*.

sufragar *v*: GEN defray; aid; S. *pagar*. [Exp: **sufragar los gastos** (GEN cover expenditure, defray/meet the costs; S. *dieta, escatimar*), **sufragio** (CONST vote, suffrage; S. *votación, voto*)].

sufrimiento *n*: GEN suffering, pain; S. *dolor, aflicción, angustia, tribulación*. [Exp: **sufrimiento mental** (GEN/PROC distress, strain; S. *daños psicológicos*), **sufrir** (GEN suffer, bear, stand, sustain, undergo ◊ *El que causare daños por acción u omisión está obligado a compensar a quien los haya sufrido*; S. *causar daños, soportar*), **sufrir desperfectos** (GEN suffer/undergo damages/harm/injury ◊ *La planta industrial no sufrió desperfectos*; S. *causar desperfectos*), **sufrir una pérdida/daño** (GEN sustain a loss/a wrong, damage/injury)].

sugerencia *n*: GEN suggestion, hint; S. *propuesta*. [Exp: **sugerir** (GEN suggest, hint; put forward; S. *exponer, presentar, plantear*)].

suicida *n*: CRIM suicide [person]. [Exp: **suicidarse** (CRIM commit suicide), **suicidio** (CRIM suicide [act]; S. *inducción al suicidio*)].

sujeción *n*: GEN subjection, restraint; seizure; S. *limitación, restricción*. [Exp: **sujeción a, con** (GEN subject to, as provided by, within the terms/meaning of; S. *sujeto a*)].

sujeto *a/n*: GEN subject; person, individual; S. *individuo, persona física, ciudadano*. [Exp: **sujeto a** (GEN subject to, liable; S. *sometido a, a reserva de, sin perjuicio de, previa condición de, dentro de*), **sujeto a/pendiente de aprobación** (GEN on/subject to approval), **sujeto a impuesto** (TAX liable to tax), **sujeto activo** (TAX/GEN tax authority, tax-collecting agency; the agent or active party to any legal relationship, e.g. the lessor *–arrendador–* as against the lessee *–arrendatario–*; S. *sujeto pasivo*), **sujeto de derecho** (CONST legal person, individual subject of the law), **sujeto pasivo** (TAX/GEN taxpayer; obligor; person who gives a bond, promise, etc. to another; the patient or passive party to any legal relationship; S. *sujeto activo*; S. *contribuyente*), **sujetos de la acción** (PROC parties to the suit; S. *litigantes*)].

sumario[1] *a*: GEN summary; concise, short, brief; ◊ *El abogado se limitó a hacer una presentación sumaria del asunto*; S. *breve, conciso, sucinto*. [Exp: **sumario**[2] (GEN summary, abstract, table of contents; S. *sumario de título*), **sumario**[3] (CRIM [record of] preliminary investigation; report on inquiries conducted by the examining magistrate in a criminal case, together with the resulting process; *approx* committal proceedings, [basis of] the case for the prosecution, precognitions *Scots*; in this essentially legal sense, the term is equivalent to *instrucción*, since it can refer by metonymy either to the investigative proceedings themselves, or to the resulting report and judicial process, including the decision to prosecute and the basis of the case for the prosecution ◊ *El sumario consta de varios miles de folios*; S. *instrucción de una causa criminal, secreto oficial del sumario*; *levantar el secreto del sumario, abrir un sumario a alguien, dirigir el proceso contra alguien*), **sumario del fallo de un tribunal** (PROC abstract of judgment)].

suministrar *v*: GEN/BSNSS supply, provide, purvey; S. *abastecer, proveer, facilitar*. [Exp: **suministros** (GEN/BSNSS supplies, goods; S. *aprovisionamiento, pertrechos*)].

sumisión *n*: GEN submission, submissiveness, acquiescence; S. *sometimiento*. [Exp: **sumiso** (GEN submissive, obedient, docile, unresisting)].

supeditado a *phr*: GEN subject to, contingent on.

superior *a/n*: GEN superior, paramount, high; upper, higher; senior; S. *alto, elevado; de mayor rango*.

supérstite *a*: GEN surviving; S. *cónyuge supérstite*.

supervisar *v*: GEN supervise, oversee, check; S. *controlar, fiscalizar, tutelar*. [Exp: **supervisión** (GEN supervision, control surveillance ◊ *La instrucción la realiza el juez instructor bajo la supervisión directa del fiscal*; S. *control, fiscalización*)].

suplantación de la personalidad *n*: CRIM impersonation, use of false identity or assumed alias; deception, act or fact of passing oneself off as *–hacerse pasar por–* sb else; S. *uso de nombre supuesto*. [Exp: **suplantar** (GEN supplant; impersonate; S. *nombre supuesto; usurpar*)].

suplementario *a*: GEN supplementary, additional; S. *secundario, adicional*. [Exp: **suplemento** (GEN supplement, addendum; endorsement; additional charge, excess charge, surcharge; S. *apéndice, anexo, hoja adjunta*)].

suplente *n/a*: GEN deputy, substitute, reserve, stand-in; acting, alternate, alternative, associate, substitute, supply ◊ *Si el perito designado se abstuviera, será sustituido por el perito suplente*; S. *interino, provisional de servicio, en funciones, en* *ejercicio, vocal suplente, sustituto*), **supletorio** (GEN subsidiary, supplementary, auxiliary; substitutory, used in place of or to make good the deficiencies of ◊ *La ley de Enjuiciamiento Civil tiene carácter supletorio de las leyes que regulan los procesos penales, los laborales, etc.*; S. *subsidiario, sustitutivo; juramento supletorio*), **suplir** (GEN supply, make good/up for; substitute, replace, take the place of), **suplir a alguien en un cargo** (ADMIN deputise for somebody; stand in for somebody, perform a task, etc., in somebody's place; perform somebody's office, etc.; S. *hacer las veces de*)].

súplica *n*: GEN/PROC claim, petition, appeal, application, prayer, crave *Scots*; S. *recurso de súplica, petición, pretensión, solicitud, instancia*. [Exp: **súplica de, a** (GEN on/upon the application of), **súplica, de** (GEN precatory; S. *rogatorio*), **suplicante** (GEN petitioner; S. *solicitante, demandante, peticionario, recurrente*), **suplicar** (GEN claim, pray, petition, beg, entreat, seek, request, ask, beseech *frml*, crave *Scots* ◊ *En su escrito suplica al juzgado que sea tenido por personado en la causa seguida contra su primo*; S. *pedir, rogar, implorar, solicitar, exigir, demandar, instar*), **suplicatoria** (PROC rogatory letters; S. *exhorto, carta rogatoria, comunicaciones procesales*), **suplicatorio** (PROC letter of request, letter supplicatory; petition directed from a lower to a higher court; formal procedure whereby the Supreme Court petitions Parliament to set aside privilege, thus enabling it to prosecute an MP)].

suposición *n*: GEN supposition, guess, conjecture, surmise; S. *conjetura, sospecha, apariencia, probabilidad*. [Exp: **suponer** (GEN suppose; presuppose, involve; presume; S. *supuesto*)].

supremo *a*: GEN supreme, paramount; S. *Tribunal Supremo*.

supresión *n*: GEN suppression, abolition, withdrawal, removal, elimination; S. *cesación, interrupción, derogación, anulación, abolición*. [Exp: **suprimir** (GEN suppress; abolish, abate, strike out/off, do away with, remove, eliminate ◊ *El juez puede suprimir las cláusulas de los convenios regulares que, en su opinión, sean contrarias a los intereses de los hijos*; S. *excluir, descartar, anular, derogar, revocar*)].

supuestamente *adv*: GEN allegedly; S. *según se dice*. [Exp: **supuesto**[1] (GEN assumed; ostensible, supposed, alleged ◊ *Demandó a quien le había causado el supuesto perjuicio*; S. *aparente; suponer*), **supuesto**[2] (GEN supposition; assumption; hypothetical case; circumstance, case; contingency; S. *conjetura*), **supuestos de inaplicabilidad de una disposición legislativa** (PROC cases/circumstances in which a rule/law is inapplicable or does not apply)].

surtir *v*: GEN supply, furnish, produce; S. *proporcionar*. [Exp: **surtir efecto** (GEN take effect, have the desired effect; work ◊ *La declinatoria surte el efecto de suspender el cómputo para el día de la vista*; official certificates often end with the formula *Y para que conste y surta efectos donde convenga*, meaning approximately «The facts stated herein are true and the certificate is issued for the appropriate legal purposes and effects» or «I the undersigned declare the facts contained to be true and warrant for the purposes for which the certificate has been issued»; S. *fe, entrar en vigor, producir efectos*), **surtir los mismos efectos** (GEN have identical consequences in law, be equivalent/tantamount in law ◊ *La filiación matrimonial y la no matrimonial surten los mismos efectos*)].

susceptible *a*: GEN sensitive, touchy, vulnerable ◊ *Algunos jueces son muy suscepti-*

bles a las críticas. [Exp: **susceptible de** (GEN liable to, likely to, able to, capable of, susceptible of, allowing, admitting, likely to ◊ *Algunos autos no son susceptibles de recurso*; in the example the best translation would be «may not/cannot be appealed from», and «may» or «can» plus a verb is often the translator's best option with *susceptible de*)].

suscitar *v*: GEN raise, stir up; cause, give rise to, arouse. [Exp: **suscitar dificultades** (GEN raise/make difficulties), **suscitar una presunción** (GEN raise a presumption)].

suscribir *v*: GEN sign, subscribe, endorse, support, underwrite; S. *firmar, respaldar, aprobar, sancionar, ratificar, endosar, apoyar*. [Exp: **suscribir un tratado** (CONST sign/conclude a treaty), **suscripción** (GEN subscription; S. *abono*), **suscriptor** (GEN subscriber, allottee, underwriter; S. *abonado*), **suscrito** (GEN undersigned; S. *abajo firmante, infrascrito*)].

susodicho *a/n*: GEN [the] aforementioned/ aforesaid [person], [the] above-mentioned [person]; S. *citado*.

suspender[1] *v*: GEN suspend, adjourn, continue *Scots*; discontinue, defer; waive; cancel ◊ *Se ha suspendido la vista oral hasta mañana*; S. *aplazar, anular, interrumpir, retrasar*. [Exp: **suspender**[2] (EMPLOY/ADMIN suspend ◊ *Los jueces no pueden ser separados, suspendidos ni trasladados*; S. *separar, trasladar; inamovible*), **suspender de empleo y sueldo** (ADMIN suspend without pay; S. *suspendido del ejercicio de la abogacía*), **suspender en el empleo o cargo** (ADMIN suspend from practice, duty, etc.), **suspender la ejecución de una sentencia** (PROC reprieve, grant stay of execution), **suspender la sesión** (PROC adjourn the session), **suspender pagos** (BSNSS go into temporary receivership, call in the receiver; suspend payments), **suspender una reunión/una vista, etc.** (GEN adjourn/cancel a meeting, a hearing, etc.), **suspendido del ejercicio de la abogacía** (GEN suspended from practice), **suspensión** (GEN suspension; cancellation; abeyance, adjournment; recess; stay; S. *aplazamiento*), **suspensión de empleo y sueldo** (ADMIN suspension without pay ◊ *La sanción consistió en siete meses de suspensión de empleo y sueldo*), **suspensión de garantías constitucionales** (CONST suspension of constitutional rights, bringing into force of Special Powers), **suspensión de la ejecución de la sentencia** (PROC/CIVIL stay of execution, deferment/postponement of enforcement proceedings; PROC/CRIM *approx.* deferment/deferral of sentence ◊ *El condenado solicitó la suspensión de la ejecución de la sentencia por razones de salud*; strictly speaking, the Spanish example implies that sentence has been passed, whereas the English translation implies that sentencing has been deferred or delayed, usually pending background inquiries, which include a report on the prisoner's health; but the effect is similar; S. *aplazamiento, desistimiento*), **suspensión de la instancia** (PROC stay of proceedings), **suspensión de la prescripción** (PROC interruption of the period of prescription; said of any event or circumstance that stops time from running; S. *plazo, caducidad, prescripción*), **suspensión de pagos** (BSNSS temporary receivership, bankruptcy protection, stoppage of payments, suspension, creditor protection; S. *quiebra. declarar en suspensión de pagos, declararse en suspensión de pagos, solicitar la suspensión de pagos*), **suspensión del proceso** (PROC stay of proceedings), **suspensión de una sesión, vista, junta, etc.** (GEN adjournment of a sitting, a hearing, a meeting, etc.; S. *aplazamiento*), **suspensivo** (GEN suspensory; S. *condición suspensiva, efecto suspensivo*)].

sustancia *n*: GEN substance, matter S. *entidad*. [Exp: **sustancia delictiva** (CRIM criminal substance ◊ *El asunto de las escuchas se archivó por no encontrarse sustancia delictiva*), **sustancia regulada** (GEN controlled substance), **sustancia, sin** (GEN lacking in substance, shallow), **sustancia tóxica** (GEN toxic/noxious/offensive substance ◊ *El vertido de sustancias tóxicas o peligrosas es un delito ambiental*), **sustanciación** (GEN conduct, management, performance, completion, discharge; formal carrying out of the proper procedures ◊ *La ley de enjuiciamiento criminal contiene las normas jurídicas que ordenan el inicio, la sustanciación y la ejecución de un proceso penal*), **sustancial** (GEN substantial, considerable; S. *apreciable, considerable, importante*), **sustanciar** (GEN/PROC conduct, perform, carry ont, proceed with, see through, handle ◊ *Los asuntos se sustanciarán ante los tribunales con arreglo a normas que nunca serán retroactivas*; S. *tramitar, gestionar, despachar, formalizar, preparar, cursar, instruir, diligenciar*), **sustanciar un procedimiento** (PROC conduct proceedings, proceed with a matter, perform the requisite steps, carry out a procedural step)].

sustentar *v*: GEN maintain, sustain, advocate, support, uphold; S. *mantener, conservar, confirmar.* [Exp: **sustento** (GEN maintenance; S. *alimentación, conservación*)].

sustitución *n*: GEN replacement, substitution, surrogacy, novation; S. *reemplazo, novación, renovación*. [Exp: **sustitución de, en** (GEN as a replacement for, in the place of, instead of), **sustituir** (GEN substitute, replace), **sustitutivo** (GEN superseding, substitutive, as a substitutive for; S. *supletorio*), **sustituto** (GEN substitute, alternative; replacement, reserve, deputy; locum tenens, depute *Scots*; S. *suplente, subsidiario, vocal sustituto*)].

sustracción *n*: CRIM theft, robbery; removal; S. *hurto, robo, ocultación, abducción*. [Exp: **sustracción a la acción de la justicia** (CRIM failure to surrender to custody or bail, absconding; S. *acto de rebeldía*), **sustracción de menores** (CRIM kidnapping, abduction; S. *rapto, venta de niños*), **sustraer**[1] (GEN subtract, deduct; S. *deducir; restar*), **sustraer**[2] (CRIM purloin, steal, remove, take away; extract; S. *robar, hurtar*), **sustraer dinero** (CRIM steal, embezzle; S. *desfalcar, robar*), **sustraerse a** (GEN evade, avoid; withdraw from, get out of; dodge *col*, duck *col*; S. *eludir, evadir, evitar, esquivar, soslayar*), **sustraerse a la acción de la justicia** (CRIM abscond; fail to surrender to custody; S. *alzarse, fugarse*), **sustraerse a las normas** (GEN evade rules)].

sutil *a*: GEN subtle, fine, nice; overnice, oversubtle. [Exp: **sutileza** (GEN subtlety; hair-splitting, overcleverness, equivocation), **sutilizar** (GEN cavil, split hairs, indulge in legal quibbles; S. *exponer argumentos capciosos*)].

T

tabla *n*: GEN table, scale; S. *índice, escala, coeficiente*. [Exp: **tabla de esperanza de vida** (INSUR life expectancy table), **tabla de mortalidad** (INSUR mortality table), **tabla de retenciones** (TAX table/scale of tax deductions), **tablón de anuncios** (GEN notice board, bulletin board, notice board ◊ *Muchas resoluciones judiciales se publican fijándolas en el tablón de anuncios*)].

tácito *a*: GEN tacit; constructive; implied, implicit; by operation of the law ◊ *Las revocaciones pueden ser tácitas o expresas*; S. *implícito, sobreentendido*. [Exp: **tácita reconducción** (BSNSS automatic extension of a lease by operation of law; S. *ministerio de la ley, por*)].

tacha *n*: GEN flaw, defect, blemish, reproach; challenge, objection, impeachment, disqualification; aspersion, reflection; S. *mancha, mácula*. [Exp: **tacha al jurado** (PROC challenge to a juror), **tacha de testigos** (PROC challenge/disqualification of witnesses), **tacha por parcialidad** (PROC challenge for favour, challenge propter affectum), **tacha, sin** (GEN clean, flawless, unblemished; S. *intachable, impecable*), **tacha sin causa o justificación** (PROC peremptory challenge; S. *recusación*), **tachadura** (GEN erasure, obliteration; S. *corrección*), **tachar** (GEN delete, strike out, cross out; challenge, object to; S. *borrar*), **tachable** (GEN erasable, challengeable), **tachar a alguien de** (GEN accuse somebody [of being]), **tachar a un jurado** (PROC object to/challenge a juror; S. *recusar, poner excepción a*), **tachar de ilegalidad** (PROC question the lawfulness or legality of), **tachón** (GEN crossing out, deletion, erasure)].

tahúr *n*: GEN/CRIM gambler, card-sharper *col* ◊ *Los garitos están llenos de tahúres y fulleros*.

tajante *a*: GEN emphatic, categorical, flat, sharp, cutting, definite; S. *breve, conciso, sucinto, categórico*. [Exp: **tajantemente** (GEN categorically, absolutely, flatly, emphatically ◊ *Queda tajantemente prohibido fijar carteles*)].

tal *a/pron*: GEN such. [Exp: **tal cual** (GEN exactly, just as; in exactly the same way, condition, etc.; just as it is/was; as is *US col*), **tal de que, con** (GEN provided that, so long as, on condition that; S. *a condición de que, siempre que*)].

taller *n*: EMPLOY workshop, works, factory; shop *col*. [Exp: **taller de economía sumergida** (EMPLOY sweat-shop *col*)].

talón[1] *n*: BSNSS cheque; S. *recibo, resguardo*. [Exp: **talón**[2] (GEN heel; S. *seguir la pista, perseguir, pisar los talones*), **talón conformado** (BSNSS certified cheque;

banker's draft), **talón de ventanilla** (BSNSS window cheque, cashier's cheque), **talonario de cheques** (BSNSS cheque-book)].

tantear *v*: GEN reckon, calculate; size/weigh up; test; work out approximately; approach; probe, put out feelers, explore; S. *sondear, explorar*. [Exp: **tanteo**[1] (GEN sizing [up], weighing [up]), **tanteo**[2] **o fadiga** (CIVIL right of first refusal at the original selling price, pre-emption; S. *retracto, derecho de tanteo, retracto y tanteo*), **tanteo, al/por** (GEN by trial and error), **tanto** (GEN so much), **tanto alzado** (BSNSS lump sum; S. *precio global, cantidad a tanto alzado, contrato a tanto alzado*), **tanto como si, es** (GEN this is tantamount to, as good as; S. *equivalente a*), **tanto de culpa** (CRIM evidence of criminal liability; basis of a report ordered by a civil or administrative court to be forwarded to an examining magistrate *–juez instructor–* when evidence appears in the civil proceedings of suspected criminal behaviour), **tanto fuere necesario, en** (GEN where/when necessary, as far as is necessary; S. *en caso necesario*), **tanto por ciento** (GEN rate per cent, so much per cent; percentage)].

tapadera *n*: CRIM front, cover, blind, bogus/phoney business *col*; S. *persona interpuesta, testaferro, hombre de paja.*

taquígrafo de los tribunales *n*: PROC court stenographer, court reporter, reporter.

tara *n*: GEN defect; tare, weight. [Exp: **tarado** (GEN mentally or physically handicapped)].

tarifa *n*: GEN rate, tariff; fare; S. *tasa, precio, flete*. [Exp: **tarifa de carga** (BSNSS freight/cargo rate), **tarifa de escala móvil** (BSNSS sliding scale tariff), **tarifa de la renta o impositiva** (TAX tax rate table/schedule; S. *tipo impositivo*)].

tasa *n*: GEN rate, fee; toll; duty, excise duty; level, rating; S. *índice, coeficiente, arancel, derecho*. [Exp: **tasa de alcoholemia** (GEN blood alcohol level), **tasa de amortización** (BSNSS rate of depreciation), **tasa de cambio** (BSNSS rate of exchange), **tasa de criminalidad** (CRIM crime rate), **tasa de desempleo** (EMPLOY unemployment rate), **tasa de interés** (GEN rate of interest; S. *rédito*), **tasable** (GEN appraisable, rateable; S. *valuable, evaluable*), **tasación** (GEN assessment, adjustment, appraisal, rating, taxation, taxing, valuation; S. *valoración, ponderación, cálculo, estimación*), **tasación de avería** (BSNSS adjustment of average; S. *liquidación de avería*), **tasación de costas** (PROC assessment/taxation of costs), **tasación pericial** (PROC expert appraisal), **tasador** (GEN adjuster, appraiser, assessor, valuer, valuator; S. *ajustador, perito, valuador, liquidador*), **tasador de averías** (BSNSS average adjuster, taker of averages; S. *liquidador*), **tasador de siniestros** (INSUR loss adjuster), **tasador de reclamaciones** (INSUR claim adjuster), **tasar** (GEN appraise, assess, evaluate, estimate, fix, rate, adjust; S. *computar, calcular, determinar, evaluar; prueba tasada*), **tasar el daño** (INSUR estimate the damage), **tasar en menos de/por debajo de su valor real** (INSUR undervalue; S. *subestimar, infravalorar*), **tasar en exceso/por encima de su valor real** (INSUR overvalue; S. *valuar en exceso*), **tasas** (ADMIN rates, taxes; administrative charges, dues, fees, etc.; S. *tributo*), **tasas judiciales** (PROC cfee payble to the court), **taxativo** (GEN strict, specific; peremptory ◊ *El auto del juez instructor es taxativo*)].

técnica *n*: GEN technique;skill; technology. [Exp: **técnica jurídica** (GEN drafting, wording, framing [of a law. deed, etc.] ◊ *El juez se quejó de la defectuosa técnica jurídica del artículo*; S. *redacción*), **tecnicismo** (GEN technicism, technicality, formality; S. *formalidad*), **técnico** (GEN technical; technician, assessor; expert), **técnico contable** (BSNSS expert accountant; chartered accountant, CA; S. *contador, perito mercantil*)].

tela de juicio, en *phr*: GEN dubious, questionable, that is or may be called into question, challengeable, challenged, disputed; S. *poner en tela de juicio*)].

telecontrol [de condenados o preventivos] *n*: GEN/CRIM tagging; S. *pulsera telemática*.

temer *v*: GEN fear, dread ◊ *Ayer cayó en manos de la policía uno de los terroristas más temidos y sanguinarios*. [Exp: **temerariamente** (GEN recklessly, rashly), **temerario** (GEN reckless, rash; ill-advised, heedless, foolish, foolhardy, hasty; S. *imprudente*), **temeridad** (GEN [criminal] recklessness/rashness/disregard, wilful disregard or indiference, wicked recklessness *Scots*; S. *osadía*), **temeridad y mala fe, con** (GEN recklessly and unscrupulously, without care or scruple, with reckless disregard for the rights of others), **temible** (GEN fearsome, fearful, terrifying, dreadful; S. *cruel, feroz*)].

temporero *a*: GEN seasonal; S. *eventual, interino, trabajador fijo discontinuo*.

temporal *a*: GEN temporary, makeshift; S. *provisional, eventual, interino*.

tendencia *n*: GEN trend, tendency; S. *moda; tender*. [Exp: **tendencia a la baja** (BSNSS downward trend, bearish tendency, downturn ◊ *La Bolsa tiene tendencia a la baja desde hace meses*; S. *bajista*), **tendencia alcista** (BSNSS upward trend, rising tendency, bullish trend ◊ *La tendencia alcista de la Bolsa se inició al final de la guerra*; S. *bajista*), **tendencioso** (GEN tendentious, biased; S. *parcial, arbitrario, sesgado*), **tender**[1] (GEN tend, have a tendency to ◊ *El paro tiende a subir en los últimos tiempos*), **tender**[2] (GEN lay, set ◊ *Ocurrió un accidente mientras tendían los cables de alta tensión*; S. *colocar*), **tender una emboscada/trampa** (GEN ambush, lay/set an ambush/trap ◊ *La policía le tendió una emboscada*; S. *atacar por sorpresa, acechar, caer en la trampra, atacar por sorpresa; emboscada*)].

tenedor *n*: GEN/BSNSS holder; beneficiary; S. *titular, poseedor, dueño, propietario*. [Exp: **tenedor de acciones** (BSNSS shareholder, stockholder, fund-holder; S. *rentista*), **tenedor de bienes** (CIVIL property holder), **tenedor de bonos** (BSNSS bondholder), **tenedor de gravámenes** (CIVIL encumbrancer; S. *acreedor hipotecario*), **tenedor de obligaciones** (BSNSS debenture holder; S. *acreedor, obligacionista*), **tenedor de una letra** (BSNSS payee of a bill; S. *beneficiario, tomador*), **tenedor de una prenda** (CIVIL pledgee; S. *depositario*), **tenedor legal** (CIVIL lawful beneficiary/owner), **tenedor legítimo o de buena fe** (CIVIL rightful owner; holder in due course), **teneduría de libros** (BSNSS book-keeping), **teneduría de libros por partida doble/simple** (BSNSS double-/single- entry book-keeping), **tenencia** (GEN possession, tenancy, occupancy, tenure, holding; S. *pertenencia, posesión, disfrute; terratenencia*), **tenencia conjunta o en común** (CIVIL tenancy in common; S. *condominio, copropiedad*), **tenencia ilegal** (CRIM unlawful possession), **tenencia ilícita de armas** (CRIM unlawful possession of weapons), **tenencia vitalicia** (GEN tenancy for life, life tenancy)].

tener *v*: GEN have, own, hold, possess; S. *poseer, gozar, disfrutar*. [Exp: **tener a bien** (GEN be pleased to, accept, accede to ◊ *Ruego al tribunal tenga a bien concederme un aplazamiento de la vista para preparar mejor mi defensa*; S. *acceder, consentir, aprobar, convenir, acordar*), **tener a raya** (GEN hold at bay, keep in check, keep off), **tener conocimiento de oficio** (PROC take judicial notice of), **tener**

competencia en (GEN be responsible for), **tener derecho** (GEN have a right, be entitled to, qualify for; S. *cumplir los requisitos*), **tener derecho a reclamar** (PROC have a right to claim, have a cause or right of action), **tener derecho de prioridad** (PROC have first refusal /right of preemption), **tener efecto** (PROC take effect; S. *producir/surtir efecto*), **tener el uso de la palabra** (GEN hold/have the floor, be given/have the right to speak, be [sb's] turn to speak/address the court/address the House, etc.; S. *medir las palabras, maltrato de palabra, libertad de palabra, faltar a su palabra, dar su palabra, [hacer] uso de la palabra, dar el uso de la palabra, conceder la palabra, pedir el uso de la palabra*), **tener en cuenta** (GEN make allowances for, take into account ◊ *En su sentencia, el juez ha tenido en cuenta muchas circunstancias atenuantes*), **tener en dominio pleno** (CIVIL hold a legal estate in full ownership in, have full ownership of), **tener en expectativa** (CIVIL hold in abeyance), **tener fuerza ejecutiva** (PROC be enforceable), **tener la sede en** (GEN be based in), **tener lugar** (GEN take place), **tener prioridad** (GEN have priority; S. *predominar*), **tener validez legal** (GEN be in force, be enforceable; S. *estar vigente, ser de aplicación*), **tener varios nombres supuestos** (CRIM go under several aliases), **tener vigencia** (GEN be in effect), **tener y poseer** (GEN have and hold), **teniendo en cuenta lo anterior** (GEN accordingly, bearing this in mind, on this basis; S. *y a ese respecto, consecuentemente*), **teniente** (GEN deputy, vice), **teniente de alcalde** (ADMIN deputy mayor, alderman; S. *edil*), **teniente fiscal** (CRIM deputy prosecutor/district attorney, assistant district attorney, advocate-depute *Scots*)].

tenor *n*: GEN sense, meaning, tenor, purport, import; S. *significado, sentido*. [Exp: **tenor de lo dispuesto, a** (GEN under, under the provisions of, pursuant to, in pursuance of; S. *en virtud de, de conformidad con, al amparo de, según, de acuerdo con, en aplicación de*)].

tentación *n*: GEN temptation, enticement; S. *incitación, inducción, excitación, provocación, instigación*. [Exp: **tentativa [de delito]** (CRIM attempt [to commit a crime], criminal attempt ◊ *Son punibles el delito consumado y la tentativa de delito*; S. *frustrar; atentado contra la vida*), **tentativa de asesinato** (CRIM attempted suicide; *asesinato en grado de tentativa*), **tentativa de corrupción** (CRIM solicitation, soliciting; S. *incitación*), **tentativa de fuga** (CRIM attempt to escape, attempted escape), **tentativa de homicidio** (CRIM homicide attempt, attempted homicide), **tentativa de robo** (CRIM attempted robbery)].

terapia ocupacional o de rehabilitación laboral *n*: EMPLOY occupational therapy.

tercero *a*: GEN third. [Exp: **tercer grado penitenciario** (CRIM prison rules that allow certain benefits, e.g. weekend release, to inmates of good conduct ◊ *Con buena conducta se puede alcanzar el tercer grado penitenciario*; S. *régimen carcelario/penitenciario*), **tercera persona** (GEN third party), **tercera instancia** (PROC third instance, final instance, court of last resort; further appeal, second-stage appeal), **tercería**[1] (CIVIL mediation, arbitration, umpirage; S. *árbitro, componedor, hombre bueno*), **tercería**[2] (CIVIL right of a third party; third-party proceedings), **tercería coadyuvante** (CIVIL proceedings in which a third party is joined to support one or other of the contending parties), **tercería de dominio** (CIVIL third-party claim to ownership), **tercería de mejor derecho** (CIVIL third-party intervention with a paramount right; S. *concurso de acreedores*), **tercero** (CIVIL third party;

mediator, umpire ◊ *En la mediación se pretende llegar a un acuerdo amistoso mediante la intervención de un tercero*; S. *avenidor, mediador*), **tercero demandado** (PROC third-party defendant), **tercero en discordia** (PROC umpire, mediator, referee, stakeholder)].

tercio *n*: GEN third; S. *medio, mitad*. [Exp: **tercio de libre disposición** (SUC third of the total value of an estate, distributed by the testator at will; unlike the other two thirds –the *legítima* and the *tercio para mejora*– this third may be left by the testator to anyone he chooses; S. *heredero forzoso, herencia, legítima, mejora*), **tercio de mejora** (SUC «third for betterment», apportionable at will to any or all of the lawful heirs; third distributed among heirs of the body as the testator chooses; S. *legítima estricta*)].

terco *a*: GEN stubborn, obstinate; defiant, contumacious; S. *discutidor, combativo*. [Exp: **terquedad** (GEN obstinacy, stubbornness; defiance, contumacy; S. *contumacia, desafío, terco*)].

tergiversación *n*: GEN distortion, twisting; misrepresentation. [Exp: **tergiversar** (GEN prevaricate, distort/twist the sense of words; misrepresent)].

terminación *n*: GEN termination, conclusion, expiry, expiration; S. *ejecución, realización*. [Exp: **terminante** (GEN conclusive, definitive; S. *irrebatible, irrefutable*), **terminar** (GEN end, finish, expire, conclude, terminate, cease; determine; S. *concluir, acabar, finalizar, poner fin/término, extinguir*), **término**[1] (GEN expiry, expiration; term; S. *plazo, vencimiento, expiración, caducidad*), **término**[2] (GEN clause, term, word, article; condition, provision; S. *terminología*), **término**[3] (GEN boundary, district boundary; limit of jurisdiction; S. *mojón; circunscripción*), **término improrrogable** (GEN final, deadline; S. *plazo prorrogable*), **término medio** (GEN average, middle way, golden mean; S. *promedio*), **término perentorio** (GEN deadline, time limit), **término probatorio** (PROC time allowed for producing evidence), **término resolutorio** (PROC time within which a condition must be satisfied, time the expiration of which discharges an obligation), **término supletorio de prueba** (PROC extension of time to introduce evidence), **término suspensivo** (PROC period/time during which enforcement or execution is suspended), **términos judiciales** (PROC time allowed by the court for the preparation of the various stages of proceedings or compliance with procedure; deadlines fixed by the court), **términos inequívocos, en** (GEN in express terms, roundly, in good set terms, in the plainest language, in unmistakable terms), **términos análogos** (GEN words to like effect), **términos generales** (GEN general terms), **términos o condiciones contractuales** (BSNSS terms and conditions of a contract, contractual provisions), **términos técnicos** (GEN technical terms, terms of art), **término municipal** (ADMIN municipality, municipal district), **terminología** (GEN terminology; S. *término*[2])].

terna *n*: GEN short-list of three candidates for a post.

terrateniente *n*: CIVIL landed proprietor, landowner.

terreno *n*: GEN ground, land, piece of land, lot *US*; S. *área, zona, solar, parcela*. [Exp: **terreno cerrado/cercado** (GEN enclosed land/space), **terreno edificado** (CIVIL/ADMIN developed land), **terreno lindante** (CIVIL abutting land)].

territorio *n*: GEN territory, zone, area, region; autonomous region, each of the self-governing regions under the control of one of Spain's local parliaments; S. *autonomía, consejero*; S. *departamento, reivindicaciones territoriales*. [Exp: **te-**

rritorio jurisdiccional** (PROC jurisdiction, venue, district over which a court has jursidiction)].

terror: GEN terror, dread, fright; S. *miedo, pánico*. [Exp: **terrorismo** (CRIM terrorism; S. *célula terrorista, apología del terrorismo*), **terrorista** (CRIM terrorist; S. *atentado terrorista, banda terrorista*), **terrorista suicida** (CRIM suicide bomber; S. *kamikaze, atentado suicida*)].

tesis *n*: GEN theory, thesis, version, account; case, [line of] argument, theory of the case, conclusion ◊ *Cada parte tiene que demostrar que sus tesis son las verdaderas*; S. *versión*. [Exp: **tesis de la defensa** (PENAL line of defence, defence case)].

tesorería *n*: BSNSS treasury; cash and bank; S. *disponible, activo disponible*. [Exp: **tesorero** (GEN treasurer), **tesorero público** (CONST public treasurer), **tesoro** (GEN treasure, treasury; S. *Departamento del Tesoro*)].

testaferro *n*: BSNSS man of straw, straw man, mere figurehead, front man; dummy; S. *persona interpuesta, tapadera*.

testar *v*: SUC make a will; S. *otorgar testamento, facultad de testar; herencia testada, abintestato, muerto sin testar*. [Exp: **testador** (SUC testator, testatrix, legator; S. *albacea; testar*), **testamentaría** (SUC execution of a will testamentary execution; probate proceedings; administration of an estate), **testamentario**[1] (SUC testamentary; S. *disposición testamentaria*), **testamentario**[2] (SUC executor; S. *albacea*), **testamentario público de una sucesión** (SUC public administrator/executor), **testamento** (SUC will, testament, last will and testament, testamentary instrument ◊ *El testamento se otorga ante un notario en presencia de testigos*; S. *dejar en testamento, legar; codicilo; poder para otorgar testamento; anular un testamento, revocar un testamento, impugnar un testamento, auntenticar un testamento, protocolizar un testamento*), **testamento abierto o nuncupativo** (SUC nuncupative will ◊ *El testamento abierto se protocoliza como escritura pública ante notario*), **testamento cerrado** (SUC sealed will, will under seal), **testamento hológrafo u ológrafo** (SUC holograph will ◊ *El testamento hológrafo está redacto por el testador de su puño y letra*), **testamento inoficioso** (SUC inoperative will depriving rightful heirs of their legal portions; S. *legítima*), **testamento mancomunado** (SUC joint will), **testamento mutuo** (SUC mutual or reciprocal will), **testamento ológrafo** (SUC holograph will), **testamento privilegiado** (SUC privileged will), **testamento vital** (SUC living will)].

testifical *a*: PROC of or pertaining to testimony, testifying or witnesses; S. *capacidad testifical*. [Exp: **testificar** (PROC state on oath, give evidence, testify *obs*, depose, declare, take the stand; attest, testify to; S. *atestiguar, testimoniar, atestar, declarer, deponer*), **testificativo** (GEN/CIVIL attesting)].

testigo *n*: PROC witness. [Exp: **testigo abonado** (PROC witness not physically present in the courtroom through absence or death but whose declaration or sworn statement is admitted as evidence as being made in good faith and/or in the course of duty; S. *abono de testigos*), **testigo adverso, desfavorable u hostil** (PROC hostile witness), **testigo auricular o de oídas** (PROC ear- witness), **testigo certificador** (PROC S. *testigo instrumental*), **testigo competente o capacitado** (PROC competent witness, compellable witness), **testigo de, ser** (PROC witness, be/act as witness, bear witness [to]; S. *testimoniar*), **testigo de cargo o de la acusación** (PROC witness for the prosecution; witness for the Crown), **testigo de conducta y carácter** (PROC character witness), **testigo de descargo o de la defensa** (PROC witness for the defence ◊ *El testigo de descargo se vino abajo al ser interrogado por el fiscal*; S. *hundirse, abatirse*), **testigo de referencia** (PROC hearsay witness), **testigo de la parte actora** (PROC witness for the plaintiff), **testigo de oídas** (PROC hearsay witness), **testigo desfavorable** (PROC hostile witness), **testigo digno de crédito** (PROC credible witness), **testigo exento o privilegiado** (PROC privileged witness), **testigo favorable** (PROC friendly witness), **testigo inhábil** (PROC person not competent to be a witness), **testigo instrumental o certificador** (PROC attesting witness), **testigo ocular o presencial** (PROC eyewitness), **testigo protegido** (PROC witness undec protection; vulnerable and/or intimidated witness), **testigo testamentario** (PROC witness to a will, attesting witness)].

testimonial *a/n*: PROC of the nature of testimony, serving as evidence, provided by the testimony of a witness; certificate, attestation; S. *certificado, carta de recomendación*. [Exp: **testimoniar** (PROC evidence, evince, attest, give evidence, state on oath, depose, depone; S. *ser testigo de, testificar, patentizar, legalizar, compulsar, dar fe, adverar, atestar, certificar*), **testimonio** (PROC testimony, evidence, deposition, attestation; attestation clause; affidavit; S. *fe, atestiguación, declaración, falso testimonio, juramento, deposición*), **testimonio contradictorio** (PROC conflicting evidence; S. *careo*), **testimonio de lo cual, en** (GEN/PROC/CIVIL in witness whereof), **testimonio fraudulento** (PROC false evidence, perjury; S. *falso testimonio*), **testimonio notarial** (CIVIL notarial certificate/recorde/instrument; S. *acta notarial*), **testimonio indirecto** (PROC hearsay evidence), **testimonio oral** (PROC oral/parol evidence), **testimonio pericial** (PROC expert testimony, eport of an expert witness), **testimonio pericial médico** (PROC medical evidence), **testimonio por referencias, por rumor o de oídas** (PROC hearsay evidence)].

texto *n*: GEN text. [Exp: **texto de un tratado** (CONST terms/text of a treaty), **texto íntegro** (GEN full/complete text, transcript), **texto refundido** (PROC consolidation, codifying legislation)].

tiempo *n*: GEN time, period, duration, lapse; S. *período, lapso, etapa*. [Exp: **tiempo completo, a** (GEN full-time), **tiempo de arrendamiento** (CIVIL duration of tenancy or lease), **tiempo de plancha** (BSNSS laytime; S. *sobreestadía*), **tiempo de posesión** (CIVIL tenancy), **tiempo hábil** (GEN the proper time, the time allowed, time limit, limitation period or time fixed by law for complying with some procedural or administrative requirement; period prior to a deadline; S. *día hábil, fecha límite, vencimiento, límite, cierre, plazo, preclusion, término, caducidad, prescripción*), **tiempo parcial, a** (GEN part-time), **tiempo hábil, en** (GEN at the proper time, duly, within the prescribed time limit) **tiempo y forma, en** (PROC duly, properly, strictly in accordance with procedural rules, as by law ordained, as in duty bound; by the book *col* ◊ *Cursaron la solicitud en tiempo y forma*; S. *debido, en buena y debida forma*)].

tierra *n*: GEN land, ground, soil; shore; S. *terreno, solar*. [Exp: **tierra solariega** (CIVIL manorial lands, domain, demesne, [country] seat, estate, ancestral estate), **tierras abandonadas** (CIVIL ownerless property, derelict lands), **tierras comunales** (CIVIL common land)].

timador *n*: CRIM swindler; S. *estafador*. [Exp: **timar** *col* (CRIM swindle, cheat, con *col*, fiddle *col*, diddle *col*; bilk *col*, rip off *col*; S. *engañar, embaucar, defraudar, estafar*), **timo** *col* (CRIM swindle, confidence trick, con *col*, con trick *col*; rip-off *col*; scam *col*; S. *estafa, fraude, robo, golpe*)].

timbrar *v*: GEN/ADMIN stamp, seal; S. *sellar*. [Exp: **timbre** (ADMIN/GEN stamp, stamp duty), **timbre fiscal o de impuesto** (ADMIN revenue stamp)].

tinglado *col n*: CRIM fiddle *col*, racket *col*, set-up *col*, fix, fast one *col*, fiddle, dodge *col*, neat trick; a way round a difficulty; S. *apaño, arreglo, enredo, embrollo, chanchullo, componenda.*

tipificación de un delito *n*: CRIM creation or definition of a crime, description of the elements or ingredients of a crime. [Exp: **tipificar** (GEN/CRIM class, classify, categorise, define; catch, bring under cover, typify, specify; create; adjust, match up; in criminal theory, this verb is used to refer to the intellectual process of matching up the specific elements required in law for the commission or identification of a particular offence; however, it has nothing to do with the facts alleged in a given case, i.e. it is not the Spanish equivalent of specifying the «particulars of [the] offence»; essentially, the process involved identifying some prohibited act *–hecho prohibido o punible–* called the *tipo*, or basic type of offence, e.g. fraud, dishonesty, assault, homicide, etc., to which other hypothetical elements may be added, e.g. recklessness, acting in concert, deliberate intention to deprive, etc.), **tipificar un delito** (CRIM create a crime/an offence, define a crime/offence; S. *delito tipificado*), **tipicidad** (CRIM/PROC element/ingredient rendering conduct criminal, circumstance bringing an act or conduct within the scope of the criminal law; [ingredient of an] act which by its nature constitutes an offence; in Spanish criminal theory, offences are defined in accordance with certain classes or categories *–tipos* or *figuras–* of unlawful acts *–actos antijurídicos, conducta punible–*, such as homicide, theft, fraud, etc, which are then further refined and broken down into the particular elements or ingredients required for that type of offence to be committed in the form alleged in the indictment framed against the accused; in English practice, the same effect is achieved in the statement of offence *–descripción del delito imputado–* when the accused is charged with having committed an offence, say, of «handling stolen goods contrary to section 22(1) of the Theft Act 1968»; however, *tipicidad* as a term of art has more to do with the technicalities of legislation than with the framing of indictments, and is far more likely to be canvassed by counsel in legal argument than to be invoked at the stage of charging; S. *tipificar, tipo penal*)].

tipo *n*: GEN type, rate, kind, class, category; pattern, standard; S. *clase, género, rango, nivel*. [Exp: **tipo bancario** (BSNSS bank rate), **tipo de cambio** (BSNSS exchange rate, rate of exchange; S. *índice de cotización*), **tipo de interés** (BSNSS interest rate, rate of interest; S. *rédito*), **tipo de interés legal** (BSNSS legal rate), **tipo impositivo** (TAX tax rate; S. *tarifa impositiva*), **tipo medio** (GEN average rate), **tipo penal** (CRIM/PROC [basic] categoy of offence, offence type, class of offence; the sense of the Spanish term is essentially abstract; it is not equivalent to *hecho punible* –actus reus– but rather to some specific act of criminal wrongdoing, such as theft or rape. combining a proscribed act *–hecho prohibido–* with one or more specific elements or ingredients by which the basic offence may be distinguished from related crimes)].

tiranía *n*: GEN tyranny. [Exp: **tiránico** (GEN tyrannical, despotic, domineering), **tirano** (GEN tyrant, despot)].

tirar *v*: GEN throw; shoot. [Exp: **tiro** (GEN shot, gunshot; gunfire; S. *emprenderla a* *tiros con alguien, disparo*), **tiro al aire** (GEN shot in the air), **tirón** (CRIM snatch, bag-snatch; S. *robar por el procedimiento del tirón*), **tironero** (CRIM bag-snatcher; S. *caco, carterista, descuidero, ratero, atracador*), **tirotear** (CRIM have a shoot-out, shoot at each other, exchange shots; fire at, shoot repeatedly; the Spanish verb necessarily implies an exchange of gun-shots and the discharging o several on either side; translators would therefore be well advised to ignore the recent example of Spanish-speaking journalists describing how the unarmed viction of a terrorist attack *fue tiroteada por la espalda*, possibly meaning that the person concerned was hit by a single shot from behind; Spanish does not have a convenient verb for passive use as in this sense; the simplest equivalent is probably something like *la víctima recibió un balazo/el impacto de una [sola] bala por la espalda*; S. *acribillar, matar a tiros*), **tiroteo** (CRIM gunfight, shoot-out, exchange of gunfire/shots; shootout ◊ *La policía pone cerco a dos huidos tras un intenso tiroteo*)].

titubeante *a*: GEN hesitant, faltering, staggering, halting; S. *vacilante*. [Exp: **titubear** (GEN hesitate, falter, vacillate; S. *vacilar*)].

titular *a/n*: GEN presiding, full-time, owner; holder, proprietor; S. *portador, tenedor, poseedor*. [Exp: **titular de buena fe** (CIVIL bona fide holder), **titular de un juzgado de instrucción** (PROC magistrate in charge of a district court, judge holding office in a court), **titular de un cargo** (CONST holder of an office), **titular de un permiso** (GEN permit-holder), **titular de una cuenta** (BSNSS account-holder, holder of an account), **titular de una marca** (GEN proprietor a trademark, registrant of a trademark *US*), **titular de una póliza de seguros** (INSUR policy-holder; S. *asegurado*), **titularidad** (GEN ownership; proprietorship ◊ *La prueba del testamento afianza la titularidad que la demandante tiene sobre el cuadro*; S. *propiedad*)].

título *n*: GEN title, entitlement, right; deed, certificate of title, licence; degree, diploma; heading, caption, rubric; bond, security; reason. [Exp: **título absoluto o de plena propiedad** (CIVIL full legal ownership), **título académico** (GEN academic degree), **título al portador** (BSNSS bearer certificate, bearer bond), **título consultivo, a** (GEN in an advisory capacity; S. *en calidad de asesor*), **título de, a** (GEN by way of, as being; on the basis of, acting as, in the capacity of; S. *en régimen de*), **título de acciones, obligaciones,** etc. (BSNSS stock/bond, etc., certificate), **título de cesión** (CIVIL release, licence, deed of surrender), **título de constitución de hipoteca** (CIVIL trust deed, mortgage deed), **título de crédito** (BSNSS credit instrument), **título de deuda** (CIVIL bond), **título de dominio** (CIVIL deed, title deed, title to property, certificate of registration of title to a property; S. *título de propiedad*), **título de donación, a** (CIVIL as a gift or donation), **título de propiedad** (CIVIL title, title-deed, ownership title, certificationof title, title papers; S. *título de dominio*), **título defectuoso, imperfecto, insuficiente o vicioso** (CIVIL bad/defective title, cloud on title; S. *título limpio*), **título ejecutivo** (CIVIL enforceable title or right; deed, bill or bond conveying an enforceable right), **título gratuito** (CIVIL lucrative title, title acquired gratuitously, gift), **título gratuito, a** (CIVIL as a gift, gratuitous ◊ *Para establecer la masa de la herencia los herederos forzosos tienen la obligación de colacionar los bienes que hubieran recibido a título lucrativo en vida del causante*), **título hipotecario** (CIVIL mortgage bond), **título legal** (CIVIL deed; S. *escritura*), **título**

legítimo (CIVIL lawful/valid title), **título limpio, válido, seguro, incontestable o inobjetable** (CIVIL clear/good title; S. *título defectuoso*), **título lucrativo, a** (CIVIL gratuitously, gratis, as a gift, in gift; as a bequest/legacy; without valuable consideration; somewhat confusingly, this term does not mean «for gain», as might be thought, but practically the opposite, viz. «as an act of generosity» or «out of the goodness of one's heart»; the explanation is that the transaction concerned is intended to benefit one of the parties only, e.g. the recipient or donee of a gift, the legatee, etc; the donee *–donatario, beneficiario–*, of course, gives nothing in exchange, so that the gift received is all "profit" *–lucro–*; the opposite type of transaction is that entered into *a título oneroso* –for valuable consideration–, as in an ordinary contract for goods or services *–contrato de compraventa* or *contrato de servicios–*; S. *contrato, legado, lucro, oneroso, adquirente a título lucrativo, transmisión a título lucrativo, contrato lucrativo*), **título nominativo** (CIVIL registered title), **título oneroso, a** (CIVIL for valuable consideration, involving or requiring consideration ◊ *Normalmente, los pactos contractuales son a título oneroso*; S. *a título lucrativo, causa contractual, contraprestación, prestación*), **título original** (CIVIL root of title; S. *escritura matriz*), **título perfecto** (CIVIL full legal ownership, personally, legal title, full legal ownership), **título personal, a** (GEN in a private capacity), **título por prescripción adquisitiva** (CIVIL title by prescription), **título presunto** (CIVIL presumptive title), **título provisional, a** (GEN on a provisional basis), **título traslaticio de dominio** (CIVIL deed of conveyance), **título valor** (BSNSS security, share [certificate], bond), **títulos admitidos a cotización en Bolsa** (listed securities; S. *valores cotizados*), **títulos bancarios** (BSNSS bank paper), **títulos con vencimiento a plazo fijo** (BSNSS dated securities), **títulos del Estado** (ADMIN/BSNSS government bonds/securities; S. *valores del Estado*), **títulos pertinentes, con los** (GEN duly qualified)].

todo *a*: GEN all, every. [Exp: **todo, en** (GEN in solidum; S. *solidariamente, in sólidum*), **todo riesgo, a** (INSUR fully comprehensive; all in *US col*), **todos y cada uno** (GEN each and every, all and sundry)].

toga *n*: GEN [judicial] robe, gown. [Exp: **togado** (PROC senior judge, chief justice; judge of military tribunal; S. *juez, magistrado, letrado*)].

tolerancia *n*: GEN tolerance; indulgence; permissiveness, sufferance; S. *consentimiento, conformidad; intolerancia, prejuicio, xenofobia*. [Exp: **tolerancia, por** (CIVIL on sufferance), **tolerante** (GEN tolerant, indulgent, permissive; S. *indulgente, permisivo; intolerante*), **tolerar** (GEN tolerate, allow; connive at; S. *consentir, autorizar, permitir*)].

tomador *n*: BSNSS drawee/payee of a bill, a cheque, etc., taker; S. *tenedor o portador de una letra, beneficiario de un cheque*. [Exp: **tomador de un seguro** (INSUR policy-holder, insured), **toma** (GEN take, taking, intake; draft, drafting), **toma de decisiones** (GEN decision-making), **toma de declaración** (PROC taking of statements evidence; S. *tomar declaraciones*), **toma de razón** (GEN notation, recording), **toma de posesión** (ADMIN/CIVIL entry upon office, swearing-in ceremony; entering in possession, assumption of office), **tomar** (GEN take, undertake, assume, take in/on), **tomar declaración a** (PROC take/hear evidence from, take statements from), **tomar en arrendamiento** (CIVIL [take on] lease, hire; S. *arrendar*), **tomar en depósito** (CIVIL take charge of; S. *encargarse de*), **tomar juramento** (CONST/PROC administer/take an oath, swear in), **tomar juramento a un testigo** (PROC swear a witness), **tomar la iniciativa** (GEN take the initiative), **tomar medidas** (GEN take steps/measures), **tomar partido por** (GEN side with, take sides with; S. *abrazar una causa*), **tomar posesión** (ADMIN take possession/delivery, enter into possession, take up; S. *entrar en funciones*), **tomar posesión de un cargo** (ADMIN take office), **tomar represalias** (GEN take reprisals, retaliate, riposte, counter-attack), **tomar una resolución** (GEN take a decision; S. *adoptar una resolución*), **tomarse la justicia por su cuenta** (CRIM take the law into one's own hand, lynch; S. *linchar*)].

toque de queda *n*: GEN curfew; S. *imponer/levantar el toque de queda.*

torticero *a*: CIVIL tortious, wrong, unlawful, illicit, twisted, improper, unfair; S. *dañino, culpable.*

tortura *n*: CRIM torture; S. *crueldad, ensañamiento*. [Exp: **torturar** (CRIM torture; S. *atormentar, acosar, hostigar*)].

topografía *n*: GEN/CIVIL topography, [land-] surveying; S. *parcelar, mojonar, deslindar, acotar*. [Exp: **topógrafo** (GEN/CIVIL topographer, surveyor; S. *agrimensor*)].

tortura *n*: CRIM torture, torment; S. *tormento, castigo*. [Exp: **torturado** (GEN torture victim), **torturar** (GEN torment; S. *infligir daño*)].

toxicidad *n*: GEN toxicity. [Exp: **tóxico** (GEN toxic; S. *nocivo, letal, sustancia tóxica, producto peligroso y tóxico*), **toxicología** (GEN/CRIM toxicology), **toxicólogo** (GEN/CRIM toxicologist), **toxicólogico** (GEN/CRIM toxicological), **toxicomanía** (CRIM drug abuse, drug-addiction; S. *drogodependencia, alcoholismo*), **toxicómano** (GEN drug addict), S. *drogadicto, heroinómano, adicto*)].

traba[1] *n*: GEN obstacle, obstruction; S. *pega; poner trabas*. [Exp: **traba**[2] **[de ejecución]** (PROC attachment, distraint, seizure), **trabar**[1] (GEN impede, hamper, fetter, shackle; unite, join; S. *begin, bloquear*), **trabar**[2] (PROC seize, sequester, attach [property in litigation]), **trabar ejecución** (PROC distrain)].

trabajador *n*: EMPLOY labourer, worker, workman; S. *obrero, empleado*. [Exp: **trabajador autónomo** (EMPLOY self-employed person), **trabajador fijo** (EMPLOY permanent member of staff, [worker] on a permanent contract), **trabajador fijo discontinuo** (EMPLOY worker employed on a permanent part-time basis; on/off or stop/go worker; such workers are permanently on the firm's books, but work only an agreed part of the year, e.g. at six-month or eight-month intervals; S. *eventual, temporero*), **trabajar** (GEN/EMPLOY work), **trabajar de pasante** (EMPLOY serve articles, work as a lawyer's clerk), **trabajo** (EMPLOY work, labour; job; S. *empleo, ofertas de trabajo*), **trabajo a destajo** (EMPLOY piecework, work paid by the piece), **trabajo a tiempo completo** (EMPLOY full-time employment/work), **trabajo a tiempo parcial** (EMPLOY part-time employment/work), **trabajo acumulado o atrasado** (GEN backlog of work/orders, etc.), **trabajo administrativo o de oficina** (EMPLOY clerical work, paper work; S. *burocracia, papeleo*), **trabajo peligroso** (EMPLOY dangerous work; S. *prima de peligrosidad*), **trabajos en beneficio de la comunidad** (CRIM/PROC community service order ◊ *Los trabajos en beneficio de la comunidad no atentarán nunca a la dignidad del penado*), **trabajos forzados** (CRIM forced/ hard labour, penal servitude, labour camp)].

tradición[1] *n*: GEN tradition; S. *raigambre, arraigo, rancia tradición*. [Exp: **tradición**[2] (CIVIL delivery, conveyance, transfer, livery of seisin ◊ *La tradición es la entrega efectiva de la posesión de la* *cosa*; S. *accesión, entrega, transferencia*)].

traer o llevar aparejado/consigo *v*: GEN carry with it; entail, involve; lead necessarily to ◊ *En los procesos que lleven aparejado el lanzamiento, no se admitirán al demandado los recursos de apelación*; S. *implicar, tener, entrañar.*

traficante *n*: CRIM trafficker, dealer, pusher; S. *contrabandista.* [Exp: **traficante de armas** (CRIM gun-runner, arms dealer), **traficante de drogas** (CRIM drug trafficker, drug dealer), **traficar** (BSNSS deal, trade; traffic S. *negociar, comerciar, tratar*), **tráfico**[1] (BSNSS trade, commerce, dealing; traffic, transit), **tráfico**[2] (GEN traffic; S. *accidente de carretera, tránsito/tráfico o circulación*), **tráfico de artículos robados** (CRIM handling stolen goods, reset *Scots*), **tráfico de drogas/estupefacientes** (CRIM drug trafficking, drug racket/traffic), **tráfico de influencias** (CRIM graft, exercise of undue influence, influence peddling, corruption in public office, spoils system *US*), **tráfico jurídico** (GEN/BSNSS negotiable instrument-s; valid documents or instruments recognised in law; the term is a very general one and covers any kind of document or instrument used in trade or to effect any lawful transaction, eg. cheques, bills, title deeds, money orders, contracts, licensing agreements, etc.; though the phrase literaly means «lawful traffic or trade«, it is more commonly applied ty synecdoche to the instrument by which trade is carried out or effect is given to the transaction ◊ *Los cheques, los efectos de comercio y los documentos acreditativos de la titularidad pertenecen al tráfico jurídico*; S. *negocio jurídico, documentos negociables*), **tráfico rodado** (ADMIN road traffic ◊ *Es una falta el incumplimiento de las normas reguladoras del tráfico rodado*; S. *incumplimiento de las normas municipales reguladoras del tráfico rodado, permiso de conducción*)].

traición *n*: GEN/CRIM treason, treachery, betrayal; double-cross; S. *engaño.* [Exp: **traicionar** (GEN/CRIM betray, sell out), **traidor** (GEN traitor; treasonable, disloyal, treacherous, traitorous, unfaithful; S. *desleal*)].

trama *n*: GEN/CRIM plot, conspiracy, scheme ◊ *Ha quedado demostrada la existencia de una trama para la comisión de delitos monetarios*; S. *conspiración, entramado; desenmarañar una trama negra/delictiva.* [Exp: **trama delictiva** (CRIM conspiracy, collusion; conspiracy to defraud; ramifications of a conspiracy; S. *pacto en daño/detrimento de terceros*), **tramar** (CRIM plot, devise, scheme, hatch ◊ *Fue acusado de una estafa internacional*; S. *urdir*)].

tramitación *n*: GEN handling, handling and presentation, procedure; transaction, step, measure; proceeding, processing, putting or seeing through a process; practice. [Exp: **tramitación/trámite, en** (GEN pending; S. *sin resolver, pendiente de, a la espera de, hasta que*), **tramitación legal** (GEN legal procedure), **tramitación parlamentaria** (CONST passing through the stages of parliamentary procedure), **tramitar** (GEN/PROC conduct, handle, deal with, see through, arrange, attend to, negotiate, process, proceed, carry out ◊ *El demandado dejó pasar el plazo de diez días sin tramitar el traslado del escrito de contestación*; S. *sustanciar, gestionar, despachar, formalizar, preparar, cursar, instruir, diligenciar*), **tramitar una causa, un expediente, un juicio,** etc. (PROC conduct a case, deal with an enquiry or with disciplinary proceedings, etc.), **trámite** (PROC step, procedure, negotiation, processing, foramlity, [procedural] stage; S. *gestión, diligencia, medida; admitir a trámite*), **trámites** (PROC procedure, proceedings, arrangement, formalities, legal measures; S. *tramitación*), **trámites burocráticos** (ADMIN paperwork, red tape), **trámites establecidos** (GEN the usual procedure, procedural steps; requirements of procedure; S. *requisitos habituales*), **trámites judiciales** (PROC court proceedings), **trámites legales** (GEN legal procedure or formalities, forms of law ◊ *Se han cumplido todos los trámites legales*)].

tramo *n*: TAX bracket; section, slice, tranche, stretch; S. *grupo, nivel, categoría*. [Exp: **tramo de renta** (TAX income bracket/class/group)].

trampa *n*: GEN trap, pitfall; trick, catch, wile, ruse; cheating, entrapment, fraud, frame-up ◊ *Ese negocio está lleno de trampas y engaños*; S. *tender una trampa, caer en la trampa; emboscada, engaño, ardid, estratagema, enjuague*), **trampear** (GEN/COM cheat, swindle, dream up schemes, find a way, muddle though somehow), **tramposo** (CRIM swindler, cheat, grafter; tricky, crooked, wily ◊ *No te fíes de ella porque es muy tramposa*; S. *embustero, embaucador, mal pagador*)].

transacción *n*: GEN/CIVIL transaction, settlement, arrangement, compromise, accord and satisfaction, adjustment, agreement, compromise, operation, dealing; S. *ajuste, arreglo, acuerdo transaccional*. [Exp: **transacción amigable** (CIVIL friendly settlement, amicable agreement; S. *acuerdo amistoso*), **transacción previa a la quiebra** (BSNSS scheme of composition; S. *acuerdo preventivo*), **transaccional** (GEN transactional; S. *acuerdo transaccional*), **transar** (GEN settle, come to an arrangmenet, reach an agreement; this back-formation from *transacción* is found only in some Latin American countries; in peninsular Spanish *transigir* is used in the same sense)].

transcribir *v*: GEN transcribe, copy; S. *copiar*. [Exp: **transcripción** (GEN transcription, transcript), **transcripción taquigráfica** (GEN stenographic record)].

transcurrido el plazo *phr*: GEN upon expiry of the time limit. [Exp: **transcurrir** (GEN elapse, go by/past, pass)].

transferencia *n*: GEN/CIVIL/BSNSS transfer, handover, handing over, conveyance, assignment ◊ *En el examen de las cuentas bancarias de la imputada ha quedado establecido que no se ha producido en ellas ninguna transferencia de tipo delictivo*; S. *remesa, traslado, tradición, traspaso*. [Exp: **transferible** (GEN transferable, assignable), **transferibilidad** (GEN assignability, transferability), **transferidor** (GEN transferor, assigner; S. *enajenante, cesionista*), **transferir** (GEN transfer, assign, make over, alienate, convey, vest; S. *traspasar, ceder, enajenar, consignar*)].

transgredir *v*: CIVIL/CRIM transgress, trespass, break the law; S. *infringir, violar, vulnerar*. [Exp: **transgredir la buena fe contractual** (GEN/CIVIL act in breach of contract, breach an implied term of a contract), **transgresión** (CIVIL transgression, breach, infringement, violation, trespass, breaking, misdeed; S. *violación, infracción*), **transgresor** (CRIM law-breaker, violator, transgressor, infringer, trespasser)].

transigencia *n*: GEN/CIVIL settlement, compromise, agreement, tolerance, cooperative or accommodating attitude. [Exp: **transigente** (GEN cooperative, considerate, tolerant, accommodating, disposed or inclined to settle), **transigir, transar** (GEN/CIVIL/BSNSS compromise, settle, compound, reach a settlement/compromise, make a composition, make mutual concessions ◊ *Tras celebrarse la audiencia previa, las dos partes se avinieron a transigir*; this kind of settlement of differences may be agreed in court or out of court; the form *transar* is found only in some Latin-American countries; S. *arreglo extrajudicial; allanarse*)].

tránsito *n*: GEN transit, traffic; S. *accidente de carretera, tránsito o circulación.*

translimitación *n*: GEN/CIVIL trespass, breach of close; encroachment, invasion, intrusion; S. *intromisión ilegítima, transgresión, violación de la intimidad.* [Exp: **translimitar** (GEN trespass; breach; encroach, invade, obtrude; S. *extralimitarse*)].

transmisibilidad *n*: CIVIL right of conveyance. [Exp: **transmisible** (GEN conveyable; transmissible, transferable ◊ *Los derechos reales son transmisibles*), **transmisión** (CIVIL transmission, transmittal; transfer; conveyance), **transmisión a título lucrativo** (CIVIL transfer of title without valuable consideration; S. *lucrativo*), **transmisión a título oneroso** (CIVIL transfer of title for valuable consideration; S. *oneroso*), **transmisión voluntaria [de propiedad]** (CIVIL transfer of ownership of title, alienation, disposal, conveyance of property to another, the act of transferring property or title to it to another; livery of seisin; S. *disposición, enajenación, traspaso, traslación de dominio*), **transmisión hereditaria** (SUC conveyance by will, descent, inheritance, probate; S. *sucesión, herencia, descendencia*), **transmitir** (GEN transmit, convey, transfer, devolve; S. *traspasar*), **transmitir en pleno dominio** (CIVIL grant/convey in fee simple, convey [an estate] in freehold)].

transparencia *n*: GEN accountability, transparency; S. *régimen de transparencia.*

transponer *v*: EURO implement, adopt, transpose ◊ *La Comisión Europea ha denunciado a Estados Miembros ante el Tribunal de Justicia por no transponer la directiva sobre el agua potable en su legislación ordinaria*; this is the term now officially adopted in Spanish versions of Community law texts and judgments where English has «implement» or «implementation»; though the Spanish Academy has now recognised *implementar* and *implemento* in its dictionary, the terms are widely disliked as needless anglicism by discerning and careful speakers and writers; Spanish has borrowed the words from French, and under the influence of the latter «transpose» and «transposition» are occasionally found in English texts instead of the more usual «implement» and «implementation». [Exp: **transposición** (EURO implementation, transposition, adoption)].

traslación *n*: CIVIL/BSNSS conveyance, assignment. [Exp: **traslación de dominio** (CIVIL assignment, conveyance, transfer of title, demise; S. *escritura de transmisión de propiedad o traspaso, cesión*), **traslación de una causa** (PROC removal of a case to another court), **trasladar** (GEN transfer, second, refer to, remove [employee, etc., to a new post] ◊ *Los jueces no pueden ser separados, suspendidos ni trasladados*; S. *suspender, separar; enviar en comisión de servicios; inamovible*), **traslado**[1] (GEN transfer, move, removal, relocation, resettlement, secondment; S. *transferencia*), **traslado**[2] (PROC notification, comunication; S. *dar traslado a, notificar, informar al interesado*), **traslado de jurisdicción o de competencia territorial** (PROC change of venue, transfer of jurisdiction), **traslado de una causa** (PROC transfer or removal of a case or matter to another court), **traslativo** (GEN conveying, transmitting ◊ *Firmó el título traslativo de dominio*)].

traspasar *v*: GEN transfer, convey; alienate, assign; deliver, devolve, dispone *Scots*; S. *transferir, ceder, consignar*. [Exp: **traspasar un negocio** (BSNSS transfer a business), **traspaso** (BSNSS conveyance; lease, leasing, transfer of lease, letting, reletting, transfer, assignment), **traspaso de dominio** (CIVIL conveyance, transfer of ownership; livery of seisin)].

trastorno *n*: GEN disturbance, disorder; upheaval, confusion; S. *confusión*. [Exp: **trastorno mental** (GEN mental disturbance/derangement ◊ *El médico no encontró muestras de trastornos mentales en el interno*; S. *alienación, demencia*), **trastornar** (GEN upset; disturb, overturn; derange, unhinge)].

trasunto *n*: GEN copy, transcript; copy of a record/deed/legal instrument; transumpt *Scots*.

trata *n*: GEN slave trade; S. *tráfico*. [Exp: **trata de blancas** (CRIM white slavery, white-slave trade), **tratable** (GEN friendly, sociable, amenable; S. *dúctil*), **tratándose de** (GEN in the case of; concerning, involving; where or so far as ... is concerned; S. *en el caso de*), **tratante** (BSNSS handler, trader; S. *comerciante*), **tratar** (GEN deal [with], treat, handle, manage; S. *negociar, comerciar, traficar*), **trato** (GEN/BSNSS deal; bargain, [piece of] business; treaty; treatment, dealing; S. *malos tratos, romper el trato, cerrar un trato*), **tratos con, estar/entrar en** (GEN have or enter into dealings/relations/ negotiations with), **trato hecho** (BSNSS it's a deal), **trato vejatorio** (CRIM abuse; S. *vejar*)].

tratado *n*: CONST/GEN treaty; treatise; S. *trato, pacto, convenio, texto de un tratado; ratificar un tratado, suscribir un tratado*. [Exp: **tratado comercial** (BSNSS trade agreement; S. *acuerdo de intercambio*), **tratado constitutivo de la Comunidad** (EURO treaty establishing the Community), **tratado de extradición** (INTNL extradition treaty), **tratado de reciprocidad** (INTNL reciprocal convention, treaty of reciprocity)].

tratamiento *n*: GEN title; treatment, style used in addressing somebody; S. *junta de tratamiento, trato*.

trauma *n*: GEN trauma; S. *lesión, secuela*. [Exp: **traumático** (GEN traumatic; S. *molesto, incómodo*)].

trena *col n*: CRIM clink *col*, nick, cooler *col*, slammer *col*, jug *col*, inside *col*; S. *cárcel, chirona* col, *sombra* col.

treta *n*: GEN trick, dodge *col*, scam *col* ◊ *El abogado tuvo que recurrir a todo tipo de tretas y engaños para librar a su cliente de la cárcel*; S. *ardid, engaño, estratagema, trampa*.

tribuna *n*: GEN platform, dais, rostrum, gallery; stand. [Exp: **tribuna de periodistas** (GEN press box/gallery), **tribuna del jurado** (PROC jury box)].

tribunal *n*: PROC court, court of justice; tribunal, bench [of judges]; panel, commission, board; S. *órgano jurisdiccional*. [Exp: **tribunal *a quo*** (PROC court from whose decision an appeal is taken, lower court, the court below), **tribunal *ad quem*** (PROC appellate court, court of appeal, court which hears an appeal, higher or superior court), **tribunal administrativo** (ADMIN administrative tribunal), **tribunal arbitral o de arbitraje** (PROC arbitration board/panel; S. *órgano/junta de arbitraje*), **tribunal colegiado** (PROC bench of judges, court in which more than one judge sits; S. *tribunal unipersonal, órgano jurisdiccional colegiado*), **Tribunal Constitucional** (CONST Constitutional Court), **tribunal de apelación** (PROC court of appeal, appellate court), **tribunal de casación** (PROC court of last resort, court of cassation; S. *recurso de casación*), **tribunal de crímenes de guerra** (CRIM war-crime tribunal), **Tribunal de Cuentas** (PROC Court of Auditors), **Tribunal de Defensa de la Competencia** (PROC Restrictive Practices Court),**Tribunal de Justicia de las Comunidades Europeas** (EURO Court of Justice of the European Communities, European Court of Justice), **tribunal de justicia** (PROC court of law, law court), **tribunal de lo penal** (CRIM criminal court, court of criminal jurisdiction; *approx* Crown Court;

Magistrates' courts), **Tribunal de Marcas** (PROC trademark, court which hears trademark cases), **Tribunal de Patentes** (PROC patents court, court which hears patent cases), **tribunal de primera instancia** (PROC court of first instance, trial court, Magistrates' Court), **tribunal de quiebras** (PROC bankruptcy court), **tribunal de última instancia** (PROC court of last resort), **tribunal en pleno** (PROC [sitting of a] full bench of judges; court sitting en/in banc *US*), **Tribunal Europeo de Derechos Humanos** (PROC/EURO European Court of Human Rights), **tribunal sentenciador** (PROC trial court; sentencing court, court which passed or passes sentence; court of original jurisdiction), **Tribunal Superior de Justicia de una Comunidad Autónoma** (CONST high court of one of Spain's autonomous regions; S. *Audiencia Territorial*), **Tribunal Supremo** (PROC Supreme Court), **Tribunal Tutelar de Menores** (FAM children's court; S. *tutela*), **tribunal unipersonal** (PROC court with a judge sitting alone; sole judge court; S. *órgano jurisdiccional unipersonal/colegiado*), **tribunales inferiores/superiores** (PROC lower/higher courts)].

tributable *a*: TAX taxable, subject to tax; S. *gravable, imponible*. [Exp: **tributación** (TAX taxation, system of taxation, paying of taxes; S. *tasación, fijación de impuestos*), **tributación de sociedades** (TAX company taxation; S. *impuesto*), **tributación directa** (TAX direct taxation), **tributar** (TAX pay taxes), **tributo** (TAX tax, levy; S. *impuesto, tasas*)].

trincar *col v*: nicj *col*, nab *col*, pick up *col*, hold, arrest; pinch *col*, swipe *col*, lift *col*, steal; in the sense of «steal» this word is more commonly found in the Spanish of Latin American; S. *robar, echar el guante* col.

triunfo *n*: GEN triumph, victory; S. *derrota*. [Exp: **triunfar** (GEN succeed ◊ *En la vista oral triunfó la tesis de la defensa*; S. *prosperar; vencer; fracasar, derrotar*)].

trocar *v*: GEN/BSNSS turn, changte, exchange, transfor; barrer, trade; S. *trueque*.

trono vacante *n*: CONST vacant throne.

trueque *n*: BSNSS exchange, swap, barter, trade, trading, permutation; S. *permuta, cambio, trocar*.

trullo *col n*: CRIM can *col*, clink *col*, nick *col*, cooler *col*, inside *col*, slammer *col*; S. *chirona, trena*.

tumulto *n*: GEN affray, riot, commotion, disturbance; disorderly crowd or mob; S. *alteración del orden público, pendencia, refriega, escándalo, riña, desorden, caos*. [Exp: **tumultuario, tumultuoso** (GEN rioting, riotous, tumultuous, disorderly, boisterous; S. *escandaloso*)].

turba *n*: GEN mob; S. *muchedumbre*. [Exp: **turbamulta** (GEN/CRIM disorderly crowd or mob; rioutous assembly), **turbulencia** (GEN disorderliness, disorderly conduct; breach of the peace; S. *alboroto, escándalo*)].

turno *n*: GEN duty, turn, spell of duty; shift; S. *guardia, servicio*. [Exp: **turno rotativo, en** (GEN on a rota system, on rotating turn), **turno de día/noche** (GEN day/night shift), **turno de oficio** (PROC spell or shift worked by each duty solicitor in the legal aid scheme; S. *oficio, de oficio*)].

tutela[1] *n*: GEN protection, defence, supervisory function, system of safeguards ◊*Al Tribunal Constitucional le corresponde la tutela de los derechos y libertades fundamentales*; S. *protección, defensa, indefensión, garantía; otorgar tutela*. [Exp: **tutela**[2] (CIVIL guardianship, wardship; protection; refers to any provisions and arrangements made by a court-appointed guardian for the protection and legal representation of minors or persons under a disability ◊ *Tras la muerte en accidente de sus padres, la niña quedó bajo la tutela de su abuelo materno*; S. *tutor;*

acogimiento, guarda, curatela, defensor judicial; amparo, protección, tribunal tutelar de menores; desamparo), **tutela dativa** (FAM guardianship decided by the court, court-appointed guardianship, appointment of a guardian over a ward of court), **tutela de los derechos** (PROC protection or safeguard of rights; S. *indefensión, garantías contitucionales*), **tutela judicial efectiva** (PROC effective protection of the court, due process, means of ensuring that proper effect is given to the supervisory powers of the courts ◊ *El derecho de todos a una tutela judicial efectiva está contenido en el apartado primero del artículo 24 de la Constitución*; S. *igualdad ante la ley*), **tutelar**[1] (GEN protect, safeguard, have charge of, watch over, supervise, monitor ◊ *Los poderes públicos tutelan los intereses generales*; S. *proteger, amparar, fiscalizar*), **tutelar**[2] (GEN tutelary, guardian, acting as guardian, proective, supervisory; S. *supervisor*), **tutor** (CIVIL guardian, custodian; the person legally responsible for a ward of court; S. *pupilaje, tutela*), **tutor dativo** (CIVIL guardian appointed by the court), **tutor natural** (FAM natural guardian), **tutor subrogado** (PROC deputy guardian), **tutor testamentario** (SUC testamentary guardian), **tutoría** (FAM tutorship, wardship, guardianship)].

U

ubicación *n*: GEN site, location, situation, position, placement, placing, positioning; in the latter sense the term is more common in the Spanish of Latin America; S. *emplazamiento*. [Exp: **ubicar** (GEN locate, place, site; S. *emplazar*)].

ujier *n*: PROC process-server; usher, attendant, sergeant-at-arms, bailiff; S. *agente judicial, notificador.*

último *a*: GEN last, final, ultimate. [Exp: **última instancia** (PROC last resort), **últimas voluntades** (SUC last will and testament; S. *acta de últimas voluntades, registro de actos de últimas voluntades*), **último día de plazo** (GEN closing date, deadline), **último domicilio conocido** (GEN last known address or domicile, last recorded address *US*)].

ultrajar *v*: GEN/CRIM outrage, insult, abuse, offend, affront, maltreat; S. *afrentar, atropellar, agraviar, ofender, vejar, atropellar*. [Exp: **ultrajante** (GEN/CRIM insulting, outrageous, offensive; S. *ofensivo, injurioso, vergonzoso, indignante, atroz*), **ultraje** (GEN/CRIM outrage, abuse, affront, insult, indignity, offence; S. *injuria, agravio, ofensa*)].

unánime *a*: GEN unanimous. [Exp: **unanimidad** (GEN unanimity), **unanimidad, por** (GEN unanimously)].

unidad[1] *n*: GEN unity, coherence, consistency ◊ *Podrán interponerse recurso en interés de la ley, para la unidad de la doctrina jurisprudencial*; S. *armonización*. [Exp: **unidad**[2] (GEN unit ◊ *Ha sido nombrado jefe de una unidad orgánica de la policía*), **unidad de acto** (PROC one undivided process, a single continuous proceeding ◊ *Todas las pruebas se practicarán en unidad de acto*; a formulaic phrase for the procedural norm, aimed at ensuring fairness and scrupulous adherence to the rules, whereby all proceedings in the trial of an action, and certain other proceedings involving the rights or interests of more than one party, must be conducted with all the parties continuously and simultaneously present or represented and be presided over physically by the judge or notary public; the rules are part of the tradition according to which justice must not only be done, but be seen to be done)].

unido *a*: GEN united, annexed, attached, tied together; S. *pegado, anexo*. [Exp: **unión** (GEN union, unity; combination, consolidation, merger; alliance, league; S. *liga, alianza, fusión*), **unión aduanera o arancelaria** (ADMIN customs union), **unión de las partes** (PROC joinder of parties), **unión de litigios** (PROC consolidation of actions, joinder of actions), **Unión**

Europea (EURO European Union; S. *Acta Única Europea, Comunidad Económica Europea*), **unir** (GEN merge, join, combine, unite; S. *fusionar, enlazar, combinar, reunir*), **unirse** (GEN join, adhere, integrate; S. *adherirse, incorporarse*), **unirse en matrimonio** (FAM marry, wed, be married, be united in marriage or matrimony)].

unipersonal *a*: GEN individual; for or involving a single person or individual; [court] presided over by a single judge; [case] heard by a judge sitting alone; S. *órgano jurisdiccional, colegiado*.

urbanismo *n*: ADMIN town planning; S. *oficina de planificación urbanística, gerencia de urbanismo*. [Exp: **urbanístico** (GEN/ADMIN clown, municipal; S. *municipio*), **urbanización** (ADMIN [real estate] development; urban development, city or town planning, residential area, suburb, estate), **urbanizar** (ADMIN develop)].

urdir *v*: CRIM plot, fabricate, scheme, plan, devise, hatch ◊ *Fue acusado de urdir la trama delictiva*; S. *delito; tramar, conspirar, intrigar*.

urgencia *n*: GEN emergency; urgency, pressure; S. *crisis, emergencia*. [Exp: **urgente** (GEN urgent), **urgir** (GEN urge; S. *instar*)].

urna [electoral] *n*: GEN/CONST ballot-box. [Exp: **urnas** (GEN/CONST polls; S. *acudir a las urnas, convocar al pueblo a las urnas, comicios, elección*)].

usar *v*: GEN use, employ; S. *emplear, utilizar, disponer*. [Exp: **uso**[1] (GEN use, usage, custom, practice; S. *tradición, práctica, costumbre, derecho de uso*), **uso**[2] (GEN waste, wear and tear; S. *desgaste, desperfecto*), **uso de la palabra** (GEN turn to speak, intervention; S. *hacer uso de la palabra, dar el uso de la palabra, conceder la palabra, pedir el uso de la palabra, tener el uso de la palabra*), **uso de nombre supuesto** (GEN impersonation, use of an alias or assumed name; S. *suplantación de la personalidad, usurpación de funciones*), **uso establecido** (GEN common practice, custom, established usage), **uso indebido** (GEN misuse, undue/improper use, infringement; S. *abuso*), **uso público, de** (GEN used by the general public, [inended] for public use, of public utility), **uso ventajista de información privilegiada** (CRIM insider trading; S. *delito del iniciado*), **uso y disfrute** (CIVIL quiet enjoyment), **uso y tenencia** (CIVIL use and occupancy; possession), **usos comerciales o de comercio** (BSNSS trading practices; S. *prácticas comerciales*), **usos convencionales** (BSNSS/CIVIL customary use, ordinary or common use), **usos forenses o de los tribunales** (PROC rules and practice of court; S. *normas procesales*), **usos locales** (GEN local customs/practices/usages), **usos y costumbres** (GEN custom and usage), **usual** (GEN usual, customary, common; S. *habitual*), **usuario** (GEN use, consumer; S. *consumidor*)].

usucapión *n*: CIVIL usucapion, acquisitive/positive prescription; defined by the *OED* as «the acquisition of ownership by long use or enjoyment; prescription in virtue of continuous undisturbed possession»; a Roman law term applied to the acquisition of a real right, e.g. over land, an easement *–servidumbre–*, a right of way *–servidumbre de paso–*, and so on, by mere lapse of time; S. *adquisición de la propiedad, caducidad, prescripción*.

usufructo *n*: CIVIL usufruct, enjoyment, use, right to use and enjoy, liferent *Scots*, beneficial ownership, life interest; S. *nuda propiedad* [Exp: **usufructo legal** (CIVIL statutory usufruct, i.e. user over a third of the estate of deceased spouse or of other automatic inheritance), **usufructo vidual** (CIVIL widow's life interest in husband's estate), **usufructo voluntario** (CIVIL voluntary usufruct, i.e. user over property as expressed in a will or contract or profit à prendre by express or tacit consent of owner), **usufructuar** (CIVIL have a life interest in, use, have the use or usufruct of), **usufructuario** (CIVIL usufructuary, cestui que use, tenant, beneficiary ◊ *El usufructuario deberá cuidar las cosas dadas en usufructo como un buen padre de familia*), **usufructuario vitalicio** (CIVIL beneficiary or holder of a life interest, life tenant)].

usurpación *n*: CRIM usurpation, encroachment, encroaching, deforcement, disseisin; impersonation; S. *engaño*. [Exp: **usurpación de autoridad** (ADMIN usurpation of authority; S. *abuso de autoridad, desvío de poder*), **usurpación de funciones** (CRIM misuse or undue assumption of public office, impersonation of a public officer ◊ *Fue acusado de usurpación de funciones al ejercer un cargo para el que no había sido nombrado*; S. *uso de nombre supuesto*), **usurpación de propiedad/título** (CRIM misappropriation), **usurpador** (CRIM usurper, encroacher), **usurpar** (CIVIL/CRIM usurp, encroach, defraud, squat; deforce, pass off; S. *estafar, defraudar, usurpar, detentar, hacerse pasar por*)].

útil *a*: GEN useful, beneficial, appropriate; S. *provechoso, adecuado*. [Exp: **utilidad** (GEN benefit), **utilidad pública** (GEN public benefit), **utilizar** (GEN use, employ, make use of; S. *usar, explotar*), **utilizar como prueba** (PROC give in evidence, use in evidence), **utilización de buena fe** (GEN proper or fair use, use made in all good faith, fair dealing)].

V

vacaciones *n*: GEN holiday. [Exp: **vacaciones judiciales** (PROC vacation of court, extended legal holidays; S. *sala de vacaciones*), **vacaciones pagadas/retribuidas** (EMPLOY paid holiday)].

vacante *a/n*: GEN vacant, unoccupied; unclaimed; in abeyance; vacancy; S. *cubrir/ocupar una vacante, trono vacante; en expectativa*)].

vacío *a/n*: GEN empty, void, gap, emptiness, vacuum; S. *laguna*. [Exp: **vacío, hacer el** (GEN ostracize, boycott, isolate; S. *aislar*), **vacío legal** (PROC legal loophole, gap in the law, lacuna, legal vacuum), **vacuo** (GEN vacant, vacuous; S. *vacío*)].

vagabundo *n*: GEN vagabond, tramp, vagrant. [Exp: **vagancia** (GEN vagrancy), **vago y maleante** (GEN person loitering with intent; rogue; like their English counterparts, these terms are now obsolete in law, though still in ordinary use)].

vale *n*: GEN voucher, receipt, promissory note, debenture; note, voucher, scrip; OK; S. *abonaré, pagaré,* S. *comprobante, justificante, resguardo*. [Exp: **valer** (GEN be valid, be worth something; be OK; S. *hacer valer*), **valedero** (GEN valid, binding, enforceable; S. *válido*)].

validación *n*: GEN validation, authorization, approval, endorsement; S. *autorización, autenticación, conformidad*. [Exp: **validación de un testamento** (SUC probate; S. *certificado de testamentaría*), **validar** (GEN validate, authenticate; S. *autenticar*), **validar un testamento** (SUC obtain probate of a will; S. *autenticar, revocar, anular, protocolizar*)].

validez *n*: GEN efficacy, validity, force; S. *eficacia, eficiencia*. [Exp: **validez de un título** (CIVIL validity of a deed or title to property), **validez legal** (CIVIL force or legal validity; S. *eficiencia, fuerza legal*), **válido** (GEN valid, operative, legal, binding ◊ *Para que un acto administrativo sea válido debe cumplir las formalidades previstas por la ley*; S. *operativo, nulo*), **válido hasta nueva orden** (GEN good until cancelled)].

valija diplomática *n*: INTNL diplomatic pouch/bag.

valor[1] *n*: GEN value, worth, price, amount; rate; S. *valores*. [Exp: **valor**[2] (GEN courage, heroism ◊ *El policía recibió la insignia de oro de la ciudad por el valor demostrado en el atraco de ayer*; S. *arrojo*), **valor a la par** (BSNSS par/face value; S. *sin prima ni descuento*), **valor actual** (GEN present value/worth), **valor al cambio** (BSNSS value in exchange), **valor al portador** (BSNSS bearer security), **valor al vencimiento** (BSNSS maturity value, value at maturity), **valor catastral** (CIVIL rateable value, assessed value/valuation; S. *valor fiscal*), **valor cierto** (BSNSS fixed value), **valor contable/en libros** (BSNSS book value, ledger value), **valor, de** (GEN effective; valuable), **valor de cesión** (CIVIL assignment value), **valor de cosa juzgada** (CONST/PROC [judgment] having the force of law or the authority of a final decision, res judicata ◊ *Las sentencias del Tribunal Constitucional tienen el valor de cosa juzgada*), **valor de reposición** (BSNSS replacement cost; S. *reemplazo o renovación*), **valor de rescate de una póliza de seguros** (INSUR surrender value of insurance policy), **valor de tasación** (BSNSS appraised value; S. *justo precio*), **valor declarado** (BSNSS entered value), **valor en cuenta** (BSNSS value in account), **valor en libros** (BSNSS boot/ledger value carrying value; S. *valor no recuperado*), **valor en liquidación** (BSNSS realization value), **valor en prenda o garantía** (CIVIL secured value), **valor entendido** (GEN value agreed upon), **valor fiscal** (TAX rateable value, assessed value; S. *valor catastral*), **valor liquidativo o en realización** (BSNSS liquidating value), **valor ni efecto alguno, sin** (GEN null and void, empty, dead, bad; S. *nulo, defectuoso, inválido*), **valor nominal** (BSNSS face value), **valor normal de mercado** (BSNSS fair market value), **valor, por su** (GEN at its value, quantum valebat), **valor probatorio** (PROC value as evidence, probative value), **valor real** (GEN actual value), **valor realizable** (BSNSS realizable value), **valor verdadero** (GEN true value)].

valoración *n*: GEN appraisement, assessment, valuation; S. *determinación, aprecio, estimación, tasación, ponderación, cálculo*. [Exp: **valoración de daños** (CIVIL/INSUR damage assessment, ascertainment of the damage; S. *determinación*), **valoración de la pruebas** (PROC weighinh up of evidence, assessment of evidence), **valoración fiscal** (TAX assessment of rateable value), **valorar** (GEN value, assess, appraise, fix, weigh; S. *calcular, tasar, determinar, evaluar, peritar*)].

valores *n*: BSNSS securities, stock, valuable securities, stocks and shares; S. *activos financieros, acciones, obligaciones, bono, inversión*. [Exp: **valores bursátiles** (BSNSS listed securities), **valores cotizables** (BSNSS quoted securities), **valores cotizados** (BSNSS listed securities; S. *títulos admitidos a cotización en Bolsa*), **valores de canto rodado o de toda confianza** (BSNSS gilt-edged securities; blue-chip stock; S. *valores de toda confianza*), **valores de renta fija** (BSNSS fixed interest securities), **valores del Tesoro** (BSNSS Treasury securities/stocks), **valores en cartera** (BSNSS holdings, portfolio, securities portfolio), **valores garantizados** (BSNSS guaranteed/secured stocks), **valores inscritos/no inscritos en Bolsa** (BSNSS listed/unlisted securities), **valores realizables** (BSNSS quick assets), **valores transmisibles** (BSNSS negotiable securities)].

valuable *a*: GEN appraisable; S. *evaluable, tasable*. [Exp: **valuación** (GEN assessment, valuation, evaluation, appraisal; S. *estimación, tasa*), **valuador** (GEN appraiser, assessor; S. *tasador, justipreciador, perito*) **valuar** (GEN appraise, estimate, evaluate; S. *aforar, tasar, justipreciar*)].

varada *n*: BSNSS stranding. [Exp: **varado** (BSNSS aground, stranded; S. *encallado, embarrancado*), **varar-se** (BSNSS run aground, be stranded)].

veda *n*: ADMIN prohibition, interdiction; close season; S. *período de veda*. [Exp: **vedado** (GEN banned, closed, off limits), **vedar** (ADMIN ban, close, forbid, prohibit, deem off limits, declare out of bounds ◊ *La caza está vedada en este paraje*)].

vejación *n*: GEN humiliation, indignity, molestation, nuisance; interfering; S. *maltrato, humillación; infligir vejaciones*. [Exp:

vejaciones corporales (CRIM abuse, physical or bodily ill- treatment; degrading treatment; interfering physically with somebody), **vejar** (GEN ill-treat; molest, insult; offend; harass; S. *maltratar, molestar, humillar, afligir, ultrajar, humillar*), **vejatorio** (GEN degrading, humiliating, offensive; S. *trato vejatorio*)].

velar *v*: GEN watch over, protect, safeguard, look after, take care of ◊ *Los padres tienen la obligación de velar por el bienestar de sus hijos*; S. *prestar apoyo, socorrer, coadyuvar, apoyar, sufragar, subvenir, ayudar, alimentar, colaborar.*

velo *n*: GEN veil; S. *levantamiento del velo [societario].*

velocidad *n*: GEN speed; S. *exceso de velocidad en carretera.*

venal[1] *a*: CRIM venal, mercenary; corrupt; S. *sobornable*. [Exp: **venal**[2] (BSNSS sellable, saleable; S. *vendible*), **venalidad** (CRIM venality, mercenary nature, readiness to prostitute one's talents)].

vencer[1] *v*: GEN beat, defeat, overcome; S. *derrotar, triunfar*. [Exp: **vencer**[2] (GEN/BSNSS expire, fall due; mature ◊ *Cuando venció el plazo de la letra no pudo hacer frente a ella*; S. *caducar, prescribir, extinguirse, expirar*), **vencido** (BSNSS mature, due, overdue; S. *en mora, deuda vencida*), **vencido y pagadero** (BSNSS due and payable), **vencimiento** (GEN/BSNSS maturity date, expiry, maturity date, deadline; S. *vigencia, valor al vencimiento, antes del vencimiento*), **vencimiento de un contrato** (CIVIL expiration/expiry/termination of a contract ◊ *Cesó al vencimiento del contrato*), **vencimiento de un efecto** (BSNSS maturity of a bill of exchange ◊ *Las letras deben hacerse efectivas a su vencimiento*)].

vendedor *n*: seller, vendor; S. *a riesgo del vendedor*. [Exp: **vender** (sell, market, retail; carry in stock; S. *venta*), **vender en remate** (CIVIL auction off)].

venganza *n*: GEN revenge, vengeance, retaliation; S. *represalia, desquite*. [Exp: **vengar** (GEN avenge), **vengarse** (GEN retaliate, take revenge, get one's own back; S. *desquitarse, tomar represalias*), **vengativo** (GEN vindictive, revengeful, resentful; S. *vindicativo*)].

venia *n*: GEN leave, permission, consent; S. *autorización, permiso, licencia*. [Exp: **venia de su señoría, con la** (PROC with your Lordship's permission/leave, with your Honour's permission/leave, may it please the court), **venia del Tribunal, con la** (PROC with the leave/permission of the court)].

venta *n*: BSNSS sale; S. *acción redhibitoria, cuaderno de venta; sacar a la venta; vender*. [Exp: **venta con pacto de recompra** (BSNSS sale with right of redemption), **venta condicional** (BSNSS conditional sale, sale subject to approval), **venta de niños** (CRIM child-selling; S. *sustracción de menores*), **venta en documento privado** (CIVIL private sale, sale by private contract; S. *documento público*), **venta en firme** (BSNSS effective sale, absolute sale, executed sale), **venta en pública subasta** (BSNSS sale by auction, auction; S. *remate*), **venta forzosa** (BSNSS enforced sale, sale under a compulsory purchase order), **venta incondicional** (BSNSS absolute sale), **venta judicial** (PROC sale by order of the court, sale in enforcement of judgment or in execution of debt, enforcement of a power of sale), **venta por liquidación** (BSNSS closing-down sale), **venta y arrendamiento de una propiedad** (CIVIL sale and lease-back)].

ventaja *n*: GEN advantage, benefit, profit; S. *provecho, beneficio*. [Exp: **ventajoso** (GEN advantageous, profitable; S. *rentable, fructífero, provechoso*)].

ventilar *v*: GEN ventilate, air; discuss, negotiate, iron out *col*; settle, resolve ◊ *Las partes ventilaron la disputa ante el tribunal*; S. *resolver, solucionar.*

véase al dorso *phr*: GEN please turn over, PTO, see, overleaf; S. *dorso*. [Exp: **ver** (GEN see, consider, hear in court; S. *vista*), **ver una causa** (PROC try a case, hear a case; S. *conocer de una causa*)].

veracidad *n*: GEN veracity, truth, truthfulness, reliability; S. *crédito, confianza, fiabilidad, formalidad, seriedad; declaración de veracidad.*

verbal *a*: GEN verbal, oral; parol; nuncupative; S. *oral.*

verdugo *n*: CRIM executioner, hangman; S. *ejecutor de la justicia.*

veredicto *n*: PROC [jury's] verdict; in technical usage, the word *veredicto* is almost exclusively confined to the verdict of a jury, the final decision or judgment of a judge or a bench of judges being referred to as *fallo, sentencia* or *resolución*; there is little justification for the popular tendency to call a judicial finding a *veredicto*; in jury trials the verdict is reached by the foreman *–portavoz–* polling each member of the jury first on each individual issue *–hecho–* on a list drawn up by the judge, and then on each of the counts or charges *–delitos imputados–*; each member of the jury votes simply yes *–a favor–* or no *–en contra–* on each issue, and they may not refrain from answering any point raised by the judge *–Magistrado Presidente–*, though, if they are in disagreement about the way in which any issue has been framed, they may propose a differently worded alternative of their own, which the presiding judge may accept provided it is supported by the evidence and does not involve any aggravation *–agravación–* of the issue or charge; where they jury are not unanimous, a majority verdict is acceptable, provided a majority of at least five is reached to decide an issue in favour of the accused, or to acquit him or her on a charge, or there is majority of at least seven against the accused or in favour of conviction; hence, a 6-3 or 5-4 majority in favour of convicting the accused means that the jury is hung, and if they cannot reach an acceptable majority at the third time of asking, the jury will be discharged *–se disuelve–* and, if necessary, a new trial ordered with a different jury; S. *objeto del veredicto, jurado, fallo del jurado; dar/dictar el veredicto.* [Exp: **veredicto absolutorio o de no culpabilidad** (PROC verdict of not guilty; S. *exculpación, exoneración*), **veredicto de culpabilidad** (PROC verdict/finding of guilty), **veredicto mayoritario** (PROC majority verdict)].

verificación *n*: GEN verification, checking; establishment, examination, inspection, review, revision; S. *comprobación*. [Exp: **verificar** (GEN verify, establish, check [up], confirm, substantiate, test, prove, audit; S. *comprobar, cerciorarse, averiguar, comprobar*)].

verosímil *a*: GEN likely, realistic, plausible, probable, credible; S. *probable, fiable*. [Exp: **verosimilitud** (GEN verisimilitude, credibility, plausibility, likelihood ◊ *Las pruebas en Derecho no tienen el grado de verosimilitud de las demostraciones científicas*; S. *probabilidad, fiabilidad*)].

versión *n*: GEN version, account, story, side [of a story], case ◊ *Varios testigos oculares respaldan la version de los hechos presentada por el fiscal*; S. *tesis*. [Exp: **versión falsa** (CRIM misrepresentation)].

verter[1] *v*: GEN pour, spill, dump; S. *derramar*. [Exp: **verter**[2] (GEN air, state, utter, voice, express ◊ *El jurado no creyó las acusaciones vertidas por los testigos de cargo*; S. *expresar*), **verter acusaciones** (GEN make/level accusations; S. *acusar, imputar, procesar*), **vertido** (GEN spilling, spillage, dumping; the term refers to both deliberate dumping and accidental spillage ◊ *El vertido de sustancias tóxicas* *o peligrosas puede constituir un delito ambiental*)].

vesania *n*: GEN madness, insanity, mental imbalance, dementia; S. *locura*. [Exp: **vesánico** (GEN insane, unhinged, lunatic; S. *demente, maníaco, loco*)].

vestigio *n*: GEN vestige, trace; S. *señal, huella, indicio, pista, rastro, señal*.

vetar *v*: GEN veto, prohibit, forbid, ban, rule out. [Exp: **veto** (GEN veto; S. *poner el veto*)].

vez *n*: GEN time, occasion; S. *hacer las veces de; suplente*.

vía *n*: GEN road, thoroughfare, highway, route, way; procedural means, proceedings; channel, process, means; term often used to refer to the type of proceedings or the procedural or jurisdictional route chosen for bringing a matter before the court, e.g. *acudir a la vía contencioso-administrativa* –appeal to the administrative courts–; S. *recurso*. [Exp: **vía de apremio** (PROC attachment proceedings; legal means of collection, notification of distraint; application for a writ of sequestration or fieri facias, charging or garnishee order, etc. ◊ *En caso de impago, se procederá a su exacción por la vía de apremio*; S. *apremio*), **vía administrativa** (ADMIN administrative/executive action, procedure/proceedings channelled through the administrative courts, actions framed under the rules of administrative law), **vía arbitral, por** (CIVIL by arbitration), **vía de, por** (GEN by way of; S. *en forma de*), **vía contenciosa** (PROC litigation, argument and counter-argument; civil law action as opposed to application of automatic administrative procedure; appeal against an administrative decision), **vía de agua** (GEN leak), **vía de desarrollo, en** (GEN developing)**, vía de hecho** (ADMIN *voie de fait*; principle of administrative law whereby a public body, government or local fovernment authority is empowered to embark on a course of action without legal warrant, and prior to the settlement of the issue subject to later judicial review and to the possibility of having to indemnify any person whose rights are infringed by the effects of the *fait accompli*), **vía ejecutiva** (PROC execution, enforcement procedure; diligence *Scots*), **vía gubernativa** (ADMIN administrative or non-judicial means of redress, aves of appeal against or review of decisions made by public bodies or authorities; objections to or appeals for review of such decisions are made in writing by the individual applicant to the person or department responsible, in the first instant, and thereafter to the section head or department director; it is only after exhausting these internal administrative channels that the applicant dissatisfied with the outcome is entitled to raise a full-blown action in the administrative courts *–tribunales de lo contencioso-administrativo–*); this step is a prerequisite in instituting proceedings under the *contencioso administrativo* procedure; administrative procedure), **vía judicial** (PROC by judicial means, by process of law), **vía oficial** (ADMIN official means, official channels), **vía ordinaria** (GEN ordinary proceedings, proceedings in the ordinar courts [as opposed to regulatory or disciplinary proceedings under the rules of a private body, professional association, sports federation, etc.), **vía penal** (CRIM criminal process), **vía pública** (GEN street, thoroughfare), **vía sumaria** (PROC summary proceedings), **viabilidad** (GEN viability, feasibility), **viable** (GEN viable, feasible; S. *hacedero, practicable*), **vías de, en** (GEN on the way to, in process of), **vías de solución, en** (GEN in process of being solved, close to a solution), **vías de satisfacción** (PROC remedies, means of redress/relief, agreed means of settlement), **vías pecuarias** (CIVIL cattle tracks; S. *cañada*)].

viaje *col n:* GEN/CRIM trip *col* ◊ *Lo noté muy raro: debía estar en pleno viaje por el ácido que se había tomado*; stab, jab, thrust; punch, whack *col* ◊ *Uno de los cacos agarró al viejo y le tiró un viaje con el cuchillo*; S. *caballo, caco, chocolate; chutarse, engancharse, fliparse, pinchazo.*

viático *n*: GEN travelling allowance, expenses; S. *compensación por gastos de viaje.*

vicepresidente *n*: CONST/GEN vice-president; deputy chairman/chairwoman/chairperson.

viciado *a*: GEN vitiated, null, void, invalid, defective; S. *defectuoso, sucio.* [Exp: **viciado de raíz** (CIVIL fundamentally flawed, radically defective, void, *ab initio*; S. *nulo de pleno derecho, insubsanable*), **viciar** (GEN vitiate, nullify, invalidate; pervert, corrupt), **vicio** (GEN vice, defect, fault, flaw; S. *lacra, indecencia, promiscuidad*), **vicio de forma** (GEN/PROC/ADMIN formal defect, infringement of an essential procedural requirement ◊ *La nulidad de un acto jurídico se produce por un vicio de forma o de fondo*), **vicio manifiesto o patente** (GEN patent defect), **vicio oculto, inherente o latente** (GEN latent/inherent/hidden defect), **vicio en el consentimiento** (BSNSS circumstance rendering a contract voidable or void, e.g. through misrepresentation, lack of capacity, illegality, undue influence, mistake, non-disclosure, etc.), **vicio redhibitorio** (CIVIL redhibitory defect; S. *acción redhibitoria*), **vicios sustanciales de forma** (GEN/PROC breach of essential procedural requirements), **vicioso** (GEN dissolute, licentious, loose, degenerate, depraved; S. *indecente, depravado, libertino*)].

víctima *n*: CRIM victim, the injured party ◊ *Esta acción se puede ejercitar a opción de las víctimas*; S. *delincuente, perjudicado.* [Exp: **víctima de engaño** (CRIM victim of fraud; dupe; S. *engañar, embaucar*), **víctima propiciatoria** (GEN scapegoat; S. *chivo expiatorio, cabeza de turco*)].

videovigilancia *n*: CRIM video-camera surveillance; S. *ley de videovigilancia.*

vigencia *n*: legal force, force of law, effect, validity, life, duration, term, effectiveness; S. *validez, fuerza legal, vencimiento.* [Exp: **vigencia de la garantía** (BSNSS/CIVIL life of a guarantee), **vigencia de la póliza** (INSUR life of a policy, period covered by an insurance policy), **vigente** (GEN in force, operative, ruling, going, applicable; S. *en vigor, en vigencia, actual, con efecto desde*), **vigente a partir de** (GEN in force from, running from, in place [as] from, with effect from; S. *con efectos desde*)].

vigilado *a*: GEN under surveillance; S. *controlado; mantener vigilado a alguien.* [Exp: **vigilancia** (GEN surveillance; S. *juez de vigilancia penitenciaria*), **vigilancia policial** (CRIM police surveillance), **vigilar** (GEN surveil, keep/place under surveillance, guard, control, watch over; supervise; S. *supervisar*)].

vigor *n*: GEN vigour; force, effect; S. *vigencia; entrar en vigor.* [Exp: **vigor, en** (GEN in force, in effect, operative, applicable, existing; S. *vigente, subsistente*)].

vil *a*: GEN vile, bse, despicable, corrupt, scurrilous, base; S. *infame, cruel, despreciable, corrupto, vicioso; calumnia; sobornar, corromper.* [Exp: **vilipendio** (GEN/CRIM vilification, abuse, scorn, insult; S. *insulto, ofensa, vituperación*), **vilipendiar** (GEN/CRIM vilify, despise, revile, insult, abuse, defame, treat scornfully, humiliate; S. *difamar, desacreditar, calumniar*), **vileza** (GEN vileness, baseness, corruption, despicable deed; S. *maldad*)].

vinculación *n*: GEN connection; bond, link; binding obligation; entail. [Exp: **vinculación de los actos propios** (CIVIL *approx* estoppel; S. *doctrina de los actos pro-*

pios), **vinculante** (GEN binding, obligatory; S. *obligatorio, imperativo*), **vincular** (GEN link, connect, bind; entail; S. *ligar*), **vínculo** (GEN link, bond, relationship; S. *nexo*), **vínculo directo de sangre** (FAM direct bonds of blood ◊ *Entre el adoptante y el adoptado no existe vínculo directo de sangre*; S. *doble vínculo, hermano de un solo vínculo*), **vínculo jurídico** (GEN legal relation ◊ *La filiación es el vínculo jurídico que une a los padres con sus hijos*)].

vindicación[1] *n*: PROC vindication, justification, exoneration, defence; S. *justificación*. [Exp: **vindicación**[2] (GEN vengeance, revenge; S. *venganza*), **vindicar**[1] (PROC claim, recover, reclaim; S. *justificar*), **vindicar**[2] (GEN avenge, revenge, vindicate; exonerate, defend, clear, absolve; S. *vengar*), **vindicativo** (GEN vindictive, vengeful; S. *vengativo*)].

violación[1] *n*: CRIM infringement, breach, violation; S. *infracción, transgresión, vulneración*. [Exp: **violación**[2] (CRIM rape; S. *abusos deshonestos, estupro*), **violación de contrato** (CIVIL breach of contract; S. *ruptura de contrato, incumplimiento de contrato*), **violación de domicilio** (CRIM breaking and entering, trespass to land; S. *allanamiento de morada*), **violación de garantía** (CIVIL breach of warranty), **violación de juramento** (CRIM oath-breaking, perjury; S. *perjurio*), **violación de la intimidad** (CIVIL trespass to the person), **violación de la libertad condicional** (CRIM breach of the terms of parole; S. *quebranto del arraigo*), **violación de los derechos de autor** (CIVIL plagiarism, breach of copyright; S. *piratería, plagio*), **violación de patente** (CRIM patent infringement), **violación de secretos** (CRIM breach of official secrets), **violación del ordenamiento** (GEN breach of rules or regulations), **violar**[1] (CIVIL/CRIM violate, breach, break, infringe; S. *infringir, incumplir, transgredir, vulnerar*), **violar**[2] (CRIM rape; S. *deshonrar, violar a una mujer; acoso sexual*)].

violencia *n*: CRIM violence, assault; force; S. *fuerza, saña, brutalidad*. [Exp: **violencia callejera** (GEN street violence, riot, disturbance, breach of the peace, brawl, disorderliness ◊ *El ministro declaró que se habían tomado todas las medidas necesarias para el cese de la violencia callejera*; S. *disturbio, alboroto*), **violencia de género** (GEN gender violence ◊ *Los grupos feministas alegan que se ha incrementado la violencia de género en los barrios más pobres de la ciudad*; a glaringly literal translation of the English term and an indisputable anglicism of sociological origin, constantly used in recent feminist discourse but much criticised on ideological, logical and semantic grounds, e.g. in the *Libro de estilo* supposed to govern articles published in *El País*; generally supposed to mean ill-treatment of women by their «menfolk», though there would seem to be no objective difficulty about taking the phrase in the contrary sense; moreover, there is grave doubt as to whether the use of the term *género* in Spanish to mean «gender», except in the strictly grammatical sense, may be regarded as other than an anglicism, since in ordinary speech it usually means «stuff», «products», «goods» or «produce», as well as «genre» or «type»; the phrase is therefore loose or potentially ambiguous; the *OED* aptly describes the contemporary feminist usage of «gender» in English as a euphemism; in Spanish, where there is no simple way of distinguishing between the senses of «gender» and «genre», it is very often simpler to use *sexo* where «gender» in the contemporary sense is meant, thus avoiding needless confusion; however, if this were done in the present case, it is not at all clear what the phrase *violencia de sexo* could mean, which suggests that all is not well with the construction as it stands; perhaps «male violence against women» –*violencia machista*– would be preferable in both languages ◊ *La violencia de género está castigada con penas inferiores a cinco años*; S. *violencia doméstica*), **violencia doméstica** (CRIM domestic violence ◊ *Los delitos de violencia doméstica podrán ser juzgados con juicios rápidos*; S. *violencia de género*), **violencia física** (CRIM common/simple assault, actual violence; S. *intimidación*), **violencia moral** (GEN coercion), **violentar** (GEN coerce, assault, use force on/against; force; force open, effect a forcible entry; violate; S. *forzar, obligar*), **violento**[1] (CRIM violent ◊ *A plena luz del día unos encapuchados han protagonizado tres ataques violentos*; S. *agresivo*), **violento**[2] (CRIM violent person ◊ *Un grupo de violentos incendiaron un autobús anoche*; S. *joven radical, encapuchado*)].

virtud de, en *prep*: GEN by virtue of, pursuant to, under; S. *en aplicación de, de conformidad con, a tenor de lo dispuesto en, de acuerdo con.*

visado *n*: INTNL visa. [Exp: **visar** (GEN/INTNL endorse, endorse with a visa, stamp, approve, rubber-stamp ◊ *El documento fue visado con el sello consular*)].

vista[1] *n*: GEN sight, vision, view. [Exp: **vista**[2] (GEN hearing, trial, trial proper ◊ *Se celebre la vista con participación de los testigos*; S. *juicio*), **vista, a la** (BSNSS at/on sight, at call, on demand, on/upon presentation, upon presentment), **vista completa** (full hearing), **vista de aduanas** (BSNSS customs inspector, collector of a port/the customs; S. *administrador de aduanas*), **vista de la causa** (PROC trial, public proceedings in a trial, public hearing), **vista del recurso** (PROC hearing of an appeal), **vista oral** (PROC public hearing, trial proper), **vista preliminar** (PROC pretrial/preliminary hearing/review), **vista pública** (PROC public hearing; S. *vista de la causa*), **vistilla** (PROC preliminary hearing; court appearance; *approx* plea and direction hearing; S. *vista oral*), **visto**[1] (GEN seen; S. *ver*), **visto**[2] (PROC having regard to, in view of ◊ *Visto el informe presentado, la comisión accedió a lo solicitado*; S. *considerando, resultando*), **visto bueno** (GEN approval, O.K., countersignature ◊ *Dio su visto bueno para que se practicara la prueba*; S. *aprobación, anuencia, aquiescencia, aceptación, conformidad, consentimiento, beneplácito*), **visto para sentencia** (PROC *approx* the matter is now ready for judgment, both parties have now rested their cases; judge's announcement that the trial is at an end and judgment will follow in due course), **visto que** (GEN seeing that, considering that; whereas: S. *visto*)].

vitalicio *a*: GEN life, for life, lifelong; S. *socio vitalicio, usufructuario vitalicio, vigencia, plazo, duración.*

vituperación/vituperio *n*: GEN vituperation, abuse, insult, immoderate censure/criticism, scurrilous abuse; S. *malos tratos, desmanes, vilipendio, insulto, ofensa.* [Exp: **vituperar** (GEN vituperate, inveigh against, revile, berate, abuse roundly; S. *censurar, insultar*)].

viuda *a*: FAM widow; S. *soltero, casado, célibe, divorciado.* [Exp: **viudo** (FAM widower; S. *soltero, casado, célibe, divorciado*)].

vivo *a*: GEN live, alive, living; S. *muerto.* [Exp: **viva voz, de** (GEN viva voce, aloud, oral, orally, nuncupative; S. *verbal, nuncupativo*)].

vivienda *n*: GEN house, housing; home, dwelling, tenement, block of apartments/flats; S. *casa de vecindad, heredad, finca.* [Exp: **viviendas de protección oficial** (ADMIN subsidised housing, private housing partly financed by government grants and subject to price control)].

vocal [de un consejo o junta] *n*: GEN member, board member, member of a board/committee, voting member. [Exp: **vocal suplente o sustituto** (GEN replacement/reserve/substitute member [of a board or committee]), **vocal titular** (GEN regular/full member)].

voladura *n*: GEN/CRIM blowing-up ◊ *Artificieros de la Guardia Civil supervisaron la voladura del vehículo sospechoso*; S. *experto en desactivación de explosivos.* [Exp: **volar**[1] (GEN fly), **volar**[1] (GEN blow up ◊ *Volaron el cuartel mediante la explosión de un coche bomba*)].

voluntad *n*: GEN will; wish; desire; intention; S. *firme voluntad; intención, acuerdo de voluntades, últimas voluntades.* [Exp: **voluntad de delinquir** (CRIM intention to commit a crime, *mens rea*), **voluntad presunta o tácita** (GEN implied/assumed/tacit intention), **voluntario** (GEN voluntary; volunteer; S. *espontáneo*)].

volver a *v*: GEN return; do again, re-. [Exp: **volver en sí** (GEN regain consciousness, come to/round ◊ *Tras la brutal paliza tardó varios minutos en volver en sí*; S. *recobrar el conocimiento*), **volverse atrás en un contrato** (BSNSS recede from a contract; S. *retractarse*)].

votación *n*: CONST voting, ballot, poll; S. *elección.* [Exp: **votación a mano alzada** (CONST/EMPLOY vote by show of hands), **votación a una sola vuelta** (CONST single ballot), **votación en segunda vuelta** (GEN second ballot), **votación nominal** (GEN vote by roll-call), **votación oral** (GEN oral vote), **votación secreta** (GEN secret vote/ballot), **votar** (CONST vote, cast a vote), **votar en blanco** (GEN return a blank voting paper), **votar o aprobar una ley** (CONST pass a law), **voto** (CONST vote; S. *sufragio, votación*), **voto a mano alzada** (GEN vote by show of hands), **voto de calidad** (CONST casting vote), **voto de censura** (CONST vote of censure/no confidence), **voto de confianza** (CONST vote of confidence), **voto de desempate** (GEN tie-breaking vote; S. *empate, desempate*), **voto de tanteo** (GEN straw vote), **voto dirimente de calidad** (GEN casting vote ◊ *El Presidente del Tribunal tiene voto dirimente de calidad en caso de empate*), **voto mayoritario** (GEN majority vote), **voto negativo** (GEN nay), **voto nominal** (GEN vote by roll call), **voto particular** (PROC dissenting judgment/opinion/vote; vote running counter to the majority opinion by an individual judge who sets out his/her reasons for withholding assent; S. *presentar un voto particular*), **voto por aclamación** (CONST vote by acclamation), **voto por poder** (GEN vote by proxy), **voto secreto** (GEN secret ballot), **votos a favor y votos en contra** (GEN votes for and against, those in favour and those not in favour, the ayes and nays)].

vuelta *n*: GEN turn, return; reversal. [Exp: **vuelta de correo, a** (GEN by return of post), **vuelto** (GEN overleaf)].

vulgar *a*: GEN vulgar, coarse, obscene, indecent, rude, crude; S. *soez, grosero, indecente, procaz, ordinario.*

vulneración *n*: CRIM/CIVIL/ADMIN breach, violation, infringement. [Exp: **vulneración de derechos** (ADMIN/CIVIL infringement of rights), **vulnerar** (CIVIL/CRIM/ADMIN breach, break, violate; trespass; infringe; damage, injure; S. *conculcar, infringir, transgredir, contravenir, violar*), **vulnerar la ley** (CRIM/CIVIL break the law)].

xenofobia *n*: GEN xenophobia; S. *racismo, intolerancia*. [Exp: **xenófobo** (GEN xenophobic; xenophobe; S. *intolerante, racista*)].

Xunta *n*: CONST Assembly, Parliament or government of the Autonomous Region of Galicia; the official language, like the name itself, is Galician *–gallego–*; S. *autonomía, consejero, Generalitat, Xunta*.

Y

yerro *n*: GEN error, mistake; S. *equivocación, falta, culpa, error.*

Z

zanjar *v*: GEN settle, resolve ◊ *La justicia intenta zanjar las disputas entre los ciudadanos*; S. *resolver, dirimir*.

zona *n*: GEN zone, area, district, region, centre; S. *barrio, región, terreno*. [Exp: **zona de libre cambio** (BSNSS/INTNL free-trade area), **zona franca** (BSNSS bonded area, duty-free zone)].

zozobra[1] *n*: affliction, anxiety, overwrought condition, jumpiness, nervousness; S. *angustia, aflicción, inquietud*. [Exp: **zozobra**[2] (GEN sinking, capsizing, foundering; S. *hundimiento*), **zozobrar** (GEN capsize, founder; collapse; S. *naufragar*)].

Impreso en el mes de septiembre de 2003
en A&M GRÀFIC, S. L.
Polígono Industrial «La Florida»
08130 Santa Perpètua de Mogoda
(Barcelona)